东吴证券
SCS
SOOCHOW SECURITIES

U0922180

◉ 成功挂牌47家

◉ 定向发行11家

◉ 做市报价7家

全国委托及咨询热线:

4008-601555

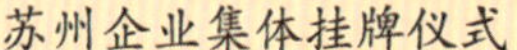

苏州企业集体挂牌仪式

投融资对接会

投融资对接会

东吴证券股份有限公司

新三板业务

东吴证券于2009年3月取得主办券商业务资格，是业内最早取得该项资格的券商之一。公司于2011年3月设立一级业务部门--场外市场总部，专门从事新三板业务。目前部门业务主要为挂牌业务、融资业务和做市业务三大模块，各项业务的行业排名均位居全国前列。

截至2014年12月，公司已在全国中小企业股份转让系统成功挂牌47家企业，为其中11家企业完成定向发行。累计挂牌数量居江苏省券商首位，全国券商第8位。2014年8月做市系统上线以来，东吴证券为7家挂牌公司提供做市报价服务，按做市股票数量位列行业第7名。

东吴证券立志为企业发展提供“一站式”全方位的资本市场金融服务，帮助挂牌企业通过全国股转系统实现股份发行、债务融资、做市交易、并购重组及信用增进等，全面提升企业获取金融服务的能力，为中小企业在资本市场的发展赢得先机！

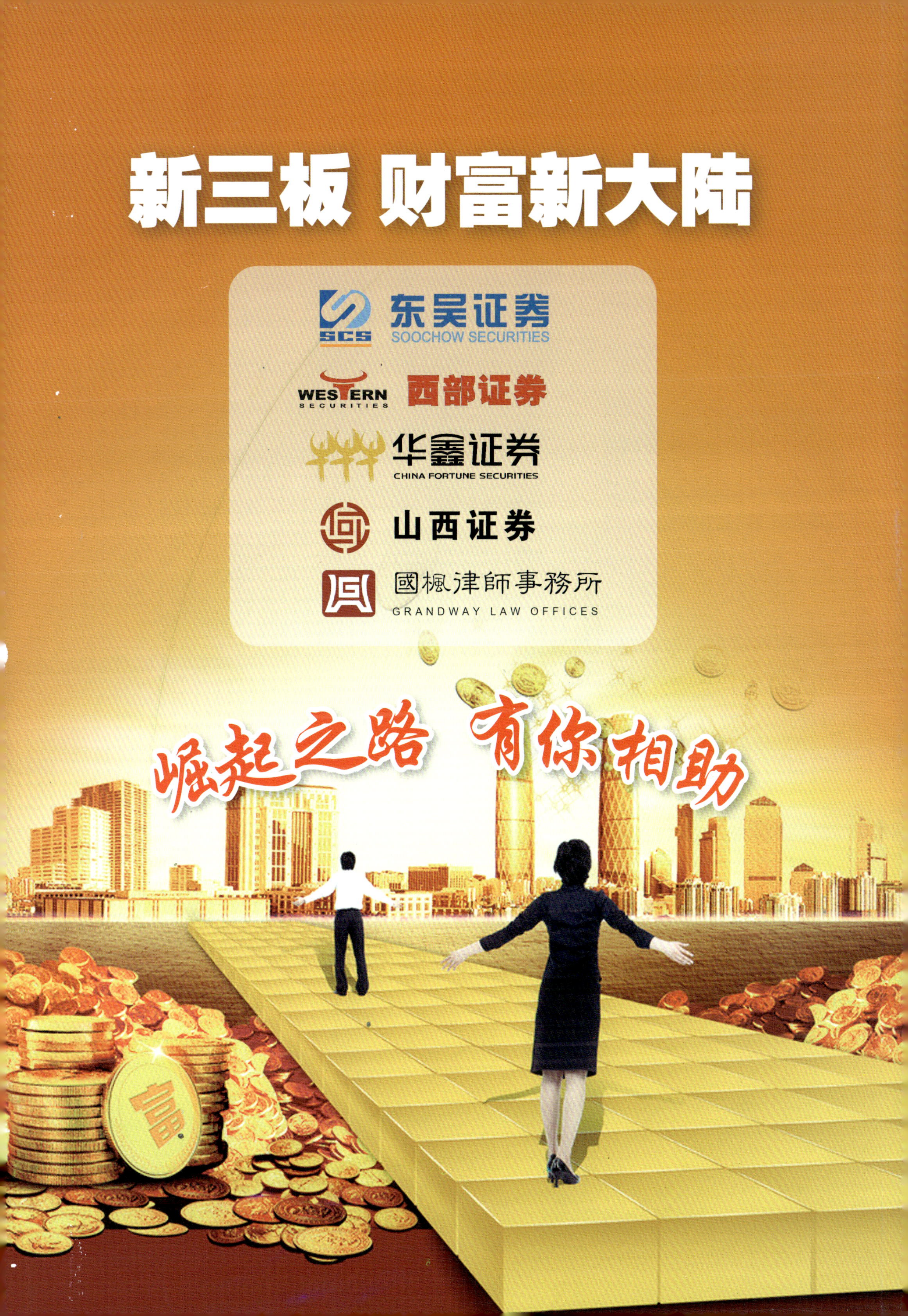

新三板 财富新大陆
东吴证券
SCS
SOOCHOW SECURITIES
WESTERN SECURITIES
西部证券
华鑫证券
CHINA FORTUNE SECURITIES
山西证券
國楓律師事務所
GRANDWAY LAW OFFICES
崛起之路 有你相助
富

全国中小企業股份转让系统

地址：北京市西城区金融大街丁26号
金阳大厦全国股份转让系统
邮编：100033

业务咨询电话：
接收服务窗口：010-63889512
市 场 发 展 部：010-63889551
挂 牌 业 务 部：010-63889583

公司业务部：010-63889549
机构业务部：010-63889557
交易监察部：010-63889700
信息研究部：010-63889548

监督服务电话：010-63889775
信访服务电话：010-63889513
业务咨询邮箱：info@neeq.org.cn

董事长杨晓嘉女士

全国中小企业股份转让系统领导合影

2013年5月14日，郭金龙在证监会主席肖钢的陪同下视察全国股转系统

2013年12月20日，股转系统与七大商业银行签署战略合作协议

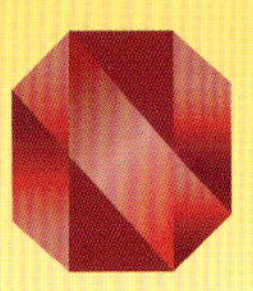

2013年12月30日，扩大试点后股转系统集中接受企业挂牌申报

2014年1月24日全国中小企业股份转让系统集体挂牌仪式

2014年1月24日股转系统首批全国企业集体挂牌仪式上杨晓嘉董事长致辞

2014年2月27日，股转系统与科技部火炬中心签署战略合作协议

公司简介

西部证券股份有限公司成立于2001年元月，公司注册资本金12亿元人民币，注册地陕西省西安市，是全国首批规范类证券公司、第19家创新类证券公司。2012年5月3日，公司在深圳证券交易所正式挂牌上市（股票代码：002673），成为我国第19家上市证券公司，是陕西省唯一一家全牌照的上市证券公司。目前，公司在陕西、北京、上海、山东、深圳等地区共设有72家证券营业部及6家经纪业务分公司，在上海设有从事自营业务、客户资产管理业务的第一、二分公司及研究发展中心，在北京设有从事场外市场业务、固定收益业务的北京第一分公司及固定收益部。西部期货有限公司和西部优势资本投资有限公司作为公司全资子公司与公司主营业务协同运作，独立经营。公司与上海利得财富资产管理有限公司合资设立的西部利得基金管理有限公司在公募和私募基金管理业务领域为客户提供服务。

公司成立以来，建立了完善的法人治理结构和严密科学的内部控制体系，合规守法经营，造就了一支具有共同使命感和价值观的员工队伍，形成了“和衷共济、共谋发展、风控至上、稳中求先”的企业文化，走出了一条规范管理、稳中求先、注重效益的渐进式发展之路。在2001至2005年市场持续低迷的环境中，取得了连续5年盈利的经营业绩。在此期间，公司的投资业务在为股东和客户创造超越市场基准价值的过程中奠定了其应有的市场地位，并形成了与价值投资、长线投资理念相匹配的管理体制、运营模式和操作手法。公司曾作为全国第一批规范类证券公司和第二批创新类证券公司在市场中留下了成长过程中的发展轨迹。

2007年公司全面导入ISO9000质量管理体系，使用国际化标准全面规范公司的运营体制、管理模式和操作流程，在实现由业务为中心向以客户为中心转变的过程中迈出了坚实的一步。公司将在此基础上，致力于持续有效提升治理能力、管理水平和员工素质，不断为现有客户和潜在客户提供我们力所能及的服务。在此过程中，实现我们忠实于客户，效力于客户，与客户共成长的目标。

北京第一分公司是在公司授权范围内专门从事场外市场业务的分公司，成立于2013年11月，2014年6月24日取得全国股转系统做市商从事做市业务备案函。北京第一分公司业务以推荐挂牌业务及挂牌项目信息督导、定向增资业务为基础，以做市商业务为核心，以其他场外市场业务作为增值点。在业务发展过程中坚持理论研究和业务实践相结合的发展思路，同时针对推荐挂牌业务建立了系统、完善的项目管理制度和质量控制体系，确保推荐挂牌业务高质量、高效率运行。截至2014年12月31日，北一分成功挂牌企业37家，行业排名第十三位，为五家挂牌企业提供做市服务，在再融资业务方面，全年为企业募集资金58.13亿，居行业之首。在推荐挂牌企业中，国学时代(430053)是第一家登录新三板的文化创意类企业，武大科技(430143)是首次园区扩容首批挂牌的8家企业之一，拓川股份（430219）是全国中小企业股份转让系统业务规则核准公开转让的首批7家企业之一，国内PE巨头九鼎投资（430719）是国内私募中第一家股转系统挂牌的公众公司。

2012年5月3日西部证券上市

获评全国首批规范类券商酒会公司董事长刘建武先生讲话

公司十周年

证券简称：西部证券
证券代码：002673

地址：陕西省西安市东新街232号
信托大厦16-17楼
邮编：710004
客服电话：95582
邮箱：95582@xbmail.com.cn
网址：www.west95582.com

和衷共济、共谋发展、风控至上、稳中求先

{西部证券2014年新三板挂牌企业}

优博创 (831400)

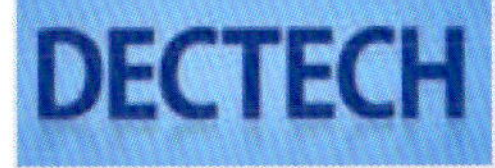
锐源仪器（430543）

爱科迪（430763）

汇通华城 (831483)

大方软件（430548）

深拓智能（830889）

天弘激光（430549）

景尚旅业 (830944)

数字股份 (831297)

蓝星科技（430570）

星城石墨 (831086)

欧丽信大（430528）

鸿盛数码（430616）

恒成工具（430529）

茶乾坤 (831108)

格纳斯 (430619)

科润智能(831133)

云铜科技（430530）

江苏中旗 (831223)

绿伞化学 (430666)

瑞翼信息（430531）

九鼎投资 (430719)

利雅得（430542）

九五智驾 (430725)

公司与中国太平洋人寿保险股份有限公司签订业务合作框架协议

2010年华山论剑主题论坛，全国人大常委会副委员长成思危及“欧元之父”诺贝尔经济学奖获得者蒙代尔与公司领导亲切会见

基金公司开业典礼

一个世纪前，晋商改变了山西人的命运，也影响了中国近代史。

1988年，在浸润着晋商血脉和晋商文化的黄土地上，山西证券应运而生，并以新晋商的姿态开始了对晋商文明的历史性传承。

二十六载风雨征程

二十六年不懈努力

一路走来，山西证券秉承晋商精神，恪守“诚信、稳健、规范、创新、高效”的经营宗旨，奉行“诚信为本、专业服务、以义制利”的经营理念，以晋商精神塑造企业性格，以国际化视野和全方位服务能力全力打造综合金融服务平台。

公司控股子公司中德证券作为一家合资券商，由山西证券优秀的投行团队、德意志银行具有丰富中国和国际资本市场经验的投行团队、以及国内证券市场的投行精英共同组成，为企业提供专业的全投行产业链产品及优质的金融服务。

全资子公司龙华启富投资有限责任公司经证监会审批，获准设立首只直投基金，成为行业内第五家开展直投基金业务的券商直投公司。目前已设立山证基金管理有限公司，管理山西中小企业创业投资基金。价值投资，与被投资企业共同发展。

资产管理 / 零售业务
融资融券 / 机构业务
场外市场 / 柜台市场
自营业务

博林特上市照片–深交所

诚信为本·专业服务·以义制利

中信重工上市照片–深交所

企业文化：**规范、专业、创新**

企业价值观：**对客户负责，满足客户需求，不断提升客户价值**

企业愿景：**抓住发展机遇，不断完善现代金融企业管理机制，塑造优秀的公司品牌，成为规范经营、特色鲜明、竞争力强的国内一流证券公司。**

推荐挂牌业务 | 漆敏：186-1662-3062　陈博：139-1816-0355

做市交易业务 | 郎琦：137-6421-6950　杜沐：130-5772-2350

总裁俞洋先生

华鑫证券有限责任公司是经中国证券监督管理委员会批准，于2001年3月在深圳市注册成立的全国性综合类证券经营机构。公司前身是原西安证券有限责任公司和中国农业银行上海市信托投资公司。西安证券是中国西北地区第一家证券公司，中国农业银行上海信托公司是中国第一批证券公司。公司于2001年3月在深圳经济特区注册成立，注册资本金人民币十六亿元。在中国证监会2013年证券公司分类评价中荣获A级。

公司为国有国控金融机构，公司实际控制人为上海市国资委。截至2014年3月31日，公司共有四名股东，四名股东均为国有企业。

公司自成立以来，通过合资合作、搭建平台、特色突破等战略措施，已发展成为中国资本市场的后起之秀。

华鑫证券在全国各地设有50多家分支机构，其中公司下设3家分公司：上海分公司、自营分公司、西安分公司，并在全国20个省、自治区及直辖市有50家证券营业部。除有形网点之外，公司搭建了“华鑫商城”，帮助广大投资者在线选择公司精心筛选的各类优质金融产品。

常怀感恩之心、常思回报之责。近年来，公司及员工积极履行社会责任，在汶川地震、玉树地震、雅安地震等等重大自然灾害中，积极为灾区捐款，总计募捐人民币340万元，并为困难学生累计捐助超过100万元。

华鑫证券将偕同摩根士丹利华鑫证券、摩根士丹利华鑫基金、华鑫期货等子公司，为广大企业及投资者提供优质、高效、综合化的金融服务！

总部
地址：深圳市福田区金田路4018号安联大厦28层A01、B01(b)单元
邮编：518026　电话：0755–82083788　传真：0755–82083408
客服电话：4001099918（全国）021–32109999；029–68918888
邮箱：services@cfsc.com.cn

上海分公司
地址：上海市肇嘉浜路750号
邮编：200030
电话：021–64339000
传真：021–64376097

■ 场外业务管理总部简介

华鑫证券场外业务管理总部成立于2013年初，并在当年获得全国中小企业股份转让系统主办券商业务资格。伴随着近几年我国场外业务尤其是新三板业务的不断深化，目前，整个部门逐渐发展成为拥有20多人的专业化团队，并形成了以推荐挂牌和做市交易为两大核心业务。华鑫证券场外业务管理总部始终以打造新三板全产业链（推荐--融资--并购--做市--转板）为核心目的，充分利用华鑫证券国内和国际两个市场的业务优势，促进中小企业实现产业与资本市场的有效对接，从而推动中小企业早日做大做强。

■ 核心理念

专业高效的挂牌团队　投资导向的做市交易　雄厚多元的融资渠道　精准的财务顾问方案

■ 推荐挂牌业务

华鑫证券向全国中小企业股份转让系统推荐挂牌及处于推介过程中20余家企业，并现有多家中小企业正在处于股转审核、推荐挂牌材料制作、股份改制以及尽职调查的各个阶段中。在融资方面，2014年以来，场外业务管理总部已经为多家中小企业进行定向发行融资，共募集资金超过1亿元。

■ 做市交易业务

2014年7月，华鑫证券获准开展全国股转系统做市业务，可在全国股份转让系统发布买卖双向报价，并在其报价数量范围内按其报价履行与投资者成交义务。华鑫证券是在全部81家主办券商中较早获准开展做市业务的券商之一。公司获得做市商资格后，积极开展挂牌公司做市需求的调研及挖掘。8月25日，全国股转系统做市正式推出，公司作为43家做市商之一，参与首批做市企业——沃捷传媒买卖报价。目前，公司已为12家挂牌企业进行做市报价，另与多家挂牌企业正在接触谈判中。华鑫做市已成功为市场多个明星股开展做市报价，提供充足流动性，促进挂牌企业股权分散，挖掘企业自身价值，实现股价合理公允，为挂牌企业早日变成竞价交易做出努力，其中包含联讯证券、沃捷传媒、基康仪器、盛世大联、兰亭科技等。

■ 场外业务团队优势

推荐挂牌业务团队 / 拥有多名注册会计师、律师和行业分析师 / 具有10多个成功推荐挂牌项目的成功经验 /
与外部众多PE、VC合作，解决企业融资问题

■ 做市交易业务团队

以研究为基本，投资为核心逻辑，筛选做市企业
作为发起者成立中小券商做市企业联盟，目前已有超过10家券商加入联盟，共同提供做市服务
投资收益率位居券商行业前列

挂牌企业

力阳科技　831140

炫泰文化　831803

中航蜂窝　832307

罗美特　832344

昂盛智能　430379

华宝石　830954

太川股份 832214

双盛锌业

做市企业

沃捷传媒　430174

昂盛智能　430379

倚天股份　430301

峻岭能源　831417

基康仪器　830879

兰亭科技　831118

世优电气　830827

联讯证券　830899

盛世大联　831566

盛帮股份　831247

久日化学　430141

万特电气　430391

国信证券

国信证券股份有限公司（简称“国信证券”）源起于中国证券市场最早的三家营业部之一深圳国投证券业务部，1994年成立公司，是全国性大型综合类证券公司，也是行业前八家创新试点证券公司之一，创新能力、竞争优势和市场地位突出。证券经纪业务股票基金交易额保持行业领先，2009年至2013年在证券公司营业部总交易金额排名中，公司6家营业部连续5年进入行业前十；投资银行业务在中小板累计保荐发行公司家数排名行业第一，在创业板累计保荐发行公司家数、承销金额均排名行业前二；固定收益证券业务2012-2013年连续两年企业债主承销家数和承销金额均排名行业前三，中小企私募债承销家数和承销金额均排名行业前二；场外市场业务累计推荐60家企业在“新三板”挂牌，其中2家挂牌企业先后在创业板上市，挂牌数量和转板率均位于前列。

作为首批获得主办券商资格的券商，国信证券专门成立了场外市场部开展全国中小企业股份转让系统相关业务，为广大中小企业提供推荐挂牌、做市、投融资服务、并购重组、转板上市等一系列综合金融服务，业务范围覆盖全国。截至目前，国信证券已成功推荐60家企业挂牌，其中转板2家，挂牌数量和转板率均位于前列，并首创华宇软件、九恒星增资方案，在新三板开创了以换股方式整合关联企业、并购竞争对手的先河。

国信证券坚持“挂牌”仅为业务切入点，致力于为中小企业提供挂牌辅导、做市、股权激励、定向增发、可转债、优先股、并购、转板等，覆盖企业发展全生命周期的金融服务。因此，我们推出金太阳家族的新产品——金太阳路演公社，旨在通过：资本市场理念渗透、商业计划规划辅导、路演材料优化、路演平台搭建、投资人一对一推介等手段，降低企业与资本间的信息不对称性，建立企业于资本间的有效沟通，为国信证券的已挂牌、拟挂牌企业提供一个与“资本”对话的平台，让企业走好新三板的“下一步”！

资产管理	银行投资	零售业务
融资融券	机构业务	场外市场
柜台市场	资产托管	更多……

挂牌案例

最全面的场外消息

最丰富的公司资讯

最优质的咨询服务

感谢您对国信场外市场的关注与支持！

微信订阅号: guosencw

深圳市红岭中路1012号国信证券大厦

网址：www.guosen.com 或 www.guosen.com.cn

E-mail: 10127@guosen.com.cn

电 话: 0755-82130634

传 真: 0755-82133186

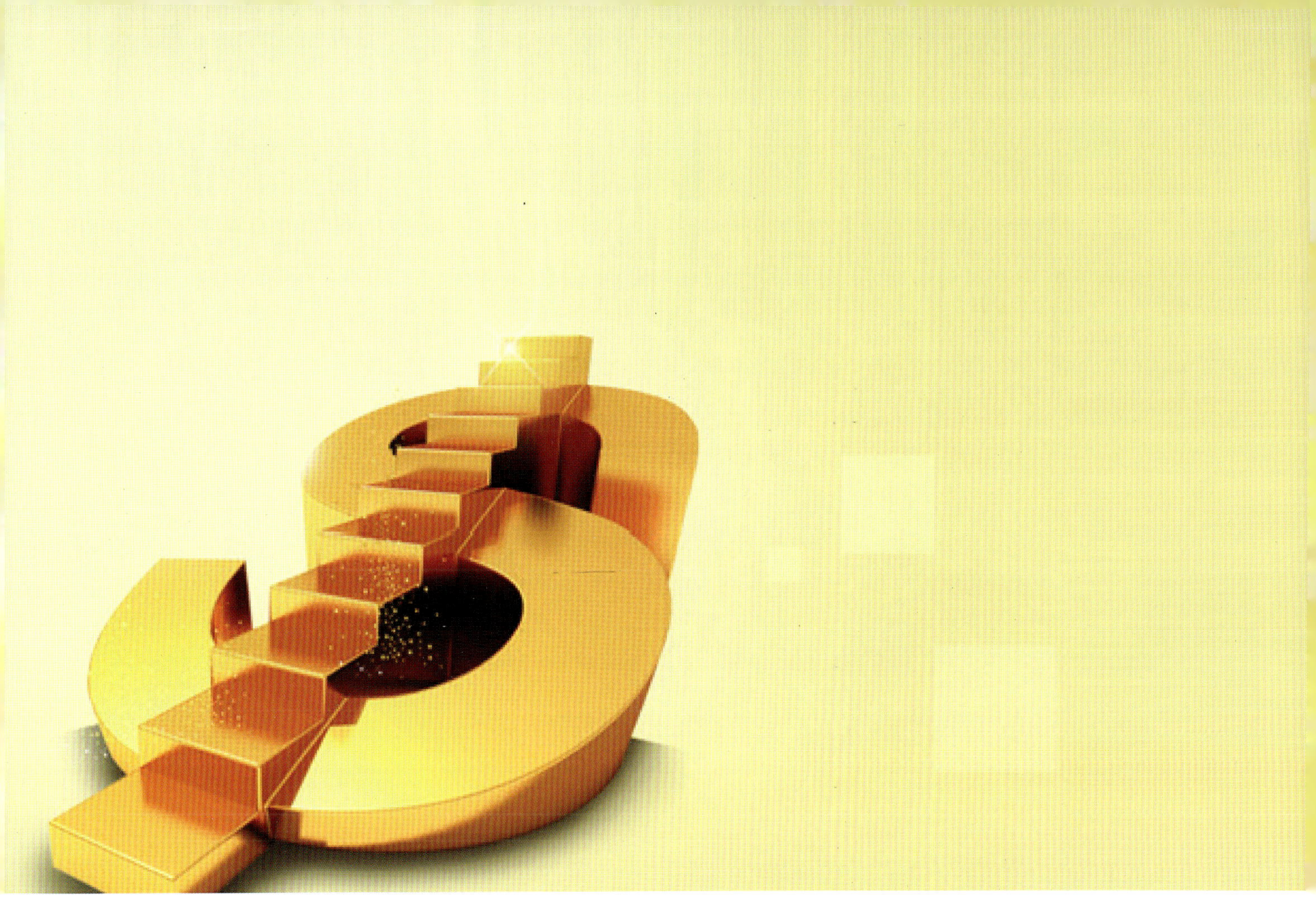

公司坚持“开拓西部，放眼全国”的发展战略，凭借专业化的优质服务，诚信、务实、高效、敬业的团队精神，在竞争激烈的中国证券服务业中稳步提升份额。2009 年成功保荐首批创业板上市企业发行上市，成为首批保荐企业在创业板上市的全国 17 家证券公司之一，2012 年新三板扩容后，成为推荐首批企业在新三板挂牌的证券公司。公司 2008、2009、2010、2011、2012 连续五年荣获“省长金融奖”。

國楓律師事務所

GRANDWAY LAW OFFICES

多层次 专业化 综合性的法律服务

COMPANY PROFILE 公司简介

证券发行与上市 / 兼并 收购与重组 / 银行与非银行金融 / 投融资 / 公司法律事务 / 争议解决

国枫律师事务所是中国领先的综合性律师事务所，创立于1994年，经过二十年的稳健发展，现已成为中国最大的综合性律师事务所之一。国枫总部设于北京，在上海、深圳、成都和西安设有分所，目前拥有律师和专业人员300余人。

国枫具有高度的专业特色，在证券与资本市场、兼并与收购、银行与金融、投融资、工程、地产、基础设施、争议解决等诸多专业领域居于业内领先地位。国枫注重专业的服务品质，业务能力不仅体现在专业化分工下诸多业务领域全过程的深度法律服务经验，更体现在综合法律服务为客户所提供的全方位量体裁衣式法律支持上。国枫从不松懈的严格内控机制在业内有口皆碑，多年来厚积薄发，深得客户和社会各界的赞誉。

国枫始终以客户需求为第一位，致力于客户的成功，热诚为中外客户提供全方位、多层次的法律解决方案。国枫广泛的客户群体既包括世界500强的中外知名企业和跨国公司，也包括众多的大中型国企、外资企业和民营公司，以及各级政府机构和部门、各类协会、学会和非政府组织；所涉业务领域涵盖了电信、航空、航天、钢铁、矿业、铁路、公路、石油、军工、化工、汽车、电力、公用事业、工程、地产、基础设施、港口、码头、桥梁、隧道、银行、保险、投资、软件、高科技、文化、传媒、体育、医疗、食品、服装、餐饮、娱乐、商业零售、贸易等各个行业。

国枫汇聚了一大批高素质、经验丰富、有理想并勇于实践的专业法律人才。国枫大多数律师毕业于国内外著名法律学府，诸多律师具有国际知名律师事务所工作经历，以及证券、金融、保险、房地产、建筑、环境、资源、知识产权等专业背景。国枫强调团队合作，注重资源共享，确保客户享受高品质法律服务。

Honor Awards 荣誉奖项

和谐团结、尚德尚专、客户至上、优质高效、追求卓越

- 年度最佳证券与资本市场国内发行律师事务所（LEGALBAND，2015）
- 2014年IPO发行人律师TOP25第二名（新财富，2014）
- 《商法》卓越律所大奖—资本市场领域（商法，2014）
- 亚洲股权及股权相关市场发行商法律顾问第6位（汤森路透，2014）
- 2014年中国企业境内上市最佳法律顾问机构第二名（中国创业投资暨私募股权投资年度排名，2014）
- 亚洲50大律师事务所（ALB，2014）
- 中国25大律师事务所（ALB，2014）
- 中国十佳成长律所（ALB，2014）
- 中国资本市场—债券及股权领域领先律所（钱伯斯，2011-2013）
- 全国从事证券法律业务的律师事务所IPO项目审核通过量业绩排名第一（中国证监会，2011-2012）
- IPO优秀律师事务所，分别居创业板第一位、主板五强以及中小板十强（商法，2013）
- 中国IPO律所Top 50前五强（方圆律政，2013）
- 企业境内上市最佳法律顾问机构第二名（中国创业投资暨私募股权投资年度排名，2012）
- “最佳再融资项目奖”和“最佳公司债项目奖”（新财富，2013）
- 亚洲50大律师事务所（亚洲法律杂志，2013）
- 中国20大律师事务所（亚洲法律杂志，2013）
- 亚太律师事务所100强（英国律师杂志，2013）
- 中国十大发展最快的律师事务所（亚洲法律杂志，2013）
- 中国大陆精品所（钱伯斯，2012）
- “全国法律服务最具竞争力十大诚信品牌”和“2012年度中国企业上市优秀服务机构金手指奖”（中国竞争力论坛暨诚信与发展高峰会，2012）
- 中国上市公司最信赖律师事务所（中国上市公司与城市发展论坛，2011）
- IPO发行人律师市场份额、发行人律师定价权前五强（新财富，2011）
- 中国国内IPO发行人法律顾问10强（彭博，2011）
- 最佳并购项目大奖提名（亚洲法律杂志，2010）
- 中国优秀证券律师事务所（商法，2010）
- 中国大陆地区律师事务所兼并收购业务法律顾问第三名（彭博，2010）

▼ 2014年新三板业绩

- 话机世界通信集团股份有限公司（831354，话机世界）
- 北京木联能软件股份有限公司（831346，木联能）
- 山东同创汽车散热装置股份有限公司（831300，同创股份）
- 新疆宏泰矿业股份有限公司（831131，宏泰矿业）
- 江苏怡达化学股份有限公司（831103，怡达化学）
- 四川华雁信息产业股份有限公司（831021，华雁信息）
- 北京康盛伟业工程技术股份有限公司（830991，康盛伟业）
- 上海银橙文化传媒股份有限公司（830999，银橙传媒）
- 山东巨环铸造机械股份有限公司（830967，山东巨环）
- 江苏标榜装饰新材料股份有限公司（830911，标榜新材）
- 湖南世纪钨材股份有限公司（830981，世纪钨材）
- 大盛微电科技股份有限公司（830955，大盛微电）
- 大连约伴传媒股份有限公司（830812，约伴传媒）
- 江苏景尚旅业集团股份有限公司（830944，景尚旅业）
- 广东智通人才连锁股份有限公司（830969，智通人才）
- 济南圣泉集团股份有限公司（830881，圣泉集团）
- 基康仪器股份有限公司（830879，基康仪器）
- 重庆市旺成科技股份有限公司（830896，旺成科技）
- 云南万绿生物股份有限公司（830828，万绿生物）
- 广州凯路仕自行车运动时尚产业股份有限公司（430759，凯路仕）
- 山东先大药业股份有限公司（430730，先大药业）
- 新疆七星建设科技股份有限公司（430746，七星科技）
- 山东省源通机械股份有限公司（430717，源通机械）
- 武汉康普常青软件技术股份有限公司（430698，康普常青）
- 无锡顺达智能自动化工程股份有限公司（430622，顺达智能）
- 成都国科海博信息技术股份有限公司（430629，国科海博）
- 苏州方林科技股份有限公司（430432，方林科技）
- 宁夏早康枸杞股份有限公司（430631，早康枸杞）
- 深圳市凯立德科技股份有限公司（430618，凯立德）
- 深圳市方迪科技股份有限公司（430464，方迪科技）
- 北京朗威视讯科技股份有限公司（430337，朗威视讯）
- 天津重钢机械装备股份有限公司（430274，重钢机械）
- 天津桦清信息技术股份有限公司（430232，桦清股份）

國楓律師事務所
GRANDWAY LAW OFFICES

北京总部：
地址：北京市东城区建国门内大街26号新闻大厦7层
电话：86 10 88004488, 66090088
传真：86 10 66090016
邮编：100005

上海分所：
地址：上海市浦东新区民生路1403号上海信息大厦2903室
电话：86 21 5820 9370
传真：86 21 5820 9375
邮编：200135

深圳分所：
地址：深圳市南山区深南大道高新南一道8号创维大厦C座12层
电话：86 755 2399 3388
传真：86 755 8618 6205
邮编：518026

成都分所：
地址：成都市高新区交子大道333号中海国际中心E座602室
电话：86 28 6558 5333
传真：86 28 6626 6533
邮编：610041

西安分所：
地址：西安市高新区科技路50号金桥国际广场C座1705室
电话：86 29 8886 0510, 8886 0511
传真：86 29 8886 0501
邮编：710075

地址：上海市陆家嘴环路958号华能联合大厦35层
电话：021-68866151 传真：021-58871151
电邮:securities@co-effort.com 网站：www.co-effort.com

专注 专研 专业

★ 协力荣居2014年亚太律所150强；
★ 协力入围年度上海律师事务所大奖；
★ 协力荣获亚太年度 “公司、商法和知识产权领域领先律所” 重点推荐奖；
★ 协力被评为 “上海商事法领先律师事务所” ；
★ 协力被评为 “2010年度上海市司法行政系统 ‘先进集体’ ” ；
★ 协力被评为 “上海市优秀律师事务所” 。

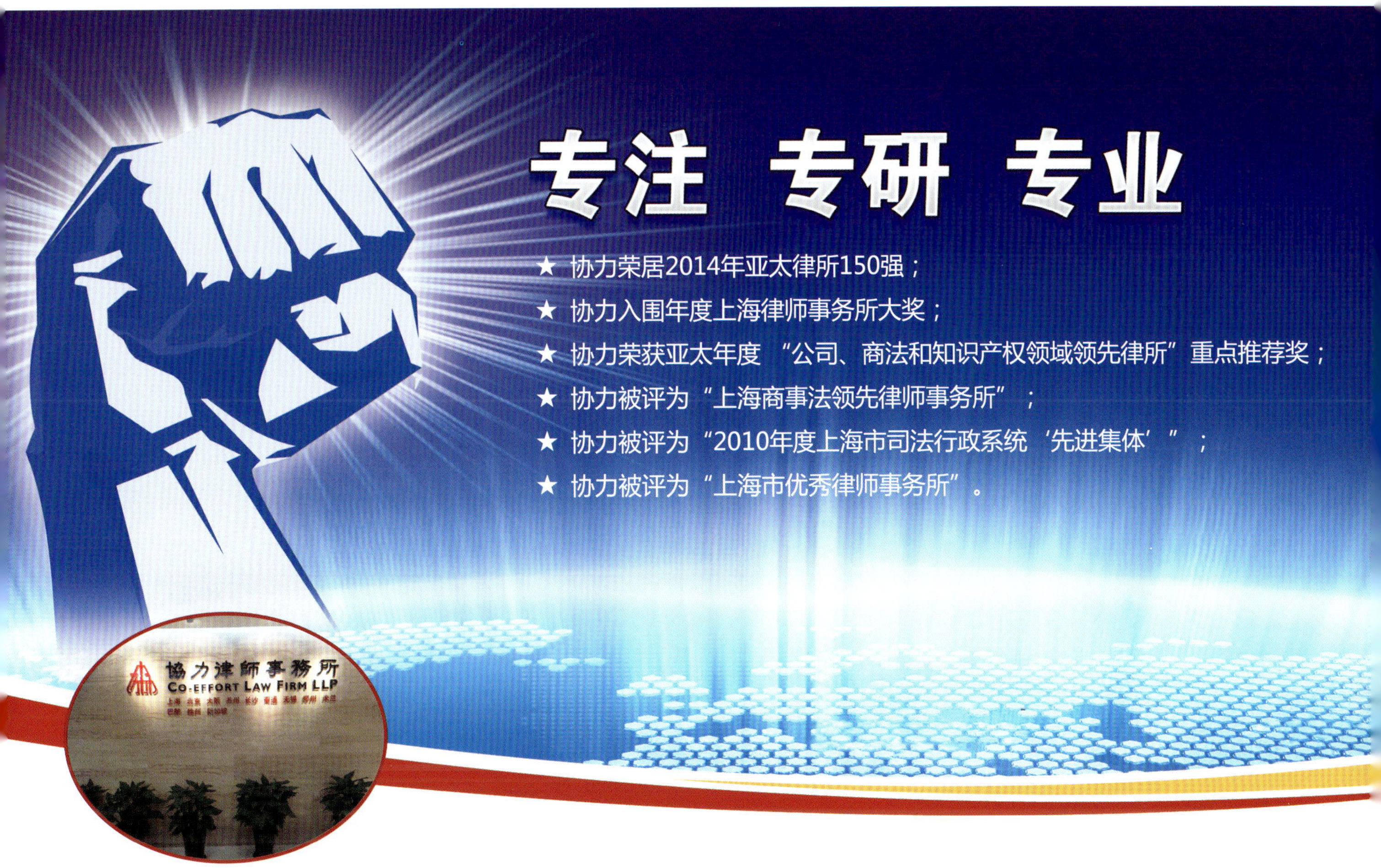

概况

协力律师事务所是一家兼具国际视野和本地智慧的综合性专业法律服务机构，在中国北京、苏州、长沙、南通、无锡、徐州、郑州等地设有分所，并在日本大阪、意大利米兰、新加坡、法国巴黎设有办公室。

协力尊崇“专注、专研、专业”的服务宗旨，凭借精细的专业分工与经验丰富的专业律师，协力可以为国内外客户提供公司证券、并购金融、反垄断与贸易救济、国际投资、国际贸易、海商海事、建筑房地产、知识产权、争议解决等领域的高效法律服务，协力深谙客户需求，擅长创造性地为客户设计并实施具备最佳成本效益的专业解决方案。

▲协力律师事务所高级合伙人张讷律师受邀参加新三板全国扩容集中挂牌仪式

▲协力律师事务所高级合伙人张讷律师及其团队人员代表与腾旋科技董事长李继锁参加挂牌仪式

▲协力律师事务所高级合伙人张讷律师及其团队

▲协力公司证券专委会成员

公司证券与资本市场

协力公司证券团队专注于资本市场、公司治理、基金业务、投融资及并购重组法律服务。

协力作为新三板法律服务机构的先行者，曾在上海、无锡、徐州、苏州、南通、长沙等地为首批新三板挂牌企业提供全程法律服务，这些企业包括：腾旋科技（无锡市首批）、中矿微星（徐州市首家）、超弦科技（长沙市首批）、泓源光电（江阴市第二家）、隆玛科技、哥伦布商业、富岛科技、胜禹股份、美居客科技、超伟股份、恒晟股份、宝信建筑等。

协力还为新三板挂牌企业和上市企业客户提供增发融资、信息披露、三会治理、并购重组等后续资本市场法律服务，从公司治理及风险防控等方面为顾问单位的健康、长远发展保驾护航。

上海市捷华律师事务所
SHANGHAI JIEHUA LEW FIRM

业务领域　金融投资　证券与资本市场　婚姻家庭　房产建筑　知识产权　涉外法律事务　公司并购与重组

【关于捷华】

上海市捷华律师事务所成立于1994年7月，是上海市法学会团体会员单位、上海市企业破产案件管理人。

自建所以来，捷华律所倡导“以人为本、与时俱进、和谐发展”的文化理念，秉承“开拓、勤勉、严谨、诚信、高效”的执业理念，努力践行“提供优质高效服务，维护社会公平正义”的服务宗旨，汇聚人才、规范服务，为客户提供以解决方案为导向的优质法律服务。捷华律师的服务质量得到了客户的一致赞誉，并为事务所赢得多项荣誉，先后多次获得区市级与全国文明单位、先进集体等荣誉称号。

▲前台

▲办公室（大会议室）

【捷华荣誉】（市级以上）

2013.01 全国“化解社会矛盾维护和谐稳定”成绩突出律师事务所
2012.09 全国律师行业创先争优先进集体
2012.03 全国律师行业创先争优活动示范点
2014.12 上海市诚信创建单位
2013.05 上海市文明单位
2011.01 服务世博先进律所事务所
1999、2012 上海市司法行政系统集体三等功
2003、2005、2006、2007、2010、2012 上海市司法行政系统先进集体
2009.11 上海市优秀律师事务所
2000 上海市司法行政系统文明律师事务所

【证券与资本市场法律事务部】

部门成员均具有证券及资本市场领域的法学背景，多名成员还拥有海外留学经历，既掌握扎实的法律基础、又熟悉最新的政策法规。在企业首次公开发行股票并上市、非上市企业融资、新三板等领域拥有丰富经验，参与不同类型企业上市筹划及全程法律服务，在境内外证券与资本市场领域具有扎实的实务操作经验。

捷华的证券与资本市场法律服务涵盖：企业新三板挂牌、股票首次公开发行和再融资、企业和公司债券的发行、上市公司的收购及兼并、公司私募融资及其它相关证券交易业务。上海市捷华律师事务所作为企业新三板挂牌法律服务的第一批律师事务所，熟知国家相关金融法律法规与金融政策，与数家知名券商建立了紧密的战略合作关系，参与或主导处理了上海、江苏、浙江、广东、四川等多地企业新三板挂牌服务，涉及企业股份制改革、挂牌尽职调查、股东大会见证、解决挂牌中的法律障碍或问题，出具法律意见书等，具有丰富地项目经验。

开拓　勤勉　严谨　诚信　高效

▲中国法学会团体会员单位

▲律所主任副主任

▲践行社会责任

▲赴广西壮族自治区银海区法律援助

地址：上海市武宁南路488号智慧广场23楼　电话：021-51182318　传真：021-51182378　网址：www.jhlawfirm.cn　邮箱：jiehua@jhlawfirm.cn

2014 中國證券業年鑒

CHINA SECURITIES YEAR BOOK

全国中小企业股份转让系统专辑

协办单位

总第二十二期

图书在版编目(CIP)数据

中国证券业年鉴. 2014/ 中国证券业年鉴编辑委员会 编.
上海:复旦大学出版社, 2015.5
ISBN 978-7-309-11430-0

Ⅰ.①中… Ⅱ.①中… Ⅲ.①证券业—中国—2014—年鉴 Ⅳ.①F832.91-54

中国版本图书馆 CIP 数据核字(2015)第089689号

中国证券业年鉴(2014·总第二十二期)
中国证券业年鉴编辑委员会 编

责任编辑　岑品杰　宋朝阳　王雅楠　姜作达　方毅超　戚雅斯
封面设计　上海众证文化传播有限公司
出版发行　复旦大学出版社有限公司出版发行
　　　　　上海市国权路579号　　邮编200433
经　　销　新华书店
印　　刷　上海汉迪彩色印刷有限公司
开　　本　850mm×1168mm　1/16
印　　张　189
插　　页　230
字　　数　5006千字
版　　次　2015年5月第1版　2015年5月第1次印刷

定　　价　人民币1980元　港币2680元　美元400元

编 辑 说 明

《中国证券业年鉴》秉承客观、公正、全面的原则，忠实记录我国证券市场的发展轨迹，向海内外各界人士宣传、展现我国证券市场的发展成就，并给后人查阅、研究我国证券市场历史年度的动态，提供权威资料。做好中国证券业历史的编辑整理工作，保证中国证券业历史记录的有序延续，是我们的历史使命。自1993年创刊以来，《中国证券业年鉴》已经逐渐成长为一个展示公司业绩、总结市场成就、记录中国证券业历史、向海内外各界人士展现和推介中国证券市场形象的权威窗口。《中国证券业年鉴》每年出版一次，分上、中、下三册向国内外公开发行。

《中国证券业年鉴》（2014・总第二十二期）主要反映本年度中国金融、证券、基金、期货、债券市场及企业制度建设和发展方面的情况和最新动态，供海内外有关机关、社团、学校、研究部门、企事业单位及社会各界人士做进一步研究参考使用，为推动中国证券业的规范化和国际化、建设中国特色社会主义市场经济服务。

《中国证券业年鉴（2014）》内容设置专论、中国金融市场、中国证券市场、中国基金市场、中国期货市场、中国区域性股权交易市场专辑、中小企业板十周年暨创业板五周年专辑、全国中小企业股份转让系统专辑、中国证券业年度人物、优秀企业选介等部分，另有彩色图片1260幅。

《中国证券业年鉴（2014）》的资料直接来源于公司的公告和报告，国务院有关部委及各省、市相关单位提供的材料，保证了年鉴的权威性和准确性。《中国证券业年鉴（2014）》基本保持上一期的内容和体例，同时新增了全国性场外交易市场的详细资料，进一步展现了我国构建多层次资本体系的阶段性成果。但由于中国证券业仍处于快速发展阶段，加上各地区的发展不平衡以及我们的水平有限，难免出现一些疏漏，敬请读者谅解和指正。

《中国证券业年鉴》由上海、深圳证券交易所和中国证券业年鉴编辑委员会共同主办，总编辑由张育军、宋丽萍、杨晓嘉担任。在编辑出版过程中得到了国务院有关部门，中国证券监督管理委员会及各省、直辖市、自治区证监局，上海证券交易所，深圳证券交易所，香港交易所，中国证券报社，全国中小企业股份转让系统，齐鲁股权交易中心及证券界有关领导、专家的指导和支持，在此我们表示最诚挚的感谢。

中国证券业年鉴编辑部

石维国	中天城投集团股份有限公司副	董事长
李晓安	华龙证券有限责任公司	董事长
杨光裕	长城基金管理有限公司	董事长
郭本恒	光明乳业股份有限公司	总裁
王文京	用友软件股份有限公司	董事长、总裁
任志强	华远地产股份有限公司	董事长
张近东	苏宁云商集团股份有限公司	董事长
杨　剑	泰豪科技股份有限公司	总裁
王义芳	财达证券有限责任公司	董事长
赵学军	嘉实基金管理有限公司	总经理
刘平春	深圳华侨城股份有限公司	董事长
张相军	山东金岭矿业股份有限公司	董事长
陆　涛	金元证券股份有限公司	总裁
刘青山	泰达宏利基金管理有限公司	总经理
张　伟	鹏元资信评估有限公司	总裁助理
袁　泽	新疆新鑫矿业股份有限公司	董事局主席
焦　云	七台河宝泰隆煤化工股份有限公司	董事长
张永年	四川成渝高速公路股份有限公司	董事会秘书
李春宏	江苏连云港港口股份有限公司	董事长
吕庆胜	云南盐化股份有限公司	董事长
张洪起	天津鹏翎胶管股份有限公司	董事长
赵亚萍	渤海银行股份有限公司托管业务部	总经理
尹庆军	国金通用基金管理有限公司	总经理
张恺颙	陕西延长石油化建股份有限公司	董事长
刘世春	金融街控股股份有限公司	董事长
张增光	唐山冀东水泥股份有限公司	董事长
郑思敏	山东得利斯食品股份有限公司	董事长
曾昭秦	山东天业恒基股份有限公司	董事长
邱　卫	湖南新五丰股份有限公司	董事长
王龙雏	福建省厦门象屿股份有限公司	董事长
谢长军	龙源电力股份有限公司	总经理

地 址：上海浦东桃林路 18 号环球广场 B 座 2809 室

邮 编：200135

电 话：021－38820912

传 真：021－51302839

邮 箱：shcwq@ vip. 163. com

下册目录

编辑说明　年鉴理事会　编辑委员会
上册 ……………………………………………………………
中册 ……………………………………………………………
下册 ……………………………………………………………

全国中小企业股份转让系统专辑

第一章　重要文献 …………………………………… 1
·加快创新发展　培育中国经济未来……………………… 1
·人民日报专访……………………………………………… 3
·以市场需求为导向推进全国股转系统建设…………… 4
·在新闻媒体沟通会上的讲话……………………………… 6
·成功不必在我　功力必不唐捐………………………… 9
·全国股份转让系统新交易结算系统
切换上线答记者问 ……………………………………… 11
·积极探索机制创新着力提升审查效率
全国股转系统在审企业"不排队、不积压" ……… 12
·全国股份转让系统首批全国企业今日集体挂牌 … 13

第二章　统计数据 ………………………………… 14
·2014 年度中国场外市场分析报告 ……………………… 14
·2014 年全年挂牌公司股票发行相关情况
（按主办券商统计）…………………………………… 34
·2014 年全年挂牌公司股票发行相关情况
（按地区统计）………………………………………… 34
·2014 年主办券商办理挂牌公司股票发行情况 …… 34
·2014 年主办券商代理买卖挂牌证券金额
及其市场占比 ………………………………………… 35
·2014 年主办券商推荐项目情况 ……………………… 36
·2014 年主办券商协助挂牌公司
实施并购重组情况 …………………………………… 37
·2014 年主办券商业务协同发展情况
——为推荐挂牌企业提供股票发行服务情况 …… 37
·2014 年主办券商业务协同发展情况
——推荐挂牌同时股票发行情况 ………………… 38
·会计师事务所服务推荐挂牌情况 …………………… 38
·2014 年做市商做市企业数量及成交情况 ………… 39

第三章　挂牌企业基本资料 ……………………… 41
·430002　中科软科技股份有限公司 ………………… 41
·430003　北京时代科技股份有限公司 ……………… 41
·430004　北京绿创环保设备股份有限公司 ……… 41
·430005　原子高科股份有限公司 …………………… 41
·430009　北京华环电子股份有限公司 ……………… 42
·430010　现代农装科技股份有限公司 ……………… 42
·430011　北京指南针科技发展股份有限公司 …… 42
·430014　北京恒业世纪科技股份有限公司 ……… 42
·430015　北京盖特佳信息科技股份有限公司 …… 43
·430016　北京胜龙科技股份有限公司 ……………… 43
·430017　北京星昊医药股份有限公司 ……………… 43
·430018　北京合纵科技股份有限公司 ……………… 43
·430019　北京新松佳和电子系统股份有限公司 … 44
·430020　北京建工华创科技发展股份有限公司 … 44
·430021　北京海鑫科金高科技股份有限公司 …… 44
·430022　北京五岳鑫信息技术股份有限公司 …… 44
·430024　北京金和软件股份有限公司 ……………… 45
·430025　北京石晶光电科技股份有限公司 ……… 45
·430027　北京北科光大信息技术股份有限公司 … 45
·430028　北京京鹏环球科技股份有限公司 ……… 45
·430029　北京金泰得生物科技股份有限公司 …… 46
·430031　北京林克曼数控技术股份有限公司 …… 46
·430032　北京凯英信业科技股份有限公司 ……… 46
·430033　北京彩讯科技股份有限公司 ……………… 46
·430034　北京九州大地生物技术集团
股份有限公司 …………………………… 47
·430035　北京中兴通科技股份有限公司 ………… 47
·430036　北京鼎普科技股份有限公司 ……………… 47
·430037　北京联飞翔科技股份有限公司 ………… 47
·430038　北京信维科技股份有限公司 ……………… 48
·430039　北京华高世纪科技股份有限公司 ……… 48
·430040　北京康斯特仪表科技股份有限公司 …… 48
·430041　北京中机联供非晶科技股份有限公司 … 48
·430042　北京市科瑞讯科技发展股份有限公司 … 49
·430044　北京东宝亿通科技股份有限公司 ……… 49
·430046　北京圣博润高新技术股份有限公司 …… 49
·430047　北京诺思兰德生物技术股份有限公司 … 49

· 430048 北京建设数字科技股份有限公司 ……… 50
· 430049 北京双杰电气股份有限公司 …………… 50
· 430050 北京博朗环境工程技术股份有限公司 … 50
· 430051 北京九恒星科技股份有限公司 ………… 50
· 430052 北京斯福泰克科技股份有限公司 ……… 51
· 430053 北京国学时代文化传播股份有限公司 … 51
· 430054 北京超毅世纪网络技术股份有限公司 … 51
· 430055 北京中电达通通信技术股份有限公司 … 51
· 430056 中航百慕新材料技术工程
股份有限公司 ………………………………… 52
· 430057 北京清畅电力技术股份有限公司 ……… 52
· 430058 北京意诚信通智能卡股份有限公司 …… 52
· 430059 北京中海纪元数字技术发展
股份有限公司 ………………………………… 52
· 430060 北京北方永邦科技股份有限公司 ……… 53
· 430061 北京富机达能电气产品股份有限公司 … 53
· 430062 北京中科国信科技股份有限公司 ……… 53
· 430063 工控网(北京)信息技术
股份有限公司 ………………………………… 53
· 430064 北京金山顶尖科技股份有限公司 ……… 54
· 430065 中海阳能源集团股份有限公司 ………… 54
· 430066 北京南北天地科技股份有限公司 ……… 54
· 430067 北京维信通科技股份有限公司 ………… 54
· 430068 北京纬纶华业环保科技
股份有限公司 ………………………………… 55
· 430069 北京天助畅运医疗技术
股份有限公司 ………………………………… 55
· 430070 北京赛亿科技股份有限公司 …………… 55
· 430071 北京首都在线科技股份有限公司 ……… 55
· 430072 北京亿创网安科技股份有限公司 ……… 56
· 430073 北京兆信信息技术股份有限公司 ……… 56
· 430074 北京德鑫泉物联网科技股份有限公司 … 56
· 430075 北京中讯四方科技股份有限公司 ……… 56
· 430076 北京国基科技股份有限公司 …………… 57
· 430077 北京道隆华尔软件股份有限公司 ……… 57
· 430078 北京君德同创农牧科技股份有限公司 … 57
· 430079 北京环拓科技股份有限公司 …………… 57
· 430080 北京尚水信息技术股份有限公司 ……… 58
· 430081 北京莱富特佰网络科技股份有限公司 … 58
· 430082 北京博雅英杰科技股份有限公司 ……… 58
· 430083 北京中科联众科技股份有限公司 ……… 58
· 430084 北京星和众工设备技术股份有限公司 … 59
· 430085 新锐英诚(北京)科技股份有限公司 …… 59
· 430086 北京爱迪科森教育科技股份有限公司 … 59
· 430087 北京威力恒科技股份有限公司 ………… 59
· 430088 北京七维航测科技股份有限公司 ……… 60
· 430089 北京天一众合科技股份有限公司 ……… 60
· 430090 同辉佳视(北京)信息技术
股份有限公司 ………………………………… 60
· 430091 北京东方润泽生态科技股份有限公司 … 60
· 430092 北京易生创新科技股份有限公司 ……… 61
· 430093 北京掌上通网络技术股份有限公司 …… 61
· 430094 北京确安科技股份有限公司 …………… 61
· 430095 北京航星网讯技术股份有限公司 ……… 61
· 430096 北京航天宏达光电技术股份有限公司 … 62
· 430097 北京赛德丽科技股份有限公司 ………… 62
· 430098 北京大津硅藻新材料股份有限公司 …… 62
· 430099 北京理想固网科技股份有限公司 ……… 62
· 430100 北京九尊能源技术股份有限公司 ……… 63
· 430101 北京泰诚信测控技术股份有限公司 …… 63
· 430102 北京科若思技术开发股份有限公司 …… 63
· 430103 北京天大清源通信科技股份有限公司 … 63
· 430104 北京全三维能源科技股份有限公司 …… 64
· 430105 北京合力思腾科技股份有限公司 ……… 64
· 430106 北京爱特泰克技术股份公司 …………… 64
· 430107 北京朗铭海川科技股份有限公司 ……… 64
· 430108 北京精耕天下农业科技股份有限公司 … 65
· 430109 北京中航讯科技股份有限公司 ………… 65
· 430110 百拓商旅(北京)网络科技
股份有限公司 ………………………………… 65
· 430111 北京航峰科伟装备技术股份有限公司 … 65
· 430112 北京弘祥隆生物技术股份有限公司 …… 66
· 430113 中交远洲信息技术(北京)
股份有限公司 ………………………………… 66
· 430114 北京永瀚星港生物科技股份有限公司 … 66
· 430116 北京中矿华沃科技股份有限公司 ……… 66
· 430117 北京航天理想科技股份有限公司 ……… 67
· 430118 北京华欣远达软件股份有限公司 ……… 67
· 430119 北京鸿仪四方辐射技术股份有限公司 … 67
· 430120 北京金润方舟科技股份有限公司 ……… 67
· 430121 北京英福美信息科技股份有限公司 …… 68
· 430122 北京中控智联科技股份有限公司 ……… 68
· 430123 北京速原中天科技股份公司 …………… 68
· 430124 北京汉唐自远技术股份有限公司 ……… 68
· 430125 北京都市鼎点科技股份有限公司 ……… 69
· 430126 马氏兄弟科技(北京)股份有限公司 …… 69
· 430127 北京塞尔瑟斯仪表科技股份有限公司 … 69
· 430128 北京广厦网络技术股份公司 …………… 69
· 430130 北京卡联科技股份有限公司 …………… 70
· 430131 北京伟利讯信息技术股份有限公司 …… 70

· 430132 北京国铁科林科技股份有限公司 ……… 70
· 430133 北京赛孚制药股份有限公司 …………… 70
· 430134 北京中科可来博电子科技股份有限公司 …………………………… 71
· 430135 北京三益能源环保发展股份有限公司 … 71
· 430136 北京安普能环保工程技术股份有限公司 …………………………… 71
· 430137 北京金信润天信息技术股份有限公司 … 71
· 430138 武汉国电武仪电气股份有限公司 ……… 72
· 430139 上海华岭集成电路技术股份有限公司 … 72
· 430140 上海新眼光医疗器械股份有限公司 …… 72
· 430141 天津久日化学股份有限公司 …………… 72
· 430142 天津锐新昌轻合金股份有限公司 ……… 73
· 430143 湖北武大有机硅新材料股份有限公司 … 73
· 430144 北京煦联得节能科技股份有限公司 …… 73
· 430145 北京智立医学技术股份有限公司 ……… 73
· 430146 亚泰都会(北京)城市规划建筑园林设计研究院股份有限公司 ……………… 74
· 430147 中矿龙科能源科技(北京)股份有限公司 …………………………… 74
· 430148 北京科能腾达信息技术股份有限公司 … 74
· 430149 湖北江汉石油仪器仪表股份有限公司 … 74
· 430150 北京创和世纪通讯技术股份有限公司 … 75
· 430151 天津亿鑫通科技股份有限公司 ………… 75
· 430152 北京思创银联科技股份有限公司 ……… 75
· 430153 北京中金网信科技股份有限公司 ……… 75
· 430154 武汉中科通达高新技术股份有限公司 … 76
· 430155 北京康辰亚奥技术股份有限公司 ……… 76
· 430156 上海科曼车辆部件系统股份有限公司 … 76
· 430157 腾龙电子技术(上海)股份有限公司 …… 76
· 430158 北京北方科诚科技股份有限公司 ……… 77
· 430159 天津创世生态景观建设股份有限公司 … 77
· 430160 天津三泰晟驰科技股份有限公司 ……… 77
· 430161 武汉光谷信息技术股份有限公司 ……… 77
· 430162 北京聚利科技股份有限公司 …………… 78
· 430163 北京合创三众能源科技股份有限公司 … 78
· 430164 北京思倍驰科技股份有限公司 ………… 78
· 430165 光宝联合(北京)科技股份有限公司 …… 78
· 430166 北京一正启源科技发展股份有限公司 … 79
· 430167 北京四利通控制技术股份有限公司 …… 79
· 430168 北京博维仕科技股份有限公司 ………… 79
· 430169 融智通科技(北京)股份有限公司 ……… 79
· 430170 金易通科技(北京)股份有限公司 ……… 80
· 430171 北京电信易通信息技术股份有限公司 … 80
· 430172 北京瑞达恩科技股份有限公司 ………… 80
· 430173 鼎讯互动(北京)科技股份有限公司 …… 80
· 430174 北京沃捷文化传媒股份有限公司 ……… 81
· 430175 上海科新生物技术股份有限公司 ……… 81
· 430176 北京中教启星科技股份有限公司 ……… 81
· 430177 上海点客信息技术股份有限公司 ……… 81
· 430178 上海白虹软件科技股份有限公司 ……… 82
· 430179 上海宇昂水性新材料科技股份有限公司 …………………………… 82
· 430180 北京东方瑞威科技发展股份有限公司 … 82
· 430181 北京道从交通安全科技股份有限公司 … 82
· 430182 北京全网数商科技股份有限公司 ……… 83
· 430183 天津市天友建筑设计股份有限公司 …… 83
· 430184 北方跃龙科技(北京)股份有限公司 …… 83
· 430185 北京普瑞塞特物联科技股份有限公司 … 83
· 430186 北京国承瑞泰科技股份有限公司 ……… 84
· 430187 北京全有时代科技股份有限公司 ……… 84
· 430188 北京奥贝克电子股份有限公司 ………… 84
· 430189 北京七彩亮点环能技术股份有限公司 … 84
· 430190 北京新瑞理想软件股份有限公司 ……… 85
· 430191 北京波尔通信技术股份有限公司 ……… 85
· 430192 北京东展科博科技股份有限公司 ……… 85
· 430193 北京紫新报通科技股份有限公司 ……… 85
· 430194 北京锐风行艺术交流股份有限公司 …… 86
· 430195 北京欧泰克能源环保工程技术股份有限公司 …………………………… 86
· 430196 北京宣爱智能模拟技术股份有限公司 … 86
· 430197 津伦(天津)精密机械股份有限公司 …… 86
· 430198 武汉微创光电股份有限公司 …………… 87
· 430199 北京了望投资顾问股份有限公司 ……… 87
· 430200 武汉时代地智科技股份有限公司 ……… 87
· 430201 北京腾实信科技股份有限公司 ………… 87
· 430202 北京星河康帝思科技开发股份有限公司 …………………………… 88
· 430203 兴和鹏能源技术(北京)股份有限公司 …………………………… 88
· 430204 北京石竹科技股份有限公司 …………… 88
· 430205 武汉亿房信息股份有限公司 …………… 88
· 430206 武汉尚远环保股份有限公司 …………… 89
· 430207 武汉威明德科技股份有限公司 ………… 89
· 430208 北京优炫软件股份有限公司 …………… 89
· 430209 北京康孚科技股份有限公司 …………… 89
· 430210 天津舜能润滑科技股份有限公司 ……… 90
· 430211 北京丰电科技股份有限公司 …………… 90
· 430212 北京六合伟业科技股份有限公司 ……… 90
· 430213 北京乐升科技股份有限公司 …………… 90

· 430362 东电创新(北京)科技发展股份有限公司 …… 127
· 430363 上海上电电机股份有限公司 …… 127
· 430365 北京赫宸环境工程股份有限公司 …… 128
· 430366 北京金天地影视文化股份有限公司 …… 128
· 430367 北京力码科信息技术股份有限公司 …… 128
· 430368 上海明波通信技术股份有限公司 …… 128
· 430369 贵州威门药业股份有限公司 …… 129
· 430370 谢裕大茶叶股份有限公司 …… 129
· 430371 广州市科传计算机科技股份有限公司 …… 129
· 430372 安徽泰达新材料股份有限公司 …… 129
· 430373 郑州捷安高科股份有限公司 …… 130
· 430374 北京英富森软件股份有限公司 …… 130
· 430375 北京星立方科技发展股份有限公司 …… 130
· 430376 青岛东亚装饰股份有限公司 …… 130
· 430377 深圳市海格物流股份有限公司 …… 131
· 430378 深圳市山本光电股份有限公司 …… 131
· 430379 上海昂盛智能工程股份有限公司 …… 131
· 430380 陕西成明节能技术股份有限公司 …… 131
· 430381 江西三星阿兰德电器股份有限公司 …… 132
· 430382 深圳市大族元亨光电股份有限公司 …… 132
· 430383 江苏红豆杉生物科技股份有限公司 …… 132
· 430384 上海宜达胜科贸股份有限公司 …… 132
· 430385 浙江中一检测研究院股份有限公司 …… 133
· 430386 大禹电气科技股份有限公司 …… 133
· 430387 西安旌旗电子股份有限公司 …… 133
· 430388 苏州苏大明世光学股份有限公司 …… 133
· 430389 东莞市意普万尼龙科技股份有限公司 …… 134
· 430390 湖北中科网络科技股份有限公司 …… 134
· 430391 郑州万特电气股份有限公司 …… 134
· 430392 湖南斯派克科技股份有限公司 …… 134
· 430393 昆山三景科技股份有限公司 …… 135
· 430394 广东伯朗特智能装备股份有限公司 …… 135
· 430395 青岛奥盖克化工股份有限公司 …… 135
· 430396 哈尔滨亿汇达电气科技发展股份有限公司 …… 135
· 430397 无锡金帆钻凿设备股份有限公司 …… 136
· 430398 安徽励图信息科技股份有限公司 …… 136
· 430399 湘财证券股份有限公司 …… 136
· 430400 株洲日望电子科技股份有限公司 …… 136
· 430401 苏州声威电声股份有限公司 …… 137
· 430402 武汉吉事达科技股份有限公司 …… 137
· 430403 武汉英思工程科技股份有限公司 …… 137
· 430404 苏州瑞腾照明科技股份有限公司 …… 137
· 430405 苏州星火环境净化股份有限公司 …… 138
· 430406 广东奥美格传导科技股份有限公司 …… 138
· 430407 上海长合信息技术股份有限公司 …… 138
· 430408 沈阳帝信通信股份有限公司 …… 138
· 430409 厦门市天泉鑫膜科技股份有限公司 …… 139
· 430410 济南微纳颗粒仪器股份有限公司 …… 139
· 430411 北京中电方大科技股份有限公司 …… 139
· 430412 天津晓沃环保工程股份公司 …… 139
· 430413 湖南泛辉科技股份有限公司 …… 140
· 430414 苏州三光科技股份有限公司 …… 140
· 430415 江阴钟舟电气股份有限公司 …… 140
· 430416 北京地林伟业科技股份有限公司 …… 140
· 430417 苏州良才物流科技股份有限公司 …… 141
· 430418 苏州轴承厂股份有限公司 …… 141
· 430419 广东三凯新材料股份有限公司 …… 141
· 430420 上海易城工程顾问股份有限公司 …… 141
· 430421 上海华之邦科技股份有限公司 …… 142
· 430422 上海永继电气股份有限公司 …… 142
· 430423 宁波宁变电力科技股份有限公司 …… 142
· 430424 北京联合创业环保工程股份有限公司 …… 142
· 430425 成都乐创自动化技术股份有限公司 …… 143
· 430426 四川长城软件科技股份有限公司 …… 143
· 430427 上海飞田通信股份有限公司 …… 143
· 430428 陕西瑞科新材料股份有限公司 …… 143
· 430429 广州星业科技股份有限公司 …… 144
· 430430 苏州普滤得净化股份有限公司 …… 144
· 430431 天津枫盛阳医疗器械技术股份有限公司 …… 144
· 430432 苏州方林科技股份有限公司 …… 144
· 430433 山东中瑞电子股份有限公司 …… 145
· 430434 深圳市万泉河科技股份有限公司 …… 145
· 430435 上海数聚软件系统股份有限公司 …… 145
· 430436 万洲电气股份有限公司 …… 145
· 430437 广州绿洲生化科技股份有限公司 …… 146
· 430438 星弧涂层新材料科技(苏州)股份有限公司 …… 146
· 430439 上海亚杜润滑材料股份有限公司 …… 146
· 430440 广东松本绿色新材股份有限公司 …… 146
· 430441 英极软件(大连)股份有限公司 …… 147
· 430442 无锡华昊电器股份有限公司 …… 147
· 430443 北京易丰印捷科技股份有限公司 …… 147
· 430444 苏州昆拓热控系统股份有限公司 …… 147
· 430445 仙宜岱股份有限公司 …… 148

· 430446 武汉三灵科技产业股份有限公司 ……… 148
· 430447 湖南广信科技股份有限公司 …………… 148
· 430448 重庆和航科技股份有限公 ……………… 148
· 430449 深圳市蓝泰源信息技术
股份有限公司 ……………………………… 149
· 430450 江苏正佰电气股份有限公司 …………… 149
· 430451 深圳市万人市场调查股份有限公司 …… 149
· 430452 西安汇龙科技股份有限公司 …………… 149
· 430453 大连恒锐科技股份有限公司 …………… 150
· 430454 东莞市百大新能源股份有限公司 ……… 150
· 430455 杭州德联科技股份有限公司 …………… 150
· 430456 苏州和氏设计营造股份有限公司 ……… 150
· 430457 浙江三网科技股份有限公司 …………… 151
· 430458 大连陆海科技股份有限公司 …………… 151
· 430459 华艺生态园林股份有限公司 …………… 151
· 430460 苏州太湖电工新材料股份有限公司 …… 151
· 430461 南京视威电子科技股份有限公司 ……… 152
· 430462 广东树业环保科技股份有限公司 ……… 152
· 430463 广西汽牛农业机械股份有限公司 ……… 152
· 430464 深圳市方迪科技股份有限公司 ………… 152
· 430465 贵州东方世纪科技股份有限公司 ……… 153
· 430466 新疆华油技术服务股份有限公司 ……… 153
· 430467 深圳市行健自动化股份有限公司 ……… 153
· 430468 新疆锦棉种业科技股份有限公司 ……… 153
· 430469 成都必控科技股份有限公司 …………… 154
· 430470 杭州哲达科技股份有限公司 …………… 154
· 430471 郑州豪威尔电子科技股份有限公司 …… 154
· 430472 昆明安泰得软件股份有限公司 ………… 154
· 430473 成都网动光电子技术股份有限公司 …… 155
· 430474 广东恒裕灯饰股份有限公司 …………… 155
· 430475 上海陆道工程设计管理
股份有限公司 ……………………………… 155
· 430476 济南海能仪器股份有限公司 …………… 155
· 430477 芜湖盛力科技股份有限公司 …………… 156
· 430478 安徽禾益化学股份有限公司 …………… 156
· 430479 成都网阔信息技术股份有限公司 ……… 156
· 430480 郑州辰维科技股份有限公司 …………… 156
· 430481 新疆吉瑞祥科技股份有限公司 ………… 157
· 430482 河源富马硬质合金股份有限公司 ……… 157
· 430483 哈尔滨森鹰窗业股份有限公司 ………… 157
· 430484 福建求实智能股份有限公司 …………… 157
· 430485 南京旭建新型建材股份有限公司 ……… 158
· 430486 广州普金计算机科技股份有限公司 …… 158
· 430487 深圳市佳信捷技术股份有限公司 ……… 158
· 430488 杭州东创科技股份有限公司 …………… 158
· 430489 安徽佳先功能助剂股份有限公司 ……… 159
· 430490 广东旭龙物联科技股份有限公司 ……… 159
· 430491 厦门蓝斯通信股份有限公司 …………… 159
· 430492 济南老来寿生物股份有限公司 ………… 159
· 430493 大同新成新材料股份有限公司 ………… 160
· 430494 安徽华博胜讯信息科技
股份有限公司 ……………………………… 160
· 430495 大连奥远电子股份有限公司 …………… 160
· 430496 山东大正医疗器械股份有限公司 ……… 160
· 430497 威海威硬工具股份有限公司 …………… 161
· 430498 青岛嘉华网络股份有限公司 …………… 161
· 430499 安徽中科自动化股份有限公司 ………… 161
· 430500 江苏亚奥科技股份有限公司 …………… 161
· 430501 厦门超宇环保科技股份有限公司 ……… 162
· 430502 潍坊万隆电气股份有限公司 …………… 162
· 430503 安徽昌盛电子股份有限公司 …………… 162
· 430504 郑州众智科技股份有限公司 …………… 162
· 430505 宁夏上陵牧业股份有限公司 …………… 163
· 430506 郑州云飞扬信息技术股份有限公司 …… 163
· 430507 无锡信达胶脂材料股份有限公司 ……… 163
· 430508 海南中视文化传播股份有限公司 ……… 163
· 430509 中山银利智能科技股份有限公司 ……… 164
· 430510 青岛丰光精密机械股份有限公司 ……… 164
· 430511 山东省远大网络多媒体
股份有限公司 ……………………………… 164
· 430512 无锡芯朋微电子股份有限公司 ………… 164
· 430513 沈阳中科三耐新材料股份有限公司 …… 165
· 430514 江苏速升自动化装备股份有限公司 …… 165
· 430515 沈阳麟龙科技股份有限公司 …………… 165
· 430516 青岛文达通科技股份有限公司 ………… 165
· 430517 济南新吉纳远程测控股份有限公司 …… 166
· 430518 广东嘉达早教科技股份有限公司 ……… 166
· 430519 大连博控科技股份有限公司 …………… 166
· 430520 大连世安科技股份有限公司 …………… 166
· 430521 苏州康捷医疗股份有限公司 …………… 167
· 430522 湖南超弦科技股份有限公司 …………… 167
· 430523 湖南泰谷生物科技股份有限公司 ……… 167
· 430524 大连量天科技发展股份有限公司 ……… 167
· 430525 厦门英诺尔电子科技股份有限公司 …… 168
· 430526 无锡精业丝普兰科技股份有限公司 …… 168
· 430527 成都正武封头科技股份有限公司 ……… 168
· 430528 郑州欧丽信大电子信息
股份有限公司 ……………………………… 168
· 430529 成都恒成工具股份有限公司 …………… 169
· 430530 云南铜业科技发展股份有限公司 ……… 169

· 430532 深圳市北鼎晶辉科技股份有限公司 …… 169
· 430533 烟台同立高科新材料股份有限公司 …… 169
· 430534 广西天涌节能科技股份有限公司 ……… 170
· 430535 柳州爱格富食品科技股份有限公司 …… 170
· 430536 重庆渝万通新材料科技股份有限公司 …… 170
· 430537 哈尔滨恒通排水设备制造股份有限公司 …… 170
· 430538 哈尔滨中大型材科技股份有限公司 …… 171
· 430539 安徽扬子地板股份有限公司 …… 171
· 430540 石家庄五龙制动器股份有限公司 ……… 171
· 430541 大连翼兴节能科技股份有限公司 ……… 171
· 430542 西安利雅得电气股份有限公司 …… 172
· 430543 东莞市锐源仪器股份有限公司 …… 172
· 430544 福建省闽保信息技术股份有限公司 …… 172
· 430545 山东星科智能科技股份有限公司 ……… 172
· 430546 郑州乐彩科技股份有限公司 …… 173
· 430547 郑州畅想高科股份有限公司 …… 173
· 430548 郑州大方软件股份有限公司 …… 173
· 430549 苏州天弘激光股份有限公司 …… 173
· 430550 重庆沃克斯科技股份有限公司 …… 174
· 430551 陕西中兴林产科技股份有限公司 ……… 174
· 430552 陕西亚成微电子股份有限公司 …… 174
· 430553 兰州海红技术股份有限公司 …… 174
· 430554 深圳市金正方科技股份有限公司 ……… 175
· 430555 长虹塑料集团英派瑞塑料股份有限公司 …… 175
· 430556 广东雅达电子股份有限公司 …… 175
· 430557 河南希芳阁绿化工程股份有限公司 …… 175
· 430558 哈尔滨均信投资担保股份有限公司 …… 176
· 430559 珠海新华通软件股份有限公司 …… 176
· 430560 成都西部泰力起重机股份有限公司 …… 176
· 430561 深圳市齐普光电子股份有限公司 ……… 176
· 430562 重庆安运科技股份有限公司 …… 177
· 430563 江西华宇软件股份有限公司 …… 177
· 430564 陕西天润科技股份有限公司 …… 177
· 430565 大连莱力柏信息技术股份有限公司 …… 177
· 430566 浙江虹越花卉股份有限公司 …… 178
· 430567 无锡市海航电液伺服系统股份有限公司 …… 178
· 430568 厦门光莆电子股份有限公司 …… 178
· 430569 东莞安尔发智能科技股份有限公司 …… 178
· 430570 武汉蓝星科技股份有限公司 …… 179
· 430571 广东科硕机械科技股份有限公司 ……… 179
· 430572 保定奥普节能科技股份有限公司 ……… 179
· 430573 湖南山水节能科技股份有限公司 ……… 179
· 430574 北京星奥科技股份有限公司 …… 180
· 430575 苏州迈科网络安全技术股份有限公司 …… 180
· 430576 山东泰信电子股份有限公司 …… 180
· 430577 武汉力龙信息科技股份有限公司 ……… 180
· 430578 吉林省差旅天下网络技术股份有限公司 …… 181
· 430579 苏州市龙源电力科技股份有限公司 …… 181
· 430580 杭州云天软件股份有限公司 …… 181
· 430581 北京八亿时空液晶科技股份有限公司 …… 181
· 430582 安徽华菱西厨装备股份有限公司 ……… 182
· 430583 江苏国贸酝领智能科技股份有限公司 …… 182
· 430584 上海弘陆物流设备股份有限公司 ……… 182
· 430585 徐州中矿微星软件股份有限公司 ……… 182
· 430586 无锡市兴港包装股份有限公司 …… 183
· 430588 浙江天松医疗器械股份有限公司 ……… 183
· 430589 苏州银河激光科技股份有限公司 ……… 183
· 430590 成都晶宝时频技术股份有限公司 ……… 183
· 430591 武汉明德生物科技股份有限公司 ……… 184
· 430592 凯德自控技术长沙股份有限公司 ……… 184
· 430593 苏州华尔美特装饰材料股份有限公司 …… 184
· 430594 广州盈光科技股份有限公司 …… 184
· 430595 江西唐人通信技术服务股份有限公司 …… 185
· 430596 新达通科技股份有限公司 …… 185
· 430597 深圳市博安通科技股份有限公司 ……… 185
· 430598 上海众合医药科技股份有限公司 ……… 185
· 430599 艾艾精密工业输送系统(上海)股份有限公司 …… 186
· 430600 安徽徽电科技股份有限公司 …… 186
· 430601 苏州吉玛基因股份有限公司 …… 186
· 430602 江苏腾旋科技股份有限公司 …… 186
· 430603 杭州回水科技股份有限公司 …… 187
· 430604 福建三炬生物科技股份有限公司 ……… 187
· 430605 无锡阿科力科技股份有限公司 …… 187
· 430606 广州金鹏源康精密电路股份有限公司 …… 187
· 430607 南京大树智能科技股份有限公司 ……… 188
· 430608 西安奇维科技股份有限公司 …… 188
· 430609 山东中磁视讯股份有限公司 …… 188
· 430610 江苏瀚远科技股份有限公司 …… 188

· 430611　上海长信科技股份有限公司 ……………… 189
· 430612　大连雅威特生物技术股份有限公司 ……………… 189
· 430613　广东腾晖信息科技开发股份有限公司 ……………… 189
· 430614　北京星通联华科技发展股份有限公司 ……………… 189
· 430615　大连华工创新科技股份有限公司 ……… 190
· 430616　郑州鸿盛数码科技股份有限公司 ……… 190
· 430617　北京欧迅体育文化股份有限公司 ……… 190
· 430618　深圳市凯立德科技股份有限公司 ……… 190
· 430619　四川格纳斯光电科技股份有限公司 …… 191
· 430620　益善生物技术股份有限公司 ……………… 191
· 430621　固安信通信号技术股份有限公司 ……… 191
· 430622　无锡顺达智能自动化工程股份有限公司 ……………… 191
· 430623　江苏箭鹿毛纺股份有限公司 ……………… 192
· 430624　北京中天金谷科技股份有限公司 ……… 192
· 430625　北京联创种业股份有限公司 ……………… 192
· 430626　潍坊胜达科技股份有限公司 ……………… 192
· 430627　成都页游科技股份有限公司 ……………… 193
· 430628　深圳市易事达电子股份有限公司 ……… 193
· 430629　成都国科海博信息技术股份有限公司 ……………… 193
· 430630　上海合胜计算机科技股份有限公司 …… 193
· 430631　宁夏早康枸杞股份有限公司 ……………… 194
· 430632　上海希奥信息科技股份有限公司 ……… 194
· 430633　上海卡姆南洋医疗器械股份有限公司 ……………… 194
· 430634　上海南安机电设备股份有限公司 ……… 194
· 430635　展唐通讯科技(上海)股份有限公司 … 195
· 430636　上海法普罗新材料股份有限公司 ……… 195
· 430637　上海菱博电子技术股份有限公司 ……… 195
· 430638　上海景格科技股份有限公司 ……………… 195
· 430639　派芬自控(上海)股份有限公司 ……… 196
· 430640　上海摩威环境科技股份有限公司 ……… 196
· 430641　天健创新(北京)监测仪表股份有限公司 ……………… 196
· 430642　北京映翰通网络技术股份有限公司 …… 196
· 430643　北京蓝科泰达科技股份有限公司 ……… 197
· 430644　北京紫贝龙科技股份有限公司 ……… 197
· 430645　天津中瑞药业股份有限公司 ……………… 197
· 430646　上海底特精密紧固件股份有限公司 …… 197
· 430647　上海青鹰实业股份有限公司 ……………… 198
· 430648　上海群雁信息股份有限公司 ……………… 198
· 430649　天津绿清管道科技股份有限公司 ……… 198
· 430650　莱博实业(上海)股份有限公司 ……… 198
· 430651　上海金豹实业股份有限公司 ……………… 199
· 430652　安徽三联泵业股份有限公司 ……………… 199
· 430653　广东同望科技股份有限公司 ……………… 199
· 430654　广东聚科照明股份有限公司 ……………… 199
· 430655　广州今泰科技股份有限公司 ……………… 200
· 430656　上海财安金融服务股份有限公司 ……… 200
· 430657　大连楼兰科技股份有限公司 ……………… 200
· 430658　山东舜网传媒股份有限公司 ……………… 200
· 430659　江苏省铁路发展股份有限公司 ………… 201
· 430660　天津市益佰广通文化传媒股份有限公司 ……………… 201
· 430661　上海派尔科化工材料股份有限公司 …… 201
· 430662　上海罗曼照明科技股份有限公司 ……… 201
· 430663　济南大陆机电股份有限公司 ……………… 202
· 430664　北京联合永道软件股份有限公司 ……… 202
· 430665　广州市高衡力节能科技股份有限公司 ……………… 202
· 430666　北京绿伞化学股份有限公司 ……………… 202
· 430667　北京三多堂传媒股份有限公司 ………… 203
· 430668　江苏笃诚医药科技股份有限公司 ……… 203
· 430669　上海现代环境工程技术股份有限公司 ……………… 203
· 430670　合肥东芯通信股份有限公司 ……………… 203
· 430671　深圳一卡易科技股份有限公司 ………… 204
· 430672　哈尔滨东安液压机械股份有限公司 …… 204
· 430673　上海天佑铁道新技术研究所股份有限公司 ……………… 204
· 430674　上海巴兰仕汽车检测设备股份有限公司 ……………… 204
· 430675　上海天跃科技股份有限公司 ……………… 205
· 430676　浙江恒立数控科技股份有限公司 ……… 205
· 430677　洛阳升华感应加热股份有限公司 ……… 205
· 430678　深圳蓝波绿建集团股份有限公司 ……… 205
· 430680　潍坊联兴新材料科技股份有限公司 …… 206
· 430681　南京芒冠光电科技股份有限公司 ……… 206
· 430682　甘肃中天羊业股份有限公司 ……………… 206
· 430683　武汉新中德塑机股份有限公司 ………… 206
· 430684　上海杰通实业股份有限公司 ……………… 207
· 430685　宁波新芝生物科技股份有限公司 ……… 207
· 430686　安徽华盛科技控股股份有限公司 ……… 207
· 430687　北京华瑞核安科技股份有限公司 ……… 207
· 430688　河北鹏远光电股份有限公司 ……………… 208
· 430689　广州摩登百货股份有限公司 ……………… 208

· 430690 酷买网(北京)科技股份有限公司 …… 208
· 430691 合肥麦稻之星机械科技股份有限公司 …… 208
· 430692 深圳市杰纳瑞医疗仪器股份有限公司 …… 209
· 430693 宁波恒力液压股份有限公司 …… 209
· 430694 安徽华印机电股份有限公司 …… 209
· 430695 青岛浩海网络科技股份有限公司 …… 209
· 430696 重庆秀山金银花中药材股份有限公司 …… 210
· 430697 沈阳宝石金卡信息技术股份有限公司 …… 210
· 430698 武汉康普常青软件技术股份有限公司 …… 210
· 430699 上海海欣医药股份有限公司 …… 210
· 430700 北京飞尼课斯科技股份有限公司 …… 211
· 430701 扬州立德粉末冶金股份有限公司 …… 211
· 430702 北京昊福文化传播股份有限公司 …… 211
· 430703 深圳市高山水生态园林股份有限公司 …… 211
· 430704 济南同智伟业软件股份有限公司 …… 212
· 430705 广州市天锐科技股份有限公司 …… 212
· 430706 海芯华夏(北京)科技股份有限公司 …… 212
· 430707 佛山欧神诺陶瓷股份有限公司 …… 212
· 430709 武汉深蓝自动化设备股份有限公司 …… 213
· 430711 江苏泓源光电科技股份有限公司 …… 213
· 430712 福建索天信息科技股份有限公司 …… 213
· 430713 山东昌润钻石股份有限公司 …… 213
· 430714 苏州奇才电子科技股份有限公司 …… 214
· 430715 郑州春泉节能股份有限公司 …… 214
· 430716 浙江爱力浦科技股份有限公司 …… 214
· 430717 山东省源通机械股份有限公司 …… 214
· 430718 合肥高科科技股份有限公司 …… 215
· 430719 北京同创九鼎投资管理股份有限公司 …… 215
· 430720 北京东方炫辰科技发展股份有限公司 …… 215
· 430721 常州瑞杰塑料股份有限公司 …… 215
· 430722 上海鸿图建筑设计股份有限公司 …… 216
· 430723 广东金源科技股份有限公司 …… 216
· 430724 武汉芳笛环保股份有限公司 …… 216
· 430725 北京九五智驾信息技术股份有限公司 …… 216
· 430726 北京津宇嘉信科技股份有限公司 …… 217
· 430727 江西金格科技股份有限公司 …… 217
· 430728 山东五岳钻具股份有限公司 …… 217
· 430729 宁波万里智能科技股份有限公司 …… 217
· 430730 山东先大药业股份有限公司 …… 218
· 430731 凯地钻探(北京)股份有限公司 …… 218
· 430732 山东威马泵业股份有限公司 …… 218
· 430733 北京御食园食品股份有限公司 …… 218
· 430734 源渤科技发展(大连)股份有限公司 …… 219
· 430735 南京智达康无线通信科技股份有限公司 …… 219
· 430736 江苏中江种业股份有限公司 …… 219
· 430737 无锡斯达新能源科技股份有限公司 …… 219
· 430738 安徽白兔湖动力股份有限公司 …… 220
· 430739 山东银花朝阳农业发展股份有限公司 …… 220
· 430740 深圳市中天超硬工具股份有限公司 …… 220
· 430741 重庆格林绿化设计建设股份有限公司 …… 220
· 430742 上海光维通信技术股份有限公司 …… 221
· 430743 广州尚思传媒广告股份有限公司 …… 221
· 430744 广州嘉瑶信息技术股份有限公司 …… 221
· 430745 西安诺文电子科技股份有限公司 …… 221
· 430746 新疆七星建设科技股份有限公司 …… 222
· 430747 武汉现代长江机电制造股份有限公司 …… 222
· 430748 安徽恒均粉末冶金科技股份有限公司 …… 222
· 430749 衡阳金化高压容器股份有限公司 …… 222
· 430750 北京欣易晨科技发展股份有限公司 …… 223
· 430751 南京赛格微电子科技股份有限公司 …… 223
· 430752 武汉索泰能源科技股份有限公司 …… 223
· 430753 琼中黎族苗族自治县农村信用合作联社股份有限公司 …… 223
· 430754 北京波智高远信息技术股份有限公司 …… 224
· 430755 深圳市华曦达科技股份有限公司 …… 224
· 430756 北京科电瑞通科技股份有限公司 …… 224
· 430757 北京天翔昌运节能科技股份有限公司 …… 224
· 430758 四联智能技术股份有限公司 …… 225
· 430759 广州凯路仕自行车运动时尚产业股份有限公司 …… 225
· 430760 武汉奥新科技股份有限公司 …… 225
· 430761 广西升禾环保科技股份有限公司 …… 225
· 430762 山东荣昌育种股份有限公司 …… 226
· 430763 北京爱科迪通信技术股份有限公司 …… 226

·430764 上海美诺福科技股份有限公司 ………… 226
·830765 天津协盛科技股份有限公司 …………… 226
·830766 北京博锐尚格节能技术
股份有限公司 ……………………………… 227
·830767 宁夏网虫信息技术股份有限公司 ……… 227
·830768 山东耀通节能环保科技
股份有限公司 ……………………………… 227
·830769 北京华财会计股份有限公司 …………… 227
·830770 深圳市牛商网络股份有限公司 ………… 228
·830771 江苏华灿电讯股份有限公司 …………… 228
·830772 威海远航科技发展股份有限公司 ……… 228
·830773 洛阳正扬冶金技术股份有限公司 ……… 228
·830774 济南百博生物技术股份有限公司 ……… 229
·830775 杭州吉华高分子材料股份有限公司 …… 229
·830776 哈尔滨帕特尔科技股份有限公司 ……… 229
·830777 江西金达莱环保股份有限公司 ………… 229
·830778 深圳市博思堂文化传媒
股份有限公司 ……………………………… 230
·830779 武汉市蓝电电子股份有限公司 ………… 230
·830780 重庆永鹏网络科技股份有限公司 ……… 230
·830781 佛山精鹰传媒股份有限公司 …………… 230
·830782 泰安众诚矿山自动化股份有限公司 …… 231
·830783 聊城广源精密机械制造
股份有限公司 ……………………………… 231
·830784 威尔凯电气(上海)股份有限公司 …… 231
·830785 大连冰洋科技股份有限公司 …………… 231
·830786 江苏华源建筑设计研究院
股份有限公司 ……………………………… 232
·830787 福州唐朝彩印股份有限公司 …………… 232
·830788 运通四方汽配供应链股份有限公司 …… 232
·830789 博富科技股份有限公司 ………………… 232
·830790 长春希迈气象科技股份有限公司 ……… 233
·830791 昆明佳晓自来水工程技术
股份有限公司 ……………………………… 233
·830792 山东创新腐植酸科技股份有限公司 …… 233
·830793 上海晶纯生化科技股份有限公司 ……… 233
·830794 南京奥派信息产业股份有限公司 ……… 234
·830795 广东骏汇汽车科技股份有限公司 ……… 234
·830796 云南路桥股份有限公司 ………………… 234
·830797 上海易之景和环境技术
股份有限公司 ……………………………… 234
·830798 北京中外名人文化传媒
股份有限公司 ……………………………… 235
·830799 上海艾融软件股份有限公司 …………… 235
·830800 重庆天开园林股份有限公司 …………… 235
·830801 深圳市盈富通文化股份有限公司 ……… 235
·830802 江苏省金象传动设备股份有限公司 …… 236
·830803 沈阳新松医疗科技股份有限公司 ……… 236
·830805 浙江德马科技股份有限公司 …………… 236
·830806 云南亚锦科技股份有限公司 …………… 236
·830807 安徽恒瑞新能源股份有限公司 ………… 237
·830808 中智华体(北京)科技股份有限公司 … 237
·830809 贵州安达科技能源股份有限公司 ……… 237
·830810 广东羚光新材料股份有限公司 ………… 237
·830811 贵州安凯达实业股份有限公司 ………… 238
·830812 大连约伴传媒股份有限公司 …………… 238
·830813 河南熔金高温材料股份有限公司 ……… 238
·830814 江苏浩博新材料股份有限公司 ………… 238
·830815 北京蓝山科技股份有限公司 …………… 239
·830816 武汉卡特工业股份有限公司 …………… 239
·830817 浙江鼎炬电子科技股份有限公司 ……… 239
·830818 苏州巨峰电气绝缘系统
股份有限公司 ……………………………… 239
·830819 北京致生联发信息技术
股份有限公司 ……………………………… 240
·830820 辽宁大族冠华印刷科技
股份有限公司 ……………………………… 240
·830821 安徽雪郎生物科技股份有限公司 ……… 240
·830822 青岛海容商用冷链股份有限公司 ……… 240
·830823 湖南拓天节能控制技术
股份有限公司 ……………………………… 241
·830824 福州华虹智能科技股份有限公司 ……… 241
·830825 重庆和泰塑胶股份有限公司 …………… 241
·830826 天津泰瑞机械装备科技
股份有限公司 ……………………………… 241
·830827 湖南世优电气股份有限公司 …………… 242
·830828 云南万绿生物股份有限公司 …………… 242
·830829 无锡华精新材股份有限公司 …………… 242
·830830 江阴市新昶虹电力科技
股份有限公司 ……………………………… 242
·830831 福建华泰集团股份有限公司 …………… 243
·830832 山东齐鲁华信实业股份有限公司 ……… 243
·830833 武汉九生堂生物科技股份有限公司 …… 243
·830834 平原信达化工股份有限公司 …………… 243
·830835 贵州南源电力科技股份有限公司 ……… 244
·830836 湖北荆楚网络科技股份有限公司 ……… 244
·830837 河北古城香业集团股份有限公司 ……… 244
·830838 深圳市新产业生物医学工程
股份有限公司 ……………………………… 244
·830839 山东万通液压股份有限公司 …………… 245

· 830840 武汉永力科技股份有限公司 ……………… 245
· 830841 广东长牛电气股份有限公司 ……………… 245
· 830842 广东长天思源环保科技股份有限公司 ……………… 245
· 830843 上海沃迪自动化装备股份有限公司 …… 246
· 830844 天津市鸿远电气股份有限公司 ………… 246
· 830845 深圳芯邦科技股份有限公司 ……………… 246
· 830846 山东格林检测股份有限公司 ……………… 246
· 830847 乐山晟嘉电气股份有限公司 ……………… 247
· 830848 厦门鑫森海电子股份有限公司 ………… 247
· 830849 河南平原非标准装备股份有限公司 …… 247
· 830850 江苏万企达股份有限公司 ………………… 247
· 830851 宁夏骏华月牙湖农牧科技股份有限公司 ……………… 248
· 830852 中国科学院沈阳科学仪器股份有限公司 ……………… 248
· 830853 苏州天加新材料股份有限公司 ………… 248
· 830854 长沙族兴新材料股份有限公司 ………… 248
· 830855 宁夏盈谷实业股份有限公司 ……………… 249
· 830856 安徽合矿机械股份有限公司 ……………… 249
· 830857 广东金冠科技股份有限公司 ……………… 249
· 830858 北京华图宏阳教育文化发展股份有限公司 ……………… 249
· 830859 湖北金旭农业发展股份有限公司 ……… 250
· 830860 银川奥特信息技术股份公司 ……………… 250
· 830861 合肥金诺数码科技股份有限公司 ……… 250
· 830862 广州市丰海科技股份有限公司 ………… 250
· 830863 北京瑞华天健科技股份有限公司 ……… 251
· 830864 大连诚思科技股份有限公司 ……………… 251
· 830865 广州南菱汽车股份有限公司 ……………… 251
· 830866 苏州工业园区凌志软件股份有限公司 ……………… 251
· 830867 武汉全华光电科技股份有限公司 ……… 252
· 830868 南京建策科技股份有限公司 ……………… 252
· 830869 天津英康科技股份有限公司 ……………… 252
· 830870 铜陵松宝智能装备股份有限公司 ……… 252
· 830871 北京天元晟业科技股份有限公司 ……… 253
· 830872 湖南长信畅中科技股份有限公司 ……… 253
· 830873 奥测世纪(北京)技术股份有限公司 … 253
· 830874 无锡金田元丰科技股份有限公司 ……… 253
· 830875 四川千草生物技术股份有限公司 ……… 254
· 830876 洛阳市黄河软轴控制器股份有限公司 ……………… 254
· 830877 浙江康莱宝体育用品股份有限公司 …… 254
· 830878 云南智云信息技术股份有限公司 ……… 254
· 830879 基康仪器股份有限公司 …………………… 255
· 830880 江苏火凤凰线缆系统技术股份有限公司 ……………… 255
· 830881 济南圣泉集团股份有限公司 ……………… 255
· 830882 无锡佳龙换热器股份有限公司 ………… 255
· 830883 威海联桥新材料科技股份有限公司 …… 256
· 830884 北京同力华盛环保供水科技股份有限公司 ……………… 256
· 830885 广东波斯科技股份有限公司 ……………… 256
· 830886 福建太尔电子科技股份有限公司 ……… 256
· 830887 江苏吉美思物联网产业股份有限公司 ……………… 257
· 830888 北京环球世纪工场文化传媒股份有限公司 ……………… 257
· 830889 湖南深拓智能设备股份有限公司 ……… 257
· 830890 上海海魄信息科技股份有限公司 ……… 257
· 830891 广东轩辕网络科技股份有限公司 ……… 258
· 830892 厦门海迈科技股份有限公司 ……………… 258
· 830893 上海亚泽实业股份有限公司 ……………… 258
· 830894 辽宁紫竹桩基础工程股份有限公司 …… 258
· 830895 张家港玉成精机股份有限公司 ………… 259
· 830896 重庆市旺成科技股份有限公司 ………… 259
· 830897 苏州志向纺织科研股份有限公司 ……… 259
· 830898 北京华人天地影视策划股份有限公司 ……………… 259
· 830899 联讯证券股份有限公司 …………………… 260
· 830900 上海维福特科技发展股份有限公司 …… 260
· 830901 无锡隆玛科技股份有限公司 ……………… 260
· 830902 四川长仪油气集输设备股份有限公司 ……………… 260
· 830903 上海复展智能科技股份有限公司 ……… 261
· 830904 博思特能源装备(天津)股份有限公司 ……………… 261
· 830905 湖南成聪软件股份有限公司 ……………… 261
· 830906 山东万事达建筑钢品股份有限公司 …… 261
· 830907 宁波瑞丽洗涤股份有限公司 ……………… 262
· 830908 江苏普诺威电子股份有限公司 ………… 262
· 830909 河北同成科技股份有限公司 ……………… 262
· 830910 北京安证通信息科技股份有限公司 …… 262
· 830911 江苏标榜装饰新材料股份有限公司 …… 263
· 830912 山东科汇电力自动化股份有限公司 …… 263
· 830913 沈阳中北通磁科技股份有限公司 ……… 263
· 830914 长沙海赛电装科技股份有限公司 ……… 263
· 830915 保定味群食品科技股份有限公司 ……… 264
· 830916 公淮肉食品股份有限公司 ………………… 264

· 830917 上海网波软件股份有限公司 …………… 264
· 830918 云南银发绿色环保产业股份有限公司 …………… 264
· 830919 山东飞达集团生物科技股份有限公司 …………… 265
· 830920 重庆聚融建设(集团)股份有限公司 … 265
· 830921 上海海阳保安服务股份有限公司 ……… 265
· 830922 上海裕荣光电科技股份有限公司 ……… 265
· 830923 南京上元堂医药股份有限公司 ………… 266
· 830924 深圳市星龙科技股份有限公司 ………… 266
· 830925 湖北鄂信钻石科技股份有限公司 ……… 266
· 830926 山东迪浩耐磨管道股份有限公司 ……… 266
· 830927 浙江兆久成信息技术股份有限公司 …… 267
· 830928 珠海市康定电子股份有限公司 ………… 267
· 830929 广东幸美化妆品股份有限公司 ………… 267
· 830930 青岛天行健物流股份有限公司 ………… 267
· 830931 上海仁会生物制药股份有限公司 ……… 268
· 830932 威海博扬超声仪器股份有限公司 ……… 268
· 830933 纳晶科技股份有限公司 ………………… 268
· 830934 武汉玻尔科技股份有限公司 …………… 268
· 830935 新疆伊帕尔汗香料股份有限公司 ……… 269
· 830936 河南约克信息技术股份有限公司 ……… 269
· 830937 湖南信达电梯股份有限公司 …………… 269
· 830938 德州可恩口腔医院股份有限公司 ……… 269
· 830939 上海君山表面技术工程股份有限公司 …………… 270
· 830940 黄山科宏生物香料股份有限公司 ……… 270
· 830941 上海明硕供应链管理股份有限公司 …… 270
· 830942 无锡众志和达数据计算股份有限公司 …………… 270
· 830943 济南科明数码技术股份有限公司 ……… 271
· 830944 江苏景尚旅业集团股份有限公司 ……… 271
· 830945 江苏麟龙新材料股份有限公司 ………… 271
· 830946 江苏森萱医药化工股份有限公司 ……… 271
· 830947 金柏园林集团股份有限公司 …………… 272
· 830948 浙江捷昌线性驱动科技股份有限公司 …………… 272
· 830949 广东中窑窑业股份有限公司 …………… 272
· 830950 新疆华隆油田科技股份有限公司 ……… 272
· 830951 西安同大实业股份有限公司 …………… 273
· 830952 胜利方兰德石油装备股份有限公司 …… 273
· 830953 江西惠当家信息技术股份有限公司 …… 273
· 830954 宁波华宝石节能科技股份有限公司 …… 273
· 830955 大盛微电科技股份有限公司 …………… 274
· 830956 苏州润佳工程塑料股份有限公司 ……… 274
· 830957 江苏佳成科技股份有限公司 …………… 274
· 830958 苏州高新区鑫庄农村小额贷款股份有限公司 …………… 274
· 830959 宁波爱珂照明股份有限公司 …………… 275
· 830960 深圳微步信息股份有限公司 …………… 275
· 830961 西安圣华农业科技股份有限公司 ……… 275
· 830962 哈尔滨科德威冶金股份有限公司 ……… 275
· 830963 伽力森主食企业(无锡)股份有限公司 …………… 276
· 830964 河北润农节水科技股份有限公司 ……… 276
· 830965 大力电工襄阳股份有限公司 …………… 276
· 830966 江苏苏北花卉股份有限公司 …………… 276
· 830967 山东巨环铸造机械股份有限公司 ……… 277
· 830968 苏州华电电气股份有限公司 …………… 277
· 830969 广东智通人才连锁股份有限公司 ……… 277
· 830970 上海艾录包装股份有限公司 …………… 277
· 830971 苏州科特环保股份有限公司 …………… 278
· 830972 广东道一信息技术股份有限公司 ……… 278
· 830973 辽宁双强塑胶科技发展股份有限公司 …………… 278
· 830974 杭州凯大催化金属材料股份有限公司 …………… 278
· 830975 青岛东和科技股份有限公司 …………… 279
· 830976 深圳电通纬创微电子股份有限公司 …… 279
· 830977 山东婴儿乐股份有限公司 ……………… 279
· 830978 杭州先临三维科技股份有限公司 ……… 279
· 830979 山东泰宝生物科技股份有限公司 ……… 280
· 830980 厦门日懋城建园林建设股份有限公司 …………… 280
· 830981 湖南世纪钨材股份有限公司 …………… 280
· 830982 深圳市中易腾达科技股份有限公司 …… 280
· 830983 广州保得威尔电子科技股份有限公司 …………… 281
· 830984 南京德邦金属装备工程股份有限公司 …………… 281
· 830985 浙江力诺流体控制科技股份有限公司 …………… 281
· 830986 合肥伊科耐信息科技股份有限公司 …… 281
· 830987 重庆四平塑料包装股份有限公司 ……… 282
· 830988 湖北兴和电力新材料股份有限公司 …… 282
· 830989 北京北方空间建筑科技股份有限公司 …………… 282
· 830990 上海鹏盾石油运输股份有限公司 ……… 282
· 830991 北京康盛伟业工程技术股份有限公司 …………… 283

· 830992 上海磐合科学仪器股份有限公司 ……… 283
· 830993 四川壹玖壹玖酒类供应链管理
股份有限公司 …………………………… 283
· 830994 上海金友金弘电线电缆
股份有限公司 …………………………… 283
· 830995 四川九洲光电科技股份有限公司 ……… 284
· 830996 北京汇能精电科技股份有限公司 ……… 284
· 830997 上海领意信息系统集成
股份有限公司 …………………………… 284
· 830998 浙江大铭新材料股份有限公司 ………… 284
· 830999 上海银橙文化传媒股份有限公司 ……… 285
· 831000 北京吉芬时装设计股份有限公司 ……… 285
· 831001 上海英特罗机械电气制造
股份有限公司 …………………………… 285
· 831002 成都飞鱼星科技股份有限公司 ………… 285
· 831003 浙江金大电动车股份有限公司 ………… 286
· 831004 南京宝泰特种材料股份有限公司 ……… 286
· 831005 萍乡华维电瓷科技股份有限公司 ……… 286
· 831006 安徽久易农业股份有限公司 …………… 286
· 831007 无锡汉咏微电子股份有限公司 ………… 287
· 831008 北京百华悦邦科技股份有限公司 ……… 287
· 831009 北京合锐赛尔电力科技
股份有限公司 …………………………… 287
· 831010 银川天佳能源科技股份有限公司 ……… 287
· 831011 北京三友创美饲料科技
股份有限公司 …………………………… 288
· 831012 北京岳能科技股份有限公司 …………… 288
· 831013 贵州兴艺景生态景观工程
股份有限公司 …………………………… 288
· 831014 北京海联捷讯科技股份有限公司 ……… 288
· 831015 广东小白龙动漫文化股份有限公司 …… 289
· 831016 北京帝测科技股份有限公司 …………… 289
· 831017 吉林省星月时尚宾馆连锁
股份有限公司 …………………………… 289
· 831018 江西大族能源科技股份有限公司 ……… 289
· 831019 秦皇岛博硕光电设备股份有限公司 …… 290
· 831020 大连华阳密封股份有限公司 …………… 290
· 831021 四川华雁信息产业股份有限公司 ……… 290
· 831022 郑州三和视讯技术股份有限公司 ……… 290
· 831023 大连北方国际展览股份有限公司 ……… 291
· 831024 宁波中一石化科技股份有限公司 ……… 291
· 831025 佛山市万兴隆再生资源开发
股份有限公司 …………………………… 291
· 831026 杭州熙浪信息技术股份有限公司 ……… 291
· 831027 北京兴致科技股份有限公司 …………… 292
· 831028 河南华丽纸业包装股份有限公司 ……… 292
· 831029 湖北银丰棉花股份有限公司 …………… 292
· 831030 北京卓华信息技术股份有限公司 ……… 292
· 831031 江苏诚盟装备股份有限公司 …………… 293
· 831032 上海景睿营销策划股份有限公司 ……… 293
· 831033 厦门市朗星节能照明股份有限公司 …… 293
· 831034 无锡红光微电子股份有限公司 ………… 293
· 831035 扬州中天利新材料股份有限公司 ……… 294
· 831036 湖北裕国菇业股份有限公司 …………… 294
· 831037 深圳华力兴新材料股份有限公司 ……… 294
· 831038 河南宇建科技股份有限公司 …………… 294
· 831039 国义招标股份有限公司 ………………… 295
· 831040 郑州优波科新材料股份有限公司 ……… 295
· 831041 江苏兆鋆新材料股份有限公司 ………… 295
· 831042 芜湖起重运输机器股份有限公司 ……… 295
· 831043 银川市锦旺农业发展股份有限公司 …… 296
· 831044 贵州安顺家喻新型材料
股份有限公司 …………………………… 296
· 831045 郑州科慧科技股份有限公司 …………… 296
· 831046 北京雷克利达机电股份有限公司 ……… 296
· 831047 四川深远石油钻井工具
股份有限公司 …………………………… 297
· 831048 承德天成印刷科技股份有限公司 ……… 297
· 831049 广州赛莱拉干细胞科技
股份有限公司 …………………………… 297
· 831050 武汉天喻软件股份有限公司 …………… 297
· 831051 北京春秋鸿文化投资股份有限公司 …… 298
· 831052 深圳市金开利科技股份有限公司 ……… 298
· 831053 安徽美佳新材料股份有限公司 ………… 298
· 831054 湖南巴陵炉窑节能股份有限公司 ……… 298
· 831055 厦门三优光电股份有限公司 …………… 299
· 831056 贵州千叶药品包装股份有限公司 ……… 299
· 831057 重庆多普泰制药股份有限公司 ………… 299
· 831058 武汉天颖环境工程股份有限公司 ……… 299
· 831059 广州霍斯通电气股份有限公司 ………… 300
· 831060 珠海天香苑生物科技发展
股份有限公司 …………………………… 300
· 831061 深圳市中瀛鑫科技股份有限公司 ……… 300
· 831062 西安远古信息科技股份有限公司 ……… 300
· 831063 安徽省安泰科技股份有限公司 ………… 301
· 831064 上海浩驰科技股份有限公司 …………… 301
· 831065 鑫干线(北京)科技股份公司 ………… 301
· 831066 辽宁圣维机电科技股份有限公司 ……… 301
· 831067 河北根力多生物科技股份有限公司 …… 302
· 831068 凌志环保股份有限公司 ………………… 302

· 831069 浙江瑞明节能科技股份有限公司 ········· 302
· 831070 厦门威尔圣电气股份有限公司 ············ 302
· 831071 上海北塔软件股份有限公司 ················ 303
· 831072 福建瑞聚信息技术股份有限公司 ········· 303
· 831073 福建瑞恒信息科技股份有限公司 ········· 303
· 831074 浙江佳力科技股份有限公司 ················ 303
· 831075 武汉宏海科技股份有限公司 ················ 304
· 831076 江苏展博电扶梯成套部件
股份有限公司 ································ 304
· 831077 合肥中鼎信息科技股份有限公司 ········· 304
· 831078 广东斯科电气股份有限公司 ················ 304
· 831079 成都瑞琦科技实业股份有限公司 ········· 305
· 831080 厦门立思科技股份有限公司 ················ 305
· 831081 西安西驰电气股份有限公司 ················ 305
· 831082 唐山汇鑫嘉德节能减排科技
股份有限公司 ································ 305
· 831083 北京东润环能科技股份有限公司 ········· 306
· 831084 绿网天下(福建)网络科技有限公司 ··· 306
· 831085 广州博冠光电科技股份有限公司 ········· 306
· 831086 湖南星城石墨科技股份有限公司 ········· 306
· 831087 河南秋乐种业科技股份有限公司 ········· 307
· 831088 安徽华恒生物科技股份有限公司 ········· 307
· 831089 上海金东唐科技股份有限公司 ············ 307
· 831090 凉山州锡成滑石矿业股份有限公司 ······ 307
· 831091 北京精冶源新材料股份有限公司 ········· 308
· 831092 山东乾元泽孚科技股份有限公司 ········· 308
· 831093 河北鑫航铁塔科技股份有限公司 ········· 308
· 831094 成都光大灵曦科技发展
股份有限公司 ································ 308
· 831095 中网科技(苏州)股份有限公司 ········· 309
· 831096 江苏物润船联网络股份有限公司 ········· 309
· 831097 武汉思为同飞网络技术
股份有限公司 ································ 309
· 831098 常州市武进区通利农村小额贷款
股份有限公司 ································ 309
· 831099 新疆维泰开发建设(集团)
股份有限公司 ································ 310
· 831100 武汉博奇玉宇环保股份有限公司 ········· 310
· 831101 北京奥维云网大数据科技
股份有限公司 ································ 310
· 831102 湖南湘佳牧业股份有限公司 ················ 310
· 831103 江苏怡达化学股份有限公司 ················ 311
· 831104 天津市翔维科技发展股份有限公司 ······ 311
· 831105 上海恒伟电子科技股份有限公司 ········· 311
· 831106 上海埃林哲软件系统股份有限公司 ······ 311
· 831107 福建金科信息技术股份有限公司 ········· 312
· 831108 浙江茶乾坤食品股份有限公司 ············ 312
· 831109 威海金牌生物科技股份有限公司 ········· 312
· 831110 江苏荣腾精密组件科技
股份有限公司 ································ 312
· 831111 北京智明恒石油科技股份有限公司 ······ 313
· 831112 江苏哥伦布商业管理股份有限公司 ······ 313
· 831113 上海杰盛通信工程股份有限公司 ········· 313
· 831114 上海易销科技股份有限公司 ················ 313
· 831115 新疆福克油品股份有限公司 ················ 314
· 831116 腾远食品(上海)股份有限公司 ········· 314
· 831117 深圳维恩贝特科技股份有限公司 ········· 314
· 831118 深圳市兰亭科技股份有限公司 ············ 314
· 831119 云南蓝钻生物科技股份有限公司 ········· 315
· 831120 江苏达海智能系统股份有限公司 ········· 315
· 831121 山东力久特种电机股份有限公司 ········· 315
· 831122 福建永信数控科技股份有限公司 ········· 315
· 831123 湖北大成空间科技股份有限公司 ········· 316
· 831124 北京中标新亚节能工程
股份有限公司 ································ 316
· 831125 湖北欧安电气股份有限公司 ················ 316
· 831126 北京元鼎时代科技股份有限公司 ········· 316
· 831127 山东祺龙海洋石油钢管
股份有限公司 ································ 317
· 831128 宁波大汉印邦股份有限公司 ················ 317
· 831129 山东领信信息科技股份有限公司 ········· 317
· 831130 河南环宇石化装备科技
股份有限公司 ································ 317
· 831131 新疆宏泰矿业股份有限公司 ················ 318
· 831132 山东临风科技股份有限公司 ················ 318
· 831133 科润智能科技股份有限公司 ················ 318
· 831134 常州爱特科技股份有限公司 ················ 318
· 831135 上海永冠胶粘制品股份有限公司 ········· 319
· 831136 安徽颍元农业科技股份有限公司 ········· 319
· 831137 芜湖泰和管业股份有限公司 ················ 319
· 831138 北京光影侠数码科技股份有限公司 ······ 319
· 831139 江西省广蓝传动科技股份有限公司 ······ 320
· 831140 上海力阳道路加固科技
股份有限公司 ································ 320
· 831141 沈阳金铠建筑科技股份有限公司 ········· 320
· 831142 北京易讯通信息技术股份有限公司 ······ 320
· 831143 江苏焕鑫新材料股份有限公司 ············ 321
· 831144 上海欣影电力科技股份有限公司 ········· 321
· 831145 江苏阿路美格新材料股份有限公司 ······ 321
· 831146 上海建科建筑节能技术

股份有限公司 …………………………… 321
· 831147 浙江合建重工科技股份有限公司 ……… 322
· 831148 湖南长宏锅炉科技股份有限公司 ……… 322
· 831149 山东奥美环境股份有限公司 …………… 322
· 831150 吉林省金越交通装备股份有限公司 …… 322
· 831151 上海全胜物流股份有限公司 …………… 323
· 831152 昆明理工恒达科技股份有限公司 ……… 323
· 831153 杭州全维通信服务股份有限公司 ……… 323
· 831154 广州益方田园环保股份有限公司 ……… 323
· 831155 武汉振源电气股份有限公司 …………… 324
· 831156 上海浩祯自动化技术股份有限公司 …… 324
· 831157 山东信合节能科技股份有限公司 ……… 324
· 831158 张家界金鲵生物工程股份有限公司 …… 324
· 831159 天津安达物流股份有限公司 …………… 325
· 831160 浙江晨龙锯床股份有限公司 …………… 325
· 831161 辽宁伊菲科技股份有限公司 …………… 325
· 831162 南京天河汽车零部件股份有限公司 …… 325
· 831163 广州艾科新材料股份有限公司 ………… 326
· 831164 南京腾楷网络股份有限公司 …………… 326
· 831165 上海远洲管业科技股份有限公司 ……… 326
· 831166 苏州纳地金属制品股份有限公司 ……… 326
· 831167 深圳市鑫汇科股份有限公司 …………… 327
· 831168 南通华尔康医疗科技股份有限公司 …… 327
· 831169 北京百特莱德工程技术
股份有限公司 …………………………… 327
· 831170 广州熵能创新材料股份有限公司 ……… 327
· 831171 广东海纳川药业股份有限公司 ………… 328
· 831172 浙江华尔达热导技术股份有限公司 …… 328
· 831173 广东泰恩康医药股份有限公司 ………… 328
· 831174 沈阳全密封变压器股份有限公司 ……… 328
· 831175 珠海派诺科技股份有限公司 …………… 329
· 831176 山东天鸿模具股份有限公司 …………… 329
· 831177 河南心连心深冷能源股份有限公司 …… 329
· 831178 浙江科马摩擦材料股份有限公司 ……… 329
· 831179 武汉奥杰科技股份有限公司 …………… 330
· 831180 南京华苏科技股份有限公司 …………… 330
· 831181 北京莱特九州技术服务
股份有限公司 …………………………… 330
· 831182 深圳市堃琦鑫华股份有限公司 ………… 330
· 831183 北京可视化节能科技股份有限公司 …… 331
· 831184 江苏强盛功能化学股份有限公司 ……… 331
· 831185 洛阳众智软件科技股份有限公司 ……… 331
· 831186 珠海金鸿药业股份有限公司 …………… 331
· 831187 广州创尔生物技术股份有限公司 ……… 332
· 831188 雅安正兴汉白玉股份有限公司 ………… 332
· 831189 浙江乔顿服饰股份有限公司 …………… 332
· 831190 常州第六元素材料科技
股份有限公司 …………………………… 332
· 831191 郑州彩通科技股份有限公司 …………… 333
· 831192 威海市海明威集团股份有限公司 ……… 333
· 831193 四川新健康成生物股份有限公司 ……… 333
· 831194 上海派拉软件股份有限公司 …………… 333
· 831195 青岛三祥科技股份有限公司 …………… 334
· 831196 深圳市恒扬科技股份有限公司 ………… 334
· 831197 佛山市雅洁源科技股份有限公司 ……… 334
· 831198 北京博华信智科技股份有限公司 ……… 334
· 831199 诸暨市海博小额贷款股份有限公司 …… 335
· 831200 深圳巨正源股份有限公司 ……………… 335
· 831201 江苏润华电缆股份有限公司 …………… 335
· 831202 广东摩德娜科技股份有限公司 ………… 335
· 831203 上海瑞组机械股份有限公司 …………… 336
· 831204 合肥汇通控股股份有限公司 …………… 336
· 831205 上海圣博华康文化创意投资
股份有限公司 …………………………… 336
· 831206 广州尚恩科技股份有限公司 …………… 336
· 831207 福建南方制药股份有限公司 …………… 337
· 831208 上海洁昊环保股份有限公司 …………… 337
· 831209 河南鑫安利安全科技股份有限公司 …… 337
· 831210 北京圣海林生态环境科技
股份有限公司 …………………………… 337
· 831211 上海尊马汽车管件股份有限公司 ……… 338
· 831212 云南昆钢耐磨材料科技
股份有限公司 …………………………… 338
· 831213 宁波博汇化工科技股份有限公司 ……… 338
· 831214 浙江中晶科技股份有限公司 …………… 338
· 831215 贵阳新天药业股份有限公司 …………… 339
· 831216 浙江中林勘察研究股份有限公司 ……… 339
· 831217 河南书网教育科技股份有限公司 ……… 339
· 831218 宁夏成丰农业科技开发
股份有限公司 …………………………… 339
· 831219 安徽詹氏食品股份有限公司 …………… 340
· 831220 安徽新宁装备股份有限公司 …………… 340
· 831221 苏州聚阳环保科技股份有限公司 ……… 340
· 831222 北京市金龙腾装饰股份有限公司 ……… 340
· 831223 江苏中旗作物保护股份有限公司 ……… 341
· 831224 杭州沈氏节能科技股份有限公司 ……… 341
· 831225 北京宏景世纪软件股份有限公司 ……… 341
· 831226 上海聚宝网络科技股份有限公司 ……… 341
· 831227 江西宜春汽车运输股份有限公司 ……… 342
· 831228 安徽夏阳机动车辆检测

股份有限公司 ································ 342
·831229 湖北木兰花家政服务股份有限公司 ······ 342
·831230 上海双申医疗器械股份有限公司 ········ 342
·831231 深圳市佳保安全股份有限公司 ············ 343
·831232 江苏红旗种业股份有限公司 ·············· 343
·831233 新疆恒丰现代农业科技
股份有限公司 ································ 343
·831234 济南天辰铝机股份有限公司 ·············· 343
·831235 江苏谋士在仁人才管理咨询
股份有限公司 ································ 344
·831236 威海华东修船股份有限公司 ·············· 344
·831237 苏州飞宇精密科技股份有限公司 ········ 344
·831238 山东旭业新材料股份有限公司 ············ 344
·831239 云南杨丽萍文化传播股份有限公司 ······ 345
·831240 祺景(上海)光电科技股份有限公司 ··· 345
·831241 新疆博峰新业石油工程技术
股份有限公司 ································ 345
·831242 深圳市特辰科技股份有限公司 ············ 345
·831243 宁夏晓鸣农牧股份有限公司 ·············· 346
·831244 西安星展测控科技股份有限公司 ········ 346
·831245 江苏扬开电力设备股份有限公司 ········ 346
·831246 珠海欧力配网自动化股份有限公司 ······ 346
·831247 成都盛帮密封件股份有限公司 ············ 347
·831248 杭州瑞德设计股份有限公司 ·············· 347
·831249 无锡朗源科技股份有限公司 ·············· 347
·831250 浙江维涅斯装饰材料股份有限公司 ······ 347
·831251 深圳市库马克新技术股份有限公司 ······ 348
·831252 武汉博润通文化科技股份有限公司 ······ 348
·831253 惠州东进农牧股份有限公司 ·············· 348
·831254 深圳市平方科技股份有限公司 ············ 348
·831255 杭州佳和电气股份有限公司 ·············· 349
·831256 新疆银丰现代农业装备
股份有限公司 ································ 349
·831257 北京赛德盛医药科技股份有限公司 ······ 349
·831258 黑龙江省龙蛙农业发展
股份有限公司 ································ 349
·831259 天津福斯特科技股份有限公司 ············ 350
·831260 宁国东方碾磨材料股份有限公司 ········ 350
·831261 山东天海科技股份有限公司 ·············· 350
·831262 重庆广建装饰股份有限公司 ·············· 350
·831263 科华控股股份有限公司 ···················· 351
·831264 武汉柏康科技股份有限公司 ·············· 351
·831265 湖北省宏源药业科技股份有限公司 ······ 351
·831266 广西一铭软件股份有限公司 ·············· 351
·831267 宁夏法福来清真食品股份有限公司 ······ 352
·831268 江苏惠丰润滑材料股份有限公司 ········ 352
·831269 浙江博凡动力装备股份有限公司 ········ 352
·831270 山东宇虹新颜料股份有限公司 ············ 352
·831271 浙江燎原药业股份有限公司 ·············· 353
·831272 同力天合(北京)管理软件
股份有限公司 ································ 353
·831273 北京金视和科技股份有限公司 ············ 353
·831274 苏州瑞可达连接系统股份有限公司 ······ 353
·831275 北京睿力恒一物流技术股份公司 ········ 354
·831276 上海松科快换自动化股份有限公司 ······ 354
·831277 钢钢网电子商务(上海)
股份有限公司 ································ 354
·831278 青岛泰德汽车轴承股份有限公司 ········ 354
·831279 江苏和乔科技股份有限公司 ·············· 355
·831280 厦门兴恒隆股份有限公司 ················ 355
·831281 上海天悦实业发展股份有限公司 ········ 355
·831282 北京欧亚机械设备股份有限公司 ········ 355
·831283 北京蛙视通信技术股份有限公司 ········ 356
·831284 珠海迈科智能科技股份有限公司 ········ 356
·831285 无锡常欣科技股份有限公司 ·············· 356
·831286 竹林伟业科技发展(天津)
股份有限公司 ································ 356
·831287 唐山启奥科技股份有限公司 ·············· 357
·831288 成都安美勤信息技术股份有限公司 ······ 357
·831289 丰泽工程橡胶科技开发
股份有限公司 ································ 357
·831290 广东金达照明科技股份有限公司 ········ 357
·831291 郑州恒博科技股份有限公司 ·············· 358
·831292 汇智光华(北京)文化传媒
股份有限公司 ································ 358
·831293 山东征宙机械股份有限公司 ·············· 358
·831294 浙江中德自控科技股份有限公司 ········ 358
·831295 湖北川东环保能源开发
股份有限公司 ································ 359
·831296 沈阳奥拓福科技股份有限公司 ············ 359
·831297 陕西省数字证书认证中心
股份有限公司 ································ 359
·831298 河南永达美基食品股份有限公司 ········ 359
·831299 京版北教文化传媒股份有限公司 ········ 360
·831300 山东同创汽车散热装置
股份有限公司 ································ 360
·831301 上海零动数码科技股份有限公司 ········ 360
·831302 北京飞扬天下网络科技
股份有限公司 ································ 360
·831303 洛阳澳凯富汇信息技术

股份有限公司 ………………………………… 361
· 831304 山东华阳迪尔化工股份有限公司 ……… 361
· 831305 上海海希工业通讯股份有限公司 ……… 361
· 831306 长春丽明科技开发股份有限公司 ……… 361
· 831307 佛罗伦萨(北京)暖通科技
股份有限公司 ………………………………… 362
· 831308 福建华博教育科技股份有限公司 ……… 362
· 831309 湖北雷迪特冷却系统股份有限公司 …… 362
· 831310 上海航嘉电子科技股份有限公司 ……… 362
· 831311 山东博安智能科技股份有限公司 ……… 363
· 831312 四川赛卓药业股份有限公司 …………… 363
· 831313 南京中超新材料股份有限公司 ………… 363
· 831314 深圳市深科达智能装备
股份有限公司 ………………………………… 363
· 831315 上海安畅网络科技股份有限公司 ……… 364
· 831316 江苏连连化学股份有限公司 …………… 364
· 831317 上海海典软件股份有限公司 …………… 364
· 831318 上海信易信息科技股份有限公司 ……… 364
· 831319 湖南绿蔓生物科技股份有限公司 ……… 365
· 831320 上海路骋国际旅行社股份有限公司 …… 365
· 831321 深圳市顺电连锁股份有限公司 ………… 365
· 831322 北京朗悦科技股份有限公司 …………… 365
· 831323 珠海长先新材料科技股份有限公司 …… 366
· 831324 大连凯洋世界海鲜股份有限公司 ……… 366
· 831325 迈奇化学股份有限公司 ………………… 366
· 831326 焦作市三利达射箭器材
股份有限公司 ………………………………… 366
· 831327 飞翼股份有限公司 ……………………… 367
· 831328 科耐特电缆附件股份有限公司 ………… 367
· 831329 山东海源达国际贸易股份有限公司 …… 367
· 831330 上海普适导航科技股份有限公司 ……… 367
· 831331 湖北华奥安防科技运营
股份有限公司 ………………………………… 368
· 831332 重庆申高生化制药股份有限公司 ……… 368
· 831333 江苏世航国际货运代理
股份有限公司 ………………………………… 368
· 831334 上海竞天科技股份有限公司 …………… 368
· 831335 时空客新传媒(大连)股份有限公司 … 369
· 831336 江苏苏丝丝绸股份有限公司 …………… 369
· 831337 北京雷力海洋生物新产业
股份有限公司 ………………………………… 369
· 831338 山东信和造纸工程股份有限公司 ……… 369
· 831339 洛阳新思路电气股份有限公司 ………… 370
· 831340 苏州金童机械制造股份有限公司 ……… 370
· 831341 大连必由学教育网络股份有限公司 …… 370
· 831342 无锡市大元广盛电气股份有限公司 …… 370
· 831343 湖北益通建设股份有限公司 …………… 371
· 831344 中际联合(北京)科技股份有限公司 … 371
· 831345 江苏海特服饰股份有限公司 …………… 371
· 831346 北京木联能软件股份有限公司 ………… 371
· 831347 武汉大禹阀门股份有限公司 …………… 372
· 831348 江苏碧松照明股份有限公司 …………… 372
· 831349 扬州市德运塑业科技股份有限公司 …… 372
· 831350 包头市展浩电气股份有限公司 ………… 372
· 831351 杭州浙达精益机电技术
股份有限公司 ………………………………… 373
· 831352 浙江健力股份有限公司 ………………… 373
· 831353 浙江海盐力源环保科技
股份有限公司 ………………………………… 373
· 831354 话机世界通信集团股份有限公司 ……… 373
· 831355 江苏亚特尔地源科技股份有限公司 …… 374
· 831356 中电智能(福建)系统集成
股份有限公司 ………………………………… 374
· 831357 河南黄国粮业股份有限公司 …………… 374
· 831358 石家庄新华能源环保科技
股份有限公司 ………………………………… 374
· 831359 湖南恒光科技股份有限公司 …………… 375
· 831360 武汉超级玩家科技股份有限公司 ……… 375
· 831361 郑州胜龙信息技术股份有限公司 ……… 375
· 831362 重庆和平自动化工程股份有限公司 …… 375
· 831363 襄阳佰蒂生物科技股份有限公司 ……… 376
· 831364 上海丰汇医学科技股份有限公司 ……… 376
· 831365 深圳华意隆电气股份有限公司 ………… 376
· 831366 宁夏国龙医疗发展股份有限公司 ……… 376
· 831367 宁夏红山河食品股份有限公司 ………… 377
· 831368 新疆阳光电通科技股份有限公司 ……… 377
· 831369 北京帜扬信通科技股份有限公司 ……… 377
· 831370 重庆新安洁景观园林环保
股份有限公司 ………………………………… 377
· 831371 广东美涂士建材股份有限公司 ………… 378
· 831372 天津宝成机械制造股份有限公司 ……… 378
· 831373 深圳市电科电源股份有限公司 ………… 378
· 831374 苏州吉人高新材料股份有限公司 ……… 378
· 831375 上海三强企业集团股份有限公司 ……… 379
· 831376 吉林金洪汽车部件股份有限公司 ……… 379
· 831377 有友食品股份有限公司 ………………… 379
· 831378 河南富耐克超硬材料股份有限公司 …… 379
· 831379 融信租赁股份有限公司 ………………… 380
· 831380 贵州省地质矿产资源开发
股份有限公司 ………………………………… 380

· 831381　中持依迪亚（北京）环境检测分析股份有限公司 …… 380
· 831382　北京智创联合科技股份有限公司 …… 380
· 831383　西安楼市通网络科技股份有限公司 …… 381
· 831384　北京华创网安科技股份有限公司 …… 381
· 831385　深圳市大地和电气股份有限公司 …… 381
· 831386　广东风华环保设备股份有限公司 …… 381
· 831387　山东华特磁电科技股份有限公司 …… 382
· 831388　青海福来喜得生物科技股份有限公司 …… 382
· 831389　新乡市万和过滤技术股份公司 …… 382
· 831390　湖北宜都运机机电股份有限公司 …… 382
· 831391　三达奥克化学股份有限公司 …… 383
· 831392　郑州天迈科技股份有限公司 …… 383
· 831393　湖北中碧环保科技股份有限公司 …… 383
· 831395　上海智通建设发展股份有限公司 …… 383
· 831396　河南许继智能科技股份有限公司 …… 384
· 831397　广东康泽药业股份有限公司 …… 384
· 831398　内蒙古东联影视动漫科技股份有限公司 …… 384
· 831399　辽宁参仙源参业股份有限公司 …… 384
· 831400　四川优博创信息技术股份有限公司 …… 385
· 831401　北京信立方科技发展股份有限公司 …… 385
· 831402　上海帝联信息科技股份有限公司 …… 385
· 831403　哈尔滨庆功林泵业股份有限公司 …… 385
· 831404　北京宝丽兴源技术服务股份有限公司 …… 386
· 831405　天津赞普科技股份有限公司 …… 386
· 831406　福建森达电气股份有限公司 …… 386
· 831407　北京万泰中联科技股份有限公司 …… 386
· 831408　重庆大美长江三峡游轮股份有限公司 …… 387
· 831409　华油阳光（北京）科技股份有限公司 …… 387
· 831410　天和自动化科技（苏州）股份有限公司 …… 387
· 831411　烟台三重技术股份有限公司 …… 387
· 831412　武汉天际航信息科技股份有限公司 …… 388
· 831413　山东中创软件商用中间件股份有限公司 …… 388
· 831414　武汉大洋义天科技股份有限公司 …… 388
· 831415　河北城兴市政设计院股份有限公司 …… 388
· 831416　江苏大成医药科技股份有限公司 …… 389
· 831417　重庆峻岭能源股份有限公司 …… 389
· 831418　山西三合盛节能环保技术股份有限公司 …… 389
· 831419　衡阳鸿铭科技股份有限公司 …… 389
· 831421　广东天富电气股份有限公司 …… 390
· 831422　重庆奥根科技股份有限公司 …… 390
· 831423　上海快易名商企业发展股份有限公司 …… 390
· 831424　江苏薪泽奇机械股份有限公司 …… 390
· 831425　厦门致善生物科技股份有限公司 …… 391
· 831426　北京拂尘龙科技发展股份有限公司 …… 391
· 831427　山东信通电子股份有限公司 …… 391
· 831428　数据堂（北京）科技股份有限公司 …… 391
· 831429　浙江创力电子股份有限公司 …… 392
· 831430　北京天易门窗幕墙股份有限公司 …… 392
· 831431　泉州市东南光电股份有限公司 …… 392
· 831432　湖北优尼科光电技术股份有限公司 …… 392
· 831433　佛山市川东磁电股份有限公司 …… 393
· 831435　哈尔滨行健智能机器人股份有限公司 …… 393
· 831436　福建白水农夫农业股份有限公司 …… 393
· 831437　广东天劲新能源科技股份有限公司 …… 393
· 831438　益阳生力材料科技股份有限公司 …… 394
· 831439　中喜生态产业股份有限公司 …… 394
· 831440　湖南友旭信息科技股份有限公司 …… 394
· 831441　温州瓷爵士科技股份有限公司 …… 394
· 831442　烟台枫林食品股份有限公司 …… 395
· 831443　湖南黑美人茶业股份有限公司 …… 395
· 831444　浙江汇隆新材料股份有限公司 …… 395
· 831445　福建龙泰竹业股份有限公司 …… 395
· 831446　内蒙古亨利新技术工程股份有限公司 …… 396
· 831447　浙江明烁节能科技股份有限公司 …… 396
· 831448　南昌贝欧特医疗科技股份有限公司 …… 396
· 831449　北京赛格立诺办公科技股份有限公司 …… 396
· 831450　苏州金宏气体股份有限公司 …… 397
· 831451　安徽亿海矿山设备股份有限公司 …… 397
· 831452　武汉宝特龙科技股份有限公司 …… 397
· 831454　福建省皇品文化传播股份有限公司 …… 397
· 831455　广东粤林电气科技股份有限公司 …… 398
· 831456　贵州森瑞新材料股份有限公司 …… 398
· 831457　杭州祥龙钻探设备科技股份有限公司 …… 398
· 831458　山东联科新材料股份有限公司 …… 398
· 831459　珠海伟诚科技股份有限公司 …… 399
· 831461　河北百年巧匠手工艺品股份有限公司 …… 399

· 831462　浙江友泰电气股份有限公司 …………… 399
· 831463　郑州凯雪冷链股份有限公司 …………… 399
· 831464　福建创高安防技术股份有限公司 ……… 400
· 831465　北京广佳建筑装饰股份有限公司 ……… 400
· 831467　河北世窗信息技术股份有限公司 ……… 400
· 831469　新疆金磊建材股份有限公司 …………… 400
· 831470　山东创通信息技术股份有限公司 ……… 401
· 831471　天津市北方创业园林股份有限公司 …… 401
· 831472　上海激动网络股份有限公司 …………… 401
· 831473　江苏科幸新材料股份有限公司 ………… 401
· 831474　上海科特新材料股份有限公司 ………… 402
· 831476　广东硕源科技股份有限公司 …………… 402
· 831477　福建菲达阀门科技股份有限公司 ……… 402
· 831478　北京天际数字技术股份公司 …………… 402
· 831479　湖南湘联节能科技股份有限公司 ……… 403
· 831480　山东福生佳信科技股份有限公司 ……… 403
· 831482　山西和信基业科技股份有限公司 ……… 403
· 831485　南通科达建材股份有限公司 …………… 403
· 831486　江苏索尔新能源科技股份有限公司 …… 404
· 831487　山西山大合盛新材料股份有限公司 …… 404
· 831489　湖南天衡儿童用品股份有限公司 ……… 404
· 831490　成都成电光信科技股份有限公司 ……… 404
· 831491　深圳市佳音王科技股份有限公司 ……… 405
· 831492　山东安信种苗股份有限公司 …………… 405
· 831493　福建赛特传媒股份有限公司 …………… 405
· 831494　江苏美居客科技发展股份有限公司 …… 405
· 831495　成都中联信通科技股份有限公司 ……… 406
· 831497　上海事成软件股份有限公司 …………… 406
· 831499　浙江立元通信技术股份有限公司 ……… 406
· 831500　新疆西部蓝天建设工程股份有限公司 …………………………… 406

第四章　全国中小企业股份转让系统优秀机构汇展 …………… 407

第一节　优秀挂牌企业选介 ………………………… 407
·【430002】　中科软科技股份有限公司 ………… 407
·【430051】　北京九恒星科技股份有限公司 …… 407
·【430074】　北京德鑫泉物联网科技股份有限公司 ……………………… 408
·【430075】　北京中讯四方科技股份有限公司 … 408
·【430092】　北京金刚游戏科技股份有限公司 … 408
·【430119】　北京鸿仪四方辐射技术股份有限公司 ……………………… 409
·【430135】　北京三益能源环保发展股份有限公司 ……………………… 409
·【430152】　北京思创银联科技股份有限公司 … 409
·【430177】　上海点客信息技术股份有限公司 … 410
·【430196】　北京宣爱智能模拟技术股份有限公司 ……………………… 410
·【430209】　北京康孚科技股份有限公司 ……… 411
·【430214】　上海建中医疗器械包装股份有限公司 ……………………… 411
·【430238】　上海普华科技发展股份有限公司 … 411
·【430253】　北京兴竹同智信息技术股份有限公司 ……………………… 412
·【430263】　北京蓝天瑞德环保技术股份有限公司 ……………………… 412
·【430274】　天津重钢机械装备股份有限公司 … 412
·【430348】　北京瑞斯福高新科技股份有限公司 ……………………… 413
·【430357】　上海行悦信息科技股份有限公司 … 413
·【430363】　上海上电电机股份有限公司 ……… 414
·【430376】　青岛东亚装饰股份有限公司 ……… 414
·【430383】　江苏红豆杉生物科技股份有限公司 ……………………… 414
·【430406】　广东奥美格传导科技股份有限公司 ……………………… 415
·【430417】　苏州良才物流科技股份有限公司 … 415
·【430422】　上海永继电气股份有限公司 ……… 415
·【430424】　北京联合创业环保工程股份有限公司 ……………………… 416
·【430441】　英极软件(大连)股份有限公司 …… 416
·【430445】　仙宜岱股份有限公司 ……………… 416
·【430447】　湖南广信科技股份有限公司 ……… 416
·【430451】　深圳市万人市场调查股份有限公司 ……………………… 417
·【430465】　贵州东方世纪科技股份有限公司 … 417
·【430477】　芜湖盛力科技股份有限公司 ……… 417
·【430515】　沈阳麟龙科技股份有限公司 ……… 418
·【430520】　大连世安科技股份有限公司 ……… 418
·【430538】　哈尔滨中大型材科技股份有限公司 ……………………… 418
·【430541】　大连翼兴节能科技股份有限公司 … 418
·【430549】　苏州天弘激光股份有限公司 ……… 419
·【430554】　深圳市金正方科技股份有限公司 … 419
·【430568】　厦门光莆电子股份有限公司 ……… 420
·【430571】　广东科硕机械科技股份有限公司 … 420
·【430583】　江苏国贸酝领智能科技股份有限公司 ……………………… 420
·【430604】　福建三炬生物科技股份有限公司 … 420

·【430605】 无锡阿科力科技股份有限公司 …… 421
·【430654】 广东聚科照明股份有限公司 ……… 421
·【430663】 济南大陆机电股份有限公司 ……… 421
·【430675】 上海天跃科技股份有限公司 ……… 421
·【430678】 深圳蓝波绿建集团股份有限公司 … 422
·【430700】 北京飞尼课斯科技股份有限公司 … 422
·【430712】 福建索天信息科技股份有限公司 … 422
·【430715】 郑州春泉节能股份有限公司 ……… 423
·【430717】 山东省源通机械股份有限公司 …… 423
·【430736】 江苏中江种业股份有限公司 ……… 423
·【430738】 安徽白兔湖动力股份有限公司 …… 424
·【430745】 西安诺文电子科技股份有限公司 … 424
·【430758】 四联智能技术股份有限公司 ……… 425
·【430762】 山东荣昌育种股份有限公司 ……… 425
·【830769】 北京华财会计股份有限公司 ……… 425
·【830771】 江苏华灿电讯股份有限公司 ……… 426
·【830774】 济南百博生物技术股份有限公司 … 426
·【830777】 江西金达莱环保股份有限公司 …… 427
·【830778】 深圳市博思堂文化传媒股份有限公司 …… 427
·【830793】 上海晶纯生化科技股份有限公司 … 427
·【830795】 广东骏汇汽车科技股份有限公司 … 427
·【830810】 广东羚光新材料股份有限公司 …… 428
·【830811】 贵州安凯达实业股份有限公司 …… 428
·【830818】 苏州巨峰电气绝缘系统股份有限公司 …… 428
·【830827】 湖南世优电气股份有限公司 ……… 428
·【830836】 湖北荆楚网络科技股份有限公司 … 429
·【830842】 广东长大思源环保科技股份有限公司 …… 429
·【830866】 凌志软件股份有限公司 …………… 430
·【830894】 辽宁紫竹桩基础工程股份有限公司 …… 431
·【830898】 北京华人天地影视策划股份有限公司 …… 431
·【830900】 上海维福特科技发展股份有限公司 …… 431
·【830920】 重庆聚融建设(集团)股份有限公司 …… 431
·【830938】 德州可恩口腔医院股份有限公司 … 432
·【830945】 江苏麟龙新材料股份有限公司 …… 432
·【830973】 辽宁双强塑胶科技发展股份有限公司 …… 432
·【830977】 山东婴儿乐股份有限公司 ………… 433
·【830978】 杭州先临三维科技股份有限公司 … 433
·【830983】 广州保得威尔电子科技股份有限公司 …… 433
·【830998】 浙江大铭新材料股份有限公司 …… 434
·【831001】 上海英特罗机械电气制造股份有限公司 …… 434
·【831020】 大连华阳密封股份有限公司 ……… 434
·【831028】 河南华丽纸业包装股份有限公司 … 434
·【831039】 国义招标股份有限公司 …………… 435
·【831041】 江苏兆鋆新材料股份有限公司 …… 435
·【831047】 四川深远石油钻井工具股份有限公司 …… 435
·【831053】 安徽美佳新材料股份有限公司 …… 436
·【831055】 厦门三优光电股份有限公司 ……… 436
·【831064】 上海浩驰科技股份有限公司 ……… 436
·【831069】 浙江瑞明节能科技股份有限公司 … 436
·【831090】 凉山州锡成滑石矿业股份有限公司 …… 437
·【831091】 北京精冶源新材料股份有限公司 … 437
·【831101】 北京奥维云网大数据科技股份有限公司 …… 438
·【831118】 深圳市兰亭科技股份有限公司 …… 438
·【831119】 云南蓝钻生物科技股份有限公司 … 438
·【831121】 山东力久特种电机股份有限公司 … 439
·【831126】 北京元鼎时代科技股份有限公司 … 439
·【831128】 宁波大汉印邦股份有限公司 ……… 439
·【831161】 辽宁伊菲科技股份有限公司 ……… 440
·【831163】 广州艾科新材料股份有限公司 …… 440
·【831164】 南京腾楷网络股份有限公司 ……… 440
·【831166】 苏州纳地金属制品股份有限公司 … 440
·【831191】 郑州彩通科技股份有限公司 ……… 441
·【831199】 诸暨市海博小额贷款股份有限公司 …… 441
·【831200】 深圳巨正源股份有限公司 ………… 442
·【831219】 安徽詹氏食品股份有限公司 ……… 442
·【831236】 威海华东修船股份有限公司 ……… 443
·【831241】 新疆博峰新业石油工程技术股份有限公司 …… 444
·【831247】 成都盛帮密封件股份有限公司 …… 444
·【831257】 北京赛德盛医药科技股份有限公司 …… 444
·【831266】 广西一铭软件股份有限公司 ……… 445
·【831270】 山东宇虹新颜料股份有限公司 …… 445
·【831273】 北京金视和科技股份有限公司 …… 445
·【831274】 苏州瑞可达连接系统股份有限公司 …… 446

·【831288】 成都安美勤信息技术股份有限公司 ………………………… 446
·【831290】 广东金达照明科技股份有限公司 … 446
·【831292】 汇智光华(北京)文化传媒股份有限公司 ………………………… 447
·【831294】 浙江中德自控科技股份有限公司 … 447
·【831295】 湖北川东环保能源开发股份有限公司 ………………………… 447
·【831299】 京版北教文化传媒股份有限公司 … 447
·【831311】 山东博安智能科技股份有限公司 … 448
·【831325】 迈奇化学股份有限公司简介 ……… 449
·【831335】 时空客新传媒(大连)股份有限公司 ………………………… 449
·【831374】 苏州吉人高新材料股份有限公司 ………………………… 449
·【831377】 有友食品股份有限公司 …………… 450
·【831397】 广东康泽药业股份有限公司 ……… 450
·【831404】 北京宝丽兴源技术服务股份有限公司 ………………………… 450
·【831406】 福建森达电气股份有限公司 ……… 451
·【831408】 重庆大美长江三峡游轮股份有限公司 ………………………… 452
·【831409】 华油阳光(北京)科技股份有限公司 ………………………… 452
·【831415】 河北城兴市政设计院股份有限公司 ………………………… 452
·【831418】 山西三合盛节能环保技术股份有限公司 ………………………… 452
·【831427】 山东信通电子股份有限公司 ……… 455
·【831450】 苏州金宏气体股份有限公司 ……… 455
·【831453】 江西远泉林业股份有限公司 ……… 455
·【831456】 贵州森瑞新材料股份有限公司 …… 455
·【831466】 深圳市软通供应链股份有限公司 … 456
·【831467】 河北世窗信息技术股份有限公司 … 457
·【831469】 新疆金磊建材股份有限公司 ……… 457
·【831478】 北京天际数字技术股份公司 ……… 457
·【831481】 浙江瑞铃企业管理股份有限公司 … 458
·【831489】 湖南天衡儿童用品股份有限公司 … 458
·【831511】 南京中科水治理股份有限公司 …… 458
·【831518】 南京波长光电科技股份有限公司 ………………………… 459
·【831522】 黄石汇波材料科技股份有限公司 ………………………… 460
·【831551】 北京世纪合辉医药科技股份有限公司 ………………………… 460
·【831553】 陕西中科非开挖技术股份有限公司 ………………………… 460
·【831555】 张家港天乐橡塑科技股份有限公司 ………………………… 461
·【831570】 深圳市鸿益达供应链股份有限公司 ………………………… 461
·【831605】 山东奔速电梯股份有限公司 ……… 461
·【831606】 山东方硕电子科技股份有限公司 ………………………… 464
·【831621】 辽宁中镁控股股份有限公司 ……… 464
·【831642】 成都蜀虹装备制造股份有限公司 … 464
·【831647】 江苏联瑞新材料股份有限公司简 … 465
·【831648】 苏州盛景信息科技股份有限公司 … 465

第二节　优秀会计师事务所选介 ………………………… 466
·北京兴华会计师事务所(特殊普通合伙) ……… 466
·大信会计师事务所 ………………………… 466
·大华会计师事务所 ………………………… 466
·福建华兴会计师事务所 ………………………… 467
·广东正中珠江会计师事务所 ………………………… 467
·江苏苏亚金诚会计师事务所 ………………………… 468
·江苏天衡会计师事务所 ………………………… 468
·立信会计师事务所 ………………………… 469
·四川华信(集团)会计师事务所 ………………… 470
·天健会计师事务 ………………………… 471
·天职国际会计师事务所 ………………………… 471
·希格玛会计师事务所 ………………………… 472
·信永中和会计事务所 ………………………… 472
·亚太(集团)会计师事务所 ………………… 473
·中审亚太会计师事务所 ………………………… 474
·中天运会计师事务所 ………………………… 475
·中喜会计师事务所 ………………………… 476
·中兴财光华会计师事务所 ………………………… 476
·众环海华会计师事务所 ………………………… 476

第三节　优秀律师事务所选介 ………………………… 478
·北京国枫律师事务所 ………………………… 478
·北京大成律师事务所 ………………………… 480
·北京金诚同达律师事务所 ………………………… 481
·上海锦天城律师事务所 ………………………… 481
·北京德恒律师事务所 ………………………… 482
·北京金杜律师事务所 ………………………… 482
·北京市邦盛律师事务所 ………………………… 483
·北京市国联律师事务所 ………………………… 483
·北京市冠腾律师事务所 ………………………… 485

· 辽宁恒信律师事务所 485
· 重庆志和智律师事务所 487
· 江苏东晟律师事务所 488
· 上海捷华律师事务所 491
· 上海市序伦律师事务所 491
· 上海市上正律师事务所 492
· 协力律师事务所 492
· 海华永泰律师事务所 493
· 北京市长安律师事务所 493
· 安徽天禾律师事务所 494
· 北京伯彦律师事务所 494
· 北京市京都律师事务所 495
· 北京李伟斌律师事务所 496
· 北京市观远律师事务所 497
· 北京市金开律师事务所 497
· 北京市涌金律师事务所 498
· 观韬律师事务所 498
· 广东华商律师事务所 500
· 贵州中创联律师事务所 500
· 国浩律师事务所 501
· 湖南启元律师事务所 501
· 华联律师事务所 502
· 华堂律师事务所 503
· 环球律师事务所 504
· 嘉源律师事务所 504
· 江苏亿诚律师事务所 505
· 竞天公诚律师事务所 506
· 君泽君律师事务所 506
· 上海邦信阳中建中汇律师事务所 507
· 上海创远律师事务所 508
· 上海广发律师事务所 508
· 上海源泰律师事务所 509
· 泰和泰律师事务所 509
· 天元律师事务所 510
· 通力律师事务所 511
· 信达律师事务所 512
· 中伦律师事务所 513

第五章 主办券商 515
· 申银万国证券股份有限公司 515
· 东吴证券股份有限公司 520
· 国信证券股份有限公司 523
· 西部证券股份有限公司 525
· 华鑫证券有限责任公司 528
· 国泰君安证券股份有限公司 529
· 财达证券有限责任公司 532
· 广州证券股份有限公司 533
· 西南证券股份有限公司 535
· 山西证券股份有限公司 537
· 长江证券股份有限公司 539
· 中国银河证券股份有限公司 542
· 渤海证券股份有限公司 544
· 海通证券股份有限公司 545
· 广发证券股份有限公司 548
· 招商证券股份有限公司 551
· 光大证券股份有限公司 553
· 华泰证券股份有限公司 556
· 中信证券股份有限公司 557
· 东海证券股份有限公司 559
· 国元证券股份有限公司 560
· 东方证券股份有限公司 562
· 平安证券有限责任公司 563
· 中银国际证券有限责任公司 565
· 上海证券有限责任公司 566
· 中国中投证券有限责任公司 568
· 宏源证券股份有限公司 570
· 南京证券股份有限公司 572
· 齐鲁证券有限公司 574
· 东北证券股份有限公司 578
· 国海证券股份有限公司 581
· 中信建投证券股份有限公司 582
· 中原证券股份有限公司 584
· 金元证券股份有限公司 587
· 华西证券股份有限公司 588
· 长城证券有限责任公司 590
· 浙商证券股份有限公司 592
· 大通证券股份有限公司 593
· 民生证券股份有限公司 595
· 国都证券有限责任公司 596
· 信达证券股份有限公司 598
· 国盛证券有限责任公司 599
· 安信证券股份有限公司 601
· 东兴证券股份有限公司 603
· 万联证券有限责任公司 605
· 国联证券股份有限公司 606
· 兴业证券股份有限公司 607
· 方正证券股份有限公司 609
· 财富证券有限责任公司 611
· 东莞证券股份有限公司 612
· 华安证券股份有限公司 614

· 华龙证券有限责任公司 …… 616
· 首创证券有限责任公司 …… 617
· 爱建证券有限责任公司 …… 619
· 中国民族证券有限责任公司 …… 620
· 国金证券股份有限公司 …… 622
· 恒泰证券股份有限公司 …… 624
· 财通证券股份有限公司 …… 625
· 第一创业证券股份有限公司 …… 626
· 红塔证券股份有限公司 …… 628
· 中国国际金融有限公司 …… 629
· 世纪证券有限责任公司 …… 630
· 湘财证券股份有限公司 …… 631
· 新时代证券有限责任公司 …… 633
· 江海证券有限公司 …… 634
· 中航证券有限公司 …… 636
· 华融证券股份有限公司 …… 637
· 太平洋证券股份有限公司 …… 639
· 中山证券有限责任公司 …… 640
· 华林证券有限责任公司 …… 642
· 东方花旗证券有限公司 …… 643
· 华创证券有限责任公司 …… 645
· 天风证券股份有限公司 …… 646
· 国开证券有限责任公司 …… 648
· 华福证券有限责任公司 …… 649
· 日信证券有限责任公司 …… 650
· 德邦证券有限责任公司 …… 651
· 厦门证券有限公司 …… 653
· 银泰证券有限责任公司 …… 654
· 英大证券有限责任公司 …… 655
· 西藏同信证券股份有限公司 …… 656
· 川财证券有限责任公司 …… 657
· 五矿证券有限公司 …… 659
· 联讯证券股份有限公司 …… 660
· 中信证券(山东)有限责任公司 …… 661

第六章 法律法规 …… 663

第一节 部门规章 …… 663
· 优先股试点管理办法 …… 663
· 非上市公众公司收购管理办法 …… 667
· 全国中小企业股份转让系统有限责任公司管理暂行办法 …… 670
· 关于修改《非上市公众公司监督管理办法》的决定 …… 671
· 非上市公众公司监管指引第1号——信息披露 …… 675
· 非上市公众公司监管指引第2号——申请文件 …… 675
· 非上市公众公司监管指引第3号——章程必备条款 …… 676
· 非上市公众公司监管指引第4号——股东人数超过200人的未上市股份有限公司申请行政许可有关问题的审核指引 …… 676
· 非上市公众公司信息披露内容与格式准则第1号——公开转让说明书 …… 677
· 非上市公众公司信息披露内容与格式准则第2号——公开转让股票申请文件 …… 679
· 非上市公众公司信息披露内容与格式准则第3号——定向发行说明书和发行情况报告书 …… 680
· 非上市公众公司信息披露内容与格式准则第4号——定向发行申请文件 …… 681
· 非上市公众公司信息披露内容与格式准则第5号——权益变动报告书、收购报告书和要约收购报告书 …… 682
· 非上市公众公司信息披露内容与格式准则第6号——重大资产重组报告书 …… 685
· 非上市公众公司信息披露内容与格式准则第7号——定向发行优先股说明书和发行情况报告书 …… 687
· 非上市公众公司信息披露内容与格式准则第8号——定向发行优先股申请文件 …… 690
· 非上市公众公司重大资产重组管理办法 …… 691

第二节 业务规则 …… 694
■综合类
· 全国中小企业股份转让系统业务规则(试行) …… 694
· 关于境内企业挂牌全国中小企业股份转让系统有关事项的公告 …… 698
· 全国中小企业股份转让系统挂牌公司股票转让服务收费明细表 …… 698
· 全国中小企业股份转让系统两网公司及退市公司股票转让服务收费(及代收税项)明细表 …… 698
■挂牌业务类
· 全国中小企业股份转让系统主办券商推荐业务规定(试行) …… 699
· 全国中小企业股份转让系统股票挂牌条件适用基本标准指引(试行) …… 701
· 全国中小企业股份转让系统公开转让说明书内容与格式指引(试行) …… 702
· 全国中小企业股份转让系统挂牌申请文件内容

与格式指引（试行） …… 705
· 全国中小企业股份转让系统主办券商尽职调查工作指引（试行） …… 705
■公司业务类
· 全国中小企业股份转让系统非上市公众公司重大资产重组业务指引 …… 712
· 全国中小企业股份转让系统股票发行业务细则（试行） …… 713
· 全国中小企业股份转让系统股票发行业务指引第 1 号——备案文件的内容与格式（试行） …… 715
· 全国中小企业股份转让系统股票发行业务指引第 2 号——股票发行方案及发行情况报告书的内容与格式（试行） …… 715
· 全国中小企业股份转让系统股票发行业务指引第 3 号——主办券商关于股票发行合法合规性意见的内容与格式（试行） …… 717
· 全国中小企业股份转让系统股票发行业务指引第 4 号——法律意见书的内容与格式（试行） …… 718
· 全国中小企业股份转让系统挂牌公司信息披露细则（试行） …… 719
· 全国中小企业股份转让系统挂牌公司年度报告内容与格式指引（试行） …… 722
· 全国中小企业股份转让系统挂牌公司半年度报告内容与格式指引（试行） …… 725
■交易监察类
· 全国中小企业股份转让系统转让异常情况处理办法（试行） …… 728
· 全国中小企业股份转让系统股票转让方式确定及变更指引（试行） …… 729
· 全国中小企业股份转让系统股票异常转让实时监控指引（试行） …… 730
· 全国中小企业股份转让系统交易单元管理办法（试行） …… 731
· 全国中小企业股份转让系统过渡期股票转让暂行办法 …… 732
· 全国中小企业股份转让系统过渡期登记结算暂行办法 …… 734
· 全国中小企业股份转让系统股票转让细则（试行） …… 735
· 全国中小企业股份转让系统证券代码、证券简称编制管理暂行办法 …… 742
■机构业务类
· 全国中小企业股份转让系统主办券商持续督导工作指引（试行） …… 743
· 全国中小企业股份转让系统做市商做市业务管理规定（试行） …… 745
· 全国中小企业股份转让系统主办券商管理细则 …… 747
■投资者服务类
· 全国中小企业股份转让系统投资者适当性管理细则（试行） …… 750
■两网及退市公司类
· 全国中小企业股份转让系统两网公司及退市公司股票转让暂行办法 …… 751
· 全国中小企业股份转让系统两网公司及退市公司信息披露暂行办法 …… 753

第三节　服务指南 …… 759
■综合类
· 股份公司申请在全国中小企业股份转让系统公开转让、定向发行股票的审查工作流程 …… 759
· 股份公司申请在全国中小企业股份转让系统公开转让、股票发行的审查工作流程 …… 759
· 关于做好申请材料接收工作有关注意事项的通知 …… 760
· 全国中小企业股份转让系统申请材料接收须知 …… 760
· 关于收取挂牌公司挂牌年费的通知 …… 761
■挂牌业务类
· 全国中小企业股份转让系统股票挂牌业务操作指南（试行） …… 761
· 全国中小企业股份转让系统挂牌协议 …… 763
· 推荐挂牌并持续督导协议书 …… 764
· 持续督导协议书 …… 766
■公司业务类
· 全国中小企业股份转让系统挂牌公司持续信息披露业务指南（试行） …… 768
· 全国中小企业股份转让系统重大资产重组业务指南第 1 号：非上市公众公司重大资产重组内幕信息知情人报备指南 …… 769
· 全国中小企业股份转让系统重大资产重组业务指南第 2 号：非上市公众公司发行股份购买资产构成重大资产重组文件报送指南 …… 769
· 全国中小企业股份转让系统挂牌公司证券简称或公司全称变更业务指南（试行） …… 770
· 全国中小企业股份转让系统挂牌公司暂停与恢复转让业务指南（试行） …… 770
· 全国中小企业股份转让系统挂牌公司权益分派业务指南（试行） …… 770
· 全国中小企业股份转让系统股票发行业务指南 …… 771

■交易监察类

· 全国中小企业股份转让系统
交易单元业务办理指南(试行) …………………… 772

■机构业务类

· 全国中小企业股份转让系统做
市业务备案申请文件内容与格式指南 …………… 774
· 全国中小企业股份转让系统投资者
适当性管理证券账户信息报送业务指南 ………… 774
· 全国中小企业股份转让系统主办券商和挂牌公司
协商一致解除持续督导协议操作指南 …………… 775
· 全国中小企业股份转让系统主办券商相关业务
备案申请文件内容与格式指南 …………………… 776
· 证券公司参与全国中小企业股份转让系统
业务协议书 …………………………………………… 776
· 证券公司从事推荐业务自律承诺书 ……………… 777
· 证券公司从事经纪业务自律承诺书 ……………… 778

■投资者服务类

· 买卖挂牌公司股票委托代理协议 ………………… 779
·《全国中小企业股份转让系统挂牌公司
股票公开转让特别风险揭示书》必备条款 ……… 780

■两网及退市公司类

· 全国中小企业股份转让系统
退市公司股票挂牌业务指南(试行) …………… 781
· 全国中小企业股份转让系统两网公司
及退市公司股票分类转让变更业务指南
(试行) ……………………………………………… 782

插页目录

· **封　面**　大同煤业股份有限公司
· **封　底**　广州赛莱拉干细胞科技股份有限公司
· **封　二**　西南证券股份有限公司
· **封　三**　财达证券有限责任公司
· **前环衬**　东吴证券股份有限公司

扉页

· 协办单位
· 全国中小企业股份转让系统有限责任公司
· 西部证券股份有限公司
· 山西证券股份有限公司
· 华鑫证券有限责任公司
· 国信证券股份有限公司
· 华龙证券有限责任公司
· 北京国枫律师事务所
· 北京兴华会计师事务所(特殊普通合伙)
· 上海市协力律师事务所
· 上海市捷华律师事务所
· 上海序伦律师事务所
· 上海市上正律师事务所
· 江苏东晟律师事务所
· 北京市邦盛律师事务所
· 辽宁恒信律师事务所
· 北京市国联律师事务所
· 重庆志和智律师事务所
· 北京市冠腾律师事务所
· 湘财证券股份有限公司

综合版一

· 广州证券股份有限公司
· 数库广告
· 浙江中德自控科技股份有限公司
· 广东金达照明科技股份有限公司
· 保定爱廸新能源股份有限公司
· 沈阳麟龙科技股份有限公司
· 山东荣昌育种股份有限公司
· 苏州工业园区凌志软件股份有限公司
· 成都必控科技股份有限公司
· 新疆金磊建材股份有限公司
· 郑州彩通科技股份有限公司
· 新疆银朵兰维药股份有限公司
· 辽宁紫竹桩基础工程股份有限公司
· 山东婴儿乐股份有限公司
· 四联智能技术股份有限公司
· 大连翼兴节能科技股份有限公司

· 上海罗曼照明科技股份有限公司
· 深圳市金正方科技股份有限公司
· 京版北教文化传媒股份有限公司
· 北京康孚科技科技股份有限公司
· 上海普华科技发展股份有限公司
· 北京蓝天瑞德环保技术股份有限公司
· 北京兴竹同智信息技术股份有限公司
· 北京鸿仪四方辐射技术股份有限公司
· 上海建中医疗器械包装股份有限公司
· 山东奔速电梯股份有限公司
· 山东方硕电子科技股份有限公司
· 安徽詹氏食品股份有限公司
· 贵州森瑞新材料股份有限公司
· 江西远泉林业股份有限公司
· 福建索天信息科技股份有限公司
· 南京中科水治理股份有限公司
· 江苏中江种业股份有限公司
· 深圳市博思堂文化传媒股份有限公司
· 湖南世优电气股份有限公司
· 北京精冶源新材料股份有限公司
· 江苏国贸酝领智能科技股份有限公司
· 广东羚光新材料股份有限公司
· 湖北荆楚网络科技股份有限公司
· 贵州安凯达实业股份有限公司
· 苏州巨峰电气绝缘系统股份有限公司
· 湖南广信科技股份有限公司
· 上海浩驰科技股份有限公司
· 广东长天思源环保科技股份有限公司
· 英极软件(大连)股份有限公司
· 杭州佳和电气股份有限公司
· 武汉卡特工业股份有限公司
· 重庆聚融建设(集团)股份有限公司
· 德州可恩口腔医院股份有限公司
· 北京世纪合辉医药科技股份有限公司
· 陕西中科非开挖技术股份有限公司
· 北京天助畅运医疗技术股份有限公司
· 北京合创三众能源科技股份有限公司
· 苏州高新区鑫庄农村小额贷款股份有限公司
· 北京元鼎时代科技股份有限公司
· 北京华财会计股份有限公司
· 江苏华灿电讯股份有限公司

综合版二

· 北京九恒星科技股份有限公司
· 青岛东亚装饰股份有限公司
· 北京华人天地影视策划股份有限公司
· 上海永继电气股份有限公司
· 广西一铭软件股份有限公司
· 上海英特罗机械电气制造股份有限公司
· 苏州瑞可达连接系统股份有限公司
· 山西三合盛节能环保技术股份有限公司
· 河北城兴市政设计院股份有限公司
· 有友食品股份有限公司
· 广州保得威尔电子科技股份有限公司
· 安徽美佳新材料股份有限公司
· 北京宣爱智能模拟技术股份有限公司
· 威海华东修船股份有限公司
· 广东康泽药业股份有限公司
· 济南大陆机电股份有限公司
· 北京天际数字技术股份公司
· 江苏联瑞新材料股份有限公司
· 诸暨市海博小额贷款股份有限公司
· 迈奇化学股份有限公司
· 时空客新传媒(大连)股份有限公司
· 厦门光莆电子股份有限公司
· 广东骏汇汽车科技股份有限公司
· 浙江瑞明节能科技股份有限公司
· 辽宁中镁控股股份有限公司
· 成都蜀虹装备制造股份有限公司
· 新疆博峰新业石油工程技术股份有限公司
· 北京宝丽兴源技术服务股份有限公司
· 深圳华意隆电气股份有限公司
· 同力天合(北京)管理软件股份有限公司
· 上海行悦信息科技股份有限公司
· 北京奥维云网大数据科技股份有限公司
· 北京飞尼课斯科技股份有限公司
· 成都安美勤信息技术股份有限公司
· 无锡阿科力科技股份有限公司
· 深圳市万人市场调查股份有限公司
· 山东省源通机械股份有限公司
· 芜湖盛力科技股份有限公司
· 仙宜岱股份有限公司
· 国义招标股份有限公司
· 广东科硕机械科技股份有限公司
· 贵州东方世纪科技股份有限公司
· 四川深远石油钻井工具股份有限公司
· 江苏兆鋆新材料股份有限公司
· 苏州华尔美特装饰材料股份有限公司
· 哈尔滨中大型材科技股份有限公司
· 济南海能仪器股份有限公司

- 成都盛帮密封件股份有限公司
- 张家港天乐橡塑科技股份有限公司
- 云南蓝钻生物科技股份有限公司
- 上海天跃科技股份有限公司
- 深圳市鸿益达供应链股份有限公司
- 西安诺文电子科技股份有限公司
- 上海维福特科技发展股份有限公司
- 深圳市兰亭科技股份有限公司
- 上海天佑铁道新技术研究所股份有限公司
- 宁波大汉印邦股份有限公司
- 安徽白兔湖动力股份有限公司
- 江苏红豆杉生物科技股份有限公司
- 山东力久特种电机股份有限公司
- 江西金达莱环保股份有限公司
- 上海晶纯生化科技股份有限公司
- 广州艾科新材料股份有限公司
- 辽宁伊菲科技股份有限公司
- 济南百博生物技术股份有限公司
- 昆明佳晓自来水工程技术股份有限公司
- 杭州三叶新材料股份有限公司
- 苏州天弘激光股份有限公司
- 北京联合创业环保工程股份有限公司
- 苏州纳地金属制品股份有限公司
- 辽宁双强塑胶科技发展股份有限公司
- 苏州良才物流科技股份有限公司
- 苏州吉人高新材料股份有限公司
- 北京金视和科技股份有限公司
- 山东宇虹新颜料股份有限公司
- 杭州先临三维科技股份有限公司
- 山东信通电子股份有限公司
- 浙江大铭新材料股份有限公司
- 大连华阳密封股份有限公司
- 湖南天衡儿童用品股份有限公司
- 广东奥美格传导科技股份有限公司
- 浙江瑞铃企业管理股份有限公司
- 南京腾楷网络股份有限公司
- 广东聚科照明股份有限公司
- 厦门三优光电股份有限公司
- 武汉华安科技股份有限公司
- 深圳市软通供应链股份有限公司
- 河北世窗信息技术股份有限公司
- 河南华丽纸业包装股份有限公司
- 苏州盛景信息科技股份有限公司
- 上海点客信息技术股份有限公司
- 广东金源科技股份有限公司
- 北京赛德盛医药科技股份有限公司
- 福建森达电气股份有限公司
- 凉山州锡成滑石矿业股份有限公司
- 重庆大美长江三峡游轮股份有限公司
- 新三板部分挂牌企业 LOGO 展示

全国股转系统优秀企业家汇展

- 杨晓嘉女士　全国中小企业股份转让系统有限责任公司 董事长
- 史　春女士　北京宝丽兴源技术服务股份有限公司 董事长
- 李红霞女士　北京合创三众能源科技股份有限公司 董事长
- 林瑞梅女士　厦门光莆电子股份有限公司 董事长
- 陈齐黛女士　广东康泽药业股份有限公司 董事长
- 朱锦萍女士　山西三合盛节能环保技术股份有限公司 董事长
- 敖顺荣先生　北京康孚科技股份有限公司 董事长
- 包晓春先生　上海普华科技发展股份有限公司 董事长
- 鲍　矛先生　北京鸿仪四方辐射技术股份有限公司 董事长
- 单亚敏女士　宁波大汉印邦股份有限公司 董事长
- 董呈明先生　浙江瑞明节能科技股份有限公司 董事长
- 杜永安先生　山东博安智能科技股份有限公司 董事长
- 付常浩先生　辽宁中镁控股股份有限公司 董事长
- 葛　洪先生　贵州安凯达实业股份有限公司 董事长
- 龚新度先生　江苏红豆杉生物科技股份有限公司 董事长
- 郭　磊先生　诸暨市海博小额贷款股份有限公司 总经理
- 洪　海先生　辽宁紫竹桩基础工程股份有限公司 董事长
- 李　诚先生　杭州先临三维科技股份有限公司 董事长
- 解洪波先生　北京九恒星科技股份有限公司 董事长

· 黄和昌先生　成都蜀虹装备制造股份有限公司
董事长
· 李　俊先生　新疆银朵兰维药股份有限公司
董事长
· 李　凌女士　厦门三优光电股份有限公司
董事长
· 李晓冬先生　江苏联瑞新材料股份有限公司
董事长
· 李长明先生　山东奔速电梯股份有限公司
董事长
· 鹿有忠先生　有友食品股份有限公司
董事长
· 苗胜利先生　迈奇化学股份有限公司
董事长
· 聂　晖先生　济南百博生物技术股份有限公司
董事长
· 潘　忠先生　北京蓝天瑞德环保技术股份有限公司
董事长
· 宋龙富先生　上海建中医疗器械包装股份有限公司
董事长
· 孙建鸣先生　上海罗曼照明科技股份有限公司
董事长
· 田荣昌先生　山东荣昌育种股份有限公司
董事长
· 田树泉先生　新疆博峰新业石油工程股份有限公司
董事长
· 汪舵海先生　安徽白兔湖动力股份有限公司
董事长
· 王方银先生　安徽美佳新材料股份有限公司
董事长
· 王福银先生　江苏中江种业股份有限公司
董事长
· 王季庄先生　北京飞尼课斯科技股份有限公司
董事长
· 王久立先生　北京华财会计股份有限公司
董事长
· 王荣欣先生　新疆金磊建材股份有限公司
董事长
· 魏冬云先生　湖南广信科技股份有限公司
董事长
· 魏晓光先生　北京元鼎时代科技股份有限公司
董事长
· 吴国平先生　北京天际数字技术股份公司
董事长
· 吴灿华先生　江苏华灿电讯股份有限公司
董事长
· 徐伟红先生　苏州巨峰电气绝缘系统股份有限公司
董事长
· 闫连红先生　保定爱廸新能源股份有限公司
董事长
· 杨振文先生　深圳华意隆电气股份有限公司
董事长
· 尹远华先生　威海华东修船股份有限公司
董事长
· 詹国伟先生　国义招标股份有限公司
董事长
· 张宝泉先生　苏州工业园区凌志软件股份有限公司
董事长
· 张　琪先生　四联智能技术股份有限公司
董事长
· 张先国先生　湖北荆楚网络科技股份有限公司
董事长
· 张晓敏先生　上海永继电气股份有限公司
董事长
· 张玉峰先生　郑州彩通科技股份有限公司
董事长
· 张祖岩先生　山东婴儿乐股份有限公司
董事长
· 赵　坤先生　上海天跃科技股份有限公司
董事长
· 郑迎九先生　深圳市博思堂文化传媒股份有限公司
董事长
· 周仕勇先生　山东省源通机械股份有限公司
董事长
· 朱嘉祥先生　广州保得威尔电子股份有限公司
董事长
· 朱明华先生　北京兴竹同智信息技术股份有限公司
董事长
· 庄彦青先生　河北城兴市政设计院股份有限公司
董事长
· 左海浪先生　深圳市金正方科技股份有限公司
董事长
· 杨建强先生　青岛东亚装饰股份有限公司
董事长
· 万少华先生　德州可恩口腔医院股份有限公司
董事长
· 梁华国先生　重庆聚融建设（集团）股份有限公司
董事长
· 朱荣晖先生　沈阳麟龙科技股份有限公司
董事长

- 于晓辉先生　北京宣爱智能模拟技术股份有限公司
董事长
- 林远泉先生　江西远泉林业股份有限公司
董事长
- 钟　海先生　贵州森瑞新材料股份有限公司
董事长
- 谢晋斌先生　广东骏汇汽车科技股份有限公司
董事长
- 庾健航先生　广东金达照明科技股份有限公司
董事长
- 颜宏钟先生　仙宜岱股份有限公司
董事长
- 荆书典先生　济南大陆机电股份有限公司
董事长
- 林　晟先生　福建索天信息科技股份有限公司
董事长
- 陈文明先生　北京世纪合辉医药科技股份有限公司
董事长
- 景宁涛先生　山西中科非开挖技术股份有限公司
董事长
- 马亦兵先生　南京中科水治理股份有限公司
董事长
- 曹淑强先生　山东方硕电子科技股份有限公司
董事长
- 王雪倩女士　成都安美勤信息技术股份有限公司
董事长
- 王永刚先生　北京世纪合辉医药科技股份有限公司
总裁
- 詹权胜先生　安徽詹氏食品股份有限公司
董事长
- 张忠敏先生　浙江中德自控科技股份有限公司
董事长
- 邓　军先生　大连翼兴节能科技股份有限公司
董事长
- 刘　强先生　京版北教文化传媒股份有限公司
副董事长兼总经理

董事长:庾健航

挂牌仪式

公司办公区

证券名称:金达照明

证券代码:831290

金达照明是全球首屈一指的灯饰制造商，成立于1993年一直领导灯饰潮流的设计和生活品味。二十多年来，金达照明见证了中国灯饰业的成长，成绩有目共睹。2005年，与世界顶级水晶制造商施华洛世奇（SWAROVSKI）联手打造了维沙华品牌，更令金达的发展迈向另一个里程碑,经过多年的努力,维沙华已成为中国水晶灯的领导品牌。

随着企业的不断壮大,其产品线也随之调整和扩展,并以多品牌的企业发展战略布局市场,同时推出堡华士品牌以西班牙云石灯和铜灯为主线,占领并巩固金达照明在高端灯饰市场的领军地位。金达照明目前已经拥有庞大,精细与高效的垂直产业链和强大的研发中心。令其综合竞争力得以俯视整个国内灯饰市场并在以下几点上得以体现。

7万平方米的生产加工厂房，专业技术人员和员工1000多人，拥有由设计、制作、模具、铸造、抛光、喷涂、装配、检测、仓储物流、销售、售后服务等组成的完善的生产销售体系，公司具备配套、严格、齐全的产品质量和生产管理体系，更先后通过了ISO9001：2000国际品质管理体系认证、3C认证、美国ETL认证、美国UL认证、欧洲CE认证等。

工艺超卓——质量领先业界，例如金达水晶灯采用业界高标准的灯架，整流器，灯头等材料；铜灯表面处理质量更超越其他厂商,是为数不多拥有各种车间的生产厂家。各种灯具部件的表面处理的质量和效果冠绝同齐。灯具的每一个部件,每一个工序都是由自己生产,自己掌控,自己完成。工艺要求精益求精。

优秀设计——每件产品都经过设计师的精心雕琢，设计时尚新颖、集功能、潮流与艺术于一体，为用家的生活注入更亮丽的光彩。维沙华已成为国内多家高端豪华楼盘别墅样本间的指定灯具品牌。

营销网络——全国各地的专卖店多达200个以上，主要分布在国内各大城市，例如：北京、上海、重庆、青岛、杭州、昆明、广州、深圳等，形成强大的营销网络。国外客户（经销商），主要分布在欧洲、北美、中东及东南亚等地区。产品享誉国际、国内市场。

酒店工程——金达照明以优质的品质和服务与全国著名地产商和国际品牌酒店管理公司（如万达集团，保利集团，雅高集团，万豪集团，喜达屋集团等）合作，为北京、上海、广州、深圳等大中城市的著名建筑、5星级酒店及高级会所提供了优质的产品和服务。例如 :北京全国人大常委会会议楼,北京金融街丽兹卡尔顿酒店,北京王府井希尔顿酒店,北京富力万丽酒店,北京新城兴基铂尔曼酒店…,这些都为当地城市留下了璀璨夺目的光辉印记。金达照明树立了过百个标志性样板工程，赢得了用户的广泛赞誉和良好口碑,一直以来，金达照明矢志不移地致力于照明与艺术的结合，致力于照明与科技、装饰的完美结合。面对日趋激烈的国际、国内市场的竞争，金达照明一直秉承“质量是生命、信誉是市场、用户是上帝”的信念，在经营管理上不断革新，在开发设计上不断创新，在生产工艺、技术水平上精益求精，在施工安装、售后服务上不断完善，为用户和消费者提供更称心完美的产品和服务。金达照明已经成为中国顶级酒店工程服务运营商。

沈阳麟龙科技股份有限公司

董事长朱荣晖先生

沈阳麟龙科技股份有限公司（以下简称公司）成立于2002年1月，公司地址在辽宁省沈阳市东陵区白塔二南街18-2号，注册资本2252万元，法定代表人为朱荣晖。公司拥有一家具有证券投资咨询业务资格的全资子公司—沈阳麟龙投资顾问有限公司。2014年1月24日公司成为首批全国股份转让系统扩容挂牌企业，成功登陆新三板，股份简称：麟龙股份，证券代码：430515，暨挂牌之日公司已经全面进入资本市场。

公司的主营业务：主要从事证券软件研发、销售及系统服务，向投资者提供金融数据、数据分析服务及证券投资咨询服务。

2014年1–6月，公司实现营业收入4349.71万元，同比增长109.46%；净利润为1703.96元，同比增长132.63%。截止2014年6月30日，公司总资产为9165.47万元，净资产为6874.05万元。

公司拥有完整的软件开发队伍、技术服务队伍，公司拥有自己的专业

挂牌仪式

2013年度股东大会

股份简称：麟龙股份
股份代码：430515

地址：沈阳市东陵区白塔二南街18-2号
电话：024-31952222
传真：024-31952345
网址：www.win-stock.com.cn
www.1shitou.com

化网站，公司现有产品全部来自于自主研发。

公司已成功地开发出《麟龙选股决策系统》至尊版、专业版和普及版三种产品且都已投向市场，市场反映良好，目前用户数量已达到10万人，且客户对软件和服务都很满意。

2010年4月中国股指期货市场启动后，公司又针对股指期货市场推出专业分析软件系统产品《期天大胜股指期货多屏警戒导航系统》，本软件系统开创了全新的股指期货分析模式。

围绕以上各主打品牌，为更好地为广大证券、期货投资者和用户服务，根据证券市场的需要，公司还创办了中国首家理财教育视频网站《石头理财教学网》，以"专注投资者教学"为网站服务理念。

公司2011年底成功收购了一家具备证券投资咨询资格的投资顾问公司并更名为“沈阳麟龙投资顾问有限公司”，至此，公司已经向金融、证券行业多元化经营又迈进了一步。

公司以“正气、诚信、合作、服务”为核心价值观，致力于成为中国互联网金融、证券行业综合服务提供商，以提高我国证券分析研究服务水平、推动证券市场理性发展为己任，努力成为投资者教育和金融、证券软件行业中的佼佼者。

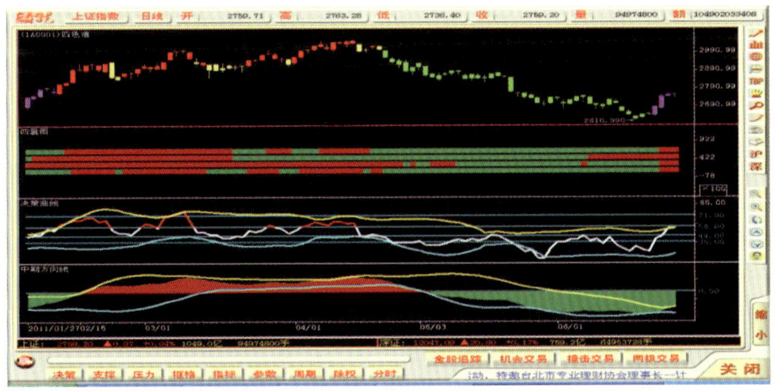

凌志软件

LINKAGE SOFTWARE

董事长张宝泉 先生

证券简称：凌志软件

证券代码：830866

凌志软件(830866)、鑫庄农贷(830958)
润佳股份(830956)、中网科技(831095)
隆重挂牌

无锡新区—凌志软件合作签约仪式

地址：四川省成都市高新区世纪城南路216号天府软件园D5号楼14层
电话：028-85980529　　传真：028-85980520
客服中心：028-85980521　网址：www.cdbiktech.com

放眼民用

行业的领跑者

公司拥有经验丰富的管理团队，富有研发和实战经验的专家团队以及富有创新精神的中青年研发团队、生产团队和销售团队。经过全体员工的努力，相继取得了武器装备质量体系认证证书、高新技术企业证书、三级保密资格单位证书等军品生产相关资质及60余项自主知识产权。已有200多个型号产品配套航空、航天、船舶、兵器等重点工程项目，且部分项目已进入批产阶段，为国防事业及电磁兼容的发展做出了贡献。

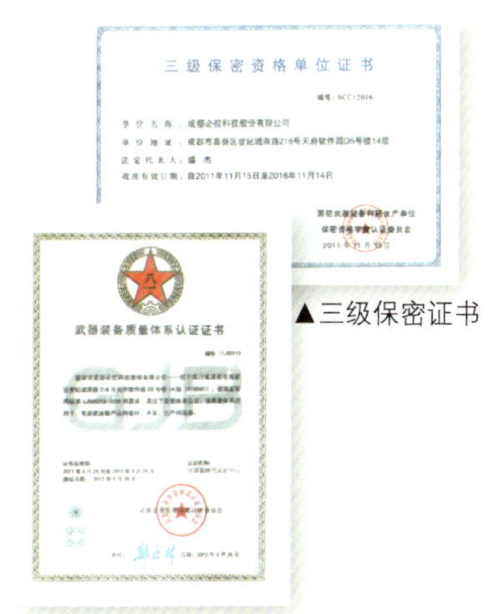

▲三级保密证书

▲武器装备质量认证证书

新疆金磊建材股份有限公司

证券代码：831469　证券简称：金磊建材

▲董事长：王荣欣先生

企业简介

新疆金磊建材股份有限公司始创于2003年，为预拌混凝土专业生产厂家，具有预拌商品混凝土专业承包贰级资质。2014年7月变更为股份有限公司。公司注册资金3545万元。资产总额14353万元，是克拉玛依地区成立最早、实力最强，规模最大的混凝土预拌混凝土专业生产企业。

公司现有职工160余人，其中大中专以上学历31人，有专业技术职称16人，检验试验人员18人，技术工种持证上岗率达100%，拥有各类运输、泵送设备45台套，混凝土生产线6条，年生产能力可180万方，2013年主营业务收入16868万元，净资产收益率34.7%，公司拥有满足混凝土产品质量及原材料检测所需的试验设备。

公司自成立以来已经向克拉玛依区、乌尔禾区、白碱滩区等地区供应了数百万方商品混凝土，也为许多急、难、险、重的基础项目提供了方便、快捷的服务。在高抗冻融循环混凝土、轻骨料混凝土等特殊混凝土的生产及大体积混凝土浇筑、远距离混凝土运输及冬季混凝土生产等方面积累了一定的经验。先后为克拉玛依市一些重点、标志性工程如克拉玛依市政府办公大楼、中国石油办公大楼、会展中心、科技博物展览馆、雪莲宾馆、青少年活动中心、文化馆及油建大桥等工程，提供了所需的商品混凝土。

▲挂牌仪式

▲敲钟左一贾庆昌

▲股东大会

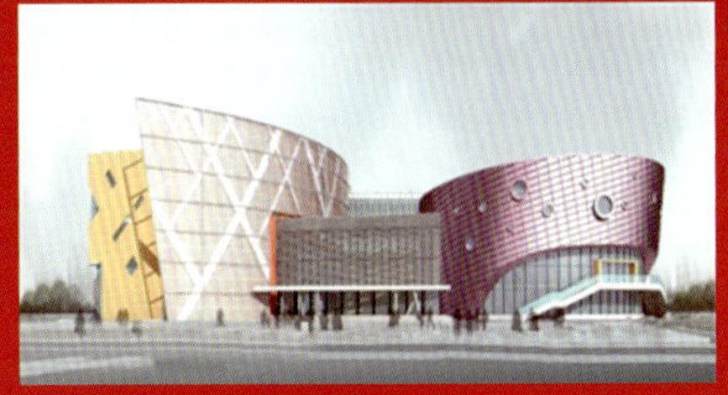

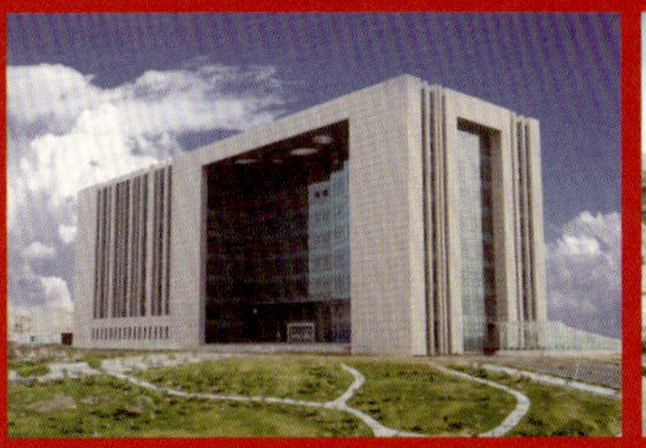

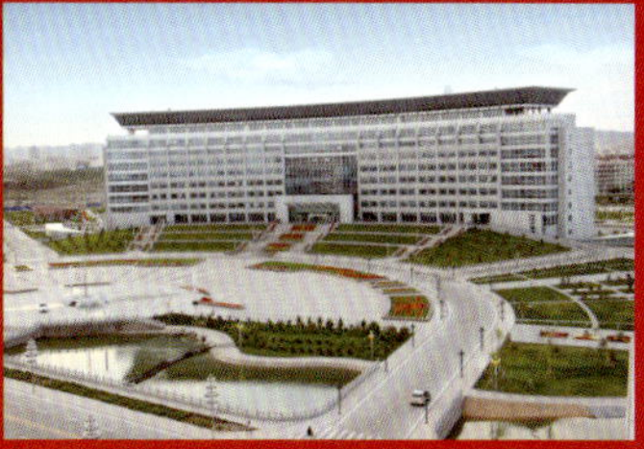

公司秉承“高快、高效、优质”的工作作风，积极向上，不断加强自身建设，努力提高竞争实力，于2005年取得GB/T19001质量管理体系认证，2014年完成安全标准化达标准工作，荣获克拉玛依区“守合同重信用企业”、“纳税信用A级企业”、“先进工会”、“劳动关系和谐先进企业”、克拉玛依市“慈善大使”、克拉玛依区“安康杯”优胜企业等殊荣。

公司紧紧围绕诚信是市场、质量是生命，安全是保障的经营方针，把质量理念贯穿于生产全过程，走质量兴企的可持续发展之路，靠过硬的产品质量和真诚的服务赢得良好的社会信誉和市场份额。

新疆金磊建材股份有限公司

地址：新疆克拉玛依市金西五街 5977 号

电话：0990-6975732　　传真：0990-6975732

电邮：367291@qq.com

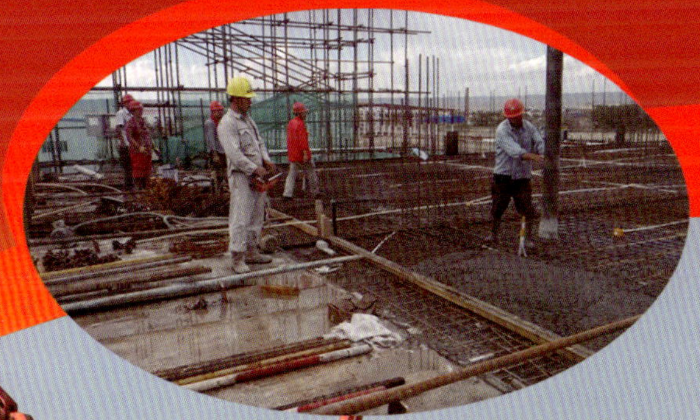

▲施工现场

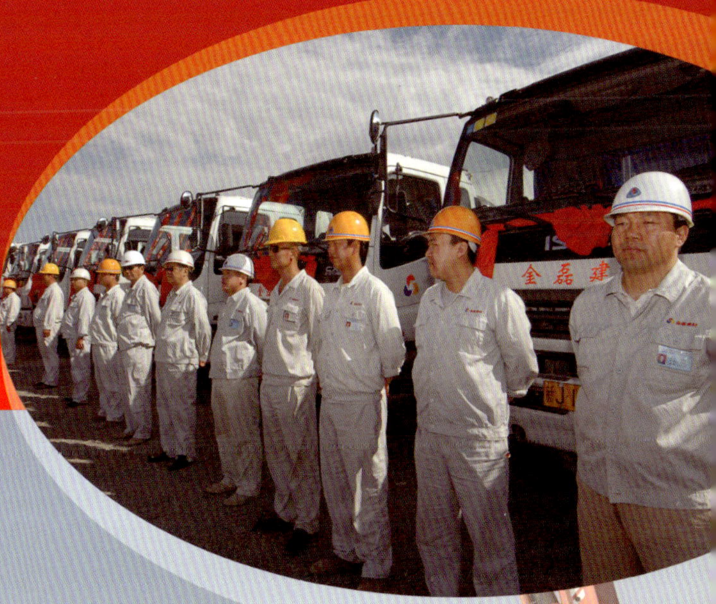

▲施工仪式

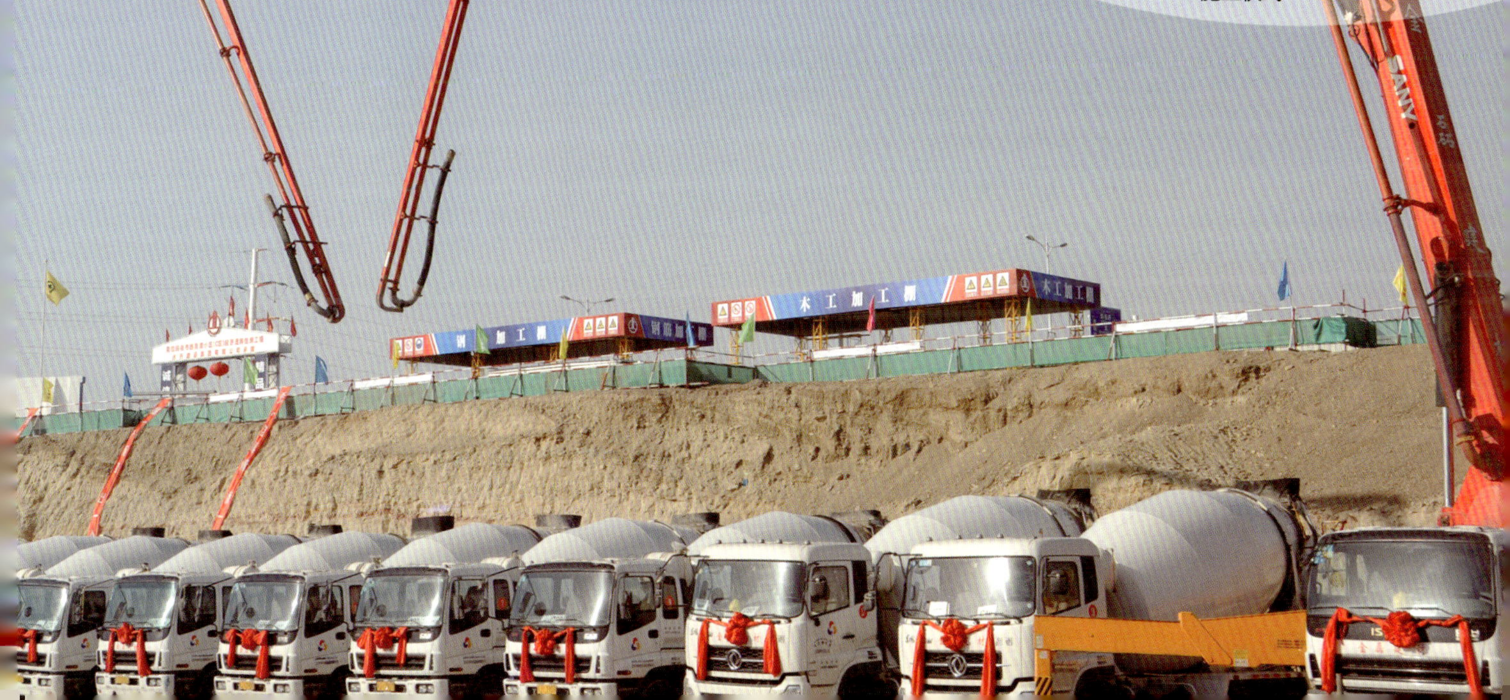

郑州彩通科技股份有限公司　证券代码：831191
Zhengzhou Ctone Technologies Inc.

地址：郑州市高新区翠竹街1号总部企业基地11幢
电话：0371-60682299 / 18703885517
网址：www.ctone.net
邮箱：ctone@ctone.net

公司简介

郑州彩通科技股份有限公司于2008年注册成立，2014年4月顺利完成股份公司改制，2014年10月9日在全国中小企业股份转让系统成功挂牌。证券简称：彩通科技,证券代码：831191。

彩通科技位于郑州高新技术产业开发区，注册资本2201万元。公司的主营业务为信息系统集成和行业应用软件开发及服务，其中行业应用软件开发及服务包括行业应用软件开发和IT运维服务。

我们是专业化的政府机构和企业信息化服务提供商,为客户提供“一站式”的IT整体解决方案，致力于帮助客户提升信息化水平，以提高信息工作者的生产力，充分发挥客户的信息化服务能力、提升客户核心竞争力。

我们提供信息系统集成服务，帮助客户应对业务挑战，并创造机会，推动其实现卓越绩效。我们深知行业动态及业务流程，具有应用新兴技术的经验。我们的理念、经验、拥有熟练技术的员工以及行业化的方法使我们在交付高质量、低成本的企业系统方面处于市场领先地位。

我们独特优势在于既能够为客户设计领先的IT架构，又具有强大的实施能力，帮助客户成就卓越绩效。

我们的使命： 创造客户和社会的价值，从而实现技术价值；

我们的愿景： 成为业内具有竞争力和领先优势的IT综合服务商；

我们的目标： 企业通过开放创新、卓越管理、人力资源发展等战略的实施，全面构造公司的核心竞争力，创造客户和社会的价值；即我们要帮助客户不断完善经营、提高效率，从而使其成为高绩效机构或企业。我们期望能与我们的客户分享中国经济的繁荣明天。

2014年10月9日在全国中小企业股份转让系统挂牌仪式现场

办公楼

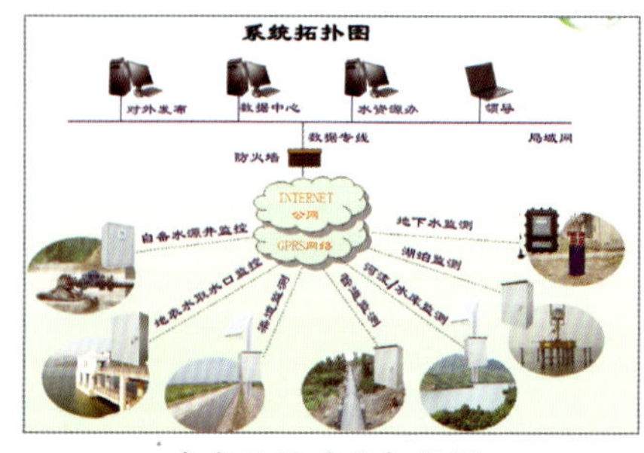

城市防汛系统拓扑图

资质能力

彩通科技建立了完善的质量管理体系、环境管理体系以及职业健康安全管理体系，现为计算机系统集成三级资质，取得了河南省工信厅颁发的双软企业认定证书，安防工程设计与施工资格三级证书，增值电信业务经营许可证，拥有软件著作权16个，软件产品登记证书15个，在业务能力、研发实力、集成能力等各个方面都具备扎实的积累。

公司拥有自己的研发中心，同时配备了一流的软硬件设备，搭建有一流的开发平台和测试平台，拥有一支30多人的高素质研发团队，其中90%以上成员具有本科及以上学历，具有丰富的产品研发与实施经验。

企业文化

在彩通,我们的成功始终建立在为客户提供卓越的服务和解决方案上。在每件事上追求卓越是公司文化的基石。从一线的客户经理到技术人员，彩通的每一位员工都参加全面培训。我们所有员工郑重作出承诺：为了向客户提供最佳服务而做出决策和采取行动。

为了使每一位员工都能为构建“追求卓越”的企业文化做出贡献，我们为员工建立了明确的职业发展目标，支持他们学习新的技能；我们追求提高个人绩效，为优异者提供嘉奖和晋升的空间。这些基本原则以及由此创造出的环境，是彩通获得成功的基础，也是客户和我们多年来获得胜利的法则。我们为能够提供最高水准的服务而深感自豪；同时，我们也专注并致力于在未来成就更多，为客户搭建通往未来的彩色之路。

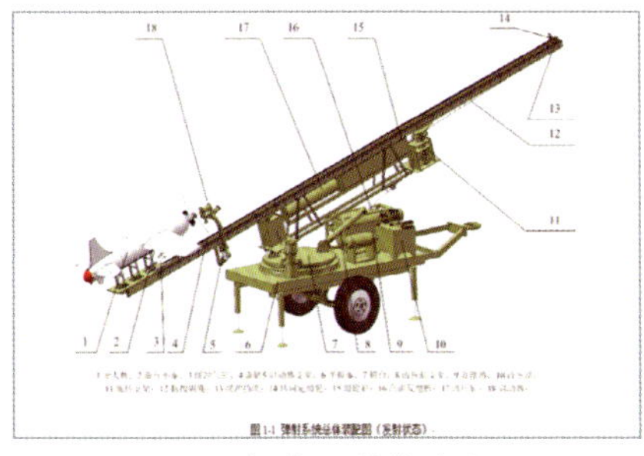

无人机液压弹射系统

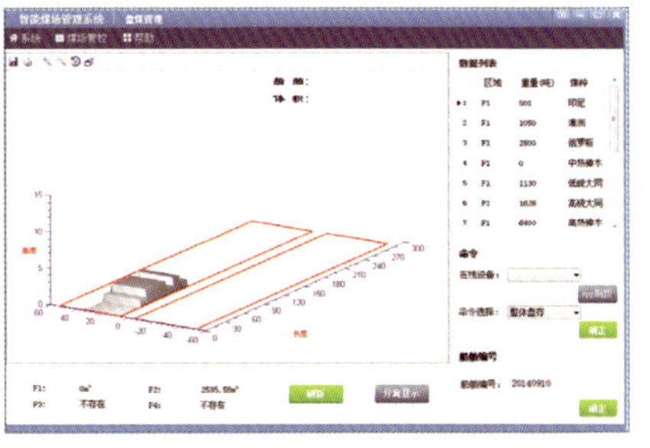

智能煤场盘存界面

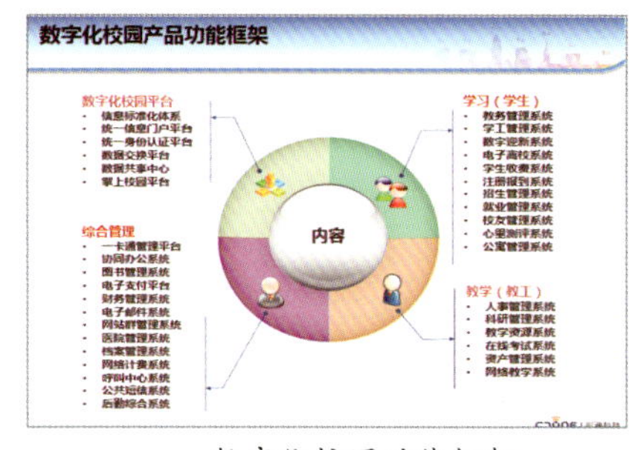

数字化校园功能框架

شىنجاڭ «يىندولەن» ئۇيغۇر تېبابەت دورىلىرى پاي چەكلىك شىركىتى

新疆银朵兰维药股份有限公司

XINJIANG YINDUOLAN UIGHUR MEDICINE CO.,LTD.

证券简称：银朵兰

证券代码：831637

公司简介

董事长李俊致辞

新疆银朵兰维药股份有限公司（以下简称银朵兰维药）是一家以新疆特色民族药为主，集药品生产、研发、销售为一体的新型股份制企业，是新疆医药行业首家“新三板”挂牌企业，首家通过国家新版GMP认证的制药企业，现厂区位于新疆乌鲁木齐高新技术产业开发区（新市区）北区冬融街675号，厂区分别建有颗粒剂、片剂、胶囊剂、注射剂等多种剂型专用GMP厂房及生产线，拥有固体制剂和溶液剂两个D级(十万级)洁净生产区，生产规模可达年产颗粒剂1亿袋、片剂9亿片、胶囊剂8000万粒、注射剂1500万支；中药材提取1000吨的生产能力。

银朵兰维药是新疆制药行业的重点骨干企业、国家“高新技术企业”、“中国民族医药学会副会长单位”、“全国‘十二五’期间少数民族特需商品定点生产企业”、“自治区产学研联合开发示范基地”、“乌鲁木齐市创新性企业”、“科技信用等级A级单位”，拥有1个新疆名牌产品，2个新疆著名商标（“银朵兰”、“西域”），1个国家中药保护品种，2个国家基本药物目录品种，5项自治区及乌鲁木齐市科技进步奖。

近年来，为进一步加强企业研发力量，分别与新疆药物研究所、新疆医科大学、石河子大学医学院等多所科研院所、大中院校合作。截至目前，公司已申报各类科技、技改项目累计达到54项，其中国家级7项，自治区级18项，市级及区县级29项。公司累计拥有注册商标18个，国药准字产品97个，其中维药产品11个、独家产品2个（复方一枝蒿颗粒及尿通卡克乃其片）。产品药用范围涉及皮肤科、呼吸科、泌尿科、风湿科、眼科等多个领域。

多年来，公司通过对市场营销模式的整合和优化，市场开拓取得了突破性进展，营销网络已遍布全国各地，年产值在新疆制药行业中位居前列。银朵兰人始终相信，以天然资源为原材料的药物，是当前世界医药发展的主要趋势，生物制药、天然药物和中药产业，已成为21世纪最具发展空间的高增值产业之一，新疆民族药产业尚有巨大的开发空间，将成为医药产业市场竞争中，最具发展潜力和优势的朝阳产业。

复方一枝蒿颗粒
抗病毒 · 治感冒
全国独家新药

尿通卡克乃其片
消炎 · 利尿 · 止痛
全国独家新药

祖卡木颗粒
清热 · 发汗 · 通窍
国家基药产品

寒喘祖帕颗粒
镇咳化痰 · 温肺止喘
国家基药产品

雪莲注射液
用于治疗关节炎
维药古方国药准字

通滞苏润江胶囊
用于治疗风湿骨病
国家医保产品

百癣夏塔热片
用于治疗各种皮癣
国家医保产品

驱白巴布期片
用于治疗白癜风
维药古方国药准字

GST
Golden Square Technology

深圳市金正方科技股份有限公司
Shenzhen Golden Square Technology Co., Ltd.

证券简称：金正方　证券代码：430554

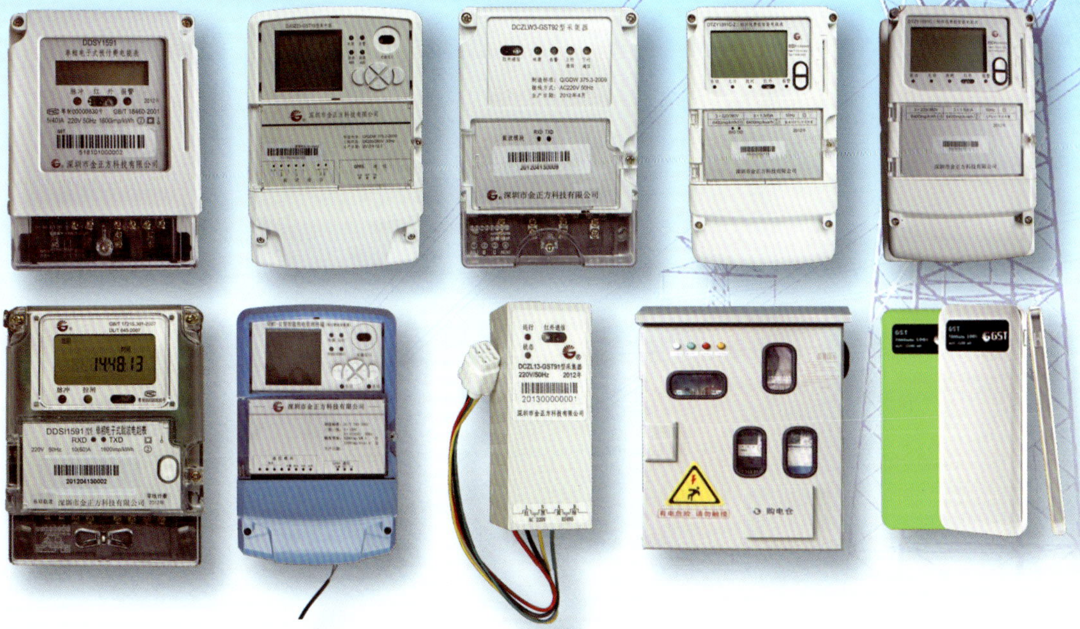

开启未来生活创新时代，金正方智能电网，改变您的生活。

深圳市金正方科技股份有限公司成立于2009年，是一家专业致力于智能电网领域产品研发、制造、服务的企业，主要从事AMI集抄系统、智能计量计费信息管理系统、售电管理装置、集中器、采集器、载波模块、无线模块、单相电能表、三相电能表等产品的研发、生产及销售。目前公司按照市场导向，正在启动智能水表、热能表、燃气表、电能表四表合一研发及销售。

金正方公司主要为电力系统、合作伙伴提供产品和信息技术服务，是集科研、生产、销售、服务于一体的高新技术企业。公司由一批多年从事电力产品研发、技术研究、市场分析的资深专家及工程技术人员组成，组建了具有丰富电力产品从业经验的现代型企业团队，公司现有员工约387人，分别在深圳、杭州、上海设立研发中心并在多个省份设立金正方公司办事处。公司产品已经在浙江、四川、甘肃、湖北、陕西、山东、宁夏、重庆等省市成功试点，部分产品已展开大范围应用。

金正方公司拥有1万平方米的生产基地，1500平方米研发、办公空间，八十余项自主知识产权，四条SMT贴片流水线，五条插件及四条组装流水线，研发中心具有先进的生产设备和高准确度的计量检测设备。

金正方公司坚持"以雄厚的技术实力打造一流的品牌，以先进的管理确保一流的产品质量"为方针，承诺不断满足和超越客户之要求，领导市场新趋向，经过不断的发展与完善，逐步成为深受电力系统和合作伙伴青睐的研发、生产厂家，公司生产严格执行ISO9001/24001/28001质量体系标准，以确保产品质量稳定、可靠。

移动电源事业部成立于2012年3月。其主要产品与服务项目为中、高端移动电源产品的生产、销售与服务。事业部自成立至今，已开发出十几款移动电源产品，且已销往台湾、日本、欧洲、中东、南美洲等多个国家和地区。产品性价比与品质深受客户好评。

金正方公司将以"为社会创造价值，为员工提供发展平台"为使命，秉承"团队合作、诚实诚信、勇于创新、服务社会"的宗旨，竭诚为广大客户提供最优质的服务。

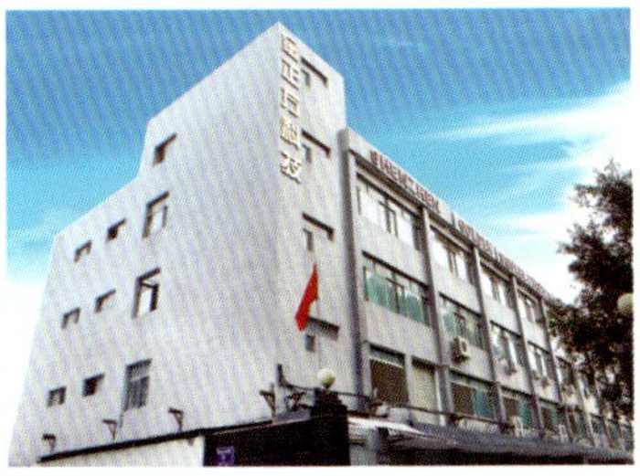

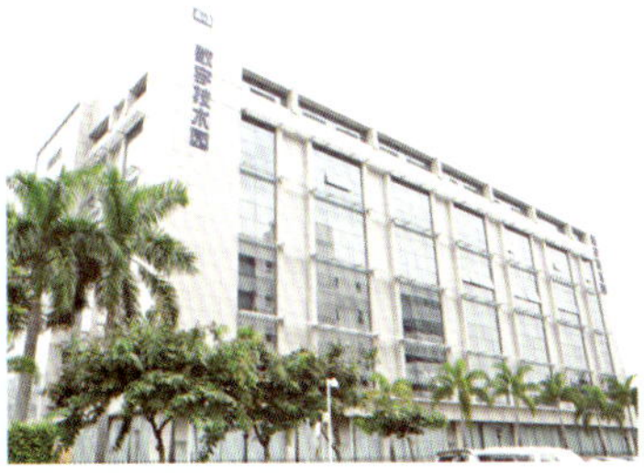

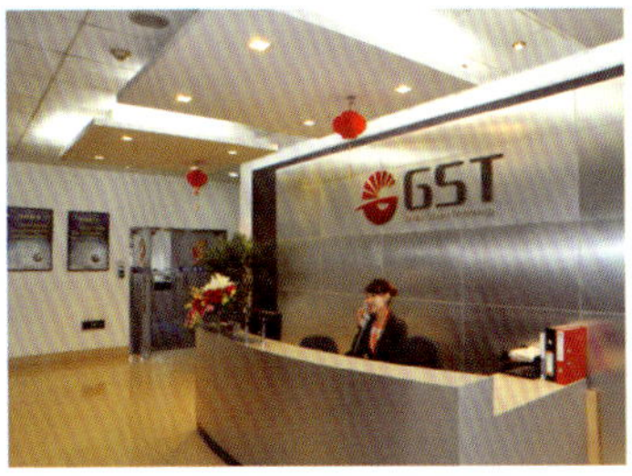

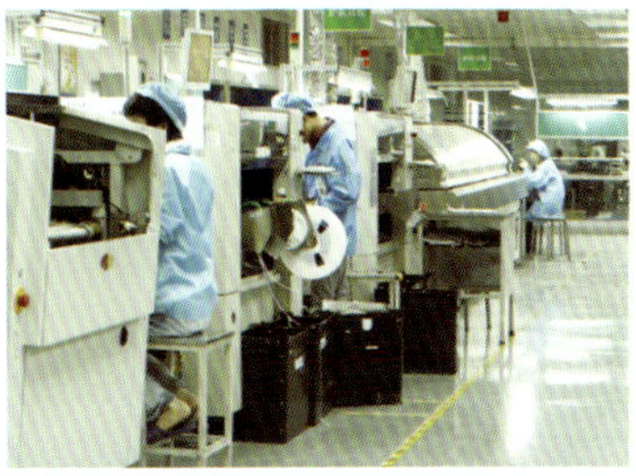

深圳市金正方科技股份有限公司
总部地址：深圳市南山区高新南七道007号深圳市数字技术园A3栋5楼C区
电话：0755-25504162　传真：0755-89368415　邮编：518000
生产基地：深圳市龙岗区南湾街道南岭社区黄金北路7号　邮编：518000
电话：0755-28324399　传真：0755-25501937　网址：www.gstsz.com

股票名称：北教传媒
股票代码：831299
电话：010-58572532
传真：010-58572466

地址：北京市西城区北三环中路6号
邮编：100120
网址：http://www.bjkgedu.com

北京出版集团总经理
北教传媒董事长 乔玢

北教传媒总经理 刘强

挂牌仪式参会嘉宾举杯庆祝

挂牌仪式参会嘉宾共同敲响开市宝钟

北教传媒营销中心团队风采

企业简介

京版北教文化传媒股份有限公司（简称北教传媒）的前身京版北教控股有限公司成立于2010年12月24日，由北京出版集团和北京九州英才图书策划有限公司共同投资建立，注册资本6000万元。董事长由北京出版集团总经理乔玢兼任，原九州英才总经理刘强任公司副董事长、总经理。2014年5月8日，公司完成股份制改造，更名为京版北教文化传媒股份有限公司。

公司成立四年来，精心策划以教辅图书为核心的教育图书3000余种，累计生产码洋50多亿元。公司拥有如“轻巧夺冠·优化训练”“轻巧夺冠·直通书系”等一系列品牌产品，多种图书获国家出版基金及各种奖项。2011年1月至2014年11月，公司产品动销量始终名列全国教辅图书市场第一名，销售码洋名列前四。北教传媒成立以来，平均每年实现了30%以上的资产增值。

2012年4月，北教传媒与北京小雨明天图书有限公司共同投资成立北教小雨文化传媒有限公司。北教小雨在学生工具书、常销书和课外阅读板块与北教传媒的产品形成互补，实现了北教传媒产品、渠道的多元化。两年多来，北教小雨生产码洋突破10亿元，并一举拿下全国少儿读物单品贡献率第一。

2014年11月，北教传媒精心打造的网络学习平台跨学网正式上线，通过与各地优秀代理商合作，在全国范围内建立线下体验辅导中心，真正做到“线上一对一，线下面对面”，被专业机构评为在线教育2014热点企业TOP30。跨学网的成立使互联网思维下的北教传媒向全面建设线上线下相结合的教育文化传媒企业迈出了跨越性的一步。

2014年11月6日，北教传媒股票挂牌“新三板”，成为国有控股图书发行企业第一股。被《中国新闻出版报》评为“2014出版发行业年度创新十强”，获“融资创新奖”；总经理刘强被《出版人》杂志社评为2014年度优秀出版人。

登陆资本市场将助推公司打通融资渠道，完善资本结构，拓展企业品牌，更快将公司建设成集投资控股、教育图书策划发行、电子产品与数字出版、教育培训、广告传媒等为一体的大型教育出版产业集团，从而成为行业内最著名、最具商业价值、最有影响力的教育传媒品牌旗舰。

勤智以創新
誠信達天下

北京康孚科技股份有限公司

电话：010-82390088　　传真：010-82390086
总部：北京市海淀区王庄路1号清华同方科技广场B座十层
电邮：ye81378@163.com　网址：www.cn-comfort.com

证券代码：430209
证券简称：康孚科技

▲董事长兼CEO：敖顺荣先生

北京康孚科技股份有限公司成立于1994年7月，是注册于北京市中关村科技园的高新技术企业，2012年6月顺利完成了股份公司改制，2013年1月22日在全国中小企业股份转让系统成功挂牌，证券代码为430209，简称：康孚科技，注册资本4500万元。

康孚科技总部位于北京市海淀区清华同方科技广场B座10层，拥有1000余平米自有产权写字间，下设综合管理部、财务会计部、市场销售部、系统集成部、施工安装部、技术研发部、采购物流部、生产制造部、质量管理部、售后服务部，在北京市昌平区崔村镇南庄路拥有近10000平米的自控系统装配调试及新产品研发中试基地。2013年8月康孚科技在天津蓟县经济技术开发区设立全资子公司--康孚（天津）净化空调有限公司，购买45亩工业用地建造了20000余平米的现代化空调设备生产厂房。

康孚科技是一家专业提供建筑物室内热环境、室内空气品质和建筑节能自控集成解决方案的自主品牌企业，核心技术融入了建筑物通风空调技术、自动控制技术和计算机信息集成技术，在建筑环境与节能领域实现了机电技术的无缝对接。主营产品包括组合式空气处理机组、中央空调制冷自控系统、建筑物能源管理与控制系统。公司还针对特定工艺需求，提供定制空调及自控系统集成工程服务，包括立体高架库恒温恒湿通风空调系统、烟叶库集中通风除湿系统、焊装车间集中烟气净化系统、冷却塔与冷水机组联合供冷节能系统等。

康孚科技建立了完善的质量管理体系、环境管理体系和职业健康安全管理体系，拥有建筑业机电设备安装工程、建筑智能化工程专业承包资质，获得了国家质量监督检验检疫总局颁发的空调制冷设备工业产品生产许可证，2008年入选国家发改委、财政部备案的节能服务公司名单，2010年被列入中关村科技园区快速发展的五星级瞪羚企业。

康孚科技主营产品及相关服务已广泛应用于烟草、生物制药、医疗、汽车、电子、航空、大型公共建筑等行业，希望与新老客户携手谱写康孚科技新篇章！

▲天津生产基地

▲公司总部——北京清华同方广场

▲MZU组合式空调机组

▲空调制冷自控系统

▲建筑物能源管理及控制系统

北京蓝天瑞德环保技术股份有限公司

证券代码：430263　　证券简称：蓝天环保

【公司使命】
承载蓝天绿地梦想、引领人类品质生活。

【公司愿景】
成为世界级的节能环保服务供应商。

【质量方针】
追求卓越、造福社会、奉献精品、关爱生命。

【核心价值观】
质量为本、客户为友、真诚合作、共同发展。

蓝天环保

地址：北京市石景山区鲁谷路35号
冠辉国际大厦11层
电话：010-88202956
传真：010-88204950
电邮：nosc_2008@163.com
网址：www.ltgrn.com

北京蓝天瑞德环保技术股份有限公司始建于2001年，是国内最早专注于供暖与制冷BOT投资、合同能源管理、新能源开发及利用和污染治理的高新技术企业。

公司于2013年7月22日正式新三板挂牌（股票名称：蓝天环保；股票代码：430263），成北京行业首家上市企业；同时完成北大企业家俱乐部1024万的定向增发和2000万的私募发行工作。

公司注册资金7331.43万元，目前在职职工超300人，年产值过2亿元，已形成供暖与制冷规划、设计、销售、施工、改造、运营、BOT产业链一体化。成功运营政府机关、驻京部队、酒店、写字楼、住宅小区等50多个项目，合作伙伴包括国家博物馆、国防大学、西国贸大酒店以及恒大、金地、世贸、富力、金科等，北京地区运营面积已超600万平方米。

公司具备机电安装工程施工总承包贰级、建筑装修装饰工程专业承包贰级、市政公用工程施工总承包叁级、特种设备安装改造维修许可证-锅炉(2)级、压力管道（GB2-2级、GC3级）等多项施工资质，北京市供热协会副理事单位、北京市特种设备行业协会会员，拥有20项完全自主知识产权的节能技术，其中10项获得国家专利证书。

公司下设客服中心、供暖服务部、技术部、工程部、运营部、采购部及市场营销部等13个部门，随时根据客户需求，提供高效的客户服务和解决方案。2009年即通过并严格执行ISO9001质量管理体系、ISO14001环境管理体系及GB/T28001安全管理体系认证，明确服务质量标准，为客户提供“全程无忧”主动式客户服务，获得用户一致认可。

董事长：潘忠先生

蓝天环保挂牌仪式

董事长潘忠先生参加《北大优秀企业家赴广西投资考察》活动

公司活动

森瑞新材

SENRUI NEW MATERIAL

服务电话：400-602-7000

地址：贵阳市贵州乌当经济技术开发区
邮编：550022
电话：86-0851-8237983
传真：86-0851-8237989
网址：http://gzsr.chinapipe.net
http://www.gzsenrui.com

证券代码：831456　证券简称：森瑞新材

向社会提供

环保·节能·安全·经济

的塑料管道系统

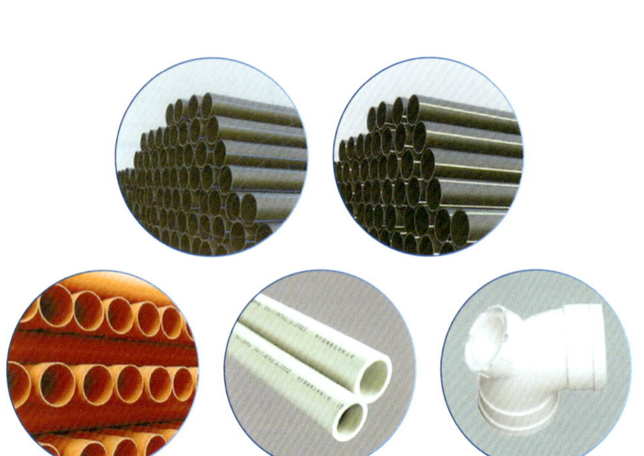

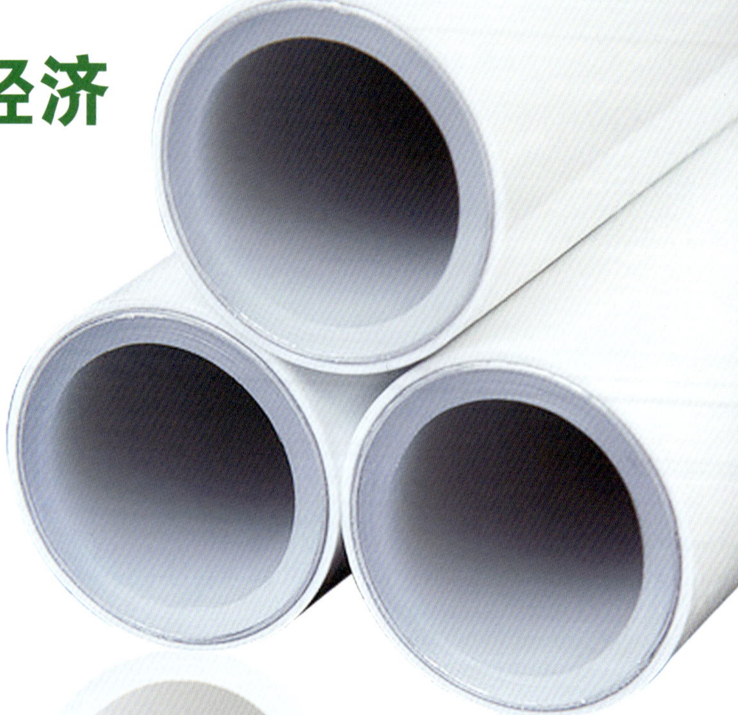

董事长：钟海先生

贵州森瑞新材料股份有限公司（原贵州森瑞管业有限公司）成立于2003年，位于贵阳市贵州乌当经济开发区，占地面积400000余平方米，公司注册资金15750万元，是贵州省规模最大的专业从事新型塑料管道研发、制造、销售的新型环保科技企业，拥有位于贵阳洛湾、贵阳乌当、武汉黄陂等已投产的生产基地。

公司目前装备了100余条国际、国内先进生产线，并建立有完善的检测设备手段。营销网络覆盖广泛，能及时有效地为客户提供优质齐全的管材及管件。主要产品有埋地用聚乙烯（PE）给水管；燃气用埋地聚乙烯（PE）管；煤矿井下用聚乙烯（PE）管；钢丝骨架聚乙烯（PE）复合管；埋地排水用HDPE双壁波纹管、PVC-U双壁波纹管、钢带增强聚乙烯（PE）螺旋波纹管；地下通信管道用实壁管\双壁波纹管\硅芯管\梅花管\栅格管\蜂窝管；埋地用PVC-C电力电缆护套管；建筑用PP-R给水管和PVC-U排水管、环保健康精品家装PP-R给水管、环保健康精品家装PVC电工套管；阻燃型PVC电线槽、工业线槽、电工套管等，以及与管材相应管、配件系统，产品覆盖了国家标准或行业标准所列全部规格。被广泛应用于给水、排水、排污、燃气、农业、水利、电力、矿山和通信等领域。

我们始终以“向社会提供环保、节能、安全、经济的塑料管道系统”为质量方针，以“改善和提高人类居住环境、缔造绿色健康生活空间”为使命，坚持内抓质量管理，外抓市场开拓，以顾客为中心，不断提高产品和服务质量，满足顾客要求。公司先后通过“ISO9001:2008质量管理体系认证”、“ISO14001:2004环境管理体系认证”、“ISO10012:2003测量管理体系认证”、“OHSAS18001职业健康安全管理体系认证”、“压力管道元件认证”、“矿用产品安全标志认证”和“中国环境标志产品认证”等。被国家科技部批准为“国家火炬计划项目”、“国家高新技术企业”、“国家守合同重信用企业”、“省级企业技术中心”、“技术改进先进单位”。从成立至今一直被省工商局评定为“守合同、重信用”单位及荣获“先进纳税企业”、“财政贡献突出企业”、“贵州质量诚信5A级品牌企业”、“管理体系认证优秀企业”。同时是“国家质检总局授权的‘聚乙烯（PE）管道焊工考试委员会’单位、“中国质量诚信企业协会副会长单位和理事单位”，“住房和城乡建设部科技发展促进中心《建设科技》理事单位”。森瑞系列产品被建设部列为“全国建设行业科技成果推广项目”、连续多年入选《全国农村饮水安全工程材料设备产品信息年报》，被中国中轻产品质量中心确认为“中国优质产品”及获得“中国绿色环保建材产品”、“贵州省名牌产品”和“贵州省著名商标”等诸多荣誉。

公司坚持“以质量求生存、以服务求发展、以诚信求双赢”的经营理念，发扬“诚信、务实、学习、创新”的企业文化，及“让城市更美丽，让生活更美好”、“保护家乡环境，共建美好家园”的环保理念，立足于科技研发，为广大用户提供快捷、优质的管道工程系统。真诚感谢广大用户和社会各界对公司一如既往的支持和信赖，我们将竭诚为用户提供更优质的产品和更满意的服务，欢迎社会各界同仁莅临指导。

2015年1月7日新三板挂牌仪式

贵阳乌当洛湾森瑞环保建材工业园

贵阳乌当东风镇生产基地

武汉黄陂临空工业园生产基地

▲谢华安院士在公司南繁基地现场指导杂交水稻育种工作

▲中江种业与辽宁铁农象育种业有限公司合作签字仪式

▲中江种业与湖南怀化职业技术学院战略合作签约仪式

▲中江种业发展研讨会

江苏中江种业股份有限公司是2002年经江苏省人民政府批准，由原江苏省种子公司为主发起人建立的股份有限公司,是集科研、生产、加工、销售为一体的“育繁推一体化”现代种业企业。主要经营水稻、玉米、小麦、油菜、瓜菜等各类农作物种子。2002年取得农业部颁发的《农作物种子经营许可证》，2012年成为国家首批、我省首家国家级“育繁推一体化”种业企业，企业信用等级AAA，目前是国家高新技术企业、中国种业信用骨干企业、中国种子协会理事单位、中国种子协会水稻分会副会长单位、江苏省农业产业化重点龙头企业、江苏省农业科技型企业、江苏省种子诚信企业、江苏省就业先进单位，2005年通过ISO9001-2000国际质量体系认证。2014年4月20日，顺利通过了“中国中小企业股份转让系统”的审查，并于5月5日成功挂牌。证券简称：中江种业；证券代码：430736。

2007年6月以来，经过股权划转和增资扩股，现有股本结构为国有控股、民营参股、管理层持股，总股本1亿元人民币。

公司坚持“育繁推一体化”的发展思路，以“建设一流团队，选育一流品种”为目标，遵循“创新、诚信、责任、规范”的企业理念，建立了完善的品种选育、种子生产、质量管理和市场营销体系。公司内设研发中心、水稻种子事业部、玉米蔬菜种子事业部、市场运营部、质检部、加工储运部、财务部、办公室等部门,下辖宿迁中江种业有限公司（控股）、南通中江种业有限公司(控股)、江苏中江种业科技有限公司（全资）和江苏绿苑园林建设有限公司（全资）等9个分（子）公司，现有员工150人，其中推广研究员7人、高级农艺师12人、高级农经师2人，高级会计师1人，硕士研究生指导老师2人，扬州大学特聘教授1人。

公司拥有研发中心专职从事品种选育，经省、市科技部门批准建立了江苏省杂交水稻种质改良与繁育工程技术中心和企业院士工作站。在南京市六合开发区、六合区新篁镇、宿迁市湖滨新区、海南省三亚市建有育种基地计500多亩。每年参加省级以上区域试验新品种十余个。自主选育并通过国家和省级审定水稻、玉米、瓜菜等新品种34个。与南京农业大学、福建农科院、江苏农科院等省内外数十家科研院所建立了良好合作关系，合作选育并通过国家及省级审定新品种15个，联合开发推广新品种20多个。

公司在省内外建有稳定的种子生产基地10万亩，其中通过土地流转、租赁等途径建立自主生产基地4万多亩，常年生产种子4000多万公斤。公司始终坚持质量第一的方针，从种子生产、精选加工到包装储运等环节实施全面质量管理。公司拥有成套种子加工流水线5条，建有加工车间6210平方米，低温和常温种子库6020平方米，标准检验室280平方米，先进的设施和一流的管理体系为“三友”牌种子质量提供了有力保证。

公司建有较为完善的试验示范、推广销售体系，拥有销售服务网点700多个，产品辐射长江中下游和华南等十多个省区以及马里、泰国、科特迪瓦、孟加拉国等，现已成为国内具有较大影响力的“育繁推一体化”种子企业之一。

Birthidea 博思堂®
证券代码：830778　证券简称：博思堂

地址：广东省深圳市福田区田面村田面城市大厦塔楼18D
邮编：518026
电话：0755-82816618　传真：0755-82816020
网址：www.birthidea.com.cn

▲董事长：郑迎九先生

公司简介

深圳市博思堂文化传媒股份有限公司是国内首家挂牌新三板的地产广告服务企业（证券简称：博思堂，证券代码：830778），成立于1998年，迄今17年时间，已成长为全国最专业最有影响力的地产服务运营商，并获得国家一级广告资质。

博思堂一直专注于为企业提供广告策划服务，涵盖：战略规划、市场调研、策划代理、创意设计、媒介发布等全过程地产增值服务。公司通过长期的资源积累和技术沉淀，现已研发完成《推广策略宝典》、《包装策略宝典》、《攻击策略宝典》、《创作策略宝典》、《刀点》、《九兵法》等多种规范文件。

博思堂下设十大区域公司，现区域携子公司一共18家，覆盖全国近百个城市，同时在线项目超过了200个。公司凭借地产项目整合推广经验和优异执行能力，已在全国范围为客户搭建起实效地产平台，为多个房地产开发商提供了服务。公司与万科、金地、保利、万达、恒大等核心客户建立了长期稳定的业务合作关系，与万科、金地、富通、福星、佳兆业、美景、万通、彰泰等客户合作期限均在10年以上。

主要荣誉（2011-2013年）

日期	名　称	备注
2014	第十三届“深圳企业新纪录”	深圳工业总会
2013	以上海之名获中国广告长城奖优秀奖	中国广告协会
2013	孔子不走了系列中国广告长城奖优秀奖	中国广告协会
2013	丁香水岸系列获中国广告长城奖优秀奖	中国广告协会
2013	西城往事获中国广告长城奖铜奖	中国广告协会
2012	中国一级广告资质	中国广告协会
2012	堤香漫城、洛克洛克系列获第十九届中国国际广告节长城奖优秀奖	中国广告协会
2011	观湖一号、海棠、金地西岸系列获广东自由创作大赛优秀奖	广东省广告协会
2011	《钰龙天下》获广东自由创作大赛铜奖	广东省广告协会
2011	广东广告创意进步奖	广东省广告协会
2011	金地西岸系列获中国广告长城奖铜奖	中国广告协会

世优电气
SHIYOU-ELECTRIC

证券代码：830827
证券简称：世优电气

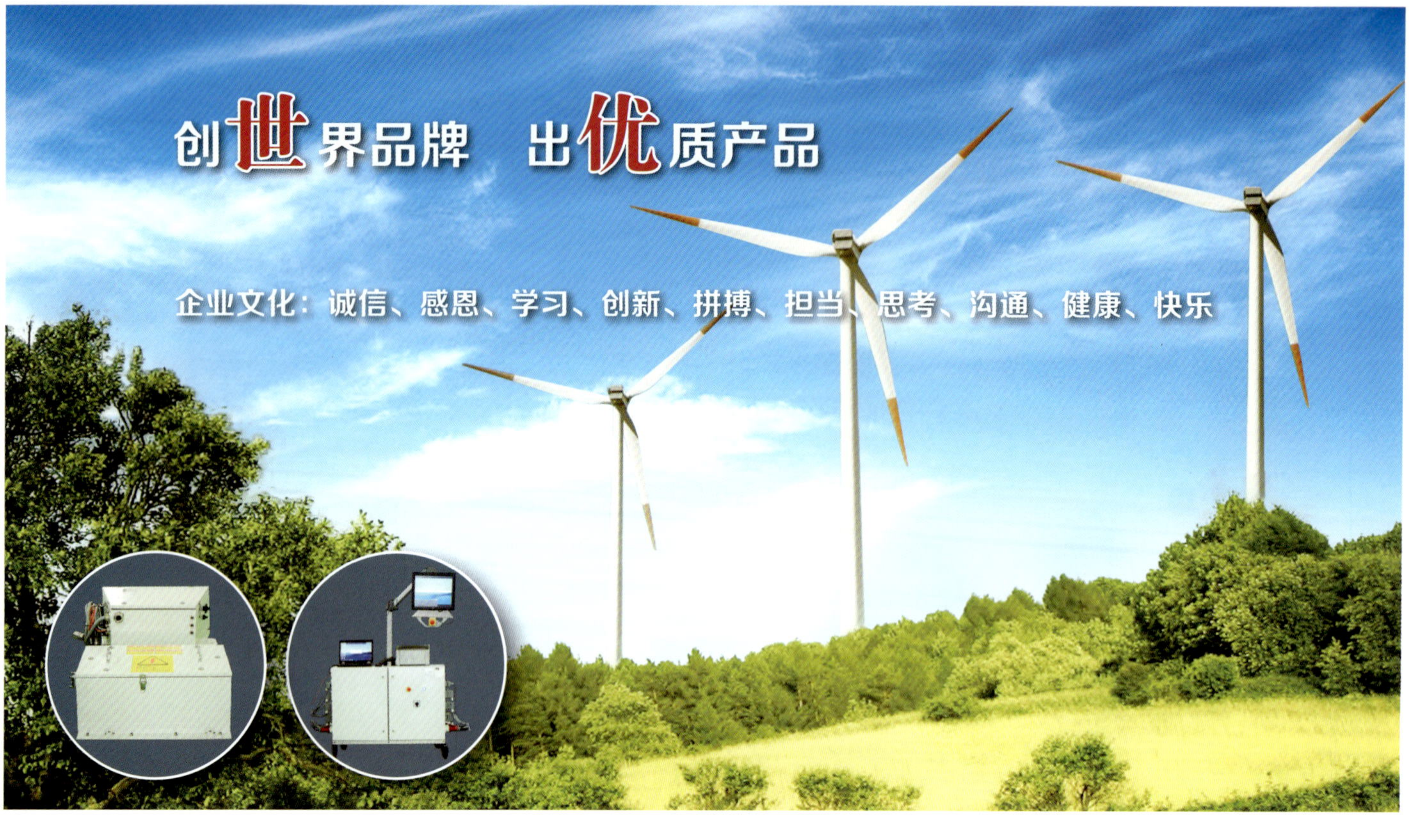

湖南世优电气股份有限公司位于湘潭市国家高新技术开发区，是国内最早研发制造大型风力发电机组电气控制系统的企业之一。公司一直专注于电气控制领域及储能装置核心技术的自主研发和生产，所生产的主控系统、变桨系统、主控系统测试设备、变桨系统测试平台等多项产品，达到国际一流水平，2012年通过法国必维公司“ISO9000质量体系认证”。所生产的风力发电机组电控系统全系列产品经世界权威认证机构德国TUV的严格评审，荣获欧盟CE认证。

公司前身是与荷兰优力创的合资企业，通过中外合作引进了国际最先进的生产工艺和测试标准，确保企业产品的市场认可度和产品品质。2013年起，在公司董事长彭建国先生的推动和带领下，公司成功完成外方股权收购和公司股份制改制。公司始终将自主研发和科技创新放在发展的首位，已获得20多项国家专利。2013年公司被评定为国家高新技术企业，公司商标被认定为湖南省著名商标。2014年6月成功登陆新三板。

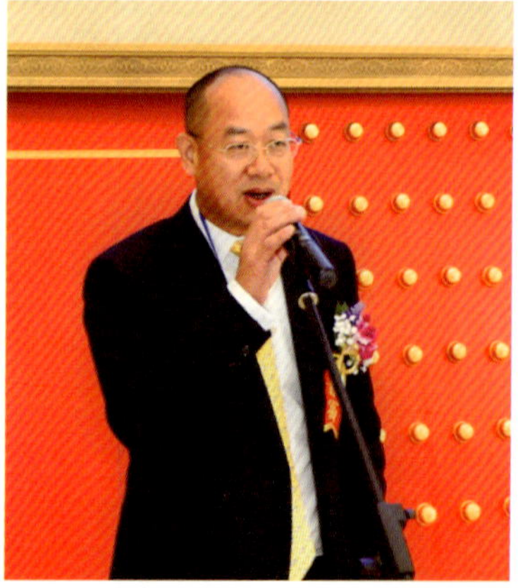
董事长：彭建国先生

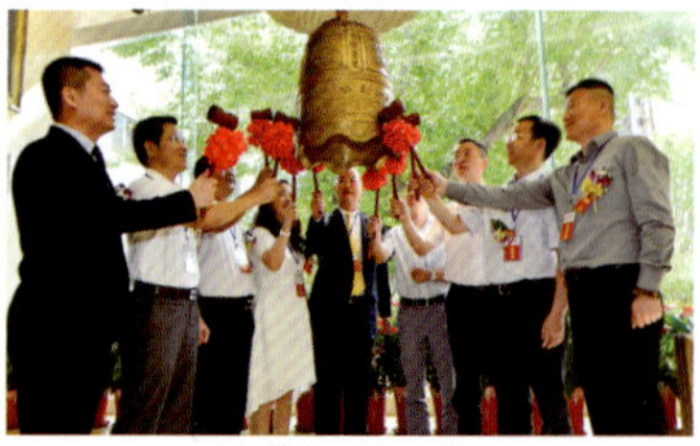
挂牌仪式现场

遵循国家“资源节约型、环境友好型”发展战略，公司将一直致力于绿色能源和智能电网领域的发展，将欧洲精湛工艺和先进的测试水平应用于电控系统等相关领域，突破储能装置等核心技术领域进行自主研发，将公司打造成世界一流企业而努力。

地址：湖南湘潭市国家高新技术创新创业园
邮编：411100　电话：0731-52668800
传真：0731-52668817
网址：www.shiyou-electric.com

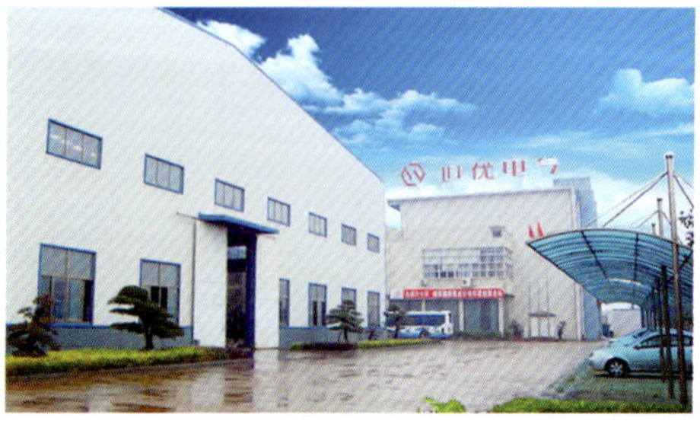

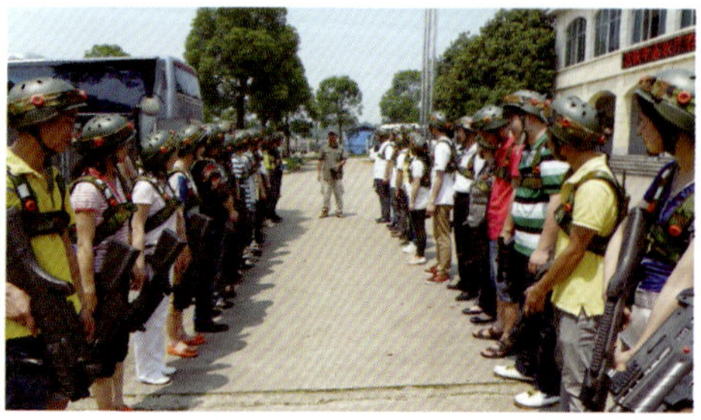

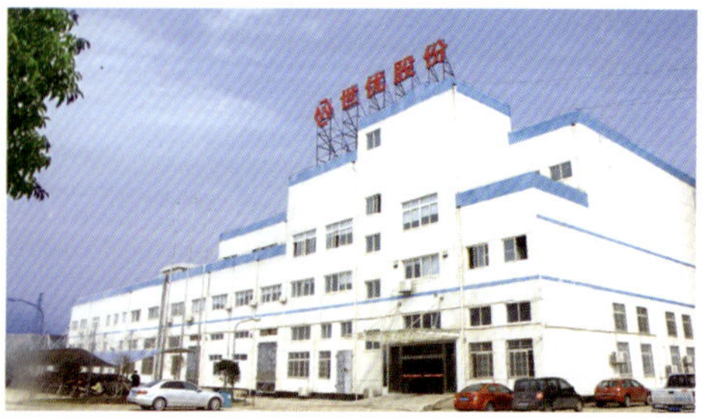

北京精冶源新材料股份有限公司

证券代码：831091 证券简称：精冶源

以诚待人 以信立企

▲董事长：左亮珠先生

北京精冶源新材料股份有限公司(原北京市京冶源建筑材料有限公司）成立于2004年，是国家级高新技术企业，2014年8月在新三板挂牌上市（证券简称:精冶源，证券代码：831091）。公司专注于不定型耐火材料的研究开发、生产制造、销售、工程和服务。公司的主要产品包括速干浇注料、炮泥、风口区域及炉缸浇注料、喷涂料、陶瓷耐磨料、压入料等。公司拥有资深的专业施工队伍和先进的工程施工设备诸如湿法喷涂机、压浆机等。

北京精冶源新材料股份有限公司技术力量雄厚，人才济济，研发、技术、生产和工程施工人员有丰富的行业经验，综合实力雄厚。公司在技术研究和产品开发上坚持长期持续投入，始终以用户的使用效果指导产品开发，并与专业科研院所密切合作，及时跟踪和把握行业的发展动向，努力将最新科研成果迅速转化为生产力，使公司在技术和产品上始终处于领先地位。

北京精冶源新材料股份有限公司以技术和服务为本，运用科学的管理手段，从原材料的选择、配方研制、生产工艺直至工程施工、服务始终追求精益求精，为客户提供安全可靠的产品和服务、不断降低客户的生产成本。公司在节能环保、原材料循环利用上长期探索，并与科研院所合作开展前瞻性技术研究，以保证公司的产品符合国家产业发展的方向。

北京精冶源新材料股份有限公司在耐材行业精耕细作十多年来，形成了良好的市场口碑，长期服务的客户包括日照钢铁、沙钢集团、天津钢铁集团、山东钢铁集团、河北钢铁集团、九江线材、崇利制钢等，很多产品的使用寿命都创造了客户使用的历史记录，产生了良好的经济和社会效益。

▲精冶源新三板挂牌仪式

▲精冶源现场施工队伍

地址：北京市新街口外大街8号1幢615室(得胜园区)
邮编：100088
电话：010-82089986
传真：010-51951237
邮箱：jyy_mail@126.com
网址：www.jyy010.com

证券代码：430583　证券简称：国贸酝领

公司地址：江苏省苏州市工业园区唯亭镇唯文路5号

邮编：215100 电话：0512-80983555　传真：0512-80983777

邮箱：winlead@gmwinlead.com　网址：www.gmwinlead.com

酝育科技创新 领航智慧城市

Bring forth scientific innovation and lead in smart city

▲国贸酝领组织公司员工参加雅安募捐

▲智能化工程-东吴证券大厦

▲智能化工程-苏州火车站

江苏国贸酝领智能科技股份有限公司，二〇〇四年注册于苏州工业园区，注册资金3200万人民币。公司专注于绿色智能建筑的咨询、设计、研发、工程实施、运行管理、维护，是行业领先的绿色智能建筑整体方案解决商、综合性服务商。

公司创新能力突出，是国家重点支持的高新技术企业。目前拥有省级工程中心——江苏省智能建筑运维管理工程技术研发中心，市级工程中心——苏州市绿色智能建筑运管技术中心。公司坚持走产学研用结合的道路，先后与清华大学、复旦大学、中科院、北京理工大学和苏州科技学院等高校和科研院所建立了长期战略合作伙伴关系。拥有较强的研发能力和市场成熟度较高的产品体系，如基于物联网和移动互联网的智慧酒店全套解决方案。拥有基于绿色智能建筑领域的多项软著、发明专利和专著。通过自主研发和与高校合作研发的科研成果与一线企业和最终用户需求的直接结合，大大提升最新科技成果运用到智慧城市等领域的速度。

面对新时代的挑战及全球化的竞争法则和标准，公司将以“成为中国建筑智能化行业企业的领跑者”为目标，整合国内外一流厂商、专业领域的方案解决商，利用云存储、物联网、移动互联网技术，通过绿色智能建筑云运维管理平台，为绿色智能建筑、智慧城市等领域提供整体解决方案，在共赢的前提下，共同创造企业价值，分享成功的愉悦。

广东羚光新材料股份有限公司

Guangdong Lingguang New Material Co., Ltd.

证券代码：830810

证券简称：广东羚光

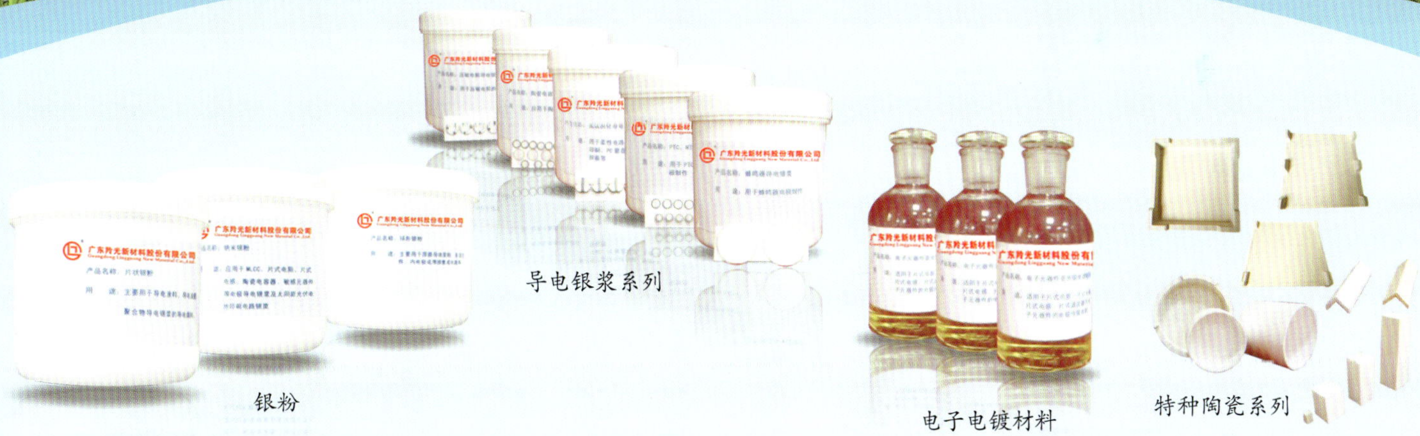

导电银浆系列

银粉

电子电镀材料

特种陶瓷系列

广东羚光新材料股份有限公司成立于2001年8月，是一家专业研发、生产和销售新型电子元器件用新材料和太阳能光伏材料的国家级高新技术企业，主营产品包括太阳能光伏材料和电子元器件用导电浆料、银粉、表面处理材料、粘合剂、特种陶瓷承烧板以及钽铌材料等。公司技术实力雄厚，目前已拥有10多项发明专利，拥有“广东省太阳能光伏材料工程技术研究开发中心”、“肇庆市企业技术中心”和“广东省清洁生产技术中心”。公司已通过ISO9001质量管理体系及ISO14001环境管理体系国家认证，获得“广东省名牌产品”和“A级纳税人”称号，成功被认定为“广东省中小企业创新产业化示范基地”,是广东省重点帮扶高成长性企业、广东省清洁生产企业，是肇庆市电子信息行业协会副理事长单位。

公司始终坚持“诚信、务实、创新、共赢”的经营理念，致力成为电子材料和太阳能光伏材料行业的领跑者。

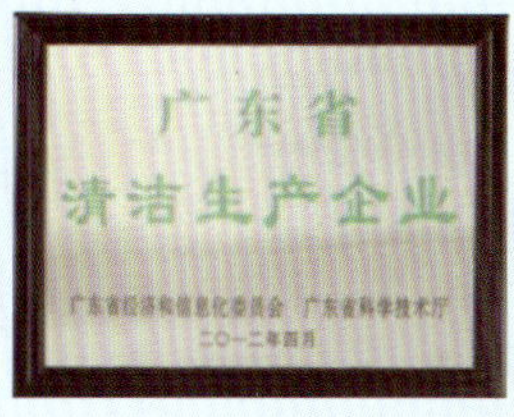

地址：广东省肇庆市太和北路　电话：0758-2879778（董秘办）　0758-2876619（销售总机）　网址：www.gdlingguang.com　邮箱：lingguang@gdlingguang.com

荆楚网

www.cnhubei.com

全国重点新闻网站

证券简称：荆楚网

证券代码：830836

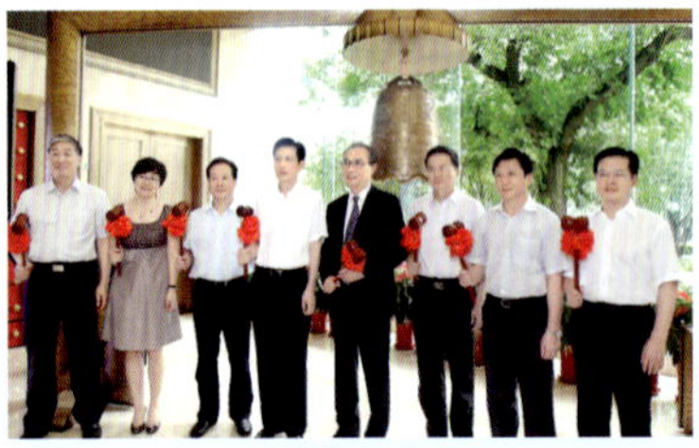

挂牌仪式

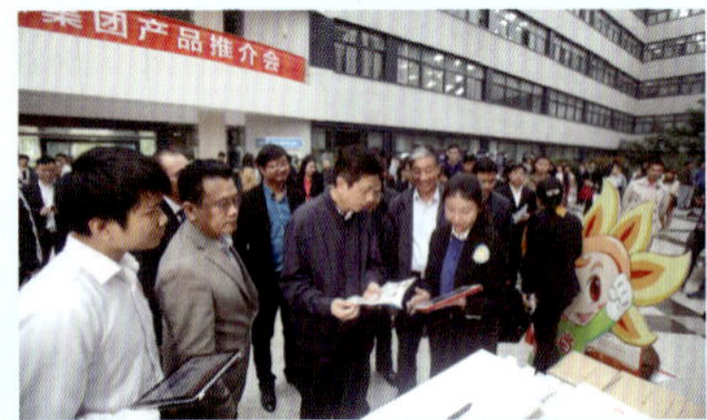

新媒体产品推介会

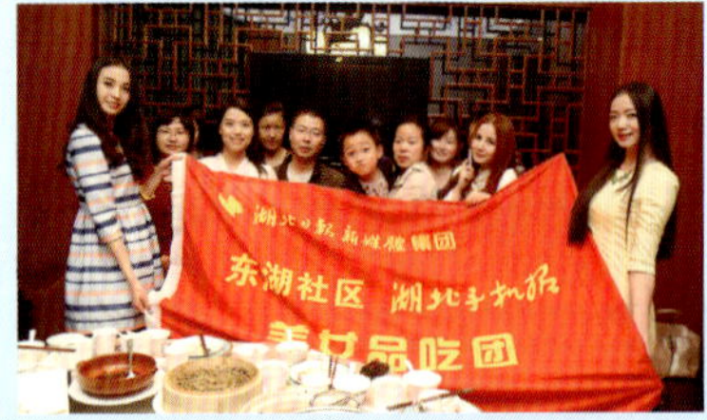

线下活动：美女试吃团

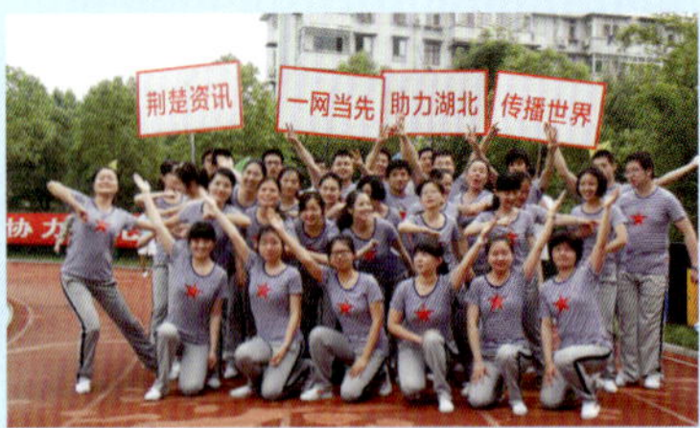

职工运动会

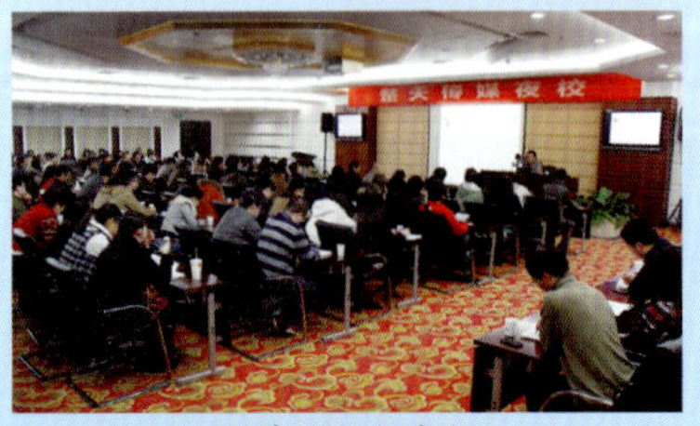

荆楚网新闻夜校

湖北荆楚网络科技股份有限公司前身为湖北楚天传媒网络科技有限责任公司，成立于2003年，负责运营湖北唯一全国重点新闻门户网站荆楚网，并逐渐形成以荆楚网为核心的互联网新闻宣传服务综合平台。2013年，公司实施改制重组，形成由荆楚网、湖北手机报、大楚网、文谷网、楚天尚漫公司、楚天神码公司、湖北日报数字传媒公司等组成的企业集团，致力打造基于传统互联网、移动互联网和物联网的新媒体新闻信息服务平台，业务形态涵盖新闻网站、手机报、舆情服务、户外媒体、动漫、移动客户端、电子商务、金融信息服务、无人机航拍、大数据服务、网站代建代维、音视频直播录播等，日均受众突破3000万人次。

2014年，经湖北省委宣传部、文资办等上级部门的批准，公司按照上市要求，完成资产、业务重组和股份制改造工作，并正式向全国中小企业股份转让系统公司提交挂牌申请，6月27日获得同意挂牌的批复，成为首家进入资本市场的省级全国重点新闻门户网站。7月1日，公司在全国中小企业股份转让系统正式挂牌，公司证券简称“荆楚网”，证券代码“830836”

地址：湖北省武汉市武昌区东湖路181号

楚天传媒大厦

邮编：430077

电话：027-88567711；027-88567722

传真：027-88567712

网址：www.cnhubei.com

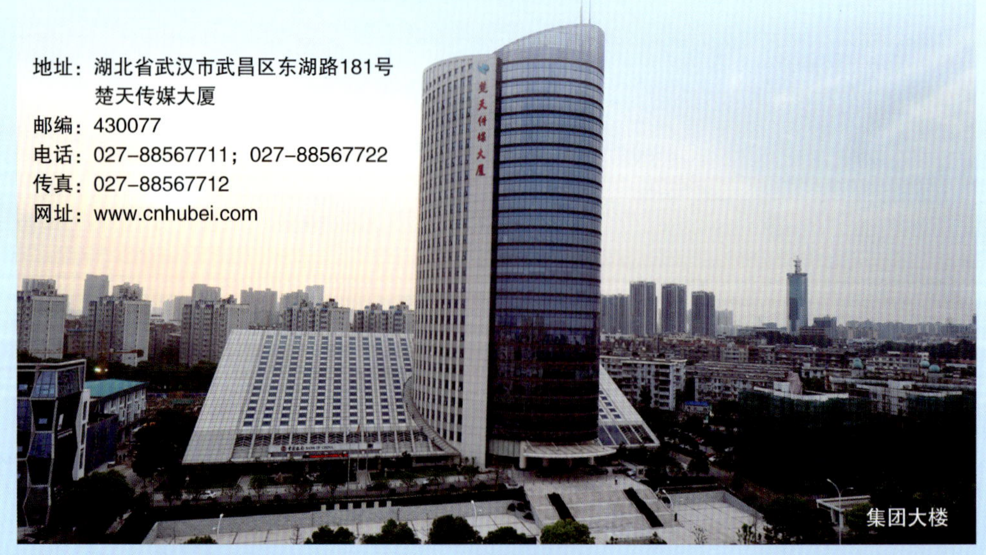

集团大楼

重庆聚融建设（集团）股份有限公司

CHONGQING JURONG CONSTRUCTION Co., LTD

证券简称：聚融集团　证券代码：830920

地址：重庆市忠县忠州镇新桥村三组　邮政编码：404300

电话：023-85828333　传真：023-85823888

▲董事长：梁华国先生

聚融集团是一家专注于以低碳、绿色、环保为主题的多元化、现代化企业集团。广泛涉足于绿色建材、现代物流、金融和养老产业等领域。凭借其国际化的管理理念，世界一流的制造技术，完美的产品质量，成为三峡库区首家上市企业。(证券简称：聚融集团；证券代码：830920)

面向未来，聚融集团将以“保护环境，造福人类”为永续经营的坚定信念，坚持环保的产业发展道路。致力于持续改善、推广环保产业，扎根中国，走向世界。服务全球市场，争创世界一流企业。聚融人正以满腔热忱做最受人尊敬的企业，努力在为实现“聚融梦”、“中国梦”的道路上勇往直前！

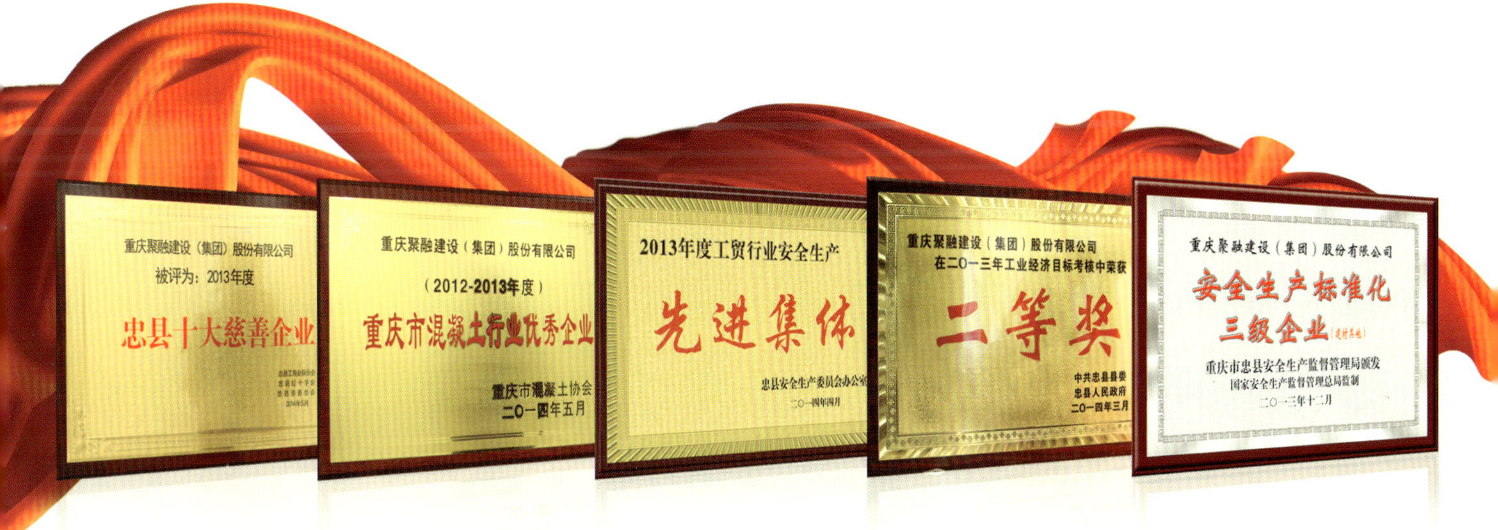

证券代码：831551　证券简称：世纪合辉

北京世纪合辉医药科技股份有限公司

电话：010-87887607　传真：010-87887627
地址：北京市西城区西环广场A座3A1
电邮：hehui-wx@kwa.com.cn　网址：www.hehuionline.com

全球科技 引领健康

新起点 新责任 树立行业新形象

世纪合辉新　　牌上市发布会

▲董事长：陈文明先生

▲总裁：王永刚先生

北京世纪合辉医药科技股份有限公司作为医药健康领域的高新科技企业，立足全球科技，专注保健食品行业，集研发与生产、技术服务与转让、品牌推广与销售于一体。2014年，通过不断在研发技术和数量、产品营销和服务上推陈出新，世纪合辉正式在新三板挂牌，在发展上实现了巨大飞跃。

世纪合辉坚持“全球科技、引领健康”的企业理念，通过引进全球先进研发理念，精选全球优质原料，采用全球顶尖设备和技术，以国际最高品质为标准，研发出让中国人信赖的优质健康产品。通过与世界级跨国企业深度合作，将全球先进的研发技术和理念引入中国，成为中国保健品科技的先行者和领航者。

至今，世纪合辉已累计成功申报国家500多个保健品批文，自主品牌批文数量达到100多个，均居全国第一。2013年，世纪合辉取得国家高新技术企业认证证书。

世纪合辉从2013年就引入药品GMP质量管理体系，将保健品按药品的质量检验程序严格执行，且所有产品和原料都有完备的第三方权威质量检测报告，以确保产品的功效和品质；世纪合辉始终坚持以消费者为中心，公司销售网络覆盖全国，产品销售遍及全国30多个省、自治区和直辖市；世纪合辉注重科技引领未来，打造了国内最顶尖的研发、生产、营销、销售精英团队，不断探索，勇于创新，立志成为中国健康产业一线企业。

▲世纪合辉上市发布会现场

▲世纪合辉全体员工

▲世纪合辉管理层2015年拓展培训

中科非开挖

陕西中科非开挖技术股份有限公司

地址：陕西省西安市经开区凤城一路8号御道华城B座2101号
电话：029-86523208
传真：029-86523208
电邮：zkpipe@163.com
网址：www.zkpipe.com

证券代码：831553
证券简称：陕中科

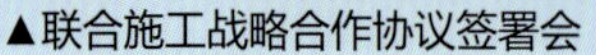
▲联合施工战略合作协议签署会

▲施工探讨

陕西中科非开挖技术股份有限公司成立于2001年3月，股本为4500万元，是一家以非开挖管道铺设、管道修复、管道更换为主的高新技术企业。致力于非开挖管道技术领域的研发与应用，拥有从行业研究、技术研发、市场营销、专业服务等方面的核心团队。

公司研发技术力量雄厚，施工设备先进。具有高、中级职称的技术人员百余人，其中一、二级建造师二十余人；拥有15T-500T等大、中、小型定向钻机及管道更换、修复设备五十余套，并配有先进的工程测量及地下管线探测仪器。在全国各地完成城际管线铺设数百个、城市管线铺设数千个，具备长距离、大管径、复杂地层非开挖管道铺设、修复及更换能力。

中科人发扬“敬业、团队、创新、善打硬仗”的企业精神，不断吸取和研究行业发展需求，创新行业管理价值，公司根据自身的战略定位及发展目标，提出整合资源、创新价值，适应市场新的需求，已从传统的非开挖施工企业转变为国内领先的管道非开挖技术一站式服务平台。从而突破以往管理瓶颈，实现技术兴业的宏伟目标。成为国内非开挖行业首家挂牌企业。站在中国纳斯达克的风口，借助资本市场的力量，公司愿意基于同行的强大资源构建平台，挖掘行业综合管理的新价值，通过协作分工、长久合作、携手同行，构建和谐-共成长生态圈，共谋持续化发展大业。

▲定向钻施工

▲施工现场

三众能源
SANZEN

北京合创三众能源科技股份有限公司

Beijing Sanzen Energy Technology Co.,ltd

地址：北京市丰台区芳城园一区日月天地大厦B座2607室

证券代码：430163
证券简称：三众能源

▲董事长：李红霞女士

基本概况

2012年11月16日在新三版挂牌，主要从事利用热泵技术,开发创新应用地热地温能的新能源节能、环保型企业。热泵技术作为一种不燃烧、无排放、不产生雾霾，先进、高效、节能、环保的空调系统，是对可再生地热地温能的一种循环应用。热泵技术不仅适用于宾馆、商城、办公楼、学校、医院、温室花棚、孵化器等公共建筑，也适用于普通民用住宅及别墅群。在节能、环保、可再生、节省费用等方面具有明显的优势，使热泵技术被称为21世纪的“绿色空调”技术。

为进一步推广地热地温能的应用，财政部、建设部、发改委等部门联合发文要求，对地热地温能的应用工程提供资金补贴等专项资金。目前，我公司市场主要围绕在北京、山东、山西、河南、河北、内蒙、东北、天津等省市，各项目运行效果受到客户的高度肯定，其中由我公司参与建设施工的全国组织干部学院工程荣获“鲁班奖”、“詹天佑奖”、“三星级绿色建筑设计标识”、“全国建筑业首批绿色施工示范工程”及“2012年北京市建筑业新技术应用示范工程”。

同时利用我公司自主研发的云端控制系统，实现了分时分区，气候补偿的功能，并凭此承接了一些比较大的工程项目，比如：衡水龙源大酒店、枣强医院、全国组织干部学院、中国人寿研发中心、味多美基地、中关村软件园、国际月季园、大兴11所学校、山东济宁国翠华府等，并参与北京市2014-2017年空气雾霾治理，6月公司自主研发的“地源热泵集中控制器”被收录进《北京地区大气污染防治技术和产品目录》。

2013年11月成立了一家全资子公司（北京合创绿源节能科技有限责任公司），从事绿色建筑.星级标识咨询服务；美国LEED绿建标识咨询服务；英国BREEAM绿建标识咨询服务；智慧城市、节能改造技术咨询等。

地热地温能作为一种新型、节能、环保的能源，三众能源一直倡导把自然带回家的宗旨，致力于打造零净能、零排放的绿色高科技建筑，在未来有很大的发展潜力。

发展趋势

2010-2015年发展趋势：

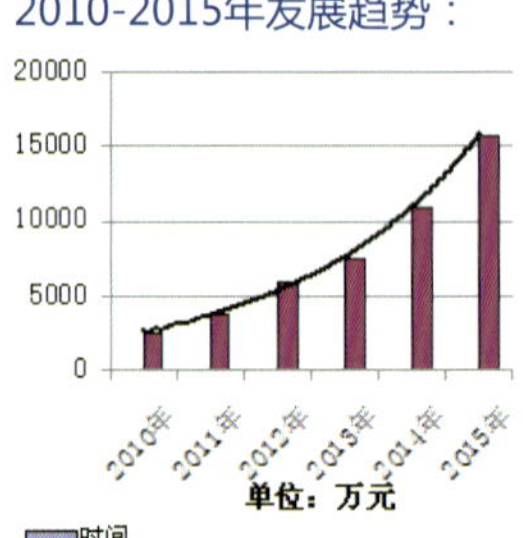

主营产品

（1）远程控制器

系统功能：

1、多项目管理，提供绿色建筑标准化节能平台，提供能源审计报表。
2、为数字化城市提供数据基础平台。
3、多种节能策略及多项目能耗排名，提供节能改造方案。
4、实现多能源负荷分配。

（2）地源热泵技术

一套系统实现传统三套系统的功能，算上补贴成本低于传统系统,截止目前公司所有项目每年共计减少标煤使用量17618吨，减少碳排放42038吨，中组部项目先后获得了鲁班奖、詹天佑奖，并被认定为全国首批绿色施工示范工程，并取得全国建筑绿色运行三星级标识，并被收录到2013年《中国地源热泵发展研究报告》中第七章典型工程。

▲机房鲁班奖标准

项目展示

▲龙源酒店

▲神华集团

▲唐山惠达

▲味多美

▲中组部

▲捷宸阳光

▲石家庄步兵学院

证券代码：830771 证券简称：华灿电讯
电话：0513-80170336 传真：0513-80170350
地址：江苏省南通市如皋市长江镇永福工业集中区(永福村五组)
邮编：226532
电邮：dshms@jshcdx.com
网址：www.jshcdx.com

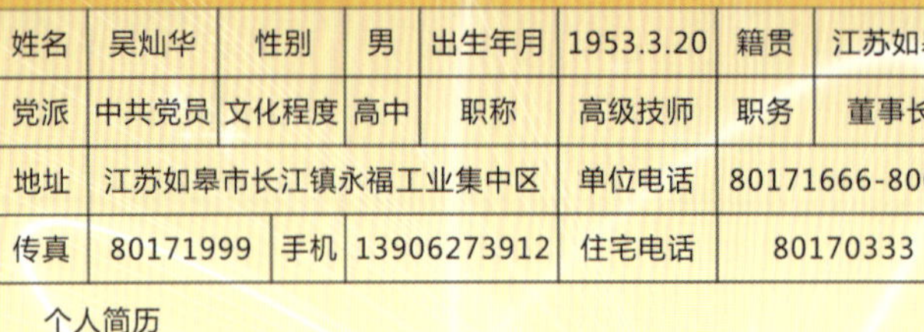

姓名	吴灿华	性别	男	出生年月	1953.3.20	籍贯	江苏如皋
党派	中共党员	文化程度	高中	职称	高级技师	职务	董事长
地址	江苏如皋市长江镇永福工业集中区				单位电话	80171666-8001	
传真	80171999	手机	13906273912		住宅电话	80170333	

个人简历

1971年7月—1992年06月 如皋钢厂车间主任

1992年7月—2000年12月 如皋市港区电讯器材配件厂厂长

2001年元月—2007年10月 如皋市华兴电讯器材有限责任公司总经理

2007年11月至今 江苏华灿电讯股份有限公司董事长兼总经理

企业简介

江苏华灿电讯股份有限公司是一家专业从事移动通信基站天线及移动通信配套件的研发、生产和销售的民营科技型企业，国家高新技术企业。注册资金6750万元，在编人员1300余名，其中各类专业技术研发人才150人。公司于2014年6月3日在全国中小企业股份转让系统成功挂牌，证券代码：830771,证券简称：华灿电讯。

公司成立以来，专利申请量已达130项，其中发明专利38项，实用新型专利78项，外观设计专利14项。授权发明专利8项，实用新型专利76项，外观设计专利14项。

公司注重技术创新，与中国科学技术大学、东南大学、电子科技大学、江苏大学等多家知名高校建立了长期的产学研合作关系，公司建有江苏省智能化、小型化移动通信基站天线工程技术研究中心，并被纳入中国通信标准化协会会员单位和TD技术论坛高级会员单位。公司科研开发实力雄厚，基础设施、生产设备、检测仪器齐全，具有卓越的自行设计、开发新产品的能力。

公司在国内建有三大生产基地，即：江苏如皋天馈附件、通讯线缆生产基地和基站天线生产基地；江苏镇江射频同轴连接器、避雷器生产基地；广东东莞高低频线缆组件、室分天线生产基地。

公司坚持主动、严谨、务实、高效的工作作风和奋力拼搏、勇于探索、积极奉献、锐意创新的华灿精神，以走精品之路、创华灿品牌的质量理念，建立了完善的内部管理机制和市场营销体系。

因公司在移动通信配套件等方面拥有较强的实力，一直被国内系统集成商华为、中兴等公司选为优质供应商，所供产品份额一直名列前茅。同时，在系统运营商方面，由于我们卓越的产品品质及周到的售后服务，移动、联通、电信等多家运营商选用我们的产品建网，销售量占据国内较大的份额，目前公司产品正向东南亚及欧美等国通信市场迈进！

公司秉承顾客是上帝，质量是生命的经营宗旨；追求顾客满意是我们永恒的追求目标；不断创新、重视科技、尊重人才是公司前进的力量源泉。

第一章　重要文献

加快创新发展　培育中国经济未来

全国股份转让系统公司董事长　杨晓嘉

时序更替,岁月如歌。全国中小企业股份转让系统(简称“全国股份转让系统”)已经走过了一年的历程。在不平凡的2013年里,全国股份转让系统做了哪些富有改革创新意义的事情?面对新的历史起点,全国股份转让系统又将如何兑现自己的承诺,实现市场的期待?2014年1月16日,恰逢全国中小企业股份转让系统的“一周岁生日”,带着资本市场所关心的问题,中国证券报专访了全国股份转让系统公司董事长杨晓嘉。

培育中国经济的未来

中国证券报:2013年12月14日国务院发布《关于全国中小企业股份转让系统有关问题的决定》,市场服务范围一步扩大至全国,要求“充分发挥全国股份转让系统服务中小微企业发展的功能”,您如何看待这一要求?

杨晓嘉:这是党中央、国务院赋予全国股份转让系统的历史使命。中小微企业有两个重要的特性:一是数量众多,占企业总量的90%以上;二是具有创新型特征。党的十八届三中全会在《深化改革若干重大问题的决定》中提出要“激发中小企业创新活力”。目前市场前沿的创新技术,由于其概念过于领先,往往没有稳定的商业模式,但却是灵活的中小微企业所擅长的领域。例如:3D打印、物联网、大数据分析,在这些具有未来经济概念的产业内,中小微企业是重要参与者和创造者。依靠对新技术、新概念的研发和投入,中小微企业获得成长的机会,变身为领军企业。以美国为例,1980年代进入消费时代后,那些领先于市场走势的行业不再是建筑、石油、煤炭、矿业等巨型企业聚集的行业,而是转为计算机、软件、食品、服务业这些中小微企业所聚集的行业,从美国经济发展历程看,中小微企业的创新精神在经济的发展过程中发挥了重要的作用。在中国,中小微企业贡献了50%的税收,60%的GDP,80%的就业,66%的专利发明,74%的技术创新和82%的新产品开发,但无论直接融资还是间接融资对中小微企业的支持都很薄弱。以银行贷款为例,2013年9月月末,小微企业贷款约为12.82万亿元,仅占人民币各项贷款余额70.28万亿元的18%。有一家挂牌企业的高管在谈到为什么要上全国股份转让系统时讲了三个目的:第一,对外能提升企业的形象,扩大企业的知名度;第二,对内通过市场机制充分反映企业价值,实现股权激励,汇聚优秀人才;第三,是为了获得更好的创业环境,获得银行的信贷支持和政府部门的重视,赢得相关的资助和帮扶政策。我听了很受启发。

中国经济的未来是创新型的中小微企业,如何借力资本市场、创新金融工具与制度安排,激发激活中小微企业的创新能力,是全国股份转让系统面临的重要课题。正是在这一背景下,国务院批准全国股份转让系统试点一步扩大到全国确实具有划时代的战略意义。作为这个市场的参与者和建设者,我们深感使命光荣、责任重大。我们的愿景是要把这个市场真正建设成为服务中国经济细胞,推动中国经济转型,培育中国经济未来的重要平台。

“把市场的属性还给市场”

中国证券报:全国股份转让系统建设贯穿了什么样的发展理念?

杨晓嘉:全国股份转让系统的发展理念就是要按照党的十八届三中全会精神,坚持市场化取向,坚持改革创新,把市场的属性还给市场。全国股份转让系统服务的对象多数是处于成长前期的企业,这类企业具有自主知识产权,形成了一定的经营模式和盈利模式,但普遍规模较小,有较大的成长空间。我们通过降低准入门槛、简化审核流程、公开交易转让,让企业的价值能够被市场有效发现和挖掘;通过发行股票或债券等工具,挂牌企业可以获得资金支持;通过信息披露,不断提升公司治理水平,强化规范意识。在这个基础上,由投资者自主进行投资决策,并自行承担投资风险。市场运管机构不对企业做实质判断,将选择、评判企业的权利交给市场,交给投资者和中介机构。中国资本市场改革已进入一个新的历史阶段,股份转让系统试点扩大到全国,不仅是新一轮改革的重要内容,而且也应该成为新一轮改革的重要推动力量。

中国证券报:全国股份转让系统的建设如何体现市场化的理念,怎样走市场化的路子?

杨晓嘉:作为一个主要面向机构投资者和有一定风险承受能力个人投资者的市场,新三板要冲破各种观念的束缚,大胆开拓、勇于创新,真正为实体经济提供高效的金融工具和资本舞台。我觉得主要有这么三点。

一是准入、退出的市场化。改变重业绩增长、轻规范经营的状况,将主办券商的推荐和持续督导与企业持续发展紧密联系起来,形成市场化的培育、遴选和服务机制。对于不符合继续挂牌条件的,我们将在制度层面作出多样化安排,遵循公司自治原则,逐渐形成能进能退的市场机制。

二是自律监管市场化。坚持开门办市场,阳光办市场,将我们服务市场的各项流程,尽可能公开透明,从而保障各类主体能平等进入市场,引导各类主体归位尽责。

三是制度建设市场化。最重要的是要“接地气”,实践先行、“谋定而后动”。我们的队伍,很多都来自市场机构;在规则制定过程中,广泛听取、吸收市场各方意见建议,避免规则出台后频繁修改。例如在股票发行方面,2013 年 4 月我们先公布了备案指南,在充分实践的基础上,于年底公布了股票发行细则。现行的规则都是"试行",我们将对已发布的 49 个业务规则和服务指南跟踪实践效果,适时启动规则的评估、修订工作。

四大创新构建市场平台

中国证券报:刚才您也提到了创新,围绕服务中小微企业发展、推进资本市场创新,一年来,全国股份转让系统有哪些具体的创新举措?

杨晓嘉:作为一个全新的市场,我们没有历史负担,可以大胆进行创新,创新是全国股份转让系统发展的主旋律。如何建设一个服务中小微企业的全国性证券交易场所,这是一个新的尝试,没有现成的模式可以照搬,也要求我们摆脱路径依赖,大胆进行创新。我们认真总结交易所市场与高新技术园区试点的经验教训,研究借鉴了境外成熟市场的做法,深入市场和企业调研,广泛听取意见,初步构建符合中小微企业特点和需求的制度体系和服务体系,目前正在实施的创新主要体现在四个方面。

一是创新准入制度。我们坚持制度公平和理念包容的原则,针对创新创业型中小企业的发展特点和风险特征,科学合理地设置准入条件,准入条件不设财务指标,不要求持续盈利能力,也不受地域、规模、业态的限制,以信息披露为核心,充分发挥中介机构作用,实现资本市场对创新型、创业型、成长型中小微企业的覆盖。截至 2013 年年末,全国股份转让系统挂牌公司总数达到 356 家、总股本 97.17 亿股、总市值 553.06 亿元,分别比 2012 年年末增长 78%、78.28% 和 64.55%。挂牌公司覆盖 12 个行业,绝大部分为高新技术企业。

二是创新融资方式。特点是小额、快速、按需,为中小微企业提供多元化、个性化的综合金融服务。挂牌公司可以通过发行股票直接融资,也可以通过与全国股份转让系统开展战略合作的商业银行间接融资。在发行融资方面,充分尊重公司意愿,可自主选择发行时点,没有时间间隔要求,新增股份不强制限售;定价方式多元化,可以通过路演等方式推介、通过询价等方式确定发行对象和发行价格,也可与特定发行对象协商谈判确定发行价格;认购形式多样化,除可以用现金认购外,还可以用其他非现金资产认购。挂牌公司 2013 年完成 60 次发行融资,募集资金 10.02 亿元,分别比 2012 年增长 150% 和 16.65%。其中,挂牌同时发行 10 次、募集资金 2.11 亿元。

三是创新交易方式。全国股份转让系统挂牌公司在企业规模、发展阶段、股权集中度等方面不尽相同,为满足不同企业、不同的交易需求,我们提供协议、做市商、竞价三种交易方式供企业自主选择。做市商制度的推出,是我国证券市场的一次创新尝试,将有效提升市场定价功能,提高市场的活跃度与流动性。

四是创新监管方式。确立了以信息披露为核心的监管方式,以市场自律监管为主,强化过程控制和事后监管。以投资者需求为导向,建立了企业挂牌、融资、日常监管等各个环节有机衔接的信息披露规则体系及日常监管机制。

积极维护自律监管公信力

中国证券报:那么在您看来,目前全国股份转让系统面临的主要挑战是什么?又应该如何应对?

杨晓嘉:我认为,对全国股份转让系统而言,最主要的挑战就是如何尽快形成并维护好市场自律监管的公信力,并融入多层次资本市场体系中,实现与其他市场板块的差异化发展。建设全国股份转让系统,并非简单地降低上市挂牌标准,关键在于根据不同的服务对象、不同的功能定位,形成差异化的制度安排,而不是同质化的竞争。要做到这一点,需要我们正确处理和把握好规模与质量、创新与风控、服务与监管的关系。

首先,规模与质量历来都是相辅相成,有机统一的。全国股份转让系统还处在初创阶段,有扩大规模的刚性需求;但这种对规模的追求绝不能变成饮鸩止渴式的盲目冒进。在自律监管为核心的市场,这一点尤为重要;我们的准入审查和公司监管必须要经得起市场的考验,受得住公众的监督。我们提出"开门办市场",就是要把市场的自律监管置于"阳光"之下,保持市场的公信力。

其次,创新与风险历来如影随形。创新是全国股份转让系统的魅力所在,但有创新就必然有产生风险的可能。例如,我们在做市商制度上做了"第一个吃螃蟹的人",但实施后会产生怎样的效果、会不会遇到始料不及的问题都是未知数。我们并不是孤立地推出做市商,而是辅以券商内部业务隔离等一系列举措,就是为了在创新的同时防控风险。今后我们还将继续加大创新力度,但也一定会牢牢守住风险的底线。

再次,服务与监管实际上是促进市场发展的两种不同手段和方式,不能人为割裂。全国股份转让系统一直主张寓监管于服务,强调二者间的有机联系。其最终的目的都是让市场规范发展。对全国股份转让系统公司而言,服务与监管必须两手抓,两手都要硬。

着力打造综合金融服务平台

中国证券报:新的一年已经到来,全国股份转让系统 2014 年的工作目标是什么?又有哪些具体的部署?

杨晓嘉:如果说 2013 是启航的一年,那么 2014 就是发展之年,全国股份转让系统将进入全面发展、创新发展、快速发展的新阶段。在新的一年里,我们将全面贯彻落实十八届三中全会和《国务院决定》精神,秉持"自律、高效、包容、创新"理念,着力构建充满活力、高效多元、富有特色的全国性证券交易场所,不断夯实市场基础,完善市场功能,提升服务市场的能力与水平。

就具体部署而言,全国股份转让系统将在市场的广度和深度、规模和质量两个维度上推进各项工作。

一是进一步拓展市场的广度,实现对各类企业的全覆盖。二是不断丰富市场产品,推出债券、优先股等新融资工具,推出市场指数,研究开发信息服务和互联网金融产品。三是进一步完善市场功能,加快交易系统建设、实现多样化的交易方式,完善发行融资、落实并购重组、推动投融资有效对接。四是进一步优化市场服务,大力发展多样化的机构投资者群体,深化与商业银行等金融机构的合作,推动综合融资平台服务的形成。五是进一步完善市场制度建设,探索市场分层、市场评价、信息披露弹性安排等制度安排,建立全国股份转让系统与交易所市场、区域市场的有机联系。六是进一步加大市场法制法规的宣传与培训,开展挂牌公司的常态化培训服务,实现电子化报送、网络化沟通。七是进一步加强市场监管,提高市场的规范化水平。

人民日报专访

全国股份转让系统公司董事长　杨晓嘉

2014 年 3 月

人民日报：在中国经济转型的大背景下，建设全国股转系统对实体经济发展的意义何在？

杨晓嘉：党的十八届三中全会指出“要让市场在资源配置中起决定性作用”。全国中小企业股份转让系统（简称“全国股份转让系统”）作为多层次资本市场的重要组成部分，也是要素资源配置的重要场所，对实体经济发展的重要意义在于能在更大的范围和更深的领域恢复金融的本质和草根性，为经济结构调整和转型升级、为创新驱动发展战略的实施提供资本支持与服务，增强金融服务的覆盖面和包容性；真正实现习近平总书记在视察中关村时提出的“围绕产业链部署创新链，围绕创新链完善资金链”的要求。

全国股份转让系统通过两次扩大试点，尤其是扩大到全国后，市场服务的广度和深度开始提升，挂牌企业在数量、地域分布、行业覆盖和业态多样性方面有很大改变，市场服务经济转型、产业结构调整升级的导向作用也进一步提升。650 家挂牌企业已覆盖了全国 28 个省、市、自治区，覆盖的行业门类由 12 个增加到了 15 个，高新技术企业占比达到 80%。基因药物、涉农、物流、融资担保、区域经济等领域的挂牌企业数量实现较大增长，其中涉农企业家数增长了 127%，覆盖了中西部地区。这也是对 2014 年中央“一号文件”中“引导暂不具备上市条件的高成长性、创新型农业企业到全国中小企股份转让系统进行股权公开挂牌与转让”精神的具体落实。

人民日报：概括而言，全国股份转让系统有哪些突出特点？

杨晓嘉：全国股份转让系统的特点主要表现为以下三点。

一是通过差异化的服务体系和多元化的制度安排来实现市场的包容性。在挂牌准入、公司监管、市场服务等方面，改变重业绩增长、轻规范经营的状况，将主办券商的推荐和持续督导与企业持续发展紧密联系起来，形成市场化的培育、遴选和服务机制。

二是坚持开门办市场、阳光办市场，将服务市场的各项工作流程，尽可能公开透明。通过实现申报公开，受理公开，审查人员、审查进度、关注问题公开，定期开门点评、开辟网络互动专区等方式进一步提高挂牌工作透明度、公信度和社会参与度。

三是坚持市场化取向不动摇，尊重市场，尊重市场主体。全国股份转让系统秉承制度公平、理念包容的原则，以信息披露为核心，不设发审委，不对挂牌企业的业绩和投资价值作实质判断，主办券商推荐与持续督导，中介机构归位尽责等市场运行方式，实际上与大家所期待的注册制已没有太大差别。目前，我们正在试行 49 项业务规则和服务指南；对于这些制度，我们一直在不断地听取市场意见，并将适时启动规则的评估、修订工作。

人民日报：全国股份转让系统与沪深证券交易所之间有何联系与区别？

杨晓嘉：2013 年 12 月 14 日，国务院发布《关于全国中小企业股份转让系统有关问题的决定》，进一步明确了全国股份转让系统的法律定位和功能作用。从法律意义和市场性质上讲，全国股份转让系统和沪深证券交易所没有本质的区别，都是全国性证券交易场所，都服务实体经济、纳入中国证监会统一监管。

与交易所市场的主要区别在于服务对象有所不同，全国股份转让系统主要服务创新型、创业型、成长型中小微企业，从而使我国资本市场对企业生命周期的覆盖大大前移，即从成熟期前移至创业期甚至是初创期，企业可以更早地进入资本市场。在准入条件上，全国股份转让系统不设财务指标，申请挂牌的公司可以尚未盈利，但须完成股份制改造、持续经营满两年、股权清晰、业务明确、公司治理规范并持续履行信息披露义务，经主办券商推荐可申请在全国股份转让系统挂牌。在前不久首批挂牌的 266 家企业中，股本 500 万 - 1,000 万的企业占 23%，股本 1,000 万 - 2,000 万的企业占 24%，股本 2,000 万 - 5,000 万的企业占 34%，股本 5,000 万以上的企业占 19%。这充分反映出全国股份转让系统服务中小微企业的特征。

人民日报：如何理解多层次市场之间的转板机制？

杨晓嘉：沪深证券交易所、全国股份转让系统和区域性股权转让市场都是我国多层次资本市场的重要组成部分。《国务院决定》要求建立不同层次市场间的有机联系，就是要使得交易所市场、全国股份转让系统和区域性股权转让市场之间形成上下贯通、有机联系的统一整体。全国工商注册的中小微企业约有 1,300 万家，全国股份转让系统目前已挂牌 642 家公司，仅占十万分之五，即使把沪深证券交易所近 2,500家企业和区域市场约 7,000 家挂牌与展示的企业都计算在内，也仅为万分之七左右。从这个角度看，多层次资本市场的服务空间非常巨大也非常广泛。我们对此应该抱有更高远的视野、更广阔的胸怀、更强烈的使命感和责任感。

扩大试点后，全国股份转让系统在多层次资本市场中承上启下的作用开始显现。首批来自全国的挂牌企业中有 18 家来自区域股权市场，涉及广东、重庆、山东等 13 个符合《国务院关于清理整顿各类交易场所切实防范金融风险的决定》（国发〔2011〕38 号）要求的区域性股权转让市场。截至目前，共有 8 家挂牌企业转至主板和创业板。我相信，全国股份转让系统对创新型、创业型、成长型企业的孵化作用将随着市场的发展更加突出。

人民日报：成交清淡、交易功能受限是三板市场长期存在的问题。在交易制度方面，未来将会有哪些改进？

杨晓嘉：我们不能单纯就交易量和换手率来看待市场流动性问题。流动性状况是由市场发展中的很多因素共同决定的，包括投融资结构、产业规模结构、投资者交易需求、市场发展的多样性和差异性等。全国股份转让系统挂牌企业没有经过 IPO,股权集中度很高。目前,全国股份转让系统投资者中,机构投资者占 12%,自然人投资者占 88%。但值得注意的是,自然人投资者主要为挂牌公司既有股东,包括原始股东、董监高及参与股权激励的核心员工,有较强的风险判别和承受能力,以长期持股为主。这一特征与交易所市场有很大差别。

全国股份转让系统对交易功能的制度设计是多样化的,将在今年内逐步上线运行。包括降低单笔交易股数、做市交易、指数编制、市场分层等。随着市场功能的不断完善,我相信,全国股份转让系统的交易状况会逐步改善。事实上,经过两次扩大试点,市场交易状况已经发生变化。2013 年市场合计成交 2.02 亿股,成交金额 8.14 亿元,分别比 2012 年全年增长 75.65% 和 39.38%。2014 年截至 3 月 12 日,已合计成交 3.35 亿元,相当于 2013 年全年成交金额的 1/3。但即使如此,也不能拿主板的交易量和高换手率来衡量全国股份转让系统。

我认为,全国股份转让系统作为投融资对接平台和服务广大中小微企业创新发展的市场,更需要建立长期投资和价值投资的理念,不能以追求高换手率为目的。企业的价值体现更应该在一种理性的投资环境中生成,申请到全国股份转让系统挂牌的企业大多数是为了满足融资需求和资本服务需求,因此,我们将通过差异化的制度安排,保持适度合理的流动性,进一步完善市场定价和投融资对接的功能。

人民日报:全国股份转让系统的市场融资是什么状况?

杨晓嘉:全国股份转让系统一直在全力打造综合金融服务平台,不断丰富融资方式和融资品种,为中小微企业提供多元化、个性化的融资服务。在全国股份转让系统挂牌的公司,可以通过发行股票、优先股以及债券等方式进行融资。

2014 年 1 月至 2 月 21 日的 50 天内,已完成股票发行 22 次(其中挂牌同时发行 14 次),融资 4.67 亿元,占到 2013 年全年总量的 36.7% 和 46.7%;平均单次融资 2,147.6 万元,比 2013 年 1,670.6 万元的平均单次融资额增加 28.6%;充分反映了适合中小微企业"小额、快速、按需"的融资特点和需求。

人民日报:目前新三板的退市制度尚未明确,这方面是否正在酝酿出台相关制度?

杨晓嘉:全国股份转让系统的"退市制度"在《全国中小企业股份转让系统业务规则(试行)》(以下简称《业务规则》)中,表述为"挂牌公司股票终止挂牌制度"。目前,《业务规则》已对挂牌公司股票终止挂牌的基本情形、主要程序和后续服务作了具体规定。

挂牌公司有以下情形的,其股票终止挂牌:①中国证监会核准其公开发行股票并在证券交易所上市,或证券交易所同意其股票上市;②终止挂牌申请获得全国股份转让系统公司同意;③未在规定期限内披露年度报告或者半年度报告的,自期满之日起两个月内仍未披露年度报告或半年度报告;④主办券商与挂牌公司解除持续督导协议,挂牌公司未能在股票暂停转让之日起三个月内与其他主办券商签署持续督导协议的;⑤挂牌公司经清算组或管理人清算并注销公司登记的;⑥全国股份转让系统公司规定的其他情形。挂牌公司因第 3 项和第 4 项情形终止股票挂牌的,全国股份转让系统公司可以为其提供股票非公开转让服务。

下一步,我司将进一步细化和明确终止股票挂牌的业务流程,畅通市场出口;同时结合企业特点、市场评价、信息披露安排等多种维度,制定包括市场分层方案在内的创新举措。在信息披露、发行等方面作出有针对性的安排,逐步形成市场的良性生态。

以市场需求为导向推进全国股转系统建设

全国股份转让系统公司总经理　谢　庚

推进多层次资本市场建设,是党的十八届三中全会在全面深化改革的框架下提出的,因此建立全国中小企业股份转让系统并不简单是一个市场层次的创立问题,其中包含了在改革创新方面的深刻内涵。全面落实十八届三中全会要求,必须以市场需求为导向,让机制创新引领市场发展,让市场发展推进经济创新。

我国资本市场是新兴市场,没有经历市场自然演进的成长过程,市场体系和结构尚不能充分适应经济发展的多元化需求。正是在这一背景下,全国中小企业股份转让系统的设立,不仅是对现有市场体系的完善,同时也承载了助力中国经济转型升级的历史使命。由于各国经济结构和发展阶段不同,文化背景和法律环境不同,与沪深证券交易所建设发展的体制环境和服务需求也有很大差异,全国股份转让系统既不能简单照搬别国的模式,也不能依循中国资本市场已有的发展路径,而应当以改革创新的精神,构建契合实体经济发展需求的市场制度体系,充分发挥后发优势,完善我国多层次资本市场体系的服务能力。

按照上述指导思想,全国股份转让系统的制度构建可以概括为如下四个方面。

一、以促进中小企业发展为目标完善市场服务功能

从挂牌企业的角度讲,融资和资本运营是资本市场的基本功能。

一是融资服务。目前我们已经公布了股票发行办法,全国股份转让系统实行股票发行事后备案制度。挂牌公司可以在任何时点、以任何方式通过发行股票融资,没有财务指标及发行额度的限制,只是必须向符合投资者适当性要求的投资人发行,每次发行的新增股东不超过 35 名。考虑到中小微企业融资需求的特点,全国股份转让系统股票发行制度力求体现灵活性和对公司意思自治的尊重:对发行的新增股份不强制限售,也没有股票发行间隔的时间要求;现有股东的优先认购安排,交由公司章程自主决定;发行对象除可以用现金认购外,还可用其他非现金资产认购等。发行方式上,挂牌公司可以通过路演等方式推介、通过询价等方式确定发行对象和发行价格,也可与特定发行对象协商谈判确定发行价格。下一步,随着中国证监会改革创新的推进,我们还将发布公司债券、优先股等创新融资工具的发行办法,实现挂牌公司融资工具选择的多元化。2013 年,全国股份转让系统挂牌公司共完成股票发行 60 次,融资总额 10.02 亿元。2014 年截至 3 月

14日共完成股票发行32次，融资5.81亿元；其中有14家公司在挂牌同时进行了发行，共计融资6,756万元；基本满足中小微企业"小额、快速、灵活"的融资需求。

二是并购重组。一方面，我国的中小企业大多处于行业的细分领域，其研发成果和业态模式创新很难依托完整的产业链条实现价值最大化，在很大程度上制约其做大做强。另一方面，随着国有资产管理方式改革的深入，民营资本介入国有资本布局调整的机会也会增多。因此，并购重组很可能是全国股转系统一项常态运作，我们将创造更加市场化的并购环境和方式，有效推动企业资本运作和资源整合。

二、以市场生态平衡为目标优化制度体系

企业融资和并购重组功能的顺利实现，必须重点解决三个方面的问题：一是强化信息披露，二是提高交易效率，三是规范公司治理。

（一）强化信息披露

信息披露是投资人据以作出投资决策的重要基础，我们将从投资人的视角持续优化信息披露内容，保障挂牌公司股东的知情权，降低潜在投资人的信息收集成本。在挂牌准入环节，全国股份转让系统审查的重点，是相关信息披露文件是否对公司的业务和风险进行了充分、有效阐述。为此，我们发布了《全国中小企业股份转让系统公开转让说明书内容与格式指引（试行）》等规则，引导申请挂牌公司重点披露投资者关心的信息，有针对性和差异化地将公司的亮点说够、风险说透，既能突出公司业务亮点和核心竞争力，又要充分揭示公司所面临的风险。在自律监管方面，全国股份转让系统已初步建立较为完备的信息披露规则体系。一方面注重提高挂牌公司信息披露规范度和透明度；另一方面充分考虑投资者信息需求与企业披露成本的平衡，要求企业根据投资者需求，对与企业经营关联性强的重大风险与变动等信息进行针对性披露。我们鼓励挂牌公司在了解投资者需求、遵守披露规则的基础上，根据所属行业特点、区域特点、公司特点等，自愿披露个性化信息，以满足不同类型投资者的差异化信息需求，实现强制性信息与自愿性信息、通用信息与个性信息等的结合。

（二）提高交易效率

股票交易的有效性将优化市场定价环境，降低投融资双方的谈判成本；股票交易的流动性将提高投资人的风险管理能力，消除投资人投资选择和退出通道的后顾之忧。为此，我们针对挂牌公司情况差别较大的客观情况，提供了三个可供选择的交易平台，囊括了协议交易、做市交易、竞价交易功能，挂牌公司可以根据投资人的交易需求自主选择交易方式。协议交易方面，我们首先降低了单笔报价委托数量，将每笔报价委托不得低于30,000股的规定，调整为最小交易单位为1,000股。其次增加了未成交定价申报收盘自动匹配功能。做市交易方面，我们采用更加有助于提供充足流动性的传统竞争性做市商制度，即由两家以上的做市商为一家挂牌公司做市，做市商持续向市场提供买卖双向报价，并在其报价数量范围内按其报价履行成交义务。竞价交易方面，我们与交易所市场的竞价交易制度类似。基于全国股份转让系统的市场特征，在申报价格限制、收盘集合竞价时间等方面做了有针对性的差异化安排。不过，采取竞价转让方式的挂牌公司股票应当满足一定的条件，具体条件将另行制定。在符合相应条件的基础上，挂牌公司可以根据公司基本情况变化和市场发展的实际需要，申请变更股票转让方式。

（三）规范公司治理

股份制的本质是动员社会资金满足企业发展过程中内援融资的不足，但引入社会资金后，公司已不再属于单一股东，必须实现所有权与经营权的分离，并通过健全的公司治理机制，保障决策的科学化和股东的参与权。为此，我们将把公司治理规范作为持续培训和监管的重点内容，使挂牌公司逐步走向规范运作。全国股份转让系统在挂牌准入、公司监管、市场服务等方面，改变重业绩增长、轻规范经营的状况，将主办券商的推荐和持续督导与企业持续发展紧密联系起来，逐步形成市场化的培育、遴选和服务机制。企业申请挂牌可以尚未盈利，但须完成股份制改造、持续经营满两年、股权清晰、业务明确、公司治理规范并有主办券商推荐。挂牌后须有主办券商持续督导并持续履行信息披露义务。根据"主办券商事前督导、股转系统事后审查"的思路，全国股份转让系统正在逐步完善监管制度体系，强化挂牌公司的自我规范和自我约束。

三、以底线思维为原则构建风险控制体系

带闸的车才能跑得快，有效的风险控制才能维护"三公"原则，保障市场的健康稳定发展。为此，我们将在中国证监会监管职能转变的总体要求下，构建三个层次的风险控制体系。

（一）强化主办券商市场卖方角色和持续督导责任

全国股份转让系统实行的主办券商制度，要求主办券商以销售为目的遴选拟挂牌企业，履行尽职调查、公司内核及推荐程序，通过对企业成长性的市场判断，实现投融资双方的有效对接；以提升企业价值为目的对挂牌企业进行持续服务与督导，在满足企业融资和并购重组需求的同时，持续督导挂牌公司规范履行信息披露义务和健全公司治理。主办券商的尽职情况不仅要接受中国证监会和全国股份转让系统的监管，而且将与其自身的商业利益密切相关，公司选择和尽职督导方面的任何缺失，都将表现为挂牌公司质量的优劣，从而影响投资人的投资选择和主办券商的市场信誉。

（二）构建分层次的市场自律监管体系

维护市场"公开、公平、公正"，是资本市场信心的重要基础，但在风险控制方式上，我们将探索更加市场化的实现形式。在准入管理方面，坚持以信息披露为核心，对已经公布的底线标准，我们按照"可识别、可把握、可据证"的原则，公布了不留自由裁量空间的标准体系，供市场一体周知、共同遵守；对符合底线标准的申报文件，我们对审查中关注的问题一律采用披露的方式解决，使公司挂牌文件讲清亮点、说透风险，供投资人进行理性决策。与中小企业特点及准入管理方式相适应，我们对投资人实行了严格的投资者适当性管理，不符合标准的投资人只能通过购买证券公司、基金公司等金融机构开发的理财产品间接入市，以便从总体上提高市场的风险包容能力。在行为管理方面，我们对挂牌公司的融资和并购重组业务，实行信息披露文件的备案管理制度，充分体现信息公平、公司自治和买者自负原则；对主办券商、律师会计师等中介机构的执业行为，我们着重建立执业规范，做到操作留痕、结果披露，诚信记录，让执业机构及其人员的执业质量置于社会监督之下；对投资人之间的交易行为，我们已经建设了市场交易监察系统，实时发现价格操纵、内幕交易等违法违规行为。在信息披露管理方面，坚持在主办券商督导基础上的事后监管，我们将借助现代技术手段，实现及时发现可能的问题线索，并提请主办券商进行专项核查和披露。对于所有在自律监管中发现的问题，我们将根据问题的性质和风险外溢的可能性，采取差别监管措施，不断强化市场主体的自律意识。

（三）构建与监管机构之间的联防联控机制

全国股份转让系统挂牌公司及其市场参与人，均已纳入中国证监会监管,需要以证券法及其证监会部门规章作为基本行为规范,对于市场运作中的违法违规行为,我们将移交中国证监会立案调查并依法查处。

四、以多层次资本市场建设为目标建立市场间的有机联系

按照《国务院关于全国中小企业股份转让系统有关问题的决定》,我们正在研究建立全国股份转让系统与上海深圳证券交易所之间的转板机制,在明确标准及程序的基础上,使具备条件的企业可以直接向证券交易所申请上市。同时,我们将在制度层面与区域性市场相互对接,并帮助区域市场建立与全国股转系统主办券商的合作机制,使区域市场具备条件的企业能够顺利实现到全国股份转让系统挂牌。

扩大试点后,全国股份转让系统在多层次资本市场中承上启下的作用开始显现。首批来自全国的挂牌企业中有18家来自区域股权市场,涉及广东、重庆、山东等13个符合《国务院关于清理整顿各类交易场所切实防范金融风险的决定》(国发〔2011〕38号)要求的区域性股权转让市场。截至目前,共有8家挂牌企业转至主板和创业板。从转至交易所上市的企业看,全国股份转让系统对创新型、创业型、成长型企业的孵化培育和规范引导的作用较为突出。

在新闻媒体沟通会上的讲话

隋 强

2014年12月22日

各位媒体朋友,下午好!

很高兴能和财经媒体记者朋友们见面做深入的交流、沟通。在座的很多记者是我们的老朋友,长期以来关心、支持全国股转系统的建设发展,借此机会我代表全国股转系统公司向大家表示衷心的感谢!同时我也要感谢中国证券报对本次会议给予的大力协助!

一、今年完成的主要工作

2014年是全国股转系统面向全国运行的开局之年,有三个时点具有里程碑式的意义:一是以1月26日首批全国企业登陆全国股转系统为标志,全国股转系统正式进入面向全国的常态化运行,市场服务范围快速实现深度覆盖;二是以5月19日交易结算系统平稳上线运行为标志,全国股转系统新交易结算制度落地实施,核心技术系统实现自主掌控、独立运行;三是以8月25日做市商业务顺利实施为标志,全国股转系统在我国证券市场首次成功引入做市制度,有效改善了市场运行质量。经过一年的努力,挂牌公司数量突破1,500家(已超过中小板和创业板上市公司之和);总市值突破4000亿元;融资突破两个“100亿元”(截至12月12日,全国股转系统股票发行融资额合计120亿元,各合作银行共向挂牌公司提供贷款超过100亿元)。

以上这些时点、事件以及数据表面上体现的是市场发展速度、规模体量的快速增长,背后体现的是市场结构的改善、市场质量的提升。进一步概括可以归纳为四句话:一是市场服务在地域和行业上实现深度覆盖,已经形成新兴市场的初始规模;二是市场结构功能持续优化,市场运行质量不断提升;三是市场化理念得到广泛认可,市场效应逐步释放;四是市场服务定位逐步清晰,市场的中小微服务属性和特征明显。具体而言,主要包括以下四个方面。

一是法治诚信。我们通过持续完善狠抓市场规则体系,培育法治、诚信市场,实现规则监管。我们属于新生市场,有建设诚信法治市场的后发优势,我们构建了30个业务规则、33件服务指南组成的一整套规则体系,涵盖了市场的各项业务环节和链条,具有极强的确定性、可预期性和可执行性。明确、简洁的规则体系,稳定了广大中小微企业进入资本市场的预期,明确了各类主体参与市场的基本遵循。同时,全国股转系统不断总结经验、加强案例积累,探索自律管理的内涵、实现方式,引入中介执业统计公示,切实引导和敦促市场主体归位尽责、遵守规则、敬畏规则。我们的态度是,包容绝不纵容,依归治市绝不手软。基于未来市场业务创新需要,我们也在密切跟踪规则的适用效果,保持与市场的持续互动,并将规则的评估纳入日常工作。

二是包容多元。我们通过继续完善市场基本业务制度安排,完善融资功能,提高交易效率,适应中小微企业的多元化需求。我们挂牌准入不设财务门槛和股权分散度指标,坚定守住公司准入五个方面的底线标准挂牌准入;坚持以信息披露为核心的挂牌审查,引导企业和中介结构增强信息披露的有效性;鼓励以投融资对接为导向的市场化遴选标准,引导中介形成与市场服务需求相匹配的执业体系。股转系统实行多元化的交易机制安排,提供做市、协议及竞价三种转让方式,原则上选择哪种建议方式由市场主体自主选择,这充分考虑了未来挂牌公司数量众多,且在股本规模、股权结构、企业发展阶段等方面的较大差异,适应了挂牌公司股票流动性需求差异较大的特点,也为市场内部分层预留了制度选择空间。全国股转系统提供灵活的融资制度,将构建包括企业股权、债权、优先股等融资工具在内的直接融资体系,支持企业并购重组。相关融资安排坚持了以信息披露为核心的管理理念和买者自负原则,为中小微企业基于发展阶段灵活自主选择提供了空间。

三是市场化运行。我们在简政放权的背景下,重在构建可持续的市场化运行机制。在市场准入端,规则引导主办券商以销售为目的遴选企业,并通过完善市场业务链条,将企业成长性与券商的自身利益联系起来,让广大中小微企业在接受市场遴选基础上进入证券市场,体现了注册制改革的精神。在发行融资端,我们对融资方式、融资时点、融资规模、融资过程、融资价格均不予干涉,由市场主体自主协商,体现出充分的市场化特征。对股票发行不设财务指标要求,实行信息披露文件的备案管理。目前,平均备案时间在13个工作日左右,为企业灵活应对市场变化节约了时间成本。各类中介也在市场规则监管下实现归位尽责,以良好的诚信纪录、执业水平接受市场竞争和企业选择。

四是公开透明。我们坚持“开门办市场”，推进审查业务全公开，便利市场参与，提高透明度。今年6月起全国股转系统已在公司官网公示挂牌审查信息，8月电子化报送系统上线运行，11月6日起，实现电子化报送项目的反馈意见及反馈意见回复公开，至此，全国股份转让系统挂牌审查从流程、标准到进度、过程均已实现公开透明。今后，全国股转系统还将逐步增加与各市场参与主体的互动交流，适时推进挂牌审查工作的“开门点评”，共同提高企业信息披露质量和市场运行的效率。

二、支持中小微企业发展的主要成效

需要指出的是，全国股转系统以服务中小微企业、支持创新创业为其使命和宗旨，这是认识市场的基础和前提，也是我们的市场特色所在，我们所有的工作均围绕这一宗旨开展。经过一年的努力，全国股转系统支持中小微企业发展初见成效。主要体现在以下六个方面。

一是服务前移，市场深度覆盖。宽松的挂牌条件和市场化的审核机制使证券市场支持实体经济从以往的成长后期和成熟期前移到创业期和成长初期，降低了企业进入资本市场的门槛。一大批科技含量高、发展后劲足、市场潜力大但暂时还不具备上市条件的企业，进入了市场。全国股转系统挂牌公司中95%属于中小微企业；95%以上是民营企业；平均股东人数30人；2013年年报数据显示，营业收入在5,000万元以下的公司占比48.87%，净利润在500万元以下公司占比56.86%，亏损企业占比10.66%。稳定的市场预期带动了企业参与的积极性，挂牌公司超过1,500家已无悬念。

二是服务新经济，支持创新创业。挂牌公司涵盖76个大类行业，其中软件服务、医药制造等新兴行业企业占比约5成，家属现代服务业，明显高于上市公司新兴行业家数占比。挂牌公司普遍重视研发活动，平均研发强度为5.16%，远高于上市公司平均0.95%的水平。78%的挂牌企业为高新技术企业，代表新兴行业和新型业态的信息传输、软件和信息技术服务业企业占比超过27%。在高端装备制造、信息技术、生物医药、现代农业领域，涌现出一批走在行业前列的挂牌公司。创新驱动下挂牌公司创造的经济附加值较高，近三年增加值平均增长15.68%，较同期全国规模以上工业企业增加值平均增速高5.24个百分点。

三是机制创新，便利企业融资和资本运作。在股票发行和并购重组方面，实行事后备案和信息披露监管，为挂牌公司创造了宽松的环境。2014年以来截至12月12日，挂牌公司完成股票发行280次股票发行，融资金额119.67亿元，是2013年全年股票融资金额的11.6倍，平均单笔融资额4,273.86万元（2013年为1,670万元）。挂牌同时发行58次、发行1.96亿股、融资41.10亿元。融资1亿元以上的发行共13次。完成股票发行的250家挂牌公司分布于16个门类行业，其中现代服务业公司完成106次发行，融资85.44亿元。实现了中小微企业的小额、按需、快速融资。普通股融资之外，全国股转系统将提供优先股、公司债等多元融资工具，进一步扩大企业的直接融资渠道。

挂牌公司并购重组渐趋活跃。今年以来共计18家挂牌公司涉及重大资产重组事项。这18公司2013年平均营收增长率和平均净利润增长率分别为39.39%和31.65%，分别高出市场平均水平23.82个和27.57个百分点。8家公司因被上市公司收购终止挂牌或即将终止挂牌。全国股转系统与交易所市场的联动效应初步显现，22家上市公司及其关联方参股或控股了20家挂牌公司。

四是完善交易基础设施，提升市场定价功能。资本市场配置资源的核心功能，本质上是通过交易关系实现的。完善交易功能，提供适当的流动性，可以为投融资对接创造条件。截至12月12日，2014年市场股票成交累计达110.65亿元，是2013年全年的12.60倍；股票平均市盈率为36.52倍，比2013年末增加70.34%；。从换手率来看，前三季度换手率分别为1.43%、3.91%和6.74%，合计达到12.08%，第三季度换手率已超过2013年全年换手率水平。10月、11月的换手率达到1.92%和2.42%。

从成交频率来看，8月25日做市业务上线促进了市场交易。2014年1—7月，市场整体股票成交笔数合计3,415笔，而做市业务上线当月8月市场整体成交笔数达到9,821笔，9月达到11,909笔，10月达到11,212笔，11月达23,358笔。9月、10月、11月共59个交易日，平均每个转让日成交笔数约788笔。

截至今天，做市转让股票累计达96只，正在办理的申请做市企业17只，做市转让申请的平均审查周期为5个工作日，到今年底，做市股票突破100家已无悬念。实践表明，做市股票流动性有所提升，市场价格形成机制初步完善，多数做市股票形成了连续的价格曲线。做市转让对提升市场功能具有多重意义，主要表现在三个方面：夯实市场化运行机制、提高挂牌公司公众化程度、便利投资者更好地参与市场和管理风险。首先，做市商以自有资金与股票进行交易，推动主办券商真正落实以销售为目的推荐企业，以提升企业价值为目的开展持续督导与服务。其次，做市商通过受让或增发等形式获取库存股，并持续在二级市场报盘做市，促进公司股权的逐步分散。第三，做市商通过双向持续报价和交易平抑价格波动，增强了市场的流动性、稳定性和吸引力。

五是联通直接融资与间接融资，打造综合金融服务平台。今年新增合作商业银行15家，合作银行总量达到22家，研发推出了27款针对挂牌公司的专属金融产品或服务方案。挂牌公司累计完成股权质押贷款120笔，贷款总额12.22亿元，平均质押率为67.35%。截至3季度末，11家合作银行向挂牌公司提供贷款118亿元，涉及500余家公司。统计显示，企业挂牌一年后债务融资成本平均为7.2%，较挂牌当年下降13.1个百分点。另外，全国股转系统积极支持金融机构挂牌，提升其服务中小微企业的能力，合计有2家证券公司、1家私募投资机构、1家融资担保公司、1家农村信用社、3家小贷公司和1家融资租赁公司挂牌。

六是拓展多元化的投资者，推动社会资本投资中小微企业。全国股转系统为股权投资机构提供了退出渠道和标的池，一批科技型、创业型公司呈现“小而美”的特征，获得了社会资本的青睐。目前，近600家挂牌公司前十大股东中有VC/PE机构，超过1,000家股权投资基金在市场开户。VC/PE机构通过资金和管理经验的支持助力企业发展，有创投投资的挂牌公司营业收入年均增长32%，明显高于没有创投投资的公司。

今年，全国股转系统积极推动消除公募基金、券商资管产品入市障碍。截至11月月底，专业投资机构共2,463家，较2013年末增长1,642%。推动金融机构设计推出投资于市场挂牌证券的产品，已推出15个。引导主办券商强化对投资者的服务。今年以来，有外部投资者参与认购的股票发行196次，占总次数的75.68%；有私募基金作为股东的挂牌公司共

704 家；有 VC/PE 投资的挂牌公司营业收入年均增长 32%；做市股票中专业机构持股数量占比达到 10.34%。

三、下一阶段的主要安排

经过一年多时间的发展，全国股转系统的业务制度体系和交易基础设施已基本搭建完毕，市场功能和服务能力日臻完善，从市场发展的阶段看，现在我们已经基本走出了初创期。从 2015 年开始，我们将在更广阔的环境中以更高要求创新发展，继续以中小微企业的多元化需求为导向，完善市场功能，提升市场服务。主要工作有以下四个方面。

一是研究推进市场分层管理。今年以来，全国股份转让系统挂牌公司数量迅速增加。随着市场规模的不断增长，挂牌公司的差异逐步显现，单一的市场层次已逐渐不能满足新三板市场进一步发展的需要。对挂牌公司进行分层管理，有利于进一步提升全国股份转让系统服务中小微企业的水平，有利于进一步提升市场监管效率，有利于进一步拓展市场创新发展的空间。目前，全国股份转让系统公司正积极研究和制定挂牌公司市场分层的具体方案。我们将秉承"开门办市场"的理念，广泛听取市场参与各方的意见和建议，待方案成熟后，将向全市场征求意见。我们也欢迎媒体朋友就此课题进行深入的讨论。

二是丰富完善市场交易方式。抓紧完成竞价转让交易系统的开发建设，明确竞价转让的实施条件；大力发展做市业务，除推动券商加大做市力度外，研究探索 PE、VC、资产管理机构等非券商机构参与做市业务的可能性。

三是大力推进市场服务创新。尽快推出优先股、债券等新品质，丰富市场融资工具；启动股转系统指数的编制及相关投资产品的研发工作；推动证券公司开展挂牌股票质押回购业务，研究各类资产证券化产品和风险管理工具；加快市场投融资服务平台的建设。

四是继续完善市场监管体系。着力提升依法治市的能力和素质，打造诚信市场、法治市场，推进规则监管，强化挂牌审查及其他监管信息的公开化，探索推进大数据等技术手段的运用，优化自律管理与行政监管的对接，提升市场监管公信力，促进市场规范发展。

四、对市场热点问题的回应

近期，业内人士和新闻媒体十分关注新三板市场的发展，提出了不少建设性的意见和建议。借此机会，我想就市场的热点问题进行回应。

一是关于市场分层管理。市场分层是市场发展到一定规模后的内生需求和持续创新发展需要。全国股份转让系统的市场分层，将对不同层次市场在交易方式、信息披露、股票发行、投资者适当性等方面实行差异化安排。目前，挂牌公司在规模、行业、成长阶段、盈利水平、股权集中度及市场流动性等方面已经形成较大的差别。随着市场功能的日益完善，证券产品的不断丰富以及市场服务能力的持续提升，未来挂牌公司数量还将大幅增长，挂牌公司差异化决定了其市场需求的差异化，进行市场分层是实现风险分层管理，更好地服务挂牌公司、投资者等市场主体多样化需求的现实选择，也是进一步完善市场功能，促进市场持续健康发展的重要举措。

二是关于企业挂牌申请出现"拥堵"现象，股转系统收紧审查尺度的传闻。自全国股转系统面向全国接受企业挂牌申请以来，申请挂牌企业数量持续增加，8－10 月份出现了"申报高峰"。本年度，全国股转系统已累计接收 1,700 余家股份公司的挂牌申请。随着市场效应的逐步释放和市场参与热情的大幅提升，一些前期累计培育成熟的企业集中进入了申请挂牌实质操作阶段。针对近期出现的"申报高峰"以及后续可能出现的申报企业数量不断增加的态势，全国股转系统公司认真应对，积极探索机制创新，着力研究提升挂牌审查效率的路径和方式；其中，不断强化主办券商前端引导和基础准备工作，为更进一步提升审查效率和信息披露质量创造条件。需要指出的是，目前所有在审企业都在按照既定的审查工作机制和工作流程进行挂牌审查，并没有提高任何挂牌准入条件和门槛，市场关于"全国股转系统公司收紧审查尺度"的传言并不准确。需要特别指出的是，在市场化的条件下，不能也不宜把全国股转系统的挂牌准入条件与市场中介对拟挂牌企业的遴选标准划上等号。全国股转系统的挂牌准入条件，是基于市场化原则设定的"底线标准"，即"依法设立且持续经营满两年，业务明确、具有持续经营能力，治理机制健全、合法合规经营，股权清晰、股票发行和转让行为合法合规，主办券商推荐并持续督导"。满足这五条底线准入标准的股份公司，都可以申请挂牌。全国股转系统的挂牌审查，一直恪守这一理念，也一直坚持底线标准。市场中介基于专业能力、风控水平及自身利益考虑，对拟挂牌企业的遴选标准往往会高于全国股转系统的"底线标准"；这有利于挂牌公司整体质量的提升，有利于市场自律管理和风险管控，有利于市场持续稳定健康运行。近段时期以来，我们注意到，由于企业挂牌申报热情高涨，市场中介逐渐提高对拟挂牌企业的遴选标准，甚至出现了部分中介以接近创业板发行上市的标准遴选企业的现象。对此，全国股转公司将进一步加强市场引导，推动主办券商等中介机构进一步适应中小微企业的特点，支持广大中小微企业获取资本市场服务。

三是审查反馈的标准化处理问题。从 11 月月底开始，全国股转系统在案例总结的基础上，对反馈意见进行了标准化处理，对申请挂牌公司的意见分成"公司一般"和"特有问题"两部分，"公司一般"为企业常见问题的经验总结和标准化，借反馈之机供主办券商和其他中介机构参考，视企业实际情况选择适用。"特有问题"是基于公司所处行业、自身个性化和差异化特点的问题；积极鼓励主办券商结合自身专业能力，除注重信息披露的合规性和有效性外，还应以投资者需求为导向挖掘企业业务特点，鼓励为被推荐企业的投资价值作出评估，为挂牌以后的交易、融资等行为提供增值服务。全国股转系统将一直保持与主办券商等中介机构的反馈互动，保证审查工作高效便捷。对于反馈回复的项目，全国股转系统将以主办券商为单位，重点审查主办券商内控的组织和落实情况，进行集中讨论和会商，对反馈落实完毕且符合挂牌条件的企业进行快速审查处理。全国股转系统本次探索，旨在进一步夯实主办券商制度，要求主办券商质控/内核部门负责组织项目组对反馈意见进行落实，意在引导主办券商加强内部质量控制，强化质控部门的督查内审机制，督促项目组重视并积极落实质控/内核提出的信息披露问题，提高信息披露质量，不断提高挂牌推荐工作质量和专业能力。从而能够从源头上保证挂牌审查工作效率的提高，切实提高市场运行效率，使得挂牌审查工作更加高效便捷，真正为中小微企业服务。下一步，全国股转系统将加强对主办券商质控/内核专业人员和项目人员的督导和培训，积极发挥主办券商内控/内核的专业能力和力量，提高执业质量和挂牌公司信息披露质量。

四是关于投资者适当性管理制度调整。近期，有媒体报道称"全国股份转让系统投资者准入门槛可能降低"。根据

《国务院决定》(国发〔2013〕49号),全国股份转让系统主要为创新型、创业型、成长型中小微企业发展服务,须建立与投资者风险识别和承受能力相适应的投资者适当性管理制度。中小微企业具有业绩波动大、风险较高的特点,应当严格自然人投资者的准入条件。因此,全国股份转让系统实行了与自身市场定位及企业投资风险相匹配的较为严格的投资者适当性管理制度。实践证明,现行的投资者适当性管理制度较好地控制了市场风险,有效防范风险外溢,为市场平稳起步和试点扩大至全国提供了保障;专业化的投资者结构为市场的内在稳定和创新发展创造了条件。

今年以来,随着市场规模的拓展及市场关注度的提升,自然人投资者参与全国股份转让系统的意愿逐步增强。全国股份转让系统积极培育和发展机构投资者队伍,引导和鼓励证券公司、基金公司等金融机构推出定向投资产品和包含全国股份转让系统在内的跨市场组合投资产品,以满足达不到"500万元证券类资产"标准的自然人投资者参与市场的需求。

近段时期以来,许多主办券商、挂牌公司、投资机构及自然人投资者向全国股份转让系统公司提出:"500万元证券类资产"的准入标准过高,建议适当降低投资者适当性管理标准,以适应市场发展的需要。全国股份转让系统公司高度重视市场的意见和建议,将结合市场的功能定位、服务模式及监管体系进行深入研究。

五是关于全国股转系统指数的编制和发布。市场规模的迅速扩大和交投活跃度的逐步改善,使得市场对指数的需求日益迫切。目前已有多家基金管理公司着手设计研发基于股转系统市场指数的基金产品。作为表征市场变化的工具和投资标尺,指数的编制和推出是市场服务创新的重要组成部分。全国股转公司于2014年5月正式启动股转系统指数专项工作,目前正根据股转系统指数体系建设整体规划要求,确定主要指数编制与运营管理方案,预计将在2015年1月正式推出。首批推出的主指数将以市场表征功能为核心,兼顾可投资性。考虑到做市股票交投较为活跃,关注度较高,拟同时推出做市股票指数。全国将密切跟踪研究指数运行表现,并根据市场需求研发推出各类规模指数、行业指数等,不断丰富完善全国股转系统指数体系。

成功不必在我　功力必不唐捐

——对话全国中小企业股份转让系统有限责任公司副总经理高振营

"就是在这里,文明人已在试建基础全新的社会,并首次应用当时人们尚不知道或认为行不通的理论去使世界呈现出过去的历史没有出现过的壮观。"

借用托克维尔在《论美国的民主》中对于彼时诞生不久的美国所进行的"伟大实验"的评论,是因为托克维尔昔年的观感同本刊这些年一路跟踪全国中小企业股份转让系统(以下简称"全国股转系统")的整体观感大致相类。围绕着这个市场,似乎聚集着的都是些在今天的世界里已经很稀缺的那种"现实的理想主义者"。没有怀疑论,没有犬儒主义,这些"现实的理想主义者"应该都有如胡适先生所说的那种"成功不必在我,而功力必不唐捐"的信念,唯其如此,方能身处这么多年不断交替着的冷清和喧嚣中,而始终保有动力与平常心,以自己的默默付出,换来这个市场的渐入佳境。

4月15日,全国中小企业股份转让系统有限责任公司(以下简称"全国股转系统公司")宣布,全国股转系统交易支持平台一期将于5月上线,届时将可实现挂牌公司股票的协议转让、两网及退市公司股票的集合竞价转让等功能。二期预计于8月上线,上线后,做市转让功能将正式落地,将采取传统竞争性做市商制度,即由2家以上的做市商为一家挂牌公司做市,做市商持续向市场提供买卖双向报价,并在其报价数量范围内按其报价履行成交义务。

这将标志着全国股转系统终于开始起飞,承载着中国创新型产业加速发展、中国经济转型的愿景。或许,突破音障的那一刻也已经就在眼前?

对此,全国股转系统公司副总经理高振营依然保持着审慎和冷静。这位前证券监管官员对于风险有着职业性的敏感,对稳健极为执着。听得出,作为这场"伟大实验"的组织者之一,高振营有着"实验科学家"应有的严谨和谦卑。

政策红利

《当代金融家》:很多市场服务机构对全国中小企业股份转让系统的高度市场化导向、高效率、锐意进取和开放心态赞赏有加。股转系统如何定义自己的使命?

高振营:全国股转系统的使命是服务创新型、创业型、成长型中小微企业,这是国务院赋予我们的定位。原则上,对于符合这一定位的企业,不分所有制、不分行业,我们都欢迎。在实践中,考虑到这个市场的结构,符合中国经济战略转型要求的高科技企业更适合来全国股转系统挂牌。股转系统的制度和机制设计、信息披露要求、融资安排等,主要是从适应创新型、研究型高科技企业小额、快速、按需融资特点的角度出发,因此最适合这类企业,我们期望能够对推动国家的战略转型和高科技企业的发展作出应有贡献。

《当代金融家》:股转系统在挂牌企业数量、融资额、市值、交易频繁程度、流动性、是否推出更多不同板块并编制指数,以及股转公司自身的营收等方面,是否有量化指标和时间表?

高振营:关于全国股转系统的长期目标,我们不愁挂牌企业的数量。从2013年下半年开始,市场各方对股转系统从疑惑转变为开始感兴趣,到年底国务院《关于全国中小企业股份转让系统有关问题的决定》(以下简称《决定》)出台后,很多企业和地方政府开始实实在在投入这一市场中来。很多地方政府已经出台了针对股转系统的扶持政策,特别是国务院《决定》澄清了市场人士此前对全国股转系统和四板市场的混淆,有的地方股权交易所主动找到我们,寻求合作机会。PE、VC等对这个市场从观望转为实际投入,同我们加强接触;有的基金公司已经开始设计针对股转系统的产品,还有些已经具备相当规模的私募基金明确提出来要在股转系统挂牌。我相信,用不了多久,股转系统挂牌公司的数量还会显著增长。

但我们不以数量为目的。国务院《决定》发布后,我们更有一个非常清醒的认识,一定要走稳,不能牺牲质来发展量。因此,我们明确,2014 年是监管年,因为政策红利已经能够让我们有源源不断的企业,这个时候我们更要注意加强监管,做好每一步。我们不希望这个市场突然一下狂热起来,而是希望慢热,从而让我们将基础打好。对非上市公众公司的监管体系对中国而言是一个全新的事物,还在搭建之中,需要在实践中探索,不能一蹴而就。如果此时我们单纯追求量,而没有相应的风险控制机制,一旦出现问题,将对市场造成永久性伤害。

我们理解有些市场参与者和社会公众对股转系统融资能力的质疑。坦率地说,在发展早期,这一市场还是一个私募市场,管理也不明确,只有证券业协会对主办券商有所监管,对挂牌企业甚至没有直接接触,因此,市场对其预期不足,影响了其融资能力。但国务院《决定》颁布后,股转系统被明确为"经国务院批准,依据证券法设立的全国性证券交易场所",这根本性地改变了市场预期。体现在融资额方面,2014 年,我们已经看到了很大、很积极的变化,表现为:首先,企业的单次融资额在增加;其次,从企业提出融资到融资实现的速度加快;再次,投资者结构也发生了积极的变化,从原来的以企业原有股东为主,到现在很多 PE、VC 都参与进来,而且企业的内部职工也表现出对购买公司股票的极大热情。这一点令人欣慰,因为对于成长型中小企业而言,人才激励机制的建设甚至比融资更重要。发达经济体的经验和实证研究表明,创新型企业的核心是团队建设,团队建设最核心的就是股权激励,而资本市场的一个重要意义即在于为企业的人才激励创造了条件;最后,下一步股转系统还会增加更多产品,如我们已经推出了优先股的规则,债券融资金额也在快速增长。

当然,对于融资额,我们同样不能搞"计划经济"。我们的任务是打造一个公平、公正、公开的市场,使投资者敢于投资,从而使得市场具备合理的定价机制,使挂牌公司对自身价值有理性的认识,让合格的投资者和挂牌公司有效对接。在这方面,我们也在积极努力,包括举办路演、投融资对接会等。总之,我们对融资额增长前景极为乐观。

挂牌企业数量和融资额增加了,市值自然就上去了。从 2013 年开始,股转系统挂牌公司的平均市盈率呈整体上行趋势,说明投资者愿意给这个市场的估值更多溢价,反映市场信心的积极变化。

至于交易的频繁程度,股转系统当前确实存在流动性不足的问题,其背后的原因除市场预期外,主要是挂牌企业股权高度集中,交易系统未上线等。还有一个重要原因就是样本数量少:2012 年年底,股转系统只有 200 多家挂牌企业,2013 年年底增长到 300 多家,可投资标的相对较少,导致很多大的资金,如社保、投资基金、理财产品等很难进入。

这种情况很快会改观。今年 5 月,我们的交易支持平台上线,实现挂牌公司股份协议转让,8 月,做市商制度将推出,下一步,编制指数和市场分层也将纳入我们的视野。但就目前而言,我们的首要工作还是进一步完善制度和功能,提升市场的广度和深度。未来,时机自然会成熟。

做市商制度的设计理念

《当代金融家》:从 2012 年全国股转系统公司挂牌开始,市场人士一直企盼做市商制度尽快推出,因为考虑到股转系统挂牌企业的特性,做市商制度被认为最有利于提升市场流动性和价格发现。为何要历时两年后,做市商制度方才推出?

高振营:交易支持平台事关重大,需要非常充分的测试组织,异常复杂,不能有任何差错,涉及海量工作量,加之做市商制度在国内尚属空白,技术上极具挑战性。事实上,我们也是开始做起来后才充分意识到这一点。可能有些市场观察人士会觉得我们的步伐还不够快,但相比于境内外其他交易所交易系统的开发周期,我们已经很快了。

《当代金融家》:全国股转系统公司对券商从事做市业务有何资质要求?

高振营:我们在制定做市商管理办法,其主要目的不是资格审核,而是对做市商应具备的的技术条件、制度安排、风险控制、专业人员等作出规范。此外,按照证监会有关规定,券商必须具备自营业务资格才能从事做市业务。券商向股转公司报备后,方能开设专用证券账户和交易单元,并纳入系统监控,其主要目的是保证券商的技术系统符合股转系统的要求。

《当代金融家》:此次全国股转系统选择传统竞争性做市商制度,而非当前成熟经济体常见的、此前也为国内一些市场人士所建议的混合型做市商制度。为何如此选择?

高振营:之所以选择传统竞争性做市商模式,是因为我们既要考虑投资者的交易成本、市场效率,以及对投资者的公平、公正,同时也必须考虑做市商的积极性。做市商为市场提供流动性,为此承担风险,必须得到风险补偿,否则就没有动力履行做市职责;而市场具备了充分的流动性,定价功能将提高,这从根本上有利于投资者。为此,我们设计了一个平衡型的机制性安排。股转系统公司对做市商初始的股份数量要求、报价时间要求和价差要求,以及交易系统自动匹配,而不是做市商点选,初衷都是拿捏好综合利益平衡,对做市商既有所鼓励,也有所约束,从而使各类市场参与者的利益得到兼顾,同时切实达到提升市场流动性的目的。当然,目前拟议中的制度带有尝试性质,未来我们将根据实际运营情况随时调整。

在考虑制定做市商制度时,我们借鉴了我国台湾地区、美国及欧洲一些国家的经验,也广泛征询了券商的意见。但我们的做市商制度属国内首创,既无本土先例可循,发达经济体的经验也无法照搬,因为市场的法制环境、发展阶段完全不同。以纳斯达克为例,过渡到混合做市商后,做市商制度已变成一种可有可无的补充,只有在无人报价、没有流动性时才出来应付一下,此项业务也已无法给券商带来可观收益,对券商的吸引力锐减,比如高盛的做市部门曾一度多达二三百名员工,但在实行混合做市商制度后,一路锐减到寥寥数人。

因此,在市场发展初期,为充分鼓励券商从事做市业务,提高流动性,传统做市商制度应该是一个正确的选择。毕竟纳斯达克在 1997 年过渡到混合做市商制度时,已经历经了 20 多年的发展,流动性基本上已经不是问题了。

创新 包容 高效

《当代金融家》:自身作为一家年轻的、创新型机构,全国股转系统公司正在积极营造什么样的团队精神和企业文化?

高振营:作为一家年轻的机构,全国股转系统公司致力于营造包容、创新、高效的企业文化。创立伊始,我们即要求员工具备专业化服务意识,市场参与者,如券商,也认可我们这个市场很接地气,服务和沟通渠道异常顺畅,而且我们能够从为各类市场主体提供服务的角度来考虑我们的监管安排。当然我们始终坚持监管的原则，但绝非冷冰冰地脱离实际。杨晓嘉董事长、谢庚总经理和公司管理层对此异常重视，比如在当前的这一轮人才招聘中，我们不仅关注应聘者的知识结构，也关注其个性特征，希望应聘者性格稳重，有服务意识。你能感觉到，公司没什么机关习气，而是自上而下都将自己定位为市场服务机构。在外界看来，作为全国性证券交易场所，我们似乎拥有相当大的权力，可以自行备案审查、决定挂牌，但我们始终并未将其视为权力，而是我们的责任。我们常有如履薄冰之感，务求通过我们高效的服务，让挂牌企业和投资者都能在这一市场中各得其所。

公司每推出一项新制度，都要由相关负责部门向公司全体员工讲解。之所以建立这样的机制，是因为我们观察到，在很多机构内部不同部门间存在着信息隔离，一个部门制订的制度只有该部门了解，而其他部门既不知道，也不关心，更无机制促成跨部门的沟通和分享。我们要求，一个新制度出台时，该制度的起草人员和分管领导要向公司全体员工系统地介绍制度起草的背景、对主要问题的考虑和安排，以及一些重点和难点问题。这样的好处在于，员工对公司制度的理解得以加深，从而统一理念、达成共识，提高全员服务意识，形成团队精神。

《当代金融家》：当前公司的人力资源构成如何？您如何描述您的团队？

高振营：预计到2014年年底，我们的员工队伍将突破200人。我们的员工队伍极为多元，来自监管部门、券商、会计师事务所、律师事务所，还有海外归国的人才和应届毕业生。

即便如此，这一市场的快速发展，还是让我们一定程度上面临着人力资源瓶颈。我们需要更多既懂交易所业务又精通IT的高端技术人才，需要交易方面的人才，需要从事产品创新研发的人才，作为自律监管机构，还需要监管人才。尤为具有挑战性的是，我们所从事的是初创型的工作，很多时候无法从市场找到现成的人才，需要自己培养。

我们最看重员工的若干基本素质，如钻研精神和创新的动力。我们的团队高度敬业，在巨大的工作压力之下，累并快乐着，因为我们坚信，我们拥有如此之好的政策环境，拥有如此之大的投资者群体和挂牌企业群体，拥有社会各方的支持，加上我们的努力，这个市场真的充满希望。

更关键的是，中国需要这样一个市场。我们唯愿以自己的探索和创新，为中国经济的战略转型贡献我们的才智，为资本市场的改革贡献我们的经验——这是让我们最感荣幸的事。

全国股份转让系统新交易结算系统切换上线答记者问

一、全国股份转让系统新交易结算系统切换上线有何具体安排，目前技术准备、业务准备、市场准备情况如何？

答：为完善市场基础设施，落实已经颁布的相关业务规则，全国中小企业股份转让系统有限责任公司（以下简称全国股份转让系统公司）和中国证券登记结算公司（以下简称中国结算）分别开发建设了全国股份转让系统交易支持平台和登记结算系统（以下简称新交易结算系统）。自2014年1月起，全国股份转让系统公司和中国结算联合组织有关各方进行了各项技术测试和业务准备工作，新交易结算系统切换上线条件渐趋成熟。初步确定于2014年5月19日启用新交易结算系统，届时，由深圳证券交易所（以下简称深交所）提供技术支持的原代办股份转让系统同步下线；中国结算深圳分公司运维的全国股份转让登记结算系统也切换至中国结算北京分公司。全国股份转让系统公司和中国结算将随时跟进市场各方准备工作就绪情况，并根据各方面条件成熟情况确定最终切换上线时间，最终切换上线时间以全国股份转让系统公司后续公告为准。

本次切换上线的新交易结算系统是全国股份转让系统交易支持平台一期，主要支持挂牌公司股票的协议转让、两网及退市公司股票的集合竞价转让等功能。做市转让、竞价转让等功能今后将陆续开发。

目前，新交易结算系统切换上线的各项准备已基本就绪。技术准备方面，全国股份转让系统公司、中国结算分别已完成了交易支持平台和登记结算系统的软件开发和硬件环境建设，以及内部测试工作。同时，聘请了专业的第三方测试公司，对系统的功能、性能、安全性、可靠性等方面进行了充分测试，发现的问题均已解决。

业务准备方面，全国股份转让系统公司已经发布了《全国中小企业股份转让系统股票转让细则（试行）》、《全国中小企业股份转让系统证券代码、证券简称编制管理暂行办法》、《全国中小企业股份转让系统交易单元管理办法（试行）》等规则以及配套业务指南；近期，全国股份转让系统公司还将陆续发布挂牌业务、暂停与恢复转让、权益分派等指南。为保障系统平稳切换并持续稳定运行，全国股份转让系统公司目前正在会同中国结算、各主办券商进行业务测试和模拟演练，测试和演练情况正常。

市场准备方面，从2014年1月17日至2014年3月21日，全国股份转让系统公司组织主办券商进行了两个阶段的仿真测试，对交易、行情、清算、交收、数据报送等业务进行了全面的测试。通过仿真测试，全市场对技术系统、业务流程都进行了全面检验，及时发现问题并加以解决。2014年4月19日、5月3日，全国股份转让系统公司采用生产系统组织了两次全网测试，以检验市场各方技术系统的完备性、可用性，5月10日还将组织第三次全网测试。在全网测试期间，共有73家已正式开通深交所代办股份转让交易单元的主办券商参与了测试，测试按计划顺利完成。针对测试中反映出的问题，各参与单位及时进行了修改完善，市场各方也基本做好上线准备。

本次切换涉及全国股份转让系统公司、深交所、中国结算深圳分公司、中国结算北京分公司、深圳证券通信公司和深圳证券信息公司等多方，情况特别复杂。为确保切换过程的顺利进行，全国股份转让系统公司已经组织5次切换演练，理顺了切换步骤，最大限度的降低切换风险。

二、新交易结算系统切换上线前为何需要对挂牌公司、两网及退市公司股票实施暂停转让处理？

答：由于本次切换涉及复杂的数据切换、系统切换和业务切换，根据全国股份转让系统公司和中国结算的反复测算，从中国结算深圳分公司完成清算交收，到进行数据备份并将数据送至北京，中国结算北京分公司完成相应操作后将数据发送给全国股份转让系统公司，全国股份转让系统公司进行数据导入、转换及通关测试的准备，共需要3天时间，加上通关测试，整个切换上线前的技术系统准备过程需要4天。考虑到本次系统切换是我国资本市场首次发生的跨市场系统切换上线，期间可能发生不可预测意外情况，为确保新老系统平稳切换，再预留1天作为机动时间，因此需要5天的切换上线准备时间。基于此，除周末2天公休日外，还需暂停转让3天。另外，由于老三板B股是T+3日交收，对于每周交易3次的3只老三板B股公司，还需要另外暂停转让2天。

三、新交易结算系统切换上线前为何要暂停办理相关业务，具体时间安排是什么？

答：新交易结算系统切换上线工作涉及面广、技术复杂，为保证深圳市场所受理的业务在系统切换前在深圳市场办结，并确保新交易结算系统上线初期的稳定运行，全国股份转让系统公司、深交所和中国结算需要在一定期限内，暂停办理与挂牌公司股票、两网及退市公司股票转让相关的各项业务。

按照尽量减少业务暂停时间、降低对投资者交易影响的原则，对有关业务的暂停安排为：自5月7日起，中国结算深圳分公司停止受理挂牌公司权益分派、发行股票新增股份登记、股票限售及解除限售、挂牌股票初始登记业务；5月19日起，由中国结算北京分公司承接全国股份转让系统登记结算职能，并于5月26日起恢复办理上述业务。自5月13日起，中国结算深圳分公司停止受理两网及退市公司确权业务；自5月14日起，停止办理股票过户、转托管、冻结、解冻、名册查询等业务。5月19日起，由中国结算北京分公司恢复办理上述业务。5月19日至25日，全国股份转让系统公司暂停办理股票挂牌手续，5月26日起恢复办理。

四、业务暂停对投资者的影响、在此期间投资者如何开户或开通交易权限？

答：新交易结算系统切换上线前的业务暂停，将给投资者办理相关业务造成不便。新交易结算系统的上线运行市场基础设施建设的重要步骤，有利于市场功能的进一步完善和市场效率的进一步提升，也有利于投资者更加高效的参与市场。

根据新交易结算系统切换上线的总体安排，5月14日至16日，全国股份转让系统挂牌公司、两网及退市公司A类股票暂停转让，股票转让的相关业务也暂停办理。为尽量降低信息干扰，确保新交易结算系统平稳切换上线，5月15日至19日，主办券商将暂停受理投资者开通全国股份转让系统挂牌股票、两网公司及退市公司股票交易权限的申请。自5月20日起，恢复正常办理。有业务权限开通需求的投资者，可对照上述安排合理选择业务办理日期。

积极探索机制创新着力提升审查效率 全国股转系统在审企业“不排队、不积压”

自全国中小企业股份转让系统（简称“全国股转系统”）扩大试点以来，申请挂牌的股份公司数量持续增加。本年度，全国股转系统公司已累计接收1600余家股份公司的挂牌申请。今年8－10月出现了“申报高峰”，3个月累计接收了687家股份公司的挂牌申请。根据全国股转系统最新公示的在审企业基本情况表统计，目前在审企业共计732家。这些在审企业正在按照合理的审查流程和既定的审查进度进行挂牌审查，不存在积压和排队现象。

本月底挂牌企业超1400家

根据全国股转系统公司的审查流程和进度，8月底之前报送挂牌申请材料的企业已基本审查完毕；至11月底，全国股转系统出具“同意挂牌函”的企业数量将超过1400家。截至11月21日，9月30日之前报送挂牌申请材料的企业的反馈意见已全部发出。根据审查工作推进计划，10月31日前报送挂牌申请材料的企业的反馈意见将于11月30日前陆续发出。全国股转系统公司将一直保持与主办券商等中介机构的反馈互动，保证审查工作高效便捷。

对于反馈回复的项目，全国股转系统将以主办券商为单位，重点审查主办券商内控组织和落实情况，进行集中讨论和会商，对反馈落实完毕且符合挂牌条件的企业进行快速审查处理。目前在审的732家企业，将于今年11月底至明年1月期间陆续审查完毕；符合条件的将及时获取全国股转系统出具的“同意挂牌函”。全国股转系统公司希望申请挂牌企业、主办券商等中介机构积极配合，确保挂牌审查工作的有序、高效推进。

推动市场主体提升工作质量

一年多来，全国股转系统积极进行机制的创新，坚持以信息披露为核心，努力探索发挥主办券商的作用，不断提高挂牌推荐工作质量和效率。近日，全国股转系统在案例总结的基础上，对反馈意见进行了标准化处理，对申请挂牌公司的意见分成“公司一般”和“特有问题”两部分，“公司一般”为企业常见问题的经验总结和标准化，借反馈之机供主办券商和其他中介机构参考，视企业实际情况选择适用。“特有问题”是基于公司所处行业、自身个性化和差异化特点的问题；积极鼓励主办券商结合自身专业能力，除注重信息披露的合规性和有效性外，还应以投资者需求为导向挖掘企业业务特点，鼓励为被推荐企业的投资价值作出评估，为挂牌以后的交易、融资等行为提供增值服务。

目前，全国股转系统出具的反馈意见既有一般问题，也有特有问题，没有机械化地进行反馈操作。全国股转系统希望主办券商对于共性问题形成标准，对同一问题不再重复出现，不断提高挂牌推荐的工作质量。

全国股转系统本次探索，并没有提高挂牌准入条件和门槛，主要是要求主办券商质控/内核部门负责组织项目组对反馈意见进行落实，意在引导主办券商加强内部质量控制，强化质控部门的督查内审机制，督促项目组重视并积极落实质控/内核提出的信息披露问题，提高信息披露质量，从而能够从源头上保证挂牌审查工作效率的提高，切实提高市场运行效率，使得挂牌审查工作更加高效便捷，真正为中小微企业服务。

下一步，全国股转系统将加强对主办券商质控/内核专业人员和项目人员的督导和培训，积极发挥主办券商内控/内核的专业能力和力量，提高执业质量和挂牌公司信息披露质量。

全国股份转让系统首批全国企业今日集体挂牌

1月24日，全国中小企业股份转让系统（简称“全国股份转让系统”）首批全国企业集体挂牌仪式在京举行。这是国务院发布《关于全国中小企业股份转让系统有关问题的决定》之后，全国股份转让系统举办的首场集体挂牌仪式，来自全国28个省、市、自治区的285家企业闪亮登场。中国证券监会原主席周正庆、周道炯等老领导出席仪式。全国股份转让系统公司董事长杨晓嘉、北京市金融工作局局长王红、贵州威门药业股份有限公司董事长梁斌、申银万国证券股份有限公司总裁储晓明、昆吾九鼎投资管理有限公司总裁黄晓捷等分别代表市场有关方面在仪式上发表致辞。

首批全国企业集体挂牌后，全国股份转让系统挂牌企业家数达到621家，市场规模和企业质量得到提升，市场影响力和覆盖面显著扩大，全国股份转让系统步入创新发展、快速发展的新阶段。据初步统计，参加本次挂牌仪式的285家企业覆盖了我国绝大多数区域和行业。从地域分布上看，首批挂牌企业来自我国东部、中部和西部地区28个省、自治区、直辖市，覆盖面广、分布均衡，且已深入到县域经济内，体现对区域均衡、协调发展的支持。从行业分布上看，首批挂牌企业具有鲜明的创新创业特征，高新技术企业占比超过75%，广泛分布于高端制造业，信息传输、软件和信息技术服务业，文化、体育和娱乐业，科学研究和技术服务业等领域。不少挂牌企业是所属细分行业内的领军企业，特色鲜明，创新动力强劲，成长性良好。从企业规模上看，首批挂牌企业以中小企业为主，但也不乏湘财证券等成熟企业。数据显示，首批挂牌企业中，股本500万－1000万元的企业占23%，1000万－2000万元的企业占24%，2000万－5000万元的企业占34%，5000万元以上的企业占19%；营业收入5000万元以上的企业近50%，约四分之一的企业营业收入逾亿元、净利润超1000万元。

首批挂牌企业还有机构投资者积极参与的“身影”。数据显示，有80余家企业前期已获得了机构投资者的直接融资，占比超过三成。另外，有11家企业拟挂牌同时进行融资。

全国股份转让系统负责人介绍，本次集体挂牌后，全国股份转让系统企业挂牌申请、受理、审核、仪式举办等工作步入常态化，将不再有“批次”概念。权威人士表示，2014年将是全国股份转让系统挂牌企业规模和市场运行质量快速提升的一年，挂牌企业创新创业的属性、高效便捷的市场服务功能有助于激发市场主体活力，鼎力支持我国产业结构调整和转型升级，有助于培育发展更为成熟的上市资源，对稳定我国资本市场整体性成长预期形成良好的示范带动效应。

第二章　统计数据

2014 年度中国场外市场分析报告

新三板专题

摘要

截至 2014 年 11 月 30 日，全国中小企业股份转让系统（以下简称“新三板”）总计挂牌公司 1,354 家，场外市场共计挂牌 14,767 家。

11 月资本市场重大事件频发，11 月 17 日筹划了多时的沪港通正式开始交易，以及 21 号央行突然宣布的降息政策，对 11 月下旬 A 股市场的一波牛市既起到了导火索作用，又起到了推波助澜的作用。而新三板似乎是受到这股牛市的影响，本月交易量也达到了历史最高点。

降息政策除了对资本市场的影响外，对中小微企业的融资难、融资成本高的难题得到了一定的缓解。

数库将在本月的报告中对场外市场的交易情况和降息影响进行详述。

一、场外市场企业概览

据数库统计，截至 2014 年 12 月 31 日，全国场外市场挂牌企业共计达 16,524 家。其中，新三板挂牌公司保持在高速增长的水平，12 月共计新增 218 家挂牌公司，至此其挂牌总量已突破 1,500 家，达 1,572 家公司。本月区域性股权市场新增挂牌公司亦突破了 1,500 家，主要集中于辽宁、甘肃、广州和前海股权市场。区域性股权市场 2014 年合计挂牌公司近 15,000 家。

全国场外市场挂牌情况一览如下图所示。

交易所	2014.12挂牌数	2013.12挂牌数	全年新增	2014.11挂牌数	12月新增	数库覆盖	信息披露
新三板	1572	356		1354		1691	★★★★★
天津股权交易所*	540	412		526		487	★★★★
齐鲁股权交易中心	379	291		374		274	★★★★
上海股权托管交易中心	322	119		282		322	★★★★★
重庆股份转让中心	117	107		115		114	★★★★★
湖南股权交易所	152	133		147		26	★★★
广州股权交易中心	1062	536		888		22	★★★
辽宁股权交易中心	923	51		573		5	★★★
武汉股权托管交易中心	351	160		314		349	★★
浙江股权交易中心	1506	634		1501			★★
前海股权交易中心	4375	2736		4187			★
新疆股权交易中心	505	253		495			★
青海省股权交易中心	203	81		190			★
石家庄股权交易所	103	10		88			★
北京股权交易中心	338	37		251			★
大连股权交易中心	34	11		34			★
甘肃股权交易中心	1080	68		727			★
吉林股权交易所	7	4		7			★
江苏股权交易中心	59	19		48			★
安徽省股权交易所	244			178			★
厦门两岸股权交易中心	944			904			★
山西股权交易中心	1214	876		1213			★
广西北部湾股权托管交易所	49			22			★
成都(川藏)股权交易中心	187			186			★
贵州股权金融资产交易中心	258			163			★
陕西股权托管交易中心							
江西省股权交易所							

注*：截止发稿时，天津股权交易所未披露最新挂牌数，故12月企业数量以11月为基数，数库新覆盖的公司为增量计算。

数据来源：Chinascope Financial 数库财务　　　　截止日期：2014.12.31

数库覆盖量与挂牌量的差异主要有两个原因:其一,由于预披露的公司尚未正式公开转让;其二,部分股权交易中心提示的挂牌数量未累计挂牌数,含已终止挂牌的公司。

纵观历年,2014 年是股权市场最出彩的一年,2013 年度全国股权市场挂牌数为 6,894,至 2014 年度挂牌数已刷新至 16,524,为 2013 年度挂牌数的 2.4 倍。其中,新三板市场从 356 家增至 1572 家挂牌公司,为 2013 年度的 4.4 倍,增速远高于区域性股权市场。我们将在第二部分中对新三板市场 2014 年的挂牌公司的概况进行详细分析。

2014 年度除了新三板之外,前海和甘肃股权市场全年新增挂牌公司亦突破千家,分别为 1,639 和 1,012 家公司。另外,厦门、辽宁、浙江和广州股权市场的增速都在 500 家以上。相反,部分股权市场的全年新增的挂牌公司不足 50 家,例如:吉林、重庆、湖南、大连和江苏。

可见,虽然股权市场整体的挂牌公司增速明显,但是按照交易中心的分布来看,逐渐呈现两极分化的趋势。部分交易中心蓬勃发展,而部分交易中心则不温不火,导致如此的形势或与各交易中心提供的融资交易平台和管理制度水平差异有关。

二、新三板市场挂牌公司概况

回顾自 2006 年至 2014 年新三板市场的规模,2014 年度从各方面都有所突破,以下我们将分别对该市场的挂牌数量、地区分布、行业分布、挂牌企业规模、财务水平进行分析。

从新三板市场历年挂牌的情况来看(见下图),前期发展缓慢至 2011 年挂牌不足百家,进入到 2012 年开始以新增挂牌百家公司缓步成长,至 2014 年度则呈现井喷式的高速增长。数据根据近期 2015 年 1 月每日公布的公开转让说明书数量来看,2015 年亦将是一个高速增长的年度。

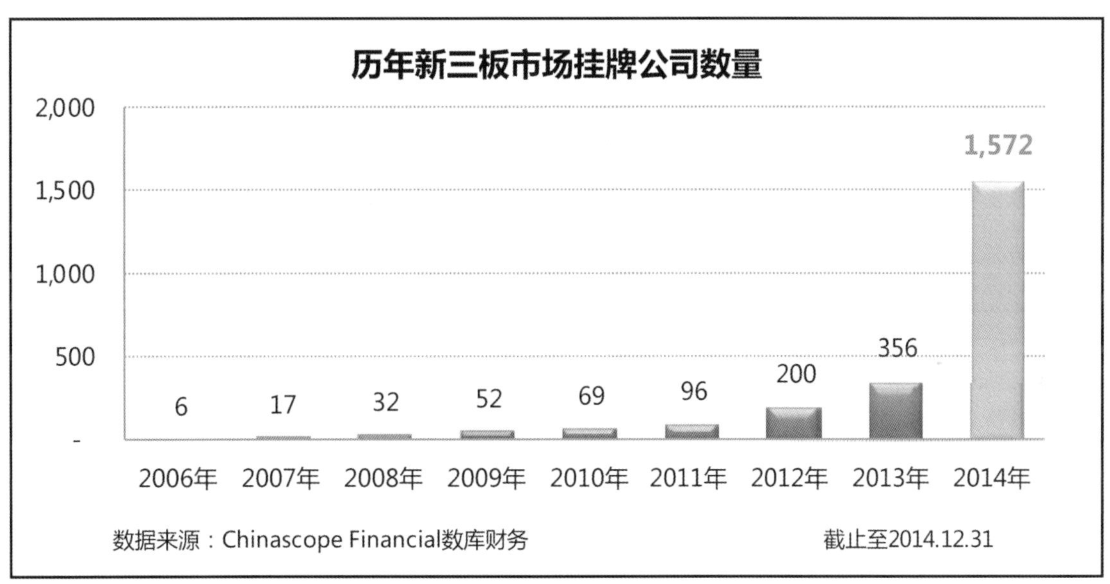

从新三板市场历年挂牌的情况来看(见下图),前期发展缓慢至 2011 年挂牌不足百家,进入到 2012 年开始以新增挂牌百家公司缓步成长,至 2014 年度则呈现井喷式的高速增长。数据根据近期 2015 年 1 月每日公布的公开转让说明书数量来看,2015 年亦将是一个高速增长的年度。

自新三板成立以来累计 23 家公司摘牌,时间跨度上主要集中于 2014 年度,当年摘牌 16 家(新三板 2014 年度摘牌情况一览,详见附件一)。

从摘牌的原因来看 2014 年度以前摘牌的 7 家公司最终成功登陆创业板,完成 A 股市场上市的转型,然后 2014 年度摘牌公司的摘牌原因则发生较大的变化。

从下图所示,2014 年度摘牌的公司主要以并购整合的形式进行谢幕,仅一家公司为创业板上市,12 家因并购整合而摘牌的公司交易的收购方不乏上市公司。

由此可见,新三板市场的公司转型由直接上市已过渡至并购整合为主的形式,究其原因可能有二:其一,目前 A 股市场的公开发行仍以核准制为基础,相较于注册制的形式,上市难度较大且周期长;其二,新三板市场的挂牌公司的产品结构较为单一,然而对于需要优化自身产业结构的集团化上市公司来说,在新三板市场中寻觅优质资产为上佳的选择。对比新三板公司直接上市来说,并购整合的程序相对简单、周期短。

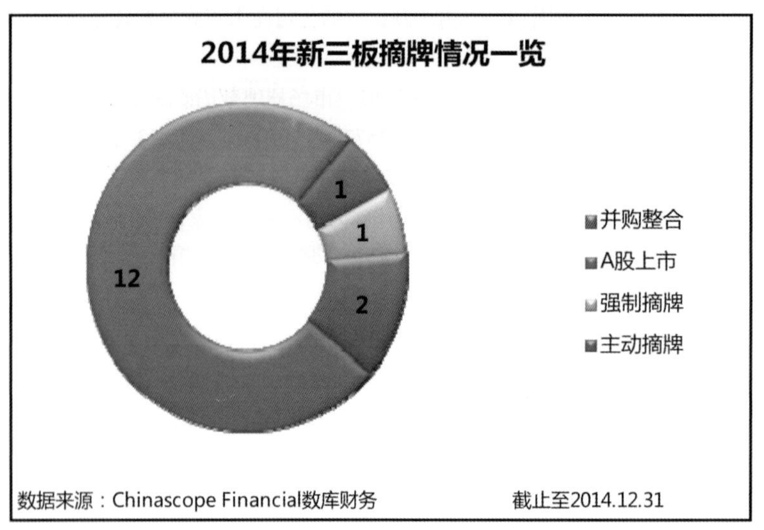

从已知晓的上市公司收购新三板公司来看，基本以收购股权使其成为主体的控股或全资子公司的形式，亦有对新三板公司进行增资以取得控制权的情况。从收购金额来看，以铂亚信息（430708_QS_EQ）涉及金额为之最为 5.25 亿元，收购市盈率在 15 倍左右。

被上市公司并购整合的新三板公司情况一览：

被收购方			收购方			收购金额	收购标的
数库代码	公司简称	数库行业	数库代码	公司简称	数库代码	（亿元）	
430708_QS_EQ	铂亚信息	信息技术	300053_SZ_EQ	欧比特	信息技术	5.25	收购100%股权
430364_QS_EQ	屹通信息	信息技术	300166_SZ_EQ	东方国信	信息技术	4.5	收购100%股权
830804_QS_EQ	日新传导	工业	600973_SH_EQ	宝胜股份	工业	1.62	收购100%股权
430115_QS_EQ	阿姆斯	原材料	002170_SZ_EQ	芭田股份	原材料	1.4	收购100%股权
430531_QS_EQ	瑞翼信息	电信业务	002491_SZ_EQ	通鼎光电	信息技术	1.1	收购51%股权
430710_QS_EQ	激光装备	信息技术	002559_SZ_EQ	亚威股份	工业	NA	拟增资获取控制权

数据来源：Chinascope Financial数库财务

根据 2014 年度新三板挂牌的月度显示（见下图），全年集中挂牌的月份分布在 1 月、8 月和 12 月，当月的新增的挂牌数均超过 200 家。整体来看，2014 年度是新三板高速成长的第一年，因而导致在挂牌频率上不均。结合目前 2015 年单日披露的公开转让书来看，预期 2015 年保持高速增长毋庸置疑，随着整体市场的常规化运作，挂牌亦将常规化，预期 2015 年度月度挂牌的分布将趋于平均化。

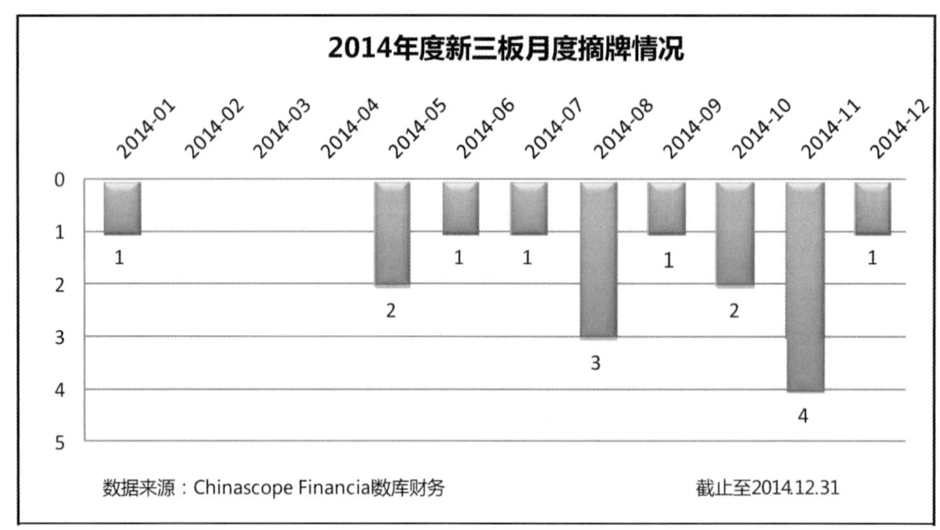

同样的，纵观 2014 年度摘牌的情况（见下图），主要分布于下半年。放眼 2014 年的 A 股市场，6 月开始启动首批 IPO 公司上市，11 月完成沪港通交易，12 月开始股指大涨、单日成交量屡创新高。A 股市场亦下半年开始从几年的熊市中略见起色，进而收购事件频发，从而带动了新三板市场公司的变动。

因此可以推断，新三板摘牌公司集中于下半年受A股市场影响较大。

2014年度新三板月度摘牌情况

2014-01 2014-02 2014-03 2014-04 2014-05 2014-06 2014-07 2014-08 2014-09 2014-10 2014-11 2014-12

0 1 2 3 4 5

1 2 1 1 3 1 2 4 1

数据来源：Chinascope Financial数库财务　　截止至2014.12.31

结合新三板市场挂牌公司的行业分布和地区覆盖来看，2013年度市场仍主要以信息技术行业为主，公司主要集中于北京地区（见下图）。

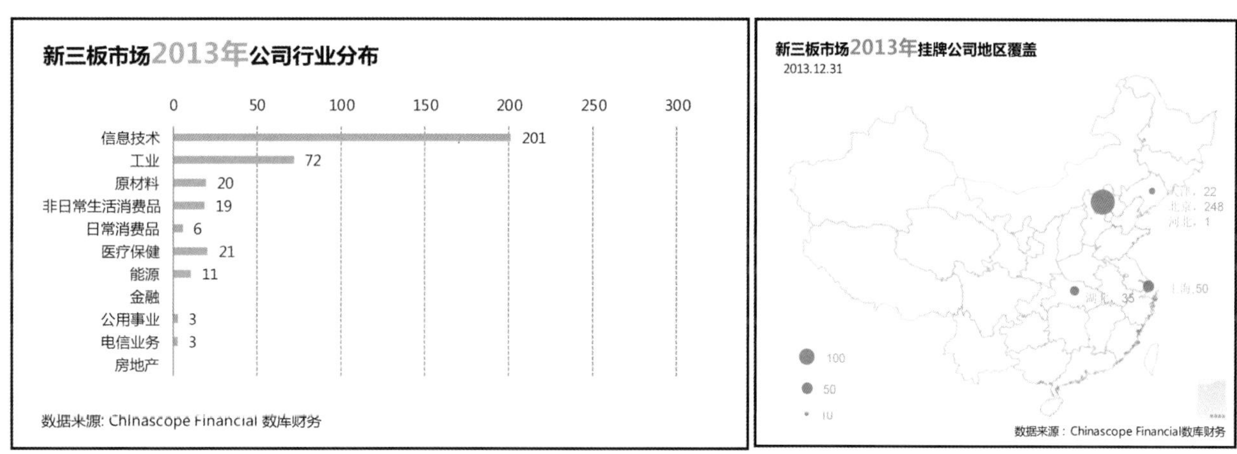

至2014年度新三板市场挂牌公司的行业分布以信息技术和工业为主，其他行业为辅。地区覆盖方面，集中于东部沿海一带，以北京地区、长三角和珠江三角为主，其他省份为辅。不论从行业还是地区分布来看，新三板市场正逐步成为一个指在面向全国的多行业领域的为中小企业服务的融资平台（见下图）。

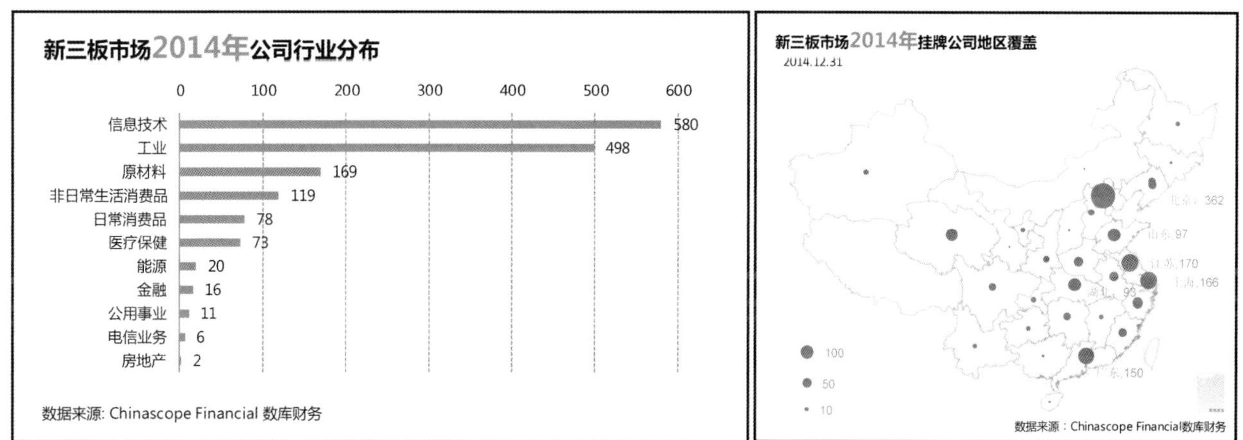

从2014年度增量的挂牌公司来看，工业行业的公司首度超过信息技术行业，其他行业的挂牌也逐步增多。从地区分布上看，虽然北京地区仍然后121家挂牌公司，但广东、江苏、上海等地区正以超过百家的速度进行追赶，增速不亚于北京地区（见下图）。

结合整体全国场外市场地区分布来看，除了广州股权市场2014年挂牌公司大幅增加外，在新三板挂牌较多的省份其相对应的地区性股权市场则增速较慢，可见，公司在选择融资平台上亦会做出各自的选择。

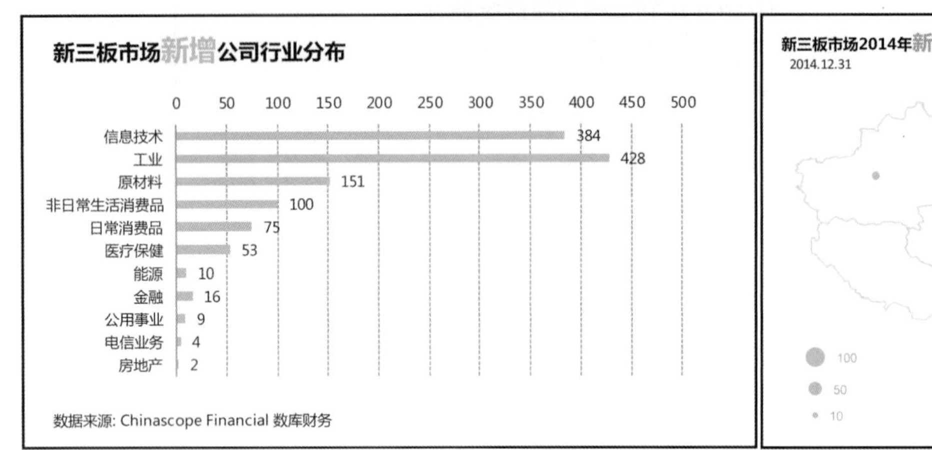

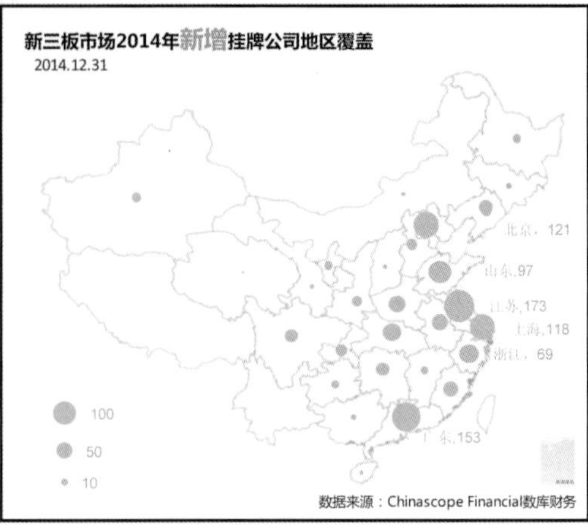

以2013年度的财务数据来看挂牌公司的规模，以江苏省的资产合计值最大达647千亿元，北京地区的收入合计值最高为3.3千亿元（新三板2014年度挂牌公司规模地区统计，详见附表二）。

同样以2013年度的财务数据来看，原材料行业的资产合计值最大达648千亿元，工业行业的收入合计值最高为6.2千亿元（新三板2014年度挂牌公司规模行业统计，详见附表三）。

在今年的深圳高交会上，证监会私募基金监管部副主任刘健钧表示，证监会将加快完善新三板市场交易机制和转板机制，将来互联网和技术创新型企业可以在创业板所设立的特殊版块上市。同日，国务院常务会议提出的缓解中小企业“融资难、融资贵”的十项措施。其中的第六项措施是抓紧出台股票发行注册制改革方案，取消股票发行的持续盈利条件，降低小微和创新型企业上市门槛。

根据中国证监会发布的创业板首次公开发行管理办法修订的征求意见稿，新办法对企业的盈利要求为最近两年持续盈利且两年净利累计不少于1,000万元人民币，或是最近一年盈利且年营收不少于5,000万元。那么据此，我们对2014年挂牌公司的财务状况进行筛选，共计849家公司符合以上条件（以2012年度和2013年度财务数据测算）。

筛选结果及地区分布如下图所示：

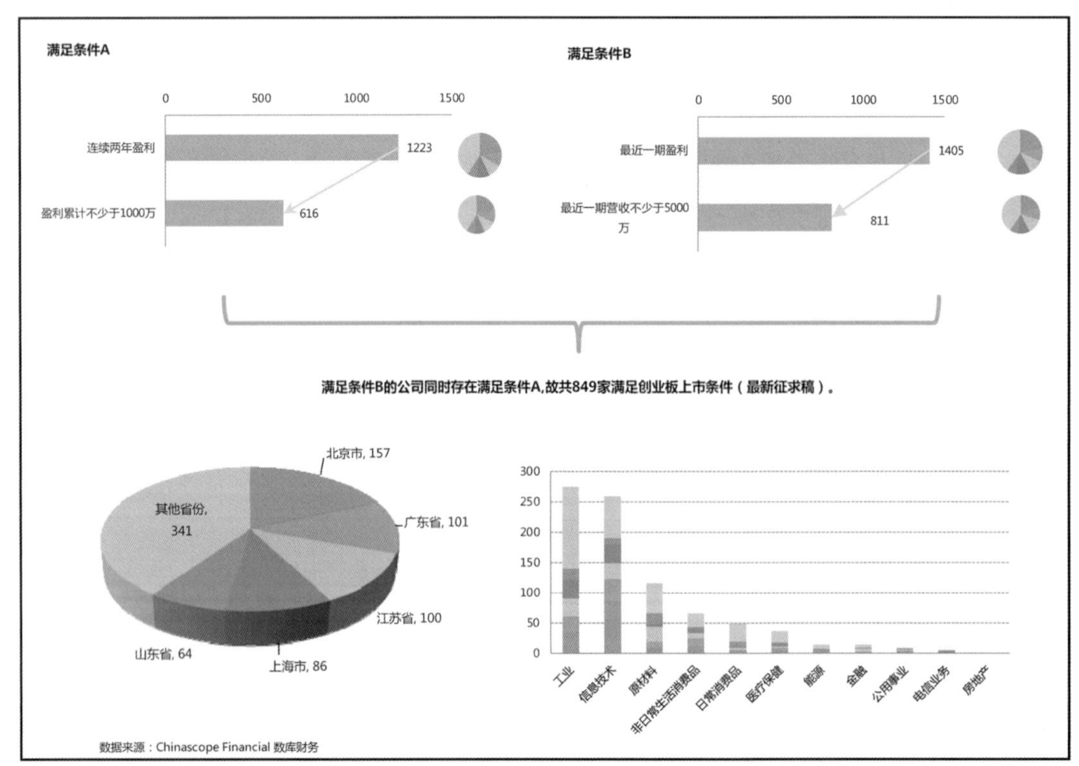

根据以上结果显示，财务指标较优的公司集中在北京、广东、江苏、上海和山东，与总体挂牌数量的占比相当。行业分布上，工业和信息技术行业不分上下。信息技术行业优质的公司主要于北京地区，其次为广东省、上海市和江苏省。而工业行业优质的公司则在地区分布上较为平均。可见，北京地区在地区覆盖上占有主要依赖于信息技术行业，及历史发展所致。

综合而言，北京和广东地区的公司优质企业偏重信息技术行业，而江苏和上海则在行业分布上较为平均。

三、中介情况统计

新三板2014年发展如火如荼，同样触发了中介商的业务量大幅增加，共计76家券商、383家律师事务所和38家会计师事务所分享1,572家挂牌公司的中介业务。其中61家券商参与了121家挂牌公司的做市交易活动。相较而言，审计业务的中介较为集中，而法律业务承接的律所则较为分散（中介业务排名情况，详见附表四）。

单家券商承销挂牌公司在30家以上的，共计17家。该17家券商合计总体业务量的60%，其余59家券商承接40%的业务。

排名前三的券商分别为：申银万国、齐鲁证券和广发证券。

券商业务分布见下图所示：

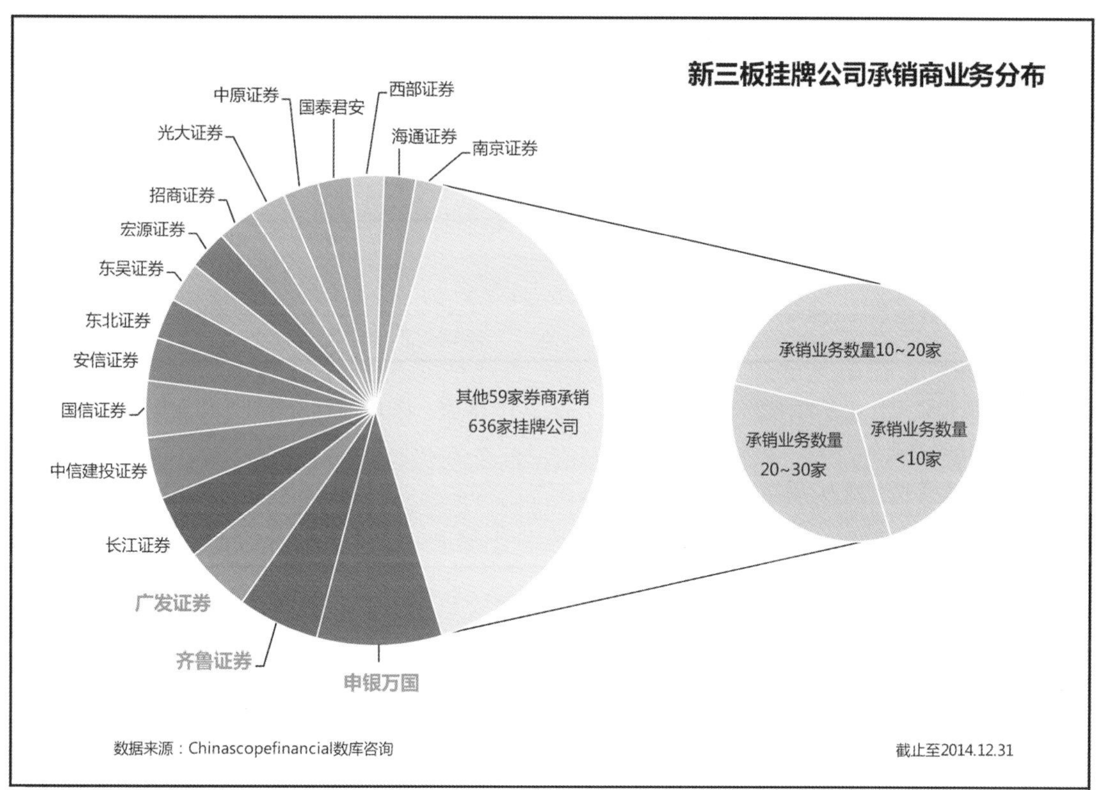

单家律师事务所提供法律业务的挂牌公司在15家以上的，共计21家。该21家律所合计总体业务量的50%，其余362家券商承接50%的业务。

排名前三的律所分别为：北京大成、国浩和德恒。

法律业务分布见下图所示：

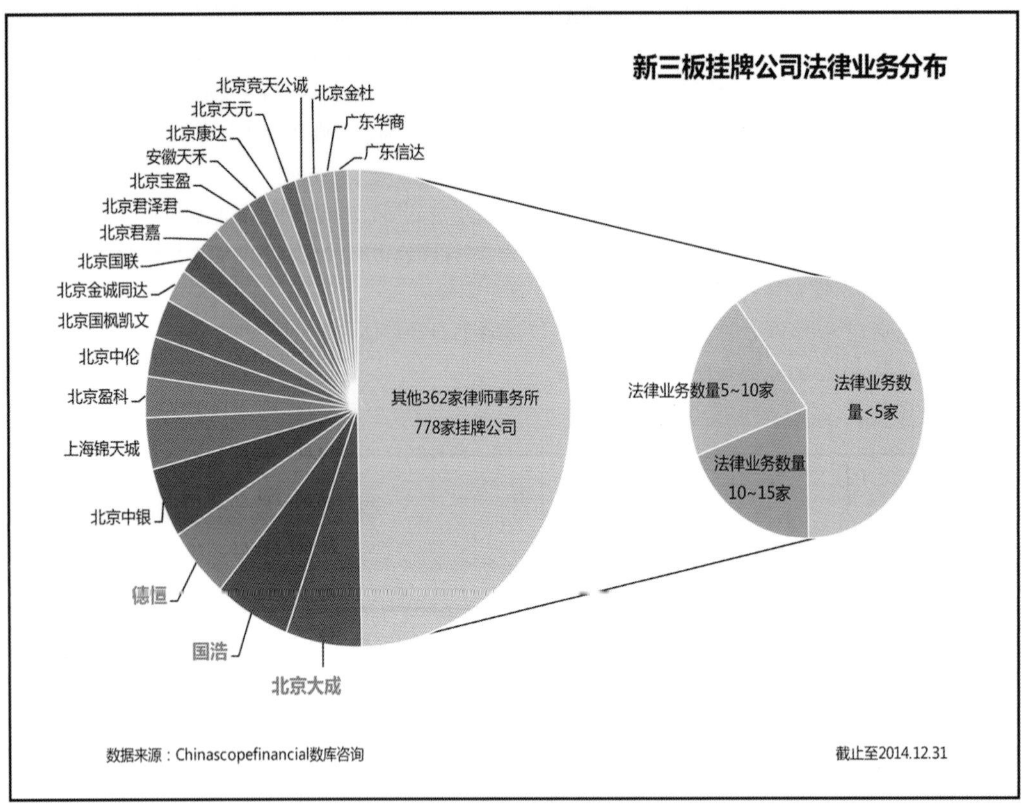

单家会计师事务所提供审计业务的挂牌公司在30家以上的,共计18家。该18家律所合计总体业务量的84%,其余20家会计师事务所券商承接16%的业务。

排名前三的会计师事务所分别为:瑞华、北京兴华和立信。

审计业务分布见下图所示:

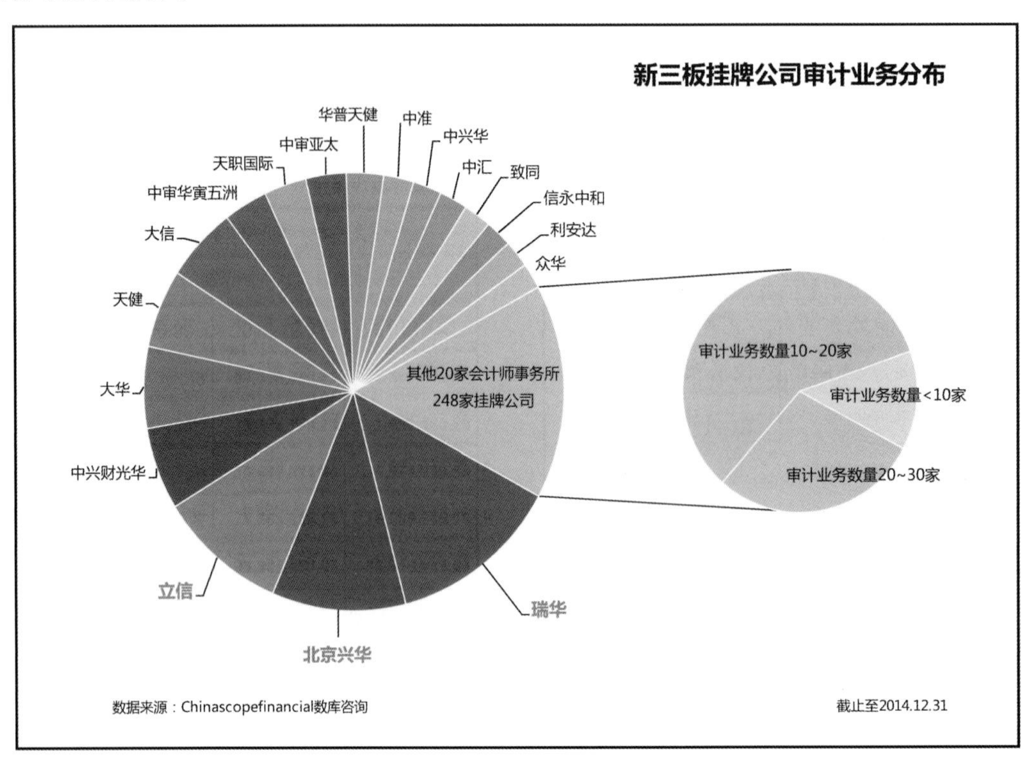

单家会计师事务所提供审计业务的挂牌公司在30家以上的,共计18家。该18家律所合计总体业务量的84%,其余20家会计师事务所券商承接16%的业务。

2014 年 8 月开始新三板开始新增做市方式的交易模式，目前共计 61 家公司参与 121 家挂牌公司参与交易，平均每家做市公司参与的券商为 3 家，参与度最高的为伯朗特(430394_QS_EQ)共计 8 家券商参与做市商。

新三板做市公司券商参与度，如图：

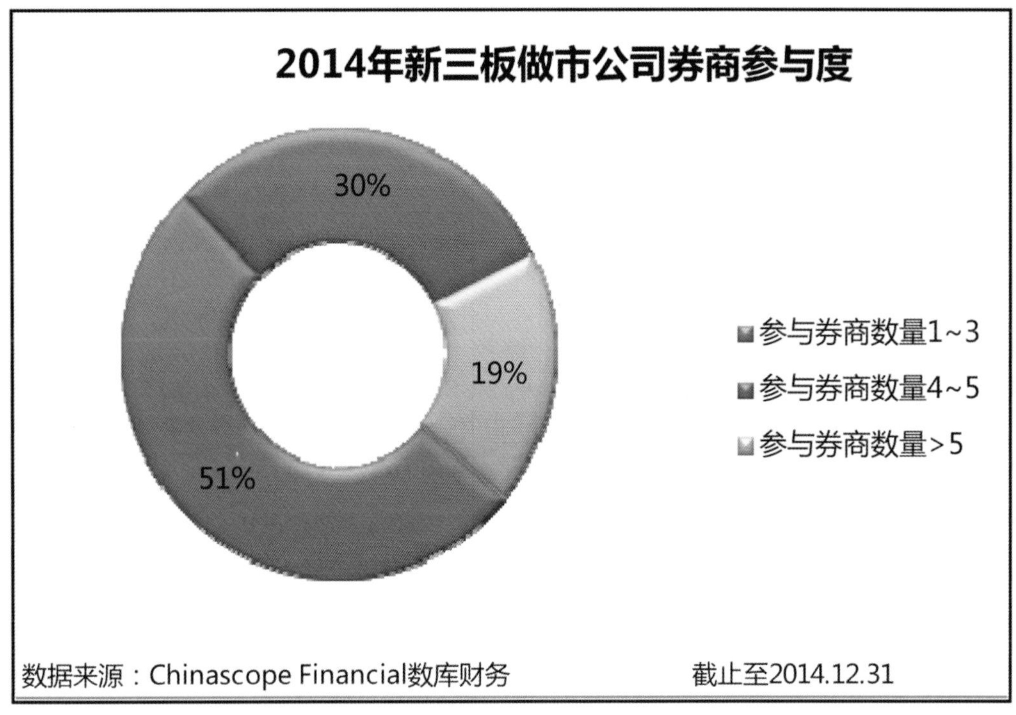

据数库统计 121 家做市公司中，其中 47 家为 12 月开始以做市方式进行结算，除 8 月首批做市的 43 家公司之后，每月的增量在 10－20 家，而 12 月的增量更为迅猛。可以预计 2015 年做市的公司将随着挂牌数量的高速增长进而也保持快速增长（新三板 2014 年度做市公司情况汇总，详见附件五）。

四、股东情况统计

根据 1,572 家挂牌公司披露的前十大股东统计，目前新三板市场总体持股情况为个人持股 55%，机构持股 42%（见下图所示）。

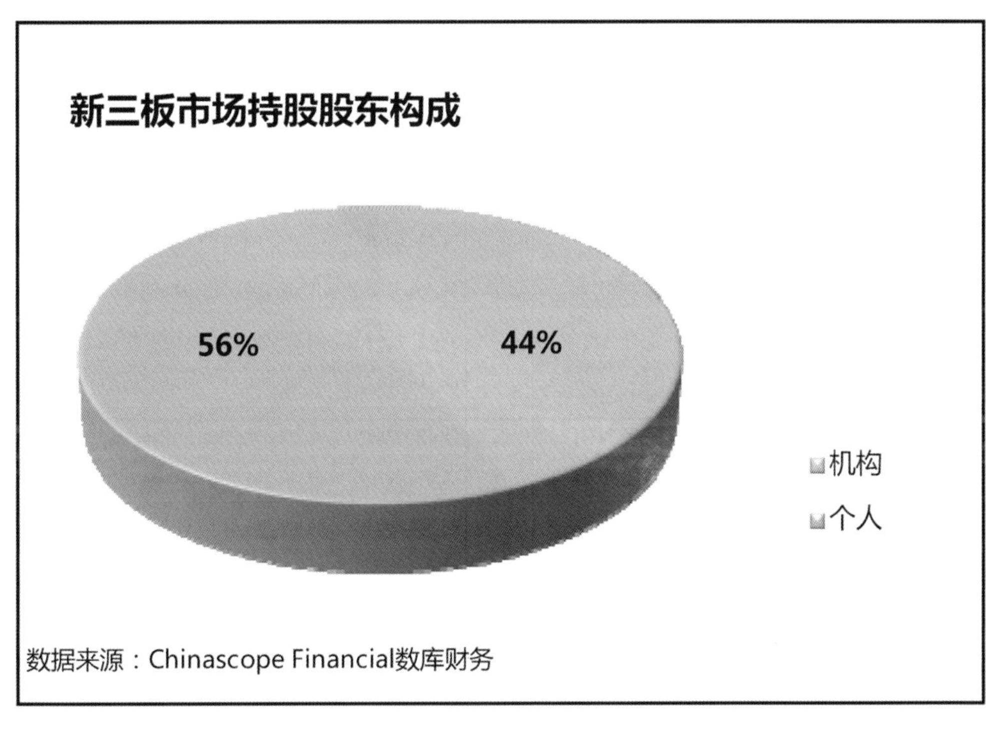

从各公司的第一大股东来看,884 家挂牌公司的第一大股东持股超 50%,即拥有绝对控制公司的权利,由第一大股东绝对控制的公司数量占总量的 56%。其中,机构为 243 家,个人为 641 家(见下图所示)。

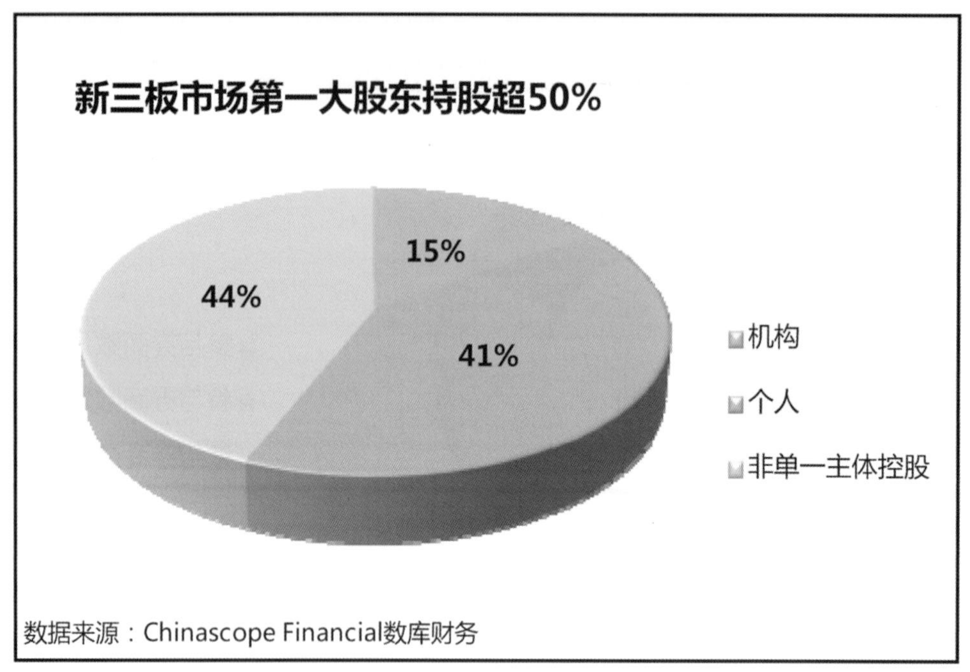

从公司前十大持股的结构来看,主要股东全部由个人构成的公司占 42%,数量为 658 家。全部由机构构成的为 69 家,占比 4%。过半的公司为机构和个人结合持股的机构(见下图所示)。

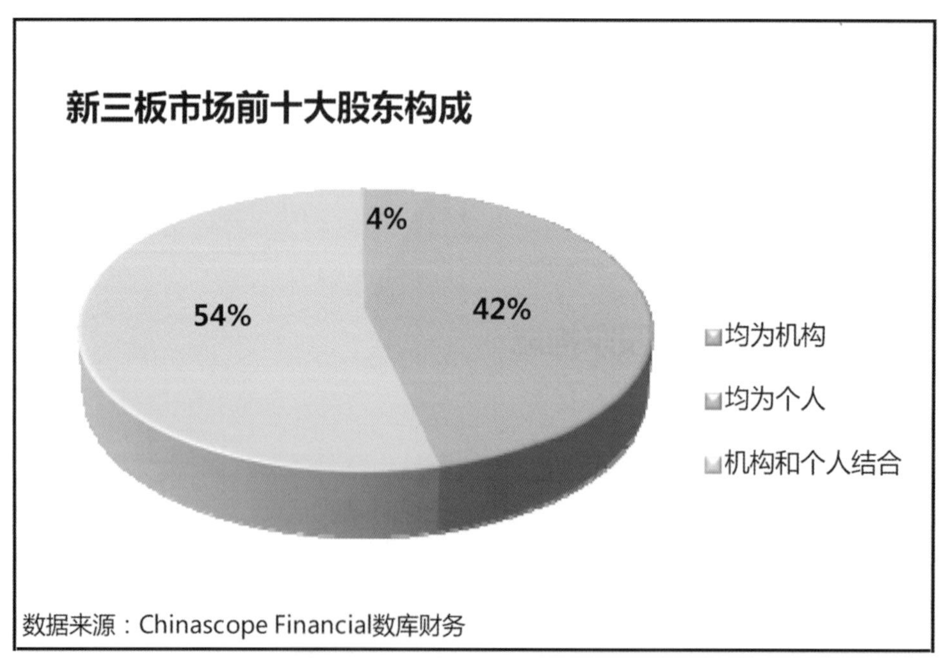

从以上来看,新三板市场以个人持股的比例较高,且拥有绝对控制的公司数量占比较高。相较于二级市场的流通性来说,流通性较弱,不利于市场交易。且其中个人持股中以高管居多,存在限售情况。当市场交易活跃度提高到一定程度后,如此的股权结构或成为交易量放大的瓶颈。

除此,由单一主体绝对控股的公司比例较高,也会造成在公司经营决策时的独裁性,或损害到其他股东的利益及意志。

汇总新三板市场公司的持股股东,不乏上市公司持股的情况,详见新三板市场持股量排名(附表六)。

五、交易活跃度统计

新三板市场的历年交易情况走势与挂牌情况一直,2014 年爆发式增长。2014 年全年的成交量是历史累计的 3.9 倍,成交额则为历史累计的 4.8 倍(如下图所示)。

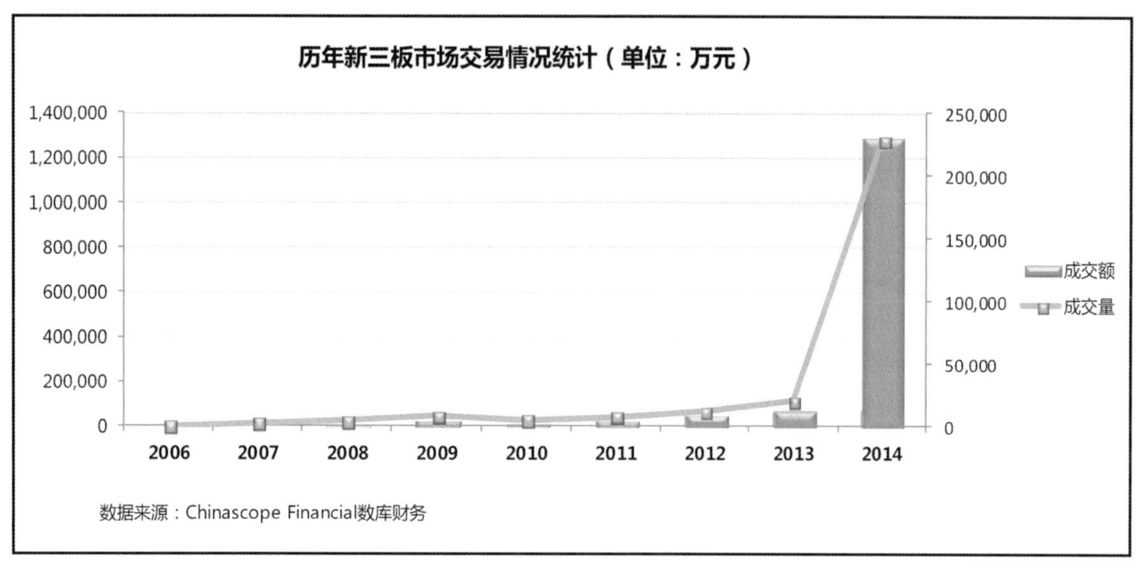

从历史成交的平均价格来说,波动相对较平缓,但平均成交价格亦创历史新高,达 5.7 元/股,较之 2013 年平均价格 4.02 元/股,提高了 41.79%。历年成交平均价格,见下图所示:

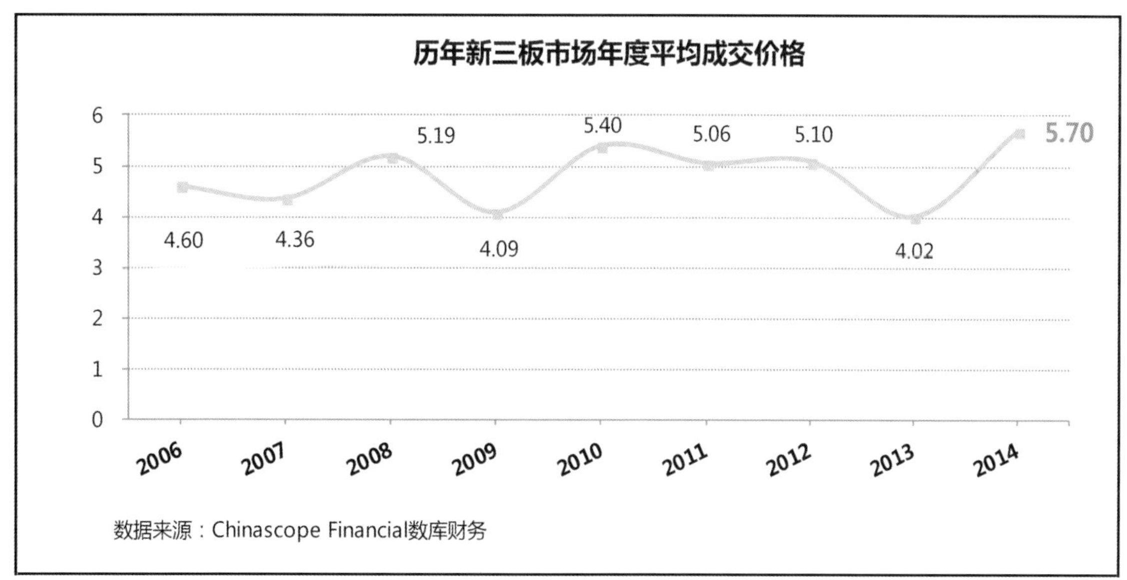

对比实际成交的公司个体年度平均成交价来看,同比 52% 的公司的股价不同程度有所上升,而 40% 的公司有所下降(如下图所示),虽然就整体而言交易量和成交价均有大幅增长,但并不是所有公司都呈现该趋势。

由此可见,新三板市场在交易过程中不断提高公司价值的同时,也进行了优胜劣汰的调整。该现象系成熟的交易市场理应呈现的情况。

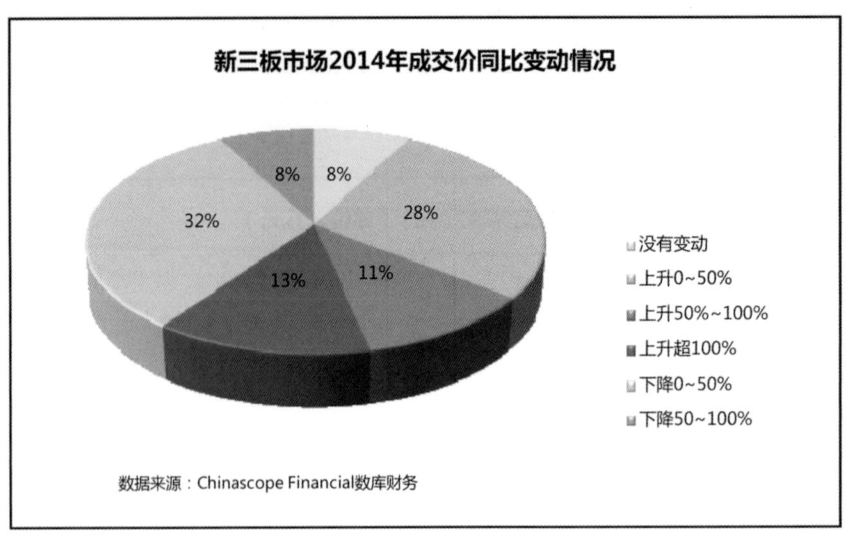

根据月度显示的成交量和成交额走势图可以看到，主要呈现稳步增长偶有大幅波动的情况。个别月份的大幅波动主要系个别公司新挂牌造成成交量大幅增加的情况。全年成交量稳步从1亿股上升至6亿股，成交额从5亿元上升至31亿元，纷纷创单月成交历史新高。

2014年度新三板成交金额月度汇总统计情况见下图：

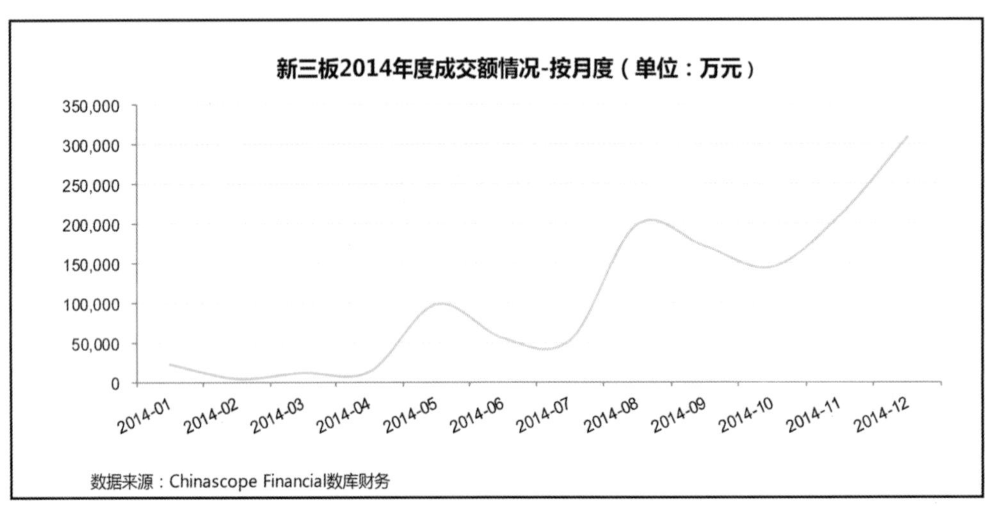

2014年度新三板成交量月度汇总统计情况见下图：

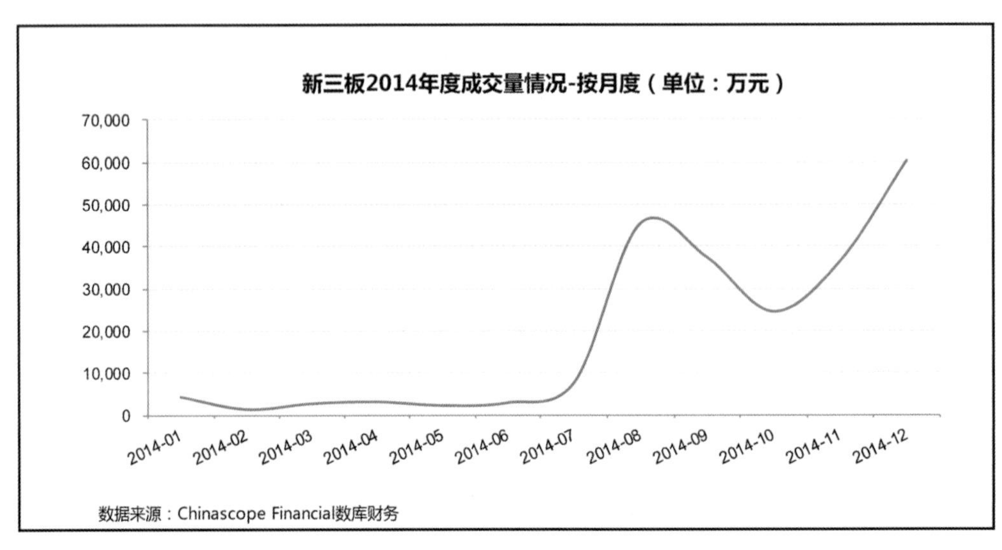

2014年度8月开始新增的做市交易，是促进新三板市场交易的一剂强心针，券商参与度不断加强。根据下图所示，每月进行做市交易的挂牌公司和参与的券商稳步增加。

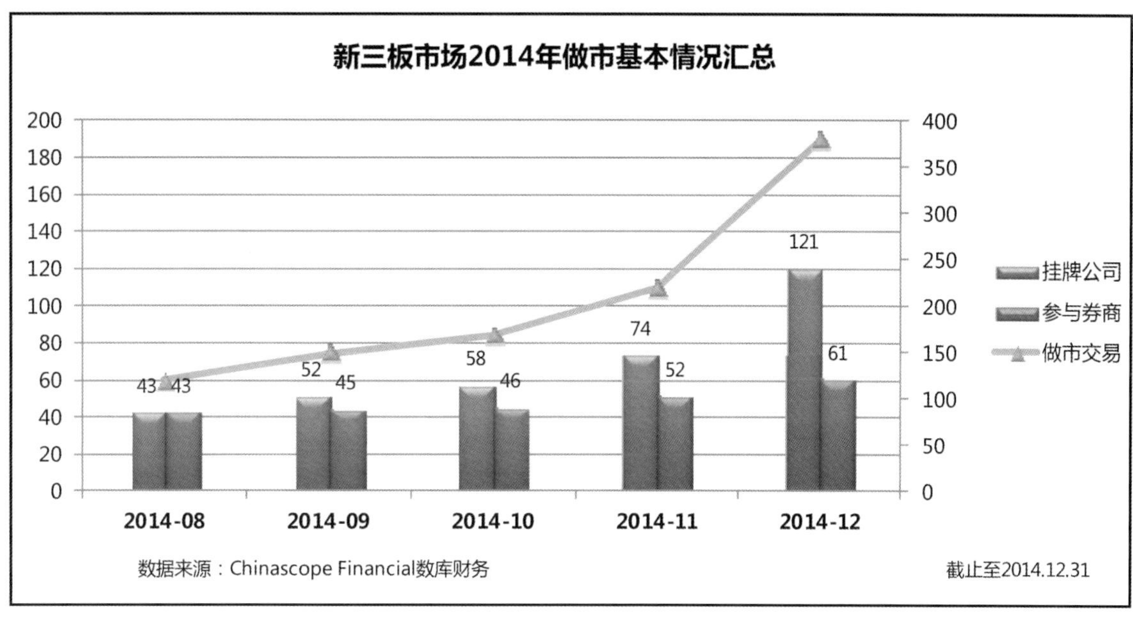

就成交额而言，121家公司占比总体挂牌公司的8%，当月完成的交易额占总体的近三成（见下图所示）。我们可以大胆预测，若做市的公司不断扩大，以做市方式完成交易将成为市场的重要核心。

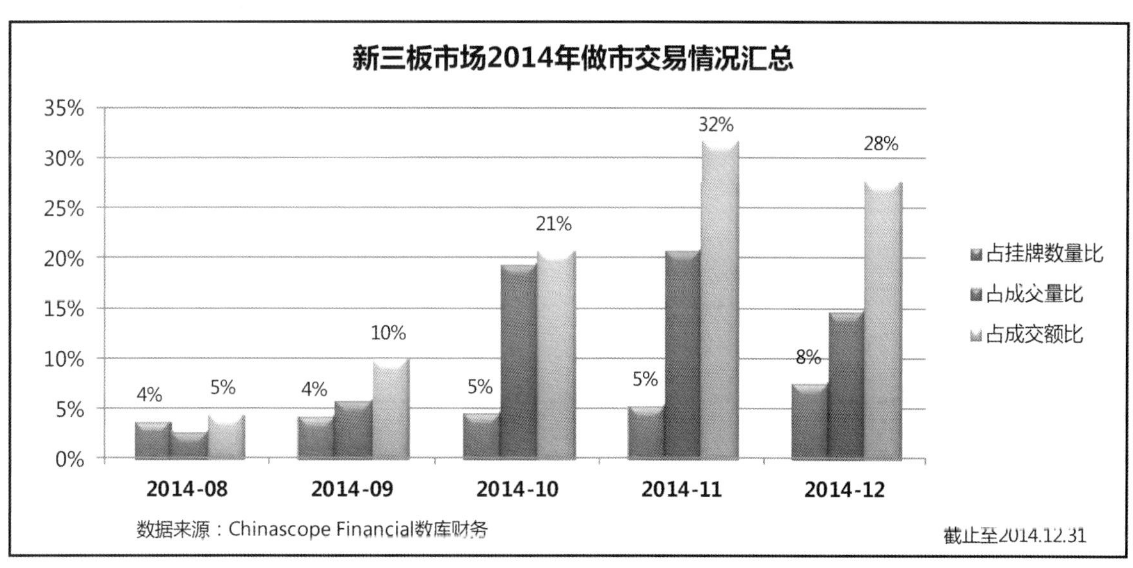

数库分别对2014年度交易市场多角度汇总梳理，以成交额、成交量、成交价和换手率依次进行排名，详见第七部分的相关附表。

六、融资情况统计

11月份新三板市场的融资活跃度远不及交易市场热闹，本月完成的定向融资略逊于10月，但11月尚有17亿元的融资需求未完成，且11月底新三板集中披露了超百家的新挂牌公司财务数据，预计新一波公司的融资需求叠加，数库预计12月新三板市场的定向融资金额将高于本月。

其他股权市场来看，本月上海股权交易中心不仅在成交量上大幅增加，其融资市场的交易量也有大幅增长迹象，且根据10月的对比数据来看，上海市场的融资需求正不断扩大。

主要市场的10－11月融资情况汇总，见下图：

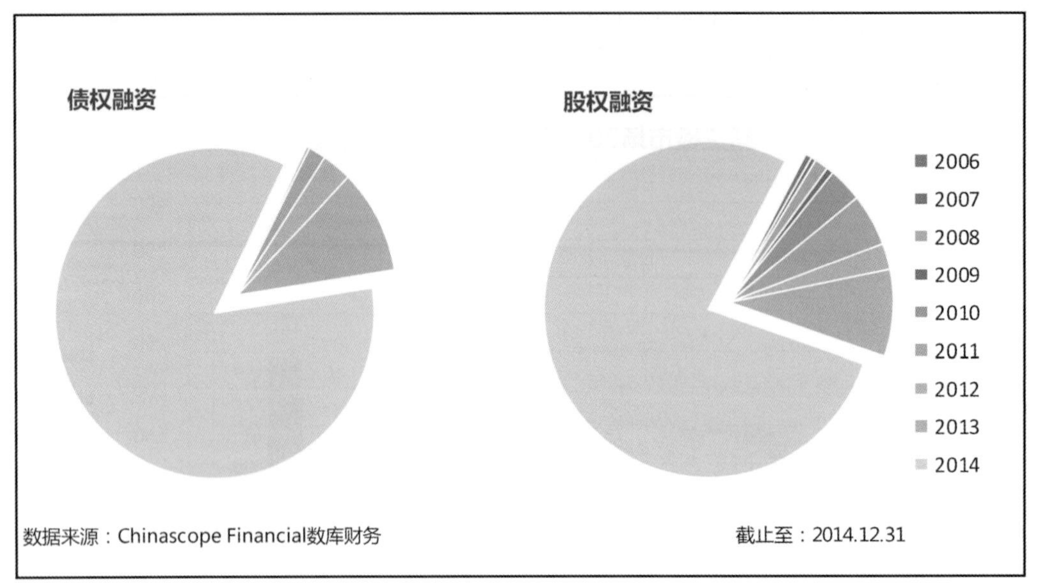
债权融资
股权融资
2006
2007
2008
2009
2010
2011
2012
2013
2014
数据来源：Chinascope Financial数库财务
截止至：2014.12.31

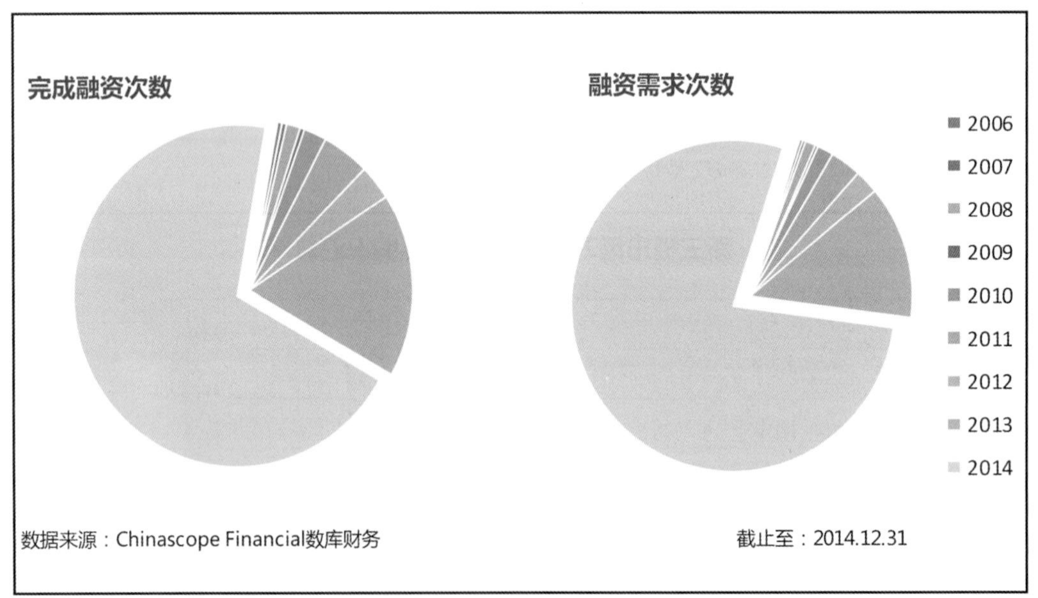
完成融资次数
融资需求次数
2006
2007
2008
2009
2010
2011
2012
2013
2014
数据来源：Chinascope Financial数库财务
截止至：2014.12.31

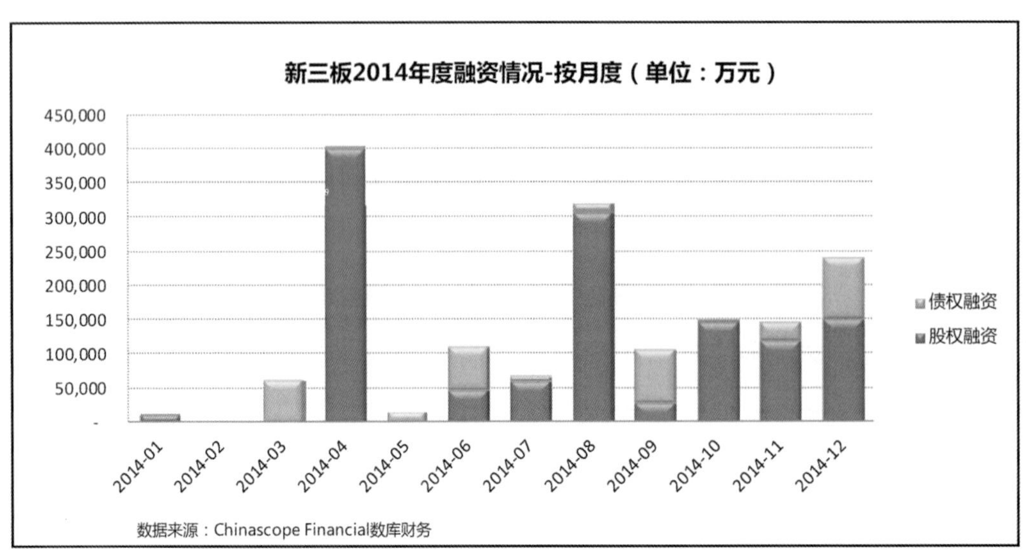
新三板2014年度融资情况-按月度（单位：万元）
450,000
400,000
350,000
300,000
250,000
200,000
150,000
100,000
50,000
-
2014-01
2014-02
2014-03
2014-04
2014-05
2014-06
2014-07
2014-08
2014-09
2014-10
2014-11
2014-12
债权融资
股权融资
数据来源：Chinascope Financial数库财务

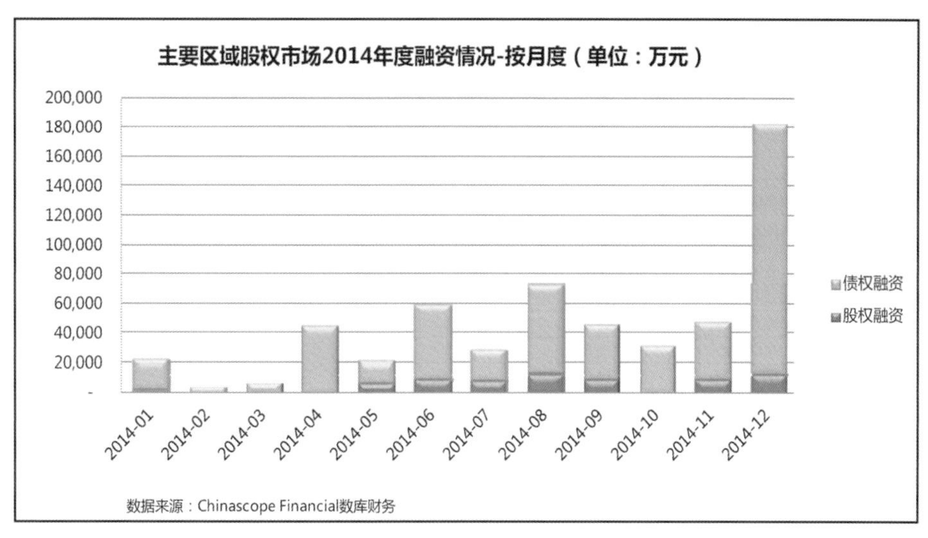
主要区域股权市场2014年度融资情况-按月度（单位：万元）
200,000
180,000
160,000
140,000
120,000
100,000
80,000
60,000
40,000
20,000
-
2014-01
2014-02
2014-03
2014-04
2014-05
2014-06
2014-07
2014-08
2014-09
2014-10
2014-11
2014-12
债权融资
股权融资
数据来源：Chinascope Financial数库财务

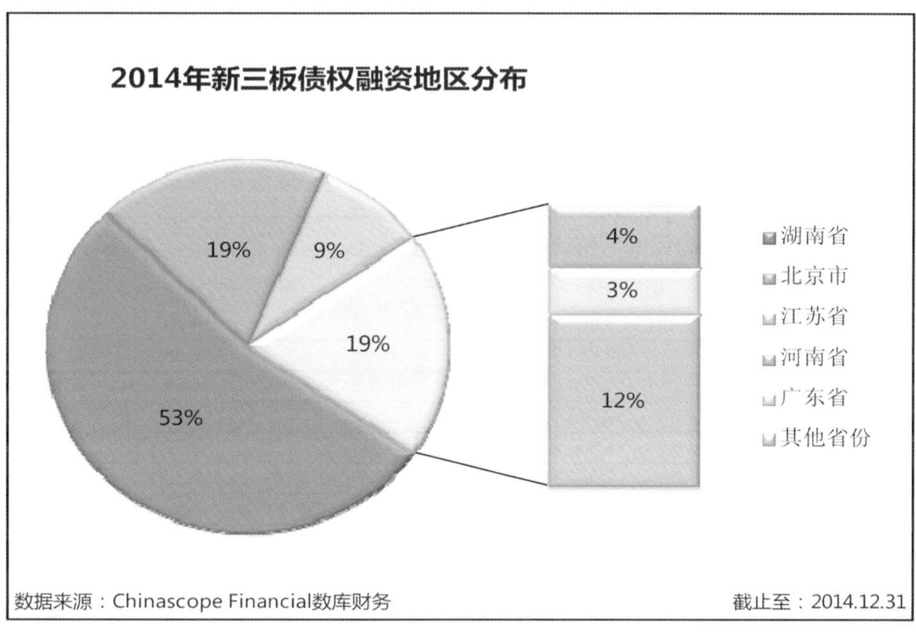
2014年新三板债权融资地区分布
19%
9%
19%
53%
4%
3%
12%
湖南省
北京市
江苏省
河南省
广东省
其他省份
数据来源：Chinascope Financial数库财务
截止至：2014.12.31

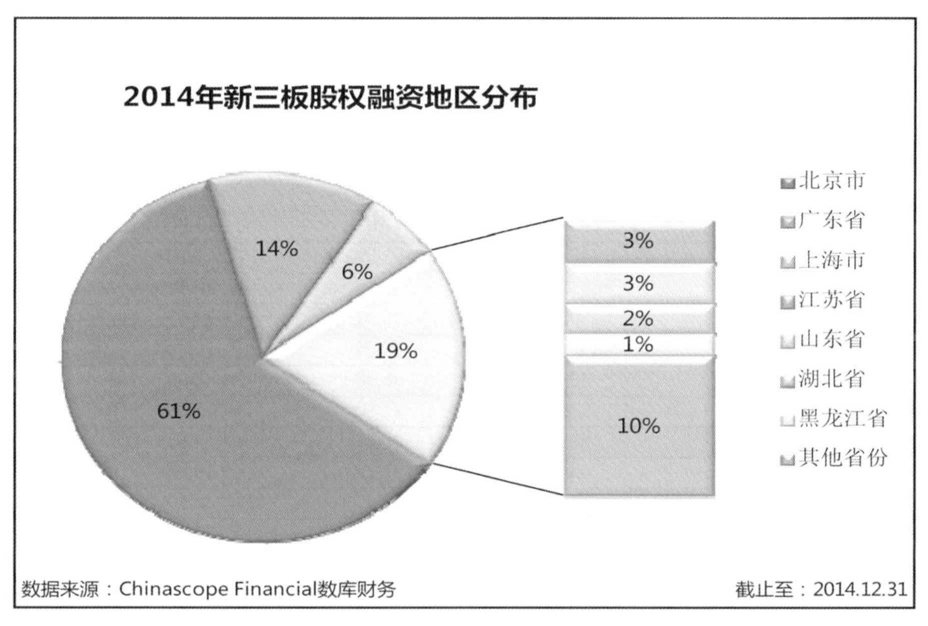
2014年新三板股权融资地区分布
14%
6%
19%
61%
3%
3%
2%
1%
10%
北京市
广东省
上海市
江苏省
山东省
湖北省
黑龙江省
其他省份
数据来源：Chinascope Financial数库财务
截止至：2014.12.31

近期数据持续关注的江苏小微企业融资产品交易中心的融资规模较前几月的大幅增加，本月明显放慢了脚步，涉及的企业数量和融资金额均大幅缩水，由于该平台主要以发债方式为主，21 号央行的降息是否对此产生影响，则仍需后续观察。

下图列示江苏小微企业平台目前的发行债券涉及的企业数量和融资金额：

七、附表

新三板2014年度摘牌情况一览

附表一

代码	公司简称	数库行业	摘牌日期	摘牌原因
430030_QS_EQ	安控科技	信息技术	2014/1/9	创业板上市
430013_QS_EQ	ST羊业	日常消费品	2014/5/19	未能披露财务信息
430531_QS_EQ	瑞翼信息	电信业务	2014/5/26	引进战略投资者，并购整合
430026_QS_EQ	金豪制药	医疗保健	2014/6/30	引进战略投资者，并购整合
430364_QS_EQ	屹通信息	信息技术	2014/7/11	引进战略投资者，并购整合
430295_QS_EQ	捷虹股份	原材料	2014/8/20	引进战略投资者，并购整合
430275_QS_EQ	新冠亿碳	公用事业	2014/8/22	出售子公司，失去主要经营业务，持续经营能力受到影响
430587_QS_EQ	福格森	日常消费品	2014/8/29	引进战略投资者，并购整合
430679_QS_EQ	嘉宝华	日常消费品	2014/9/5	引进战略投资者，并购整合
430115_QS_EQ	阿姆斯	原材料	2014/10/22	引进战略投资者，并购整合
430708_QS_EQ	铂亚信息	信息技术	2014/10/30	引进战略投资者，并购整合
430710_QS_EQ	激光装备	信息技术	2014/11/10	引进战略投资者，并购整合
430129_QS_EQ	极品无限	信息技术	2014/11/12	根据公司发展需要，主动摘牌
430043_QS_EQ	世纪东方	信息技术	2014/11/26	引进战略投资者，并购整合
830804_QS_EQ	日新传导	工业	2014/11/26	引进战略投资者，并购整合
430308_QS_EQ	泽天盛海	能源	2014/12/31	根据公司发展需要，主动摘牌

数据来源：Chinascope Financial数库财务

新三板2014年度挂牌公司地区统计（单位：亿元）

附表二

地区	挂牌数	资产合计	收入合计	资产中位数	收入中位数
北京市	362	3,969.31	3,279.14	4.70	3.56
江苏省	171	646,914.96	2,241.00	9.68	7.68
上海市	166	1,420.05	1,409.69	4.49	4.82
广东省	150	2,743.76	3,011.37	8.23	7.63
山东省	97	1,962.07	1,893.93	8.72	6.54
湖北省	93	1,464.72	1,535.29	6.32	3.56
浙江省	69	1,143.08	917.73	7.68	5.65
河南省	55	800.85	597.06	5.80	3.81
安徽省	45	740.66	520.66	12.49	9.11
福建省	41	435.22	262.08	4.83	3.73
辽宁省	41	703.64	376.65	6.85	5.27
天津市	41	728.20	467.78	7.17	7.13
湖南省	33	1,592.82	418.00	9.49	6.25
四川省	31	395.78	255.94	8.41	5.45
河北省	23	395.12	253.24	13.60	6.62
重庆市	22	353.82	357.90	8.16	6.79
陕西省	22	427.39	272.55	7.30	5.39
新疆	17	1,021.45	536.04	16.18	15.14
宁夏	14	193.41	77.09	11.26	5.53
黑龙江省	14	225.69	253.37	7.28	5.09
云南省	13	691.45	290.17	10.12	5.04
江西省	13	250.52	190.91	14.85	8.17
贵州省	13	357.16	257.04	16.96	11.58
吉林省	7	88.27	46.38	7.05	3.14
广西	5	27.08	21.50	3.68	2.57
山西省	4	62.37	27.27	4.83	4.53
甘肃省	3	65.12	51.12	13.06	9.72
内蒙古	3	19.64	13.27	6.20	2.63
海南省	3	275.12	63.55	64.39	13.56
青海省	1	4.13	0.04	4.13	0.04

数据来源：Chinascope Financial数库财务　　2013年度财务数据

新三板2014年度挂牌公司行业统计（单位：亿元）

附表三

行业	挂牌数	资产合计	收入合计	资产中位数	收入中位数
信息技术	580	5,061.48	4,250.33	4.45	3.64
工业	498	8,600.03	6,208.69	7.84	5.87
原材料	169	648,206.57	3,464.90	13.11	9.81
非日常生活消	119	1,886.84	2,320.63	7.21	6.54
日常消费品	78	1,810.08	2,137.56	13.04	8.89
医疗保健	73	1,006.67	743.00	7.20	4.37
能源	20	308.57	233.70	13.28	7.35
金融	16	2,288.55	249.94	60.28	9.38
公用事业	11	247.22	220.14	7.74	5.02
电信业务	6	49.79	62.04	5.02	7.11
房地产	2	7.07	6.84	3.54	3.42

数据来源：Chinascope Financial数库财务　　2013年度财务数据

新三板2014年度中介业务排名情况

附表四

	券商	公司数量	会计师事务所	公司数量	律师事务所	公司数量
1	申银万国	139	瑞华	207	北京大成	92
2	齐鲁证券	90	北京兴华	163	国浩	90
3	广发证券	73	立信	155	德恒	76
4	长江证券	70	中兴财光华	95	北京中银	75
5	中信建投证券	66	大华	95	上海锦天城	55
6	国信证券	61	天健	91	北京盈科	44
7	安信证券	47	大信	87	北京中伦	42
8	东北证券	44	中审华寅五洲	53	北京国枫凯文	41
9	东吴证券	44	天职国际	51	北京金诚同达	36
10	宏源证券	43	中审亚太	50	北京国联	29
11	招商证券	41	华普天健	45	北京君嘉	29
12	光大证券	40	中准	36	北京君泽君	23
13	中原证券	39	中兴华	35	北京宝盈	23
14	国泰君安	37	中汇	34	安徽天禾	22
15	西部证券	36	致同	33	北京康达	20
16	海通证券	35	信永中和	32	北京天元	18
17	南京证券	31	利安达	32	北京竞天公诚	16
18	方正证券	28	众华	30	北京金杜	16
19	中信证券	26	中喜	28	广东华商	16
20	金元证券	26	亚太(集团)	23	广东信达	16

数据来源：Chinascope Financila数库财务　　截止至:2014.12.31

新三板市场持股量排名

附表六

	机构/个人	持股量（万股）	备注
1	同创九鼎投资控股有限公司	240,152	
2	新湖中宝股份有限公司	238,483	上市公司：600208_SH_EQ
3	英大国际控股集团有限公司	57,455	
4	浙江健力实业集团有限公司	55,500	
5	海口美兰国际机场有限责任公司	34,461	上市公司(00357_HK_EQ)之控股股东
6	广东粤财投资控股有限公司	28,740	
7	北京银都新天地科技有限公司	26,933	
8	辽宁成大股份有限公司	22,504	上市公司：600739_SH_EQ
9	红豆集团有限公司	22,495	上市公司(600400_SH_EQ)之控股股东
10	曹耀辉	22,089	
11	昆山中联综合开发有限公司	18,348	
12	浙江科宇金属材料有限公司	18,000	
13	大族激光科技产业集团股份有限公司	17,086	上市公司：002008_SZ_EQ
14	江苏中超电缆股份有限公司	12,000	上市公司：002471_SZ_EQ
15	西南能矿集团股份有限公司	12,000	
16	贵州森瑞环保科技有限公司	11,309	
17	胜利油田龙玺石油工程服务有限责任公司	11,167	
18	镇江文化广电产业集团有限公司	11,000	
19	江苏交通控股有限公司	10,871	
20	大新华航空有限公司	10,795	

数据来源：Chinascope Financial数库财务　　截止至：2014.12.31

新三板2014年度累计成交额排名

附表七

	数库代码	公司简称	数库行业	转让方式	累计换手率	市盈率	成交量（万股）	成交价（元/股）	成交额（万元）
1	430719_QS_EQ	九鼎投资	金融	协议	21.15%	758.33x	86,157.92	5.35	461,338.08
2	430339_QS_EQ	中搜网络	信息技术	协议	32.15%	NA	1,552.93	22.89	35,552.25
3	830838_QS_EQ	新产业	医疗保健	协议	4.58%	52.52x	485.28	66.41	32,228.44
4	430130_QS_EQ	卡联科技	信息技术	做市	73.48%	20.88x	2,204.38	12.33	27,173.24
5	430002_QS_EQ	中科软	信息技术	协议	10.26%	40.75x	2,174.55	10.62	23,083.80
6	430073_QS_EQ	兆信股份	信息技术	协议	111.40%	21.99x	3,279.68	6.93	22,740.15
7	430357_QS_EQ	行悦信息	信息技术	做市	81.25%	75.82x	7,052.53	2.91	20,526.27
8	430174_QS_EQ	沃捷传媒	非日常生活消费品	做市	16.16%	39.17x	1,110.00	18.23	20,233.24
9	430318_QS_EQ	四维传媒	工业	做市	30.29%	26.41x	1,772.10	10.28	18,216.86
10	430618_QS_EQ	凯立德	信息技术	做市	31.71%	70.85x	3,130.55	5.24	16,418.94
11	830933_QS_EQ	纳晶科技	信息技术	协议	34.99%	NA	1,902.12	8.48	16,123.85
12	830881_QS_EQ	圣泉集团	原材料	协议	7.42%	10.44x	1,909.78	8.32	15,893.34
13	430088_QS_EQ	七维航测	信息技术	协议	26.96%	24.83x	1,592.85	9.53	15,180.90
14	430074_QS_EQ	德鑫物联	信息技术	做市	18.35%	54.57x	1,220.57	12.42	15,155.38
15	830837_QS_EQ	古城香业	日常消费品	做市	17.41%	18.38x	1,140.30	11.58	13,209.80
16	830777_QS_EQ	金达莱	工业	做市	7.28%	47.92x	582.15	22.04	12,828.11
17	830978_QS_EQ	先临三维	信息技术	做市	19.41%	133.21x	970.61	12.51	12,146.93
18	430065_QS_EQ	中海阳	信息技术	做市	9.41%	18.45x	1,947.65	6.00	11,680.00
19	830850_QS_EQ	万企达	非日常生活消费品	做市	31.81%	32.73x	1,838.14	6.25	11,493.96
20	430515_QS_EQ	麟龙股份	信息技术	做市	21.26%	38.23x	478.85	23.89	11,438.74

数据来源：Chinascope Financial数库财务　　截止至：2014.12.31

新三板2014年度累计成交量排名

附表八

	数库代码	公司简称	数库行业	转让方式	累计换手率	市盈率	成交量（万股）	成交价（元/股）	成交额（万元）
1	430719_QS_EQ	九鼎投资	金融	协议	21.15%	758.33x	86,157.92	5.35	461,338.08
2	430357_QS_EQ	行悦信息	信息技术	做市	81.25%	75.82x	7,052.53	2.91	20,526.27
3	830899_QS_EQ	联讯证券	金融	协议	4.38%	491.05x	5,324.10	1.77	9,417.41
4	430073_QS_EQ	兆信股份	信息技术	协议	111.40%	21.99x	3,279.68	6.93	22,740.15
5	430618_QS_EQ	凯立德	信息技术	做市	31.71%	70.85x	3,130.55	5.24	16,418.94
6	430366_QS_EQ	金天地	非日常生活消费品	做市	34.02%	15.49x	2,211.60	1.69	3,743.71
7	430130_QS_EQ	卡联科技	信息技术	做市	73.48%	20.88x	2,204.38	12.33	27,173.24
8	430037_QS_EQ	联飞翔	非日常生活消费品	做市	21.52%	18.12x	2,194.78	3.70	8,115.28
9	430002_QS_EQ	中科软	信息技术	协议	10.26%	40.75x	2,174.55	10.62	23,083.80
10	430558_QS_EQ	均信担保	金融	协议	6.16%	13.24x	2,096.40	1.35	2,835.93
11	831087_QS_EQ	秋乐种业	日常消费品	协议	15.35%	20.78x	2,009.23	4.98	10,005.97
12	430051_QS_EQ	九恒星	信息技术	做市	27.46%	20.63x	1,972.91	5.32	10,501.92
13	430065_QS_EQ	中海阳	信息技术	做市	9.41%	18.45x	1,947.65	6.00	11,680.00
14	830881_QS_EQ	圣泉集团	原材料	协议	7.42%	10.44x	1,909.78	8.32	15,893.34
15	830933_QS_EQ	纳晶科技	信息技术	协议	34.99%	NA	1,902.12	8.48	16,123.85
16	430004_QS_EQ	绿创设备	非日常生活消费品	协议	20.11%	NA	1,839.50	1.15	2,118.75
17	830850_QS_EQ	万企达	非日常生活消费品	做市	31.81%	32.73x	1,838.14	6.25	11,493.96
18	430383_QS_EQ	红豆杉	原材料	做市	7.15%	26.5x	1,788.70	2.54	4,544.49
19	430318_QS_EQ	四维传媒	工业	做市	30.29%	26.41x	1,772.10	10.28	18,216.86
20	430084_QS_EQ	星和众工	工业	做市	24.18%	7.16x	1,603.35	4.54	7,278.73

数据来源：Chinascope Financial数库财务　　截止至：2014.12.31

新三板2014年度平均成交价排名

附表九

	数库代码	公司简称	数库行业	转让方式	累计换手率	市盈率	成交量（万股）	成交价（元/股）	成交额（万元）
1	430612_QS_EQ	雅威特	日常消费品	协议	0.83%	110.06x	14.00	71.43	1,000.02
2	830838_QS_EQ	新产业	医疗保健	协议	4.58%	52.52x	485.28	66.41	32,228.44
3	831215_QS_EQ	新天药业	医疗保健	协议	0.00%	133.47x	0.10	39.00	3.90
4	830931_QS_EQ	仁会生物	医疗保健	协议	0.05%	NA	4.20	37.42	157.18
5	430588_QS_EQ	天松医疗	医疗保健	协议	0.01%	56.32x	0.30	36.00	10.80
6	430024_QS_EQ	金和软件	信息技术	协议	6.08%	592.81x	137.29	32.40	4,448.56
7	831158_QS_EQ	金鲵生物	日常消费品	协议	0.55%	324.44x	16.60	30.00	498.00
8	430120_QS_EQ	金润科技	信息技术	协议	0.08%	19.52x	0.65	30.00	19.64
9	430005_QS_EQ	原子高科	医疗保健	协议	4.76%	25.07x	315.70	27.98	8,833.62
10	430205_QS_EQ	亿房信息	信息技术	协议	0.12%	15.2x	0.60	27.07	16.24
11	831413_QS_EQ	中创股份	信息技术	协议	0.15%	120.34x	8.20	27.00	221.40
12	430453_QS_EQ	恒锐科技	信息技术	做市	4.13%	17.8x	43.40	26.29	1,141.20
13	430680_QS_EQ	联兴科技	原材料	协议	0.00%	39.54x	0.40	26.00	10.40
14	831090_QS_EQ	锡成矿业	原材料	协议	0.01%	3699.89x	1.10	24.39	26.83
15	430515_QS_EQ	麟龙股份	信息技术	做市	21.26%	38.23x	478.85	23.89	11,438.74
16	430177_QS_EQ	点点客	电信业务	做市	18.24%	134.7x	363.60	23.37	8,496.84
17	430339_QS_EQ	中搜网络	信息技术	协议	32.15%	NA	1,552.93	22.89	35,552.25
18	830777_QS_EQ	金达莱	工业	做市	7.28%	47.92x	582.15	22.04	12,828.11
19	430346_QS_EQ	哇棒传媒	信息技术	做市	19.90%	116.09x	233.40	21.40	4,995.48
20	430445_QS_EQ	仙宜岱	非日常生活消费品	协议	0.00%	92.87x	0.20	21.20	4.24

数据来源：Chinascope Financial数库财务　　截止至：2014.12.31

新三板2014年度累计换手率排名

附表十

	数库代码	公司简称	数库行业	转让方式	累计换手率	市盈率	成交量（万股）	成交价（元/股）	成交额（万元）
1	430073_QS_EQ	兆信股份	信息技术	协议	111.40%	21.99x	3,279.68	6.93	22,740.15
2	430357_QS_EQ	行悦信息	信息技术	做市	81.25%	75.82x	7,052.53	2.91	20,526.27
3	430130_QS_EQ	卡联科技	信息技术	做市	73.48%	20.88x	2,204.38	12.33	27,173.24
4	430394_QS_EQ	伯朗特	工业	做市	51.72%	45.42x	931.00	5.54	5,155.70
5	430536_QS_EQ	万通新材	原材料	做市	48.85%	19.83x	1,533.05	1.95	2,989.91
6	430200_QS_EQ	时代地智	信息技术	协议	43.14%	16.17x	215.70	3.88	837.56
7	831030_QS_EQ	卓华信息	信息技术	协议	41.31%	20.14x	1,040.48	2.56	2,662.87
8	430164_QS_EQ	思倍驰	信息技术	协议	37.16%	3.37x	501.69	1.00	501.69
9	430610_QS_EQ	瀚远科技	信息技术	协议	35.85%	17.72x	717.00	1.83	1,309.85
10	430173_QS_EQ	鼎讯互动	信息技术	协议	35.20%	NA	352.00	0.12	43.00
11	830933_QS_EQ	纳晶科技	信息技术	协议	34.99%	NA	1,902.12	8.48	16,123.85
12	430366_QS_EQ	金天地	非日常生活消费品	做市	34.02%	15.49x	2,211.60	1.69	3,743.71
13	430339_QS_EQ	中搜网络	信息技术	协议	32.15%	NA	1,552.93	22.89	35,552.25
14	830850_QS_EQ	万企达	非日常生活消费品	做市	31.81%	32.73x	1,838.14	6.25	11,493.96
15	430618_QS_EQ	凯立德	信息技术	做市	31.71%	70.85x	3,130.55	5.24	16,418.94
16	430318_QS_EQ	四维传媒	工业	做市	30.29%	26.41x	1,772.10	10.28	18,216.86
17	430362_QS_EQ	东电创新	信息技术	做市	29.03%	68.29x	747.92	3.97	2,967.55
18	430208_QS_EQ	优炫软件	信息技术	做市	28.20%	37.21x	1,321.30	3.86	5,099.32
19	430430_QS_EQ	普滤得	信息技术	做市	27.72%	181.52x	437.90	3.10	1,358.35
20	430051_QS_EQ	九恒星	信息技术	做市	27.46%	20.63x	1,972.91	5.32	10,501.92

数据来源：Chinascope Financial数库财务　　截止至：2014.12.31

2014年度新三板市场债权融资排名

附表十一

	数库代码	公司简称	数库行业分类	挂牌日期	融资金额（万元）
1	430399_QS_EQ	湘财证券	金融	2014/1/24	190,000
2	430719_QS_EQ	九鼎投资	金融	2014/4/29	53,200
3	830958_QS_EQ	鑫庄农贷	金融	2014/8/8	16,500
4	830849_QS_EQ	平原非标	工业	2014/7/11	15,000
5	430486_QS_EQ	普金科技	信息技术	2014/1/24	5,000
6	831143_QS_EQ	焕鑫股份	原材料	2014/9/19	5,000
7	430459_QS_EQ	华艺园林	工业	2014/1/24	3,600
8	430721_QS_EQ	瑞杰塑料	原材料	2014/4/30	3,500
9	430274_QS_EQ	重钢机械	工业	2013/8/8	3,500
10	430369_QS_EQ	威门药业	医疗保健	2014/1/24	3,000
11	430578_QS_EQ	差旅天下	信息技术	2014/1/24	3,000
12	830795_QS_EQ	骏汇股份	非日常生活消费品	2014/6/13	2,800
13	430523_QS_EQ	泰谷生物	原材料	2014/1/24	2,800
14	430514_QS_EQ	速升装备	工业	2014/1/24	2,500
15	430508_QS_EQ	中视文化	非日常生活消费品	2014/1/24	2,500
16	430317_QS_EQ	日升天信	信息技术	2013/10/15	2,442
17	430222_QS_EQ	璟泓科技	医疗保健	2013/7/2	2,350
18	430297_QS_EQ	金硕信息	信息技术	2013/8/8	2,000
19	430130_QS_EQ	卡联科技	信息技术	2012/7/12	2,000
20	430730_QS_EQ	先大药业	医疗保健	2014/5/6	2,000

数据来源：Chinascope Financial数库财务　　截止至：2014.12.31

2014年度新三板市场股权融资排名

附表十二

	数库代码	公司简称	数库行业分类	挂牌日期	融资金额（万元）
1	430719_QS_EQ	九鼎投资	金融	2014/4/29	578,677.39
2	830899_QS_EQ	联讯证券	金融	2014/8/1	100,000
3	430339_QS_EQ	中搜网络	信息技术	2013/11/8	32,000
4	430618_QS_EQ	凯立德	信息技术	2014/1/24	30,750
5	430065_QS_EQ	中海阳	信息技术	2010/3/19	21,200
6	430558_QS_EQ	均信担保	金融	2014/1/24	17,800
7	430074_QS_EQ	德鑫物联	信息技术	2010/10/8	17,009
8	430174_QS_EQ	沃捷传媒	非日常生活消费品	2012/12/18	16,000
9	430011_QS_EQ	指南针	信息技术	2007/1/23	14,000
10	830777_QS_EQ	金达莱	工业	2014/6/5	13,000
11	830999_QS_EQ	银橙传媒	信息技术	2014/8/13	12,500
12	430598_QS_EQ	众合医药	医疗保健	2014/1/24	12,002
13	430075_QS_EQ	中讯四方	信息技术	2010/11/18	11,730
14	430051_QS_EQ	九恒星	信息技术	2009/2/18	11,050
15	830978_QS_EQ	先临三维	信息技术	2014/8/8	10,500
16	430437_QS_EQ	绿洲生化	医疗保健	2014/1/24	9,280
17	830815_QS_EQ	蓝山科技	信息技术	2014/6/20	9,090
18	430141_QS_EQ	久日化学	原材料	2012/9/7	8,028
19	430759_QS_EQ	凯路仕	非日常生活消费品	2014/5/30	8,000
20	831535_QS_EQ	拓斯达	工业	2014/12/24	7,600.00

数据来源：Chinascope Financial数库财务　　截止至：2014.12.31

关于数库

数库信息科技有限公司（简称“数库”）是中国金融大数据的领导服务企业，率先以大数据技术对中国的金融数据进行疏理及解析，实现数据高标准、高对比及多维度串联，达到传统金融数据商无法提供的分析深度及速度，帮助所有专注中国的国内外投资者、金融服务机构、企业及学术研究单位更精准、深入且有效率地分析中国市场。

大数据金融 X 互联网带领全民金融数据分析新时代

随著互联网的发展持续深入金融领域，金融服务本质产生巨大变化，专业化特性明显的金融分析领域也不例外。数库带领业界，将云计算应用及互联网“开放、分享、低门槛”的精神融合金融大数据分析技术，彻底颠覆传统金融数据行业高门槛、高成本及低功能的特性，让广大的中国投资人可以随时、随地透过数库云端平台获取数据、分析市场进而有效、精准地作出重要决策。

从长期远景来看，数库通过数年努力与沉淀，打造出市场第一个真正意义上的金融大数据平台，并结合互联网金融思维与技术优势，便是期许能促进资本与实体经济的衔接，改进金融行业的效率，降低进入门槛，从而刺激互联网金融及资本市场进一步有序健康的发展，促进经济结构健康转型。

全球客户认可

数库由华尔街专业金融人士组建，因在使用传统数据平台时屡屡遇到数据来源杂乱、标准不一导致的分析难题，多年来致力研究如何将大数据技术应用至庞杂而海量的金融数据上，期许帮助全球关注中国的投资人更深入地了解中国市场、更精确地作出投资分析，进而增加投资信心，为中国资本市场带来活力。

自 2009 年以来，数库透过位于上海的研发及运营总部、位于南京的数据处理中心以及在香港和纽约的常驻办事处为中国及全球客户提供专业金融大数据服务。在不懈的努力下，数库成功以专业化的服务和对数据的深度研究，获得高盛、凯雷、KKR、哈佛等知名的投行、PE 和学院机构的青睐。

2014 年全年挂牌公司股票发行相关情况

（按主办券商统计）

主办券商	发行次数	发行金额(万元)
申银万国	23	80,974
广发证券	23	19,486
齐鲁证券	22	38,342
长江证券	18	35,327
中信建投	15	48,784
宏源证券	14	12,462
光大证券	13	30,743
东北证券	11	8,973
国信证券	10	47,929
上海证券	9	16,480
中信证券	8	11,073
西部证券	7	581,934
银河证券	7	26,229
东吴证券	7	6,393
首创证券	6	19,630
安信证券	6	15,172
东方花旗	6	11,422
金元证券	6	9,230
国金证券	6	8,929
招商证券	6	6,538
中原证券	6	4,836
国元证券	5	8,461
国泰君安	5	6,732
华融证券	4	30,750
平安证券	4	7,853
南京证券	4	4,516
方正证券	4	2,916
海通证券	4	1,839
华西证券	4	678
兴业证券	4	451
财达证券	3	107,025
中山证券	3	6,609
大通证券	3	3,972
财通证券	3	3,568
东莞证券	3	2,782
长城证券	3	2,339
信达证券	3	2,214
华龙证券	2	9,317
渤海证券	2	8,568
东海证券	2	7,209
国海证券	2	3,813
天风证券	2	3,643
中银国际	2	2,128
华鑫证券	2	1,862
华安证券	2	1,832
财富证券	2	1,796
中金公司	2	1,760
浙商证券	2	1,726
万联证券	2	1,510
东兴证券	2	1,300
中投证券	2	302
太平洋证券	1	13,000
华林证券	1	12,002
华创证券	1	3,365
红塔证券	1	3,063
新时代证券	1	2,071
民生证券	1	2,040
华泰证券	1	1,650
湘财证券	1	1,438
恒泰证券	1	520
西南证券	1	499
世纪证券	1	365
国联证券	1	350
广州证券	1	140
总计	329	1,320,860

注：上述统计包括265次已挂牌公司股票发行和64次挂牌同时股票发行。以上数据仅供参考。

2014 年全年挂牌公司股票发行相关情况

（按地区统计）

省、自治区及直辖市	发行次数	发行金额(万元)
北京	93	817,984
上海	47	84,864
江苏	33	40,476
广东	29	168,067
山东	18	32,281
湖北	18	31,888
四川	13	9,785
天津	12	17,075
安徽	12	13,836
浙江	10	20,282
河北	7	15,296
辽宁	6	6,786
河南	6	5,150
福建	5	4,475
贵州	4	6,505
宁夏	4	3,710
湖南	4	3,560
黑龙江	2	18,490
云南	2	3,100
江西	1	13,000
新疆	1	3,500
重庆	1	499
陕西	1	250
总计	329	1,320,860

注：上述统计包括265次已挂牌公司股票发行和64次挂牌同时股票发行。以上数据仅供参考。

2014 年主办券商办理挂牌公司股票发行情况

序号	主办券商	发行金额（万元）	市场占比	发行次数	市场占比
1	西部证券	581,933.55	44.06%	7	2.13%
2	财达证券	107,025.20	8.10%	3	0.91%
3	申银万国	80,973.81	6.13%	23	6.99%
4	国信证券	49,255.15	3.73%	11	3.34%
5	中信建投	48,754.34	3.69%	15	4.56%
6	齐鲁证券	38,342.20	2.90%	22	6.69%
7	长江证券	33,201.50	2.51%	16	4.86%
8	华融证券	30,750.00	2.33%	4	1.22%
9	光大证券	30,743.40	2.33%	13	3.95%
10	银河证券	26,228.50	1.99%	7	2.13%
11	首创证券	19,630.00	1.49%	6	1.82%
12	广发证券	19,486.30	1.48%	23	6.99%

序号	主办券商	发行金额（万元）	市场占比	发行次数	市场占比
13	上海证券	17,080.38	1.29%	10	3.04%
14	安信证券	15,172.05	1.15%	6	1.82%
15	太平洋证券	13,000.00	0.98%	1	0.30%
16	宏源证券	12,462.30	0.94%	14	4.26%
17	华林证券	12,002.04	0.91%	1	0.30%
18	东方花旗	11,421.77	0.86%	6	1.82%
19	中信证券	11,073.30	0.84%	8	2.43%
20	华龙证券	9,316.64	0.71%	2	0.61%
21	金元证券	9,230.00	0.70%	6	1.82%
22	东北证券	8,973.46	0.68%	11	3.34%
23	国金证券	8,928.85	0.68%	6	1.82%
24	国元证券	8,461.29	0.64%	5	1.52%
25	广州证券	8,167.50	0.62%	2	0.61%
26	平安证券	7,853.32	0.59%	4	1.22%
27	东海证券	7,208.60	0.55%	2	0.61%
28	国泰君安	6,732.12	0.51%	5	1.52%
29	中山证券	6,669.74	0.50%	4	1.22%
30	招商证券	6,537.80	0.49%	6	1.82%
31	东吴证券	6,393.00	0.48%	7	2.13%
32	中原证券	4,835.70	0.37%	6	1.82%
33	大通证券	3,972.00	0.30%	3	0.91%
34	南京证券	3,946.00	0.30%	3	0.91%
35	国海证券	3,813.20	0.29%	2	0.61%
36	天风证券	3,643.23	0.28%	2	0.61%
37	财通证券	3,568.40	0.27%	3	0.91%
38	华创证券	3,365.00	0.25%	1	0.30%
39	长城证券	3,139.10	0.24%	4	1.22%
40	红塔证券	3,062.50	0.23%	1	0.30%
41	方正证券	2,915.90	0.22%	4	1.22%
42	东莞证券	2,781.60	0.21%	3	0.91%
43	信达证券	2,214.22	0.17%	3	0.91%
44	中银国际	2,127.50	0.16%	2	0.61%
45	新时代证券	2,070.86	0.16%	1	0.30%
46	民生证券	2,039.70	0.15%	1	0.30%
47	华鑫证券	1,862.00	0.14%	2	0.61%
48	华安证券	1,832.00	0.14%	2	0.61%
49	财富证券	1,795.60	0.14%	2	0.61%
50	海通证券	1,777.80	0.13%	3	0.91%
51	中金公司	1,760.00	0.13%	2	0.61%
52	浙商证券	1,726.00	0.13%	2	0.61%
53	华泰证券	1,650.00	0.12%	1	0.30%
54	万联证券	1,510.00	0.11%	2	0.61%
55	湘财证券	1,438.00	0.11%	1	0.30%
56	东兴证券	1,300.00	0.10%	2	0.61%
57	华西证券	674.63	0.05%	4	1.22%
58	渤海证券	540.00	0.04%	1	0.30%
59	恒泰证券	520.42	0.04%	1	0.30%
60	西南证券	500.00	0.04%	1	0.30%
61	兴业证券	450.92	0.03%	4	1.22%
62	世纪证券	365.40	0.03%	1	0.30%
63	国联证券	350.00	0.03%	1	0.30%
64	中投证券	302.42	0.02%	2	0.61%
合计		1,320,858.20	100%	329	100%

注：1. 发行金额及市场占比是指2014年1月1日－12月31日期间，主办券商办理挂牌公司股票发行金额及其市场占比（统计数据以企业完成股份登记时间为准）。

2. 发行次数及市场占比是指2014年1月1日－12月31日期间，主办券商办理挂牌公司股票发行次数及其市场占比（统计数据以企业完成股份登记时间为准）。

2014年主办券商代理买卖挂牌证券金额及其市场占比

序号	主办券商	代理买卖挂牌证券金额（万元）	市场占比
1	申银万国	295,345.13	12.97%
2	西部证券	156,911.79	6.89%
3	中信证券	150,975.68	6.63%
4	招商证券	136,814.22	6.01%
5	银河证券	125,465.00	5.51%
6	国泰君安	113,699.26	4.99%
7	中信建投	103,236.15	4.53%
8	华泰证券	96,277.19	4.23%
9	齐鲁证券	94,418.22	4.15%
10	国信证券	74,659.99	3.28%
11	新时代证券	69,021.55	3.03%
12	广发证券	67,315.38	2.96%
13	海通证券	60,118.91	2.64%
14	东方证券	59,543.92	2.61%
15	中投证券	48,579.83	2.13%
16	国金证券	47,847.23	2.10%
17	光大证券	45,582.12	2.00%
18	长江证券	34,301.72	1.51%
19	上海证券	28,457.27	1.25%
20	东北证券	28,241.95	1.24%
21	安信证券	25,157.06	1.10%
22	东吴证券	24,851.61	1.09%
23	中原证券	16,046.79	0.70%
24	山西证券	16,001.91	0.70%
25	中山证券	15,919.84	0.70%
26	浙商证券	14,094.84	0.62%
27	西南证券	13,340.93	0.59%
28	华福证券	13,318.29	0.58%
29	首创证券	13,305.00	0.58%
30	兴业证券	13,234.16	0.58%
31	信达证券	12,361.55	0.54%
32	南京证券	12,259.20	0.54%
33	方正证券	12,158.15	0.53%
34	宏源证券	11,948.48	0.52%
35	联讯证券	11,280.36	0.50%
36	金元证券	11,077.56	0.49%
37	太平洋证券	10,932.29	0.48%
38	渤海证券	10,907.23	0.48%
39	中银国际	10,094.94	0.44%
40	华融证券	9,451.63	0.42%
41	财达证券	9,424.96	0.41%
42	东兴证券	8,970.82	0.39%
43	长城证券	8,958.80	0.39%
44	财通证券	8,716.70	0.38%
45	国联证券	8,532.62	0.37%
46	民生证券	8,112.44	0.36%
47	华龙证券	7,621.90	0.33%
48	东莞证券	7,606.09	0.33%
49	国海证券	7,579.13	0.33%
50	华林证券	7,528.16	0.33%
51	中金公司	7,027.49	0.31%

序号	主办券商	代理买卖挂牌证券金额（万元）	市场占比
52	华西证券	6,059.46	0.27%
53	华创证券	5,948.67	0.26%
54	平安证券	5,868.14	0.26%
55	国都证券	5,053.65	0.22%
56	东海证券	4,704.56	0.21%
57	国元证券	4,527.31	0.20%
58	湘财证券	3,873.83	0.17%
59	大通证券	3,823.65	0.17%
60	中航证券	3,693.82	0.16%
61	华安证券	3,324.12	0.15%
62	民族证券	2,853.81	0.13%
63	恒泰证券	2,719.58	0.12%
64	第一创业	2,392.28	0.11%
65	中信证券（山东）	2,364.30	0.10%
66	世纪证券	2,243.45	0.10%
67	财富证券	2,047.74	0.09%
68	广州证券	2,008.86	0.09%
69	爱建证券	1,968.27	0.09%
70	万联证券	1,693.60	0.07%
71	华鑫证券	1,582.13	0.07%
72	江海证券	952.05	0.04%
73	天风证券	830.43	0.04%
74	银泰证券	681.06	0.03%
75	国盛证券	656.77	0.03%
76	日信证券	555.48	0.02%
77	红塔证券	96.64	0.004%
合计		2,277,157.10	100%

注：代理买卖挂牌证券金额及市场占比是指2014年1月1日－12月31日期间，主办券商累计代理买卖挂牌企业股票（不含两网及退市公司股票）等证券的金额及其市场占比。

2014年主办券商推荐项目情况

序号	主办券商	2014年推荐挂牌项目数量	市场占比	截至2014年12月31日持续督导挂牌企业数量
1	申银万国	84	6.82%	140
2	齐鲁证券	72	5.84%	90
3	广发证券	55	4.46%	73
4	长江证券	50	4.06%	70
5	中信建投	48	3.90%	67
6	安信证券	46	3.73%	47
7	国信证券	44	3.57%	62
8	宏源证券	38	3.08%	43
9	招商证券	38	3.08%	41
10	东北证券	37	3.00%	44
11	东吴证券	37	3.00%	44
12	光大证券	31	2.52%	41
13	海通证券	26	2.11%	35
14	中原证券	26	2.11%	39
15	方正证券	24	1.95%	28
16	国泰君安	24	1.95%	36
17	中信证券	24	1.95%	26
18	国金证券	23	1.87%	22
19	西部证券	23	1.87%	36
20	南京证券	20	1.62%	30
21	广州证券	19	1.54%	6
22	国元证券	17	1.38%	17
23	金元证券	17	1.38%	25
24	兴业证券	17	1.38%	21
25	山西证券	16	1.30%	21
26	平安证券	14	1.14%	15
27	上海证券	14	1.14%	23
28	长城证券	14	1.14%	18
29	东方花旗	13	1.06%	25
30	东莞证券	13	1.06%	13
31	银河证券	13	1.06%	18
32	中投证券	13	1.06%	14
33	东兴证券	12	0.97%	15
34	首创证券	12	0.97%	14
35	湘财证券	12	0.97%	12
36	财通证券	11	0.89%	13
37	国海证券	11	0.89%	15
38	财达证券	10	0.81%	10
39	华安证券	10	0.81%	10
40	华泰证券	10	0.81%	14
41	华西证券	10	0.81%	7
42	浙商证券	10	0.81%	12
43	中山证券	10	0.81%	10
44	大通证券	9	0.73%	11
45	国盛证券	9	0.73%	9
46	天风证券	9	0.73%	9
47	西南证券	9	0.73%	9
48	华创证券	8	0.65%	8
49	江海证券	8	0.65%	8
50	民生证券	7	0.57%	6
51	太平洋证券	7	0.57%	7
52	万联证券	7	0.57%	8
53	财富证券	6	0.49%	6
54	东海证券	6	0.49%	10
55	华福证券	6	0.49%	6
56	华林证券	6	0.49%	8
57	华龙证券	6	0.49%	8
58	爱建证券	5	0.41%	5
59	华融证券	5	0.41%	5
60	新时代证券	5	0.41%	6
61	中银国际	5	0.41%	6
62	渤海证券	4	0.32%	5
63	国都证券	4	0.32%	7
64	国联证券	4	0.32%	5
65	日信证券	4	0.32%	4
66	民族证券	4	0.32%	5
67	红塔证券	3	0.24%	3
68	华鑫证券	3	0.24%	3
69	信达证券	3	0.24%	6
70	德邦证券	2	0.16%	2
71	恒泰证券	2	0.16%	3
72	世纪证券	2	0.16%	3
74	西藏同信	2	0.16%	2
75	中金公司	2	0.16%	2
76	第一创业	1	0.08%	1

序号	主办券商	2014年推荐挂牌项目数量	市场占比	截至2014年12月31日持续督导挂牌企业数量
77	中航证券	1	0.08%	1
合计		1232	100%	1572

备注：

1. 推荐挂牌项目数量及市场占比是指2014年1月1日－12月31日期间，主办券商累计推荐并成功实现挂牌的企业家数及其市场占比(统计数据以企业挂牌时间为准)。

2. 持续督导挂牌企业数量是指截至2014年12月31日主办券商持续督导挂牌企业家数(时点数)。

3. 本年年末主办券商持续督导挂牌企业数量＝上一年年末持续督导挂牌企业数量＋本年推荐挂牌企业数量－本年终止挂牌的企业数量(包括被并购、主动申请等原因终止挂牌)－本年与该券商解除持续督导协议的企业数量＋本年该券商承继持续督导服务的企业数量。

2014年主办券商协助挂牌公司实施并购重组情况

序号	主办券商	挂牌公司并购重组项目数量
1	申银万国	5
2	长江证券	2
3	齐鲁证券	1
4	国泰君安	1
5	广发证券	1
6	安信证券	1
7	广州证券	1
8	国海证券	1
9	国信证券	1
10	华创证券	1
11	平安证券	1
合计		16

备注：

1. 挂牌公司并购重组项目数量是指2014年1月1日－12月31日期间，主办券商协助挂牌公司实施收购及重大资产重组的项目数量(统计数据以披露收购报告书和重大资产重组报告书为准)。

2. 挂牌公司收购的判断标准，适用《非上市公众公司收购管理办法》的有关规定。

3. 挂牌公司重大资产重组的判断标准，适用《非上市公众公司重大资产重组管理办法》的有关规定。

2014年主办券商业务协同发展情况——为推荐挂牌企业提供股票发行服务情况

序号	主办券商	股票发行企业数量	持续督导企业数量	股票发行与持续督导企业数量比例
1	广发证券	22	73	30.14%
2	申银万国	22	140	15.71%
3	齐鲁证券	19	90	21.11%
4	长江证券	15	70	21.43%
5	中信建投	12	67	17.91%
6	光大证券	12	41	29.27%
7	宏源证券	11	43	25.58%
8	东北证券	9	44	20.45%
9	上海证券	9	23	39.13%
10	国信证券	8	62	12.90%
11	东吴证券	7	44	15.91%
12	银河证券	6	18	33.33%
13	安信证券	6	47	12.77%
14	东方花旗	6	25	24.00%
15	国金证券	6	22	27.27%
16	金元证券	6	25	24.00%
17	招商证券	6	41	14.63%
18	中信证券	5	26	19.23%
19	西部证券	5	36	13.89%
20	首创证券	5	14	35.71%
21	国泰君安	5	36	13.89%
22	国元证券	5	17	29.41%
23	方正证券	4	28	14.29%
24	长城证券	4	18	22.22%
25	中山证券	4	10	40.00%
26	华西证券	3	5	60.00%
27	平安证券	3	15	20.00%
28	财达证券	3	10	30.00%
29	财通证券	3	13	23.08%
30	大通证券	3	11	27.27%
31	东莞证券	3	13	23.08%
32	海通证券	3	35	8.57%
33	南京证券	3	30	10.00%
34	信达证券	3	6	50.00%
35	中原证券	2	39	5.13%
36	兴业证券	2	21	9.52%
37	东海证券	2	10	20.00%
38	东兴证券	2	15	13.33%
39	广州证券	2	15	13.33%
40	国海证券	2	15	13.33%
41	华安证券	2	10	20.00%
42	华龙证券	2	8	25.00%
43	天风证券	2	9	22.22%
44	万联证券	2	8	25.00%
45	浙商证券	2	12	16.67%
46	中投证券	2	14	14.29%
47	中银国际	2	6	33.33%
48	华融证券	1	5	20.00%
49	财富证券	1	6	16.67%
50	华鑫证券	1	3	33.33%
51	中金公司	1	2	50.00%
52	渤海证券	1	5	20.00%
53	国联证券	1	5	20.00%
54	恒泰证券	1	3	33.33%
55	红塔证券	1	3	33.33%
56	华创证券	1	8	12.50%
57	华林证券	1	8	12.50%
58	华泰证券	1	14	7.14%
59	民生证券	1	6	16.67%
60	世纪证券	1	3	33.33%
61	太平洋证券	1	7	14.29%
62	西南证券	1	9	11.11%
63	湘财证券	1	12	8.33%
64	新时代证券	1	6	16.67%
合计		289	1485	19.46%

备注：股票发行与持续督导企业数量比例是指2014年1月1日－12月31日期间，主办券商办理股票发行的挂牌企业家数与截至2014年12月31日持续督导挂牌企业数量的比例。

2014 年主办券商业务协同发展情况——推荐挂牌同时股票发行情况

序号	主办券商	挂牌同时股票发行企业数量	市场占比
1	广发证券	9	14.06%
2	宏源证券	6	9.38%
3	长江证券	4	6.25%
4	东北证券	3	4.69%
5	东吴证券	3	4.69%
6	申银万国	2	3.13%
7	中信证券	2	3.13%
8	齐鲁证券	2	3.13%
9	西部证券	2	3.13%
10	招商证券	2	3.13%
11	中信建投	2	3.13%
12	长城证券	2	3.13%
13	国金证券	2	3.13%
14	国元证券	2	3.13%
15	首创证券	2	3.13%
16	平安证券	1	1.56%
17	中投证券	1	1.56%
18	国海证券	1	1.56%
19	光大证券	1	1.56%
20	中原证券	1	1.56%
21	东方花旗	1	1.56%
22	安信证券	1	1.56%
23	财通证券	1	1.56%
24	大通证券	1	1.56%
25	财富证券	1	1.56%
26	华西证券	1	1.56%
27	世纪证券	1	1.56%
28	中银国际	1	1.56%
29	华鑫证券	1	1.56%
30	东莞证券	1	1.56%
31	万联证券	1	1.56%
32	中山证券	1	1.56%
33	中金公司	1	1.56%
34	民生证券	1	1.56%
合计		64	100%

备注：挂牌同时股票发行企业数量及市场占比是指2014 年 1 月 1 日 –12 月 31 日期间，主办券商累计推荐成功实现挂牌同时股票发行的企业数量及其市场占比。

会计师事务所服务推荐挂牌情况

会计师事务所	服务推荐挂牌项目数量
瑞华会计师事务所	158
立信会计师事务所	132
北京兴华会计师事务所	112
天健会计师事务所	85
大华会计师事务所	77
中兴财光华会计师事务所	67
大信会计师事务所	66
天职国际会计师事务所	44
华普天健会计师事务所	39
中审亚太会计师事务所	37
中汇会计师事务所	33
中审华寅五洲会计师事务所	30
致同会计师事务所	28
中准会计师事务所	28
信永中和会计师事务所	27
中兴华会计师事务所	24
利安达会计师事务所	21
广东正中珠江会计师事务所	20
众华会计师事务所	20
中喜会计师事务所	19
亚太(集团)会计师事务所	17
江苏公证天业会计师事务所	17
江苏苏亚金诚会计师事务所	15
上会会计师事务所	13
北京永拓会计师事务所	13
山东和信会计师事务所	13
天衡会计师事务所	12
中天运会计师事务所	11
希格玛会计师事务所	11
中勤万信会计师事务所	10
众环海华会计师事务所	9
福建华兴会计师事务所	7
立信中联会计师事务所	6
北京天圆全会计师事务所	5
四川华信(集团)会计师事务所	4
天健正信会计师事务所有限公司	1
北京中证天通会计师事务所	1
合计	1232

备注：服务推荐挂牌项目数量是指2014 年 1 月 1 日 –12 月 31 日期间，会计师事务所累计服务推荐并成功实现挂牌的项目数量。

2014年做市商做市企业数量及成交情况

序号	做市商	做市企业数量	成交量（万股）	市场占比	成交金额（万元）	市场占比	做市股票成交率
1	齐鲁证券	22	456.2	1.83%	5154.06	2.43%	54.91%
2	天风证券	20	836.9	3.35%	10815.86	5.11%	65.35%
3	广州证券	19	311.1	1.25%	2237.72	1.06%	44.24%
4	世纪证券	18	464.9	1.86%	3205.64	1.51%	56.99%
5	中信证券	18	1028.0	4.12%	11055.85	5.22%	90.11%
6	国泰君安	17	1595.8	6.39%	13949.35	6.58%	57.36%
7	上海证券	16	2018.0	8.08%	10006.46	4.72%	63.54%
8	申银万国	16	1341.2	5.37%	9626.47	4.54%	50.32%
9	兴业证券	14	297.2	1.19%	3041.73	1.44%	33.27%
10	国信证券	13	1216.2	4.87%	12254.03	5.78%	35.48%
11	东方证券	12	6024.8	24.12%	56000.47	26.43%	89.17%
12	东莞证券	10	89.4	0.36%	474.54	0.22%	42.55%
13	东吴证券	10	1184.2	4.74%	8139.19	3.84%	48.91%
14	中山证券	10	706.8	2.83%	4932.46	2.33%	57.35%
15	中原证券	10	121.8	0.49%	725.14	0.34%	43.70%
16	东海证券	9	537.2	2.15%	4243.70	2.00%	50.69%
17	山西证券	9	138.5	0.55%	1305.32	0.62%	48.76%
18	华泰证券	8	425.8	1.70%	5288.94	2.50%	49.47%
19	海通证券	7	2511.3	10.05%	16471.52	7.78%	61.87%
20	华安证券	7	41.9	0.17%	285.77	0.13%	50.00%
21	华融证券	7	340.0	1.36%	2823.14	1.33%	75.79%
22	光大证券	6	120.5	0.48%	1130.34	0.53%	34.70%
23	国都证券	6	459.5	1.84%	3041.05	1.44%	55.98%
24	长江证券	6	131.6	0.53%	1885.97	0.89%	49.12%
25	财富证券	5	27.9	0.11%	211.96	0.10%	29.07%
26	广发证券	5	274.0	1.10%	2319.69	1.09%	36.96%
27	宏源证券	5	114.0	0.46%	360.48	0.17%	48.41%
28	金元证券	5	14.6	0.06%	67.11	0.03%	34.93%
29	万联证券	5	37.2	0.15%	228.18	0.11%	38.23%
30	西部证券	5	343.4	1.37%	1898.45	0.90%	32.35%
31	西南证券	5	156.5	0.63%	799.73	0.38%	35.61%
32	中信建投	5	230.3	0.92%	4752.90	2.24%	48.94%
33	安信证券	4	5.7	0.02%	83.18	0.04%	28.78%
34	东兴证券	4	63.2	0.25%	992.91	0.47%	14.60%
35	华鑫证券	4	36.5	0.15%	565.03	0.27%	29.16%
36	南京证券	4	88.7	0.36%	618.67	0.29%	47.04%
37	银河证券	4	353.1	1.41%	2896.71	1.37%	79.90%
38	招商证券	4	47.2	0.19%	1234.92	0.58%	30.15%
39	中银国际	4	77.2	0.31%	492.64	0.23%	28.93%
40	财达证券	3	36.0	0.14%	427.29	0.20%	44.30%
41	恒泰证券	3	77.1	0.31%	636.70	0.30%	58.13%
42	首创证券	3	126.4	0.51%	804.03	0.38%	26.07%
43	长城证券	3	143.9	0.58%	940.44	0.44%	65.84%
44	中金公司	3	35.6	0.14%	266.86	0.13%	41.67%

序号	做市商	做市企业数量	成交量（万股）	市场占比	成交金额（万元）	市场占比	做市股票成交率
45	东北证券	2	17.8	0.07%	134.18	0.06%	60.40%
46	国海证券	2	20.6	0.08%	174.44	0.08%	38.16%
47	国金证券	2	13.8	0.06%	156.58	0.07%	39.75%
48	华福证券	2	9.2	0.04%	70.44	0.03%	47.69%
49	华龙证券	2	48.3	0.19%	906.89	0.43%	50.82%
50	江海证券	2	19.5	0.08%	212.03	0.10%	42.95%
51	浙商证券	2	4.5	0.02%	47.83	0.02%	34.95%
52	中投证券	2	17.9	0.07%	212.65	0.10%	26.61%
53	方正证券	1	8.7	0.03%	40.87	0.02%	29.63%
54	国联证券	1	1.3	0.01%	8.39	0.004%	26.83%
55	红塔证券	1	60.5	0.24%	329.27	0.16%	70.94%
56	华创证券	1	1.9	0.01%	13.31	0.01%	16.52%
57	平安证券	1	2.4	0.01%	41.81	0.02%	71.88%
58	日信证券	1	38.0	0.15%	169.75	0.08%	38.02%
59	太平洋证券	1	17.5	0.07%	575.54	0.27%	34.94%
60	新时代证券	1	9.9	0.04%	60.45	0.03%	25.45%
61	信达证券	1	0.1	0.0004%	0.83	0.0004%	7.69%
合计		24,979.07	100%	211,847.85	100%	—	

备注：

1. 做市企业数量是指截至 2014 年 12 月 31 日，做市商提供做市报价服务的企业家数（统计数据以企业完成变更股票转让方式时间为准）。

2. 成交量及市场占比是指 2014 年 1 月 1 日 – 12 月 31 日期间，做市股票成交量及其市场占比。

3. 成交金额及市场占比是指 2014 年 1 月 1 日 – 12 月 31 日期间，做市股票成交金额及其市场占比。

4. 做市股票成交率是指 2014 年 1 月 1 日 – 12 月 31 日期间，做市商做市股票成交笔数与委托报价次数的比例（统计数据以做市商有效申报为准）。

中科软科技股份有限公司

公司概况	公司名称	中科软科技股份有限公司			股份名称	中科软
	法人代表	李玉成	董秘	张玮	股份代码	430002
	公司网址	www.sinosoft.com.cn		主办券商	申银万国证券股份有限公司	
	电话	010-62570007		传真	010-82523227	
	注册地址	北京市海淀区中关村新科祥园甲六号				
	行业分类	信息传输、软件和信息技术服务业				

主要财务指标	指标\报告期	2014.06.30	2013.12.31	2012.12.31
	营业收入(元)	–	2,679,651,734.09	2,125,085,033.46
	营业利润(元)	–	128,024,686.93	107,724,838.12
	净利润(元)	–	134,755,043.87	111,238,251.64
	未分配利润(元)	–	236,958,896.35	155,631,950.55
	总资产(元)	–	2,297,727,560.60	1,945,194,757.28
	总负债(元)	–	1,785,618,911.05	1,530,636,730.98
	净资产(元)	–	512,108,649.55	414,558,026.30
	每股收益(元)	–	0.64	0.55
	每股净资产(元)	–	2.42	1.96
	净资产收益率(%)	–	26.31	26.83

北京时代科技股份有限公司

公司概况	公司名称	北京时代科技股份有限公司			股份名称	北京时代
	法人代表	彭伟民	董秘	戚濛青	股份代码	430003
	公司网址	www.timegroup.com.cn		主办券商	国泰君安证券股份有限公司	
	电话	010-62977528		传真	010-62967340	
	注册地址	北京市海淀区上地信息产业基地开拓路17号				
	行业分类	制造业				

主要财务指标	指标\报告期	2014.06.30	2013.12.31	2012.12.31
	营业收入(元)	–	305,072,617.35	383,222,286.20
	营业利润(元)	–	11,007,641.10	15,383,560.11
	净利润(元)	–	10,315,556.81	13,564,333.61
	未分配利润(元)	–	132,685,031.05	125,884,964.48
	总资产(元)	–	820,800,874.77	818,093,105.65
	总负债(元)	–	499,937,394.72	504,992,857.64
	净资产(元)	–	320,863,480.05	313,100,248.01
	每股收益(元)	–	0.17	0.22
	每股净资产(元)	–	5.31	5.18
	净资产收益率(%)	–	3.21	4.33

北京绿创环保设备股份有限公司

公司概况	公司名称	北京绿创环保设备股份有限公司			股份名称	绿创设备
	法人代表	姜鹏明	董秘	尹翔	股份代码	430004
	公司网址	www.greentec.com.cn		主办券商	广发证券股份有限公司	
	电话	010-80119702		传真	010-80119760	
	注册地址	北京市昌平区振兴路28号				
	行业分类	制造业				

主要财务指标	指标\报告期	2014.06.30	2013.12.31	2012.12.31
	营业收入(元)	–	55,719,194.54	85,417,811.56
	营业利润(元)	–	-9,197,920.96	-1,759,999.06
	净利润(元)	–	-7,884,880.23	-1,234,568.21
	未分配利润(元)	–	-7,029,091.72	855,788.51
	总资产(元)	–	156,154,033.18	160,260,103.92
	总负债(元)	–	60,456,555.27	56,677,745.78
	净资产(元)	–	95,697,477.91	103,582,358.14
	每股收益(元)	–	-0.09	-0.01
	每股净资产(元)	–	1.1	1.19
	净资产收益率(%)	–	-8.24	-1.19

原子高科股份有限公司

公司概况	公司名称	原子高科股份有限公司			股份名称	原子高科
	法人代表	王国光	董秘	吴陆员	股份代码	430005
	公司网址	www.atom-hitech.com		主办券商	广发证券股份有限公	
	电话	010-62638182		传真	010-69357195	
	注册地址	北京市海淀区西三环北路105号科原大厦10层B座1004-1008室				
	行业分类	制造业				

主要财务指标	指标\报告期	2014.06.30	2013.12.31	2012.12.31
	营业收入(元)	310,160,142.88	576,954,766.50	454,980,063.75
	营业利润(元)	71,856,081.65	109,646,428.47	79,712,415.74
	净利润(元)	61,126,581.45	94,204,314.13	67,900,498.21
	未分配利润(元)	250,362,422.94	234,470,082.03	187,282,787.38
	总资产(元)	795,297,505.70	690,342,455.94	591,720,270.62
	总负债(元)	349,653,076.90	267,610,290.46	237,156,982.35
	净资产(元)	445,644,428.80	422,732,165.48	354,563,288.27
	每股收益(元)	0.79	1.19	0.89
	每股净资产(元)	5.6	5.31	4.48
	净资产收益率(%)	14.11	22.44	19.92

北京华环电子股份有限公司

公司概况	公司名称	北京华环电子股份有限公司		股份名称	华环电子
	法人代表	周立业	董秘 杨兵	股份代码	430009
	公司网址	www.huahuan.com		主办券商	广发证券股份有限公司
	电　话	010-62981998-103		传　真	010-82899801
	注册地址	北京市海淀区上地六街26号			
	行业分类	制造业			

主要财务指标	指标\报告期	2014.06.30	2013.12.31	2012.12.31
	营业收入(元)	–	172,255,636.35	166,215,309.04
	营业利润(元)	–	4,698,586.43	11,660,582.15
	净利润(元)	–	15,150,202.37	13,720,966.31
	未分配利润(元)	–	46,621,139.58	36,249,250.27
	总资产(元)	–	196,518,607.50	177,834,481.55
	总负债(元)	–	76,254,369.01	69,574,676.33
	净资产(元)	–	120,264,238.49	108,259,805.22
	每股收益(元)	–	0.29	0.26
	每股净资产(元)	–	2.29	2.06
	净资产收益率(%)	–	12.6	12.67

现代农装科技股份有限公司

公司概况	公司名称	现代农装科技股份有限公司		股份名称	现代农装
	法人代表	李树君	董秘 王智宇	股份代码	430010
	公司网址	www.xdnz.com.cn		主办券商	申银万国证券股份有限公司
	电　话	010-64882294		传　真	010-64878452
	注册地址	北京市昌平区科技园区中兴路10号A208房间			
	行业分类	制造业			

主要财务指标	指标\报告期	2014.06.30	2013.12.31	2012.12.31
	营业收入(元)	–	1,740,868,581.62	2,032,522,699.70
	营业利润(元)	–	–80,414,260.84	49,788,672.55
	净利润(元)	–	–68,966,764.09	48,021,491.92
	未分配利润(元)	–	148,433,565.00	223,130,080.90
	总资产(元)	–	3,220,919,101.04	2,810,080,259.55
	总负债(元)	–	2,591,035,146.97	2,108,522,820.91
	净资产(元)	–	629,883,954.07	701,557,438.64
	每股收益(元)	–	–0.8	0.52
	每股净资产(元)	–	5.21	6.07
	净资产收益率(%)	–	–15.37	8.53

北京指南针科技发展股份有限公司

公司概况	公司名称	北京指南针科技发展股份有限公司		股份名称	指 南 针
	法人代表	陈宽余	董秘 孙鸣	股份代码	430011
	公司网址	www.compass.com.cn		主办券商	申银万国证券股份有限公司
	电　话	010-82559889		传　真	010-82559999
	注册地址	北京市朝阳区湖光北街9号			
	行业分类	信息传输、软件和信息技术服务业			

主要财务指标	指标\报告期	2014.06.30	2013.12.31	2012.12.31
	营业收入(元)	–	49,787,284.00	49,071,083.00
	营业利润(元)	–	–38,625,565.00	–30,765,846.00
	净利润(元)	–	–33,463,538.00	–31,586,897.00
	未分配利润(元)	–	–142,040,069.00	–108,576,531.00
	总资产(元)	–	113,852,742.00	60,630,430.00
	总负债(元)	–	108,478,327.00	25,277,757.00
	净资产(元)	–	5,374,415.00	35,352,673.00
	每股收益(元)	–	–0.46	–0.43
	每股净资产(元)	–	0.07	0.48
	净资产收益率(%)	–	–622.65	–89.26

北京恒业世纪科技股份有限公司

公司概况	公司名称	北京恒业世纪科技股份有限公司		股份名称	恒业世纪
	法人代表	刘燕生	董秘 曾巩	股份代码	430014
	公司网址	www.hy5000.com		主办券商	平安证券有限责任公司
	电　话	010-67218877		传　真	010-67282879
	注册地址	北京海淀区紫竹院路33号美林公寓1-6A			
	行业分类	制造业			

主要财务指标	指标\报告期	2014.06.30	2013.12.31	2012.12.31
	营业收入(元)	–	163,974,044.89	122,359,333.58
	营业利润(元)	–	15,095,108.80	9,806,233.07
	净利润(元)	–	15,077,550.14	9,856,792.49
	未分配利润(元)	–	36,436,381.97	25,980,332.20
	总资产(元)	–	175,352,177.30	136,502,416.10
	总负债(元)	–	82,686,754.42	55,404,297.06
	净资产(元)	–	92,665,422.88	81,098,119.04
	每股收益(元)	–	0.3	0.20
	每股净资产(元)	–	1.85	1.62
	净资产收益率(%)	–	16.27	12.15

北京盖特佳信息科技股份有限公司

公司概况	公司名称	北京盖特佳信息科技股份有限公司		股份名称	盖特佳
	法人代表	王挺	董秘 华晓刚	股份代码	430015
	公司网址	www.gateguard.com.cn	主办券商	申银万国证券股份有限公司	
	电话	010-82657133-1004	传真	010-82658789	
	注册地址	北京市海淀区万泉河路68号紫金庄园小区8号楼紫金大厦1705室			
	行业分类	信息传输、软件和信息技术服务业			

主要财务指标	指标\报告期	2014.06.30	2013.12.31	2012.12.31
	营业收入(元)	–	6,275,280.64	3,564,630.19
	营业利润(元)	–	–10,289,902.66	–8,075,321.95
	净利润(元)	–	–10,302,179.16	–7,965,599.37
	未分配利润(元)	–	–14,709,145.59	–4,406,966.43
	总资产(元)	–	37,044,658.48	46,662,373.22
	总负债(元)	–	2,946,596.15	2,262,131.73
	净资产(元)	–	34,098,062.33	44,400,241.49
	每股收益(元)	–	–0.25	–0.20
	每股净资产(元)	–	0.84	1.09
	净资产收益率(%)	–	–30.21	–17.94

北京胜龙科技股份有限公司

公司概况	公司名称	北京胜龙科技股份有限公司		股份名称	胜龙科技
	法人代表	施智华	董秘 郭维	股份代码	430016
	公司网址	www.shenglong.com.cn	主办券商	申银万国证券股份有限公司	
	电话	010-88018329	传真	010-88019567	
	注册地址	北京市海淀区车公庄西路乙19号(华通大厦B座17层)			
	行业分类	信息传输、软件和信息技术服务业			

主要财务指标	指标\报告期	2014.06.30	2013.12.31	2012.12.31
	营业收入(元)	–	10,297,508.59	14,260,861.62
	营业利润(元)	–	–15,400,196.60	–5,327,251.55
	净利润(元)	–	–15,259,440.17	–4,904,621.02
	未分配利润(元)	–	–30,119,060.46	–6,522,813.81
	总资产(元)	–	32,989,849.56	45,869,941.79
	总负债(元)	–	26,257,930.03	15,541,775.61
	净资产(元)	–	6,731,919.53	30,328,166.18
	每股收益(元)	–	–0.63	–0.20
	每股净资产(元)	–	0.28	1.25
	净资产收益率(%)	–	–226.67	–16.17

北京星昊医药股份有限公司

公司概况	公司名称	北京星昊医药股份有限公司		股份名称	星昊医药
	法人代表	殷岚	董秘 温茜	股份代码	430017
	公司网址	www.sunho.com.cn	主办券商	海通证券股份有限公司	
	电话	010-67888388	传真	010-67888288	
	注册地址	北京经济技术开发区中和街18号			
	行业分类	制造业			

主要财务指标	指标\报告期	2014.06.30	2013.12.31	2012.12.31
	营业收入(元)	–	257,679,427.36	202,284,370.08
	营业利润(元)	–	73,461,478.63	63,676,533.78
	净利润(元)	–	63,449,193.48	54,434,027.94
	未分配利润(元)	–	214,105,583.69	153,694,777.12
	总资产(元)	–	625,467,376.47	449,410,171.89
	总负债(元)	–	171,113,849.75	61,653,165.41
	净资产(元)	–	454,353,526.72	387,757,006.48
	每股收益(元)	–	0.83	0.92
	每股净资产(元)	–	5.84	6.54
	净资产收益率(%)	–	14.14	14.03

北京合纵科技股份有限公司

公司概况	公司名称	北京合纵科技股份有限公司		股份名称	合纵科技
	法人代表	刘泽刚	董秘 冯峥	股份代码	430018
	公司网址	www.chinahezong.com	主办券商	申银万国证券股份有限公司	
	电话	010-62973188	传真	010-62975911	
	注册地址	北京市海淀区上地三街9号嘉华大厦D1211			
	行业分类	制造业			

主要财务指标	指标\报告期	2014.06.30	2013.12.31	2012.12.31
	营业收入(元)	–	714,235,239.84	516,650,536.48
	营业利润(元)	–	86,528,325.55	80,688,894.87
	净利润(元)	–	76,393,630.04	69,498,475.86
	未分配利润(元)	–	234,597,720.95	163,963,511.15
	总资产(元)	–	815,817,550.51	624,840,584.73
	总负债(元)	–	453,801,261.45	339,217,925.73
	净资产(元)	–	362,016,289.06	285,622,659.00
	每股收益(元)	–	0.93	0.85
	每股净资产(元)	–	4.36	3.43
	净资产收益率(%)	–	21.35	24.65

北京新松佳和电子系统股份有限公司

公司概况	公司名称	北京新松佳和电子系统股份有限公司			股份名称	新松佳和
	法人代表	曲道奎	董秘	舒伟	股份代码	430019
	公司网址	www.bjsiasun.com		主办券商	申银万国证券股份有限公司	
	电　话	010-63324498		传　真	010-63361768	
	注册地址	北京市海淀区北小马厂6号华天大厦1018室				
	行业分类	信息传输、软件和信息技术服务业				

主要财务指标	指标\报告期	2014.06.30	2013.12.31	2012.12.31
	营业收入(元)	33,090,862.27	80,000,461.97	71,288,035.86
	营业利润(元)	918,922.63	8,749,155.76	8,420,888.31
	净利润(元)	1,061,110.98	7,395,677.69	7,177,354.31
	未分配利润(元)	44,536,435.70	43,475,324.72	37,819,214.80
	总资产(元)	103,303,664.55	109,052,953.68	89,724,568.50
	总负债(元)	27,426,355.77	34,236,755.88	21,304,048.39
	净资产(元)	75,877,308.78	74,816,197.80	68,420,520.11
	每股收益(元)	0.04	0.3	0.29
	每股净资产(元)	3.04	2.99	2.74
	净资产收益率(%)	1.4	9.89	10.49

北京建工华创科技发展股份有限公司

公司概况	公司名称	北京建工华创科技发展股份有限公司			股份名称	建工华创
	法人代表	周华林	董秘	望雪林	股份代码	430020
	公司网址	www.hctech.com.cn		主办券商	申银万国证券股份有限公司	
	电　话	010-69766676		传　真	010-69761176	
	注册地址	北京市昌平区科技园区中兴路10号A329-1				
	行业分类	制造业				

主要财务指标	指标\报告期	2014.06.30	2013.12.31	2012.12.31
	营业收入(元)	-	47,809,665.46	8,604,655.33
	营业利润(元)	-	-14,528,986.80	-17,396,083.81
	净利润(元)	-	-14,828,519.77	-17,156,620.49
	未分配利润(元)	-	-18,538,878.89	-4,467,686.81
	总资产(元)	-	101,478,354.71	114,006,177.49
	总负债(元)	-	30,732,636.52	28,431,939.53
	净资产(元)	-	70,745,718.19	85,574,237.96
	每股收益(元)	-	-0.39	-0.46
	每股净资产(元)	-	1.52	1.91
	净资产收益率(%)	-	-25.71	-24.21

北京海鑫科金高科技股份有限公司

公司概况	公司名称	北京海鑫科金高科技股份有限公司			股份名称	海鑫科金
	法人代表	刘晓春	董秘	刘桂敏	股份代码	430021
	公司网址	www.hisign.com.cn		主办券商	广发证券股份有限公司	
	电　话	010-63269992-6858		传　真	010-63323420	
	注册地址	北京市丰台区南四环西路186号四区4号楼6层				
	行业分类	信息传输、软件和信息技术服务业				

主要财务指标	指标\报告期	2014.06.30	2013.12.31	2012.12.31
	营业收入(元)	-	330,749,364.79	232,423,931.78
	营业利润(元)	-	44,522,707.38	38,843,237.83
	净利润(元)	-	55,648,744.11	49,149,990.28
	未分配利润(元)	-	119,973,320.20	126,852,203.50
	总资产(元)	-	462,621,411.11	360,947,182.14
	总负债(元)	-	147,715,498.46	68,564,238.23
	净资产(元)	-	314,905,912.65	292,382,943.91
	每股收益(元)	-	0.32	0.54
	每股净资产(元)	-	1.94	3.23
	净资产收益率(%)	-	16.33	16.62

北京五岳鑫信息技术股份有限公司

公司概况	公司名称	北京五岳鑫信息技术股份有限公司			股份名称	五岳鑫
	法人代表	庞志耕	董秘	唐全利	股份代码	430022
	公司网址	www.maystar.com.cn		主办券商	国信证券股份有限公司	
	电　话	010-62976668		传　真	010-62976668	
	注册地址	北京市海淀区上地信息路22号上地科技综合楼B座五层				
	行业分类	制造业				

主要财务指标	指标\报告期	2014.06.30	2013.12.31	2012.12.31
	营业收入(元)	-	44,663,803.97	40,685,589.05
	营业利润(元)	-	10,484,187.84	8,537,649.21
	净利润(元)	-	12,513,357.73	10,190,937.75
	未分配利润(元)	-	17,278,952.14	10,938,311.27
	总资产(元)	-	83,915,216.67	76,200,696.25
	总负债(元)	-	6,815,022.39	6,693,859.70
	净资产(元)	-	77,100,194.28	69,506,836.55
	每股收益(元)	-	0.25	0.21
	每股净资产(元)	-	1.57	1.41
	净资产收益率(%)	-	16.23	14.66

北京金和软件股份有限公司

公司概况	公司名称	北京金和软件股份有限公司		股份名称	金和软件
	法人代表	栾润峰	董秘 房宏伟	股份代码	430024
	公司网址	www.jh0101.com		主办券商	中国中投证券有限责任公司
	电话	010-58858686		传真	010-58945666
	注册地址	北京市海淀区上地东路1号院盈创动力大厦A座401室			
	行业分类	信息传输、软件和信息技术服务业			

主要财务指标	指标\报告期	2014.06.30	2013.12.31	2012.12.31
	营业收入(元)	–	72,465,292.03	72,960,867.53
	营业利润(元)	–	-4,348,031.48	-5,091,615.18
	净利润(元)	–	2,360,718.65	972,908.87
	未分配利润(元)	–	313,352.32	1,009,538.97
	总资产(元)	–	80,039,740.10	68,840,704.23
	总负债(元)	–	51,265,159.68	39,602,574.43
	净资产(元)	–	28,774,580.42	29,238,129.80
	每股收益(元)	–	0.1	0.04
	每股净资产(元)	–	1.27	1.30
	净资产收益率(%)	–	8.2	3.33

北京石晶光电科技股份有限公司

公司概况	公司名称	北京石晶光电科技股份有限公司		股份名称	石晶光电
	法人代表	魏占志	董秘 阮中杰	股份代码	430025
	公司网址	www.cnbjcp.com		主办券商	广发证券股份有限公司
	电话	0391-6930695		传真	0391-6930836
	注册地址	北京市海淀区知春路118号知春大厦A座605室			
	行业分类	制造业			

主要财务指标	指标\报告期	2014.06.30	2013.12.31	2012.12.31
	营业收入(元)	33,688,078.50	73,811,737.95	87,778,933.99
	营业利润(元)	-616,949.26	457,592.25	6,015,164.83
	净利润(元)	-519,070.07	2,666,943.09	5,777,835.58
	未分配利润(元)	33,105,692.80	33,958,060.71	32,828,575.92
	总资产(元)	143,894,090.52	147,909,824.39	149,074,615.40
	总负债(元)	18,460,544.39	21,957,208.19	23,618,604.05
	净资产(元)	125,433,546.13	125,952,616.20	125,456,011.35
	每股收益(元)	-0.02	0.04	0.08
	每股净资产(元)	1.89	1.91	1.88
	净资产收益率(%)	-0.8	1.91	4.39

北京北科光大信息技术股份有限公司

公司概况	公司名称	北京北科光大信息技术股份有限公司		股份名称	北科光大
	法人代表	侯鲁民	董秘 张爽	股份代码	430027
	公司网址	www.919.com.cn		主办券商	上海证券有限责任公司
	电话	010-82652801		传真	010-82652808
	注册地址	北京市海淀区玉泉山路23号1号楼			
	行业分类	信息传输、软件和信息技术服务业			

主要财务指标	指标\报告期	2014.06.30	2013.12.31	2012.12.31
	营业收入(元)	–	24,203,744.03	18,891,027.02
	营业利润(元)	–	-63,109.33	-3,271,872.72
	净利润(元)	–	408,823.92	248,378.15
	未分配利润(元)	–	8,560,356.78	8,192,362.95
	总资产(元)	–	58,932,580.99	54,431,242.50
	总负债(元)	–	5,296,197.91	1,203,683.34
	净资产(元)	–	53,636,383.08	53,227,559.16
	每股收益(元)	–	0.01	0.01
	每股净资产(元)	–	1.22	1.21
	净资产收益率(%)	–	0.76	0.47

北京京鹏环球科技股份有限公司

公司概况	公司名称	北京京鹏环球科技股份有限公司		股份名称	京鹏科技
	法人代表	田真	董秘 刘文玺	股份代码	430028
	公司网址	www.kingpeng.cn		主办券商	申银万国证券股份有限公司
	电话	010-58711535		传真	010-58711560
	注册地址	北京市海淀区丰慧中路7号新材料创业大厦705号			
	行业分类	农、林、牧、渔业			

主要财务指标	指标\报告期	2014.06.30	2013.12.31	2012.12.31
	营业收入(元)	–	235,448,006.11	312,316,217.95
	营业利润(元)	–	14,285,670.44	18,875,033.51
	净利润(元)	–	14,287,961.74	20,274,938.46
	未分配利润(元)	–	41,638,388.49	29,636,076.41
	总资产(元)	–	337,560,696.52	326,338,371.92
	总负债(元)	–	173,673,511.78	163,851,188.13
	净资产(元)	–	163,887,184.74	162,487,183.79
	每股收益(元)	–	0.25	0.31
	每股净资产(元)	–	2.7	2.6
	净资产收益率(%)	–	9.21	11.8

北京金泰得生物科技股份有限公司

公司概况	公司名称	北京金泰得生物科技股份有限公司		股份名称	金泰得
	法人代表	刘长根	董秘	徐丽秋	股份代码	430029
	公司网址	www.gold-tide.com.cn		主办券商	上海证券有限责任公司
	电话	010-82352232		传真	010-82356103
	注册地址	北京市海淀区知春路23号量子银座206室			
	行业分类	制造业			

主要财务指标	指标\报告期	2014.06.30	2013.12.31	2012.12.31
	营业收入(元)	–	170,575,168.34	150,995,430.02
	营业利润(元)	–	-6,967,297.24	4,599,177.09
	净利润(元)	–	-5,162,432.58	2,892,830.38
	未分配利润(元)	–	7,887,086.79	13,574,855.80
	总资产(元)	–	84,123,658.07	83,861,969.65
	总负债(元)	–	35,181,754.73	29,071,633.73
	净资产(元)	–	48,941,903.34	54,790,335.92
	每股收益(元)	–	-0.15	0.08
	每股净资产(元)	–	1.41	1.58
	净资产收益率(%)	–	-10.35	5.36

北京林克曼数控技术股份有限公司

公司概况	公司名称	北京林克曼数控技术股份有限公司			股份名称	林克曼
	法人代表	陆元元	董秘	刘旭超	股份代码	430031
	公司网址	www.linkman.com.cn		主办券商	申银万国证券股份有限公司	
	电话	010-69801390		传真	010-69801360	
	注册地址	北京市海淀区小南庄怡秀园4-5055				
	行业分类	制造业				

主要财务指标	指标\报告期	2014.06.30	2013.12.31	2012.12.31
	营业收入(元)	–	18,336,209.24	15,190,804.41
	营业利润(元)	–	8,052,882.07	6,302,329.95
	净利润(元)	–	8,502,793.90	7,290,743.00
	未分配利润(元)	–	51,622,510.22	49,407,495.71
	总资产(元)	–	81,722,769.96	77,233,219.79
	总负债(元)	–	3,014,037.65	1,589,781.38
	净资产(元)	–	78,708,732.31	75,643,438.41
	每股收益(元)	–	0.43	0.36
	每股净资产(元)	–	3.94	3.78
	净资产收益率(%)	–	10.8	9.64

北京凯英信业科技股份有限公司

公司概况	公司名称	北京凯英信业科技股份有限公司			股份名称	凯英信业
	法人代表	贾立东	董秘	张旭	股份代码	430032
	公司网址	www.keytec.com.cn		主办券商	齐鲁证券有限公司	
	电话	010-82601199		传真	010-82600469	
	注册地址	北京市海淀区学院路30号科大天工大厦B座18层01-15室				
	行业分类	计算机				

主要财务指标	指标\报告期	2014.06.30	2013.12.31	2012.12.31
	营业收入(元)	–	144,800,551.50	122,675,796.43
	营业利润(元)	–	3,521,289.50	2,716,833.74
	净利润(元)	–	5,828,904.05	3,282,871.39
	未分配利润(元)	–	18,390,069.77	13,243,227.13
	总资产(元)	–	202,966,212.40	161,382,603.15
	总负债(元)	–	134,473,176.65	98,718,471.45
	净资产(元)	–	68,493,035.75	62,664,131.70
	每股收益(元)	–	0.15	0.08
	每股净资产(元)	–	1.72	1.57
	净资产收益率(%)	–	8.51	5.24

北京彩讯科技股份有限公司

公司概况	公司名称	北京彩讯科技股份有限公司			股份名称	彩讯科技
	法人代表	莫美明	董秘	戴万方	股份代码	430033
	公司网址	www.triolion.com		主办券商	上海证券有限责任公司	
	电话	010-82771801		传真	010-82784687	
	注册地址	北京市海淀区东北旺西路8号中关村软件园8号楼301室				
	行业分类	计算机				

主要财务指标	指标\报告期	2014.06.30	2013.12.31	2012.12.31
	营业收入(元)	64,785,030.67	143,906,427.44	175,775,439.51
	营业利润(元)	-8,217,622.29	-12,629,008.80	11,941,519.69
	净利润(元)	-7,643,542.10	-8,987,752.80	12,288,193.47
	未分配利润(元)	31,476,236.20	39,119,778.30	48,107,531.10
	总资产(元)	161,597,051.51	176,933,039.50	190,971,438.61
	总负债(元)	71,097,439.01	78,789,884.90	83,840,531.21
	净资产(元)	90,499,612.50	98,143,154.60	107,130,907.40
	每股收益(元)	-0.2	-0.24	0.32
	每股净资产(元)	2.37	2.57	2.81
	净资产收益率(%)	-8.45	-9.16	11.47

北京九州大地生物技术集团股份有限公司

公司概况	公司名称	北京九州大地生物技术集团股份有限公司		股份名称	大地股份
	法人代表	马红刚	董秘		股份代码	430034
	公司网址	www.jzdd.com.cn		主办券商	南京证券股份有限公司
	电　　话	010-63711800		传　　真	010-63712036
	注册地址	北京市海淀区上地信息路1号2号楼1901室			
	行业分类	食品饮料			

	指标\报告期	2014.06.30	2013.12.31	2012.12.31
主要财务指标	营业收入(元)	322,595,802.77	553,692,907.48	608,156,158.38
	营业利润(元)	9,146,516.45	9,426,533.32	15,630,137.50
	净利润(元)	8,889,570.53	16,810,828.99	19,753,631.65
	未分配利润(元)	70,796,083.17	63,374,972.84	51,445,529.69
	总资产(元)	319,358,535.54	285,358,657.41	239,352,098.38
	总负债(元)	150,459,369.28	134,135,582.60	118,480,608.15
	净资产(元)	168,899,166.26	151,223,074.81	120,871,490.23
	每股收益(元)	0.15	0.26	0.35
	每股净资产(元)	2.66	2.51	2.42
	净资产收益率(%)	5.59	10.49	15.78

北京中兴通科技股份有限公司

公司概况	公司名称	北京中兴通科技股份有限公司		股份名称	中兴通
	法人代表	朱元涛	董秘 刘世芳(代)	股份代码	430035
	公司网址			主办券商	国信证券股份有限公司
	电　　话	010-82781589		传　　真	010-6297985
	注册地址	北京市海淀区上地三街9号C座1001室			
	行业分类	信息传输、软件和信息技术服务业			

	指标\报告期	2014.06.30	2013.12.31	2012.12.31
主要财务指标	营业收入(元)	8,072,713.08	22,839,764.93	105,497,246.50
	营业利润(元)	-2,100,052.19	-14,534,698.93	13,516,295.60
	净利润(元)	-2,178,272.93	-16,079,762.54	20,260,350.48
	未分配利润(元)	52,303,080.07	54,481,353.00	70,972,481.53
	总资产(元)	187,019,196.67	193,752,107.83	205,185,429.71
	总负债(元)	7,605,321.30	12,159,959.53	7,056,445.55
	净资产(元)	179,413,875.37	181,592,148.30	198,128,984.16
	每股收益(元)	-0.02	-0.15	0.18
	每股净资产(元)	1.63	1.65	1.80
	净资产收益率(%)	-1.21	-8.86	10.26

北京鼎普科技股份有限公司

公司概况	公司名称	北京鼎普科技股份有限公司		股份名称	鼎普科技
	法人代表	于晴	董秘 曲则明	股份代码	430036
	公司网址	www.tipfocus.com		主办券商	国泰君安证券股份有限公司
	电　　话	010-51660818		传　　真	010-51660818-8811
	注册地址	北京市海淀区农大南路1号硅谷亮城2C楼二、三层			
	行业分类	计算机			

	指标\报告期	2014.06.30	2013.12.31	2012.12.31
主要财务指标	营业收入(元)	-	111,666,303.56	83,217,538.37
	营业利润(元)	-	12,720,750.51	11,120,067.88
	净利润(元)	-	22,130,416.36	27,094,487.05
	未分配利润(元)	-	64,070,971.90	51,073,285.46
	总资产(元)	-	230,553,569.98	119,646,776.93
	总负债(元)	-	105,711,127.62	9,493,203.66
	净资产(元)	-	124,842,442.36	110,153,573.27
	每股收益(元)	-	0.44	0.57
	每股净资产(元)	-	2.49	2.20
	净资产收益率(%)	-	17.73	24.60

北京联飞翔科技股份有限公司

公司概况	公司名称	北京联飞翔科技股份有限公司		股份名称	联飞翔
	法人代表	郑淑芬	董秘 崔正朔	股份代码	430037
	公司网址	www.unifly.com.cn		主办券商	申银万国证券股份有限公司
	电　　话	010-64097242		传　　真	010-64097234
	注册地址	北京市东城区安定门东大街28号A710			
	行业分类	非金属类建材			

	指标\报告期	2014.06.30	2013.12.31	2012.12.31
主要财务指标	营业收入(元)	70,279,954.44	127,797,230.91	108,098,484.87
	营业利润(元)	14,509,979.31	24,132,556.50	17,980,822.36
	净利润(元)	15,123,089.39	27,068,816.34	19,518,600.30
	未分配利润(元)	79,475,646.56	64,686,726.10	42,052,789.47
	总资产(元)	302,424,438.43	301,079,068.90	257,468,818.95
	总负债(元)	76,909,954.54	78,814,491.50	80,310,255.47
	净资产(元)	225,514,483.89	222,264,577.40	177,158,563.48
	每股收益(元)	0.15	0.26	0.25
	每股净资产(元)	2.11	1.97	2.20
	净资产收益率(%)	6.88	12.86	11.22

北京信维科技股份有限公司

公司概况	公司名称	北京信维科技股份有限公司		股份名称	信维科技	
	法人代表	刘云龙	董秘	魏钧	股份代码	430038
	公司网址	www.shinewaytech.com	主办券商	西部证券股份有限公司		
	电　话	010-51551122	传　真	010-62386994		
	注册地址	北京市海淀区花园北路14号66号楼5层				
	行业分类	制造业				

主要财务指标	指标\报告期	2014.06.30	2013.12.31	2012.12.31
	营业收入(元)	-	65,289,966.36	45,627,772.24
	营业利润(元)	-	1,947,917.18	2,891,814.85
	净利润(元)	-	2,945,202.65	7,318,222.99
	未分配利润(元)	-	46,997,735.27	44,352,351.83
	总资产(元)	-	90,735,190.37	83,381,468.02
	总负债(元)	-	13,351,197.00	12,797,477.90
	净资产(元)	-	77,383,993.37	70,583,990.12
	每股收益(元)	-	0.15	0.39
	每股净资产(元)	-	3.94	3.78
	净资产收益率(%)	-	3.81	10.37

北京华高世纪科技股份有限公司

公司概况	公司名称	北京华高世纪科技股份有限公司		股份名称	华高世纪	
	法人代表	高华智	董秘	张玲	股份代码	430039
	公司网址	www.waycom.cn	主办券商	招商证券股份有限公司		
	电　话	010-84599728	传　真	010-84599723		
	注册地址	北京市朝阳区酒仙桥路4号院内				
	行业分类	计算机				

主要财务指标	指标\报告期	2014.06.30	2013.12.31	2012.12.31
	营业收入(元)	36,347,763.70	55,292,224.09	61,007,835.50
	营业利润(元)	14,040,182.56	10,872,084.37	14,444,755.72
	净利润(元)	13,421,250.65	13,101,080.94	13,324,741.12
	未分配利润(元)	69,423,582.93	56,002,332.28	44,608,144.15
	总资产(元)	116,840,506.26	100,205,608.99	84,529,473.11
	总负债(元)	24,265,070.48	21,051,423.86	17,542,270.25
	净资产(元)	92,575,435.78	79,154,185.13	66,987,202.86
	每股收益(元)	0.71	0.7	0.71
	每股净资产(元)	4.92	4.21	3.56
	净资产收益率(%)	14.5	16.55	19.89

北京康斯特仪表科技股份有限公司

公司概况	公司名称	北京康斯特仪表科技股份有限公司		股份名称	康斯特	
	法人代表	姜维利	董秘	何欣	股份代码	430040
	公司网址	www.constgroup.com	主办券商	西部证券股份有限公司		
	电　话	010-82782288	传　真	010-82782266		
	注册地址	北京市海淀区丰秀中路3号院5号楼				
	行业分类	制造业				

主要财务指标	指标\报告期	2014.06.30	2013.12.31	2012.12.31
	营业收入(元)	-	117,717,117.97	104,534,354.82
	营业利润(元)	-	27,628,927.03	22,694,765.75
	净利润(元)	-	30,455,352.96	24,526,738.71
	未分配利润(元)	-	101,459,207.42	79,169,781.20
	总资产(元)	-	207,585,532.72	171,101,414.69
	总负债(元)	-	62,038,724.71	50,749,014.95
	净资产(元)	-	145,546,808.01	120,352,399.74
	每股收益(元)	-	1	0.80
	每股净资产(元)	-	4.76	3.93
	净资产收益率(%)	-	20.93	20.38

北京中机联供非晶科技股份有限公司

公司概况	公司名称	北京中机联供非晶科技股份有限公司		股份名称	中机非晶	
	法人代表	徐继斌	董秘	何力	股份代码	430041
	公司网址	www.zjamo.com	主办券商	国信证券股份有限公司		
	电　话	010-83607128	传　真	010-63750576		
	注册地址	北京市丰台区南四环西路188号12区30号楼607				
	行业分类	电力设备与新能源				

主要财务指标	指标\报告期	2014.06.30	2013.12.31	2012.12.31
	营业收入(元)	-	274,309,894.79	219,238,824.47
	营业利润(元)	-	18,071,026.06	13,284,553.39
	净利润(元)	-	15,927,546.89	12,570,267.61
	未分配利润(元)	-	34,289,141.24	23,766,113.64
	总资产(元)	-	123,045,187.93	123,716,967.05
	总负债(元)	-	43,427,964.96	56,227,290.97
	净资产(元)	-	79,617,222.97	67,489,676.08
	每股收益(元)	-	0.42	0.33
	每股净资产(元)	-	2.1	1.78
	净资产收益率(%)	-	20.01	18.63

北京市科瑞讯科技发展股份有限公司

公司概况	公司名称	北京市科瑞讯科技发展股份有限公司			股份名称	科 瑞 讯
	法人代表	郑岩松	董秘	李顺爱	股份代码	430042
	公司网址	www.creation-bj.com		主办券商	西部证券股份有限公司	
	电　话	010-88468582		传　真	010-88468823	
	注册地址	北京市西城区德外德胜里一区八号楼招待所01号				
	行业分类	计算机				

	指标\报告期	2014.06.30	2013.12.31	2012.12.31
主要财务指标	营业收入(元)	–	50,001,847.45	36,287,085.78
	营业利润(元)	–	2,296,552.92	2,796,568.64
	净利润(元)	–	5,247,203.17	5,087,208.03
	未分配利润(元)	–	12,891,724.72	7,522,808.31
	总资产(元)	–	111,901,879.96	95,677,414.18
	总负债(元)	–	63,910,677.52	53,079,361.69
	净资产(元)	–	47,991,202.44	42,598,052.49
	每股收益(元)	–	0.26	0.23
	每股净资产(元)	–	1.91	1.64
	净资产收益率(%)	–	13.76	13.72

北京东宝亿通科技股份有限公司

公司概况	公司名称	北京东宝亿通科技股份有限公司			股份名称	东宝亿通
	法人代表	高同江	董秘	张鑫	股份代码	430044
	公司网址	www.dongbaoyitong.com		主办券商	申银万国证券股份有限公司	
	电　话	010-58677670		传　真	010-58677670	
	注册地址	北京市石景山区八大处高科技园区西井路3号3号楼1356房间				
	行业分类	机械				

	指标\报告期	2014.06.30	2013.12.31	2012.12.31
主要财务指标	营业收入(元)	–	67,961.17	3,689,320.39
	营业利润(元)	–1,388,924.68	–2,961,854.07	101,156.86
	净利润(元)	–1,388,924.68	–2,962,190.67	72,068.04
	未分配利润(元)	5,970,440.29	7,359,364.97	10,321,555.64
	总资产(元)	40,831,182.60	42,211,710.38	44,872,495.30
	总负债(元)	4,179,438.16	4,171,041.26	3,869,635.51
	净资产(元)	36,651,744.44	38,040,669.12	41,002,859.79
	每股收益(元)	–0.05	–0.11	0.00
	每股净资产(元)	1.31	1.36	1.46
	净资产收益率(%)	–3.79	–7.79	0.18

北京圣博润高新技术股份有限公司

公司概况	公司名称	北京圣博润高新技术股份有限公司			股份名称	圣 博 润
	法人代表	孟岗	董秘	张彬	股份代码	430046
	公司网址	www.sbr-info.com		主办券商	西部证券股份有限公司	
	电　话	010-82133805		传　真	010-82137982	
	注册地址	北京市海淀区知春路56号西区64楼第七层711房间				
	行业分类	计算机				

	指标\报告期	2014.06.30	2013.12.31	2012.12.31
主要财务指标	营业收入(元)	–	45,637,543.37	39,119,930.35
	营业利润(元)	–	–393,520.87	2,387,966.06
	净利润(元)	–	5,575,443.74	4,101,598.12
	未分配利润(元)	–	20,813,758.49	15,569,663.97
	总资产(元)	–	64,035,878.03	52,063,153.77
	总负债(元)	–	29,978,102.50	23,832,149.92
	净资产(元)	–	34,057,775.53	28,231,003.85
	每股收益(元)	–	0.51	0.38
	每股净资产(元)	–	3.12	2.59
	净资产收益率(%)	–	16.37	14.53

北京诺思兰德生物技术股份有限公司

公司概况	公司名称	北京诺思兰德生物技术股份有限公司			股份名称	诺思兰德
	法人代表	许松山	董秘	聂李亚	股份代码	430047
	公司网址	www.northland-bio.com		主办券商	齐鲁证券有限公司	
	电　话	010-82890893		传　真	010-82890892	
	注册地址	北京市海淀区上地开拓路5号A402室				
	行业分类	医药生物				

	指标\报告期	2014.06.30	2013.12.31	2012.12.31
主要财务指标	营业收入(元)	–	2,679,651,734.09	5,088,024.27
	营业利润(元)	–	128,024,686.93	–5,912,875.14
	净利润(元)	–	134,755,043.87	488,511.60
	未分配利润(元)	–	236,958,896.35	–4,583,825.40
	总资产(元)	–	2,297,727,560.60	73,343,398.61
	总负债(元)	–	1,785,618,911.05	28,677,029.82
	净资产(元)	–	512,108,649.55	44,666,368.79
	每股收益(元)	–	0.64	0.01
	每股净资产(元)	–	2.42	1.03
	净资产收益率(%)	–	26.31	1.09

北京建设数字科技股份有限公司

公司概况	公司名称	北京建设数字科技股份有限公司			股份名称	建设数字
	法人代表	方刚	董秘	刘春艳	股份代码	430048
	公司网址	www.consmation.com		主办券商	东海证券有限责任公司	
	电　　话	010-88018260		传　　真	010-88018851	
	注册地址	北京市海淀区车公庄西路乙 19 号华通大厦 B 座北段 15 层北塔				
	行业分类	计算机				

	指标\报告期	2014.06.30	2013.12.31	2012.12.31
主要财务指标	营业收入(元)	–	44,626,746.11	43,395,128.53
	营业利润(元)	–	5,444,306.90	6,909,263.52
	净利润(元)	–	6,448,608.62	8,304,190.71
	未分配利润(元)	–	37,521,291.94	31,717,544.18
	总资产(元)	–	90,578,495.50	84,406,292.25
	总负债(元)	–	6,773,083.18	7,049,488.55
	净资产(元)	–	83,805,412.32	77,356,803.70
	每股收益(元)	–	0.19	0.25
	每股净资产(元)	–	2.48	2.29
	净资产收益率(%)	–	7.7	10.74

北京双杰电气股份有限公司

公司概况	公司名称	北京双杰电气股份有限公司			股份名称	双杰电气
	法人代表	赵志宏	董秘	李涛	股份代码	430049
	公司网址	www.sojoline.com		主办券商	东北证券股份有限公司	
	电　　话	010-62988465		传　　真	010-62988464	
	注册地址	北京市海淀区上地三街 9 号 D 座 1111				
	行业分类	电力设备与新能源				

	指标\报告期	2014.06.30	2013.12.31	2012.12.31
主要财务指标	营业收入(元)	–	448,145,959.00	369,016,119.69
	营业利润(元)	–	72,372,944.32	62,014,252.04
	净利润(元)	–	67,270,594.70	55,673,887.78
	未分配利润(元)	–	168,734,390.15	123,525,935.60
	总资产(元)	–	607,640,724.47	516,831,680.35
	总负债(元)	–	268,690,791.42	228,689,103.01
	净资产(元)	–	338,949,933.05	288,142,577.34
	每股收益(元)	–	0.78	0.65
	每股净资产(元)	–	3.93	3.34
	净资产收益率(%)	–	19.85	19.32

北京博朗环境工程技术股份有限公司

公司概况	公司名称	北京博朗环境工程技术股份有限公司			股份名称	博朗环境
	法人代表	周松涛	董秘	罗娜	股份代码	430050
	公司网址	www.bolang.com.cn		主办券商	国海证券股份有限公司	
	电　　话	010-82883458		传　　真	010-82885106	
	注册地址	北京市海淀区北四环中路 229 号海泰大厦 620 室				
	行业分类	建筑和工程				

	指标\报告期	2014.06.30	2013.12.31	2012.12.31
主要财务指标	营业收入(元)	–	36,139,654.98	59,830,188.68
	营业利润(元)	–	-263,395.64	8,047,219.64
	净利润(元)	–	152,574.70	7,105,004.90
	未分配利润(元)	–	39,004,073.54	38,866,756.31
	总资产(元)	–	159,098,145.62	151,075,320.77
	总负债(元)	–	36,711,382.38	57,441,132.23
	净资产(元)	–	122,386,763.24	93,634,188.54
	每股收益(元)	–	0.00	0.18
	每股净资产(元)	–	2.51	2.34
	净资产收益率(%)	–	0.13	7.59

北京九恒星科技股份有限公司

公司概况	公司名称	北京九恒星科技股份有限公司			股份名称	九 恒 星
	法人代表	解洪波	董秘	郭超群	股份代码	430051
	公司网址	www.nstc.com.cn		主办券商	国信证券股份有限公司	
	电　　话	010-82291220		传　　真	010-68364331-168	
	注册地址	北京市海淀区中关村南一条 2 号 5、6、7 层				
	行业分类	计算机				

	指标\报告期	2014.06.30	2013.12.31	2012.12.31
主要财务指标	营业收入(元)	–	159,740,204.97	133,905,486.97
	营业利润(元)	–	23,030,821.31	30,342,694.72
	净利润(元)	–	31,562,492.34	30,610,983.78
	未分配利润(元)	–	88,652,324.15	60,128,972.72
	总资产(元)	–	274,990,957.91	180,022,337.83
	总负债(元)	–	117,419,286.88	54,238,971.67
	净资产(元)	–	157,571,671.03	125,783,366.16
	每股收益(元)	–	0.58	0.56
	每股净资产(元)	–	2.87	2.29
	净资产收益率(%)	–	20.03	24.34

北京斯福泰克科技股份有限公司

公司概况	公司名称	北京斯福泰克科技股份有限公司			股份名称	斯福泰
	法人代表	左世斌	董秘	孙跃	股份代码	430052
	公司网址	www.softtechdev.com		主办券商	西部证券股份有限公司	
	电　话	010-64846569		传　真	010-64846567	
	注册地址	北京市朝阳区安翔北里甲11号院(创业大厦)B座601室				
	行业分类	计算机				

	指标\报告期	2014.06.30	2013.12.31	2012.12.31
主要财务指标	营业收入(元)	–	20,443,004.33	23,591,496.67
	营业利润(元)	–	-4,664,751.91	-3,583,945.14
	净利润(元)	–	-1,619,217.07	909,661.46
	未分配利润(元)	–	-4,963,996.79	-4,157,039.59
	总资产(元)	–	9,898,578.00	10,444,686.86
	总负债(元)	–	1,574,602.45	501,494.24
	净资产(元)	–	8,323,975.55	9,943,192.62
	每股收益(元)	–	-0.07	0.08
	每股净资产(元)	–	0.67	0.74
	净资产收益率(%)	–	-10.01	8.33

北京国学时代文化传播股份有限公司

公司概况	公司名称	北京国学时代文化传播股份有限公司			股份名称	国学时代
	法人代表	尹小林	董秘	汪晓京	股份代码	430053
	公司网址	www.guoxue.com		主办券商	西部证券股份有限公司	
	电　话	010-68980439		传　真	010-68980439	
	注册地址	北京市海淀区西三环北路105号首都师范大学教一楼215室				
	行业分类	传播与文化				

	指标\报告期	2014.06.30	2013.12.31	2012.12.31
主要财务指标	营业收入(元)	1,860,772.45	11,519,963.33	13,354,627.74
	营业利润(元)	1,037.73	1,218,318.44	1,067,395.57
	净利润(元)	-762.27	912,044.87	890,793.91
	未分配利润(元)	1,735,658.24	1,724,780.55	2,276,152.11
	总资产(元)	22,355,941.60	23,718,672.31	25,058,944.44
	总负债(元)	195,706.08	1,569,054.85	1,635,801.85
	净资产(元)	22,160,235.52	22,149,617.46	23,423,142.59
	每股收益(元)	0	0.07	0.13
	每股净资产(元)	1.62	1.45	1.48
	净资产收益率(%)	0.06	4.58	4.37

北京超毅世纪网络技术股份有限公司

公司概况	公司名称	北京超毅世纪网络技术股份有限公司			股份名称	超毅网络
	法人代表	王新华	董秘	刘名娜	股份代码	430054
	公司网址	www.supable.com		主办券商	宏源证券股份有限公司	
	电　话	010-62538918		传　真	010-62538936	
	注册地址	北京市海淀区苏州街18号院-1楼2单元3A02				
	行业分类	信息传输、软件和信息技术服务业				

	指标\报告期	2014.06.30	2013.12.31	2012.12.31
主要财务指标	营业收入(元)	12,043,133.81	11,519,963.33	23,814,722.99
	营业利润(元)	110,517.52	1,218,318.44	805,360.15
	净利润(元)	82,808.40	912,044.87	691,266.75
	未分配利润(元)	4,856,280.20	1,724,780.55	4,015,950.69
	总资产(元)	62,494,966.80	23,718,672.31	63,087,507.95
	总负债(元)	24,400,046.13	1,569,054.85	25,926,286.74
	净资产(元)	38,094,920.67	22,149,617.46	37,161,221.21
	每股收益(元)	0.00	0.07	0.02
	每股净资产(元)	1.17	1.45	1.14
	净资产收益率(%)	0.14	4.58	1.86

北京中电达通通信技术股份有限公司

公司概况	公司名称	北京中电达通通信技术股份有限公司			股份名称	达通通信
	法人代表	纪航军	董秘	程绪华	股份代码	430055
	公司网址	www.datacomo.com		主办券商	东吴证券股份有限公司	
	电　话	010-82606668		传　真	010-82621665	
	注册地址	北京市海淀区杏石口路益园文化创意产业基地C区(西杉创意园四区)5号楼四层401				
	行业分类	信息传输、软件和信息技术服务业				

	指标\报告期	2014.06.30	2013.12.31	2012.12.31
主要财务指标	营业收入(元)	4,954,457.98	20,213,530.16	18,475,533.43
	营业利润(元)	-321,017.59	3,094,133.90	5,123,055.01
	净利润(元)	-360,006.63	6,885,844.37	5,891,786.58
	未分配利润(元)	20,469,765.88	20,829,772.51	14,632,512.58
	总资产(元)	64,585,399.15	64,535,483.30	53,806,321.45
	总负债(元)	16,494,728.14	16,084,805.66	12,641,488.18
	净资产(元)	48,090,671.01	48,450,677.64	41,164,833.27
	每股收益(元)	-0.02	0.3	0.44
	每股净资产(元)	2.07	2.09	3.04
	净资产收益率(%)	-0.76	14.33	14.31

中航百慕新材料技术工程股份有限公司

公司概况	公司名称	中航百慕新材料技术工程股份有限公司		股份名称	中航新材
	法人代表	黄玖梅	董秘 魏九桓	股份代码	430056
	公司网址	www.biam.net.cn	主办券商	中信建投证券股份有限公司	
	电　话	010-62497081	传　真	010-62497080	
	注册地址	北京市海淀区温泉镇环山村六二一研究所厂区东区			
	行业分类	建筑业			

主要财务指标	指标\报告期	2014.06.30	2013.12.31	2012.12.31
	营业收入(元)	-	225,930,552.72	205,604,838.67
	营业利润(元)	-	20,366,040.34	19,127,994.88
	净利润(元)	-	22,493,464.06	19,790,392.99
	未分配利润(元)	-	37,947,580.48	29,131,317.57
	总资产(元)	-	314,260,320.16	225,245,459.65
	总负债(元)	-	164,768,173.14	86,520,776.69
	净资产(元)	-	149,492,147.02	138,724,682.96
	每股收益(元)	-	0.42	0.49
	每股净资产(元)	-	2.8	2.60
	净资产收益率(%)	-	15.05	14.27

北京清畅电力技术股份有限公司

公司概况	公司名称	北京清畅电力技术股份有限公司		股份名称	清畅电力
	法人代表	樊京生	董秘 李刚	股份代码	430057
	公司网址	www.qch365.com	主办券商	南京证券股份有限公司	
	电　话	010-51662433	传　真	010-62982771	
	注册地址	北京市海淀区上地三街9号金隅嘉华大厦C座1109号			
	行业分类	制造业			

主要财务指标	指标\报告期	2014.06.30	2013.12.31	2012.12.31
	营业收入(元)	-	145,886,329.85	125,484,268.14
	营业利润(元)	-	12,123,867.90	14,061,266.33
	净利润(元)	-	10,870,707.71	12,679,842.53
	未分配利润(元)	-	38,082,597.20	28,311,147.70
	总资产(元)	-	299,231,978.40	242,454,821.29
	总负债(元)	-	152,984,994.22	107,078,544.82
	净资产(元)	-	146,246,984.18	135,376,276.47
	每股收益(元)	-	0.11	0.21
	每股净资产(元)	-	1.46	1.35
	净资产收益率(%)	-	7.43	9.37

北京意诚信通智能卡股份有限公司

公司概况	公司名称	北京意诚信通智能卡股份有限公司		股份名称	意诚信通
	法人代表	师文斌	董秘 孙仲颖	股份代码	430058
	公司网址	www.bjyicheng.com.cn	主办券商	东吴证券股份有限公司	
	电　话	010-51664545	传　真	010-51664545	
	注册地址	北京市海淀区长春桥路5号4号楼706室			
	行业分类	制造业			

主要财务指标	指标\报告期	2014.06.30	2013.12.31	2012.12.31
	营业收入(元)	38,299,558.13	104,790,208.43	81,634,478.41
	营业利润(元)	-260,702.99	16,354,956.78	1,921,177.59
	净利润(元)	-197,967.53	15,203,511.30	6,344,762.50
	未分配利润(元)	27,556,146.97	27,754,114.50	14,075,512.19
	总资产(元)	93,614,804.96	98,909,257.03	81,735,911.13
	总负债(元)	29,745,956.67	34,842,441.21	32,872,606.61
	净资产(元)	63,868,848.29	64,066,815.82	48,863,304.52
	每股收益(元)	-0.01	0.49	0.2
	每股净资产(元)	2.05	2.05	1.57
	净资产收益率(%)	-0.31	23.73	12.99

北京中海纪元数字技术发展股份有限公司

公司概况	公司名称	北京中海纪元数字技术发展股份有限公司		股份名称	中海纪元
	法人代表	柳进军	董秘 贺军	股份代码	430059
	公司网址	www.zgcworld.com.cn	主办券商	国泰君安证券股份有限公司	
	电　话	010-68944225	传　真	010-68944229	
	注册地址	北京市海淀区中关村南大街3号海淀科技大厦811室			
	行业分类	信息传输、软件和信息技术服务业			

主要财务指标	指标\报告期	2014.06.30	2013.12.31	2012.12.31
	营业收入(元)	-	134,181,589.85	101,606,538.23
	营业利润(元)	-	6,550,614.76	5,965,137.13
	净利润(元)	-	7,652,720.28	7,282,285.40
	未分配利润(元)	-	28,196,946.35	21,427,965.32
	总资产(元)	-	158,560,068.42	128,827,432.44
	总负债(元)	-	72,597,076.76	52,505,961.07
	净资产(元)	-	85,962,991.66	76,321,471.37
	每股收益(元)	-	0.25	0.26
	每股净资产(元)	-	2.7	2.57
	净资产收益率(%)	-	9.12	10.05

北京北方永邦科技股份有限公司

公司概况	公司名称	北京北方永邦科技股份有限公司			股份名称	永邦科技
	法人代表	胡学栋	董秘	丛先雷	股份代码	430060
	公司网址	bj.windbelltek.com	主办券商	山西证券股份有限公司		
	电话	010-82896718	传真	010-82896719		
	注册地址	北京市海淀区上地信息路1号北京实创高科技发展总公司1-2号B栋839号				
	行业分类	制造业				

	指标\报告期	2014.06.30	2013.12.31	2012.12.31
主要财务指标	营业收入(元)	–	20,026,740.64	20,410,085.50
	营业利润(元)	–	912,907.43	–1,581,116.15
	净利润(元)	–	1,010,091.15	–1,368,312.43
	未分配利润(元)	–	6,295,369.10	5,395,487.49
	总资产(元)	–	17,455,253.42	20,253,004.11
	总负债(元)	–	2,416,852.03	6,224,693.87
	净资产(元)	–	15,038,401.39	14,028,310.24
	每股收益(元)	–	0.17	–0.23
	每股净资产(元)	–	2.51	2.34
	净资产收益率(%)	–	6.72	–9.75

北京富机达能电气产品股份有限公司

公司概况	公司名称	北京富机达能电气产品股份有限公司			股份名称	富机达能
	法人代表	李志安	董秘	李志军	股份代码	430061
	公司网址	www.youronworld.com	主办券商	西部证券股份有限公司		
	电话	010-60726630	传真	010-60726630		
	注册地址	北京市昌平区科技园区火炬街23号106室				
	行业分类	制造业				

	指标\报告期	2014.06.30	2013.12.31	2012.12.31
主要财务指标	营业收入(元)	–	10,444,075.24	12,081,556.87
	营业利润(元)	–	1,147,716.98	257,733.34
	净利润(元)	–	965,178.04	159,602.22
	未分配利润(元)	–	7,318,143.52	6,460,996.47
	总资产(元)	–	30,891,481.49	30,592,113.65
	总负债(元)	–	5,039,257.19	5,705,067.39
	净资产(元)	–	25,852,224.30	24,887,046.26
	每股收益(元)	–	0.06	0.01
	每股净资产(元)	–	1.56	1.51
	净资产收益率(%)	–	3.74	0.66

北京中科国信科技股份有限公司

公司概况	公司名称	北京中科国信科技股份有限公司			股份名称	中科国信
	法人代表	李涛	董秘	崔春	股份代码	430062
	公司网址	www.cntec.net.cn	主办券商	光大证券股份有限公司		
	电话	010-62977435	传真	010-62987623		
	注册地址	北京市海淀区上地信息产业基地三街1号楼四层A段北侧				
	行业分类	信息传输、软件和信息技术服务业				

	指标\报告期	2014.06.30	2013.12.31	2012.12.31
主要财务指标	营业收入(元)	–	2,679,651,734.09	2,125,085,033.46
	营业利润(元)	–	128,024,686.93	107,724,838.12
	净利润(元)	–	134,755,043.87	111,238,251.64
	未分配利润(元)	–	236,958,896.35	155,631,950.55
	总资产(元)	–	2,297,727,560.60	1,945,194,757.28
	总负债(元)	–	1,785,618,911.05	1,530,636,730.98
	净资产(元)	–	512,108,649.55	414,558,026.30
	每股收益(元)	–	0.64	0.55
	每股净资产(元)	–	2.42	1.96
	净资产收益率(%)	–	26.31	26.83

工控网(北京)信息技术股份有限公司

公司概况	公司名称	工控网(北京)信息技术股份有限公司			股份名称	工控网
	法人代表	孙慧昕	董秘	杜翠	股份代码	430063
	公司网址		主办券商	国信证券股份有限公司		
	电话	010-58930088-802	传真	010-58930018		
	注册地址	北京市海淀区紫竹院路116号嘉豪国际中心A座802				
	行业分类	信息传输、软件和信息技术服务业				

	指标\报告期	2014.06.30	2013.12.31	2012.12.31
主要财务指标	营业收入(元)	20,976,233.71	43,249,501.36	42,431,848.21
	营业利润(元)	125,608.55	5,541,969.95	7,610,958.39
	净利润(元)	418,320.07	5,427,737.62	6,563,924.74
	未分配利润(元)	11,783,790.68	11,292,812.15	11,442,509.20
	总资产(元)	64,099,467.14	71,452,001.28	41,202,165.08
	总负债(元)	28,508,461.33	35,879,315.54	5,810,916.96
	净资产(元)	35,591,005.81	35,572,685.74	35,391,248.12
	每股收益(元)	0.04	0.46	0.55
	每股净资产(元)	2.92	2.89	2.84
	净资产收益率(%)	1.38	16.02	19.15

北京金山顶尖科技股份有限公司

公司概况	公司名称	北京金山顶尖科技股份有限公司		股份名称	金山顶尖
	法人代表	于庆洲	董秘	张建明	股份代码	430064
	公司网址	www.kingtop.com.cn	主办券商	上海证券有限责任公司	
	电　话	010-82851594	传　真	010-82852768	
	注册地址	北京市海淀区学院路30号科大天工大厦A座18层01-10			
	行业分类	信息传输、软件和信息技术服务业			

	指标\报告期	2014.06.30	2013.12.31	2012.12.31
主要财务指标	营业收入(元)	88,168,357.04	370,115,304.10	329,312,367.51
	营业利润(元)	-1,400,119.77	11,038,280.62	32,483,273.20
	净利润(元)	1,680,916.97	13,900,449.25	32,020,430.17
	未分配利润(元)	73,500,113.86	71,819,196.89	65,262,564.18
	总资产(元)	241,816,024.39	246,520,846.31	264,860,947.52
	总负债(元)	59,511,341.55	65,642,658.44	91,883,208.90
	净资产(元)	182,304,682.84	180,878,187.87	172,977,738.62
	每股收益(元)	0.03	0.28	0.65
	每股净资产(元)	3.65	3.61	3.45
	净资产收益率(%)	0.92	7.76	18.61

中海阳能源集团股份有限公司

公司概况	公司名称	中海阳能源集团股份有限公司		股份名称	中海阳
	中海阳	法人代表	薛黎明	董秘	赵萌	430065
	股份代码	430065	公司网址	www.rayspower.com	
	主办券商	申银万国证券股份有限公司	电　话	010-51294999-8878	
	传　真	010-51294999-8017			
	注册地址	北京市昌平区科技园区超前路17			

	指标\报告期	2014.06.30	2013.12.31	2012.12.31
主要财务指标	营业收入(元)	-	1,042,543,537.37	810,992,604.89
	营业利润(元)	-	73,437,550.35	36,658,220.72
	净利润(元)	-	65,258,716.80	32,454,670.03
	未分配利润(元)	-	219,830,161.47	162,610,583.00
	总资产(元)	-	1,791,074,357.76	1,587,247,867.70
	总负债(元)	-	1,117,187,291.28	1,022,480,649.98
	净资产(元)	-	673,887,066.48	564,767,217.72
	每股收益(元)	-	0.39	0.23
	每股净资产(元)	-	3.74	3.96
	净资产收益率(%)	-	9.71	5.89

北京南北天地科技股份有限公司

公司概况	公司名称	北京南北天地科技股份有限公司		股份名称	南北天地
	法人代表	张海峰	董秘	崔彦军	股份代码	430066
	公司网址		主办券商	申银万国证券股份有限公司	
	电　话	010-62166288	传　真	010-62166388	
	注册地址	北京市海淀区学院路30号科大天工大厦A座11层01-08、12-15室			
	行业分类	信息传输、软件和信息技术服务业			

	指标\报告期	2014.06.30	2013.12.31	2012.12.31
主要财务指标	营业收入(元)	-	54,112,655.61	53,672,443.48
	营业利润(元)	-	8,146,592.43	8,306,563.78
	净利润(元)	-	11,729,972.32	9,945,886.09
	未分配利润(元)	-	13,040,171.26	9,015,475.44
	总资产(元)	-	47,009,971.57	42,046,171.83
	总负债(元)	-	6,533,671.51	6,699,844.09
	净资产(元)	-	40,476,300.06	35,346,327.74
	每股收益(元)	-	0.53	0.45
	每股净资产(元)	-	1.84	1.61
	净资产收益率(%)	-	28.98	28.14

北京维信通科技股份有限公司

公司概况	公司名称	北京维信通科技股份有限公司		股份名称	维信通
	法人代表	曾茜	董秘	赵忠伟	股份代码	430067
	公司网址	www.v-simtone.com	主办券商	西部证券股份有限公司	
	电　话	010-88152958	传　真	010-88151960	
	注册地址	北京市海淀区中关村大街18号15层1703室			
	行业分类	信息传输、软件和信息技术服务业			

	指标\报告期	2014.06.30	2013.12.31	2012.12.31
主要财务指标	营业收入(元)	-	6,686,217.00	7,642,288.40
	营业利润(元)	-	52,443.75	179,245.69
	净利润(元)	-	42,476.90	83,240.74
	未分配利润(元)	-	1,627,310.17	1,570,187.06
	总资产(元)	-	13,349,835.01	11,352,458.81
	总负债(元)	-	2,601,851.45	665,846.05
	净资产(元)	-	10,747,983.56	10,686,612.76
	每股收益(元)	-	0.00	0.01
	每股净资产(元)	-	1.21	1.20
	净资产收益率(%)	-	0.40	0.78

北京纬纶华业环保科技股份有限公司

公司概况	公司名称	北京纬纶华业环保科技股份有限公司		股份名称	纬纶环保
	法人代表	李国文	董秘	郭卓一	股份代码	430068
	公司网址	www.biotechina.com		主办券商	中原证券股份有限公司
	电　话	010-82600967-220		传　真	010-82600069
	注册地址	北京市海淀区中关村东路18号财智国际大厦16层A座1910、1911室			
	行业分类	水利、环境和公共设施管理业			

主要财务指标	指标\报告期	2014.06.30	2013.12.31	2012.12.31
	营业收入(元)	–	58,829,755.86	36,976,232.40
	营业利润(元)	–	4,770,637.85	33,307.15
	净利润(元)	–	4,838,744.24	1,370,795.50
	未分配利润(元)	–	18,282,931.48	13,928,061.66
	总资产(元)	–	167,754,852.81	108,508,627.50
	总负债(元)	–	111,761,619.12	57,354,138.05
	净资产(元)	–	55,993,233.69	51,154,489.45
	每股收益(元)	–	0.14	0.04
	每股净资产(元)	–	1.60	1.46
	净资产收益率(%)	–	8.64	2.68

北京天助畅运医疗技术股份有限公司

公司概况	公司名称	北京天助畅运医疗技术股份有限公司		股份名称	天助畅运
	法人代表	刘建	董秘		股份代码	430069
	公司网址			主办券商	申银万国证券股份有限公司
	电　话	010-51265628		传　真	010-51265629
	注册地址	北京市朝阳区酒仙桥路2号工美楼305室			
	行业分类	制造业			

主要财务指标	指标\报告期	2014.06.30	2013.12.31	2012.12.31
	营业收入(元)	–	29,507,233.87	27,894,047.40
	营业利润(元)	–	8,236,272.93	8,268,582.80
	净利润(元)	–	7,287,681.82	7,057,514.58
	未分配利润(元)	–	18,638,685.77	15,979,772.13
	总资产(元)	–	52,233,007.69	47,338,487.31
	总负债(元)	–	7,982,740.35	6,475,901.79
	净资产(元)	–	44,250,267.34	40,862,585.52
	每股收益(元)	–	0.37	0.36
	每股净资产(元)	–	2.27	2.10
	净资产收益率(%)	–	16.47	17.27

北京赛亿科技股份有限公司

公司概况	公司名称	北京赛亿科技股份有限公司		股份名称	赛亿科技
	法人代表	胡为峰	董秘	尹丽亚	股份代码	430070
	公司网址	www.suryee.com		主办券商	金元证券股份有限公司
	电　话	010-62343188		传　真	010-62345995
	注册地址	北京市海淀区学院路30号1区方兴大厦701、702室			
	行业分类	制造业			

主要财务指标	指标\报告期	2014.06.30	2013.12.31	2012.12.31
	营业收入(元)	–	14,741,601.39	11,153,969.39
	营业利润(元)	–	460,949.93	–2,386,770.73
	净利润(元)	–	512,500.76	–1,891,732.59
	未分配利润(元)	–	2,705,958.51	2,272,524.55
	总资产(元)	–	44,380,795.91	37,745,764.27
	总负债(元)	–	17,475,411.06	11,352,880.18
	净资产(元)	–	26,905,384.85	26,392,884.09
	每股收益(元)	–	0.03	–0.23
	每股净资产(元)	–	1.35	2.63
	净资产收益率(%)	–	2.01	–7.00

北京首都在线科技股份有限公司

公司概况	公司名称	北京首都在线科技股份有限公司		股份名称	首都在线
	法人代表	曲宁	董秘	杨丽萍	股份代码	430071
	公司网址	www.capitalonline.net.cn		主办券商	中信证券股份有限公司
	电　话	010-51995978		传　真	010-88862121
	注册地址	北京市海淀区蓝靛厂东路2号院金源时代商务中心2号楼A座16C			
	行业分类	信息传输、软件和信息技术服务业			

主要财务指标	指标\报告期	2014.06.30	2013.12.31	2012.12.31
	营业收入(元)	–	150,084,907.51	112,584,261.45
	营业利润(元)	–	23,828,237.03	17,903,184.08
	净利润(元)	–	20,510,667.50	14,707,545.59
	未分配利润(元)	–	20,077,361.06	17,270,951.93
	总资产(元)	–	84,732,430.08	66,549,488.00
	总负债(元)	–	32,752,845.00	23,703,418.42
	净资产(元)	–	51,979,585.08	42,846,069.58
	每股收益(元)	–	0.82	0.97
	每股净资产(元)	–	2.00	2.50
	净资产收益率(%)	–	40.44	37.24

北京亿创网安科技股份有限公司

公司概况	公司名称	北京亿创网安科技股份有限公司		股份名称	亿创科技	
	法人代表	马建民	董秘	周梅英	股份代码	430072
	公司网址	www.bjycwa.com		主办券商	宏源证券股份有限公司	
	电　话	010-82886035		传　真	010-82886035	
	注册地址	北京市海淀区北四环西路67号大地科技大厦1206B室				
	行业分类	信息传输、软件和信息技术服务业				

	指标\报告期	2014.06.30	2013.12.31	2012.12.31
主要财务指标	营业收入(元)	5,243,463.51	12,964,490.28	12,943,165.42
	营业利润(元)	1,002,442.18	4,785,555.47	4,385,857.15
	净利润(元)	852,075.85	4,881,350.56	4,662,628.56
	未分配利润(元)	7,877,991.48	9,047,915.63	6,676,700.13
	总资产(元)	30,439,624.86	31,431,259.75	30,663,174.78
	总负债(元)	535,924.14	357,634.88	2,448,900.47
	净资产(元)	29,903,700.72	31,073,624.87	28,214,274.31
	每股收益(元)	0.04	0.24	0.23
	每股净资产(元)	1.48	1.54	1.40
	净资产收益率(%)	2.85	15.71	16.53

北京兆信信息技术股份有限公司

公司概况	公司名称	北京兆信信息技术股份有限公司		股份名称	兆信股份	
	法人代表	王育妙	董秘	周宏松	股份代码	430073
	公司网址	www.p-pass.com		主办券商	申银万国证券股份有限公司	
	电　话	010-64451470		传　真	010-64451886	
	注册地址	北京市昌平区白浮泉路21号富泉花园78号楼				
	行业分类	信息传输、软件和信息技术服务业				

	指标\报告期	2014.06.30	2013.12.31	2012.12.31
主要财务指标	营业收入(元)	–	82,272,072.19	76,409,688.30
	营业利润(元)	–	9,221,551.79	11,759,856.84
	净利润(元)	–	8,415,850.81	12,459,764.89
	未分配利润(元)	–	27,998,708.66	20,272,270.24
	总资产(元)	–	130,370,537.09	98,723,100.33
	总负债(元)	–	63,597,933.84	40,132,939.88
	净资产(元)	–	66,772,603.25	58,590,160.45
	每股收益(元)	–	0.3	0.39
	每股净资产(元)	–	2.08	1.79
	净资产收益率(%)	–	14.41	21.58

北京德鑫泉物联网科技股份有限公司

公司概况	公司名称	北京德鑫泉物联网科技股份有限公司		股份名称	德鑫物联	
	法人代表	张晓冬	董秘	王邦海	股份代码	430074
	公司网址	www.dexinquan.com		主办券商	国信证券股份有限公司	
	电　话	010-59755357-77		传　真	010-59755377	
	注册地址	北京经济技术开发区科创十四街99号7幢1101室				
	行业分类	制造业				

	指标\报告期	2014.06.30	2013.12.31	2012.12.31
主要财务指标	营业收入(元)	–	121,252,513.22	85,998,896.48
	营业利润(元)	–	17,134,469.53	20,365,162.89
	净利润(元)	–	15,379,273.37	22,688,183.93
	未分配利润(元)	–	22,470,424.44	24,620,039.12
	总资产(元)	–	188,913,401.83	140,920,104.54
	总负债(元)	–	98,208,184.14	67,833,750.22
	净资产(元)	–	90,705,217.69	73,086,354.32
	每股收益(元)	–	0.27	0.52
	每股净资产(元)	–	1.52	1.69
	净资产收益率(%)	–	18.4	31.04

北京中讯四方科技股份有限公司

公司概况	公司名称	北京中讯四方科技股份有限公司		股份名称	中讯四方	
	法人代表	董启明	董秘	南钰	股份代码	430075
	公司网址	www.bjzxsf.net		主办券商	申银万国证券股份有限公司	
	电　话	010-62968745转613		传　真	010-62973654	
	注册地址	北京市海淀区东北旺北京中关村软件园孵化器2号楼2245室				
	行业分类	制造业				

	指标\报告期	2014.06.30	2013.12.31	2012.12.31
主要财务指标	营业收入(元)	49,528,845.65	88,152,549.73	80,234,481.03
	营业利润(元)	6,188,984.96	12,661,758.43	10,072,745.92
	净利润(元)	5,246,204.92	12,359,627.43	9,241,045.36
	未分配利润(元)	37,138,612.44	31,892,407.52	20,997,542.61
	总资产(元)	208,990,115.91	182,870,536.26	113,238,849.26
	总负债(元)	69,498,379.03	48,725,004.30	33,452,944.73
	净资产(元)	139,491,736.88	134,145,531.96	79,785,904.53
	每股收益(元)	0.11	0.45	0.36
	每股净资产(元)	2.82	4.07	3.07
	净资产收益率(%)	3.76	9.21	11.58

北京国基科技股份有限公司

公司概况	公司名称	北京国基科技股份有限公司			股份名称	国基科技
	法人代表	陈正伟	董秘	陈星	股份代码	430076
	公司网址	www.bnc.com.cn		主办券商	华泰证券股份有限公司	
	电　话	010-62965536		传　真	010-82895211	
	注册地址	北京市海淀区上地七街1号1号楼1-A3				
	行业分类	制造业				

	指标\报告期	2014.06.30	2013.12.31	2012.12.31
主要财务指标	营业收入(元)	29,211,993.90	99,839,297.21	107,240,936.57
	营业利润(元)	–5,005,719.52	10,289,351.63	–492,395.09
	净利润(元)	175,231.12	11,340,059.85	684,663.92
	未分配利润(元)	40,594,896.12	43,227,623.08	34,089,729.31
	总资产(元)	122,541,091.56	132,261,129.08	112,589,048.68
	总负债(元)	30,209,293.48	37,133,212.12	27,409,458.19
	净资产(元)	92,331,798.08	95,127,916.96	85,179,590.49
	每股收益(元)	0.01	0.27	0.01
	每股净资产(元)	2.17	2.22	1.98
	净资产收益率(%)	0.43	12.16	0.57

北京道隆华尔软件股份有限公司

公司概况	公司名称	北京道隆华尔软件股份有限公司			股份名称	道隆软件
	法人代表	鲁巍	董秘	陈利景	股份代码	430077
	公司网址	www.dwsoft.com.cn		主办券商	华泰证券股份有限公司	
	电　话	010-82291850		传　真	010-51291436-8001	
	注册地址	北京市海淀区西直门北大街60号首钢国际大厦0815室				
	行业分类	信息传输、软件和信息技术服务业				

	指标\报告期	2014.06.30	2013.12.31	2012.12.31
主要财务指标	营业收入(元)	7,348,576.98	16,407,554.46	27,199,697.39
	营业利润(元)	–2,888,563.10	–7,725,851.98	1,017,853.12
	净利润(元)	–2,829,983.44	–6,721,673.36	801,689.56
	未分配利润(元)	–4,097,759.27	–1,267,775.83	5,453,897.53
	总资产(元)	28,526,172.14	28,856,927.06	35,341,027.60
	总负债(元)	5,948,758.08	3,449,529.56	3,211,956.74
	净资产(元)	22,577,414.06	25,407,397.50	32,129,070.86
	每股收益(元)	–0.15	–0.35	0.04
	每股净资产(元)	1.18	1.33	1.68
	净资产收益率(%)	–12.54	–26.46	2.50

北京君德同创农牧科技股份有限公司

公司概况	公司名称	北京君德同创农牧科技股份有限公司			股份名称	君德同创
	法人代表	杨立彬	董秘	尹超	股份代码	430078
	公司网址	www.gendone.com		主办券商	国信证券股份有限公司	
	电　话	010-82895518		传　真	010-82895197	
	注册地址	北京市海淀区上地三街9号E座507室				
	行业分类	制造业				

	指标\报告期	2014.06.30	2013.12.31	2012.12.31
主要财务指标	营业收入(元)	–	39,932,211.60	33,396,046.32
	营业利润(元)	–	586,182.16	1,095,211.71
	净利润(元)	–	479,050.23	853,517.41
	未分配利润(元)	–	5,619,121.22	5,263,244.94
	总资产(元)	–	54,815,601.39	32,425,102.15
	总负债(元)	–	32,007,835.75	10,096,386.74
	净资产(元)	–	22,807,765.64	22,328,715.41
	每股收益(元)	–	0.03	0.10
	每股净资产(元)	–	1.47	2.51
	净资产收益率(%)	–	2.10	3.82

北京环拓科技股份有限公司

公司概况	公司名称	北京环拓科技股份有限公司			股份名称	环拓科技
	法人代表	李富荣	董秘		股份代码	430079
	公司网址			主办券商	南京证券股份有限公司	
	电　话	010-62480785		传　真	010-62488997	
	注册地址	北京市海淀区紫竹院路88号紫竹花园F座1906室				
	行业分类	制造业				

	指标\报告期	2014.06.30	2013.12.31	2012.12.31
主要财务指标	营业收入(元)		735,042.74	
	营业利润(元)	–773,223.49	–2,164,968.15	–2,706,578.28
	净利润(元)	–773,223.49	–1,460,638.62	–2,460,755.48
	未分配利润(元)	–4,303,068.25	–3,529,844.76	–2,069,206.14
	总资产(元)	7,502,314.72	8,328,188.36	9,371,384.67
	总负债(元)	988,194.66	1,040,844.81	623,402.50
	净资产(元)	6,514,120.06	7,287,343.55	8,747,982.17
	每股收益(元)	–0.15	–0.29	–0.49
	每股净资产(元)	1.3	1.46	1.75
	净资产收益率(%)	–11.87	–20.04	–28.13

北京尚水信息技术股份有限公司

公司概况					
公司名称	北京尚水信息技术股份有限公司			股份名称	尚水股份
法人代表	曲兆松	董秘	高雯	股份代码	430080
公司网址	www.sinfotek.com	主办券商	齐鲁证券有限公司		
电　话	010-82864628/25	传　真	010-82864628		
注册地址	北京市海淀区上地五街 7 号昊海大厦 303 室				
行业分类	信息传输、软件和信息技术服务业				

主要财务指标 指标\报告期	2014.06.30	2013.12.31	2012.12.31
营业收入(元)	–	22,532,648.99	26,069,680.61
营业利润(元)	–	736,671.87	4,813,946.78
净利润(元)	–	3,247,980.37	5,210,414.19
未分配利润(元)	–	10,267,000.51	7,344,974.58
总资产(元)	–	31,501,257.94	22,760,260.88
总负债(元)	–	8,091,080.25	4,386,175.56
净资产(元)	–	23,410,177.69	18,374,085.32
每股收益(元)	–	0.31	0.52
每股净资产(元)	–	2.13	1.84
净资产收益率(%)	–	13.87	28.36

北京莱富特佰网络科技股份有限公司

公司概况					
公司名称	北京莱富特佰网络科技股份有限公司			股份名称	莱富特佰
法人代表	杨君岭	董秘	张丽丽	股份代码	430081
公司网址		主办券商	民生证券有限责任公司		
电　话	010-82607878	传　真	010-82699939		
注册地址	北京市海淀区中关村大街 1 号海龙大厦 12 层 1201-1204、1215-1219、1226 室				
行业分类	信息传输、软件和信息技术服务业				

主要财务指标 指标\报告期	2014.06.30	2013.12.31	2012.12.31
营业收入(元)	–	107,434,871.78	52,481,826.44
营业利润(元)	–	15,019,445.37	6,779,484.62
净利润(元)	–	13,354,626.07	5,061,574.59
未分配利润(元)	–	19,222,951.94	7,203,788.48
总资产(元)	–	63,860,692.48	29,127,933.78
总负债(元)	–	32,272,843.78	10,894,711.15
净资产(元)	–	31,587,848.70	18,233,222.63
每股收益(元)	–	1.34	0.51
每股净资产(元)	–	3.16	1.82
净资产收益率(%)	–	42.28	27.76

北京博雅英杰科技股份有限公司

公司概况					
公司名称	北京博雅英杰科技股份有限公司			股份名称	博雅英杰
法人代表	秦野	董秘	郑强	股份代码	430082
公司网址	www.boya-ht.com.cn	主办券商	东海证券有限责任公司		
电　话	010-62976309	传　真	010-51656801-8003		
注册地址	北京市海淀区上地三街 9 号 D 座 1102 室				
行业分类	信息传输、软件和信息技术服务业				

主要财务指标 指标\报告期	2014.06.30	2013.12.31	2012.12.31
营业收入(元)	29,332,574.12	45,890,978.76	39,926,183.54
营业利润(元)	818,489.66	879,467.91	6,174,709.95
净利润(元)	848,403.37	1,742,645.94	6,555,795.27
未分配利润(元)	5,186,721.51	4,352,757.13	9,228,515.91
总资产(元)	80,314,835.30	73,606,952.20	47,663,488.89
总负债(元)	36,615,089.39	30,755,609.66	5,249,792.29
净资产(元)	43,699,745.91	42,851,342.54	42,413,696.60
每股收益(元)	0.03	0.06	0.25
每股净资产(元)	1.34	1.31	1.55
净资产收益率(%)	2.21	4.48	16.23

北京中科联众科技股份有限公司

公司概况					
公司名称	北京中科联众科技股份有限公司			股份名称	中科联众
法人代表	陈滨	董秘	张雪芳	股份代码	430083
公司网址	www.sinobel.com	主办券商	申银万国证券股份有限公司		
电　话	010-62557155	传　真	010-62557155-8019		
注册地址	北京市海淀区中关村南大街 5 号 1 区 689 号楼 908 室				
行业分类	制造业				

主要财务指标 指标\报告期	2014.06.30	2013.12.31	2012.12.31
营业收入(元)	–	40,624,222.66	37,069,028.71
营业利润(元)	–	2,674,192.22	3,179,455.40
净利润(元)	–	3,797,117.06	3,953,103.88
未分配利润(元)	–	10,102,528.15	6,685,122.80
总资产(元)	–	53,160,342.26	45,417,829.36
总负债(元)	–	15,741,114.69	11,795,718.85
净资产(元)	–	37,419,227.57	33,622,110.51
每股收益(元)	–	0.19	0.30
每股净资产(元)	–	1.83	1.98
净资产收益率(%)	–	10.15	11.76

北京星和众工设备技术股份有限公司

公司概况	公司名称	北京星和众工设备技术股份有限公司			股份名称	星和众工
	法人代表	杨放光	董秘	康连柱	股份代码	430084
	公司网址	www.bjsri.cn		主办券商	西部证券股份有限公司	
	电　　话	010-51570195		传　　真	010-51570195	
	注册地址	北京市北京经济技术开发区西环南路18号A座508室				
	行业分类	制造业				

	指标\报告期	2014.06.30	2013.12.31	2012.12.31
主要财务指标	营业收入(元)	–	454,095,039.29	409,337,825.50
	营业利润(元)	–	41,956,097.97	33,476,206.24
	净利润(元)	–	37,127,341.60	28,473,741.18
	未分配利润(元)	–	73,179,954.89	57,014,708.88
	总资产(元)	–	478,209,702.95	425,535,625.42
	总负债(元)	–	299,923,679.81	313,134,881.16
	净资产(元)	–	178,286,023.14	112,400,744.26
	每股收益(元)	–	0.84	0.68
	每股净资产(元)	–	3.4	2.54
	净资产收益率(%)	–	21.33	26.90

新锐英诚(北京)科技股份有限公司

公司概况	公司名称	新锐英诚(北京)科技股份有限公司			股份名称	新锐英诚
	法人代表	李文超	董秘	康红	股份代码	430085
	公司网址	www.newelite.com.cn		主办券商	申银万国证券股份有限公司	
	电　　话	010-62800826		传　　真	010-62800713	
	注册地址	北京市海淀区北四环西路9号银谷大厦1812室				
	行业分类	信息传输、软件和信息技术服务业				

	指标\报告期	2014.06.30	2013.12.31	2012.12.31
主要财务指标	营业收入(元)	–	79,454,033.41	58,828,219.86
	营业利润(元)	–	6,000,311.31	4,086,491.25
	净利润(元)	–	5,292,592.27	3,867,345.77
	未分配利润(元)	–	10,641,093.91	5,925,074.33
	总资产(元)	–	61,827,986.52	47,405,620.10
	总负债(元)	–	25,290,165.09	30,160,390.94
	净资产(元)	–	36,537,821.43	17,245,229.16
	每股收益(元)	–	0.23	0.37
	每股净资产(元)	–	1.54	1.64
	净资产收益率(%)	–	14.49	22.43

北京爱迪科森教育科技股份有限公司

公司概况	公司名称	北京爱迪科森教育科技股份有限公司			股份名称	爱迪科森
	法人代表	刘尚武	董秘	田学文	股份代码	430086
	公司网址	www.bjadks.com		主办券商	南京证券股份有限公司	
	电　　话	010-82677125 82677126		传　　真	010-82677125-802	
	注册地址	北京市海淀区上地信息路1号(北京实创高科技发展总公司1-1,1-2号)1-1幢1层A栋1001室				
	行业分类	信息传输、软件和信息技术服务业				

	指标\报告期	2014.06.30	2013.12.31	2012.12.31
主要财务指标	营业收入(元)	12,156,929.19	45,436,768.77	42,639,006.86
	营业利润(元)	-16,662,037.01	937,634.12	2,353,920.47
	净利润(元)	-14,671,182.26	5,895,391.66	3,659,533.27
	未分配利润(元)	3,555,973.92	18,227,156.18	12,921,303.69
	总资产(元)	25,348,843.83	37,855,093.26	32,523,041.83
	总负债(元)	7,054,876.41	4,889,943.58	5,453,283.81
	净资产(元)	18,293,967.42	32,965,149.68	27,069,758.02
	每股收益(元)	-1.47	0.59	0.37
	每股净资产(元)	1.83	3.30	2.71
	净资产收益率(%)	-80.2	17.88	13.52

北京威力恒科技股份有限公司

公司概况	公司名称	北京威力恒科技股份有限公司			股份名称	威力恒
	法人代表	田音	董秘	杨艳芳	股份代码	430087
	公司网址			主办券商	山西证券股份有限公司	
	电　　话	010-62988119		传　　真	010-62988499	
	注册地址	北京市海淀区永丰产业基地永捷北路3号标准厂房三层315室				
	行业分类	制造业				

	指标\报告期	2014.06.30	2013.12.31	2012.12.31
主要财务指标	营业收入(元)	6,043,859.97	18,023,920.59	10,119,796.25
	营业利润(元)	413,604.18	4,014,916.13	2,359,920.29
	净利润(元)	291,007.30	3,415,592.17	2,003,343.91
	未分配利润(元)	7,740,486.75	7,449,479.45	4,375,446.50
	总资产(元)	22,521,124.21	23,203,937.08	14,405,264.99
	总负债(元)	6,988,291.54	7,962,111.71	2,579,031.79
	净资产(元)	15,532,832.67	15,241,825.37	11,826,233.20
	每股收益(元)	0.04	0.5	0.29
	每股净资产(元)	2.28	2.24	1.74
	净资产收益率(%)	1.87	22.41	16.94

北京七维航测科技股份有限公司

公司概况	公司名称	北京七维航测科技股份有限公司		股份名称	七维航测
	法人代表	杨娜	董秘 吕洋	股份代码	430088
	公司网址	www.sdi-china.com		主办券商	东北证券股份有限公司
	电　话	010-82486901		传　真	010-82486910
	注册地址	北京市海淀区西北旺镇永捷南路2号院2号楼			
	行业分类	制造业			

	指标\报告期	2014.06.30	2013.12.31	2012.12.31
主要财务指标	营业收入(元)	–	146,951,962.25	82,651,245.53
	营业利润(元)	–	36,758,739.67	20,578,249.60
	净利润(元)	–	33,907,310.32	18,895,395.80
	未分配利润(元)	–	60,924,320.06	30,759,388.21
	总资产(元)	–	186,860,812.26	119,676,377.21
	总负债(元)	–	62,929,934.21	33,769,413.80
	净资产(元)	–	123,930,878.05	85,906,963.41
	每股收益(元)	–	0.82	0.87
	每股净资产(元)	–	2.93	3.16
	净资产收益率(%)	–	27.9	22.00

北京天一众合科技股份有限公司

公司概况	公司名称	北京天一众合科技股份有限公司		股份名称	天一众合
	法人代表	付屹东	董秘 洪雅玲	股份代码	430089
	公司网址	www.telezone.cn		主办券商	长城证券有限责任公司
	电　话	010-51261933-180		传　真	010-62057911
	注册地址	北京市海淀区花园路1号3号办公楼三层			
	行业分类	制造业			

	指标\报告期	2014.06.30	2013.12.31	2012.12.31
主要财务指标	营业收入(元)	–	64,998,447.43	61,074,494.75
	营业利润(元)	–	-6,987,382.96	-8,333,425.93
	净利润(元)	–	-2,864,659.21	-3,795,302.26
	未分配利润(元)	–	-96,014.49	2,537,824.02
	总资产(元)	–	109,956,945.42	108,734,811.98
	总负债(元)	–	27,225,682.17	23,138,889.52
	净资产(元)	–	82,731,263.25	85,595,922.46
	每股收益(元)	–	-0.05	-0.09
	每股净资产(元)	–	1.69	1.75
	净资产收益率(%)	–	-3.16	-4.27

同辉佳视(北京)信息技术股份有限公司

公司概况	公司名称	同辉佳视(北京)信息技术股份有限公司		股份名称	同辉佳视
	法人代表	戴福昊	董秘 李刚	股份代码	430090
	公司网址	www.bjb.com.cn		主办券商	东方证券股份有限公司
	电　话	010-82476677		传　真	010-82476677-601
	注册地址	北京市海淀区北清路103号3号楼I座1区			
	行业分类	信息传输、软件和信息技术服务业			

	指标\报告期	2014.06.30	2013.12.31	2012.12.31
主要财务指标	营业收入(元)	–	97,464,369.73	73,133,811.80
	营业利润(元)	–	3,493,734.19	1,261,490.86
	净利润(元)	–	3,055,076.06	971,639.52
	未分配利润(元)	–	8,464,186.66	6,060,289.59
	总资产(元)	–	101,246,481.31	58,070,922.01
	总负债(元)	–	51,032,616.94	26,321,895.67
	净资产(元)	–	50,213,864.37	31,749,026.34
	每股收益(元)	–	0.12	0.07
	每股净资产(元)	–	1.65	1.94
	净资产收益率(%)	–	6.08	3.06

北京东方润泽生态科技股份有限公司

公司概况	公司名称	北京东方润泽生态科技股份有限公司		股份名称	东方生态
	法人代表	马泽远	董秘 程周海	股份代码	430091
	公司网址	www.irrichina.com		主办券商	信达证券股份有限公司
	电　话	010-51657771		传　真	010-62982600
	注册地址	北京市海淀区信息路33号附3号			
	行业分类	制造业			

	指标\报告期	2014.06.30	2013.12.31	2012.12.31
主要财务指标	营业收入(元)	13,418,552.52	60,047,805.49	56,096,474.49
	营业利润(元)	-4,609,965.87	1,257,737.68	4,930,975.23
	净利润(元)	-4,653,106.09	1,563,482.11	4,343,780.66
	未分配利润(元)	7,342,204.93	11,995,311.02	12,406,684.79
	总资产(元)	74,010,049.82	77,406,058.79	67,548,464.35
	总负债(元)	39,139,051.74	37,881,954.62	27,787,842.29
	净资产(元)	34,870,998.08	39,524,104.17	39,760,622.06
	每股收益(元)	-0.18	0.07	0.31
	每股净资产(元)	1.38	1.57	2.21
	净资产收益率(%)	-13.34	3.96	10.93

北京易生创新科技股份有限公司

公司概况	公司名称	北京易生创新科技股份有限公司			股份名称	易生创新
	法人代表	刘文斌	董秘	袁素梅	股份代码	430092
	公司网址	www.easysafe.com.cn		主办券商	申银万国证券股份有限公司	
	电　　话	010-82335151		传　　真	010-82335151-2004	
	注册地址	北京市东城区安定门东大街28号雍和大厦2号楼902				
	行业分类	信息传输、软件和信息技术服务业				

主要财务指标	指标\报告期	2014.06.30	2013.12.31	2012.12.31
	营业收入(元)	–	3,651,970.97	9,785,955.72
	营业利润(元)	–	-6,760,626.68	-864,631.69
	净利润(元)	–	-6,455,368.86	2,370,118.66
	未分配利润(元)	–	-3,483,319.61	2,972,049.25
	总资产(元)	–	17,317,954.99	14,913,824.46
	总负债(元)	–	9,552,324.45	692,825.06
	净资产(元)	–	7,765,630.54	14,220,999.40
	每股收益(元)	–	-0.65	0.24
	每股净资产(元)	–	0.78	1.42
	净资产收益率(%)	–	-83.13	16.67

北京掌上通网络技术股份有限公司

公司概况	公司名称	北京掌上通网络技术股份有限公司			股份名称	掌上通
	法人代表	肖庆平	董秘	李君华	股份代码	430093
	公司网址	www.zhangshangtong.com		主办券商	西部证券股份有限公司	
	电　　话	010-59862222		传　　真	010-59862233	
	注册地址	北京市海淀区学院路甲5号2幢平房B南2081号				
	行业分类	信息传输、软件和信息技术服务业				

主要财务指标	指标\报告期	2014.06.30	2013.12.31	2012.12.31
	营业收入(元)	–	117,307,887.41	110,102,288.58
	营业利润(元)	–	2,469,158.33	7,362,597.54
	净利润(元)	–	2,428,486.33	6,839,063.79
	未分配利润(元)	–	6,649,974.46	8,541,065.35
	总资产(元)	–	95,054,979.22	86,126,745.37
	总负债(元)	–	43,343,998.30	34,419,114.74
	净资产(元)	–	51,710,980.92	51,707,630.63
	每股收益(元)	–	0.10	0.23
	每股净资产(元)	–	1.58	1.64
	净资产收益率(%)	–	6.14	14.21

北京确安科技股份有限公司

公司概况	公司名称	北京确安科技股份有限公司			股份名称	确安科技
	法人代表	刘晋平	董秘	晏云	股份代码	430094
	公司网址	www.chipadvanced.cn		主办券商	上海证券有限责任公司	
	电　　话	010-58717623		传　　真	010-58717581	
	注册地址	北京市海淀区永丰产业基地丰贤中路7号孵化楼A楼二层				
	行业分类	制造业				

主要财务指标	指标\报告期	2014.06.30	2013.12.31	2012.12.31
	营业收入(元)	20,882,153.29	49,552,533.44	39,360,371.15
	营业利润(元)	338,336.68	-502,585.38	216,886.46
	净利润(元)	479,401.71	6,700,099.65	13,372,565.02
	未分配利润(元)	14,519,734.79	16,515,533.08	15,126,443.40
	总资产(元)	101,106,150.83	108,461,441.13	108,050,751.08
	总负债(元)	47,781,668.66	53,141,160.67	54,789,570.27
	净资产(元)	53,324,482.17	55,320,280.46	53,261,180.81
	每股收益(元)	0.02	0.22	0.43
	每股净资产(元)	1.72	1.79	1.72
	净资产收益率(%)	0.90	12.11	25.11

北京航星网讯技术股份有限公司

公司概况	公司名称	北京航星网讯技术股份有限公司			股份名称	航星股份
	法人代表	张扬	董秘	陶林	股份代码	430095
	公司网址	www.ehangxing.com		主办券商	申银万国证券股份有限公司	
	电　　话	010-82521759		传　　真	010-82521720	
	注册地址	北京市海淀区中关村南2街7号办公楼101室				
	行业分类	信息传输、软件和信息技术服务业				

主要财务指标	指标\报告期	2014.06.30	2013.12.31	2012.12.31
	营业收入(元)	–	77,163,213.59	73,150,238.60
	营业利润(元)	–	3,114,116.88	3,322,198.62
	净利润(元)	–	3,057,560.34	2,752,947.29
	未分配利润(元)	–	10,363,334.23	7,628,690.01
	总资产(元)	–	67,048,715.81	60,126,763.51
	总负债(元)	–	20,774,332.32	16,909,940.36
	净资产(元)	–	46,274,383.49	43,216,823.15
	每股收益(元)	–	0.10	0.14
	每股净资产(元)	–	1.54	1.44
	净资产收益率(%)	–	6.61	6.37

北京航天宏达光电技术股份有限公司

公司概况	公司名称	北京航天宏达光电技术股份有限公司		股份名称	航天宏达
	法人代表	张润松	董秘	张文茜	股份代码	430096
	公司网址		主办券商	山西证券股份有限公司	
	电　话	010-58894308	传　真	010-58894310	
	注册地址	北京市海淀区永定路 88 号长银大厦 4C09			
	行业分类	制造业			

	指标＼报告期	2014.06.30	2013.12.31	2012.12.31
主要财务指标	营业收入(元)	1,556,389.70	8,322,574.60	8,506,119.77
	营业利润(元)	-407,854.48	164,225.07	253,744.73
	净利润(元)	-407,854.48	149,969.15	1,201,218.87
	未分配利润(元)	946,865.50	1,354,719.98	1,219,747.75
	总资产(元)	11,053,420.17	10,981,476.84	11,374,989.50
	总负债(元)	3,250,948.90	2,771,151.09	3,314,632.90
	净资产(元)	7,802,471.27	8,210,325.75	8,060,356.60
	每股收益(元)	-0.06	0.02	0.18
	每股净资产(元)	1.2	1.26	1.24
	净资产收益率(%)	-5.23	1.83	14.90

北京赛德丽科技股份有限公司

公司概况	公司名称	北京赛德丽科技股份有限公司			股份名称	赛德丽
	法人代表	刘俊才	董秘	谢元明	股份代码	430097
	公司网址	www.sdl.com.cn	主办券商	申银万国证券股份有限公司		
	电　话	010-57551399	传　真	010-57551272		
	注册地址	北京市石景山区实兴大街 30 号院 8 号楼 7 层 701 室				
	行业分类	制造业				

	指标＼报告期	2014.06.30	2013.12.31	2012.12.31
主要财务指标	营业收入(元)	-	62,216,919.30	52,352,415.85
	营业利润(元)	-	13,137,343.96	11,204,604.54
	净利润(元)	-	11,638,074.88	10,176,767.97
	未分配利润(元)	-	10,812,150.45	13,029,494.79
	总资产(元)	-	80,973,157.96	70,539,156.26
	总负债(元)	-	20,067,693.16	18,670,475.53
	净资产(元)	-	60,905,464.80	51,868,680.73
	每股收益(元)	-	0.27	0.30
	每股净资产(元)	-	1.39	1.54
	净资产收益率(%)	-	19.11	19.62

北京大津硅藻新材料股份有限公司

公司概况	公司名称	北京大津硅藻新材料股份有限公司			股份名称	大津股份
	法人代表	陈爱平	董秘	陈韵	股份代码	430098
	公司网址	www.dajiny.com	主办券商	申银万国证券股份有限公司		
	电　话	010-59105223	传　真	010-59105840		
	注册地址	北京市海淀区海淀南路 19 号时代网络大厦 8006 室				
	行业分类	制造业				

	指标＼报告期	2014.06.30	2013.12.31	2012.12.31
主要财务指标	营业收入(元)	18,397,656.43	26,786,982.76	18,005,123.84
	营业利润(元)	1,159,133.77	-1,059,624.65	-3,243,143.02
	净利润(元)	996,061.27	-667,036.60	-2,795,167.33
	未分配利润(元)	3,136,289.82	2,140,228.55	2,333,768.97
	总资产(元)	50,397,720.85	48,100,009.70	34,005,048.72
	总负债(元)	8,712,907.54	7,411,257.66	14,086,744.14
	净资产(元)	41,684,813.31	40,688,752.04	19,918,304.58
	每股收益(元)	0.03	-0.03	-0.17
	每股净资产(元)	1.26	1.23	1.21
	净资产收益率(%)	2.37	-1.64	-14.03

北京理想固网科技股份有限公司

公司概况	公司名称	北京理想固网科技股份有限公司			股份名称	理想固网
	法人代表	濮立民	董秘	王云馨	股份代码	430099
	公司网址	www.hardlink.com.cn	主办券商	金元证券股份有限公司		
	电　话	010-82665815	传　真	010-82665795		
	注册地址	北京市海淀区知春路 111 号理想大厦 1708 室				
	行业分类	制造业				

	指标＼报告期	2014.06.30	2013.12.31	2012.12.31
主要财务指标	营业收入(元)	7,161,597.95	18,239,706.47	14,297,323.95
	营业利润(元)	220,100.20	1,352,473.44	1,729,083.29
	净利润(元)	145,219.99	1,397,282.24	1,521,257.18
	未分配利润(元)	2,509,899.10	2,364,679.11	1,107,125.09
	总资产(元)	21,252,928.88	21,845,018.02	14,179,453.32
	总负债(元)	1,491,601.88	2,228,911.01	5,760,628.55
	净资产(元)	19,761,327.00	19,616,107.01	8,418,824.77
	每股收益(元)	0.01	0.16	0.21
	每股净资产(元)	1.98	1.96	1.17
	净资产收益率(%)	0.74	7.12	18.07

北京九尊能源技术股份有限公司

公司概况	公司名称	北京九尊能源技术股份有限公司			股份名称	九尊能源
	法人代表	李玉魁	董秘	向姝洁	股份代码	430100
	公司网址	www.jiuzun2008.com		主办券商	中国银河证券股份有限公司	
	电　话	010-82607480		传　真	010-82607482	
	注册地址	北京市海淀区丹棱街3号中国电子大厦B座1609B				
	行业分类	采矿业				

	指标\报告期	2014.06.30	2013.12.31	2012.12.31
主要财务指标	营业收入(元)	–	102,268,429.67	90,440,641.93
	营业利润(元)	–	18,616,692.68	15,499,331.53
	净利润(元)	–	16,238,908.08	14,136,428.52
	未分配利润(元)	–	33,224,526.35	18,514,764.26
	总资产(元)	–	136,266,497.95	98,414,045.90
	总负债(元)	–	87,132,266.36	70,521,282.39
	净资产(元)	–	49,134,231.59	27,892,763.51
	每股收益(元)	–	2.77	2.85
	每股净资产(元)	–	4.7	5.12
	净资产收益率(%)	–	34.85	55.64

北京泰诚信测控技术股份有限公司

公司概况	公司名称	北京泰诚信测控技术股份有限公司			股份名称	泰诚信
	法人代表	陶发荀	董秘	李敏	股份代码	430101
	公司网址	www.tcxmt.com		主办券商	安信证券股份有限公司	
	电　话	010-80716188-8125		传　真	010-80716188-8026	
	注册地址	北京市海淀区上地十街1号院3号楼1002室				
	行业分类	制造业				

	指标\报告期	2014.06.30	2013.12.31	2012.12.31
主要财务指标	营业收入(元)	12,469,384.45	74,839,653.52	66,104,787.05
	营业利润(元)	–2,515,803.89	17,416,836.27	15,876,258.98
	净利润(元)	1,606,643.70	19,270,435.14	16,691,689.69
	未分配利润(元)	42,514,641.82	40,907,998.12	23,605,714.16
	总资产(元)	121,772,874.24	114,003,723.06	80,030,985.36
	总负债(元)	52,217,798.67	46,055,291.19	31,352,988.63
	净资产(元)	69,555,075.57	67,948,431.87	48,677,996.73
	每股收益(元)	0.11	1.29	1.11
	每股净资产(元)	4.64	4.53	3.25
	净资产收益率(%)	2.31	28.36	34.29

北京科若思技术开发股份有限公司

公司概况	公司名称	北京科若思技术开发股份有限公司			股份名称	科若思
	法人代表	张雪	董秘	王霞	股份代码	430102
	公司网址	www.microseismic.net		主办券商	长江证券股份有限公司	
	电　话	010-62278226		传　真	010-62278226	
	注册地址	北京市海淀区西直门北大街32号院1号楼1705A				
	行业分类	采矿业				

	指标\报告期	2014.06.30	2013.12.31	2012.12.31
主要财务指标	营业收入(元)	549,045.29	11,420,329.57	7,343,414.32
	营业利润(元)	–2,655,319.35	2,599,593.44	–625,011.94
	净利润(元)	–2,664,229.04	2,631,663.85	127,933.14
	未分配利润(元)	399,994.96	3,003,519.00	642,680.13
	总资产(元)	20,271,863.37	23,671,444.07	20,516,818.76
	总负债(元)	187,818.74	990,620.40	459,149.39
	净资产(元)	20,084,044.63	22,680,823.67	20,057,669.37
	每股收益(元)	–0.14	0.14	0.01
	每股净资产(元)	1.04	1.18	1.04
	净资产收益率(%)	–13.27	11.6	0.64

北京天大清源通信科技股份有限公司

公司概况	公司名称	北京天大清源通信科技股份有限公司			股份名称	天大清源
	法人代表	陈敏	董秘	张君源	股份代码	430103
	公司网址	www.tiandaqingyuan.com		主办券商	山西证券股份有限公司	
	电　话	010-62234988		传　真	010-62277030	
	注册地址	北京市海淀区四道口路净土寺32号东区8幢楼6层				
	行业分类	制造业				

	指标\报告期	2014.06.30	2013.12.31	2012.12.31
主要财务指标	营业收入(元)	–	117,752,476.40	103,323,974.64
	营业利润(元)	–	30,973,266.06	23,053,890.66
	净利润(元)	–	29,175,883.34	22,038,261.54
	未分配利润(元)	–	51,149,575.88	29,448,617.28
	总资产(元)	–	179,159,157.67	121,017,513.05
	总负债(元)	–	38,009,689.95	57,302,768.47
	净资产(元)	–	141,149,467.72	63,714,744.58
	每股收益(元)	–	1.36	1.16
	每股净资产(元)	–	5.96	3.18
	净资产收益率(%)	–	21.08	36.31

北京全三维能源科技股份有限公司

公司概况	公司名称	北京全三维能源科技股份有限公司			股份名称	全三维
	法人代表	章钢柱	董秘	陈东方	股份代码	430104
	公司网址	www.bf3d.com.cn		主办券商	广发证券股份有限公司	
	电　话	010-82525103		传　真	010-82525102	
	注册地址	北京市海淀区北四环西路 11 号 9 层				
	行业分类	制造业				

主要财务指标	指标\报告期	2014.06.30	2013.12.31	2012.12.31
	营业收入(元)	–	83,790,241.39	59,027,776.35
	营业利润(元)	–	13,851,013.34	10,811,320.20
	净利润(元)	–	12,744,266.28	9,739,671.54
	未分配利润(元)	–	22,408,525.69	12,641,501.22
	总资产(元)	–	142,407,750.47	128,866,474.74
	总负债(元)	–	58,265,500.62	63,453,774.19
	净资产(元)	–	84,142,249.85	65,412,700.55
	每股收益(元)	–	0.36	0.31
	每股净资产(元)	–	2.37	2.03
	净资产收益率(%)	–	14.92	15.35

北京合力思腾科技股份有限公司

公司概况	公司名称	北京合力思腾科技股份有限公司			股份名称	合力思腾
	法人代表	刘水	董秘	蒋晓红	股份代码	430105
	公司网址	www.holystone.com.cn		主办券商	国信证券股份有限公司	
	电　话	010-82418366		传　真	010-82418388	
	注册地址	北京市怀柔区雁栖经济开发区 888 号 1 层南 1 号				
	行业分类	信息传输、软件和信息技术服务业				

主要财务指标	指标\报告期	2014.06.30	2013.12.31	2012.12.31
	营业收入(元)	18,495,161.58	57,731,275.82	41,428,762.34
	营业利润(元)	2,362,776.77	3,899,196.05	6,450,727.40
	净利润(元)	2,008,546.01	4,369,161.15	6,381,056.37
	未分配利润(元)	17,248,305.46	15,239,759.45	11,307,514.42
	总资产(元)	71,248,858.14	63,862,580.21	62,536,653.46
	总负债(元)	18,110,162.48	12,732,430.56	15,775,664.96
	净资产(元)	53,138,695.66	51,130,149.65	46,760,988.50
	每股收益(元)	0.06	0.13	0.19
	每股净资产(元)	1.59	1.53	1.40
	净资产收益率(%)	3.78	8.55	13.65

北京爱特泰克技术股份公司

公司概况	公司名称	北京爱特泰克技术股份公司			股份名称	爱特泰克
	法人代表	顾锦伟	董秘		股份代码	430106
	公司网址	www.it-tec.com.cn		主办券商	中原证券股份有限公司	
	电　话	010-62122626		传　真	010-62161266	
	注册地址	北京市丰台区南四环西路 188 号七区 20 号一层 101 室				
	行业分类	信息传输、软件和信息技术服务业				

主要财务指标	指标\报告期	2014.06.30	2013.12.31	2012.12.31
	营业收入(元)	–	53,760,408.24	40,073,333.77
	营业利润(元)	–	805,813.11	–2,806,119.44
	净利润(元)	–	648,532.83	–1,371,336.73
	未分配利润(元)	–	727,491.24	143,811.69
	总资产(元)	–	42,632,189.77	32,618,330.56
	总负债(元)	–	31,230,269.86	21,864,943.48
	净资产(元)	–	11,401,919.91	10,753,387.08
	每股收益(元)	–	0.06	–0.14
	每股净资产(元)	–	1.14	1.08
	净资产收益率(%)	–	5.69	–12.75

北京朗铭海川科技股份有限公司

公司概况	公司名称	北京朗铭海川科技股份有限公司			股份名称	朗铭科技
	法人代表	刘海生	董秘	王琦	股份代码	430107
	公司网址	www.longsuncard.com		主办券商	国泰君安证券股份有限公司	
	电　话	010-88232100		传　真	010-51668106-812	
	注册地址	北京市海淀区八里庄路 62 号院 1 号楼 812 室				
	行业分类	信息传输、软件和信息技术服务业				

主要财务指标	指标\报告期	2014.06.30	2013.12.31	2012.12.31
	营业收入(元)	–	23,369,180.07	22,269,632.05
	营业利润(元)	–	1,533,090.11	1,902,333.77
	净利润(元)	–	1,497,898.63	2,321,480.76
	未分配利润(元)	–	4,290,853.70	2,942,744.93
	总资产(元)	–	24,343,393.18	23,939,505.44
	总负债(元)	–	11,266,006.76	14,040,017.65
	净资产(元)	–	13,077,386.42	9,899,487.79
	每股收益(元)	–	0.25	0.39
	每股净资产(元)	–	1.98	1.65
	净资产收益率(%)	–	11.45	23.45

北京精耕天下农业科技股份有限公司

公司概况	公司名称	北京精耕天下农业科技股份有限公司			股份名称	精耕天下
	法人代表	姚世忠	董秘	刘励	股份代码	430108
	公司网址	www.jinggeng.net	主办券商	国都证券有限责任公司		
	电　　话	010-80100671 80100672	传　　真	010-84818288		
	注册地址	北京市昌平区科技园区华通路 11 号				
	行业分类	制造业				

	指标\报告期	2014.06.30	2013.12.31	2012.12.31
主要财务指标	营业收入(元)	–	33,435,569.87	41,881,074.25
	营业利润(元)	–	4,274,637.68	6,300,551.23
	净利润(元)	–	4,277,542.99	5,855,448.08
	未分配利润(元)	–	9,530,233.46	5,656,231.94
	总资产(元)	–	50,868,661.99	40,034,285.23
	总负债(元)	–	12,694,551.98	6,137,718.21
	净资产(元)	–	38,174,110.01	33,896,567.02
	每股收益(元)	–	0.18	0.24
	每股净资产(元)	–	1.48	1.31
	净资产收益率(%)	–	11.94	18.73

北京中航讯科技股份有限公司

公司概况	公司名称	北京中航讯科技股份有限公司			股份名称	中航讯
	法人代表	李英和	董秘	田芳	股份代码	430109
	公司网址	www.cictec.cn	主办券商	财通证券有限责任公司		
	电　　话	010-80771455-6134	传　　真	010-80771490		
	注册地址	北京市海淀区知春路 56 号西区 64 楼第 7 层 708 房间				
	行业分类	制造业				

	指标\报告期	2014.06.30	2013.12.31	2012.12.31
主要财务指标	营业收入(元)	–	15,380,601.34	25,384,618.53
	营业利润(元)	–	–3,443,491.72	3,920,286.68
	净利润(元)	–	–2,505,609.61	3,855,798.12
	未分配利润(元)	–	–2,506,500.56	3,789,604.65
	总资产(元)	–	24,033,364.41	32,800,143.66
	总负债(元)	–	8,264,336.48	18,355,010.52
	净资产(元)	–	15,769,027.93	14,445,133.14
	每股收益(元)	–	–0.15	0.39
	每股净资产(元)	–	0.90	1.44
	净资产收益率(%)	–	–15.89	26.69

百拓商旅(北京)网络科技股份有限公司

公司概况	公司名称	百拓商旅(北京)网络科技股份有限公司			股份名称	百拓科技
	法人代表	刘波	董秘	田晓明	股份代码	430110
	公司网址	www.baitour.com	主办券商	齐鲁证券有限公司		
	电　　话	010-58595688	传　　真	010-58595625		
	注册地址	北京市西城区黄寺大街甲 23 号 1 号楼 12 层 1203 室				
	行业分类	信息传输、软件和信息技术服务业				

	指标\报告期	2014.06.30	2013.12.31	2012.12.31
主要财务指标	营业收入(元)	–	18,157,238.10	18,081,529.17
	营业利润(元)	–	–904,093.52	–998,388.79
	净利润(元)	–	–658,325.67	–500,691.10
	未分配利润(元)	–	–729,947.14	–71,621.47
	总资产(元)	–	8,936,990.99	6,425,377.03
	总负债(元)	–	4,337,352.37	1,167,412.74
	净资产(元)	–	4,599,638.62	5,257,964.29
	每股收益(元)	–	–0.13	–0.10
	每股净资产(元)	–	0.92	1.05
	净资产收益率(%)	–	–14.31	–9.52

北京航峰科伟装备技术股份有限公司

公司概况	公司名称	北京航峰科伟装备技术股份有限公司			股份名称	北京航峰
	法人代表	邓可	董秘	熊松	股份代码	430111
	公司网址	www.hangf.com	主办券商	齐鲁证券有限公司		
	电　　话	010-82864255	传　　真	010-82864255-8080		
	注册地址	北京市海淀区中关村东路 18 号财智国际大厦 C 座 306				
	行业分类	制造业				

	指标\报告期	2014.06.30	2013.12.31	2012.12.31
主要财务指标	营业收入(元)	4,075,594.13	38,957,241.23	34,239,173.66
	营业利润(元)	–4,341,314.53	15,226,554.16	12,287,277.09
	净利润(元)	–4,341,314.53	14,014,713.67	12,893,055.34
	未分配利润(元)	24,937,827.75	29,279,142.28	16,672,868.56
	总资产(元)	77,701,992.63	76,130,356.66	42,698,154.96
	总负债(元)	4,558,732.85	29,645,797.55	10,128,309.52
	净资产(元)	73,143,259.78	46,484,559.11	32,569,845.44
	每股收益(元)	–0.29	1	0.91
	每股净资产(元)	4.45	3.3	2.30
	净资产收益率(%)	–5.94	30.15	39.45

北京弘祥隆生物技术股份有限公司

公司概况	公司名称	北京弘祥隆生物技术股份有限公司		股份名称	弘祥隆
	法人代表	江玉龙	董秘 董琴	股份代码	430112
	公司网址	www.hxlbd.com		主办券商	中原证券股份有限公司
	电话	010-82899811		传真	010-82783560
	注册地址	北京市海淀区上地三街9号金隅嘉华大厦B座6层608			
	行业分类	制造业			

	指标\报告期	2014.06.30	2013.12.31	2012.12.31
主要财务指标	营业收入(元)	–	3,106,851.10	5,127,898.59
	营业利润(元)	–	–2,538,489.29	144,015.53
	净利润(元)	–	–1,512,784.29	655,630.46
	未分配利润(元)	–	–1,113,918.68	398,865.61
	总资产(元)	–	17,733,957.37	12,796,167.95
	总负债(元)	–	7,341,362.50	6,890,788.79
	净资产(元)	–	10,392,594.87	5,905,379.16
	每股收益(元)	–	–0.25	0.13
	每股净资产(元)	–	1.57	1.16
	净资产收益率(%)	–	–14.56	11.10

中交远洲信息技术(北京)股份有限公司

公司概况	公司名称	中交远洲信息技术(北京)股份有限公司		股份名称	中交远洲
	法人代表	杨新洲	董秘 杨众伟	股份代码	430113
	公司网址	www.eroadsoft.com		主办券商	南京证券股份有限公
	电话	010-84477777		传真	010-84477988
	注册地址	北京市海淀区东北旺北京中关村软件园孵化器2号楼2240D23房			
	行业分类	信息传输、软件和信息技术服务业			

	指标\报告期	2014.06.30	2013.12.31	2012.12.31
主要财务指标	营业收入(元)	–	5,986,723.74	5,388,046.06
	营业利润(元)	–	32,654.85	–1,287,845.69
	净利润(元)	–	15,049.15	28,333.16
	未分配利润(元)	–	–260,183.28	–275,232.43
	总资产(元)	–	8,889,109.57	8,322,374.26
	总负债(元)	–	3,680,082.49	3,128,396.33
	净资产(元)	–	5,209,027.08	5,193,977.93
	每股收益(元)	–	0.00	0.01
	每股净资产(元)	–	1.04	1.04
	净资产收益率(%)	–	0.29	0.55

北京永瀚星港生物科技股份有限公司

公司概况	公司名称	北京永瀚星港生物科技股份有限公司		股份名称	永瀚星港
	法人代表	范飞舟	董秘 张小龙	股份代码	430114
	公司网址	www.nymphavn.com		主办券商	中原证券股份有限公司
	电话	010-67871379		传真	010-67863914
	注册地址	北京市北京经济技术开发区宏达北路12号B楼三区三层319室			
	行业分类	卫生和社会工作			

	指标\报告期	2014.06.30	2013.12.31	2012.12.31
主要财务指标	营业收入(元)	–	4,419,525.02	6,240,611.21
	营业利润(元)	–	–2,021,240.16	–16,888.33
	净利润(元)	–	–1,044,240.00	243,353.75
	未分配利润(元)	–	–387,538.71	656,701.29
	总资产(元)	–	8,651,548.00	9,163,753.61
	总负债(元)	–	1,823,603.83	1,181,526.70
	净资产(元)	–	6,827,944.17	7,982,226.91
	每股收益(元)	–	–0.15	0.03
	每股净资产(元)	–	0.98	1.14
	净资产收益率(%)	–	–15.29	3.05

北京中矿华沃科技股份有限公司

公司概况	公司名称	北京中矿华沃科技股份有限公司		股份名称	中矿华沃
	法人代表	黄国鹏	董秘 苗润涛	股份代码	430116
	公司网址	www.zkhw.cn		主办券商	南京证券股份有限公司
	电话	010-51734782		传真	010-51734782-810
	注册地址	北京市海淀区清华东路16号3号楼(中关村能源与安全科技园)0406室			
	行业分类	制造业			

	指标\报告期	2014.06.30	2013.12.31	2012.12.31
主要财务指标	营业收入(元)	1,275,608.30	25,179,196.82	32,809,588.48
	营业利润(元)	–2,760,746.70	1,716,765.18	–1,503,836.44
	净利润(元)	–1,909,978.96	1,612,658.66	2,224,977.06
	未分配利润(元)	2,314,642.45	4,224,621.41	3,243,839.93
	总资产(元)	27,324,727.99	31,355,405.07	31,193,514.70
	总负债(元)	3,082,167.03	5,202,865.15	6,183,022.13
	净资产(元)	24,242,560.96	26,152,539.92	25,010,492.57
	每股收益(元)	–0.10	0.08	0.11
	每股净资产(元)	1.21	1.31	1.25
	净资产收益率(%)	–7.88	6.17	8.90

北京航天理想科技股份有限公司

公司概况	公司名称	北京航天理想科技股份有限公司		股份名称	航天理想
	法人代表	张宇峰	董秘 张宇峰	股份代码	430117
	公司网址		主办券商	南京证券股份有限公司	
	电话	010-82609092	传真	010-82623609	
	注册地址	北京市海淀区苏州街18号长远天地大厦2号楼12B06室			
	行业分类	信息传输、软件和信息技术服务业			

	指标\报告期	2014.06.30	2013.12.31	2012.12.31
主要财务指标	营业收入(元)	–	21,065,259.29	19,924,500.34
	营业利润(元)	–	–1,370,927.30	1,401,822.95
	净利润(元)	–	703,551.86	2,998,549.55
	未分配利润(元)	–	6,507,344.46	5,488,032.00
	总资产(元)	–	31,435,639.09	26,934,820.51
	总负债(元)	–	10,943,334.06	7,146,067.34
	净资产(元)	–	20,492,305.03	19,788,753.17
	每股收益(元)	–	0.12	0.30
	每股净资产(元)	–	2.00	1.88
	净资产收益率(%)	–	5.93	16.58

北京华欣远达软件股份有限公司

公司概况	公司名称	北京华欣远达软件股份有限公司		股份名称	华欣远达
	法人代表	向晓华	董秘 王海明	股份代码	430118
	公司网址	www.hxyd.cc	主办券商	齐鲁证券有限公司	
	电话	010-82780307	传真	010-82899647-816	
	注册地址	北京市海淀区上地三街9号F座203			
	行业分类	信息传输、软件和信息技术服务业			

	指标\报告期	2014.06.30	2013.12.31	2012.12.31
主要财务指标	营业收入(元)	1,023,801.05	2,897,701.04	3,312,651.47
	营业利润(元)	–1,053,861.47	–1,045,054.09	–1,795,540.50
	净利润(元)	–946,551.05	–504,488.71	–818,075.11
	未分配利润(元)	–2,599,095.54	–1,652,544.49	–1,148,055.78
	总资产(元)	4,699,697.61	5,849,636.25	6,022,031.62
	总负债(元)	546,017.07	749,404.66	417,311.32
	净资产(元)	4,153,680.54	5,100,231.59	5,604,720.30
	每股收益(元)	–0.15	–0.08	–0.13
	每股净资产(元)	0.66	0.81	0.89
	净资产收益率(%)	–22.79	–9.89	–14.60

北京鸿仪四方辐射技术股份有限公司

公司概况	公司名称	北京鸿仪四方辐射技术股份有限公司		股份名称	鸿仪四方
	法人代表	鲍矛	董秘 谷凤丹	股份代码	430119
	公司网址	www.hysf.com.cn	主办券商	中信建投证券股份有限公司	
	电话	010-69573338	传真	010-69573338	
	注册地址	北京市通州区工业开发区广利街18号			
	行业分类	科学研究和技术服务业			

	指标\报告期	2014.06.30	2013.12.31	2012.12.31
主要财务指标	营业收入(元)	–	37,270,291.88	35,660,990.82
	营业利润(元)	–	8,361,557.35	9,647,670.42
	净利润(元)	–	7,392,818.97	10,723,860.90
	未分配利润(元)	–	15,155,088.19	13,129,591.12
	总资产(元)	–	97,400,837.03	93,378,623.48
	总负债(元)	–	44,900,909.40	43,643,474.82
	净资产(元)	–	52,499,927.63	49,735,148.66
	每股收益(元)	–	0.24	0.35
	每股净资产(元)	–	1.70	1.61
	净资产收益率(%)	–	14.08	21.56

北京金润方舟科技股份有限公司

公司概况	公司名称	北京金润方舟科技股份有限公司		股份名称	金润科技
	法人代表	杨健	董秘 杨自峰	股份代码	430120
	公司网址	www.jinrunsoft.com	主办券商	宏源证券股份有限公司	
	电话	010-58815116	传真	010-58815116-814	
	注册地址	北京市海淀区长春桥路7号万柳亿城大厦C1-1107			
	行业分类	信息传输、软件和信息技术服务业			

	指标\报告期	2014.06.30	2013.12.31	2012.12.31
主要财务指标	营业收入(元)	–	32,119,795.54	13,682,120.64
	营业利润(元)	–	13,823,787.84	3,334,019.58
	净利润(元)	–	13,061,917.99	3,371,237.72
	未分配利润(元)	–	22,655,677.30	2,019,150.49
	总资产(元)	–	41,433,430.64	15,540,258.02
	总负债(元)	–	1,846,441.69	1,682,481.75
	净资产(元)	–	39,586,988.95	13,857,776.27
	每股收益(元)	–	2.54	0.67
	每股净资产(元)	–	7.62	2.72
	净资产收益率(%)	–	33.00	24.33

北京英福美信息科技股份有限公司

公司概况	公司名称	北京英福美信息科技股份有限公司		股份名称	英福美
	法人代表	王卫	董秘	刘晓春	股份代码	430121
	公司网址	www.ifmsoft.com.cn	主办券商	兴业证券股份有限公司	
	电　话	010-87663120	传　真	010-87664699	
	注册地址	北京市朝阳区大屯路科技园南里-风林绿洲Ⅰ乙号楼 2204 号			
	行业分类	信息传输、软件和信息技术服务业			

	指标\报告期	2014.06.30	2013.12.31	2012.12.31
主要财务指标	营业收入(元)	–	8,867,617.71	13,113,491.57
	营业利润(元)	–	–1,365,683.40	–940,466.76
	净利润(元)	–	–962,981.72	398,443.10
	未分配利润(元)	–	–568,324.79	394,656.93
	总资产(元)	–	9,921,315.32	8,711,171.14
	总负债(元)	–	4,339,795.32	2,166,669.42
	净资产(元)	–	5,581,520.00	6,544,501.72
	每股收益(元)	–	–0.16	0.07
	每股净资产(元)	–	0.92	1.07
	净资产收益率(%)	–	–17.25	6.09

北京中控智联科技股份有限公司

公司概况	公司名称	北京中控智联科技股份有限公司		股份名称	中控智联
	法人代表	胥淏	董秘	闫晓华	股份代码	430122
	公司网址	www.gecpc.com	主办券商	中原证券股份有限公司	
	电　话	010-51286200	传　真	010-51286200-805	
	注册地址	北京市海淀区农大南路 88 号 1 号楼一层 195 室			
	行业分类	制造业			

	指标\报告期	2014.06.30	2013.12.31	2012.12.31
主要财务指标	营业收入(元)	–	15,676,063.23	6,346,640.53
	营业利润(元)	–	674,331.29	–2,059,991.76
	净利润(元)	–	1,191,230.51	–1,267,105.41
	未分配利润(元)	–	–57,841.51	–1,253,664.00
	总资产(元)	–	11,905,711.33	9,229,524.86
	总负债(元)	–	3,945,306.64	2,260,350.68
	净资产(元)	–	7,960,404.69	6,969,174.18
	每股收益(元)	–	0.15	–0.16
	每股净资产(元)	–	1.00	0.85
	净资产收益率(%)	–	15.11	–18.48

北京速原中天科技股份公司

公司概况	公司名称	北京速原中天科技股份公司		股份名称	速原中天
	法人代表	时庆	董秘	王素红	股份代码	430123
	公司网址	www.dongganji.com.cn	主办券商	东方证券股份有限公司	
	电　话	010-69783211	传　真	010-60707108	
	注册地址	北京市昌平区科技园区超前路 9 号 B 座 269 室			
	行业分类	制造业			

	指标\报告期	2014.06.30	2013.12.31	2012.12.31
主要财务指标	营业收入(元)	–	25,182,571.06	19,978,219.61
	营业利润(元)	–	1,328,638.12	1,206,531.80
	净利润(元)	–	2,100,042.48	1,259,186.79
	未分配利润(元)	–	3,124,725.26	1,258,258.45
	总资产(元)	–	40,350,763.25	26,154,564.51
	总负债(元)	–	21,740,629.70	18,260,902.02
	净资产(元)	–	18,610,133.55	7,893,662.49
	每股收益(元)	–	0.25	0.21
	每股净资产(元)	–	1.72	1.32
	净资产收益率(%)	–	11.28	15.95

北京汉唐自远技术股份有限公司

公司概况	公司名称	北京汉唐自远技术股份有限公司		股份名称	汉唐自远
	法人代表	曾向群	董秘	杜娟	股份代码	430124
	公司网址	www.hantangzy.com	主办券商	国海证券股份有限公司	
	电　话	010-62791228	传　真	010-62780067	
	注册地址	北京市海淀区清华科技园大厦 C 座 7 层 701 号			
	行业分类	信息传输、软件和信息技术服务业			

	指标\报告期	2014.06.30	2013.12.31	2012.12.31
主要财务指标	营业收入(元)	–	52,036,982.82	59,595,129.42
	营业利润(元)	–	561,842.70	3,529,601.85
	净利润(元)	–	1,443,867.45	3,450,524.57
	未分配利润(元)	–	7,082,941.65	5,783,460.95
	总资产(元)	–	54,431,838.63	48,133,800.78
	总负债(元)	–	23,507,672.61	18,653,502.21
	净资产(元)	–	30,924,166.02	29,480,298.57
	每股收益(元)	–	0.06	0.15
	每股净资产(元)	–	1.34	1.28
	净资产收益率(%)	–	4.67	11.71

北京都市鼎点科技股份有限公司

公司概况	公司名称	北京都市鼎点科技股份有限公司			股份名称	都市鼎点
	法人代表	万剑伟	董秘	李春虹	股份代码	430125
	公司网址	www.bjdsdd.com		主办券商	国泰君安证券股份有限公司	
	电　　话	010-63786015		传　　真	010-63786015-812	
	注册地址	北京市丰台区海鹰路5号701-702室				
	行业分类	制造业				

	指标\报告期	2014.06.30	2013.12.31	2012.12.31
主要财务指标	营业收入(元)	–	13,589,320.53	16,411,036.85
	营业利润(元)	–	564,970.42	2,319,215.40
	净利润(元)	–	1,056,825.59	2,429,671.63
	未分配利润(元)	–	3,695,394.10	2,744,251.07
	总资产(元)	–	27,375,243.91	26,896,527.11
	总负债(元)	–	7,993,534.95	9,309,613.74
	净资产(元)	–	19,381,708.96	17,586,913.37
	每股收益(元)	–	0.11	0.24
	每股净资产(元)	–	1.94	1.76
	净资产收益率(%)	–	5.45	13.82

马氏兄弟科技(北京)股份有限公司

公司概况	公司名称	马氏兄弟科技(北京)股份有限公司			股份名称	马氏兄弟
	法人代表	马军	董秘	唐梦蕾	股份代码	430126
	公司网址	www.marsbro.com		主办券商	南京证券股份有限公司	
	电　　话	010-65980525		传　　真	010-65980528	
	注册地址	北京市朝阳区望京东路8号院2号楼19层1901室				
	行业分类	居民服务、修理和其他服务业				

	指标\报告期	2014.06.30	2013.12.31	2012.12.31
主要财务指标	营业收入(元)	8,234,200.23	18,919,462.54	19,701,030.01
	营业利润(元)	–3,232.99	47,492.16	41,100.85
	净利润(元)	515,361.62	–5,825.55	83,561.47
	未分配利润(元)	1,434,576.74	909,784.13	902,861.26
	总资产(元)	18,848,590.20	18,732,308.84	19,143,103.95
	总负债(元)	1,188,707.36	1,587,787.62	2,072,757.18
	净资产(元)	17,659,882.84	17,144,521.22	17,070,346.77
	每股收益(元)	0.04	0.00	0.01
	每股净资产(元)	1.35	1.31	1.30
	净资产收益率(%)	3.00	0.15	0.49

北京塞尔瑟斯仪表科技股份有限公司

公司概况	公司名称	北京塞尔瑟斯仪表科技股份有限公司			股份名称	塞尔瑟斯
	法人代表	李岩峰	董秘	党林琳	股份代码	430127
	公司网址	www.sailsors.com.cn		主办券商	长江证券股份有限公司	
	电　　话	010-82883086		传　　真	010-82883822	
	注册地址	北京市海淀区志新村小区海泰大厦621室				
	行业分类	制造业				

	指标\报告期	2014.06.30	2013.12.31	2012.12.31
主要财务指标	营业收入(元)	–	31,096,923.48	30,223,033.93
	营业利润(元)	–	–527,319.57	–484,941.73
	净利润(元)	–	1,458,134.45	979,968.04
	未分配利润(元)	–	4,309,069.75	3,520,046.83
	总资产(元)	–	30,694,936.30	30,420,973.86
	总负债(元)	–	10,251,792.45	10,851,705.67
	净资产(元)	–	20,443,143.85	19,569,268.19
	每股收益(元)	–	0.1	0.07
	每股净资产(元)	–	1.36	1.30
	净资产收益率(%)	–	7.13	5.01

北京广厦网络技术股份公司

公司概况	公司名称	北京广厦网络技术股份公司			股份名称	广厦网络
	法人代表	田野	董秘	李壮	股份代码	430128
	公司网址	www.gonn.com.cn		主办券商	兴业证券股份有限公司	
	电　　话	010-82826361		传　　真	010-82826281	
	注册地址	北京市海淀区东北旺西路8号中关村软件园10号楼301室				
	行业分类	信息传输、软件和信息技术服务业				

	指标\报告期	2014.06.30	2013.12.31	2012.12.31
主要财务指标	营业收入(元)	–	2,679,651,734.09	98,002,265.28
	营业利润(元)	–	128,024,686.93	12,917,256.65
	净利润(元)	–	134,755,043.87	11,070,882.53
	未分配利润(元)	–	236,958,896.35	7,662,625.34
	总资产(元)	–	2,297,727,560.60	78,809,934.66
	总负债(元)	–	1,785,618,911.05	42,640,056.25
	净资产(元)	–	512,108,649.55	36,169,878.41
	每股收益(元)	–	0.64	0.74
	每股净资产(元)	–	2.42	2.41
	净资产收益率(%)	–	26.31	30.61

北京卡联科技股份有限公司

公司概况	公司名称	北京卡联科技股份有限公司		股份名称	卡联科技
	法人代表	李兵	董秘 徐晓阳	股份代码	430130
	公司网址	www.mye-stock.com		主办券商	海通证券股份有限公司
	电　话	010-62572357		传　真	010-62572357-8004
	注册地址	北京市海淀区中关村东路18号1号楼A-305			
	行业分类	信息传输、软件和信息技术服务业			

	指标\报告期	2014.06.30	2013.12.31	2012.12.31
主要财务指标	营业收入(元)	38,141,013.88	74,335,276.97	41,108,873.83
	营业利润(元)	12,074,291.85	27,519,505.13	17,863,328.77
	净利润(元)	10,874,370.75	24,138,422.14	15,530,945.22
	未分配利润(元)	48,719,551.01	37,845,180.26	16,149,012.87
	总资产(元)	138,576,792.68	105,925,113.86	63,629,182.79
	总负债(元)	50,250,190.83	28,472,882.76	10,315,373.83
	净资产(元)	88,326,601.85	77,452,231.10	53,313,808.96
	每股收益(元)	0.36	0.80	0.53
	每股净资产(元)	2.94	2.58	1.78
	净资产收益率(%)	12.31	31.17	29.13

北京伟利讯信息技术股份有限公司

公司概况	公司名称	北京伟利讯信息技术股份有限公司		股份名称	伟利讯
	法人代表	王鸿飞	董秘 李金儒	股份代码	430131
	公司网址	www.vsoon.net		主办券商	申银万国证券股份有限公司
	电　话	010-59236161		传　真	010-59236128
	注册地址	北京市朝阳区酒仙桥路乙21号国宾大厦F3-1室			
	行业分类	信息传输、软件和信息技术服务业			

	指标\报告期	2014.06.30	2013.12.31	2012.12.31
主要财务指标	营业收入(元)	–	18,972,833.05	19,264,702.21
	营业利润(元)	–	2,449,274.31	1,266,947.98
	净利润(元)	–	3,632,927.34	1,865,031.50
	未分配利润(元)	–	5,785,974.84	2,788,104.67
	总资产(元)	–	28,033,103.40	25,926,381.58
	总负债(元)	–	1,505,470.92	2,728,834.77
	净资产(元)	–	26,527,632.48	23,197,546.81
	每股收益(元)	–	0.18	0.11
	每股净资产(元)	–	1.33	1.16
	净资产收益率(%)	–	13.70	8.04

北京国铁科林科技股份有限公司

公司概况	公司名称	北京国铁科林科技股份有限公司		股份名称	国铁科林
	法人代表	李秀田	董秘 李晓峰	股份代码	430132
	公司网址	www.gtkl.net		主办券商	国泰君安证券股份有限公司
	电　话	010-60742243		传　真	010-60742243
	注册地址	北京市昌平区科技园区超前路9号B座2233室			
	行业分类	制造业			

	指标\报告期	2014.06.30	2013.12.31	2012.12.31
主要财务指标	营业收入(元)	–	11,859,557.57	8,014,421.99
	营业利润(元)	–	611,064.83	196,750.13
	净利润(元)	–	1,724,564.69	185,464.01
	未分配利润(元)	–	2,513,038.37	962,294.36
	总资产(元)	–	22,853,075.24	14,032,591.11
	总负债(元)	–	2,212,652.31	1,617,732.87
	净资产(元)	–	20,640,422.93	12,414,858.24
	每股收益(元)	–	0.14	0.02
	每股净资产(元)	–	1.44	1.13
	净资产收益率(%)	–	8.36	1.49

北京赛孚制药股份有限公司

公司概况	公司名称	北京赛孚制药股份有限公司		股份名称	赛孚制药
	法人代表	杜海月	董秘 赵大河	股份代码	430133
	公司网址			主办券商	山西证券股份有限公司
	电　话	010-61253036		传　真	010-61252203
	注册地址	北京市大兴区生物医药基地天贵大街9号			
	行业分类	制造业			

	指标\报告期	2014.06.30	2013.12.31	2012.12.31
主要财务指标	营业收入(元)	12,445,972.98	20,354,592.59	17,049,334.63
	营业利润(元)	-1,337,023.88	331,566.46	230,577.54
	净利润(元)	497,097.09	1,067,246.36	426,918.37
	未分配利润(元)	-2,006,394.37	-2,503,491.46	-3,570,737.82
	总资产(元)	58,699,248.48	52,616,753.09	37,825,887.88
	总负债(元)	30,151,642.85	24,566,244.55	10,842,625.70
	净资产(元)	28,547,605.63	28,050,508.54	26,983,262.18
	每股收益(元)	0.02	0.04	0.02
	每股净资产(元)	1.09	1.07	1.03
	净资产收益率(%)	1.74	3.81	1.58

北京中科可来博电子科技股份有限公司

公司概况	公司名称	北京中科可来博电子科技股份有限公司			股份名称	可来博
	法人代表	冯松云	董秘	姜娜	股份代码	430134
	公司网址	www.clamber.com.cn		主办券商	东方证券股份有限公司	
	电　话	010-62559890		传　真	010-62555787	
	注册地址	北京市海淀区中关村东路89号恒兴大厦11A				
	行业分类	制造业				

主要财务指标	指标\报告期	2014.06.30	2013.12.31	2012.12.31
	营业收入(元)	–	13,914,012.84	13,351,681.57
	营业利润(元)	–	245,257.79	1,132,704.70
	净利润(元)	–	948,008.71	1,216,034.42
	未分配利润(元)	–	1,145,477.27	1,093,234.51
	总资产(元)	–	16,913,467.68	14,700,864.67
	总负债(元)	–	7,255,434.03	5,190,839.73
	净资产(元)	–	9,658,033.65	9,510,024.94
	每股收益(元)	–	0.12	0.13
	每股净资产(元)	–	1.21	1.19
	净资产收益率(%)	–	9.82	12.79

北京三益能源环保发展股份有限公司

公司概况	公司名称	北京三益能源环保发展股份有限公司			股份名称	三益能环
	法人代表	时军	董秘	许静宁	股份代码	430135
	公司网址	www.3eee.com.cn		主办券商	申银万国证券股份有限公司	
	电　话	010-63721622		传　真	010-63721625	
	注册地址	北京市丰台区科学城航丰路甲4号6层				
	行业分类	居民服务、修理和其他服务业				

主要财务指标	指标\报告期	2014.06.30	2013.12.31	2012.12.31
	营业收入(元)	12,669,409.15	33,979,196.06	26,460,814.88
	营业利润(元)	863,360.12	1,839,997.96	–2,448,493.13
	净利润(元)	1,557,031.38	2,858,549.95	–1,974,751.10
	未分配利润(元)	4,686,450.61	3,129,419.23	555,111.68
	总资产(元)	36,785,898.01	35,949,310.81	30,445,171.56
	总负债(元)	16,385,498.95	17,105,943.13	14,460,353.83
	净资产(元)	20,400,399.06	18,843,367.68	15,984,817.73
	每股收益(元)	0.10	0.19	–0.13
	每股净资产(元)	1.36	1.26	1.07
	净资产收益率(%)	7.63	15.17	–12.35

北京安普能环保工程技术股份有限公司

公司概况	公司名称	北京安普能环保工程技术股份有限公司			股份名称	安普能
	法人代表	樊东华	董秘	钮祝红	股份代码	430136
	公司网址	www.upcan.com.cn		主办券商	华龙证券有限责任公司	
	电　话	010-66008633		传　真	010-66008655	
	注册地址	北京市顺义区高丽营镇文化营村北(临空二路1号)				
	行业分类	制造业				

主要财务指标	指标\报告期	2014.06.30	2013.12.31	2012.12.31
	营业收入(元)	–	89,902,029.19	86,597,322.45
	营业利润(元)	–	3,856,943.85	4,439,786.53
	净利润(元)	–	2,676,264.48	3,264,010.76
	未分配利润(元)	–	5,525,853.89	2,937,609.68
	总资产(元)	–	117,354,839.94	50,231,158.63
	总负债(元)	–	100,027,792.90	35,779,938.49
	净资产(元)	–	17,327,047.04	14,451,220.14
	每股收益(元)	–	0.27	0.33
	每股净资产(元)	–	1.73	1.45
	净资产收益率(%)	–	15.45	22.59

北京金信润天信息技术股份有限公司

公司概况	公司名称	北京金信润天信息技术股份有限公司			股份名称	润天股份
	法人代表	林珂	董秘	金结	股份代码	430137
	公司网址	www.runtimebj.com		主办券商	东北证券股份有限公司	
	电　话	010-88498801		传　真	010-88494805	
	注册地址	北京市海淀区四季青乡四季青路8号6层606室				
	行业分类	信息传输、软件和信息技术服务业				

主要财务指标	指标\报告期	2014.06.30	2013.12.31	2012.12.31
	营业收入(元)	–	381,628,280.15	266,582,984.35
	营业利润(元)	–	13,215,418.70	13,099,248.53
	净利润(元)	–	12,763,141.88	11,031,927.74
	未分配利润(元)	–	17,765,159.56	6,163,666.67
	总资产(元)	–	224,954,393.04	185,972,437.68
	总负债(元)	–	152,923,443.29	122,054,629.81
	净资产(元)	–	72,030,949.75	63,917,807.87
	每股收益(元)	–	0.34	0.35
	每股净资产(元)	–	1.44	1.93
	净资产收益率(%)	–	17.72	17.92

武汉国电武仪电气股份有限公司

公司概况	公司名称	武汉国电武仪电气股份有限公司			股份名称	国电武仪
	法人代表	周海斌	董秘	王鹏飞	股份代码	430138
	公司网址	www.goodwyee.com		主办券商	长江证券股份有限公	
	电　话	027-87788700		传　真	027-87788705	
	注册地址	湖北省武汉市东湖开发区关山一路特1号华中曙光软件园D栋1层				
	行业分类	制造业				

	指标\报告期	2014.06.30	2013.12.31	2012.12.31
主要财务指标	营业收入(元)	31,093,240.79	45,906,732.30	37,601,089.20
	营业利润(元)	5,259,111.07	7,131,978.47	7,336,884.96
	净利润(元)	5,571,718.66	8,764,480.41	10,695,031.32
	未分配利润(元)	23,838,055.33	20,560,610.99	12,786,545.09
	总资产(元)	72,663,780.48	69,513,556.71	58,880,986.41
	总负债(元)	6,490,654.34	8,506,544.14	6,638,454.25
	净资产(元)	66,173,126.14	61,007,012.57	52,242,532.16
	每股收益(元)	0.17	0.27	0.33
	每股净资产(元)	2.07	1.91	1.63
	净资产收益率(%)	8.42	14.37	20.47

上海华岭集成电路技术股份有限公司

公司概况	公司名称	上海华岭集成电路技术股份有限公司			股份名称	华岭股份
	法人代表	施瑾	董秘	黄轶强	股份代码	430139
	公司网址	www.sinoictest.com		主办券商	上海证券有限责任公司	
	电　话	021-50278216		传　真	021-50278219	
	注册地址	上海市张江高科技园区郭守敬路351号2号楼1楼				
	行业分类	制造业				

	指标\报告期	2014.06.30	2013.12.31	2012.12.31
主要财务指标	营业收入(元)	–	73,279,478.97	65,677,155.48
	营业利润(元)	–	9,718,572.27	11,418,936.96
	净利润(元)	–	17,744,751.81	15,676,129.91
	未分配利润(元)	–	31,455,366.53	22,615,089.90
	总资产(元)	–	146,701,638.93	131,972,566.24
	总负债(元)	–	66,176,584.55	62,062,263.67
	净资产(元)	–	80,525,054.38	69,910,302.57
	每股收益(元)	–	0.57	0.51
	每股净资产(元)	–	2.60	2.26
	净资产收益率(%)	–	22.04	22.42

上海新眼光医疗器械股份有限公司

公司概况	公司名称	上海新眼光医疗器械股份有限公司			股份名称	新眼光
	法人代表	汤德林	董秘	陈淑娟	股份代码	430140
	公司网址	www.neweyes.com.cn		主办券商	中信建投证券股份有限公司	
	电　话	021-55090806		传　真	021-55090805	
	注册地址	上海市杨浦区赤峰路65号614室				
	行业分类	制造业				

	指标\报告期	2014.06.30	2013.12.31	2012.12.31
主要财务指标	营业收入(元)	31,637,183.75	47,307,083.04	20,968,920.34
	营业利润(元)	10,987,679.80	11,803,522.37	3,237,311.94
	净利润(元)	11,873,393.10	14,486,034.73	4,455,942.25
	未分配利润(元)	29,022,502.21	17,149,109.11	4,111,677.85
	总资产(元)	85,052,662.75	70,876,049.17	22,608,301.70
	总负债(元)	11,113,848.72	8,810,628.24	5,278,915.50
	净资产(元)	73,938,814.03	62,065,420.93	17,329,386.20
	每股收益(元)	0.69	1.10	0.59
	每股净资产(元)	4.30	4.87	2.31
	净资产收益率(%)	16.06	23.34	25.71

天津久日化学股份有限公司

公司概况	公司名称	天津久日化学股份有限公司			股份名称	久日化学
	法人代表	赵国锋	董秘	郝蕾	股份代码	430141
	公司网址	www.jiurichem.com		主办券商	渤海证券股份有限公司	
	电　话	022-58889200		传　真	022-58889248	
	注册地址	天津市北辰区双辰中路22号				
	行业分类	制造业				

	指标\报告期	2014.06.30	2013.12.31	2012.12.31
主要财务指标	营业收入(元)	194,495,158.58	323,895,280.98	235,275,103.95
	营业利润(元)	21,806,080.26	38,874,246.99	31,555,418.48
	净利润(元)	19,459,443.43	36,060,125.67	29,359,442.32
	未分配利润(元)	82,677,842.46	70,130,899.03	36,973,188.44
	总资产(元)	583,983,972.56	405,987,591.44	278,839,097.70
	总负债(元)	369,617,419.75	204,167,982.06	127,730,424.56
	净资产(元)	214,366,552.81	201,819,609.38	151,108,673.14
	每股收益(元)	0.35	0.66	0.57
	每股净资产(元)	3.88	3.65	2.84
	净资产收益率(%)	9.08	17.87	19.43

天津锐新昌轻合金股份有限公司

公司概况	公司名称	天津锐新昌轻合金股份有限公司		股份名称	锐新昌
	法人代表	国占昌	董秘 王哲	股份代码	430142
	公司网址	www.ruixin-eht.com	主办券商	渤海证券股份有限公司	
	电话	022-58188590	传真	022-58188545	
	注册地址	天津市华苑产业园区(环外)海泰北道5号			
	行业分类	制造业			

	指标\报告期	2014.06.30	2013.12.31	2012.12.31
主要财务指标	营业收入(元)	–	215,350,872.86	193,237,549.34
	营业利润(元)	–	34,521,000.58	32,238,996.46
	净利润(元)	–	30,881,284.42	28,290,303.09
	未分配利润(元)	–	127,521,853.93	116,230,474.35
	总资产(元)	–	259,288,981.15	220,460,966.86
	总负债(元)	–	35,166,433.02	10,719,703.15
	净资产(元)	–	224,122,548.13	209,741,263.71
	每股收益(元)	–	0.41	0.38
	每股净资产(元)	–	2.99	2.80
	净资产收益率(%)	–	13.78	13.49

湖北武大有机硅新材料股份有限公司

公司概况	公司名称	湖北武大有机硅新材料股份有限公司		股份名称	武大科技
	法人代表	彭晓东	董秘 康宇峰	股份代码	430143
	公司网址	www.wdsilicone.cn	主办券商	西部证券股份有限公司	
	电话	027-87617508	传真	027-87214371	
	注册地址	湖北省武汉市东湖开发区武汉大学科技园内创业大厦5楼			
	行业分类	制造业			

	指标\报告期	2014.06.30	2013.12.31	2012.12.31
主要财务指标	营业收入(元)	–	158,603,686.35	167,468,867.11
	营业利润(元)	–	–33,170,502.92	–928,681.91
	净利润(元)	–	–30,481,443.53	2,278,754.97
	未分配利润(元)	–	34,510,375.04	64,891,995.24
	总资产(元)	–	332,942,820.96	353,748,410.66
	总负债(元)	–	76,588,818.61	126,912,964.78
	净资产(元)	–	256,354,002.35	226,835,445.88
	每股收益(元)	–	–0.36	0.03
	每股净资产(元)	–	2.52	2.77
	净资产收益率(%)	–	–12.08	0.98

北京昫联得节能科技股份有限公司

公司概况	公司名称	北京昫联得节能科技股份有限公司		股份名称	昫联得
	法人代表	潘广魁	董秘 刘建永	股份代码	430144
	公司网址	www.ti-solar.com	主办券商	东吴证券股份有限公司	
	电话	010-62668401	传真	010-62668401-866	
	注册地址	北京市海淀区双清路6号院1号楼202室			
	行业分类	居民服务、修理和其他服务业			

	指标\报告期	2014.06.30	2013.12.31	2012.12.31
主要财务指标	营业收入(元)	–	5,235,929.26	3,903,744.74
	营业利润(元)	–	–3,065,777.82	–1,067,814.75
	净利润(元)	–	–2,085,828.56	103,514.35
	未分配利润(元)	–	–3,666,385.18	–1,580,556.62
	总资产(元)	–	39,842,067.32	20,283,679.26
	总负债(元)	–	11,235,804.59	10,291,587.97
	净资产(元)	–	28,606,262.73	9,992,091.29
	每股收益(元)	–	–0.13	0.01
	每股净资产(元)	–	0.89	0.87
	净资产收益率(%)	–	–7.29	1.04

北京智立医学技术股份有限公司股份

公司概况	公司名称	北京智立医学技术股份有限公司股份		股份名称	智立医学
	法人代表	王洪利	董秘 张颖	股份代码	430145
	公司网址	www.sunnyms.com	主办券商	齐鲁证券有限公司	
	电话	010-82899338	传真	010-62971276	
	注册地址	北京市海淀区上地开拓路5号中关村生物医药园B108室			
	行业分类	制造业			

	指标\报告期	2014.06.30	2013.12.31	2012.12.31
主要财务指标	营业收入(元)	–	6,814,851.62	6,734,101.65
	营业利润(元)	–	885,776.53	783,884.71
	净利润(元)	–	1,823,741.81	894,733.00
	未分配利润(元)	–	2,966,063.96	1,324,696.33
	总资产(元)	–	16,656,503.91	15,348,563.04
	总负债(元)	–	1,541,212.69	2,057,013.63
	净资产(元)	–	15,115,291.22	13,291,549.41
	每股收益(元)	–	0.16	0.08
	每股净资产(元)	–	1.30	1.15
	净资产收益率(%)	–	12.07	6.73

亚泰都会(北京)城市规划建筑园林设计研究院股份有限公司

公司概况	公司名称	亚泰都会(北京)城市规划建筑园林设计研究院股份有限公司		股份名称	亚泰都会
	法人代表	赵玉民	董秘	任洪坤	股份代码	430146
	公司网址	www.yataiduhui.com	主办券商	国信证券股份有限公司	
	电　话	010-85755505	传　真	010-85754966	
	注册地址	北京市朝阳区酒仙桥路甲 4 号 3 号楼 1101 室、1104-A 室			
	行业分类	科学研究和技术服务业			

	指标\报告期	2014.06.30	2013.12.31	2012.12.31
主要财务指标	营业收入(元)	–	27,785,743.13	41,436,523.49
	营业利润(元)	–	-8,023,106.88	6,583,454.51
	净利润(元)	–	-7,748,754.10	5,168,930.33
	未分配利润(元)	–	-5,733,812.80	4,601,941.30
	总资产(元)	–	40,498,184.18	43,875,776.75
	总负债(元)	–	17,164,744.45	10,206,582.92
	净资产(元)	–	23,333,439.73	33,669,193.83
	每股收益(元)	–	-0.30	0.20
	每股净资产(元)	–	0.90	1.30
	净资产收益率(%)	–	-33.21	15.35

中矿龙科能源科技(北京)股份有限公司

公司概况	公司名称	中矿龙科能源科技(北京)股份有限公司		股份名称	中矿龙科
	法人代表	凌标灿	董秘	屈洪亮	股份代码	430147
	公司网址	www.bjzklk.com	主办券商	申银万国证券股份有限公司	
	电　话	010-82896992/6169	传　真	010-82895450-8041	
	注册地址	北京市海淀区上地信息路 1 号 A 栋 602			
	行业分类	制造业			

	指标\报告期	2014.06.30	2013.12.31	2012.12.31
主要财务指标	营业收入(元)	8,721,289.86	24,471,094.10	10,691,246.58
	营业利润(元)	-3,563,954.54	456,981.58	-4,130,801.46
	净利润(元)	-3,438,725.14	989,893.52	-3,389,786.15
	未分配利润(元)	-6,065,008.74	-2,626,283.60	-3,616,177.12
	总资产(元)	76,480,339.81	72,738,476.95	33,272,122.64
	总负债(元)	14,738,039.34	7,557,451.34	4,245,990.55
	净资产(元)	61,742,300.47	65,181,025.61	29,026,132.09
	每股收益(元)	-0.08	0.03	-0.11
	每股净资产(元)	1.49	1.55	0.97
	净资产收益率(%)	-5.57	1.52	-11.68

北京科能腾达信息技术股份有限公司

公司概况	公司名称	北京科能腾达信息技术股份有限公司		股份名称	科能腾达
	法人代表	刘庆	董秘	齐海澎	股份代码	430148
	公司网址	www.connected.com.cn	主办券商	东北证券股份有限公司	
	电　话	010-82685838	传　真	010-82685968	
	注册地址	北京市东城区后永康胡同 17 号 593A 室			
	行业分类	信息传输、软件和信息技术服务业			

	指标\报告期	2014.06.30	2013.12.31	2012.12.31
主要财务指标	营业收入(元)	–	26,330,973.83	17,720,399.83
	营业利润(元)	–	1,350,405.36	749,214.64
	净利润(元)	–	2,813,138.59	567,867.18
	未分配利润(元)	–	3,042,905.19	511,080.46
	总资产(元)	–	22,342,965.62	11,326,729.40
	总负债(元)	–	10,600,161.64	5,661,064.01
	净资产(元)	–	11,742,803.98	5,665,665.39
	每股收益(元)	–	0.44	0.11
	每股净资产(元)	–	1.59	1.13
	净资产收益率(%)	–	23.96	10.02

湖北江汉石油仪器仪表股份有限公司

公司概况	公司名称	湖北江汉石油仪器仪表股份有限公司		股份名称	江仪股份
	法人代表	张建安	董秘	刘建斌	股份代码	430149
	公司网址	www.hbjpirn.com	主办券商	大通证券股份有限公司	
	电　话	027-51012048	传　真	027-51012086	
	注册地址	湖北省武汉市东湖开发区东二产业园财富二路			
	行业分类	制造业			

	指标\报告期	2014.06.30	2013.12.31	2012.12.31
主要财务指标	营业收入(元)	60,492,055.45	110,426,933.58	105,459,881.53
	营业利润(元)	8,204,231.80	17,772,251.27	16,260,637.63
	净利润(元)	7,419,484.97	17,034,362.39	14,757,369.28
	未分配利润(元)	27,987,634.15	20,568,149.18	26,987,037.45
	总资产(元)	217,606,846.32	207,686,518.10	165,024,834.03
	总负债(元)	130,385,464.21	127,884,620.96	91,808,250.98
	净资产(元)	87,221,382.11	79,801,897.14	73,216,583.05
	每股收益(元)	0.16	0.38	0.42
	每股净资产(元)	1.93	1.76	2.10
	净资产收益率(%)	8.51	21.35	20.16

北京创和世纪通讯技术股份有限公司

公司概况	公司名称	北京创和世纪通讯技术股份有限公司		股份名称	创和通讯
	法人代表	王兵	董秘 陈江	股份代码	430150
	公司网址	www.chuanghe.net		主办券商	申银万国证券股份有限公司
	电　话	010-88593131		传　真	010-88593626
	注册地址	北京市海淀区玉渊潭南路11号			
	行业分类	信息传输、软件和信息技术服务业			

主要财务指标	指标\报告期	2014.06.30	2013.12.31	2012.12.31
	营业收入(元)	37,762,515.75	74,040,264.06	64,889,523.43
	营业利润(元)	10,475.64	4,034,173.98	4,045,657.15
	净利润(元)	431,916.03	4,116,595.52	3,134,080.27
	未分配利润(元)	8,435,827.47	8,003,911.44	4,272,319.76
	总资产(元)	65,054,918.04	64,318,340.70	56,200,158.19
	总负债(元)	18,385,051.83	18,080,390.52	14,078,803.53
	净资产(元)	46,669,866.21	46,237,950.18	42,121,354.66
	每股收益(元)	0.01	0.11	0.09
	每股净资产(元)	1.30	1.28	1.17
	净资产收益率(%)	0.93	8.90	7.44

天津亿鑫通科技股份有限公司

公司概况	公司名称	天津亿鑫通科技股份有限公司		股份名称	亿鑫通
	法人代表	刘士龙	董秘 张凤林	股份代码	430151
	公司网址	www.china-yxt.com		主办券商	申银万国证券股份有限公司
	电　话	022-23782257		传　真	022-23782259
	注册地址	天津市华苑产业区(环外)海泰华科一路11号			
	行业分类	制造业			

主要财务指标	指标\报告期	2014.06.30	2013.12.31	2012.12.31
	营业收入(元)	50,466,624.99	105,823,664.19	102,960,542.23
	营业利润(元)	2,006,053.16	1,615,043.14	5,518,318.04
	净利润(元)	1,655,155.97	2,870,574.68	5,111,868.71
	未分配利润(元)	24,830,901.55	23,341,909.39	20,757,462.87
	总资产(元)	147,835,306.14	137,408,326.81	123,962,116.06
	总负债(元)	88,751,038.38	80,315,215.02	69,739,578.95
	净资产(元)	59,084,267.76	57,093,111.79	54,222,537.11
	每股收益(元)	0.06	0.10	0.17
	每股净资产(元)	1.96	1.90	1.81
	净资产收益率(%)	2.80	5.03	9.43

北京思创银联科技股份有限公司

公司概况	公司名称	北京思创银联科技股份有限公司		股份名称	思创银联
	法人代表	于晓军	董秘 吴志芬	股份代码	430152
	公司网址	www.strongunion.com.cn		主办券商	中原证券股份有限公司
	电　话	010-59945629		传　真	010-59221421
	注册地址	北京市海淀区东北旺西路8号4号楼软件广场C座2-03室			
	行业分类	制造业			

主要财务指标	指标\报告期	2014.06.30	2013.12.31	2012.12.31
	营业收入(元)	31,598,179.12	60,028,035.80	72,941,480.25
	营业利润(元)	-6,773,909.81	-1,140,761.13	-142,997.19
	净利润(元)	-6,036,687.59	780,893.93	844,411.73
	未分配利润(元)	5,055,212.05	11,091,899.64	10,389,095.10
	总资产(元)	106,993,653.26	107,194,597.52	98,405,041.96
	总负债(元)	37,207,899.43	31,372,156.10	43,403,494.47
	净资产(元)	69,785,753.83	75,822,441.42	55,001,547.49
	每股收益(元)	-0.14	0.02	0.02
	每股净资产(元)	1.61	1.75	1.45
	净资产收益率(%)	-8.65	1.03	1.54

北京中金网信科技股份有限公司

公司概况	公司名称	北京中金网信科技股份有限公司		股份名称	中金网信
	法人代表	刘正智	董秘 张林	股份代码	430153
	公司网址	www.ferro-alloys.com		主办券商	方正证券股份有限公司
	电　话	010-85597955		传　真	010-85597958
	注册地址	北京市海淀区农大南路1号院2号楼2层办公B-221			
	行业分类	信息传输、软件和信息技术服务业			

主要财务指标	指标\报告期	2014.06.30	2013.12.31	2012.12.31
	营业收入(元)	-	1,550,230.55	3,510,167.83
	营业利润(元)	-	-1,942,671.31	-777,648.96
	净利润(元)	-	-1,883,604.03	-483,590.43
	未分配利润(元)	-	-2,414,207.82	-530,603.79
	总资产(元)	-	4,620,442.52	6,079,278.77
	总负债(元)	-	1,140,487.61	715,719.83
	净资产(元)	-	3,479,954.91	5,363,558.94
	每股收益(元)	-	-0.34	-0.09
	每股净资产(元)	-	0.63	0.98
	净资产收益率(%)	-	-54.13	-9.02

武汉中科通达高新技术股份有限公司

公司概况	公司名称	武汉中科通达高新技术股份有限公司			股份名称	中科通达
	法人代表	王开学	董秘	谢晓帆	股份代码	430154
	公司网址	www.citms.cn		主办券商	长江证券股份有限公司	
	电　话	027-87788721		传　真	027-87788720	
	注册地址	湖北省武汉市东湖新技术开发区关山大道1号软件产业三期A3栋10层				
	行业分类	信息传输、软件和信息技术服务业				

	指标\报告期	2014.06.30	2013.12.31	2012.12.31
主要财务指标	营业收入(元)	–	71,105,022.88	63,531,521.47
	营业利润(元)	–	3,234,090.52	5,939,885.26
	净利润(元)	–	8,214,612.71	5,356,897.04
	未分配利润(元)	–	11,258,533.56	3,865,382.12
	总资产(元)	–	112,305,710.60	94,968,860.91
	总负债(元)	–	66,752,255.08	57,630,018.10
	净资产(元)	–	45,553,455.52	37,338,842.81
	每股收益(元)	–	0.27	0.18
	每股净资产(元)	–	1.52	1.25
	净资产收益率(%)	–	18.03	14.35

北京康辰亚奥技术股份有限公司

公司概况	公司名称	北京康辰亚奥技术股份有限公司			股份名称	康辰亚奥
	法人代表	刘伟	董秘	姚烈	股份代码	430155
	公司网址	www.bjyaao.com.cn		主办券商	长城证券有限责任公司	
	电　话	010-64911830-6003		传　真	010-64981397	
	注册地址	北京市海淀区学院路7号六层601室				
	行业分类	制造业				

	指标\报告期	2014.06.30	2013.12.31	2012.12.31
主要财务指标	营业收入(元)	–	31,232,703.71	40,645,337.72
	营业利润(元)	–	–4,009,519.03	889,012.48
	净利润(元)	–	–2,869,571.29	1,022,588.89
	未分配利润(元)	–	–2,223,705.65	645,865.64
	总资产(元)	–	38,974,300.18	30,550,515.06
	总负债(元)	–	23,806,130.08	12,512,773.67
	净资产(元)	–	15,168,170.10	18,037,741.39
	每股收益(元)	–	–0.18	0.06
	每股净资产(元)	–	0.95	1.13
	净资产收益率(%)	–	–18.92	5.67

上海科曼车辆部件系统股份有限公司

公司概况	公司名称	上海科曼车辆部件系统股份有限公司			股份名称	科曼股份
	法人代表	李贤波	董秘	徐正远	股份代码	430156
	公司网址	www.komman.com		主办券商	光大证券股份有限公司	
	电　话	021-31169123		传　真	021-31169290	
	注册地址	上海市嘉定工业区福海路1055号				
	行业分类	制造业				

	指标\报告期	2014.06.30	2013.12.31	2012.12.31
主要财务指标	营业收入(元)	82,264,813.93	172,346,073.40	140,230,109.50
	营业利润(元)	4,446,998.22	12,946,748.92	11,505,431.51
	净利润(元)	5,163,653.74	14,230,248.49	11,082,470.01
	未分配利润(元)	29,335,039.14	27,171,385.40	16,464,161.76
	总资产(元)	153,184,743.20	153,869,179.58	120,571,059.69
	总负债(元)	72,339,155.97	75,587,246.09	54,419,374.69
	净资产(元)	80,845,587.23	78,281,933.49	66,151,685.00
	每股收益(元)	0.17	0.47	0.37
	每股净资产(元)	2.68	2.61	2.21
	净资产收益率(%)	6.42	18.18	16.75

腾龙电子技术(上海)股份有限公司

公司概况	公司名称	腾龙电子技术(上海)股份有限公司			股份名称	腾龙电子
	法人代表	虞立群	董秘	虞立民	股份代码	430157
	公司网址	www.dragontec.com.cn		主办券商	海通证券股份有限公司	
	电　话	021-64692460		传　真	021-64287226	
	注册地址	上海市嘉定工业区叶城路1288号1号楼3楼				
	行业分类	信息传输、软件和信息技术服务业				

	指标\报告期	2014.06.30	2013.12.31	2012.12.31
主要财务指标	营业收入(元)	–	25,424,800.34	31,848,781.13
	营业利润(元)	–	12,042,592.28	13,313,842.08
	净利润(元)	–	12,176,276.36	14,607,691.79
	未分配利润(元)	–	24,814,747.62	14,223,032.74
	总资产(元)	–	48,258,466.88	40,904,644.95
	总负债(元)	–	3,570,997.42	6,130,123.00
	净资产(元)	–	44,687,469.46	34,774,521.95
	每股收益(元)	–	0.81	0.97
	每股净资产(元)	–	2.98	2.32
	净资产收益率(%)	–	27.25	42.01

北京北方科诚科技股份有限公司

公司概况	公司名称	北京北方科诚科技股份有限公司		股份名称	北方科诚	
	法人代表	苏喜红	董秘	杨赟	股份代码	430158
	公司网址	www.ebfkc.com		主办券商	金元证券股份有限公司	
	电　话	010-88860379		传　真	010-88860379-8013	
	注册地址	北京市海淀区大柳树富海中心 2 号楼 508 号				
	行业分类	信息传输、软件和信息技术服务业				

	指标\报告期	2014.06.30	2013.12.31	2012.12.31
主要财务指标	营业收入(元)	–	16,861,522.54	19,038,464.13
	营业利润(元)	–	2,911,921.26	1,452,680.02
	净利润(元)	–	3,639,709.00	1,406,045.09
	未分配利润(元)	–	3,598,878.52	308,546.14
	总资产(元)	–	18,684,427.13	14,459,597.39
	总负债(元)	–	9,558,064.16	8,972,943.42
	净资产(元)	–	9,126,362.97	5,486,653.97
	每股收益(元)	–	0.71	0.28
	每股净资产(元)	–	1.79	1.08
	净资产收益率(%)	–	39.88	25.63

天津创世生态景观建设股份有限公司

公司概况	公司名称	天津创世生态景观建设股份有限公司		股份名称	创世生态	
	法人代表	刘士全	董秘	安振	股份代码	430159
	公司网址	www.tjchuangshi.com.cn		主办券商	南京证券股份有限公司	
	电　话	022-86680581		传　真	022-86680581-8000	
	注册地址	天津市南开区红旗路与渭水道交口西北侧赢寰大厦 1-401				
	行业分类	建筑业				

	指标\报告期	2014.06.30	2013.12.31	2012.12.31
主要财务指标	营业收入(元)	200,945,570.02	381,920,720.90	260,461,938.76
	营业利润(元)	21,177,901.82	43,969,581.91	33,670,341.07
	净利润(元)	20,097,395.16	38,052,257.43	26,561,659.50
	未分配利润(元)	80,827,754.80	60,716,998.65	26,434,684.62
	总资产(元)	331,999,766.48	300,152,865.77	190,787,340.14
	总负债(元)	160,833,637.20	149,084,131.65	79,970,863.45
	净资产(元)	171,166,129.28	151,068,734.12	110,816,476.69
	每股收益(元)	0.40	0.76	0.55
	每股净资产(元)	3.42	2.98	2.22
	净资产收益率(%)	11.9	25.61	23.97

天津三泰晟驰科技股份有限公司

公司概况	公司名称	天津三泰晟驰科技股份有限公司		股份名称	三泰晟驰	
	法人代表	李月国	董秘	杨德勇	股份代码	430160
	公司网址	www.sumtar.com		主办券商	齐鲁证券有限公司	
	电　话	022-83713559		传　真	022-83712225	
	注册地址	天津市华苑产业区海泰发展六道 6 号海泰绿色产业基地 M7-101 室				
	行业分类	信息传输、软件和信息技术服务业				

	指标\报告期	2014.06.30	2013.12.31	2012.12.31
主要财务指标	营业收入(元)	5,993,208.53	14,196,915.73	13,623,266.21
	营业利润(元)	807,289.46	2,625,511.79	1,114,636.58
	净利润(元)	802,972.90	3,845,033.25	1,376,559.58
	未分配利润(元)	30,094,411.58	29,291,438.68	25,840,508.47
	总资产(元)	55,466,814.01	55,482,410.21	54,505,219.10
	总负债(元)	7,151,726.45	7,970,295.55	10,838,137.69
	净资产(元)	48,315,087.56	47,512,114.66	43,667,081.41
	每股收益(元)	0.06	0.30	0.11
	每股净资产(元)	3.77	3.71	3.41
	净资产收益率(%)	1.66	8.09	3.15

武汉光谷信息技术股份有限公司

公司概况	公司名称	武汉光谷信息技术股份有限公司		股份名称	光谷信息	
	法人代表	姜益民	董秘	邓媛	股份代码	430161
	公司网址	www.51bsi.com		主办券商	广发证券股份有限公司	
	电　话	027-87416625		传　真	027-87416668	
	注册地址	湖北省武汉市东湖新技术开发区关山大道 1 号光谷软件园 1.1 期产业楼 A2 栋 3 楼				
	行业分类	信息传输、软件和信息技术服务业				

	指标\报告期	2014.06.30	2013.12.31	2012.12.31
主要财务指标	营业收入(元)	–	81,616,727.00	61,931,157.04
	营业利润(元)	–	7,885,419.25	5,876,078.64
	净利润(元)	–	8,528,701.60	7,700,770.28
	未分配利润(元)	–	8,794,905.51	8,619,074.07
	总资产(元)	–	81,664,832.70	63,513,389.88
	总负债(元)	–	38,126,068.37	25,503,327.15
	净资产(元)	–	43,538,764.33	38,010,062.73
	每股收益(元)	–	0.27	0.39
	每股净资产(元)	–	1.36	1.90
	净资产收益率(%)	–	19.59	20.26

北京聚利科技股份有限公司

公司概况	公司名称	北京聚利科技股份有限公司		股份名称	聚利科技
	法人代表	韩智	董秘	吴亚光	股份代码	430162
	公司网址	www.bjjuli.com		主办券商	东吴证券股份有限公司
	电　话	010-51653658		传　真	010-80724808
	注册地址	北京市海淀区北土城西路 119 号一层			
	行业分类	制造业			

	指标\报告期	2014.06.30	2013.12.31	2012.12.31
主要财务指标	营业收入(元)	–	201,041,524.92	114,579,839.61
	营业利润(元)	–	33,180,774.61	18,630,897.09
	净利润(元)	–	32,354,271.57	17,162,970.02
	未分配利润(元)	–	41,294,307.34	13,793,176.51
	总资产(元)	–	173,762,237.70	119,536,153.26
	总负债(元)	–	76,082,812.86	54,210,999.99
	净资产(元)	–	97,679,424.84	65,325,153.27
	每股收益(元)	–	0.67	0.38
	每股净资产(元)	–	2.04	1.45
	净资产收益率(%)	–	33.12	26.2

北京合创三众能源科技股份有限公司

公司概况	公司名称	北京合创三众能源科技股份有限公司		股份名称	三众能源
	法人代表	李红霞	董秘	李红霞	股份代码	430163
	公司网址	www.sanzenenergy.com		主办券商	申银万国证券股份有限公司
	电　话	010-80213836		传　真	010-80214122
	注册地址	北京市大兴区中关村科技园区大兴生物医药产业基地天河西路 19 号 101 室			
	行业分类	科学研究和技术服务业			

	指标\报告期	2014.06.30	2013.12.31	2012.12.31
主要财务指标	营业收入(元)	–	74,416,085.82	58,839,112.88
	营业利润(元)	–	6,188,980.13	4,543,915.86
	净利润(元)	–	5,725,788.43	4,054,036.21
	未分配利润(元)	–	8,416,880.93	3,262,112.21
	总资产(元)	–	62,940,801.24	44,469,862.62
	总负债(元)	–	32,923,409.66	20,180,656.08
	净资产(元)	–	30,017,391.58	24,289,206.54
	每股收益(元)	–	0.30	0.24
	每股净资产(元)	–	1.58	1.28
	净资产收益率(%)	–	19.08	16.69

北京思倍驰科技股份有限公司

公司概况	公司名称	北京思倍驰科技股份有限公司		股份名称	思倍驰
	法人代表	张颖	董秘	沈坤	股份代码	430164
	公司网址	www.cpc.com.cn		主办券商	国都证券有限责任公司
	电　话	010-82609325		传　真	010-82609326
	注册地址	北京市海淀区苏州街 18 号院长远天地大厦 4 号楼 1707 室			
	行业分类	信息传输、软件和信息技术服务业			

	指标\报告期	2014.06.30	2013.12.31	2012.12.31
主要财务指标	营业收入(元)	9,757,434.82	21,162,068.75	37,391,705.24
	营业利润(元)	-1,748,944.12	1,824,632.04	3,673,889.91
	净利润(元)	-952,870.70	4,011,199.17	5,055,864.52
	未分配利润(元)	5,407,010.14	6,359,880.84	2,749,801.59
	总资产(元)	49,738,385.12	50,191,567.81	38,306,522.99
	总负债(元)	30,032,096.25	29,532,408.24	21,658,562.59
	净资产(元)	19,706,288.87	20,659,159.57	16,647,960.40
	每股收益(元)	-0.07	0.30	0.33
	每股净资产(元)	1.46	1.53	1.23
	净资产收益率(%)	-4.84	19.42	30.37

光宝联合(北京)科技股份有限公司

公司概况	公司名称	光宝联合(北京)科技股份有限公司		股份名称	光宝联合
	法人代表	汪海滢	董秘	段媛媛	股份代码	430165
	公司网址	www.guangbao-uni.com		主办券商	兴业证券股份有限公司
	电　话	010-84873735		传　真	010-51410759
	注册地址	北京市海淀区学院路甲 5 号 1 幢三层 1# 厂房西区 1-016 室			
	行业分类	信息传输、软件和信息技术服务业			

	指标\报告期	2014.06.30	2013.12.31	2012.12.31
主要财务指标	营业收入(元)	15,346,815.28	19,714,117.46	13,134,946.13
	营业利润(元)	293,044.53	525,210.17	621,204.38
	净利润(元)	707,085.66	710,979.77	415,154.74
	未分配利润(元)	1,573,933.17	866,847.51	226,965.72
	总资产(元)	20,896,132.33	13,460,897.80	10,685,801.02
	总负债(元)	9,044,433.12	2,316,284.25	252,167.24
	净资产(元)	11,851,699.21	11,144,613.55	10,433,633.78
	每股收益(元)	0.07	0.07	0.04
	每股净资产(元)	1.19	1.11	1.04
	净资产收益率(%)	5.97	6.38	3.98

北京一正启源科技发展股份有限公司

公司概况

公司名称	北京一正启源科技发展股份有限公司			股份名称	一正启源
法人代表	赵嘉	董秘	张铁文	股份代码	430166
公司网址	www.egensource.cn	主办券商	东兴证券股份有限公司		
电　　话	010-62195855-666	传　　真	010-62195855-661		
注册地址	北京市海淀区大柳树路富海中心 3 号楼 706				
行业分类	信息传输、软件和信息技术服务业				

主要财务指标

指标\报告期	2014.06.30	2013.12.31	2012.12.31
营业收入(元)	–	17,566,781.72	11,237,418.57
营业利润(元)	–	1,163,855.17	–1,872,084.20
净利润(元)	–	1,600,279.76	–1,927,032.19
未分配利润(元)	–	–1,447,033.99	–3,098,039.07
总资产(元)	–	19,308,049.28	19,369,666.70
总负债(元)	–	3,175,577.60	5,095,882.86
净资产(元)	–	16,132,471.68	14,273,783.84
每股收益(元)	–	0.1	–0.14
每股净资产(元)	–	0.98	0.87
净资产收益率(%)	–	9.92	–13.50

北京四利通控制技术股份有限公司

公司概况

公司名称	北京四利通控制技术股份有限公司			股份名称	四利通
法人代表	缑柏弘	董秘	王许彬	股份代码	430167
公司网址	www.sleton.com	主办券商	大通证券股份有限公司		
电　　话	010-56370521	传　　真	010-56370520		
注册地址	北京市朝阳区望京利泽中园 105 号楼 303				
行业分类	制造业				

主要财务指标

指标\报告期	2014.06.30	2013.12.31	2012.12.31
营业收入(元)	24,211,071.48	60,232,166.95	58,725,434.13
营业利润(元)	364,575.99	6,292,859.39	9,068,961.97
净利润(元)	2,532,632.40	6,816,968.24	7,488,421.09
未分配利润(元)	14,805,371.62	12,526,002.46	6,390,877.13
总资产(元)	109,039,820.76	111,106,385.33	87,040,725.93
总负债(元)	37,914,773.99	42,513,970.96	25,265,279.80
净资产(元)	71,125,046.77	68,592,414.37	61,775,446.13
每股收益(元)	0.08	0.23	0.25
每股净资产(元)	2.37	2.29	2.06
净资产收益率(%)	3.56	9.94	12.12

北京博维仕科技股份有限公司

公司概况

公司名称	北京博维仕科技股份有限公司			股份名称	博维仕
法人代表	吴月安	董秘	吴华华	股份代码	430168
公司网址	www.bovissgroup.com	主办券商	上海证券有限责任公司		
电　　话	010-64450990	传　　真	010-64459550		
注册地址	北京市海淀区恩济庄永安东里 3 号楼 5 层永吉鑫宾馆 8203 室				
行业分类	信息传输、软件和信息技术服务业				

主要财务指标

指标\报告期	2014.06.30	2013.12.31	2012.12.31
营业收入(元)	18,375,132.95	46,837,998.52	33,887,680.21
营业利润(元)	495,626.05	4,372,854.15	872,714.95
净利润(元)	1,676,007.09	6,488,549.68	3,310,123.94
未分配利润(元)	7,510,388.92	6,740,631.83	900,937.12
总资产(元)	53,688,999.75	56,310,645.85	42,945,988.93
总负债(元)	22,311,797.40	25,703,200.59	18,827,093.35
净资产(元)	31,377,202.35	30,607,445.26	24,118,895.58
每股收益(元)	0.08	0.36	0.19
每股净资产(元)	1.44	1.69	1.33
净资产收益率(%)	5.34	21.2	13.72

融智通科技(北京)股份有限公司

公司概况

公司名称	融智通科技(北京)股份有限公司			股份名称	融智通
法人代表	管明尧	董秘	陶巍	股份代码	430169
公司网址	www.rongzhitong.com	主办券商	信达证券股份有限公司		
电　　话	010-82890758/59	传　　真	010-82890759-802		
注册地址	北京市海淀区上地五街 7 号 401 室				
行业分类	制造业				

主要财务指标

指标\报告期	2014.06.30	2013.12.31	2012.12.31
营业收入(元)	–	22,677,091.12	17,113,813.42
营业利润(元)	–	2,896,818.55	1,538,244.31
净利润(元)	–	5,006,033.10	1,862,620.36
未分配利润(元)	–	5,860,120.03	1,354,690.24
总资产(元)	–	30,179,122.17	10,219,132.31
总负债(元)	–	17,280,731.91	3,326,775.15
净资产(元)	–	12,898,390.26	6,892,357.16
每股收益(元)	–	0.98	0.27
每股净资产(元)	–	2.35	1.38
净资产收益率(%)	–	38.81	27.02

金易通科技(北京)股份有限公司

公司概况					
公司名称	金易通科技(北京)股份有限公司			股份名称	金易通
法人代表	常建勇	董秘	李林鹏	股份代码	430170
公司网址	www.JYT-BJ.com		主办券商	长江证券股份有限公司	
电　话	010-51734909		传　真	010-51734911	
注册地址	北京市海淀区清华东路16号3号楼中关村能源与安全科技园0402室				
行业分类	制造业				

主要财务指标 指标\报告期	2014.06.30	2013.12.31	2012.12.31
营业收入(元)	6,788,119.65	31,171,112.72	25,884,287.20
营业利润(元)	-407,381.56	-2,043,037.71	3,462,138.62
净利润(元)	211,053.40	-898,625.66	5,177,692.86
未分配利润(元)	426,006.61	214,953.21	4,701,591.97
总资产(元)	64,892,860.25	58,365,828.69	40,724,233.86
总负债(元)	26,741,496.92	20,424,755.02	10,960,249.95
净资产(元)	38,151,363.33	37,941,073.67	29,763,983.91
每股收益(元)	0.01	-0.03	0.21
每股净资产(元)	1.02	1.14	1.21
净资产收益率(%)	0.55	-2.37	17.40

北京电信易通信息技术股份有限公司

公司概况					
公司名称	北京电信易通信息技术股份有限公司			股份名称	电信易通
法人代表	文彬	董秘	洪艳霞	股份代码	430171
公司网址	www.telecomyt.com.cn		主办券商	中信建投证券股份有限公司	
电　话	010-63273333		传　真	010-63260336	
注册地址	北京市海淀区北蜂窝2号中盛大厦1109室				
行业分类	信息传输、软件和信息技术服务业				

主要财务指标 指标\报告期	2014.06.30	2013.12.31	2012.12.31
营业收入(元)	19,117,688.94	77,929,735.60	48,701,442.12
营业利润(元)	310,527.28	3,169,301.04	2,847,604.10
净利润(元)	835,808.41	3,347,240.51	2,035,500.48
未分配利润(元)	5,637,425.67	4,801,617.16	1,789,100.70
总资产(元)	55,775,206.43	56,220,951.07	42,869,345.66
总负债(元)	39,599,255.56	40,880,808.71	30,876,443.81
净资产(元)	16,175,950.87	15,340,142.36	11,992,901.85
每股收益(元)	0.08	0.33	0.20
每股净资产(元)	1.62	1.53	1.20
净资产收益率(%)	5.16	21.82	16.97

北京瑞达恩科技股份有限公司

公司概况					
公司名称	北京瑞达恩科技股份有限公司			股份名称	瑞达恩
法人代表	霍万鹏	董秘	宋涛	股份代码	430172
公司网址	www.ruidaen.com		主办券商	中原证券股份有限公司	
电　话	010-82932114		传　真	010-82890280	
注册地址	北京市海淀区上地三街9号A座A1112				
行业分类	制造业				

主要财务指标 指标\报告期	2014.06.30	2013.12.31	2012.12.31
营业收入(元)	349,728.00	1,107,237.25	13,808,484.00
营业利润(元)	-3,220,680.91	-8,309,471.62	2,411,434.03
净利润(元)	-2,620,350.91	-6,551,329.70	3,949,939.76
未分配利润(元)	-2,263,484.18	356,866.73	6,908,196.43
总资产(元)	18,030,963.62	20,328,538.16	30,266,429.69
总负债(元)	4,364,482.39	4,041,706.02	7,428,267.85
净资产(元)	13,666,481.23	16,286,832.14	22,838,161.84
每股收益(元)	-0.17	-0.42	0.26
每股净资产(元)	0.88	1.05	1.47
净资产收益率(%)	-19.17	-40.23	17.30

鼎讯互动(北京)科技股份有限公司

公司概况					
公司名称	鼎讯互动(北京)科技股份有限公司			股份名称	鼎讯互动
法人代表	曾飞	董秘	刘淑艳	股份代码	430173
公司网址	www.enteractive.com.cn		主办券商	中信建投证券股份有限公司	
电　话	010-51311605		传　真	010-51311600	
注册地址	北京市朝阳区向军南里2巷甲5号雨霖大厦16层				
行业分类	信息传输、软件和信息技术服务业				

主要财务指标 指标\报告期	2014.06.30	2013.12.31	2012.12.31
营业收入(元)	-	3,848,050.32	8,182,304.06
营业利润(元)	-	-6,678,877.11	-1,025,748.32
净利润(元)	-	-5,585,361.84	2,428.62
未分配利润(元)	-	-5,619,369.87	-34,008.03
总资产(元)	-	5,386,803.65	11,147,261.99
总负债(元)	-	47,099.52	222,196.02
净资产(元)	-	5,339,704.13	10,925,065.97
每股收益(元)	-	-0.56	0.00
每股净资产(元)	-	0.53	1.09
净资产收益率(%)	-	-104.6	0.02

北京沃捷文化传媒股份有限公司

公司概况	公司名称	北京沃捷文化传媒股份有限公司			股份名称	沃捷传媒
	法人代表	王洋	董秘	梁上	股份代码	430174
	公司网址	www.voyagemedia.com.cn		主办券商	光大证券股份有限公司	
	电　话	010-65546685-803		传　真	010-65546687	
	注册地址	北京市石景山区八大处高科技园区西井路3号3号楼2224房				
	行业分类	租赁和商务服务业				

主要财务指标	指标\报告期	2014.06.30	2013.12.31	2012.12.31
	营业收入(元)	–	505,820,151.79	421,541,439.34
	营业利润(元)	–	41,481,125.67	32,949,041.92
	净利润(元)	–	33,902,437.90	25,346,938.34
	未分配利润(元)	–	47,165,301.46	16,653,107.35
	总资产(元)	–	327,351,514.57	192,240,561.71
	总负债(元)	–	203,529,610.49	141,591,095.53
	净资产(元)	–	123,821,904.08	50,649,466.18
	每股收益(元)	–	1.53	1.18
	每股净资产(元)	–	5.31	2.35
	净资产收益率(%)	–	27.38	50.04

上海科新生物技术股份有限公司

公司概况	公司名称	上海科新生物技术股份有限公司			股份名称	科新生物
	法人代表	包骏	董秘	潘梅	股份代码	430175
	公司网址	www.kexinbiotech.com		主办券商	国泰君安证券股份有限公司	
	电　话	021-51320126		传　真	021-51320107	
	注册地址	上海市张江高科技园区哈雷路1011号501室A区				
	行业分类	制造业				

主要财务指标	指标\报告期	2014.06.30	2013.12.31	2012.12.31
	营业收入(元)	–	45,848,267.29	30,255,927.53
	营业利润(元)	–	8,172,888.19	6,325,406.02
	净利润(元)	–	9,059,834.22	6,066,708.15
	未分配利润(元)	–	18,200,799.15	9,967,851.78
	总资产(元)	–	98,055,847.67	60,168,862.49
	总负债(元)	–	29,971,450.46	3,613,690.59
	净资产(元)	–	68,084,397.21	56,555,171.90
	每股收益(元)	–	0.30	0.21
	每股净资产(元)	–	2.12	1.82
	净资产收益率(%)	–	13.95	10.73

北京中教启星科技股份有限公司

公司概况	公司名称	北京中教启星科技股份有限公司			股份名称	中教股份
	法人代表	周建宇	董秘		股份代码	430176
	公司网址	www.chinaedustar.com		主办券商	光大证券股份有限公司	
	电　话	010-80756447		传　真	010-80756447	
	注册地址	北京市海淀区上地十街1号院3号楼1107号				
	行业分类	信息传输、软件和信息技术服务业				

主要财务指标	指标\报告期	2014.06.30	2013.12.31	2012.12.31
	营业收入(元)	17,641,778.65	83,680,015.70	78,354,589.21
	营业利润(元)	-14,743,932.25	13,293,919.03	18,562,893.33
	净利润(元)	-11,541,386.06	19,522,630.58	21,176,251.68
	未分配利润(元)	6,442,921.68	17,881,542.04	9,431,174.52
	总资产(元)	143,472,015.80	161,230,347.33	72,721,062.06
	总负债(元)	10,080,131.72	16,404,283.74	13,297,629.05
	净资产(元)	133,391,884.08	144,826,063.59	59,423,433.01
	每股收益(元)	-0.20	0.39	0.62
	每股净资产(元)	2.36	2.56	1.24
	净资产收益率(%)	-8.58	13.48	35.64

上海点客信息技术股份有限公司

公司概况	公司名称	上海点客信息技术股份有限公司			股份名称	点点客
	法人代表	黄梦	董秘	周维	股份代码	430177
	公司网址	www.dodoca.com		主办券商	齐鲁证券有限公司	
	电　话	021-60390818		传　真	021-60390800	
	注册地址	上海市张江高科技园区郭守敬路498号2幢4202室				
	行业分类	信息传输、软件和信息技术服务业				

主要财务指标	指标\报告期	2014.06.30	2013.12.31	2012.12.31
	营业收入(元)	33,093,714.66	68,068,973.43	35,183,800.41
	营业利润(元)	7,550,441.93	8,028,532.21	4,685,199.12
	净利润(元)	6,611,766.38	9,119,977.48	4,436,012.16
	未分配利润(元)	12,373,046.68	8,231,360.30	3,142,077.81
	总资产(元)	33,799,455.08	39,440,837.78	21,754,432.13
	总负债(元)	4,131,145.82	13,914,214.90	5,347,786.73
	净资产(元)	29,668,309.26	25,526,622.88	16,406,645.40
	每股收益(元)	0.41	0.57	0.40
	每股净资产(元)	1.86	1.60	1.37
	净资产收益率(%)	22.29	35.73	27.04

上海白虹软件科技股份有限公司

公司概况	公司名称	上海白虹软件科技股份有限公司			股份名称	白虹软件
	法人代表	胡力和	董秘	曹进	股份代码	430178
	公司网址	www.baihongsoft.com		主办券商	东吴证券股份有限公司	
	电　话	021-50271531		传　真	021-50271532	
	注册地址	上海市张江高科技园区张衡路 180 弄 4 号 1 层 29 室				
	行业分类	信息传输、软件和信息技术服务业				

主要财务指标	指标\报告期	2014.06.30	2013.12.31	2012.12.31
	营业收入(元)	–	18,420,839.64	17,781,253.89
	营业利润(元)	–	–945,814.66	–274,457.50
	净利润(元)	–	1,297,784.51	1,292,855.92
	未分配利润(元)	–	3,697,798.84	2,670,075.26
	总资产(元)	–	20,650,912.61	14,757,924.73
	总负债(元)	–	8,343,080.74	3,747,877.37
	净资产(元)	–	12,307,831.87	11,010,047.36
	每股收益(元)	–	0.26	0.25
	每股净资产(元)	–	2.46	2.20
	净资产收益率(%)	–	10.54	11.74

上海宇昂水性新材料科技股份有限公司

公司概况	公司名称	上海宇昂水性新材料科技股份有限公司			股份名称	宇昂科技
	法人代表	王宇	董秘		股份代码	430179
	公司网址	www.yukinggroup.com		主办券商	广发证券股份有限公司	
	电　话	021-68286208		传　真	021-68286226	
	注册地址	上海市浦东张江高科技园区盛夏路 570 号 802C-1 室				
	行业分类	制造业				

主要财务指标	指标\报告期	2014.06.30	2013.12.31	2012.12.31
	营业收入(元)	–	37,682,401.71	44,069,827.04
	营业利润(元)	–	–2,780,849.60	–3,579,577.49
	净利润(元)	–	608,928.54	–3,030,939.61
	未分配利润(元)	–	–3,250,698.40	–3,837,633.57
	总资产(元)	–	17,433,382.96	14,161,362.03
	总负债(元)	–	12,764,173.73	10,701,081.34
	净资产(元)	–	4,669,209.23	3,460,280.69
	每股收益(元)	–	0.11	–0.57
	每股净资产(元)	–	0.79	0.62
	净资产收益率(%)	–	13.04	–87.59

北京东方瑞威科技发展股份有限公司

公司概况	公司名称	北京东方瑞威科技发展股份有限公司			股份名称	东方瑞威
	法人代表	江英	董秘	谭晓慧	股份代码	430180
	公司网址	www.bjdfrw.com		主办券商	中原证券股份有限公司	
	电　话	010-51843810		传　真	010-63324477	
	注册地址	北京市海淀区北蜂窝 2 号中盛大厦 2306 室				
	行业分类	制造业				

主要财务指标	指标\报告期	2014.06.30	2013.12.31	2012.12.31
	营业收入(元)	11,106,218.01	29,545,636.81	25,951,256.76
	营业利润(元)	3,660,994.90	–374,652.44	757,706.31
	净利润(元)	4,106,714.31	2,373,994.15	2,246,897.41
	未分配利润(元)	7,598,207.55	3,491,493.24	1,354,898.51
	总资产(元)	55,763,937.86	61,477,744.77	48,902,918.16
	总负债(元)	12,761,100.63	22,581,621.85	12,380,789.39
	净资产(元)	43,002,837.23	38,896,122.92	36,522,128.77
	每股收益(元)	0.12	0.07	0.09
	每股净资产(元)	1.23	1.11	1.04
	净资产收益率(%)	9.55	6.1	6.15

北京道从交通安全科技股份有限公司

公司概况	公司名称	北京道从交通安全科技股份有限公司			股份名称	道从科技
	法人代表	白书锋	董秘	张颖	股份代码	430181
	公司网址	www.amrdtec.com		主办券商	东方证券股份有限公司	
	电　话	010-88930611		传　真	010-88930611	
	注册地址	北京市石景山区古城大街特钢公司十一区				
	行业分类	制造业				

主要财务指标	指标\报告期	2014.06.30	2013.12.31	2012.12.31
	营业收入(元)	2,724,354.43	7,841,021.12	8,281,851.54
	营业利润(元)	–820,326.06	–891,150.92	1,439,461.44
	净利润(元)	–818,003.03	314,030.43	1,224,695.24
	未分配利润(元)	280,777.06	1,098,780.09	816,152.70
	总资产(元)	7,614,666.06	9,185,062.61	10,097,042.14
	总负债(元)	1,067,960.42	1,820,353.94	3,046,363.90
	净资产(元)	6,546,705.64	7,364,708.67	7,050,678.24
	每股收益(元)	–0.16	0.06	0.37
	每股净资产(元)	1.31	1.47	1.41
	净资产收益率(%)	–12.37	4.26	17.37

北京全网数商科技股份有限公司

公司概况	公司名称	北京全网数商科技股份有限公司		股份名称	全网数商
	法人代表	徐瓛	董秘	陈成	股份代码 430182
	公司网址	www.aebiz.net		主办券商	中信建投证券股份有限公司
	电　　话	010-62120078		传　　真	010-62120078
	注册地址	北京市海淀区皂君庙14号院1号楼308室			
	行业分类	信息传输、软件和信息技术服务业			

主要财务指标	指标\报告期	2014.06.30	2013.12.31	2012.12.31
	营业收入(元)	–	11,409,095.92	7,970,250.00
	营业利润(元)	–	2,755,647.40	2,204,743.11
	净利润(元)	–	2,654,635.59	1,916,580.32
	未分配利润(元)	–	2,564,916.58	175,744.55
	总资产(元)	–	18,374,141.81	10,739,202.86
	总负债(元)	–	7,371,564.88	4,531,261.52
	净资产(元)	–	11,002,576.93	6,207,941.34
	每股收益(元)	–	0.43	0.33
	每股净资产(元)	–	1.41	1.07
	净资产收益率(%)	–	24.13	30.87

天津市天友建筑设计股份有限公司

公司概况	公司名称	天津市天友建筑设计股份有限公司		股份名称	天友设计
	法人代表	杨力恒	董秘	王菲	股份代码 430183
	公司网址	www.tenio.com		主办券商	广发证券股份有限公司
	电　　话	022-83718488		传　　真	022-83718200
	注册地址	天津市新技术产业园区华苑产业区开华道3号华科创业中心1201室			
	行业分类	科学研究和技术服务业			

主要财务指标	指标\报告期	2014.06.30	2013.12.31	2012.12.31
	营业收入(元)	–	118,011,646.59	114,381,772.74
	营业利润(元)	–	15,923,740.77	20,129,723.23
	净利润(元)	–	14,892,647.47	12,742,236.09
	未分配利润(元)	–	20,123,212.56	6,879,113.01
	总资产(元)	–	109,743,786.61	84,001,278.85
	总负债(元)	–	52,086,436.62	41,236,576.33
	净资产(元)	–	57,657,349.99	42,764,702.52
	每股收益(元)	–	0.49	0.42
	每股净资产(元)	–	1.91	1.43
	净资产收益率(%)	–	25.43	29.41

北方跃龙科技(北京)股份有限公司

公司概况	公司名称	北方跃龙科技(北京)股份有限公司		股份名称	北方跃龙
	法人代表	陈维忠	董秘	郭树芬	股份代码 430184
	公司网址	www.northloong.com		主办券商	中国民族证券有限责任公司
	电　　话	010-62963796		传　　真	010-62930060
	注册地址	北京市海淀区上地信息路1号1-1幢A栋2层201			
	行业分类	信息传输、软件和信息技术服务业			

主要财务指标	指标\报告期	2014.06.30	2013.12.31	2012.12.31
	营业收入(元)	–	14,311,637.74	10,660,477.53
	营业利润(元)	–	–463,347.07	1,528,961.41
	净利润(元)	–	1,109,037.25	1,361,921.91
	未分配利润(元)	–	2,270,986.72	1,321,817.32
	总资产(元)	–	18,774,717.14	13,727,457.95
	总负债(元)	–	5,600,982.84	3,660,760.90
	净资产(元)	–	13,173,734.30	10,066,697.05
	每股收益(元)	–	0.15	0.21
	每股净资产(元)	–	1.63	1.44
	净资产收益率(%)	–	8.42	13.53

北京普瑞塞特物联科技股份有限公司

公司概况	公司名称	北京普瑞塞特物联科技股份有限公司		股份名称	普瑞物联
	法人代表	黄培	董秘	李洪安	股份代码 430185
	公司网址	www.canadapti.com		主办券商	申银万国证券股份有限公司
	电　　话	010-62122771		传　　真	010-62120663
	注册地址	北京市海淀区知春路56号西区七层			
	行业分类	信息传输、软件和信息技术服务业			

主要财务指标	指标\报告期	2014.06.30	2013.12.31	2012.12.31
	营业收入(元)	–	5,623,648.90	9,702,879.59
	营业利润(元)	–	–5,393,356.01	–1,039,897.03
	净利润(元)	–	–3,962,991.05	178,813.04
	未分配利润(元)	–	–3,611,634.07	298,928.05
	总资产(元)	–	9,066,748.38	10,126,409.21
	总负债(元)	–	4,682,409.59	1,830,885.28
	净资产(元)	–	4,384,338.79	8,295,523.93
	每股收益(元)	–	–0.56	0.05
	每股净资产(元)	–	0.63	1.19
	净资产收益率(%)	–	–89.65	2.16

北京国承瑞泰科技股份有限公司

公司概况	公司名称	北京国承瑞泰科技股份有限公司			股份名称	国承瑞泰
	法人代表	司徒泽湘	董秘	龚明	股份代码	430186
	公司网址	www.gcpmc.com.cn		主办券商	南京证券股份有限公司	
	电　话	010-51238880		传　真	010-51238687	
	注册地址	北京市朝阳区酒仙桥路甲12号1号楼312-1室				
	行业分类	科学研究和技术服务业				

主要财务指标	指标\报告期	2014.06.30	2013.12.31	2012.12.31
	营业收入(元)	20,611,727.43	34,620,350.33	21,950,248.56
	营业利润(元)	1,692,623.68	1,731,807.92	91,308.00
	净利润(元)	1,441,280.13	2,460,106.63	947,084.39
	未分配利润(元)	3,338,646.50	1,897,366.37	-351,921.77
	总资产(元)	26,143,869.46	18,956,827.75	15,629,237.00
	总负债(元)	10,911,527.03	5,165,765.45	4,298,281.33
	净资产(元)	15,232,342.43	13,791,062.30	11,330,955.67
	每股收益(元)	0.14	0.25	0.10
	每股净资产(元)	1.52	1.38	1.13
	净资产收益率(%)	9.46	17.84	8.36

北京全有时代科技股份有限公司

公司概况	公司名称	北京全有时代科技股份有限公司			股份名称	全有时代
	法人代表	曹全有	董秘	张彦秋	股份代码	430187
	公司网址	www.cquanyou.com		主办券商	广州证券有限责任公司	
	电　话	010-63737356		传　真	010-83868870	
	注册地址	北京市丰台区丰台路口139、140号1幢219室(园区)				
	行业分类	制造业				

主要财务指标	指标\报告期	2014.06.30	2013.12.31	2012.12.31
	营业收入(元)	-	25,631,185.19	16,898,293.02
	营业利润(元)	-	1,775,747.05	622,663.62
	净利润(元)	-	2,171,715.50	561,417.27
	未分配利润(元)	-	1,604,709.75	-349,834.20
	总资产(元)	-	52,506,885.73	35,898,792.13
	总负债(元)	-	44,340,330.34	29,903,952.24
	净资产(元)	-	8,166,555.39	5,994,839.89
	每股收益(元)	-	0.43	0.11
	每股净资产(元)	-	1.63	1.20
	净资产收益率(%)	-	26.59	9.37

北京奥贝克电子股份有限公司

公司概况	公司名称	北京奥贝克电子股份有限公司			股份名称	奥贝克
	法人代表	徐立	董秘	李航	股份代码	430188
	公司网址	www.opectek.com		主办券商	东方证券股份有限公司	
	电　话	010-82658637		传　真	010-82658663	
	注册地址	北京市海淀区北三中环31号泰思特大厦606室				
	行业分类	北京市海淀区北三中环31号泰思特大厦606室				

主要财务指标	指标\报告期	2014.06.30	2013.12.31	2012.12.31
	营业收入(元)		29,420,156.43	19,558,043.07
	营业利润(元)		-4,752,173.44	-2,087,470.18
	净利润(元)		-3,544,887.39	-1,719,789.53
	未分配利润(元)		-5,207,908.18	-1,662,119.95
	总资产(元)		22,225,496.42	25,882,793.29
	总负债(元)		6,647,161.07	6,758,669.71
	净资产(元)		15,578,335.35	19,124,123.58
	每股收益(元)		-0.2	-0.10
	每股净资产(元)		0.87	1.06
	净资产收益率(%)		-22.76	-8.99

北京七彩亮点环能技术股份有限公司

公司概况	公司名称	北京七彩亮点环能技术股份有限公司			股份名称	七彩亮点
	法人代表	祁艳	董秘	杨志红	股份代码	430189
	公司网址	www.bjqcld.com		主办券商	中原证券股份有限公司	
	电　话	010-65488572		传　真	010-65488576-810	
	注册地址	北京市朝阳区平房乡石各庄482号				
	行业分类	制造业				

主要财务指标	指标\报告期	2014.06.30	2013.12.31	2012.12.31
	营业收入(元)	4,625,459.25	13,717,359.02	9,332,741.12
	营业利润(元)	-373,169.14	-101,024.07	583,160.82
	净利润(元)	198,372.62	594,283.73	668,374.64
	未分配利润(元)	938,269.08	680,865.15	147,862.04
	总资产(元)	13,144,028.71	11,576,293.61	6,004,176.15
	总负债(元)	6,870,847.85	5,588,911.32	609,225.34
	净资产(元)	6,273,180.86	5,987,382.29	5,394,950.81
	每股收益(元)	0.04	0.12	0.06
	每股净资产(元)	1.25	1.2	1.08
	净资产收益率(%)	3.16	9.93	12.39

北京新瑞理想软件股份有限公司

公司概况	公司名称	北京新瑞理想软件股份有限公司		股份名称	新瑞理想	
	法人代表	王维马	董秘	罗云	股份代码	430190
	公司网址	www.newcensoft.com.cn		主办券商	中信建投证券股份有限公司	
	电话	010-59790688		传真	010-62274899	
	注册地址	北京市海淀区西直门北大街甲43号1号楼1628室				
	行业分类	信息传输、软件和信息技术服务业				

	指标\报告期	2014.06.30	2013.12.31	2012.12.31
主要财务指标	营业收入(元)	–	18,918,860.11	15,154,387.60
	营业利润(元)	–	2,905,246.16	2,158,400.54
	净利润(元)	–	2,770,707.79	1,846,428.23
	未分配利润(元)	–	3,890,863.15	1,397,226.14
	总资产(元)	–	17,189,111.57	14,944,834.95
	总负债(元)	–	1,556,088.87	2,082,520.04
	净资产(元)	–	15,633,022.70	12,862,314.91
	每股收益(元)	–	0.28	0.19
	每股净资产(元)	–	1.56	1.29
	净资产收益率(%)	–	17.72	14.36

北京波尔通信技术股份有限公司

公司概况	公司名称	北京波尔通信技术股份有限公司		股份名称	波尔通信	
	法人代表	高玘	董秘	易志鸿	股份代码	430191
	公司网址	www.bestitu.com		主办券商	中国银河证券股份有限公司	
	电话	010-82194271		传真	010-82194367	
	注册地址	北京市海淀区东北旺西路8号9号楼3区204号				
	行业分类	信息传输、软件和信息技术服务业				

	指标\报告期	2014.06.30	2013.12.31	2012.12.31
主要财务指标	营业收入(元)	22,235,908.24	46,308,621.90	43,547,633.29
	营业利润(元)	–2,232,177.17	5,096,616.83	13,095,070.46
	净利润(元)	89,495.00	5,597,169.08	11,063,443.08
	未分配利润(元)	183,687.38	18,303,141.88	13,265,689.71
	总资产(元)	69,305,004.37	64,056,119.24	52,997,157.27
	总负债(元)	48,142,359.54	24,782,969.41	19,321,176.52
	净资产(元)	21,162,644.83	39,273,149.83	33,675,980.75
	每股收益(元)	0.01	0.43	1.29
	每股净资产(元)	1.63	3.02	2.59
	净资产收益率(%)	0.42	14.25	32.85

北京东展科博科技股份有限公司

公司概况	公司名称	北京东展科博科技股份有限公司		股份名称	东展科博	
	法人代表	陈小郴	董秘	李剑	股份代码	430192
	公司网址	www.dzkb.com.cn		主办券商	金元证券股份有限公司	
	电话	010-88203207		传真	010-88203207-8088	
	注册地址	北京市海淀区苏家坨丝绸二厂院东平房				
	行业分类	制造业				

	指标\报告期	2014.06.30	2013.12.31	2012.12.31
主要财务指标	营业收入(元)	–	14,336,204.40	11,388,967.25
	营业利润(元)	–	–3,437,643.28	–6,629,600.51
	净利润(元)	–	–2,944,603.19	–6,621,852.74
	未分配利润(元)	–	–6,821,515.73	–3,876,912.54
	总资产(元)	–	24,027,978.46	23,820,038.26
	总负债(元)	–	9,931,651.02	14,779,108.63
	净资产(元)	–	14,096,327.44	9,040,929.63
	每股收益(元)	–	–0.24	–0.58
	每股净资产(元)	–	1.00	0.79
	净资产收益率(%)	–	–20.89	–73.24

北京紫新报通科技股份有限公司

公司概况	公司名称	北京紫新报通科技股份有限公司		股份名称	紫新科技	
	法人代表	郭求实	董秘		股份代码	430193
	公司网址	www.uniflows.com		主办券商	海通证券股份有限公司	
	电话	010-82601865		传真	010-82601865	
	注册地址	北京市海淀区农大南路1号院2号楼2层办公B-221				
	行业分类	信息传输、软件和信息技术服务业				

	指标\报告期	2014.06.30	2013.12.31	2012.12.31
主要财务指标	营业收入(元)	–	2,796,776.35	5,205,352.20
	营业利润(元)	–	–2,236,910.59	742,394.44
	净利润(元)	–	–518,042.62	974,132.90
	未分配利润(元)	–	169,887.03	687,929.65
	总资产(元)	–	5,603,158.99	6,808,728.06
	总负债(元)	–	188,323.50	875,849.95
	净资产(元)	–	5,414,835.49	5,932,878.11
	每股收益(元)	–	–0.1.	0.21
	每股净资产(元)	–	1.08	1.19
	净资产收益率(%)	–	–9.57	16.42

北京锐风行艺术交流股份有限公司

公司概况	公司名称	北京锐风行艺术交流股份有限公司			股份名称	锐风行
	法人代表	丁毅	董秘	徐立	股份代码	430194
	公司网址	www.chinareel.com		主办券商	金元证券股份有限公司	
	电　话	010-68588580		传　真	010-68588580	
	注册地址	北京市海淀区阜成路 115 号 D 座 135 室				
	行业分类	文化、体育和娱乐业				

	指标\报告期	2014.06.30	2013.12.31	2012.12.31
主要财务指标	营业收入(元)	6,123,331.67	13,491,935.84	10,076,805.94
	营业利润(元)	52,204.33	1,672,054.41	1,162,340.06
	净利润(元)	444,231.15	1,468,757.88	891,727.06
	未分配利润(元)	2,468,103.24	2,023,872.09	701,990.00
	总资产(元)	29,881,681.56	20,927,054.22	8,914,126.90
	总负债(元)	4,723,255.78	7,112,859.59	2,368,690.15
	净资产(元)	25,158,425.78	13,814,194.63	6,545,436.75
	每股收益(元)	0.05	0.24	0.29
	每股净资产(元)	2.38	1.86	1.18
	净资产收益率(%)	1.77	10.63	13.62

北京欧泰克能源环保工程技术股份有限公司

公司概况	公司名称	北京欧泰克能源环保工程技术股份有限公司			股份名称	欧泰克
	法人代表	张余凯	董秘	苑静	股份代码	430195
	公司网址	www.oil-tech.com.cn		主办券商	中信建投证券股份有限公司	
	电　话	010-82193595		传　真	010-82193597	
	注册地址	北京市海淀区中关村南路 6 号中电大厦 1210 室				
	行业分类	制造业				

	指标\报告期	2014.06.30	2013.12.31	2012.12.31
主要财务指标	营业收入(元)	–	31,549,743.85	36,960,854.88
	营业利润(元)	–	605,892.92	2,427,857.47
	净利润(元)	–	1,431,620.74	2,006,986.99
	未分配利润(元)	–	15,636,762.23	14,360,438.72
	总资产(元)	–	104,235,081.34	99,662,320.72
	总负债(元)	–	38,850,712.01	35,709,572.13
	净资产(元)	–	65,384,369.33	63,952,748.59
	每股收益(元)	–	0.05	0.07
	每股净资产(元)	–	2.18	2.13
	净资产收益率(%)	–	2.19	3.14

北京宣爱智能模拟技术股份有限公司

公司概况	公司名称	北京宣爱智能模拟技术股份有限公司			股份名称	宣爱智能
	法人代表	于晓辉	董秘	刘仕化	股份代码	430196
	公司网址	www.bjxa.com		主办券商	中信建投证券股份有限公司	
	电　话	010-51666656		传　真	010-62964413	
	注册地址	北京市海淀区上地三街 9 号嘉华大厦 C 座 1110 号				
	行业分类	信息传输、软件和信息技术服务业				

	指标\报告期	2014.06.30	2013.12.31	2012.12.31
主要财务指标	营业收入(元)	–	46,224,904.62	46,735,769.23
	营业利润(元)	–	-1,379,827.35	1,327,743.98
	净利润(元)	–	2,702,303.58	4,651,408.08
	未分配利润(元)	–	8,858,236.49	6,448,161.42
	总资产(元)	–	98,062,800.94	95,426,903.59
	总负债(元)	–	57,327,211.79	61,197,018.02
	净资产(元)	–	40,735,589.15	34,229,885.57
	每股收益(元)	–	0.10	0.17
	每股净资产(元)	–	1.36	1.27
	净资产收益率(%)	–	6.63	13.59

津伦(天津)精密机械股份有限公司

公司概况	公司名称	津伦(天津)精密机械股份有限公司			股份名称	津伦股份
	法人代表	陈钢毅	董秘	王传贵	股份代码	430197
	公司网址	www.keenland.cn		主办券商	国泰君安证券股份有限公司	
	电　话	022-83710016		传　真	022-23399199	
	注册地址	天津新技术产业园区华苑产业区				
	行业分类	制造业				

	指标\报告期	2014.06.30	2013.12.31	2012.12.31
主要财务指标	营业收入(元)	–	11,138,684.27	16,026,982.45
	营业利润(元)	–	-15,655,664.56	-10,567,061.35
	净利润(元)	–	-16,517,170.48	-8,353,463.62
	未分配利润(元)	–	-30,081,468.71	-13,564,298.23
	总资产(元)	–	68,684,919.83	83,176,129.91
	总负债(元)	–	78,379,256.61	76,353,296.21
	净资产(元)	–	-9,694,336.78	6,822,833.70
	每股收益(元)	–	-1.26	-0.64
	每股净资产(元)	–	-0.74	0.52
	净资产收益率(%)	–	–	-122.43

武汉微创光电股份有限公司

公司概况	公司名称	武汉微创光电股份有限公司			股份名称	微创光电
	法人代表	陈军	董秘	王昀	股份代码	430198
	公司网址	www.wtoe.cn		主办券商	东方证券股份有限公司	
	电　　话	027-66012773		传　　真	027-87462661	
	注册地址	湖北省武汉市高新二路41号关南工业园7号楼				
	行业分类	制造业				

	指标\报告期	2014.06.30	2013.12.31	2012.12.31
主要财务指标	营业收入(元)	15,547,744.65	70,237,147.89	60,108,152.86
	营业利润(元)	−7,795,540.93	8,395,027.95	9,233,614.91
	净利润(元)	−2,969,049.94	12,877,636.15	8,651,087.17
	未分配利润(元)	17,629,212.00	20,598,261.94	14,516,389.41
	总资产(元)	80,839,962.72	91,305,618.01	75,862,561.78
	总负债(元)	28,408,632.23	35,905,237.58	29,119,817.50
	净资产(元)	52,431,330.49	55,400,380.43	46,742,744.28
	每股收益(元)	−0.10	0.43	0.40
	每股净资产(元)	1.74	1.84	2.12
	净资产收益率(%)	−5.66	23.25	18.51

北京了望投资顾问股份有限公司

公司概况	公司名称	北京了望投资顾问股份有限公司			股份名称	北京了望
	法人代表	王蕊	董秘	刘钰军	股份代码	430199
	公司网址	www.lw2002.com		主办券商	财通证券有限责任公司	
	电　　话	010-85863090		传　　真	010-85865316	
	注册地址	北京市北京经济技术开发区中和街14号C座210室				
	行业分类	居民服务、修理和其他服务业				

	指标\报告期	2014.06.30	2013.12.31	2012.12.31
主要财务指标	营业收入(元)	–	20,261,740.82	20,075,542.02
	营业利润(元)	–	−473,165.47	−1,350,037.67
	净利润(元)	–	685,446.23	291,648.47
	未分配利润(元)	–	28,979.75	−201,664.87
	总资产(元)	–	15,945,719.21	10,856,462.66
	总负债(元)	–	4,107,756.84	4,679,496.22
	净资产(元)	–	11,837,962.37	6,176,966.44
	每股收益(元)	–	0.14	0.06
	每股净资产(元)	–	1.24	1.24
	净资产收益率(%)	–	10.1	4.72

武汉时代地智科技股份有限公司

公司概况	公司名称	武汉时代地智科技股份有限公司			股份名称	时代地智
	法人代表	夏震	董秘	余亚	股份代码	430200
	公司网址			主办券商	国信证券股份有限公司	
	电　　话	027-87170322		传　　真	027-87170322	
	注册地址	湖北省武汉东湖新技术开发区光谷大道77号金融港后台服务中心一期A3栋7层				
	行业分类	信息传输、软件和信息技术服务业				

	指标\报告期	2014.06.30	2013.12.31	2012.12.31
主要财务指标	营业收入(元)	10,129,066.48	9,980,427.01	7,854,566.78
	营业利润(元)	1,913,623.82	−447,753.90	−464,109.32
	净利润(元)	2,322,098.81	1,175,381.59	992,146.65
	未分配利润(元)	6,576,369.93	4,254,271.12	3,196,427.69
	总资产(元)	22,692,390.74	19,748,766.26	15,455,627.31
	总负债(元)	10,421,061.97	9,799,536.30	6,681,778.94
	净资产(元)	12,271,328.77	9,949,229.96	8,773,848.37
	每股收益(元)	0.46	0.24	0.20
	每股净资产(元)	2.45	1.99	1.75
	净资产收益率(%)	18.92	11.81	11.31

北京腾实信科技股份有限公司

公司概况	公司名称	北京腾实信科技股份有限公司			股份名称	腾实信
	法人代表	李军	董秘		股份代码	430201
	公司网址	www.techtheme.com.cn		主办券商	中原证券股份有限公司	
	电　　话	010-62362870		传　　真	010-82081618	
	注册地址	北京市海淀区高梁桥斜街44号一区89号楼(科教大楼)608室				
	行业分类	信息传输、软件和信息技术服务业				

	指标\报告期	2014.06.30	2013.12.31	2012.12.31
主要财务指标	营业收入(元)	5,994,968.22	11,159,761.96	2,388,256.74
	营业利润(元)	491,183.62	1,529,171.46	−1,619,705.29
	净利润(元)	1,352,058.71	1,944,525.86	−1,469,239.36
	未分配利润(元)	2,249,542.95	897,484.24	−947,321.15
	总资产(元)	14,953,220.01	15,395,758.70	5,785,969.61
	总负债(元)	7,372,883.62	9,167,481.02	1,502,217.79
	净资产(元)	7,580,336.39	6,228,277.68	4,283,751.82
	每股收益(元)	0.27	0.39	−0.29
	每股净资产(元)	1.52	1.25	0.86
	净资产收益率(%)	17.84	31.22	−34.30

北京星河康帝思科技开发股份有限公司

公司概况						
公司名称	北京星河康帝思科技开发股份有限公司			股份名称	星河科技	
法人代表	江俭	董秘	王珏	股份代码	430202	
公司网址	www.bjsrc.com		主办券商	申银万国证券股份有限公司		
电话	010-58937591		传真	010-58937593		
注册地址	北京市海淀区丰慧中路7号新材料创业大厦5层501室					
行业分类	制造业					

主要财务指标	指标\报告期	2014.06.30	2013.12.31	2012.12.31
	营业收入(元)	–	15,975,419.56	7,811,042.27
	营业利润(元)	–	–2,957,010.61	–1,680,082.71
	净利润(元)	–	–1,368,823.03	–1,256,786.57
	未分配利润(元)	–	–761,798.89	–1,068,245.36
	总资产(元)	–	22,577,014.63	19,540,992.85
	总负债(元)	–	10,098,910.87	11,372,405.34
	净资产(元)	–	12,478,103.76	8,168,587.51
	每股收益(元)	–	–0.16	–0.16
	每股净资产(元)	–	1.25	1.02
	净资产收益率(%)	–	–10.97	–15.39

兴和鹏能源技术(北京)股份有限公司

公司概况						
公司名称	兴和鹏能源技术(北京)股份有限公司			股份名称	兴和鹏	
法人代表	戴先根	董秘	杨文伟	股份代码	430203	
公司网址	www.harmony-et.com		主办券商	申银万国证券股份有限公司		
电话	010-62252665		传真	010-62252665		
注册地址	北京市海淀区西直门北大街32号院枫蓝国际中心2号楼1609B室					
行业分类	采矿业					

主要财务指标	指标\报告期	2014.06.30	2013.12.31	2012.12.31
	营业收入(元)	4,331,311.21	37,451,400.22	65,702,877.04
	营业利润(元)	–7,170,533.07	9,327,293.20	27,895,722.18
	净利润(元)	–6,591,646.14	5,016,662.22	23,970,492.62
	未分配利润(元)	2,102,600.98	13,828,719.26	12,244,524.60
	总资产(元)	45,710,824.97	57,439,281.33	61,229,074.83
	总负债(元)	12,551,247.25	12,553,467.47	18,317,203.19
	净资产(元)	33,159,577.72	44,885,813.86	42,911,871.64
	每股收益(元)	–0.35	0.26	1.30
	每股净资产(元)	1.74	2.36	2.33
	净资产收益率(%)	–19.88	11.18	55.86

北京石竹科技股份有限公司

公司概况						
公司名称	北京石竹科技股份有限公司			股份名称	石竹科技	
法人代表	叶诗生	董秘	何凯	股份代码	430204	
公司网址	www.vme.cn		主办券商	长江证券股份有限公司		
电话	010-68587971		传真	010-68587975		
注册地址	北京市海淀区紫竹院路广源闸5号广源大厦256室					
行业分类	信息传输、软件和信息技术服务业					

主要财务指标	指标\报告期	2014.06.30	2013.12.31	2012.12.31
	营业收入(元)	9,303,544.47	22,866,702.93	32,351,101.67
	营业利润(元)	–2,697,021.08	–509,749.83	698,133.55
	净利润(元)	–2,071,866.43	258,520.04	483,376.96
	未分配利润(元)	–1,906,449.32	165,417.11	–74,723.25
	总资产(元)	17,077,906.50	19,222,294.32	21,675,677.85
	总负债(元)	9,449,928.13	9,522,449.52	12,234,353.09
	净资产(元)	7,627,978.37	9,699,844.80	9,441,324.76
	每股收益(元)	–0.23	0.03	0.05
	每股净资产(元)	0.85	1.08	1.05
	净资产收益率(%)	–27.16	2.67	5.12

武汉亿房信息股份有限公司

公司概况						
公司名称	武汉亿房信息股份有限公司			股份名称	亿房信息	
法人代表	李大钢	董秘		股份代码	430205	
公司网址	www.fdc.com.cn		主办券商	海通证券股份有限公司		
电话	027-59208262		传真	027-59208267		
注册地址	湖北省武汉市东湖开发区关山大道339号关山春晓A栋一层806					
行业分类	信息传输、软件和信息技术服务业					

主要财务指标	指标\报告期	2014.06.30	2013.12.31	2012.12.31
	营业收入(元)	–	28,819,589.65	32,883,007.98
	营业利润(元)	–	4,506,968.23	9,984,011.14
	净利润(元)	–	4,894,856.00	10,689,040.09
	未分配利润(元)	–	14,511,563.36	10,977,578.10
	总资产(元)	–	54,057,578.60	48,088,601.84
	总负债(元)	–	8,052,781.34	6,978,660.58
	净资产(元)	–	46,004,797.26	41,109,941.26
	每股收益(元)	–	0.98	2.16
	每股净资产(元)	–	9.22	8.22
	净资产收益率(%)	–	10.64	26.25

武汉尚远环保股份有限公司

公司概况	公司名称	武汉尚远环保股份有限公司			股份名称	尚远环保
	法人代表	翁欲晓	董秘	高星	股份代码	430206
	公司网址	www.whshangyuan.com	主办券商	长江证券股份有限公司		
	电　话	027-87227672	传　真	027-87227670		
	注册地址	武汉市东湖开发区路瑜路456号				
	行业分类	居民服务、修理和其他服务业				

	指标\报告期	2014.06.30	2013.12.31	2012.12.31
主要财务指标	营业收入(元)	–	26,421,006.14	18,713,481.24
	营业利润(元)	–	2,049,558.38	1,828,477.68
	净利润(元)	–	1,472,534.65	2,136,463.11
	未分配利润(元)	–	3,129,515.54	1,373,264.57
	总资产(元)	–	63,826,039.32	27,626,314.47
	总负债(元)	–	9,363,569.43	9,558,912.62
	净资产(元)	–	54,462,469.89	18,067,401.85
	每股收益(元)	–	0.09	0.20
	每股净资产(元)	–	1.42	1.14
	净资产收益率(%)	–	3.64	11.83

武汉威明德科技股份有限公司

公司概况	公司名称	武汉威明德科技股份有限公司			股份名称	威明德
	法人代表	冯冰	董秘	冯晓	股份代码	430207
	公司网址	www.winmind.cn	主办券商	长江证券股份有限公司		
	电　话	027-87196339	传　真	027-87196187		
	注册地址	湖北省武汉市东湖开发区庙山小区武大科技园				
	行业分类	制造业				

	指标\报告期	2014.06.30	2013.12.31	2012.12.31
主要财务指标	营业收入(元)	6,535,565.86	12,622,513.32	14,558,445.33
	营业利润(元)	119,277.17	-453,549.93	-262,869.82
	净利润(元)	115,124.65	450,926.74	1,164,454.75
	未分配利润(元)	561,822.25	1,152,326.06	746,491.99
	总资产(元)	33,343,940.71	29,901,653.72	23,767,202.61
	总负债(元)	17,521,790.75	13,488,999.95	7,805,475.58
	净资产(元)	15,822,149.96	16,412,653.77	15,961,727.03
	每股收益(元)	0.01	0.04	0.14
	每股净资产(元)	1.32	1.37	1.33
	净资产收益率(%)	0.73	2.75	7.30

北京优炫软件股份有限公司

公司概况	公司名称	北京优炫软件股份有限公司			股份名称	优炫软件
	法人代表	梁继良	董秘	陈俏桦	股份代码	430208
	公司网址	www.uxsino.com	主办券商	南京证券股份有限公司		
	电　话	010-82886998	传　真	010-82886338		
	注册地址	北京市海淀区知春路6号锦秋国际大厦07层B02室				
	行业分类	信息传输、软件和信息技术服务业				

	指标\报告期	2014.06.30	2013.12.31	2012.12.31
主要财务指标	营业收入(元)	28,690,057.70	83,704,233.32	21,294,039.90
	营业利润(元)	793,736.96	7,682,543.64	9,260,921.06
	净利润(元)	5,648,480.93	14,526,027.04	7,234,334.70
	未分配利润(元)	22,957,921.84	16,920,339.26	3,723,247.37
	总资产(元)	99,914,970.47	79,985,258.23	33,023,093.16
	总负债(元)	25,789,829.98	17,371,643.08	8,438,505.05
	净资产(元)	74,125,140.49	62,613,615.15	24,584,588.11
	每股收益(元)	0.14	0.44	0.36
	每股净资产(元)	1.74	1.7	1.23
	净资产收益率(%)	–	23.45	29.43

北京康孚科技股份有限公司

公司概况	公司名称	北京康孚科技股份有限公司			股份名称	康孚科技
	法人代表	敖顺荣	董秘	叶长彬	股份代码	430209
	公司网址	www.cn-comfort.com	主办券商	华龙证券有限责任公司		
	电　话	010-82390088	传　真	010-82390086		
	注册地址	北京市海淀区王庄路1号清华同方科技广场B座十层C号				
	行业分类	制造业				

	指标\报告期	2014.06.30	2013.12.31	2012.12.31
主要财务指标	营业收入(元)	–	90,945,881.09	87,991,303.50
	营业利润(元)	–	10,495,761.92	7,588,855.76
	净利润(元)	–	9,204,267.87	6,312,967.38
	未分配利润(元)	–	13,318,941.06	5,032,837.20
	总资产(元)	–	110,330,896.33	72,536,604.79
	总负债(元)	–	63,900,277.13	35,310,253.46
	净资产(元)	–	46,430,619.20	37,226,351.33
	每股收益(元)	–	0.30	0.20
	每股净资产(元)	–	1.50	1.20
	净资产收益率(%)	–	19.82	16.97

天津舜能润滑科技股份有限公司

公司概况						
公司概况	公司名称	天津舜能润滑科技股份有限公司			股份名称	舜能科技
	法人代表	李根长	董秘	陶桂萍	股份代码	430210
	公司网址	www.shunnengoil.com		主办券商	中信建投证券股份有限公司	
	电　话	022-58626120		传　真	022-58626136	
	注册地址	天津市新产业园区华苑产业区榕苑路 15 号 1-B-201-6				
	行业分类	制造业				

主要财务指标	指标\报告期	2014.06.30	2013.12.31	2012.12.31
	营业收入(元)	36,874,493.34	75,042,768.19	78,541,099.75
	营业利润(元)	-960,338.21	-1,364,071.65	3,141,747.58
	净利润(元)	-1,051,540.39	-369,860.21	3,195,645.44
	未分配利润(元)	1,659,222.49	2,651,258.61	3,185,179.26
	总资产(元)	160,313,331.06	138,290,972.61	98,985,783.68
	总负债(元)	37,877,101.48	14,803,202.64	4,808,153.50
	净资产(元)	122,436,229.58	123,487,769.97	94,177,630.18
	每股收益(元)	-0.01	-	0.05
	每股净资产(元)	1.50	1.46	1.36
	净资产收益率(%)	-0.84	-0.31	3.41

北京丰电科技股份有限公司

公司概况						
公司概况	公司名称	北京丰电科技股份有限公司			股份名称	丰电科技
	法人代表	白俊钢	董秘	翟素环	股份代码	430211
	公司网址	www.fendytech.com		主办券商	财富证券有限责任公司	
	电　话	010-67155888		传　真	010-67155515	
	注册地址	北京市丰台区丰台科学城丰泽街 8 号 D-205				
	行业分类	科学研究和技术服务业				

主要财务指标	指标\报告期	2014.06.30	2013.12.31	2012.12.31
	营业收入(元)	-	96,222,634.68	115,879,858.74
	营业利润(元)	-	1,590,908.43	2,353,264.18
	净利润(元)	-	1,135,217.38	1,222,835.87
	未分配利润(元)	-	1,542,799.41	6,726.50
	总资产(元)	-	94,354,175.89	70,843,844.36
	总负债(元)	-	56,027,726.96	38,552,612.81
	净资产(元)	-	38,326,448.93	32,291,231.55
	每股收益(元)	-	0.07	0.06
	每股净资产(元)	-	1.25	1.18
	净资产收益率(%)	-	5.23	3.79

北京六合伟业科技股份有限公司

公司概况						
公司概况	公司名称	北京六合伟业科技股份有限公司			股份名称	六合伟业
	法人代表	冯建宇	董秘		股份代码	430212
	公司网址			主办券商	华西证券有限责任公司	
	电　话	010-63753083		传　真	010-63796616	
	注册地址	北京市丰台区南四环西路 188 号 12 区 39 号楼				
	行业分类	制造业				

主要财务指标	指标\报告期	2014.06.30	2013.12.31	2012.12.31
	营业收入(元)	-	110,188,285.87	80,047,109.62
	营业利润(元)	-	29,083,930.93	21,379,513.93
	净利润(元)	-	26,918,616.70	21,650,350.88
	未分配利润(元)	-	40,264,836.42	18,732,985.14
	总资产(元)	-	143,922,362.25	91,228,391.76
	总负债(元)	-	38,711,952.49	22,741,694.95
	净资产(元)	-	105,210,409.76	68,486,696.81
	每股收益(元)	-	0.87	0.76
	每股净资产(元)	-	3.24	2.28
	净资产收益率(%)	-	25.59	31.61

北京乐升科技股份有限公司

公司概况						
公司概况	公司名称	北京乐升科技股份有限公司			股份名称	乐升股份
	法人代表	许金龙	董秘	蔡玉雪	股份代码	430213
	公司网址			主办券商	中原证券股份有限公司	
	电　话	010-82051873		传　真	010-82055990	
	注册地址	北京市西城区新街口外大 28 号院 C-508				
	行业分类	信息传输、软件和信息技术服务业				

主要财务指标	指标\报告期	2014.06.30	2013.12.31	2012.12.31
	营业收入(元)	-	21,410,038.18	
	营业利润(元)	-	8,958,534.92	
	净利润(元)	-	9,546,308.83	
	未分配利润(元)	-	10,029,735.61	
	总资产(元)	-	61,104,202.10	
	总负债(元)	-	4,220,497.38	10,239,403.40
	净资产(元)	-	56,883,704.72	18,614,658.54
	每股收益(元)	-	0.53	0.89
	每股净资产(元)	-	1.42	1.16
	净资产收益率(%)	-	16.78	33.17

上海建中医疗器械包装股份有限公司

公司概况	公司名称	上海建中医疗器械包装股份有限公司			股份名称	建中医疗
	法人代表	宋龙富	董秘	李清海	股份代码	430214
	公司网址			主办券商	上海证券有限责任公司	
	电　　话			传　　真		
	注册地址	上海市闵行区新骏环路 189 号一层 C141 室				
	行业分类	制造业				

	指标\报告期	2014.06.30	2013.12.31	2012.12.31
主要财务指标	营业收入(元)	–	110,052,874.66	100,173,390.24
	营业利润(元)	–	5,136,137.81	9,376,041.31
	净利润(元)	–	6,409,352.44	8,693,146.13
	未分配利润(元)	–	15,941,171.86	12,587,361.20
	总资产(元)	–	98,884,833.74	92,761,670.78
	总负债(元)	–	40,698,076.73	38,484,266.21
	净资产(元)	–	58,186,757.01	54,277,404.57
	每股收益(元)	–	0.26	0.35
	每股净资产(元)	–	2.36	2.20
	净资产收益率(%)	–	11.02	16.02

北京必可测科技股份有限公司

公司概况	公司名称	北京必可测科技股份有限公司			股份名称	必可测
	法人代表	何立荣	董秘	王晓诗	股份代码	430215
	公司网址	www.bicotest.com.cn	主办券商	齐鲁证券有限公司		
	电　　话	010-62818088	传　　真	010-62818787		
	注册地址	北京市海淀区上地三街 9 号嘉华大厦 E 座 0505 室				
	行业分类	科学研究和技术服务业				

	指标\报告期	2014.06.30	2013.12.31	2012.12.31
主要财务指标	营业收入(元)	–	42,429,147.21	–
	营业利润(元)	–	8,251,712.54	–
	净利润(元)	–	8,006,285.17	–
	未分配利润(元)	–	8,549,850.33	–
	总资产(元)	–	69,069,678.89	–
	总负债(元)	–	25,309,292.31	25,875,616.81
	净资产(元)	–	43,760,386.58	35,754,101.41
	每股收益(元)	–	0.26	0.19
	每股净资产(元)	–	1.41	1.15
	净资产收益率(%)	–	18.3	10.34

上海风格信息技术股份有限公司

公司概况	公司名称	上海风格信息技术股份有限公司			股份名称	风格信息
	法人代表	惠新标	董秘	孙维东	股份代码	430216
	公司网址	www.figure-it.com	主办券商	海通证券股份有限公司		
	电　　话	021-50271655	传　　真	021-50275866		
	注册地址	上海市张江高科技园区毕升路 289 弄 2 号 201 室				
	行业分类	制造业				

	指标\报告期	2014.06.30	2013.12.31	2012.12.31
主要财务指标	营业收入(元)	8,398,994.56	27,535,589.87	–
	营业利润(元)	–8,638,336.72	–13,644,175.91	–
	净利润(元)	–6,436,294.14	–6,959,169.59	–
	未分配利润(元)	2,468,682.22	8,904,976.36	–
	总资产(元)	43,866,662.16	48,418,378.34	–
	总负债(元)	27,553,916.33	25,669,338.37	19,599,229.00
	净资产(元)	16,312,745.83	22,749,039.97	29,708,209.56
	每股收益(元)	–0.61	–0.66	0.19
	每股净资产(元)	1.55	2.17	2.83
	净资产收益率(%)	–39.46	–30.59	6.78

上海申石软件科技股份有限公司

公司概况	公司名称	上海申石软件科技股份有限公司			股份名称	申石软件
	法人代表	许青	董秘	陈云窗	股份代码	430217
	公司网址	www.sensesw.com	主办券商	光大证券股份有限公司		
	电　　话	021-61630550	传　　真	021-20235603		
	注册地址	上海市浦东新区张衡路 500 弄浦东国际人才城 1 号楼 510 室				
	行业分类	信息传输、软件和信息技术服务业				

	指标\报告期	2014.06.30	2013.12.31	2012.12.31
主要财务指标	营业收入(元)	–	9,933,174.39	–
	营业利润(元)	–	110,380.93	–
	净利润(元)	–	2,253,498.26	–
	未分配利润(元)	–	6,317,127.00	–
	总资产(元)	–	17,400,550.81	–
	总负债(元)	–	5,329,193.49	4,229,100.67
	净资产(元)	–	12,071,357.32	9,817,859.06
	每股收益(元)	–	0.45	0.84
	每股净资产(元)	–	2.41	1.96
	净资产收益率(%)	–	18.67	36.12

长虹立川(天津)科技股份有限公司

公司概况	公司名称	长虹立川(天津)科技股份有限公司			股份名称	长虹立川
	法人代表	龙云	董秘	刘妍	股份代码	430218
	公司网址	www.crisen.com		主办券商	齐鲁证券有限公司	
	电　话	022-23298668		传　真	022-23298668	
	注册地址	天津市华苑产业区三经路与二纬路交口西北侧海泰绿色产业基地 K2-7-602				
	行业分类	信息传输、软件和信息技术服务业				

	指标\报告期	2014.06.30	2013.12.31	2012.12.31
主要财务指标	营业收入(元)	5,184,429.97	13,261,117.67	–
	营业利润(元)	-17,886.06	-604,777.27	–
	净利润(元)	5,148.29	928,039.63	–
	未分配利润(元)	1,032,288.10	1,124,286.38	–
	总资产(元)	12,804,171.35	16,042,053.68	–
	总负债(元)	871,522.90	4,020,035.49	3,549,925.21
	净资产(元)	11,932,648.45	12,022,018.19	11,553,978.56
	每股收益(元)	0.00	0.09	0.18
	每股净资产(元)	1.19	1.20	1.12
	净资产收益率(%)	0.04	7.63	11.15

北京拓川科研设备股份有限公司

公司概况	公司名称	北京拓川科研设备股份有限公司			股份名称	拓川股份
	法人代表	刘柏青	董秘	张晋红	股份代码	430219
	公司网址	www.torchnet.com		主办券商	西部证券股份有限公司	
	电　话	010-82379336		传　真	010-82379335	
	注册地址	北京市海淀区王庄路 1 号 B 座 B 号				
	行业分类	制造业				

	指标\报告期	2014.06.30	2013.12.31	2012.12.31
主要财务指标	营业收入(元)	–	52,641,169.36	37,992,402.09
	营业利润(元)	–	363,900.08	1,828,872.44
	净利润(元)	–	421,133.27	1,586,046.24
	未分配利润(元)	–	1,806,461.56	1,427,441.62
	总资产(元)	–	33,988,728.83	36,560,725.83
	总负债(元)	–	25,284,810.71	28,277,940.98
	净资产(元)	–	8,703,918.12	8,282,784.85
	每股收益(元)	–	0.06	0.24
	每股净资产(元)	–	1.34	1.27
	净资产收益率(%)	–	4.84	19.15

天津迈达医学科技股份有限公司

公司概况	公司名称	天津迈达医学科技股份有限公司			股份名称	迈达科技
	法人代表	张洪年	董秘	宋学东	股份代码	430220
	公司网址	www.meda.com.cn		主办券商	长江证券股份有限公司	
	电　话	022-83713881		传　真	022-83713880	
	注册地址	天津市华苑产业区鑫茂科技园 C2 座-2 层-C 单元				
	行业分类	制造业				

	指标\报告期	2014.06.30	2013.12.31	2012.12.31
主要财务指标	营业收入(元)	–	48,033,618.77	39,797,010.60
	营业利润(元)	–	4,662,520.22	3,470,830.75
	净利润(元)	–	6,857,753.79	4,651,055.70
	未分配利润(元)	–	6,308,488.14	67,523.77
	总资产(元)	–	60,845,273.55	56,266,495.11
	总负债(元)	–	12,756,314.35	15,035,289.70
	净资产(元)	–	48,088,959.20	41,231,205.41
	每股收益(元)	–	0.17	0.12
	每股净资产(元)	–	1.20	1.03
	净资产收益率(%)	–	14.26	11.28

武汉风帆电镀技术股份有限公司

公司概况	公司名称	武汉风帆电镀技术股份有限公司			股份名称	风帆电镀
	法人代表	杨江成	董秘	刘仁志	股份代码	430221
	公司网址			主办券商	长江证券股份有限公司	
	电　话			传　真		
	注册地址	湖北省武汉市东西湖区五环大道 31 号 1 号楼 501				
	行业分类	制造业				

	指标\报告期	2014.06.30	2013.12.31	2012.12.31
主要财务指标	营业收入(元)	29,244,179.68	65,919,863.39	63,491,579.11
	营业利润(元)	725,992.33	865,323.01	1,672,025.11
	净利润(元)	743,221.37	2,009,726.58	1,460,713.44
	未分配利润(元)	1,174,807.42	1,531,644.99	-105,543.67
	总资产(元)	48,139,428.48	38,646,482.64	33,090,201.92
	总负债(元)	28,682,152.19	18,932,427.72	15,379,441.74
	净资产(元)	19,457,276.29	19,714,054.92	17,710,760.18
	每股收益(元)	0.04	0.12	0.09
	每股净资产(元)	1.16	1.19	1.06
	净资产收益率(%)	3.37	10.12	8.85

武汉璟泓万方堂医药科技股份有限公司

公司概况	公司名称	武汉璟泓万方堂医药科技股份有限公司		股份名称	璟泓科技
	法人代表	王健斌	董秘	吴静	股份代码	430222
	公司网址		主办券商	长江证券股份有限公司	
	电　话		传　真		
	注册地址	湖北省武汉市东湖新技术开发区关东工业园7-5栋6楼			
	行业分类	制造业			

	指标\报告期	2014.06.30	2013.12.31	2012.12.31
主要财务指标	营业收入(元)	38,271,231.23	40,127,069.20	13,711,198.94
	营业利润(元)	6,918,796.12	2,854,975.23	2,986,106.75
	净利润(元)	5,364,072.68	3,879,746.18	2,318,728.91
	未分配利润(元)	7,809,557.99	2,789,345.63	-653,066.12
	总资产(元)	173,009,007.58	97,657,636.73	78,530,319.33
	总负债(元)	110,719,025.51	70,031,725.34	53,284,154.12
	净资产(元)	62,289,982.07	27,625,911.39	25,246,165.21
	每股收益(元)	0.23	0.18	0.14
	每股净资产(元)	2.66	1.15	1.03
	净资产收益率(%)	8.75	15.71	10.91

武汉亿童文教股份有限公司

公司概况	公司名称	武汉亿童文教股份有限公司			股份名称	亿童文教
	法人代表	陈先新	董秘	高华玮	股份代码	430223
	公司网址	www.allkids.com.cn	主办券商	长江证券股份有限公司		
	电　话	027-87223172	传　真	027-87223313		
	注册地址	武汉市洪山区青菱都市工业园青菱河路18号1-108				
	行业分类	文化、体育和娱乐业				

	指标\报告期	2014.06.30	2013.12.31	2012.12.31
主要财务指标	营业收入(元)	142,545,296.92	253,237,490.55	181,702,851.63
	营业利润(元)	37,801,372.82	62,102,839.08	35,068,145.30
	净利润(元)	27,824,255.27	44,533,113.92	26,044,407.00
	未分配利润(元)	78,055,878.78	53,014,106.25	18,434,303.72
	总资产(元)	229,320,330.92	188,571,937.89	121,062,418.72
	总负债(元)	84,769,255.42	71,845,117.66	43,368,712.41
	净资产(元)	144,551,075.50	116,726,820.23	77,693,706.31
	每股收益(元)	0.56	0.89	0.85
	每股净资产(元)	2.89	2.33	1.55
	净资产收益率(%)	19.25	38.15	33.52

北京网动网络科技股份有限公司

公司概况	公司名称	北京网动网络科技股份有限公司			股份名称	网动科技
	法人代表	李明	董秘	李玲丽	股份代码	430224
	公司网址	www.iactive.com.cn	主办券商	广发证券股份有限公司		
	电　话	010-62977749	传　真	010-62988043		
	注册地址	北京市海淀区上地信息产业基地上地东路35号1号楼5层523单元				
	行业分类	信息传输、软件和信息技术服务业				

	指标\报告期	2014.06.30	2013.12.31	2012.12.31
主要财务指标	营业收入(元)	-	13,403,646.74	8,729,992.76
	营业利润(元)	-	-647,870.28	1,242,876.11
	净利润(元)	-	188,575.04	1,097,471.74
	未分配利润(元)	-	1,019,307.02	849,589.48
	总资产(元)	-	11,891,270.49	9,486,235.42
	总负债(元)	-	5,407,895.80	3,191,435.77
	净资产(元)	-	6,483,374.69	6,294,799.65
	每股收益(元)	-	0.04	0.27
	每股净资产(元)	-	1.3	1.26
	净资产收益率(%)	-	2.91	17.44

上海伊禾农产品科技发展股份有限公司

公司概况	公司名称	上海伊禾农产品科技发展股份有限公司			股份名称	伊禾农品
	法人代表	蒋佳	董秘	张宁	股份代码	430225
	公司网址		主办券商	申银万国证券股份有限公司		
	电　话		传　真			
	注册地址	海市长宁区仙霞路345号14D室				
	行业分类	农、林、牧、渔业				

	指标\报告期	2014.06.30	2013.12.31	2012.12.31
主要财务指标	营业收入(元)	188,492,264.25	415,852,613.88	343,352,163.49
	营业利润(元)	30,297,539.15	78,795,819.27	78,900,000.26
	净利润(元)	21,846,316.91	61,466,466.70	60,319,871.77
	未分配利润(元)	189,246,385.30	167,400,068.39	112,153,108.95
	总资产(元)	746,636,476.67	677,442,381.19	499,854,449.72
	总负债(元)	360,609,815.26	313,262,036.69	197,140,571.92
	净资产(元)	386,026,661.41	364,180,344.50	302,713,877.80
	每股收益(元)	0.21	0.59	0.57
	每股净资产(元)	3.68	3.47	2.88
	净资产收益率(%)	6.15	16.88	19.93

北京奥凯立科技发展股份有限公司

公司概况	公司名称	北京奥凯立科技发展股份有限公司			股份名称	奥凯立
	法人代表	卢甲举	董秘	卢彦丽	股份代码	430226
	公司网址	www.ocl.com.cn		主办券商	申银万国证券股份有限公司	
	电　话	010-81784319		传　真	010-81780184	
	注册地址	北京市昌平区科技园区振兴路 9 号				
	行业分类	采矿业				

主要财务指标	指标\报告期	2014.06.30	2013.12.31	2012.12.31
	营业收入(元)	68,102,519.66	149,170,888.36	126,000,875.13
	营业利润(元)	13,649,478.63	31,343,764.61	27,410,208.97
	净利润(元)	13,863,515.59	28,450,188.96	23,825,403.98
	未分配利润(元)	65,200,056.21	60,846,540.63	43,031,897.16
	总资产(元)	175,838,855.64	197,108,096.03	181,408,921.96
	总负债(元)	52,122,490.26	77,745,246.23	84,976,020.93
	净资产(元)	123,716,365.38	119,362,849.80	96,432,901.03
	每股收益(元)	0.44	0.90	0.75
	每股净资产(元)	3.90	3.77	3.04
	净资产收益率(%)	11.21	23.84	20.63

北京东软慧聚信息技术股份有限公司

公司概况	公司名称	北京东软慧聚信息技术股份有限公司			股份名称	东软慧聚
	法人代表	荣新节	董秘	孙岩	股份代码	430227
	公司网址	huiju.neusoft.com		主办券商	金元证券股份有限公司	
	电　话	010-56517854		传　真	010-56517788-18339	
	注册地址	北京市海淀区中关村软件园北京东软解决方案技术验证中心 318、322 室				
	行业分类	信息传输、软件和信息技术服务业				

主要财务指标	指标\报告期	2014.06.30	2013.12.31	2012.12.31
	营业收入(元)	44,905,014.52	122,460,614.66	115,348,798.86
	营业利润(元)	-2,465,854.06	10,893,219.32	9,640,656.61
	净利润(元)	-1,959,556.13	10,453,872.34	8,147,100.36
	未分配利润(元)	12,726,031.42	14,685,587.55	5,276,410.34
	总资产(元)	56,860,963.63	67,956,457.43	61,330,723.41
	总负债(元)	11,149,859.19	20,285,796.86	24,113,935.18
	净资产(元)	45,711,104.44	47,670,660.57	37,216,788.23
	每股收益(元)	-0.07	0.35	0.30
	每股净资产(元)	1.52	1.59	1.24
	净资产收益率(%)	-4.29	21.93	21.89

天津市天房科技发展股份有限公司

公司概况	公司名称	天津市天房科技发展股份有限公司			股份名称	天房科技
	法人代表	王天	董秘	张龙	股份代码	430228
	公司网址	www.tftech.cn		主办券商	中原证券股份有限公司	
	电　话	022-2366-6688		传　真	022-2366-6262	
	注册地址	天津市华苑产业园区华天道 6 号海泰大厦 B 座 704 室-8				
	行业分类	信息传输、软件和信息技术服务业				

主要财务指标	指标\报告期	2014.06.30	2013.12.31	2012.12.31
	营业收入(元)	-	312,137,578.28	419,974,232.79
	营业利润(元)	-	31,312,278.91	42,977,425.86
	净利润(元)	-	28,358,553.13	38,100,624.01
	未分配利润(元)	-	30,579,032.67	5,275,265.08
	总资产(元)	-	1,272,673,383.81	631,139,113.21
	总负债(元)	-	1,098,653,915.47	485,478,198.00
	净资产(元)	-	174,019,468.34	145,660,915.21
	每股收益(元)	-	0.21	0.28
	每股净资产(元)	-	1.28	1.07
	净资产收益率(%)	-	16.30	26.16

上海绿岸网络科技股份有限公司

公司概况	公司名称	上海绿岸网络科技股份有限公司			股份名称	绿岸股份
	法人代表	许帆	董秘	金哲龙	股份代码	430229
	公司网址	www.iwgame.com		主办券商	国信证券股份有限公司	
	电　话	021-66318500		传　真	021-66312700	
	注册地址	上海市浦东新区康桥镇康士路 23 号 2010 室				
	行业分类	信息传输、软件和信息技术服务业				

主要财务指标	指标\报告期	2014.06.30	2013.12.31	2012.12.31
	营业收入(元)	119,826,203.51	289,475,449.77	419,931,320.29
	营业利润(元)	29,751,329.90	93,616,430.55	112,209,424.63
	净利润(元)	28,045,060.83	91,556,253.28	111,593,611.65
	未分配利润(元)	139,042,634.87	110,997,574.04	19,474,492.04
	总资产(元)	219,853,360.12	197,381,584.29	128,922,601.87
	总负债(元)	20,676,293.38	26,249,578.38	41,857,217.61
	净资产(元)	199,177,066.74	171,132,005.91	87,065,384.26
	每股收益(元)	2.80	9.15	11.53
	每股净资产(元)	19.92	17.11	7.96
	净资产收益率(%)	14.08	53.48	144.79

武汉银都文化传媒股份有限公司

公司概况	公司名称	武汉银都文化传媒股份有限公司			股份名称	银都传媒
	法人代表	关杭军	董秘	何铭敏	股份代码	430230
	公司网址			主办券商	东方花旗证券有限公司	
	电　　话			传　　真		
	注册地址	湖北省武汉市东湖开发区关山大道20号中国光谷创意产业基地二号楼第704-709				
	行业分类	文化、体育和娱乐业				

	指标\报告期	2014.06.30	2013.12.31	2012.12.31
主要财务指标	营业收入(元)	–	23,060,071.59	20,082,814.65
	营业利润(元)	–	2,563,972.32	478,174.63
	净利润(元)	–	7,653,994.67	6,911,448.02
	未分配利润(元)	–	17,393,829.86	10,541,769.30
	总资产(元)	–	116,944,720.18	78,232,570.73
	总负债(元)	–	71,613,942.42	39,470,806.50
	净资产(元)	–	45,330,777.76	38,761,764.23
	每股收益(元)	–	0.29	0.29
	每股净资产(元)	–	1.74	1.45
	净资产收益率(%)	–	16.89	18.51

天津市赛诺达智能技术股份有限公司

公司概况	公司名称	天津市赛诺达智能技术股份有限公司			股份名称	赛诺达
	法人代表	刘嘉祥	董秘	刘春义	股份代码	430231
	公司网址	www.sainuoda.com		主办券商	方正证券股份有限公司	
	电　　话	022-26224789		传　　真	022-26224789	
	注册地址	天津市华苑产业区华天道2号(火炬大厦)4032室				
	行业分类	信息传输、软件和信息技术服务业				

	指标\报告期	2014.06.30	2013.12.31	2012.12.31
主要财务指标	营业收入(元)	–	17,769,545.65	16,890,003.29
	营业利润(元)	–	-218,661.02	68,060.06
	净利润(元)	–	47,645.85	47,366.18
	未分配利润(元)	–	-55,849.58	-103,495.43
	总资产(元)	–	46,910,946.71	15,344,009.62
	总负债(元)	–	30,483,323.74	4,264,032.50
	净资产(元)	–	16,427,622.97	11,079,977.12
	每股收益(元)	–	0.00	0.00
	每股净资产(元)	–	1.06	1.06
	净资产收益率(%)	–	0.29	0.43

天津桦清信息技术股份有限公司

公司概况	公司名称	天津桦清信息技术股份有限公司			股份名称	桦清股份
	法人代表	潘子系	董秘	肖湘	股份代码	430232
	公司网址	www.huaqingtax.com		主办券商	国金证券股份有限公司	
	电　　话	022-23858996		传　　真	022-23859797	
	注册地址	天津市华苑产业区榕苑路15号7-A-601室				
	行业分类	租赁和商务服务业				

	指标\报告期	2014.06.30	2013.12.31	2012.12.31
主要财务指标	营业收入(元)	48,261,734.79	108,738,645.34	126,724,992.40
	营业利润(元)	6,274,345.37	-16,182,132.09	9,728,009.42
	净利润(元)	6,518,198.40	-16,128,087.10	6,159,353.79
	未分配利润(元)	-7,802,102.14	-14,331,246.72	41,747,988.60
	总资产(元)	80,736,826.30	71,620,230.48	128,964,186.31
	总负债(元)	50,957,043.06	48,358,645.64	49,574,514.37
	净资产(元)	29,779,783.24	23,261,584.84	79,389,671.94
	每股收益(元)	0.19	-0.46	0.18
	每股净资产(元)	0.85	0.66	2.26
	净资产收益率(%)	22.04	-69.63	7.81

北京星原丰泰电子技术股份有限公司

公司概况	公司名称	北京星原丰泰电子技术股份有限公司			股份名称	星原丰泰
	法人代表	赵力行	董秘	荆文华	股份代码	430233
	公司网址	www.saps.cn		主办券商	齐鲁证券有限公司	
	电　　话	010-80733900		传　　真	010-80733900-8001	
	注册地址	北京市昌平区科技园区中兴路10号B217室				
	行业分类	制造业				

	指标\报告期	2014.06.30	2013.12.31	2012.12.31
主要财务指标	营业收入(元)	–	31,022,325.02	39,617,618.68
	营业利润(元)	–	-1,008,977.99	701,391.59
	净利润(元)	–	215,952.46	1,048,303.36
	未分配利润(元)	–	2,157,451.97	1,963,094.76
	总资产(元)	–	49,488,709.06	44,324,755.12
	总负债(元)	–	29,133,126.53	24,185,125.05
	净资产(元)	–	20,355,582.53	20,139,630.07
	每股收益(元)	–	0.01	0.07
	每股净资产(元)	–	1.20	1.18
	净资产收益率(%)	–	1.06	5.21

上海翼捷工业安全设备股份有限公司

公司概况	公司名称	上海翼捷工业安全设备股份有限公司		股份名称	翼捷股份
	法人代表	张杰	董秘 邓涛	股份代码	430234
	公司网址	www.aegisafe.com		主办券商	光大证券股份有限公司
	电　话	021-60509100		传　真	021-60899420
	注册地址	上海市浦东新区祖冲之路 887 弄 84 号 502、503 室			
	行业分类	制造业			

主要财务指标	指标\报告期	2014.06.30	2013.12.31	2012.12.31
	营业收入(元)	20,461,051.02	54,729,500.43	44,865,822.33
	营业利润(元)	2,950,220.45	9,391,313.13	9,203,972.17
	净利润(元)	4,789,404.04	11,316,085.93	9,183,636.78
	未分配利润(元)	16,466,771.42	14,677,367.38	6,123,265.66
	总资产(元)	43,128,419.45	42,281,128.98	33,141,510.57
	总负债(元)	12,309,118.61	14,151,232.18	13,927,699.70
	净资产(元)	30,819,300.84	28,129,896.80	19,213,810.87
	每股收益(元)	0.40	0.94	0.77
	每股净资产(元)	2.49	2.34	1.60
	净资产收益率(%)	15.54	40.23	47.94

北京典雅天地文化传播股份有限公司

公司概况	公司名称	北京典雅天地文化传播股份有限公司		股份名称	典雅天地
	法人代表	李典	董秘 张文静	股份代码	430235
	公司网址			主办券商	浙商证券股份有限公司
	电　话			传　真	
	注册地址	北京市东城区后永康胡同 17 号 566A 室			
	行业分类	文化、体育和娱乐业			

主要财务指标	指标\报告期	2014.06.30	2013.12.31	2012.12.31
	营业收入(元)	2,665,022.23	3,524,275.52	4,744,561.40
	营业利润(元)	-638,491.49	-1,166,200.38	809,463.94
	净利润(元)	-62,121.10	-858,146.37	619,649.49
	未分配利润(元)	-21,172.37	40,948.73	817,100.08
	总资产(元)	8,915,443.73	8,897,273.44	7,311,285.64
	总负债(元)	1,237,061.14	1,156,769.75	1,152,704.40
	净资产(元)	7,678,382.59	7,740,503.69	6,158,581.24
	每股收益(元)	-0.01	-0.16	0.12
	每股净资产(元)	1.12	1.13	1.18
	净资产收益率(%)	-0.81	-11.09	10.06

美兰创新(北京)科技股份有限公司

公司概况	公司名称	美兰创新(北京)科技股份有限公司		股份名称	美兰股份
	法人代表	徐长才	董秘 潘志峰	股份代码	430236
	公司网址			主办券商	国元证券股份有限公司
	电　话	010-57251088		传　真	010-57251088
	注册地址	北京市昌平区中关村科技园区生命园路 29 号 1 幢 B316-2 室			
	行业分类	制造业			

主要财务指标	指标\报告期	2014.06.30	2013.12.31	2012.12.31
	营业收入(元)	53,039,444.25	43,995,484.44	34,806,208.60
	营业利润(元)	7,331,965.51	2,578,147.76	3,146,221.68
	净利润(元)	6,408,235.24	3,333,257.08	2,401,272.82
	未分配利润(元)	11,782,348.39	5,378,491.86	2,224,120.82
	总资产(元)	59,616,506.60	33,831,408.73	25,310,835.95
	总负债(元)	36,095,735.06	16,718,872.43	11,531,556.73
	净资产(元)	23,520,771.54	17,112,536.30	13,779,279.22
	每股收益(元)	0.58	0.30	0.22
	每股净资产(元)	2.14	1.55	1.25
	净资产收益率(%)	27.25	19.49	17.43

上海大汉三通通信股份有限公司

公司概况	公司名称	上海大汉三通通信股份有限公司		股份名称	大汉三通
	法人代表	高比布	董秘 高金容	股份代码	430237
	公司网址	www.dahantc.com		主办券商	广发证券股份有限公司
	电　话	021-38133333		传　真	021- 50806277
	注册地址	上海张江高科技园区郭守敬路 498 号浦东软件园 9 幢 20504-20506 室			
	行业分类	信息传输、软件和信息技术服务业			

主要财务指标	指标\报告期	2014.06.30	2013.12.31	2012.12.31
	营业收入(元)	27,166,490.74	74,193,104.51	49,033,610.86
	营业利润(元)	21,537.04	-3,375,897.66	-1,282,744.39
	净利润(元)	382,636.84	2,491,179.94	382,261.94
	未分配利润(元)	2,364,648.82	1,982,011.98	-198,415.47
	总资产(元)	55,225,364.47	54,423,363.41	28,587,880.36
	总负债(元)	30,489,131.19	30,069,766.97	15,725,463.86
	净资产(元)	24,736,233.28	24,353,596.44	12,862,416.50
	每股收益(元)	0.03	0.23	0.05
	每股净资产(元)	2.25	2.21	1.17
	净资产收益率(%)	1.55	10.23	4.56

上海普华科技发展股份有限公司

公司概况						
	公司名称	上海普华科技发展股份有限公司			股份名称	普华科技
	法人代表	包晓春	董秘	石淑珍	股份代码	430238
	公司网址	www.powerpms.com		主办券商	广发证券股份有限公司	
	电　　话	021-68406841		传　　真	021-68406611	
	注册地址	上海市张江高科技园区郭守敬路498号1幢403/04-B室				
	行业分类	信息传输、软件和信息技术服务业				

主要财务指标	指标\报告期	2014.06.30	2013.12.31	2012.12.31
	营业收入(元)	–	93,545,290.25	72,105,815.21
	营业利润(元)	–	20,012,116.46	16,928,089.18
	净利润(元)	–	21,195,736.85	16,035,082.73
	未分配利润(元)	–	31,315,903.08	38,277,497.42
	总资产(元)	–	84,883,548.84	70,859,517.95
	总负债(元)	–	11,840,190.11	14,040,980.32
	净资产(元)	–	73,043,358.73	56,818,537.63
	每股收益(元)	–	0.65	0.52
	每股净资产(元)	–	2.33	1.85
	净资产收益率(%)	–	27.86	27.99

北京信诺达泰思特科技股份有限公司

公司概况						
	公司名称	北京信诺达泰思特科技股份有限公司			股份名称	信诺达
	法人代表	杨良春	董秘	姚兰	股份代码	430239
	公司网址	www.sinodynetest.com		主办券商	金元证券股份有限公司	
	电　　话	010-82005996		传　　真	010-82005906	
	注册地址	北京市东城区和平里东街11号122号楼一层东侧				
	行业分类	制造业				

主要财务指标	指标\报告期	2014.06.30	2013.12.31	2012.12.31
	营业收入(元)	8,390,416.27	18,554,038.66	13,742,126.70
	营业利润(元)	-2,300,315.91	213,819.26	1,225,946.81
	净利润(元)	-786,710.18	3,574,995.43	1,266,970.13
	未分配利润(元)	3,859,378.36	4,646,088.54	1,428,592.65
	总资产(元)	34,874,759.57	31,379,534.90	14,318,173.34
	总负债(元)	11,599,685.23	19,867,750.38	6,381,384.25
	净资产(元)	23,275,074.34	11,511,784.52	7,936,789.09
	每股收益(元)	-0.11	0.57	0.23
	每股净资产(元)	3.09	1.82	1.26
	净资产收益率(%)	-3.40	31.06	15.96

北京随视传媒科技股份有限公司

公司概况						
	公司名称	北京随视传媒科技股份有限公司			股份名称	随视传媒
	法人代表	段嘉瑞	董秘	王宏泰	股份代码	430240
	公司网址	www.adsit.cn		主办券商	东方花旗证券有限公司	
	电　　话	010-58206068		传　　真	010-58203839	
	注册地址	北京市海淀区大钟寺13号院1号楼8B7				
	行业分类	租赁和商务服务业				

主要财务指标	指标\报告期	2014.06.30	2013.12.31	2012.12.31
	营业收入(元)	40,867,049.42	65,565,807.90	118,814,695.28
	营业利润(元)	-2,318,252.20	-31,515,704.29	5,914,229.98
	净利润(元)	-1,414,299.83	-32,082,001.03	5,754,435.24
	未分配利润(元)	-33,295,376.29	-31,881,819.64	200,181.39
	总资产(元)	118,250,360.03	122,784,701.16	145,215,846.59
	总负债(元)	20,134,644.82	23,254,686.12	14,684,068.18
	净资产(元)	98,115,715.21	99,530,015.04	130,531,778.41
	每股收益(元)	-0.04	-0.80	0.14
	每股净资产(元)	2.44	2.48	3.26
	净资产收益率(%)	-1.44	-32.34	4.41

武汉威林科技股份有限公司

公司概况						
	公司名称	武汉威林科技股份有限公司			股份名称	威林科技
	法人代表	王渝斌	董秘	宋波	股份代码	430241
	公司网址	www.luchen.cn		主办券商	长江证券股份有限公司	
	电　　话	027-86340372		传　　真	027-86842106	
	注册地址	湖北省武汉市新洲区阳逻经济开发区晶港路1号				
	行业分类	制造业				

主要财务指标	指标\报告期	2014.06.30	2013.12.31	2012.12.31
	营业收入(元)	31,930,570.02	67,598,304.05	76,959,552.26
	营业利润(元)	1,019,173.21	2,372,455.27	2,749,891.99
	净利润(元)	1,775,114.85	3,386,848.97	3,217,580.04
	未分配利润(元)	8,610,824.89	6,757,055.32	3,576,855.19
	总资产(元)	152,184,829.00	131,146,209.68	118,506,265.23
	总负债(元)	71,616,151.19	52,352,646.72	43,099,551.24
	净资产(元)	80,568,677.81	78,793,562.96	75,406,713.99
	每股收益(元)	0.05	0.10	0.33
	每股净资产(元)	2.28	2.22	2.12
	净资产收益率(%)	2.30	4.62	4.38

北京蓝贝望生物医药科技股份有限公司

公司概况	公司名称	北京蓝贝望生物医药科技股份有限公司		股份名称	蓝贝望
	法人代表	温光辉	董秘 李春红	股份代码	430242
	公司网址	www.labwan.com		主办券商	中原证券股份有限公司
	电　话	010-62229926		传　真	010-62229936
	注册地址	北京市海淀区交大东路36号楼1103室			
	行业分类	科学研究和技术服务业			

主要财务指标	指标\报告期	2014.06.30	2013.12.31	2012.12.31
	营业收入(元)	–	16,094,261.25	11,066,925.00
	营业利润(元)	–	8,033,041.87	6,530,797.98
	净利润(元)	–	7,542,875.88	4,890,411.37
	未分配利润(元)	–	6,788,588.29	4,550,837.15
	总资产(元)	–	18,933,280.33	8,063,143.49
	总负债(元)	–	5,377,818.72	2,050,557.76
	净资产(元)	–	13,555,461.61	6,012,585.73
	每股收益(元)	–	1.51	48.90
	每股净资产(元)	–	2.71	6.68
	净资产收益率(%)	–	55.65	81.34

北京铜牛信息科技股份有限公司

公司概况	公司名称	北京铜牛信息科技股份有限公司		股份名称	铜牛信息
	法人代表	张为民	董秘 刘毅	股份代码	430243
	公司网址	www.topnewinfo.cn		主办券商	中国银河证券股份有限公司
	电　话	010-52186999		传　真	010-52186911
	注册地址	北京市海淀区中关村大街49号9号楼A101号			
	行业分类	信息传输、软件和信息技术服务业			

主要财务指标	指标\报告期	2014.06.30	2013.12.31	2012.12.31
	营业收入(元)	–	62,095,225.01	44,767,802.14
	营业利润(元)	–	5,019,641.77	6,311,010.64
	净利润(元)	–	6,522,830.36	5,891,062.42
	未分配利润(元)	–	8,074,221.40	2,203,674.08
	总资产(元)	–	43,761,705.46	35,124,512.32
	总负债(元)	–	13,852,420.40	11,805,792.15
	净资产(元)	–	29,909,285.06	23,318,720.17
	每股收益(元)	–	0.33	0.29
	每股净资产(元)	–	1.50	1.17
	净资产收益率(%)	–	21.81	25.26

武汉颂大教育科技股份有限公司

公司概况	公司名称	武汉颂大教育科技股份有限公司		股份名称	颂大教育
	法人代表	徐春林	董秘 曾静	股份代码	430244
	公司网址			主办券商	长江证券股份有限公司
	电　话			传　真	
	注册地址	湖北省武汉市东湖开发区武汉大学科技园内创业楼2楼2088			
	行业分类	信息传输、软件和信息技术服务业			

主要财务指标	指标\报告期	2014.06.30	2013.12.31	2012.12.31
	营业收入(元)	6,509,789.48	25,558,395.10	10,758,309.39
	营业利润(元)	-6,117,085.91	4,692,361.79	2,926,149.35
	净利润(元)	-5,761,935.20	5,890,486.93	3,277,398.55
	未分配利润(元)	-450,916.80	5,311,018.40	2,738,219.92
	总资产(元)	26,499,781.89	34,316,989.66	15,716,399.70
	总负债(元)	11,829,946.93	13,885,219.50	1,175,116.47
	净资产(元)	14,669,834.96	20,431,770.16	14,541,283.23
	每股收益(元)	-0.52	0.54	0.30
	每股净资产(元)	1.33	1.86	1.45
	净资产收益率(%)	-39.28	28.83	22.54

北京奥特美克科技股份有限公司

公司概况	公司名称	北京奥特美克科技股份有限公司		股份名称	奥特美克
	法人代表	吴玉晓	董秘 何健	股份代码	430245
	公司网址	www.automic.com.cn		主办券商	中信建投证券股份有限公司
	电　话	010-82894254		传　真	010-82894252
	注册地址	北京市海淀区上地信息路2号国际科技创业园2号楼21E			
	行业分类	信息传输、软件和信息技术服务业			

主要财务指标	指标\报告期	2014.06.30	2013.12.31	2012.12.31
	营业收入(元)	40,984,591.81	122,731,258.76	115,802,378.06
	营业利润(元)	-6,565,392.73	4,420,798.43	12,509,255.95
	净利润(元)	-5,639,396.89	6,391,809.66	11,351,499.59
	未分配利润(元)	297,229.29	5,936,626.18	224,722.50
	总资产(元)	118,818,216.52	123,134,464.93	109,477,073.52
	总负债(元)	75,831,219.77	74,508,071.29	67,242,489.54
	净资产(元)	42,986,996.75	48,626,393.64	42,234,583.98
	每股收益(元)	-0.18	0.20	0.52
	每股净资产(元)	1.34	1.52	1.32
	净资产收益率(%)	-13.12	13.15	26.88

北京佳星慧盟科技股份有限公司

公司概况	公司名称	北京佳星慧盟科技股份有限公司			股份名称	佳星慧盟
	法人代表	吴江林	董秘	刘益凯	股份代码	430246
	公司网址	www.jstarsoft.com.cn		主办券商	东吴证券股份有限公司	
	电　话	010-62621490		传　真	010-82627444	
	注册地址	北京海淀区苏州街20号银丰大厦1号楼801				
	行业分类	信息传输、软件和信息技术服务业				

主要财务指标	指标\报告期	2014.06.30	2013.12.31	2012.12.31
	营业收入(元)	20,021,777.58	50,135,767.22	69,670,980.91
	营业利润(元)	-931,645.35	-11,296.63	73,735.56
	净利润(元)	84,224.98	69,566.47	494,671.74
	未分配利润(元)	751,057.84	666,832.86	613,261.09
	总资产(元)	46,278,351.81	43,920,969.67	35,826,291.49
	总负债(元)	14,485,231.27	12,212,074.11	4,186,962.40
	净资产(元)	31,793,120.54	31,708,895.56	31,639,329.09
	每股收益(元)		0.00	0.02
	每股净资产(元)	1.06	1.06	1.05
	净资产收益率(%)	0.27	0.22	1.56

北京金日创科技股份有限公司

公司概况	公司名称	北京金日创科技股份有限公司			股份名称	金日创
	法人代表	付宏实	董秘	付宏璧	股份代码	430247
	公司网址			主办券商	中信建投证券股份有限公司	
	电　话			传　真		
	注册地址	北京市门头沟区石龙经济开发区永安路20号3幢B1-1249室				
	行业分类	信息传输、软件和信息技术服务业				

主要财务指标	指标\报告期	2014.06.30	2013.12.31	2012.12.31
	营业收入(元)	-	71,522,127.71	57,108,116.79
	营业利润(元)	-	3,702,326.56	-1,634,387.30
	净利润(元)	-	3,154,639.89	-1,890,989.89
	未分配利润(元)	-	810,546.84	-2,497,747.42
	总资产(元)	-	59,896,305.32	53,403,711.02
	总负债(元)	-	32,859,016.87	29,800,701.02
	净资产(元)	-	27,037,288.45	23,603,010.00
	每股收益(元)	-	0.17	-0.14
	每股净资产(元)	-	1.45	1.27
	净资产收益率(%)	-	11.67	-8.01

北京奥尔斯科技股份有限公司

公司概况	公司名称	北京奥尔斯科技股份有限公司			股份名称	奥尔斯
	法人代表	李朱峰	董秘	刘建宇	股份代码	430248
	公司网址	www.ourselec.com		主办券商	中信建投证券股份有限公司	
	电　话	010-88578056		传　真	010-88578056-608	
	注册地址	北京市海淀区中关村南大街17号3号楼901室				
	行业分类	信息传输、软件和信息技术服务业				

主要财务指标	指标\报告期	2014.06.30	2013.12.31	2012.12.31
	营业收入(元)	-	14,274,707.86	16,005,342.24
	营业利润(元)	-	-5,468,801.86	-227,688.12
	净利润(元)	-	-2,102,473.32	851,589.05
	未分配利润(元)	-	-2,102,473.32	-1,787,418.97
	总资产(元)	-	16,058,677.75	14,245,248.22
	总负债(元)	-	7,328,570.04	3,412,667.19
	净资产(元)	-	8,730,107.71	10,832,581.03
	每股收益(元)	-	-0.21	0.09
	每股净资产(元)	-	0.87	1.10
	净资产收益率(%)	-	-24.08	7.86

北京慧峰仁和科技股份有限公司

公司概况	公司名称	北京慧峰仁和科技股份有限公司			股份名称	慧峰仁和
	法人代表	郭立明	董秘	张樱	股份代码	430249
	公司网址			主办券商	中信建投证券股份有限公司	
	电　话			传　真		
	注册地址	北京市北京经济技术开发区西环南路18号A座408				
	行业分类	制造业				

主要财务指标	指标\报告期	2014.06.30	2013.12.31	2012.12.31
	营业收入(元)	-	10,881,692.22	15,426,401.10
	营业利润(元)	-	-373,660.19	867,234.26
	净利润(元)	-	1,818,744.27	827,081.75
	未分配利润(元)	-	3,829,828.37	2,192,958.53
	总资产(元)	-	16,673,582.56	17,197,965.44
	总负债(元)	-	6,559,741.50	8,902,868.65
	净资产(元)	-	10,113,841.06	8,295,096.79
	每股收益(元)	-	0.30	0.14
	每股净资产(元)	-	1.69	1.38
	净资产收益率(%)	-	17.98	9.97

北京智网科技股份有限公司

公司概况	公司名称	北京智网科技股份有限公司			股份名称	智网科技
	法人代表	李富明	董秘	张传峰	股份代码	430250
	公司网址	www.zhiwang.com.cn		主办券商	安信证券股份有限公司	
	电　话	010-51668585-601		传　真	010-88864090	
	注册地址	北京市海淀区远大路 39 号 1 号楼 400、415、417、418 室				
	行业分类	信息传输、软件和信息技术服务业				

	指标\报告期	2014.06.30	2013.12.31	2012.12.31
主要财务指标	营业收入(元)	1,871,606.82	28,217,405.44	29,490,337.81
	营业利润(元)	-6,613,031.31	1,027,133.45	3,025,179.52
	净利润(元)	-4,904,556.38	2,998,117.92	5,550,175.64
	未分配利润(元)	-1,515,404.58	3,389,151.80	690,845.67
	总资产(元)	18,448,178.75	25,570,510.28	21,703,948.23
	总负债(元)	2,867,070.43	5,084,845.58	6,751,401.45
	净资产(元)	15,581,108.32	20,485,664.70	14,952,546.78
	每股收益(元)	-0.34	0.23	0.43
	每股净资产(元)	1.09	1.43	1.15
	净资产收益率(%)	-31.48	14.64	37.12

天津光电高斯通信工程技术股份有限公司

公司概况	公司名称	天津光电高斯通信工程技术股份有限公司			股份名称	光电高斯
	法人代表	周宝生	董秘	刘文莉	股份代码	430251
	公司网址			主办券商	申银万国证券股份有限公司	
	电　话	022-83707890-8014		传　真	022-28307422	
	注册地址	天津市华苑产业区海泰西路 18 号西 3-303				
	行业分类	制造业				

	指标\报告期	2014.06.30	2013.12.31	2012.12.31
主要财务指标	营业收入(元)	-	37,193,145.04	35,545,646.97
	营业利润(元)	-	-289,161.61	-641,418.33
	净利润(元)	-	1,113,874.00	902,749.71
	未分配利润(元)	-	920,471.90	-91,127.45
	总资产(元)	-	58,226,420.09	54,497,743.39
	总负债(元)	-	31,368,428.59	28,753,625.89
	净资产(元)	-	26,857,991.50	25,744,117.50
	每股收益(元)	-	0.09	0.14
	每股净资产(元)	-	2.23	2.14
	净资产收益率(%)	-	4.15	3.51

武汉联宇技术股份有限公司

公司概况	公司名称	武汉联宇技术股份有限公司			股份名称	联宇技术
	法人代表	桂子荣	董秘	李雪峰	股份代码	430252
	公司网址	www.unytech.com		主办券商	申银万国证券股份有限公司	
	电　话	027-87228940		传　真	027-87372140	
	注册地址	湖北省武汉市洪山区珞狮路 507 号				
	行业分类	信息传输、软件和信息技术服务业				

	指标\报告期	2014.06.30	2013.12.31	2012.12.31
主要财务指标	营业收入(元)	-	31,294,591.44	59,395,246.39
	营业利润(元)	-	-9,456,385.17	921,291.08
	净利润(元)	-	-7,711,647.02	1,619,114.07
	未分配利润(元)	-	-4,756,458.82	2,955,188.20
	总资产(元)	-	113,160,299.78	82,882,092.46
	总负债(元)	-	84,532,188.28	46,542,333.94
	净资产(元)	-	28,628,111.50	36,339,758.52
	每股收益(元)	-	-0.26	0.05
	每股净资产(元)	-	0.95	1.21
	净资产收益率(%)	-	-26.94	4.46

北京兴竹同智信息技术股份有限公司

公司概况	公司名称	北京兴竹同智信息技术股份有限公司			股份名称	兴竹信息
	法人代表	朱明华	董秘	赵翔玲	股份代码	430253
	公司网址	www.xz-soft.com		主办券商	申银万国证券股份有限公司	
	电　话			传　真		
	注册地址	北京市丰台区南四环西路 188 号三区 9 号楼 4 层				
	行业分类	信息传输、软件和信息技术服务业				

	指标\报告期	2014.06.30	2013.12.31	2012.12.31
主要财务指标	营业收入(元)	57,692,458.35	148,777,435.41	123,757,761.37
	营业利润(元)	440,772.58	31,426,832.75	20,423,853.91
	净利润(元)	1,126,269.51	27,531,613.87	19,653,446.90
	未分配利润(元)	35,821,364.21	34,224,486.36	32,020,547.23
	总资产(元)	149,490,866.53	152,500,495.99	137,898,246.68
	总负债(元)	40,600,994.37	45,358,581.17	54,061,142.05
	净资产(元)	108,889,872.16	107,141,914.82	83,837,104.63
	每股收益(元)	0.02	0.54	0.64
	每股净资产(元)	2.12	2.09	2.54
	净资产收益率(%)	1.09	25.74	23.44

上海中卉生态科技股份有限公司

公司概况	公司名称	上海中卉生态科技股份有限公司		股份名称	中卉生态
	法人代表	柯思征	董秘 杨莉	股份代码	430254
	公司网址	www.shzhst.com		主办券商	申银万国证券股份有限公司
	电话	021-35183710		传真	021-55892856
	注册地址	上海市杨浦区中山北二路1121号2楼201C室			
	行业分类	建筑业			

	指标\报告期	2014.06.30	2013.12.31	2012.12.31
主要财务指标	营业收入(元)	7,466,772.75	20,597,586.28	11,974,123.20
	营业利润(元)	-713,745.49	956,541.16	1,485,192.54
	净利润(元)	-591,884.66	936,028.77	1,337,070.01
	未分配利润(元)	250,541.23	842,425.89	984,680.21
	总资产(元)	25,440,046.83	24,369,833.22	11,883,746.74
	总负债(元)	4,201,813.60	2,539,715.33	2,789,657.62
	净资产(元)	21,238,233.23	21,830,117.89	9,094,089.12
	每股收益(元)	-0.03	0.11	0.17
	每股净资产(元)	1.18	1.21	1.14
	净资产收益率(%)	-2.79	4.29	14.7

北京三意时代科技股份有限公司

公司概况	公司名称	北京三意时代科技股份有限公司		股份名称	三意时代
	法人代表	吴斌	董秘 郝小欣	股份代码	430255
	公司网址	www.3etimes.com		主办券商	华西证券有限责任公司
	电话	010-82924307		传真	010-82924307
	注册地址	北京市海淀区建材城中路1号枫丹丽舍5号楼2单元501室			
	行业分类	信息传输、软件和信息技术服务业			

	指标\报告期	2014.06.30	2013.12.31	2012.12.31
主要财务指标	营业收入(元)	-	5,724,724.33	5,515,118.33
	营业利润(元)	-	1,231,410.78	1,307,287.19
	净利润(元)	-	1,854,006.35	1,321,664.88
	未分配利润(元)	-	2,260,863.66	592,257.94
	总资产(元)	-	8,760,081.61	7,532,832.86
	总负债(元)	-	769,583.30	1,396,340.90
	净资产(元)	-	7,990,498.31	6,136,491.96
	每股收益(元)	-	0.37	0.99
	每股净资产(元)	-	1.6	1.23
	净资产收益率(%)	-	23.2	21.54

上海卓繁信息技术股份有限公司

公司概况	公司名称	上海卓繁信息技术股份有限公司		股份名称	卓繁信息
	法人代表	左骏	董秘	股份代码	430256
	公司网址	www.zhuofansoft.com		主办券商	光大证券股份有限公司
	电话	021-60748199		传真	021-60748199-3103
	注册地址	上海市徐汇区番禺路1028弄202室			
	行业分类	信息传输、软件和信息技术服务业			

	指标\报告期	2014.06.30	2013.12.31	2012.12.31
主要财务指标	营业收入(元)	-	18,200,668.91	17,570,243.01
	营业利润(元)	-	-611,327.82	2,335,829.60
	净利润(元)	-	29,579.57	2,695,573.17
	未分配利润(元)	-	966,330.93	932,454.42
	总资产(元)	-	19,876,617.43	16,995,914.28
	总负债(元)	-	8,426,177.39	5,959,853.81
	净资产(元)	-	11,450,440.04	11,036,060.47
	每股收益(元)	-	0.00	0.27
	每股净资产(元)	-	1.11	1.10
	净资产收益率(%)	-	0.36	24.43

天津成科传动机电技术股份有限公司

公司概况	公司名称	天津成科传动机电技术股份有限公司		股份名称	成科机电
	法人代表	张钢	董秘 张金蕾	股份代码	430257
	公司网址	www.ckcdjd.cn		主办券商	广发证券股份有限公司
	电话	022-83711198		传真	022-83711200
	注册地址	天津市新产业园区华苑产业区(环外)海泰发展一路6号			
	行业分类	制造业			

	指标\报告期	2014.06.30	2013.12.31	2012.12.31
主要财务指标	营业收入(元)	31,380,389.06	84,880,835.34	74,210,840.30
	营业利润(元)	-4,266,010.22	281,420.82	1,610,824.70
	净利润(元)	-3,881,355.22	757,462.67	2,040,209.07
	未分配利润(元)	18,515,485.98	22,483,326.39	22,217,509.82
	总资产(元)	141,746,989.65	133,313,982.90	139,433,953.10
	总负债(元)	88,958,701.15	76,644,339.18	92,695,561.05
	净资产(元)	52,788,288.50	56,669,643.72	46,738,392.05
	每股收益(元)	-0.13	0.02	0.04
	每股净资产(元)	1.68	1.82	2.14
	净资产收益率(%)	-7.85	0.78	3.41

上海易同科技股份有限公司

公司概况	公司名称	上海易同科技股份有限公司		股份名称	易同科技
	法人代表	朱玉明	董秘	姜爱华	股份代码	430258
	公司网址	www.etsoft.cn		主办券商	申银万国证券股份有限公司
	电　话	021-57100768		传　真	021-57100758
	注册地址	上海市徐汇区桂平路680号33幢301-5室			
	行业分类	信息传输、软件和信息技术服务业			

主要财务指标	指标\报告期	2014.06.30	2013.12.31	2012.12.31
	营业收入(元)	–	16,336,060.20	14,044,043.67
	营业利润(元)	–	-2,334,724.38	373,318.72
	净利润(元)	–	-1,753,231.55	224,477.20
	未分配利润(元)	–	-5,096,013.10	-3,342,781.55
	总资产(元)	–	27,005,803.51	28,692,923.33
	总负债(元)	–	5,425,788.06	5,359,676.33
	净资产(元)	–	21,580,015.45	23,333,247.00
	每股收益(元)	–	-0.07	0.01
	每股净资产(元)	–	0.86	0.93
	净资产收益率(%)	–	-8.12	1.01

上海华宿电气股份有限公司

公司概况	公司名称	上海华宿电气股份有限公司		股份名称	华宿电气
	法人代表	余龙山	董秘	余龙山	股份代码	430259
	公司网址	www.huasu.net		主办券商	申银万国证券股份有限公司
	电　话	021-51330568		传　真	021-51330569
	注册地址	上海市张江高科技园区达尔文路88号16幢203室			
	行业分类	制造业			

主要财务指标	指标\报告期	2014.06.30	2013.12.31	2012.12.31
	营业收入(元)	17,004,719.42	30,014,491.47	15,649,529.72
	营业利润(元)	2,215,153.20	1,459,682.15	3,999,349.52
	净利润(元)	2,084,843.47	2,846,795.39	3,563,779.11
	未分配利润(元)	5,171,583.42	3,381,193.41	819,077.56
	总资产(元)	34,446,962.31	28,337,859.12	19,543,717.39
	总负债(元)	15,523,889.74	11,205,176.56	5,257,830.22
	净资产(元)	18,923,072.57	17,132,682.56	14,285,887.17
	每股收益(元)	0.21	0.28	0.40
	每股净资产(元)	1.89	1.71	1.43
	净资产收益率(%)	11.02	16.62	24.95

布雷尔利(北京)金属家居用品股份有限公司

公司概况	公司名称	布雷尔利(北京)金属家居用品股份有限公司		股份名称	布雷尔利
	法人代表	田大水	董秘	段晓剑	股份代码	430260
	公司网址	www.brearly.cc		主办券商	宏源证券股份有限公司
	电　话	010-6888328		传　真	010-68883280-807
	注册地址	北京石景山区古城大街首都钢铁公司特殊钢公司十一区13号128室			
	行业分类	制造业			

主要财务指标	指标\报告期	2014.06.30	2013.12.31	2012.12.31
	营业收入(元)	–	381,968,415.09	345,680,609.79
	营业利润(元)	–	44,114,844.62	36,286,083.65
	净利润(元)	–	33,945,349.48	27,139,734.13
	未分配利润(元)	–	64,139,145.49	31,411,072.71
	总资产(元)	–	570,353,401.70	436,891,591.76
	总负债(元)	–	411,359,934.26	311,843,473.80
	净资产(元)	–	158,993,467.44	125,048,117.96
	每股收益(元)	–	0.79	0.63
	每股净资产(元)	–	3.70	2.91
	净资产收益率(%)	–	21.35	21.70

武汉易维科技股份有限公司

公司概况	公司名称	武汉易维科技股份有限公司		股份名称	易维科技
	法人代表	郑仕华	董秘	高玲	股份代码	430261
	公司网址	www.ewide.net		主办券商	长江证券股份有限公司
	电　话	027-87207776		传　真	027-87207725
	注册地址	湖北省武汉市东湖新技术开发区光谷大道58号关南福星医药园4栋5层05,06号			
	行业分类	信息传输、软件和信息技术服务业			

主要财务指标	指标\报告期	2014.06.30	2013.12.31	2012.12.31
	营业收入(元)	12,580,894.27	15,462,592.15	10,708,025.54
	营业利润(元)	1,630,035.28	1,862,354.87	2,415,681.41
	净利润(元)	2,456,406.74	3,423,568.65	2,596,610.65
	未分配利润(元)	5,483,747.23	3,042,299.23	-45,369.55
	总资产(元)	25,288,401.06	17,928,825.65	10,387,427.18
	总负债(元)	9,682,876.49	4,772,394.12	3,229,764.30
	净资产(元)	15,605,524.57	13,156,431.53	7,157,662.88
	每股收益(元)	0.30	0.42	0.37
	每股净资产(元)	1.61	1.61	1.01
	净资产收益率(%)	15.74	26.02	36.28

北京神州云动科技股份有限公司

公司概况	公司名称	北京神州云动科技股份有限公司			股份名称	神州云动
	法人代表	孙满弟	董秘	肖静静	股份代码	430262
	公司网址	www.CloudCC.com	主办券商	世纪证券有限责任公司		
	电　话	010-82345762	传　真	010-82345762		
	注册地址	北京市海淀区上地三街9号F座503室				
	行业分类	信息传输、软件和信息技术服务业				

主要财务指标	指标\报告期	2014.06.30	2013.12.31	2012.12.31
	营业收入(元)	3,040,855.38	5,185,298.24	4,131,634.22
	营业利润(元)	-871,126.37	-1,121,828.08	-80,332.53
	净利润(元)	-185,869.43	-719,477.80	-65,210.79
	未分配利润(元)	-1,143,938.10	-1,070,360.89	-407,607.85
	总资产(元)	7,080,096.31	6,919,898.53	6,450,539.60
	总负债(元)	1,230,848.06	884,780.85	113,672.99
	净资产(元)	5,849,248.25	6,035,117.68	6,336,866.61
	每股收益(元)	-0.03	-0.11	-0.01
	每股净资产(元)	0.93	0.94	1.06
	净资产收益率(%)	-1.32	-11.13	-1.03

北京蓝天瑞德环保技术股份有限公司

公司概况	公司名称	北京蓝天瑞德环保技术股份有限公司			股份名称	蓝天环保
	法人代表	潘忠	董秘	由海涛	股份代码	430263
	公司网址		主办券商	宏源证券股份有限公司		
	电　话	010-68662880	传　真	010-88204950		
	注册地址	北京市海淀区美和园东区2-109				
	行业分类	电力、热力、燃气及水生产和供应业				

主要财务指标	指标\报告期	2014.06.30	2013.12.31	2012.12.31
	营业收入(元)	57,604,141.05	142,083,381.54	105,278,598.44
	营业利润(元)	2,791,683.36	9,826,001.53	14,197,946.54
	净利润(元)	5,464,425.16	14,170,432.33	13,363,487.04
	未分配利润(元)	16,603,931.87	14,714,911.20	1,933,815.93
	总资产(元)	245,086,158.76	240,490,384.33	117,997,348.36
	总负债(元)	148,885,842.83	146,088,693.56	48,986,109.92
	净资产(元)	96,200,315.93	94,401,690.77	69,011,238.44
	每股收益(元)	0.08	0.20	0.23
	每股净资产(元)	0.08	1.34	1.05
	净资产收益率(%)	5.83	15.21	19.36

武汉中舟环保设备股份有限公司

公司概况	公司名称	武汉中舟环保设备股份有限公司			股份名称	中舟环保
	法人代表	王军	董秘	胡杨	股份代码	430264
	公司网址	www.whzzhb.com	主办券商	方正证券股份有限公司		
	电　话	027-65609239	传　真	027-65609616		
	注册地址	湖北省武汉市东湖开发区高新四路29号				
	行业分类	制造业				

主要财务指标	指标\报告期	2014.06.30	2013.12.31	2012.12.31
	营业收入(元)	-	18,499,020.47	20,130,688.00
	营业利润(元)	-	-1,295,987.79	996,216.44
	净利润(元)	-	1,697,565.65	757,920.13
	未分配利润(元)	-	1,527,809.08	1,860,034.39
	总资产(元)	-	55,892,461.97	47,513,566.25
	总负债(元)	-	14,128,191.44	7,446,861.37
	净资产(元)	-	41,764,270.53	40,066,704.88
	每股收益(元)	-	0.05	0.03
	每股净资产(元)	-	1.19	1.14
	净资产收益率(%)	-	4.07	1.89

武汉国威重型机床股份有限公司

公司概况	公司名称	武汉国威重型机床股份有限公司			股份名称	国威机床
	法人代表		董秘		股份代码	430265
	公司网址		主办券商	长江证券股份有限公司		
	电　话		传　真			
	注册地址	湖北省武汉市江夏区庙山开发区				
	行业分类	制造业				

主要财务指标	指标\报告期	2014.06.30	2013.12.31	2012.12.31
	营业收入(元)	5,651,481.20	26,322,723.91	20,482,562.35
	营业利润(元)	-1,354,934.10	-374,503.01	3,264,258.17
	净利润(元)	-543,816.50	603,395.76	2,828,205.24
	未分配利润(元)	514,235.92	543,056.18	259,429.05
	总资产(元)	82,039,191.08	76,524,615.38	64,561,127.91
	总负债(元)	36,176,361.08	30,632,965.12	19,272,873.41
	净资产(元)	45,862,830.00	45,891,650.26	45,288,254.50
	每股收益(元)	-0.01	0.01	0.06
	每股净资产(元)	1.02	1.02	1.01
	净资产收益率(%)	-1.19	1.32	6.25

武汉联动设计股份有限公司

公司概况	公司名称	武汉联动设计股份有限公司			股份名称	联动设计
	法人代表	黄万良	董秘	吴颖	股份代码	430266
	公司网址			主办券商	申银万国证券股份有限公司	
	电　话	027-87617435		传　真	027-87227455	
	注册地址	湖北省武汉东湖新技术开发区路狮南路519号高农大厦B座22、23楼				
	行业分类	科学研究和技术服务业				

	指标\报告期	2014.06.30	2013.12.31	2012.12.31
主要财务指标	营业收入(元)	–	35,078,469.64	28,079,552.70
	营业利润(元)	–	9,587,928.04	5,504,373.67
	净利润(元)	–	9,494,137.06	4,806,357.24
	未分配利润(元)	–	8,844,307.48	299,584.13
	总资产(元)	–	44,764,400.35	26,150,351.62
	总负债(元)	–	20,842,172.56	11,722,260.89
	净资产(元)	–	23,922,227.79	14,428,090.73
	每股收益(元)	–	0.95	0.48
	每股净资产(元)	–	2.39	1.44
	净资产收益率(%)	–	39.69	33.31

北京盛世光明软件股份有限公司

公司概况	公司名称	北京盛世光明软件股份有限公司			股份名称	盛世光明
	法人代表	孙伟力	董秘	宋凤	股份代码	430267
	公司网址	www.ssgm.net		主办券商	东兴证券股份有限公司	
	电　话	010-82825795-806		传　真	010-82825795-802	
	注册地址	北京市海淀区上地三街9号D408、410				
	行业分类	信息传输、软件和信息技术服务业				

	指标\报告期	2014.06.30	2013.12.31	2012.12.31
主要财务指标	营业收入(元)	–	18,026,057.01	7,673,683.50
	营业利润(元)	–	–1,962,069.87	–723,044.01
	净利润(元)	–	153,014.71	719,885.21
	未分配利润(元)	–	393,385.94	275,614.57
	总资产(元)	–	25,599,482.42	14,375,270.09
	总负债(元)	–	13,671,377.08	2,599,655.52
	净资产(元)	–	11,928,105.34	11,775,614.57
	每股收益(元)	–	0.01	0.09
	每股净资产(元)	–	1.04	1.02
	净资产收益率(%)	–	1.28	6.11

北京恒信启华信息技术股份有限公司

公司概况	公司名称	北京恒信启华信息技术股份有限公司			股份名称	恒信启华
	法人代表	王福民	董秘	王娟	股份代码	430268
	公司网址	www.bjhxqh.com		主办券商	首创证券有限责任公司	
	电　话	010-82825309		传　真	010-82826319	
	注册地址	北京市海淀区东北旺西路8号9号楼三区306				
	行业分类	信息传输、软件和信息技术服务业				

	指标\报告期	2014.06.30	2013.12.31	2012.12.31
主要财务指标	营业收入(元)	7,127,669.54	34,356,836.76	26,258,248.53
	营业利润(元)	–3,590,162.11	3,806,727.38	3,028,641.21
	净利润(元)	–2,396,198.94	4,138,236.55	2,714,217.39
	未分配利润(元)	3,162,600.32	5,558,799.26	6,934,493.48
	总资产(元)	30,898,679.22	33,162,847.06	24,358,633.72
	总负债(元)	3,502,993.55	3,370,962.45	4,192,485.66
	净资产(元)	27,395,685.67	29,791,884.61	20,166,148.06
	每股收益(元)	–0.12	0.21	0.14
	每股净资产(元)	1.37	1.49	1.61
	净资产收益率(%)	–8.75	13.89	13.46

上海新网程信息技术股份有限公司

公司概况	公司名称	上海新网程信息技术股份有限公司			股份名称	新网程
	法人代表	李云明	董秘	李勤	股份代码	430269
	公司网址	www.pronetway.com		主办券商	申银万国证券股份有限公司	
	电　话	021-51556000		传　真	021-51556030	
	注册地址	上海市浦东新区张江高科技园区郭守敬路351号2号楼635-12室				
	行业分类	信息传输、软件和信息技术服务业				

	指标\报告期	2014.06.30	2013.12.31	2012.12.31
主要财务指标	营业收入(元)	7,554,961.06	15,021,058.80	22,471,983.97
	营业利润(元)	–1,877,021.88	–1,794,201.55	1,639,888.43
	净利润(元)	–1,675,594.78	226,031.23	3,218,534.73
	未分配利润(元)	1,379,197.24	3,054,792.02	2,965,883.66
	总资产(元)	18,306,496.52	21,543,935.85	22,496,325.32
	总负债(元)	6,529,462.86	8,091,307.41	9,269,728.11
	净资产(元)	11,777,033.66	13,452,628.44	13,226,597.21
	每股收益(元)	–0.17	0.02	0.31
	每股净资产(元)	1.18	1.35	1.32
	净资产收益率(%)	–14.23	1.68	24.33

湖北高曼重工股份有限公司

公司概况						
公司名称	湖北高曼重工股份有限公司			股份名称	高曼重工	
法人代表	夏曙光	董秘	张海燕	股份代码	430270	
公司网址			主办券商	中银万国证券股份有限公司		
电　话	027-83858380		传　真	027-83858380		
注册地址	湖北省武汉市硚口区解放大道41号汉正街都市工业区B2-04					
行业分类	制造业					

主要财务指标 指标\报告期	2014.06.30	2013.12.31	2012.12.31
营业收入(元)	8,490,341.83	16,635,678.84	17,023,438.54
营业利润(元)	813,248.01	1,434,503.93	1,432,944.01
净利润(元)	1,476,486.23	1,614,340.42	1,269,708.71
未分配利润(元)	3,214,622.91	1,738,136.66	285,230.28
总资产(元)	22,973,520.66	25,030,802.98	21,881,849.80
总负债(元)	12,179,328.68	15,713,097.25	14,178,484.49
净资产(元)	10,794,191.98	9,317,705.73	7,703,365.31
每股收益(元)	0.21	0.23	0.18
每股净资产(元)	1.54	1.33	1.10
净资产收益率(%)	13.68	17.33	16.48

天津瑞灵石油设备股份有限公司

公司概况						
公司名称	天津瑞灵石油设备股份有限公司			股份名称	瑞灵石油	
法人代表	侯强	董秘	李娟	股份代码	430271	
公司网址			主办券商	中信建投证券股份有限公司		
电　话	022-84910015		传　真	022-84910027		
注册地址	天津市空港经济区航空路268					
行业分类	制造业					

主要财务指标 指标\报告期	2014.06.30	2013.12.31	2012.12.31
营业收入(元)	20,833,520.78	71,315,131.25	43,778,587.83
营业利润(元)	93,264.80	2,309,481.24	948,721.01
净利润(元)	95,113.56	2,306,052.86	1,014,769.56
未分配利润(元)	2,047,346.64	1,952,233.08	2,901,553.39
总资产(元)	91,800,234.50	86,706,365.17	71,764,722.89
总负债(元)	56,175,119.86	51,176,364.09	38,540,774.67
净资产(元)	35,625,114.64	35,530,001.08	33,223,948.22
每股收益(元)		0.07	0.03
每股净资产(元)	1.11	1.11	1.11
净资产收益率(%)	0.27	6.49	3.05

上海世富环保节能科技股份有限公司

公司概况						
公司名称	上海世富环保节能科技股份有限公司			股份名称	世富环保	
法人代表	李晓天	董秘	张蝶	股份代码	430272	
公司网址	www.safegreen.com.cn		主办券商	中银国际证券有限责任公司		
电　话	021-35316096		传　真	021-35316097		
注册地址	上海市虹口区广纪路800号B幢113室					
行业分类	建筑业					

主要财务指标 指标\报告期	2014.06.30	2013.12.31	2012.12.31
营业收入(元)	–	56,947,041.55	36,103,984.06
营业利润(元)	–	49,323.57	−76,160.79
净利润(元)	–	1,209,062.82	128,307.71
未分配利润(元)	–	2,528,672.48	557,352.27
总资产(元)	–	28,702,676.51	18,327,707.79
总负债(元)	–	19,994,818.93	6,248,913.03
净资产(元)	–	8,707,857.58	12,078,794.76
每股收益(元)	–	0.28	0.02
每股净资产(元)	–	1.71	1.31
净资产收益率(%)	–	16.20	1.45

上海永天科技股份有限公司

公司概况						
公司名称	上海永天科技股份有限公司			股份名称	永天科技	
法人代表	杨永华	董秘	陈辉(代)	股份代码	430273	
公司网址			主办券商	东方花旗证券有限公司		
电　话	021-65376655-8308		传　真	021-52954004		
注册地址	上海市浦东新区浦东新区郭守敬498号1幢403/07室					
行业分类	信息传输、软件和信息技术服务业					

主要财务指标 指标\报告期	2014.06.30	2013.12.31	2012.12.31
营业收入(元)	2,894,571.31	17,597,841.89	14,741,213.70
营业利润(元)	−2,097,315.46	−360,726.90	466,016.59
净利润(元)	−2,097,315.46	545,258.01	372,895.60
未分配利润(元)	−1,262,411.37	834,904.09	276,123.14
总资产(元)	9,892,857.04	13,508,712.06	14,127,422.31
总负债(元)	931,867.20	2,450,406.76	3,688,792.51
净资产(元)	8,960,989.84	11,058,305.30	10,438,629.80
每股收益(元)	−0.21	0.05	0.07
每股净资产(元)	0.90	1.11	1.04
净资产收益率(%)	−23.41	4.93	3.57

天津重钢机械装备股份有限公司

公司概况					
公司名称	天津重钢机械装备股份有限公司			股份名称	重钢机械
法人代表	李坤	董秘	俞春庚	股份代码	430274
公司网址	www.tzme.net		主办券商	申银万国证券股份有限公司	
电　　话	022-25214991		传　　真	022-25211535	
注册地址	天津市滨海新区塘沽厦门路 139 号				
行业分类	制造业				

主要财务指标			
指标\报告期	2014.06.30	2013.12.31	2012.12.31
营业收入(元)	102,043,451.25	196,456,411.50	263,999,117.01
营业利润(元)	3,601,792.60	-1,170,507.85	1,147,583.96
净利润(元)	7,484,699.13	1,401,686.19	2,777,976.81
未分配利润(元)	70,276,134.58	62,791,384.28	61,559,497.79
总资产(元)	340,930,495.28	386,283,989.27	338,074,795.02
总负债(元)	181,186,463.66	234,024,656.78	185,926,713.39
净资产(元)	159,744,031.62	152,259,332.49	152,148,081.63
每股收益(元)	0.10	0.02	0.04
每股净资产(元)	2.10	2.00	1.98
净资产收益率(%)	4.71	0.96	1.94

上海晟矽微电子股份有限公司

公司概况					
公司名称	上海晟矽微电子股份有限公司			股份名称	晟矽微电
法人代表	陆健	董秘	胡璨	股份代码	430276
公司网址	www.sinomcu.com		主办券商	广发证券股份有限公司	
电　　话	021-38682906		传　　真	021-38682905	
注册地址	上海市浦东新区张江高科技园区松涛路 563 号 2 幢 601、602、603 室				
行业分类	制造业				

主要财务指标			
指标\报告期	2014.06.30	2013.12.31	2012.12.31
营业收入(元)	-	72,630,898.05	46,143,416.00
营业利润(元)	-	5,780,850.97	2,982,766.79
净利润(元)	-	6,379,709.00	2,331,775.39
未分配利润(元)	-	5,741,738.10	2,914,840.51
总资产(元)	-	60,125,471.49	31,666,539.01
总负债(元)	-	37,017,050.81	26,427,827.33
净资产(元)	-	23,108,420.68	5,238,711.68
每股收益(元)	-	0.87	1.17
每股净资产(元)	-	2.49	2.62
净资产收益率(%)	-	27.61	44.51

北京福乐维生物科技股份有限公司

公司概况					
公司名称	北京福乐维生物科技股份有限公司			股份名称	福乐维
法人代表	李卫东	董秘	薛华伟	股份代码	430277
公司网址			主办券商	东吴证券股份有限公司	
电　　话			传　　真		
注册地址	北京市丰台区科学城星火路 10 号 B-806 号(园区)				
行业分类	制造业				

主要财务指标			
指标\报告期	2014.06.30	2013.12.31	2012.12.31
营业收入(元)	-	46,900,653.18	93,702,453.98
营业利润(元)	-	-2,412,561.53	-176,004.94
净利润(元)	-	-1,934,476.70	-123,848.78
未分配利润(元)	-	-3,019,366.30	-1,084,889.60
总资产(元)	-	21,235,368.55	26,708,345.57
总负债(元)	-	17,413,773.00	20,952,273.32
净资产(元)	-	3,821,595.55	5,756,072.25
每股收益(元)	-	-0.39	-0.02
每股净资产(元)	-	0.76	1.15
净资产收益率(%)	-	-50.62	-2.15

上海连能环保科技股份有限公司

公司概况					
公司名称	上海连能环保科技股份有限公司			股份名称	连能环保
法人代表	连鑫	董秘	贾彦云	股份代码	430278
公司网址			主办券商	申银万国证券股份有限公司	
电　　话	021-54889085-8011		传　　真	021-54889086	
注册地址	上海市徐汇区桂平路 680 号 33 幢 301-15 室				
行业分类	制造业				

主要财务指标			
指标\报告期	2014.06.30	2013.12.31	2012.12.31
营业收入(元)	-	28,150,980.83	41,210,894.76
营业利润(元)	-	-10,137,090.96	1,153,847.00
净利润(元)	-	-9,436,499.58	798,094.77
未分配利润(元)	-	-10,630,579.53	-312,234.50
总资产(元)	-	40,215,501.72	51,602,376.83
总负债(元)	-	39,183,956.89	41,134,332.42
净资产(元)	-	1,031,544.83	10,468,044.41
每股收益(元)	-	-0.94	0.10
每股净资产(元)	-	0.09	1.03
净资产收益率(%)	-	-1,053.46	8.20

武汉华安科技股份有限公司

公司概况	公司名称	武汉华安科技股份有限公司			股份名称	华安股份
	法人代表	代松	董秘	林韬	股份代码	430279
	公司网址	www.huaankj.com		主办券商	广发证券股份有限公司	
	电　话	027-87111920		传　真	027-87111900	
	注册地址	湖北省武汉东湖开发区关东工业园东信路创业街3栋401室				
	行业分类	制造业				

	指标\报告期	2014.06.30	2013.12.31	2012.12.31
主要财务指标	营业收入(元)	–	38,010,525.13	28,374,007.56
	营业利润(元)	–	–2,660,236.83	3,229,035.51
	净利润(元)	–	7,902,058.79	2,655,303.63
	未分配利润(元)	–	8,401,328.03	1,584,268.07
	总资产(元)	–	51,058,461.06	39,139,877.63
	总负债(元)	–	22,491,048.95	23,474,524.31
	净资产(元)	–	28,567,412.11	15,665,353.32
	每股收益(元)	–	0.56	0.19
	每股净资产(元)	–	1.93	1.13
	净资产收益率(%)	–	27.66	16.95

索享(北京)科技股份有限公司

公司概况	公司名称	索享(北京)科技股份有限公司			股份名称	索享股份
	法人代表	常达	董秘	常晓飞	股份代码	430280
	公司网址	www.sosano.com		主办券商	齐鲁证券有限公司	
	电　话	010-82601678		传　真	010-82600490	
	注册地址	北京市海淀区中关村东路18号财智国际大厦1号楼B-1502房间				
	行业分类	信息传输、软件和信息技术服务业				

	指标\报告期	2014.06.30	2013.12.31	2012.12.31
主要财务指标	营业收入(元)	–	5,292,558.81	3,398,907.32
	营业利润(元)	–	–229,242.52	675,218.94
	净利润(元)	–	46,881.71	499,242.13
	未分配利润(元)	–	42,193.54	934,608.38
	总资产(元)	–	7,932,107.13	7,620,987.44
	总负债(元)	–	767,527.21	503,289.23
	净资产(元)	–	7,164,579.92	7,117,698.21
	每股收益(元)	–	0.01	0.50
	每股净资产(元)	–	1.19	1.19
	净资产收益率(%)	–	0.65	7.01

北京能为科技股份有限公司

公司概况	公司名称	北京能为科技股份有限公司			股份名称	能为科技
	法人代表	夏阳	董秘	柳茹花	股份代码	430281
	公司网址	www.nonvia.com		主办券商	长城证券有限责任公司	
	电　话	010-63357752		传　真	010-63358979	
	注册地址	北京市丰台区西四环南路19号1号楼412室				
	行业分类	信息传输、软件和信息技术服务业				

	指标\报告期	2014.06.30	2013.12.31	2012.12.31
主要财务指标	营业收入(元)	–	17,272,524.02	20,078,311.98
	营业利润(元)	–	34,696.69	2,517,516.54
	净利润(元)	–	714,357.72	2,358,778.45
	未分配利润(元)	–	642,921.95	11,667,885.35
	总资产(元)	–	24,869,822.84	22,755,426.43
	总负债(元)	–	4,429,932.02	3,029,893.33
	净资产(元)	–	20,439,890.82	19,725,533.10
	每股收益(元)	–	0.07	0.24
	每股净资产(元)	–	2.04	3.03
	净资产收益率(%)	–	3.50	11.96

上海优睿文化传媒股份有限公司

公司概况	公司名称	上海优睿文化传媒股份有限公司			股份名称	优睿传媒
	法人代表	于文浩	董秘	郭燕华	股份代码	430282
	公司网址			主办券商	齐鲁证券有限公司	
	电　话	021-32070296-801		传　真	021-32070298	
	注册地址	上海市张江高科技园区张江路91号6幢3楼306、308室				
	行业分类	文化、体育和娱乐业				

	指标\报告期	2014.06.30	2013.12.31	2012.12.31
主要财务指标	营业收入(元)	–	9,124,865.86	4,729,600.52
	营业利润(元)	–	–728,769.44	1,271,380.41
	净利润(元)	–	628,928.08	899,022.68
	未分配利润(元)	–	566,035.27	161,514.09
	总资产(元)	–	7,935,696.60	7,713,809.63
	总负债(元)	–	1,127,308.42	1,534,349.53
	净资产(元)	–	6,808,388.18	6,179,460.10
	每股收益(元)	–	0.10	1.79
	每股净资产(元)	–	1.13	1.03
	净资产收益率(%)	–	9.24	14.55

武汉景弘环保科技股份有限公司

公司概况	公司名称	武汉景弘环保科技股份有限公司			股份名称	景弘环保
	法人代表	周国熠	董秘	张立军	股份代码	430283
	公司网址	www.kinghome.com.cn		主办券商	长江证券股份有限公司	
	电话	027-86715263-846		传真	027-88916962	
	注册地址	湖北省武汉东湖开发区关东科技工业园七号地块 7-3				
	行业分类	科学研究和技术服务业				

	指标\报告期	2014.06.30	2013.12.31	2012.12.31
主要财务指标	营业收入(元)	17,139,564.97	58,779,843.53	41,010,378.93
	营业利润(元)	-2,366,257.46	-648,814.25	513,649.26
	净利润(元)	-2,370,426.30	3,200,118.69	536,548.51
	未分配利润(元)	-2,106,400.49	254,332.22	-2,868,357.45
	总资产(元)	190,888,364.62	198,634,396.34	89,363,121.38
	总负债(元)	84,086,516.42	89,462,121.84	41,966,415.57
	净资产(元)	106,801,848.20	109,172,274.50	47,396,705.81
	每股收益(元)	-0.03	0.05	0.01
	每股净资产(元)	0.99	1.41	0.94
	净资产收益率(%)	-2.21	2.94	1.16

北京科胜伟达石油科技股份有限公司

公司概况	公司名称	北京科胜伟达石油科技股份有限公司			股份名称	科胜石油
	法人代表	冷传波	董秘	方正茂	股份代码	430284
	公司网址			主办券商	申银万国证券股份有限公司	
	电话	010-58858989-820		传真	010-58858896	
	注册地址	北京市海淀区上地东路 1 号院 1 号楼 902 室				
	行业分类	采矿业				

	指标\报告期	2014.06.30	2013.12.31	2012.12.31
主要财务指标	营业收入(元)	14,961,810.97	21,870,697.81	11,608,189.18
	营业利润(元)	4,085,011.13	6,891,289.14	3,032,000.34
	净利润(元)	3,853,285.84	5,912,068.85	2,902,155.10
	未分配利润(元)	9,967,197.69	6,113,911.85	2,078,485.29
	总资产(元)	36,134,180.92	33,270,058.37	26,005,763.64
	总负债(元)	1,141,845.47	2,945,480.73	1,593,254.85
	净资产(元)	34,992,335.45	30,324,577.64	24,412,508.79
	每股收益(元)	0.19	0.29	0.15
	每股净资产(元)	1.59	1.41	1.11
	净资产收益率(%)	11.01	20.93	11.26

北京锐创信通科技股份有限公司

公司概况	公司名称	北京锐创信通科技股份有限公司			股份名称	锐创信通
	法人代表	刘志春	董秘	李兵	股份代码	430285
	公司网址	www.innotele.com.cn		主办券商	申银万国证券股份有限公司	
	电话	010-82622032		传真	010-82622032-8003	
	注册地址	北京市海淀区信息路 28 号 1 幢 10 层 1001 室				
	行业分类	制造业				

	指标\报告期	2014.06.30	2013.12.31	2012.12.31
主要财务指标	营业收入(元)	-	3,589,929.11	8,602,624.67
	营业利润(元)	-	-3,003,699.29	748,942.35
	净利润(元)	-	-1,668,037.44	1,111,960.92
	未分配利润(元)	-	-1,056,797.85	611,239.59
	总资产(元)	-	21,700,224.93	22,240,588.60
	总负债(元)	-	4,719,405.81	3,591,732.04
	净资产(元)	-	16,980,819.12	18,648,856.56
	每股收益(元)	-	-0.15	0.11
	每股净资产(元)	-	1.54	1.69
	净资产收益率(%)	-	-9.82	5.96

上海东岩机械股份有限公司

公司概况	公司名称	上海东岩机械股份有限公司			股份名称	东岩股份
	法人代表	徐国平	董秘	周玲	股份代码	430286
	公司网址			主办券商	申银万国证券股份有限公司	
	电话			传真		
	注册地址	上海市青浦区天一路 465 号				
	行业分类	制造业				

	指标\报告期	2014.06.30	2013.12.31	2012.12.31
主要财务指标	营业收入(元)	54,769,518.32	101,631,042.30	72,885,953.66
	营业利润(元)	5,025,501.40	5,522,651.00	4,982,426.98
	净利润(元)	4,951,478.99	5,221,939.43	4,042,155.73
	未分配利润(元)	8,666,502.39	3,715,023.40	11,420,728.32
	总资产(元)	89,521,042.21	80,275,598.26	73,795,904.76
	总负债(元)	36,131,611.26	31,837,646.30	30,579,892.23
	净资产(元)	53,389,430.95	48,437,951.96	43,216,012.53
	每股收益(元)	0.17	0.17	0.27
	每股净资产(元)	1.78	1.61	1.44
	净资产收益率(%)	9.27	10.78	9.35

北京京鹏环宇畜牧科技股份有限公司

公司概况	公司名称	北京京鹏环宇畜牧科技股份有限公司			股份名称	环宇畜牧
	法人代表	王浚峰	董秘	曹连胜	股份代码	430287
	公司网址	www.jpxm.com		主办券商	国信证券股份有限公司	
	电　话	010-58711562		传　真	010-58711003	
	注册地址	北京市海淀区丰慧中路7号新材料创业大厦704号				
	行业分类	制造业				

主要财务指标	指标\报告期	2014.06.30	2013.12.31	2012.12.31
	营业收入(元)	85,300,814.96	173,086,385.65	125,622,131.94
	营业利润(元)	6,345,154.88	12,071,811.60	7,205,577.84
	净利润(元)	5,885,970.21	11,187,253.08	7,115,919.21
	未分配利润(元)	20,969,175.43	15,662,417.22	7,401,198.05
	总资产(元)	179,936,602.61	148,841,382.27	114,114,386.49
	总负债(元)	125,397,974.18	99,609,512.05	74,109,088.13
	净资产(元)	54,538,628.43	49,231,870.22	40,005,298.36
	每股收益(元)	0.19	0.35	0.23
	每股净资产(元)	1.72	1.55	1.26
	净资产收益率(%)	10.79	22.72	17.79

北京威达宇电软件股份有限公司

公司概况	公司名称	北京威达宇电软件股份有限公司			股份名称	威达宇电
	法人代表	孙彭	董秘	吴春花	股份代码	430288
	公司网址	www.wd-soft.com		主办券商	金元证券股份有限公司	
	电　话	010-82887788		传　真	010-82886235	
	注册地址	北京市海淀区北四环西路67号0813室				
	行业分类	信息传输、软件和信息技术服务业				

主要财务指标	指标\报告期	2014.06.30	2013.12.31	2012.12.31
	营业收入(元)	-	6,378,296.13	5,765,407.79
	营业利润(元)	-	-191,737.82	1,029,247.47
	净利润(元)	-	72,919.62	932,395.01
	未分配利润(元)	-	65,627.66	2,772,516.91
	总资产(元)	-	8,897,681.45	10,764,327.58
	总负债(元)	-	799,685.36	2,739,251.11
	净资产(元)	-	8,097,996.09	8,025,076.47
	每股收益(元)	-	0.01	0.93
	每股净资产(元)	-	1.01	1.61
	净资产收益率(%)	-	0.90	11.62

北京华索科技股份有限公司

公司概况	公司名称	北京华索科技股份有限公司			股份名称	华索科技
	法人代表	郭龙	董秘	闫海涛	股份代码	430289
	公司网址			主办券商	国信证券股份有限公司	
	电　话	010-58851199		传　真	010-58851820	
	注册地址	北京市海淀区上地东路1号盈创动力大厦5号楼403室				
	行业分类	制造业				

主要财务指标	指标\报告期	2014.06.30	2013.12.31	2012.12.31
	营业收入(元)	-	94,041,058.06	83,920,517.65
	营业利润(元)	-	17,301,441.03	11,467,768.20
	净利润(元)	-	15,965,276.62	9,448,084.36
	未分配利润(元)	-	30,373,272.96	15,390,936.74
	总资产(元)	-	100,152,958.88	95,856,171.99
	总负债(元)	-	34,026,719.45	45,695,209.18
	净资产(元)	-	66,126,239.43	50,160,962.81
	每股收益(元)	-	0.53	0.50
	每股净资产(元)	-	2.20	1.67
	净资产收益率(%)	-	24.14	18.84

北京和隆优化科技股份有限公司

公司概况	公司名称	北京和隆优化科技股份有限公司			股份名称	和隆优化
	法人代表	于现军	董秘	李群	股份代码	430290
	公司网址	www.yhkz.com		主办券商	东北证券股份有限公司	
	电　话	010-82926605		传　真	010-82924196	
	注册地址	北京市海淀区西三旗建材城西路31号D栋三层西区				
	行业分类	信息传输、软件和信息技术服务业				

主要财务指标	指标\报告期	2014.06.30	2013.12.31	2012.12.31
	营业收入(元)	-	11,017,750.91	9,852,822.10
	营业利润(元)	-	-1,143,358.27	-237,334.52
	净利润(元)	-	361,224.05	601,874.67
	未分配利润(元)	-	-729,149.99	5,204,537.32
	总资产(元)	-	20,567,247.21	19,982,590.71
	总负债(元)	-	2,677,702.30	2,454,269.85
	净资产(元)	-	17,889,544.91	17,528,320.86
	每股收益(元)	-	0.02	0.03
	每股净资产(元)	-	0.99	0.97
	净资产收益率(%)	-	2.02	3.43

湖北中试电力科技股份有限公司

公司概况	公司名称	湖北中试电力科技股份有限公司			股份名称	中试电力
	法人代表	操立军	董秘	刘敏	股份代码	430291
	公司网址	www.electricity.com.cn	主办券商	齐鲁证券有限公司		
	电　话	027-87288881	传　真	027-87613903		
	注册地址	湖北省武汉市东湖开发区SBI创业街光谷时代广场A座14楼1408-1410室				
	行业分类	制造业				

	指标\报告期	2014.06.30	2013.12.31	2012.12.31
主要财务指标	营业收入(元)	–	61,900,815.96	43,160,930.86
	营业利润(元)	–	–884,886.62	2,387,113.66
	净利润(元)	–	60,669.97	1,956,802.28
	未分配利润(元)	–	54,602.97	265,709.70
	总资产(元)	–	114,031,572.13	36,960,726.06
	总负债(元)	–	78,753,669.16	24,855,493.06
	净资产(元)	–	35,277,902.97	12,105,233.00
	每股收益(元)	–	0.00	0.17
	每股净资产(元)	–	1.06	1.02
	净资产收益率(%)	–	0.17	16.17

北京威控科技股份有限公司

公司概况	公司名称	北京威控科技股份有限公司			股份名称	威控科技
	法人代表	王涛	董秘	胡字滢	股份代码	430292
	公司网址	www.vcontrol.com.cn	主办券商	国联证券股份有限公司		
	电　话	010-62368735	传　真	010-62304846		
	注册地址	北京市海淀区清河安宁庄路4号22号平房201室				
	行业分类	制造业				

	指标\报告期	2014.06.30	2013.12.31	2012.12.31
主要财务指标	营业收入(元)	–	10,361,522.17	13,318,328.58
	营业利润(元)	–	–911,545.25	938,566.27
	净利润(元)	–	8,907.15	805,559.81
	未分配利润(元)	–	156,456.59	158,959.14
	总资产(元)	–	12,009,216.88	12,641,047.34
	总负债(元)	–	5,647,654.20	6,288,391.81
	净资产(元)	–	6,361,562.68	6,352,655.53
	每股收益(元)	–		0.13
	每股净资产(元)	–	1.06	1.06
	净资产收益率(%)	–	0.14	12.68

上海奉天电子股份有限公司

公司概况	公司名称	上海奉天电子股份有限公司			股份名称	奉天电子
	法人代表	彭雄飞	董秘	郑大存	股份代码	430293
	公司网址	www.shfte.com	主办券商	光大证券股份有限公司		
	电　话	021-52848741	传　真	021-52840673		
	注册地址	上海市嘉定区恒永路518弄1号B区501-1				
	行业分类	制造业				

	指标\报告期	2014.06.30	2013.12.31	2012.12.31
主要财务指标	营业收入(元)	51,996,745.06	79,251,159.83	78,956,281.44
	营业利润(元)	2,273,135.12	4,341,930.84	7,048,567.67
	净利润(元)	2,049,316.43	5,500,250.03	6,866,404.78
	未分配利润(元)	6,862,544.44	4,813,228.01	15,503,338.71
	总资产(元)	118,920,100.46	114,335,386.32	71,534,664.65
	总负债(元)	69,295,424.85	68,960,027.14	31,979,555.50
	净资产(元)	49,624,675.61	45,375,359.18	39,555,109.15
	每股收益(元)	0.10	0.28	0.34
	每股净资产(元)	2.48	2.27	1.98
	净资产收益率(%)	4.13	12.12	17.36

武汉七环电气股份有限公司

公司概况	公司名称	武汉七环电气股份有限公司			股份名称	七环电气
	法人代表	方堃	董秘	刘小兰	股份代码	430294
	公司网址	www.qihuan.com	主办券商	华泰证券股份有限公司		
	电　话	027-87812626	传　真	027-87828280		
	注册地址	湖北省武汉东湖新技术开发区光谷大道58号关南福星医药园8栋5层01-08号				
	行业分类	制造业				

	指标\报告期	2014.06.30	2013.12.31	2012.12.31
主要财务指标	营业收入(元)	10,518,926.37	30,694,794.99	27,069,011.55
	营业利润(元)	–262,647.75	2,627,531.44	3,926,943.13
	净利润(元)	–3,461.85	4,547,767.13	3,484,272.45
	未分配利润(元)	6,227,169.20	6,059,845.10	1,760,086.34
	总资产(元)	71,851,848.84	55,406,803.51	42,131,810.15
	总负债(元)	17,728,636.88	19,244,120.10	10,516,893.87
	净资产(元)	54,123,211.96	36,162,683.41	31,614,916.28
	每股收益(元)	0.00	0.19	0.16
	每股净资产(元)	1.51	1.51	1.32
	净资产收益率(%)	–0.01	12.58	11.02

北京平安力合科技发展股份有限公司

公司概况	公司名称	北京平安力合科技发展股份有限公司			股份名称	平安力合
	法人代表	佟金明	董秘	付强	股份代码	430296
	公司网址	www.p-an.com		主办券商	国泰君安证券股份有限公司	
	电　话	010-64328500		传　真	010-87757420	
	注册地址	北京市朝阳区将台路5号院30号楼一层102室				
	行业分类	制造业				

	指标\报告期	2014.06.30	2013.12.31	2012.12.31
主要财务指标	营业收入(元)	30,102,233.77	99,858,185.00	91,008,278.35
	营业利润(元)	-7,883,831.85	2,263,555.37	14,910,255.24
	净利润(元)	-5,812,161.24	1,960,334.62	12,521,703.92
	未分配利润(元)	-3,754,585.97	1,764,301.16	13,552,319.99
	总资产(元)	96,590,937.26	108,403,503.40	89,435,753.90
	总负债(元)	50,315,523.98	56,315,928.88	39,877,786.47
	净资产(元)	46,275,413.28	52,087,574.52	49,557,967.43
	每股收益(元)	-0.11	0.04	0.37
	每股净资产(元)	0.93	1.04	1.48
	净资产收益率(%)	-12.00	3.81	25.27

天津金硕信息科技集团股份有限公司

公司概况	公司名称	天津金硕信息科技集团股份有限公司			股份名称	金硕集团
	法人代表	张跃	董秘	闫革文	股份代码	430297
	公司网址	www.jinshuo.com.cn		主办券商	国泰君安证券股份有限公司	
	电　话	022-23675858		传　真	022-23675858-811	
	注册地址	天津市华苑产业区物华道2号A座3-074室				
	行业分类	信息传输、软件和信息技术服务业				

	指标\报告期	2014.06.30	2013.12.31	2012.12.31
主要财务指标	营业收入(元)	-	62,123,433.49	52,407,375.67
	营业利润(元)	-	7,478,833.40	4,649,856.21
	净利润(元)	-	7,309,397.59	6,919,117.99
	未分配利润(元)	-	12,283,875.98	5,710,863.03
	总资产(元)	-	76,265,638.45	65,486,582.41
	总负债(元)	-	30,281,258.40	26,811,599.95
	净资产(元)	-	45,984,380.05	38,674,982.46
	每股收益(元)	-	0.24	0.23
	每股净资产(元)	-	1.53	1.29
	净资产收益率(%)	-	15.90	17.89

北京淘礼网科技股份有限公司

公司概况	公司名称	北京淘礼网科技股份有限公司			股份名称	淘礼网
	法人代表	高翔	董秘	王箭	股份代码	430298
	公司网址	www..taoli.com.cn		主办券商	国都证券有限责任公司	
	电　话	010-5979600		传　真	010-5203971	
	注册地址	北京市朝阳区酒仙桥路甲12号1楼首层A04房间				
	行业分类	信息传输、软件和信息技术服务业				

	指标\报告期	2014.06.30	2013.12.31	2012.12.31
主要财务指标	营业收入(元)	22,059,088.45	44,744,698.41	40,091,403.70
	营业利润(元)	-14,462.12	982,565.20	5,157,503.21
	净利润(元)	681,741.13	686,612.42	3,860,773.18
	未分配利润(元)	2,406,849.12	1,725,107.99	1,107,156.81
	总资产(元)	28,921,052.35	29,589,434.17	25,208,643.57
	总负债(元)	16,322,524.57	17,672,647.52	13,978,469.34
	净资产(元)	12,598,527.78	11,916,786.65	11,230,174.23
	每股收益(元)	0.07	0.07	0.39
	每股净资产(元)	1.26	1.19	1.12
	净资产收益率(%)	5.41	5.76	34.38

天津宝恒流体控制设备股份有限公司

公司概况	公司名称	天津宝恒流体控制设备股份有限公司			股份名称	天津宝恒
	法人代表	林子晨	董秘	刘智敏	股份代码	430299
	公司网址	www.tj-baoheng.com		主办券商	华泰证券股份有限公司	
	电　话	022-23785511		传　真	022-23783388	
	注册地址	天津市华苑产业区(环外部分)海泰发展一路2号				
	行业分类	制造业				

	指标\报告期	2014.06.30	2013.12.31	2012.12.31
主要财务指标	营业收入(元)	17,738,564.36	38,996,696.66	52,286,663.67
	营业利润(元)	1,309,259.78	4,862,456.93	8,940,666.49
	净利润(元)	1,124,659.40	4,523,396.31	7,544,335.41
	未分配利润(元)	2,855,845.22	5,377,450.32	1,306,393.64
	总资产(元)	78,003,360.59	74,826,445.51	73,149,792.34
	总负债(元)	18,292,852.98	12,608,211.13	15,454,954.27
	净资产(元)	59,710,507.61	62,218,234.38	57,694,838.07
	每股收益(元)	0.03	0.13	0.25
	每股净资产(元)	1.71	1.78	1.65
	净资产收益率(%)	1.81	7.27	13.08

上海辰光医疗科技股份有限公司

公司概况	公司名称	上海辰光医疗科技股份有限公司			股份名称	辰光医疗
	法人代表	王杰	董秘	于玲	股份代码	430300
	公司网址			主办券商	海通证券股份有限公司	
	电　话			传　真		
	注册地址	上海市闵行区纪翟路 1199 弄 8 号楼				
	行业分类	制造业				

	指标\报告期	2014.06.30	2013.12.31	2012.12.31
主要财务指标	营业收入(元)	–	65,538,988.03	83,375,866.08
	营业利润(元)	–	14,384,453.61	26,174,725.93
	净利润(元)	–	13,245,104.92	25,508,023.44
	未分配利润(元)	–	53,069,945.99	40,936,786.22
	总资产(元)	–	206,513,917.60	105,935,481.94
	总负债(元)	–	87,402,994.55	28,711,942.12
	净资产(元)	–	119,110,923.05	77,223,539.82
	每股收益(元)	–	0.42	0.85
	每股净资产(元)	–	3.72	2.49
	净资产收益率(%)	–	11.12	33.03

北京倚天凌云科技股份有限公司

公司概况	公司名称	北京倚天凌云科技股份有限公司			股份名称	倚天股份
	法人代表	吴海峰	董秘	王雅敏	股份代码	430301
	公司网址	www.ncnc.cn		主办券商	金元证券股份有限公司	
	电　话	010-63785597		传　真	010-63711988	
	注册地址	北京市丰台区科技园富丰路 4 号工商联大厦 B 座 2005 室				
	行业分类	制造业				

	指标\报告期	2014.06.30	2013.12.31	2012.12.31
主要财务指标	营业收入(元)	13,800,648.80	40,148,699.51	30,191,895.79
	营业利润(元)	1,079,443.66	5,551,696.85	2,991,380.19
	净利润(元)	1,439,482.99	5,222,596.53	2,843,799.16
	未分配利润(元)	6,139,819.87	4,700,336.88	3,812,225.90
	总资产(元)	55,850,513.32	47,079,247.86	21,123,061.72
	总负债(元)	33,952,627.24	26,620,844.77	5,887,255.16
	净资产(元)	21,897,886.08	20,458,403.09	15,235,806.56
	每股收益(元)	0.13	0.47	0.27
	每股净资产(元)	1.99	1.86	1.39
	净资产收益率(%)	6.57	25.53	18.67

武汉保华石化新材料开发股份有限公司

公司概况	公司名称	武汉保华石化新材料开发股份有限公司			股份名称	保华石化
	法人代表	傅正美	董秘	陈雯	股份代码	430302
	公司网址	www.baohua-pec.com		主办券商	兴业证券股份有限公司	
	电　话	027-86513500		传　真	027-86515985	
	注册地址	湖北省武汉市青山区工人村丝茅墩				
	行业分类	制造业				

	指标\报告期	2014.06.30	2013.12.31	2012.12.31
主要财务指标	营业收入(元)	21,208,225.82	45,473,880.98	73,356,256.92
	营业利润(元)	–4,128,292.81	–8,674,256.97	–8,034,678.49
	净利润(元)	508,755.54	3,483,783.60	6,184,852.88
	未分配利润(元)	3,868,139.86	3,359,384.32	384,837.34
	总资产(元)	71,073,985.03	82,835,667.51	72,816,627.99
	总负债(元)	56,653,848.84	68,924,286.86	62,389,030.94
	净资产(元)	14,420,136.19	13,911,380.65	10,427,597.05
	每股收益(元)	0.05	0.35	0.62
	每股净资产(元)	1.44	1.39	1.04
	净资产收益率(%)	3.53	25.04	59.31

北京百文宝科技股份有限公司

公司概况	公司名称	北京百文宝科技股份有限公司			股份名称	百文宝
	法人代表	马贤亮	董秘	柯文	股份代码	430303
	公司网址			主办券商	长江证券股份有限公司	
	电　话			传　真		
	注册地址	北京市朝阳区大屯路科学园南里—风林绿洲 I 乙号楼 2204 号				
	行业分类	信息传输、软件和信息技术服务业				

	指标\报告期	2014.06.30	2013.12.31	2012.12.31
主要财务指标	营业收入(元)	1,182,112.46	5,905,181.07	12,469,415.26
	营业利润(元)	–2,562,118.46	–683,366.47	1,236,084.77
	净利润(元)	–1,353,959.11	105,353.77	4,902,369.94
	未分配利润(元)	–1,829,067.11	–176,472.44	11,174,458.52
	总资产(元)	33,151,512.77	33,930,401.35	17,729,357.17
	总负债(元)	1,282,688.66	16,408,982.57	313,292.16
	净资产(元)	31,868,824.11	17,521,418.78	17,416,065.01
	每股收益(元)	–0.07	0.02	0.98
	每股净资产(元)	1.58	3.50	3.48
	净资产收益率(%)	–4.25	0.60	28.15

北京每日视界影视动画股份有限公司

公司概况	公司名称	北京每日视界影视动画股份有限公司		股份名称	每日视界
	法人代表	孙立	董秘	葛菁	股份代码 430304
	公司网址	www.daysview.com	主办券商	东方花旗证券有限公司	
	电话	010-82685650	传真	010-82685065	
	注册地址	北京市海淀区紫竹院路116号嘉豪国际中心C座3层3503号			
	行业分类	文化、体育和娱乐业			

	指标\报告期	2014.06.30	2013.12.31	2012.12.31
主要财务指标	营业收入(元)	10,003,463.28	18,779,656.34	28,590,512.43
	营业利润(元)	257,698.16	-2,633,817.29	3,253,524.13
	净利润(元)	251,870.40	-812,986.88	2,720,709.31
	未分配利润(元)	-625,761.80	-877,632.20	2,998,815.04
	总资产(元)	14,449,735.51	14,276,265.43	14,747,502.03
	总负债(元)	6,644,460.40	6,722,860.72	6,359,451.77
	净资产(元)	7,805,275.11	7,553,404.71	8,388,050.26
	每股收益(元)	0.05	-0.16	0.48
	每股净资产(元)	1.56	1.51	1.67
	净资产收益率(%)	3.23	-10.72	32.49

北京维珍创意科技股份有限公司

公司概况	公司名称	北京维珍创意科技股份有限公司		股份名称	维珍创意
	法人代表	高利军	董秘	吴汇韬	股份代码 430305
	公司网址	www.atmvi.com	主办券商	东海证券股份有限公司	
	电话	010-62607962	传真	010-62607962	
	注册地址	北京市海淀区海淀大街3号1幢1623室			
	行业分类	制造业			

	指标\报告期	2014.06.30	2013.12.31	2012.12.31
主要财务指标	营业收入(元)	22,378,991.58	40,590,518.13	20,383,300.62
	营业利润(元)	6,753,253.07	11,447,873.34	5,588,152.29
	净利润(元)	7,133,799.30	13,337,020.22	6,081,011.15
	未分配利润(元)	24,610,027.53	17,476,228.23	5,472,910.03
	总资产(元)	95,861,521.52	41,708,287.09	28,087,435.97
	总负债(元)	9,157,142.62	6,223,707.49	5,939,876.59
	净资产(元)	86,704,378.90	35,484,579.60	22,147,559.38
	每股收益(元)	0.47	0.88	0.43
	每股净资产(元)	5.69	2.33	1.58
	净资产收益率(%)	8.23	37.59	27.46

永铭诚道(北京)医学科技股份有限公司

公司概况	公司名称	永铭诚道(北京)医学科技股份有限公司		股份名称	永铭医学
	法人代表	朱寅	董秘	王恩义	股份代码 430306
	公司网址	www.ccrfmed.com	主办券商	国信证券股份有限公司	
	电话	010-84059198	传真	010-84094958	
	注册地址	北京市东城区后永康胡同17号1-672A室			
	行业分类	科学研究和技术服务业			

	指标\报告期	2014.06.30	2013.12.31	2012.12.31
主要财务指标	营业收入(元)	-	43,697,840.96	51,470,208.72
	营业利润(元)	-	1,101,656.39	6,298,701.96
	净利润(元)	-	1,332,117.37	5,024,758.14
	未分配利润(元)	-	1,423,668.11	224,762.48
	总资产(元)	-	52,472,256.28	30,928,907.13
	总负债(元)	-	34,787,077.99	14,575,846.21
	净资产(元)	-	17,685,178.29	16,353,060.92
	每股收益(元)	-	0.13	2.28
	每股净资产(元)	-	1.77	1.64
	净资产收益率(%)	-	7.53	30.73

上海扬讯计算机科技股份有限公司

公司概况	公司名称	上海扬讯计算机科技股份有限公司		股份名称	扬讯科技
	法人代表	严靖	董秘	栾敏颉	股份代码 430307
	公司网址	www.me-tech.com.cn	主办券商	兴业证券股份有限公司	
	电话	021-65975078	传真	021-55120668	
	注册地址	上海市杨浦区黄兴路2005弄2号1508室			
	行业分类	信息传输、软件和信息技术服务业			

	指标\报告期	2014.06.30	2013.12.31	2012.12.31
主要财务指标	营业收入(元)	9,087,071.74	19,810,868.18	61,256,776.31
	营业利润(元)	160,687.59	-2,046,322.18	16,467,102.09
	净利润(元)	453,668.43	383,173.29	19,380,271.08
	未分配利润(元)	48,123,903.00	47,666,216.78	47,421,237.54
	总资产(元)	118,131,490.73	117,764,957.00	116,686,685.25
	总负债(元)	4,007,080.27	4,094,214.98	3,526,416.52
	净资产(元)	114,124,410.46	113,670,742.02	113,160,268.73
	每股收益(元)	0.01	0.01	0.43
	每股净资产(元)	2.52	2.52	2.51
	净资产收益率(%)	0.40	0.33	17.17

北京泽天盛海油田技术服务股份有限公司

公司概况	公司名称	北京泽天盛海油田技术服务股份有限公司			股份名称	泽天盛海
	法人代表	林悦	董秘	冯国强	股份代码	430308
	公司网址	www.geoshine.com.cn		主办券商	中国银河证券股份有限公司	
	电　　话	010-51665809		传　　真	010-82151156	
	注册地址	北京市海淀区中关村东路1号院C座18层1802室				
	行业分类					

主要财务指标	指标\报告期	2014.06.30	2013.12.31	2012.12.31
	营业收入(元)	–	65,446,175.17	39,352,582.00
	营业利润(元)	–	15,154,745.81	4,741,717.67
	净利润(元)	–	13,005,801.46	4,558,890.86
	未分配利润(元)	–	11,426,169.48	356,284.34
	总资产(元)	–	136,269,915.55	34,660,209.08
	总负债(元)	–	102,368,242.61	13,764,337.60
	净资产(元)	–	33,901,672.94	20,895,871.48
	每股收益(元)	–	0.63	0.22
	每股净资产(元)	–	1.65	1.02
	净资产收益率(%)	–	38.36	21.82

上海易所试网络信息技术股份有限公司

公司概况	公司名称	上海易所试网络信息技术股份有限公司			股份名称	易所试
	法人代表	章源	董秘	张万翔	股份代码	430309
	公司网址	www.liketry.com		主办券商	齐鲁证券有限公司	
	电　　话	021-31106311		传　　真	021-31106276	
	注册地址	上海市虹口区纪念路500号1幢430室				
	行业分类	租赁和商务服务业				

主要财务指标	指标\报告期	2014.06.30	2013.12.31	2012.12.31
	营业收入(元)	–	65,541,908.57	32,212,303.32
	营业利润(元)	–	–89,353.03	2,281,687.86
	净利润(元)	–	1,458,094.83	1,951,230.72
	未分配利润(元)	–	1,505,614.46	199,529.71
	总资产(元)	–	48,900,084.65	30,158,448.44
	总负债(元)	–	27,452,572.64	10,169,031.26
	净资产(元)	–	21,447,512.01	19,989,417.18
	每股收益(元)	–	0.15	0.40
	每股净资产(元)	–	2.14	2.00
	净资产收益率(%)	–	6.80	9.76

博易智软(北京)技术股份有限公司

公司概况	公司名称	博易智软(北京)技术股份有限公司			股份名称	博易股份
	法人代表	李凯	董秘	张忻	股份代码	430310
	公司网址	www.bi-soft.com		主办券商	方正证券股份有限公司	
	电　　话	010-68177808		传　　真	010-68177808	
	注册地址	北京市海淀区复兴路乙24号4层401室				
	行业分类	信息传输、软件和信息技术服务业				

主要财务指标	指标\报告期	2014.06.30	2013.12.31	2012.12.31
	营业收入(元)	–	19,499,056.60	9,660,966.69
	营业利润(元)	–	1,311,361.30	587,282.61
	净利润(元)	–	1,380,873.43	126,961.18
	未分配利润(元)	–	420,802.67	–2,314,237.04
	总资产(元)	–	21,756,831.26	14,418,195.71
	总负债(元)	–	6,110,003.04	4,060,671.35
	净资产(元)	–	15,646,828.22	10,357,524.36
	每股收益(元)	–	0.12	0.01
	每股净资产(元)	–	1.30	0.94
	净资产收益率(%)	–	8.84	1.23

北京达美盛软件股份有限公司

公司概况	公司名称	北京达美盛软件股份有限公司			股份名称	达美盛
	法人代表	李艳松	董秘	兰斌	股份代码	430311
	公司网址	www.dms365.com		主办券商	恒泰证券股份有限公司	
	电　　话	010-58858105		传　　真	010-82784328	
	注册地址	北京市海淀区上地三街9号B座B1001室				
	行业分类	信息传输、软件和信息技术服务业				

主要财务指标	指标\报告期	2014.06.30	2013.12.31	2012.12.31
	营业收入(元)	–	58,606,564.13	29,495,312.15
	营业利润(元)	–	8,614,099.40	4,198,568.68
	净利润(元)	–	8,273,566.52	4,913,591.55
	未分配利润(元)	–	12,125,490.69	4,512,700.23
	总资产(元)	–	40,721,887.39	15,940,140.77
	总负债(元)	–	20,064,706.06	3,556,525.96
	净资产(元)	–	20,657,181.33	12,383,614.81
	每股收益(元)	–	1.18	0.70
	每股净资产(元)	–	2.95	1.77
	净资产收益率(%)	–	40.05	39.68

天津伟力盛世节能科技股份有限公司

公司概况	公司名称	天津伟力盛世节能科技股份有限公司			股份名称	伟力盛世
	法人代表	路海涛	董秘	孙也牧	股份代码	430312
	公司网址	www.vlspirit.com		主办券商	招商证券股份有限公司	
	电　话	022-23707791		传　真	022-58627335	
	注册地址	天津市滨海高新区华苑产业区榕苑路15号1-B-604				
	行业分类	科学研究和技术服务业				

	指标\报告期	2014.06.30	2013.12.31	2012.12.31
主要财务指标	营业收入(元)	–	18,047,691.49	7,875,019.38
	营业利润(元)	–	-278,224.43	927,388.20
	净利润(元)	–	738,062.30	896,794.73
	未分配利润(元)	–	761,725.34	34,446.15
	总资产(元)	–	44,372,070.02	33,529,072.42
	总负债(元)	–	30,317,896.09	20,212,960.79
	净资产(元)	–	14,054,173.93	13,316,111.63
	每股收益(元)	–	0.06	0.11
	每股净资产(元)	–	1.07	1.01
	净资产收益率(%)	–	5.25	6.74

北京国创富盛通信股份有限公司

公司概况	公司名称	北京国创富盛通信股份有限公司			股份名称	国创富盛
	法人代表	龙峻	董秘		股份代码	430313
	公司网址	www.sinoix.com		主办券商	东海证券股份有限公司	
	电　话	010-84186669		传　真	010-84186656	
	注册地址	北京市海淀区学院南路66号西侧20米6层东半部611室				
	行业分类	信息传输、软件和信息技术服务业				

	指标\报告期	2014.06.30	2013.12.31	2012.12.31
主要财务指标	营业收入(元)	92,058,447.23	173,142,935.31	154,448,270.67
	营业利润(元)	3,112,002.14	5,345,712.94	26,923,656.13
	净利润(元)	3,089,656.26	3,258,140.06	22,310,090.09
	未分配利润(元)	30,001,736.59	27,050,261.52	24,244,709.20
	总资产(元)	212,100,683.93	200,859,421.45	161,147,509.17
	总负债(元)	69,391,192.71	61,239,586.49	26,158,830.34
	净资产(元)	142,709,491.22	139,619,834.96	134,988,678.83
	每股收益(元)	0.05	0.05	0.37
	每股净资产(元)	2.34	2.29	2.24
	净资产收益率(%)	2.11	2.23	16.63

北京北化新橡特种材料科技股份有限公司

公司概况	公司名称	北京北化新橡特种材料科技股份有限公司			股份名称	新橡科技
	法人代表	张永丽	董秘	宋玮娜	股份代码	430314
	公司网址	www.bhxxpt.com		主办券商	招商证券股份有限公司	
	电　话	010-64439746		传　真	010-64439746-801	
	注册地址	北京市朝阳区酒仙桥路乙21号225号				
	行业分类	制造业				

	指标\报告期	2014.06.30	2013.12.31	2012.12.31
主要财务指标	营业收入(元)	–	55,714,056.27	56,072,728.94
	营业利润(元)	–	1,349,243.82	2,527,969.70
	净利润(元)	–	1,960,172.15	2,399,406.81
	未分配利润(元)	–	763,750.56	8,974,572.81
	总资产(元)	–	26,992,733.78	31,574,610.96
	总负债(元)	–	8,870,328.17	14,412,377.50
	净资产(元)	–	18,122,405.61	17,162,233.46
	每股收益(元)	–	0.15	0.45
	每股净资产(元)	–	1.21	2.45
	净资产收益率(%)	–	10.82	13.98

武汉众联信息技术股份有限公司

公司概况	公司名称	武汉众联信息技术股份有限公司			股份名称	众联信息
	法人代表	戴雪琼	董秘	唐元恺	股份代码	430315
	公司网址	www.freesoft.net.cn		主办券商	广发证券股份有限公司	
	电　话	027-82666665		传　真	027-82666665-9	
	注册地址	湖北省武汉市洪山区珞瑜路1037号				
	行业分类	信息传输、软件和信息技术服务业				

	指标\报告期	2014.06.30	2013.12.31	2012.12.31
主要财务指标	营业收入(元)	–	12,985,446.87	10,635,653.29
	营业利润(元)	–	2,960,409.43	2,350,545.37
	净利润(元)	–	3,559,615.21	2,152,284.07
	未分配利润(元)	–	3,223,048.99	19,395.30
	总资产(元)	–	10,763,052.45	6,707,361.29
	总负债(元)	–	1,838,505.94	1,342,429.99
	净资产(元)	–	8,924,546.51	5,364,931.30
	每股收益(元)	–	0.67	0.41
	每股净资产(元)	–	1.68	1.01
	净资产收益率(%)	–	39.89	40.12

上海巨灵信息技术股份有限公司

公司概况	公司名称	上海巨灵信息技术股份有限公司		股份名称	巨灵信息
	法人代表	王新桥	董秘	曹晔	股份代码	430316
	公司网址	www.julinginfo.com		主办券商	华林证券有限责任公司
	电　话	021-56975844-8036		传　真	021-56975844-8002
	注册地址	上海市徐汇区乐山路 33 号 510 室			
	行业分类	信息传输、软件和信息技术服务业			

主要财务指标	指标＼报告期	2014.06.30	2013.12.31	2012.12.31
	营业收入(元)	3,455,391.94	4,590,801.08	
	营业利润(元)	-291,523.52	63,900.57	
	净利润(元)	1,270,459.84	605,130.84	
	未分配利润(元)	1,798,634.52	514,361.22	
	总资产(元)	9,935,556.73	8,040,813.69	
	总负债(元)	1,124,942.87	514,473.13	820,555.13
	净资产(元)	8,810,613.86	7,526,340.56	6,921,209.72
	每股收益(元)	0.25	0.13	0.64
	每股净资产(元)	1.76	1.54	1.38
	净资产收益率(%)	14.42	8.38	46.25

北京日升天信科技股份有限公司

公司概况	公司名称	北京日升天信科技股份有限公司		股份名称	日升天信
	法人代表	方伟	董秘	张学静	股份代码	430317
	公司网址	www.suninfo.com.cn		主办券商	国信证券股份有限公司
	电　话	010-85885830		传　真	010-85885834
	注册地址	北京市东城区后永康胡同 17 号 1-758A			
	行业分类	信息传输、软件和信息技术服务业			

主要财务指标	指标＼报告期	2014.06.30	2013.12.31	2012.12.31
	营业收入(元)	-	104,971,941.48	77,093,024.06
	营业利润(元)	-	-476,952.80	5,179,184.43
	净利润(元)	-	-197,225.89	4,287,494.29
	未分配利润(元)	-	-59,575.36	138,269.27
	总资产(元)	-	56,546,168.00	37,530,075.05
	总负债(元)	-	45,443,376.77	26,229,370.44
	净资产(元)	-	11,102,791.23	11,300,704.61
	每股收益(元)	-	-0.02	0.43
	每股净资产(元)	-	1.11	1.13
	净资产收益率(%)	-	-1.78	37.94

上海四维文化传媒股份有限公司

公司概况	公司名称	上海四维文化传媒股份有限公司		股份名称	四维传媒
	法人代表	罗险峰	董秘	唐洁	股份代码	430318
	公司网址	www.4space-china.com		主办券商	齐鲁证券有限公司
	电　话	021-53850355		传　真	021-53850800
	注册地址	上海市杨浦区黄兴路 2005 弄 2 号 410-1 室			
	行业分类	文化、体育和娱乐业			

主要财务指标	指标＼报告期	2014.06.30	2013.12.31	2012.12.31
	营业收入(元)	-	262,489,527.72	222,127,743.66
	营业利润(元)	-	30,089,453.55	35,043,127.44
	净利润(元)	-	26,180,961.52	32,992,371.18
	未分配利润(元)	-	81,551,668.76	57,339,447.92
	总资产(元)	-	472,370,205.99	366,214,246.36
	总负债(元)	-	252,643,975.50	220,268,977.39
	净资产(元)	-	219,726,230.49	145,945,268.97
	每股收益(元)	-	0.56	0.73
	每股净资产(元)	-	4.23	3.24
	净资产收益率(%)	-	11.92	22.61

上海欧萨评价咨询股份有限公司

公司概况	公司名称	上海欧萨评价咨询股份有限公司		股份名称	欧萨咨询
	法人代表	王小兵	董秘	陈洁	股份代码	430319
	公司网址	www.ohsa.com.cn		主办券商	光大证券股份有限公司
	电　话	021-55217751		传　真	021-55210562
	注册地址	上海市杨浦区赤峰路 63 号 24 幢 202 室			
	行业分类	科学研究和技术服务业			

主要财务指标	指标＼报告期	2014.06.30	2013.12.31	2012.12.31
	营业收入(元)	19,464,453.27	42,454,407.21	38,621,981.85
	营业利润(元)	378,135.52	612,503.07	1,726,745.46
	净利润(元)	285,700.03	1,975,663.44	1,570,312.37
	未分配利润(元)	861,666.28	681,621.92	14,806,981.91
	总资产(元)	43,925,564.33	40,117,636.38	27,187,101.87
	总负债(元)	13,858,571.33	10,336,343.41	9,781,472.34
	净资产(元)	30,066,993.00	29,781,292.97	17,405,629.53
	每股收益(元)	0.01	0.09	1.24
	每股净资产(元)	1.19	1.18	13.14
	净资产收益率(%)	0.63	6.84	9.41

武汉江扬环境科技股份有限公司

公司概况

公司名称	武汉江扬环境科技股份有限公司			股份名称	江扬环境
法人代表	朱跃军	董秘	周文	股份代码	430320
公司网址	www.jiangyang-watertech.com	主办券商	长江证券股份有限公司		
电　　话	027-87157775	传　　真	027-87028376		
注册地址	武汉市江夏区郑店黄金工业园				
行业分类	水利、环境和公共设施管理业				

主要财务指标

指标＼报告期	2014.06.30	2013.12.31	2012.12.31
营业收入(元)	38,591,579.77	140,284,265.19	144,917,405.70
营业利润(元)	3,289,603.83	3,815,548.90	14,681,107.53
净利润(元)	3,105,186.86	4,781,898.75	13,253,793.20
未分配利润(元)	8,034,853.87	4,929,667.01	40,194,633.04
总资产(元)	228,086,741.79	236,370,272.94	194,656,407.33
总负债(元)	141,758,442.04	153,147,160.05	116,215,193.19
净资产(元)	86,328,299.75	83,223,112.89	78,441,214.14
每股收益(元)	0.10	0.16	0.43
每股净资产(元)	2.82	2.72	2.56
净资产收益率(%)	3.60	5.75	16.90

北京博德世达石油技术股份有限公司

公司概况

公司名称	北京博德世达石油技术股份有限公司			股份名称	博德石油
法人代表	蔡万伟	董秘	王明皓	股份代码	430321
公司网址	www.petrostaroil.com	主办券商	申银万国证券股份有限公司		
电　　话	010-57325829	传　　真	010-57325829-802		
注册地址	北京市昌平区科技园区超前路甲一号6号楼201室				
行业分类	采矿业				

主要财务指标

指标＼报告期	2014.06.30	2013.12.31	2012.12.31
营业收入(元)	–	21,705,356.56	18,495,738.67
营业利润(元)	–	535,135.72	1,565,108.83
净利润(元)	–	845,116.81	1,337,526.18
未分配利润(元)	–	1,759,871.22	982,770.14
总资产(元)	–	30,576,715.03	28,421,375.67
总负债(元)	–	17,486,945.07	16,176,722.52
净资产(元)	–	13,089,769.96	12,244,653.15
每股收益(元)	–	0.09	0.14
每股净资产(元)	–	1.20	1.11
净资产收益率(%)	–	7.24	12.33

智合新天(北京)传媒广告股份有限公司

公司概况

公司名称	智合新天(北京)传媒广告股份有限公司			股份名称	智合新天
法人代表	郭宁	董秘	陈秀梅	股份代码	430322
公司网址	www.newskyunion.com	主办券商	长江证券股份有限公司		
电　　话	010-64775227	传　　真	010-64775227-8006		
注册地址	北京市东城区后永康胡同17号1-782A室				
行业分类	租赁和商务服务业				

主要财务指标

指标＼报告期	2014.06.30	2013.12.31	2012.12.31
营业收入(元)	16,344,175.97	27,777,676.62	41,829,736.85
营业利润(元)	–726,755.12	982,043.10	3,448,799.52
净利润(元)	132,183.66	718,306.19	2,573,758.96
未分配利润(元)	–57,435.49	–189,619.15	1,110,419.49
总资产(元)	17,552,399.94	14,487,882.72	18,516,649.57
总负债(元)	9,348,110.66	6,415,777.10	15,282,850.14
净资产(元)	8,204,289.28	8,072,105.62	3,233,799.43
每股收益(元)	0.02	0.13	1.29
每股净资产(元)	1.37	1.35	1.62
净资产收益率(%)	1.61	8.90	79.59

北京世贸天阶生物科技股份有限公司

公司概况

公司名称	北京世贸天阶生物科技股份有限公司			股份名称	天阶生物
法人代表	雷文英	董秘	王虹冰	股份代码	430323
公司网址	www.tjyyjt.com	主办券商	齐鲁证券有限公司		
电　　话	010-65913161	传　　真	010-65015567		
注册地址	北京市朝阳区望京利泽东二路1号				
行业分类	制造业				

主要财务指标

指标＼报告期	2014.06.30	2013.12.31	2012.12.31
营业收入(元)	20,530,758.69	28,471,563.88	35,114,926.19
营业利润(元)	–185,587.32	–1,312,511.82	–3,516,745.15
净利润(元)	356,826.00	–1,138,278.45	–3,527,246.11
未分配利润(元)	–5,392,574.86	–5,795,254.65	–10,967,123.51
总资产(元)	111,262,541.32	109,592,086.63	139,027,907.68
总负债(元)	22,978,725.96	21,665,097.27	68,642,639.88
净资产(元)	88,283,815.36	87,926,989.36	70,385,267.80
每股收益(元)	0.01	–0.02	–0.06
每股净资产(元)	1.31	1.30	1.13
净资产收益率(%)	0.50	–1.24	–4.80

上海致远绿色能源股份有限公司

公司概况	公司名称	上海致远绿色能源股份有限公司		股份名称	上海致远
	法人代表	李锋	董秘 俞卫	股份代码	430324
	公司网址	www.ghrepower.com	主办券商	海通证券股份有限公司	
	电话	021-37832332-870	传真	021-37832332-870	
	注册地址	上海市松江区车墩镇留业路202号			
	行业分类	制造业			

	指标\报告期	2014.06.30	2013.12.31	2012.12.31
主要财务指标	营业收入(元)	–	122,717,771.63	68,771,296.18
	营业利润(元)	–	8,830,842.55	3,024,351.27
	净利润(元)	–	9,945,355.19	3,071,105.69
	未分配利润(元)	–	6,079,972.84	–9,281,143.53
	总资产(元)	–	228,031,328.81	179,661,895.25
	总负债(元)	–	115,089,799.73	130,081,514.49
	净资产(元)	–	112,941,529.08	49,580,380.76
	每股收益(元)	–	0.16	0.07
	每股净资产(元)	–	1.65	0.96
	净资产收益率(%)	–	8.95	7.20

北京精英智通科技股份有限公司

公司概况	公司名称	北京精英智通科技股份有限公司		股份名称	精英智通
	法人代表	曾文	董秘 韩薇	股份代码	430325
	公司网址	www.jaya.cc	主办券商	广发证券股份有限公司	
	电话	010-88864122	传真	010-88864177	
	注册地址	北京市海淀区蓝靛厂金源时代购物中心B区2#B座905			
	行业分类	北京市海淀区蓝靛厂金源时代购物中心B区2#B座905			

	指标\报告期	2014.06.30	2013.12.31	2012.12.31
主要财务指标	营业收入(元)	–	141,959,043.62	90,808,330.83
	营业利润(元)	–	26,491,363.18	17,256,553.21
	净利润(元)	–	25,509,488.81	14,428,753.15
	未分配利润(元)	–	36,545,953.11	27,693,302.12
	总资产(元)	–	174,043,421.62	102,963,147.40
	总负债(元)	–	85,860,357.47	45,660,972.06
	净资产(元)	–	88,183,064.15	57,302,175.34
	每股收益(元)	–	1.80	1.14
	每股净资产(元)	–	6.01	4.20
	净资产收益率(%)	–	29.18	26.64

武汉希文科技股份有限公司

公司概况	公司名称	武汉希文科技股份有限公司		股份名称	希文科技
	法人代表	张建军	董秘 鞠林涛	股份代码	430326
	公司网址	www.xw-china.com	主办券商	中信证券股份有限公司	
	电话	027-87401885	传真	027-87401885	
	注册地址	武汉市东湖开发区关东科技工业园七号地块7-4-505			
	行业分类	制造业			

	指标\报告期	2014.06.30	2013.12.31	2012.12.31
主要财务指标	营业收入(元)	–	10,664,121.92	10,033,969.36
	营业利润(元)	–	210,722.87	982,554.33
	净利润(元)	–	157,505.15	817,854.19
	未分配利润(元)	–	11,574.15	493,416.39
	总资产(元)	–	13,233,143.69	11,328,682.38
	总负债(元)	–	1,527,398.11	780,441.95
	净资产(元)	–	11,705,745.58	10,548,240.43
	每股收益(元)	–	0.01	0.08
	每股净资产(元)	–	1.06	1.05
	净资产收益率(%)	–	1.35	7.75

北京元工国际科技股份有限公司

公司概况	公司名称	北京元工国际科技股份有限公司		股份名称	元工国际
	法人代表	丁德宇	董秘 董孝虎	股份代码	430327
	公司网址	www.intmes.com	主办券商	申银万国证券股份有限公司	
	电话	010-82345377	传真	010-82345377	
	注册地址	北京市海淀区上地信息路12号D103			
	行业分类	信息传输、软件和信息技术服务业			

	指标\报告期	2014.06.30	2013.12.31	2012.12.31
主要财务指标	营业收入(元)	635,174.15	9,199,640.65	7,563,614.89
	营业利润(元)	–1,844,602.15	2,207,652.35	1,215,549.73
	净利润(元)	–873,202.56	2,879,588.39	1,010,664.03
	未分配利润(元)	1,189,365.39	2,062,567.95	628,583.36
	总资产(元)	8,179,897.56	9,344,996.27	11,750,400.36
	总负债(元)	475,085.77	766,981.92	1,051,974.40
	净资产(元)	7,704,811.79	8,578,014.35	10,698,425.96
	每股收益(元)	–0.17	0.47	0.18
	每股净资产(元)	1.54	1.72	1.07
	净资产收益率(%)	–11.33	33.57	9.45

北京锦鸿希电信息技术股份有限公司

公司概况	公司名称	北京锦鸿希电信息技术股份有限公司			股份名称	北京希电
	法人代表	曾春平	董秘	李欣	股份代码	430328
	公司网址	www.chinaxidian.com		主办券商	申银万国证券股份有限公司	
	电话			传真		
	注册地址	北京市丰台区科学城中核路1号院01号楼4-5层				
	行业分类	制造业				

主要财务指标	指标\报告期	2014.06.30	2013.12.31	2012.12.31
	营业收入(元)	-	75,104,153.75	56,699,915.60
	营业利润(元)	-	-6,259,688.25	-4,552,717.07
	净利润(元)	-	4,315,413.23	776,937.11
	未分配利润(元)	-	-1,956,842.80	-6,272,256.03
	总资产(元)	-	101,459,328.45	96,553,808.18
	总负债(元)	-	61,826,564.71	61,236,457.67
	净资产(元)	-	39,632,763.74	35,317,350.51
	每股收益(元)	-	0.14	0.03
	每股净资产(元)	-	1.32	1.18
	净资产收益率(%)	-	10.89	2.20

上海百林通信网络科技服务股份有限公司

公司概况	公司名称	上海百林通信网络科技服务股份有限公司			股份名称	百林通信
	法人代表	魏敏	董秘	王丹琳	股份代码	430329
	公司网址	www.bynear.com		主办券商	广发证券股份有限公司	
	电话	021-51314328		传真	021-51314328	
	注册地址	上海市张江高科技园区郭守敬路498号14幢22501-22511、22502-22512室				
	行业分类	信息传输、软件和信息技术服务业				

主要财务指标	指标\报告期	2014.06.30	2013.12.31	2012.12.31
	营业收入(元)	-	26,847,078.22	24,744,505.27
	营业利润(元)	-	-778,198.41	545,103.68
	净利润(元)	-	2,727,780.52	820,604.28
	未分配利润(元)	-	3,433,769.86	-2,641,499.96
	总资产(元)	-	34,491,868.14	30,101,533.75
	总负债(元)	-	14,626,887.58	12,964,333.71
	净资产(元)	-	19,864,980.56	17,137,200.04
	每股收益(元)	-	0.17	0.05
	每股净资产(元)	-	1.24	1.07
	净资产收益率(%)	-	13.73	4.79

北京捷世智通科技股份有限公司

公司概况	公司名称	北京捷世智通科技股份有限公司			股份名称	捷世智通
	法人代表	胡波	董秘	庄毅	股份代码	430330
	公司网址	www.icpc.cn		主办券商	长城证券有限责任公司	
	电话	010-63753773		传真	010-63753952-166、187	
	注册地址	北京市丰台区南四环西路188号十六区20号楼10层				
	行业分类	信息传输、软件和信息技术服务业				

主要财务指标	指标\报告期	2014.06.30	2013.12.31	2012.12.31
	营业收入(元)	-	86,724,780.21	75,177,672.85
	营业利润(元)	-	6,593,697.02	5,502,962.38
	净利润(元)	-	6,471,652.80	5,446,987.34
	未分配利润(元)	-	32,818,307.29	26,509,169.27
	总资产(元)	-	85,989,405.65	83,517,818.05
	总负债(元)	-	7,656,701.82	11,679,977.70
	净资产(元)	-	78,332,703.83	71,837,840.35
	每股收益(元)	-	0.17	0.14
	每股净资产(元)	-	2.06	1.89
	净资产收益率(%)	-	8.26	7.58

天津开发区中环系统电子工程股份有限公司

公司概况	公司名称	天津开发区中环系统电子工程股份有限公司			股份名称	中环系统
	法人代表	潘杰	董秘	王艳	股份代码	430331
	公司网址	www.tjzh.com.cn		主办券商	申银万国证券股份有限公司	
	电话	022-28132064		传真	022-28138200	
	注册地址	天津开发区第六大街110号(天润科技园A-507)				
	行业分类	信息传输、软件和信息技术服务业				

主要财务指标	指标\报告期	2014.06.30	2013.12.31	2012.12.31
	营业收入(元)	-	29,517,365.42	25,821,646.11
	营业利润(元)	-	1,172,369.25	634,053.73
	净利润(元)	-	1,401,464.82	451,844.07
	未分配利润(元)	-	1,260,272.25	3,094,097.73
	总资产(元)	-	31,666,594.77	23,625,881.51
	总负债(元)	-	17,054,923.49	10,415,675.05
	净资产(元)	-	14,611,671.28	13,210,206.46
	每股收益(元)	-	0.14	0.05
	每股净资产(元)	-	1.46	1.32
	净资产收益率(%)	-	9.59	3.42

湖北安华智能股份公司

公司概况	公司名称	湖北安华智能股份公司			股份名称	安华智能
	法人代表	杨剑波	董秘	邓阳光	股份代码	430332
	公司网址	www.wh-anhua.com		主办券商	长江证券股份有限公司	
	电　话	027-82860648		传　真	027-82863807	
	注册地址	湖北省武汉市江岸区后湖街石桥一路5号4栋3层				
	行业分类	信息传输、软件和信息技术服务业				

	指标\报告期	2014.06.30	2013.12.31	2012.12.31
主要财务指标	营业收入(元)	-	113,545,232.29	82,349,169.13
	营业利润(元)	-	7,542,527.98	4,094,663.38
	净利润(元)	-	7,130,944.71	3,206,894.73
	未分配利润(元)	-	3,562,754.43	4,486,623.44
	总资产(元)	-	76,509,263.72	77,623,209.24
	总负债(元)	-	15,380,280.20	37,435,170.43
	净资产(元)	-	61,128,983.52	40,188,038.81
	每股收益(元)	-	0.14	0.09
	每股净资产(元)	-	1.20	1.14
	净资产收益率(%)	-	11.67	7.98

普康迪(北京)数码科技股份有限公司

公司概况	公司名称	普康迪(北京)数码科技股份有限公司			股份名称	普康迪
	法人代表	郭云霞	董秘	朴剑平	股份代码	430333
	公司网址	www.chinapcd.com		主办券商	东兴证券股份有限公司	
	电　话	010-51626870		传　真	010-51626871	
	注册地址	北京市昌平区科技园区超前路37号6号楼4层1225				
	行业分类	信息传输、软件和信息技术服务业				

	指标\报告期	2014.06.30	2013.12.31	2012.12.31
主要财务指标	营业收入(元)	-	19,250,019.57	15,067,150.26
	营业利润(元)	-	465,521.15	2,217,267.85
	净利润(元)	-	1,338,864.28	2,152,564.75
	未分配利润(元)	-	3,559,056.48	2,434,301.65
	总资产(元)	-	18,369,322.20	12,010,307.80
	总负债(元)	-	8,151,759.12	3,131,609.00
	净资产(元)	-	10,217,563.08	8,878,698.80
	每股收益(元)	-	0.27	0.43
	每股净资产(元)	-	2.04	1.78
	净资产收益率(%)	-	13.10	24.24

上海科洋科技股份有限公司

公司概况	公司名称	上海科洋科技股份有限公司			股份名称	科洋科技
	法人代表	周人	董秘	余勇	股份代码	430334
	公司网址	www.keyontechs.com		主办券商	申银万国证券股份有限公司	
	电　话	021-50120848		传　真	021-58352115	
	注册地址	上海市金山区枫泾镇曹黎路109号1幢101室				
	行业分类	制造业				

	指标\报告期	2014.06.30	2013.12.31	2012.12.31
主要财务指标	营业收入(元)	-	76,588,415.29	57,672,658.43
	营业利润(元)	-	12,134,884.92	10,038,426.04
	净利润(元)	-	13,372,087.68	11,144,801.51
	未分配利润(元)	-	10,806,708.21	29,571,561.30
	总资产(元)	-	83,004,523.17	59,571,342.10
	总负债(元)	-	34,348,991.77	21,287,898.38
	净资产(元)	-	48,655,531.40	38,283,443.72
	每股收益(元)	-	0.67	2.23
	每股净资产(元)	-	2.43	7.66
	净资产收益率(%)	-	27.48	32.58

华韩整形美容医院投资股份有限公司

公司概况	公司名称	华韩整形美容医院投资股份有限公司			股份名称	华韩整形
	法人代表	李昕隆	董秘	罗乐	股份代码	430335
	公司网址	www.sino-kor.com		主办券商	华林证券有限责任公司	
	电　话	025-86677950		传　真	025-86677971	
	注册地址	北京市石景山区实兴大街30号院3号楼5层528室				
	行业分类	卫生和社会工作				

	指标\报告期	2014.06.30	2013.12.31	2012.12.31
主要财务指标	营业收入(元)	-	168,592,616.70	105,928,395.62
	营业利润(元)	-	13,024,721.18	-14,926,341.90
	净利润(元)	-	2,627,832.89	-14,756,160.93
	未分配利润(元)	-	-9,422,511.69	-10,824,571.97
	总资产(元)	-	82,190,617.46	68,723,311.10
	总负债(元)	-	22,245,570.74	11,611,094.27
	净资产(元)	-	59,945,046.72	57,112,216.83
	每股收益(元)	-	0.02	-0.20
	每股净资产(元)	-	0.87	0.85
	净资产收益率(%)	-	2.29	-23.93

天津皇冠幕墙装饰股份有限公司

公司概况	公司名称	天津皇冠幕墙装饰股份有限公司		股份名称	皇冠幕墙
	法人代表	黄海龙	董秘	陈兴超	股份代码	430336
	公司网址	www.tjhgmc.com	主办券商	中信证券股份有限公司	
	电　话	022-29479698	传　真	022-29479698	
	注册地址	天津市武清区东马圈镇武落路南侧			
	行业分类	建筑业			

	指标\报告期	2014.06.30	2013.12.31	2012.12.31
主要财务指标	营业收入(元)	81,914,290.23	161,332,596.84	127,185,960.48
	营业利润(元)	3,848,164.62	7,650,607.74	9,320,827.19
	净利润(元)	4,294,051.30	6,256,926.59	6,798,730.13
	未分配利润(元)	9,486,091.88	5,854,290.58	9,121,782.75
	总资产(元)	135,098,696.85	138,480,624.80	110,208,550.05
	总负债(元)	69,459,409.40	87,723,138.65	73,507,990.49
	净资产(元)	65,639,287.45	50,757,486.15	36,700,559.56
	每股收益(元)	0.09	0.16	0.29
	每股净资产(元)	1.31	1.15	1.41
	净资产收益率(%)	6.54	12.33	18.53

北京朗威视讯科技股份有限公司

公司概况	公司名称	北京朗威视讯科技股份有限公司		股份名称	朗威视讯
	法人代表	李晨	董秘	田永梅	股份代码	430337
	公司网址	www.langwei.net	主办券商	中信证券股份有限公司	
	电　话	010-64000317	传　真	010-64436179	
	注册地址	北京市东城区藏经馆胡同17号1幢二层A201			
	行业分类	制造业			

	指标\报告期	2014.06.30	2013.12.31	2012.12.31
主要财务指标	营业收入(元)	-	13,327,256.82	21,235,426.88
	营业利润(元)	-	-3,059,008.31	973,741.47
	净利润(元)	-	-2,519,393.18	1,920,332.01
	未分配利润(元)	-	-2,760,174.74	7,849,815.92
	总资产(元)	-	12,933,348.06	14,797,995.65
	总负债(元)	-	2,061,141.86	3,080,560.81
	净资产(元)	-	10,872,206.20	11,717,434.84
	每股收益(元)	-	-0.19	0.64
	每股净资产(元)	-	0.82	3.91
	净资产收益率(%)	-	-23.17	16.39

上海银音信息科技股份有限公司

公司概况	公司名称	上海银音信息科技股份有限公司		股份名称	银音科技
	法人代表	汤恒	董秘	于琳娜(代)	股份代码	430338
	公司网址	www.ins-sh.com	主办券商	国泰君安证券股份有限公司	
	电　话	021-63452708	传　真	021-63458410	
	注册地址	上海市松江区中辰路128号1幢102室			
	行业分类	信息传输、软件和信息技术服务业			

	指标\报告期	2014.06.30	2013.12.31	2012.12.31
主要财务指标	营业收入(元)	51,955,040.07	165,767,080.92	124,518,232.60
	营业利润(元)	130,368.67	18,318,588.18	16,567,979.96
	净利润(元)	460,249.75	17,505,007.49	13,040,176.07
	未分配利润(元)	22,143,466.94	20,961,603.99	18,282,833.20
	总资产(元)	135,087,967.95	153,931,791.80	96,437,134.96
	总负债(元)	78,786,117.74	98,296,101.90	60,730,230.69
	净资产(元)	56,301,850.21	55,635,689.90	35,706,904.27
	每股收益(元)	0.03	0.59	2.26
	每股净资产(元)	1.88	1.78	6.18
	净资产收益率(%)	1.79	33.03	36.52

北京中搜网络技术股份有限公司

公司概况	公司名称	北京中搜网络技术股份有限公司		股份名称	中搜网络
	法人代表	陈沛	董秘	胡贵春	股份代码	430339
	公司网址	www.zhongsou.cn	主办券商	中信建投证券股份有限公司	
	电　话	010-62309886	传　真	010-62309899	
	注册地址	北京市海淀区学院路51号首享科技大厦0902室			
	行业分类	信息传输、软件和信息技术服务业			

	指标\报告期	2014.06.30	2013.12.31	2012.12.31
主要财务指标	营业收入(元)	-	192,360,635.32	324,283,858.64
	营业利润(元)	-	-143,500,587.61	49,752,144.54
	净利润(元)	-	-142,150,235.24	41,212,560.51
	未分配利润(元)	-	-60,721,418.76	81,436,537.53
	总资产(元)	-	204,276,303.53	311,829,660.70
	总负债(元)	-	180,788,049.35	146,191,171.28
	净资产(元)	-	23,488,254.18	165,638,489.42
	每股收益(元)	-	-3.23	0.95
	每股净资产(元)	-	0.53	3.77
	净资产收益率(%)	-	-611.65	24.92

上海伟钊光学科技股份有限公司

公司概况	公司名称	上海伟钊光学科技股份有限公司			股份名称	伟钊科技
	法人代表	刘康	董秘	何风领	股份代码	430340
	公司网址	www.nextrend.com.cn		主办券商	申银万国证券股份有限公司	
	电　话	021-31166791		传　真	021-31166793	
	注册地址	上海市嘉定区马陆镇复华路33号5幢3层南侧				
	行业分类	制造业				

	指标\报告期	2014.06.30	2013.12.31	2012.12.31
主要财务指标	营业收入(元)	13,345,669.22	25,438,832.20	21,308,963.36
	营业利润(元)	1,992,201.25	2,519,314.96	1,159,227.08
	净利润(元)	2,492,201.25	3,098,103.08	1,548,650.86
	未分配利润(元)	4,989,063.68	2,505,954.52	4,143,715.28
	总资产(元)	28,677,199.15	28,312,401.41	28,956,204.89
	总负债(元)	4,992,914.82	7,111,226.24	10,853,132.80
	净资产(元)	23,684,284.33	21,201,175.17	18,103,072.09
	每股收益(元)	0.17	0.25	0.15
	每股净资产(元)	1.58	1.70	1.81
	净资产收益率(%)	10.52	14.61	8.56

北京呈创科技股份有限公司

公司概况	公司名称	北京呈创科技股份有限公司			股份名称	呈创科技
	法人代表	许志豪	董秘	赵晶	股份代码	430341
	公司网址	www.centran.cn		主办券商	中国银河证券股份有限公司	
	电　话	010-51709299		传　真	010-51709298-111	
	注册地址	北京市海淀区紫竹院路116号嘉豪国际中心C座710-712室				
	行业分类	信息传输、软件和信息技术服务业				

	指标\报告期	2014.06.30	2013.12.31	2012.12.31
主要财务指标	营业收入(元)	–	40,487,069.88	27,887,329.81
	营业利润(元)	–	3,736,604.36	1,527,258.06
	净利润(元)	–	3,642,046.48	1,078,738.12
	未分配利润(元)	–	41,920.52	-3,497,862.02
	总资产(元)	–	50,423,904.90	32,884,439.55
	总负债(元)	–	30,285,945.82	16,378,526.95
	净资产(元)	–	20,137,959.08	16,505,912.60
	每股收益(元)	–	0.18	0.05
	每股净资产(元)	–	1.01	0.83
	净资产收益率(%)	–	18.10	6.56

北京天润康隆科技股份有限公司

公司概况	公司名称	北京天润康隆科技股份有限公司			股份名称	天润康隆
	法人代表	苗永康	董秘	谢惠丽	股份代码	430342
	公司网址	www.bj-trkl.com		主办券商	浙商证券股份有限公司	
	电　话	010-58937568		传　真	010-58937569	
	注册地址	北京市海淀区丰慧中路7号新材料创业大厦4层411				
	行业分类	制造业				

	指标\报告期	2014.06.30	2013.12.31	2012.12.31
主要财务指标	营业收入(元)	–	30,344,672.84	25,113,197.35
	营业利润(元)	–	3,556,223.91	1,370,664.99
	净利润(元)	–	3,155,091.33	1,804,138.71
	未分配利润(元)	–	6,632,704.08	3,802,667.46
	总资产(元)	–	41,809,222.68	42,637,928.55
	总负债(元)	–	26,164,606.32	30,148,403.52
	净资产(元)	–	15,644,616.36	12,489,525.03
	每股收益(元)	–	0.38	0.22
	每股净资产(元)	–	1.91	1.52
	净资产收益率(%)	–	20.17	14.45

优网科技(上海)股份有限公司

公司概况	公司名称	优网科技(上海)股份有限公司			股份名称	优网科技
	法人代表	马建功	董秘	勇永	股份代码	430343
	公司网址	www.uvision.com.cn		主办券商	中信建投证券股份有限公司	
	电　话	021-33680350		传　真	021-58355241	
	注册地址	上海市控江路1555号A座409室-7				
	行业分类	信息传输、软件和信息技术服务业				

	指标\报告期	2014.06.30	2013.12.31	2012.12.31
主要财务指标	营业收入(元)	–	34,353,439.78	38,072,579.79
	营业利润(元)	–	1,648,358.02	2,408,551.68
	净利润(元)	–	2,655,567.19	2,273,685.49
	未分配利润(元)	–	4,723,152.99	2,333,142.52
	总资产(元)	–	21,767,506.97	20,754,443.41
	总负债(元)	–	11,077,485.88	12,719,989.51
	净资产(元)	–	10,690,021.09	8,034,453.90
	每股收益(元)	–	0.53	0.45
	每股净资产(元)	–	2.14	1.61
	净资产收益率(%)	–	24.84	28.30

上海鼎晖科技股份有限公司

公司概况	公司名称	上海鼎晖科技股份有限公司		股份名称	鼎晖科技
	法人代表	李建胜	董秘 王岑岑	股份代码	430344
	公司网址	www.ledtoplight.net		主办券商	申银万国证券股份有限公司
	电　话	021-53084000		传　真	021-53084333
	注册地址	上海市青浦区华纺路69号3幢3层D区356室			
	行业分类	制造业			

	指标\报告期	2014.06.30	2013.12.31	2012.12.31
主要财务指标	营业收入(元)	–	61,300,503.24	51,358,531.94
	营业利润(元)	–	479,417.98	1,824,451.08
	净利润(元)	–	766,162.11	2,705,348.00
	未分配利润(元)	–	332,941.29	18,638,822.72
	总资产(元)	–	60,382,291.28	41,592,186.12
	总负债(元)	–	28,449,391.03	15,431,685.57
	净资产(元)	–	31,932,900.25	26,160,500.55
	每股收益(元)	–	0.10	0.55
	每股净资产(元)	–	3.19	5.19
	净资产收益率(%)	–	2.95	10.59

上海天呈医流科技股份有限公司

公司概况	公司名称	上海天呈医流科技股份有限公司		股份名称	天呈医流
	法人代表	邓志龙	董秘 王迪	股份代码	430345
	公司网址	www.e1617.com		主办券商	东方花旗证券有限公司
	电　话	021-51083677		传　真	021-51816400
	注册地址	上海市杨浦区翔殷路128号1号楼B座310室			
	行业分类	信息传输、软件和信息技术服务业			

	指标\报告期	2014.06.30	2013.12.31	2012.12.31
主要财务指标	营业收入(元)	–	19,656,260.72	21,527,134.30
	营业利润(元)	–	–2,405,313.27	–990,258.29
	净利润(元)	–	–1,391,455.90	340,097.95
	未分配利润(元)	–	–1,639,107.24	86,042.21
	总资产(元)	–	11,643,774.41	11,425,456.88
	总负债(元)	–	6,441,015.68	4,831,242.25
	净资产(元)	–	5,202,758.73	6,594,214.63
	每股收益(元)	–	–0.23	0.06
	每股净资产(元)	–	0.86	1.09
	净资产收益率(%)	–	–27.02	5.26

哇棒(北京)国际传媒股份有限公

公司概况	公司名称	哇棒(北京)国际传媒股份有限公		股份名称	哇棒传媒
	法人代表	姬长伟	董秘 常小可	股份代码	430346
	公司网址	www.wooboo.com.cn		主办券商	东北证券股份有限公
	电　话	010-64096688		传　真	010-64096706
	注册地址	北京市东城区后永康胡同17号1-862A室			
	行业分类	信息传输、软件和信息技术服务业			

	指标\报告期	2014.06.30	2013.12.31	2012.12.31
主要财务指标	营业收入(元)	32,051,674.44	30,588,750.02	13,755,497.77
	营业利润(元)	5,077,320.00	5,922,612.49	4,592,556.35
	净利润(元)	5,125,240.67	5,138,486.63	3,770,887.83
	未分配利润(元)	8,122,973.76	2,997,733.09	–1,591,268.98
	总资产(元)	30,041,301.14	25,042,410.44	10,722,666.79
	总负债(元)	1,368,842.82	1,495,192.79	2,313,935.77
	净资产(元)	28,672,458.32	23,547,217.65	8,408,731.02
	每股收益(元)	0.46	0.51	0.55
	每股净资产(元)	2.58	2.35	1.22
	净资产收益率(%)	17.88	21.82	44.85

武汉地大信息工程股份有限公司

公司概况	公司名称	武汉地大信息工程股份有限公司		股份名称	地大信息
	法人代表	马维峰	董秘 唐湘丹	股份代码	430347
	公司网址	www.infoearth.com		主办券商	西部证券股份有限公司
	电　话	027-59808866-8010		传　真	027-59808866
	注册地址	湖北省武汉市东湖开发区光谷软件园一期以西、南湖南路以南光谷软件园六期1幢3层103号			
	行业分类	信息传输、软件和信息技术服务业			

	指标\报告期	2014.06.30	2013.12.31	2012.12.31
主要财务指标	营业收入(元)	–	11,791,848.55	4,485,947.69
	营业利润(元)	–	–1,341,079.26	296,237.34
	净利润(元)	–	–843,118.19	371,853.17
	未分配利润(元)	–	–605,586.04	551,932.47
	总资产(元)	–	17,863,327.27	16,176,481.12
	总负债(元)	–	7,943,187.16	5,413,222.82
	净资产(元)	–	9,920,140.11	10,763,258.30
	每股收益(元)	–	–0.08	0.04
	每股净资产(元)	–	0.98	1.07
	净资产收益率(%)	–	–8.50	3.46

北京瑞斯福高新科技股份有限公司

公司概况	公司名称	北京瑞斯福高新科技股份有限公司		股份名称	瑞斯福
	法人代表	邹怀森	董秘	帕提玛	股份代码	430348
	公司网址	www.bjrsftech.com	主办券商	国信证券股份有限公司	
	电话	010-80726010-0	传真	010-80726127	
	注册地址	北京市昌平区科技园区白浮泉路10号北控科技大厦1006B			
	行业分类	制造业			

主要财务指标	指标\报告期	2014.06.30	2013.12.31	2012.12.31
	营业收入(元)	68,664,395.23	127,867,987.87	149,620,041.63
	营业利润(元)	3,285,868.24	-1,162,377.13	8,485,379.47
	净利润(元)	3,818,816.09	418,084.75	7,108,153.39
	未分配利润(元)	4,186,613.76	367,797.67	20,880,676.95
	总资产(元)	211,773,345.24	225,582,763.30	222,037,766.52
	总负债(元)	159,478,185.85	177,106,420.00	183,429,507.97
	净资产(元)	52,295,159.39	48,476,343.30	38,608,258.55
	每股收益(元)	0.29	0.03	0.59
	每股净资产(元)	3.98	3.69	3.22
	净资产收益率(%)	7.30	0.86	18.41

上海安威士科技股份有限公司

公司概况	公司名称	上海安威士科技股份有限公司		股份名称	安威士
	法人代表	仇成林	董秘	管文建	股份代码	430349
	公司网址	www.anviz.com	主办券商	国信证券股份有限公司	
	电话	021-54833433	传真	021-54831400	
	注册地址	上海市闵行区金都路4289号6201室			
	行业分类	制造业			

主要财务指标	指标\报告期	2014.06.30	2013.12.31	2012.12.31
	营业收入(元)	-	39,482,545.75	33,966,569.24
	营业利润(元)	-	5,402,925.48	1,214,958.74
	净利润(元)	-	4,791,013.57	1,545,328.27
	未分配利润(元)	-	5,030,739.34	2,218,254.14
	总资产(元)	-	22,194,603.93	21,812,553.91
	总负债(元)	-	9,918,710.34	11,827,673.89
	净资产(元)	-	12,275,893.59	9,984,880.02
	每股收益(元)	-	0.80	0.31
	每股净资产(元)	-	2.05	2.00
	净资产收益率(%)	-	39.03	15.48

武汉万德智新科技股份有限公司

公司概况	公司名称	武汉万德智新科技股份有限公司		股份名称	万德智新
	法人代表	屈又宝	董秘	夏莉萍	股份代码	430350
	公司网址	www.wondnet.com	主办券商	国泰君安证券股份有限公司	
	电话	027-87888759	传真	027-87886119	
	注册地址	湖北省武汉市洪山区青菱都市工业园青菱河路18号1-112号			
	行业分类	科学研究和技术服务业			

主要财务指标	指标\报告期	2014.06.30	2013.12.31	2012.12.31
	营业收入(元)	-	32,472,993.29	21,394,323.65
	营业利润(元)	-	1,644,169.38	907,780.93
	净利润(元)	-	1,384,622.59	675,384.73
	未分配利润(元)	-	1,301,581.87	467,836.56
	总资产(元)	-	35,439,945.69	17,003,654.02
	总负债(元)	-	18,350,777.65	11,439,108.57
	净资产(元)	-	17,089,168.04	5,564,545.45
	每股收益(元)	-	0.11	0.13
	每股净资产(元)	-	1.12	1.10
	净资产收益率(%)	-	8.10	12.14

爱科凯能科技(北京)股份有限公司

公司概况	公司名称	爱科凯能科技(北京)股份有限公司		股份名称	爱科凯能
	法人代表	熊振宏	董秘	范家伟	股份代码	430351
	公司网址	www.accu-tech.com.cn	主办券商	东北证券股份有限公司	
	电话	010-64392084	传真	010- 64390200	
	注册地址	北京市朝阳区望京新兴产业区利泽中园106楼314A			
	行业分类	制造业			

主要财务指标	指标\报告期	2014.06.30	2013.12.31	2012.12.31
	营业收入(元)	-	27,908,736.62	28,008,889.13
	营业利润(元)	-	876,198.69	3,620,815.20
	净利润(元)	-	1,947,083.76	4,193,935.38
	未分配利润(元)	-	2,896,665.30	1,144,289.92
	总资产(元)	-	33,392,694.80	27,001,339.39
	总负债(元)	-	14,036,589.73	9,592,318.08
	净资产(元)	-	19,356,105.07	17,409,021.31
	每股收益(元)	-	0.13	0.29
	每股净资产(元)	-	1.29	1.16
	净资产收益率(%)	-	10.06	24.09

北京慧网通达科技股份有限公司

公司概况	公司名称	北京慧网通达科技股份有限公司		股份名称	慧网通达	
	法人代表	齐凯	董秘	丁晨	股份代码	430352
	公司网址	www.heres.com.cn		主办券商	国海证券股份有限公司	
	电　话	010-60409059		传　真	010-82121751	
	注册地址	北京市海淀区东北旺北京中关村软件园孵化器2号楼三层2281-2				
	行业分类	信息传输、软件和信息技术服务业				

	指标\报告期	2014.06.30	2013.12.31	2012.12.31
主要财务指标	营业收入(元)	15,506,734.83	39,065,086.47	37,917,353.01
	营业利润(元)	-207,374.04	868,019.76	885,608.21
	净利润(元)	330,021.98	874,271.26	623,143.91
	未分配利润(元)	1,271,313.10	941,291.12	154,446.99
	总资产(元)	28,191,851.15	33,229,099.59	18,913,365.88
	总负债(元)	20,213,998.91	25,581,269.33	12,139,806.88
	净资产(元)	7,977,852.24	7,647,830.26	6,773,559.00
	每股收益(元)	0.06	0.15	0.12
	每股净资产(元)	1.33	1.27	1.13
	净资产收益率(%)	4.14	11.43	9.20

上海百傲科技股份有限公司

公司概况	公司名称	上海百傲科技股份有限公司		股份名称	百傲科技	
	法人代表	朱滨	董秘	张宇	股份代码	430353
	公司网址	www.baio.com.cn		主办券商	信达证券股份有限公司	
	电　话	021-64851599		传　真	021-54487389	
	注册地址	上海市徐汇区桂平路333号1号楼402室				
	行业分类	制造业				

	指标\报告期	2014.06.30	2013.12.31	2012.12.31
主要财务指标	营业收入(元)	14,447,716.11	18,311,621.97	8,897,816.72
	营业利润(元)	2,003,866.50	1,861,714.32	-425,360.88
	净利润(元)	1,873,941.15	451,687.11	304,323.04
	未分配利润(元)	2,295,024.09	421,082.94	-9,815,895.22
	总资产(元)	55,345,415.00	36,745,976.82	31,723,033.17
	总负债(元)	19,685,395.14	17,959,690.26	12,888,433.72
	净资产(元)	35,660,019.86	18,786,286.56	18,834,599.45
	每股收益(元)	0.11	0.03	0.05
	每股净资产(元)	2.02	1.25	3.17
	净资产收益率(%)	5.26	2.40	1.68

武汉华敏测控技术股份有限公司

公司概况	公司名称	武汉华敏测控技术股份有限公司		股份名称	华敏测控	
	法人代表	孙阳	董秘	杨娟	股份代码	430354
	公司网址	www.china-huamin.com		主办券商	中信建投证券股份有限公司	
	电　话	027-87745361		传　真	027-87745367	
	注册地址	湖北省武汉市东湖新技术开发区光谷大道特1号国际企业中心三期2栋1层01号				
	行业分类	制造业				

	指标\报告期	2014.06.30	2013.12.31	2012.12.31
主要财务指标	营业收入(元)	-	13,774,767.30	11,360,771.37
	营业利润(元)	-	-1,346,332.42	64,769.01
	净利润(元)	-	54,547.21	106,600.09
	未分配利润(元)	-	-67,220.30	678,888.84
	总资产(元)	-	16,241,079.92	13,981,144.93
	总负债(元)	-	7,327,016.13	8,381,628.35
	净资产(元)	-	8,914,063.79	5,599,516.58
	每股收益(元)	-	0.02	0.02
	每股净资产(元)	-	1.08	1.16
	净资产收益率(%)	-	0.61	1.90

上海沃特奇能源科技股份有限公司

公司概况	公司名称	上海沃特奇能源科技股份有限公司		股份名称	沃特能源	
	法人代表	袁谊	董秘	朱宏杰	股份代码	430355
	公司网址	www.water7.cc		主办券商	东方花旗证券有限公司	
	电　话	021-67760830		传　真		
	注册地址	上海市松江科技园区崇南路6号B区31号房				
	行业分类	建筑业				

	指标\报告期	2014.06.30	2013.12.31	2012.12.31
主要财务指标	营业收入(元)	22,424,187.70	49,235,592.70	24,618,028.61
	营业利润(元)	-39,346.84	1,493,026.14	-289,112.94
	净利润(元)	9,807.23	789,611.52	79,535.11
	未分配利润(元)	1,917,808.11	1,904,945.98	2,181,809.60
	总资产(元)	38,438,172.17	41,116,785.30	29,149,890.75
	总负债(元)	24,752,253.77	27,440,674.13	16,781,627.98
	净资产(元)	13,685,918.40	13,676,111.17	12,368,262.77
	每股收益(元)	0.00	0.08	0.01
	每股净资产(元)	1.37	1.37	1.24
	净资产收益率(%)	0.09	6.00	0.79

上海雷腾软件股份有限公司

公司概况						
	公司名称	上海雷腾软件股份有限公司			股份名称	雷腾软件
	法人代表	王翔	董秘	陈琳	股份代码	430356
	公司网址	www.raxtone.com		主办券商	申银万国证券股份有限公司	
	电　　话	021-51312160		传　　真	021-51312190	
	注册地址	上海市浦东新区张江高科技园区达尔文路88号2号楼6楼				
	行业分类	信息传输、软件和信息技术服务业				

主要财务指标	指标\报告期	2014.06.30	2013.12.31	2012.12.31
	营业收入(元)	–	35,307,918.51	19,371,633.07
	营业利润(元)	–	2,226,058.56	1,702,606.43
	净利润(元)	–	3,467,795.54	1,761,590.53
	未分配利润(元)	–	2,364,887.60	119,747.95
	总资产(元)	–	33,676,451.77	23,452,979.62
	总负债(元)	–	20,075,602.95	13,319,926.34
	净资产(元)	–	13,600,848.82	10,133,053.28
	每股收益(元)	–	0.35	0.18
	每股净资产(元)	–	1.36	1.01
	净资产收益率(%)	–	25.50	17.39

上海行悦信息科技股份有限公司

公司概况						
	公司名称	上海行悦信息科技股份有限公司			股份名称	行悦股份
	法人代表	徐恩麒	董秘	徐恩麒	股份代码	430357
	公司网址	www.yeah-media.com		主办券商	国金证券股份有限公司	
	电　　话	021-64470088		传　　真	021-24197968	
	注册地址	上海市桂平路680号33幢301-1室				
	行业分类	信息传输、软件和信息技术服务业				

主要财务指标	指标\报告期	2014.06.30	2013.12.31	2012.12.31
	营业收入(元)	29,514,975.65	61,690,173.73	50,928,521.73
	营业利润(元)	4,685,937.91	4,501,076.06	-179,166.14
	净利润(元)	4,904,042.91	5,162,846.11	2,267,973.10
	未分配利润(元)	9,626,150.52	4,722,107.61	-22,172,720.86
	总资产(元)	200,378,316.65	153,094,693.36	146,029,513.10
	总负债(元)	88,030,313.38	62,650,733.00	60,748,398.85
	净资产(元)	112,348,003.27	90,443,960.36	85,281,114.25
	每股收益(元)	0.06	0.06	0.04
	每股净资产(元)	1.29	1.13	1.16
	净资产收益率(%)		5.71	2.66

上海基美影业股份有限公司

公司概况						
	公司名称	上海基美影业股份有限公司			股份名称	基美影业
	法人代表	高敬东	董秘	丁喆敏	股份代码	430358
	公司网址	www.fundamentalfilms.cn		主办券商	海通证券股份有限公司	
	电　　话	021-62716777-209		传　　真	021-61716068	
	注册地址	上海市张江高科技园区芳春路400号1幢301-107室				
	行业分类	文化、体育和娱乐业				

主要财务指标	指标\报告期	2014.06.30	2013.12.31	2012.12.31
	营业收入(元)	10,331,559.72	48,388,012.71	39,417,219.08
	营业利润(元)	-8,564,238.18	10,325,725.63	16,217,989.01
	净利润(元)	-8,292,228.61	8,083,043.49	11,657,000.70
	未分配利润(元)	-6,375,601.19	1,916,627.42	16,259,089.15
	总资产(元)	151,230,833.38	163,872,690.24	60,318,928.83
	总负债(元)	15,206,205.79	19,555,834.04	29,565,211.75
	净资产(元)	136,024,627.59	144,316,856.20	30,753,717.08
	每股收益(元)	-0.15	0.65	1.17
	每股净资产(元)	2.38	7.58	3.08
	净资产收益率(%)	-6.10	5.60	37.90

武汉同济现代医药科技股份有限公司

公司概况						
	公司名称	武汉同济现代医药科技股份有限公司			股份名称	同济医药
	法人代表	李亦武	董秘	李凯	股份代码	430359
	公司网址	www.whtjxd.com		主办券商	国泰君安证券股份有限公司	
	电　　话	027-84222253		传　　真	027-84222477	
	注册地址	湖北省武汉市经济技术开发区高科技产业园22号				
	行业分类	制造业				

主要财务指标	指标\报告期	2014.06.30	2013.12.31	2012.12.31
	营业收入(元)	24,403,295.47	43,997,791.24	24,885,411.16
	营业利润(元)	4,066,856.34	9,098,791.15	-3,219,991.35
	净利润(元)	7,748,629.95	9,939,475.65	1,281,975.12
	未分配利润(元)	12,036,941.97	4,657,456.60	-20,414,550.04
	总资产(元)	144,607,105.20	139,285,870.96	110,171,519.58
	总负债(元)	72,742,715.68	75,170,111.39	80,031,735.66
	净资产(元)	71,864,389.52	64,115,759.57	30,139,783.92
	每股收益(元)	0.13	0.18	0.02
	每股净资产(元)	1.24	1.03	0.52
	净资产收益率(%)	10.78	15.50	4.25

北京世纪竹邦能源技术股份有限公司

公司概况	公司名称	北京世纪竹邦能源技术股份有限公司		股份名称	竹邦能源
	法人代表	冯亚林	董秘	苗炜	股份代码	430360
	公司网址	www.zubom.com.cn	主办券商	上海证券有限责任公司	
	电话	010-84475008	传真	010-84475009	
	注册地址	北京市朝阳区酒仙桥中路18号第5层508室			
	行业分类	科学研究和技术服务业			

主要财务指标	指标\报告期	2014.06.30	2013.12.31	2012.12.31
	营业收入(元)	–	6,704,660.85	6,080,186.50
	营业利润(元)	–	533,288.34	205,532.11
	净利润(元)	–	441,727.55	353,237.44
	未分配利润(元)	–	–1,107,177.46	–1,348,462.45
	总资产(元)	–	23,375,332.37	41,232,316.07
	总负债(元)	–	9,282,067.28	12,580,778.52
	净资产(元)	–	14,093,265.09	28,651,537.55
	每股收益(元)	–	0.02	0.01
	每股净资产(元)	–	0.94	0.96
	净资产收益率(%)	–	3.13	1.23

般固(北京)科技股份有限公司

公司概况	公司名称	般固(北京)科技股份有限公司		股份名称	般固科技
	法人代表	高明	董秘	周承源	股份代码	430361
	公司网址	www.banggoo.cn	主办券商	中国银河证券股份有限公司	
	电话	010-82345376	传真	010-53058277	
	注册地址	北京市海淀区清河火车站东路9号院内1010室			
	行业分类	信息传输、软件和信息技术服务业			

主要财务指标	指标\报告期	2014.06.30	2013.12.31	2012.12.31
	营业收入(元)	–	10,160,366.55	6,793,094.09
	营业利润(元)	–	651,027.58	1,207,039.73
	净利润(元)	–	1,583,304.08	1,748,061.74
	未分配利润(元)	–	1,418,450.33	1,359,847.58
	总资产(元)	–	9,069,541.24	6,293,063.07
	总负债(元)	–	975,295.40	2,782,121.31
	净资产(元)	–	8,094,245.84	3,510,941.76
	每股收益(元)	–	0.45	1.17
	每股净资产(元)	–	1.62	1.76
	净资产收益率(%)	–	19.56	49.79

东电创新(北京)科技发展股份有限公司

公司概况	公司名称	东电创新(北京)科技发展股份有限公司		股份名称	东电创新
	法人代表	李洋	董秘	徐鸿伟	股份代码	430362
	公司网址	www.dongsys.com	主办券商	首创证券有限责任公司	
	电话	010-51661855	传真	010-51661855	
	注册地址	北京市海淀区昆明湖南路9号南区7号楼4层401-11			
	行业分类	信息传输、软件和信息技术服务业			

主要财务指标	指标\报告期	2014.06.30	2013.12.31	2012.12.31
	营业收入(元)	13,595,400.44	11,722,695.11	7,979,957.75
	营业利润(元)	718,106.31	2,280,087.20	168,485.20
	净利润(元)	1,339,462.20	1,916,338.08	125,711.89
	未分配利润(元)	2,954,360.29	1,614,898.09	–135,201.45
	总资产(元)	38,333,071.31	17,304,035.69	6,609,797.18
	总负债(元)	8,212,472.50	2,522,899.08	1,744,998.63
	净资产(元)	30,120,598.81	14,781,136.61	4,864,798.55
	每股收益(元)	0.14	0.32	0.03
	每股净资产(元)	2.41	1.64	0.97
	净资产收益率(%)	4.45	12.97	2.58

上海上电电机股份有限公司

公司概况	公司名称	上海上电电机股份有限公司		股份名称	上海上电
	法人代表	祁新平	董秘	黄松梅	股份代码	430363
	公司网址	www.shsd-elec.com	主办券商	申银万国证券股份有限公司	
	电话	021-64631777	传真	021-64637180	
	注册地址	上海市嘉定区兴文路1200号			
	行业分类	制造业			

主要财务指标	指标\报告期	2014.06.30	2013.12.31	2012.12.31
	营业收入(元)	61,980,216.64	131,235,659.60	118,719,857.18
	营业利润(元)	4,550,877.85	10,630,176.00	11,618,205.96
	净利润(元)	5,028,587.96	10,533,990.34	10,384,879.98
	未分配利润(元)	7,068,197.52	8,789,534.58	43,313,239.16
	总资产(元)	159,214,345.11	171,921,142.25	155,025,507.01
	总负债(元)	41,918,637.87	52,904,097.95	46,542,453.05
	净资产(元)	117,295,707.24	119,017,044.30	108,483,053.96
	每股收益(元)	0.16	0.33	0.91
	每股净资产(元)	3.64	3.69	3.36
	净资产收益率(%)	4.29	8.85	9.57

北京赫宸环境工程股份有限公司

公司概况	公司名称	北京赫宸环境工程股份有限公司		股份名称	赫宸环境
	法人代表	赵健飞	董秘	宋彩霞	股份代码	430365
	公司网址	www.bjhcee.com		主办券商	中信建投证券股份有限公司
	电话	010-84873393		传真	010-84873393-810
	注册地址	北京市密云县经济开发区康宝路 21 号			
	行业分类	制造业			

主要财务指标	指标\报告期	2014.06.30	2013.12.31	2012.12.31
	营业收入(元)	–	76,047,043.46	40,321,189.78
	营业利润(元)	–	4,939,642.23	–452,500.83
	净利润(元)	–	5,135,730.61	6,362,911.31
	未分配利润(元)	–	5,114,664.14	1,363,587.12
	总资产(元)	–	110,600,618.65	85,908,626.34
	总负债(元)	–	60,748,637.40	53,192,375.70
	净资产(元)	–	49,851,981.25	32,716,250.64
	每股收益(元)	–	0.12	0.43
	每股净资产(元)	–	1.19	2.19
	净资产收益率(%)	–	10.30	19.45

北京金天地影视文化股份有限公司

公司概况	公司名称	北京金天地影视文化股份有限公司		股份名称	金天地
	法人代表	王金荣	董秘	袁圣新	股份代码	430366
	公司网址	www.bjjtd.com.cn		主办券商	首创证券有限责任公司
	电话	010-88851903		传真	010-88851965
	注册地址	北京市海淀区闵庄路 3 号清华科技园玉泉慧谷 7 号楼一层 102 室			
	行业分类	文化、体育和娱乐业			

主要财务指标	指标\报告期	2014.06.30	2013.12.31	2012.12.31
	营业收入(元)	–	81,748,077.02	53,531,740.57
	营业利润(元)	–	24,864,230.63	23,892,109.28
	净利润(元)	–	24,067,827.80	24,712,733.20
	未分配利润(元)	–	18,366,470.05	44,121,098.26
	总资产(元)	–	149,901,023.06	99,955,119.81
	总负债(元)	–	66,474,234.25	40,821,158.80
	净资产(元)	–	83,426,788.81	59,133,961.01
	每股收益(元)	–	0.40	0.41
	每股净资产(元)	–	1.39	0.99
	净资产收益率(%)	–	28.99	41.79

北京力码科信息技术股份有限公司

公司概况	公司名称	北京力码科信息技术股份有限公司		股份名称	力码科
	法人代表	徐峰	董秘	宁玮玮	股份代码	430367
	公司网址	www.lmark.net		主办券商	世纪证券有限责任公司
	电话	010-51661676		传真	010-82612532
	注册地址	北京市海淀区地锦路 7 号院 6 号楼 101 室			
	行业分类	制造业			

主要财务指标	指标\报告期	2014.06.30	2013.12.31	2012.12.31
	营业收入(元)	13,484,023.30	19,274,883.39	15,700,555.62
	营业利润(元)	–22,001.69	–1,577,934.56	–438,469.03
	净利润(元)	374,118.25	763,654.88	–5,201.24
	未分配利润(元)	–650,204.25	–1,054,851.42	2,404,969.26
	总资产(元)	20,284,631.12	14,896,946.70	16,849,359.57
	总负债(元)	8,038,505.49	3,083,865.95	9,453,933.70
	净资产(元)	12,246,125.63	11,813,080.75	7,395,425.87
	每股收益(元)	0.03	0.09	0.00
	每股净资产(元)	1.02	0.98	5.67
	净资产收益率(%)	2.93	6.47	–0.29

上海明波通信技术股份有限公司

公司概况	公司名称	上海明波通信技术股份有限公司		股份名称	明波通信
	法人代表	周长明	董秘	何达希	股份代码	430368
	公司网址	www.bwave.cc		主办券商	光大证券股份有限公司
	电话	021-50803833-8006		传真	021-50803831
	注册地址	上海市浦东新区张江高科技园区科苑路 399 号 12 幢 5 层			
	行业分类	信息传输、软件和信息技术服务业			

主要财务指标	指标\报告期	2014.06.30	2013.12.31	2012.12.31
	营业收入(元)	10,660,385.25	16,615,357.66	21,365,245.71
	营业利润(元)	–63,154.02	–7,636,639.17	2,228,380.05
	净利润(元)	–56,099.73	–4,365,980.44	4,487,620.50
	未分配利润(元)	13,004,585.00	13,143,890.19	17,577,026.83
	总资产(元)	35,083,338.80	33,824,792.19	36,979,013.12
	总负债(元)	8,844,853.16	7,447,125.06	10,220,715.68
	净资产(元)	26,238,485.64	26,377,667.13	26,758,297.44
	每股收益(元)	–0.01	–0.48	0.49
	每股净资产(元)	2.69	2.70	2.87
	净资产收益率(%)	–0.23	–17.75	17.17

贵州威门药业股份有限公司

公司概况	公司名称	贵州威门药业股份有限公司			股份名称	威门药业
	法人代表	梁斌	董秘	娄启慧	股份代码	430369
	公司网址	www.warmen.cn		主办券商	广发证券股份有限公司	
	电　话	0851-6312651		传　真	0851-6300777	
	注册地址	贵州省贵阳市乌当区高新路 23 号				
	行业分类	制造业				

主要财务指标	指标＼报告期	2014.06.30	2013.12.31	2012.12.31
	营业收入(元)	120,487,353.39	228,874,106.78	190,689,729.76
	营业利润(元)	13,609,973.12	28,799,019.19	18,135,679.17
	净利润(元)	11,544,205.23	26,790,492.87	17,436,088.60
	未分配利润(元)	79,577,333.98	68,033,128.75	44,139,435.53
	总资产(元)	402,618,650.98	399,163,816.69	328,149,848.94
	总负债(元)	200,372,639.65	208,462,010.59	190,238,535.71
	净资产(元)	202,246,011.33	190,701,806.10	137,911,313.23
	每股收益(元)	0.22	0.52	0.36
	每股净资产(元)	3.82	3.60	2.81
	净资产收益率(%)	5.71	14.05	12.64

谢裕大茶叶股份有限公司

公司概况	公司名称	谢裕大茶叶股份有限公司			股份名称	谢裕大
	法人代表	谢一平	董秘	叶永蔚	股份代码	430370
	公司网址	www.xieyudatea.com		主办券商	国元证券股份有限公司	
	电　话	0559-2136101		传　真	0559-3584199	
	注册地址	安徽省黄山市徽州区城北工业园区(文峰西路 1 号)				
	行业分类	农、林、牧、渔业				

主要财务指标	指标＼报告期	2014.06.30	2013.12.31	2012.12.31
	营业收入(元)	80,382,822.22	136,894,581.72	99,035,625.36
	营业利润(元)	11,461,629.68	8,972,333.87	6,441,017.25
	净利润(元)	13,984,614.98	7,713,678.24	5,950,529.09
	未分配利润(元)	39,741,718.12	25,844,010.54	18,968,618.15
	总资产(元)	267,715,744.17	202,380,690.02	182,078,211.92
	总负债(元)	108,713,859.00	57,113,419.83	47,524,619.97
	净资产(元)	159,001,885.17	145,267,270.19	134,553,591.95
	每股收益(元)	0.20	0.11	0.09
	每股净资产(元)	2.28	2.08	1.97
	净资产收益率(%)	8.96	5.30	4.43

广州市科传计算机科技股份有限公司

公司概况	公司名称	广州市科传计算机科技股份有限公司			股份名称	科传股份
	法人代表	骆永基	董秘	马晶春	股份代码	430371
	公司网址	www.tech-trans.com		主办券商	齐鲁证券有限公司	
	电　话	020-87651988-181		传　真	020-87675883	
	注册地址	广东省广州市越秀区农林下路 81 号新裕数码大厦 10 楼 A、B、C、D、E、F 房				
	行业分类	信息传输、软件和信息技术服务业				

主要财务指标	指标＼报告期	2014.06.30	2013.12.31	2012.12.31
	营业收入(元)	–	60,333,470.51	66,218,175.89
	营业利润(元)	–	11,382,010.64	16,482,954.89
	净利润(元)	–	15,046,323.48	17,069,994.54
	未分配利润(元)	–	13,901,468.11	33,301,981.56
	总资产(元)	–	59,625,941.38	78,335,830.36
	总负债(元)	–	6,874,503.94	7,215,432.06
	净资产(元)	–	52,751,437.44	71,120,398.30
	每股收益(元)	–	0.50	0.98
	每股净资产(元)	–	1.76	2.37
	净资产收益率(%)	–	28.52	24.00

安徽泰达新材料股份有限公司

公司概况	公司名称	安徽泰达新材料股份有限公司			股份名称	泰达新材
	法人代表	柯伯成	董秘	张五星	股份代码	430372
	公司网址			主办券商	华林证券有限责任公司	
	电　话	0559-3510916		传　真	0559-3510916	
	注册地址	安徽省黄山市徽州区徽州西路 55 号				
	行业分类	制造业				

主要财务指标	指标＼报告期	2014.06.30	2013.12.31	2012.12.31
	营业收入(元)	–	106,931,762.61	129,699,552.25
	营业利润(元)	–	-14,323,418.48	2,319,275.41
	净利润(元)	–	-10,664,573.66	3,281,416.73
	未分配利润(元)	–	18,191,395.27	28,855,968.93
	总资产(元)	–	191,031,610.69	150,163,223.56
	总负债(元)	–	81,365,961.43	32,025,297.40
	净资产(元)	–	109,665,649.26	118,137,926.16
	每股收益(元)	–	-0.25	0.08
	每股净资产(元)	–	2.52	2.72
	净资产收益率(%)	–	-9.73	2.78

郑州捷安高科股份有限公司

公司概况					
公司名称	郑州捷安高科股份有限公司			股份名称	捷安高科
法人代表	郑乐观	董秘	孙莹	股份代码	430373
公司网址	www.jantech.cn		主办券商	长江证券股份有限公司	
电话	0371-55638669		传真	0371-60937775	
注册地址	河南省郑州市高新开发区翠竹街 6				
行业分类	信息传输、软件和信息技术服务业				

主要财务指标			
指标\报告期	2014.06.30	2013.12.31	2012.12.31
营业收入(元)	8,567,271.28	37,630,097.76	24,385,716.44
营业利润(元)	-2,083,199.31	4,009,979.91	4,879,614.28
净利润(元)	1,041,211.81	5,985,785.64	4,419,343.21
未分配利润(元)	11,638,764.12	11,325,709.81	5,938,502.73
总资产(元)	66,454,606.53	57,197,484.49	29,401,222.93
总负债(元)	41,304,558.96	32,360,491.23	10,550,015.31
净资产(元)	25,150,047.57	24,836,993.26	18,851,207.62
每股收益(元)	0.09	0.50	0.37
每股净资产(元)	2.08	2.07	1.57
净资产收益率(%)	4.14	24.10	23.44

北京英富森软件股份有限公司

公司概况					
公司名称	北京英富森软件股份有限公司			股份名称	英富森
法人代表	尹科	董秘	张然	股份代码	430374
公司网址	www.infcn.com.cn		主办券商	华西证券有限责任公司	
电话	010-62670085-897		传真	010-62670085-853	
注册地址	北京市海淀区中关村东路 66 号 1 号楼(世纪科贸大厦 B 座)2509 室				
行业分类	信息传输、软件和信息技术服务业				

主要财务指标			
指标\报告期	2014.06.30	2013.12.31	2012.12.31
营业收入(元)	-	13,423,242.38	8,636,958.30
营业利润(元)	-	2,009,700.56	882,548.65
净利润(元)	-	2,614,123.94	902,594.91
未分配利润(元)	-	221,819.58	-1,782,192.17
总资产(元)	-	20,619,223.60	16,542,221.57
总负债(元)	-	3,787,291.83	2,324,413.74
净资产(元)	-	16,831,931.77	14,217,807.83
每股收益(元)	-	0.16	0.07
每股净资产(元)	-	1.05	0.89
净资产收益率(%)	-	15.53	6.35

北京星立方科技发展股份有限公司

公司概况					
公司名称	北京星立方科技发展股份有限公司			股份名称	星立方
法人代表	刘宇明	董秘	蒋苏	股份代码	430375
公司网址	www.starscube.com		主办券商	中国民族证券有限责任公司	
电话	010-51551119		传真	010-51551065	
注册地址	北京市海淀区花园北路 14 号 6 幢二层 202、205-210				
行业分类	信息传输、软件和信息技术服务业				

主要财务指标			
指标\报告期	2014.06.30	2013.12.31	2012.12.31
营业收入(元)	-	15,715,348.46	11,687,634.47
营业利润(元)	-	1,095,943.10	1,178,347.22
净利润(元)	-	995,367.34	1,158,165.26
未分配利润(元)	-	26,985.65	127,146.37
总资产(元)	-	14,488,336.94	11,912,206.59
总负债(元)	-	1,351,695.85	1,770,932.84
净资产(元)	-	13,136,641.09	10,141,273.75
每股收益(元)	-	0.09	0.12
每股净资产(元)	-	1.09	1.01
净资产收益率(%)	-	7.58	11.42

青岛东亚装饰股份有限公司

公司概况					
公司名称	青岛东亚装饰股份有限公司			股份名称	东亚装饰
法人代表	杨建强	董秘	王永华	股份代码	430376
公司网址	www.qd-dy.com		主办券商	红塔证券股份有限公司	
电话	0532-80905208		传真	0532-80921522	
注册地址	山东省青岛市市北区辽宁路 228 号				
行业分类	建筑业				

主要财务指标			
指标\报告期	2014.06.30	2013.12.31	2012.12.31
营业收入(元)	-	650,211,994.10	502,698,474.90
营业利润(元)	-	21,878,362.22	6,457,153.52
净利润(元)	-	18,618,252.80	5,455,446.74
未分配利润(元)	-	12,783,170.92	7,437,306.39
总资产(元)	-	326,256,900.35	258,338,034.58
总负债(元)	-	261,294,749.63	211,994,136.66
净资产(元)	-	64,962,150.72	46,343,897.92
每股收益(元)	-	0.50	0.29
每股净资产(元)	-	1.73	1.24
净资产收益率(%)	-	28.66	11.77

深圳市海格物流股份有限公司

公司概况	公司名称	深圳市海格物流股份有限公司		股份名称	海格物流	
	法人代表	梅春雷	董秘	赵积虎	股份代码	430377
	公司网址	www.hercules-logistics.com	主办券商	安信证券股份有限公司		
	电　话	0755-23807517	传　真	0755-23807500-2757		
	注册地址	广东省深圳市盐田区盐田港进港三路物流中心大楼608				
	行业分类	交通运输、仓储和邮政业				

	指标\报告期	2014.06.30	2013.12.31	2012.12.31
主要财务指标	营业收入(元)	–	853,431,007.09	869,815,925.53
	营业利润(元)	–	10,107,660.25	8,887,692.24
	净利润(元)	–	15,370,250.77	12,308,370.24
	未分配利润(元)	–	20,545,196.81	65,851,462.09
	总资产(元)	–	332,716,687.68	362,033,431.36
	总负债(元)	–	219,766,680.81	208,958,026.15
	净资产(元)	–	112,950,006.87	153,075,405.21
	每股收益(元)	–	0.29	0.24
	每股净资产(元)	–	1.85	2.68
	净资产收益率(%)	–	15.93	8.90

深圳市山本光电股份有限公司

公司概况	公司名称	深圳市山本光电股份有限公司		股份名称	山本光电	
	法人代表	周晓斌	董秘	王志高	股份代码	430378
	公司网址	www.sanbum.com	主办券商	安信证券股份有限公司		
	电　话	0755-27885501	传　真	0755-27884816		
	注册地址	广东省深圳市南山区科伟路1号坚达大厦东座507房				
	行业分类	制造业				

	指标\报告期	2014.06.30	2013.12.31	2012.12.31
主要财务指标	营业收入(元)	–	155,183,365.77	121,552,596.87
	营业利润(元)	–	9,067,499.10	9,677,569.90
	净利润(元)	–	8,070,690.41	8,860,149.39
	未分配利润(元)	–	5,448,277.11	34,059,549.33
	总资产(元)	–	136,646,657.37	99,668,389.37
	总负债(元)	–	84,124,869.74	55,250,743.55
	净资产(元)	–	52,521,787.63	44,417,645.82
	每股收益(元)	–	0.19	0.21
	每股净资产(元)	–	1.25	1.06
	净资产收益率(%)	–	15.37	19.95

上海昂盛智能工程股份有限公司

公司概况	公司名称	上海昂盛智能工程股份有限公司		股份名称	昂盛智能	
	法人代表	王麒烨	董秘	段智丰	股份代码	430379
	公司网址	www.blooming-grace.cn	主办券商	华鑫证券有限责任公司		
	电　话	021-62462699	传　真	021-62462696		
	注册地址	上海市崇明县陈家镇瀛东村53号3幢212室				
	行业分类	信息传输、软件和信息技术服务业				

	指标\报告期	2014.06.30	2013.12.31	2012.12.31
主要财务指标	营业收入(元)	–	37,052,644.16	15,866,624.93
	营业利润(元)	–	6,609,373.55	–3,059,114.38
	净利润(元)	–	5,109,073.64	–2,770,882.26
	未分配利润(元)	–	1,767,102.03	–2,648,108.16
	总资产(元)	–	33,070,783.04	28,261,500.59
	总负债(元)	–	14,609,817.56	18,909,608.75
	净资产(元)	–	18,460,965.48	9,351,891.84
	每股收益(元)	–	0.43	–0.24
	每股净资产(元)	–	1.54	0.78
	净资产收益率(%)	–	27.68	–29.63

陕西成明节能技术股份有限公司

公司概况	公司名称	陕西成明节能技术股份有限公司		股份名称	成明节能	
	法人代表	李琦	董秘	许超	股份代码	430380
	公司网址		主办券商	长江证券股份有限公司		
	电　话	13259863283	传　真			
	注册地址	陕西省西安市雁塔区西高新高新路枫叶广场A座501				
	行业分类	科学研究和技术服务业				

	指标\报告期	2014.06.30	2013.12.31	2012.12.31
主要财务指标	营业收入(元)	–	8,982,545.82	6,728,262.94
	营业利润(元)	–	1,524,151.94	1,348,546.93
	净利润(元)	–	1,667,487.27	1,187,781.90
	未分配利润(元)	–	994,523.23	758,275.56
	总资产(元)	–	14,537,759.69	11,821,503.47
	总负债(元)	–	4,095,909.16	5,179,220.21
	净资产(元)	–	10,441,850.53	6,642,283.26
	每股收益(元)	–	0.21	0.20
	每股净资产(元)	–	1.34	1.15
	净资产收益率(%)	–	15.97	17.88

江西三星阿兰德电器股份有限公司

公司概况	公司名称	江西三星阿兰德电器股份有限公司		股份名称	阿兰德
	法人代表	张刚	董秘	张艳军	股份代码	430381
	公司网址	www.china-aland.com	主办券商	东北证券股份有限公司	
	电　话	0791-88169460	传　真	0791-88169637	
	注册地址	江西省南昌市高新区火炬大街75号			
	行业分类	制造业			

	指标\报告期	2014.06.30	2013.12.31	2012.12.31
主要财务指标	营业收入(元)	46,641,768.70	90,803,655.28	58,424,304.55
	营业利润(元)	1,181,885.32	2,176,207.11	2,585,181.72
	净利润(元)	2,161,413.99	1,585,850.03	2,374,819.20
	未分配利润(元)	2,003,897.69	3,865,457.72	2,438,192.69
	总资产(元)	37,714,980.25	31,457,954.37	24,436,758.54
	总负债(元)	24,180,233.81	20,084,621.92	14,649,276.12
	净资产(元)	13,534,746.44	11,373,332.45	9,787,482.42
	每股收益(元)	0.2	0.26	0.40
	每股净资产(元)	1.23	1.90	1.63
	净资产收益率(%)	15.97	13.94	24.26

深圳市大族元亨光电股份有限公司

公司概况	公司名称	深圳市大族元亨光电股份有限公司			股份名称	元亨光电
	法人代表	张建群	董秘	夏又阳	股份代码	430382
	公司网址	www.yaham.com.cn		主办券商	安信证券股份有限公司	
	电　话	0755-29371706		传　真	0755-26755760	
	注册地址	广东省深圳市宝安区重庆路128号大族激光工业园4栋1、2、4楼				
	行业分类	制造业				

	指标\报告期	2014.06.30	2013.12.31	2012.12.31
主要财务指标	营业收入(元)		275,581,098.61	231,048,861.36
	营业利润(元)	-	22,023,294.87	10,870,202.25
	净利润(元)	-	22,144,605.87	13,009,508.18
	未分配利润(元)	-	31,903,501.74	31,179,202.39
	总资产(元)	-	220,821,173.53	166,396,905.33
	总负债(元)	-	132,234,575.25	80,749,066.99
	净资产(元)	-	88,586,598.28	85,647,838.34
	每股收益(元)	-	0.43	0.25
	每股净资产(元)	-	1.73	1.67
	净资产收益率(%)	-	25.00	15.19

江苏红豆杉生物科技股份有限公司

公司概况	公司名称	江苏红豆杉生物科技股份有限公司			股份名称	红豆杉
	法人代表	龚新度	董秘	邓婉秋	股份代码	430383
	公司网址	www.yew.cn		主办券商	中国银河证券股份有限公司	
	电　话	0510-66868298		传　真	0510-88358889	
	注册地址	江苏省无锡市锡山区东港镇港下(红豆工业城内)				
	行业分类	农、林、牧、渔业				

	指标\报告期	2014.06.30	2013.12.31	2012.12.31
主要财务指标	营业收入(元)	94,165,013.52	146,084,292.12	194,766,379.58
	营业利润(元)	30,298,353.92	33,937,815.18	69,681,022.31
	净利润(元)	30,576,038.07	37,743,030.61	72,249,857.85
	未分配利润(元)	103,217,484.72	73,742,068.23	41,039,527.00
	总资产(元)	672,772,707.86	644,997,032.25	595,025,239.08
	总负债(元)	244,637,767.25	247,438,129.71	235,209,367.15
	净资产(元)	428,134,940.61	397,558,902.54	359,815,871.93
	每股收益(元)	0.12	0.15	0.29
	每股净资产(元)	1.71	1.59	1.44
	净资产收益率(%)	7.14	9.49	20.08

上海宜达胜科贸股份有限公司

公司概况	公司名称	上海宜达胜科贸股份有限公司			股份名称	宜达胜
	法人代表	陈卫权	董秘	许加青	股份代码	430384
	公司网址	www.itrribbon.com		主办券商	齐鲁证券有限公司	
	电　话	021-64566773		传　真	021-54101122	
	注册地址	上海市徐汇区桂平路680号33幢301-20室				
	行业分类	制造业				

	指标\报告期	2014.06.30	2013.12.31	2012.12.31
主要财务指标	营业收入(元)	-	52,194,595.59	27,344,162.38
	营业利润(元)	-	993,314.25	967,198.75
	净利润(元)	-	834,864.09	843,633.12
	未分配利润(元)	-	345,184.68	407,872.70
	总资产(元)	-	25,273,037.26	16,672,397.54
	总负债(元)	-	16,344,187.66	12,153,412.03
	净资产(元)	-	8,928,849.60	4,518,985.51
	每股收益(元)	-	0.16	0.42
	每股净资产(元)	-	1.19	2.26
	净资产收益率(%)	-	9.35	18.67

浙江中一检测研究院股份有限公司

公司概况	公司名称	浙江中一检测研究院股份有限公司			股份名称	中一检测
	法人代表	应赛霞	董秘	范友毅	股份代码	430385
	公司网址	www.zynb.com.cn		主办券商	长江证券股份有限公司	
	电　话	0574-27969559		传　真	0574-87915637	
	注册地址	浙江省宁波市高新区院士路66号创业大厦1-02室				
	行业分类	科学研究和技术服务业				

	指标\报告期	2014.06.30	2013.12.31	2012.12.31
主要财务指标	营业收入(元)	–	37,521,536.27	27,597,004.60
	营业利润(元)	–	611,811.84	-5,009,716.64
	净利润(元)	–	4,163,925.19	-2,722,175.07
	未分配利润(元)	–	-15,201.86	-3,886,899.99
	总资产(元)	–	49,804,556.51	37,770,460.21
	总负债(元)	–	22,477,405.26	20,858,519.32
	净资产(元)	–	27,327,151.25	16,911,940.89
	每股收益(元)	–	0.21	-0.13
	每股净资产(元)	–	1.03	0.99
	净资产收益率(%)	–	16.47	-12.96

大禹电气科技股份有限公司

公司概况	公司名称	大禹电气科技股份有限公司			股份名称	大禹电气
	法人代表	王怡华	董秘	李复明	股份代码	430386
	公司网址	www.dayudq.com		主办券商	长江证券股份有限公司	
	电　话	0712-2886388		传　真	0712-2881252	
	注册地址	湖北省孝感市经济开发区孝天工业园航天大道2号				
	行业分类	制造业				

	指标\报告期	2014.06.30	2013.12.31	2012.12.31
主要财务指标	营业收入(元)	-50,669,094.24	201,272,679.17	195,079,987.91
	营业利润(元)	-18,458,096.05	3,137,466.75	4,991,118.97
	净利润(元)	-14,185,880.63	13,507,277.39	9,531,040.17
	未分配利润(元)	18,895,897.87	35,807,542.49	25,207,184.30
	总资产(元)	388,220,426.00	384,642,129.32	359,828,610.98
	总负债(元)	281,559,907.41	263,157,552.54	251,121,311.59
	净资产(元)	106,660,518.59	121,484,576.78	108,707,299.39
	每股收益(元)	-0.25	0.24	0.18
	每股净资产(元)	1.79	2.09	1.88
	净资产收益率(%)	-13.77	11.55	9.28

西安旌旗电子股份有限公司

公司概况	公司名称	西安旌旗电子股份有限公司			股份名称	旌旗电子
	法人代表	张化冰	董秘	朱建刚	股份代码	430387
	公司网址	www.flagele.com		主办券商	长城证券有限责任公司	
	电　话	029-81881209		传　真	029-81881113	
	注册地址	陕西省西安市高新区新区丈八六路11号				
	行业分类	制造业				

	指标\报告期	2014.06.30	2013.12.31	2012.12.31
主要财务指标	营业收入(元)	64,820,193.01	162,947,670.76	121,025,483.99
	营业利润(元)	2,460,489.06	14,066,994.42	6,115,060.28
	净利润(元)	2,397,835.46	13,190,140.67	8,093,410.75
	未分配利润(元)	31,578,569.56	29,180,734.10	18,566,307.67
	总资产(元)	153,072,192.74	148,421,832.62	125,690,561.12
	总负债(元)	52,026,521.23	49,773,996.57	38,982,865.74
	净资产(元)	101,045,671.51	98,647,836.05	86,707,695.38
	每股收益(元)	0.05	0.26	0.16
	每股净资产(元)	2.02	1.97	1.73
	净资产收益率(%)	2.37	13.37	9.33

苏州苏大明世光学股份有限公司

公司概况	公司名称	苏州苏大明世光学股份有限公司			股份名称	苏大明世
	法人代表	余景池	董秘	李俊	股份代码	430388
	公司网址	www.mason-optics.com		主办券商	东吴证券股份有限公司	
	电　话	0512-62831591-838		传　真	0512-62831596	
	注册地址	江苏省苏州市工业园区钟南街506号				
	行业分类	制造业				

	指标\报告期	2014.06.30	2013.12.31	2012.12.31
主要财务指标	营业收入(元)	6,271,980.70	11,215,135.64	12,508,042.19
	营业利润(元)	1,972,286.98	4,348,846.06	4,791,590.85
	净利润(元)	2,799,941.18	4,836,704.17	4,284,662.85
	未分配利润(元)	5,598,024.57	5,148,797.51	2,295,763.76
	总资产(元)	29,369,380.78	28,561,080.33	25,331,388.84
	总负债(元)	2,457,164.42	2,378,085.15	2,485,097.83
	净资产(元)	26,912,216.36	26,182,995.18	22,846,291.01
	每股收益(元)	0.16	0.28	0.26
	每股净资产(元)	1.56	1.52	1.32
	净资产收益率(%)	10.4	18.47	18.75

东莞市意普万尼龙科技股份有限公司

公司概况	公司名称	东莞市意普万尼龙科技股份有限公司		股份名称	意普万
	法人代表	梁效礼	董秘	牟素梅	股份代码 430389
	公司网址	www.epone.com.cn	主办券商	长江证券股份有限公司	
	电话	13415859306	传真	0769-22891356	
	注册地址	广东省东莞市松山湖科技产业园区北部工业城中小科技企业创业园第4栋厂房第一层			
	行业分类	制造业			

	指标\报告期	2014.06.30	2013.12.31	2012.12.31
主要财务指标	营业收入(元)	20,076,297.29	33,803,733.49	25,502,377.72
	营业利润(元)	160,874.06	1,722,656.73	375,346.88
	净利润(元)	1,707,676.86	1,933,921.78	2,448,509.25
	未分配利润(元)	5,784,794.74	4,077,158.16	2,333,140.71
	总资产(元)	26,726,523.75	24,552,158.01	23,258,867.64
	总负债(元)	13,287,848.92	12,821,160.04	13,461,791.45
	净资产(元)	13,438,674.83	11,730,997.97	9,797,076.19
	每股收益(元)	0.28	0.32	0.46
	每股净资产(元)	2.08	1.79	1.60
	净资产收益率(%)	12.71	18.04	28.88

湖北中科网络科技股份有限公司

公司概况	公司名称	湖北中科网络科技股份有限公司		股份名称	中科网络
	法人代表	袁建华	董秘	丁岩	股份代码 430390
	公司网址	www.hbzknet.com	主办券商	申银万国证券股份有限公司	
	电话	13986037287	传真	027-87854062	
	注册地址	湖北省武汉市武珞路628号亚贸广场A2604			
	行业分类	科学研究和技术服务业			

	指标\报告期	2014.06.30	2013.12.31	2012.12.31
主要财务指标	营业收入(元)	19,463,188.17	51,426,383.11	43,523,190.98
	营业利润(元)	-1,538,902.75	371,558.53	2,489,308.76
	净利润(元)	-38,265.86	1,369,802.47	2,048,376.74
	未分配利润(元)	95,811.03	134,076.89	3,027,328.25
	总资产(元)	43,417,050.04	35,022,935.98	36,969,098.19
	总负债(元)	27,011,348.17	18,578,968.25	12,894,932.93
	净资产(元)	16,405,701.87	16,443,967.73	24,074,165.26
	每股收益(元)	0	0.08	0.10
	每股净资产(元)	1.07	0.90	1.19
	净资产收益率(%)	-0.23	8.33	8.51

郑州万特电气股份有限公司

公司概况	公司名称	郑州万特电气股份有限公司		股份名称	万特电气
	法人代表	董生怀	董秘	张莉	股份代码 430391
	公司网址	www.zzwonder.com	主办券商	安信证券股份有限公司	
	电话	13733870802	传真	0371-55130222	
	注册地址	河南省郑州市高新开发区银屏路15号			
	行业分类	制造业			

	指标\报告期	2014.06.30	2013.12.31	2012.12.31
主要财务指标	营业收入(元)	22,272,088.72	70,955,001.19	80,634,844.92
	营业利润(元)	-446,999.25	8,777,080.53	19,151,026.84
	净利润(元)	1,688,209.82	9,023,421.16	20,199,338.15
	未分配利润(元)	10,784,412.02	12,096,202.20	37,706,030.39
	总资产(元)	102,161,621.94	116,012,863.85	108,200,357.75
	总负债(元)	33,811,457.85	46,350,909.58	46,561,824.64
	净资产(元)	68,350,164.09	69,661,954.27	61,638,533.11
	每股收益(元)	0.08	0.45	1.01
	每股净资产(元)	3.42	3.48	3.08
	净资产收益率(%)	2.47	12.95	32.77

湖南斯派克科技股份有限公司

公司概况	公司名称	湖南斯派克科技股份有限公司		股份名称	斯派克
	法人代表	段湘生	董秘	王洪成	股份代码 430392
	公司网址	www.chemspark.com	主办券商	方正证券股份有限公司	
	电话	0730-2153878	传真	0730-2153838	
	注册地址	湖南省长沙市高新开发区麓泉路与麓松路交汇处延农综合大楼14楼14-A082房			
	行业分类	制造业			

	指标\报告期	2014.06.30	2013.12.31	2012.12.31
主要财务指标	营业收入(元)		36,727,082.28	36,412,841.66
	营业利润(元)	-	5,036,835.63	4,542,546.19
	净利润(元)	-	4,602,267.71	3,639,331.68
	未分配利润(元)	-	6,608,423.26	2,501,022.33
	总资产(元)	-	31,633,594.17	29,085,809.03
	总负债(元)	-	4,298,679.84	6,353,162.41
	净资产(元)	-	27,334,914.33	22,732,646.62
	每股收益(元)	-	0.29	0.23
	每股净资产(元)	-	1.71	1.42
	净资产收益率(%)	-	16.84	16.01

昆山三景科技股份有限公司

公司概况					
公司名称	昆山三景科技股份有限公司			股份名称	三景科技
法人代表	常唐银	董秘	张王万	股份代码	430393
公司网址	www.kssjkj.com		主办券商	东吴证券股份有限公司	
电　　话	0512-57764007		传　　真	0512-57769769	
注册地址	江苏省昆山市玉山镇城北中环路南				
行业分类	制造业				

主要财务指标 指标\报告期	2014.06.30	2013.12.31	2012.12.31
营业收入(元)	74,487,522.20	180,094,627.37	61,910,734.52
营业利润(元)	-3,160,924.30	6,251,735.62	6,258,439.94
净利润(元)	-942,299.33	7,134,959.30	5,085,177.47
未分配利润(元)	5,096,203.54	6,304,308.91	-269,499.50
总资产(元)	168,374,037.74	150,003,900.92	56,485,159.95
总负债(元)	112,651,969.71	102,866,167.60	33,682,385.93
净资产(元)	55,722,068.03	47,137,733.32	22,802,774.02
每股收益(元)	-0.02	0.24	0.24
每股净资产(元)	1.31	1.18	0.99
净资产收益率(%)	-1.53	15.79	23.21

广东伯朗特智能装备股份有限公司

公司概况					
公司名称	广东伯朗特智能装备股份有限公司			股份名称	伯朗特
法人代表	尹荣造	董秘	刘淑燕	股份代码	430394
公司网址	www.brotherobot.cn		主办券商	东莞证券有限责任公司	
电　　话	0769-81066796		传　　真	0769-81066785	
注册地址	广东省东莞市大朗镇沙步村沙富路83号				
行业分类	制造业				

主要财务指标 指标\报告期	2014.06.30	2013.12.31	2012.12.31
营业收入(元)	-	58,699,815.73	29,401,407.22
营业利润(元)	-	3,853,851.90	838,016.02
净利润(元)	-	3,118,975.71	469,947.21
未分配利润(元)	-	2,516,598.42	1,226,164.57
总资产(元)	-	43,868,902.09	25,208,007.28
总负债(元)	-	29,387,521.30	18,845,602.20
净资产(元)	-	14,481,380.79	6,362,405.08
每股收益(元)	-	0.44	0.09
每股净资产(元)	-	1.45	1.27
净资产收益率(%)	-	21.54	7.39

青岛奥盖克化工股份有限公司

公司概况					
公司名称	青岛奥盖克化工股份有限公司			股份名称	奥盖克
法人代表	王在军	董秘	刘武	股份代码	430395
公司网址	www.agkhg.com		主办券商	安信证券股份有限公司	
电　　话	0532-68081889		传　　真	0532-68081858	
注册地址	山东省青岛市平度市新河生态化工科技产业基地丰水路5号				
行业分类	制造业				

主要财务指标 指标\报告期	2014.06.30	2013.12.31	2012.12.31
营业收入(元)	-	163,100,118.73	86,720,048.10
营业利润(元)	-	4,883,563.62	13,504.40
净利润(元)	-	4,359,104.05	4,008,343.17
未分配利润(元)	-	4,011,558.94	175,571.99
总资产(元)	-	207,419,987.70	113,749,483.85
总负债(元)	-	91,466,088.23	69,613,748.43
净资产(元)	-	115,953,899.47	44,135,735.42
每股收益(元)	-	0.08	0.13
每股净资产(元)	-	1.49	1.15
净资产收益率(%)	-	3.76	9.08

哈尔滨亿汇达电气科技发展股份有限公司

公司概况					
公司名称	哈尔滨亿汇达电气科技发展股份有限公司			股份名称	亿汇达
法人代表	韩言广	董秘	邢友伟	股份代码	430396
公司网址	www.yhddq.net		主办券商	财达证券有限责任公司	
电　　话	0451-84376529		传　　真	0451-84376503	
注册地址	黑龙江省哈尔滨市高开区迎宾路集中区鄱阳东路5号				
行业分类	制造业				

主要财务指标 指标\报告期	2014.06.30	2013.12.31	2012.12.31
营业收入(元)	-	249,488,636.08	177,494,244.47
营业利润(元)	-	32,377,811.42	22,731,790.49
净利润(元)	-	28,064,399.16	20,052,826.39
未分配利润(元)	-	56,022,129.52	30,768,549.92
总资产(元)	-	149,815,622.84	145,941,430.57
总负债(元)	-	55,499,583.08	79,929,789.97
净资产(元)	-	94,316,039.76	66,011,640.60
每股收益(元)	-	0.94	0.67
每股净资产(元)	-	3.14	2.20
净资产收益率(%)	-	29.85	30.38

无锡金帆钻凿设备股份有限公司

公司概况	公司名称	无锡金帆钻凿设备股份有限公司		股份名称	金帆股份
	法人代表	罗强	董秘	江海洪	股份代码	430397
	公司网址	www.wuxishuangfan.com	主办券商	长城证券有限责任公司	
	电　话	0510-88552666	传　真	0510-88551771	
	注册地址	江苏省无锡市新区梅村新泰工业配套区			
	行业分类	制造业			

主要财务指标	指标\报告期	2014.06.30	2013.12.31	2012.12.31
	营业收入(元)	13,204,176.24	42,171,544.60	39,634,933.93
	营业利润(元)	-982,320.22	8,212,397.21	5,737,539.86
	净利润(元)	354,637.35	7,701,761.45	5,665,870.32
	未分配利润(元)	3,864,007.01	8,909,369.66	1,978,224.94
	总资产(元)	79,479,889.84	72,063,117.24	64,162,979.01
	总负债(元)	35,972,177.33	23,510,042.08	23,311,665.30
	净资产(元)	43,507,712.51	48,553,075.16	40,851,313.71
	每股收益(元)	0.01	0.26	0.19
	每股净资产(元)	1.45	1.62	1.36
	净资产收益率(%)	0.82	15.86	13.87

安徽励图信息科技股份有限公司

公司概况	公司名称	安徽励图信息科技股份有限公司		股份名称	励图科技
	法人代表	朱祝华	董秘	袁小丽	股份代码	430398
	公司网址	www.ltech.com.cn	主办券商	东北证券股份有限公司	
	电　话	0551-65318661	传　真	0551-65320188	
	注册地址	安徽省合肥市高新区红枫路富邻广场科研2号楼7层			
	行业分类	制造业			

主要财务指标	指标\报告期	2014.06.30	2013.12.31	2012.12.31
	营业收入(元)	2,484,426.49	10,766,462.81	13,984,795.73
	营业利润(元)	-3,155,607.14	-2,760,436.10	646,477.72
	净利润(元)	-2,601,047.57	-1,331,980.01	1,290,477.22
	未分配利润(元)	-3,930,631.33	-1,329,583.76	1,054,676.25
	总资产(元)	15,383,041.63	17,756,725.18	19,892,917.54
	总负债(元)	2,501,305.98	2,273,941.96	2,113,274.31
	净资产(元)	12,881,735.65	15,482,783.22	17,779,643.23
	每股收益(元)	-0.16	-0.09	0.10
	每股净资产(元)	0.81	0.97	1.33
	净资产收益率(%)	-20.19	-8.60	7.26

湘财证券股份有限公司

公司概况	公司名称	湘财证券股份有限公司		股份名称	湘财证券
	法人代表	林俊波	董秘	严颖	股份代码	430399
	公司网址	www.xcsc.com	主办券商	西南证券股份有限公司	
	电　话	0731-84457321	传　真	0731-84430252	
	注册地址	湖南省长沙市天心区湘府中路198号新南城商务中心A栋11楼			
	行业分类	金融业			

主要财务指标	指标\报告期	2014.06.30	2013.12.31	2012.12.31
	营业收入(元)	-	-	-
	营业利润(元)	257,636,801.56	161,541,456.50	220,499,121.64
	净利润(元)	197,184,910.40	130,360,650.69	166,418,104.68
	未分配利润(元)	288,454,708.16	91,269,797.76	-122,866,279.13
	总资产(元)	16,772,146,182.21	12,066,313,295.53	10,553,054,580.55
	总负债(元)	13,059,428,779.19	8,519,116,954.84	7,253,435,218.17
	净资产(元)	3,712,717,403.02	3,547,196,340.69	3,299,619,362.38
	每股收益(元)	0.06	0.04	0.06
	每股净资产(元)	1.16	1.11	1.03
	净资产收益率(%)	5.31	3.68	5.04

株洲日望电子科技股份有限公司

公司概况	公司名称	株洲日望电子科技股份有限公司		股份名称	日望电子
	法人代表	彭军	董秘	刘雄立	股份代码	430400
	公司网址	www.riwang.com.cn	主办券商	方正证券股份有限公司	
	电　话	0731-22395079	传　真	0731-22395076	
	注册地址	湖南省株洲市天元区天台科技园科瑞路8号			
	行业分类	制造业			

主要财务指标	指标\报告期	2014.06.30	2013.12.31	2012.12.31
	营业收入(元)		12,120,844.28	13,643,209.34
	营业利润(元)	-	984,735.13	1,301,234.73
	净利润(元)	-	1,433,745.45	2,163,735.94
	未分配利润(元)	-	3,063,577.66	1,773,206.76
	总资产(元)	-	26,105,541.59	21,094,974.41
	总负债(元)	-	14,651,551.07	11,074,729.34
	净资产(元)	-	11,453,990.52	10,020,245.07
	每股收益(元)	-	0.26	0.39
	每股净资产(元)	-	2.08	1.82
	净资产收益率(%)	-	12.52	21.59

苏州声威电声股份有限公司

公司概况	公司名称	苏州声威电声股份有限公司			股份名称	声威电声
	法人代表	沈玮	董秘	刘坚	股份代码	430401
	公司网址	www.saiway.com		主办券商	东吴证券股份有限公司	
	电　话	0512-69370477		传　真	0512-69370479	
	注册地址	江苏省苏州市高新区向阳路198号(狮山资产经营公司工业园8#厂房)				
	行业分类	制造业				

	指标\报告期	2014.06.30	2013.12.31	2012.12.31
主要财务指标	营业收入(元)	31,135,359.55	56,887,829.49	75,249,741.63
	营业利润(元)	-2,005,668.22	343,027.88	2,974,924.12
	净利润(元)	-5,718.22	64,120.78	2,340,091.65
	未分配利润(元)	993,627.40	999,345.62	11,594,280.48
	总资产(元)	52,525,889.62	50,819,195.36	61,225,401.63
	总负债(元)	32,919,604.46	31,207,191.98	41,625,870.69
	净资产(元)	19,606,285.16	19,612,003.38	19,599,530.94
	每股收益(元)	0	0.01	0.39
	每股净资产(元)	1.94	1.96	3.27
	净资产收益率(%)	-0.03	0.33	11.94

武汉吉事达科技股份有限公司

公司概况	公司名称	武汉吉事达科技股份有限公司			股份名称	吉事达
	法人代表	陈刚	董秘	沈淳	股份代码	430402
	公司网址	www.gstarlaser.com		主办券商	长江证券股份有限公司	
	电　话	027-59716658-818		传　真	027-87531635	
	注册地址	湖北省武汉市东湖开发区关东科技工业园七号地块				
	行业分类	制造业				

	指标\报告期	2014.06.30	2013.12.31	2012.12.31
主要财务指标	营业收入(元)	11,792,136.71	45,337,425.08	21,152,086.50
	营业利润(元)	-166,411.38	4,151,698.83	2,580,032.25
	净利润(元)	767,599.02	4,957,816.63	2,230,321.25
	未分配利润(元)	4,325,111.87	3,557,512.85	1,503,592.57
	总资产(元)	66,219,940.45	61,317,245.90	40,592,002.35
	总负债(元)	52,823,866.39	48,688,770.86	32,921,343.94
	净资产(元)	13,396,074.06	12,628,475.04	7,670,658.41
	每股收益(元)	0.13	0.83	1.74
	每股净资产(元)	2.23	2.10	5.98
	净资产收益率(%)	5.73	39.26	29.08

武汉英思工程科技股份有限公司

公司概况	公司名称	武汉英思工程科技股份有限公司			股份名称	英思科技
	法人代表	彭华	董秘	周伟	股份代码	430403
	公司网址	www.wuhanins.com		主办券商	万联证券有限责任公司	
	电　话	027-87320576		传　真	027-87320476	
	注册地址	湖北省武汉市东湖开发区东信路数码港				
	行业分类	信息传输、软件和信息技术服务业				

	指标\报告期	2014.06.30	2013.12.31	2012.12.31
主要财务指标	营业收入(元)	6,032,004.99	15,687,452.62	10,120,901.70
	营业利润(元)	1,554,533.54	1,780,091.43	1,271,442.72
	净利润(元)	1,768,861.18	1,931,111.84	1,631,906.47
	未分配利润(元)	1,762,474.57	309,883.41	3,562,594.15
	总资产(元)	17,298,297.42	16,852,341.93	10,142,436.98
	总负债(元)	2,916,763.56	3,923,399.23	3,144,606.12
	净资产(元)	14,381,533.86	12,928,942.70	6,997,830.86
	每股收益(元)	0.18	0.19	0.54
	每股净资产(元)	1.44	1.29	2.33
	净资产收益率(%)	12.3	14.94	23.32

苏州瑞腾照明科技股份有限公司

公司概况	公司名称	苏州瑞腾照明科技股份有限公司			股份名称	瑞腾科技
	法人代表	顾晓成	董秘	黄丽花	股份代码	430404
	公司网址	www.cnradiant.com		主办券商	东吴证券股份有限公司	
	电　话	0512-58423308		传　真	0512-58423309	
	注册地址	江苏省张家港市凤凰镇金谷村				
	行业分类	制造业				

	指标\报告期	2014.06.30	2013.12.31	2012.12.31
主要财务指标	营业收入(元)	10,300,209.31	17,648,440.60	18,489,471.55
	营业利润(元)	-905,569.05	-347,658.96	521,313.75
	净利润(元)	-9,752.89	109,688.04	584,120.70
	未分配利润(元)	483,561.29	493,314.18	1,752,255.34
	总资产(元)	14,694,116.10	11,931,152.83	9,309,722.16
	总负债(元)	8,861,925.61	6,089,209.45	6,377,466.82
	净资产(元)	5,832,190.49	5,841,943.38	2,932,255.34
	每股收益(元)	0	0.02	0.50
	每股净资产(元)	1.17	1.17	2.48
	净资产收益率(%)	-0.17	1.88	19.92

苏州星火环境净化股份有限公司

公司概况	公司名称	苏州星火环境净化股份有限公司		股份名称	星火环境
	法人代表	侯招根	董秘 陈玲	股份代码	430405
	公司网址	www.hh88hh.com	主办券商	东吴证券股份有限公司	
	电　话	0512-68780880	传　真	0512-68784266	
	注册地址	江苏省苏州市高新区狮山路 99 号中银大厦 9 楼			
	行业分类	水利、环境和公共设施管理业			

主要财务指标	指标\报告期	2014.06.30	2013.12.31	2012.12.31
	营业收入(元)	21,750,364.14	25,640,811.85	17,780,439.04
	营业利润(元)	9,068,199.04	4,641,399.52	2,061,625.78
	净利润(元)	9,396,651.78	4,139,508.80	1,840,503.15
	未分配利润(元)	15,189,895.70	5,793,243.92	2,085,332.59
	总资产(元)	38,743,893.83	20,269,574.70	13,386,259.42
	总负债(元)	6,309,944.44	5,232,277.09	2,488,470.61
	净资产(元)	32,433,949.39	15,037,297.61	10,897,788.81
	每股收益(元)	1.48	0.83	0.37
	每股净资产(元)	2.49	3.01	2.18
	净资产收益率(%)	28.97	27.53	16.89

广东奥美格传导科技股份有限公司

公司概况	公司名称	广东奥美格传导科技股份有限公司		股份名称	奥美格
	法人代表	汪腊梅	董秘 韩艾芯	股份代码	430406
	公司网址	www.omigr.com	主办券商	东莞证券有限责任公司	
	电　话	0769-83312686	传　真	0769-83314054	
	注册地址	广东省东莞市松山湖高新技术产业开发区创新科技园 8 号楼 3 楼 302、303、304 室			
	行业分类	制造业			

主要财务指标	指标\报告期	2014.06.30	2013.12.31	2012.12.31
	营业收入(元)		78,122,013.77	72,719,874.21
	营业利润(元)	-	845,622.01	-5,750,353.95
	净利润(元)	-	614,343.56	-5,795,112.74
	未分配利润(元)	-	-4,455,999.09	-5,070,342.65
	总资产(元)	-	39,598,337.46	30,111,905.15
	总负债(元)	-	33,019,907.42	24,147,818.67
	净资产(元)	-	6,578,430.04	5,964,086.48
	每股收益(元)	-	0.06	-0.53
	每股净资产(元)	-	0.60	0.54
	净资产收益率(%)	-	9.34	-97.17

上海长合信息技术股份有限公司

公司概况	公司名称	上海长合信息技术股份有限公司		股份名称	长合信息
	法人代表	黄学军	董秘 李国华	股份代码	430407
	公司网址	www.charmhope.com	主办券商	申银万国证券股份有限公司	
	电　话	021-60897003	传　真	021-60897099	
	注册地址	上海市张江高科技园区蔡伦路 1623 号 1 栋 104 室			
	行业分类	信息传输、软件和信息技术服务业			

主要财务指标	指标\报告期	2014.06.30	2013.12.31	2012.12.31
	营业收入(元)	24,337,693.54	42,022,296.17	20,156,452.81
	营业利润(元)	3,428,393.72	3,993,654.74	3,281,439.92
	净利润(元)	3,464,961.41	4,327,220.76	3,267,530.38
	未分配利润(元)	3,748,345.62	1,783,384.21	3,505,835.05
	总资产(元)	52,620,063.86	50,199,993.15	21,975,154.21
	总负债(元)	37,663,874.97	37,208,765.67	13,061,147.49
	净资产(元)	14,956,188.89	12,991,227.48	8,914,006.72
	每股收益(元)	0.35	0.43	0.65
	每股净资产(元)	1.5	1.30	1.78
	净资产收益率(%)	23.17	33.31	36.66

沈阳帝信通信股份有限公司

公司概况	公司名称	沈阳帝信通信股份有限公司		股份名称	帝信通信
	法人代表	刘文祥	董秘 阎实	股份代码	430408
	公司网址	www.bendis.cc	主办券商	东北证券股份有限公司	
	电　话	024-89794000	传　真	024-89794108	
	注册地址	辽宁省沈阳市和平区三好街 90-1 号 2-16-2 室			
	行业分类	信息传输、软件和信息技术服务业			

主要财务指标	指标\报告期	2014.06.30	2013.12.31	2012.12.31
	营业收入(元)		88,430,130.23	171,026,525.33
	营业利润(元)	-	23,265,276.16	43,250,086.77
	净利润(元)	-	23,840,527.71	47,175,640.06
	未分配利润(元)	-	80,552,470.09	59,774,484.70
	总资产(元)	-	167,826,131.53	145,985,213.24
	总负债(元)	-	19,637,848.00	21,460,949.84
	净资产(元)	-	148,188,283.53	124,524,263.40
	每股收益(元)	-	0.47	0.94
	每股净资产(元)	-	2.89	2.43
	净资产收益率(%)	-	16.09	37.89

厦门市天泉鑫膜科技股份有限公司

公司概况	公司名称	厦门市天泉鑫膜科技股份有限公司			股份名称	天泉鑫膜
	法人代表	陈跃明	董秘	洪成木	股份代码	430409
	公司网址	www.tqxmo.cn		主办券商	东北证券股份有限公司	
	电　话	13950015355		传　真	0592-5763955	
	注册地址	福建省厦门市火炬高新区火炬园火炬路 321 号四层 G 单元				
	行业分类	制造业				

	指标\报告期	2014.06.30	2013.12.31	2012.12.31
主要财务指标	营业收入(元)	12,911,160.85	33,936,380.39	35,168,545.02
	营业利润(元)	976,730.58	6,409,299.07	7,117,195.91
	净利润(元)	1,361,343.70	6,349,627.16	6,379,577.84
	未分配利润(元)	12,878,990.09	11,576,966.80	5,768,295.56
	总资产(元)	48,306,860.44	36,908,979.38	33,469,377.13
	总负债(元)	17,217,765.75	7,181,228.39	14,331,330.20
	净资产(元)	31,089,094.69	29,727,750.99	19,138,046.93
	每股收益(元)	0.12	0.53	0.53
	每股净资产(元)	2.25	2.13	1.59
	净资产收益率(%)	5.39	24.83	33.34

济南微纳颗粒仪器股份有限公司

公司概况	公司名称	济南微纳颗粒仪器股份有限公司			股份名称	微纳颗粒
	法人代表	任中京	董秘	于文隆	股份代码	430410
	公司网址	www.jnwinner.com		主办券商	长城证券有限责任公司	
	电　话	0531-88873979		传　真	0531-88873392	
	注册地址	山东省济南市高新开发区新宇路 750 号大学科技园 6 号楼 2 单元				
	行业分类	制造业				

	指标\报告期	2014.06.30	2013.12.31	2012.12.31
主要财务指标	营业收入(元)	6,469,013.14	10,416,397.59	9,040,314.51
	营业利润(元)	2,093,628.39	1,120,616.15	715,421.01
	净利润(元)	2,146,311.95	1,319,499.52	2,530,649.90
	未分配利润(元)	7,270,262.33	5,123,950.38	3,949,674.40
	总资产(元)	16,569,906.51	15,756,360.70	15,051,594.03
	总负债(元)	2,364,425.74	3,697,191.88	4,311,924.73
	净资产(元)	14,205,480.77	12,059,168.82	10,739,669.30
	每股收益(元)	0.36	0.22	0.42
	每股净资产(元)	2.37	2.01	1.79
	净资产收益率(%)	15.11	10.94	23.56

北京中电方大科技股份有限公司

公司概况	公司名称	北京中电方大科技股份有限公司			股份名称	中电方大
	法人代表	邓岳辉	董秘	刘红英	股份代码	430411
	公司网址	www.levcn.com.cn		主办券商	国盛证券有限责任公司	
	电　话	010-62963926		传　真	010-62971691-806	
	注册地址	北京市海淀区上地信息路 12 号中关村发展大厦 A405				
	行业分类	信息传输、软件和信息技术服务业				

	指标\报告期	2014.06.30	2013.12.31	2012.12.31
主要财务指标	营业收入(元)	-	20,082,611.19	10,673,263.49
	营业利润(元)	-	124,457.52	-627,593.19
	净利润(元)	-	1,204,342.51	89,964.35
	未分配利润(元)	-	1,282,781.99	-104,769.55
	总资产(元)	-	19,862,556.50	13,906,217.25
	总负债(元)	-	5,509,783.54	757,786.80
	净资产(元)	-	14,352,772.96	13,148,430.45
	每股收益(元)	-	0.10	0.01
	每股净资产(元)	-	1.20	1.10
	净资产收益率(%)	-	8.39	0.68

天津晓沃环保工程股份公司

公司概况	公司名称	天津晓沃环保工程股份公司			股份名称	晓沃环保
	法人代表	孙雷宇	董秘	许志敏	股份代码	430412
	公司网址	www.tjxwhb.com		主办券商	中信证券股份有限公司	
	电　话	022-27210773		传　真	022-27212771	
	注册地址	天津市南开区黄河道大通大厦十层 B 区(科技园)				
	行业分类	水利、环境和公共设施管理业				

	指标\报告期	2014.06.30	2013.12.31	2012.12.31
主要财务指标	营业收入(元)	11,906,930.47	25,417,691.94	12,261,856.20
	营业利润(元)	749,986.30	1,681,936.89	1,083,620.54
	净利润(元)	1,645,792.00	1,466,843.38	994,088.95
	未分配利润(元)	2,239,483.53	593,691.53	-36,010.48
	总资产(元)	39,227,906.76	22,956,282.15	24,200,944.59
	总负债(元)	25,551,281.86	10,925,449.25	13,636,955.07
	净资产(元)	13,676,624.90	12,030,832.90	10,563,989.52
	每股收益(元)	0.16	0.14	0.12
	每股净资产(元)	1.29	1.13	1.00
	净资产收益率(%)	12.03	12.19	9.41

湖南沄辉科技股份有限公司

公司概况	公司名称	湖南沄辉科技股份有限公司			股份名称	沄辉科技
	法人代表	周自平	董秘	刘利岩	股份代码	430413
	公司网址	www.yunhui-tech.com		主办券商	方正证券股份有限公司	
	电　　话	13875966084		传　　真	0731-85452597	
	注册地址	湖南省长沙市高新开发区文轩路 27 号麓谷钰园 A2 栋 5 层 502 号房				
	行业分类	制造业				

主要财务指标	指标\报告期	2014.06.30	2013.12.31	2012.12.31
	营业收入(元)	14,401,582.04	25,570,020.89	21,374,288.07
	营业利润(元)	342,903.04	602,024.20	882,869.91
	净利润(元)	337,188.59	1,216,646.55	883,018.80
	未分配利润(元)	3,284,114.20	2,946,925.61	1,851,943.72
	总资产(元)	28,844,064.04	30,730,188.49	21,846,529.33
	总负债(元)	14,039,687.25	16,263,000.29	9,805,987.68
	净资产(元)	14,804,376.79	14,467,188.20	12,040,541.65
	每股收益(元)	0.03	0.11	0.09
	每股净资产(元)	1.35	1.32	1.20
	净资产收益率(%)	2.28	8.41	7.33

苏州三光科技股份有限公司

公司概况	公司名称	苏州三光科技股份有限公司			股份名称	三光科技
	法人代表	包文杰	董秘	蒋秋平	股份代码	430414
	公司网址	www.ssgedm.com		主办券商	东吴证券股份有限公司	
	电　　话	0512-66900953		传　　真	0512-66902228	
	注册地址	江苏省苏州市高新区嵩山路 145 号				
	行业分类	制造业				

主要财务指标	指标\报告期	2014.06.30	2013.12.31	2012.12.31
	营业收入(元)		101,082,789.99	131,023,168.35
	营业利润(元)	–	–2,726,458.89	6,464,698.54
	净利润(元)	–	4,999,870.96	10,734,078.21
	未分配利润(元)	–	35,266,566.43	32,308,247.09
	总资产(元)	–	155,681,132.32	167,873,880.83
	总负债(元)	–	44,168,560.30	59,361,179.77
	净资产(元)	–	111,512,572.02	108,512,701.06
	每股收益(元)	–	0.09	0.18
	每股净资产(元)	–	1.81	1.81
	净资产收益率(%)	–	5.15	10.39

江阴钟舟电气股份有限公司

公司概况	公司名称	江阴钟舟电气股份有限公司			股份名称	钟舟电气
	法人代表	顾方钟	董秘	沈黄尖	股份代码	430415
	公司网址	www.jyzzdq.com		主办券商	东北证券股份有限公司	
	电　　话	0510-86131158		传　　真	0510-86139856	
	注册地址	江苏省无锡市江阴市城东街道山观东定路 65 号 2 号楼				
	行业分类	制造业				

主要财务指标	指标\报告期	2014.06.30	2013.12.31	2012.12.31
	营业收入(元)	2,352,130.66	4,628,843.30	4,592,842.86
	营业利润(元)	–2,085,129.72	177,596.18	–65,563.19
	净利润(元)	–526,451.85	185,805.12	24,155.45
	未分配利润(元)	–294,148.17	177,757.62	27,594.43
	总资产(元)	13,529,171.34	14,377,942.99	10,079,974.27
	总负债(元)	520,270.03	843,368.05	896,204.45
	净资产(元)	13,008,901.31	13,534,574.94	9,183,769.82
	每股收益(元)	–0.05	0.03	
	每股净资产(元)	1.44	1.49	1.15
	净资产收益率(%)	–3.64	1.78	0.26

北京地林伟业科技股份有限公司

公司概况	公司名称	北京地林伟业科技股份有限公司			股份名称	地林伟业
	法人代表	刘永杰	董秘	李荣梅	股份代码	430416
	公司网址	www.forestar.com.cn		主办券商	宏源证券股份有限公司	
	电　　话	010-51607410/11		传　　真	010-51768490	
	注册地址	北京市海淀区复兴路 83 号东九楼 522、527 室				
	行业分类	信息传输、软件和信息技术服务业				

主要财务指标	指标\报告期	2014.06.30	2013.12.31	2012.12.31
	营业收入(元)	–	17,679,365.02	23,470,323.21
	营业利润(元)	–	–3,921,926.57	4,267,796.31
	净利润(元)	–	–3,794,500.72	3,448,741.57
	未分配利润(元)	–	–3,831,772.62	2,948,310.17
	总资产(元)	–	7,664,225.07	14,536,010.49
	总负债(元)	–	2,121,495.48	6,966,780.18
	净资产(元)	–	5,542,729.59	7,569,230.31
	每股收益(元)	–	–0.74	1.33
	每股净资产(元)	–	0.69	2.52
	净资产收益率(%)	–	–68.46	45.56

苏州良才物流科技股份有限公司

公司概况					
公司名称	苏州良才物流科技股份有限公司		股份名称	良才股份	
法人代表	王忠	董秘	李霞	股份代码	430417
公司网址	www.liangc.com		主办券商	东北证券股份有限公司	
电话	0512-87656818		传真	0512-62742296	
注册地址	江苏省苏州市苏州工业园区唯亭镇瑞华路8号				
行业分类	制造业				

主要财务指标 指标\报告期	2014.06.30	2013.12.31	2012.12.31
营业收入(元)	–	144,558,665.01	109,377,668.81
营业利润(元)	–	4,234,161.83	6,404,427.39
净利润(元)	–	4,162,049.58	5,423,359.34
未分配利润(元)	–	6,939,931.91	5,609,877.94
总资产(元)	–	155,708,512.57	112,316,258.13
总负债(元)	–	98,707,910.10	57,461,405.24
净资产(元)	–	57,000,602.47	54,854,852.89
每股收益(元)	–	0.12	0.15
每股净资产(元)	–	1.70	1.44
净资产收益率(%)	–	7.30	10.72

苏州轴承厂股份有限公司

公司概况					
公司名称	苏州轴承厂股份有限公司		股份名称	苏轴股份	
法人代表	沈佑	董秘	张文华	股份代码	430418
公司网址	www.sbfcn.com		主办券商	东吴证券股份有限公司	
电话	0512-66657251		传真	0512-66657355	
注册地址	江苏省苏州市高新区鹿山路35号				
行业分类	制造业				

主要财务指标 指标\报告期	2014.06.30	2013.12.31	2012.12.31
营业收入(元)	–	196,932,900.78	168,025,177.06
营业利润(元)	–	20,642,915.46	18,130,479.29
净利润(元)	–	19,936,288.52	17,108,531.44
未分配利润(元)	–	8,668,065.28	35,159,509.16
总资产(元)	–	178,567,884.84	144,083,153.03
总负债(元)	–	102,495,210.08	82,956,201.79
净资产(元)	–	76,072,674.76	61,126,951.24
每股收益(元)	–	0.50	0.43
每股净资产(元)	–	1.90	1.53
净资产收益率(%)	–	26.21	27.99

广东三凯新材料股份有限公司

公司概况					
公司名称	广东三凯新材料股份有限公司		股份名称	三凯股份	
法人代表	欧阳伟	董秘	李凯雄	股份代码	430419
公司网址	www.zgsankai.com		主办券商	东莞证券有限责任公司	
电话	0769-22890985		传真	0769-22890986	
注册地址	广东省东莞市松山湖高新技术产业开发区图书馆B楼3楼301室				
行业分类	制造业				

主要财务指标 指标\报告期	2014.06.30	2013.12.31	2012.12.31
营业收入(元)	–	11,618,910.48	14,949,714.98
营业利润(元)	–	259,735.46	70,486.01
净利润(元)	–	454,733.00	1,171,986.69
未分配利润(元)	–	1,464,047.72	1,054,788.02
总资产(元)	–	12,283,673.26	12,333,491.15
总负债(元)	–	608,378.02	1,112,928.91
净资产(元)	–	11,675,295.24	11,220,562.24
每股收益(元)	–	0.05	0.12
每股净资产(元)	–	1.17	1.12
净资产收益率(%)	–	3.90	10.45

上海易城工程顾问股份有限公司

公司概况					
公司名称	上海易城工程顾问股份有限公司		股份名称	易城股份	
法人代表	毛蔚瀛	董秘	倪宁	股份代码	430420
公司网址	www.ecspartner.com		主办券商	安信证券股份有限公司	
电话	021-63350566		传真	021-63350566	
注册地址	上海市杨浦区平凉路988号1号楼6009室				
行业分类	科学研究和技术服务业				

主要财务指标 指标\报告期	2014.06.30	2013.12.31	2012.12.31
营业收入(元)	–	51,723,990.54	42,153,677.44
营业利润(元)	–	9,288,229.53	9,706,679.04
净利润(元)	–	8,831,689.65	8,799,073.13
未分配利润(元)	–	4,129,371.12	25,571,363.05
总资产(元)	–	53,180,117.58	35,337,936.97
总负债(元)	–	6,771,725.01	4,756,022.59
净资产(元)	–	46,408,392.57	30,581,914.38
每股收益(元)	–	0.45	0.44
每股净资产(元)	–	2.32	1.53
净资产收益率(%)	–	19.03	28.77

上海华之邦科技股份有限公司

公司概况	公司名称	上海华之邦科技股份有限公司		股份名称	华之邦	
	法人代表	陈宝明	董秘	刘佳云	股份代码	430421
	公司网址	www.wisebond.net		主办券商	东方花旗证券有限公司	
	电　话	021-69022599		传　真	021-69022598	
	注册地址	上海市杨浦区翔殷路 28 号 11 号楼 A 座 202-10 室				
	行业分类	制造业				

	指标\报告期	2014.06.30	2013.12.31	2012.12.31
主要财务指标	营业收入(元)	–	8,238,089.72	5,531,612.87
	营业利润(元)	–	19,849.29	–105,870.27
	净利润(元)	–	309,095.01	–131,589.74
	未分配利润(元)	–	–320,651.04	–419,925.04
	总资产(元)	–	12,956,138.66	3,815,794.90
	总负债(元)	–	6,066,968.69	3,235,719.94
	净资产(元)	–	6,889,169.97	580,074.96
	每股收益(元)	–	0.05	–0.49
	每股净资产(元)	–	0.98	0.58
	净资产收益率(%)	–	4.49	–22.69

上海永继电气股份有限公司

公司概况	公司名称	上海永继电气股份有限公司		股份名称	永继电气	
	法人代表	张晓敏	董秘	吴强	股份代码	430422
	公司网址	www.rogy.cn		主办券商	长城证券有限责任公司	
	电　话	021-57294888-8901		传　真	021-57294580	
	注册地址	上海市金山区金山卫镇金石南路 2239 号				
	行业分类	制造业				

	指标\报告期	2014.06.30	2013.12.31	2012.12.31
主要财务指标	营业收入(元)	237,683,197.74	458,356,851.91	430,037,997.22
	营业利润(元)	34,392,025.36	36,852,900.72	18,315,118.99
	净利润(元)	28,871,997.24	32,346,131.39	17,469,994.80
	未分配利润(元)	125,163,357.86	96,311,574.89	64,744,759.52
	总资产(元)	409,461,093.83	388,952,359.74	357,817,121.19
	总负债(元)	164,657,031.37	173,000,080.25	174,210,973.09
	净资产(元)	244,804,062.46	215,952,279.49	183,606,148.10
	每股收益(元)	0.32	0.36	0.19
	每股净资产(元)	2.72	2.40	2.04
	净资产收益率(%)	11.79	14.98	9.52

宁波宁变电力科技股份有限公司

公司概况	公司名称	宁波宁变电力科技股份有限公司		股份名称	宁变科技	
	法人代表	王辉	董秘	陈国兴	股份代码	430423
	公司网址	www.ningbian.com		主办券商	方正证券股份有限公司	
	电　话	0574-87567662		传　真	0574-87906446	
	注册地址	浙江省宁波市高新区菁华路 168 号				
	行业分类	制造业				

	指标\报告期	2014.06.30	2013.12.31	2012.12.31
主要财务指标	营业收入(元)	–	17,275,150.43	22,877,693.86
	营业利润(元)	–	343,403.33	4,040,950.41
	净利润(元)	–	1,014,451.99	3,293,994.88
	未分配利润(元)	–	913,006.79	4,818,207.67
	总资产(元)	–	50,150,897.53	45,526,971.59
	总负债(元)	–	10,019,875.95	6,410,402.00
	净资产(元)	–	40,131,021.58	39,116,569.59
	每股收益(元)	–	0.05	1.32
	每股净资产(元)	–	2.01	1.96
	净资产收益率(%)	–	2.53	8.42

北京联合创业环保工程股份有限公司

公司概况	公司名称	北京联合创业环保工程股份有限公司		股份名称	联合创业	
	法人代表	徐冬利	董秘	赵洪叶	股份代码	430424
	公司网址	www.lhcy.com.cn		主办券商	中国银河证券股份有限公司	
	电　话	13811861763		传　真	010-57530159	
	注册地址	北京市东城区后永康胡同 17 号 1-767A 室				
	行业分类	水利、环境和公共设施管理业				

	指标\报告期	2014.06.30	2013.12.31	2012.12.31
主要财务指标	营业收入(元)	–	11,347,340.74	12,262,140.80
	营业利润(元)	–	971,066.63	1,296,050.87
	净利润(元)	–	978,185.23	1,182,736.37
	未分配利润(元)	–	1,148,849.52	2,373,113.25
	总资产(元)	–	13,853,706.64	6,381,358.65
	总负债(元)	–	1,738,258.96	742,675.20
	净资产(元)	–	12,115,447.68	5,638,683.45
	每股收益(元)	–	0.11	0.39
	每股净资产(元)	–	1.21	0.56
	净资产收益率(%)	–	8.07	20.98

成都乐创自动化技术股份有限公司

公司概况	公司名称	成都乐创自动化技术股份有限公司			股份名称	乐创技术
	法人代表	赵钧	董秘	安志琨	股份代码	430425
	公司网址	www.leetro.com		主办券商	光大证券股份有限公司	
	电　　话	028-85149948		传　　真	028-85187774	
	注册地址	四川省成都市高新区科园南二路一号大一孵化园8栋B座				
	行业分类	制造业				

	指标\报告期	2014.06.30	2013.12.31	2012.12.31
主要财务指标	营业收入(元)	–	49,360,756.19	55,749,470.83
	营业利润(元)	–	–860,657.36	4,288,525.00
	净利润(元)	–	1,305,714.79	6,681,180.60
	未分配利润(元)	–	1,370,376.44	5,235,233.13
	总资产(元)	–	32,321,849.26	35,474,540.58
	总负债(元)	–	8,874,956.73	10,293,362.84
	净资产(元)	–	23,446,892.53	25,181,177.74
	每股收益(元)	–	0.07	0.37
	每股净资产(元)	–	1.17	1.40
	净资产收益率(%)	–	5.57	26.53

四川长城软件科技股份有限公司

公司概况	公司名称	四川长城软件科技股份有限公司			股份名称	长城软件
	法人代表	刘新	董秘	杨璐	股份代码	430426
	公司网址	www.gwsoft.com.cn		主办券商	光大证券股份有限公司	
	电　　话	010-63168010		传　　真	010-67118763	
	注册地址	四川省成都市高新区天府大道北段28号1栋1单元6层606号				
	行业分类	信息传输、软件和信息技术服务业				

	指标\报告期	2014.06.30	2013.12.31	2012.12.31
主要财务指标	营业收入(元)	22,829,874.84	54,510,937.81	49,904,352.96
	营业利润(元)	4,572,630.89	9,790,127.57	8,496,998.95
	净利润(元)	4,181,983.03	10,087,944.95	8,722,167.19
	未分配利润(元)	18,321,719.86	14,139,736.83	10,107,869.78
	总资产(元)	42,045,733.12	46,036,085.36	34,272,776.03
	总负债(元)	2,439,025.10	10,611,360.37	4,292,888.27
	净资产(元)	39,606,708.02	35,424,724.99	29,979,887.76
	每股收益(元)	0.25	0.61	0.53
	每股净资产(元)	2.4	2.15	1.82
	净资产收益率(%)	10.56	28.48	29.09

上海飞田通信股份有限公司

公司概况	公司名称	上海飞田通信股份有限公司			股份名称	飞田通信
	法人代表	吴建俊	董秘	陆桂华	股份代码	430427
	公司网址	www.fleety.com		主办券商	申银万国证券股份有限公司	
	电　　话	021-50806651		传　　真	021-50806683	
	注册地址	上海市浦东新区张江高科技园区金科路2736号17幢18101、18102、18103、18104室				
	行业分类	制造业				

	指标\报告期	2014.06.30	2013.12.31	2012.12.31
主要财务指标	营业收入(元)	–	57,141,026.42	47,141,039.24
	营业利润(元)	–	7,312,222.37	2,754,602.08
	净利润(元)	–	8,369,348.58	4,017,188.16
	未分配利润(元)	–	4,545,755.69	3,485,603.09
	总资产(元)	–	73,943,286.31	75,329,124.39
	总负债(元)	–	18,944,849.73	27,499,344.15
	净资产(元)	–	54,998,436.58	47,829,780.24
	每股收益(元)	–	0.29	0.13
	每股净资产(元)	–	1.77	1.54
	净资产收益率(%)	–	16.32	10.03

陕西瑞科新材料股份有限公司

公司概况	公司名称	陕西瑞科新材料股份有限公司			股份名称	陕西瑞科
	法人代表	蔡林	董秘	鞠丛慧	股份代码	430428
	公司网址	www.bjrock.com		主办券商	国金证券股份有限公司	
	电　　话	0917-3380777		传　　真	0917-3380388	
	注册地址	陕西省宝鸡市高新区高新大道195号				
	行业分类	制造业				

	指标\报告期	2014.06.30	2013.12.31	2012.12.31
主要财务指标	营业收入(元)	–	139,544,623.85	117,120,776.19
	营业利润(元)	–	7,070,894.94	7,342,731.13
	净利润(元)	–	6,560,190.57	6,964,217.57
	未分配利润(元)	–	40,151,791.56	34,247,620.05
	总资产(元)	–	112,033,058.12	110,127,213.79
	总负债(元)	–	11,594,274.23	16,248,620.47
	净资产(元)	–	100,438,783.89	93,878,593.32
	每股收益(元)	–	0.16	0.17
	每股净资产(元)	–	2.50	2.34
	净资产收益率(%)	–	6.53	7.42

广州星业科技股份有限公司

公司概况	公司名称	广州星业科技股份有限公司			股份名称	星业科技
	法人代表	孟巨光	董秘	袁保合	股份代码	430429
	公司网址	www.startec.com.cn		主办券商	国金证券股份有限公司	
	电　　话	020-66602008		传　　真	020-66602005	
	注册地址	广东省广州市经济技术开发区永和经济区沧海二路7号自编一栋至八栋				
	行业分类	制造业				
主要财务指标	指标\报告期	2014.06.30	2013.12.31	2012.12.31		
	营业收入(元)	-	155,804,793.18	148,371,849.70		
	营业利润(元)	-	5,591,736.34	14,568,281.93		
	净利润(元)	-	5,474,076.81	13,169,668.02		
	未分配利润(元)	-	30,592,211.33	25,665,542.20		
	总资产(元)	-	191,151,422.30	173,338,540.23		
	总负债(元)	-	72,837,567.90	60,498,762.64		
	净资产(元)	-	118,313,854.40	112,839,777.59		
	每股收益(元)	-	0.16	0.39		
	每股净资产(元)	-	3.48	3.32		
	净资产收益率(%)	-	4.63	11.67		

苏州普滤得净化股份有限公司

公司概况	公司名称	苏州普滤得净化股份有限公司			股份名称	普滤得
	法人代表	葛明明	董秘	邰坚伟	股份代码	430430
	公司网址	www.purified-group.com		主办券商	东吴证券股份有限公司	
	电　　话	0512-87776266		传　　真	0512-87776250	
	注册地址	江苏省苏州市高新区金山东路234号				
	行业分类	制造业				
主要财务指标	指标\报告期	2014.06.30	2013.12.31	2012.12.31		
	营业收入(元)	-	26,739,580.47	36,698,679.95		
	营业利润(元)	-	1,358,477.40	1,441,101.70		
	净利润(元)	-	1,477,102.80	1,578,198.26		
	未分配利润(元)	-	884,344.37	972,225.89		
	总资产(元)	-	58,232,394.40	42,752,708.52		
	总负债(元)	-	40,241,035.42	26,754,452.34		
	净资产(元)	-	17,991,358.98	15,998,256.18		
	每股收益(元)	-	0.10	0.11		
	每股净资产(元)	-	1.20	1.07		
	净资产收益率(%)	-	8.21	9.87		

天津枫盛阳医疗器械技术股份有限公司

公司概况	公司名称	天津枫盛阳医疗器械技术股份有限公司			股份名称	枫盛阳
	法人代表	刘金玲	董秘	王建建	股份代码	430431
	公司网址			主办券商	华龙证券有限责任公司	
	电　　话	022-27512130		传　　真	022-27511520	
	注册地址	天津市南开区临潼路112、114号(科技园)				
	行业分类	批发和零售业				
主要财务指标	指标\报告期	2014.06.30	2013.12.31	2012.12.31		
	营业收入(元)	-	78,286,496.68	36,079,250.09		
	营业利润(元)	-	11,726,006.54	6,522,635.15		
	净利润(元)	-	8,586,085.34	6,071,723.49		
	未分配利润(元)	-	6,926,401.07	5,466,702.35		
	总资产(元)	-	73,239,271.82	57,683,007.04		
	总负债(元)	-	8,578,829.52	1,608,650.08		
	净资产(元)	-	64,660,442.30	56,074,356.96		
	每股收益(元)	-	0.17	0.12		
	每股净资产(元)	-	1.29	1.12		
	净资产收益率(%)	-	13.28	10.83		

苏州方林科技股份有限公司

公司概况	公司名称	苏州方林科技股份有限公司			股份名称	方林科技
	法人代表	俞文伟	董秘	周燕燕	股份代码	430432
	公司网址	www.fanglin.cn		主办券商	东吴证券股份有限公司	
	电　　话	0512-67222710-8622		传　　真	0512-67222712	
	注册地址	江苏省苏州市高新区浒关分区新亭路9号				
	行业分类	制造业				
主要财务指标	指标\报告期	2014.06.30	2013.12.31	2012.12.31		
	营业收入(元)	166,657,885.11	351,179,899.35	416,244,189.95		
	营业利润(元)	22,165,419.09	43,620,998.97	54,229,432.08		
	净利润(元)	20,978,738.00	38,621,003.75	44,512,689.48		
	未分配利润(元)	54,022,230.92	43,219,492.92	16,910,823.92		
	总资产(元)	291,969,970.92	293,726,438.93	277,294,788.22		
	总负债(元)	90,775,754.75	103,332,714.67	115,313,551.55		
	净资产(元)	201,194,216.17	190,393,724.26	161,981,236.67		
	每股收益(元)	0.33	0.61	0.72		
	每股净资产(元)	3.16	2.99	2.54		
	净资产收益率(%)	10.43	20.29	27.51		

山东中瑞电子股份有限公司

公司概况	公司名称	山东中瑞电子股份有限公司			股份名称	中瑞电子
	法人代表	高启龙	董秘	荣辉	股份代码	430433
	公司网址	www.sdzrm.com		主办券商	光大证券股份有限公司	
	电　话	0539-2776768		传　真	0539-2776707	
	注册地址	山东省临沂市高新区宝山路153号2号楼101室				
	行业分类	制造业				

	指标\报告期	2014.06.30	2013.12.31	2012.12.31
主要财务指标	营业收入(元)	41,421,461.08	65,176,512.92	65,254,646.54
	营业利润(元)	3,157,873.48	361,273.35	8,159,783.43
	净利润(元)	2,277,182.24	1,961,009.06	7,629,436.63
	未分配利润(元)	1,850,030.42	-427,151.82	5,310,154.63
	总资产(元)	147,909,884.31	134,098,032.44	74,771,660.07
	总负债(元)	110,968,764.24	99,434,094.61	51,371,488.26
	净资产(元)	36,941,120.07	34,663,937.83	23,400,171.81
	每股收益(元)	0.08	0.07	0.25
	每股净资产(元)	1.23	1.18	0.78
	净资产收益率(%)	6.16	5.66	32.60

深圳市万泉河科技股份有限公司

公司概况	公司名称	深圳市万泉河科技股份有限公司			股份名称	万泉河
	法人代表	王亮	董秘	王秋红	股份代码	430434
	公司网址	www.36.cn		主办券商	东吴证券股份有限公司	
	电　话	0755-33037777-636		传　真	0755-82046669	
	注册地址	广东省深圳市福田区滨河路以南沙嘴路以东中央西谷大厦22层01.02.03.04.05.06				
	行业分类	信息传输、软件和信息技术服务业				

	指标\报告期	2014.06.30	2013.12.31	2012.12.31
主要财务指标	营业收入(元)		48,180,850.70	50,461,533.83
	营业利润(元)	-	4,433,418.43	4,338,167.14
	净利润(元)	-	5,292,754.90	5,195,635.19
	未分配利润(元)	-	5,548,742.68	4,137,869.75
	总资产(元)	-	43,105,742.88	30,683,483.26
	总负债(元)	-	9,013,939.93	11,624,124.27
	净资产(元)	-	34,091,802.95	19,059,358.99
	每股收益(元)	-	0.43	0.44
	每股净资产(元)	-	2.38	1.65
	净资产收益率(%)	-	16.01	26.74

上海数聚软件系统股份有限公司

公司概况	公司名称	上海数聚软件系统股份有限公司			股份名称	数聚软件
	法人代表	陈庆华	董秘	施玉洁	股份代码	430435
	公司网址	www.datacvg.com		主办券商	申银万国证券股份有限公司	
	电　话	021-51506298-8021		传　真	021-64870076	
	注册地址	上海市虹桥路333号1幢227室				
	行业分类	信息传输、软件和信息技术服务业				

	指标\报告期	2014.06.30	2013.12.31	2012.12.31
主要财务指标	营业收入(元)	19,953,884.20	25,925,828.99	9,273,550.22
	营业利润(元)	111,121.74	406,604.79	577,712.81
	净利润(元)	503,963.74	933,221.67	809,098.19
	未分配利润(元)	1,293,466.87	839,899.50	607,734.63
	总资产(元)	18,109,876.19	12,685,132.77	5,836,639.74
	总负债(元)	10,997,430.08	6,076,650.40	161,379.04
	净资产(元)	7,112,446.11	6,608,482.37	5,675,260.70
	每股收益(元)	0.1	0.19	0.16
	每股净资产(元)	1.42	1.32	1.14
	净资产收益率(%)	7.09	14.12	14.26

万洲电气股份有限公司

公司概况	公司名称	万洲电气股份有限公司			股份名称	万洲电气
	法人代表	赵世运	董秘	江松林	股份代码	430436
	公司网址	www.wanzhou.com.cn		主办券商	广发证券股份有限公司	
	电　话	0710-3400558-8666		传　真	0710-3400019	
	注册地址	湖北省襄阳市长征路58号				
	行业分类	制造业				

	指标\报告期	2014.06.30	2013.12.31	2012.12.31
主要财务指标	营业收入(元)		221,865,846.72	231,239,757.37
	营业利润(元)	-	1,574,541.01	6,855,894.57
	净利润(元)	-	4,515,189.58	10,711,933.64
	未分配利润(元)	-	25,748,793.56	21,706,334.16
	总资产(元)	-	441,532,800.16	429,940,482.24
	总负债(元)	-	268,497,560.23	261,420,431.89
	净资产(元)	-	173,035,239.93	168,520,050.35
	每股收益(元)	-	0.08	0.19
	每股净资产(元)	-	3.05	2.97
	净资产收益率(%)	-	2.61	6.36

广州绿洲生化科技股份有限公司

公司概况	公司名称	广州绿洲生化科技股份有限公司			股份名称	绿洲生化
	法人代表	卢新	董秘	赵莎	股份代码	430437
	公司网址	www.oasisbio.com.cn		主办券商	广发证券股份有限公司	
	电话	020-32096888		传真	020-32096836	
	注册地址	广东省广州市高新技术产业开发区科学大道科汇一街7号901室				
	行业分类	科学研究和技术服务业				

	指标\报告期	2014.06.30	2013.12.31	2012.12.31
主要财务指标	营业收入(元)		15,791,073.74	14,615,762.70
	营业利润(元)	–	3,241,309.93	3,488,987.39
	净利润(元)	–	3,841,579.43	3,310,170.48
	未分配利润(元)	–	3,561,419.26	2,603,997.77
	总资产(元)	–	24,594,970.97	22,701,037.87
	总负债(元)	–	1,456,245.20	903,891.53
	净资产(元)	–	23,138,725.77	21,797,146.34
	每股收益(元)	–	0.31	0.30
	每股净资产(元)	–	1.85	1.47
	净资产收益率(%)	–	16.60	15.19

星弧涂层新材料科技(苏州)股份有限公司

公司概况	公司名称	星弧涂层新材料科技(苏州)股份有限公司			股份名称	星弧涂层
	法人代表	王永辉	董秘	吴珺	股份代码	430438
	公司网址	www.stararc-coating.com		主办券商	东海证券股份有限公司	
	电话	0512-62870905		传真	0512-62870907	
	注册地址	江苏省苏州市工业园区唯新路81号				
	行业分类	制造业				

	指标\报告期	2014.06.30	2013.12.31	2012.12.31
主要财务指标	营业收入(元)	5,572,545.65	17,137,224.74	12,809,244.47
	营业利润(元)	–3,102,793.31	2,998,404.54	2,746,096.71
	净利润(元)	–118,812.31	2,718,597.23	2,821,928.43
	未分配利润(元)	–867,321.92	–748,509.61	4,345,311.80
	总资产(元)	38,111,967.82	31,576,942.49	28,661,300.73
	总负债(元)	24,480,574.47	17,826,736.83	13,129,692.30
	净资产(元)	13,631,393.35	13,750,205.66	15,531,608.43
	每股收益(元)	–0.01	0.23	0.24
	每股净资产(元)	1.14	1.15	1.46
	净资产收益率(%)	–0.87	19.77	18.17

上海亚杜润滑材料股份有限公司

公司概况	公司名称	上海亚杜润滑材料股份有限公司			股份名称	亚杜股份
	法人代表	孙瑾	董秘	丁敏亮	股份代码	430439
	公司网址	www.shyadu.cn		主办券商	申银万国证券股份有限公司	
	电话	021-52968200		传真	021-62235183	
	注册地址	上海市徐汇区桂平路680号33幢303-28室				
	行业分类	制造业				

	指标\报告期	2014.06.30	2013.12.31	2012.12.31
主要财务指标	营业收入(元)	–	23,420,125.32	15,576,357.91
	营业利润(元)	–	1,874,837.15	1,402,116.99
	净利润(元)	–	1,435,310.23	1,048,969.05
	未分配利润(元)	–	417,017.54	4,244,894.89
	总资产(元)	–	13,859,460.60	7,425,018.55
	总负债(元)	–	2,929,255.48	2,430,123.66
	净资产(元)	–	10,930,205.12	4,994,894.89
	每股收益(元)	–	0.19	0.10
	每股净资产(元)	–	1.09	0.50
	净资产收益率(%)	–	13.13	21.00

广东松本绿色新材股份有限公司

公司概况	公司名称	广东松本绿色新材股份有限公司			股份名称	松本绿色
	法人代表	林超群	董秘	苏钟南	股份代码	430440
	公司网址	www.sobenboard.com.cn		主办券商	广发证券股份有限公司	
	电话	0750-2623277,13556982908		传真	0750-2611668	
	注册地址	广东省开平市赤坎镇红溪路108号				
	行业分类	制造业				

	指标\报告期	2014.06.30	2013.12.31	2012.12.31
主要财务指标	营业收入(元)	–	157,467,145.30	136,281,646.11
	营业利润(元)	–	6,334,534.29	4,034,687.71
	净利润(元)	–	11,783,677.79	6,389,560.36
	未分配利润(元)	–	27,734,867.41	17,015,894.71
	总资产(元)	–	159,507,192.97	149,779,915.68
	总负债(元)	–	98,581,287.12	100,583,009.11
	净资产(元)	–	60,925,905.85	49,196,906.57
	每股收益(元)	–	0.40	0.21
	每股净资产(元)	–	2.03	1.53
	净资产收益率(%)	–	19.73	13.31

英极软件(大连)股份有限公司

公司概况	公司名称	英极软件(大连)股份有限公司			股份名称	英极股份
	法人代表	徐跃平	董秘	刘芝韧	股份代码	430441
	公司网址	www.edgesoft.cn		主办券商	海通证券股份有限公司	
	电　话	13387870503		传　真	0411-84753577	
	注册地址	辽宁省大连市高新技术产业园区火炬路 32 号 B 座 26-1 号				
	行业分类	信息传输、软件和信息技术服务业				

	指标\报告期	2014.06.30	2013.12.31	2012.12.31
主要财务指标	营业收入(元)	25,471,373.13	87,054,653.60	64,545,609.84
	营业利润(元)	14,409,537.77	63,730,710.55	31,491,121.37
	净利润(元)	23,001,472.25	62,516,407.69	58,072,205.29
	未分配利润(元)	138,684,672.46	115,683,200.21	58,089,529.53
	总资产(元)	256,985,890.67	231,219,568.89	187,322,909.38
	总负债(元)	24,642,841.56	28,180,994.48	42,319,851.41
	净资产(元)	232,343,049.11	203,038,574.41	145,003,057.97
	每股收益(元)	1.03	2.80	2.61
	每股净资产(元)	10.42	9.10	6.51
	净资产收益率(%)	9.9	30.79	40.05

无锡华昊电器股份有限公司

公司概况	公司名称	无锡华昊电器股份有限公司			股份名称	华昊电器
	法人代表	朱昊	董秘	金晔	股份代码	430442
	公司网址	www.wxhuahao.com		主办券商	广发证券股份有限公司	
	电　话	0510-88157798		传　真	0510-88157758	
	注册地址	江苏省无锡市南丰工业集中区 B 区 F03 号				
	行业分类	制造业				

	指标\报告期	2014.06.30	2013.12.31	2012.12.31
主要财务指标	营业收入(元)	–	70,692,707.45	63,923,264.75
	营业利润(元)	–	2,691,400.71	1,249,358.37
	净利润(元)	–	1,854,866.65	1,009,689.46
	未分配利润(元)	–	2,065,085.32	762,463.15
	总资产(元)	–	48,311,821.27	48,234,808.80
	总负债(元)	–	31,998,750.70	33,453,135.13
	净资产(元)	–	16,313,070.57	14,781,673.67
	每股收益(元)	–	0.14	0.08
	每股净资产(元)	–	1.25	1.14
	净资产收益率(%)	–	11.37	6.83

北京易丰印捷科技股份有限公司

公司概况	公司名称	北京易丰印捷科技股份有限公司			股份名称	易丰股份
	法人代表	罗非	董秘	褚朝晖	股份代码	430443
	公司网址	www.fengprint.com		主办券商	南京证券股份有限公司	
	电　话	010-65687199		传　真	010-65687099	
	注册地址	北京市朝阳区安翔北里 11 号 4 层 418 室				
	行业分类	制造业				

	指标\报告期	2014.06.30	2013.12.31	2012.12.31
主要财务指标	营业收入(元)	8,498,657.78	17,979,907.17	17,748,887.58
	营业利润(元)	–773,035.81	144,020.57	155,203.76
	净利润(元)	95,223.14	114,018.42	183,676.36
	未分配利润(元)	–188,602.57	–283,825.71	1,790,226.47
	总资产(元)	11,858,987.79	12,118,862.25	11,516,275.56
	总负债(元)	5,660,605.70	6,015,703.30	7,527,135.03
	净资产(元)	6,198,382.09	6,103,158.95	3,989,140.53
	每股收益(元)	0.02	0.04	0.09
	每股净资产(元)	1.24	1.22	1.99
	净资产收益率(%)	1.54	1.87	4.60

苏州昆拓热控系统股份有限公司

公司概况	公司名称	苏州昆拓热控系统股份有限公司			股份名称	昆拓热控
	法人代表	刘明国	董秘	张运辉	股份代码	430444
	公司网址	www.qutu.com.cn		主办券商	长城证券有限责任公司	
	电　话	0512-62811728		传　真	0512-62819800	
	注册地址	江苏省苏州市工业园区胜浦镇民胜路 61 号				
	行业分类	制造业				

	指标\报告期	2014.06.30	2013.12.31	2012.12.31
主要财务指标	营业收入(元)	–	77,183,364.16	98,283,253.62
	营业利润(元)	–	–9,747,134.76	–429,932.56
	净利润(元)	–	–7,258,333.69	1,074,242.33
	未分配利润(元)	–	–3,745,361.89	5,152,871.30
	总资产(元)	–	84,221,302.95	97,285,153.78
	总负债(元)	–	49,733,059.58	54,331,856.72
	净资产(元)	–	34,488,243.37	42,953,297.06
	每股收益(元)	–	–0.51	0.09
	每股净资产(元)	–	2.42	3.06
	净资产收益率(%)	–	–21.18	2.50

仙宜岱股份有限公司

公司概况	公司名称	仙宜岱股份有限公司		股份名称	仙宜岱
	法人代表	颜宏钟	董秘 杨勇辉	股份代码	430445
	公司网址	www.xzyd.cc		主办券商	广发证券股份有限公司
	电话	13822906628		传真	0663-2355777
	注册地址	广东省普宁市军埠镇山家工业区			
	行业分类	制造业			

	指标\报告期	2014.06.30	2013.12.31	2012.12.31
主要财务指标	营业收入(元)	–	231,703,241.32	242,960,730.46
	营业利润(元)	–	26,179,566.01	47,898,209.05
	净利润(元)	–	22,809,202.74	41,250,279.70
	未分配利润(元)	–	20,544,871.54	28,227,898.03
	总资产(元)	–	334,102,717.85	320,351,480.58
	总负债(元)	–	125,442,307.21	115,660,272.68
	净资产(元)	–	208,660,410.64	204,691,207.90
	每股收益(元)	–	0.23	–
	每股净资产(元)	–	2.09	–
	净资产收益率(%)	–	10.94	21.70

武汉三灵科技产业股份有限公司

公司概况	公司名称	武汉三灵科技产业股份有限公司		股份名称	三灵科技
	法人代表	陈建明	董秘 刘琴(代)	股份代码	430446
	公司网址	www.sanlingst.com		主办券商	国盛证券有限责任公司
	电话	027-67845116		传真	027-67845030-808
	注册地址	湖北省武汉市东湖开发区关山二路特1号武汉国际企业中心			
	行业分类	制造业			

	指标\报告期	2014.06.30	2013.12.31	2012.12.31
主要财务指标	营业收入(元)	–	5,857,345.22	5,027,198.08
	营业利润(元)	–	-427,700.96	483,812.25
	净利润(元)	–	-33,969.06	350,083.66
	未分配利润(元)	–	-38,405.86	1,209,085.82
	总资产(元)	–	7,868,794.72	8,399,757.77
	总负债(元)	–	1,379,335.09	6,056,329.08
	净资产(元)	–	6,489,459.63	2,343,428.69
	每股收益(元)	–	-0.01	0.50
	每股净资产(元)	–	1.00	3.35
	净资产收益率(%)	–	-0.52	14.94

湖南广信科技股份有限公司

公司概况	公司名称	湖南广信科技股份有限公司		股份名称	广信科技
	法人代表	魏冬云	董秘 魏雅琴	股份代码	430447
	公司网址	www.gx-ei.com		主办券商	财富证券有限责任公司
	电话	0739-3602248		传真	0739-3606866
	注册地址	湖南省邵阳市新邵县酿溪镇东西路8号			
	行业分类	制造业			

	指标\报告期	2014.06.30	2013.12.31	2012.12.31
主要财务指标	营业收入(元)	59,148,448.42	110,938,030.90	99,648,836.53
	营业利润(元)	9,035,471.58	19,711,005.73	18,593,406.45
	净利润(元)	7,833,752.68	17,501,510.97	17,521,059.39
	未分配利润(元)	61,519,710.69	53,356,789.46	56,072,884.15
	总资产(元)	191,900,981.25	164,490,146.23	192,351,517.07
	总负债(元)	60,393,733.62	40,816,651.28	67,550,253.09
	净资产(元)	131,507,247.63	123,673,494.95	124,801,263.98
	每股收益(元)	0.15	0.32	0.32
	每股净资产(元)	2.39	2.24	2.26
	净资产收益率(%)	6.24	14.43	14.37

重庆和航科技股份有限公司

公司概况	公司名称	重庆和航科技股份有限公司		股份名称	和航科技
	法人代表	陈谊	董秘 李蓓	股份代码	430448
	公司网址	www.hehang.net		主办券商	大通证券股份有限公司
	电话	023-89120862		传真	023-89120862-1111
	注册地址	重庆市九龙坡区科园四街52号标准厂房K座3楼			
	行业分类	信息传输、软件和信息技术服务业			

	指标\报告期	2014.06.30	2013.12.31	2012.12.31
主要财务指标	营业收入(元)	–	16,007,207.64	20,826,656.49
	营业利润(元)	–	-2,583,166.33	3,594,080.46
	净利润(元)	–	-486,340.98	3,698,113.56
	未分配利润(元)	–	5,935,311.80	7,851,760.22
	总资产(元)	–	36,888,011.62	35,211,371.62
	总负债(元)	–	7,905,756.78	4,226,617.20
	净资产(元)	–	28,982,254.84	30,984,754.42
	每股收益(元)	–	-0.03	0.26
	每股净资产(元)	–	1.57	1.68
	净资产收益率(%)	–	-2.05	14.86

深圳市蓝泰源信息技术股份有限公司

公司概况						
	公司名称	深圳市蓝泰源信息技术股份有限公司			股份名称	蓝泰源
	法人代表	缑家瑞	董秘	时迎春	股份代码	430449
	公司网址	www.lantaiyuan.com		主办券商	大通证券股份有限公司	
	电　话	0755-26968718		传　真	0755-26968922	
	注册地址	广东省深圳市南山区高新园北区朗山二号路航天微电机大厦科研楼五楼西北侧504				
	行业分类	信息传输、软件和信息技术服务业				

主要财务指标	指标\报告期	2014.06.30	2013.12.31	2012.12.31
	营业收入(元)	–	46,043,845.13	42,098,399.51
	营业利润(元)	–	11,761,511.09	9,733,057.07
	净利润(元)	–	15,846,098.97	9,403,416.08
	未分配利润(元)	–	14,261,489.07	10,575,499.97
	总资产(元)	–	42,761,313.79	37,985,423.73
	总负债(元)	–	10,180,268.71	21,250,477.62
	净资产(元)	–	32,581,045.08	16,734,946.11
	每股收益(元)	–	0.99	0.59
	每股净资产(元)	–	2.04	1.05
	净资产收益率(%)	–	48.64	56.19

江苏正佰电气股份有限公司

公司概况						
	公司名称	江苏正佰电气股份有限公司			股份名称	正佰电气
	法人代表	蔡军强	董秘	张晨	股份代码	430450
	公司网址	www.jszbe.com		主办券商	广发证券股份有限公司	
	电　话	0512-55101013		传　真	0512-57178568	
	注册地址	江苏省苏州市昆山玉山镇城北兴友路33号2号厂房				
	行业分类	制造业				

主要财务指标	指标\报告期	2014.06.30	2013.12.31	2012.12.31
	营业收入(元)	–	63,669,264.55	60,072,231.94
	营业利润(元)	–	2,176,724.96	2,162,462.27
	净利润(元)	–	2,260,062.09	2,582,960.02
	未分配利润(元)	–	4,358,719.90	2,324,664.02
	总资产(元)	–	85,603,248.89	58,489,984.72
	总负债(元)	–	13,673,723.50	18,020,521.42
	净资产(元)	–	71,929,525.39	40,469,463.30
	每股收益(元)	–	0.05	0.09
	每股净资产(元)	–	1.09	1.35
	净资产收益率(%)	–	3.14	6.38

深圳市万人市场调查股份有限公司

公司概况						
	公司名称	深圳市万人市场调查股份有限公司			股份名称	万人调查
	法人代表	何明龙	董秘	何明龙	股份代码	430451
	公司网址	www.wanren.com		主办券商	广州证券有限责任公司	
	电　话	0755-25844582		传　真	0755-25844583	
	注册地址	广东省深圳市南山区粤兴二道6号武汉大学深圳产学研大楼B502-Ⅱ				
	行业分类	租赁和商务服务业				

主要财务指标	指标\报告期	2014.06.30	2013.12.31	2012.12.31
	营业收入(元)	–	11,512,904.64	9,904,051.91
	营业利润(元)	–	1,025,936.04	629,146.90
	净利润(元)	–	623,270.71	467,347.73
	未分配利润(元)	–	1,880,831.50	1,270,923.48
	总资产(元)	–	14,203,319.71	9,709,754.21
	总负债(元)	–	5,348,817.54	1,625,522.75
	净资产(元)	–	8,854,502.17	8,084,231.46
	每股收益(元)	–	0.10	0.08
	每股净资产(元)	–	1.37	1.26
	净资产收益率(%)	–	7.10	5.78

西安汇龙科技股份有限公司

公司概况						
	公司名称	西安汇龙科技股份有限公司			股份名称	汇龙科
	法人代表	刘英智	董秘	王剑武	股份代码	430452
	公司网址	www.xahuilong.com		主办券商	国海证券股份有限公司	
	电　话	029-88850155-840		传　真	029-88605520	
	注册地址	陕西省西安市高新区丈八一路1号汇鑫IBC1幢1单元21层12103号				
	行业分类	信息传输、软件和信息技术服务业				

主要财务指标	指标\报告期	2014.06.30	2013.12.31	2012.12.31
	营业收入(元)	–	168,567,601.04	130,457,219.65
	营业利润(元)	–	2,117,003.08	2,921,461.85
	净利润(元)	–	3,706,864.85	3,653,071.04
	未分配利润(元)	–	48,840,868.93	46,508,296.71
	总资产(元)	–	224,471,976.55	188,675,856.47
	总负债(元)	–	113,879,956.53	81,804,808.36
	净资产(元)	–	110,592,020.02	106,871,048.11
	每股收益(元)	–	0.08	0.09
	每股净资产(元)	–	2.11	2.03
	净资产收益率(%)	–	3.80	4.35

大连恒锐科技股份有限公司

公司概况	公司名称	大连恒锐科技股份有限公司			股份名称	恒锐科技
	法人代表	王发海	董秘	吴晓丹	股份代码	430453
	公司网址	www.everspry.com		主办券商	国信证券股份有限公司	
	电　话	0411-84791632		传　真	0411-84790090	
	注册地址	辽宁省大连市高新园区七贤岭希贤街 31 号				
	行业分类	信息传输、软件和信息技术服务业				

主要财务指标	指标\报告期	2014.06.30	2013.12.31	2012.12.31
	营业收入(元)	–	35,822,638.53	27,254,757.83
	营业利润(元)	–	19,324,125.33	9,224,021.01
	净利润(元)	–	17,870,158.54	9,863,104.06
	未分配利润(元)	–	26,143,421.50	10,036,562.29
	总资产(元)	–	46,779,811.83	29,219,919.16
	总负债(元)	–	5,755,965.92	6,066,231.79
	净资产(元)	–	41,023,845.91	23,153,687.37
	每股收益(元)	–	1.70	0.94
	每股净资产(元)	–	3.91	2.15
	净资产收益率(%)	–	43.56	42.60

东莞市百大新能源股份有限公司

公司概况	公司名称	东莞市百大新能源股份有限公司			股份名称	百大能源
	法人代表	刘淦昌	董秘	董燕萍	股份代码	430454
	公司网址	www.dgbaida.cn		主办券商	国信证券股份有限公司	
	电　话	0769-23075438		传　真	0769-23075548	
	注册地址	广东省东莞市松山湖科技产业园区创新科技园 3 号楼 5 楼 509、510、511 室				
	行业分类	制造业				

主要财务指标	指标\报告期	2014.06.30	2013.12.31	2012.12.31
	营业收入(元)	–	45,133,312.67	31,157,801.18
	营业利润(元)	–	6,990,476.74	1,600,095.14
	净利润(元)	–	8,241,055.81	6,716,384.23
	未分配利润(元)	–	15,305,587.82	7,888,637.59
	总资产(元)	–	66,277,423.94	50,100,686.75
	总负债(元)	–	29,247,929.77	21,312,248.39
	净资产(元)	–	37,029,494.17	28,788,438.36
	每股收益(元)	–	0.41	0.37
	每股净资产(元)	–	1.85	1.45
	净资产收益率(%)	–	22.26	23.33

杭州德联科技股份有限公司

公司概况	公司名称	杭州德联科技股份有限公司			股份名称	德联科技
	法人代表	胡真	董秘	刘春华	股份代码	430455
	公司网址	www.hzdelian.com		主办券商	国信证券股份有限公司	
	电　话	0571-89922366		传　真	0571-88971851	
	注册地址	浙江省杭州市滨江区长河街道长河路 475 号 1 幢 1 层 102 室				
	行业分类	信息传输、软件和信息技术服务业				

主要财务指标	指标\报告期	2014.06.30	2013.12.31	2012.12.31
	营业收入(元)	–	46,640,010.62	31,415,241.61
	营业利润(元)	–	7,999,169.66	2,563,992.91
	净利润(元)	–	9,938,861.80	4,762,443.71
	未分配利润(元)	–	7,190,387.09	11,629,184.36
	总资产(元)	–	51,621,012.51	44,289,478.83
	总负债(元)	–	30,321,668.47	21,379,047.46
	净资产(元)	–	21,299,344.04	22,910,431.37
	每股收益(元)	–	0.76	0.48
	每股净资产(元)	–	1.64	2.29
	净资产收益率(%)	–	46.66	20.79

苏州和氏设计营造股份有限公司

公司概况	公司名称	苏州和氏设计营造股份有限公司			股份名称	和氏股份
	法人代表	吴景贤	董秘	鲁红霞	股份代码	430456
	公司网址	www.hisdesign.cn		主办券商	国信证券股份有限公司	
	电　话	0512-67868508-805		传　真	0512-67868508	
	注册地址	江苏省苏州市工业园区宏业路 128 号				
	行业分类	文化、体育和娱乐业				

主要财务指标	指标\报告期	2014.06.30	2013.12.31	2012.12.31
	营业收入(元)	88,999,252.31	204,767,911.01	280,454,863.21
	营业利润(元)	10,299,056.84	15,486,150.87	15,293,405.90
	净利润(元)	9,004,275.97	14,313,249.04	13,812,581.52
	未分配利润(元)	53,173,271.75	44,168,995.78	31,287,071.64
	总资产(元)	232,351,686.58	245,822,811.31	173,769,467.19
	总负债(元)	131,824,230.46	154,299,631.16	96,559,536.08
	净资产(元)	100,527,456.12	91,523,180.15	77,209,931.11
	每股收益(元)	0.21	0.34	0.33
	每股净资产(元)	2.39	2.18	1.84
	净资产收益率(%)	8.96	15.64	17.89

浙江三网科技股份有限公司

公司概况						
公司名称	浙江三网科技股份有限公司			股份名称	三网科技
法人代表	陈亦刚	董秘	仇瑶	股份代码	430457
公司网址	www.thirdnet.com.cn		主办券商	国信证券股份有限公司	
电　话	0571-85116060-6009		传　真	0571-85807071	
注册地址	浙江省杭州市滨江区江南大道3880号华荣时代大厦1401-1406室				
行业分类	信息传输、软件和信息技术服务业				

主要财务指标：指标\报告期	2014.06.30	2013.12.31	2012.12.31
营业收入(元)	5,556,701.95	10,523,863.00	17,381,830.34
营业利润(元)	-623,616.59	-979,125.64	201,951.95
净利润(元)	1,019,495.78	839,760.10	761,764.85
未分配利润(元)	1,155,738.01	136,242.23	-7,681,387.74
总资产(元)	29,807,112.46	21,065,993.93	21,548,774.13
总负债(元)	16,681,858.32	8,960,235.57	16,282,775.87
净资产(元)	13,125,254.14	12,105,758.36	5,265,998.26
每股收益(元)	0.09	0.07	0.07
每股净资产(元)	1.1	1.02	0.47
净资产收益率(%)	7.77	6.94	14.47

大连陆海科技股份有限公司

公司概况					
公司名称	大连陆海科技股份有限公司			股份名称	陆海科技
法人代表	王更五	董秘	林敏	股份代码	430458
公司网址	www.maritech.cn		主办券商	国信证券股份有限公司	
电　话	0411-84754811-8819		传　真	0411-84754300	
注册地址	辽宁省大连市高新园区七贤岭学子街2-3号605室				
行业分类	信息传输、软件和信息技术服务业				

主要财务指标：指标\报告期	2014.06.30	2013.12.31	2012.12.31
营业收入(元)	37,126,278.53	84,934,348.85	42,422,096.79
营业利润(元)	5,528,076.01	19,088,558.58	6,648,481.58
净利润(元)	5,459,739.56	17,312,655.44	6,618,508.59
未分配利润(元)	32,340,108.74	26,880,369.18	10,310,768.10
总资产(元)	65,979,982.81	68,470,689.02	50,644,870.94
总负债(元)	11,599,797.52	19,668,966.82	18,960,543.21
净资产(元)	54,380,185.29	48,801,722.20	31,684,327.73
每股收益(元)	0.27	0.87	0.33
每股净资产(元)	2.72	2.44	1.58
净资产收益率(%)	10.04	35.48	20.89

华艺生态园林股份有限公司

公司概况					
公司名称	华艺生态园林股份有限公司			股份名称	华艺园林
法人代表	胡优华	董秘	肖文	股份代码	430459
公司网址	www.hyyl.net		主办券商	国元证券股份有限公司	
电　话	0551-65333939		传　真	0551-65322663	
注册地址	安徽省合肥市高新区红枫路7号富邻广场B座12楼				
行业分类	建筑业				

主要财务指标：指标\报告期	2014.06.30	2013.12.31	2012.12.31
营业收入(元)	-	317,092,056.99	253,888,284.95
营业利润(元)	-	34,319,218.84	25,808,555.05
净利润(元)	-	29,045,461.87	21,995,636.36
未分配利润(元)	-	19,832,234.24	57,582,852.44
总资产(元)	-	394,406,220.26	241,723,612.64
总负债(元)	-	254,043,739.70	130,406,593.95
净资产(元)	-	140,362,480.56	111,317,018.69
每股收益(元)	-	0.44	-
每股净资产(元)	-	2.13	-
净资产收益率(%)	-	20.69	19.76

苏州太湖电工新材料股份有限公司

公司概况					
公司名称	苏州太湖电工新材料股份有限公司			股份名称	太湖股份
法人代表	施泉荣	董秘	王庆国	股份代码	430460
公司网址	www.wjzyjz.com		主办券商	宏源证券股份有限公司	
电　话	0512-63240922		传　真	0512-63240922	
注册地址	江苏省吴江市汾湖经济开发区北厍工业园				
行业分类	制造业				

主要财务指标：指标\报告期	2014.06.30	2013.12.31	2012.12.31
营业收入(元)	157,182,916.02	262,735,094.91	255,197,768.63
营业利润(元)	20,078,105.46	33,516,912.80	34,678,792.55
净利润(元)	20,185,382.00	30,626,546.19	32,059,526.87
未分配利润(元)	45,284,079.63	26,985,137.92	-724,809.61
总资产(元)	329,033,837.09	295,680,380.09	289,339,103.35
总负债(元)	105,213,454.07	90,170,379.07	114,455,648.52
净资产(元)	223,820,383.02	205,510,001.02	174,883,454.83
每股收益(元)	0.24	0.41	0.43
每股净资产(元)	2.71	2.73	2.32
净资产收益率(%)	9.04	14.94	18.36

南京视威电子科技股份有限公司

公司概况	公司名称	南京视威电子科技股份有限公司		股份名称	视威科技	
	法人代表	于江苏	董秘	陈璐	股份代码	430461
	公司网址	www.swit.cc		主办券商	宏源证券股份有限公司	
	电　　话	025-84817295		传　　真	025-85805296	
	注册地址	江苏省南京经济技术开发区恒通大道 10 号				
	行业分类	制造业				

	指标＼报告期	2014.06.30	2013.12.31	2012.12.31
主要财务指标	营业收入(元)	–	51,826,816.17	53,547,300.31
	营业利润(元)	–	5,074,079.79	7,866,953.78
	净利润(元)	–	6,524,498.96	7,033,272.28
	未分配利润(元)	–	6,772,776.55	9,872,921.56
	总资产(元)	–	52,048,358.95	58,499,715.05
	总负债(元)	–	5,378,304.78	12,570,159.84
	净资产(元)	–	46,670,054.17	45,929,555.21
	每股收益(元)	–	0.22	0.23
	每股净资产(元)	–	1.44	1.53
	净资产收益率(%)	–	13.98	15.31

广东树业环保科技股份有限公司

公司概况	公司名称	广东树业环保科技股份有限公司		股份名称	树业环保	
	法人代表	林树光	董秘	曾繁泉	股份代码	430462
	公司网址	www.shuye.com.cn		主办券商	广发证券股份有限公司	
	电　　话	0754-85776899-8008		传　　真	0754-85776699	
	注册地址	广东省汕头市澄海区盐鸿镇鸿二公路旁司马埔工业区				
	行业分类	制造业				

	指标＼报告期	2014.06.30	2013.12.31	2012.12.31
主要财务指标	营业收入(元)	199,602,104.99	389,193,804.55	294,389,371.96
	营业利润(元)	13,821,507.90	27,840,127.07	34,820,444.09
	净利润(元)	14,594,431.41	38,329,264.29	35,457,675.35
	未分配利润(元)	157,195,167.91	142,600,736.50	108,104,398.64
	总资产(元)	543,355,633.06	493,160,564.21	414,138,444.59
	总负债(元)	235,927,039.62	200,326,402.18	159,633,546.85
	净资产(元)	307,428,593.44	292,834,162.03	254,504,897.74
	每股收益(元)	0.19	0.51	0.47
	每股净资产(元)	4.09	3.89	3.38
	净资产收益率(%)	4.75	13.09	13.93

广西汽牛农业机械股份有限公司

公司概况	公司名称	广西汽牛农业机械股份有限公司		股份名称	汽牛股份	
	法人代表	全春茂	董秘	梁学旺	股份代码	430463
	公司网址	www.qiniu.cn		主办券商	国海证券股份有限公司	
	电　　话	0775-3795107		传　　真	0775-3792386	
	注册地址	广西壮族自治区玉林市兴业县大平山镇工业园区陈村温口玉石公路旁				
	行业分类	制造业				

	指标＼报告期	2014.06.30	2013.12.31	2012.12.31
主要财务指标	营业收入(元)	38,059,308.57	137,617,670.67	134,982,849.83
	营业利润(元)	-3,512,217.36	-2,002,707.41	9,719,029.97
	净利润(元)	-3,439,344.70	-1,332,299.68	9,532,849.95
	未分配利润(元)	6,903,796.23	10,336,405.16	11,908,310.40
	总资产(元)	139,276,280.25	147,455,769.27	183,980,082.74
	总负债(元)	86,136,356.69	90,876,501.01	123,684,240.36
	净资产(元)	53,139,923.56	56,579,268.26	60,295,842.38
	每股收益(元)	-0.08	-0.04	0.23
	每股净资产(元)	1.24	1.33	1.36
	净资产收益率(%)	-6.57	-2.82	16.86

深圳市方迪科技股份有限公司

公司概况	公司名称	深圳市方迪科技股份有限公司		股份名称	方迪科技	
	法人代表	谭建忠	董秘	韩妮	股份代码	430464
	公司网址	www.fortunes.com.cn		主办券商	国信证券股份有限公司	
	电　　话	0755-23981368		传　　真	0755-83436293	
	注册地址	广东省深圳市福田区车公庙泰然九路海松大厦 B-2102				
	行业分类	信息传输、软件和信息技术服务业				

	指标＼报告期	2014.06.30	2013.12.31	2012.12.31
主要财务指标	营业收入(元)	–	111,252,231.65	132,832,746.59
	营业利润(元)	–	127,027.62	5,590,135.31
	净利润(元)	–	222,908.67	5,441,280.63
	未分配利润(元)	–	6,869,770.44	6,669,152.64
	总资产(元)	–	108,203,863.70	99,715,545.11
	总负债(元)	–	73,278,856.34	65,013,446.42
	净资产(元)	–	34,925,007.36	34,702,098.69
	每股收益(元)	–	0.01	0.27
	每股净资产(元)	–	1.75	1.74
	净资产收益率(%)	–	0.64	15.68

贵州东方世纪科技股份有限公司

公司概况	公司名称	贵州东方世纪科技股份有限公司			股份名称	东方科技
	法人代表	李胜	董秘	李宏	股份代码	430465
	公司网址	www.ssking.com		主办券商	海通证券股份有限公司	
	电　　话	0851-5600224		传　　真	0851-5601201	
	注册地址	贵州省贵阳市高新区金阳知识产业园创业大厦5楼				
	行业分类	信息传输、软件和信息技术服务业				

	指标\报告期	2014.06.30	2013.12.31	2012.12.31
主要财务指标	营业收入(元)	32,447,891.77	84,126,366.80	101,855,511.78
	营业利润(元)	5,856,739.70	3,007,715.54	8,362,264.50
	净利润(元)	5,097,373.85	5,045,444.78	7,396,678.34
	未分配利润(元)	4,221,891.44	-875,482.41	6,361,836.00
	总资产(元)	89,749,727.21	73,013,721.83	105,007,072.68
	总负债(元)	42,324,128.33	30,685,496.80	74,692,466.01
	净资产(元)	47,425,598.88	42,328,225.03	30,314,606.67
	每股收益(元)	0.14	0.14	0.65
	每股净资产(元)	1.32	1.18	2.65
	净资产收益率(%)	10.75	11.92	24.40

新疆华油技术服务股份有限公司

公司概况	公司名称	新疆华油技术服务股份有限公司			股份名称	新疆华油
	法人代表	李长根	董秘	胡峰	股份代码	430466
	公司网址	www.xinjianghuayou.com		主办券商	国信证券股份有限公司	
	电　　话	0991-3705291		传　　真	0991-3754312	
	注册地址	新疆维吾尔自治区乌鲁木齐经济技术开发区厦门一街北一巷21号				
	行业分类	采矿业				

	指标\报告期	2014.06.30	2013.12.31	2012.12.31
主要财务指标	营业收入(元)	-	167,702,288.50	150,600,812.60
	营业利润(元)	-	20,384,400.76	30,738,426.69
	净利润(元)	-	19,136,629.48	28,047,795.71
	未分配利润(元)	-	64,694,691.56	47,471,725.03
	总资产(元)	-	349,098,232.91	317,153,718.82
	总负债(元)	-	187,896,693.61	175,842,350.30
	净资产(元)	-	161,201,539.30	141,311,368.52
	每股收益(元)	-	0.38	0.56
	每股净资产(元)	-	3.22	2.83
	净资产收益率(%)	-	11.87	19.85

深圳市行健自动化股份有限公司

公司概况	公司名称	深圳市行健自动化股份有限公司			股份名称	深圳行健
	法人代表	马国强	董秘	严洪滨	股份代码	430467
	公司网址	www.wellreach.com		主办券商	国信证券股份有限公司	
	电　　话	0755-86336499		传　　真	0755-86336495	
	注册地址	广东省深圳市南山区科技中二路深圳软件园10#楼602				
	行业分类	信息传输、软件和信息技术服务业				

	指标\报告期	2014.06.30	2013.12.31	2012.12.31
主要财务指标	营业收入(元)	41,700,984.19	81,830,668.53	69,803,290.32
	营业利润(元)	12,767,146.22	14,940,880.07	11,502,271.26
	净利润(元)	11,155,251.91	13,543,627.45	10,258,510.56
	未分配利润(元)	26,172,124.96	15,556,873.05	4,044,789.72
	总资产(元)	74,752,694.32	65,344,231.06	48,748,477.66
	总负债(元)	14,768,816.22	15,975,604.87	12,923,478.92
	净资产(元)	59,983,878.10	49,368,626.19	35,824,998.74
	每股收益(元)	1.03	1.25	0.95
	每股净资产(元)	5.55	4.57	3.32
	净资产收益率(%)	18.6	27.43	28.64

新疆锦棉种业科技股份有限公司

公司概况	公司名称	新疆锦棉种业科技股份有限公司			股份名称	锦棉种业
	法人代表	陈建军	董秘	毕玉昆	股份代码	430468
	公司网址	www.xjjmzy.com		主办券商	宏源证券股份有限公司	
	电　　话	0992-6860770		传　　真	0992-6882927	
	注册地址	新疆锦棉种业科技股份有限公司				
	行业分类	农、林、牧、渔业				

	指标\报告期	2014.06.30	2013.12.31	2012.12.31
主要财务指标	营业收入(元)	-	139,294,940.18	117,895,996.96
	营业利润(元)	-	9,721,406.12	8,847,715.65
	净利润(元)	-	10,941,493.79	9,421,398.21
	未分配利润(元)	-	6,709,283.71	-653,200.00
	总资产(元)	-	126,971,150.87	118,164,639.11
	总负债(元)	-	64,868,423.17	64,453,688.11
	净资产(元)	-	62,102,727.70	53,710,951.00
	每股收益(元)	-	0.22	0.19
	每股净资产(元)	-	1.29	1.07
	净资产收益率(%)	-	17.62	17.54

成都必控科技股份有限公司

公司概况	公司名称	成都必控科技股份有限公司			股份名称	必控科技
	法人代表	盛杰	董秘	侯彦伶	股份代码	430469
	公司网址	www.cdbiktech.com		主办券商	广发证券股份有限公司	
	电话	028-85980529		传真	028-85980520	
	注册地址	四川省成都市高新区世纪城南路216号天府软件园D5号楼14层				
	行业分类	制造业				

	指标\报告期	2014.06.30	2013.12.31	2012.12.31
主要财务指标	营业收入(元)	–	24,693,724.70	20,528,286.54
	营业利润(元)	–	3,954,328.23	377,065.02
	净利润(元)	–	3,943,916.56	790,210.65
	未分配利润(元)	–	4,293,729.23	691,474.95
	总资产(元)	–	42,562,012.63	33,316,266.88
	总负债(元)	–	19,745,912.63	14,444,083.44
	净资产(元)	–	22,816,100.00	18,872,183.44
	每股收益(元)	–	0.28	0.06
	每股净资产(元)	–	1.60	1.33
	净资产收益率(%)	–	17.29	4.19

杭州哲达科技股份有限公司

公司概况	公司名称	杭州哲达科技股份有限公司			股份名称	哲达科技
	法人代表	沈新荣	董秘	章宇舟	股份代码	430470
	公司网址	www.zetacn.com		主办券商	广发证券股份有限公司	
	电话	0571-88908608		传真	0571-88063806	
	注册地址	浙江省杭州市西湖区教工路88号立元大厦601室				
	行业分类	制造业				

	指标\报告期	2014.06.30	2013.12.31	2012.12.31
主要财务指标	营业收入(元)	–	228,768,362.84	273,427,641.18
	营业利润(元)	–	1,178,937.57	14,666,162.82
	净利润(元)	–	7,912,803.27	16,000,877.34
	未分配利润(元)	–	66,204,883.29	61,991,598.72
	总资产(元)	–	249,869,623.86	229,721,469.68
	总负债(元)	–	90,525,212.29	75,289,861.38
	净资产(元)	–	159,344,411.57	154,431,608.30
	每股收益(元)	–	0.16	0.32
	每股净资产(元)	–	3.19	3.09
	净资产收益率(%)	–	4.97	10.36

郑州豪威尔电子科技股份有限公司

公司概况	公司名称	郑州豪威尔电子科技股份有限公司			股份名称	豪威尔
	法人代表	李启海	董秘	马文浩	股份代码	430471
	公司网址	www.zzhaoweier.cn		主办券商	国信证券股份有限公司	
	电话	0371-67858908		传真	0371-67858818	
	注册地址	河南省郑州市高新开发区腊梅路57号				
	行业分类	制造业				

	指标\报告期	2014.06.30	2013.12.31	2012.12.31
主要财务指标	营业收入(元)	30,142,739.51	47,199,058.84	27,025,218.21
	营业利润(元)	7,896,115.39	9,168,944.92	5,231,537.55
	净利润(元)	8,427,580.13	10,563,590.08	4,894,205.61
	未分配利润(元)	19,027,785.25	12,499,205.12	3,964,476.61
	总资产(元)	60,403,073.14	45,957,651.76	30,200,048.25
	总负债(元)	28,514,327.31	22,397,486.06	16,204,472.63
	净资产(元)	31,888,745.83	23,560,165.70	13,995,575.62
	每股收益(元)	0.78	1.17	0.54
	每股净资产(元)	2.95	2.62	1.56
	净资产收益率(%)	26.43	44.84	34.97

昆明安泰得软件股份有限公司

公司概况	公司名称	昆明安泰得软件股份有限公司			股份名称	安泰得
	法人代表	张自震	董秘	陈玮	股份代码	430472
	公司网址	www.atidesoft.com		主办券商	国信证券股份有限公司	
	电话	0871-65090782-1315		传真	0871-68214128	
	注册地址	云南省昆明市高新区科园路99号鼎易商务中心B座13楼				
	行业分类	信息传输、软件和信息技术服务业				

	指标\报告期	2014.06.30	2013.12.31	2012.12.31
主要财务指标	营业收入(元)	–	20,070,531.07	15,175,691.00
	营业利润(元)	–	7,038,100.45	6,510,616.87
	净利润(元)	–	7,961,132.01	7,479,943.20
	未分配利润(元)	–	19,150,845.07	11,985,826.26
	总资产(元)	–	37,114,089.93	28,392,682.42
	总负债(元)	–	10,018,796.44	9,258,520.94
	净资产(元)	–	27,095,293.49	19,134,161.48
	每股收益(元)	–	1.59	1.50
	每股净资产(元)	–	5.42	3.83
	净资产收益率(%)	–	29.38	39.09

成都网动光电子技术股份有限公司

公司概况	公司名称	成都网动光电子技术股份有限公司			股份名称	网动股份
	法人代表	汪润泉	董秘	付莉华	股份代码	430473
	公司网址	www.neton.com.cn		主办券商	国信证券股份有限公司	
	电　话	028-86080286-803		传　真	028-85192424	
	注册地址	四川省成都市高新区高朋大路11号科技工业园A区5楼				
	行业分类	制造业				

	指标\报告期	2014.06.30	2013.12.31	2012.12.31
主要财务指标	营业收入(元)	–	20,814,393.41	20,490,050.43
	营业利润(元)	–	1,153,562.31	1,200,566.33
	净利润(元)	–	1,913,102.35	1,853,064.00
	未分配利润(元)	–	2,780,920.53	1,059,128.42
	总资产(元)	–	24,163,532.92	23,805,593.03
	总负债(元)	–	9,693,017.29	14,248,179.75
	净资产(元)	–	14,470,515.63	9,557,413.28
	每股收益(元)	–	0.28	0.31
	每股净资产(元)	–	1.93	1.59
	净资产收益率(%)	–	13.22	19.39

广东恒裕灯饰股份有限公司

公司概况	公司名称	广东恒裕灯饰股份有限公司			股份名称	恒裕灯饰
	法人代表	何忠勇	董秘	李翠云	股份代码	430474
	公司网址	www.hengyulighting.com		主办券商	东北证券股份有限公司	
	电　话	0752-2060253		传　真	0752-2060900	
	注册地址	广东省惠州市仲恺高新区惠风东二路16号B501-1号				
	行业分类	制造业				

	指标\报告期	2014.06.30	2013.12.31	2012.12.31
主要财务指标	营业收入(元)	17,203,925.57	35,150,707.58	36,877,932.16
	营业利润(元)	–1,486,355.12	977,485.44	1,099,360.12
	净利润(元)	–1,449,688.45	893,224.86	923,624.69
	未分配利润(元)	–197,721.86	1,251,966.59	448,064.22
	总资产(元)	31,218,124.35	27,204,265.99	25,053,432.34
	总负债(元)	20,260,188.17	14,796,641.36	13,539,032.57
	净资产(元)	10,957,936.18	12,407,624.63	11,514,399.77
	每股收益(元)	–0.14	0.09	0.09
	每股净资产(元)	1.1	1.24	1.15
	净资产收益率(%)	–13.23	7.20	8.02

上海陆道工程设计管理股份有限公司

公司概况	公司名称	上海陆道工程设计管理股份有限公司			股份名称	陆道设计
	法人代表	刘笑盈	董秘	刘克玉	股份代码	430475
	公司网址	www.stoa.com.cn		主办券商	安信证券股份有限公司	
	电　话	021-62111177		传　真	021-52388896	
	注册地址	上海市徐汇区桂平路680号33幢301-14室				
	行业分类	科学研究和技术服务业				

	指标\报告期	2014.06.30	2013.12.31	2012.12.31
主要财务指标	营业收入(元)	–	106,609,408.28	63,343,025.25
	营业利润(元)	–	9,766,787.86	3,922,756.27
	净利润(元)	–	11,054,455.70	5,069,395.04
	未分配利润(元)	–	8,118,418.43	6,928,072.44
	总资产(元)	–	86,460,725.12	53,501,112.32
	总负债(元)	–	63,384,668.31	41,432,957.98
	净资产(元)	–	23,076,056.81	12,068,154.34
	每股收益(元)	–	0.92	0.39
	每股净资产(元)	–	1.77	0.84
	净资产收益率(%)	–	52.30	46.35

济南海能仪器股份有限公司

公司概况	公司名称	济南海能仪器股份有限公司			股份名称	海能仪器
	法人代表	王志刚	董秘	李瑞强	股份代码	430476
	公司网址	www.hanon.cc		主办券商	国信证券股份有限公司	
	电　话	0531-88874444-115		传　真	0531-88874445	
	注册地址	山东省济南市高新区天辰大街677号3号楼				
	行业分类	制造业				

	指标\报告期	2014.06.30	2013.12.31	2012.12.31
主要财务指标	营业收入(元)	–	63,883,423.34	35,299,708.63
	营业利润(元)	–	9,967,917.68	4,612,858.77
	净利润(元)	–	12,465,209.42	6,515,900.89
	未分配利润(元)	–	12,413,229.91	4,130,556.83
	总资产(元)	–	72,638,087.65	42,195,551.77
	总负债(元)	–	26,654,347.28	22,927,020.82
	净资产(元)	–	45,983,740.37	19,268,530.95
	每股收益(元)	–	0.92	0.59
	每股净资产(元)	–	2.80	1.45
	净资产收益率(%)	–	27.05	35.15

芜湖盛力科技股份有限公司

公司概况	公司名称	芜湖盛力科技股份有限公司		股份名称	盛力科技
	法人代表	张武江	董秘 丁树人	股份代码	430477
	公司网址	www.slzd.com	主办券商	国元证券股份有限公司	
	电　话	0553-3026108	传　真	0553-3026111	
	注册地址	安徽省芜湖市高新技术产业开发区西山路 17 号			
	行业分类	制造业			

主要财务指标	指标\报告期	2014.06.30	2013.12.31	2012.12.31
	营业收入(元)	–	154,481,310.01	133,570,212.74
	营业利润(元)	–	–6,794,243.10	–2,869,923.73
	净利润(元)	–	941,669.84	1,972,059.14
	未分配利润(元)	–	3,824,534.75	3,681,031.89
	总资产(元)	–	241,920,355.03	250,978,355.52
	总负债(元)	–	199,231,161.55	208,526,831.88
	净资产(元)	–	42,689,193.48	42,451,523.64
	每股收益(元)	–	0.03	0.06
	每股净资产(元)	–	1.33	1.33
	净资产收益率(%)	–	2.21	4.65

安徽禾益化学股份有限公司

公司概况	公司名称	安徽禾益化学股份有限公司		股份名称	禾益化学
	法人代表	董来山	董秘 董来高	股份代码	430478
	公司网址	www.heryipharma.com	主办券商	国元证券股份有限公司	
	电　话	0550-7764800	传　真	0550-7764822	
	注册地址	安徽省天长市杨村工业区康达路 2 号			
	行业分类	制造业			

主要财务指标	指标\报告期	2014.06.30	2013.12.31	2012.12.31
	营业收入(元)	–	76,168,057.75	87,567,587.22
	营业利润(元)	–	15,103,160.68	18,686,892.18
	净利润(元)	–	14,251,996.31	15,305,922.75
	未分配利润(元)	–	12,826,796.68	27,386,103.66
	总资产(元)	–	95,952,031.98	78,239,134.02
	总负债(元)	–	29,794,131.61	34,410,129.96
	净资产(元)	–	66,157,900.37	43,829,004.06
	每股收益(元)	–	1.19	1.28
	每股净资产(元)	–	5.09	3.65
	净资产收益率(%)	–	21.54	34.92

成都网阔信息技术股份有限公司

公司概况	公司名称	成都网阔信息技术股份有限公司		股份名称	网阔信息
	法人代表	兰翔	董秘 施春燕	股份代码	430479
	公司网址	www.manzz.com	主办券商	华西证券有限责任公司	
	电　话	028-85217211-302	传　真	028-85212191	
	注册地址	四川省成都市高新区肖家河二环路南四段 16			
	行业分类	信息传输、软件和信息技术服务业			

主要财务指标	指标\报告期	2014.06.30	2013.12.31	2012.12.31
	营业收入(元)	67,201,271.14	84,779,608.53	58,939,315.32
	营业利润(元)	14,117,736.71	18,525,227.22	16,016,441.34
	净利润(元)	12,526,116.13	17,652,276.60	14,669,646.43
	未分配利润(元)	38,124,459.51	31,282,501.85	22,004,347.07
	总资产(元)	78,397,431.25	68,102,247.58	53,132,110.07
	总负债(元)	21,283,126.52	18,514,058.98	14,544,442.14
	净资产(元)	57,114,304.73	49,588,188.60	38,587,667.93
	每股收益(元)	1.18	1.70	1.48
	每股净资产(元)	5.58	4.89	3.84
	净资产收益率(%)	21.23	34.80	38.49

郑州辰维科技股份有限公司

公司概况	公司名称	郑州辰维科技股份有限公司		股份名称	辰维科技
	法人代表	张勇	董秘 刘振宇	股份代码	430480
	公司网址	www.chenweikeji.com	主办券商	光大证券股份有限公司	
	电　话	0371-67996990-8101	传　真	0371-67997001	
	注册地址	河南省郑州市高新技术产业开发区云杉路 9 号 5 幢			
	行业分类	信息传输、软件和信息技术服务业			

主要财务指标	指标\报告期	2014.06.30	2013.12.31	2012.12.31
	营业收入(元)	–	15,064,307.80	13,001,161.98
	营业利润(元)	–	1,345,587.34	1,570,332.14
	净利润(元)	–	2,185,190.91	2,120,051.57
	未分配利润(元)	–	5,933,089.95	3,967,062.61
	总资产(元)	–	21,133,707.13	18,342,218.63
	总负债(元)	–	5,791,450.93	5,184,508.86
	净资产(元)	–	15,342,256.20	13,157,709.77
	每股收益(元)	–	0.34	0.33
	每股净资产(元)	–	2.41	2.07
	净资产收益率(%)	–	14.24	16.11

新疆吉瑞祥科技股份有限公司

公司概况	公司名称	新疆吉瑞祥科技股份有限公司			股份名称	吉瑞祥
	法人代表	吉祥	董秘	张亚红	股份代码	430481
	公司网址	www.jrx.com.cn		主办券商	东方花旗证券有限公司	
	电　　话	0994-2355618		传　　真	0994-2355618	
	注册地址	新疆昌吉市昌五路吉瑞祥工业园				
	行业分类	制造业				

	指标\报告期	2014.06.30	2013.12.31	2012.12.31
主要财务指标	营业收入(元)	16,554,991.83	55,988,698.51	45,359,214.70
	营业利润(元)	-4,111,346.02	521,674.43	1,909,931.07
	净利润(元)	1,129,537.40	1,683,361.12	657,525.80
	未分配利润(元)	5,983,120.50	4,853,583.10	3,319,364.73
	总资产(元)	69,954,235.41	72,136,358.90	74,376,549.40
	总负债(元)	47,900,068.64	51,701,729.53	55,625,281.15
	净资产(元)	22,054,166.77	20,434,629.37	18,751,268.25
	每股收益(元)	0.08	0.11	0.04
	每股净资产(元)	1.44	1.36	1.25
	净资产收益率(%)	5.24	8.24	3.51

河源富马硬质合金股份有限公司

公司概况	公司名称	河源富马硬质合金股份有限公司			股份名称	河源富马
	法人代表	王忠平	董秘	黄伟	股份代码	430482
	公司网址	www.fuma-carbide.com		主办券商	广发证券股份有限公司	
	电　　话	0762-8816078		传　　真	0762-8813163	
	注册地址	广东省河源市仙塘经济技术开发区				
	行业分类	制造业				

	指标\报告期	2014.06.30	2013.12.31	2012.12.31
主要财务指标	营业收入(元)	74,620,565.97	145,019,782.30	147,411,062.96
	营业利润(元)	6,386,264.49	12,185,078.29	7,278,781.68
	净利润(元)	6,146,006.51	11,059,392.52	7,727,936.36
	未分配利润(元)	49,990,056.75	52,244,050.24	47,750,596.97
	总资产(元)	167,567,820.69	173,108,619.09	176,524,388.66
	总负债(元)	55,362,134.30	58,648,939.21	67,664,101.30
	净资产(元)	112,205,686.39	114,459,679.88	108,860,287.36
	每股收益(元)	0.15	0.26	0.18
	每股净资产(元)	2.67	2.73	2.59
	净资产收益率(%)	5.48	9.66	7.10

哈尔滨森鹰窗业股份有限公司

公司概况	公司名称	哈尔滨森鹰窗业股份有限公司			股份名称	森鹰窗业
	法人代表	边书平	董秘	张同新	股份代码	430483
	公司网址	www.sayyas.com		主办券商	广发证券股份有限公司	
	电　　话	13946180714		传　　真	0451-86708763	
	注册地址	黑龙江省哈尔滨市南岗区王岗镇新农路9				
	行业分类	制造业				

	指标\报告期	2014.06.30	2013.12.31	2012.12.31
主要财务指标	营业收入(元)	-	355,675,881.59	311,145,661.34
	营业利润(元)	-	43,755,100.75	28,716,003.56
	净利润(元)	-	41,120,254.74	29,145,195.29
	未分配利润(元)	-	82,259,021.15	45,229,948.57
	总资产(元)	-	419,488,462.20	373,348,630.66
	总负债(元)	-	159,412,056.47	169,392,479.67
	净资产(元)	-	260,076,405.73	203,956,150.99
	每股收益(元)	-	0.67	0.67
	每股净资产(元)	-	4.13	3.40
	净资产收益率(%)	-	15.81	14.29

福建求实智能股份有限公司

公司概况	公司名称	福建求实智能股份有限公司			股份名称	求实智能
	法人代表	张安东	董秘	谢新春	股份代码	430484
	公司网址	www.qsachina.com		主办券商	大通证券股份有限公司	
	电　　话	0592-2950158		传　　真	0592-5365222	
	注册地址	福建省厦门市火炬高新区(翔安)产业区翔岳路45号第二层				
	行业分类	制造业				

	指标\报告期	2014.06.30	2013.12.31	2012.12.31
主要财务指标	营业收入(元)	18,488,123.20	62,072,562.30	51,836,442.83
	营业利润(元)	345,918.01	7,645,615.41	5,931,091.44
	净利润(元)	1,514,738.58	10,552,197.45	6,419,834.55
	未分配利润(元)	24,233,998.01	22,719,259.43	12,453,088.88
	总资产(元)	99,090,466.23	100,159,305.06	78,251,082.90
	总负债(元)	46,126,082.49	48,709,659.90	37,353,635.19
	净资产(元)	52,964,383.74	51,449,645.16	40,897,447.71
	每股收益(元)	0.06	0.42	0.26
	每股净资产(元)	2.11	2.06	1.64
	净资产收益率(%)	2.86	20.51	15.70

南京旭建新型建材股份有限公司

公司概况	公司名称	南京旭建新型建材股份有限公司			股份名称	南京旭建
	法人代表	孙维理	董秘	仇海泓	股份代码	430485
	公司网址	www.najalc.com	主办券商	宏源证券股份有限公司		
	电　话	025-68197508	传　真	025-68190009		
	注册地址	江苏省南京市雨花台区建通路1号				
	行业分类	制造业				

主要财务指标	指标\报告期	2014.06.30	2013.12.31	2012.12.31
	营业收入(元)	–	215,423,036.44	211,596,264.71
	营业利润(元)	–	24,405,552.11	5,215,936.48
	净利润(元)	–	18,780,894.59	8,400,732.47
	未分配利润(元)	–	26,163,961.08	9,452,348.51
	总资产(元)	–	392,541,349.22	353,614,213.98
	总负债(元)	–	167,829,381.66	149,282,679.09
	净资产(元)	–	224,711,967.56	204,331,534.89
	每股收益(元)	–	0.12	0.05
	每股净资产(元)	–	1.40	1.28
	净资产收益率(%)	–	8.36	4.11

广州普金计算机科技股份有限公司

公司概况	公司名称	广州普金计算机科技股份有限公司			股份名称	普金科技
	法人代表	邱进	董秘	甘蔚	股份代码	430486
	公司网址	www.everygold.com	主办券商	广州证券有限责任公司		
	电　话	020-38621696	传　真	020-38621074		
	注册地址	广东省广州市天河区黄埔大道西平云路163号广电平云广场A塔5层整层				
	行业分类	信息传输、软件和信息技术服务业				

主要财务指标	指标\报告期	2014.06.30	2013.12.31	2012.12.31
	营业收入(元)	–	23,560,127.69	16,503,330.78
	营业利润(元)	–	–1,328,916.55	–1,739,884.04
	净利润(元)	–	274,899.34	–915,666.93
	未分配利润(元)	–	2,094,727.94	1,749,093.39
	总资产(元)	–	56,958,990.38	51,370,287.97
	总负债(元)	–	19,412,687.59	14,098,884.52
	净资产(元)	–	37,546,302.79	37,271,403.45
	每股收益(元)	–	0.01	–0.03
	每股净资产(元)	–	1.16	1.14
	净资产收益率(%)	–	1.17	–2.22

深圳市佳信捷技术股份有限公司

公司概况	公司名称	深圳市佳信捷技术股份有限公司			股份名称	佳信捷
	法人代表	王鑫	董秘	李郁	股份代码	430487
	公司网址	www.szjxj.com	主办券商	国信证券股份有限公司		
	电　话	0755-23032400	传　真	0755-27696961		
	注册地址	广东省深圳市宝安区福永街道新和新兴工业园六区A2幢				
	行业分类	制造业				

主要财务指标	指标\报告期	2014.06.30	2013.12.31	2012.12.31
	营业收入(元)	–	136,022,939.15	168,058,956.93
	营业利润(元)	–	1,508,275.13	19,035,822.99
	净利润(元)	–	4,682,699.63	16,574,691.23
	未分配利润(元)	–	10,645,590.46	6,383,043.64
	总资产(元)	–	207,228,502.55	189,710,790.67
	总负债(元)	–	50,800,547.41	37,965,535.16
	净资产(元)	–	156,427,955.14	151,745,255.51
	每股收益(元)	–	0.06	0.21
	每股净资产(元)	–	1.96	1.90
	净资产收益率(%)	–	2.99	10.92

杭州东创科技股份有限公司

公司概况	公司名称	杭州东创科技股份有限公司			股份名称	东创科技
	法人代表	曾善平	董秘	方枕吉	股份代码	430488
	公司网址	www.eastelsoft.com	主办券商	国信证券股份有限公司		
	电　话	0571-28993693	传　真	0571-88480228		
	注册地址	浙江省杭州市西湖区西斗门路3号天堂软件园E幢12层A座				
	行业分类	信息传输、软件和信息技术服务业				

主要财务指标	指标\报告期	2014.06.30	2013.12.31	2012.12.31
	营业收入(元)	20,520,654.80	53,689,749.31	36,951,326.80
	营业利润(元)	–2,866,399.71	4,304,728.16	3,226,655.16
	净利润(元)	–1,777,594.07	5,743,162.52	5,928,366.76
	未分配利润(元)	13,355,438.02	15,133,032.09	9,950,680.11
	总资产(元)	80,457,888.68	69,666,024.70	52,567,007.34
	总负债(元)	36,317,665.48	23,748,207.43	12,392,352.59
	净资产(元)	44,140,223.20	45,917,817.27	40,174,654.75
	每股收益(元)	–0.11	0.37	0.38
	每股净资产(元)	2.81	2.92	2.56
	净资产收益率(%)	–4.03	12.51	14.76

安徽佳先功能助剂股份有限公司

公司概况	公司名称	安徽佳先功能助剂股份有限公司			股份名称	佳先股份
	法人代表	李兑	董秘	汪静	股份代码	430489
	公司网址	www.bbjx.com.cn		主办券商	国元证券股份有限公司	
	电　话	0552-4096953		传　真	0552-4096953	
	注册地址	安徽省蚌埠市吴湾路215号				
	行业分类	制造业				

	指标\报告期	2014.06.30	2013.12.31	2012.12.31
主要财务指标	营业收入(元)	60,695,219.48	105,853,516.29	95,408,853.64
	营业利润(元)	9,866,868.51	13,844,871.50	14,788,340.78
	净利润(元)	9,428,815.85	14,206,572.50	13,919,007.31
	未分配利润(元)	25,680,902.40	22,786,086.55	17,175,171.30
	总资产(元)	115,597,875.76	109,595,223.41	105,795,498.24
	总负债(元)	36,258,105.00	32,867,080.62	41,899,240.16
	净资产(元)	79,339,770.76	76,728,142.79	63,896,258.08
	每股收益(元)	0.43	0.69	0.69
	每股净资产(元)	3.64	3.52	3.12
	净资产收益率(%)	11.88	18.52	21.78

广东旭龙物联科技股份有限公司

公司概况	公司名称	广东旭龙物联科技股份有限公司			股份名称	旭龙物联
	法人代表	徐朝荣	董秘	徐龙平	股份代码	430490
	公司网址	www.xl-scan.cn		主办券商	广发证券股份有限公司	
	电　话	020-32068947		传　真	020-82115390	
	注册地址	广东省广州市萝岗区科学城科学大道科汇一街7号401房				
	行业分类	制造业				

	指标\报告期	2014.06.30	2013.12.31	2012.12.31
主要财务指标	营业收入(元)	–	22,648,730.93	16,054,113.91
	营业利润(元)	–	3,796,855.69	3,629,644.63
	净利润(元)	–	3,422,451.96	3,255,297.53
	未分配利润(元)	–	3,603,792.48	2,283,585.72
	总资产(元)	–	27,663,164.47	24,981,753.91
	总负债(元)	–	3,457,002.92	2,438,044.32
	净资产(元)	–	24,206,161.55	22,543,709.59
	每股收益(元)	–	0.17	0.16
	每股净资产(元)	–	1.21	1.13
	净资产收益率(%)	–	14.14	14.44

厦门蓝斯通信股份有限公司

公司概况	公司名称	厦门蓝斯通信股份有限公司			股份名称	蓝斯股份
	法人代表	林升元	董秘	曾宪洪	股份代码	430491
	公司网址	www.xmlenz.com		主办券商	国信证券股份有限公司	
	电　话	0592-6307828		传　真	0592-5765080	
	注册地址	福建省厦门市软件园二期望海路19号101单元A区				
	行业分类	制造业				

	指标\报告期	2014.06.30	2013.12.31	2012.12.31
主要财务指标	营业收入(元)	–	38,708,569.84	30,709,074.70
	营业利润(元)	–	7,153,099.57	5,940,748.69
	净利润(元)	–	9,038,707.15	9,764,088.51
	未分配利润(元)	–	19,566,250.04	11,431,413.61
	总资产(元)	–	72,124,120.11	41,577,825.11
	总负债(元)	–	35,335,352.09	13,827,764.24
	净资产(元)	–	36,788,768.02	27,750,060.87
	每股收益(元)	–	0.84	0.90
	每股净资产(元)	–	3.41	2.57
	净资产收益率(%)	–	24.57	35.19

济南老来寿生物股份有限公司

公司概况	公司名称	济南老来寿生物股份有限公司			股份名称	老来寿
	法人代表	张金桦	董秘	张如柏	股份代码	430492
	公司网址	www.laolaishou.com		主办券商	齐鲁证券有限公司	
	电　话	0531-86516177		传　真	0531-86516226	
	注册地址	山东省济南市高新区舜华路2000号舜泰广场9号楼0604室				
	行业分类	制造业				

	指标\报告期	2014.06.30	2013.12.31	2012.12.31
主要财务指标	营业收入(元)	12,425,776.00	23,106,384.85	27,677,663.84
	营业利润(元)	1,631,923.78	5,612,007.92	15,414,687.66
	净利润(元)	1,404,690.33	4,413,703.77	13,198,615.43
	未分配利润(元)	19,394,744.54	18,160,632.52	26,688,299.13
	总资产(元)	54,345,300.52	53,410,194.52	57,094,450.17
	总负债(元)	3,595,770.37	4,031,899.95	3,336,739.37
	净资产(元)	50,749,530.15	49,378,294.57	53,757,710.80
	每股收益(元)	0.07	0.22	0.66
	每股净资产(元)	2.54	2.47	2.69
	净资产收益率(%)	2.77	8.94	24.55

大同新成新材料股份有限公司

公司概况	公司名称	大同新成新材料股份有限公司		股份名称	新成新材
	法人代表	张培林	董秘	张培模	股份代码	430493
	公司网址	www.xcg-carbon.com		主办券商	申银万国证券股份有限公司
	电　　话	18235206013		传　　真	0352-3175263
	注册地址	山西省大同市新荣区花园屯村			
	行业分类	制造业			

主要财务指标	指标\报告期	2014.06.30	2013.12.31	2012.12.31
	营业收入(元)	78,275,288.04	170,461,954.28	232,110,562.45
	营业利润(元)	4,113,813.80	3,977,708.86	36,553,252.44
	净利润(元)	7,807,364.31	9,114,400.69	33,439,969.57
	未分配利润(元)	44,349,957.17	39,829,946.83	31,568,315.49
	总资产(元)	516,270,983.73	505,219,346.68	476,611,450.65
	总负债(元)	202,350,061.73	196,618,053.98	177,124,558.64
	净资产(元)	313,920,922.00	308,601,292.70	299,486,892.01
	每股收益(元)	0.07	0.08	0.27
	每股净资产(元)	2.62	2.49	2.42
	净资产收益率(%)	2.31	2.76	11.32

安徽华博胜讯信息科技股份有限公司

公司概况	公司名称	安徽华博胜讯信息科技股份有限公司		股份名称	华博胜讯
	法人代表	王学杰	董秘	梅友华	股份代码	430494
	公司网址	www.hb-sx.net		主办券商	华安证券股份有限公司
	电　　话	0551-65367428		传　　真	0551-65367448
	注册地址	安徽省合肥市高新技术开发区天元路1号合肥留学人员创业园1-210/212室			
	行业分类	信息传输、软件和信息技术服务业			

主要财务指标	指标\报告期	2014.06.30	2013.12.31	2012.12.31
	营业收入(元)	-	41,003,260.17	28,974,624.39
	营业利润(元)	-	279,473.26	-209,874.73
	净利润(元)	-	2,139,437.16	728,867.69
	未分配利润(元)	-	977,603.84	718,916.27
	总资产(元)	-	33,234,419.72	23,682,428.78
	总负债(元)	-	17,521,431.47	10,062,196.21
	净资产(元)	-	15,712,988.25	13,620,232.57
	每股收益(元)	-	0.17	0.06
	每股净资产(元)	-	1.23	1.06
	净资产收益率(%)	-	13.62	5.35

大连奥远电子股份有限公司

公司概况	公司名称	大连奥远电子股份有限公司		股份名称	奥远电子
	法人代表	胡剑锋	董秘	于静芳	股份代码	430495
	公司网址	www.allrun.com.cn		主办券商	齐鲁证券有限公司
	电　　话	0411-84593009		传　　真	0411-84593045
	注册地址	辽宁省大连市高新技术产业园区火炬路32号B座24层2401号			
	行业分类	信息传输、软件和信息技术服务业			

主要财务指标	指标\报告期	2014.06.30	2013.12.31	2012.12.31
	营业收入(元)	-	96,315,842.64	105,479,553.44
	营业利润(元)	-	2,893,568.51	-1,509,836.92
	净利润(元)	-	2,689,480.65	-336,344.84
	未分配利润(元)	-	4,047,355.66	1,497,079.87
	总资产(元)	-	55,664,818.94	49,642,141.21
	总负债(元)	-	29,738,809.50	26,905,612.42
	净资产(元)	-	25,926,009.44	22,736,528.79
	每股收益(元)	-	0.13	-0.01
	每股净资产(元)	-	1.29	1.13
	净资产收益率(%)	-	10.37	-0.72

山东大正医疗器械股份有限公司

公司概况	公司名称	山东大正医疗器械股份有限公司		股份名称	大正医疗
	法人代表	王伟民	董秘	杨一民	股份代码	430496
	公司网址	www.gredmedic.com		主办券商	齐鲁证券有限公司
	电　　话	0631-5627255		传　　真	0631-5690613
	注册地址	山东省威海市火炬高技术产业开发区大连路65号			
	行业分类	制造业			

主要财务指标	指标\报告期	2014.06.30	2013.12.31	2012.12.31
	营业收入(元)	-	71,387,671.72	60,974,080.81
	营业利润(元)	-	24,344,540.00	17,615,040.21
	净利润(元)	-	21,477,731.89	15,403,223.41
	未分配利润(元)	-	36,851,061.78	30,412,577.75
	总资产(元)	-	94,655,056.61	85,148,864.93
	总负债(元)	-	13,230,500.33	12,390,565.87
	净资产(元)	-	81,424,556.28	72,758,299.06
	每股收益(元)	-	0.58	0.42
	每股净资产(元)	-	2.20	1.97
	净资产收益率(%)	-	26.38	21.17

威海威硬工具股份有限公司

	公司名称	威海威硬工具股份有限公司			股份名称	威硬工具
公司概况	法人代表	于乔	董秘	赵乐	股份代码	430497
	公司网址	www.whweiying.com		主办券商	齐鲁证券有限公司	
	电话	0631-5685601		传真	0631-5683191	
	注册地址	山东省威海市高技术产业开发区初村昊山路				
	行业分类	制造业				

	指标\报告期	2014.06.30	2013.12.31	2012.12.31
主要财务指标	营业收入(元)	23,514,335.78	42,862,877.99	32,818,988.31
	营业利润(元)	7,341,252.55	15,366,506.51	10,471,137.50
	净利润(元)	7,444,247.47	14,302,839.61	9,305,645.39
	未分配利润(元)	21,412,165.73	17,717,918.26	4,826,530.76
	总资产(元)	82,298,156.53	79,016,620.11	57,257,585.41
	总负债(元)	23,993,520.24	24,406,231.29	19,104,036.20
	净资产(元)	58,304,636.29	54,610,388.82	38,153,549.21
	每股收益(元)	0.25	0.48	0.31
	每股净资产(元)	1.94	1.82	1.27
	净资产收益率(%)	12.77	26.19	24.39

青岛嘉华网络股份有限公司

	公司名称	青岛嘉华网络股份有限公司			股份名称	嘉网股份
公司概况	法人代表	张栋桂	董秘	张栋桂	股份代码	430498
	公司网址	www.qdjiahua.com		主办券商	齐鲁证券有限公司	
	电话	0532-81118188		传真	0532-81118188-205	
	注册地址	山东省青岛市市南区宁夏路288号4号楼一层东侧				
	行业分类	信息传输、软件和信息技术服务业				

	指标\报告期	2014.06.30	2013.12.31	2012.12.31
主要财务指标	营业收入(元)	12,519,617.14	23,204,462.89	17,211,970.03
	营业利润(元)	509,365.43	977,015.59	-1,671,514.18
	净利润(元)	471,148.94	834,930.40	-899,011.99
	未分配利润(元)	560,388.89	89,239.95	-735,774.90
	总资产(元)	9,888,044.76	11,430,717.27	8,869,763.06
	总负债(元)	1,898,803.72	3,912,625.17	2,186,601.36
	净资产(元)	7,989,241.04	7,518,092.10	6,683,161.70
	每股收益(元)	0.07	0.12	-0.13
	每股净资产(元)	1.14	1.07	0.95
	净资产收益率(%)	5.90	11.11	-13.45

安徽中科自动化股份有限公司

	公司名称	安徽中科自动化股份有限公司			股份名称	中科股份
公司概况	法人代表	潘劲松	董秘	程明	股份代码	430499
	公司网址	www.zke999.com		主办券商	华安证券股份有限公司	
	电话	0556-6983099		传真	0556-6982888	
	注册地址	安徽省桐城市新渡镇华东塑料城B区19号				
	行业分类	制造业				

	指标\报告期	2014.06.30	2013.12.31	2012.12.31
主要财务指标	营业收入(元)	-	185,148,219.79	183,598,752.68
	营业利润(元)	-	24,002,639.94	24,427,513.52
	净利润(元)	-	21,207,976.32	22,032,043.86
	未分配利润(元)	-	5,567,949.54	29,662,773.72
	总资产(元)	-	123,422,656.52	149,560,070.91
	总负债(元)	-	75,272,224.63	96,617,615.34
	净资产(元)	-	48,150,431.89	52,942,455.57
	每股收益(元)	-	0.56	
	每股净资产(元)	-	1.27	
	净资产收益率(%)	-	44.05	41.62

江苏亚奥科技股份有限公司

	公司名称	江苏亚奥科技股份有限公司			股份名称	亚奥科技
公司概况	法人代表	张彤	董秘	唐卫	股份代码	430500
	公司网址	www.jsyaao.com.cn		主办券商	南京证券股份有限公司	
	电话	025-84812955		传真	025-84812955	
	注册地址	江苏省南京市玄武区玄武大道699-1号徐庄软件基地管委会行政服务中心5楼				
	行业分类	信息传输、软件和信息技术服务业				

	指标\报告期	2014.06.30	2013.12.31	2012.12.31
主要财务指标	营业收入(元)	28,540,093.82	72,948,854.12	67,889,563.75
	营业利润(元)	1,209,816.85	8,581,882.37	8,111,863.21
	净利润(元)	1,264,164.47	8,696,643.98	8,598,970.60
	未分配利润(元)	32,283,546.41	31,013,778.07	22,825,187.74
	总资产(元)	102,474,438.91	103,992,008.93	94,990,708.26
	总负债(元)	15,391,026.33	18,172,760.82	17,868,104.13
	净资产(元)	87,083,412.58	85,819,248.11	77,122,604.13
	每股收益(元)	0.04	0.29	0.29
	每股净资产(元)	2.90	2.86	2.57
	净资产收益率(%)	1.46	10.15	11.17

厦门超宇环保科技股份有限公司

公司概况	公司名称	厦门超宇环保科技股份有限公司		股份名称	超宇环保
	法人代表	宿焕超	董秘 宿艺菲	股份代码	430501
	公司网址			主办券商	齐鲁证券有限公司
	电　话	18759276999		传　真	0592-7022863
	注册地址	福建省厦门市火炬高新区(翔安)产业区台湾科技企业育成中心C102D室			
	行业分类	制造业			

主要财务指标	指标\报告期	2014.06.30	2013.12.31	2012.12.31
	营业收入(元)	6,210,187.88	12,203,556.12	9,846,567.04
	营业利润(元)	201,256.28	1,486,218.46	461,497.11
	净利润(元)	929,648.95	1,369,415.58	255,355.44
	未分配利润(元)	1,497,409.61	567,760.66	-279,732.14
	总资产(元)	23,803,770.21	23,611,486.14	34,570,519.86
	总负债(元)	7,774,512.80	8,511,877.68	20,840,326.98
	净资产(元)	16,029,257.41	15,099,608.46	13,730,192.88
	每股收益(元)	0.07	0.10	0.02
	每股净资产(元)	1.14	1.08	0.98
	净资产收益率(%)	5.80	9.07	1.86

潍坊万隆电气股份有限公司

公司概况	公司名称	潍坊万隆电气股份有限公司		股份名称	万隆电气
	法人代表	刘林	董秘 刘强	股份代码	430502
	公司网址	www.wanlongdianqi.com		主办券商	齐鲁证券有限公司
	电　话	0536-8865380		传　真	0536-8865381
	注册地址	山东省潍坊市高新技术产业开发区银枫路9号			
	行业分类	制造业			

主要财务指标	指标\报告期	2014.06.30	2013.12.31	2012.12.31
	营业收入(元)	-	37,069,475.92	28,567,611.22
	营业利润(元)	-	403,800.27	98,198.64
	净利润(元)	-	1,571,112.88	3,001,305.06
	未分配利润(元)	-	4,307,789.37	2,893,787.78
	总资产(元)	-	32,331,569.14	34,305,758.35
	总负债(元)	-	21,846,531.31	25,391,833.40
	净资产(元)	-	10,485,037.83	8,913,924.95
	每股收益(元)	-	0.31	0.60
	每股净资产(元)	-	2.10	1.78
	净资产收益率(%)	-	14.98	33.67

安徽昌盛电子股份有限公司

公司概况	公司名称	安徽昌盛电子股份有限公司		股份名称	昌盛股份
	法人代表	李福喜	董秘 佟卫东	股份代码	430503
	公司网址	www.ahcsdz.com		主办券商	华安证券股份有限公司
	电　话	0552-3088882		传　真	0552-3061668
	注册地址	安徽省蚌埠市长征南路88号			
	行业分类	华安证券股份有限公司			

主要财务指标	指标\报告期	2014.06.30	2013.12.31	2012.12.31
	营业收入(元)	24,860,704.65	44,231,972.65	35,999,590.11
	营业利润(元)	2,286,213.02	5,902,878.07	4,534,234.41
	净利润(元)	2,522,789.04	4,538,375.85	3,216,251.35
	未分配利润(元)	3,722,860.43	1,200,071.39	2,660,365.37
	总资产(元)	46,058,860.82	33,742,982.12	25,517,012.85
	总负债(元)	18,854,439.06	17,381,349.40	11,237,483.12
	净资产(元)	27,204,421.76	16,361,632.72	14,279,529.73
	每股收益(元)	0.21	0.38	0.27
	每股净资产(元)	2.09	1.36	3.14
	净资产收益率(%)	9.27	27.74	22.52

郑州众智科技股份有限公司

公司概况	公司名称	郑州众智科技股份有限公司		股份名称	众智科技
	法人代表	杨新征	董秘 邓艳峰	股份代码	430504
	公司网址	www.smartgen.com.cn		主办券商	南京证券股份有限公司
	电　话	0371-67988888		传　真	0371-67992952
	注册地址	河南省郑州市高新区金梭路28号			
	行业分类	制造业			

主要财务指标	指标\报告期	2014.06.30	2013.12.31	2012.12.31
	营业收入(元)	26,133,219.32	53,136,352.76	45,087,925.47
	营业利润(元)	1,056,276.34	4,478,448.48	2,324,356.24
	净利润(元)	2,385,834.89	5,206,139.92	2,560,957.14
	未分配利润(元)	12,133,963.19	9,789,728.67	-
	总资产(元)	52,497,125.01	54,942,523.83	46,662,245.44
	总负债(元)	11,980,995.49	16,770,628.83	13,696,490.36
	净资产(元)	40,516,129.52	38,171,895.00	32,965,755.08
	每股收益(元)	0.10	0.21	0.10
	每股净资产(元)	1.62	1.53	1.32
	净资产收益率(%)	5.89	13.64	7.77

宁夏上陵牧业股份有限公司

公司概况						
公司概况	公司名称	宁夏上陵牧业股份有限公司		股份名称	上陵牧业	
	法人代表	史俭	董秘	张包平	股份代码	430505
	公司网址	www.shanglingmuye.com	主办券商	南京证券股份有限公司		
	电　话	0951-5134239	传　真	0951-6732325		
	注册地址	宁夏回族自治区银川市贺兰县洪广镇金山村沿山公路西侧1幢				
	行业分类	农、林、牧、渔业				

主要财务指标	指标\报告期	2014.06.30	2013.12.31	2012.12.31
	营业收入(元)	–	88,895,007.34	55,538,726.51
	营业利润(元)	–	11,169,469.94	4,609,410.10
	净利润(元)	–	11,758,673.17	3,468,887.55
	未分配利润(元)	–	12,670,744.63	912,071.46
	总资产(元)	–	380,939,515.15	270,990,727.34
	总负债(元)	–	290,121,461.30	191,931,346.66
	净资产(元)	–	90,818,053.85	79,059,380.68
	每股收益(元)	–	0.20	0.06
	每股净资产(元)	–	1.51	1.32
	净资产收益率(%)	–	12.95	4.39

郑州云飞扬信息技术股份有限公司

公司概况						
公司概况	公司名称	郑州云飞扬信息技术股份有限公司		股份名称	云飞扬	
	法人代表	范阳	董秘	张玉萍	股份代码	430506
	公司网址	www.yunfeiyang.com	主办券商	南京证券股份有限公司		
	电　话	0371-67896670	传　真	0371-67897760		
	注册地址	河南省郑州市高新开发区瑞达路96号				
	行业分类	信息传输、软件和信息技术服务业				

主要财务指标	指标\报告期	2014.06.30	2013.12.31	2012.12.31
	营业收入(元)	–	8,892,020.14	9,024,641.95
	营业利润(元)	–	–2,229,832.08	161,534.02
	净利润(元)	–	–1,348,814.51	808,249.44
	未分配利润(元)	–	833,641.05	2,182,455.56
	总资产(元)	–	11,442,101.64	9,789,105.38
	总负债(元)	–	4,952,760.83	1,950,950.06
	净资产(元)	–	6,489,340.81	7,838,155.32
	每股收益(元)	–	–0.27	0.16
	每股净资产(元)	–	1.30	1.57
	净资产收益率(%)	–	–20.79	10.31

无锡信达胶脂材料股份有限公司

公司概况						
公司概况	公司名称	无锡信达胶脂材料股份有限公司		股份名称	信达胶脂	
	法人代表	党渭铭	董秘	党跃平	股份代码	430507
	公司网址	www.xindachem.com	主办券商	金元证券股份有限公司		
	电　话	0510-80259000	传　真	0510-80259300		
	注册地址	江苏省无锡市新区华友东路6号				
	行业分类	制造业				

主要财务指标	指标\报告期	2014.06.30	2013.12.31	2012.12.31
	营业收入(元)	–	56,409,262.19	55,573,407.80
	营业利润(元)	–	–3,224,365.16	–2,767,054.11
	净利润(元)	–	–2,972,206.72	–1,880,091.07
	未分配利润(元)	–	–4,594,004.94	–1,603,089.10
	总资产(元)	–	61,483,731.81	56,514,601.39
	总负债(元)	–	25,168,999.53	17,227,662.39
	净资产(元)	–	36,314,732.28	39,286,939.00
	每股收益(元)	–	–0.07	–0.05
	每股净资产(元)	–	0.91	0.98
	净资产收益率(%)	–	–8.19	–4.79

海南中视文化传播股份有限公司

公司概况						
公司概况	公司名称	海南中视文化传播股份有限公司		股份名称	中视文化	
	法人代表	刘文军	董秘	徐建荣	股份代码	430508
	公司网址	www.hnzose.com	主办券商	金元证券股份有限公司		
	电　话	0898-68555153	传　真	0898-68555110		
	注册地址	海南省海口市滨海大道123号鸿联大厦11层				
	行业分类	文化、体育和娱乐业				

主要财务指标	指标\报告期	2014.06.30	2013.12.31	2012.12.31
	营业收入(元)	–	135,581,451.56	119,327,253.52
	营业利润(元)	–	6,203,831.67	1,704,890.75
	净利润(元)	–	6,183,401.32	1,117,149.25
	未分配利润(元)	–	12,094,952.44	5,911,551.12
	总资产(元)	–	118,393,143.29	103,717,970.77
	总负债(元)	–	46,168,346.14	37,676,574.94
	净资产(元)	–	72,224,797.15	66,041,395.83
	每股收益(元)	–	0.10	0.02
	每股净资产(元)	–	1.20	1.10
	净资产收益率(%)	–	8.56	1.69

中山银利智能科技股份有限公司

公司概况	公司名称	中山银利智能科技股份有限公司		股份名称	银利智能
	法人代表	袁东培	董秘 汤毅暖	股份代码	430509
	公司网址	www.zsyinli.com.cn		主办券商	金元证券股份有限公司
	电　话	0760-23381881		传　真	0760-23381015
	注册地址	广东省中山火炬开发区中山港出口加工区C幢厂房8层之一			
	行业分类	制造业			

主要财务指标	指标\报告期	2014.06.30	2013.12.31	2012.12.31
	营业收入(元)	–	29,343,349.77	23,628,902.29
	营业利润(元)	–	–1,330,171.78	137,993.70
	净利润(元)	–	–947,083.46	56,303.62
	未分配利润(元)	–	3,086,715.21	4,033,798.67
	总资产(元)	–	26,633,285.83	25,479,620.24
	总负债(元)	–	11,508,177.39	9,407,428.34
	净资产(元)	–	15,125,108.44	16,072,191.90
	每股收益(元)	–	–0.09	0.01
	每股净资产(元)	–	1.51	1.61
	净资产收益率(%)	–	–6.26	0.35

青岛丰光精密机械股份有限公司

公司概况	公司名称	青岛丰光精密机械股份有限公司		股份名称	丰光精密
	法人代表	李军	董秘 吕冬梅	股份代码	430510
	公司网址	www.qdfg.cn		主办券商	日信证券有限责任公司
	电　话	0532-87273528		传　真	0532-87273528
	注册地址	山东省青岛市胶州市胶州湾工业园太湖路2号			
	行业分类	制造业			

主要财务指标	指标\报告期	2014.06.30	2013.12.31	2012.12.31
	营业收入(元)	–	112,865,193.47	93,764,266.48
	营业利润(元)	–	9,580,569.10	1,068,947.89
	净利润(元)	–	10,441,930.35	698,842.66
	未分配利润(元)	–	3,757,588.85	655,124.42
	总资产(元)	–	161,237,783.54	172,201,942.63
	总负债(元)	–	28,670,439.21	44,286,156.30
	净资产(元)	–	132,567,344.33	127,915,786.33
	每股收益(元)	–	0.09	–
	每股净资产(元)	–	1.13	1.09
	净资产收益率(%)	–	7.88	0.55

山东省远大网络多媒体股份有限公司

公司概况	公司名称	山东省远大网络多媒体股份有限公司		股份名称	远大股份
	法人代表	李鼎	董秘 王海宁	股份代码	430511
	公司网址	www.llongwill.com		主办券商	上海证券有限责任公司
	电　话	0531-88900288-821		传　真	0531-88564899
	注册地址	山东省济南市高新区齐鲁软件园大厦1202室			
	行业分类	教育			

主要财务指标	指标\报告期	2014.06.30	2013.12.31	2012.12.31
	营业收入(元)	–	69,342,172.67	45,470,452.47
	营业利润(元)	–	15,380,901.80	10,016,885.03
	净利润(元)	–	19,034,800.52	10,107,441.62
	未分配利润(元)	–	37,439,140.05	22,907,819.58
	总资产(元)	–	75,103,361.86	55,189,733.92
	总负债(元)	–	16,878,131.77	13,399,304.35
	净资产(元)	–	58,225,230.09	41,790,429.57
	每股收益(元)	–	1.46	0.78
	每股净资产(元)	–	4.48	3.21
	净资产收益率(%)	–	32.69	24.19

无锡芯朋微电子股份有限公司

公司概况	公司名称	无锡芯朋微电子股份有限公司		股份名称	芯朋微
	法人代表	张立新	董秘 陈健	股份代码	430512
	公司网址	www.chipown.com.cn		主办券商	上海证券有限责任公司
	电　话	0510-85217718-8105		传　真	0510-85217728
	注册地址	江苏省无锡市新区长江路21号F座4层			
	行业分类	制造业			

主要财务指标	指标\报告期	2014.06.30	2013.12.31	2012.12.31
	营业收入(元)	70,108,751.16	158,299,700.71	130,612,694.25
	营业利润(元)	5,320,936.82	14,811,980.89	6,221,045.76
	净利润(元)	6,025,799.54	18,449,178.43	16,163,074.26
	未分配利润(元)	42,766,862.23	40,841,062.69	27,924,492.60
	总资产(元)	115,460,978.25	118,492,787.15	102,229,760.27
	总负债(元)	28,339,135.97	33,296,744.41	31,382,895.96
	净资产(元)	87,121,842.28	85,196,042.74	70,846,864.31
	每股收益(元)	0.29	0.90	0.79
	每股净资产(元)	4.25	4.16	3.48
	净资产收益率(%)	6.92	21.66	22.81

沈阳中科三耐新材料股份有限公司

公司概况	公司名称	沈阳中科三耐新材料股份有限公司			股份名称	中科三耐
	法人代表	谭若兵	董秘	魏宇	股份代码	430513
	公司网址	www.zksn.com		主办券商	申银万国证券股份有限公司	
	电　话	024-23748813		传　真	024-23748302	
	注册地址	辽宁省沈阳市浑南新区世纪路8号8-3				
	行业分类	制造业				

	指标\报告期	2014.06.30	2013.12.31	2012.12.31
主要财务指标	营业收入(元)	-	52,722,808.74	44,660,857.47
	营业利润(元)	-	10,255,551.89	8,565,452.45
	净利润(元)	-	9,116,164.99	8,807,009.91
	未分配利润(元)	-	31,724,322.17	23,519,773.68
	总资产(元)	-	91,021,569.10	77,324,682.02
	总负债(元)	-	17,639,005.01	13,058,282.92
	净资产(元)	-	73,382,564.09	64,266,399.10
	每股收益(元)	-	0.24	0.23
	每股净资产(元)	-	1.94	1.70
	净资产收益率(%)	-	12.42	13.70

江苏速升自动化装备股份有限公司

公司概况	公司名称	江苏速升自动化装备股份有限公司			股份名称	速升装备
	法人代表	王树生	董秘	陈铎	股份代码	430514
	公司网址	www.s139.com		主办券商	万联证券有限责任公司	
	电　话	0510-68898991		传　真	0510-88157777	
	注册地址	江苏省无锡市梅村镇新华路121号				
	行业分类	制造业				

	指标\报告期	2014.06.30	2013.12.31	2012.12.31
主要财务指标	营业收入(元)	-	79,056,202.81	65,963,959.94
	营业利润(元)	-	53,922.13	570,062.09
	净利润(元)	-	3,014,574.42	4,673,336.51
	未分配利润(元)	-	37,454,896.06	34,454,268.26
	总资产(元)	-	218,635,913.53	214,429,216.97
	总负债(元)	-	83,155,606.37	81,963,484.23
	净资产(元)	-	135,480,307.16	132,465,732.74
	每股收益(元)	-	0.05	0.08
	每股净资产(元)	-	2.26	2.21
	净资产收益率(%)	-	2.23	3.53

沈阳麟龙科技股份有限公司

公司概况	公司名称	沈阳麟龙科技股份有限公司			股份名称	麟龙股份
	法人代表	朱荣晖	董秘	陈建	股份代码	430515
	公司网址	www.win-stock.com.cn		主办券商	申银万国证券股份有限公司	
	电　话	024-23748813		传　真	024-23748302	
	注册地址	辽宁省沈阳市和平区三好街72号				
	行业分类	信息传输、软件和信息技术服务业				

	指标\报告期	2014.06.30	2013.12.31	2012.12.31
主要财务指标	营业收入(元)	43,497,074.38	59,270,934.04	22,714,245.52
	营业利润(元)	19,288,828.47	25,834,620.25	5,044,096.92
	净利润(元)	17,039,593.44	26,546,117.66	9,519,303.93
	未分配利润(元)	49,268,437.24	34,199,343.80	10,304,177.77
	总资产(元)	91,654,707.43	75,141,109.93	36,025,184.01
	总负债(元)	22,914,182.08	21,469,678.02	9,393,869.76
	净资产(元)	68,740,525.35	53,671,431.91	26,631,314.25
	每股收益(元)	1.51	2.38	0.87
	每股净资产(元)	6.10	4.77	2.42
	净资产收益率(%)	24.79	49.46	35.75

青岛文达通科技股份有限公司

公司概况	公司名称	青岛文达通科技股份有限公司			股份名称	文达通
	法人代表	于瑞升	董秘	窦猛	股份代码	430516
	公司网址	www.windaka.com		主办券商	金元证券股份有限公司	
	电　话	0532-86106788		传　真	0532-86911999	
	注册地址	山东省青岛市经济技术开发区前湾港路299号401室				
	行业分类	制造业				

	指标\报告期	2014.06.30	2013.12.31	2012.12.31
主要财务指标	营业收入(元)	-	58,356,937.48	33,237,629.25
	营业利润(元)	-	3,582,204.49	-1,240,861.17
	净利润(元)	-	3,878,577.51	2,386,132.72
	未分配利润(元)	-	6,752,703.48	3,027,258.22
	总资产(元)	-	62,974,047.30	45,044,742.97
	总负债(元)	-	36,737,617.80	23,860,670.76
	净资产(元)	-	26,236,429.50	21,184,072.21
	每股收益(元)	-	0.25	0.14
	每股净资产(元)	-	1.47	1.22
	净资产收益率(%)	-	16.95	11.54

济南新吉纳远程测控股份有限公司

公司概况	公司名称	济南新吉纳远程测控股份有限公司			股份名称	新吉纳
	法人代表	卢祥明	董秘	吕晓宁	股份代码	430517
	公司网址	www.ngn.cn		主办券商	上海证券有限责任公司	
	电　话	0531-81217578,13869101115		传　真	0531-81217578、81217579	
	注册地址	山东省济南市高新区舜华路 2000 号舜泰广场 8 号楼 1-805 室				
	行业分类	制造业				

	指标\报告期	2014.06.30	2013.12.31	2012.12.31
主要财务指标	营业收入(元)	–	11,189,199.89	8,104,311.84
	营业利润(元)	–	2,557,564.40	–100,453.36
	净利润(元)	–	2,676,867.10	13,954.81
	未分配利润(元)	–	2,325,190.00	–2,220,066.06
	总资产(元)	–	12,877,227.45	9,274,323.90
	总负债(元)	–	2,366,668.41	6,494,389.96
	净资产(元)	–	10,510,559.04	2,779,933.94
	每股收益(元)	–	0.40	0.00
	每股净资产(元)	–	1.33	0.56
	净资产收益率(%)	–	25.47	0.50

广东嘉达早教科技股份有限公司

公司概况	公司名称	广东嘉达早教科技股份有限公司			股份名称	嘉达早教
	法人代表	陈树佳	董秘	黄成助	股份代码	430518
	公司网址	www.jiadatoys.com		主办券商	申银万国证券股份有限公司	
	电　话	0754-88096698		传　真	0754-88096698	
	注册地址	广东省汕头市澄海区凤新二路凤新工业开发区				
	行业分类	制造业				

	指标\报告期	2014.06.30	2013.12.31	2012.12.31
主要财务指标	营业收入(元)	–	299,492,730.60	254,800,819.76
	营业利润(元)	–	43,316,913.41	45,684,727.97
	净利润(元)	–	36,838,001.43	38,366,944.19
	未分配利润(元)	–	97,311,254.65	64,035,991.53
	总资产(元)	–	260,033,684.05	244,377,346.61
	总负债(元)	–	16,427,357.64	37,633,059.48
	净资产(元)	–	243,606,326.41	206,744,287.13
	每股收益(元)	–	0.62	0.67
	每股净资产(元)	–	4.06	3.44
	净资产收益率(%)	–	15.22	18.60

大连博控科技股份有限公司

公司概况	公司名称	大连博控科技股份有限公司			股份名称	博控科技
	法人代表	曾永春	董秘	周小颖	股份代码	430519
	公司网址	www.bocondalian.com		主办券商	上海证券有限责任公司	
	电　话	0411-84793453		传　真	0411-84821017	
	注册地址	辽宁省大连市高新技术产业园区黄浦路 782 号 202-8、206 室				
	行业分类	制造业				

	指标\报告期	2014.06.30	2013.12.31	2012.12.31
主要财务指标	营业收入(元)	–	17,437,206.47	15,925,539.58
	营业利润(元)	–	–74,160.96	540,183.88
	净利润(元)	–	1,060,753.17	1,394,037.15
	未分配利润(元)	–	2,437,238.90	1,511,486.49
	总资产(元)	–	26,712,881.81	24,125,963.49
	总负债(元)	–	7,016,762.99	5,490,597.84
	净资产(元)	–	19,696,118.82	18,635,365.65
	每股收益(元)	–	0.09	0.12
	每股净资产(元)	–	1.64	1.55
	净资产收益率(%)	–	5.39	7.48

大连世安科技股份有限公司

公司概况	公司名称	大连世安科技股份有限公司			股份名称	世安科技
	法人代表	宗延杰	董秘	姜绮	股份代码	430520
	公司网址	www.dalianshian.com		主办券商	申银万国证券股份有限公司	
	电　话	0411-39979615		传　真	0411-39737269	
	注册地址	辽宁省大连市高新技术产业园区信达街 30 号 4 层				
	行业分类	制造业				

	指标\报告期	2014.06.30	2013.12.31	2012.12.31
主要财务指标	营业收入(元)	–	15,924,618.92	11,978,016.07
	营业利润(元)	–	2,487,272.68	2,377,310.49
	净利润(元)	–	2,199,164.49	3,009,409.40
	未分配利润(元)	–	4,687,716.50	2,708,468.46
	总资产(元)	–	25,930,336.79	24,047,773.46
	总负债(元)	–	5,096,454.13	5,413,055.29
	净资产(元)	–	20,833,882.66	18,634,718.17
	每股收益(元)	–	0.18	0.25
	每股净资产(元)	–	1.74	1.55
	净资产收益率(%)	–	10.56	16.15

苏州康捷医疗股份有限公司

公司概况	公司名称	苏州康捷医疗股份有限公司		股份名称	康捷医疗
	法人代表	缪纯芬	董秘 朱虹	股份代码	430521
	公司网址	www.sz-kj.cn		主办券商	金元证券股份有限公司
	电　话	0512-62749663-18		传　真	0512-62749663-11
	注册地址	江苏省苏州工业园区唯亭镇唯新路129号			
	行业分类	制造业			

主要财务指标	指标\报告期	2014.06.30	2013.12.31	2012.12.31
	营业收入(元)	–	7,482,003.77	6,077,703.72
	营业利润(元)	–	–474,548.67	195,667.94
	净利润(元)	–	256,126.99	145,022.40
	未分配利润(元)	–	513,746.91	283,232.62
	总资产(元)	–	13,608,485.82	11,625,263.65
	总负债(元)	–	6,923,402.08	5,496,306.90
	净资产(元)	–	6,685,083.74	6,128,956.75
	每股收益(元)	–	0.05	0.03
	每股净资产(元)	–	1.34	1.23
	净资产收益率(%)	–	3.83	2.37

湖南超弦科技股份有限公司

公司概况	公司名称	湖南超弦科技股份有限公司		股份名称	超弦科技
	法人代表	谭向杰	董秘 葛军文	股份代码	430522
	公司网址			主办券商	山西证券股份有限公司
	电　话	0731-84826459		传　真	0731-84535151
	注册地址	湖南省长沙市高新开发区麓谷大道627号湖南长海控股集团有限公司办公研发楼二楼			
	行业分类	信息传输、软件和信息技术服务业			

主要财务指标	指标\报告期	2014.06.30	2013.12.31	2012.12.31
	营业收入(元)	–	40,356,180.72	9,687,602.71
	营业利润(元)	–	8,887,930.12	2,551,544.28
	净利润(元)	–	9,210,402.02	4,543,181.48
	未分配利润(元)	–	9,414,117.47	3,801,280.34
	总资产(元)	–	44,447,629.29	21,285,534.95
	总负债(元)	–	10,613,992.63	–117,699.69
	净资产(元)	–	33,833,636.66	21,403,234.64
	每股收益(元)	–	0.50	0.30
	每股净资产(元)	–	1.60	1.43
	净资产收益率(%)	–	27.22	21.23

湖南泰谷生物科技股份有限公司

公司概况	公司名称	湖南泰谷生物科技股份有限公司		股份名称	泰谷生物
	法人代表	曹典军	董秘 段传武	股份代码	430523
	公司网址	www.taigubio.com		主办券商	山西证券股份有限公司
	电　话	0731-85504118		传　真	0731-85505108
	注册地址	湖南省长沙市高新开发区麓谷麓龙路199号标志麓谷商务中心A栋1402、1403			
	行业分类	制造业			

主要财务指标	指标\报告期	2014.06.30	2013.12.31	2012.12.31
	营业收入(元)	–	83,238,771.15	36,686,683.65
	营业利润(元)	–	15,228,452.35	9,617,764.03
	净利润(元)	–	14,217,643.16	8,516,569.80
	未分配利润(元)	–	13,262,855.66	–180,641.12
	总资产(元)	–	145,139,279.09	74,333,523.34
	总负债(元)	–	86,921,366.83	55,333,254.24
	净资产(元)	–	58,217,912.26	19,000,269.10
	每股收益(元)	–	1.30	0.84
	每股净资产(元)	–	4.63	1.88
	净资产收益率(%)	–	24.42	44.83

大连量天科技发展股份有限公司

公司概况	公司名称	大连量天科技发展股份有限公司		股份名称	量天科技
	法人代表	纪洪帅	董秘 高坤	股份代码	430524
	公司网址	www.liangtian-tech.com		主办券商	申银万国证券股份有限公司
	电　话	18641130611		传　真	0411-82594799
	注册地址	辽宁省大连市高新技术产业园区七贤岭爱贤街10号7层709—3室			
	行业分类	信息传输、软件和信息技术服务业			

主要财务指标	指标\报告期	2014.06.30	2013.12.31	2012.12.31
	营业收入(元)	555,275.65	5,485,706.62	4,474,040.17
	营业利润(元)	–606,753.62	2,214,699.39	1,557,627.12
	净利润(元)	–606,753.62	2,771,719.60	1,632,454.74
	未分配利润(元)	1,887,794.02	2,494,547.64	914,539.11
	总资产(元)	23,130,580.78	25,188,912.31	22,263,182.35
	总负债(元)	–21,246.18	1,430,331.73	1,276,321.37
	净资产(元)	23,151,826.96	23,758,580.58	20,986,860.98
	每股收益(元)	–0.03	0.14	0.08
	每股净资产(元)	1.16	1.19	1.05
	净资产收益率(%)	–2.42	11.67	7.78

厦门英诺尔电子科技股份有限公司

公司概况	公司名称	厦门英诺尔电子科技股份有限公司		股份名称	英诺尔
	法人代表	李金华	董秘	李金华	股份代码	430525
	公司网址	www.xminnov.com		主办券商	申银万国证券股份有限公司
	电　话	0592-3166190		传　真	0592-3166189
	注册地址	福建省厦门市火炬高新区(翔安)产业区翔虹路1号101单元			
	行业分类	制造业			

	指标\报告期	2014.06.30	2013.12.31	2012.12.31
主要财务指标	营业收入(元)	33,453,169.13	68,183,705.27	88,404,339.75
	营业利润(元)	1,139,235.93	1,141,620.12	9,683,727.66
	净利润(元)	2,492,155.08	2,804,925.41	9,887,451.49
	未分配利润(元)	10,898,008.13	8,405,853.05	6,051,046.81
	总资产(元)	77,396,288.19	65,636,592.07	78,278,485.26
	总负债(元)	27,376,646.44	18,109,105.40	31,955,923.99
	净资产(元)	50,019,641.75	47,527,486.67	46,322,561.27
	每股收益(元)	0.07	0.09	0.26
	每股净资产(元)	1.32	1.25	1.22
	净资产收益率(%)	4.98	6.82	22.22

无锡精业丝普兰科技股份有限公司

公司概况	公司名称	无锡精业丝普兰科技股份有限公司		股份名称	丝普兰
	法人代表	丁超英	董秘	边熔	股份代码	430526
	公司网址			主办券商	申银万国证券股份有限公司
	电　话	0510-88550117-211		传　真	0510-88550307
	注册地址	江苏省无锡市新区锡达路267号			
	行业分类	制造业			

	指标\报告期	2014.06.30	2013.12.31	2012.12.31
主要财务指标	营业收入(元)	–	94,724,490.35	50,547,201.15
	营业利润(元)	–	2,257,822.66	–2,766,877.54
	净利润(元)	–	2,571,122.47	–1,933,477.07
	未分配利润(元)	–	–2,197,107.68	–4,768,230.15
	总资产(元)	–	105,816,811.82	85,638,154.25
	总负债(元)	–	65,214,001.94	47,606,466.84
	净资产(元)	–	40,602,809.88	38,031,687.41
	每股收益(元)	–	0.08	–0.06
	每股净资产(元)	–	1.27	1.19
	净资产收益率(%)	–	6.33	–5.08

成都正武封头科技股份有限公司

公司概况	公司名称	成都正武封头科技股份有限公司		股份名称	正武股份
	法人代表	黄正武	董秘	郭春友	股份代码	430527
	公司网址	www.cdzwft.com		主办券商	东北证券股份有限公司
	电　话	028-85726854		传　真	028-85725176
	注册地址	四川省成都市双流县双流西南航空港经济开发区工业集中发展区			
	行业分类	制造业			

	指标\报告期	2014.06.30	2013.12.31	2012.12.31
主要财务指标	营业收入(元)	–	64,292,454.36	62,897,021.59
	营业利润(元)	–	5,952,050.22	10,797,263.84
	净利润(元)	–	4,520,956.93	7,586,802.70
	未分配利润(元)	–	20,972,796.33	16,798,499.67
	总资产(元)	–	214,883,450.88	213,660,779.02
	总负债(元)	–	130,950,579.38	134,248,864.45
	净资产(元)	–	83,932,871.50	79,411,914.57
	每股收益(元)	–	0.08	0.13
	每股净资产(元)	–	1.40	1.32
	净资产收益率(%)	–	5.39	9.55

郑州欧丽信大电子信息股份有限公司

公司概况	公司名称	郑州欧丽信大电子信息股份有限公司		股份名称	欧丽信大
	法人代表	何丽君	董秘	蒋旭平	股份代码	430528
	公司网址	www.olxd.com		主办券商	西部证券股份有限公司
	电　话	0371-60170690-9930		传　真	0371-68629606
	注册地址	河南省郑州市高新开发区翠竹街6号			
	行业分类	制造业			

	指标\报告期	2014.06.30	2013.12.31	2012.12.31
主要财务指标	营业收入(元)	–	86,629,902.16	67,191,313.13
	营业利润(元)	–	19,430,476.78	14,480,079.62
	净利润(元)	–	16,857,691.80	12,544,294.94
	未分配利润(元)	–	51,737,122.06	46,585,199.44
	总资产(元)	–	117,773,189.50	91,436,528.82
	总负债(元)	–	29,366,520.35	19,887,551.47
	净资产(元)	–	88,406,669.15	71,548,977.35
	每股收益(元)	–	0.56	0.42
	每股净资产(元)	–	2.94	3.57
	净资产收益率(%)	–	19.07	17.53

成都恒成工具股份有限公司

公司概况	公司名称	成都恒成工具股份有限公司			股份名称	恒成工具
	法人代表	陈康夫	董秘	谢斌	股份代码	430529
	公司网址	www.hengcheng-tools.com.cn		主办券商	西部证券股份有限公司	
	电　　话	028-85137903		传　　真	028-85136004	
	注册地址	四川省成都市高新区科园南二路6号附1号				
	行业分类	制造业				

	指标\报告期	2014.06.30	2013.12.31	2012.12.31
主要财务指标	营业收入(元)	-	28,462,224.73	30,961,197.22
	营业利润(元)	-	11,258.15	2,116,594.49
	净利润(元)	-	1,968,328.89	3,900,910.49
	未分配利润(元)	-	7,412,569.20	5,641,073.20
	总资产(元)	-	62,122,119.23	49,660,192.92
	总负债(元)	-	34,896,932.20	24,403,334.78
	净资产(元)	-	27,225,187.03	25,256,858.14
	每股收益(元)	-	0.13	0.26
	每股净资产(元)	-	1.82	1.68
	净资产收益率(%)	-	7.23	15.45

云南铜业科技发展股份有限公司

公司概况	公司名称	云南铜业科技发展股份有限公司			股份名称	云铜科技
	法人代表	沈南山	董秘	李志荣	股份代码	430530
	公司网址	www.yncst.cn		主办券商	西部证券股份有限公司	
	电　　话	0871-68320737		传　　真	0871-68320737	
	注册地址	云南省昆明市高新开发区二环西路625号				
	行业分类	制造业				

	指标\报告期	2014.06.30	2013.12.31	2012.12.31
主要财务指标	营业收入(元)	-	121,346,013.74	156,815,001.06
	营业利润(元)	-	-1,285,685.11	3,599,006.59
	净利润(元)	-	610,757.95	3,479,840.64
	未分配利润(元)	-	29,669,888.55	32,360,183.85
	总资产(元)	-	168,486,348.11	173,562,979.06
	总负债(元)	-	18,543,902.75	23,487,070.98
	净资产(元)	-	149,942,445.36	150,075,908.08
	每股收益(元)	-	-0.01	0.03
	每股净资产(元)	-	1.43	1.44
	净资产收益率(%)	-	-0.53	1.89

深圳市北鼎晶辉科技股份有限公司

公司概况	公司名称	深圳市北鼎晶辉科技股份有限公司			股份名称	北鼎晶辉
	法人代表	GEORGE MOHAN ZHANG	董秘	牛文娇	股份代码	430532
	公司网址	www.crastal.com		主办券商	中山证券有限责任公司	
	电　　话	13922833801		传　　真	0755-86021289	
	注册地址	广东省深圳市南山区留仙大道同富裕工业城2号厂房3楼B				
	行业分类	制造业				

	指标\报告期	2014.06.30	2013.12.31	2012.12.31
主要财务指标	营业收入(元)	167,182,781.00	357,794,010.10	383,508,265.52
	营业利润(元)	4,105,970.04	-1,039,506.79	12,742,594.23
	净利润(元)	4,317,273.94	3,033,734.24	11,884,850.86
	未分配利润(元)	9,240,837.23	4,923,563.29	68,921,380.95
	总资产(元)	237,063,432.80	238,165,246.12	231,277,943.44
	总负债(元)	120,015,832.16	125,489,786.18	125,455,373.61
	净资产(元)	117,047,600.64	112,675,459.94	105,822,569.83
	每股收益(元)	0.04	0.03	-
	每股净资产(元)	1.13	1.08	-
	净资产收益率(%)	3.64	2.57	11.23

烟台同立高科新材料股份有限公司

公司概况	公司名称	烟台同立高科新材料股份有限公司			股份名称	同立高科
	法人代表	郭大为	董秘	张建中	股份代码	430533
	公司网址	www.tomley.com		主办券商	齐鲁证券有限公司	
	电　　话	0535-3482418		传　　真	0535-3806979	
	注册地址	山东省烟台市福山区英特尔大街17号				
	行业分类	制造业				

	指标\报告期	2014.06.30	2013.12.31	2012.12.31
主要财务指标	营业收入(元)	-	48,469,340.05	44,829,690.72
	营业利润(元)	-	15,485,861.27	15,721,966.90
	净利润(元)	-	12,112,618.93	11,834,326.85
	未分配利润(元)	-	15,992,296.06	5,090,939.02
	总资产(元)	-	102,319,874.98	61,801,635.41
	总负债(元)	-	51,630,734.26	23,225,113.62
	净资产(元)	-	50,689,140.72	38,576,521.79
	每股收益(元)	-	0.38	0.48
	每股净资产(元)	-	1.58	1.21
	净资产收益率(%)	-	23.90	30.68

广西天涌节能科技股份有限公司

公司概况	公司名称	广西天涌节能科技股份有限公司			股份名称	天涌科技
	法人代表	梁华易	董秘	李永军	股份代码	430534
	公司网址	www.tyjnkj.com		主办券商	招商证券股份有限公司	
	电话	0772-2826088		传真	0772-2826088	
	注册地址	广西壮族自治区柳州市柳东新区官塘创业园A区标准厂房A3栋4层东半层				
	行业分类	科学研究和技术服务业				

主要财务指标	指标\报告期	2014.06.30	2013.12.31	2012.12.31
	营业收入(元)	2,498,991.06	6,081,753.48	3,426,589.17
	营业利润(元)	-625,121.97	-51,321.37	-812,173.59
	净利润(元)	994,005.19	622,250.20	-471,038.78
	未分配利润(元)	977,324.05	106,533.02	-415,859.92
	总资产(元)	23,119,807.24	21,954,959.18	16,510,686.05
	总负债(元)	8,251,554.12	8,080,711.25	3,258,688.32
	净资产(元)	14,868,253.12	13,874,247.93	13,251,997.73
	每股收益(元)	0.08	0.05	-0.04
	每股净资产(元)	1.14	1.07	1.02
	净资产收益率(%)	6.69	4.49	-3.56

柳州爱格富食品科技股份有限公司

公司概况	公司名称	柳州爱格富食品科技股份有限公司			股份名称	柳爱科技
	法人代表	刘果	董秘	陈景珊	股份代码	430535
	公司网址	www.adanachina.com		主办券商	招商证券股份有限公司	
	电话	0772-8852771		传真	0772-8852850	
	注册地址	广西壮族自治区柳州市柳东新区官塘工业园				
	行业分类	制造业				

主要财务指标	指标\报告期	2014.06.30	2013.12.31	2012.12.31
	营业收入(元)	-	25,748,993.92	19,976,252.16
	营业利润(元)	-	1,011,988.83	1,228,893.39
	净利润(元)	-	3,430,592.99	1,793,897.03
	未分配利润(元)	-	7,158,500.09	4,018,238.26
	总资产(元)	-	36,800,861.44	27,533,958.29
	总负债(元)	-	17,795,255.71	13,208,945.55
	净资产(元)	-	19,005,605.73	14,325,012.74
	每股收益(元)	-	0.35	0.21
	每股净资产(元)	-	1.78	1.43
	净资产收益率(%)	-	19.72	12.52

重庆渝万通新材料科技股份有限公司

公司概况	公司名称	重庆渝万通新材料科技股份有限公司			股份名称	万通新材
	法人代表	徐小波	董秘	汪愚	股份代码	430536
	公司网址	www.yuwantong.com		主办券商	西南证券股份有限公司	
	电话	023-63113659		传真	023-67686672	
	注册地址	重庆市九龙坡区含谷镇含兴路38号307号房				
	行业分类	制造业				

主要财务指标	指标\报告期	2014.06.30	2013.12.31	2012.12.31
	营业收入(元)	-	45,544,833.65	31,653,625.58
	营业利润(元)	-	4,259,519.63	5,959,988.43
	净利润(元)	-	3,844,884.82	5,307,674.88
	未分配利润(元)	-	5,645,730.32	7,428,072.16
	总资产(元)	-	75,169,050.72	56,763,571.09
	总负债(元)	-	36,893,785.77	26,006,290.96
	净资产(元)	-	38,275,264.95	30,757,280.13
	每股收益(元)	-	0.15	0.21
	每股净资产(元)	-	1.34	1.47
	净资产收益率(%)	-	10.05	17.26

哈尔滨恒通排水设备制造股份有限公司

公司概况	公司名称	哈尔滨恒通排水设备制造股份有限公司			股份名称	恒通股份
	法人代表	祝丹	董秘	贾东光	股份代码	430537
	公司网址	www.hontop.net.cn		主办券商	申银万国证券股份有限公司	
	电话	0451-82323452		传真	0451-82323452	
	注册地址	黑龙江省哈尔滨市开发区南岗集中区嵩山路5号高科技创业中心0号楼607室				
	行业分类	制造业				

主要财务指标	指标\报告期	2014.06.30	2013.12.31	2012.12.31
	营业收入(元)	6,135,698.23	13,067,387.20	11,716,743.54
	营业利润(元)	70,764.21	937,083.01	526,923.40
	净利润(元)	74,882.24	1,373,831.11	470,749.48
	未分配利润(元)	2,681,820.78	2,606,938.54	1,370,490.54
	总资产(元)	25,900,172.62	26,307,875.74	23,235,081.55
	总负债(元)	14,589,931.14	15,075,479.04	13,376,515.96
	净资产(元)	11,310,241.48	11,232,396.70	9,858,565.59
	每股收益(元)	0.01	0.17	0.06
	每股净资产(元)	1.41	1.40	1.23
	净资产收益率(%)	0.66	12.23	4.78

哈尔滨中大型材科技股份有限公司

公司概况	公司名称	哈尔滨中大型材科技股份有限公司			股份名称	中大科技
	法人代表	胡森	董秘	安阔	股份代码	430538
	公司网址	www.harbinzhongda.com.cn		主办券商	申银万国证券股份有限公司	
	电话	0451-84348438		传真	027-87745367	
	注册地址	黑龙江省哈尔滨市开发区迎宾路集中区崂山路4号				
	行业分类	制造业				

	指标\报告期	2014.06.30	2013.12.31	2012.12.31
主要财务指标	营业收入(元)	–	178,121,596.25	229,371,337.07
	营业利润(元)	–	8,290,848.90	22,002,404.74
	净利润(元)	–	6,381,190.01	19,016,283.05
	未分配利润(元)	–	39,962,179.41	34,219,108.40
	总资产(元)	–	145,486,047.80	140,803,459.18
	总负债(元)	–	33,945,695.67	35,644,297.06
	净资产(元)	–	111,540,352.13	105,159,162.12
	每股收益(元)	–	0.10	0.29
	每股净资产(元)	–	1.69	1.59
	净资产收益率(%)	–	5.72	18.08

安徽扬子地板股份有限公司

公司概况	公司名称	安徽扬子地板股份有限公司			股份名称	扬子地板
	法人代表	雷响	董秘	王荣志	股份代码	430539
	公司网址	www.yzwood.com		主办券商	申银万国证券股份有限公司	
	电话	0550-3518777		传真	0550-3510888	
	注册地址	安徽省滁州市花园西路98号				
	行业分类	制造业				

	指标\报告期	2014.06.30	2013.12.31	2012.12.31
主要财务指标	营业收入(元)	–	380,105,233.94	333,605,645.68
	营业利润(元)	–	70,058,876.94	56,930,446.46
	净利润(元)	–	60,405,501.57	53,506,683.30
	未分配利润(元)	–	80,050,772.70	50,721,539.51
	总资产(元)	–	301,823,056.59	245,466,690.01
	总负债(元)	–	71,250,772.02	48,149,907.01
	净资产(元)	–	230,572,284.57	197,316,783.00
	每股收益(元)	–	0.67	0.59
	每股净资产(元)	–	2.55	2.18
	净资产收益率(%)	–	26.20	27.12

石家庄五龙制动器股份有限公司

公司概况	公司名称	石家庄五龙制动器股份有限公司			股份名称	五龙制动
	法人代表	韩伍林	董秘	曹亚娟	股份代码	430540
	公司网址	www.cnwulon.com		主办券商	申银万国证券股份有限公司	
	电话	0311-83804609		传真	0311-83826381	
	注册地址	河北省石家庄市新石北路368号				
	行业分类	制造业				

	指标\报告期	2014.06.30	2013.12.31	2012.12.31
主要财务指标	营业收入(元)	–	28,526,316.67	29,063,295.36
	营业利润(元)	–	969,086.65	1,592,702.26
	净利润(元)	–	1,906,673.21	2,075,988.05
	未分配利润(元)	–	6,498,910.21	4,784,560.50
	总资产(元)	–	28,508,076.70	24,356,087.44
	总负债(元)	–	11,914,209.65	9,668,893.60
	净资产(元)	–	16,593,867.05	14,687,193.84
	每股收益(元)	–	0.24	0.26
	每股净资产(元)	–	2.07	1.84
	净资产收益率(%)	–	11.49	14.14

大连翼兴节能科技股份有限公司

公司概况	公司名称	大连翼兴节能科技股份有限公司			股份名称	翼兴节能
	法人代表	邓军	董秘	曹延光	股份代码	430541
	公司网址	www.dlyixing.com		主办券商	西南证券股份有限公司	
	电话	0411-83773799		传真	0411-83774040	
	注册地址	辽宁省大连市甘井子区黄浦路512号9层2号				
	行业分类	制造业				

	指标\报告期	2014.06.30	2013.12.31	2012.12.31
主要财务指标	营业收入(元)	–	45,701,939.98	44,571,662.39
	营业利润(元)	–	6,066,618.21	6,973,496.21
	净利润(元)	–	5,538,904.82	6,321,987.86
	未分配利润(元)	–	10,297,978.13	5,641,242.61
	总资产(元)	–	48,291,621.48	35,194,484.93
	总负债(元)	–	20,488,876.75	12,330,645.02
	净资产(元)	–	27,802,744.73	22,863,839.91
	每股收益(元)	–	0.35	0.49
	每股净资产(元)	–	1.74	1.43
	净资产收益率(%)	–	19.92	27.65

西安利雅得电气股份有限公司

公司概况	公司名称	西安利雅得电气股份有限公司			股份名称	利雅得
	法人代表	韩山奇	董秘	薛军虎	股份代码	430542
	公司网址	www.xalyd.com		主办券商	西部证券股份有限公司	
	电　话	029-83151540		传　真	029-83151545	
	注册地址	陕西省西安市高新区科技路海星城市广场办公楼1幢1单元11011室				
	行业分类	制造业				

	指标\报告期	2014.06.30	2013.12.31	2012.12.31
主要财务指标	营业收入(元)	-	63,922,737.99	49,155,351.51
	营业利润(元)	-	5,406,608.12	2,955,026.80
	净利润(元)	-	5,735,769.04	3,074,866.26
	未分配利润(元)	-	23,171,203.17	18,009,011.04
	总资产(元)	-	132,914,246.72	118,718,318.84
	总负债(元)	-	57,827,607.59	49,367,448.75
	净资产(元)	-	75,086,639.13	69,350,870.09
	每股收益(元)	-	0.20	0.11
	每股净资产(元)	-	2.68	2.48
	净资产收益率(%)	-	7.64	4.43

东莞市锐源仪器股份有限公司

公司概况	公司名称	东莞市锐源仪器股份有限公司			股份名称	锐源仪器
	法人代表	吴锦来	董秘	李霞	股份代码	430543
	公司网址	www.dectech.cn		主办券商	西部证券股份有限公司	
	电　话	0769-22761001		传　真	0769-22761006	
	注册地址	广东省东莞市松山湖高新技术产业开发区松科苑9号楼216室				
	行业分类	制造业				

	指标\报告期	2014.06.30	2013.12.31	2012.12.31
主要财务指标	营业收入(元)	9,465,355.08	23,659,533.40	24,368,465.44
	营业利润(元)	32,247.52	2,886,706.15	2,749,275.87
	净利润(元)	1,575,135.84	2,612,760.93	3,195,038.85
	未分配利润(元)	6,460,637.30	4,885,501.46	2,534,016.62
	总资产(元)	20,901,224.17	19,731,602.20	19,657,241.87
	总负债(元)	8,384,256.56	8,789,770.43	11,328,171.03
	净资产(元)	12,516,967.61	10,941,831.77	8,329,070.84
	每股收益(元)	0.32	0.52	0.64
	每股净资产(元)	2.50	2.19	1.67
	净资产收益率(%)	12.58	23.88	38.36

福建省闽保信息技术股份有限公司

公司概况	公司名称	福建省闽保信息技术股份有限公司			股份名称	闽保股份
	法人代表	林章威	董秘	孙勇	股份代码	430544
	公司网址	www.fjminbao.cn		主办券商	兴业证券股份有限公司	
	电　话	0591-83518508		传　真	0591-83518708-810	
	注册地址	福建省福州市鼓楼区铜盘路软件大道89号福州软件园C区10号楼				
	行业分类	信息传输、软件和信息技术服务业				

	指标\报告期	2014.06.30	2013.12.31	2012.12.31
主要财务指标	营业收入(元)	-	24,812,516.12	17,503,309.48
	营业利润(元)	-	3,543,730.32	1,411,632.05
	净利润(元)	-	3,184,527.68	2,030,897.49
	未分配利润(元)	-	6,072,033.99	3,294,092.64
	总资产(元)	-	44,548,458.77	24,996,386.65
	总负债(元)	-	17,136,269.25	10,768,724.81
	净资产(元)	-	27,412,189.52	14,227,661.84
	每股收益(元)	-	0.29	0.20
	每股净资产(元)	-	2.39	1.39
	净资产收益率(%)	-	11.62	14.27

山东星科智能科技股份有限公司

公司概况	公司名称	山东星科智能科技股份有限公司			股份名称	星科智能
	法人代表	王继	董秘	李学凤	股份代码	430545
	公司网址	www.xktech.com		主办券商	湘财证券股份有限公司	
	电　话	18660105512		传　真	0531-88880828	
	注册地址	山东省济南市高新区新泺大街786号四层				
	行业分类	制造业				

	指标\报告期	2014.06.30	2013.12.31	2012.12.31
主要财务指标	营业收入(元)	38,187,628.85	84,029,956.26	87,907,785.58
	营业利润(元)	573,367.35	5,344,290.20	18,817,265.52
	净利润(元)	712,378.17	10,238,778.55	19,191,639.40
	未分配利润(元)	11,909,037.21	11,196,659.04	24,956,728.27
	总资产(元)	136,225,288.28	127,442,195.37	105,814,913.16
	总负债(元)	41,483,062.79	33,412,348.05	28,023,844.39
	净资产(元)	94,742,225.49	94,029,847.32	77,791,068.77
	每股收益(元)	0.02	0.28	-
	每股净资产(元)	2.63	2.61	4.73
	净资产收益率(%)	0.75	10.89	24.67

郑州乐彩科技股份有限公司

公司概况	公司名称	郑州乐彩科技股份有限公司		股份名称	乐彩科技
	法人代表	王纪伟	董秘 浮卫丽	股份代码	430546
	公司网址	www.locor.com.cn		主办券商	中原证券股份有限公司
	电　话	0371-86593930		传　真	0371-67897386
	注册地址	河南省郑州市高新开发区红松路西、文竹西路南			
	行业分类	制造业			

	指标\报告期	2014.06.30	2013.12.31	2012.12.31
主要财务指标	营业收入(元)	28,177,169.49	32,113,669.10	27,082,605.42
	营业利润(元)	479,065.94	9,954.14	436,972.77
	净利润(元)	2,109,393.72	400,581.70	269,412.84
	未分配利润(元)	4,222,931.08	2,060,676.55	1,690,396.33
	总资产(元)	91,258,366.20	57,996,812.74	48,600,144.77
	总负债(元)	67,030,329.89	35,916,170.15	27,028,083.88
	净资产(元)	24,228,036.31	22,080,642.59	21,572,060.89
	每股收益(元)	0.14	0.03	0.02
	每股净资产(元)	1.52	1.38	1.35
	净资产收益率(%)	8.91	1.87	1.25

郑州畅想高科股份有限公司

公司概况	公司名称	郑州畅想高科股份有限公司		股份名称	畅想高科
	法人代表	冯献华	董秘 王晓艳	股份代码	430547
	公司网址	www.thinkfreely.cn		主办券商	中原证券股份有限公司
	电　话	0371-67896922-805		传　真	0371-67896911
	注册地址	河南省郑州市高新区翠竹街1号61幢1单元3层03号			
	行业分类	制造业			

	指标\报告期	2014.06.30	2013.12.31	2012.12.31
主要财务指标	营业收入(元)	9,281,984.00	39,345,737.20	27,979,936.91
	营业利润(元)	-1,613,089.50	6,614,802.40	2,593,524.77
	净利润(元)	435,706.96	6,982,095.82	2,388,862.41
	未分配利润(元)	7,727,108.50	7,334,972.24	4,541,838.96
	总资产(元)	32,074,798.14	37,152,396.57	28,838,612.17
	总负债(元)	9,579,722.62	15,093,028.01	13,761,339.43
	净资产(元)	22,495,075.52	22,059,368.56	15,077,272.74
	每股收益(元)	0.03	0.51	0.24
	每股净资产(元)	1.63	1.60	1.51
	净资产收益率(%)	1.94	31.65	15.84

郑州大方软件股份有限公司

公司概况	公司名称	郑州大方软件股份有限公司		股份名称	大方软件
	法人代表	曹建凯	董秘 杨钢领	股份代码	430548
	公司网址	www.dfsoft.com.cn		主办券商	西部证券股份有限公司
	电　话	0371-63849038		传　真	0371-63849058
	注册地址	河南省郑州市高新区翠竹街1号5栋			
	行业分类	信息传输、软件和信息技术服务业			

	指标\报告期	2014.06.30	2013.12.31	2012.12.31
主要财务指标	营业收入(元)	-	18,693,909.94	31,815,583.75
	营业利润(元)	-	-3,020,784.39	8,783,989.59
	净利润(元)	-	3,436,432.59	9,280,643.21
	未分配利润(元)	-	32,898,834.61	29,671,947.02
	总资产(元)	-	60,382,582.04	56,614,836.81
	总负债(元)	-	4,902,861.13	4,771,548.49
	净资产(元)	-	55,479,720.91	51,843,288.32
	每股收益(元)	-	0.20	0.52
	每股净资产(元)	-	3.08	2.88
	净资产收益率(%)	-	6.43	17.90

苏州天弘激光股份有限公司

公司概况	公司名称	苏州天弘激光股份有限公司		股份名称	天弘激光
	法人代表	金朝龙	董秘 刘丽	股份代码	430549
	公司网址	www.tianhonglaser.com		主办券商	西部证券股份有限公司
	电　话	0512-62991328		传　真	0512-62745989
	注册地址	江苏省苏州市工业园区唯亭镇通和路66号			
	行业分类	制造业			

	指标\报告期	2014.06.30	2013.12.31	2012.12.31
主要财务指标	营业收入(元)	-	111,410,806.48	73,381,825.76
	营业利润(元)	-	3,339,896.43	3,206,633.09
	净利润(元)	-	15,085,343.53	8,597,439.97
	未分配利润(元)	-	29,632,642.57	19,575,833.39
	总资产(元)	-	179,793,576.18	179,024,648.96
	总负债(元)	-	73,694,886.38	84,491,302.69
	净资产(元)	-	106,098,689.80	94,533,346.27
	每股收益(元)	-	0.43	0.24
	每股净资产(元)	-	3.01	2.69
	净资产收益率(%)	-	14.22	9.10

重庆沃克斯科技股份有限公司

公司概况	公司名称	重庆沃克斯科技股份有限公司		股份名称	沃克斯
	法人代表	顾向涛	董秘	杨润	股份代码	430550
	公司网址	www.cqworks.cn		主办券商	新时代证券有限责任公司
	电　话	023-68884176		传　真	023-68693257
	注册地址	重庆市九龙坡区渝州路18号高创锦业大厦20-2号			
	行业分类	制造业			

	指标\报告期	2014.06.30	2013.12.31	2012.12.31
主要财务指标	营业收入(元)	–	33,839,408.64	34,120,498.16
	营业利润(元)	–	754,523.62	996,755.98
	净利润(元)	–	938,876.39	879,579.61
	未分配利润(元)	–	1,669,756.24	824,767.49
	总资产(元)	–	58,142,381.12	55,263,201.03
	总负债(元)	–	47,300,359.42	45,360,055.72
	净资产(元)	–	10,842,021.70	9,903,145.31
	每股收益(元)	–	0.11	0.11
	每股净资产(元)	–	1.31	1.19
	净资产收益率(%)	–	8.66	8.88

陕西中兴林产科技股份有限公司

公司概况	公司名称	陕西中兴林产科技股份有限公司		股份名称	林产科技
	法人代表	刘忠新	董秘	孙立华	股份代码	430551
	公司网址			主办券商	中信建投证券股份有限公司
	电　话	029-87071188		传　真	029-87071199
	注册地址	陕西省杨凌示范区滨河东路			
	行业分类	制造业			

	指标\报告期	2014.06.30	2013.12.31	2012.12.31
主要财务指标	营业收入(元)	–	289,174,432.81	270,134,596.56
	营业利润(元)	–	16,369,262.40	6,301,179.67
	净利润(元)	–	31,508,612.07	27,339,324.15
	未分配利润(元)	–	8,269,719.51	70,495,659.27
	总资产(元)	–	370,581,192.91	378,097,920.08
	总负债(元)	–	160,789,674.57	199,815,013.81
	净资产(元)	–	209,791,518.34	178,282,906.27
	每股收益(元)	–	0.32	0.27
	每股净资产(元)	–	2.10	1.78
	净资产收益率(%)	–	15.02	15.34

陕西亚成微电子股份有限公司

公司概况	公司名称	陕西亚成微电子股份有限公司		股份名称	亚成微
	法人代表	余远强	董秘	陈彬	股份代码	430552
	公司网址	www.reactor-micro.com		主办券商	招商证券股份有限公司
	电　话	029-82300562		传　真	029-82300507
	注册地址	陕西省西安市高新区高新三路9号信息港大厦105室			
	行业分类	制造业			

	指标\报告期	2014.06.30	2013.12.31	2012.12.31
主要财务指标	营业收入(元)	–	20,671,015.15	20,200,903.22
	营业利润(元)	–	977,828.92	1,625,029.82
	净利润(元)	–	1,177,435.84	2,384,137.30
	未分配利润(元)	–	8,993,021.43	7,933,329.17
	总资产(元)	–	33,607,798.42	31,414,995.88
	总负债(元)	–	11,521,792.24	10,506,425.54
	净资产(元)	–	22,086,006.18	20,908,570.34
	每股收益(元)	–	0.10	0.20
	每股净资产(元)	–	1.84	1.74
	净资产收益率(%)	–	5.33	11.40

兰州海红技术股份有限公司

公司概况	公司名称	兰州海红技术股份有限公司		股份名称	海红技术
	法人代表	曹振海	董秘	焦旭丽	股份代码	430553
	公司网址	www.hhte.com.cn		主办券商	招商证券股份有限公司
	电　话	0931-8537997		传　真	0931-8537740
	注册地址	甘肃省兰州市城关区雁南路18号			
	行业分类	制造业			

	指标\报告期	2014.06.30	2013.12.31	2012.12.31
主要财务指标	营业收入(元)	24,193,998.35	97,159,262.25	65,136,758.85
	营业利润(元)	-2,362,035.57	5,550,550.90	239,913.21
	净利润(元)	3,443,694.60	4,967,474.83	432,654.05
	未分配利润(元)	7,748,627.41	4,312,701.77	-82,308.51
	总资产(元)	125,993,629.58	130,571,876.58	115,459,622.69
	总负债(元)	56,903,476.97	64,917,649.61	54,772,870.55
	净资产(元)	69,090,152.61	65,654,226.97	60,686,752.14
	每股收益(元)	0.06	0.08	0.01
	每股净资产(元)	1.15	1.09	1.01
	净资产收益率(%)	4.98	7.57	0.71

深圳市金正方科技股份有限公司

公司概况	公司名称	深圳市金正方科技股份有限公司			股份名称	金正方
	法人代表	朱奎	董秘	张昕	股份代码	430554
	公司网址	www.gstsz.com		主办券商	中国银河证券股份有限公司	
	电　话	13922861580		传　真	0755-89368415	
	注册地址	广东省深圳市南山区高新南七道007号深圳市数字技术园A3栋5楼C区				
	行业分类	制造业				

	指标\报告期	2014.06.30	2013.12.31	2012.12.31
主要财务指标	营业收入(元)	–	30,144,299.55	41,197,848.92
	营业利润(元)	–	2,693,268.77	4,803,253.65
	净利润(元)	–	5,632,071.62	5,158,511.33
	未分配利润(元)	–	9,193,189.60	4,124,325.14
	总资产(元)	–	65,143,176.12	44,246,096.66
	总负债(元)	–	32,935,514.73	17,670,506.89
	净资产(元)	–	32,207,661.39	26,575,589.77
	每股收益(元)	–	0.27	0.25
	每股净资产(元)	–	1.53	1.27
	净资产收益率(%)	–	17.49	19.41

长虹塑料集团英派瑞塑料股份有限公司

公司概况	公司名称	长虹塑料集团英派瑞塑料股份有限公司			股份名称	英派瑞
	法人代表	郑元和	董秘	朱继弘	股份代码	430555
	公司网址	www.chs.com.cn		主办券商	中信证券股份有限公司	
	电　话	0577-62793331		传　真	0577-62793006	
	注册地址	安徽省芜湖市芜湖县湾沚镇安徽新芜经济开发区快速通道4999号				
	行业分类	制造业				

	指标\报告期	2014.06.30	2013.12.31	2012.12.31
主要财务指标	营业收入(元)	150,907,436.85	305,074,195.68	259,106,280.01
	营业利润(元)	11,735,915.30	15,367,221.70	8,546,611.87
	净利润(元)	11,530,642.26	14,190,595.80	13,128,060.67
	未分配利润(元)	15,607,272.61	4,076,630.35	10,552,655.83
	总资产(元)	416,113,253.56	431,941,549.24	352,551,419.52
	总负债(元)	298,230,888.21	325,589,826.15	290,830,292.23
	净资产(元)	117,882,365.35	106,351,723.09	61,721,127.29
	每股收益(元)	0.16	0.20	0.26
	每股净资产(元)	1.60	1.45	1.23
	净资产收益率(%)	9.78	13.34	21.29

广东雅达电子股份有限公司

公司概况	公司名称	广东雅达电子股份有限公司			股份名称	雅达股份
	法人代表	土煌英	董秘	陈运平	股份代码	430556
	公司网址	www.yada.com.cn		主办券商	中信建投证券股份有限公司	
	电　话	0762-3493688		传　真	0762-3493912	
	注册地址	广东省河源市源城区高埔岗雅达工业园				
	行业分类	制造业				

	指标\报告期	2014.06.30	2013.12.31	2012.12.31
主要财务指标	营业收入(元)	–	158,438,135.32	163,811,106.64
	营业利润(元)	–	40,423,179.33	41,854,023.33
	净利润(元)	–	37,987,578.59	36,288,722.88
	未分配利润(元)	–	70,072,656.62	57,167,522.38
	总资产(元)	–	231,279,171.74	208,634,174.22
	总负债(元)	–	56,411,112.35	50,345,693.42
	净资产(元)	–	174,868,059.39	158,288,480.80
	每股收益(元)	–	0.71	0.68
	每股净资产(元)	–	3.27	2.96
	净资产收益率(%)	–	21.72	22.93

河南希芳阁绿化工程股份有限公司

公司概况	公司名称	河南希芳阁绿化工程股份有限公司			股份名称	希芳阁
	法人代表	王洋洋	董秘	楚少君	股份代码	430557
	公司网址	www.xifange.com		主办券商	中国银河证券股份有限公司	
	电　话	0371-63629832		传　真	0371-86068196	
	注册地址	河南省郑州市高新区长椿路11号Y6幢1单元1号				
	行业分类	建筑业				

	指标\报告期	2014.06.30	2013.12.31	2012.12.31
主要财务指标	营业收入(元)	2,298,262.02	2,405,730.67	228,225.30
	营业利润(元)	-1,050,503.00	-3,897.82	-359,697.15
	净利润(元)	113,783.35	204,958.94	-366,894.78
	未分配利润(元)	349,966.73	236,183.38	-779,964.28
	总资产(元)	6,795,276.04	7,515,170.49	1,552,268.13
	总负债(元)	656,498.03	1,490,175.83	232,232.41
	净资产(元)	6,138,778.01	6,024,994.66	1,320,035.72
	每股收益(元)	0.02	0.04	–
	每股净资产(元)	1.20	1.18	–
	净资产收益率(%)	1.85	3.40	-27.79

哈尔滨均信投资担保股份有限公司

公司概况	公司名称	哈尔滨均信投资担保股份有限公司			股份名称	均信担保
	法人代表	李明中	董秘	张建华	股份代码	430558
	公司网址	www.hrbjunxin.com		主办券商	中国银河证券股份有限公司	
	电　话	0451-88084906		传　真	0451-88084905	
	注册地址	黑龙江省哈尔滨市高新技术产业开发区科技创新城创新创业广场4号楼世泽路689号				
	行业分类	租赁和商务服务业				

	指标\报告期	2014.06.30	2013.12.31	2012.12.31
主要财务指标	营业收入(元)	–	–	–
	营业利润(元)	12,996,871.37	34,019,382.93	33,518,744.24
	净利润(元)	13,621,522.29	33,659,666.23	25,784,333.03
	未分配利润(元)	26,345,579.84	39,243,117.74	8,991,095.15
	总资产(元)	849,865,906.56	663,738,895.31	583,949,854.54
	总负债(元)	350,972,737.72	331,206,614.50	285,077,239.96
	净资产(元)	498,893,168.84	332,532,280.81	298,872,614.58
	每股收益(元)	0.05	0.14	0.12
	每股净资产(元)	1.47	1.38	1.24
	净资产收益率(%)	2.73	10.12	8.63

珠海新华通软件股份有限公司

公司概况	公司名称	珠海新华通软件股份有限公司			股份名称	新华通
	法人代表	南策云	董秘	南策云	股份代码	430559
	公司网址	www.zhxht.com		主办券商	中国银河证券股份有限公司	
	电　话	0756-6291698		传　真	0756-6291698	
	注册地址	广东省珠海市香洲区香洲运通路28号紫荆花园1栋2层办公				
	行业分类	信息传输、软件和信息技术服务业				

	指标\报告期	2014.06.30	2013.12.31	2012.12.31
主要财务指标	营业收入(元)	8,514,599.29	22,731,329.14	16,442,080.11
	营业利润(元)	1,015,493.13	10,379,835.80	7,732,031.98
	净利润(元)	3,211,226.28	11,858,665.74	8,938,130.37
	未分配利润(元)	8,434,784.60	6,089,087.73	14,638,298.27
	总资产(元)	28,061,542.38	26,951,260.05	21,215,995.93
	总负债(元)	4,592,403.91	5,827,818.45	1,951,220.07
	净资产(元)	23,469,138.47	21,123,441.60	19,264,775.86
	每股收益(元)	0.32	1.19	2.98
	每股净资产(元)	2.35	2.11	6.42
	净资产收益率(%)	13.68	56.14	46.40

成都西部泰力起重机股份有限公司

公司概况	公司名称	成都西部泰力起重机股份有限公司			股份名称	西部泰力
	法人代表	赵全起	董秘	赵芳	股份代码	430560
	公司网址	www.028qzj.com		主办券商	中信建投证券股份有限公司	
	电　话	028-85754368		传　真	028-85754378	
	注册地址	四川省成都市高新区高棚大道十号				
	行业分类	制造业				

	指标\报告期	2014.06.30	2013.12.31	2012.12.31
主要财务指标	营业收入(元)	–	55,895,811.07	33,965,497.39
	营业利润(元)	–	6,649,785.22	-315,790.17
	净利润(元)	–	7,029,702.63	1,047,622.41
	未分配利润(元)	–	5,434,910.11	4,880,881.54
	总资产(元)	–	56,061,575.51	44,553,392.76
	总负债(元)	–	35,545,171.17	24,066,691.05
	净资产(元)	–	20,516,404.34	20,486,701.71
	每股收益(元)	–	0.50	0.07
	每股净资产(元)	–	1.47	1.37
	净资产收益率(%)	–	34.26	5.11

深圳市齐普光电子股份有限公司

公司概况	公司名称	深圳市齐普光电子股份有限公司			股份名称	齐普光电
	法人代表	吴小刚	董秘	李岳敏	股份代码	430561
	公司网址	www.chipshow.cn		主办券商	中信建投证券股份有限公司	
	电　话	0755-83419012		传　真	0755-82975893	
	注册地址	广东省深圳市宝安区石岩街道塘头社区宝石路宝石科技园C栋				
	行业分类	制造业				

	指标\报告期	2014.06.30	2013.12.31	2012.12.31
主要财务指标	营业收入(元)	–	202,249,526.19	164,134,674.63
	营业利润(元)	–	10,692,734.34	1,902,012.34
	净利润(元)	–	9,753,268.17	2,375,033.77
	未分配利润(元)	–	4,017,454.59	3,547,919.81
	总资产(元)	–	112,716,117.00	95,023,159.20
	总负债(元)	–	79,020,715.70	71,081,026.07
	净资产(元)	–	33,695,401.30	23,942,133.13
	每股收益(元)	–	0.46	0.12
	每股净资产(元)	–	1.20	1.20
	净资产收益率(%)	–	28.95	9.92

重庆安运科技股份有限公司

公司概况	公司名称	重庆安运科技股份有限公司		股份名称	安运科技
	法人代表	孙钦	董秘	谢世红	股份代码	430562
	公司网址	www.safeluck.com	主办券商	中信建投证券股份有限公司	
	电　话	023-65472717	传　真	023-65472917	
	注册地址	重庆市九龙坡区金凤路108号			
	行业分类	信息传输、软件和信息技术服务业			

主要财务指标	指标\报告期	2014.06.30	2013.12.31	2012.12.31
	营业收入(元)	38,671,440.98	49,267,721.67	37,797,870.36
	营业利润(元)	7,430,529.86	7,468,841.94	4,292,406.02
	净利润(元)	6,740,292.51	7,650,885.04	4,069,916.16
	未分配利润(元)	15,296,719.82	10,485,259.18	3,981,452.79
	总资产(元)	60,468,761.84	56,551,800.85	50,243,500.13
	总负债(元)	23,017,160.07	23,050,757.42	24,393,341.74
	净资产(元)	37,451,601.77	33,501,043.43	25,850,158.39
	每股收益(元)	0.35	0.37	0.21
	每股净资产(元)	1.93	1.68	1.31
	净资产收益率(%)	18.10	22.10	17.69

江西华宇软件股份有限公司

公司概况	公司名称	江西华宇软件股份有限公司			股份名称	华宇股份
	法人代表	郑晖	董秘	宗裕华	股份代码	430563
	公司网址	www.jxgis.com	主办券商	中信建投证券股份有限公司		
	电　话	0791-88116074	传　真	0791-88117573		
	注册地址	江西省南昌市高新区高新一路建昌大厦				
	行业分类	信息传输、软件和信息技术服务业				

主要财务指标	指标\报告期	2014.06.30	2013.12.31	2012.12.31
	营业收入(元)	-	11,091,566.99	11,700,717.18
	营业利润(元)	-	-537,252.65	282,754.21
	净利润(元)	-	130,683.28	1,156,124.78
	未分配利润(元)	-	1,685,366.01	1,567,751.06
	总资产(元)	-	15,653,725.45	15,926,888.98
	总负债(元)	-	5,273,681.24	5,677,528.05
	净资产(元)	-	10,380,044.21	10,249,360.93
	每股收益(元)	-	0.02	0.14
	每股净资产(元)	-	1.30	1.28
	净资产收益率(%)	-	1.26	11.28

陕西天润科技股份有限公司

公司概况	公司名称	陕西天润科技股份有限公司			股份名称	天润科技
	法人代表	陈利	董秘	弓龙社	股份代码	430564
	公司网址	www.trgis.com	主办券商	中信建投证券股份有限公司		
	电　话	029-85270406-811	传　真	029-85270528		
	注册地址	陕西省西安市高新区高新三路8号1幢10705室				
	行业分类	信息传输、软件和信息技术服务业				

主要财务指标	指标\报告期	2014.06.30	2013.12.31	2012.12.31
	营业收入(元)	-	59,571,786.17	60,877,302.03
	营业利润(元)	-	14,641,597.15	17,732,655.52
	净利润(元)	-	13,029,014.18	17,598,419.45
	未分配利润(元)	-	17,846,860.05	6,120,747.29
	总资产(元)	-	59,275,544.59	40,119,349.91
	总负债(元)	-	9,502,730.35	4,827,549.85
	净资产(元)	-	49,772,814.24	35,291,800.06
	每股收益(元)	-	0.50	0.70
	每股净资产(元)	-	1.90	1.41
	净资产收益率(%)	-	26.18	49.87

大连莱力柏信息技术股份有限公司

公司概况	公司名称	大连莱力柏信息技术股份有限公司			股份名称	莱力柏
	法人代表	马树伟	董秘	郑翠环	股份代码	430565
	公司网址	www.lailibai.com	主办券商	中原证券股份有限公司		
	电　话	0411-62933086	传　真	0411-84798633		
	注册地址	辽宁省大连市高新技术产业园区黄浦路512号19层01、02、03室				
	行业分类	制造业				

主要财务指标	指标\报告期	2014.06.30	2013.12.31	2012.12.31
	营业收入(元)	2,142,084.56	11,407,364.62	6,292,118.00
	营业利润(元)	-1,212,334.93	843,782.09	-431,437.35
	净利润(元)	-728,616.20	1,110,050.78	1,179,062.78
	未分配利润(元)	566,443.41	1,295,059.61	296,013.91
	总资产(元)	12,168,003.69	13,478,419.61	11,947,905.82
	总负债(元)	432,593.99	1,014,393.71	593,930.70
	净资产(元)	11,735,409.70	12,464,025.90	11,353,975.12
	每股收益(元)	-0.07	0.10	0.11
	每股净资产(元)	1.07	1.13	1.03
	净资产收益率(%)	-6.21	8.91	10.69

浙江虹越花卉股份有限公司

公司概况	公司名称	浙江虹越花卉股份有限公司			股份名称	虹越花卉
	法人代表	江胜德	董秘	陈永辉	股份代码	430566
	公司网址	www.hongyue.com		主办券商	中信建投证券股份有限公司	
	电　话	0573-87491766		传　真	0573-87489680	
	注册地址	浙江省海宁市长安镇褚石村金筑园1号				
	行业分类	农、林、牧、渔业				

	指标\报告期	2014.06.30	2013.12.31	2012.12.31
主要财务指标	营业收入(元)	-	270,632,210.02	239,463,178.72
	营业利润(元)	-	10,369,371.10	4,947,628.84
	净利润(元)	-	15,902,287.67	10,664,777.46
	未分配利润(元)	-	23,542,844.85	17,864,310.43
	总资产(元)	-	246,288,361.67	188,758,569.00
	总负债(元)	-	142,225,259.57	99,014,847.46
	净资产(元)	-	104,063,102.10	89,743,721.54
	每股收益(元)	-	0.36	-
	每股净资产(元)	-	2.33	-
	净资产收益率(%)	-	15.36	11.93

无锡市海航电液伺服系统股份有限公司

公司概况	公司名称	无锡市海航电液伺服系统股份有限公司			股份名称	无锡海航
	法人代表	胡文茜	董秘	胡文茜	股份代码	430567
	公司网址			主办券商	中国中投证券有限责任公司	
	电　话	0510-82132100-806		传　真	0510-82132900	
	注册地址	江苏省无锡市南站经济发展园A区11号				
	行业分类	制造业				

	指标\报告期	2014.06.30	2013.12.31	2012.12.31
主要财务指标	营业收入(元)	-	38,498,399.18	34,037,642.76
	营业利润(元)	-	4,226,814.13	1,126,322.38
	净利润(元)	-	3,811,207.52	984,976.77
	未分配利润(元)	-	4,155,656.49	980,851.39
	总资产(元)	-	35,947,930.35	27,157,844.59
	总负债(元)	-	21,406,350.66	16,172,190.75
	净资产(元)	-	14,541,579.69	10,985,653.84
	每股收益(元)	-	0.76	0.20
	每股净资产(元)	-	2.91	2.20
	净资产收益率(%)	-	26.21	8.97

厦门光莆电子股份有限公司

公司概况	公司名称	厦门光莆电子股份有限公司			股份名称	光莆电子
	法人代表	林瑞梅	董秘	陈锡良	股份代码	430568
	公司网址	www.goproled.cn		主办券商	中信建投证券股份有限公司	
	电　话	0592-5970925		传　真	0592-5621415	
	注册地址	福建省厦门市思明区岭兜西路608号				
	行业分类	制造业				

	指标\报告期	2014.06.30	2013.12.31	2012.12.31
主要财务指标	营业收入(元)	-	225,180,670.16	180,347,346.05
	营业利润(元)	-	19,737,992.61	19,909,471.26
	净利润(元)	-	25,129,252.35	21,726,581.57
	未分配利润(元)	-	56,383,634.29	31,863,903.08
	总资产(元)	-	324,152,128.53	275,132,475.94
	总负债(元)	-	135,881,222.51	115,770,760.26
	净资产(元)	-	188,270,906.02	159,361,715.68
	每股收益(元)	-	0.29	0.25
	每股净资产(元)	-	2.15	1.83
	净资产收益率(%)	-	13.56	13.91

东莞安尔发智能科技股份有限公司

公司概况	公司名称	东莞安尔发智能科技股份有限公司			股份名称	安尔发
	法人代表	邓新文	董秘	张弢	股份代码	430569
	公司网址	www.c-way.com		主办券商	华西证券有限责任公司	
	电　话	0769-88922526-629		传　真	0769-26628656	
	注册地址	广东省东莞市松山湖工业南路巷6号3栋308室				
	行业分类	制造业				

	指标\报告期	2014.06.30	2013.12.31	2012.12.31
主要财务指标	营业收入(元)	-	4,202,835.85	4,875,439.30
	营业利润(元)	-	90,094.25	339,853.11
	净利润(元)	-	81,721.67	248,933.71
	未分配利润(元)	-	145,853.88	76,520.26
	总资产(元)	-	10,407,112.34	8,441,730.14
	总负债(元)	-	4,163,755.22	1,840,094.69
	净资产(元)	-	6,243,357.12	6,601,635.45
	每股收益(元)	-	0.02	0.19
	每股净资产(元)	-	1.24	1.22
	净资产收益率(%)	-	1.39	4.21

武汉蓝星科技股份有限公司

公司概况	公司名称	武汉蓝星科技股份有限公司			股份名称	蓝星科技
	法人代表	陶振跃	董秘	朱丽	股份代码	430570
	公司网址	www.hiinfo.cn		主办券商	西部证券股份有限公司	
	电　话	027-81616642		传　真	027-81616635	
	注册地址	湖北省武汉市东湖开发区东二产业园黄龙山西路武汉蓝星科技生产基地				
	行业分类	制造业				

	指标\报告期	2014.06.30	2013.12.31	2012.12.31
主要财务指标	营业收入(元)	–	40,016,796.17	40,220,609.83
	营业利润(元)	–	–3,645,759.17	–16,453,303.32
	净利润(元)	–	216,636.85	–16,354,892.67
	未分配利润(元)	–	–21,900,092.79	–22,808,716.57
	总资产(元)	–	218,718,638.70	244,938,030.61
	总负债(元)	–	98,595,868.73	118,261,250.78
	净资产(元)	–	120,122,769.97	126,676,779.83
	每股收益(元)	–	0.01	–0.13
	每股净资产(元)	–	0.95	0.94
	净资产收益率(%)	–	0.76	–13.96

广东科硕机械科技股份有限公司

公司概况	公司名称	广东科硕机械科技股份有限公司			股份名称	科硕科技
	法人代表	叶美跃	董秘	周姗霖	股份代码	430571
	公司网址	www.keso.so		主办券商	东莞证券有限责任公司	
	电　话	0769-26622981		传　真	0769-22232002	
	注册地址	广东省东莞市松山湖高新技术产业开发区工业南路6号松湖华科产业孵化园2栋512室				
	行业分类	制造业				

	指标\报告期	2014.06.30	2013.12.31	2012.12.31
主要财务指标	营业收入(元)	–	14,224,724.12	11,171,675.73
	营业利润(元)	–	402,682.07	–672,632.76
	净利润(元)	–	292,186.51	208,987.85
	未分配利润(元)	–	329,370.54	66,402.68
	总资产(元)	–	13,773,748.52	13,163,752.32
	总负债(元)	–	8,335,316.31	8,017,506.62
	净资产(元)	–	5,438,432.21	5,146,245.70
	每股收益(元)	–	0.06	0.04
	每股净资产(元)	–	1.09	1.03
	净资产收益率(%)	–	5.37	4.06

保定奥普节能科技股份有限公司

公司概况	公司名称	保定奥普节能科技股份有限公司			股份名称	奥普节能
	法人代表	孟书明	董秘	郝纳新	股份代码	430572
	公司网址	www.aopujieneng.com		主办券商	方正证券股份有限公司	
	电　话	0312-5956708		传　真	0312-5956707	
	注册地址	河北省保定市锦绣街677号火炬园内3号通用厂房1-103				
	行业分类	制造业				

	指标\报告期	2014.06.30	2013.12.31	2012.12.31
主要财务指标	营业收入(元)	–	12,519,318.71	7,899,440.88
	营业利润(元)	–	871,606.90	365,323.96
	净利润(元)	–	597,039.62	264,332.45
	未分配利润(元)	–	651,033.62	113,697.96
	总资产(元)	–	19,957,426.89	16,741,568.26
	总负债(元)	–	3,226,339.08	607,520.07
	净资产(元)	–	16,731,087.81	16,134,048.19
	每股收益(元)	–	0.04	0.02
	每股净资产(元)	–	1.05	1.01
	净资产收益率(%)	–	3.57	1.64

湖南山水节能科技股份有限公司

公司概况	公司名称	湖南山水节能科技股份有限公司			股份名称	山水节能
	法人代表	瞿英杰	董秘	李建宁	股份代码	430573
	公司网址	www.hnssjn.com		主办券商	海通证券股份有限公司	
	电　话	18974861055		传　真	0731-88507288	
	注册地址	湖南省长沙市长沙高新开发区麓松路与麓泉路交汇处延农创业基地三楼				
	行业分类	制造业				

	指标\报告期	2014.06.30	2013.12.31	2012.12.31
主要财务指标	营业收入(元)	37,058,960.81	86,192,901.54	75,970,185.99
	营业利润(元)	–4,147,524.89	409,116.70	–837,010.56
	净利润(元)	–3,300,869.42	4,732,527.25	–357,410.82
	未分配利润(元)	–73,160.30	3,227,709.12	–1,504,818.13
	总资产(元)	129,252,706.82	113,809,654.34	99,495,767.24
	总负债(元)	78,460,182.09	59,716,260.19	50,134,900.34
	净资产(元)	50,792,524.73	54,093,394.15	49,360,866.90
	每股收益(元)	–0.07	0.09	–0.01
	每股净资产(元)	1.01	1.07	0.98
	净资产收益率(%)	–6.50	8.75	–0.72

北京星奥科技股份有限公司

公司概况						
公司名称	北京星奥科技股份有限公司			股份名称	星奥股份
法人代表	杨亚中	董秘	刘智慧	股份代码	430574
公司网址	beta.elongtian.com		主办券商	财达证券有限责任公司	
电　话	010-59361355		传　真	010-59361355	
注册地址	北京市东城区柴棒胡同 59 号 306 室				
行业分类	信息传输、软件和信息技术服务业				

主要财务指标 指标\报告期	2014.06.30	2013.12.31	2012.12.31
营业收入(元)	9,333,609.21	28,411,677.99	24,585,761.86
营业利润(元)	-1,383,357.03	537,498.88	1,179,043.15
净利润(元)	677,161.93	1,541,602.30	1,577,147.33
未分配利润(元)	1,762,066.98	1,084,905.05	534,166.53
总资产(元)	22,386,322.68	25,332,526.01	19,795,326.25
总负债(元)	8,654,040.08	12,277,405.34	8,281,807.88
净资产(元)	13,732,282.60	13,055,120.67	11,513,518.37
每股收益(元)	0.07	0.15	0.16
每股净资产(元)	1.37	1.31	1.15
净资产收益率(%)	4.93	11.81	13.70

苏州迈科网络安全技术股份有限公司

公司概况					
公司名称	苏州迈科网络安全技术股份有限公司			股份名称	迈科网络
法人代表	陈立	董秘	尤慧兰	股份代码	430575
公司网址	www.maxnetsys.com.cn		主办券商	长城证券有限责任公司	
电　话	0512-68668668/78		传　真	0512-62515908	
注册地址	江苏省苏州市工业园区金鸡湖大道 1355 号国际科技园三期 8B-1 单元				
行业分类	信息传输、软件和信息技术服务业				

主要财务指标 指标\报告期	2014.06.30	2013.12.31	2012.12.31
营业收入(元)	5,520,223.28	10,327,979.00	20,661,008.59
营业利润(元)	-3,168,357.12	-7,578,193.68	-458,012.13
净利润(元)	-501,179.94	-4,571,262.94	3,566,734.14
未分配利润(元)	4,681,930.48	5,183,110.42	9,754,373.36
总资产(元)	48,661,267.39	48,642,745.57	49,607,488.98
总负债(元)	8,059,957.38	7,540,255.62	3,933,736.09
净资产(元)	40,601,310.01	41,102,489.95	45,673,752.89
每股收益(元)	-0.02	-0.22	0.19
每股净资产(元)	1.95	1.98	2.20
净资产收益率(%)	-1.23	-11.12	7.81

山东泰信电子股份有限公司

公司概况					
公司名称	山东泰信电子股份有限公司			股份名称	泰信电子
法人代表	陶圣华	董秘	顾斐	股份代码	430576
公司网址	www.taixin.cn		主办券商	安信证券股份有限公司	
电　话	0531-87175001-1015		传　真	0531-86023598	
注册地址	山东省济南市高新区新泺大街 2008 号银荷大厦 1-501-1				
行业分类	制造业				

主要财务指标 指标\报告期	2014.06.30	2013.12.31	2012.12.31
营业收入(元)	-	10,928,131.48	10,284,549.69
营业利润(元)	-	-2,041,171.82	-128,515.27
净利润(元)	-	-515,597.35	897,625.36
未分配利润(元)	-	5,878,794.55	6,896,749.86
总资产(元)	-	24,835,730.75	25,064,602.70
总负债(元)	-	1,917,186.54	2,085,461.14
净资产(元)	-	22,918,544.21	22,979,141.56
每股收益(元)	-	-0.03	0.06
每股净资产(元)	-	1.53	1.53
净资产收益率(%)	-	-2.25	3.91

武汉力龙信息科技股份有限公司

公司概况					
公司名称	武汉力龙信息科技股份有限公司			股份名称	力龙信息
法人代表	吴余龙	董秘	吴苗	股份代码	430577
公司网址	www.lilosoft.com.cn		主办券商	长江证券股份有限公司	
电　话	13971650195		传　真	027-83560750-815	
注册地址	湖北省武汉市江汉区江汉经济开发区江兴旺路 6 号火凤凰云计算基地 3 楼 302 室				
行业分类	信息传输、软件和信息技术服务业				

主要财务指标 指标\报告期	2014.06.30	2013.12.31	2012.12.31
营业收入(元)	6,126,462.67	12,284,836.16	17,512,974.09
营业利润(元)	-3,415,174.28	-3,229,566.82	-968,088.50
净利润(元)	-2,186,030.54	-2,663,108.82	-538,410.77
未分配利润(元)	-5,050,994.64	-2,864,964.10	-1,743,430.12
总资产(元)	22,382,977.73	21,787,801.76	19,337,372.19
总负债(元)	15,744,168.11	12,962,961.60	10,365,957.44
净资产(元)	6,638,809.62	8,824,840.16	8,971,414.75
每股收益(元)	-0.22	-0.27	-0.04
每股净资产(元)	0.66	0.86	0.86
净资产收益率(%)	-32.93	-30.94	-4.81

吉林省差旅天下网络技术股份有限公司

公司概况	公司名称	吉林省差旅天下网络技术股份有限公司			股份名称	差旅天下
	法人代表	张云松	董秘	谭荷花	股份代码	430578
	公司网址	www.tripg.cn		主办券商	东北证券股份有限公司	
	电　　话	0431-88611866		传　　真	0431-88666978	
	注册地址	吉林省长春市高新技术开发区博识路168号A座三楼B区				
	行业分类	租赁和商务服务业				

	指标\报告期	2014.06.30	2013.12.31	2012.12.31
主要财务指标	营业收入(元)	12,066,648.31	18,345,999.80	9,166,336.58
	营业利润(元)	2,520,626.82	4,419,974.42	2,455,415.38
	净利润(元)	2,800,370.38	4,823,708.24	2,486,811.10
	未分配利润(元)	9,673,629.46	6,873,259.08	2,461,340.03
	总资产(元)	45,557,982.13	30,965,150.42	16,321,838.44
	总负债(元)	25,283,393.61	13,490,932.28	3,671,328.54
	净资产(元)	20,274,588.52	17,474,218.14	12,650,509.90
	每股收益(元)	0.29	0.48	0.25
	每股净资产(元)	2.03	1.75	1.27
	净资产收益率(%)	14.05	27.61	19.66

苏州市龙源电力科技股份有限公司

公司概况	公司名称	苏州市龙源电力科技股份有限公司			股份名称	龙源科技
	法人代表	朱剑华	董秘	张诗深	股份代码	430579
	公司网址	www.longyuan-sz.com		主办券商	东吴证券股份有限公司	
	电　　话	0512-66618328		传　　真	0512-66618780	
	注册地址	江苏省苏州市高新区银珠路8号				
	行业分类	制造业				

	指标\报告期	2014.06.30	2013.12.31	2012.12.31
主要财务指标	营业收入(元)	–	63,614,944.25	66,666,830.65
	营业利润(元)	–	7,614,005.30	6,307,660.57
	净利润(元)	–	5,812,032.74	4,926,402.48
	未分配利润(元)	–	8,523,593.50	3,292,764.03
	总资产(元)	–	70,904,506.04	66,541,463.46
	总负债(元)	–	24,274,405.72	28,638,895.88
	净资产(元)	–	46,630,100.32	37,902,567.58
	每股收益(元)	–	0.28	0.25
	每股净资产(元)	–	2.20	1.90
	净资产收益率(%)	–	12.46	13.00

杭州云天软件股份有限公司

公司概况	公司名称	杭州云天软件股份有限公司			股份名称	云天软件
	法人代表	邵俊	董秘	曹培培	股份代码	430580
	公司网址	www.yt-soft.com		主办券商	财通证券股份有限公司	
	电　　话	0571-85871629		传　　真	0571-85871621	
	注册地址	浙江省杭州市西湖区文三路121号武林综合楼903室				
	行业分类	信息传输、软件和信息技术服务业				

	指标\报告期	2014.06.30	2013.12.31	2012.12.31
主要财务指标	营业收入(元)	4,637,154.36	12,605,552.74	6,447,189.79
	营业利润(元)	-305,919.16	3,248,979.77	1,371,039.17
	净利润(元)	39,021.72	3,272,284.10	1,508,333.69
	未分配利润(元)	602,393.67	563,371.95	1,849,194.77
	总资产(元)	10,268,287.34	13,259,346.11	6,182,976.97
	总负债(元)	1,856,451.63	4,886,532.12	2,582,447.08
	净资产(元)	8,411,835.71	8,372,813.99	3,600,529.89
	每股收益(元)	0.01	0.47	0.22
	每股净资产(元)	1.20	1.20	0.51
	净资产收益率(%)	0.46	39.08	41.89

北京八亿时空液晶科技股份有限公司

公司概况	公司名称	北京八亿时空液晶科技股份有限公司			股份名称	八亿时空
	法人代表	赵雷	董秘	薛秀媛	股份代码	430581
	公司网址	www.81lcd.com		主办券商	国信证券股份有限公司	
	电　　话	010-69765588-8000		传　　真	010-69760560	
	注册地址	北京市房山区燕山岗南路东一巷6号C座218房间				
	行业分类	制造业				

	指标\报告期	2014.06.30	2013.12.31	2012.12.31
主要财务指标	营业收入(元)	–	54,477,361.68	49,030,154.57
	营业利润(元)	–	6,465,061.43	2,714,775.38
	净利润(元)	–	9,689,984.48	4,700,770.51
	未分配利润(元)	–	19,101,216.34	10,010,304.85
	总资产(元)	–	140,874,129.70	96,180,595.00
	总负债(元)	–	22,340,232.64	23,536,682.42
	净资产(元)	–	118,533,897.06	72,643,912.58
	每股收益(元)	–	0.20	0.19
	每股净资产(元)	–	2.50	2.02
	净资产收益率(%)	–	8.18	6.47

安徽华菱西厨装备股份有限公司

公司概况	公司名称	安徽华菱西厨装备股份有限公司			股份名称	华菱西厨
	法人代表	许正华	董秘	刘培龙	股份代码	430582
	公司网址	www.fenglihua.com		主办券商	大通证券股份有限公司	
	电　话	0555-6769511		传　真	0555-6769511	
	注册地址	安徽省马鞍山市当涂县博望镇工业开发区				
	行业分类	制造业				

	指标\报告期	2014.06.30	2013.12.31	2012.12.31
主要财务指标	营业收入(元)	–	166,283,579.67	141,270,589.50
	营业利润(元)	–	7,885,676.00	5,039,402.06
	净利润(元)	–	9,519,094.35	6,708,793.14
	未分配利润(元)	–	58,955,784.73	55,119,221.08
	总资产(元)	–	212,561,829.85	205,113,510.62
	总负债(元)	–	88,028,014.12	86,034,612.75
	净资产(元)	–	124,533,815.73	119,078,897.87
	每股收益(元)	–	0.21	0.15
	每股净资产(元)	–	2.77	2.65
	净资产收益率(%)	–	7.64	5.63

江苏国贸酝领智能科技股份有限公司

公司概况	公司名称	江苏国贸酝领智能科技股份有限公司			股份名称	国贸酝领
	法人代表	陈宏庆	董秘	李惠君	股份代码	430583
	公司网址	www.gm-sz.com		主办券商	东吴证券股份有限公司	
	电　话	0512-62990781		传　真	0512-62889406	
	注册地址	江苏省苏州市工业园区唯亭镇唯文路5号				
	行业分类	信息传输、软件和信息技术服务业				

	指标\报告期	2014.06.30	2013.12.31	2012.12.31
主要财务指标	营业收入(元)	53,055,337.84	134,151,782.01	97,831,718.15
	营业利润(元)	1,249,473.95	3,458,618.89	496,518.12
	净利润(元)	3,546,399.22	3,282,839.15	423,300.49
	未分配利润(元)	4,584,558.46	1,038,159.24	3,953,255.19
	总资产(元)	127,930,927.94	121,129,738.26	102,388,832.30
	总负债(元)	85,832,310.01	82,577,519.55	81,119,452.74
	净资产(元)	42,098,617.93	38,552,218.71	21,269,379.56
	每股收益(元)	0.12	0.16	0.04
	每股净资产(元)	1.40	1.29	1.33
	净资产收益率(%)	8.42	8.52	1.99

上海弘陆物流设备股份有限公司

公司概况	公司名称	上海弘陆物流设备股份有限公司			股份名称	弘陆股份
	法人代表	沈晓红	董秘	沈晓红	股份代码	430584
	公司网址	www.hldworld.cn		主办券商	安信证券股份有限公司	
	电　话	021-39170807-22		传　真	021-39170807-15	
	注册地址	上海市嘉定区马陆镇复华路33号1幢3层308室				
	行业分类	租赁和商务服务业				

	指标\报告期	2014.06.30	2013.12.31	2012.12.31
主要财务指标	营业收入(元)	4,286,034.05	6,851,873.66	6,498,321.11
	营业利润(元)	18,411.80	–692,132.57	144,537.27
	净利润(元)	32,426.07	–502,726.92	157,339.71
	未分配利润(元)	–536,369.66	–568,795.73	680,328.40
	总资产(元)	16,230,507.67	12,983,228.05	13,426,288.35
	总负债(元)	10,968,203.29	7,753,349.74	7,693,683.12
	净资产(元)	5,262,304.38	5,229,878.31	5,732,605.23
	每股收益(元)	0.01	–0.10	0.03
	每股净资产(元)	1.05	1.05	1.15
	净资产收益率(%)	0.62	–9.61	2.75

徐州中矿微星软件股份有限公司

公司概况	公司名称	徐州中矿微星软件股份有限公司			股份名称	中矿微星
	法人代表	王广军	董秘	于秀华	股份代码	430585
	公司网址	www.microstarsoft.com		主办券商	东吴证券股份有限公司	
	电　话	0516-83896360		传　真	0516-83896370	
	注册地址	江苏省徐州市解放南路中国矿业大学国家大学科技园内科技大厦916室				
	行业分类	信息传输、软件和信息技术服务业				

	指标\报告期	2014.06.30	2013.12.31	2012.12.31
主要财务指标	营业收入(元)	4,225,747.43	9,713,342.27	5,899,271.71
	营业利润(元)	–111,146.69	318,695.42	–6,483,451.76
	净利润(元)	578,585.47	1,333,384.59	–3,405,401.56
	未分配利润(元)	707,003.89	128,418.42	5,070,007.68
	总资产(元)	20,456,209.88	21,267,283.62	19,652,738.75
	总负债(元)	2,532,520.00	3,922,179.21	3,641,018.93
	净资产(元)	17,923,689.88	17,345,104.41	16,011,719.82
	每股收益(元)	0.05	0.13	–0.45
	每股净资产(元)	1.49	1.45	1.60
	净资产收益率(%)	3.23	7.69	–21.27

无锡市兴港包装股份有限公司

公司概况	公司名称	无锡市兴港包装股份有限公司			股份名称	兴港包装
	法人代表	曹敏丰	董秘	俞春霞	股份代码	430586
	公司网址	www.wxxinggang.com	主办券商	东吴证券股份有限公司		
	电　话	0510-88768988	传　真	0510-88761276		
	注册地址	江苏省无锡市锡山区东港镇港下兴港路93号				
	行业分类	制造业				

	指标\报告期	2014.06.30	2013.12.31	2012.12.31
主要财务指标	营业收入(元)	39,949,481.18	76,826,360.92	72,977,740.77
	营业利润(元)	2,183,706.42	3,686,899.13	2,033,680.73
	净利润(元)	2,528,067.31	2,331,996.08	2,097,152.36
	未分配利润(元)	2,732,401.15	1,054,333.84	10,842,731.94
	总资产(元)	48,031,758.77	49,543,327.56	41,034,464.14
	总负债(元)	24,693,778.48	27,883,414.58	21,706,547.24
	净资产(元)	23,337,980.29	21,659,912.98	19,327,916.90
	每股收益(元)	0.51	0.47	0.42
	每股净资产(元)	4.67	4.33	3.87
	净资产收益率(%)	10.83	10.77	10.85

浙江天松医疗器械股份有限公司

公司概况	公司名称	浙江天松医疗器械股份有限公司			股份名称	天松医疗
	法人代表	徐天松	董秘	方烈	股份代码	430588
	公司网址	www.zj-tiansong.com	主办券商	海通证券股份有限公司		
	电　话	0571-64242798	传　真	0571-64241118		
	注册地址	浙江省桐庐经济开发区尖端路168号				
	行业分类	制造业				

	指标\报告期	2014.06.30	2013.12.31	2012.12.31
主要财务指标	营业收入(元)	31,560,128.87	91,356,583.83	96,734,175.91
	营业利润(元)	6,407,653.00	31,966,968.43	34,331,634.28
	净利润(元)	8,533,969.21	28,911,174.87	31,009,007.87
	未分配利润(元)	19,514,186.49	31,214,610.51	5,211,407.57
	总资产(元)	147,515,549.05	151,827,150.99	124,078,469.14
	总负债(元)	22,280,133.58	13,934,253.62	15,215,724.23
	净资产(元)	125,235,415.47	137,892,897.37	108,862,744.91
	每股收益(元)	0.19	0.64	0.72
	每股净资产(元)	2.72	2.99	2.35
	净资产收益率(%)	6.98	21.35	29.16

苏州银河激光科技股份有限公司

公司概况	公司名称	苏州银河激光科技股份有限公司			股份名称	银河激光
	法人代表	刘群	董秘	许顺华	股份代码	430589
	公司网址	www.galaxylaser.cn	主办券商	东吴证券股份有限公司		
	电　话	0512-68255317	传　真	0512-68096557		
	注册地址	江苏省苏州市高新区黄埔街69号				
	行业分类	制造业				

	指标\报告期	2014.06.30	2013.12.31	2012.12.31
主要财务指标	营业收入(元)	9,650,726.54	30,004,540.75	40,035,700.56
	营业利润(元)	-3,914,377.67	-1,521,910.16	1,321,564.08
	净利润(元)	-1,380,521.78	-242,969.78	2,223,687.94
	未分配利润(元)	-148,255.92	995,452.23	1,238,422.01
	总资产(元)	41,497,778.17	43,145,018.97	41,756,040.71
	总负债(元)	25,627,674.41	26,131,207.06	24,499,259.02
	净资产(元)	15,870,103.76	17,013,811.91	17,256,781.69
	每股收益(元)	-0.14	-0.02	0.22
	每股净资产(元)	0.16	1.70	1.73
	净资产收益率(%)	-8.70	-1.43	12.89

成都晶宝时频技术股份有限公司

公司概况	公司名称	成都晶宝时频技术股份有限公司			股份名称	晶宝股份
	法人代表	何仁举	董秘	梁羽杉	股份代码	430590
	公司网址	www.chinacrec.com	主办券商	东方花旗证券有限公司		
	电　话	028-66118588	传　真	028-66118501		
	注册地址	四川省成都市高新区西部园区百叶路8号				
	行业分类	制造业				

	指标\报告期	2014.06.30	2013.12.31	2012.12.31
主要财务指标	营业收入(元)	-	41,389,353.10	35,857,589.60
	营业利润(元)	-	1,170,528.06	301,221.75
	净利润(元)	-	2,647,593.29	1,311,384.34
	未分配利润(元)	-	4,172,462.36	1,789,628.40
	总资产(元)	-	73,742,452.19	68,302,569.49
	总负债(元)	-	36,660,364.66	33,868,075.25
	净资产(元)	-	37,082,087.53	34,434,494.24
	每股收益(元)	-	0.09	0.04
	每股净资产(元)	-	1.24	1.15
	净资产收益率(%)	-	7.14	3.81

武汉明德生物科技股份有限公司

公司概况	公司名称	武汉明德生物科技股份有限公司		股份名称	明德生物	
	法人代表	陈莉莉	董秘	苏萍萍	股份代码	430591
	公司网址	www.mdeasydiagnosis.com		主办券商	天风证券股份有限公司	
	电　话	027-86645303		传　真	027-87808005	
	注册地址	湖北省武汉市东湖开发区关东科技园东信路特1号留学生创业园E栋2楼				
	行业分类	制造业				

	指标\报告期	2014.06.30	2013.12.31	2012.12.31
主要财务指标	营业收入(元)	–	25,947,478.85	7,096,033.35
	营业利润(元)	–	8,313,786.29	1,275,052.38
	净利润(元)	–	7,322,142.31	1,401,869.56
	未分配利润(元)	–	3,554,413.87	245,987.33
	总资产(元)	–	23,790,322.32	4,656,975.58
	总负债(元)	–	10,194,860.75	3,233,656.32
	净资产(元)	–	13,595,461.57	1,423,319.26
	每股收益(元)	–	2.65	1.22
	每股净资产(元)	–	2.27	1.24
	净资产收益率(%)	–	53.86	98.49

凯德自控技术长沙股份有限公司

公司概况	公司名称	凯德自控技术长沙股份有限公司		股份名称	凯德自控	
	法人代表	华传健	董秘	欧阳斌	股份代码	430592
	公司网址	www.kingdom.cn		主办券商	财富证券有限责任公司	
	电　话	0731-84896668		传　真	0731-84896678	
	注册地址	湖南省长沙市高新开发区隆平高科技园湖南省科研成果转化中心2号栋3楼				
	行业分类	制造业				

	指标\报告期	2014.06.30	2013.12.31	2012.12.31
主要财务指标	营业收入(元)	95,915,016.25	201,337,720.66	160,381,505.98
	营业利润(元)	1,173,642.19	4,667,903.11	2,712,026.28
	净利润(元)	1,170,687.78	4,390,449.56	3,653,180.77
	未分配利润(元)	5,052,900.67	4,037,750.39	3,404,086.61
	总资产(元)	100,026,541.94	94,876,789.43	77,972,225.10
	总负债(元)	55,196,638.33	51,544,645.83	43,570,531.06
	净资产(元)	44,829,903.61	43,332,143.60	34,401,694.04
	每股收益(元)	0.04	0.16	0.14
	每股净资产(元)	1.47	1.41	1.28
	净资产收益率(%)	2.73	10.28	10.62

苏州华尔美特装饰材料股份有限公司

公司概况	公司名称	苏州华尔美特装饰材料股份有限公司		股份名称	华尔美特	
	法人代表	桂军	董秘	王正中	股份代码	430593
	公司网址	www.wallmatechina.com		主办券商	宏源证券股份有限公司	
	电　话	0512-82872588		传　真	0512-63631651	
	注册地址	江苏省苏州市吴江区黎里镇黎民北路东侧				
	行业分类	建筑业				

	指标\报告期	2014.06.30	2013.12.31	2012.12.31
主要财务指标	营业收入(元)	56,297,499.40	120,257,522.42	79,552,517.35
	营业利润(元)	4,797,932.82	11,100,426.18	4,530,216.69
	净利润(元)	5,452,391.90	8,005,691.59	3,232,785.88
	未分配利润(元)	12,137,326.22	6,725,120.28	3,869,957.01
	总资产(元)	144,099,216.17	104,544,735.52	66,924,765.67
	总负债(元)	68,376,728.31	66,594,091.69	37,024,813.43
	净资产(元)	75,722,487.86	37,950,643.83	29,899,952.24
	每股收益(元)	0.17	0.27	0.13
	每股净资产(元)	1.97	1.27	1.17
	净资产收益率(%)	7.19	21.33	10.81

广州盈光科技股份有限公司

公司概况	公司名称	广州盈光科技股份有限公司		股份名称	盈光科技	
	法人代表	徐雄	董秘	徐小芳	股份代码	430594
	公司网址			主办券商	齐鲁证券有限公司	
	电　话	020-32053049		传　真	020-32068202	
	注册地址	广东省广州市高新技术产业开发区科学城光谱西路69号一期厂房二楼				
	行业分类	制造业				

	指标\报告期	2014.06.30	2013.12.31	2012.12.31
主要财务指标	营业收入(元)	4,802,493.08	8,685,296.21	4,120,985.40
	营业利润(元)	–1,598,120.59	293,435.45	10,070.60
	净利润(元)	351,501.00	175,115.66	136,163.39
	未分配利润(元)	265,943.95	–85,557.05	23,026.56
	总资产(元)	23,043,444.17	14,157,640.84	9,347,066.90
	总负债(元)	10,015,837.61	8,581,535.28	3,946,077.00
	净资产(元)	13,027,606.56	5,576,105.56	5,400,989.90
	每股收益(元)	0.06	0.03	0.04
	每股净资产(元)	2.17	0.99	1.01
	净资产收益率(%)	2.70	3.14	2.52

江西唐人通信技术服务股份有限公司

公司概况	公司名称	江西唐人通信技术服务股份有限公司			股份名称	唐人通服
	法人代表	方国栋	董秘	方国栋	股份代码	430595
	公司网址	www.trkj.com		主办券商	国泰君安证券股份有限公司	
	电话	13707098809		传真		
	注册地址	江西省南昌市高新区高新七路918号综合办公楼10楼				
	行业分类	信息传输、软件和信息技术服务业				

	指标\报告期	2014.06.30	2013.12.31	2012.12.31
主要财务指标	营业收入(元)	–	145,315,033.36	106,786,653.53
	营业利润(元)	–	30,645,195.43	26,184,292.81
	净利润(元)	–	26,179,310.09	22,087,621.30
	未分配利润(元)	–	26,377,171.52	2,810,093.94
	总资产(元)	–	148,544,292.56	79,228,891.86
	总负债(元)	–	75,449,079.97	32,312,989.36
	净资产(元)	–	73,095,212.59	46,915,902.50
	每股收益(元)	–	0.65	0.55
	每股净资产(元)	–	1.83	1.17
	净资产收益率(%)	–	35.82	47.08

新达通科技股份有限公司

公司概况	公司名称	新达通科技股份有限公司			股份名称	新达通
	法人代表	黄国忠	董秘	陈希	股份代码	430596
	公司网址	www.newdt.com.cn		主办券商	宏源证券股份有限公司	
	电话	0755-25780955-8003		传真	0755-25772113	
	注册地址	广东省深圳市南山区科技中二路深圳软件园13#楼601				
	行业分类	制造业				

	指标\报告期	2014.06.30	2013.12.31	2012.12.31
主要财务指标	营业收入(元)	118,338,158.89	430,887,135.87	135,711,450.68
	营业利润(元)	−9,964,412.40	57,793,588.56	2,733,485.30
	净利润(元)	634,012.73	52,448,128.82	6,364,068.99
	未分配利润(元)	47,348,661.26	72,519,421.86	28,940,249.77
	总资产(元)	670,000,059.18	485,949,678.37	218,018,807.43
	总负债(元)	512,443,743.98	325,864,375.90	118,077,233.78
	净资产(元)	157,556,315.20	160,085,302.47	99,941,573.65
	每股收益(元)	0.01	0.92	0.11
	每股净资产(元)	1.56	2.53	1.75
	净资产收益率(%)	0.40	32.76	6.37

深圳市博安通科技股份有限公司

公司概况	公司名称	深圳市博安通科技股份有限公司			股份名称	博安通
	法人代表	付明钢	董秘	赵启国	股份代码	430597
	公司网址	www.tech-now.com		主办券商	光大证券股份有限公司	
	电话	0755-29976700		传真	0755-29976670	
	注册地址	广东省深圳市宝安区西乡街道恒丰工业城C3栋三层南				
	行业分类	制造业				

	指标\报告期	2014.06.30	2013.12.31	2012.12.31
主要财务指标	营业收入(元)	28,891,640.19	55,937,209.75	42,696,952.01
	营业利润(元)	2,455,751.40	6,553,837.80	3,386,007.22
	净利润(元)	2,419,020.00	6,170,527.01	3,002,654.96
	未分配利润(元)	4,357,771.85	3,938,751.85	7,066,184.03
	总资产(元)	50,711,795.00	43,529,437.09	37,028,931.27
	总负债(元)	28,943,018.38	23,359,680.47	23,029,701.66
	净资产(元)	21,768,776.62	20,169,756.62	13,999,229.61
	每股收益(元)	0.40	1.03	0.50
	每股净资产(元)	3.56	3.36	2.33
	净资产收益率(%)	11.11	30.59	21.45

上海众合医药科技股份有限公司

公司概况	公司名称	上海众合医药科技股份有限公司			股份名称	众合医药
	法人代表	熊俊	董秘	周华	股份代码	430598
	公司网址	www.unionbiopharm.com		主办券商	华林证券有限责任公司	
	电话	021-20248288		传真	021-20242017	
	注册地址	上海市浦东新区张江高科技园区哈雷路1043号602号				
	行业分类	制造业				

	指标\报告期	2014.06.30	2013.12.31	2012.12.31
主要财务指标	营业收入(元)	1,886,792.39	3,394,202.44	–
	营业利润(元)	−1,675,449.40	−10,575,986.49	−12,837,656.05
	净利润(元)	−1,675,449.40	−10,400,236.49	−12,157,656.05
	未分配利润(元)	−6,621,551.18	−4,946,101.78	−12,412,104.08
	总资产(元)	193,018,206.00	78,358,470.72	24,006,408.82
	总负债(元)	−249,372.03	3,070,811.29	418,512.90
	净资产(元)	193,267,578.03	75,287,659.43	23,587,895.92
	每股收益(元)	−0.02	−0.23	−0.79
	每股净资产(元)	2.11	1.70	0.66
	净资产收益率(%)	−0.87	−13.81	−51.54

艾艾精密工业输送系统(上海)股份有限公司

公司概况	公司名称	艾艾精密工业输送系统(上海)股份有限公司			股份名称	艾艾精工
	法人代表	涂木林	董秘	涂月玲	股份代码	430599
	公司网址	www.aabelt.com.cn		主办券商	长江证券股份有限公司	
	电　话	021-65305237		传　真	021-65346100	
	注册地址	上海市闸北区万荣路 700 号 43 幢 B 层				
	行业分类	制造业				

	指标\报告期	2014.06.30	2013.12.31	2012.12.31
主要财务指标	营业收入(元)	71,219,140.06	121,012,374.32	121,726,037.73
	营业利润(元)	14,640,750.82	27,588,244.15	25,917,846.98
	净利润(元)	13,458,046.87	23,125,111.90	20,640,815.05
	未分配利润(元)	57,020,283.60	43,704,439.45	22,465,238.12
	总资产(元)	192,628,808.76	181,254,523.86	171,077,735.48
	总负债(元)	48,892,840.41	50,962,801.13	66,140,483.79
	净资产(元)	143,735,968.35	130,291,722.73	104,937,251.69
	每股收益(元)	0.27	0.46	0.42
	每股净资产(元)	2.83	2.56	2.10
	净资产收益率(%)	9.42	18.06	19.67

安徽徽电科技股份有限公司

公司概况	公司名称	安徽徽电科技股份有限公司			股份名称	徽电科技
	法人代表	王川	董秘	张文仲	股份代码	430600
	公司网址	www.huidiantech.com		主办券商	国元证券股份有限公司	
	电　话	0551-65338300		传　真	0551-65338300	
	注册地址	安徽省合肥市高新技术产业开发区合欢路 26 号				
	行业分类	制造业				

	指标\报告期	2014.06.30	2013.12.31	2012.12.31
主要财务指标	营业收入(元)	–	87,959,238.19	89,222,426.89
	营业利润(元)	–	9,229,229.31	9,347,212.40
	净利润(元)	–	9,301,915.58	8,757,921.96
	未分配利润(元)	–	19,928,836.86	17,033,683.23
	总资产(元)	–	128,481,520.44	118,527,591.48
	总负债(元)	–	55,193,934.58	48,945,274.12
	净资产(元)	–	73,287,585.86	69,582,317.36
	每股收益(元)	–	0.33	0.33
	每股净资产(元)	–	2.55	2.41
	净资产收益率(%)	–	12.83	13.35

苏州吉玛基因股份有限公司

公司概况	公司名称	苏州吉玛基因股份有限公司			股份名称	吉玛基因
	法人代表	张佩琢	董秘	段春晓	股份代码	430601
	公司网址	www.genepharma.com		主办券商	光大证券股份有限公司	
	电　话	0512-86668828-8008		传　真	0512-86665900	
	注册地址	江苏省苏州市工业园区东平街 199 号				
	行业分类	科学研究和技术服务业				

	指标\报告期	2014.06.30	2013.12.31	2012.12.31
主要财务指标	营业收入(元)	16,739,021.82	28,089,615.45	–
	营业利润(元)	–2,368,896.29	–8,366,040.66	23,281,023.09
	净利润(元)	2,367,634.36	–3,078,103.67	–9,421,902.31
	未分配利润(元)	–17,062,692.77	–19,137,680.56	–5,485,002.64
	总资产(元)	33,158,210.23	29,576,781.52	–16,607,877.95
	总负债(元)	21,822,110.87	20,608,316.52	23,239,764.63
	净资产(元)	11,336,099.36	8,968,465.00	22,053,195.96
	每股收益(元)	0.19	–0.25	1,186,568.67
	每股净资产(元)	0.92	0.72	–0.51
	净资产收益率(%)	21.10	–32.59	–0.06

江苏腾旋科技股份有限公司

公司概况	公司名称	江苏腾旋科技股份有限公司			股份名称	腾旋科技
	法人代表	李继锁	董秘	虞锦秀	股份代码	430602
	公司网址	www.tengxuan.net		主办券商	山西证券股份有限公司	
	电　话	0510-68787000		传　真	0510-88159405	
	注册地址	江苏省无锡市新区梅村工业集中区新都路 6 号				
	行业分类	制造业				

	指标\报告期	2014.06.30	2013.12.31	2012.12.31
主要财务指标	营业收入(元)	–	35,182,682.20	35,582,880.80
	营业利润(元)	–	113,313.51	324,999.70
	净利润(元)	–	693,426.42	807,264.88
	未分配利润(元)	–	1,076,045.85	451,962.07
	总资产(元)	–	87,714,720.66	86,289,064.56
	总负债(元)	–	29,406,641.47	28,700,401.79
	净资产(元)	–	58,308,079.19	57,588,662.77
	每股收益(元)	–	0.02	0.03
	每股净资产(元)	–	1.79	1.77
	净资产收益率(%)	–	1.19	1.40

杭州回水科技股份有限公司

公司概况						
	公司名称	杭州回水科技股份有限公司		股份名称	回水科技	
	法人代表	王万寿	董秘	何晓红	股份代码	430603
	公司网址	www.huishuitech.com	主办券商	国信证券股份有限公司		
	电　　话	0571-88919597	传　　真	0571-88915909		
	注册地址	浙江省杭州市滨江区滨安路1180号2号厂房106-110				
	行业分类	制造业				

主要财务指标	指标\报告期	2014.06.30	2013.12.31	2012.12.31
	营业收入(元)	–	47,193,326.25	48,964,388.58
	营业利润(元)	–	3,028,789.13	4,122,398.76
	净利润(元)	–	5,061,056.37	6,421,400.66
	未分配利润(元)	–	10,753,217.82	6,187,622.71
	总资产(元)	–	47,475,460.02	42,281,612.44
	总负债(元)	–	11,406,943.50	11,544,152.29
	净资产(元)	–	36,068,516.52	30,737,460.15
	每股收益(元)	–	0.22	0.62
	每股净资产(元)	–	1.60	2.74
	净资产收益率(%)	–	14.03	20.89

福建三炬生物科技股份有限公司

公司概况						
	公司名称	福建三炬生物科技股份有限公司		股份名称	三炬生物	
	法人代表	尤越	董秘	林克明	股份代码	430604
	公司网址	www.chinasanju.com	主办券商	齐鲁证券有限公司		
	电　　话	13806959989	传　　真	0596-7665599		
	注册地址	福建省厦门市火炬高新区火炬园新丰三路16号(日华国际大厦)501室B1单元				
	行业分类	制造业				

主要财务指标	指标\报告期	2014.06.30	2013.12.31	2012.12.31
	营业收入(元)	–	20,181,135.71	16,723,000.69
	营业利润(元)	–	433,753.53	908,222.96
	净利润(元)	–	687,798.74	988,167.13
	未分配利润(元)	–	416,823.43	3,408,419.59
	总资产(元)	–	20,056,159.05	15,804,081.37
	总负债(元)	–	3,781,227.43	216,948.49
	净资产(元)	–	16,274,931.62	15,587,132.88
	每股收益(元)	–	0.06	0.09
	每股净资产(元)	–	1.38	1.32
	净资产收益率(%)	–	4.23	6.34

无锡阿科力科技股份有限公司

公司概况						
	公司名称	无锡阿科力科技股份有限公司		股份名称	阿科力	
	法人代表	朱学军	董秘	常俊	股份代码	430605
	公司网址	www.chinaacryl.com	主办券商	平安证券有限责任公司		
	电　　话	0510-88263255	传　　真	0510-88260752		
	注册地址	江苏省无锡市锡山区东港镇新材料产业园				
	行业分类	制造业				

主要财务指标	指标\报告期	2014.06.30	2013.12.31	2012.12.31
	营业收入(元)	–	163,728,306.75	112,689,261.79
	营业利润(元)	–	10,434,490.21	6,031,872.66
	净利润(元)	–	9,179,349.68	4,998,897.03
	未分配利润(元)	–	7,409,780.69	21,874,295.02
	总资产(元)	–	180,530,712.10	169,412,690.27
	总负债(元)	–	82,936,923.09	81,188,102.41
	净资产(元)	–	97,593,789.01	88,224,587.86
	每股收益(元)	–	0.15	0.08
	每股净资产(元)	–	1.63	1.47
	净资产收益率(%)	–	9.41	5.67

广州金鹏源康精密电路股份有限公司

公司概况						
	公司名称	广州金鹏源康精密电路股份有限公司		股份名称	金鹏源康	
	法人代表	王丹阳	董秘	胡兵梅	股份代码	430606
	公司网址	www.gzjpwh.com	主办券商	安信证券股份有限公司		
	电　　话	020-66885031	传　　真	020-32223928		
	注册地址	广东省广州高新技术产业开发区神舟路9号一楼首层北面				
	行业分类	制造业				

主要财务指标	指标\报告期	2014.06.30	2013.12.31	2012.12.31
	营业收入(元)	–	215,904,140.63	283,805,524.34
	营业利润(元)	–	9,118,494.58	9,828,479.45
	净利润(元)	–	8,347,342.84	8,704,292.42
	未分配利润(元)	–	7,512,608.56	13,941,340.22
	总资产(元)	–	131,167,169.35	118,605,645.00
	总负债(元)	–	60,885,149.75	56,670,968.24
	净资产(元)	–	70,282,019.60	61,934,676.76
	每股收益(元)	–	0.15	0.16
	每股净资产(元)	–	1.28	1.13
	净资产收益率(%)	–	11.88	14.05

南京大树智能科技股份有限公司

公司概况	公司名称	南京大树智能科技股份有限公司		股份名称	大树智能
	法人代表	王李苏	董秘	鲁束	股份代码	430607
	公司网址	www.dashu.com	主办券商	华泰证券股份有限公司	
	电　　话	025-68716728	传　　真	025-68716769	
	注册地址	江苏省南京市江宁经济技术开发区挹淮街 8 号			
	行业分类	制造业			

	指标\报告期	2014.06.30	2013.12.31	2012.12.31
主要财务指标	营业收入（元）	–	102,516,351.44	93,539,873.12
	营业利润（元）	–	21,493,252.26	12,323,489.56
	净利润（元）	–	20,617,872.16	12,124,591.83
	未分配利润（元）	–	24,500,090.53	7,409,192.63
	总资产（元）	–	114,054,436.30	129,818,827.23
	总负债（元）	–	49,581,243.93	90,319,507.02
	净资产（元）	–	64,473,192.37	39,499,320.21
	每股收益（元）	–	0.71	0.45
	每股净资产（元）	–	2.15	1.48
	净资产收益率（%）	–	31.98	30.70

西安奇维科技股份有限公司

公司概况	公司名称	西安奇维科技股份有限公司		股份名称	奇维科技
	法人代表	刘升	董秘	刘晓东	股份代码	430608
	公司网址	www.keyway.com.cn	主办券商	招商证券股份有限公司	
	电　　话	029-88346203-8005	传　　真	029-88258264	
	注册地址	陕西省西安市高新区锦业路 69 号创业研发园 C 区 8			
	行业分类	制造业			

	指标\报告期	2014.06.30	2013.12.31	2012.12.31
主要财务指标	营业收入（元）	24,298,554.80	45,777,188.54	56,055,389.32
	营业利润（元）	975,449.74	321,003.26	5,401,480.50
	净利润（元）	861,381.89	2,750,910.79	5,694,993.58
	未分配利润（元）	13,230,579.82	13,269,197.93	11,871,778.12
	总资产（元）	84,061,684.59	80,361,220.19	78,193,523.56
	总负债（元）	18,535,696.84	17,296,614.33	16,979,828.49
	净资产（元）	65,525,987.75	63,064,605.86	61,213,695.07
	每股收益（元）	0.02	0.06	0.13
	每股净资产（元）	1.42	1.40	1.36
	净资产收益率（%）	1.32	4.36	9.31

山东中磁视讯股份有限公司

公司概况	公司名称	山东中磁视讯股份有限公司		股份名称	中磁视讯
	法人代表	贾伟光	董秘	单云霞	股份代码	430609
	公司网址	www.sdcmnis.com	主办券商	齐鲁证券有限公司	
	电　　话	0531-88873822	传　　真	0531-88885838	
	注册地址	山东省济南市高新区舜华路 2000 号舜泰广场 2 号楼 12 层			
	行业分类	信息传输、软件和信息技术服务业			

	指标\报告期	2014.06.30	2013.12.31	2012.12.31
主要财务指标	营业收入（元）	34,324,952.50	60,461,888.56	38,990,240.45
	营业利润（元）	8,333,325.73	16,322,214.10	8,864,821.52
	净利润（元）	7,251,492.28	14,145,189.82	8,346,303.51
	未分配利润（元）	30,257,226.00	23,005,733.72	10,275,962.01
	总资产（元）	206,128,437.04	191,892,637.72	84,469,218.73
	总负债（元）	89,588,500.68	82,604,193.64	38,079,964.47
	净资产（元）	116,539,936.36	109,288,444.08	46,389,254.26
	每股收益（元）	0.19	0.41	0.44
	每股净资产（元）	3.07	2.88	1.91
	净资产收益率（%）	6.22	12.94	17.99

江苏瀚远科技股份有限公司

公司概况	公司名称	江苏瀚远科技股份有限公司		股份名称	瀚远科技
	法人代表	肖峻涛	董秘	江燕	股份代码	430610
	公司网址	www.hanwintech.com	主办券商	首创证券有限责任公司	
	电　　话	0512-62882155	传　　真	0512-62882155	
	注册地址	江苏省苏州市工业园区汀兰巷 183 号 7 栋 B 座			
	行业分类	信息传输、软件和信息技术服务业			

	指标\报告期	2014.06.30	2013.12.31	2012.12.31
主要财务指标	营业收入（元）	–	83,985,138.77	110,380,652.73
	营业利润（元）	–	4,299,916.83	5,699,772.70
	净利润（元）	–	5,258,336.65	6,618,032.45
	未分配利润（元）	–	3,922,213.82	9,879,056.10
	总资产（元）	–	68,902,959.82	88,402,212.49
	总负债（元）	–	43,292,858.59	52,677,411.45
	净资产（元）	–	25,610,101.23	35,724,801.04
	每股收益（元）	–	0.30	0.26
	每股净资产（元）	–	1.28	1.54
	净资产收益率（%）	–	23.44	17.19

上海长信科技股份有限公司

公司概况	公司名称	上海长信科技股份有限公司			股份名称	长信股份
	法人代表	薛贝得	董秘	沈文磊	股份代码	430611
	公司网址	www.cxgrp.com		主办券商	招商证券股份有限公司	
	电　话	021-65609999		传　真	021-65606666	
	注册地址	上海市嘉定区复华路33号1幢3层358室				
	行业分类	信息传输、软件和信息技术服务业				

主要财务指标	指标\报告期	2014.06.30	2013.12.31	2012.12.31
	营业收入(元)	11,684,308.60	33,406,010.34	15,596,883.48
	营业利润(元)	1,147,212.65	2,298,162.07	-143,426.68
	净利润(元)	1,010,831.44	2,068,316.10	6,985.01
	未分配利润(元)	1,951,341.85	1,059,910.41	2,943,939.02
	总资产(元)	39,582,658.93	38,209,401.74	44,537,213.59
	总负债(元)	7,091,779.21	12,729,953.46	21,126,081.41
	净资产(元)	32,490,879.72	25,479,448.28	23,411,132.18
	每股收益(元)	0.03	0.09	0.00
	每股净资产(元)	1.08	1.07	1.18
	净资产收益率(%)	3.11	8.12	0.03

大连雅威特生物技术股份有限公司

公司概况	公司名称	大连雅威特生物技术股份有限公司			股份名称	雅威特
	法人代表	于传兴	董秘	张晓	股份代码	430612
	公司网址	www.dlyaweite.com		主办券商	申银万国证券股份有限公	
	电　话	0411-84667207		传　真	0411-84678994	
	注册地址	辽宁省大连市高新技术产业园区黄浦路537号13层16号				
	行业分类	制造业				

主要财务指标	指标\报告期	2014.06.30	2013.12.31	2012.12.31
	营业收入(元)	-	25,668,907.55	6,700,546.22
	营业利润(元)	-	12,859,287.87	750,812.07
	净利润(元)	-	10,903,090.86	867,777.04
	未分配利润(元)	-	9,560,881.54	-279,889.15
	总资产(元)	-	25,463,236.17	15,923,197.74
	总负债(元)	-	14,619.22	1,377,671.65
	净资产(元)	-	25,448,616.95	14,545,526.09
	每股收益(元)	-	0.78	0.15
	每股净资产(元)	-	1.82	2.49
	净资产收益率(%)	-	42.84	5.97

广东腾晖信息科技开发股份有限公司

公司概况	公司名称	广东腾晖信息科技开发股份有限公司			股份名称	腾晖科技
	法人代表	葛晓东	董秘	张培德	股份代码	430613
	公司网址	www.thsoft.cc		主办券商	新时代证券有限责任公司	
	电　话	18902875059		传　真	0756-2686233	
	注册地址	广东省珠海市唐家湾镇哈工大路1号-1-C304室				
	行业分类	信息传输、软件和信息技术服务业				

主要财务指标	指标\报告期	2014.06.30	2013.12.31	2012.12.31
	营业收入(元)	11,322,381.84	15,612,974.06	10,455,697.43
	营业利润(元)	92,353.95	1,629,844.17	1,717,209.59
	净利润(元)	567,658.16	2,941,580.71	2,439,245.68
	未分配利润(元)	2,954,970.14	2,387,311.98	5,562,812.97
	总资产(元)	19,565,464.01	19,223,594.02	12,665,258.10
	总负债(元)	923,412.17	1,149,200.34	1,822,445.13
	净资产(元)	18,642,051.84	18,074,393.68	10,842,812.97
	每股收益(元)	0.04	0.34	0.46
	每股净资产(元)	1.19	1.15	2.05
	净资产收益率(%)	3.05	16.28	22.50

北京星通联华科技发展股份有限公司

公司概况	公司名称	北京星通联华科技发展股份有限公司			股份名称	星通联华
	法人代表	张全升	董秘	张佳楠	股份代码	430614
	公司网址	www.satcomiot.com		主办券商	西南证券股份有限公司	
	电　话	010-82731589		传　真	010-82737685	
	注册地址	北京市海淀区学清路8号科技财富中心B1102号				
	行业分类	信息传输、软件和信息技术服务业				

主要财务指标	指标\报告期	2014.06.30	2013.12.31	2012.12.31
	营业收入(元)	62,026,208.23	149,561,418.30	107,184,282.29
	营业利润(元)	8,504,632.01	20,054,657.73	21,038,208.88
	净利润(元)	9,164,893.58	17,295,419.58	19,425,394.64
	未分配利润(元)	28,355,589.14	17,756,484.33	24,399,525.85
	总资产(元)	201,701,957.38	174,642,081.86	135,840,574.40
	总负债(元)	89,093,930.52	71,715,730.99	74,512,329.11
	净资产(元)	112,608,026.86	102,926,350.87	61,328,245.29
	每股收益(元)	0.37	0.66	0.63
	每股净资产(元)	3.42	3.04	1.96
	净资产收益率(%)	10.67	21.71	32.02

大连华工创新科技股份有限公司

公司概况	公司名称	大连华工创新科技股份有限公司			股份名称	华工创新
	法人代表	韩毅军	董秘	姜晓丽	股份代码	430615
	公司网址	www.hgcx.cn		主办券商	申银万国证券股份有限公司	
	电　话	0411-39525022		传　真	0411-39525009	
	注册地址	辽宁省大连市甘井子区姚北路25-18号				
	行业分类	制造业				

	指标\报告期	2014.06.30	2013.12.31	2012.12.31
主要财务指标	营业收入(元)	18,996,993.36	35,121,049.08	26,902,245.23
	营业利润(元)	2,092,083.95	5,866,579.01	6,345,269.96
	净利润(元)	1,802,299.60	5,695,443.15	5,491,287.21
	未分配利润(元)	4,294,440.35	2,672,370.71	8,982,751.84
	总资产(元)	23,955,316.32	21,245,188.98	12,688,654.73
	总负债(元)	6,176,738.20	5,268,910.46	2,407,819.36
	净资产(元)	17,778,578.12	15,976,278.52	10,280,835.37
	每股收益(元)	0.36	1.14	18.30
	每股净资产(元)	3.56	3.20	34.27
	净资产收益率(%)	10.14	35.65	53.41

郑州鸿盛数码科技股份有限公司

公司概况	公司名称	郑州鸿盛数码科技股份有限公司			股份名称	鸿盛数码
	法人代表	秦国胜	董秘	张碧青	股份代码	430616
	公司网址	www.ink4you.com		主办券商	西部证券股份有限公司	
	电　话	0371-60301007		传　真	0371-60301001	
	注册地址	河南省郑州市高新区玉兰西街10号				
	行业分类	制造业				

	指标\报告期	2014.06.30	2013.12.31	2012.12.31
主要财务指标	营业收入(元)	-	35,046,284.96	29,948,941.36
	营业利润(元)	-	-1,999,213.48	-2,262,102.21
	净利润(元)	-	503,031.33	187,058.21
	未分配利润(元)	-	2,005,813.87	1,575,644.39
	总资产(元)	-	65,804,582.32	60,084,757.20
	总负债(元)	-	30,234,137.20	25,317,343.41
	净资产(元)	-	35,570,445.12	34,767,413.79
	每股收益(元)	-	0.02	0.01
	每股净资产(元)	-	1.14	1.12
	净资产收益率(%)	-	1.43	0.54

北京欧迅体育文化股份有限公司

公司概况	公司名称	北京欧迅体育文化股份有限公司			股份名称	欧迅体育
	法人代表	朱晓东	董秘	张兰英	股份代码	430617
	公司网址	www.oceans-marketing.com		主办券商	中信建投证券股份有限公司	
	电　话	010-65989276		传　真	010-65989254	
	注册地址	北京市朝阳区工人体育场北路55幢3100-3107室				
	行业分类	文化、体育和娱乐业				

	指标\报告期	2014.06.30	2013.12.31	2012.12.31
主要财务指标	营业收入(元)	16,902,458.08	30,337,163.02	33,686,639.99
	营业利润(元)	2,702,621.57	-667,038.21	666,689.67
	净利润(元)	2,754,776.49	-1,174,213.21	402,894.31
	未分配利润(元)	794,624.62	-2,060,971.35	-296,967.90
	总资产(元)	23,420,712.41	21,043,925.16	13,742,558.36
	总负债(元)	11,935,533.95	12,803,523.19	12,777,943.18
	净资产(元)	11,485,178.46	8,240,401.97	964,615.18
	每股收益(元)	0.29	-0.11	0.42
	每股净资产(元)	1.11	0.82	0.73
	净资产收益率(%)	25.76	-13.79	57.33

深圳市凯立德科技股份有限公司

公司概况	公司名称	深圳市凯立德科技股份有限公司			股份名称	凯立德
	法人代表	张文星	董秘	陈琦胜	股份代码	430618
	公司网址	www.careland.com.cn		主办券商	华融证券股份有限公司	
	电　话	0755-83437621		传　真	0755-83432724	
	注册地址	广东省深圳市福田区深南大道以南、泰然九路以西耀华创建大厦2701号				
	行业分类	信息传输、软件和信息技术服务业				

	指标\报告期	2014.06.30	2013.12.31	2012.12.31
主要财务指标	营业收入(元)	-	168,498,808.07	140,779,296.10
	营业利润(元)	-	31,401,585.80	19,051,380.02
	净利润(元)	-	39,930,207.54	41,415,680.96
	未分配利润(元)	-	78,817,101.68	116,187,680.23
	总资产(元)	-	267,458,953.16	244,045,240.25
	总负债(元)	-	69,416,014.94	12,564,509.57
	净资产(元)	-	198,042,938.22	231,480,730.68
	每股收益(元)	-	0.44	0.45
	每股净资产(元)	-	2.16	2.52
	净资产收益率(%)	-	20.16	17.89

四川格纳斯光电科技股份有限公司

公司概况					
公司名称	四川格纳斯光电科技股份有限公司			股份名称	格纳斯
法人代表	王斌	董秘	徐宇虹	股份代码	430619
公司网址	www.sc-glas.com		主办券商	西部证券股份有限公司	
电　　话	028-61550972		传　　真	028-61550972	
注册地址	四川省成都市高新区天泰路145号1栋4层403号				
行业分类	制造业				

主要财务指标：指标\报告期	2014.06.30	2013.12.31	2012.12.31
营业收入(元)	–	83,355,436.01	82,917,009.28
营业利润(元)	–	10,696,689.97	12,669,880.53
净利润(元)	–	10,435,778.67	11,029,320.08
未分配利润(元)	–	27,228,264.04	20,454,897.62
总资产(元)	–	111,393,097.09	81,209,250.19
总负债(元)	–	55,720,883.45	33,175,771.59
净资产(元)	–	55,672,213.64	48,033,478.60
每股收益(元)	–	0.45	0.47
每股净资产(元)	–	2.38	2.06
净资产收益率(%)	–	18.75	22.96

益善生物技术股份有限公司

公司概况					
公司名称	益善生物技术股份有限公司			股份名称	益善生物
法人代表	许嘉森	董秘	吕力	股份代码	430620
公司网址	www.surexam.com		主办券商	招商证券股份有限公司	
电　　话	13503088032		传　　真	020-32057122	
注册地址	广东省广州市高新技术产业开发区科学城揽月路80号广州科技创新基地B,C区第5层				
行业分类	科学研究和技术服务业				

主要财务指标：指标\报告期	2014.06.30	2013.12.31	2012.12.31
营业收入(元)	–	48,565,105.46	31,617,376.70
营业利润(元)	–	-1,383,948.03	-3,541,196.92
净利润(元)	–	50,400.43	296,367.67
未分配利润(元)	–	2,124,240.70	2,073,840.27
总资产(元)	–	71,976,079.84	66,041,101.44
总负债(元)	–	14,702,352.93	8,817,774.96
净资产(元)	–	57,273,726.91	57,223,326.48
每股收益(元)	–	0.00	0.01
每股净资产(元)	–	1.15	1.14
净资产收益率(%)	–	0.09	0.52

固安信通信号技术股份有限公司

公司概况					
公司名称	固安信通信号技术股份有限公司			股份名称	固安信通
法人代表	邸志军	董秘	冯子云	股份代码	430621
公司网址	www.gaxt.cn		主办券商	中信建投证券股份有限公司	
电　　话	0316-6165221		传　　真	0316-6195452	
注册地址	河北省廊坊市固安县固安镇工业园区				
行业分类	制造业				

主要财务指标：指标\报告期	2014.06.30	2013.12.31	2012.12.31
营业收入(元)	–	86,288,082.66	73,776,674.16
营业利润(元)	–	11,289,903.79	11,732,190.49
净利润(元)	–	9,695,168.32	9,537,675.50
未分配利润(元)	–	-2,598,495.03	24,523,010.34
总资产(元)	–	179,681,611.67	153,455,223.62
总负债(元)	–	92,585,311.64	76,054,091.91
净资产(元)	–	87,096,300.03	77,401,131.71
每股收益(元)	–	0.16	0.31
每股净资产(元)	–	1.45	2.54
净资产收益率(%)	–	11.13	12.56

无锡顺达智能自动化工程股份有限公司

公司概况					
公司名称	无锡顺达智能自动化工程股份有限公司			股份名称	顺达智能
法人代表	高建飞	董秘	高逸	股份代码	430622
公司网址	www.wxsd.com		主办券商	浙商证券股份有限公司	
电　　话	0510-83953230		传　　真	0510-83951105	
注册地址	江苏省无锡市惠山经济开发区阳山配套区陆中南路108-1号				
行业分类	制造业				

主要财务指标：指标\报告期	2014.06.30	2013.12.31	2012.12.31
营业收入(元)	89,217,546.57	146,421,580.08	92,134,311.80
营业利润(元)	11,508,805.38	21,575,702.86	15,748,522.11
净利润(元)	10,870,463.91	18,039,967.30	12,816,430.97
未分配利润(元)	21,275,236.75	10,404,772.84	903,465.59
总资产(元)	203,438,797.62	180,594,580.65	141,726,164.16
总负债(元)	120,001,832.03	108,847,046.59	88,373,133.13
净资产(元)	83,436,965.59	71,747,534.06	53,353,031.03
每股收益(元)	0.22	0.36	0.26
每股净资产(元)	1.67	1.43	1.07
净资产收益率(%)	13.03	25.14	24.02

江苏箭鹿毛纺股份有限公司

公司概况	公司名称	江苏箭鹿毛纺股份有限公司			股份名称	箭鹿股份
	法人代表	刘庆年	董秘	孙召云	股份代码	430623
	公司网址	www.chinajianlu.com.cn		主办券商	华福证券有限责任公司	
	电　　话	13809095826		传　　真	0527-82868007	
	注册地址	江苏省宿迁市科工路 117 号宿城经济开发区(西区)				
	行业分类	制造业				

	指标\报告期	2014.06.30	2013.12.31	2012.12.31
主要财务指标	营业收入(元)	–	405,305,049.48	370,249,673.10
	营业利润(元)	–	27,932,544.95	26,280,807.38
	净利润(元)	–	38,577,987.24	35,103,589.83
	未分配利润(元)	–	115,193,888.55	82,100,279.59
	总资产(元)	–	678,424,132.21	622,811,835.88
	总负债(元)	–	393,746,586.84	376,712,277.75
	净资产(元)	–	284,677,545.37	246,099,558.13
	每股收益(元)	–	0.35	0.31
	每股净资产(元)	–	2.54	2.19
	净资产收益率(%)	–	13.69	14.34

北京中天金谷科技股份有限公司

公司概况	公司名称	北京中天金谷科技股份有限公司			股份名称	中天金谷
	法人代表	李宁	董秘	易秋林	股份代码	430624
	公司网址	www.china-gg.com		主办券商	南京证券股份有限公司	
	电　　话	13701255468		传　　真	010-89229068	
	注册地址	北京市石景山区八大处高科技园区(海特饭店 3944 室)				
	行业分类	制造业				

	指标\报告期	2014.06.30	2013.12.31	2012.12.31
主要财务指标	营业收入(元)	2,847,546.28	15,723,448.60	12,985,021.39
	营业利润(元)	-1,195,448.11	692,614.66	1,092,293.32
	净利润(元)	-933,154.78	642,472.86	770,078.38
	未分配利润(元)	-250,653.97	682,500.81	233,515.71
	总资产(元)	31,580,474.41	30,048,956.74	20,940,469.59
	总负债(元)	25,103,645.78	22,638,973.33	14,169,074.54
	净资产(元)	6,476,828.63	7,409,983.41	6,771,395.05
	每股收益(元)	-0.14	0.10	0.47
	每股净资产(元)	1.00	1.14	1.04
	净资产收益率(%)	-14.41	8.67	11.37

北京联创种业股份有限公司

公司概况	公司名称	北京联创种业股份有限公司			股份名称	联创种业
	法人代表	王义波	董秘	张林	股份代码	430625
	公司网址	www.lantron.cn		主办券商	国元证券股份有限公司	
	电　　话	0371-67896329		传　　真	0371-67896329	
	注册地址	北京市海淀区中关村南大街乙 12 号院 1 号楼 19 层 2211-2212 室				
	行业分类	农、林、牧、渔业				

	指标\报告期	2014.06.30	2013.12.31	2012.12.31
主要财务指标	营业收入(元)	–	88,695,996.43	221,664,101.14
	营业利润(元)	–	2,928,543.69	49,220,598.39
	净利润(元)	–	3,616,658.81	49,522,814.52
	未分配利润(元)	–	13,114,391.51	9,736,313.60
	总资产(元)	–	239,151,191.90	248,610,755.58
	总负债(元)	–	48,681,854.53	61,758,077.02
	净资产(元)	–	190,469,337.37	186,852,678.56
	每股收益(元)	–	0.04	0.76
	每股净资产(元)	–	1.90	1.87
	净资产收益率(%)	–	1.90	26.50

潍坊胜达科技股份有限公司

公司概况	公司名称	潍坊胜达科技股份有限公司			股份名称	胜达科技
	法人代表	辛胜芝	董秘	窦中华	股份代码	430626
	公司网址	www.wfsdkj.com		主办券商	光大证券股份有限公司	
	电　　话	0536-7529995		传　　真	0536-7613976	
	注册地址	山东省潍坊高新开发区胜达街 99 号				
	行业分类	制造业				

	指标\报告期	2014.06.30	2013.12.31	2012.12.31
主要财务指标	营业收入(元)	65,267,141.64	121,477,278.92	103,714,994.45
	营业利润(元)	8,986,512.61	10,815,787.68	13,396,585.38
	净利润(元)	7,339,239.64	9,620,000.45	11,779,327.76
	未分配利润(元)	35,461,035.44	37,121,795.80	27,801,209.28
	总资产(元)	170,438,820.96	157,541,325.28	153,571,435.81
	总负债(元)	68,227,402.23	53,669,146.19	57,562,677.77
	净资产(元)	102,211,418.73	103,872,179.09	96,008,758.04
	每股收益(元)	0.16	0.21	0.25
	每股净资产(元)	2.27	2.31	2.09
	净资产收益率(%)	7.18	8.97	12.16

成都页游科技股份有限公司

公司概况					
公司名称	成都页游科技股份有限公司			股份名称	页游科技
法人代表	薛维洪	董秘	王颖	股份代码	430627
公司网址	www.yegame.cn		主办券商	中国中投证券有限责任公司	
电　　话	028-85131975		传　　真	028-85136004	
注册地址	四川省成都高新区高朋东路18号				
行业分类	信息传输、软件和信息技术服务业				

主要财务指标			
指标\报告期	2014.06.30	2013.12.31	2012.12.31
营业收入(元)	5,118,106.11	16,827,417.82	33,906,759.18
营业利润(元)	-6,362,547.24	70,534.86	5,157,761.39
净利润(元)	-6,362,547.24	513,568.35	4,344,745.34
未分配利润(元)	-7,082,625.24	-720,078.00	1,407,617.17
总资产(元)	22,378,511.75	31,382,063.31	15,285,410.76
总负债(元)	16,663,471.56	19,304,475.88	3,721,391.68
净资产(元)	5,715,040.19	12,077,587.43	11,564,019.08
每股收益(元)	-0.64	0.05	0.43
每股净资产(元)	0.57	1.21	1.16
净资产收益率(%)	-111.33	4.25	37.57

深圳市易事达电子股份有限公司

公司概况					
公司名称	深圳市易事达电子股份有限公司			股份名称	易事达
法人代表	段武杰	董秘	袁国	股份代码	430628
公司网址	www.esdled.cn		主办券商	华创证券有限责任公司	
电　　话	0755-33592632		传　　真	0755-29588959	
注册地址	广东省深圳市宝安区观澜街道大和社区易事达宝益成科技园B栋				
行业分类	制造业				

主要财务指标			
指标\报告期	2014.06.30	2013.12.31	2012.12.31
营业收入(元)	146,993,509.97	289,383,775.05	281,698,782.06
营业利润(元)	29,293,821.38	38,775,944.38	37,960,458.24
净利润(元)	25,168,010.56	35,792,127.25	32,111,613.07
未分配利润(元)	63,653,076.32	38,485,065.76	6,385,037.76
总资产(元)	290,398,075.46	221,944,614.64	163,745,247.25
总负债(元)	135,184,520.46	91,899,070.20	69,491,830.06
净资产(元)	155,213,555.00	130,045,544.44	94,253,417.19
每股收益(元)	0.34	0.48	0.43
每股净资产(元)	2.07	1.73	1.26
净资产收益率(%)	16.22	27.52	34.07

成都国科海博信息技术股份有限公司

公司概况					
公司名称	成都国科海博信息技术股份有限公司			股份名称	国科海博
法人代表	陈柯	董秘	李浪	股份代码	430629
公司网址	www.gkhb.com.cn		主办券商	中国国际金融有限公司	
电　　话	028-85252568		传　　真	028-85255355	
注册地址	四川省成都市高新区天益街38号1栋				
行业分类	信息传输、软件和信息技术服务业				

主要财务指标			
指标\报告期	2014.06.30	2013.12.31	2012.12.31
营业收入(元)	20,856,010.63	126,945,833.97	54,260,131.86
营业利润(元)	-602,314.50	18,412,905.09	10,761,323.91
净利润(元)	33,621.07	18,989,513.36	9,135,988.37
未分配利润(元)	21,475,974.17	21,445,715.21	-10,516,142.85
总资产(元)	222,031,797.86	202,294,429.95	123,221,612.09
总负债(元)	134,524,806.28	115,821,059.44	83,737,754.94
净资产(元)	87,506,991.58	86,473,370.51	39,483,857.15
每股收益(元)	0.00	0.36	0.18
每股净资产(元)	1.46	1.46	0.79
净资产收益率(%)	0.04	21.96	23.14

上海合胜计算机科技股份有限公司

公司概况					
公司名称	上海合胜计算机科技股份有限公司			股份名称	合胜科技
法人代表	仲志亮	董秘	王磊	股份代码	430630
公司网址	www.mvs.com.cn		主办券商	财富证券有限责任公司	
电　　话	021-52178362		传　　真	021-52175176	
注册地址	上海市长宁区广顺路33号A(北)幢3层				
行业分类	信息传输、软件和信息技术服务业				

主要财务指标			
指标\报告期	2014.06.30	2013.12.31	2012.12.31
营业收入(元)	-	271,758,509.26	234,345,055.66
营业利润(元)	-	1,993,540.28	26,017,147.72
净利润(元)	-	8,081,526.81	25,293,728.54
未分配利润(元)	-	18,107,637.67	15,676,178.36
总资产(元)	-	185,746,157.09	138,810,580.49
总负债(元)	-	96,704,114.87	52,840,065.08
净资产(元)	-	89,042,042.22	85,970,515.41
每股收益(元)	-	0.27	0.85
每股净资产(元)	-	2.96	2.85
净资产收益率(%)	-	9.25	29.22

宁夏早康枸杞股份有限公司

公司概况	公司名称	宁夏早康枸杞股份有限公司		股份名称	早康枸杞
	法人代表	朱彦华	董秘	何娅	股份代码 430631
	公司网址		主办券商	宏源证券股份有限公司	
	电　话	0955-5793346	传　真	0955-5793368	
	注册地址	中国宁夏回族自治区中卫市中宁县新堡镇宁新工业园区			
	行业分类	农、林、牧、渔业			

主要财务指标	指标\报告期	2014.06.30	2013.12.31	2012.12.31
	营业收入(元)	35,238,949.38	70,900,132.57	46,128,045.79
	营业利润(元)	–7,024,516.75	–9,742,333.56	–9,806,497.39
	净利润(元)	–6,686,948.58	–7,380,697.41	–7,502,516.66
	未分配利润(元)	–25,550,843.23	–18,863,894.65	–11,483,197.24
	总资产(元)	126,091,592.62	127,205,273.35	130,449,279.90
	总负债(元)	101,451,475.46	95,878,207.61	91,741,516.75
	净资产(元)	24,640,117.16	31,327,065.74	38,707,763.15
	每股收益(元)	–0.13	–0.15	–0.15
	每股净资产(元)	0.49	0.63	0.77
	净资产收益率(%)	–27.14	–23.56	–19.38

上海希奥信息科技股份有限公司

公司概况	公司名称	上海希奥信息科技股份有限公司		股份名称	希奥股份
	法人代表	左德昌	董秘	于琳	股份代码 430632
	公司网址	www.sioo.com.cn	主办券商	东莞证券有限责任公司	
	电　话	021-58657686	传　真	021-58717781	
	注册地址	上海市奉贤区西韩路 228 弄 3 号 210 室			
	行业分类	信息传输、软件和信息技术服务业			

主要财务指标	指标\报告期	2014.06.30	2013.12.31	2012.12.31
	营业收入(元)	–	11,532,982.57	7,321,961.83
	营业利润(元)	–	886,131.61	603,646.60
	净利润(元)	–	718,004.62	503,534.84
	未分配利润(元)	–	701,241.20	–14,589.82
	总资产(元)	–	14,958,687.03	10,756,551.60
	总负债(元)	–	4,025,159.14	763,455.13
	净资产(元)	–	10,933,527.89	9,993,096.47
	每股收益(元)	–	0.07	0.05
	每股净资产(元)	–	1.07	1.00
	净资产收益率(%)	–	6.69	5.04

上海卡姆南洋医疗器械股份有限公司

公司概况	公司名称	上海卡姆南洋医疗器械股份有限公司		股份名称	卡姆医疗
	法人代表	于灵芝	董秘	孔宪敢	股份代码 430633
	公司网址	www.comermy.com.cn	主办券商	光大证券股份有限公司	
	电　话	021-64956970	传　真	021-64950225	
	注册地址	上海市徐汇区桂平路 471 号 7 号楼 2 层			
	行业分类	制造业			

主要财务指标	指标\报告期	2014.06.30	2013.12.31	2012.12.31
	营业收入(元)	16,624,680.77	31,169,256.42	17,919,560.46
	营业利润(元)	2,310,790.72	579,853.59	–1,374,074.58
	净利润(元)	2,007,575.10	811,428.29	–660,424.33
	未分配利润(元)	105,353.20	–1,902,221.90	–8,861,397.86
	总资产(元)	29,453,162.48	31,320,249.86	27,580,005.94
	总负债(元)	17,090,333.67	20,964,996.15	21,986,180.52
	净资产(元)	12,362,828.81	10,355,253.71	5,593,825.42
	每股收益(元)	0.22	0.09	–0.10
	每股净资产(元)	1.37	1.15	0.83
	净资产收益率(%)	16.24	7.84	–11.81

上海南安机电设备股份有限公司

公司概况	公司名称	上海南安机电设备股份有限公司		股份名称	南安机电
	法人代表	余杰	董秘	金晓虹	股份代码 430634
	公司网址	www.nail-auto.com/index.asp	主办券商	光大证券股份有限公司	
	电　话	021-34978898	传　真	021-57734512	
	注册地址	上海市闵行区新骏环路 188 号 15 幢 302 室			
	行业分类	制造业			

主要财务指标	指标\报告期	2014.06.30	2013.12.31	2012.12.31
	营业收入(元)	22,515,008.27	50,300,788.83	62,692,043.42
	营业利润(元)	1,957,563.43	3,591,752.79	3,009,198.48
	净利润(元)	1,655,372.26	2,502,900.06	2,210,770.06
	未分配利润(元)	4,186,021.12	2,530,648.86	5,007,039.66
	总资产(元)	50,154,358.81	50,787,359.12	55,198,339.98
	总负债(元)	10,383,773.61	12,672,146.18	19,586,027.10
	净资产(元)	39,770,585.20	38,115,212.94	35,612,312.88
	每股收益(元)	0.06	0.08	
	每股净资产(元)	1.33	1.27	1.19
	净资产收益率(%)	4.16	6.57	6.09

展唐通讯科技(上海)股份有限公司

公司概况	公司名称	展唐通讯科技(上海)股份有限公司			股份名称	展唐科技
	法人代表	曹刚	董秘	王雪萍	股份代码	430635
	公司网址	www.cgmobile.com.cn		主办券商	国泰君安证券股份有限公司	
	电　话	021-54268282-8057		传　真	021-54268282-8088	
	注册地址	上海市桂平路481号15幢5层5C4室				
	行业分类	制造业				

	指标\报告期	2014.06.30	2013.12.31	2012.12.31
主要财务指标	营业收入(元)	–	1,126,592,606.09	541,215,373.06
	营业利润(元)	–	12,402,229.19	27,720,108.07
	净利润(元)	–	17,876,803.85	27,842,353.66
	未分配利润(元)	–	23,812,764.29	28,318,082.05
	总资产(元)	–	336,378,526.17	405,700,574.93
	总负债(元)	–	225,517,429.45	310,539,430.63
	净资产(元)	–	110,861,096.72	95,161,144.30
	每股收益(元)	–	0.22	1.65
	每股净资产(元)	–	1.39	4.91
	净资产收益率(%)	–	16.13	29.26

上海法普罗新材料股份有限公司

公司概况	公司名称	上海法普罗新材料股份有限公司			股份名称	法普罗
	法人代表	汪维宏	董秘	张胜忠	股份代码	430636
	公司网址	www.shfpl.com		主办券商	申银万国证券股份有限公司	
	电　话	021-62336808		传　真	021-62336858	
	注册地址	上海市长宁区天山路641号1号楼(19幢)302室				
	行业分类	制造业				

	指标\报告期	2014.06.30	2013.12.31	2012.12.31
主要财务指标	营业收入(元)	–	36,469,872.51	19,360,817.49
	营业利润(元)	–	–510,347.56	2,485,927.23
	净利润(元)	–	197,558.39	2,098,609.10
	未分配利润(元)	–	–159,991.25	2,012,642.05
	总资产(元)	–	63,522,274.61	56,396,613.64
	总负债(元)	–	7,575,911.23	16,586,582.65
	净资产(元)	–	55,946,363.38	39,810,030.99
	每股收益(元)	–	0.01	0.19
	每股净资产(元)	–	2.74	1.95
	净资产收益率(%)	–	0.35	5.27

上海菱博电子技术股份有限公司

公司概况	公司名称	上海菱博电子技术股份有限公司			股份名称	菱博电子
	法人代表	张野翎	董秘	顾倍蕾	股份代码	430637
	公司网址	www.linbell.com.cn		主办券商	广发证券股份有限公司	
	电　话	021-64356822		传　真	021-64356896	
	注册地址	上海市闵行区江川路1800号173幢205室				
	行业分类	制造业				

	指标\报告期	2014.06.30	2013.12.31	2012.12.31
主要财务指标	营业收入(元)	119,116,615.04	184,667,136.15	101,622,881.59
	营业利润(元)	10,809,792.24	17,457,396.89	10,284,458.25
	净利润(元)	10,354,110.54	16,736,544.18	9,733,210.30
	未分配利润(元)	19,718,487.83	9,364,377.29	8,416,229.64
	总资产(元)	66,437,387.65	58,140,710.84	32,291,303.67
	总负债(元)	23,995,366.66	26,052,800.39	16,939,937.40
	净资产(元)	42,442,020.99	32,087,910.45	15,351,366.27
	每股收益(元)	0.52	0.84	0.49
	每股净资产(元)	2.12	1.60	0.77
	净资产收益率(%)	24.40	52.16	63.40

上海景格科技股份有限公司

公司概况	公司名称	上海景格科技股份有限公司			股份名称	景格科技
	法人代表	郑玉宇	董秘	江于飞	股份代码	430638
	公司网址	www.jingge.com		主办券商	中信证券股份有限公司	
	电　话	021-52851509-8072		传　真	021-52852059	
	注册地址	上海市张江高科技园区祖冲之路1077号2幢1138单元				
	行业分类	信息传输、软件和信息技术服务业				

	指标\报告期	2014.06.30	2013.12.31	2012.12.31
主要财务指标	营业收入(元)	–	81,308,901.50	39,973,185.82
	营业利润(元)	–	16,355,489.11	1,575,146.84
	净利润(元)	–	17,255,599.75	3,414,078.27
	未分配利润(元)	–	13,066,115.67	3,580,978.27
	总资产(元)	–	49,323,875.85	36,582,926.67
	总负债(元)	–	17,554,801.18	20,069,451.75
	净资产(元)	–	31,769,074.67	16,513,474.92
	每股收益(元)	–	1.44	0.28
	每股净资产(元)	–	2.65	1.38
	净资产收益率(%)	–	54.32	21.03

派芬自控(上海)股份有限公司

公司概况	公司名称	派芬自控(上海)股份有限公司			股份名称	派芬自控
	法人代表	孙继超	董秘	云浪	股份代码	430639
	公司网址	www.pal-fin.com		主办券商	中信建投证券股份有限公司	
	电　话	021-50310625		传　真	021-58990268	
	注册地址	上海市杨浦区国定路 323 号 702-60 室				
	行业分类	制造业				

	指标\报告期	2014.06.30	2013.12.31	2012.12.31
主要财务指标	营业收入(元)	–	97,305,189.36	130,620,750.00
	营业利润(元)	–	-3,572,731.06	6,897,972.81
	净利润(元)	–	1,296,586.00	7,246,781.71
	未分配利润(元)	–	339,898.74	18,180,934.45
	总资产(元)	–	111,219,074.18	111,116,859.51
	总负债(元)	–	75,821,929.49	78,066,300.82
	净资产(元)	–	35,397,144.69	33,050,558.69
	每股收益(元)	–	0.13	0.72
	每股净资产(元)	–	3.53	3.31
	净资产收益率(%)	–	3.66	21.93

上海摩威环境科技股份有限公司

公司概况	公司名称	上海摩威环境科技股份有限公司			股份名称	摩威环境
	法人代表	丁明光	董秘	丁昊	股份代码	430640
	公司网址	www.molway.com.cn		主办券商	大通证券股份有限公司	
	电　话	021-64957230		传　真	021-64957235	
	注册地址	上海市闵行区金都路 4299 号 D 幢 1379 号				
	行业分类	制造业				

	指标\报告期	2014.06.30	2013.12.31	2012.12.31
主要财务指标	营业收入(元)	–	20,278,662.76	18,153,387.70
	营业利润(元)	–	249,080.57	2,852,062.29
	净利润(元)	–	1,116,906.27	4,569,842.45
	未分配利润(元)	–	1,061,058.36	55,027.29
	总资产(元)	–	40,201,585.21	23,557,171.03
	总负债(元)	–	15,935,485.95	8,467,245.14
	净资产(元)	–	24,266,099.26	15,089,925.89
	每股收益(元)	–	0.07	0.31
	每股净资产(元)	–	1.35	1.01
	净资产收益率(%)	–	4.60	30.28

天健创新(北京)监测仪表股份有限公司

公司概况	公司名称	天健创新(北京)监测仪表股份有限公司			股份名称	天健创新
	法人代表	王朝阳	董秘	姜文杰	股份代码	430641
	公司网址	www.tengine.com.cn		主办券商	中原证券股份有限公司	
	电　话	010-82826071		传　真	010-82826983	
	注册地址	北京市海淀区中关村东路 66 号 2 号楼 1707				
	行业分类	制造业				

	指标\报告期	2014.06.30	2013.12.31	2012.12.31
主要财务指标	营业收入(元)	–	22,946,212.56	17,002,488.78
	营业利润(元)	-1,037,234.05	882,347.56	734,954.24
	净利润(元)	-720,987.39	1,507,413.95	1,038,737.80
	未分配利润(元)	-71,229.77	618,114.68	3,230,171.04
	总资产(元)	17,091,429.99	18,590,553.53	17,804,888.84
	总负债(元)	5,204,652.56	6,014,431.65	6,766,030.89
	净资产(元)	11,886,777.43	12,576,121.88	11,038,857.95
	每股收益(元)	-0.07	0.15	0.10
	每股净资产(元)	1.19	1.26	1.10
	净资产收益率(%)	-6.07	11.99	9.41

北京映翰通网络技术股份有限公司

公司概况	公司名称	北京映翰通网络技术股份有限公司			股份名称	映翰通
	法人代表	李明	董秘	钟成	股份代码	430642
	公司网址	www.inhand.com.cn		主办券商	光大证券股份有限公司	
	电　话	010-64391099		传　真	010-84170089	
	注册地址	北京市朝阳区望京利泽中园 101 号十一层西侧 101				
	行业分类	制造业				

	指标\报告期	2014.06.30	2013.12.31	2012.12.31
主要财务指标	营业收入(元)	28,517,862.91	58,072,163.62	47,472,939.95
	营业利润(元)	-4,006,914.93	3,778,331.80	3,054,030.75
	净利润(元)	-2,644,458.03	5,945,911.48	4,391,115.33
	未分配利润(元)	1,062,333.85	3,426,451.06	8,583,194.21
	总资产(元)	47,338,688.97	46,529,056.27	38,071,530.43
	总负债(元)	11,943,575.34	10,075,520.31	8,433,905.95
	净资产(元)	35,395,113.63	36,453,535.96	29,637,624.48
	每股收益(元)	-0.07	0.21	0.24
	每股净资产(元)	1.14	1.22	0.99
	净资产收益率(%)	-6.05	16.93	14.82

北京蓝科泰达科技股份有限公司

公司概况	公司名称	北京蓝科泰达科技股份有限公司			股份名称	蓝科泰达
	法人代表	田道远	董秘	吕学英	股份代码	430643
	公司网址	www.pluswell.com.cn		主办券商	中国民族证券有限责任公司	
	电　话	010-51666191		传　真	010-82748520	
	注册地址	北京市海淀区上地十街一号院一号楼 18 层 1804				
	行业分类	信息传输、软件和信息技术服务业				

	指标\报告期	2014.06.30	2013.12.31	2012.12.31
主要财务指标	营业收入(元)	–	4,980,597.92	6,254,966.79
	营业利润(元)	–	-746,011.77	-155,930.47
	净利润(元)	–	-436,270.91	525,726.93
	未分配利润(元)	–	-436,270.91	660,657.94
	总资产(元)	–	9,706,429.79	8,597,925.93
	总负债(元)	–	1,857,705.78	508,931.01
	净资产(元)	–	7,848,724.01	8,088,994.92
	每股收益(元)	–	-0.06	0.08
	每股净资产(元)	–	1.09	1.16
	净资产收益率(%)	–	-5.70	6.50

北京紫贝龙科技股份有限公司

公司概况	公司名称	北京紫贝龙科技股份有限公司			股份名称	紫贝龙
	法人代表	李代甫	董秘	肖丽萍	股份代码	430644
	公司网址	www.zebanon.com		主办券商	宏源证券股份有限公司	
	电　话	010-82938406		传　真	010-82938405	
	注册地址	北京市昌平区科技园区白浮泉路 13 号二层 2282 室				
	行业分类	制造业				

	指标\报告期	2014.06.30	2013.12.31	2012.12.31
主要财务指标	营业收入(元)	35,283,511.93	120,763,795.82	91,263,594.49
	营业利润(元)	272,108.76	27,407,215.61	18,236,036.79
	净利润(元)	263,780.02	23,050,571.55	15,507,481.15
	未分配利润(元)	13,093,652.01	12,639,159.89	26,832,935.55
	总资产(元)	192,504,265.12	204,266,131.23	151,992,853.23
	总负债(元)	101,072,750.22	113,098,396.35	78,875,689.90
	净资产(元)	91,431,514.90	91,167,734.88	73,117,163.33
	每股收益(元)	0.01	0.55	0.48
	每股净资产(元)	2.16	2.15	2.14
	净资产收益率(%)	0.49	25.75	21.41

天津中瑞药业股份有限公司

公司概况	公司名称	天津中瑞药业股份有限公司			股份名称	中瑞药业
	法人代表	崔宝刚	董秘	高占友	股份代码	430645
	公司网址	www.zhongruiyaoye.com		主办券商	渤海证券股份有限公司	
	电　话	022-29464968		传　真	022-29465809	
	注册地址	天津市武清区城关镇北环路路东侧				
	行业分类	制造业				

	指标\报告期	2014.06.30	2013.12.31	2012.12.31
主要财务指标	营业收入(元)	30,420,070.55	61,528,464.99	59,389,065.85
	营业利润(元)	3,862,538.82	7,711,409.72	7,626,379.51
	净利润(元)	3,410,160.99	6,381,177.99	5,775,241.48
	未分配利润(元)	2,374,800.84	2,299,816.71	10,789,481.28
	总资产(元)	44,770,336.12	51,504,654.82	49,636,700.78
	总负债(元)	5,278,255.97	12,422,735.66	11,935,959.61
	净资产(元)	39,492,080.15	39,081,919.16	37,700,741.17
	每股收益(元)	0.14	0.27	0.24
	每股净资产(元)	1.65	1.63	1.57
	净资产收益率(%)	8.64	16.33	15.32

上海底特精密紧固件股份有限公司

公司概况	公司名称	上海底特精密紧固件股份有限公司			股份名称	上海底特
	法人代表	顾茂众	董秘	杨大泓	股份代码	430646
	公司网址	www.shanghaidite.com		主办券商	光大证券股份有限公司	
	电　话	021-60570389		传　真	021-60570388	
	注册地址	上海市嘉定工业区福海路 1055 号第 7 幢 3 楼				
	行业分类	制造业				

	指标\报告期	2014.06.30	2013.12.31	2012.12.31
主要财务指标	营业收入(元)	55,957,986.04	91,302,883.61	67,589,171.77
	营业利润(元)	9,354,218.94	11,163,838.35	7,338,750.94
	净利润(元)	8,629,925.68	10,000,007.32	6,912,128.48
	未分配利润(元)	14,963,553.44	6,333,627.76	35,059,571.71
	总资产(元)	106,059,990.14	98,146,897.49	75,386,019.96
	总负债(元)	49,747,431.57	50,464,264.60	36,704,278.92
	净资产(元)	56,312,558.57	47,682,632.89	38,681,741.04
	每股收益(元)	0.25	0.29	4.18
	每股净资产(元)	1.61	1.36	23.37
	净资产收益率(%)	15.33	20.97	17.87

上海青鹰实业股份有限公司

公司概况	公司名称	上海青鹰实业股份有限公司		股份名称	青鹰股份
	法人代表	顾端青	董秘 顾端青(代)	股份代码	430647
	公司网址	www.qingying.net		主办券商	世纪证券有限责任公司
	电话	021-65012228		传真	021-57793270
	注册地址	上海市杨浦区国定路 335 号 610 室			
	行业分类	建筑业			

主要财务指标	指标\报告期	2014.06.30	2013.12.31	2012.12.31
	营业收入(元)	–	56,609,008.93	42,559,183.12
	营业利润(元)	–	5,285,581.23	4,823,081.73
	净利润(元)	–	4,565,064.71	4,732,711.99
	未分配利润(元)	–	21,637,095.36	17,522,626.52
	总资产(元)	–	116,179,564.43	101,721,759.60
	总负债(元)	–	49,045,352.37	39,152,612.25
	净资产(元)	–	67,134,212.06	62,569,147.35
	每股收益(元)	–	0.13	0.13
	每股净资产(元)	–	1.86	1.74
	净资产收益率(%)	–	6.80	7.56

上海群雁信息股份有限公司

公司概况	公司名称	上海群雁信息股份有限公司		股份名称	群雁信息
	法人代表	黄勇	董秘 白琳	股份代码	430648
	公司网址	www.qunyaninfo.com		主办券商	申银万国证券股份有限公司
	电话	021-60731658-8001		传真	021-60738020
	注册地址	上海市虹口区汶水东路 291 号新楼 406 室			
	行业分类	信息传输、软件和信息技术服务业			

主要财务指标	指标\报告期	2014.06.30	2013.12.31	2012.12.31
	营业收入(元)	17,878,791.52	32,589,482.31	52,035,980.70
	营业利润(元)	–698,474.44	772,570.18	3,144,441.85
	净利润(元)	60,438.71	1,460,315.43	3,562,435.56
	未分配利润(元)	519,817.97	459,379.26	4,299,590.62
	总资产(元)	21,053,483.28	18,802,607.58	15,701,905.29
	总负债(元)	7,650,949.98	5,460,512.99	5,928,026.13
	净资产(元)	13,402,533.30	13,342,094.59	9,773,879.16
	每股收益(元)	0.01	0.15	0.71
	每股净资产(元)	1.12	1.11	1.95
	净资产收益率(%)	0.45	10.95	36.45

天津绿清管道科技股份有限公司

公司概况	公司名称	天津绿清管道科技股份有限公司		股份名称	绿清科技
	法人代表	石建忠	董秘 张秀敏	股份代码	430649
	公司网址	www.chinapigging.com		主办券商	渤海证券股份有限公司
	电话	022-22198243		传真	022-22198230
	注册地址	天津市武清区大王古庄镇经济区			
	行业分类	制造业			

主要财务指标	指标\报告期	2014.06.30	2013.12.31	2012.12.31
	营业收入(元)	–	59,221,925.42	37,205,858.85
	营业利润(元)	–	8,659,076.86	2,794,236.77
	净利润(元)	–	7,817,123.53	3,081,042.78
	未分配利润(元)	–	3,748,661.63	7,544,568.56
	总资产(元)	–	71,487,816.17	59,138,146.73
	总负债(元)	–	43,202,108.12	38,669,562.21
	净资产(元)	–	28,285,708.05	20,468,584.52
	每股收益(元)	–	0.65	0.30
	每股净资产(元)	–	2.36	1.71
	净资产收益率(%)	–	27.64	15.05

莱博实业(上海)股份有限公司

公司概况	公司名称	莱博实业(上海)股份有限公司		股份名称	莱博股份
	法人代表	李成亮	董秘 蔡艳	股份代码	430650
	公司网址	www.laibo.com.cn		主办券商	申银万国证券股份有限公司
	电话	021-52086802-6320		传真	021-64430998
	注册地址	上海市徐汇区桂平路 333 号 1 号楼 8 楼、701 室			
	行业分类	制造业			

主要财务指标	指标\报告期	2014.06.30	2013.12.31	2012.12.31
	营业收入(元)	10,633,972.97	30,348,187.07	26,422,382.14
	营业利润(元)	–3,124,396.10	–91,852.99	2,078,988.64
	净利润(元)	–2,458,099.09	542,731.66	2,703,768.47
	未分配利润(元)	–2,506,256.88	–84,658.66	8,041,454.54
	总资产(元)	28,709,711.26	27,057,595.77	25,947,933.09
	总负债(元)	11,103,624.84	6,993,410.26	6,599,618.41
	净资产(元)	17,606,086.42	20,064,185.51	19,348,314.68
	每股收益(元)	–0.25	0.05	0.27
	每股净资产(元)	1.70	1.94	1.92
	净资产收益率(%)	–13.75	2.84	14.21

上海金豹实业股份有限公司

公司概况	公司名称	上海金豹实业股份有限公司			股份名称	金豹实业
	法人代表	陆兴宝	董秘	王海玲	股份代码	430651
	公司网址	www.shjinbao.com		主办券商	申银万国证券股份有限公司	
	电话	021-67276621		传真	021-67277171	
	注册地址	上海市金山工业区漕廊公路3038号				
	行业分类	制造业				

	指标\报告期	2014.06.30	2013.12.31	2012.12.31
主要财务指标	营业收入(元)	58,001,454.02	97,261,314.96	96,382,763.46
	营业利润(元)	5,157,375.87	5,084,909.58	5,221,956.15
	净利润(元)	4,265,497.22	4,392,190.20	4,190,675.97
	未分配利润(元)	8,218,468.40	3,952,971.18	14,112,792.09
	总资产(元)	118,087,851.57	109,293,571.97	93,991,536.55
	总负债(元)	74,085,981.52	69,557,199.14	58,647,353.92
	净资产(元)	44,001,870.05	39,736,372.83	35,344,182.63
	每股收益(元)	0.12	0.13	0.21
	每股净资产(元)	1.26	1.14	1.77
	净资产收益率(%)	9.69	11.05	11.86

安徽三联泵业股份有限公司

公司概况	公司名称	安徽三联泵业股份有限公司			股份名称	三联泵业
	法人代表	何祥炎	董秘	汪晓志	股份代码	430652
	公司网址	www.sanlianpump.com		主办券商	东北证券股份有限公司	
	电话	0555-5311294、5328888		传真	0555-5328704、5300000	
	注册地址	安徽省马鞍山市和县经济开发区牛屯河路				
	行业分类	制造业				

	指标\报告期	2014.06.30	2013.12.31	2012.12.31
主要财务指标	营业收入(元)	99,437,125.88	205,343,345.32	234,129,725.58
	营业利润(元)	132,501.41	-7,492,205.01	15,168,826.78
	净利润(元)	4,123,267.22	1,187,128.82	21,623,357.16
	未分配利润(元)	60,234,086.29	56,110,819.07	55,083,693.44
	总资产(元)	376,483,348.10	355,222,740.79	320,886,058.73
	总负债(元)	192,601,288.80	175,463,948.71	124,618,275.47
	净资产(元)	183,882,059.30	179,758,792.08	196,267,783.26
	每股收益(元)	0.08	0.02	0.47
	每股净资产(元)	3.68	3.60	3.93
	净资产收益率(%)	2.24	0.66	11.02

广东同望科技股份有限公司

公司概况	公司名称	广东同望科技股份有限公司			股份名称	同望科技
	法人代表	刘洪舟	董秘	邓小姝	股份代码	430653
	公司网址	www.toone.com.cn		主办券商	广发证券股份有限公司	
	电话	13702333554		传真	0756-3631901	
	注册地址	广东省珠海市唐家湾镇港湾大道科技五路19号				
	行业分类	信息传输、软件和信息技术服务业				

	指标\报告期	2014.06.30	2013.12.31	2012.12.31
主要财务指标	营业收入(元)	32,650,911.71	77,251,061.51	71,097,854.28
	营业利润(元)	-9,843,260.99	-6,459,204.56	-19,770,366.49
	净利润(元)	-7,206,061.01	2,573,919.66	-8,779,985.80
	未分配利润(元)	31,663,266.14	38,869,327.15	36,902,722.06
	总资产(元)	140,331,612.95	144,523,680.25	133,412,556.17
	总负债(元)	39,971,205.19	36,957,211.48	28,420,007.06
	净资产(元)	100,360,407.76	107,566,468.77	104,992,549.11
	每股收益(元)	-0.13	0.05	-0.16
	每股净资产(元)	1.82	1.95	1.90
	净资产收益率(%)	-7.18	2.39	-8.36

广东聚科照明股份有限公司

公司概况	公司名称	广东聚科照明股份有限公司			股份名称	聚科照明
	法人代表	周建华	董秘	王俊华	股份代码	430654
	公司网址	www.lc-led.net		主办券商	光大证券股份有限公司	
	电话	0750-3839666		传真	0750-3839668	
	注册地址	广东省江门市江海区金瓯路223号				
	行业分类	制造业				

	指标\报告期	2014.06.30	2013.12.31	2012.12.31
主要财务指标	营业收入(元)	-	36,436,684.84	18,473,507.01
	营业利润(元)	-	2,587,927.90	401,908.98
	净利润(元)	-	2,091,008.84	327,036.54
	未分配利润(元)	-	-3,227,655.42	-5,318,664.26
	总资产(元)	-	34,198,526.68	23,225,512.95
	总负债(元)	-	12,426,182.10	18,544,177.21
	净资产(元)	-	21,772,344.58	4,681,335.74
	每股收益(元)	-	0.13	0.03
	每股净资产(元)	-	0.87	0.47
	净资产收益率(%)	-	9.60	6.99

广州今泰科技股份有限公司

公司概况	公司名称	广州今泰科技股份有限公司		股份名称	今泰科技
	法人代表	苏东艺	董秘	黄伟	股份代码	430655
	公司网址	www.gzjintai.com.cn	主办券商	招商证券股份有限公司	
	电　　话	020-22009028	传　　真	020-22009038	
	注册地址	广东省广州高新技术产业开发区科学城南云二路8号品尧电子产业园门机大楼(C座)首、二层			
	行业分类	制造业			

	指标\报告期	2014.06.30	2013.12.31	2012.12.31
主要财务指标	营业收入(元)	14,094,074.34	43,202,674.80	40,773,669.25
	营业利润(元)	173,149.81	12,129,880.26	10,000,677.61
	净利润(元)	455,052.83	10,642,672.08	9,553,638.06
	未分配利润(元)	17,627,619.68	17,172,182.69	8,598,605.07
	总资产(元)	67,649,637.27	59,928,018.58	37,692,409.30
	总负债(元)	30,832,452.61	23,565,886.75	10,972,949.55
	净资产(元)	36,817,184.66	36,362,131.83	26,719,459.75
	每股收益(元)	0.05	1.06	0.96
	每股净资产(元)	3.68	3.63	2.67
	净资产收益率(%)	1.24	29.31	35.82

上海财安金融服务股份有限公司

公司概况	公司名称	上海财安金融服务股份有限公司		股份名称	财安金融
	法人代表	夏佩卫	董秘	许东日	股份代码	430656
	公司网址	www.in-rich.com	主办券商	国信证券股份有限公司	
	电　　话	021-51278999	传　　真	021-35350709	
	注册地址	上海市虹口区邯郸路135号5幢205室			
	行业分类	金融业			

	指标\报告期	2014.06.30	2013.12.31	2012.12.31
主要财务指标	营业收入(元)	124,731,388.13	226,500,973.96	165,431,053.70
	营业利润(元)	2,963,949.69	6,511,057.04	20,504,852.49
	净利润(元)	5,322,679.78	10,359,871.81	20,401,071.40
	未分配利润(元)	23,400,051.39	18,026,961.87	26,129,245.18
	总资产(元)	125,415,303.87	126,393,372.85	113,393,545.33
	总负债(元)	18,463,069.91	24,763,818.67	22,123,862.96
	净资产(元)	106,952,233.96	101,629,554.18	91,269,682.37
	每股收益(元)	0.15	0.30	0.67
	每股净资产(元)	3.05	2.90	2.59
	净资产收益率(%)	4.99	10.25	22.48

大连楼兰科技股份有限公司

公司概况	公司名称	大连楼兰科技股份有限公司		股份名称	楼兰股份
	法人代表	田雨农	董秘	郭鑫	股份代码	430657
	公司网址	www.roiland.com	主办券商	中原证券股份有限公司	
	电　　话	0411-66889595-80120	传　　真	0411-66889595-2	
	注册地址	辽宁省大连市高新技术产业园区汇贤园7号11层#11-01/02室			
	行业分类	信息传输、软件和信息技术服务业			

	指标\报告期	2014.06.30	2013.12.31	2012.12.31
主要财务指标	营业收入(元)	-	63,545,991.93	44,821,126.19
	营业利润(元)	-	-3,902,879.46	-2,162,795.08
	净利润(元)	-	1,202,597.85	2,209,043.41
	未分配利润(元)	-	3,078,565.88	2,105,243.95
	总资产(元)	-	44,091,540.16	35,117,395.50
	总负债(元)	-	16,399,082.37	8,627,535.56
	净资产(元)	-	27,692,457.79	26,489,859.94
	每股收益(元)	-	0.05	0.10
	每股净资产(元)	-	1.22	1.16
	净资产收益率(%)	-	4.34	8.34

山东舜网传媒股份有限公司

公司概况	公司名称	山东舜网传媒股份有限公司		股份名称	舜网传媒
	法人代表	马凯	董秘	周斐斐	股份代码	430658
	公司网址	www.e23.cn	主办券商	长城证券有限责任公司	
	电　　话	0531-82886158	传　　真	0531-82886158	
	注册地址	山东省济南市舜风路101号齐鲁文化创意基地9号楼4层			
	行业分类	信息传输、软件和信息技术服务业			

	指标\报告期	2014.06.30	2013.12.31	2012.12.31
主要财务指标	营业收入(元)	-	18,174,583.47	12,746,532.80
	营业利润(元)	-	-1,294,434.20	-1,249,497.95
	净利润(元)	-	934,519.44	297,791.25
	未分配利润(元)	-	498,652.62	905,657.04
	总资产(元)	-	15,288,303.36	14,056,446.98
	总负债(元)	-	3,257,712.52	2,960,375.58
	净资产(元)	-	12,030,590.84	11,096,071.40
	每股收益(元)	-	0.09	0.04
	每股净资产(元)	-	1.19	1.10
	净资产收益率(%)	-	7.81	2.71

江苏省铁路发展股份有限公司

公司概况	公司名称	江苏省铁路发展股份有限公司			股份名称	江苏铁发
	法人代表	梁云	董秘	檀文	股份代码	430659
	公司网址	www.jsrail.com		主办券商	东海证券股份有限公司	
	电　　话	025-86899386		传　　真	025-66008659	
	注册地址	江苏省南京市高新技术开发区28幢228室				
	行业分类	建筑业				

主要财务指标	指标\报告期	2014.06.30	2013.12.31	2012.12.31
	营业收入(元)	39,879,236.26	118,499,595.55	141,820,622.27
	营业利润(元)	21,569,643.33	34,161,383.58	21,982,307.66
	净利润(元)	21,388,841.41	32,154,062.14	21,197,710.28
	未分配利润(元)	69,733,049.31	51,622,816.11	27,759,869.47
	总资产(元)	590,354,315.73	558,624,732.67	538,674,862.62
	总负债(元)	225,598,533.51	207,920,636.86	212,787,673.95
	净资产(元)	364,755,782.22	350,704,095.81	325,887,188.67
	每股收益(元)	0.17	0.24	0.16
	每股净资产(元)	2.47	2.34	2.16
	净资产收益率(%)	7.03	10.15	7.38

天津市益佰广通文化传媒股份有限公司

公司概况	公司名称	天津市益佰广通文化传媒股份有限公司			股份名称	益佰广通
	法人代表	孔向东	董秘	刘旭	股份代码	430660
	公司网址	www.ebemedia.com.cn		主办券商	广发证券股份有限公司	
	电　　话	13920202929		传　　真	022-23612155	
	注册地址	天津市南开区红旗南路濠景庄园康景园11-3				
	行业分类	租赁和商务服务业				

主要财务指标	指标\报告期	2014.06.30	2013.12.31	2012.12.31
	营业收入(元)	-	13,278,965.54	1,014,709.35
	营业利润(元)	-	2,282,328.58	434,306.39
	净利润(元)	-	1,602,667.76	315,257.76
	未分配利润(元)	-	1,243,439.29	289,802.15
	总资产(元)	-	13,129,488.53	5,606,967.45
	总负债(元)	-	1,177,605.39	4,757,752.07
	净资产(元)	-	11,951,883.14	849,215.38
	每股收益(元)	-	0.25	0.80
	每股净资产(元)	-	1.20	1.70
	净资产收益率(%)	-	13.41	47.21

上海派尔科化工材料股份有限公司

公司概况	公司名称	上海派尔科化工材料股份有限公司			股份名称	派尔科
	法人代表	石康明	董秘	徐基明	股份代码	430661
	公司网址	www.chinapearlk.com		主办券商	光大证券股份有限公司	
	电　　话	13918214578		传　　真	021-64057051	
	注册地址	上海市金山区金山卫镇春华路299号				
	行业分类	制造业				

主要财务指标	指标\报告期	2014.06.30	2013.12.31	2012.12.31
	营业收入(元)	33,923,297.77	95,308,107.65	74,881,203.40
	营业利润(元)	1,377,240.44	2,453,340.51	1,398,986.07
	净利润(元)	975,145.13	1,726,657.44	1,003,877.64
	未分配利润(元)	1,071,136.61	108,139.56	753,271.00
	总资产(元)	141,036,584.22	147,780,745.34	109,209,853.78
	总负债(元)	36,890,959.88	44,598,118.05	41,686,684.87
	净资产(元)	104,145,624.34	103,182,627.29	67,523,168.91
	每股收益(元)	0.01	0.02	0.02
	每股净资产(元)	1.04	1.34	1.02
	净资产收益率(%)	0.94	1.67	2.01

上海罗曼照明科技股份有限公司

公司概况	公司名称	上海罗曼照明科技股份有限公司			股份名称	罗曼股份
	法人代表	孙凯君	董秘	张晨	股份代码	430662
	公司网址	www.shluoman.cn		主办券商	齐鲁证券有限公司	
	电　　话	021-65031217		传　　真	021-65031706	
	注册地址	上海市杨浦区黄兴路2005弄2号B楼611-5室				
	行业分类	建筑业				

主要财务指标	指标\报告期	2014.06.30	2013.12.31	2012.12.31
	营业收入(元)	-	67,214,117.57	66,377,228.65
	营业利润(元)	-	2,555,090.48	912,531.82
	净利润(元)	-	2,291,697.77	234,803.91
	未分配利润(元)	-	1,562,889.28	67,516,719.16
	总资产(元)	-	97,057,231.91	143,661,585.72
	总负债(元)	-	36,055,708.25	28,120,002.47
	净资产(元)	-	61,001,523.66	115,541,583.25
	每股收益(元)	-	0.07	0.12
	每股净资产(元)	-	1.20	2.79
	净资产收益率(%)	-	4.98	1.89

济南大陆机电股份有限公司

公司概况	公司名称	济南大陆机电股份有限公司		股份名称	大陆机电
	法人代表	荆书典	董秘	毛映梅	股份代码	430663
	公司网址	www.china-dalu.com		主办券商	申银万国证券股份有限公司
	电话	0531-88875605		传真	0531-88870171
	注册地址	山东省济南市高新开发区新泺大街786号			
	行业分类	信息传输、软件和信息技术服务业			

主要财务指标	指标\报告期	2014.06.30	2013.12.31	2012.12.31
	营业收入(元)	–	87,917,493.75	85,185,732.80
	营业利润(元)	–	2,352,165.45	556,076.47
	净利润(元)	–	3,639,019.29	1,963,643.98
	未分配利润(元)	–	4,589,400.64	4,623,034.14
	总资产(元)	–	215,410,995.78	195,149,796.53
	总负债(元)	–	146,936,304.65	126,984,124.69
	净资产(元)	–	68,474,691.13	68,165,671.84
	每股收益(元)	–	0.10	0.06
	每股净资产(元)	–	2.05	2.04
	净资产收益率(%)	–	5.11	2.87

北京联合永道软件股份有限公司

公司概况	公司名称	北京联合永道软件股份有限公司			股份名称	联合永道
	法人代表	冯国馨	董秘	梁兰	股份代码	430664
	公司网址	www.uwaysoft.com		主办券商	东兴证券股份有限公司	
	电话	010-58851020		传真	010-58851028-813	
	注册地址	北京市海淀区上地东路1号院3号楼6层				
	行业分类	信息传输、软件和信息技术服务业				

主要财务指标	指标\报告期	2014.06.30	2013.12.31	2012.12.31
	营业收入(元)	–	42,456,272.50	34,821,592.69
	营业利润(元)	–	2,330,113.98	1,034,105.24
	净利润(元)	–	2,020,810.09	726,778.76
	未分配利润(元)	–	106,762.52	–315,458.88
	总资产(元)	–	11,844,665.72	15,595,054.46
	总负债(元)	–	5,657,313.02	4,872,956.29
	净资产(元)	–	6,187,352.70	10,722,098.17
	每股收益(元)	–	0.24	0.06
	每股净资产(元)	–	1.19	1.07
	净资产收益率(%)	–	32.66	6.78

广州市高衡力节能科技股份有限公司

公司概况	公司名称	广州市高衡力节能科技股份有限公司			股份名称	高衡力
	法人代表	高嘉健	董秘	陆贤诗	股份代码	430665
	公司网址	www.ghleco.com		主办券商	万联证券有限责任公司	
	电话	020-38031369		传真	020-38031737	
	注册地址	广东省广州市天河区黄埔大道中309号自编3-06				
	行业分类	科学研究和技术服务业				

主要财务指标	指标\报告期	2014.06.30	2013.12.31	2012.12.31
	营业收入(元)	2,009,835.01	12,946,198.28	3,680,417.25
	营业利润(元)	–1,120,492.16	1,210,652.73	–1,814,236.80
	净利润(元)	–1,120,492.16	1,375,467.24	–1,514,206.51
	未分配利润(元)	–3,301,197.02	–2,561,977.94	–3,937,445.18
	总资产(元)	11,926,337.18	12,569,487.56	7,113,504.90
	总负债(元)	2,827,534.20	2,731,465.50	1,050,950.08
	净资产(元)	9,098,802.98	9,838,022.06	6,062,554.82
	每股收益(元)	–0.09	0.12	–0.15
	每股净资产(元)	0.73	0.79	0.61
	净资产收益率(%)	–12.32	13.98	–24.98

北京绿伞化学股份有限公司

公司概况	公司名称	北京绿伞化学股份有限公司			股份名称	绿伞化学
	法人代表	魏建华	董秘	魏希琳	股份代码	430666
	公司网址	www.lvsan.com		主办券商	西部证券股份有限公司	
	电话	010-58711200		传真	010-58711209	
	注册地址	北京市海淀区永丰产业基地永澄北路2号院1号楼B座				
	行业分类	制造业				

主要财务指标	指标\报告期	2014.06.30	2013.12.31	2012.12.31
	营业收入(元)	–	193,284,090.75	174,360,000.96
	营业利润(元)	–	7,029,071.67	10,714,342.91
	净利润(元)	–	8,672,671.35	9,751,060.33
	未分配利润(元)	–	25,700,854.99	17,895,766.34
	总资产(元)	–	167,609,547.93	191,250,799.51
	总负债(元)	–	95,354,349.23	127,668,272.16
	净资产(元)	–	72,255,198.70	63,582,527.35
	每股收益(元)	–	0.31	0.35
	每股净资产(元)	–	2.56	2.25
	净资产收益率(%)	–	12.00	15.34

北京三多堂传媒股份有限公司

公司概况	公司名称	北京三多堂传媒股份有限公司			股份名称	三多堂
	法人代表	高晓蒙	董秘	张世敬	股份代码	430667
	公司网址	www.sanduotang.com.cn		主办券商	中原证券股份有限公司	
	电话	010-62162030-635		传真	010-62162027	
	注册地址	北京市海淀区北三环西路48号2号楼19A				
	行业分类	文化、体育和娱乐业				

	指标\报告期	2014.06.30	2013.12.31	2012.12.31
主要财务指标	营业收入(元)	3,638,294.10	26,117,096.08	30,004,740.37
	营业利润(元)	-1,601,738.16	6,985,985.54	6,739,499.25
	净利润(元)	258,949.45	5,236,423.12	5,796,866.06
	未分配利润(元)	796,410.65	2,937,461.20	3,813,331.71
	总资产(元)	56,222,928.54	60,203,880.82	60,061,606.84
	总负债(元)	24,946,006.55	26,785,908.28	26,515,684.43
	净资产(元)	31,276,921.99	33,417,972.54	33,545,922.41
	每股收益(元)	0.01	0.26	0.29
	每股净资产(元)	1.56	1.67	1.68
	净资产收益率(%)	0.83	15.67	17.28

江苏笃诚医药科技股份有限公司

公司概况	公司名称	江苏笃诚医药科技股份有限公司			股份名称	笃诚科技
	法人代表	王笃政	董秘	袁拥瑛	股份代码	430668
	公司网址	www.dcmedicine.cn		主办券商	申银万国证券股份有限公司	
	电话	0512-66981639		传真	0512-62628197	
	注册地址	江苏省苏州市工业园区华云路1号				
	行业分类	制造业				

	指标\报告期	2014.06.30	2013.12.31	2012.12.31
主要财务指标	营业收入(元)	79,042,816.89	111,108,095.79	100,236,593.85
	营业利润(元)	4,282,754.10	823,404.76	1,017,959.61
	净利润(元)	4,110,684.68	1,843,851.25	599,733.89
	未分配利润(元)	10,228,229.79	6,117,545.11	1,297,973.25
	总资产(元)	110,589,538.40	86,861,631.41	111,378,090.99
	总负债(元)	63,784,210.54	44,166,988.23	70,527,299.06
	净资产(元)	46,805,327.86	42,694,643.18	40,850,791.93
	每股收益(元)	0.14	0.06	0.02
	每股净资产(元)	1.56	1.42	1.36
	净资产收益率(%)	8.78	4.32	1.47

上海现代环境工程技术股份有限公司

公司概况	公司名称	上海现代环境工程技术股份有限公司			股份名称	现代环境
	法人代表	姜妙根	董秘	朱澐	股份代码	430669
	公司网址	www.moderner.com		主办券商	东方花旗证券有限公司	
	电话	021-59884086		传真	021-59884076	
	注册地址	上海市长宁区汇川路99号409室				
	行业分类	制造业				

	指标\报告期	2014.06.30	2013.12.31	2012.12.31
主要财务指标	营业收入(元)	-	13,156,912.10	12,057,699.62
	营业利润(元)	-	565,489.32	195,779.77
	净利润(元)	-	451,510.14	106,262.51
	未分配利润(元)	-	3,996,173.18	9,212,054.46
	总资产(元)	-	16,470,784.21	12,634,894.57
	总负债(元)	-	2,132,219.61	1,547,840.11
	净资产(元)	-	14,338,564.60	11,087,054.46
	每股收益(元)	-	0.05	0.01
	每股净资产(元)	-	1.43	1.11
	净资产收益率(%)	-	3.15	0.96

合肥东芯通信股份有限公司

公司概况	公司名称	合肥东芯通信股份有限公司			股份名称	东芯通信
	法人代表	赵虎	董秘	吴齐发	股份代码	430670
	公司网址	www.xincomm.com		主办券商	国元证券股份有限公司	
	电话	0551-65326084		传真	0551-65318194-8003	
	注册地址	安徽省合肥市高新区望江西路800号A-3研发楼1002室				
	行业分类	信息传输、软件和信息技术服务业				

	指标\报告期	2014.06.30	2013.12.31	2012.12.31
主要财务指标	营业收入(元)	-	104,596.03	200,000.00
	营业利润(元)	-	-16,443,130.39	-16,776,700.91
	净利润(元)	-	-13,811,116.45	-11,425,024.66
	未分配利润(元)	-	-37,743,708.19	-23,932,591.74
	总资产(元)	-	17,600,625.11	31,614,905.10
	总负债(元)	-	15,444,333.30	15,647,496.84
	净资产(元)	-	2,156,291.81	15,967,408.26
	每股收益(元)	-	-0.41	-0.34
	每股净资产(元)	-	0.06	0.48
	净资产收益率(%)	-	-640.50	-71.55

深圳一卡易科技股份有限公司

公司概况	公司名称	深圳一卡易科技股份有限公司		股份名称	一卡易	
	法人代表	于挺进	董秘	黎艳	股份代码	430671
	公司网址	www.1card1.com		主办券商	招商证券股份有限公司	
	电话	0755-22310521		传真	0755-22310432	
	注册地址	广东省深圳市龙华新区民治街道民治大道与民旺路交汇处民治商务中心 11 楼 1151				
	行业分类	信息传输、软件和信息技术服务业				

	指标\报告期	2014.06.30	2013.12.31	2012.12.31
主要财务指标	营业收入(元)	8,556,550.95	5,146,931.55	3,122,523.54
	营业利润(元)	2,031,079.74	–816,576.68	162,711.11
	净利润(元)	2,034,372.93	–816,576.68	162,711.11
	未分配利润(元)	952,278.71	–1,082,094.22	–84,690.12
	总资产(元)	8,461,843.04	6,162,876.98	5,503,367.85
	总负债(元)	2,328,736.91	2,064,143.78	588,057.97
	净资产(元)	6,133,106.13	4,098,733.20	4,915,309.88
	每股收益(元)	0.41	–0.16	0.03
	每股净资产(元)	1.23	0.82	0.98
	净资产收益率(%)	33.17	–19.92	3.31

哈尔滨东安液压机械股份有限公司

公司概况	公司名称	哈尔滨东安液压机械股份有限公司		股份名称	东安液压	
	法人代表	孔令军	董秘	李淑虹	股份代码	430672
	公司网址			主办券商	中国中投证券有限责任公司	
	电话	0451-86576933		传真	0451-86579864	
	注册地址	黑龙江省哈尔滨市高新区科技创新城创新创业广场 4 号楼世泽路 689 号 2405 室				
	行业分类	制造业				

	指标\报告期	2014.06.30	2013.12.31	2012.12.31
主要财务指标	营业收入(元)	–	36,853,739.91	37,758,810.83
	营业利润(元)	–	–1,558,937.72	–633,336.77
	净利润(元)	–	–365,569.33	38,703.80
	未分配利润(元)	–	6,440,139.67	6,416,845.07
	总资产(元)	–	61,762,700.86	58,111,990.68
	总负债(元)	–	31,482,466.30	27,466,186.79
	净资产(元)	–	30,280,234.56	30,645,803.89
	每股收益(元)	–	0.02	0.03
	每股净资产(元)	–	5.86	5.83
	净资产收益率(%)	–	0.35	0.57

上海天佑铁道新技术研究所股份有限公司

公司概况	公司名称	上海天佑铁道新技术研究所股份有限公司		股份名称	天佑铁道	
	法人代表	沈培德	董秘	张椿	股份代码	430673
	公司网址	www.godblessrail.com		主办券商	海通证券股份有限公司	
	电话	021-51030001		传真	021-51030001 转 8	
	注册地址	上海市普陀区真南路 450 号				
	行业分类	制造业				

	指标\报告期	2014.06.30	2013.12.31	2012.12.31
主要财务指标	营业收入(元)	–	19,326,316.79	18,685,201.82
	营业利润(元)	–	373,114.46	62,143.84
	净利润(元)	–	460,098.05	–18,336.28
	未分配利润(元)	–	510,198.82	3,406,016.06
	总资产(元)	–	16,450,704.25	16,368,528.95
	总负债(元)	–	9,070,126.06	11,760,397.78
	净资产(元)	–	7,380,578.19	4,608,131.17
	每股收益(元)	–	0.13	–0.02
	每股净资产(元)	–	1.14	4.61
	净资产收益率(%)	–	6.23	–0.40

上海巴兰仕汽车检测设备股份有限公司

公司概况	公司名称	上海巴兰仕汽车检测设备股份有限公司		股份名称	巴兰仕	
	法人代表	蔡喜林	董秘	施武军	股份代码	430674
	公司网址	www.balancer-sh.com		主办券商	申银万国证券股份有限公司	
	电话	021-39509200		传真	021-39508741	
	注册地址	上海市嘉定区安亭镇于塘路 885 号 A 区				
	行业分类	制造业				

	指标\报告期	2014.06.30	2013.12.31	2012.12.31
主要财务指标	营业收入(元)	146,166,969.25	251,410,029.75	217,476,321.30
	营业利润(元)	12,634,747.24	27,993,817.23	15,595,210.68
	净利润(元)	10,119,589.76	23,843,941.65	13,758,245.55
	未分配利润(元)	7,550,341.06	12,282,497.83	47,275,898.23
	总资产(元)	155,342,692.61	149,837,298.25	135,680,651.99
	总负债(元)	79,375,528.59	69,226,456.46	79,796,270.11
	净资产(元)	75,967,164.02	80,610,841.79	55,884,381.88
	每股收益(元)	0.33	0.79	2.75
	每股净资产(元)	2.51	2.67	11.12
	净资产收益率(%)	13.30	29.54	24.60

上海天跃科技股份有限公司

公司概况	公司名称	上海天跃科技股份有限公司			股份名称	天跃科技
	法人代表	赵坤	董秘	张克银	股份代码	430675
	公司网址	www.typrotech.com		主办券商	方正证券股份有限公司	
	电　话	021-65981999		传　真	021-65985832	
	注册地址	上海市杨浦区赤峰路63号9楼A座				
	行业分类	制造业				

	指标\报告期	2014.06.30	2013.12.31	2012.12.31
主要财务指标	营业收入(元)	70,556,293.95	232,028,767.86	195,648,666.41
	营业利润(元)	-5,133,012.62	10,157,385.44	4,432,438.61
	净利润(元)	-3,808,220.29	12,077,182.83	5,895,358.25
	未分配利润(元)	890,389.56	4,603,603.58	185,133.23
	总资产(元)	193,346,721.39	239,402,381.43	201,254,198.90
	总负债(元)	118,649,854.64	160,039,803.79	128,486,404.09
	净资产(元)	74,696,866.75	79,362,577.64	72,767,794.81
	每股收益(元)	-0.09	0.28	0.14
	每股净资产(元)	1.71	1.79	1.66
	净资产收益率(%)	-5.10	15.46	8.10

浙江恒立数控科技股份有限公司

公司概况	公司名称	浙江恒立数控科技股份有限公司			股份名称	恒立数控
	法人代表	赵刚	董秘	陈梁	股份代码	430676
	公司网址	www.zjhlcnc.com		主办券商	国金证券股份有限公司	
	电　话	0572-8832017		传　真	0572-8832222	
	注册地址	浙江省德清县武康镇莫干山经济开发区回山路				
	行业分类	制造业				

	指标\报告期	2014.06.30	2013.12.31	2012.12.31
主要财务指标	营业收入(元)	-	136,769,935.35	140,128,728.06
	营业利润(元)	-	10,427,526.62	25,016,460.01
	净利润(元)	-	9,042,562.90	22,064,151.97
	未分配利润(元)	-	50,298,552.04	43,506,131.98
	总资产(元)	-	239,968,817.13	211,547,256.78
	总负债(元)	-	98,547,226.06	75,238,683.99
	净资产(元)	-	141,421,591.07	136,308,572.79
	每股收益(元)	-	0.21	0.53
	每股净资产(元)	-	3.21	3.10
	净资产收益率(%)	-	6.39	16.19

洛阳升华感应加热股份有限公司

公司概况	公司名称	洛阳升华感应加热股份有限公司			股份名称	升华感应
	法人代表	张宗杰	董秘	夏培	股份代码	430677
	公司网址	www.lyshgs.com		主办券商	天风证券股份有限公司	
	电　话	0379-64182556		传　真	0379-64314818	
	注册地址	河南省洛阳市高新开发区丰华路付10号				
	行业分类	制造业				

	指标\报告期	2014.06.30	2013.12.31	2012.12.31
主要财务指标	营业收入(元)	8,231,679.54	15,972,710.40	18,269,840.47
	营业利润(元)	41,941.02	377,641.49	354,377.50
	净利润(元)	234,678.21	555,746.87	504,740.73
	未分配利润(元)	322,928.83	88,250.62	17,067,943.75
	总资产(元)	31,387,223.66	36,124,282.82	32,721,288.78
	总负债(元)	6,632,416.64	11,604,154.01	10,456,906.84
	净资产(元)	24,754,807.02	24,520,128.81	22,264,381.94
	每股收益(元)	0.05	0.15	0.15
	每股净资产(元)	4.95	4.90	6.75
	净资产收益率(%)	0.95	2.27	2.27

深圳蓝波绿建集团股份有限公司

公司概况	公司名称	深圳蓝波绿建集团股份有限公司			股份名称	蓝波绿建
	法人代表	徐宁	董秘	彭海燕	股份代码	430678
	公司网址	www.china-facade.com		主办券商	中国国际金融有限公司	
	电　话	0755-26826100-804		传　真	0755-26675571	
	注册地址	广东省深圳市南山区兴华路6号华建工业大厦6号楼406、407、408房				
	行业分类	建筑业				

	指标\报告期	2014.06.30	2013.12.31	2012.12.31
主要财务指标	营业收入(元)	202,931,269.83	479,278,207.94	517,395,684.99
	营业利润(元)	8,885,999.12	34,526,324.74	32,497,149.48
	净利润(元)	7,397,744.10	31,482,297.25	30,351,575.98
	未分配利润(元)	89,376,962.27	81,979,176.29	53,069,338.85
	总资产(元)	687,711,364.89	583,669,838.84	467,990,528.77
	总负债(元)	518,315,061.19	422,255,587.61	365,800,256.50
	净资产(元)	169,396,303.70	161,414,251.23	102,190,272.27
	每股收益(元)	0.13	0.62	0.61
	每股净资产(元)	3.08	2.93	2.03
	净资产收益率(%)	4.37	19.54	29.86

潍坊联兴新材料科技股份有限公司

公司概况	公司名称	潍坊联兴新材料科技股份有限公司			股份名称	联兴科技
	法人代表	王佐任	董秘	边涛	股份代码	430680
	公司网址	www.wflxcarbon.com	主办券商	首创证券有限责任公司		
	电　话	0536-5301187	传　真	0536-5301187		
	注册地址	山东省潍坊市滨海经济开发区临港工业园临港路以西				
	行业分类	制造业				

主要财务指标	指标\报告期	2014.06.30	2013.12.31	2012.12.31
	营业收入(元)	–	694,102,172.77	694,102,172.77
	营业利润(元)	–	16,999,711.55	16,999,711.55
	净利润(元)	–	14,884,824.98	14,884,824.98
	未分配利润(元)	–	56,052,286.74	56,052,286.74
	总资产(元)	–	590,428,263.06	590,428,263.06
	总负债(元)	–	503,841,929.45	503,841,929.45
	净资产(元)	–	86,586,333.61	86,586,333.61
	每股收益(元)	–	0.99	0.99
	每股净资产(元)	–	5.77	5.77
	净资产收益率(%)	–	17.19	17.19

南京芒冠光电科技股份有限公司

公司概况	公司名称	南京芒冠光电科技股份有限公司			股份名称	芒冠光电
	法人代表	赵文龙	董秘	唐仁花	股份代码	430681
	公司网址	www.magonchina.com	主办券商	南京证券股份有限公司		
	电　话	025-52214977-8008	传　真	025-52214977-8057		
	注册地址	江苏省南京市秦淮区正学路1号南京晨光1865创意产业园E13幢二楼西				
	行业分类	制造业				

主要财务指标	指标\报告期	2014.06.30	2013.12.31	2012.12.31
	营业收入(元)	1,363,207.03	13,673,164.21	11,624,812.82
	营业利润(元)	-2,722,210.31	897,542.34	-754,223.18
	净利润(元)	-1,998,679.45	1,458,585.47	83,818.35
	未分配利润(元)	15,285.60	2,013,965.05	701,238.13
	总资产(元)	9,056,439.71	11,565,228.96	10,520,683.82
	总负债(元)	1,401,796.49	1,911,906.29	2,510,946.62
	净资产(元)	7,654,643.22	9,653,322.67	8,009,737.20
	每股收益(元)	-0.29	0.21	0.01
	每股净资产(元)	1.09	1.38	1.14
	净资产收益率(%)	-26.11	15.11	1.05

甘肃中天羊业股份有限公司

公司概况	公司名称	甘肃中天羊业股份有限公司			股份名称	中天羊业
	法人代表	陈耀祥	董秘	赵世民	股份代码	430682
	公司网址	www.ztyangye.com	主办券商	华龙证券有限责任公司		
	电　话	0932-6693877	传　真	0932-6626128		
	注册地址	甘肃省陇西县长安路				
	行业分类	农、林、牧、渔业				

主要财务指标	指标\报告期	2014.06.30	2013.12.31	2012.12.31
	营业收入(元)	–	332,697,602.12	282,872,174.17
	营业利润(元)	–	19,095,789.97	19,833,837.44
	净利润(元)	–	21,257,218.97	20,700,259.54
	未分配利润(元)	–	57,149,073.78	43,462,033.93
	总资产(元)	–	398,150,379.85	364,431,484.77
	总负债(元)	–	218,816,341.51	212,877,665.40
	净资产(元)	–	179,334,038.34	151,553,819.37
	每股收益(元)	–	0.29	0.31
	每股净资产(元)	–	2.62	2.31
	净资产收益率(%)	–	10.88	13.47

武汉新中德塑机股份有限公司

公司概况	公司名称	武汉新中德塑机股份有限公司			股份名称	新中德
	法人代表	谢国祥	董秘	邓玲	股份代码	430683
	公司网址	www.xzdsj.com	主办券商	申银万国证券股份有限公司		
	电　话	027-69573006	传　真	027-69573009		
	注册地址	湖北省武汉蔡甸经济开发区常福新城				
	行业分类	制造业				

主要财务指标	指标\报告期	2014.06.30	2013.12.31	2012.12.31
	营业收入(元)	19,036,797.22	51,631,458.83	35,137,240.54
	营业利润(元)	577,534.01	3,618,561.10	951,386.59
	净利润(元)	723,717.56	3,057,702.95	768,720.04
	未分配利润(元)	5,551,160.46	4,827,442.90	2,075,510.25
	总资产(元)	34,116,504.79	27,582,117.41	20,628,211.11
	总负债(元)	21,028,961.79	15,218,291.97	11,322,088.62
	净资产(元)	13,087,543.00	12,363,825.44	9,306,122.49
	每股收益(元)	0.10	0.44	0.11
	每股净资产(元)	1.87	1.77	1.33
	净资产收益率(%)	5.53	24.73	8.26

上海杰通实业股份有限公司

公司概况	公司名称	上海杰通实业股份有限公司		股份名称	杰通股份
	法人代表	王勇	董秘 邱海云	股份代码	430684
	公司网址	www.jietongplastic.com	主办券商	国金证券股份有限公司	
	电　　话	021-54996171	传　　真	021-54996617	
	注册地址	上海市浦东新区张江高科技园区祖冲之路1077号2幢2130室			
	行业分类	制造业			

	指标\报告期	2014.06.30	2013.12.31	2012.12.31
主要财务指标	营业收入(元)	–	18,700,971.09	11,937,516.73
	营业利润(元)	–	1,196,045.65	360,335.42
	净利润(元)	–	931,257.85	215,130.44
	未分配利润(元)	–	683,690.92	542,837.79
	总资产(元)	–	14,208,208.35	9,799,831.64
	总负债(元)	–	7,728,435.14	7,195,602.73
	净资产(元)	–	6,479,773.21	2,604,228.91
	每股收益(元)	–	0.31	0.11
	每股净资产(元)	–	3.60	1.30
	净资产收益率(%)	–	14.37	8.26

宁波新芝生物科技股份有限公司

公司概况	公司名称	宁波新芝生物科技股份有限公司		股份名称	新芝生物
	法人代表	周芳	董秘 肖艺	股份代码	430685
	公司网址	www.scientz.com	主办券商	长城证券有限责任公司	
	电　　话	0574-87112106	传　　真	0574-87145899	
	注册地址	浙江省宁波市科技园区木槿路65号			
	行业分类	制造业			

	指标\报告期	2014.06.30	2013.12.31	2012.12.31
主要财务指标	营业收入(元)	31,552,432.15	62,733,037.29	49,030,580.43
	营业利润(元)	842,147.00	2,903,925.86	3,072,205.34
	净利润(元)	493,642.26	3,455,038.46	3,017,938.39
	未分配利润(元)	16,141,405.33	17,294,286.89	14,358,227.72
	总资产(元)	67,768,059.75	73,038,152.98	63,311,787.05
	总负债(元)	28,428,189.95	31,663,925.44	22,935,952.52
	净资产(元)	39,339,869.80	41,374,227.54	40,375,834.53
	每股收益(元)	0.09	0.22	0.19
	每股净资产(元)	2.16	2.24	2.02
	净资产收益率(%)	4.02	9.69	9.29

安徽华盛科技控股股份有限公司

公司概况	公司名称	安徽华盛科技控股股份有限公司		股份名称	华盛控股
	法人代表	盛义良	董秘 许宏宁	股份代码	430686
	公司网址	www.hskgchina.com	主办券商	长江证券股份有限公司	
	电　　话	0550-7099656	传　　真	0550-7099656	
	注册地址	安徽省天长市天扬路666号			
	行业分类	制造业			

	指标\报告期	2014.06.30	2013.12.31	2012.12.31
主要财务指标	营业收入(元)	–	101,944,064.28	62,737,129.34
	营业利润(元)	–	12,438,419.53	620,436.00
	净利润(元)	–	10,223,527.94	325,334.11
	未分配利润(元)	–	10,115,538.36	914,363.21
	总资产(元)	–	124,863,304.80	104,035,324.98
	总负债(元)	–	60,229,935.83	67,785,483.95
	净资产(元)	–	64,633,368.97	36,249,841.03
	每股收益(元)	–	0.25	0.01
	每股净资产(元)	–	1.34	1.20
	净资产收益率(%)	–	15.91	0.90

北京华瑞核安科技股份有限公司

公司概况	公司名称	北京华瑞核安科技股份有限公司		股份名称	华瑞核安
	法人代表	王伟华	董秘 张琍娟	股份代码	430687
	公司网址	www.bjhrha.com	主办券商	中信建投证券股份有限公司	
	电　　话	010-88393762	传　　真	010-88393713	
	注册地址	北京市西城区车公庄大街9号院2号楼3门1103室			
	行业分类	制造业			

	指标\报告期	2014.06.30	2013.12.31	2012.12.31
主要财务指标	营业收入(元)	4,809,692.20	22,682,509.49	14,967,804.18
	营业利润(元)	302,672.90	6,209,679.59	1,122,348.73
	净利润(元)	322,082.66	5,730,955.26	970,619.36
	未分配利润(元)	3,194,406.80	2,872,324.14	4,729,398.20
	总资产(元)	49,761,508.49	46,387,105.97	38,710,297.09
	总负债(元)	27,444,236.86	24,391,917.00	23,455,410.20
	净资产(元)	22,317,271.63	21,995,188.97	15,254,886.89
	每股收益(元)	0.02	0.32	0.10
	每股净资产(元)	1.24	1.22	1.53
	净资产收益率(%)	1.44	26.06	6.36

河北鹏远光电股份有限公司

公司概况	公司名称	河北鹏远光电股份有限公司		股份名称	鹏远光电
	法人代表	朱立秋	董秘 周光启	股份代码	430688
	公司网址	www.pengyuanled.com	主办券商	中信建投证券股份有限公司	
	电话	0335-3365599	传真	0335-8571896	
	注册地址	河北省秦皇岛市经济技术开发区龙海道55号			
	行业分类	制造业			

	指标\报告期	2014.06.30	2013.12.31	2012.12.31
主要财务指标	营业收入(元)	8,478,807.88	48,575,117.10	41,691,637.78
	营业利润(元)	-8,247,525.33	8,777,040.87	5,678,014.67
	净利润(元)	-6,999,772.66	10,737,936.96	6,342,925.55
	未分配利润(元)	-5,969,489.43	1,030,283.23	1,683,538.21
	总资产(元)	221,639,167.64	218,149,187.51	196,088,999.45
	总负债(元)	166,030,405.33	155,540,652.54	144,218,401.44
	净资产(元)	55,608,762.31	62,608,534.97	51,870,598.01
	每股收益(元)	-0.14	0.21	0.13
	每股净资产(元)	1.11	1.25	1.04
	净资产收益率(%)	-12.59	17.15	12.23

广州摩登百货股份有限公司

公司概况	公司名称	广州摩登百货股份有限公司		股份名称	摩登百货
	法人代表	周强	董秘 骆建基	股份代码	430689
	公司网址	www.mopark.com.cn	主办券商	广发证券股份有限公司	
	电话	020-87501587	传真	020-87599378、61212068	
	注册地址	广东省广州市天河区天河路611号			
	行业分类	批发和零售业			

	指标\报告期	2014.06.30	2013.12.31	2012.12.31
主要财务指标	营业收入(元)	-	1,068,908,824.52	984,811,386.90
	营业利润(元)	-	-30,137,778.64	32,525,628.97
	净利润(元)	-	-29,291,668.40	22,609,326.37
	未分配利润(元)	-	-18,478,181.60	10,813,486.80
	总资产(元)	-	250,456,571.45	322,248,917.28
	总负债(元)	-	208,640,251.21	235,480,928.64
	净资产(元)	-	41,816,320.24	86,767,988.64
	每股收益(元)	-	-0.63	0.48
	每股净资产(元)	-	0.93	1.84
	净资产收益率(%)	-	-70.05	26.06

酷买网(北京)科技股份有限公司

公司概况	公司名称	酷买网(北京)科技股份有限公司		股份名称	酷买网
	法人代表	吴辉	董秘 周铭	股份代码	430690
	公司网址	www.cooli.cn	主办券商	方正证券股份有限公司	
	电话	010-64802398	传真	010-64802398	
	注册地址	北京市朝阳区大屯路科学园南里——风林绿洲I乙号楼2204号			
	行业分类	批发和零售业			

	指标\报告期	2014.06.30	2013.12.31	2012.12.31
主要财务指标	营业收入(元)	8,688,289.33	15,065,482.76	25,999,500.29
	营业利润(元)	-400,864.14	-1,460,821.83	-229,825.60
	净利润(元)	-97,482.05	-1,252,456.83	-209,244.48
	未分配利润(元)	-1,020,019.88	-922,537.83	-406,663.74
	总资产(元)	4,246,833.44	4,965,315.22	6,985,960.72
	总负债(元)	253,436.06	874,435.79	6,392,624.46
	净资产(元)	3,993,397.38	4,090,879.43	593,336.26
	每股收益(元)	-0.02	-0.54	-0.04
	每股净资产(元)	0.80	0.82	0.12
	净资产收益率(%)	-2.44	-30.62	-35.27

合肥麦稻之星机械科技股份有限公司

公司概况	公司名称	合肥麦稻之星机械科技股份有限公司		股份名称	麦稻之星
	法人代表	娄玉莲	董秘 芮娟	股份代码	430691
	公司网址	www.hfmdzx.com	主办券商	宏源证券股份有限公司	
	电话	0551-63448655-8001	传真	0551-63448655-8001	
	注册地址	安徽省合肥市包河区纬三路17号			
	行业分类	制造业			

	指标\报告期	2014.06.30	2013.12.31	2012.12.31
主要财务指标	营业收入(元)	11,104,660.35	24,854,283.49	16,058,199.99
	营业利润(元)	-76,774.34	435,498.72	105,726.49
	净利润(元)	125,743.90	389,859.32	134,242.86
	未分配利润(元)	531,526.44	405,782.54	54,909.16
	总资产(元)	21,741,325.02	18,202,577.39	13,337,431.14
	总负债(元)	15,933,711.63	12,751,707.90	8,276,420.96
	净资产(元)	5,807,613.39	5,450,869.49	5,061,010.18
	每股收益(元)	0.02	0.08	0.03
	每股净资产(元)	1.11	1.09	1.01
	净资产收益率(%)	2.17	7.15	2.65

深圳市杰纳瑞医疗仪器股份有限公司

公司概况	公司名称	深圳市杰纳瑞医疗仪器股份有限公司			股份名称	杰纳瑞
	法人代表	吕仲霖	董秘	苏文	股份代码	430692
	公司网址	www.szmedtech.com		主办券商	金元证券股份有限公司	
	电　话	0755-26546289		传　真	0755-26546285	
	注册地址	广东省深圳市南山区科技园科智西路1号23栋南三层				
	行业分类	制造业				

	指标\报告期	2014.06.30	2013.12.31	2012.12.31
主要财务指标	营业收入(元)	16,412,033.89	33,195,214.96	29,063,954.82
	营业利润(元)	952,205.84	4,088,175.21	2,297,185.02
	净利润(元)	938,512.04	3,491,527.69	2,367,274.64
	未分配利润(元)	2,237,106.19	1,392,445.35	3,643,823.91
	总资产(元)	24,233,698.30	24,475,695.73	21,067,219.28
	总负债(元)	5,744,965.34	6,925,474.81	7,008,526.05
	净资产(元)	18,488,732.96	17,550,220.92	14,058,693.23
	每股收益(元)	0.06	0.22	0.24
	每股净资产(元)	1.16	1.10	1.40
	净资产收益率(%)	5.08	19.90	16.84

宁波恒力液压股份有限公司

公司概况	公司名称	宁波恒力液压股份有限公司			股份名称	恒力液压
	法人代表	叶志华	董秘	王静芝	股份代码	430693
	公司网址	www.hilead.cn		主办券商	南京证券股份有限公司	
	电　话	0574-55876247		传　真	0574-87904099	
	注册地址	浙江省宁波市高新区清逸路7号				
	行业分类	制造业				

	指标\报告期	2014.06.30	2013.12.31	2012.12.31
主要财务指标	营业收入(元)	19,521,022.01	40,900,473.73	47,813,868.13
	营业利润(元)	-520,116.31	303,353.08	1,677,804.04
	净利润(元)	2,989,294.00	1,537,061.83	1,096,200.40
	未分配利润(元)	16,051,547.48	14,908,088.76	13,417,336.24
	总资产(元)	188,957,601.73	191,266,010.34	176,698,133.52
	总负债(元)	143,756,755.05	147,208,622.38	134,177,807.39
	净资产(元)	45,200,846.68	44,057,387.96	42,520,326.13
	每股收益(元)	0.30	0.15	0.11
	每股净资产(元)	4.52	4.41	4.25
	净资产收益率(%)	6.61	3.49	2.58

安徽华印机电股份有限公司

公司概况	公司名称	安徽华印机电股份有限公司			股份名称	华印机电
	法人代表	汪元林	董秘	周庆红	股份代码	430694
	公司网址	www.hnxgh.com/gh/		主办券商	广州证券有限责任公司	
	电　话	0554-3314161		传　真	0554-3314720	
	注册地址	安徽省淮南市经济技术开发区				
	行业分类	制造业				

	指标\报告期	2014.06.30	2013.12.31	2012.12.31
主要财务指标	营业收入(元)	-	62,830,051.63	80,225,465.39
	营业利润(元)	-	-4,760,450.76	-7,692,977.33
	净利润(元)	-	-1,284,912.32	-2,834,059.26
	未分配利润(元)	-	-4,921,675.38	20,876,339.18
	总资产(元)	-	159,206,267.84	188,964,606.46
	总负债(元)	-	129,304,358.20	157,777,784.50
	净资产(元)	-	29,901,909.64	31,186,821.96
	每股收益(元)	-	-0.04	-0.58
	每股净资产(元)	-	1.00	6.43
	净资产收益率(%)	-	-4.30	-9.09

青岛浩海网络科技股份有限公司

公司概况	公司名称	青岛浩海网络科技股份有限公司			股份名称	浩海科技
	法人代表	逄增伦	董秘	逄增辉	股份代码	430695
	公司网址	www.ehaohai.com		主办券商	上海证券有限责任公司	
	电　话	0532-88727088		传　真	0532-80912200-611	
	注册地址	山东省青岛市北区泰山路35号大学生孵化中心4楼402室				
	行业分类	信息传输、软件和信息技术服务业				

	指标\报告期	2014.06.30	2013.12.31	2012.12.31
主要财务指标	营业收入(元)	17,386,114.98	52,075,024.25	41,102,884.84
	营业利润(元)	-744,344.69	1,678,979.65	-119,189.72
	净利润(元)	133,087.68	2,190,092.32	371,934.20
	未分配利润(元)	3,583,293.03	3,450,205.35	1,479,122.26
	总资产(元)	47,470,024.24	45,889,770.00	38,813,615.67
	总负债(元)	32,367,032.91	30,919,866.35	26,033,804.34
	净资产(元)	15,102,991.33	14,969,903.65	12,779,811.33
	每股收益(元)	0.01	0.20	0.03
	每股净资产(元)	1.37	1.36	1.16
	净资产收益率(%)	0.88	14.63	2.91

重庆秀山金银花中药材股份有限公司

公司概况	公司名称	重庆秀山金银花中药材股份有限公司		股份名称	金银花
	法人代表	闫晓霞	董秘	闫晓霞	股份代码 430696
	公司网址	www.xsjyh.cn	主办券商	申银万国证券股份有限公司	
	电　话	18030716202	传　真	028-86132838	
	注册地址	重庆市秀山县涌洞乡楠木村堰田组			
	行业分类	农、林、牧、渔业			

	指标\报告期	2014.06.30	2013.12.31	2012.12.31
主要财务指标	营业收入(元)	1,570,208.64	6,220,172.18	3,450,868.00
	营业利润(元)	-788,874.48	1,726,989.34	1,240,316.23
	净利润(元)	-551,896.68	1,709,462.63	1,518,501.17
	未分配利润(元)	949,389.15	1,453,043.24	3,533,182.82
	总资产(元)	8,549,065.92	8,804,312.84	6,523,458.12
	总负债(元)	869,875.82	629,982.06	58,589.97
	净资产(元)	7,679,190.10	8,174,330.78	6,464,868.15
	每股收益(元)	-0.09	0.27	2.60
	每股净资产(元)	1.22	1.30	4.31
	净资产收益率(%)	-7.19	20.91	23.49

沈阳宝石金卡信息技术股份有限公司

公司概况	公司名称	沈阳宝石金卡信息技术股份有限公司		股份名称	宝石金卡
	法人代表	张明扬	董秘	杨建辉	股份代码 430697
	公司网址	www.poscard.com.cn	主办券商	山西证券股份有限公司	
	电　话	024-6222085	传　真	024-62220858-814	
	注册地址	辽宁省沈阳市浑南新区金卡路16号(C537门)			
	行业分类	信息传输、软件和信息技术服务业			

	指标\报告期	2014.06.30	2013.12.31	2012.12.31
主要财务指标	营业收入(元)	14,619,873.08	28,453,308.75	34,503,204.21
	营业利润(元)	-2,466,877.81	-8,073,967.40	-967,892.68
	净利润(元)	-2,390,139.24	-5,097,319.64	2,193,969.59
	未分配利润(元)	-4,232,875.46	-1,845,155.85	3,259,293.99
	总资产(元)	37,039,868.34	38,073,907.64	41,876,337.91
	总负债(元)	18,045,940.11	16,689,840.17	15,394,950.80
	净资产(元)	18,993,928.23	21,384,067.47	26,481,387.11
	每股收益(元)	-0.12	-0.26	0.12
	每股净资产(元)	0.95	1.09	1.35
	净资产收益率(%)	-12.28	-23.36	8.65

武汉康普常青软件技术股份有限公司

公司概况	公司名称	武汉康普常青软件技术股份有限公司		股份名称	康普常青
	法人代表	杨帆	董秘	查燕云	股份代码 430698
	公司网址	www.kpcq.com.cn	主办券商	长江证券股份有限公司	
	电　话	027-87611443、87611009	传　真	027-87186880	
	注册地址	湖北省武汉东湖新技术开发区软件园中路4号光谷软件园六期1栋7层01室			
	行业分类	制造业			

	指标\报告期	2014.06.30	2013.12.31	2012.12.31
主要财务指标	营业收入(元)	5,840,894.82	40,108,449.51	33,820,086.47
	营业利润(元)	-3,731,097.41	14,921,437.13	10,959,070.63
	净利润(元)	1,170,331.91	15,283,798.82	12,439,073.18
	未分配利润(元)	16,825,182.78	15,630,058.70	29,531,541.08
	总资产(元)	77,804,613.17	77,869,068.12	54,541,035.61
	总负债(元)	6,388,613.06	15,623,399.92	10,245,886.23
	净资产(元)	71,416,000.11	62,245,668.20	44,295,149.38
	每股收益(元)	0.08	1.17	0.90
	每股净资产(元)	4.91	4.45	3.14
	净资产收益率(%)	1.67	25.25	28.53

上海海欣医药股份有限公司

公司概况	公司名称	上海海欣医药股份有限公司		股份名称	海欣医药
	法人代表	陈谋亮	董秘	毛巍华	股份代码 430699
	公司网址	www.shhxyy.com	主办券商	方正证券股份有限公司	
	电　话	021-54651281	传　真	021-54651308	
	注册地址	上海市浦东新区金桥出口加工区桂桥路1150号B座			
	行业分类	批发和零售业			

	指标\报告期	2014.06.30	2013.12.31	2012.12.31
主要财务指标	营业收入(元)	-	383,306,508.02	367,729,560.38
	营业利润(元)	-	2,355,827.95	3,965,525.47
	净利润(元)	-	1,842,162.62	3,047,873.16
	未分配利润(元)	-	1,640,498.56	5,533,626.42
	总资产(元)	-	142,168,723.80	135,799,102.15
	总负债(元)	-	107,447,076.95	102,319,617.92
	净资产(元)	-	34,721,646.85	33,479,484.23
	每股收益(元)	-	0.17	0.28
	每股净资产(元)	-	3.15	3.03
	净资产收益率(%)	-	5.31	9.11

北京飞尼课斯科技股份有限公司

公司概况	公司名称	北京飞尼课斯科技股份有限公司		股份名称	飞尼课斯
	法人代表	王季庄	董秘	张鑫	股份代码	430700
	公司网址	www.fnksybcl.com		主办券商	金元证券股份有限公司
	电　　话	010-61679105		传　　真	010-61679103
	注册地址	北京市怀柔区杨宋镇凤翔大街12号			
	行业分类	制造业			

	指标\报告期	2014.06.30	2013.12.31	2012.12.31
主要财务指标	营业收入(元)	2,622,478.64	13,910,447.82	12,166,948.56
	营业利润(元)	-1,030,346.12	947,374.70	1,473,728.59
	净利润(元)	-1,029,979.63	663,006.74	1,101,140.66
	未分配利润(元)	438,063.17	1,468,042.80	1,652,770.68
	总资产(元)	19,643,588.77	19,899,684.47	17,539,150.88
	总负债(元)	12,174,149.79	11,400,265.86	9,702,739.01
	净资产(元)	7,469,438.98	8,499,418.61	7,836,411.87
	每股收益(元)	-0.17	0.11	0.18
	每股净资产(元)	1.24	1.42	1.31
	净资产收益率(%)	-13.79	7.80	14.05

扬州立德粉末冶金股份有限公司

公司概况	公司名称	扬州立德粉末冶金股份有限公司		股份名称	立德股份
	法人代表	葛莲	董秘	朱建华	股份代码	430701
	公司网址	www.pm-leader.com		主办券商	首创证券有限责任公司
	电　　话	0514-86739718-8009		传　　真	0514-86739507
	注册地址	江苏省扬州市江都区宜陵镇七里集镇文化路13号			
	行业分类	制造业			

	指标\报告期	2014.06.30	2013.12.31	2012.12.31
主要财务指标	营业收入(元)	-	33,395,323.13	24,687,961.65
	营业利润(元)	-	3,983,189.54	376,840.72
	净利润(元)	-	4,197,415.17	679,678.88
	未分配利润(元)	-	553,327.68	1,148,815.59
	总资产(元)	-	36,967,189.05	23,960,951.98
	总负债(元)	-	19,588,505.78	18,684,683.88
	净资产(元)	-	17,378,683.27	5,276,268.10
	每股收益(元)	-	0.86	0.19
	每股净资产(元)	-	2.50	1.51
	净资产收益率(%)	-	25.55	12.88

北京昊福文化传播股份有限公司

公司概况	公司名称	北京昊福文化传播股份有限公司		股份名称	昊福文化
	法人代表	福生	董秘	朱靖梅	股份代码	430702
	公司网址	www.hofu.co		主办券商	招商证券股份有限公司
	电　　话	010-57636166		传　　真	010-57636188
	注册地址	北京市石景山区石景山路20号1101-16房间			
	行业分类	文化、体育和娱乐业			

	指标\报告期	2014.06.30	2013.12.31	2012.12.31
主要财务指标	营业收入(元)	23,263,591.08	30,227,472.14	19,666,088.55
	营业利润(元)	5,513,805.56	832,863.11	46,967.11
	净利润(元)	4,171,131.25	731,436.97	-78,617.75
	未分配利润(元)	4,758,668.55	587,537.30	-78,617.75
	总资产(元)	53,579,815.84	45,269,095.80	36,117,192.61
	总负债(元)	17,146,197.72	13,006,608.93	4,586,142.71
	净资产(元)	36,433,618.12	32,262,486.87	31,531,049.90
	每股收益(元)	0.16	0.03	0.00
	每股净资产(元)	1.42	1.26	1.23
	净资产收益率(%)	11.45	2.27	-0.25

深圳市高山水生态园林股份有限公司

公司概况	公司名称	深圳市高山水生态园林股份有限公司		股份名称	高山水
	法人代表	工曙曦	董秘	张新方	股份代码	430703
	公司网址	www.gaolandscape.com		主办券商	长江证券股份有限公司
	电　　话	0755-26473607		传　　真	0755-26473606
	注册地址	广东省深圳市南山区蛇口兴华路6号华建工业大厦2号楼			
	行业分类	建筑业			

	指标\报告期	2014.06.30	2013.12.31	2012.12.31
主要财务指标	营业收入(元)	-	92,587,574.17	69,373,046.49
	营业利润(元)	-	9,897,878.05	3,627,196.59
	净利润(元)	-	7,835,865.42	2,898,107.39
	未分配利润(元)	-	4,574,838.54	24,009,965.09
	总资产(元)	-	94,176,628.10	60,871,395.67
	总负债(元)	-	33,684,623.68	19,650,856.67
	净资产(元)	-	60,492,004.42	41,220,539.00
	每股收益(元)	-	0.37	0.25
	每股净资产(元)	-	2.33	3.59
	净资产收益率(%)	-	12.95	7.03

济南同智伟业软件股份有限公司

公司概况	公司名称	济南同智伟业软件股份有限公司		股份名称	同智伟业
	法人代表	王永起	董秘 程永甜	股份代码	430704
	公司网址	www.tongzhi.com.cn		主办券商	上海证券有限责任公司
	电　话	0531-88584505		传　真	0531-88935162
	注册地址	山东省济南市高新区舜华路 2000 号舜泰广场 2 号楼 1-701 室			
	行业分类	信息传输、软件和信息技术服务业			

主要财务指标	指标\报告期	2014.06.30	2013.12.31	2012.12.31
	营业收入(元)	4,297,228.45	12,024,123.05	11,227,287.88
	营业利润(元)	-1,246,834.84	895,654.33	515,057.57
	净利润(元)	-934,492.39	1,622,836.95	1,279,079.10
	未分配利润(元)	1,133,434.50	2,067,926.89	607,373.64
	总资产(元)	16,792,756.13	14,976,343.55	8,458,505.30
	总负债(元)	5,814,867.62	3,063,962.65	2,068,961.35
	净资产(元)	10,977,888.51	11,912,380.90	6,389,543.95
	每股收益(元)	-0.12	0.21	0.23
	每股净资产(元)	1.36	1.47	1.16
	净资产收益率(%)	-8.51	13.62	20.02

广州市天锐科技股份有限公司

公司概况	公司名称	广州市天锐科技股份有限公司		股份名称	天锐科技
	法人代表	练旭明	董秘 张海燕	股份代码	430705
	公司网址	www.skytek.com.cn		主办券商	中原证券股份有限公司
	电　话	020-87329498-320		传　真	020-87322298
	注册地址	广东省广州市越秀区先烈中路 80 号 511 房			
	行业分类	信息传输、软件和信息技术服务业			

主要财务指标	指标\报告期	2014.06.30	2013.12.31	2012.12.31
	营业收入(元)	13,312,279.58	31,364,818.87	29,574,029.55
	营业利润(元)	380,642.87	1,827,958.29	1,846,825.06
	净利润(元)	247,243.81	1,337,533.69	1,631,882.70
	未分配利润(元)	1,218,663.39	1,027,089.67	-95,956.81
	总资产(元)	16,861,904.19	20,638,984.41	15,516,756.98
	总负债(元)	4,511,760.61	8,489,097.72	8,404,403.98
	净资产(元)	12,350,143.58	12,149,886.69	7,112,353.00
	每股收益(元)	0.03	0.17	0.27
	每股净资产(元)	1.22	1.19	1.17
	净资产收益率(%)	2.26	11.04	23.36

海芯华夏(北京)科技股份有限公司

公司概况	公司名称	海芯华夏(北京)科技股份有限公司		股份名称	海芯华夏
	法人代表	苏和	董秘 苏力特	股份代码	430706
	公司网址	www.hx3n.cn		主办券商	申银万国证券股份有限公司
	电　话	010-82826308		传　真	010-82826339
	注册地址	北京市海淀区东北旺西路 8 号 15 号楼方舟大厦 325 室			
	行业分类	信息传输、软件和信息技术服务业			

主要财务指标	指标\报告期	2014.06.30	2013.12.31	2012.12.31
	营业收入(元)	1,560,836.53	7,062,642.16	9,798,489.19
	营业利润(元)	-1,064,982.39	412,126.73	304,492.08
	净利润(元)	-1,069,996.99	359,786.40	205,031.87
	未分配利润(元)	-988,161.03	102,523.52	-2,669,156.99
	总资产(元)	10,748,623.27	12,438,477.49	8,839,084.56
	总负债(元)	148,678.41	747,848.08	1,508,241.55
	净资产(元)	10,599,944.86	11,690,629.41	7,330,843.01
	每股收益(元)	-0.10	0.04	0.02
	每股净资产(元)	0.96	1.06	0.73
	净资产收益率(%)	-10.09	3.08	2.80

佛山欧神诺陶瓷股份有限公司

公司概况	公司名称	佛山欧神诺陶瓷股份有限公司		股份名称	欧神诺
	法人代表	鲍杰军	董秘 丁同文	股份代码	430707
	公司网址	www.oceano.com.cn		主办券商	国金证券股份有限公司
	电　话	0757-88310982		传　真	0757-88310958
	注册地址	广东省佛山市三水区乐平镇范湖工业区			
	行业分类	制造业			

主要财务指标	指标\报告期	2014.06.30	2013.12.31	2012.12.31
	营业收入(元)	-	1,237,978,249.99	947,471,523.95
	营业利润(元)	-	53,236,069.51	52,961,748.04
	净利润(元)	-	53,076,846.21	57,139,822.64
	未分配利润(元)	-	182,143,860.44	133,402,259.28
	总资产(元)	-	1,760,001,399.01	1,229,578,666.11
	总负债(元)	-	1,335,706,987.77	858,361,101.08
	净资产(元)	-	424,294,411.24	371,217,565.03
	每股收益(元)	-	0.38	0.41
	每股净资产(元)	-	3.03	2.65
	净资产收益率(%)	-	12.51	15.39

武汉深蓝自动化设备股份有限公司

公司概况	公司名称	武汉深蓝自动化设备股份有限公司			股份名称	武汉深蓝
	法人代表	谢凡	董秘	杨华	股份代码	430709
	公司网址	www.hilans.cn		主办券商	太平洋证券股份有限公司	
	电　话	0713-5319003		传　真	0713-5319268	
	注册地址	湖北省武汉市东西湖区银湖科技产业开发园18号				
	行业分类	制造业				

	指标\报告期	2014.06.30	2013.12.31	2012.12.31
主要财务指标	营业收入(元)	39,494,100.65	115,965,212.14	122,906,286.78
	营业利润(元)	3,396,224.40	24,482,378.73	29,252,706.53
	净利润(元)	4,187,966.22	25,062,627.61	25,647,825.82
	未分配利润(元)	33,084,697.19	28,896,730.97	6,340,366.12
	总资产(元)	151,910,685.57	158,324,070.84	142,966,482.74
	总负债(元)	48,909,328.49	59,510,679.98	69,215,719.49
	净资产(元)	103,001,357.08	98,813,390.86	73,750,763.25
	每股收益(元)	0.08	0.49	0.50
	每股净资产(元)	2.00	1.91	1.43
	净资产收益率(%)	4.07	25.36	34.78

江苏泓源光电科技股份有限公司

公司概况	公司名称	江苏泓源光电科技股份有限公司			股份名称	泓源光电
	法人代表	任进福	董秘	卫婷婷	股份代码	430711
	公司网址	www.hoyi-tech.com		主办券商	国泰君安证券股份有限公司	
	电　话	0510-86912323		传　真	0510-86530988	
	注册地址	江苏省江阴市徐霞客镇璜塘工业园区外环北路5号				
	行业分类	制造业				

	指标\报告期	2014.06.30	2013.12.31	2012.12.31
主要财务指标	营业收入(元)	–	81,718,546.76	40,434,985.14
	营业利润(元)	–	19,431,198.80	-4,842,491.00
	净利润(元)	–	16,325,821.91	-3,948,846.29
	未分配利润(元)	–	6,744,156.13	3,181,739.39
	总资产(元)	–	68,528,573.52	40,145,999.97
	总负债(元)	–	18,428,724.92	11,171,973.28
	净资产(元)	–	50,099,848.60	28,974,026.69
	每股收益(元)	–	0.62	-0.16
	每股净资产(元)	–	1.89	1.16
	净资产收益率(%)	–	32.59	-13.63

福建索天信息科技股份有限公司

公司概况	公司名称	福建索天信息科技股份有限公司			股份名称	索天科技
	法人代表	林晟	董秘	吴东玉	股份代码	430712
	公司网址	www.sys-tech.com.cn		主办券商	兴业证券股份有限公司	
	电　话	0591-87802775		传　真	0591-83610220	
	注册地址	福建省福州市鼓楼区铜盘路软件大道89号福州软件园B区23号楼201室				
	行业分类	信息传输、软件和信息技术服务业				

	指标\报告期	2014.06.30	2013.12.31	2012.12.31
主要财务指标	营业收入(元)	–	30,343,707.13	32,159,205.93
	营业利润(元)	–	4,971,045.33	7,882,659.38
	净利润(元)	–	6,385,475.62	11,656,157.76
	未分配利润(元)	–	3,078,226.38	28,869,819.89
	总资产(元)	–	63,616,186.75	47,171,601.46
	总负债(元)	–	22,653,133.47	5,094,023.80
	净资产(元)	–	40,963,053.28	42,077,577.66
	每股收益(元)	–	0.64	1.17
	每股净资产(元)	–	4.10	4.21
	净资产收益率(%)	–	15.59	27.70

山东昌润钻石股份有限公司

公司概况	公司名称	山东昌润钻石股份有限公司			股份名称	昌润钻石
	法人代表	李正时	董秘	王岩	股份代码	430713
	公司网址	www.crjgs.com		主办券商	国金证券股份有限公司	
	电　话	0635-2114778		传　真	0635-2929096	
	注册地址	山东省聊城市卫育北路45号				
	行业分类	制造业				

	指标\报告期	2014.06.30	2013.12.31	2012.12.31
主要财务指标	营业收入(元)	94,735,089.05	191,805,875.29	174,810,017.50
	营业利润(元)	6,304,710.51	20,229,162.18	39,284,232.89
	净利润(元)	4,414,276.36	16,960,046.44	37,890,612.25
	未分配利润(元)	38,029,086.47	35,578,460.79	21,609,858.49
	总资产(元)	377,456,955.93	367,608,997.61	347,552,715.34
	总负债(元)	145,921,437.39	137,644,503.40	134,548,267.57
	净资产(元)	231,535,518.54	229,964,494.21	213,004,447.77
	每股收益(元)	0.04	0.25	0.61
	每股净资产(元)	3.77	3.73	3.48
	净资产收益率(%)	1.08	6.72	17.49

苏州奇才电子科技股份有限公司

公司概况	公司名称	苏州奇才电子科技股份有限公司			股份名称	奇才股份
	法人代表	费福根	董秘	李万刚	股份代码	430714
	公司网址	www.qc-tech.com.cn	主办券商	宏源证券股份有限公司		
	电　话	0512-63311090	传　真	0512-63311082		
	注册地址	江苏省苏州市吴江区同里镇同兴村				
	行业分类	制造业				

主要财务指标	指标\报告期	2014.06.30	2013.12.31	2012.12.31
	营业收入(元)	–	32,392,681.57	24,508,404.97
	营业利润(元)	–	–123,631.59	–789,085.95
	净利润(元)	–	249,936.29	–479,695.67
	未分配利润(元)	–	29,801.83	–1,945,070.66
	总资产(元)	–	39,380,894.16	43,487,910.90
	总负债(元)	–	12,176,028.53	25,432,981.56
	净资产(元)	–	27,204,865.63	18,054,929.34
	每股收益(元)	–	0.01	–0.02
	每股净资产(元)	–	1.13	0.90
	净资产收益率(%)	–	0.92	–2.66

郑州春泉节能股份有限公司

公司概况	公司名称	郑州春泉节能股份有限公司			股份名称	春泉节能
	法人代表	杨东	董秘	赵靖	股份代码	430715
	公司网址	www.chuntsuan.com.cn	主办券商	中原证券股份有限公司		
	电　话	0371-67579116/17	传　真	0371-66393380		
	注册地址	河南省郑州高新开发区翠竹街6号1幢东1单元8层13号				
	行业分类	制造业				

主要财务指标	指标\报告期	2014.06.30	2013.12.31	2012.12.31
	营业收入(元)	6,009,794.09	17,677,046.69	17,543,942.90
	营业利润(元)	–1,109,626.04	1,493,498.88	1,889,156.09
	净利润(元)	–504,667.51	1,943,604.87	3,065,042.77
	未分配利润(元)	–430,190.17	74,477.34	4,652,594.45
	总资产(元)	25,423,685.04	26,047,842.97	26,018,542.97
	总负债(元)	7,805,740.51	7,925,230.93	9,839,535.80
	净资产(元)	17,617,944.53	18,122,612.04	16,179,007.17
	每股收益(元)	–0.03	0.13	0.28
	每股净资产(元)	1.18	1.21	1.47
	净资产收益率(%)	–2.87	10.73	18.95

浙江爱力浦科技股份有限公司

公司概况	公司名称	浙江爱力浦科技股份有限公司			股份名称	爱力浦
	法人代表	罗献尧	董秘	韩硕	股份代码	430716
	公司网址	www.ailipu.com	主办券商	中国民族证券有限责任公司		
	电　话	0576-83351188、83351225	传　真	0576-83351093、83351225		
	注册地址	浙江省台州市三门县海游镇滨海新城金源路2号				
	行业分类	制造业				

主要财务指标	指标\报告期	2014.06.30	2013.12.31	2012.12.31
	营业收入(元)	–	84,440,430.37	74,213,553.14
	营业利润(元)	–	9,055,580.53	6,350,955.18
	净利润(元)	–	8,008,941.85	7,172,157.39
	未分配利润(元)	–	7,645,577.61	21,728,161.75
	总资产(元)	–	174,839,914.26	158,156,148.43
	总负债(元)	–	90,916,568.38	82,345,090.40
	净资产(元)	–	83,923,345.88	75,811,058.03
	每股收益(元)	–	0.23	0.21
	每股净资产(元)	–	2.45	2.22
	净资产收益率(%)	–	9.54	9.46

山东省源通机械股份有限公司

公司概况	公司名称	山东省源通机械股份有限公司			股份名称	源通机械
	法人代表	周仕勇	董秘	高春华	股份代码	430717
	公司网址	www.ytmachinery.net	主办券商	华林证券有限责任公司		
	电　话	0533-3433103	传　真	0533-3422825		
	注册地址	山东省沂源县制造业城鲁山路东苑工业园				
	行业分类	制造业				

主要财务指标	指标\报告期	2014.06.30	2013.12.31	2012.12.31
	营业收入(元)	65,228,821.18	120,747,716.69	133,065,627.47
	营业利润(元)	6,622,167.60	10,706,966.94	10,122,280.38
	净利润(元)	5,482,125.60	8,875,658.62	8,490,085.34
	未分配利润(元)	28,608,263.66	26,223,404.04	22,232,561.29
	总资产(元)	109,138,278.83	110,771,197.21	140,527,259.67
	总负债(元)	46,958,383.42	51,416,272.52	86,026,621.77
	净资产(元)	62,179,895.41	59,354,924.69	54,500,637.90
	每股收益(元)	0.27	0.44	0.42
	每股净资产(元)	3.11	2.97	2.68
	净资产收益率(%)	8.82	14.95	15.88

合肥高科科技股份有限公司

公司概况	公司名称	合肥高科科技股份有限公司		股份名称	合肥高科
	法人代表	胡翔	董秘	刘智平	股份代码	430718
	公司网址	www.gk-cn.com		主办券商	华安证券股份有限公司
	电话	0551-65773337		传真	0551-65773320
	注册地址	安徽省合肥市高新区柏堰科技园铭传路215号			
	行业分类	制造业			

	指标\报告期	2014.06.30	2013.12.31	2012.12.31
主要财务指标	营业收入(元)	–	309,723,143.72	255,502,310.56
	营业利润(元)	–	11,961,609.44	6,946,751.89
	净利润(元)	–	11,354,147.48	6,750,273.16
	未分配利润(元)	–	10,655,545.89	–3,350,218.57
	总资产(元)	–	262,030,802.26	194,763,525.43
	总负债(元)	–	102,663,231.03	139,650,101.68
	净资产(元)	–	159,367,571.23	55,113,423.75
	每股收益(元)	–	0.20	0.12
	每股净资产(元)	–	2.34	0.99
	净资产收益率(%)	–	7.08	12.35

北京同创九鼎投资管理股份有限公司

公司概况	公司名称	北京同创九鼎投资管理股份有限公司			股份名称	九鼎投资
	法人代表	吴刚	董秘	古志鹏	股份代码	430719
	公司网址	www.tcjdcapital.com		主办券商	西部证券股份有限公司	
	电话	010-63221100		传真	010-63221188	
	注册地址	北京市西城区金融大街7号英蓝国际金融中心F618				
	行业分类	金融业				

	指标\报告期	2014.06.30	2013.12.31	2012.12.31
主要财务指标	营业收入(元)	–	302,056,167.47	436,767,569.35
	营业利润(元)	–	33,174,159.63	44,119,799.12
	净利润(元)	–	38,360,612.64	35,641,569.46
	未分配利润(元)	–	–12,491,960.79	–37,350,401.29
	总资产(元)	–	633,768,267.66	795,122,148.73
	总负债(元)	–	549,884,195.80	774,264,428.60
	净资产(元)	–	83,884,071.86	20,857,720.13
	每股收益(元)	–	2.82	4.51
	每股净资产(元)	–	0.07	–6.36
	净资产收益率(%)	–	2,917.67	

北京东方炫辰科技发展股份有限公司

公司概况	公司名称	北京东方炫辰科技发展股份有限公司			股份名称	东方炫辰
	法人代表	李海霞	董秘	江卫华	股份代码	430720
	公司网址	www.boschbuderuschina.com		主办券商	齐鲁证券有限公司	
	电话	010-85864363		传真	010-85864363	
	注册地址	北京市朝阳区东直门外西八间房万红西街2号21幢A3031号				
	行业分类	建筑业				

	指标\报告期	2014.06.30	2013.12.31	2012.12.31
主要财务指标	营业收入(元)	11,635,187.06	20,445,207.42	10,702,632.30
	营业利润(元)	–235,439.75	1,409,054.96	159,127.62
	净利润(元)	–178,756.66	1,008,879.20	70,510.84
	未分配利润(元)	–784,108.22	–605,351.56	2,417,807.67
	总资产(元)	14,020,506.43	10,905,019.64	18,240,458.10
	总负债(元)	7,810,677.17	4,516,433.72	4,757,013.68
	净资产(元)	6,209,829.26	6,388,585.92	13,483,444.42
	每股收益(元)	–0.04	0.24	0.01
	每股净资产(元)	1.24	1.28	1.35
	净资产收益率(%)	–2.88	15.79	0.52

常州瑞杰塑料股份有限公司

公司概况	公司名称	常州瑞杰塑料股份有限公司			股份名称	瑞杰塑料
	法人代表	王卫红	董秘	苑红亮	股份代码	430721
	公司网址	www.ruijiepac.cn		主办券商	申银万国证券股份有限公司	
	电话	0519-89880226		传真	0519-89880225	
	注册地址	江苏省常州市新北区天山路2-8号				
	行业分类	制造业				

	指标\报告期	2014.06.30	2013.12.31	2012.12.31
主要财务指标	营业收入(元)	160,937,926.50	244,512,277.04	171,647,590.91
	营业利润(元)	12,296,061.38	26,136,957.59	16,553,971.03
	净利润(元)	10,789,785.28	18,670,193.86	14,206,123.08
	未分配利润(元)	33,963,763.14	23,434,378.56	20,158,211.36
	总资产(元)	159,785,885.64	135,325,165.07	111,994,919.21
	总负债(元)	74,966,551.26	61,295,615.97	73,320,347.83
	净资产(元)	84,819,334.38	74,029,549.10	38,674,571.38
	每股收益(元)	0.35	0.62	6.66
	每股净资产(元)	2.74	2.39	16.79
	净资产收益率(%)	12.83	26.11	37.68

上海鸿图建筑设计股份有限公司

公司概况	公司名称	上海鸿图建筑设计股份有限公司			股份名称	鸿图建筑
	法人代表	姚玉麟	董秘	沈典文	股份代码	430722
	公司网址	www.hont.com.cn		主办券商	国泰君安证券股份有限公司	
	电　话	021-64842572		传　真	021-64840899	
	注册地址	上海市徐汇区桂平路333号3幢B座204室				
	行业分类	科学研究和技术服务业				

	指标\报告期	2014.06.30	2013.12.31	2012.12.31
主要财务指标	营业收入(元)	–	56,837,064.67	45,378,921.91
	营业利润(元)	–	7,925,956.14	3,469,072.80
	净利润(元)	–	6,908,728.50	3,017,028.72
	未分配利润(元)	–	2,905,805.61	3,687,949.96
	总资产(元)	–	49,749,224.86	46,141,176.22
	总负债(元)	–	11,377,620.49	35,832,000.35
	净资产(元)	–	38,371,604.37	10,309,175.87
	每股收益(元)	–	0.49	0.50
	每股净资产(元)	–	1.16	1.72
	净资产收益率(%)	–	18.01	29.27

广东金源科技股份有限公司

公司概况	公司名称	广东金源科技股份有限公司			股份名称	金源科技
	法人代表	邓海雄	董秘	林帆	股份代码	430723
	公司网址	www.kingreat-hitech.com		主办券商	安信证券股份有限公司	
	电　话	0754-87352119		传　真	0754-87352111	
	注册地址	广东省汕头市濠江区三联工业区华天富工业园第4幢一层				
	行业分类	制造业				

	指标\报告期	2014.06.30	2013.12.31	2012.12.31
主要财务指标	营业收入(元)	28,411,251.15	103,344,589.10	115,287,642.69
	营业利润(元)	930,321.31	2,404,317.61	97,150.65
	净利润(元)	701,127.60	1,698,213.74	292,403.36
	未分配利润(元)	1,697,615.21	996,487.61	-591,005.28
	总资产(元)	87,361,079.49	67,557,585.59	85,249,706.73
	总负债(元)	35,552,743.43	16,450,377.13	35,840,712.01
	净资产(元)	51,808,336.06	51,107,208.46	49,408,994.72
	每股收益(元)	0.01	0.03	0.01
	每股净资产(元)	1.04	1.02	0.99
	净资产收益率(%)	1.35	3.32	0.59

武汉芳笛环保股份有限公司

公司概况	公司名称	武汉芳笛环保股份有限公司			股份名称	芳笛环保
	法人代表	章北霖	董秘	朱纯	股份代码	430724
	公司网址	www.fundy.cn		主办券商	长江证券股份有限公司	
	电　话	027-87458016		传　真	027-87410047	
	注册地址	湖北省武汉市东湖开发区创业街国际A2103				
	行业分类	水利、环境和公共设施管理业				

	指标\报告期	2014.06.30	2013.12.31	2012.12.31
主要财务指标	营业收入(元)	7,611,171.10	40,177,667.24	12,133,224.53
	营业利润(元)	2,519,944.66	18,988,829.20	3,902,047.36
	净利润(元)	3,132,493.59	16,370,375.97	3,651,617.85
	未分配利润(元)	15,712,572.47	12,580,078.88	4,030,134.35
	总资产(元)	46,911,625.80	46,744,037.10	17,306,951.60
	总负债(元)	15,930,829.18	18,895,734.07	9,229,024.54
	净资产(元)	30,980,796.62	27,848,303.03	8,077,927.06
	每股收益(元)	0.31		1.01
	每股净资产(元)	3.10	2.78	2.24
	净资产收益率(%)	10.11	58.78	45.21

北京九五智驾信息技术股份有限公司

公司概况	公司名称	北京九五智驾信息技术股份有限公司			股份名称	九五智驾
	法人代表	陈志方	董秘	车俊杰	股份代码	430725
	公司网址	www.95190.com		主办券商	西部证券股份有限公司	
	电　话	010-62695190		传　真	010-62140120	
	注册地址	北京市海淀区上园村3号知行大厦九层901室				
	行业分类	信息传输、软件和信息技术服务业				

	指标\报告期	2014.06.30	2013.12.31	2012.12.31
主要财务指标	营业收入(元)	–	90,792,026.17	82,475,503.31
	营业利润(元)	–	-5,280,604.73	2,649,367.83
	净利润(元)	–	-4,305,658.08	1,861,243.82
	未分配利润(元)	–	-5,477,916.01	3,865,568.73
	总资产(元)	–	63,837,638.17	60,886,238.83
	总负债(元)	–	31,648,219.88	24,391,162.46
	净资产(元)	–	32,189,418.29	36,495,076.37
	每股收益(元)	–	-0.12	0.13
	每股净资产(元)	–	0.89	2.63
	净资产收益率(%)	–	-13.38	5.10

北京津宇嘉信科技股份有限公司

公司概况	公司名称	北京津宇嘉信科技股份有限公司			股份名称	津宇嘉信
	法人代表	匡东文	董秘	李元涛	股份代码	430726
	公司网址	www.jyjxtech.com		主办券商	光大证券股份有限公司	
	电　话	010-52936360		传　真	010-52936380	
	注册地址	北京市北京经济技术开发区康定街甲6号1号楼A座一层				
	行业分类	制造业				

主要财务指标	指标\报告期	2014.06.30	2013.12.31	2012.12.31
	营业收入(元)	26,957,551.20	121,422,361.29	77,245,158.36
	营业利润(元)	-6,014,474.41	14,175,753.88	18,960,048.41
	净利润(元)	-4,086,669.34	14,541,499.34	16,459,393.60
	未分配利润(元)	13,728,816.36	17,304,961.39	42,656,440.21
	总资产(元)	240,004,925.34	227,871,677.78	177,701,176.13
	总负债(元)	122,810,677.61	106,590,760.71	80,981,758.40
	净资产(元)	117,194,247.73	121,280,917.07	96,719,417.73
	每股收益(元)	-0.08	0.40	0.52
	每股净资产(元)	2.78	2.89	3.04
	净资产收益率(%)	-3.03	13.31	17.20

江西金格科技股份有限公司

公司概况	公司名称	江西金格科技股份有限公司			股份名称	金格科技
	法人代表	刘勇军	董秘	姜林海	股份代码	430727
	公司网址	www.kinggrid.com		主办券商	华龙证券有限责任公司	
	电　话	0791-88108630		传　真	0791-88115771	
	注册地址	江西省南昌高新大道中段南昌大学科技园2号楼6层				
	行业分类	信息传输、软件和信息技术服务业				

主要财务指标	指标\报告期	2014.06.30	2013.12.31	2012.12.31
	营业收入(元)	-	24,586,800.18	18,883,376.55
	营业利润(元)	-	-1,550,137.06	-1,904,134.67
	净利润(元)	-	3,690,302.48	3,396,109.15
	未分配利润(元)	-	8,881,532.96	5,655,522.19
	总资产(元)	-	30,614,182.12	27,152,466.31
	总负债(元)	-	4,524,738.61	4,453,325.28
	净资产(元)	-	26,089,443.51	22,699,141.03
	每股收益(元)	-	0.37	0.36
	每股净资产(元)	-	2.61	2.27
	净资产收益率(%)	-	14.15	15.84

山东五岳钻具股份有限公司

公司概况	公司名称	山东五岳钻具股份有限公司			股份名称	五岳钻具
	法人代表	王银红	董秘	王广超	股份代码	430728
	公司网址	www.wydrill.com		主办券商	齐鲁证券有限公司	
	电　话	0635-6512677		传　真	0635-6512658	
	注册地址	山东省阳谷县西湖乡驻地				
	行业分类	制造业				

主要财务指标	指标\报告期	2014.06.30	2013.12.31	2012.12.31
	营业收入(元)	7,161,220.10	15,939,629.27	4,210,615.30
	营业利润(元)	-621,033.28	780,922.58	9,416.25
	净利润(元)	-597,417.89	577,534.31	-3,800.87
	未分配利润(元)	-537,096.05	60,321.84	12,183.44
	总资产(元)	32,794,724.53	23,894,755.06	14,891,580.62
	总负债(元)	23,600,648.64	14,103,261.28	9,277,621.15
	净资产(元)	9,194,075.89	9,791,493.78	5,613,959.47
	每股收益(元)	-0.06	0.08	0.00
	每股净资产(元)	1.00	1.06	1.00
	净资产收益率(%)	-6.50	5.90	-0.07

宁波万里智能科技股份有限公司

公司概况	公司名称	宁波万里智能科技股份有限公司			股份名称	万里智能
	法人代表	洪颖莎	董秘	洪颖莎	股份代码	430729
	公司网址	www.wleboard.com		主办券商	南京证券股份有限公司	
	电　话	0574-86809555		传　真	0574-86809551	
	注册地址	浙江省宁波市高新区创苑路750号软件产业园A座208室				
	行业分类	制造业				

主要财务指标	指标\报告期	2014.06.30	2013.12.31	2012.12.31
	营业收入(元)	2,699,036.22	19,221,954.55	15,828,960.11
	营业利润(元)	-938,945.94	575,583.08	3,072,495.19
	净利润(元)	-829,287.01	2,262,903.34	3,504,957.92
	未分配利润(元)	1,207,326.00	2,036,613.01	3,927,864.18
	总资产(元)	27,957,205.13	30,266,437.01	24,078,096.14
	总负债(元)	12,059,295.27	13,539,240.14	9,613,802.61
	净资产(元)	15,897,909.86	16,727,196.87	14,464,293.53
	每股收益(元)	-0.08	0.22	0.35
	每股净资产(元)	1.57	1.66	1.43
	净资产收益率(%)	-5.22	13.53	24.23

山东先大药业股份有限公司

公司概况						
公司名称	山东先大药业股份有限公司			股份名称	先大药业	
法人代表	宋佩	董秘	张祥伟	股份代码	430730	
公司网址	www.sindayy.com		主办券商	华融证券股份有限公司		
电话	0531-88273877		传真	0531-88275536/39		
注册地址	山东省济南市历城区大桥路117号零点物流港信息交易中心二楼					
行业分类	批发和零售业					

主要财务指标			
指标\报告期	2014.06.30	2013.12.31	2012.12.31
营业收入(元)	35,023,034.93	57,219,074.92	44,963,440.54
营业利润(元)	2,557,254.28	2,832,454.63	2,130,039.86
净利润(元)	1,973,751.94	2,057,222.27	1,609,008.86
未分配利润(元)	6,469,770.19	4,496,018.25	2,644,518.21
总资产(元)	27,788,776.86	25,904,085.03	7,098,237.26
总负债(元)	5,853,154.57	5,942,214.68	1,393,589.18
净资产(元)	21,935,622.29	19,961,870.35	5,704,648.08
每股收益(元)	0.13		0.57
每股净资产(元)	1.46	1.33	2.04
净资产收益率(%)	9.00	10.31	28.21

凯地钻探(北京)股份有限公司

公司概况						
公司名称	凯地钻探(北京)股份有限公司			股份名称	凯地钻探	
法人代表	杨金芳	董秘	吴根卉	股份代码	430731	
公司网址	www.kaidydrilling.com		主办券商	齐鲁证券有限公司		
电话	010-58302160		传真	010-58301096		
注册地址	北京市西城区高粱桥路6号A座办公楼8A1单元					
行业分类	科学研究和技术服务业					

主要财务指标			
指标\报告期	2014.06.30	2013.12.31	2012.12.31
营业收入(元)	-	20,988,122.67	27,946,228.62
营业利润(元)	-	751,111.53	856,317.30
净利润(元)	-	762,750.89	723,826.51
未分配利润(元)	-	-1,527,675.96	807,975.12
总资产(元)	-	14,502,487.51	16,004,790.80
总负债(元)	-	2,841,500.04	5,106,554.22
净资产(元)	-	11,660,987.47	10,898,236.58
每股收益(元)	-	0.08	0.07
每股净资产(元)	-	1.17	1.09
净资产收益率(%)	-	6.54	6.64

山东威马泵业股份有限公司

公司概况						
公司名称	山东威马泵业股份有限公司			股份名称	威马股份	
法人代表	马宝忠	董秘	刘志明	股份代码	430732	
公司网址	www.sdweima.com		主办券商	齐鲁证券有限公司		
电话	0634-5919667		传真	0634-8856601		
注册地址	山东省莱芜高新区云台山路与盘龙河大街交汇处					
行业分类	制造业					

主要财务指标			
指标\报告期	2014.06.30	2013.12.31	2012.12.31
营业收入(元)	-	87,429,262.91	75,631,631.28
营业利润(元)	-	5,703,395.15	4,088,621.68
净利润(元)	-	5,034,988.27	3,283,376.00
未分配利润(元)	-	2,311,014.87	4,646,507.71
总资产(元)	-	132,397,808.69	106,408,650.74
总负债(元)	-	70,545,169.82	68,121,000.14
净资产(元)	-	61,852,638.87	38,287,650.60
每股收益(元)	-	0.10	0.10
每股净资产(元)	-	1.24	1.36
净资产收益率(%)	-	7.49	7.33

北京御食园食品股份有限公司

公司概况						
公司名称	北京御食园食品股份有限公司			股份名称	御食园	
法人代表	曹振兴	董秘	郅文菊	股份代码	430733	
公司网址	www.yushiyuan.com		主办券商	中信建投证券股份有限公司		
电话	010-61668198		传真	010-61668195		
注册地址	北京市怀柔区雁栖经济开发区乐园大街31号					
行业分类	制造业					

主要财务指标			
指标\报告期	2014.06.30	2013.12.31	2012.12.31
营业收入(元)	169,764,766.13	378,945,887.00	344,838,726.71
营业利润(元)	12,229,133.39	35,087,383.40	32,047,758.53
净利润(元)	13,137,942.21	32,940,765.81	36,654,509.31
未分配利润(元)	73,088,263.05	72,450,320.84	59,303,631.61
总资产(元)	194,933,635.05	226,306,006.73	237,998,362.06
总负债(元)	49,019,423.29	81,029,737.18	109,162,858.32
净资产(元)	145,914,211.76	145,276,269.55	128,835,503.74
每股收益(元)	0.23	0.58	0.64
每股净资产(元)	2.56	2.55	2.26
净资产收益率(%)	9.00	22.68	28.45

源渤科技发展(大连)股份有限公司

公司概况	公司名称	源渤科技发展(大连)股份有限公司			股份名称	源渤科技
	法人代表	刘光琳	董秘	孙祥志	股份代码	430734
	公司网址	www.ybtech.cn		主办券商	齐鲁证券有限公司	
	电　　话	0411-84767533		传　　真	0411-84799888-505	
	注册地址	辽宁省大连市甘井子区黄浦路512号10层1004室				
	行业分类	信息传输、软件和信息技术服务业				

主要财务指标	指标\报告期	2014.06.30	2013.12.31	2012.12.31
	营业收入(元)	–	23,150,499.06	12,287,957.67
	营业利润(元)	–	105,499.47	–161,190.14
	净利润(元)	–	671,885.18	–137,843.06
	未分配利润(元)	–	115,588.33	–294,032.08
	总资产(元)	–	9,160,291.42	3,776,310.49
	总负债(元)	–	3,782,438.32	3,070,342.57
	净资产(元)	–	5,377,853.10	705,967.92
	每股收益(元)	–	0.18	–0.14
	每股净资产(元)	–	1.08	0.71
	净资产收益率(%)	–	12.49	–19.53

南京智达康无线通信科技股份有限公司

公司概况	公司名称	南京智达康无线通信科技股份有限公司			股份名称	智达康
	法人代表	谢金生	董秘	张正廉	股份代码	430735
	公司网址	www.zcom.com.cn		主办券商	宏源证券股份有限公司	
	电　　话	025-83652838		传　　真	025-83652877	
	注册地址	江苏省南京市玄武区玄武大道699-22号				
	行业分类	制造业				

主要财务指标	指标\报告期	2014.06.30	2013.12.31	2012.12.31
	营业收入(元)	28,653,007.04	154,046,185.69	440,208,977.47
	营业利润(元)	–18,522,815.42	–43,280,815.48	31,057,075.99
	净利润(元)	–17,588,005.18	–29,259,963.42	42,573,443.74
	未分配利润(元)	11,532,882.85	28,814,122.29	64,887,985.90
	总资产(元)	160,031,420.00	218,387,146.19	394,354,762.85
	总负债(元)	47,060,665.29	88,865,580.79	225,013,234.03
	净资产(元)	112,970,754.71	129,521,565.40	169,341,528.82
	每股收益(元)	–0.29	–0.48	0.71
	每股净资产(元)	1.83	2.11	2.72
	净资产收益率(%)	–15.74	–22.77	26.06

江苏中江种业股份有限公司

公司概况	公司名称	江苏中江种业股份有限公司			股份名称	中江种业
	法人代表	王福银	董秘	刘永健	股份代码	430736
	公司网址	www.choosan.com		主办券商	华龙证券有限责任公司	
	电　　话	025-83327150		传　　真	025-83327150	
	注册地址	江苏省南京市六合区龙池街道雄州南路389号				
	行业分类	农、林、牧、渔业				

主要财务指标	指标\报告期	2014.06.30	2013.12.31	2012.12.31
	营业收入(元)	–	251,662,890.67	230,853,769.33
	营业利润(元)	–	–6,280,036.79	2,320,742.70
	净利润(元)	–	4,364,907.78	6,194,925.97
	未分配利润(元)	–	11,210,880.31	10,370,459.55
	总资产(元)	–	404,193,304.15	346,257,075.04
	总负债(元)	–	284,667,446.19	229,272,124.86
	净资产(元)	–	119,525,857.96	116,984,950.18
	每股收益(元)	–	0.04	0.06
	每股净资产(元)	–	1.16	1.15
	净资产收益率(%)	–	3.53	5.11

无锡斯达新能源科技股份有限公司

公司概况	公司名称	无锡斯达新能源科技股份有限公司			股份名称	斯达科技
	法人代表	张新忠	董秘	张惠娟	股份代码	430737
	公司网址	www.cnsida.com		主办券商	安信证券股份有限公司	
	电　　话	0510-83313793		传　　真	0510-83318792	
	注册地址	江苏省无锡市惠山区洛社镇人民南路312国道口				
	行业分类	制造业				

主要财务指标	指标\报告期	2014.06.30	2013.12.31	2012.12.31
	营业收入(元)	–	20,868,642.62	10,390,582.10
	营业利润(元)	–	3,886,049.82	–2,991,583.58
	净利润(元)	–	3,739,729.34	–2,288,654.79
	未分配利润(元)	–	810,847.11	
	总资产(元)	–	23,967,842.36	22,131,457.69
	总负债(元)	–	10,507,504.69	12,410,849.36
	净资产(元)	–	13,460,337.67	9,720,608.33
	每股收益(元)	–	0.31	–0.19
	每股净资产(元)	–	1.12	0.81
	净资产收益率(%)	–	27.78	–23.54

安徽白兔湖动力股份有限公司

公司概况	公司名称	安徽白兔湖动力股份有限公司		股份名称	白兔湖
	法人代表	汪舵海	董秘	陈芳超	股份代码	430738
	公司网址	www.wrpower.com.cn		主办券商	太平洋证券股份有限公司
	电　话	0556-6510006		传　真	0556-6608068
	注册地址	安徽省安庆市桐城经济开发区同祥路			
	行业分类	制造业			

	指标\报告期	2014.06.30	2013.12.31	2012.12.31
主要财务指标	营业收入(元)	72,526,586.44	129,300,689.10	163,806,516.01
	营业利润(元)	2,599,857.24	-10,880,928.03	322,450.75
	净利润(元)	6,948,626.90	3,110,400.74	3,624,461.91
	未分配利润(元)	44,778.00	-6,903,848.90	12,754,361.44
	总资产(元)	633,666,501.79	618,193,427.34	471,498,026.59
	总负债(元)	496,450,127.28	487,925,679.73	359,340,679.72
	净资产(元)	137,216,374.51	130,267,747.61	112,157,346.87
	每股收益(元)	0.10	0.05	0.06
	每股净资产(元)	1.96	1.86	1.82
	净资产收益率(%)	5.06	2.39	3.23

山东银花朝阳农业发展股份有限公司

公司概况	公司名称	山东银花朝阳农业发展股份有限公司		股份名称	银花股份
	法人代表	赵玉玲	董秘	张善鲁	股份代码	430739
	公司网址	www.sdyhcy.net		主办券商	申银万国证券股份有限公司
	电　话	0537-8721498		传　真	0537-8085968
	注册地址	山东省济宁市金乡县兴隆乡史庙村			
	行业分类	农、林、牧、渔业			

	指标\报告期	2014.06.30	2013.12.31	2012.12.31
主要财务指标	营业收入(元)	-	88,900,616.46	80,474,143.93
	营业利润(元)	-	8,336,454.55	1,526,787.82
	净利润(元)	-	7,946,023.88	1,648,821.81
	未分配利润(元)	-	2,187,151.81	2,835,394.25
	总资产(元)	-	31,550,408.85	25,192,883.89
	总负债(元)	-	16,879,748.62	18,468,247.54
	净资产(元)	-	14,670,660.23	6,724,636.35
	每股收益(元)	-	0.79	0.46
	每股净资产(元)	-	1.47	1.87
	净资产收益率(%)	-	54.16	24.52

深圳市中天超硬工具股份有限公司

公司概况	公司名称	深圳市中天超硬工具股份有限公司		股份名称	中天超硬
	法人代表	刘敏	董秘	解宇	股份代码	430740
	公司网址	www.juntec.com		主办券商	东海证券股份有限公司
	电　话	0755-26073999		传　真	0755-26640035
	注册地址	广东省深圳市宝安区新安街道办67区留仙一路甲岸科技园2号厂房1-2楼			
	行业分类	制造业			

	指标\报告期	2014.06.30	2013.12.31	2012.12.31
主要财务指标	营业收入(元)	-	67,225,111.48	56,347,923.16
	营业利润(元)	-	16,053,429.18	15,837,148.02
	净利润(元)	-	14,040,213.36	13,024,760.77
	未分配利润(元)	-	4,213,294.88	16,085,758.88
	总资产(元)	-	104,996,538.80	88,192,000.99
	总负债(元)	-	29,481,083.41	32,716,758.96
	净资产(元)	-	75,515,455.39	55,475,242.03
	每股收益(元)	-	0.45	0.43
	每股净资产(元)	-	2.33	2.70
	净资产收益率(%)	-	19.49	23.48

重庆格林绿化设计建设股份有限公司

公司概况	公司名称	重庆格林绿化设计建设股份有限公司		股份名称	格林绿化
	法人代表	邓思德	董秘	谢蓉	股份代码	430741
	公司网址	www.cqgreen.net		主办券商	申银万国证券股份有限公司
	电　话	023-63202500		传　真	023-63202311
	注册地址	重庆市北部新区高新园人和街道金开大道68号4幢8楼			
	行业分类	建筑业			

	指标\报告期	2014.06.30	2013.12.31	2012.12.31
主要财务指标	营业收入(元)	37,276,988.43	60,183,383.54	69,442,122.08
	营业利润(元)	3,130,256.13	2,119,698.68	3,974,842.17
	净利润(元)	3,061,338.93	346,716.37	3,387,078.29
	未分配利润(元)	3,655,814.55	594,475.62	413,548.16
	总资产(元)	91,995,178.37	83,092,489.84	78,290,475.29
	总负债(元)	60,253,161.54	54,411,811.94	52,145,513.76
	净资产(元)	31,742,016.83	28,680,677.90	26,144,961.53
	每股收益(元)	0.15	0.02	0.24
	每股净资产(元)	1.50	1.36	1.31
	净资产收益率(%)	9.64	1.21	12.96

上海光维通信技术股份有限公司

公司概况	公司名称	上海光维通信技术股份有限公司			股份名称	光维通信
	法人代表	夏旭岗	董秘	黄宇文	股份代码	430742
	公司网址	www.grandway.com.cn	主办券商	东方花旗证券有限公司		
	电话	021-54451260	传真	021-54451266		
	注册地址	上海市青浦区白鹤镇赵江路919弄63号E-112室				
	行业分类	科学研究和技术服务业				

	指标\报告期	2014.06.30	2013.12.31	2012.12.31
主要财务指标	营业收入(元)	-	295,806,596.05	543,240,043.30
	营业利润(元)	-	4,270,185.77	53,601,390.77
	净利润(元)	-	9,586,877.95	47,991,154.93
	未分配利润(元)	-	50,583,280.98	42,183,817.09
	总资产(元)	-	241,835,503.23	242,391,993.06
	总负债(元)	-	68,980,432.63	85,333,000.41
	净资产(元)	-	172,855,070.60	157,058,992.65
	每股收益(元)	-	0.18	0.93
	每股净资产(元)	-	3.20	3.03
	净资产收益率(%)	-	5.62	30.58

广州尚思传媒广告股份有限公司

公司概况	公司名称	广州尚思传媒广告股份有限公司			股份名称	尚思传媒
	法人代表	陈文伟	董秘	曾振宇	股份代码	430743
	公司网址	www.topcomm.co	主办券商	广州证券有限责任公司		
	电话	020-83762766	传真	020-83841810		
	注册地址	广东省广州市广州大道中289号南方传媒大厦B座11楼1101房				
	行业分类	租赁和商务服务业				

	指标\报告期	2014.06.30	2013.12.31	2012.12.31
主要财务指标	营业收入(元)	-	23,509,920.68	15,235,233.66
	营业利润(元)	-	403,353.94	454,633.92
	净利润(元)	-	251,656.21	322,954.65
	未分配利润(元)	-	142,611.74	399,403.82
	总资产(元)	-	11,334,804.22	3,483,750.35
	总负债(元)	-	4,403,744.19	2,074,346.53
	净资产(元)	-	6,931,060.03	1,409,403.82
	每股收益(元)	-	0.06	0.32
	每股净资产(元)	-	1.11	1.40
	净资产收益率(%)	-	3.97	22.91

广州嘉瑶信息技术股份有限公司

公司概况	公司名称	广州嘉瑶信息技术股份有限公司			股份名称	嘉瑶信息
	法人代表	姚翊	董秘	黄妙玲	股份代码	430744
	公司网址	www.gem-soft.com	主办券商	齐鲁证券有限公司		
	电话	020-38736866	传真	020-38736866		
	注册地址	广东省广州市天河区天河北路689号709房				
	行业分类	信息传输、软件和信息技术服务业				

	指标\报告期	2014.06.30	2013.12.31	2012.12.31
主要财务指标	营业收入(元)	4,834,332.14	6,196,203.25	2,693,165.04
	营业利润(元)	217,024.82	1,904,579.58	331,058.92
	净利润(元)	198,131.88	1,949,695.22	331,058.92
	未分配利润(元)	434,429.56	236,297.68	231,909.50
	总资产(元)	9,223,081.84	7,785,854.90	3,602,524.42
	总负债(元)	1,517,577.52	278,482.46	1,344,847.20
	净资产(元)	7,705,504.32	7,507,372.44	2,257,677.22
	每股收益(元)	0.03	0.41	0.17
	每股净资产(元)	1.07	1.04	1.13
	净资产收益率(%)	2.57	25.97	14.66

西安诺文电子科技股份有限公司

公司概况	公司名称	西安诺文电子科技股份有限公司			股份名称	诺文科技
	法人代表	周智俊	董秘	刘苗苗	股份代码	430745
	公司网址	www.neven.com.cn	主办券商	长江证券股份有限公司		
	电话	029-81328105-811	传真	029-81328105-810		
	注册地址	陕西省西安市高新区高新三路西BD新天地第2幢1单元6层10612室				
	行业分类	制造业				

	指标\报告期	2014.06.30	2013.12.31	2012.12.31
主要财务指标	营业收入(元)	5,720,506.62	15,531,017.23	10,251,869.88
	营业利润(元)	190,418.82	690,082.20	810,548.99
	净利润(元)	117,384.06	898,462.75	817,896.64
	未分配利润(元)	815,506.76	698,122.70	98,143.32
	总资产(元)	25,136,286.16	21,355,701.53	18,118,228.70
	总负债(元)	14,511,391.22	10,848,190.65	13,009,180.57
	净资产(元)	10,624,894.94	10,507,510.88	5,109,048.13
	每股收益(元)	0.01	0.10	0.16
	每股净资产(元)	1.12	1.11	1.02
	净资产收益率(%)	1.11	8.55	16.01

新疆七星建设科技股份有限公司

公司概况						
	公司名称	新疆七星建设科技股份有限公司			股份名称	七星科技
	法人代表	许宗国	董秘	唐亚君	股份代码	430746
	公司网址	www.qxjsgf.com		主办券商	宏源证券股份有限公司	
	电　　话	0991-5802611		传　　真	0991-5802426	
	注册地址	新疆维吾尔自治区乌鲁木齐市经济技术开发区口岸路34号口岸综合楼505号房间				
	行业分类	建筑业				

主要财务指标	指标\报告期	2014.06.30	2013.12.31	2012.12.31
	营业收入(元)	151,738,870.57	858,848,444.44	763,237,820.52
	营业利润(元)	7,331,422.38	33,337,632.15	33,061,854.58
	净利润(元)	7,022,114.31	23,716,489.11	27,837,331.20
	未分配利润(元)	54,826,587.57	48,488,005.08	33,117,791.01
	总资产(元)	741,276,521.05	763,260,350.15	594,769,689.73
	总负债(元)	565,620,120.32	595,583,866.24	470,858,623.60
	净资产(元)	175,656,400.73	167,676,483.91	123,911,066.13
	每股收益(元)	0.08	0.26	0.45
	每股净资产(元)	1.89	1.79	2.02
	净资产收益率(%)	4.32	14.08	22.47

武汉现代长江机电制造股份有限公司

公司概况						
	公司名称	武汉现代长江机电制造股份有限公司			股份名称	长江机电
	法人代表	张峥	董秘	肖永康	股份代码	430747
	公司网址	www.whxdcjjd.com		主办券商	申银万国证券股份有限公司	
	电　　话	027-84737862		传　　真	027-84737865	
	注册地址	湖北省武汉市汉南经济开发区华顶工业园E区01栋				
	行业分类	制造业				

主要财务指标	指标\报告期	2014.06.30	2013.12.31	2012.12.31
	营业收入(元)	8,192,447.05	15,042,463.35	20,779,886.85
	营业利润(元)	77,181.74	397,715.14	1,539,472.00
	净利润(元)	57,886.30	316,891.66	1,212,693.45
	未分配利润(元)	140,876.39	82,990.09	5,747,963.88
	总资产(元)	22,258,169.30	21,444,237.59	26,845,969.77
	总负债(元)	7,520,635.57	6,764,590.16	12,483,214.00
	净资产(元)	14,737,533.73	14,679,647.43	14,362,755.77
	每股收益(元)	0.00	0.03	0.15
	每股净资产(元)	1.23	1.22	1.80
	净资产收益率(%)	0.39	2.16	8.44

安徽恒均粉末冶金科技股份有限公司

公司概况						
	公司名称	安徽恒均粉末冶金科技股份有限公司			股份名称	恒均科技
	法人代表	徐均生	董秘	丁邦顺	股份代码	430748
	公司网址	www.ahhyfmyj.com		主办券商	中信证券股份有限公司	
	电　　话	0553-7333111		传　　真	0553-7333111	
	注册地址	安徽省芜湖市繁昌县新港镇克里村繁新公路888号				
	行业分类	制造业				

主要财务指标	指标\报告期	2014.06.30	2013.12.31	2012.12.31
	营业收入(元)	8,055,969.84	24,744,632.77	11,120,233.36
	营业利润(元)	-3,370,134.23	-2,437,679.59	-1,845,091.58
	净利润(元)	72,734.26	697,273.71	869,240.96
	未分配利润(元)	-253,744.79	-282,976.09	915,130.70
	总资产(元)	70,065,754.05	78,423,033.91	86,882,211.12
	总负债(元)	32,622,437.15	46,708,948.31	55,865,399.23
	净资产(元)	37,443,316.90	31,714,085.60	31,016,811.89
	每股收益(元)	0.00	0.02	0.03
	每股净资产(元)	1.11	1.06	1.03
	净资产收益率(%)	0.19	2.20	2.80

衡阳金化高压容器股份有限公司

公司概况						
	公司名称	衡阳金化高压容器股份有限公司			股份名称	金化高容
	法人代表	彭琪	董秘	张翔	股份代码	430749
	公司网址	www.hyjhgy.com		主办券商	万联证券有限责任公司	
	电　　话	0734-8304208		传　　真	0734-8856861	
	注册地址	湖南省衡阳市高新技术产业开发区长丰大道15号				
	行业分类	制造业				

主要财务指标	指标\报告期	2014.06.30	2013.12.31	2012.12.31
	营业收入(元)	63,511,756.75	85,477,626.41	77,334,473.97
	营业利润(元)	1,265,065.88	5,103,021.74	7,371,030.63
	净利润(元)	963,799.41	5,108,262.60	7,773,491.17
	未分配利润(元)	-2,111,996.01	-3,075,795.42	-8,184,058.02
	总资产(元)	93,080,622.31	76,603,684.93	67,570,290.73
	总负债(元)	42,302,618.32	41,429,480.35	40,754,348.75
	净资产(元)	50,778,003.99	35,174,204.58	26,815,941.98
	每股收益(元)	0.02	0.15	0.22
	每股净资产(元)	1.02	1.01	0.77
	净资产收益率(%)	1.90	14.52	28.99

北京欣易晨科技发展股份有限公司

公司概况	公司名称	北京欣易晨科技发展股份有限公司			股份名称	欣易晨
	法人代表	寇志东	董秘	寇志红	股份代码	430750
	公司网址	www.nemmobile.com		主办券商	中国银河证券股份有限公司	
	电　话	010-82561920		传　真	010-82561923	
	注册地址	北京市海淀区长春桥路5号新起点嘉园10号楼1003号				
	行业分类	信息传输、软件和信息技术服务业				

	指标\报告期	2014.06.30	2013.12.31	2012.12.31
主要财务指标	营业收入(元)	–	3,668,451.51	5,975,122.10
	营业利润(元)	–	–119,799.90	–54,757.07
	净利润(元)	–	–172,994.21	–66,606.97
	未分配利润(元)	–	275,332.88	447,197.40
	总资产(元)	–	23,064,900.86	6,909,505.58
	总负债(元)	–	17,243,479.62	2,393,791.20
	净资产(元)	–	5,821,421.24	4,515,714.38
	每股收益(元)	–	–0.03	–0.01
	每股净资产(元)	–	1.14	0.89
	净资产收益率(%)	–	–2.97	–1.48

南京赛格微电子科技股份有限公司

公司概况	公司名称	南京赛格微电子科技股份有限公司			股份名称	赛格微
	法人代表	于立	董秘	黄银	股份代码	430751
	公司网址	www.cn-saigew.com		主办券商	国信证券股份有限公司	
	电　话	025-68120115		传　真	025-84808955	
	注册地址	江苏省南京高新技术开发区泰山园区小柳工业园J03-B幢				
	行业分类	制造业				

	指标\报告期	2014.06.30	2013.12.31	2012.12.31
主要财务指标	营业收入(元)	30,346,538.14	39,807,375.22	61,227,141.56
	营业利润(元)	–876,920.92	–7,642,310.50	363,669.14
	净利润(元)	575,814.60	–5,652,670.41	1,106,961.41
	未分配利润(元)	–4,930,135.31	–5,505,949.91	146,720.50
	总资产(元)	67,343,893.69	57,999,001.56	58,123,059.48
	总负债(元)	45,202,820.18	36,433,742.65	35,905,130.16
	净资产(元)	22,141,073.51	21,565,258.91	22,217,929.32
	每股收益(元)	0.06		0.30
	每股净资产(元)	2.21	2.16	4.44
	净资产收益率(%)	2.60	–26.21	4.98

武汉索泰能源科技股份有限公司

公司概况	公司名称	武汉索泰能源科技股份有限公司			股份名称	索泰能源
	法人代表	刘旻慧	董秘	董黎	股份代码	430752
	公司网址	www.solfatech.com		主办券商	长江证券股份有限公司	
	电　话	027-59712006、59712007		传　真	027-59712006	
	注册地址	湖北省武汉市东湖开发区关东园路2-2号				
	行业分类	建筑业				

	指标\报告期	2014.06.30	2013.12.31	2012.12.31
主要财务指标	营业收入(元)	14,118,261.63	19,586,741.13	7,875,363.90
	营业利润(元)	2,008,386.00	1,267,382.77	159,943.08
	净利润(元)	2,068,378.10	948,266.44	334,746.01
	未分配利润(元)	2,020,554.45	–174,744.51	–563,231.58
	总资产(元)	33,694,284.00	16,897,385.13	9,810,439.29
	总负债(元)	26,113,950.18	11,512,350.27	5,373,670.87
	净资产(元)	7,580,333.82	5,385,034.86	4,436,768.42
	每股收益(元)	0.41	0.19	0.08
	每股净资产(元)	1.52	1.08	0.89
	净资产收益率(%)	27.29	17.61	7.55

琼中黎族苗族自治县农村信用合作联社股份有限公司

公司概况	公司名称	琼中黎族苗族自治县农村信用合作联社股份有限公司			股份名称	琼中农信
	法人代表	卓令会	董秘	袁琴	股份代码	430753
	公司网址			主办券商	金元证券股份有限公司	
	电　话	0898-86229309		传　真	0898-86223075	
	注册地址	海南省琼中县营根镇海榆路169号				
	行业分类	金融业				

	指标\报告期	2014.06.30	2013.12.31	2012.12.31
主要财务指标	营业收入(元)	–	–	–
	营业利润(元)	–	12,008,648.62	10,014,231.16
	净利润(元)	–	18,965,344.20	18,672,610.17
	未分配利润(元)	–	52,977,306.64	49,108,496.86
	总资产(元)	–	1,988,859,450.43	1,603,426,591.74
	总负债(元)	–	1,837,581,229.50	1,481,662,908.47
	净资产(元)	–	151,278,220.93	121,763,683.27
	每股收益(元)	–	0.24	0.30
	每股净资产(元)	–	1.91	1.95
	净资产收益率(%)	–	12.54	15.34

北京波智高远信息技术股份有限公司

公司概况	公司名称	北京波智高远信息技术股份有限公司			股份名称	波智高远
	法人代表	侯卫兵	董秘	旷晨	股份代码	430754
	公司网址	www.china-dtv.com		主办券商	国都证券有限责任公司	
	电　　话	010-57106561		传　　真	010-82237798	
	注册地址	北京市海淀区花园路2号牡丹科技楼3层305室				
	行业分类	信息传输、软件和信息技术服务业				

	指标\报告期	2014.06.30	2013.12.31	2012.12.31
主要财务指标	营业收入(元)	–	10,607,645.16	24,294,106.36
	营业利润(元)	–	–2,677,984.55	958,384.48
	净利润(元)	–	–2,294,826.77	878,148.91
	未分配利润(元)	–	–2,398,434.71	–103,607.94
	总资产(元)	–	16,705,161.70	18,866,846.92
	总负债(元)	–	6,861,989.17	6,728,847.62
	净资产(元)	–	9,843,172.53	12,137,999.30
	每股收益(元)	–	–0.20	0.07
	每股净资产(元)	–	0.84	1.03
	净资产收益率(%)	–	–23.31	7.24

深圳市华曦达科技股份有限公司

公司概况	公司名称	深圳市华曦达科技股份有限公司			股份名称	华曦达
	法人代表	李波	董秘	陈洁	股份代码	430755
	公司网址	www.sdmctech.com		主办券商	国泰君安证券股份有限公司	
	电　　话	0755-86018266		传　　真	0755-86019782	
	注册地址	广东省深圳市南山区朗山路16号华翰创新园A座701				
	行业分类	制造业				

	指标\报告期	2014.06.30	2013.12.31	2012.12.31
主要财务指标	营业收入(元)	38,354,725.84	55,079,151.19	44,246,433.79
	营业利润(元)	–3,101,385.69	659,090.38	–1,076,036.16
	净利润(元)	–1,079,946.57	4,668,612.37	461,231.60
	未分配利润(元)	13,727,734.86	15,145,092.69	10,831,940.32
	总资产(元)	53,341,341.15	51,498,967.26	41,198,604.44
	总负债(元)	23,845,630.69	20,585,898.97	14,954,148.52
	净资产(元)	29,495,710.46	30,913,068.29	26,244,455.92
	每股收益(元)	–0.07	0.33	0.03
	每股净资产(元)	2.11	2.21	1.87
	净资产收益率(%)	–3.66	15.10	1.76

北京科电瑞通科技股份有限公司

公司概况	公司名称	北京科电瑞通科技股份有限公司			股份名称	科电瑞通
	法人代表	刘国一	董秘	张谷阳	股份代码	430756
	公司网址	www.kend-emca.com		主办券商	华泰证券股份有限公司	
	电　　话	010-88825532		传　　真	010-88825419	
	注册地址	北京市北京经济技术开发区西环南路18号A座四层406-2室				
	行业分类	科学研究和技术服务业				

	指标\报告期	2014.06.30	2013.12.31	2012.12.31
主要财务指标	营业收入(元)	6,566,811.22	16,431,483.95	10,421,917.54
	营业利润(元)	–1,513,408.46	890,322.88	604,973.09
	净利润(元)	–1,502,411.31	784,951.85	481,644.54
	未分配利润(元)	–1,263,139.49	239,271.82	339,630.06
	总资产(元)	27,719,004.10	22,117,257.35	17,674,245.65
	总负债(元)	18,059,096.83	10,954,938.77	7,296,878.92
	净资产(元)	9,659,907.27	11,162,318.58	10,377,366.73
	每股收益(元)	–0.15	0.08	0.05
	每股净资产(元)	0.97	1.12	1.04
	净资产收益率(%)	–13.46	7.03	4.64

北京天翔昌运节能科技股份有限公司

公司概况	公司名称	北京天翔昌运节能科技股份有限公司			股份名称	天翔昌运
	法人代表	王敬修	董秘	杜晓静	股份代码	430757
	公司网址	www.luckysoar.com		主办券商	中信建投证券股份有限公司	
	电　　话	010-64240688		传　　真	010-64248688	
	注册地址	北京市东城区后永康胡同17号1-796A室				
	行业分类	科学研究和技术服务业				

	指标\报告期	2014.06.30	2013.12.31	2012.12.31
主要财务指标	营业收入(元)	–	17,262,440.75	9,637,049.06
	营业利润(元)	–	3,601,667.24	599,567.61
	净利润(元)	–	2,541,083.42	623,660.52
	未分配利润(元)	–	1,528,099.15	588,978.27
	总资产(元)	–	25,498,390.44	8,878,767.96
	总负债(元)	–	15,272,886.73	2,194,347.67
	净资产(元)	–	10,225,503.71	6,684,420.29
	每股收益(元)	–	0.29	0.11
	每股净资产(元)	–	1.27	1.11
	净资产收益率(%)	–	22.51	9.33

四联智能技术股份有限公司

公司概况	公司名称	四联智能技术股份有限公司			股份名称	四联智能
	法人代表	张琪	董秘	顾敏	股份代码	430758
	公司网址	www.silian.com.cn	主办券商	国联证券股份有限公司		
	电　话	029-88335768	传　真	029-88335768		
	注册地址	陕西省西安市高新区科技二路72号四联大厦				
	行业分类	信息传输、软件和信息技术服务业				

	指标\报告期	2014.06.30	2013.12.31	2012.12.31
主要财务指标	营业收入(元)	208,700,991.81	482,284,517.23	326,646,236.47
	营业利润(元)	4,826,735.95	13,766,006.44	12,244,442.68
	净利润(元)	4,888,874.24	14,271,777.73	10,464,409.64
	未分配利润(元)	89,310,755.92	84,535,104.53	76,165,720.00
	总资产(元)	456,564,054.57	507,020,014.61	406,138,303.40
	总负债(元)	244,774,256.62	299,685,243.07	210,116,137.93
	净资产(元)	211,789,797.95	207,334,771.54	196,022,165.47
	每股收益(元)	0.08	0.22	0.16
	每股净资产(元)	3.20	3.13	2.96
	净资产收益率(%)	2.35	7.00	5.38

广州凯路仕自行车运动时尚产业股份有限公司

公司概况	公司名称	广州凯路仕自行车运动时尚产业股份有限公司			股份名称	凯路仕
	法人代表	邓永豪	董秘	聂婉华	股份代码	430759
	公司网址	www.cronusbike.com	主办券商	国信证券股份有限公司		
	电　话	020-61304228	传　真	020-61304215		
	注册地址	广东省广州市黄埔区埔北路2号2栋2楼				
	行业分类	制造业				

	指标\报告期	2014.06.30	2013.12.31	2012.12.31
主要财务指标	营业收入(元)	–	215,388,476.49	131,627,469.93
	营业利润(元)	–	21,407,430.63	12,755,508.35
	净利润(元)	–	18,991,168.24	9,945,816.67
	未分配利润(元)	–	5,817,553.86	9,515,198.96
	总资产(元)	–	196,150,961.75	69,345,986.26
	总负债(元)	–	170,120,218.79	48,661,348.31
	净资产(元)	–	26,030,742.96	20,684,637.95
	每股收益(元)	–	1.13	0.99
	每股净资产(元)	–	1.55	2.07
	净资产收益率(%)	–	72.96	48.08

武汉奥新科技股份有限公司

公司概况	公司名称	武汉奥新科技股份有限公司			股份名称	奥新科技
	法人代表	顾共恩	董秘	黄丽颖	股份代码	430760
	公司网址	www.aocchina.net	主办券商	平安证券有限责任公司		
	电　话	027-87922086	传　真	027-87922089		
	注册地址	湖北省武汉市东湖新技术开发区长城园路武汉奥新科技有限公司1栋1-3层2号厂房				
	行业分类	制造业				

	指标\报告期	2014.06.30	2013.12.31	2012.12.31
主要财务指标	营业收入(元)	–	187,274,783.85	163,933,788.75
	营业利润(元)	–	20,959,534.63	12,503,467.95
	净利润(元)	–	19,514,186.42	14,738,646.43
	未分配利润(元)	–	2,343,571.24	39,745,768.77
	总资产(元)	–	169,844,059.48	141,593,297.67
	总负债(元)	–	52,653,654.91	53,863,557.02
	净资产(元)	–	117,190,404.57	87,729,740.65
	每股收益(元)	–	0.28	0.32
	每股净资产(元)	–	1.65	1.85
	净资产收益率(%)	–	17.15	17.32

广西升禾环保科技股份有限公司

公司概况	公司名称	广西升禾环保科技股份有限公司			股份名称	升禾环保
	法人代表	全知音	董秘	杨玲	股份代码	430761
	公司网址	www.zgshgs.com	主办券商	宏源证券股份有限公司		
	电　话	0772-8251998	传　真	0772-8250228		
	注册地址	广西壮族自治区柳州市柳东新区官塘创业园B区物业楼A1号2层				
	行业分类	水利、环境和公共设施管理业				

	指标\报告期	2014.06.30	2013.12.31	2012.12.31
主要财务指标	营业收入(元)	21,997,839.28	36,369,882.35	
	营业利润(元)	−248,440.69	1,862,363.64	20,824,182.15
	净利润(元)	26,164.74	1,146,724.33	−665,162.97
	未分配利润(元)	−759,438.74	−5,549,559.12	−949,784.84
	总资产(元)	51,889,565.56	39,694,600.61	−6,696,283.45
	总负债(元)	42,412,959.94	30,244,159.73	20,306,368.61
	净资产(元)	9,476,605.62	9,450,440.88	22,002,652.06
	每股收益(元)	0.00		−1,696,283.45
	每股净资产(元)	0.95	0.63	−0.19
	净资产收益率(%)	0.28	12.13	−0.34

山东荣昌育种股份有限公司

公司概况	公司名称	山东荣昌育种股份有限公司			股份名称	荣昌育种
	法人代表	田荣昌	董秘	孟德亮	股份代码	430762
	公司网址	www.rongchanginfo.com		主办券商	平安证券有限责任公司	
	电　话	0543-2251886		传　真	0543-2251668	
	注册地址	山东省滨州市无棣良种畜禽繁育场				
	行业分类	农、林、牧、渔业				

	指标\报告期	2014.06.30	2013.12.31	2012.12.31
主要财务指标	营业收入(元)	–	98,752,215.89	63,459,274.70
	营业利润(元)	–	17,964,228.15	11,239,937.79
	净利润(元)	–	16,758,456.71	10,695,951.03
	未分配利润(元)	–	17,786,160.91	8,772,670.00
	总资产(元)	–	206,617,811.69	170,467,384.55
	总负债(元)	–	137,611,391.00	118,219,420.57
	净资产(元)	–	69,006,420.69	52,247,963.98
	每股收益(元)	–	0.32	0.38
	每股净资产(元)	–	1.54	1.22
	净资产收益率(%)	–	20.69	23.54

北京爱科迪通信技术股份有限公司

公司概况	公司名称	北京爱科迪通信技术股份有限公司			股份名称	爱科迪
	法人代表	仲顺年	董秘	阮爱民	股份代码	430763
	公司网址	www.akdtech.com.cn		主办券商	西部证券股份有限公司	
	电　话	010-51665131		传　真	010-63726086	
	注册地址	北京市丰台区科学城海鹰路 7 号 A 栋三层				
	行业分类	制造业				

	指标\报告期	2014.06.30	2013.12.31	2012.12.31
主要财务指标	营业收入(元)	–	41,500,475.23	21,906,921.71
	营业利润(元)	–	3,404,721.05	20,184.09
	净利润(元)	–	2,916,593.33	634,568.41
	未分配利润(元)	–	2,604,149.47	2,309,150.27
	总资产(元)	–	51,252,100.66	30,916,122.84
	总负债(元)	–	7,403,284.81	3,070,400.32
	净资产(元)	–	43,848,815.85	27,845,722.52
	每股收益(元)	–	0.11	0.03
	每股净资产(元)	–	1.41	1.11
	净资产收益率(%)	–	6.65	2.28

上海美诺福科技股份有限公司

公司概况	公司名称	上海美诺福科技股份有限公司			股份名称	美诺福
	法人代表	陈波	董秘	段凤伟	股份代码	430764
	公司网址	www.meinolf.com.cn		主办券商	齐鲁证券有限公司	
	电　话	021-56845800		传　真	021-56840028	
	注册地址	上海市杨浦区黄兴路 2005 弄 2 号(B 栋)704-4 室				
	行业分类	科学研究和技术服务业				

	指标\报告期	2014.06.30	2013.12.31	2012.12.31
主要财务指标	营业收入(元)	11,225,589.92	25,074,166.76	54,553,904.13
	营业利润(元)	107,597.34	1,253,481.53	2,662,905.94
	净利润(元)	130,927.93	1,216,617.14	1,944,361.15
	未分配利润(元)	725,107.76	596,223.88	15,786,196.46
	总资产(元)	29,103,834.38	30,282,230.71	38,534,229.88
	总负债(元)	5,759,919.90	7,069,244.16	10,206,285.01
	净资产(元)	23,343,914.48	23,212,986.55	28,327,944.87
	每股收益(元)	0.01	0.14	0.31
	每股净资产(元)	2.59	2.58	3.15
	净资产收益率(%)	0.56	5.24	6.86

天津协盛科技股份有限公司

公司概况	公司名称	天津协盛科技股份有限公司			股份名称	协盛科技
	法人代表	刘轶超	董秘	张宇超	股份代码	830765
	公司网址	www.cisum.com.cn		主办券商	南京证券股份有限公司	
	电　话	022-58053552		传　真	022-60208204	
	注册地址	天津市红桥区光荣道连富里 4 号楼 4 门				
	行业分类	制造业				

	指标\报告期	2014.06.30	2013.12.31	2012.12.31
主要财务指标	营业收入(元)	–	14,069,750.37	7,532,335.91
	营业利润(元)	–	1,153,081.25	–9,387.98
	净利润(元)	–	1,069,509.53	–56,747.34
	未分配利润(元)	–	147,789.15	466,538.18
	总资产(元)	–	9,560,113.14	5,701,066.53
	总负债(元)	–	2,918,305.05	2,128,767.97
	净资产(元)	–	6,641,808.09	3,572,298.56
	每股收益(元)	–	0.33	–0.03
	每股净资产(元)	–	1.33	1.78
	净资产收益率(%)	–	16.10	–1.59

北京博锐尚格节能技术股份有限公司

公司概况	公司名称	北京博锐尚格节能技术股份有限公司			股份名称	博锐尚格
	法人代表	江江	董秘	冯复汉	股份代码	830766
	公司网址	www.persagy.com		主办券商	方正证券股份有限公司	
	电话	010-62668247-8080		传真	010-62976769	
	注册地址	北京市西城区黄寺大街26号院4号楼1011-6(德胜园区)				
	行业分类	信息传输、软件和信息技术服务业				

	指标\报告期	2014.06.30	2013.12.31	2012.12.31
主要财务指标	营业收入(元)	10,230,558.64	37,497,385.64	17,079,573.27
	营业利润(元)	-8,443,075.47	4,791,282.28	477,305.88
	净利润(元)	-6,791,625.37	7,896,148.41	1,732,169.35
	未分配利润(元)	1,448,298.30	8,239,923.66	621,184.33
	总资产(元)	46,848,338.21	55,509,157.46	21,104,607.07
	总负债(元)	8,122,630.83	9,991,824.72	3,483,422.74
	净资产(元)	38,725,707.38	45,517,332.74	17,621,184.33
	每股收益(元)	-0.18	0.21	0.05
	每股净资产(元)	1.05	1.23	0.48
	净资产收益率(%)	-17.54	17.35	9.83

宁夏网虫信息技术股份有限公司

公司概况	公司名称	宁夏网虫信息技术股份有限公司			股份名称	网虫股份
	法人代表	葛昱	董秘	马丽琴	股份代码	830767
	公司网址	www.nx.cn		主办券商	中信建投证券股份有限公司	
	电话	0951-5671530-6006		传真	0951-5671532	
	注册地址	宁夏回族自治区银川市金凤区宁安大街490号银川iBi育成中心1号楼8层				
	行业分类	信息传输、软件和信息技术服务业				

	指标\报告期	2014.06.30	2013.12.31	2012.12.31
主要财务指标	营业收入(元)	2,438,385.51	5,964,695.31	5,325,451.06
	营业利润(元)	-2,504,944.77	-314,292.29	-710,446.36
	净利润(元)	-1,782,569.41	647,477.42	544,602.65
	未分配利润(元)	-1,299,051.39	483,518.02	662,927.52
	总资产(元)	11,003,644.87	12,787,794.72	12,956,446.78
	总负债(元)	398,139.06	399,719.50	1,219,860.64
	净资产(元)	10,605,505.81	12,388,075.22	11,736,586.14
	每股收益(元)	-0.16		0.05
	每股净资产(元)	0.96	1.13	1.07
	净资产收益率(%)	-16.81	5.23	4.64

山东耀通节能环保科技股份有限公司

公司概况	公司名称	山东耀通节能环保科技股份有限公司			股份名称	耀通科技
	法人代表	冯鹏	董秘	冯勇	股份代码	830768
	公司网址	www.yaotongjn.com		主办券商	齐鲁证券有限公司	
	电话	0531-87161266		传真	0531-87161266	
	注册地址	山东省济南市高新区出口加工区港源六路1517-1号				
	行业分类	科学研究和技术服务业				

	指标\报告期	2014.06.30	2013.12.31	2012.12.31
主要财务指标	营业收入(元)	4,289,084.51	10,422,142.21	4,039,126.80
	营业利润(元)	1,373,099.08	3,258,064.89	1,159,804.87
	净利润(元)	1,373,099.08	3,222,699.64	1,146,504.87
	未分配利润(元)	1,611,467.79	332,683.44	-2,853,051.37
	总资产(元)	24,773,456.80	24,188,520.67	19,853,454.98
	总负债(元)	2,975,503.60	3,658,872.40	2,546,506.35
	净资产(元)	21,797,953.20	20,529,648.27	17,306,948.63
	每股收益(元)	0.07	0.16	0.06
	每股净资产(元)	1.08	1.02	0.86
	净资产收益率(%)	6.30	15.70	6.63

北京华财会计股份有限公司

公司概况	公司名称	北京华财会计股份有限公司			股份名称	华财会计
	法人代表	王久立	董秘	杨孟怡	股份代码	830769
	公司网址	www.fabpo.com		主办券商	东兴证券股份有限公司	
	电话	010-58301295		传真	010-58301608	
	注册地址	北京市西城区西直门外大街1号院2号楼				
	行业分类	租赁和商务服务业				

	指标\报告期	2014.06.30	2013.12.31	2012.12.31
主要财务指标	营业收入(元)	10,054,009.45	-	16,710,818.87
	营业利润(元)	-286,382.56	-	821,629.68
	净利润(元)	6,832.50	-	828,219.39
	未分配利润(元)	1,247,427.78	-	132,309.56
	总资产(元)	11,499,416.94	-	12,152,381.31
	总负债(元)	4,921,487.36	3,820,440.17	7,365,865.78
	净资产(元)	6,577,929.58	6,571,097.08	4,786,515.53
	每股收益(元)	0.00	0.21	0.18
	每股净资产(元)	1.31	1.31	1.06
	净资产收益率(%)	0.10	16.06	17.30

深圳市牛商网络股份有限公司

公司概况	公司名称	深圳市牛商网络股份有限公司			股份名称	牛商股份
	法人代表	单以山	董秘	王雪姣	股份代码	830770
	公司网址	www.nsw88.com		主办券商	国信证券股份有限公司	
	电　话	0755-83988396		传　真	0755-83765760	
	注册地址	广东省深圳市福田区北环路梅林多丽工业小区多丽科技楼8层807房				
	行业分类	信息传输、软件和信息技术服务业				

	指标＼报告期	2014.06.30	2013.12.31	2012.12.31
主要财务指标	营业收入(元)	–	45,225,505.74	15,027,467.43
	营业利润(元)	–	12,340,785.20	4,050,298.12
	净利润(元)	–	10,394,109.66	3,399,238.38
	未分配利润(元)	–	9,469,933.79	2,827,375.86
	总资产(元)	–	55,659,804.29	14,495,637.64
	总负债(元)	–	36,389,165.90	6,354,108.91
	净资产(元)	–	19,270,638.39	8,141,528.73
	每股收益(元)	–	2.11	–
	每股净资产(元)	–	3.74	1.63
	净资产收益率(%)	–	56.42	41.75

江苏华灿电讯股份有限公司

公司概况	公司名称	江苏华灿电讯股份有限公司			股份名称	华灿电讯
	法人代表	吴灿华	董秘	周存志	股份代码	830771
	公司网址	www.jshcdx.com		主办券商	平安证券有限责任公司	
	电　话	0513-80170336		传　真	0513-80170350	
	注册地址	江苏省南通市如皋市长江镇永福工业集中区(永福村五组)				
	行业分类	制造业				

	指标＼报告期	2014.06.30	2013.12.31	2012.12.31
主要财务指标	营业收入(元)	–	376,455,885.35	370,561,659.65
	营业利润(元)	–	31,175,308.39	8,832,791.11
	净利润(元)	–	26,053,091.11	7,405,803.40
	未分配利润(元)	–	129,001,018.03	108,996,942.41
	总资产(元)	–	561,879,500.60	477,701,616.99
	总负债(元)	–	339,878,798.29	271,754,005.79
	净资产(元)	–	222,000,702.31	205,947,611.20
	每股收益(元)	–	0.37	0.10
	每股净资产(元)	–	3.16	2.79
	净资产收益率(%)	–	11.72	3.50

威海远航科技发展股份有限公司

公司概况	公司名称	威海远航科技发展股份有限公司			股份名称	远航科技
	法人代表	王仕玮	董秘	王迪	股份代码	830772
	公司网址	www.wh-yuanhang.com		主办券商	齐鲁证券有限公司	
	电　话	0631-5661516		传　真	0631-5661515	
	注册地址	山东省威海市高技区唐山路-19-3号				
	行业分类	制造业				

	指标＼报告期	2014.06.30	2013.12.31	2012.12.31
主要财务指标	营业收入(元)	–	79,830,546.93	67,278,184.44
	营业利润(元)	–	9,632,923.42	7,440,387.04
	净利润(元)	–	10,039,059.14	6,890,661.33
	未分配利润(元)	–	33,964,371.74	24,929,218.51
	总资产(元)	–	163,005,146.86	165,128,488.42
	总负债(元)	–	106,019,838.52	121,182,239.22
	净资产(元)	–	56,985,308.34	43,946,249.20
	每股收益(元)	–	0.63	0.43
	每股净资产(元)	–	3.37	2.75
	净资产收益率(%)	–	18.60	15.68

洛阳正扬冶金技术股份有限公司

公司概况	公司名称	洛阳正扬冶金技术股份有限公司			股份名称	正扬股份
	法人代表	吴涵	董秘	刘宁	股份代码	830773
	公司网址	www.zhengyang-tek.com		主办券商	南京证券股份有限公司	
	电　话	0379-64316566-8000		传　真	0379-64316566-8014	
	注册地址	河南省洛阳市高新区周山路周山小区15栋7单元				
	行业分类	制造业				

	指标＼报告期	2014.06.30	2013.12.31	2012.12.31
主要财务指标	营业收入(元)	–	18,425,384.55	22,512,068.37
	营业利润(元)	–	334,936.54	8,177,977.74
	净利润(元)	–	586,453.45	4,842,829.40
	未分配利润(元)	–	4,377,599.58	3,879,530.34
	总资产(元)	–	58,129,463.46	94,927,912.33
	总负债(元)	–	25,294,564.23	63,988,466.55
	净资产(元)	–	32,834,899.23	30,939,445.78
	每股收益(元)	–	0.02	0.19
	每股净资产(元)	–	1.25	1.24
	净资产收益率(%)	–	1.79	15.65

济南百博生物技术股份有限公司

公司概况	公司名称	济南百博生物技术股份有限公司			股份名称	百博生物
	法人代表	宁春华	董秘	殷婷婷	股份代码	830774
	公司网址	www.jnbaibo.com		主办券商	长城证券有限责任公司	
	电　话	0531-88873627		传　真	0531-88876389	
	注册地址	山东省济南市高新区崇华路以东世纪财富中心 C 座 802				
	行业分类	制造业				

主要财务指标	指标\报告期	2014.06.30	2013.12.31	2012.12.31
	营业收入(元)	3,588,566.71	5,079,389.07	3,247,109.78
	营业利润(元)	-1,017,157.16	229,457.19	70,878.71
	净利润(元)	-923,705.17	178,188.17	53,438.70
	未分配利润(元)	-1,077,076.48	-153,371.31	92,741.90
	总资产(元)	9,215,719.50	7,960,782.35	2,959,493.62
	总负债(元)	1,928,289.94	1,140,647.62	856,447.06
	净资产(元)	7,287,429.56	6,820,134.73	2,103,046.56
	每股收益(元)	-0.12	0.06	0.04
	每股净资产(元)	0.93	1.05	1.05
	净资产收益率(%)	-12.68	2.61	2.54

杭州吉华高分子材料股份有限公司

公司概况	公司名称	杭州吉华高分子材料股份有限公司			股份名称	吉华材料
	法人代表	杨泉明	董秘	周静侃	股份代码	830775
	公司网址	www.jihuadyes.com		主办券商	安信证券股份有限公司	
	电　话	0571-22897396		传　真	0571-22898297	
	注册地址	浙江省杭州市萧山区新街镇红山农场五分场				
	行业分类	制造业				

主要财务指标	指标\报告期	2014.06.30	2013.12.31	2012.12.31
	营业收入(元)	43,087,142.79	89,476,223.47	76,578,204.53
	营业利润(元)	4,235,588.50	13,749,861.33	13,815,413.72
	净利润(元)	4,870,405.10	11,992,958.93	12,471,874.12
	未分配利润(元)	6,343,302.07	1,959,937.48	21,325,545.55
	总资产(元)	65,934,708.94	57,549,775.20	48,206,310.63
	总负债(元)	31,856,726.48	28,342,197.84	25,235,288.28
	净资产(元)	34,077,982.46	29,207,577.36	22,971,022.35
	每股收益(元)	0.61	1.50	
	每股净资产(元)	4.26	3.65	
	净资产收益率(%)	14.29	41.06	54.29

哈尔滨帕特尔科技股份有限公司

公司概况	公司名称	哈尔滨帕特尔科技股份有限公司			股份名称	帕特尔
	法人代表	潘政刚	董秘	刘佳辉	股份代码	830776
	公司网址	www.hrbpattern.com		主办券商	广州证券有限责任公司	
	电　话	0451-82380384		传　真	0451-82380383	
	注册地址	黑龙江省哈尔滨市开发区红旗大街 235 号(投资大厦 15 层)				
	行业分类	制造业				

主要财务指标	指标\报告期	2014.06.30	2013.12.31	2012.12.31
	营业收入(元)	-	23,029,293.54	12,442,918.87
	营业利润(元)	-	2,326,982.20	571,166.13
	净利润(元)	-	2,479,494.53	464,315.34
	未分配利润(元)	-	6,424,445.40	4,192,900.32
	总资产(元)	-	52,157,883.45	47,822,963.73
	总负债(元)	-	11,399,234.93	9,543,809.74
	净资产(元)	-	40,758,648.52	38,279,153.99
	每股收益(元)	-	0.10	0.02
	每股净资产(元)	-	1.63	1.53
	净资产收益率(%)	-	6.08	1.21

江西金达莱环保股份有限公司

公司概况	公司名称	江西金达莱环保股份有限公司			股份名称	金达莱
	法人代表	廖志民	董秘	陶琨	股份代码	830777
	公司网址	www.jdlhb.com		主办券商	太平洋证券股份有限公司	
	电　话	0791-83775088		传　真	0791-83775088	
	注册地址	江西省南昌市长堎外商投资开发区工业大道 459 号				
	行业分类	水利、环境和公共设施管理业				

主要财务指标	指标\报告期	2014.06.30	2013.12.31	2012.12.31
	营业收入(元)	139,967,209.01	228,182,129.41	144,797,848.54
	营业利润(元)	46,683,804.91	62,027,960.97	39,084,273.59
	净利润(元)	43,476,864.67	56,613,480.07	36,689,436.92
	未分配利润(元)	104,820,367.30	65,104,259.16	13,782,311.16
	总资产(元)	419,957,031.73	357,279,311.79	287,041,291.46
	总负债(元)	175,065,678.09	155,864,822.82	142,240,282.56
	净资产(元)	244,891,353.64	201,414,488.97	144,801,008.90
	每股收益(元)	0.59	0.76	0.49
	每股净资产(元)	3.19	2.60	1.84
	净资产收益率(%)	18.47	29.16	26.47

深圳市博思堂文化传媒股份有限公司

公司概况	公司名称	深圳市博思堂文化传媒股份有限公司		股份名称	博思堂
	法人代表	郑迎九	董秘	陈姣	股份代码	830778
	公司网址	www.birthidea.com.cn	主办券商	平安证券有限责任公司	
	电　话	0755-82816918	传　真	0755-82816020	
	注册地址	广东省深圳市福田区田面村田面城市大厦塔楼18D			
	行业分类	租赁和商务服务业			

	指标\报告期	2014.06.30	2013.12.31	2012.12.31
主要财务指标	营业收入(元)	–	109,330,222.49	81,378,181.85
	营业利润(元)	–	13,919,263.25	–390,999.20
	净利润(元)	–	11,376,068.38	–1,473,002.87
	未分配利润(元)	–	–1,280,710.95	2,110,588.92
	总资产(元)	–	31,983,198.33	23,102,460.36
	总负债(元)	–	14,046,647.87	16,541,978.28
	净资产(元)	–	17,936,550.46	6,560,482.08
	每股收益(元)	–	0.76	–0.10
	每股净资产(元)	–	1.20	0.44
	净资产收益率(%)	–	63.42	–22.45

武汉市蓝电电子股份有限公司

公司概况	公司名称	武汉市蓝电电子股份有限公司		股份名称	武汉蓝电
	法人代表	吴伟	董秘	王雅莉	股份代码	830779
	公司网址	www.whland.com	主办券商	长江证券股份有限公司	
	电　话		传　真		
	注册地址	湖北省武汉市东湖新技术开发区汤逊湖北路38号国测科技总部空间3栋4层01号			
	行业分类	制造业			

	指标\报告期	2014.06.30	2013.12.31	2012.12.31
主要财务指标	营业收入(元)	7,106,342.09	14,727,921.25	10,208,917.90
	营业利润(元)	3,160,428.04	5,749,900.73	3,264,043.71
	净利润(元)	2,685,296.52	5,368,494.32	2,450,726.72
	未分配利润(元)	6,606,606.31	3,921,309.79	2,403,355.15
	总资产(元)	22,639,807.17	20,153,909.73	13,931,735.79
	总负债(元)	1,915,621.72	2,115,020.80	6,261,341.18
	净资产(元)	20,724,185.45	18,038,888.93	7,670,394.61
	每股收益(元)	0.27	0.76	0.86
	每股净资产(元)	2.07	1.81	1.53
	净资产收益率(%)	12.96	29.76	31.95

重庆永鹏网络科技股份有限公司

公司概况	公司名称	重庆永鹏网络科技股份有限公司		股份名称	永鹏科技
	法人代表	李强	董秘	唐学锋	股份代码	830780
	公司网址	www.yongpeng.net	主办券商	宏源证券股份有限公司	
	电　话	023-63066349	传　真	023-63214599	
	注册地址	重庆市北部新区高新园黄山大道5号			
	行业分类	信息传输、软件和信息技术服务业			

	指标\报告期	2014.06.30	2013.12.31	2012.12.31
主要财务指标	营业收入(元)	–	245,922,835.20	205,971,097.88
	营业利润(元)	–	–11,685,249.27	–1,748,061.22
	净利润(元)	–	–8,776,176.99	3,575,932.95
	未分配利润(元)	–	4,563,058.84	9,081,790.10
	总资产(元)	–	256,945,420.14	246,465,990.69
	总负债(元)	–	210,091,572.65	191,105,720.34
	净资产(元)	–	46,853,847.49	55,360,270.35
	每股收益(元)	–	–0.14	0.16
	每股净资产(元)	–	1.64	1.77
	净资产收益率(%)	–	–8.29	8.92

佛山精鹰传媒股份有限公司

公司概况	公司名称	佛山精鹰传媒股份有限公司		股份名称	精鹰传媒
	法人代表	王建章	董秘	韩成森	股份代码	830781
	公司网址	www.4006018300.com	主办券商	东兴证券股份有限公司	
	电　话	4006018300	传　真	0757-28365363	
	注册地址	广东省佛山市禅城区五峰三路13号自编四号二层201房			
	行业分类	租赁和商务服务业			

	指标\报告期	2014.06.30	2013.12.31	2012.12.31
主要财务指标	营业收入(元)	5,772,694.90	8,175,076.36	5,861,736.82
	营业利润(元)	497,140.44	650,861.61	164,411.35
	净利润(元)	351,628.91	544,667.22	31,049.08
	未分配利润(元)	401,326.54	76,866.18	–452,791.47
	总资产(元)	6,475,751.81	5,881,632.33	2,600,691.15
	总负债(元)	549,415.70	279,756.58	2,543,482.62
	净资产(元)	5,926,336.11	5,601,875.75	57,208.53
	每股收益(元)	0.07	0.43	0.06
	每股净资产(元)	1.19	1.12	0.11
	净资产收益率(%)	5.93	9.72	54.27

泰安众诚矿山自动化股份有限公司

公司概况	公司名称	泰安众诚矿山自动化股份有限公司			股份名称	泰安众诚
	法人代表	季桢	董秘	王晶	股份代码	830782
	公司网址	www.chinazcs.com		主办券商	国海证券股份有限公司	
	电　话	0538-8932351		传　真	0538-8932351	
	注册地址	山东省泰安市高新区中天门大街星火科技园				
	行业分类	制造业				

	指标\报告期	2014.06.30	2013.12.31	2012.12.31
主要财务指标	营业收入(元)	45,522,809.94	126,849,763.13	130,343,476.33
	营业利润(元)	5,265,427.02	26,576,091.70	28,917,279.87
	净利润(元)	6,767,491.75	26,558,454.13	31,840,871.81
	未分配利润(元)	69,036,412.33	73,204,614.89	55,044,689.88
	总资产(元)	226,661,663.29	229,588,830.94	203,472,763.78
	总负债(元)	32,502,390.15	33,146,369.51	32,868,756.48
	净资产(元)	194,159,273.14	196,442,461.43	170,604,007.30
	每股收益(元)	0.12	0.48	0.58
	每股净资产(元)	3.35	3.37	3.02
	净资产收益率(%)	3.57	13.72	19.11

聊城广源精密机械制造股份有限公司

公司概况	公司名称	聊城广源精密机械制造股份有限公司			股份名称	广源精密
	法人代表	孙作晶	董秘	范文诠	股份代码	830783
	公司网址	www.gyjmjx.cn		主办券商	齐鲁证券有限公司	
	电　话	0635-2981211		传　真	0635-2981211	
	注册地址	山东省茌平县振兴街办事处吴官屯				
	行业分类	制造业				

	指标\报告期	2014.06.30	2013.12.31	2012.12.31
主要财务指标	营业收入(元)	13,753,071.30	19,358,430.65	9,160,709.14
	营业利润(元)	81,494.58	-1,353,921.86	-192,633.45
	净利润(元)	108,456.79	-1,201,353.49	-210,890.26
	未分配利润(元)	-788,709.75	-897,166.54	-180,637.34
	总资产(元)	53,055,484.26	55,811,264.47	17,584,525.81
	总负债(元)	30,325,656.86	33,189,893.86	16,261,801.71
	净资产(元)	22,729,827.40	22,621,370.61	1,322,724.10
	每股收益(元)	0.01	-0.10	-0.14
	每股净资产(元)	1.08	1.08	0.88
	净资产收益率(%)	0.48	-5.31	-15.94

威尔凯电气(上海)股份有限公司

公司概况	公司名称	威尔凯电气(上海)股份有限公司			股份名称	威尔凯
	法人代表	陈建义	董秘	唐丽芳	股份代码	830784
	公司网址	www.werkai.com		主办券商	国泰君安证券股份有限公司	
	电　话	021-57428888		传　真	021-57565855	
	注册地址	上海市奉贤区远东路720号2幢				
	行业分类	制造业				

	指标\报告期	2014.06.30	2013.12.31	2012.12.31
主要财务指标	营业收入(元)	-	12,174,482.41	13,826,358.35
	营业利润(元)	-	375,553.58	2,386,705.76
	净利润(元)	-	859,586.72	2,236,194.52
	未分配利润(元)	-	1,410,432.45	1,296,867.74
	总资产(元)	-	19,781,973.22	22,130,724.47
	总负债(元)	-	7,481,422.34	19,706,161.31
	净资产(元)	-	12,300,550.88	2,424,563.16
	每股收益(元)	-	0.09	2.27
	每股净资产(元)	-	1.23	2.47
	净资产收益率(%)	-	6.99	92.23

大连冰洋科技股份有限公司

公司概况	公司名称	大连冰洋科技股份有限公司			股份名称	冰洋科技
	法人代表	孙仕兵	董秘	冯新峪	股份代码	830785
	公司网址			主办券商	中航证券有限公司	
	电　话	13942615679		传　真	0411-85285999	
	注册地址	辽宁省大连市长兴岛临港工业区三咀村				
	行业分类	制造业				

	指标\报告期	2014.06.30	2013.12.31	2012.12.31
主要财务指标	营业收入(元)	-	32,274,370.20	16,830,851.72
	营业利润(元)	-	174,921.09	27,163.06
	净利润(元)	-	190,761.09	30,938.75
	未分配利润(元)	-	-326,439.33	818,572.27
	总资产(元)	-	50,930,095.72	33,001,833.35
	总负债(元)	-	1,132,287.62	11,894,786.34
	净资产(元)	-	49,797,808.10	21,107,047.01
	每股收益(元)	-		0.00
	每股净资产(元)	-	1.24	2.11
	净资产收益率(%)	-	0.38	0.15

江苏华源建筑设计研究院股份有限公司

公司概况	公司名称	江苏华源建筑设计研究院股份有限公司			股份名称	华源股份
	法人代表	黄富华	董秘	汪东辉	股份代码	830786
	公司网址	www.hyadi.com.cn		主办券商	申银万国证券股份有限公司	
	电　话	0519-88152206		传　真	0519-88152206	
	注册地址	江苏省常州市新北区太湖东路 9-1 号 556 室				
	行业分类	科学研究和技术服务业				

主要财务指标	指标\报告期	2014.06.30	2013.12.31	2012.12.31
	营业收入(元)	35,803,594.46	60,650,135.17	52,206,419.28
	营业利润(元)	1,319,825.56	5,241,499.54	3,652,605.12
	净利润(元)	795,799.39	3,453,219.24	2,839,827.87
	未分配利润(元)	6,693,310.57	5,766,411.49	2,687,911.29
	总资产(元)	59,673,904.43	61,225,717.40	58,575,979.93
	总负债(元)	18,488,740.85	20,967,452.90	19,770,934.67
	净资产(元)	41,185,163.58	40,258,264.50	38,805,045.26
	每股收益(元)	0.03	0.12	0.09
	每股净资产(元)	1.37	1.34	1.29
	净资产收益率(%)	1.93	8.58	7.32

福州唐朝彩印股份有限公司

公司概况	公司名称	福州唐朝彩印股份有限公司			股份名称	唐朝股份
	法人代表	叶东杰	董秘	李莉	股份代码	830787
	公司网址			主办券商	中国中投证券有限责任公司	
	电　话	0591-83657111		传　真	0591-83541083	
	注册地址	福建省福州市仓山区浦上工业区冠浦路江边村厂房地 11 号楼 1 至 3 层				
	行业分类	制造业				

主要财务指标	指标\报告期	2014.06.30	2013.12.31	2012.12.31
	营业收入(元)	-	30,421,627.57	18,620,908.54
	营业利润(元)	-	600,935.39	219,551.64
	净利润(元)	-	448,417.37	22,346.42
	未分配利润(元)	-	48,467.18	68,590.44
	总资产(元)	-	34,198,408.19	27,711,666.65
	总负债(元)	-	13,673,779.22	7,635,455.05
	净资产(元)	-	20,524,628.97	20,076,211.60
	每股收益(元)	-	0.02	0.00
	每股净资产(元)	-	1.03	1.00
	净资产收益率(%)	-	2.19	0.11

运通四方汽配供应链股份有限公司

公司概况	公司名称	运通四方汽配供应链股份有限公司			股份名称	运通四方
	法人代表	苏敬樵	董秘	张晓鸽	股份代码	830788
	公司网址	www.ytsf.com.cn		主办券商	广发证券股份有限公司	
	电　话	020-28275830		传　真	020-28275831	
	注册地址	广东省广州市白云区钟落潭广从八路 771、773 号				
	行业分类	批发和零售业				

主要财务指标	指标\报告期	2014.06.30	2013.12.31	2012.12.31
	营业收入(元)	-	839,934,740.67	681,028,867.77
	营业利润(元)	-	15,703,232.03	37,954,580.18
	净利润(元)	-	12,698,956.40	28,439,060.39
	未分配利润(元)	-	15,962,212.32	48,870,417.09
	总资产(元)	-	489,254,167.96	502,154,561.49
	总负债(元)	-	272,190,350.95	300,856,446.26
	净资产(元)	-	217,063,817.01	201,298,115.23
	每股收益(元)	-	0.13	0.38
	每股净资产(元)	-	2.18	2.07
	净资产收益率(%)	-	5.85	14.13

博富科技股份有限公司

公司概况	公司名称	博富科技股份有限公司			股份名称	博富科技
	法人代表	李勇	董秘	毛伟旗	股份代码	830789
	公司网址	www.bfttech.com		主办券商	中山证券有限责任公司	
	电　话	0512-82622888		传　真	0512-57593538	
	注册地址	江苏省昆山市花桥镇绿地大道 255 弄 2 号 805 室				
	行业分类	制造业				

主要财务指标	指标\报告期	2014.06.30	2013.12.31	2012.12.31
	营业收入(元)	-	55,599,223.54	103,174,437.17
	营业利润(元)	-	-18,779,027.96	2,549,212.60
	净利润(元)	-	-15,831,207.49	4,003,048.94
	未分配利润(元)	-	-20,489,393.14	-5,107,815.61
	总资产(元)	-	198,915,828.50	193,722,628.06
	总负债(元)	-	76,829,621.54	55,805,213.61
	净资产(元)	-	122,086,206.96	137,917,414.45
	每股收益(元)	-	-0.11	0.03
	每股净资产(元)	-	0.85	0.97
	净资产收益率(%)	-	-13.33	3.06

长春希迈气象科技股份有限公司

公司概况	公司名称	长春希迈气象科技股份有限公司		股份名称	希迈气象
	法人代表	王启万	董秘 张建军	股份代码	830790
	公司网址	www.cccmii.com		主办券商	东北证券股份有限公司
	电　话	0431-85519671		传　真	0431-85519671
	注册地址	吉林省长春市高新技术产业开发区硅谷大街1118号			
	行业分类	制造业			

	指标\报告期	2014.06.30	2013.12.31	2012.12.31
主要财务指标	营业收入(元)	–	29,220,825.67	31,187,152.78
	营业利润(元)	–	3,500,349.89	5,828,072.05
	净利润(元)	–	6,408,157.05	5,859,708.49
	未分配利润(元)	–	18,780,547.39	12,372,390.34
	总资产(元)	–	51,529,599.31	45,746,465.90
	总负债(元)	–	9,541,851.92	10,166,875.56
	净资产(元)	–	41,987,747.39	35,579,590.34
	每股收益(元)	–	0.28	0.26
	每股净资产(元)	–	1.84	1.56
	净资产收益率(%)	–	15.26	16.47

昆明佳晓自来水工程技术股份有限公司

公司概况	公司名称	昆明佳晓自来水工程技术股份有限公司		股份名称	佳晓股份
	法人代表	费敏	董秘 何俊华	股份代码	830791
	公司网址	www.kmjxzls.com		主办券商	国信证券股份有限公司
	电　话	0871-66160971		传　真	0871-65198895
	注册地址	云南省昆明小菜园立交桥下思源路14号			
	行业分类	建筑业			

	指标\报告期	2014.06.30	2013.12.31	2012.12.31
主要财务指标	营业收入(元)	–	47,689,207.21	52,649,822.64
	营业利润(元)	–	1,607,525.24	85,844.87
	净利润(元)	–	1,500,227.28	456,495.47
	未分配利润(元)	–	1,024,994.01	6,862,722.19
	总资产(元)	–	53,799,327.93	64,430,128.37
	总负债(元)	–	33,398,175.42	44,987,321.15
	净资产(元)	–	20,401,152.51	19,442,807.22
	每股收益(元)	–	0.15	0.05
	每股净资产(元)	–	2.04	1.85
	净资产收益率(%)	–	7.55	2.57

山东创新腐植酸科技股份有限公司

公司概况	公司名称	山东创新腐植酸科技股份有限公司		股份名称	创新科技
	法人代表	孙明广	董秘 杜茂福	股份代码	830792
	公司网址	www.cxhg.cn		主办券商	国金证券股份有限公司
	电　话	0635-3513616		传　真	0635-3516909
	注册地址	山东省东阿县刘集工业园			
	行业分类	制造业			

	指标\报告期	2014.06.30	2013.12.31	2012.12.31
主要财务指标	营业收入(元)	27,115,460.28	69,924,199.35	55,468,519.00
	营业利润(元)	1,833,827.26	4,417,763.32	1,875,969.93
	净利润(元)	1,580,588.98	3,662,793.03	3,005,478.43
	未分配利润(元)	6,178,832.41	4,598,243.43	1,295,057.40
	总资产(元)	162,014,795.50	151,531,825.69	121,866,165.17
	总负债(元)	96,569,461.46	87,667,080.63	61,664,213.14
	净资产(元)	65,445,334.04	63,864,745.06	60,201,952.03
	每股收益(元)	0.04	0.09	0.08
	每股净资产(元)	1.70	1.65	1.56
	净资产收益率(%)	2.42	5.74	4.99

上海晶纯生化科技股份有限公司

公司概况	公司名称	上海晶纯生化科技股份有限公司		股份名称	晶纯生化
	法人代表	招立萍	董秘 赵新安	股份代码	830793
	公司网址	www.aladdin-e.com		主办券商	中信证券股份有限公司
	电　话	021-58547233		传　真	021-50323701
	注册地址	上海市奉贤区南桥镇旗港路1008号			
	行业分类	制造业			

	指标\报告期	2014.06.30	2013.12.31	2012.12.31
主要财务指标	营业收入(元)	36,451,978.86	65,256,086.80	50,110,057.77
	营业利润(元)	11,266,067.69	21,856,879.37	15,307,949.19
	净利润(元)	10,649,631.61	18,687,671.18	13,828,860.34
	未分配利润(元)	20,989,197.32	10,413,023.78	26,810,024.40
	总资产(元)	108,827,414.36	101,963,937.21	71,070,311.52
	总负债(元)	19,817,239.34	23,534,941.27	31,323,649.73
	净资产(元)	89,010,175.02	78,428,995.94	39,746,661.79
	每股收益(元)	0.35	0.62	1.38
	每股净资产(元)	2.97	2.61	3.97
	净资产收益率(%)	11.97	23.83	34.79

南京奥派信息产业股份有限公司

公司概况	公司名称	南京奥派信息产业股份有限公司		股份名称	奥派股份
	法人代表	徐林海	董秘 吴海兵	股份代码	830794
	公司网址	www.allpass.com.cn		主办券商	南京证券股份有限公司
	电　话	025-83405218		传　真	025-83493807
	注册地址	江苏省南京市鼓楼区洪庙巷 14 号教 A 楼			
	行业分类	信息传输、软件和信息技术服务业			

主要财务指标	指标\报告期	2014.06.30	2013.12.31	2012.12.31
	营业收入(元)	8,165,410.33	20,253,866.03	14,129,035.33
	营业利润(元)	263,160.92	1,000,772.98	-589,050.56
	净利润(元)	753,556.70	3,078,942.72	1,675,561.59
	未分配利润(元)	5,144,522.45	4,390,965.75	1,619,917.30
	总资产(元)	18,099,154.37	19,241,942.26	13,625,571.43
	总负债(元)	4,199,253.28	6,095,597.87	3,558,169.76
	净资产(元)	13,899,901.09	13,146,344.39	10,067,401.67
	每股收益(元)	0.10	0.43	0.24
	每股净资产(元)	1.94	1.83	1.40
	净资产收益率(%)	5.42	23.42	16.64

广东骏汇汽车科技股份有限公司

公司概况	公司名称	广东骏汇汽车科技股份有限公司		股份名称	骏汇股份
	法人代表	谢晋斌	董秘 张勇武	股份代码	830795
	公司网址	www.gdjhat.com		主办券商	广发证券股份有限公司
	电　话	020-34699086		传　真	020-34699069
	注册地址	广东省广州市番禺区东环街番禺大道北 555 号天安总部中心 1 号楼 1601 房			
	行业分类	制造业			

主要财务指标	指标\报告期	2014.06.30	2013.12.31	2012.12.31
	营业收入(元)	-	112,691,762.36	84,324,911.18
	营业利润(元)	-	8,776,458.24	12,078,906.71
	净利润(元)	-	7,623,670.62	10,613,092.86
	未分配利润(元)	-	5,110,602.82	17,366,608.71
	总资产(元)	-	154,354,069.78	76,931,341.68
	总负债(元)	-	104,482,108.16	53,483,050.69
	净资产(元)	-	49,871,961.62	23,448,290.99
	每股收益(元)	-	0.44	2.13
	每股净资产(元)	-	2.34	4.63
	净资产收益率(%)	-	15.50	45.98

云南路桥股份有限公司

公司概况	公司名称	云南路桥股份有限公司		股份名称	云南路桥
	法人代表	鲁仕泽	董秘 杨绍兴	股份代码	830796
	公司网址	www.ynlq.com.cn		主办券商	太平洋证券股份有限公司
	电　话	0871-67168668		传　真	0871-67161702
	注册地址	云南省昆明市官渡区关上宝海路星河明居			
	行业分类	建筑业			

主要财务指标	指标\报告期	2014.06.30	2013.12.31	2012.12.31
	营业收入(元)	1,083,907,744.56	2,105,033,275.41	2,370,637,852.60
	营业利润(元)	29,597,196.18	68,933,861.55	140,633,879.83
	净利润(元)	25,644,762.64	54,140,903.74	115,999,801.63
	未分配利润(元)	832,737,179.01	809,425,348.76	798,785,647.48
	总资产(元)	5,758,966,714.77	5,645,785,977.30	5,068,793,528.23
	总负债(元)	4,402,995,606.00	4,315,878,110.05	3,774,901,694.93
	净资产(元)	1,355,971,108.77	1,329,907,867.25	1,293,891,833.30
	每股收益(元)	0.07	0.15	0.33
	每股净资产(元)	3.86	3.79	3.69
	净资产收益率(%)	1.90	4.08	9.00

上海易之景和环境技术股份有限公司

公司概况	公司名称	上海易之景和环境技术股份有限公司		股份名称	易之景和
	法人代表	曹越	董秘 许琼	股份代码	830797
	公司网址	www.easy-h.com		主办券商	兴业证券股份有限公司
	电　话	021-51346506		传　真	021-51389029
	注册地址	上海市浦东新区金新路 58 号 2303 室			
	行业分类	制造业			

主要财务指标	指标\报告期	2014.06.30	2013.12.31	2012.12.31
	营业收入(元)	2,106,401.31	11,120,601.61	7,162,224.36
	营业利润(元)	-2,166,860.41	576,209.00	776.88
	净利润(元)	-1,930,329.24	601,918.25	-9,324.12
	未分配利润(元)	-2,316,643.11	155,101.36	-385,593.99
	总资产(元)	12,773,426.35	13,892,356.46	9,385,012.17
	总负债(元)	3,398,531.25	2,587,132.12	1,370,706.08
	净资产(元)	9,374,895.10	11,305,224.34	8,014,306.09
	每股收益(元)	-0.18	0.07	0.00
	每股净资产(元)	0.85	1.06	1.14
	净资产收益率(%)	-20.59	5.32	-0.19

北京中外名人文化传媒股份有限公司

公司概况	公司名称	北京中外名人文化传媒股份有限公司			股份名称	中外名人
	法人代表	陈建平	董秘	宋国立	股份代码	830798
	公司网址	www.whoswhoad.com.cn		主办券商	中信建投证券股份有限公司	
	电　话	010-62375763		传　真	010-62359098	
	注册地址	北京市怀柔区雁栖环岛北侧50米				
	行业分类	租赁和商务服务业				

	指标\报告期	2014.06.30	2013.12.31	2012.12.31
主要财务指标	营业收入(元)	–	–	658,716,849.86
	营业利润(元)	–	–	42,582,866.43
	净利润(元)	–	–	34,851,601.68
	未分配利润(元)	–	–	24,538,661.74
	总资产(元)	–	–	474,944,709.33
	总负债(元)	–	–	179,401,658.91
	净资产(元)	–	–	295,543,050.42
	每股收益(元)	–	–	0.63
	每股净资产(元)	–	–	4.73
	净资产收益率(%)	–	–	11.79

上海艾融软件股份有限公司

公司概况	公司名称	上海艾融软件股份有限公司			股份名称	艾融软件
	法人代表	吴臻	董秘	肖斌	股份代码	830799
	公司网址	www.i2finance.net		主办券商	光大证券股份有限公司	
	电　话	021-68816719		传　真	021-68816717	
	注册地址	上海市崇明县城桥镇关山路2号8幢C区2076室(上海崇明工业园)				
	行业分类	信息传输、软件和信息技术服务业				

	指标\报告期	2014.06.30	2013.12.31	2012.12.31
主要财务指标	营业收入(元)	–	29,475,969.94	14,766,397.34
	营业利润(元)	–	4,896,081.02	6,978,841.09
	净利润(元)	–	4,580,553.26	7,424,880.27
	未分配利润(元)	–	4,141,736.39	7,894,438.46
	总资产(元)	–	24,443,676.70	15,107,123.48
	总负债(元)	–	13,966,725.15	1,335,525.19
	净资产(元)	–	10,476,951.55	13,771,598.29
	每股收益(元)	–	–	1.49
	每股净资产(元)	–	2.10	2.75
	净资产收益率(%)	–	43.72	53.91

重庆天开园林股份有限公司

公司概况	公司名称	重庆天开园林股份有限公司			股份名称	天开园林
	法人代表	陈友祥	董秘	白晓辉	股份代码	830800
	公司网址	www.tkjg.com		主办券商	中信建投证券股份有限公司	
	电　话	010-60429496		传　真	010-60429491	
	注册地址	重庆市渝北区龙塔街道佳园路66号浩博星辰办公楼1幢5楼				
	行业分类	建筑业				

	指标\报告期	2014.06.30	2013.12.31	2012.12.31
主要财务指标	营业收入(元)	319,630,916.90	672,403,112.26	562,162,864.08
	营业利润(元)	8,596,813.71	74,028,712.03	66,259,160.52
	净利润(元)	11,221,074.95	54,742,099.20	48,313,443.78
	未分配利润(元)	102,969,350.22	92,054,940.92	123,049,559.43
	总资产(元)	1,054,592,144.93	975,612,506.27	724,432,045.04
	总负债(元)	702,503,079.03	634,744,515.32	438,796,153.29
	净资产(元)	352,089,065.90	340,867,990.95	285,635,891.75
	每股收益(元)	0.25	1.26	1.11
	每股净资产(元)	8.05	7.80	6.54
	净资产收益率(%)	3.52	16.10	16.91

深圳市盈富通文化股份有限公司

公司概况	公司名称	深圳市盈富通文化股份有限公司			股份名称	盈富通
	法人代表	胡宗宁	董秘	臧洪	股份代码	830801
	公司网址	www.chinawintone.com		主办券商	中国中投证券有限责任公司	
	电　话	0755-25415590		传　真	0755-26978591	
	注册地址	广东省深圳市南山区深南大道10128号南山软件园大厦东塔楼1006				
	行业分类	文化、体育和娱乐业				

	指标\报告期	2014.06.30	2013.12.31	2012.12.31
主要财务指标	营业收入(元)	–	7,818,341.91	12,050,547.78
	营业利润(元)	–	688,137.05	2,636,857.49
	净利润(元)	–	693,707.46	3,560,163.55
	未分配利润(元)	–	28,719.69	4,351,408.20
	总资产(元)	–	13,183,996.00	17,325,758.80
	总负债(元)	–	2,344,359.18	2,279,829.44
	净资产(元)	–	10,839,636.82	15,045,929.36
	每股收益(元)	–	0.08	0.36
	每股净资产(元)	–	1.06	1.48
	净资产收益率(%)	–	7.56	23.99

江苏省金象传动设备股份有限公司

公司概况	公司名称	江苏省金象传动设备股份有限公司		股份名称	金象传动
	法人代表	任汉友	董秘	柏晓堂	股份代码	830802
	公司网址	www.js-gear.com	主办券商	兴业证券股份有限公司	
	电　话	0517-83649803	传　真	0517-83649803	
	注册地址	江苏省淮安市清河区青龙湖路 1 号			
	行业分类	制造业			

	指标\报告期	2014.06.30	2013.12.31	2012.12.31
主要财务指标	营业收入(元)	58,692,993.77	117,165,253.85	158,017,115.03
	营业利润(元)	-10,712,869.28	-14,688,275.03	-7,610,886.65
	净利润(元)	-7,551,375.47	-8,546,389.94	6,498,329.00
	未分配利润(元)	4,288,850.24	12,135,313.05	24,745,380.39
	总资产(元)	377,278,787.87	410,198,991.39	393,466,699.44
	总负债(元)	259,649,912.41	284,594,377.57	255,565,148.81
	净资产(元)	117,628,875.46	125,604,613.82	137,901,550.63
	每股收益(元)	-0.08	-0.09	0.06
	每股净资产(元)	1.18	1.26	1.38
	净资产收益率(%)	-6.42	-6.80	4.71

沈阳新松医疗科技股份有限公司

公司概况	公司名称	沈阳新松医疗科技股份有限公司		股份名称	新松医疗
	法人代表	桑子刚	董秘	黄勇	股份代码	830803
	公司网址	www.sysmed.cn	主办券商	中原证券股份有限公司	
	电　话	024-23970020	传　真	024-23970020	
	注册地址	辽宁省沈阳市浑南新区文溯街 17 号			
	行业分类	制造业			

	指标\报告期	2014.06.30	2013.12.31	2012.12.31
主要财务指标	营业收入(元)	17,576,760.51	33,981,437.00	31,691,291.31
	营业利润(元)	1,867,270.14	3,506,305.61	3,863,130.32
	净利润(元)	1,784,528.22	6,380,706.78	5,605,547.48
	未分配利润(元)	12,565,949.54	10,781,421.32	12,771,221.44
	总资产(元)	45,988,247.35	44,770,966.50	40,710,299.55
	总负债(元)	4,866,674.90	5,433,922.27	6,847,629.94
	净资产(元)	41,121,572.45	39,337,044.23	33,862,669.61
	每股收益(元)	0.07	0.25	0.33
	每股净资产(元)	1.59	1.52	1.97
	净资产收益率(%)	4.34	16.24	16.58

浙江德马科技股份有限公司

公司概况	公司名称	浙江德马科技股份有限公司		股份名称	德马科技
	法人代表	卓序	董秘	郭爱华	股份代码	830805
	公司网址	www.damon-group.com	主办券商	光大证券股份有限公司	
	电　话	0572-3826015	传　真	0572-3826007	
	注册地址	浙江省湖州市埭溪镇上强工业区			
	行业分类	制造业			

	指标\报告期	2014.06.30	2013.12.31	2012.12.31
主要财务指标	营业收入(元)	-	319,189,265.36	225,804,659.28
	营业利润(元)	-	4,621,537.09	3,808,234.33
	净利润(元)	-	8,917,453.03	6,451,312.55
	未分配利润(元)	-	-2,720,352.26	-7,084,037.36
	总资产(元)	-	271,338,261.75	201,283,118.52
	总负债(元)	-	250,060,683.08	189,312,674.33
	净资产(元)	-	21,277,578.67	11,970,444.19
	每股收益(元)	-	0.50	0.36
	每股净资产(元)	-	1.18	0.67
	净资产收益率(%)	-	41.91	53.89

云南亚锦科技股份有限公司

公司概况	公司名称	云南亚锦科技股份有限公司		股份名称	亚锦科技
	法人代表	彭利安	董秘	彭利安(代)	股份代码	830806
	公司网址	www.akin.com.cn	主办券商	齐鲁证券有限公司	
	电　话	0871-65667055	传　真	0871-65667055	
	注册地址	云南省昆明高新区城市新宸商务大厦 B 幢第			
	行业分类	信息传输、软件和信息技术服务业			

	指标\报告期	2014.06.30	2013.12.31	2012.12.31
主要财务指标	营业收入(元)	-	-	2,817,145.61
	营业利润(元)	-	-	19,301.29
	净利润(元)	-	-	198,360.31
	未分配利润(元)	-	-	80,660.70
	总资产(元)	-	-	5,692,328.93
	总负债(元)	-	-	441,124.00
	净资产(元)	-	-	5,251,204.93
	每股收益(元)	-	-	0.04
	每股净资产(元)	-	-	1.05
	净资产收益率(%)	-	-	3.78

安徽恒瑞新能源股份有限公司

公司概况	公司名称	安徽恒瑞新能源股份有限公司			股份名称	恒瑞能源
	法人代表	王发文	董秘	曹妮妮	股份代码	830807
	公司网址	www.ahhrxj.com.cn		主办券商	国元证券股份有限公司	
	电　话	0564-5389806-8016		传　真	0564-5389802	
	注册地址	安徽省六安市承接产业转移集中示范区新安大道与龙舒路交口				
	行业分类	电力、热力、燃气及水生产和供应业				

	指标\报告期	2014.06.30	2013.12.31	2012.12.31
主要财务指标	营业收入(元)	6,745,390.63	41,166,845.81	18,123,742.66
	营业利润(元)	-147,940.40	369,237.83	-1,173,430.54
	净利润(元)	646,462.78	974,759.24	-983,558.50
	未分配利润(元)	-375,324.86	-1,021,787.64	-3,179,228.65
	总资产(元)	107,038,960.92	97,816,272.11	51,132,216.86
	总负债(元)	93,506,967.55	84,930,741.52	36,311,445.51
	净资产(元)	13,531,993.37	12,885,530.59	14,820,771.35
	每股收益(元)	0.05	0.09	-0.09
	每股净资产(元)	0.97	0.93	1.35
	净资产收益率(%)	4.78	7.57	-6.64

中智华体(北京)科技股份有限公司

公司概况	公司名称	中智华体(北京)科技股份有限公司			股份名称	中智华体
	法人代表	徐文海	董秘	韩莉	股份代码	830808
	公司网址	www.cistsports.com		主办券商	齐鲁证券有限公司	
	电　话	010-67157718		传　真	010-67169588	
	注册地址	北京市海淀区上地信息路2号D栋707C室				
	行业分类	建筑业				

	指标\报告期	2014.06.30	2013.12.31	2012.12.31
主要财务指标	营业收入(元)	-	28,844,057.40	19,233,560.69
	营业利润(元)	-	4,588,232.20	160,390.34
	净利润(元)	-	3,691,257.24	92,680.32
	未分配利润(元)	-	832,109.47	-657,747.86
	总资产(元)	-	16,722,353.38	16,282,654.35
	总负债(元)	-	2,173,590.12	5,425,148.33
	净资产(元)	-	14,548,763.26	10,857,506.02
	每股收益(元)	-	0.27	-0.01
	每股净资产(元)	-	1.12	1.09
	净资产收益率(%)	-	24.00	-0.76

贵州安达科技能源股份有限公司

公司概况	公司名称	贵州安达科技能源股份有限公司			股份名称	安达科技
	法人代表	刘建波	董秘	李建国	股份代码	830809
	公司网址			主办券商	华创证券有限责任公司	
	电　话	0851-4876852		传　真	0851-4876852	
	注册地址	贵州省贵阳市开阳县城关镇城西村坪上				
	行业分类	制造业				

	指标\报告期	2014.06.30	2013.12.31	2012.12.31
主要财务指标	营业收入(元)	21,474,359.01	119,084,223.88	188,347,597.62
	营业利润(元)	4,499,098.37	-9,064,331.17	-906,037.45
	净利润(元)	2,095,498.38	-4,438,642.61	6,980,574.73
	未分配利润(元)	2,757,386.23	1,833,421.28	10,691,884.11
	总资产(元)	181,283,832.84	204,193,659.14	349,592,691.79
	总负债(元)	58,631,236.75	82,465,028.00	175,363,335.58
	净资产(元)	122,652,596.09	121,728,631.14	174,229,356.21
	每股收益(元)	0.02	-0.04	0.07
	每股净资产(元)	1.21	1.20	1.72
	净资产收益率(%)	1.71	-3.65	4.01

广东羚光新材料股份有限公司

公司概况	公司名称	广东羚光新材料股份有限公司			股份名称	广东羚光
	法人代表	谭汝泉	董秘	庄华鑫	股份代码	830810
	公司网址	www.gdlingguang.com		主办券商	中山证券有限责任公司	
	电　话	0758-2879778		传　真	0758-2879305	
	注册地址	广东省肇庆市三榕港工业加工区内				
	行业分类	制造业				

	指标\报告期	2014.06.30	2013.12.31	2012.12.31
主要财务指标	营业收入(元)	-	110,136,244.86	121,692,749.69
	营业利润(元)	-	6,191,650.70	6,734,915.41
	净利润(元)	-	7,688,294.58	8,077,535.42
	未分配利润(元)	-	5,768,906.62	3,843,047.06
	总资产(元)	-	94,783,808.15	115,698,289.26
	总负债(元)	-	38,462,955.26	39,246,917.52
	净资产(元)	-	56,320,852.89	76,451,371.74
	每股收益(元)	-	0.21	0.20
	每股净资产(元)	-	2.01	1.86
	净资产收益率(%)	-	13.65	10.60

贵州安凯达实业股份有限公司

公司概况	公司名称	贵州安凯达实业股份有限公司			股份名称	安凯达
	法人代表	易飞舟	董秘	钟红莉	股份代码	830811
	公司网址	www.gzakd.cn		主办券商	湘财证券股份有限公司	
	电　话	0858-8963399		传　真	0858-8606222	
	注册地址	贵州省六盘水市钟山区大河镇裕民村九组				
	行业分类	制造业				

	指标\报告期	2014.06.30	2013.12.31	2012.12.31
主要财务指标	营业收入（元）	65,008,619.96	169,658,533.32	21,866,615.58
	营业利润（元）	2,039,066.30	2,384,946.95	539,441.98
	净利润（元）	1,552,581.08	643,784.10	-281,707.43
	未分配利润（元）	1,494,849.55	-57,731.53	-502,970.66
	总资产（元）	257,561,829.52	169,638,989.83	59,715,587.11
	总负债（元）	223,100,007.25	137,539,711.28	39,889,949.78
	净资产（元）	34,461,822.27	32,099,278.55	19,825,637.33
	每股收益（元）	0.05	0.03	-0.01
	每股净资产（元）	1.15	1.07	0.99
	净资产收益率（%）	4.51	2.01	-1.42

大连约伴传媒股份有限公司

公司概况	公司名称	大连约伴传媒股份有限公司			股份名称	约伴传媒
	法人代表	徐志卫	董秘	于田	股份代码	830812
	公司网址	www.yueban.cn		主办券商	国都证券有限责任公司	
	电　话	0411-82529569		传　真	0411-82529325	
	注册地址	辽宁省大连市高新技术产业园区黄浦路512号21层				
	行业分类	租赁和商务服务业				

	指标\报告期	2014.06.30	2013.12.31	2012.12.31
主要财务指标	营业收入（元）	-	19,957,171.30	3,801,032.00
	营业利润（元）	-	695,976.83	128,548.71
	净利润（元）	-	505,346.07	110,739.34
	未分配利润（元）	-	492,805.54	25,943.72
	总资产（元）	-	6,060,556.51	505,485.55
	总负债（元）	-	504,966.47	68,467.89
	净资产（元）	-	5,555,590.04	437,017.66
	每股收益（元）	-	0.10	0.02
	每股净资产（元）	-	1.11	4.37
	净资产收益率（%）	-	9.14	25.34

河南熔金高温材料股份有限公司

公司概况	公司名称	河南熔金高温材料股份有限公司			股份名称	熔金股份
	法人代表	徐跃庆	董秘	徐善刚	股份代码	830813
	公司网址	www.whrj.com		主办券商	中原证券股份有限公司	
	电　话	13782589881		传　真	0373-4417288	
	注册地址	河南省新乡市卫辉市薛屯村北				
	行业分类	制造业				

	指标\报告期	2014.06.30	2013.12.31	2012.12.31
主要财务指标	营业收入（元）	136,368,628.61	276,287,592.69	172,454,794.33
	营业利润（元）	4,853,131.26	9,014,222.03	6,368,801.57
	净利润（元）	5,028,421.27	8,161,721.14	6,574,119.20
	未分配利润（元）	5,028,421.27	59,275,368.33	55,035,819.30
	总资产（元）	233,770,951.44	222,555,442.42	199,449,924.53
	总负债（元）	131,283,434.26	126,063,950.39	128,274,153.64
	净资产（元）	102,487,517.18	96,491,492.03	71,175,770.89
	每股收益（元）	0.16	0.65	0.70
	每股净资产（元）	3.30	3.11	2.29
	净资产收益率（%）	4.91	8.46	9.24

江苏浩博新材料股份有限公司

公司概况	公司名称	江苏浩博新材料股份有限公司			股份名称	浩博新材
	法人代表	陈金忠	董秘	金利忠	股份代码	830814
	公司网址	www.hbkj-sic.com		主办券商	日信证券有限责任公司	
	电　话	0510-86539812		传　真	0510-86539860	
	注册地址	江苏省江阴市徐霞客镇璜塘工业园业富业路				
	行业分类	制造业				

	指标\报告期	2014.06.30	2013.12.31	2012.12.31
主要财务指标	营业收入（元）	197,707,193.17	285,817,724.12	267,818,081.25
	营业利润（元）	7,027,697.03	3,547,188.23	2,160,679.70
	净利润（元）	6,233,042.14	2,624,868.50	969,515.01
	未分配利润（元）	14,687,426.98	8,454,384.84	43,999,195.75
	总资产（元）	491,480,872.34	440,942,572.78	537,791,280.27
	总负债（元）	219,867,729.75	175,562,472.33	275,129,498.32
	净资产（元）	271,613,142.59	265,380,100.45	262,661,781.95
	每股收益（元）	0.10	0.04	-
	每股净资产（元）	4.53	4.42	4.38
	净资产收益率（%）	2.30	0.99	0.37

北京蓝山科技股份有限公司

公司概况	公司名称	北京蓝山科技股份有限公司			股份名称	蓝山科技
	法人代表	谭澍	董秘	解平海	股份代码	830815
	公司网址	www.sybo.com.cn		主办券商	华龙证券有限责任公司	
	电　　话	010-82284750-843		传　　真	010-82284754	
	注册地址	北京市海淀区花园路2号数字电视国家工程实验室121号				
	行业分类	制造业				

	指标\报告期	2014.06.30	2013.12.31	2012.12.31
主要财务指标	营业收入(元)	266,259,492.29	422,792,103.79	329,268,607.53
	营业利润(元)	47,721,448.44	69,425,264.21	52,898,982.90
	净利润(元)	44,131,288.24	69,306,613.16	52,573,476.74
	未分配利润(元)	155,423,751.92	118,192,463.68	105,976,709.14
	总资产(元)	549,687,286.49	452,074,757.63	256,717,193.32
	总负债(元)	153,998,535.39	93,617,294.77	109,041,943.72
	净资产(元)	395,688,751.10	358,457,462.86	147,675,249.60
	每股收益(元)	0.59	0.95	3.21
	每股净资产(元)	5.28	4.78	9.18
	净资产收益率(%)	11.15	19.34	34.96

武汉卡特工业股份有限公司

公司概况	公司名称	武汉卡特工业股份有限公司			股份名称	卡特股份
	法人代表	施向华	董秘	雷涛	股份代码	830816
	公司网址	www.kattor.com		主办券商	方正证券股份有限公司	
	电　　话	027-87745209		传　　真	027-87745210	
	注册地址	湖北省武汉市青山区三十街坊(冶金大道6号)				
	行业分类	制造业				

	指标\报告期	2014.06.30	2013.12.31	2012.12.31
主要财务指标	营业收入(元)	–	20,043,064.67	12,374,243.34
	营业利润(元)	–	826,216.36	1,931,799.37
	净利润(元)	–	2,633,096.95	1,445,587.05
	未分配利润(元)	–	2,503,636.56	82,703.73
	总资产(元)	–	40,721,339.89	29,566,635.21
	总负债(元)	–	23,424,334.09	21,902,726.36
	净资产(元)	–	17,297,005.80	7,663,908.85
	每股收益(元)	–	0.35	0.29
	每股净资产(元)	–	1.44	1.53
	净资产收益率(%)	–	15.22	18.86

浙江鼎炬电子科技股份有限公司

公司概况	公司名称	浙江鼎炬电子科技股份有限公司			股份名称	鼎炬科技
	法人代表	张晓英	董秘	唐哲丰	股份代码	830817
	公司网址	www.designs-hz.com		主办券商	申银万国证券股份有限公司	
	电　　话	0571-88997982		传　　真	0571-88997950	
	注册地址	浙江省杭州市滨江区园区中路6号1号厂房3层				
	行业分类	制造业				

	指标\报告期	2014.06.30	2013.12.31	2012.12.31
主要财务指标	营业收入(元)	–	19,323,599.06	15,287,078.98
	营业利润(元)	–	-1,189,044.28	54,484.03
	净利润(元)	–	160,343.07	664,133.81
	未分配利润(元)	–	-259,144.63	-367,345.23
	总资产(元)	–	30,509,410.02	26,859,729.79
	总负债(元)	–	20,716,412.18	17,227,075.02
	净资产(元)	–	9,792,997.84	9,632,654.77
	每股收益(元)	–	0.02	0.09
	每股净资产(元)	–	0.98	0.96
	净资产收益率(%)	–	1.64	6.90

苏州巨峰电气绝缘系统股份有限公司

公司概况	公司名称	苏州巨峰电气绝缘系统股份有限公司			股份名称	巨峰股份
	法人代表	徐伟红	董秘	张犇	股份代码	830818
	公司网址	www.jufengcompany.com		主办券商	东吴证券股份有限公司	
	电　　话	0512-63240998		传　　真	0512-63248351	
	注册地址	江苏省吴江市汾湖经济开发区临沪中路				
	行业分类	制造业				

	指标\报告期	2014.06.30	2013.12.31	2012.12.31
主要财务指标	营业收入(元)	238,421,130.87	499,281,714.88	537,305,443.71
	营业利润(元)	9,022,642.77	26,879,070.08	17,392,895.71
	净利润(元)	11,070,650.67	29,874,378.98	13,929,379.46
	未分配利润(元)	101,290,088.72	110,182,322.43	102,888,881.22
	总资产(元)	670,232,059.82	682,993,392.30	631,494,715.14
	总负债(元)	352,329,834.95	356,104,341.84	314,556,411.22
	净资产(元)	317,902,224.87	326,889,050.46	316,938,303.92
	每股收益(元)	0.11	0.30	0.14
	每股净资产(元)	3.17	3.26	3.16
	净资产收益率(%)	3.51	9.21	4.40

北京致生联发信息技术股份有限公司

公司概况	公司名称	北京致生联发信息技术股份有限公司			股份名称	致生联发
	法人代表	卜巩岸	董秘	刘岩	股份代码	830819
	公司网址	www.zslfinfo.com		主办券商	中银国际证券有限责任公司	
	电　话	010-57503227-8006		传　真	010-57503227-8016	
	注册地址	北京市朝阳区来广营中路甲一号朝来高科技产业园区内9号写字楼地上七层701-709室地上八层801-809室				
	行业分类	信息传输、软件和信息技术服务业				

主要财务指标	指标\报告期	2014.06.30	2013.12.31	2012.12.31
	营业收入(元)	–	–	41,012,625.96
	营业利润(元)	–	–	16,558,269.00
	净利润(元)	–	–	16,798,249.32
	未分配利润(元)	–	–	22,488,773.53
	总资产(元)	–	–	55,862,281.20
	总负债(元)	–	–	9,874,755.06
	净资产(元)	–	–	45,987,526.14
	每股收益(元)	–	–	0.80
	每股净资产(元)	–	–	2.19
	净资产收益率(%)	–	–	36.53

辽宁大族冠华印刷科技股份有限公司

公司概况	公司名称	辽宁大族冠华印刷科技股份有限公司			股份名称	大族冠华
	法人代表	周广英	董秘	吴非	股份代码	830820
	公司网址	www.gronhi.com		主办券商	安信证券股份有限公司	
	电　话	0417-2993054		传　真	0417-2993054	
	注册地址	辽宁省营口市新联大街136号				
	行业分类	制造业				

主要财务指标	指标\报告期	2014.06.30	2013.12.31	2012.12.31
	营业收入(元)	–	268,928,223.48	258,307,843.06
	营业利润(元)	–	-39,907,572.92	-40,502,037.20
	净利润(元)	–	-17,648,777.97	-13,945,136.30
	未分配利润(元)	–	101,038,950.03	116,191,745.49
	总资产(元)	–	650,705,839.48	597,847,253.59
	总负债(元)	–	354,160,130.02	282,176,516.56
	净资产(元)	–	296,545,709.46	315,670,737.03
	每股收益(元)	–	-0.09	-0.07
	每股净资产(元)	–	1.83	1.94
	净资产收益率(%)	–	-5.17	-3.85

安徽雪郎生物科技股份有限公司

公司概况	公司名称	安徽雪郎生物科技股份有限公司			股份名称	雪郎生物
	法人代表	李云政	董秘	李建	股份代码	830821
	公司网址	www.sealong.cn		主办券商	国元证券股份有限公司	
	电　话	0552-5877968		传　真	0552-5877968	
	注册地址	安徽省蚌埠市淮上区沫河口工业园区金漴路6号				
	行业分类	制造业				

主要财务指标	指标\报告期	2014.06.30	2013.12.31	2012.12.31
	营业收入(元)	57,106,852.14	86,870,029.05	78,628,683.06
	营业利润(元)	-965,584.27	-5,776,428.83	110,518.90
	净利润(元)	1,043,626.04	513,351.86	525,990.85
	未分配利润(元)	800,120.19	-243,505.85	-756,857.71
	总资产(元)	260,579,645.60	161,324,257.28	118,512,771.91
	总负债(元)	128,806,570.49	62,894,808.21	54,356,674.70
	净资产(元)	131,773,075.11	98,429,449.07	64,156,097.21
	每股收益(元)	0.01	0.01	0.01
	每股净资产(元)	1.54	1.44	1.28
	净资产收益率(%)	0.79	0.52	0.82

青岛海容商用冷链股份有限公司

公司概况	公司名称	青岛海容商用冷链股份有限公司			股份名称	海容冷链
	法人代表	邵伟	董秘	赵定勇	股份代码	830822
	公司网址	www.chinahiron.com		主办券商	国金证券股份有限公司	
	电　话	0532-81731501		传　真	0532-81731527	
	注册地址	山东省青岛市黄岛区隐珠山路1817号				
	行业分类	制造业				

主要财务指标	指标\报告期	2014.06.30	2013.12.31	2012.12.31
	营业收入(元)	359,885,791.87	469,233,545.62	341,448,510.59
	营业利润(元)	44,646,157.83	26,693,473.60	16,942,680.66
	净利润(元)	38,430,866.79	25,018,924.82	15,521,287.34
	未分配利润(元)	72,814,093.90	34,383,227.11	11,851,468.69
	总资产(元)	559,338,584.52	455,549,511.34	322,806,171.68
	总负债(元)	416,227,977.98	350,869,771.59	243,145,356.75
	净资产(元)	143,110,606.54	104,679,739.75	79,660,814.93
	每股收益(元)	0.75	0.49	0.30
	每股净资产(元)	2.81	2.05	1.56
	净资产收益率(%)	26.85	23.90	19.48

湖南拓天节能控制技术股份有限公司

公司概况						
	公司名称	湖南拓天节能控制技术股份有限公司			股份名称	拓天节能
	法人代表	刘志龙	董秘	吴胜	股份代码	830823
	公司网址	www.cstuotian.net		主办券商	方正证券股份有限公司	
	电　话	0731-89878298		传　真	0731-89878308	
	注册地址	湖南省长沙高新技术开发区麓天路8号橡树园二期厂房7栋3楼308-309单元				
	行业分类	制造业				

主要财务指标	指标\报告期	2014.06.30	2013.12.31	2012.12.31
	营业收入(元)	4,935,274.34	9,917,119.74	13,336,335.65
	营业利润(元)	-591,023.04	-1,544,661.26	-918,063.62
	净利润(元)	-601,904.85	-543,014.63	-512,249.44
	未分配利润(元)	-1,656,616.66	-1,054,711.81	-511,697.18
	总资产(元)	10,687,854.79	11,124,999.06	12,072,445.98
	总负债(元)	2,305,596.87	2,140,836.29	2,545,268.58
	净资产(元)	8,382,257.92	8,984,162.77	9,527,177.40
	每股收益(元)	-0.06	-0.05	-0.05
	每股净资产(元)	0.84	0.90	0.95
	净资产收益率(%)	-7.18	-6.04	-5.38

福州华虹智能科技股份有限公司

公司概况						
	公司名称	福州华虹智能科技股份有限公司			股份名称	华虹科技
	法人代表	陈春江	董秘	林旋锋	股份代码	830824
	公司网址	www.kjwt.cn		主办券商	兴业证券股份有限公司	
	电　话	0591-83827107		传　真	0591-83827299	
	注册地址	福建省福州市鼓楼区软件大道89号福州软件园产业基地二期9#楼2层				
	行业分类	制造业				

主要财务指标	指标\报告期	2014.06.30	2013.12.31	2012.12.31
	营业收入(元)	-	26,388,149.59	44,778,105.01
	营业利润(元)	-	-612,643.81	13,062,379.76
	净利润(元)	-	1,785,029.10	12,711,160.41
	未分配利润(元)	-	3,604,880.80	17,374,399.78
	总资产(元)	-	71,804,437.64	60,900,636.26
	总负债(元)	-	25,517,297.68	21,398,525.40
	净资产(元)	-	46,287,139.96	39,502,110.86
	每股收益(元)	-	0.11	0.95
	每股净资产(元)	-	1.32	2.94
	净资产收益率(%)	-	3.86	32.18

重庆和泰塑胶股份有限公司

公司概况						
	公司名称	重庆和泰塑胶股份有限公司			股份名称	和泰塑胶
	法人代表	岳宇	董秘	涂兴明	股份代码	830825
	公司网址			主办券商	中信建投证券股份有限公司	
	电　话	023-86917662		传　真	023-62489611	
	注册地址	重庆市南岸区牡丹路10号				
	行业分类	制造业				

主要财务指标	指标\报告期	2014.06.30	2013.12.31	2012.12.31
	营业收入(元)	53,257,838.46	82,630,150.22	63,933,897.52
	营业利润(元)	1,249,731.63	2,105,839.60	796,462.32
	净利润(元)	1,260,560.76	1,728,025.71	681,738.08
	未分配利润(元)	3,367,984.92	2,107,424.16	552,201.02
	总资产(元)	59,400,268.39	54,873,029.12	42,443,646.55
	总负债(元)	42,219,411.30	38,952,732.79	28,251,375.93
	净资产(元)	17,180,857.09	15,920,296.33	14,192,270.62
	每股收益(元)	0.10	0.14	0.06
	每股净资产(元)	1.39	1.29	1.15
	净资产收益率(%)	7.34	10.85	4.80

天津泰瑞机械装备科技股份有限公司

公司概况						
	公司名称	天津泰瑞机械装备科技股份有限公司			股份名称	泰瑞机械
	法人代表	张义坤	董秘	张延江	股份代码	830826
	公司网址			主办券商	齐鲁证券有限公司	
	电　话	022-27594009-8006		传　真	022-87720258	
	注册地址	天津市南开区金平路6号院内主厂房三楼(科技园)				
	行业分类	制造业				

主要财务指标	指标\报告期	2014.06.30	2013.12.31	2012.12.31
	营业收入(元)	-	14,516,383.22	11,688,576.22
	营业利润(元)	-	1,679,911.45	914,426.96
	净利润(元)	-	1,319,481.71	674,287.51
	未分配利润(元)	-	1,187,533.54	2,996,266.74
	总资产(元)	-	30,166,001.26	30,103,567.09
	总负债(元)	-	18,378,009.27	19,635,056.81
	净资产(元)	-	11,787,991.99	10,468,510.28
	每股收益(元)	-	0.13	1.35
	每股净资产(元)	-	1.18	1.61
	净资产收益率(%)	-	11.19	6.44

湖南世优电气股份有限公司

公司概况	公司名称	湖南世优电气股份有限公司		股份名称	世优电气
	法人代表	彭建国	董秘 贾湘萍	股份代码	830827
	公司网址	www.shiyou-electric.com	主办券商	国盛证券有限责任公司	
	电　话	0731-52668800	传　真	0731-52668817	
	注册地址	湖南省湘潭市高新区火炬创新创业园			
	行业分类	制造业			

	指标\报告期	2014.06.30	2013.12.31	2012.12.31
主要财务指标	营业收入(元)	-	87,737,766.73	94,874,429.77
	营业利润(元)	-	10,374,796.17	22,524,023.80
	净利润(元)	-	8,057,753.36	17,118,364.03
	未分配利润(元)	-	6,742,272.13	12,264,822.14
	总资产(元)	-	122,198,122.14	56,338,967.11
	总负债(元)	-	96,409,884.78	17,621,292.89
	净资产(元)	-	25,788,237.36	38,717,674.22
	每股收益(元)	-	0.54	1.14
	每股净资产(元)	-	1.72	2.58
	净资产收益率(%)	-	31.25	44.21

云南万绿生物股份有限公司

公司概况	公司名称	云南万绿生物股份有限公司		股份名称	万绿生物
	法人代表	黄运喜	董秘 印维青	股份代码	830828
	公司网址	www.evergreen-aloe.cn	主办券商	安信证券股份有限公司	
	电　话	0871-68313676	传　真	0871-68313701	
	注册地址	云南省元江县江东工业区			
	行业分类	农、林、牧、渔业			

	指标\报告期	2014.06.30	2013.12.31	2012.12.31
主要财务指标	营业收入(元)	68,386,123.73	125,961,517.24	116,112,958.65
	营业利润(元)	4,881,865.94	15,257,037.17	8,260,697.95
	净利润(元)	8,129,071.95	24,973,358.29	10,680,138.81
	未分配利润(元)	31,682,509.14	23,832,939.46	1,512,005.88
	总资产(元)	236,167,588.38	220,044,785.71	203,859,960.57
	总负债(元)	121,174,461.66	112,660,730.94	121,449,264.09
	净资产(元)	114,993,126.72	107,384,054.77	82,410,696.48
	每股收益(元)	0.16	0.49	0.19
	每股净资产(元)	2.22	2.06	1.57
	净资产收益率(%)	7.07	23.81	12.30

无锡华精新材股份有限公司

公司概况	公司名称	无锡华精新材股份有限公司		股份名称	华精新材
	法人代表	龚一飞	董秘 富坚定	股份代码	830829
	公司网址	www.hjxcl.com	主办券商	国金证券股份有限公司	
	电　话	0510-83208692	传　真	0510-83208197	
	注册地址	江苏省无锡市惠山经济开发区钱桥配套区(溪南村)			
	行业分类	制造业			

	指标\报告期	2014.06.30	2013.12.31	2012.12.31
主要财务指标	营业收入(元)	-	751,050,590.11	777,048,433.24
	营业利润(元)	-	13,813,441.94	27,508,276.19
	净利润(元)	-	12,822,554.73	24,782,631.75
	未分配利润(元)	-	23,025,571.52	18,406,579.85
	总资产(元)	-	334,410,171.16	341,591,807.84
	总负债(元)	-	226,563,228.23	239,567,419.64
	净资产(元)	-	107,846,942.93	102,024,388.20
	每股收益(元)	-	0.21	0.41
	每股净资产(元)	-	1.80	1.70
	净资产收益率(%)	-	11.89	24.29

江阴市新昶虹电力科技股份有限公司

公司概况	公司名称	江阴市新昶虹电力科技股份有限公司		股份名称	新昶虹
	法人代表	张文宝	董秘 王莉	股份代码	830830
	公司网址	www.jyxchjd.com	主办券商	东莞证券有限责任公司	
	电　话	0510-66227135	传　真	0510-88617671	
	注册地址	江苏省江阴市云亭街道开源路2号			
	行业分类	制造业			

	指标\报告期	2014.06.30	2013.12.31	2012.12.31
主要财务指标	营业收入(元)	-	46,206,731.26	47,403,478.99
	营业利润(元)	-	1,553,779.04	2,109,509.57
	净利润(元)	-	1,106,994.94	913,677.03
	未分配利润(元)	-	909,079.93	19,581,805.18
	总资产(元)	-	116,878,778.87	121,047,855.90
	总负债(元)	-	33,964,561.59	38,602,151.99
	净资产(元)	-	82,914,217.28	82,445,703.91
	每股收益(元)	-	0.02	0.02
	每股净资产(元)	-	1.66	1.64
	净资产收益率(%)	-	1.34	1.12

福建华泰集团股份有限公司

公司概况	公司名称	福建华泰集团股份有限公司			股份名称	华泰集团
	法人代表	吴国良	董秘	吴汉杰	股份代码	830831
	公司网址	www.huataigroup.cc	主办券商	宏源证券股份有限公司		
	电　话	0595-86513903	传　真	0595-86513902		
	注册地址	福建省晋江市磁灶镇洋尾工业区				
	行业分类	制造业				

	指标\报告期	2014.06.30	2013.12.31	2012.12.31
主要财务指标	营业收入(元)	98,890,003.45	197,422,787.98	194,641,316.18
	营业利润(元)	3,673,069.36	13,937,706.73	13,245,207.84
	净利润(元)	4,381,339.95	22,358,300.84	14,906,093.22
	未分配利润(元)	3,748,257.79	46,648,746.58	26,511,817.85
	总资产(元)	355,541,161.20	339,078,902.98	317,539,977.00
	总负债(元)	216,237,538.14	204,156,619.87	211,775,994.73
	净资产(元)	139,303,623.06	134,922,283.11	105,763,982.27
	每股收益(元)	0.06	0.31	0.21
	每股净资产(元)	1.83	1.78	1.46
	净资产收益率(%)	3.15	16.57	14.09

山东齐鲁华信实业股份有限公司

公司概况	公司名称	山东齐鲁华信实业股份有限公司			股份名称	齐鲁华信
	法人代表	明曰信	董秘	侯普亭	股份代码	830832
	公司网址	www.sdqlhx.com	主办券商	齐鲁证券有限公司		
	电　话	0533-6862006	传　真	0533-6862006		
	注册地址	山东省淄博市周村区体育场路1号				
	行业分类	制造业				

	指标\报告期	2014.06.30	2013.12.31	2012.12.31
主要财务指标	营业收入(元)	130,637,051.35	–	283,481,893.60
	营业利润(元)	6,974,353.28	–	21,578,049.18
	净利润(元)	4,641,477.45	–	16,311,063.55
	未分配利润(元)	53,784,328.59	–	48,467,163.83
	总资产(元)	442,273,909.28	–	332,475,381.17
	总负债(元)	224,294,662.97	–	141,849,639.70
	净资产(元)	217,979,246.31	–	190,625,741.47
	每股收益(元)	0.09	–	0.31
	每股净资产(元)	3.44	–	3.33
	净资产收益率(%)	2.48	–	8.56

武汉九生堂生物科技股份有限公司

公司概况	公司名称	武汉九生堂生物科技股份有限公司			股份名称	九生堂
	法人代表	邹远东	董秘	邱鑫泉	股份代码	830833
	公司网址	www.whjst.com	主办券商	长江证券股份有限公司		
	电　话	027-87339556	传　真	027-87339558		
	注册地址	湖北省武汉市东湖新技术开发区光谷七路生物医药园A3栋				
	行业分类	制造业				

	指标\报告期	2014.06.30	2013.12.31	2012.12.31
主要财务指标	营业收入(元)	3,623,997.76	5,307,386.32	6,288,252.55
	营业利润(元)	1,241,311.34	1,200,146.39	847,798.47
	净利润(元)	1,153,252.42	1,069,245.84	712,800.83
	未分配利润(元)	1,316,919.35	163,666.93	-3,659,329.62
	总资产(元)	26,959,631.25	24,909,913.17	12,835,276.11
	总负债(元)	20,396,462.61	19,499,996.95	8,494,605.73
	净资产(元)	6,563,168.64	5,409,916.22	4,340,670.38
	每股收益(元)	0.23	0.21	0.43
	每股净资产(元)	1.31	1.08	2.60
	净资产收益率(%)	17.57	19.77	16.42

平原信达化工股份有限公司

公司概况	公司名称	平原信达化工股份有限公司			股份名称	信达化工
	法人代表	李少德	董秘	梁枫林	股份代码	830834
	公司网址	www.xdchem.com.cn	主办券商	齐鲁证券有限公司		
	电　话	0534-4665698	传　真	0534-4665666		
	注册地址	山东省德州市平原县坊子乡北				
	行业分类	制造业				

	指标\报告期	2014.06.30	2013.12.31	2012.12.31
主要财务指标	营业收入(元)	–	101,412,584.90	53,216,377.85
	营业利润(元)	–	12,940,898.52	5,907,826.88
	净利润(元)	–	9,792,437.99	4,671,373.83
	未分配利润(元)	–	16,528,103.16	7,714,908.97
	总资产(元)	–	136,993,115.14	80,318,216.46
	总负债(元)	–	62,385,039.31	15,887,637.49
	净资产(元)	–	74,608,075.83	64,430,578.97
	每股收益(元)	–	0.18	0.13
	每股净资产(元)	–	1.36	1.17
	净资产收益率(%)	–	13.13	7.25

贵州南源电力科技股份有限公司

公司概况	公司名称	贵州南源电力科技股份有限公司			股份名称	南源电力
	法人代表	罗飞	董秘	李霞	股份代码	830835
	公司网址	www.nydlkj.net/index.html		主办券商	招商证券股份有限公司	
	电　　话	0851-8574222		传　　真	0851-8574222-0-0	
	注册地址	贵州省贵阳市国家高新技术产业开发区金阳科技产业园创业大厦683室				
	行业分类	科学研究和技术服务业				

	指标\报告期	2014.06.30	2013.12.31	2012.12.31
主要财务指标	营业收入(元)	36,386,023.46	61,525,361.46	40,866,600.58
	营业利润(元)	2,769,381.95	4,101,427.67	331,212.24
	净利润(元)	2,271,304.19	4,827,747.83	1,199,787.05
	未分配利润(元)	7,393,794.22	5,115,648.25	781,555.61
	总资产(元)	71,469,764.10	66,304,229.68	45,887,184.90
	总负债(元)	31,087,197.68	28,566,311.64	12,977,014.69
	净资产(元)	40,382,566.42	37,737,918.04	32,910,170.21
	每股收益(元)	0.08	0.16	0.04
	每股净资产(元)	1.33	1.26	1.10
	净资产收益率(%)	5.69	12.79	3.65

湖北荆楚网络科技股份有限公司

公司概况	公司名称	湖北荆楚网络科技股份有限公司			股份名称	荆楚网
	法人代表	蔡华东	董秘	郑阳	股份代码	830836
	公司网址	www.cnhubei.com		主办券商	湘财证券股份有限公司	
	电　　话	027-88567711		传　　真	027-88567712	
	注册地址	湖北省武汉市武昌区东湖路181号				
	行业分类	信息传输、软件和信息技术服务业				

	指标\报告期	2014.06.30	2013.12.31	2012.12.31
主要财务指标	营业收入(元)	–	33,318,623.27	24,215,496.55
	营业利润(元)	–	−21,617,503.52	−10,561,828.27
	净利润(元)	–	−1,932,886.89	5,736,007.14
	未分配利润(元)	–	−359,775.76	1,467,382.45
	总资产(元)	–	117,094,965.54	64,687,024.04
	总负债(元)	–	62,947,427.49	33,056,599.10
	净资产(元)	–	54,147,538.05	31,630,424.94
	每股收益(元)	–	−0.18	0.57
	每股净资产(元)	–	5.18	3.16
	净资产收益率(%)	–	−3.53	18.14

河北古城香业集团股份有限公司

公司概况	公司名称	河北古城香业集团股份有限公司			股份名称	古城香业
	法人代表	杨金庆	董秘	王坤	股份代码	830837
	公司网址	www.guchengxiangye.com		主办券商	财达证券有限责任公司	
	电　　话	0312-8019905		传　　真	0312-7966828	
	注册地址	河北省保定市清苑县发展东街030号				
	行业分类	制造业				

	指标\报告期	2014.06.30	2013.12.31	2012.12.31
主要财务指标	营业收入(元)	120,758,565.49	218,219,939.16	184,833,726.20
	营业利润(元)	34,922,176.08	64,412,593.34	49,192,082.53
	净利润(元)	31,044,212.74	53,721,884.30	39,465,243.06
	未分配利润(元)	61,885,823.97	71,376,662.72	94,125,770.80
	总资产(元)	301,374,464.11	262,451,029.31	300,663,207.22
	总负债(元)	88,950,189.24	93,237,838.29	116,443,474.50
	净资产(元)	212,424,274.87	169,213,191.02	184,219,732.72
	每股收益(元)	0.47	0.90	0.66
	每股净资产(元)	3.09	2.74	3.00
	净资产收益率(%)	15.13	32.77	22.01

深圳市新产业生物医学工程股份有限公司

公司概况	公司名称	深圳市新产业生物医学工程股份有限公司			股份名称	新产业
	法人代表	饶微	董秘	张蕾	股份代码	830838
	公司网址	www.snibe.com		主办券商	招商证券股份有限公司	
	电　　话	0755-86540062		传　　真	0755-26654800	
	注册地址	广东省深圳市南山区南头科技工业园维用大厦四楼				
	行业分类	制造业				

	指标\报告期	2014.06.30	2013.12.31	2012.12.31
主要财务指标	营业收入(元)	237,296,072.08	378,122,833.83	378,122,833.83
	营业利润(元)	115,692,039.19	160,237,555.77	160,237,555.77
	净利润(元)	107,079,018.37	141,267,859.65	141,267,859.65
	未分配利润(元)	253,178,969.79	167,299,951.42	167,299,951.42
	总资产(元)	569,764,424.33	540,963,177.32	540,963,177.32
	总负债(元)	105,042,423.51	162,120,194.87	162,120,194.87
	净资产(元)	464,722,000.82	378,842,982.45	378,842,982.45
	每股收益(元)	1.01	1.33	1.33
	每股净资产(元)	4.38	3.57	3.57
	净资产收益率(%)	23.04	37.29	37.29

山东万通液压股份有限公司

公司概况	公司名称	山东万通液压股份有限公司		股份名称	万通液压
	法人代表	王万法	董秘	厉建慧	股份代码	830839
	公司网址	www.sdwtyy.com		主办券商	齐鲁证券有限公司
	电　话	18300337107		传　真	0633-5456666
	注册地址	山东省日照市五莲县高泽镇(五莲县火车站附近)			
	行业分类	制造业			

	指标\报告期	2014.06.30	2013.12.31	2012.12.31
主要财务指标	营业收入(元)	111,516,670.35	170,081,137.92	232,301,299.64
	营业利润(元)	955,454.58	2,171,898.78	22,092,196.70
	净利润(元)	3,763,790.31	6,032,232.64	24,947,808.51
	未分配利润(元)	2,643,743.63	64,735,629.95	59,306,620.57
	总资产(元)	374,480,201.60	349,087,917.15	360,837,190.74
	总负债(元)	194,504,747.90	166,876,253.76	184,657,759.99
	净资产(元)	179,975,453.70	182,211,663.39	176,179,430.75
	每股收益(元)	0.06	0.10	0.43
	每股净资产(元)	3.00	3.04	2.94
	净资产收益率(%)	2.09	3.31	14.16

武汉永力科技股份有限公司

公司概况	公司名称	武汉永力科技股份有限公司		股份名称	永力科技
	法人代表	冯佐祥	董秘	王继响	股份代码	830840
	公司网址	www.ylpower.com		主办券商	国信证券股份有限公司
	电　话	027-87927928		传　真	27-87927916
	注册地址	湖北省武汉市东湖新技术开发区武大科技园			
	行业分类	制造业			

	指标\报告期	2014.06.30	2013.12.31	2012.12.31
主要财务指标	营业收入(元)	27,369,652.57	58,988,275.41	57,101,248.90
	营业利润(元)	3,025,797.79	11,879,779.87	26,174,672.62
	净利润(元)	3,224,389.74	10,293,817.34	24,267,911.49
	未分配利润(元)	12,342,637.31	9,118,247.57	44,018,984.31
	总资产(元)	180,180,336.47	171,434,335.79	161,478,751.27
	总负债(元)	11,946,543.53	6,424,932.59	6,763,165.41
	净资产(元)	168,233,792.94	165,009,403.20	154,715,585.86
	每股收益(元)	0.18	0.57	1.35
	每股净资产(元)	9.35	9.17	8.60
	净资产收益率(%)	1.92	6.24	15.69

广东长牛电气股份有限公司

公司概况	公司名称	广东长牛电气股份有限公司		股份名称	长牛股份
	法人代表	麦鑑文	董秘	陈燕君	股份代码	830841
	公司网址	www.gdcndq.com		主办券商	国信证券股份有限公司
	电　话	0757-88734030		传　真	0757-88734030
	注册地址	广东省佛山市南海区狮山科技工业园C区骏业北路12号			
	行业分类	制造业			

	指标\报告期	2014.06.30	2013.12.31	2012.12.31
主要财务指标	营业收入(元)	-	34,226,834.32	24,292,264.80
	营业利润(元)	-	5,468,101.76	-265,031.02
	净利润(元)	-	5,285,539.15	2,082,156.99
	未分配利润(元)	-	6,400,477.60	1,643,492.37
	总资产(元)	-	51,818,095.32	39,428,087.12
	总负债(元)	-	24,374,048.91	17,269,579.86
	净资产(元)	-	27,444,046.41	22,158,507.26
	每股收益(元)	-	0.26	0.10
	每股净资产(元)	-	1.37	1.11
	净资产收益率(%)	-	19.26	9.40

广东长天思源环保科技股份有限公司

公司概况	公司名称	广东长天思源环保科技股份有限公司		股份名称	长天思源
	法人代表	余阳	董秘	曹自朝	股份代码	830842
	公司网址	www.gdctsy.com		主办券商	中国中投证券有限责任公司
	电　话	0757-86089620		传　真	0757-86089636
	注册地址	广东省佛山市南海区桂城街道深海路17号瀚天科技城A区8号楼三楼302单元			
	行业分类	科学研究和技术服务业			

	指标\报告期	2014.06.30	2013.12.31	2012.12.31
主要财务指标	营业收入(元)	-	32,888,457.15	23,944,546.11
	营业利润(元)	-	3,248,265.69	2,946,762.65
	净利润(元)	-	2,801,420.21	2,497,833.57
	未分配利润(元)	-	1,257,658.58	2,989,388.62
	总资产(元)	-	41,594,929.17	30,528,326.96
	总负债(元)	-	23,810,085.96	16,744,903.96
	净资产(元)	-	17,784,843.21	13,783,423.00
	每股收益(元)	-	0.26	0.27
	每股净资产(元)	-	1.22	1.34
	净资产收益率(%)	-	21.32	20.37

上海沃迪自动化装备股份有限公司

公司概况	公司名称	上海沃迪自动化装备股份有限公司			股份名称	沃迪装备
	法人代表	赵吉斌	董秘	崔少军	股份代码	830843
	公司网址	www.triowin.com		主办券商	宏源证券股份有限公司	
	电　　话	021-37901188-8178		传　　真	021-54331011	
	注册地址	上海市金山区亭卫公路 5899 号				
	行业分类	制造业				

	指标＼报告期	2014.06.30	2013.12.31	2012.12.31
主要财务指标	营业收入(元)	45,399,120.46	99,587,217.06	93,605,785.76
	营业利润(元)	-1,372,226.99	4,442,621.85	10,918,601.80
	净利润(元)	1,621,447.18	9,707,526.38	11,475,501.53
	未分配利润(元)	17,355,365.08	15,733,917.90	10,957,144.16
	总资产(元)	197,692,354.62	175,781,405.41	174,083,998.69
	总负债(元)	106,369,521.99	96,080,019.96	100,130,139.62
	净资产(元)	91,322,832.63	79,701,385.45	73,953,859.07
	每股收益(元)	0.04	0.27	0.32
	每股净资产(元)	2.44	2.21	2.05
	净资产收益率(%)	1.78	12.18	15.52

天津市鸿远电气股份有限公司

公司概况	公司名称	天津市鸿远电气股份有限公司			股份名称	鸿远电气
	法人代表	鲁涛	董秘	张美娜	股份代码	830844
	公司网址	www.thdb.net		主办券商	中信证券股份有限公司	
	电　　话	022-28553868		传　　真	022-28553867	
	注册地址	天津市津南区八里台泰达(津南)微电子工业区科达一路 9-1012				
	行业分类	制造业				

	指标＼报告期	2014.06.30	2013.12.31	2012.12.31
主要财务指标	营业收入(元)	7,738,212.57	21,094,880.18	11,177,770.38
	营业利润(元)	172,411.33	1,887,928.31	-140,027.44
	净利润(元)	316,134.39	1,864,081.66	191,589.55
	未分配利润(元)	342,962.71	25,690.83	3,941,985.36
	总资产(元)	23,575,036.97	23,339,757.99	11,479,868.70
	总负债(元)	13,213,485.48	13,294,340.89	2,714,596.85
	净资产(元)	10,361,551.49	10,045,417.10	8,765,271.85
	每股收益(元)	0.03	0.20	0.04
	每股净资产(元)	1.04	1.01	1.95
	净资产收益率(%)	3.21	19.75	2.19

深圳芯邦科技股份有限公司

公司概况	公司名称	深圳芯邦科技股份有限公司			股份名称	芯邦科技
	法人代表	张华龙	董秘	周立环	股份代码	830845
	公司网址	www.chipsbank.com		主办券商	国信证券股份有限公司	
	电　　话	0755-88835998		传　　真	0755-86338590	
	注册地址	广东省深圳市南山区科技中二路深圳软件园 12 号楼 701、702 室				
	行业分类	信息传输、软件和信息技术服务业				

	指标＼报告期	2014.06.30	2013.12.31	2012.12.31
主要财务指标	营业收入(元)	53,582,992.40	96,839,420.67	71,957,873.05
	营业利润(元)	349,001.89	-1,867,685.36	-6,167,379.76
	净利润(元)	668,391.78	1,479,789.55	-1,380,084.29
	未分配利润(元)	21,458,300.74	20,789,908.96	19,310,119.41
	总资产(元)	143,022,112.49	141,616,204.78	135,522,446.33
	总负债(元)	13,509,078.69	12,921,608.53	7,931,030.27
	净资产(元)	129,513,033.80	128,694,596.25	127,591,416.06
	每股收益(元)	0.01	0.01	-0.01
	每股净资产(元)	1.25	1.24	1.23
	净资产收益率(%)	0.52	1.15	-1.08

山东格林检测股份有限公司

公司概况	公司名称	山东格林检测股份有限公司			股份名称	格林检测
	法人代表	王斌	董秘	刘影	股份代码	830846
	公司网址	www.greentest.com		主办券商	齐鲁证券有限公司	
	电　　话	0536-8893001		传　　真	0536-8893001	
	注册地址	山东省潍坊市高新区生物医药孵化器 235 室				
	行业分类	科学研究和技术服务业				

	指标＼报告期	2014.06.30	2013.12.31	2012.12.31
主要财务指标	营业收入(元)	-	7,125,043.35	5,314,665.00
	营业利润(元)	-	1,154,060.32	214,184.02
	净利润(元)	-	982,510.68	128,193.88
	未分配利润(元)	-	808,292.60	-106,430.01
	总资产(元)	-	17,137,939.08	15,853,232.15
	总负债(元)	-	600,480.56	5,298,284.31
	净资产(元)	-	16,537,458.52	10,554,947.84
	每股收益(元)	-	0.09	0.03
	每股净资产(元)	-	1.10	1.06
	净资产收益率(%)	-	5.94	3.21

乐山晟嘉电气股份有限公司

公司概况					
公司名称	乐山晟嘉电气股份有限公司			股份名称	晟嘉电气
法人代表	江淑平	董秘	杨江涛	股份代码	830847
公司网址	www.esj-electric.com	主办券商	湘财证券股份有限公司		
电　话	0833-2596758	传　真	0833-2595392		
注册地址	四川省乐山市高新区乐高大道西段3号				
行业分类	制造业				

主要财务指标：指标\报告期	2014.06.30	2013.12.31	2012.12.31
营业收入(元)	–	51,596,094.88	46,219,416.26
营业利润(元)	–	556,608.01	2,064,526.87
净利润(元)	–	1,134,242.87	3,493,970.50
未分配利润(元)	–	16,370,953.85	15,922,456.42
总资产(元)	–	84,097,436.06	63,712,920.14
总负债(元)	–	53,388,502.20	33,937,108.00
净资产(元)	–	30,708,933.86	29,775,812.14
每股收益(元)	–	0.09	0.29
每股净资产(元)	–	2.56	2.48
净资产收益率(%)	–	3.69	11.73

厦门鑫森海电子股份有限公司

公司概况					
公司名称	厦门鑫森海电子股份有限公司			股份名称	鑫森海
法人代表	崔全诚	董秘	潘阳	股份代码	830848
公司网址	www.china-sth.com	主办券商	齐鲁证券有限公司		
电　话	0592-6029276	传　真	0592-6029278		
注册地址	福建省厦门市火炬高新区(翔安)产业区同龙二路903号4层01单元				
行业分类	制造业				

主要财务指标：指标\报告期	2014.06.30	2013.12.31	2012.12.31
营业收入(元)	30,984,510.30	79,271,576.55	64,568,496.95
营业利润(元)	724,113.02	6,462,586.74	7,367,696.58
净利润(元)	934,553.84	5,502,398.21	6,522,883.26
未分配利润(元)	934,553.84	24,738,830.09	21,736,431.88
总资产(元)	42,285,414.21	48,272,429.28	44,957,238.89
总负债(元)	11,116,615.27	18,038,184.18	17,725,392.00
净资产(元)	31,168,798.94	30,234,245.10	27,231,846.89
每股收益(元)	0.03	0.18	0.22
每股净资产(元)	1.04	1.01	0.91
净资产收益率(%)	3.00	18.20	23.95

河南平原非标准装备股份有限公司

公司概况					
公司名称	河南平原非标准装备股份有限公司			股份名称	平原非标
法人代表	逄振中	董秘	杨允兴	股份代码	830849
公司网址	www.pyfb001.com	主办券商	中信建投证券股份有限公司		
电　话	0371-22526090、22526081	传　真	0371-22526079		
注册地址	河南省开封市宋城路西段				
行业分类	制造业				

主要财务指标：指标\报告期	2014.06.30	2013.12.31	2012.12.31
营业收入(元)	–	362,665,757.52	311,502,477.20
营业利润(元)	–	35,954,464.26	33,188,544.22
净利润(元)	–	29,668,154.00	29,906,369.51
未分配利润(元)	–	121,154,391.94	94,453,053.34
总资产(元)	–	704,342,636.05	587,688,795.95
总负债(元)	–	424,886,034.44	354,970,348.34
净资产(元)	–	279,456,601.61	232,718,447.61
每股收益(元)	–	0.54	0.54
每股净资产(元)	–	4.82	4.23
净资产收益率(%)	–	10.62	12.85

江苏万企达股份有限公司

公司概况					
公司名称	江苏万企达股份有限公司			股份名称	万企达
法人代表	童伟	董秘	王涵	股份代码	830850
公司网址	www.winstandard.com	主办券商	中山证券有限责任公司		
电　话	025-83152001	传　真	025-83152019		
注册地址	江苏省南京市玄武区珠江路655号801室				
行业分类	批发和零售业				

主要财务指标：指标\报告期	2014.06.30	2013.12.31	2012.12.31
营业收入(元)	–	437,185,909.01	215,676,470.94
营业利润(元)	–	16,433,602.19	10,361,424.84
净利润(元)	–	12,252,684.09	7,692,245.88
未分配利润(元)	–	19,234,874.37	7,440,805.37
总资产(元)	–	181,060,308.87	126,021,262.41
总负债(元)	–	48,927,133.17	27,339,410.80
净资产(元)	–	132,133,175.70	98,681,851.61
每股收益(元)	–	0.22	0.16
每股净资产(元)	–	2.34	1.88
净资产收益率(%)	–	9.27	7.80

宁夏骏华月牙湖农牧科技股份有限公司

公司概况						
	公司名称	宁夏骏华月牙湖农牧科技股份有限公司			股份名称	骏华农牧
	法人代表	黄金旨	董秘	党利宁	股份代码	830851
	公司网址	www.nxjhnm.com		主办券商	国信证券股份有限公司	
	电　话	0951-4122620		传　真	0951-4122620	
	注册地址	宁夏回族自治区银川市兴庆区富宁南街306号(二层)201-207室				
	行业分类	农、林、牧、渔业				

主要财务指标	指标\报告期	2014.06.30	2013.12.31	2012.12.31
	营业收入(元)	13,579,536.14	14,762,056.63	4,751,963.55
	营业利润(元)	3,592,850.73	2,523,603.46	-241,857.97
	净利润(元)	6,486,139.92	3,020,628.21	362,691.24
	未分配利润(元)	6,486,139.92	2,888,442.49	169,877.10
	总资产(元)	88,010,827.20	68,894,179.00	42,657,464.89
	总负债(元)	23,315,306.74	10,684,798.46	41,468,712.56
	净资产(元)	64,695,520.46	58,209,380.54	1,188,752.33
	每股收益(元)	0.12	0.05	0.36
	每股净资产(元)	1.18	1.06	1.19
	净资产收益率(%)	10.03	5.19	30.51

中国科学院沈阳科学仪器股份有限公司

公司概况						
	公司名称	中国科学院沈阳科学仪器股份有限公司			股份名称	中科仪
	法人代表	雷震霖	董秘	张振厚	股份代码	830852
	公司网址	www.sky.ac.cn		主办券商	南京证券股份有限公司	
	电　话	024-23826866		传　真	024-23826800	
	注册地址	辽宁省沈阳市浑南新区新源街1号				
	行业分类	制造业				

主要财务指标	指标\报告期	2014.06.30	2013.12.31	2012.12.31
	营业收入(元)	43,823,284.58	120,711,572.61	176,683,419.37
	营业利润(元)	-5,024,997.19	-56,159,051.81	-15,830,866.17
	净利润(元)	2,260,555.69	14,538,810.11	26,063,155.58
	未分配利润(元)	36,145,199.40	34,153,506.67	34,430,646.52
	总资产(元)	493,986,139.19	403,520,657.72	430,013,452.89
	总负债(元)	193,926,880.08	183,321,954.30	236,787,049.68
	净资产(元)	300,059,259.11	220,198,703.42	193,226,403.21
	每股收益(元)	0.03	0.24	0.47
	每股净资产(元)	3.89	3.48	3.43
	净资产收益率(%)	0.83	6.64	13.78

苏州天加新材料股份有限公司

公司概况						
	公司名称	苏州天加新材料股份有限公司			股份名称	天加新材
	法人代表	冯春	董秘	刘琼华	股份代码	830853
	公司网址	www.tipack.cn		主办券商	申银万国证券股份有限公司	
	电　话	0512-67990607		传　真	0512-62952005	
	注册地址	江苏省苏州市苏州工业园区唯亭镇唯文路15号				
	行业分类	制造业				

主要财务指标	指标\报告期	2014.06.30	2013.12.31	2012.12.31
	营业收入(元)	-	10,824,614.81	9,145,977.43
	营业利润(元)	-	-1,826,001.88	-3,224,764.04
	净利润(元)	-	-1,224,037.93	-3,074,702.93
	未分配利润(元)	-	-6,642,016.36	-5,417,978.43
	总资产(元)	-	18,660,723.74	18,488,697.94
	总负债(元)	-	802,740.10	1,406,676.37
	净资产(元)	-	17,857,983.64	17,082,021.57
	每股收益(元)	-	-0.06	-0.16
	每股净资产(元)	-	0.89	0.90
	净资产收益率(%)	-	-6.85	-18.00

长沙族兴新材料股份有限公司

公司概况						
	公司名称	长沙族兴新材料股份有限公司			股份名称	族兴新材
	法人代表	梁晓斌	董秘	梁生涯	股份代码	830854
	公司网址	www.cszuxing.com		主办券商	华林证券有限责任公司	
	电　话	0731-82975826		传　真	0731-82975826	
	注册地址	湖南省长沙市金洲新区金水东路068号				
	行业分类	制造业				

主要财务指标	指标\报告期	2014.06.30	2013.12.31	2012.12.31
	营业收入(元)	100,822,028.79	201,187,356.12	193,777,201.01
	营业利润(元)	12,593,498.21	21,596,185.40	22,225,799.95
	净利润(元)	11,337,312.59	21,284,249.50	19,825,726.91
	未分配利润(元)	96,037,244.58	84,699,932.00	74,716,105.93
	总资产(元)	343,372,084.79	330,448,444.67	306,620,607.04
	总负债(元)	112,398,636.46	111,725,031.75	103,079,617.27
	净资产(元)	230,973,448.33	218,723,412.92	203,540,989.77
	每股收益(元)	0.12	0.22	0.20
	每股净资产(元)	2.38	2.25	2.10
	净资产收益率(%)	4.91	9.73	9.74

宁夏盈谷实业股份有限公司

公司概况	公司名称	宁夏盈谷实业股份有限公司			股份名称	盈谷股份
	法人代表	周凯平	董秘	李薇	股份代码	830855
	公司网址	www.nx-rj.com		主办券商	爱建证券有限责任公司	
	电　话	0952-3961080		传　真	0952-3961222	
	注册地址	宁夏回族自治区石嘴山市经济开发区欣盛路				
	行业分类	制造业				

主要财务指标	指标\报告期	2014.06.30	2013.12.31	2012.12.31
	营业收入(元)	89,369,214.90	53,231,508.86	167,627,482.28
	营业利润(元)	–15,670.16	–13,210,665.56	25,020,927.80
	净利润(元)	1,907,788.59	–8,657,987.99	23,294,631.87
	未分配利润(元)	64,765,731.36	62,857,942.77	71,515,930.76
	总资产(元)	315,954,064.47	301,103,100.28	363,627,255.52
	总负债(元)	84,460,963.10	86,822,237.50	168,362,204.75
	净资产(元)	231,493,101.37	214,280,862.78	195,265,050.77
	每股收益(元)	0.02	–0.11	0.29
	每股净资产(元)	2.45	2.40	2.44
	净资产收益率(%)	0.82	–4.04	11.93

安徽合矿机械股份有限公司

公司概况	公司名称	安徽合矿机械股份有限公司			股份名称	合矿股份
	法人代表	胡乾桂	董秘	马中伟	股份代码	830856
	公司网址	www.heking.cn		主办券商	中国民族证券有限责任公司	
	电　话	0551-67720122		传　真	0551-67720939	
	注册地址	安徽省合肥市肥东县经济开发区荷花路				
	行业分类	制造业				

主要财务指标	指标\报告期	2014.06.30	2013.12.31	2012.12.31
	营业收入(元)	14,639,349.27	16,449,481.00	14,180,165.37
	营业利润(元)	–39,460.51	–1,828,525.03	294,771.89
	净利润(元)	–325,304.56	–910,132.23	403,747.79
	未分配利润(元)	–1,125,339.90	–800,035.34	222,769.31
	总资产(元)	68,459,953.72	65,313,123.73	52,644,574.61
	总负债(元)	40,860,469.06	40,975,734.51	32,397,053.16
	净资产(元)	27,599,484.66	24,337,389.22	20,247,521.45
	每股收益(元)	–0.01	–0.04	0.02
	每股净资产(元)	0.40	0.97	1.01
	净资产收益率(%)	–1.18	–3.74	1.99

广东金冠科技股份有限公司

公司概况	公司名称	广东金冠科技股份有限公司			股份名称	金冠科技
	法人代表	吴学勇	董秘	梁结冰	股份代码	830857
	公司网址	www.gdjinguan.net		主办券商	东海证券股份有限公司	
	电　话	020-62955888-205		传　真	020-32281618	
	注册地址	广东省广州市黄埔区南岗云埔工业区骏丰路111号				
	行业分类	制造业				

主要财务指标	指标\报告期	2014.06.30	2013.12.31	2012.12.31
	营业收入(元)	–	106,692,064.67	100,749,459.42
	营业利润(元)	–	15,673,744.74	17,765,629.95
	净利润(元)	–	14,336,170.80	15,590,298.10
	未分配利润(元)	–	6,884,026.58	26,178,474.91
	总资产(元)	–	128,012,507.45	115,917,474.42
	总负债(元)	–	54,160,442.31	60,030,280.08
	净资产(元)	–	73,852,065.14	55,887,194.34
	每股收益(元)	–	0.37	0.58
	每股净资产(元)	–	1.89	2.09
	净资产收益率(%)	–	19.41	27.90

北京华图宏阳教育文化发展股份有限公司

公司概况	公司名称	北京华图宏阳教育文化发展股份有限公司			股份名称	华图教育
	法人代表	易定宏	董秘	李颖	股份代码	830858
	公司网址	www.huatu.com		主办券商	招商证券股份有限公司	
	电　话	010-83701672		传　真	010-63944030	
	注册地址	北京市海淀区中关村大街28号-1(二层)				
	行业分类	居民服务、修理和其他服务业				

主要财务指标	指标\报告期	2014.06.30	2013.12.31	2012.12.31
	营业收入(元)	–	984,384,765.91	632,802,988.59
	营业利润(元)	–	149,333,054.04	61,019,685.94
	净利润(元)	–	120,422,395.71	49,622,987.28
	未分配利润(元)	–	121,407,662.63	55,795,956.48
	总资产(元)	–	479,727,818.89	315,865,752.73
	总负债(元)	–	242,234,333.80	159,238,663.35
	净资产(元)	–	237,493,485.09	156,627,089.38
	每股收益(元)	–	1.96	0.81
	每股净资产(元)	–	3.84	2.54
	净资产收益率(%)	–	51.00	31.77

湖北金旭农业发展股份有限公司

公司概况					
公司名称	湖北金旭农业发展股份有限公司			股份名称	金旭农发
法人代表	李胜洪	董秘	王继虎	股份代码	830859
公司网址	www.hbjxad.com		主办券商	长江证券股份有限公司	
电　话	027-85496186		传　真	027-85496178	
注册地址	湖北省武汉市东湖新技术开发区关山一路1号光谷软件园5栋6层506室				
行业分类	农、林、牧、渔业				

主要财务指标：指标\报告期	2014.06.30	2013.12.31	2012.12.31
营业收入(元)	128,217,735.73	276,202,636.00	279,748,167.58
营业利润(元)	-42,581,930.30	-16,013,066.20	3,902,609.07
净利润(元)	-38,387,767.02	-2,097,830.60	23,032,068.15
未分配利润(元)	38,754,271.56	74,266,458.39	77,341,826.87
总资产(元)	495,539,534.15	463,061,252.72	389,597,196.34
总负债(元)	225,909,025.73	132,727,477.28	142,647,779.58
净资产(元)	269,630,508.42	330,333,775.44	246,949,416.76
每股收益(元)	-0.24	-0.01	0.19
每股净资产(元)	1.86	2.14	1.94
净资产收益率(%)	-13.47	-0.23	9.55

银川奥特信息技术股份公司

公司概况					
公司名称	银川奥特信息技术股份公司			股份名称	奥特股份
法人代表	陈华	董秘	王书光	股份代码	830860
公司网址	www.aotoso.com		主办券商	财通证券股份有限公司	
电　话	0951-5676696		传　真	0951-5676696	
注册地址	宁夏回族自治区银川市高新区中小企业创业园1号厂房				
行业分类	信息传输、软件和信息技术服务业				

主要财务指标：指标\报告期	2014.06.30	2013.12.31	2012.12.31
营业收入(元)	-	16,110,061.46	9,197,820.94
营业利润(元)	-	330,483.78	-2,914,194.91
净利润(元)	-	2,523,630.51	1,128,978.78
未分配利润(元)	-	8,070,040.63	5,798,773.17
总资产(元)	-	32,508,444.67	29,488,813.47
总负债(元)	-	10,541,732.85	10,045,732.16
净资产(元)	-	21,966,711.82	19,443,081.31
每股收益(元)	-	0.13	0.06
每股净资产(元)	-	1.12	0.99
净资产收益率(%)	-	11.49	5.81

合肥金诺数码科技股份有限公司

公司概况					
公司名称	合肥金诺数码科技股份有限公司			股份名称	金诺科技
法人代表	田地	董秘	戴平	股份代码	830861
公司网址	www.kingnow.com.cn		主办券商	申银万国证券股份有限公司	
电　话	0551-65392390-8010		传　真	0551-65392390-8001	
注册地址	安徽省合肥市高新区动漫基地B2-7楼				
行业分类	文化、体育和娱乐业				

主要财务指标：指标\报告期	2014.06.30	2013.12.31	2012.12.31
营业收入(元)	-	20,700,850.48	18,392,397.83
营业利润(元)	-	1,667,589.42	2,502,505.35
净利润(元)	-	2,435,642.00	2,282,890.47
未分配利润(元)	-	3,079,819.18	4,013,372.90
总资产(元)	-	23,061,905.46	13,955,909.59
总负债(元)	-	8,232,035.36	3,860,681.49
净资产(元)	-	14,829,870.10	10,095,228.10
每股收益(元)	-	0.30	0.29
每股净资产(元)	-	1.63	2.00
净资产收益率(%)	-	16.43	22.85

广州市丰海科技股份有限公司

公司概况					
公司名称	广州市丰海科技股份有限公司			股份名称	丰海科技
法人代表	郑庆三	董秘	吴良春	股份代码	830862
公司网址	www.infohand.net		主办券商	广州证券有限责任公司	
电　话	020-28065666		传　真	020-28065499	
注册地址	广东省广州高新技术产业开发区科学城科学大道182号创新大厦C3区第12层1201、1202单元				
行业分类	制造业				

主要财务指标：指标\报告期	2014.06.30	2013.12.31	2012.12.31
营业收入(元)	-	27,807,395.35	21,641,067.34
营业利润(元)	-	2,263,743.07	-246,551.45
净利润(元)	-	1,438,626.38	-373,321.47
未分配利润(元)	-	13,208.20	-192,109.97
总资产(元)	-	25,565,735.65	19,322,195.08
总负债(元)	-	14,275,396.58	9,452,056.89
净资产(元)	-	11,290,339.07	9,870,138.19
每股收益(元)	-	0.14	-0.03
每股净资产(元)	-	1.13	0.98
净资产收益率(%)	-	12.77	-3.20

北京瑞华天健科技股份有限公司

公司概况	公司名称	北京瑞华天健科技股份有限公司			股份名称	瑞华天健
	法人代表	柳志勇	董秘	唐燕	股份代码	830863
	公司网址	www.519pc.net		主办券商	广发证券股份有限公司	
	电　　话	010-62125090		传　　真	010-62125090-8015	
	注册地址	北京市东城区鼓楼东大街206号D1001室				
	行业分类	信息传输、软件和信息技术服务业				

	指标\报告期	2014.06.30	2013.12.31	2012.12.31
主要财务指标	营业收入(元)	4,921,750.71	11,007,290.34	11,358,970.81
	营业利润(元)	-470,131.28	297,587.79	2,458,047.90
	净利润(元)	-172,346.94	943,492.48	2,043,333.57
	未分配利润(元)	-422,772.92	-250,425.98	1,414,600.61
	总资产(元)	7,793,198.78	7,349,457.33	8,819,534.50
	总负债(元)	1,176,274.78	934,186.39	5,747,756.04
	净资产(元)	6,616,924.00	6,415,270.94	3,071,778.46
	每股收益(元)	-0.03	0.16	0.34
	每股净资产(元)	1.04	1.07	2.05
	净资产收益率(%)	-2.61	14.71	66.52

大连诚思科技股份有限公司

公司概况	公司名称	大连诚思科技股份有限公司			股份名称	诚思科技
	法人代表	刘世冰	董秘	秦高竹	股份代码	830864
	公司网址	www.ichengsi.com		主办券商	中国中投证券有限责任公司	
	电　　话	0411-84754509		传　　真	0411-84754409	
	注册地址	辽宁省大连市高新技术产业园区火炬路1号A座一层101-1号				
	行业分类	信息传输、软件和信息技术服务业				

	指标\报告期	2014.06.30	2013.12.31	2012.12.31
主要财务指标	营业收入(元)	5,526,355.10	21,360,406.32	15,333,645.97
	营业利润(元)	-3,444,866.73	3,151,819.65	2,698,602.39
	净利润(元)	-3,458,704.33	3,972,328.51	2,385,798.39
	未分配利润(元)	401,433.15	3,936,326.53	275,953.81
	总资产(元)	9,203,645.08	13,803,427.89	8,239,942.29
	总负债(元)	1,240,087.76	2,485,958.38	965,126.39
	净资产(元)	7,963,557.32	11,317,469.51	7,274,815.90
	每股收益(元)	-0.69	0.81	0.48
	每股净资产(元)	1.59	2.26	1.46
	净资产收益率(%)	-43.47	35.85	33.24

广州南菱汽车股份有限公司

公司概况	公司名称	广州南菱汽车股份有限公司			股份名称	南菱汽车
	法人代表	邓曦晖	董秘	梁莹	股份代码	830865
	公司网址	www.nanling.com.cn		主办券商	广发证券股份有限公司	
	电　　话	020-28806776		传　　真	020-28806767	
	注册地址	广东省广州市白云区白云大道北1399号				
	行业分类	批发和零售业				

	指标\报告期	2014.06.30	2013.12.31	2012.12.31
主要财务指标	营业收入(元)	2,236,332,262.28	3,506,248,502.53	2,737,760,022.41
	营业利润(元)	29,916,481.70	39,323,083.92	32,392,376.60
	净利润(元)	21,462,506.33	29,267,288.28	25,114,277.25
	未分配利润(元)	183,087,763.04	161,451,925.56	130,074,056.03
	总资产(元)	2,200,713,013.19	2,102,319,670.10	1,311,489,771.70
	总负债(元)	1,738,152,152.90	1,653,863,158.72	909,050,548.60
	净资产(元)	462,560,860.29	448,456,511.38	402,439,223.10
	每股收益(元)	0.16	0.24	0.20
	每股净资产(元)	3.17	3.05	2.82
	净资产收益率(%)	4.68	7.74	7.04

苏州工业园区凌志软件股份有限公司

公司概况	公司名称	苏州工业园区凌志软件股份有限公司			股份名称	凌志软件
	法人代表	张宝泉	董秘	饶钢	股份代码	830866
	公司网址	www.linkstec.com		主办券商	天风证券股份有限公司	
	电　　话	021-61659566-5103		传　　真	021-61659567	
	注册地址	江苏省苏州工业园区星湖街328号创意产业园17栋				
	行业分类	信息传输、软件和信息技术服务业				

	指标\报告期	2014.06.30	2013.12.31	2012.12.31
主要财务指标	营业收入(元)	-	223,727,805.20	182,038,764.16
	营业利润(元)	-	50,821,062.44	34,907,278.30
	净利润(元)	-	52,611,483.94	39,858,687.65
	未分配利润(元)	-	53,969,259.04	15,068,190.21
	总资产(元)	-	181,116,758.31	156,708,642.96
	总负债(元)	-	26,535,373.70	49,931,103.51
	净资产(元)	-	154,581,384.61	106,777,539.45
	每股收益(元)	-	0.88	0.66
	每股净资产(元)	-	2.58	1.78
	净资产收益率(%)	-	34.04	37.33

武汉全华光电科技股份有限公司

公司概况						
公司名称	武汉全华光电科技股份有限公司			股份名称	全华光电
法人代表	姚涛	董秘	钟文	股份代码	830867
公司网址	www.qh-opto.com		主办券商	长江证券股份有限公司	
电　　话	027-81737910		传　　真	027-81737976	
注册地址	湖北省武汉市东湖新技术开发区高新二路关南工业园2号楼				
行业分类	制造业				

主要财务指标			
指标\报告期	2014.06.30	2013.12.31	2012.12.31
营业收入(元)	2,918,252.16	8,347,687.07	1,985,862.13
营业利润(元)	-1,002,664.13	985,710.51	-1,453,631.58
净利润(元)	-1,060,130.25	735,655.30	-928,600.12
未分配利润(元)	-1,008,744.52	-623,587.68	-1,359,242.98
总资产(元)	15,412,168.10	15,982,028.71	10,515,038.60
总负债(元)	5,565,886.03	5,075,616.39	1,844,281.58
净资产(元)	9,846,282.07	10,906,412.32	8,670,757.02
每股收益(元)	-0.10	0.07	-0.09
每股净资产(元)	0.91	1.04	0.86
净资产收益率(%)	-10.77	6.75	-10.71

南京建策科技股份有限公司

公司概况					
公司名称	南京建策科技股份有限公司			股份名称	建策科技
法人代表	王继锋	董秘	吴燕	股份代码	830868
公司网址	www.jiancenj.com		主办券商	华泰证券股份有限公司	
电　　话	025-84804339-507		传　　真	025-84804339-118	
注册地址	江苏省南京市玄武区洪武北路55号置地广场23楼2303-2308室				
行业分类	信息传输、软件和信息技术服务业				

主要财务指标			
指标\报告期	2014.06.30	2013.12.31	2012.12.31
营业收入(元)	-	6,154,497.39	4,756,784.10
营业利润(元)	-	758,108.94	217,638.85
净利润(元)	-	560,668.51	138,923.39
未分配利润(元)	-	1,101,918.45	597,316.79
总资产(元)	-	2,289,880.01	1,510,060.96
总负债(元)	-	565,526.18	346,375.64
净资产(元)	-	1,724,353.83	1,163,685.32
每股收益(元)	-	1.12	0.28
每股净资产(元)	-	3.45	2.33
净资产收益率(%)	-	32.52	11.94

天津英康科技股份有限公司

公司概况					
公司名称	天津英康科技股份有限公司			股份名称	英康科技
法人代表	刘立冬	董秘	王慨	股份代码	830869
公司网址	www.incomperlite.com		主办券商	东方花旗证券有限公司	
电　　话	022-28368989		传　　真	022-28138903	
注册地址	天津市滨海新区天津开发区洞庭路122号2段B3201室				
行业分类	制造业				

主要财务指标			
指标\报告期	2014.06.30	2013.12.31	2012.12.31
营业收入(元)	-	81,174,209.43	70,465,787.65
营业利润(元)	-	3,679,215.74	3,531,454.55
净利润(元)	-	2,690,351.25	2,160,563.99
未分配利润(元)	-	415,986.34	11,023,162.04
总资产(元)	-	71,684,966.98	79,839,519.85
总负债(元)	-	52,795,453.63	63,574,200.76
净资产(元)	-	18,889,513.35	16,265,319.09
每股收益(元)	-	0.53	0.43
每股净资产(元)	-	3.75	5.36
净资产收益率(%)	-	14.17	13.29

铜陵松宝智能装备股份有限公司

公司概况					
公司名称	铜陵松宝智能装备股份有限公司			股份名称	松宝智能
法人代表	阮运松	董秘	祝军	股份代码	830870
公司网址	www.sobone.com		主办券商	招商证券股份有限公司	
电　　话	0562-2832982		传　　真	0562-2832968	
注册地址	安徽省铜陵市经济技术开发区翠湖一路2755-2号				
行业分类	制造业				

主要财务指标			
指标\报告期	2014.06.30	2013.12.31	2012.12.31
营业收入(元)	35,821,978.99	91,134,556.09	46,990,415.54
营业利润(元)	3,322,923.11	21,415,920.33	5,780,599.82
净利润(元)	5,415,087.34	21,161,019.95	6,418,918.78
未分配利润(元)	10,362,238.03	4,947,150.69	13,054,699.08
总资产(元)	88,358,861.07	89,863,441.57	64,343,766.29
总负债(元)	22,253,095.51	29,172,763.35	39,234,823.80
净资产(元)	66,105,765.56	60,690,678.22	25,108,942.49
每股收益(元)	0.15	0.89	0.64
每股净资产(元)	1.89	1.73	2.47
净资产收益率(%)	8.19	34.59	25.77

北京天元晟业科技股份有限公司

公司概况	公司名称	北京天元晟业科技股份有限公司			股份名称	天元晟业
	法人代表	闫进锁	董秘	钟娜	股份代码	830871
	公司网址	www.adsscan.com		主办券商	国泰君安证券股份有限公司	
	电　　话	010-83203770		传　　真	010-83203970-804	
	注册地址	北京市丰台区科兴路9号303室(园区)				
	行业分类	制造业				

	指标\报告期	2014.06.30	2013.12.31	2012.12.31
主要财务指标	营业收入(元)	–	4,699,237.06	1,398,433.30
	营业利润(元)	–	-213,378.30	-421,997.87
	净利润(元)	–	129,936.46	-309,861.93
	未分配利润(元)	–	93,802.99	-376,898.49
	总资产(元)	–	6,141,139.19	1,252,840.60
	总负债(元)	–	438,101.22	629,739.09
	净资产(元)	–	5,703,037.97	623,101.51
	每股收益(元)	–	0.02	-0.06
	每股净资产(元)	–	1.04	0.11
	净资产收益率(%)	–	2.28	-49.73

湖南长信畅中科技股份有限公司

公司概况	公司名称	湖南长信畅中科技股份有限公司			股份名称	长信畅中
	法人代表	陈练兵	董秘	徐玉堂	股份代码	830872
	公司网址	www.changx.com		主办券商	财富证券有限责任公司	
	电　　话	0731-84362288-290		传　　真	0731-84362288-203	
	注册地址	湖南省长沙市岳麓区桐梓坡西路229号				
	行业分类	信息传输、软件和信息技术服务业				

	指标\报告期	2014.06.30	2013.12.31	2012.12.31
主要财务指标	营业收入(元)	–	36,334,342.62	34,385,201.27
	营业利润(元)	–	-2,591,340.70	334,582.80
	净利润(元)	–	-475,673.93	3,402,979.18
	未分配利润(元)	–	2,574,956.07	2,971,892.13
	总资产(元)	–	68,141,671.41	53,863,389.06
	总负债(元)	–	36,987,695.47	24,683,739.19
	净资产(元)	–	31,153,975.94	29,179,649.87
	每股收益(元)	–	-0.01	0.15
	每股净资产(元)	–	1.23	1.20
	净资产收益率(%)	–	-1.14	11.09

奥测世纪(北京)技术股份有限公司

公司概况	公司名称	奥测世纪(北京)技术股份有限公司			股份名称	奥测世纪
	法人代表	曹新	董秘	周蕊	股份代码	830873
	公司网址	www.atest.org.cn		主办券商	申银万国证券股份有限公司	
	电　　话	010-82349988		传　　真	010-62936420	
	注册地址	北京市海淀区西小口路66号东升科技园北领地D-3楼109室				
	行业分类	科学研究和技术服务业				

	指标\报告期	2014.06.30	2013.12.31	2012.12.31
主要财务指标	营业收入(元)	–	12,763,201.53	8,657,420.03
	营业利润(元)	–	2,129,018.32	452,916.21
	净利润(元)	–	1,621,210.41	638,408.06
	未分配利润(元)	–	429,044.86	1,649,972.51
	总资产(元)	–	10,266,738.33	3,776,026.64
	总负债(元)	–	1,896,643.42	1,027,142.14
	净资产(元)	–	8,370,094.91	2,748,884.50
	每股收益(元)	–	0.81	0.64
	每股净资产(元)	–	1.67	2.75
	净资产收益率(%)	–	19.37	23.22

无锡金田元丰科技股份有限公司

公司概况	公司名称	无锡金田元丰科技股份有限公司			股份名称	金田元丰
	法人代表	安玉森	董秘	朱鸿斌	股份代码	830874
	公司网址	www.wxjtyf.com		主办券商	上海证券有限责任公司	
	电　　话	0510-81132300-805		传　　真	0510-85430819	
	注册地址	江苏省无锡市锡兴北路5号				
	行业分类	制造业				

	指标\报告期	2014.06.30	2013.12.31	2012.12.31
主要财务指标	营业收入(元)	–	21,917,938.14	17,920,587.91
	营业利润(元)	–	-60,548.37	595,642.24
	净利润(元)	–	404,206.26	567,412.12
	未分配利润(元)	–	497,975.63	568,569.92
	总资产(元)	–	47,530,488.17	42,634,719.43
	总负债(元)	–	18,039,628.90	15,578,066.42
	净资产(元)	–	29,490,859.27	27,056,653.01
	每股收益(元)	–	0.02	0.03
	每股净资产(元)	–	1.24	1.18
	净资产收益率(%)	–	1.37	2.10

四川千草生物技术股份有限公司

公司概况	公司名称	四川千草生物技术股份有限公司			股份名称	千草生物
	法人代表	廖欣	董秘	李毓坚	股份代码	830875
	公司网址	www.qiancaoshengwu.com		主办券商	长江证券股份有限公司	
	电话	0832-2270280		传真	0832-2270770	
	注册地址	四川省内江市东兴区红牌路668号				
	行业分类	农、林、牧、渔业				

	指标\报告期	2014.06.30	2013.12.31	2012.12.31
主要财务指标	营业收入(元)	7,954,313.79	11,285,065.06	10,046,323.38
	营业利润(元)	928,930.00	-8,611.10	665,216.57
	净利润(元)	927,586.61	1,000,640.46	3,049,986.42
	未分配利润(元)	540,058.96	-15,655,808.96	-16,643,647.57
	总资产(元)	63,908,472.30	66,631,592.84	46,999,795.12
	总负债(元)	26,194,694.65	29,845,401.80	21,001,442.69
	净资产(元)	37,713,777.65	36,786,191.04	25,998,352.43
	每股收益(元)	0.03	0.04	0.11
	每股净资产(元)	1.35	1.31	0.93
	净资产收益率(%)	2.46	2.72	11.73

洛阳市黄河软轴控制器股份有限公司

公司概况	公司名称	洛阳市黄河软轴控制器股份有限公司			股份名称	黄河软轴
	法人代表	杨长儒	董秘	杜庆丽	股份代码	830876
	公司网址	www.hhrz.com		主办券商	南京证券股份有限公司	
	电话	0379-64329351		传真	0379-64324732	
	注册地址	河南省洛阳市高新技术开发区侯天路1号				
	行业分类	制造业				

	指标\报告期	2014.06.30	2013.12.31	2012.12.31
主要财务指标	营业收入(元)	-	66,164,289.60	61,522,976.19
	营业利润(元)	-	-1,565,300.35	-1,696,600.65
	净利润(元)	-	1,353,365.76	677,484.15
	未分配利润(元)	-	16,135,541.79	14,917,512.61
	总资产(元)	-	125,900,142.54	124,549,773.16
	总负债(元)	-	28,132,773.66	28,135,770.04
	净资产(元)	-	97,767,368.88	96,414,003.12
	每股收益(元)	-	0.14	0.07
	每股净资产(元)	-	9.78	9.64
	净资产收益率(%)	-	1.38	0.70

浙江康莱宝体育用品股份有限公司

公司概况	公司名称	浙江康莱宝体育用品股份有限公司			股份名称	康莱宝
	法人代表	张超	董秘	余雪利	股份代码	830877
	公司网址	www.chinaklb.com		主办券商	方正证券股份有限公司	
	电话	0576-82720989		传真	0576-82729838	
	注册地址	浙江省台州市经济开发区滨海工业园区F区块				
	行业分类	制造业				

	指标\报告期	2014.06.30	2013.12.31	2012.12.31
主要财务指标	营业收入(元)	-	52,480,507.62	40,173,792.42
	营业利润(元)	-	2,151,946.49	693,980.44
	净利润(元)	-	1,499,589.60	561,662.36
	未分配利润(元)	-	255,137.62	260,593.54
	总资产(元)	-	68,408,051.58	65,547,053.77
	总负债(元)	-	55,352,839.86	52,077,431.65
	净资产(元)	-	13,055,211.72	13,469,622.12
	每股收益(元)	-	0.13	0.07
	每股净资产(元)	-	1.16	1.20
	净资产收益率(%)	-	11.57	4.18

云南智云信息技术股份有限公司

公司概况	公司名称	云南智云信息技术股份有限公司			股份名称	智信股份
	法人代表	王建胜	董秘	龙祥红	股份代码	830878
	公司网址	www.zyshares.cn		主办券商	长江证券股份有限公司	
	电话	0871-64130973		传真	0871-64130973-803	
	注册地址	云南省昆明市西山区安康路9号昆房置换大厦5层				
	行业分类	科学研究和技术服务业				

	指标\报告期	2014.06.30	2013.12.31	2012.12.31
主要财务指标	营业收入(元)	6,584,725.79	16,093,177.24	11,635,202.40
	营业利润(元)	-1,956,186.66	2,020,490.19	1,534,629.63
	净利润(元)	-1,970,792.44	1,416,136.39	1,159,857.67
	未分配利润(元)	-1,216,058.62	754,733.82	1,311,929.41
	总资产(元)	26,596,009.32	18,044,430.06	5,116,438.98
	总负债(元)	2,716,187.28	10,172,360.31	2,460,505.62
	净资产(元)	23,879,822.04	7,872,069.75	2,655,933.36
	每股收益(元)	-0.20	0.41	1.16
	每股净资产(元)	1.24	2.30	2.66
	净资产收益率(%)	-8.25	17.99	43.67

基康仪器股份有限公司

公司概况	公司名称	基康仪器股份有限公司			股份名称	基康仪器
	法人代表	蒋小钢	董秘	闵锐	股份代码	830879
	公司网址	www.geokon.cn		主办券商	东方花旗证券有限公司	
	电　　话	010-62698899		传　　真	010-62698866	
	注册地址	北京市房山区良乡凯旋大街滨河西街3号				
	行业分类	制造业				

	指标\报告期	2014.06.30	2013.12.31	2012.12.31
主要财务指标	营业收入(元)	–	184,104,457.12	129,898,145.68
	营业利润(元)	–	35,191,331.40	28,083,992.71
	净利润(元)	–	30,498,970.06	26,320,695.36
	未分配利润(元)	–	96,746,632.44	83,927,438.99
	总资产(元)	–	246,379,461.83	201,743,943.10
	总负债(元)	–	76,916,129.77	71,749,581.10
	净资产(元)	–	169,463,332.06	129,994,362.00
	每股收益(元)	–	1.60	1.63
	每股净资产(元)	–	8.38	7.05
	净资产收益率(%)	–	18.29	20.25

江苏火凤凰线缆系统技术股份有限公司

公司概况	公司名称	江苏火凤凰线缆系统技术股份有限公司			股份名称	火凤凰
	法人代表	蔡瑞孟	董秘	蔡有财	股份代码	830880
	公司网址	www.f-phoenix.com		主办券商	广发证券股份有限公司	
	电　　话	0512-57274111		传　　真	0512-57274000	
	注册地址	江苏省苏州昆山市张浦镇振新东路(南侧)535号				
	行业分类	制造业				

	指标\报告期	2014.06.30	2013.12.31	2012.12.31
主要财务指标	营业收入(元)	26,683,288.37	60,896,623.51	47,693,459.96
	营业利润(元)	521,335.42	2,323,624.40	-97,113.79
	净利润(元)	526,995.14	1,874,103.25	-14,332.42
	未分配利润(元)	-129,480.61	-656,475.75	-827,875.38
	总资产(元)	41,561,254.22	49,612,254.13	44,482,110.22
	总负债(元)	31,933,950.64	40,511,945.69	34,255,905.03
	净资产(元)	9,627,303.58	9,100,308.44	10,226,205.19
	每股收益(元)	0.07	0.23	
	每股净资产(元)	1.20	1.14	1.28
	净资产收益率(%)	5.79	20.59	-0.14

济南圣泉集团股份有限公司

公司概况	公司名称	济南圣泉集团股份有限公司			股份名称	圣泉集团
	法人代表	唐一林	董秘	唐地源	股份代码	830881
	公司网址	www.shengquan.com		主办券商	齐鲁证券有限公司	
	电　　话	0531-61323698		传　　真	0531-83443018	
	注册地址	山东省章丘市刁镇工业经济开发区				
	行业分类	制造业				

	指标\报告期	2014.06.30	2013.12.31	2012.12.31
主要财务指标	营业收入(元)	–	3,596,363,481.32	3,238,544,183.05
	营业利润(元)	–	312,139,555.90	241,280,264.58
	净利润(元)	–	262,798,771.20	194,753,056.07
	未分配利润(元)	–	1,291,187,907.98	1,069,872,855.92
	总资产(元)	–	5,678,312,120.84	4,486,640,323.68
	总负债(元)	–	3,988,249,121.87	3,037,657,270.32
	净资产(元)	–	1,690,062,998.97	1,448,983,053.36
	每股收益(元)	–	1.02	0.76
	每股净资产(元)	–	6.50	5.61
	净资产收益率(%)	–	15.65	13.59

无锡佳龙换热器股份有限公司

公司概况	公司名称	无锡佳龙换热器股份有限公司			股份名称	佳龙股份
	法人代表	鲁文龙	董秘	鲁涤平	股份代码	830882
	公司网址	www.wxjl.cn		主办券商	首创证券有限责任公司	
	电　　话	0510-85992288		传　　真	0510-85990150	
	注册地址	江苏省无锡市滨湖区马山生物医药工业园内				
	行业分类	制造业				

	指标\报告期	2014.06.30	2013.12.31	2012.12.31
主要财务指标	营业收入(元)	–	97,168,131.55	93,034,170.70
	营业利润(元)	–	4,253,129.19	6,249,534.00
	净利润(元)	–	3,848,192.49	5,758,691.98
	未分配利润(元)	–	46,170,744.79	42,999,736.20
	总资产(元)	–	125,384,755.34	150,468,465.73
	总负债(元)	–	64,481,736.70	93,121,274.93
	净资产(元)	–	60,903,018.64	57,347,190.80
	每股收益(元)	–	0.38	0.58
	每股净资产(元)	–	6.09	5.73
	净资产收益率(%)	–	6.32	10.04

威海联桥新材料科技股份有限公司

公司概况	公司名称	威海联桥新材料科技股份有限公司			股份名称	联桥新材
	法人代表	慕镕键	董秘	李晓妹	股份代码	830883
	公司网址	www.lqxcl.com		主办券商	上海证券有限责任公司	
	电　话	0631-5628011		传　真	0631-5628656	
	注册地址	山东省威海市高技术产业开发区天津路198-6号				
	行业分类	制造业				

	指标\报告期	2014.06.30	2013.12.31	2012.12.31
主要财务指标	营业收入(元)	–	69,142,317.69	63,410,550.20
	营业利润(元)	–	1,887,771.31	949,462.95
	净利润(元)	–	1,840,587.53	1,603,916.48
	未分配利润(元)	–	5,766,386.73	4,459,857.95
	总资产(元)	–	37,044,937.67	38,408,540.41
	总负债(元)	–	22,437,612.80	25,291,803.07
	净资产(元)	–	14,607,324.87	13,116,737.34
	每股收益(元)	–	0.26	0.23
	每股净资产(元)	–	2.09	1.87
	净资产收益率(%)	–	12.60	12.23

北京同力华盛环保供水科技股份有限公司

公司概况	公司名称	北京同力华盛环保供水科技股份有限公司			股份名称	华盛供水
	法人代表	张文俊	董秘	张莎莎	股份代码	830884
	公司网址	www.tonglihuasheng.com		主办券商	齐鲁证券有限公司	
	电　话	010-63710408		传　真	010-63781761	
	注册地址	北京市丰台区科学城海鹰路8号1号楼512室(园区)				
	行业分类	制造业				

	指标\报告期	2014.06.30	2013.12.31	2012.12.31
主要财务指标	营业收入(元)	–	12,575,863.06	14,530,823.30
	营业利润(元)	–	701,085.25	83,892.69
	净利润(元)	–	585,020.81	79,675.53
	未分配利润(元)	–	633,207.56	106,688.83
	总资产(元)	–	12,546,575.97	24,984,876.36
	总负债(元)	–	4,478,320.36	4,851,941.56
	净资产(元)	–	8,068,255.61	20,132,934.80
	每股收益(元)	–	0.03	0.00
	每股净资产(元)	–	1.15	1.01
	净资产收益率(%)	–	7.25	0.40

广东波斯科技股份有限公司

公司概况	公司名称	广东波斯科技股份有限公司			股份名称	波斯科技
	法人代表	卢俊文	董秘	黎泽顺	股份代码	830885
	公司网址	www.bosikj.com		主办券商	平安证券有限责任公司	
	电　话	020-82253210		传　真	020-82253220	
	注册地址	广东省广州市萝岗区云庆路7号				
	行业分类	制造业				

	指标\报告期	2014.06.30	2013.12.31	2012.12.31
主要财务指标	营业收入(元)	–	213,342,096.36	191,555,105.80
	营业利润(元)	–	53,395,007.68	37,814,704.45
	净利润(元)	–	45,765,987.09	32,199,284.97
	未分配利润(元)	–	48,225,439.44	11,356,051.06
	总资产(元)	–	197,245,117.47	153,861,180.84
	总负债(元)	–	66,777,289.98	64,839,340.44
	净资产(元)	–	130,467,827.49	89,021,840.40
	每股收益(元)	–	0.95	0.67
	每股净资产(元)	–	2.72	1.85
	净资产收益率(%)	–	35.08	36.17

福建太尔电子科技股份有限公司

公司概况	公司名称	福建太尔电子科技股份有限公司			股份名称	太尔科技
	法人代表	罗令	董秘	林潮勇	股份代码	830886
	公司网址	www.fjtekj.com		主办券商	齐鲁证券有限公司	
	电　话	0596-7033333		传　真	0596-7022222	
	注册地址	福建省漳州市云霄县莆美镇中柱村城南中学南侧				
	行业分类	制造业				

	指标\报告期	2014.06.30	2013.12.31	2012.12.31
主要财务指标	营业收入(元)	–	67,410,791.30	20,455,721.62
	营业利润(元)	–	5,940,940.45	–4,742,144.75
	净利润(元)	–	5,197,644.26	–2,222,976.27
	未分配利润(元)	–	53,358.06	–5,086,730.45
	总资产(元)	–	95,615,275.02	52,771,077.41
	总负债(元)	–	56,804,361.21	38,167,807.86
	净资产(元)	–	38,810,913.81	14,603,269.55
	每股收益(元)	–	0.20	–0.13
	每股净资产(元)	–	1.06	0.83
	净资产收益率(%)	–	13.39	–15.22

江苏吉美思物联网产业股份有限公司

公司概况	公司名称	江苏吉美思物联网产业股份有限公司		股份名称	吉美思
	法人代表	冷成	董秘 李海成	股份代码	830887
	公司网址	www.gmistech.com		主办券商	招商证券股份有限公司
	电话	025-68190600		传真	025-68190610
	注册地址	江苏省南京市雨花台区宁双路28号10层1068室			
	行业分类	信息传输、软件和信息技术服务业			

	指标\报告期	2014.06.30	2013.12.31	2012.12.31
主要财务指标	营业收入(元)	–	40,792,659.55	42,110,971.82
	营业利润(元)	–	153,746.11	7,100,402.23
	净利润(元)	–	1,863,566.82	12,327,275.04
	未分配利润(元)	–	35,450,079.44	33,480,053.45
	总资产(元)	–	147,641,634.43	117,731,447.08
	总负债(元)	–	65,332,990.74	37,786,370.21
	净资产(元)	–	82,308,643.69	79,945,076.87
	每股收益(元)	–	0.05	0.31
	每股净资产(元)	–	2.05	2.00
	净资产收益率(%)	–	2.41	15.42

北京环球世纪工场文化传媒股份有限公司

公司概况	公司名称	北京环球世纪工场文化传媒股份有限公司		股份名称	世纪工场
	法人代表	丁彬	董秘 吕琳	股份代码	830888
	公司网址			主办券商	兴业证券股份有限公司
	电话	010-63971101		传真	010-63978218
	注册地址	北京市东城区长青园7号1栋3507-045			
	行业分类	文化、体育和娱乐业			

	指标\报告期	2014.06.30	2013.12.31	2012.12.31
主要财务指标	营业收入(元)	–	15,808,622.69	15,016,225.00
	营业利润(元)	–	3,360,815.14	582,878.31
	净利润(元)	–	2,516,955.53	425,284.00
	未分配利润(元)	–	1,682,198.13	–583,061.85
	总资产(元)	–	6,672,317.64	8,290,489.38
	总负债(元)	–	1,527,956.02	7,263,083.29
	净资产(元)	–	5,144,361.62	1,027,406.09
	每股收益(元)	–	1.94	0.33
	每股净资产(元)	–	1.77	0.79
	净资产收益率(%)	–	48.93	41.39

湖南深拓智能设备股份有限公司

公司概况	公司名称	湖南深拓智能设备股份有限公司		股份名称	深拓智能
	法人代表	汪深	董秘 曹健	股份代码	830889
	公司网址	www.scientop.com		主办券商	西部证券股份有限公司
	电话	0731-82858139		传真	0731-82858086
	注册地址	湖南省长沙市高新技术开发区麓谷基地麓天路八号(橡树园7栋1层)			
	行业分类	制造业			

	指标\报告期	2014.06.30	2013.12.31	2012.12.31
主要财务指标	营业收入(元)	–	90,999,914.48	101,922,204.30
	营业利润(元)	–	4,223,938.63	4,152,885.48
	净利润(元)	–	4,321,748.39	5,119,022.02
	未分配利润(元)	–	11,693,859.90	7,824,410.56
	总资产(元)	–	74,436,151.89	60,168,435.86
	总负债(元)	–	37,656,275.39	27,710,307.75
	净资产(元)	–	36,779,876.50	32,458,128.11
	每股收益(元)	–	0.20	0.23
	每股净资产(元)	–	1.63	1.43
	净资产收益率(%)	–	12.03	16.30

上海海隗信息科技股份有限公司

公司概况	公司名称	上海海隗信息科技股份有限公司		股份名称	海隗科技
	法人代表	刘陶	董秘 路晶晶	股份代码	830890
	公司网址	www.hope-m.com		主办券商	兴业证券股份有限公司
	电话	021-61099398*8002		传真	021-61099397*8031
	注册地址	上海市嘉定区安亭镇于塘路885号1幢104室			
	行业分类	信息传输、软件和信息技术服务业			

	指标\报告期	2014.06.30	2013.12.31	2012.12.31
主要财务指标	营业收入(元)	–	8,956,309.28	5,317,303.22
	营业利润(元)	–	1,114,662.86	–783,536.41
	净利润(元)	–	993,382.81	–709,895.83
	未分配利润(元)	–	511,608.55	–458,651.60
	总资产(元)	–	6,743,419.22	5,286,010.94
	总负债(元)	–	1,128,688.01	4,344,662.54
	净资产(元)	–	5,614,731.21	941,348.40
	每股收益(元)	–	0.71	–0.51
	每股净资产(元)	–	1.11	0.67
	净资产收益率(%)	–	18.04	–75.41

广东轩辕网络科技股份有限公司

公司概况	公司名称	广东轩辕网络科技股份有限公司		股份名称	轩辕网络
	法人代表	陈统	董秘 朱丽芬	股份代码	830891
	公司网址	www.xuanyuan.com.cn	主办券商	广州证券有限责任公司	
	电　话	020-85285889	传　真	020-85285329	
	注册地址	广东省广州市天河区高普路 1033 号第 8 层			
	行业分类	信息传输、软件和信息技术服务业			

	指标\报告期	2014.06.30	2013.12.31	2012.12.31
主要财务指标	营业收入(元)	–	105,706,484.69	90,119,119.00
	营业利润(元)	–	2,537,619.44	2,696,567.15
	净利润(元)	–	2,406,159.31	2,352,913.25
	未分配利润(元)	–	4,368,845.95	2,323,610.54
	总资产(元)	–	83,939,844.26	58,121,234.00
	总负债(元)	–	54,585,894.17	36,173,443.22
	净资产(元)	–	29,353,950.09	21,947,790.78
	每股收益(元)	–	0.13	0.16
	每股净资产(元)	–	1.47	1.46
	净资产收益率(%)	–	8.20	10.72

厦门海迈科技股份有限公司

公司概况	公司名称	厦门海迈科技股份有限公司		股份名称	海迈科技
	法人代表	王忠强	董秘 陈超	股份代码	830892
	公司网址	www.hymake.com	主办券商	日信证券有限责任公司	
	电　话	0592-5070808	传　真	0592-5399979	
	注册地址	福建省厦门市思明区软件园二期观日路 20 号 101			
	行业分类	信息传输、软件和信息技术服务业			

	指标\报告期	2014.06.30	2013.12.31	2012.12.31
主要财务指标	营业收入(元)	–	37,342,961.20	34,556,674.33
	营业利润(元)	–	2,932,056.61	320,205.97
	净利润(元)	–	4,537,598.57	2,097,034.85
	未分配利润(元)	–	6,864,707.74	4,322,085.57
	总资产(元)	–	45,308,465.03	32,126,602.48
	总负债(元)	–	13,634,328.21	6,532,791.23
	净资产(元)	–	31,674,136.82	25,593,811.25
	每股收益(元)	–	0.34	0.18
	每股净资产(元)	–	1.98	1.97
	净资产收益率(%)	–	13.87	9.07

上海亚泽实业股份有限公司

公司概况	公司名称	上海亚泽实业股份有限公司		股份名称	亚泽股份
	法人代表	唐锷	董秘 陆文娟	股份代码	830893
	公司网址		主办券商	租赁和商务服务业	
	电　话	021-61076565-160	传　真	021-61076565-160	
	注册地址	上海市杨浦区黄兴路 1599 号 812 室			
	行业分类	租赁和商务服务业			

	指标\报告期	2014.06.30	2013.12.31	2012.12.31
主要财务指标	营业收入(元)	–	36,096,553.23	30,580,229.03
	营业利润(元)	–	525,650.85	–110,420.71
	净利润(元)	–	411,149.93	86,303.95
	未分配利润(元)	–	557,292.89	187,257.95
	总资产(元)	–	21,905,817.23	8,425,516.52
	总负债(元)	–	1,286,602.91	3,217,452.13
	净资产(元)	–	20,619,214.32	5,208,064.39
	每股收益(元)	–	0.05	0.04
	每股净资产(元)	–	1.03	1.04
	净资产收益率(%)	–	1.99	1.66

辽宁紫竹桩基础工程股份有限公司

公司概况	公司名称	辽宁紫竹桩基础工程股份有限公司		股份名称	紫竹桩基
	法人代表	陈勇	董秘 王宏峰	股份代码	830894
	公司网址	www.lnzzpf.com	主办券商	招商证券股份有限公司	
	电　话	0412—8928838	传　真	0412—8928825	
	注册地址	辽宁省鞍山市千山区宁远镇双楼台村			
	行业分类	租赁和商务服务业			

	指标\报告期	2014.06.30	2013.12.31	2012.12.31
主要财务指标	营业收入(元)	17,122,424.02	35,469,281.81	3,358,822.88
	营业利润(元)	2,961,826.82	8,572,175.95	–89,811.46
	净利润(元)	2,052,576.44	6,427,446.15	–88,981.60
	未分配利润(元)	2,878,887.83	826,311.39	–95,346.82
	总资产(元)	205,444,270.60	117,377,074.42	23,187,487.07
	总负债(元)	97,059,594.83	13,044,975.09	18,282,833.89
	净资产(元)	108,384,675.77	104,332,099.33	4,904,653.18
	每股收益(元)	0.02	0.07	
	每股净资产(元)	1.08	1.06	
	净资产收益率(%)	1.89	6.16	–1.81

张家港玉成精机股份有限公司

公司概况	公司名称	张家港玉成精机股份有限公司		股份名称	玉成精机
	法人代表	张玉飞	董秘 徐娟	股份代码	830895
	公司网址	www.zjgycjj.com		主办券商	中信证券股份有限公司
	电话	0512-58119609		传真	0512-58119602
	注册地址	江苏省张家港市乐余镇兆丰同福路1号			
	行业分类	制造业			

主要财务指标	指标\报告期	2014.06.30	2013.12.31	2012.12.31
	营业收入(元)	–	29,180,680.83	28,787,571.92
	营业利润(元)	–	1,751,526.76	823,992.61
	净利润(元)	–	1,678,742.98	1,124,597.17
	未分配利润(元)	–	948,606.09	5,622,295.51
	总资产(元)	–	38,378,572.77	45,860,057.37
	总负债(元)	–	20,965,074.56	30,125,302.14
	净资产(元)	–	17,413,498.21	15,734,755.23
	每股收益(元)	–	0.17	0.21
	每股净资产(元)	–	1.74	1.57
	净资产收益率(%)	–	9.64	7.15

重庆市旺成科技股份有限公司

公司概况	公司名称	重庆市旺成科技股份有限公司		股份名称	旺成科技
	法人代表	吴银剑	董秘 夏茂平	股份代码	830896
	公司网址	www.cwcgear.com		主办券商	宏源证券股份有限公司
	电话	023-65181786		传真	023-65184202
	注册地址	重庆市沙坪坝区井口镇井口村			
	行业分类	制造业			

主要财务指标	指标\报告期	2014.06.30	2013.12.31	2012.12.31
	营业收入(元)	–	250,179,428.92	218,135,890.81
	营业利润(元)	–	35,078,402.84	24,884,763.71
	净利润(元)	–	29,761,799.87	21,564,275.63
	未分配利润(元)	–	51,723,652.97	24,975,384.31
	总资产(元)	–	252,309,296.01	218,410,666.95
	总负债(元)	–	109,746,222.98	105,609,393.79
	净资产(元)	–	142,563,073.03	112,801,273.16
	每股收益(元)	–	1.98	1.44
	每股净资产(元)	–	9.49	7.51
	净资产收益率(%)	–	20.88	19.12

苏州志向纺织科研股份有限公司

公司概况	公司名称	苏州志向纺织科研股份有限公司		股份名称	志向科研
	法人代表	黄志向	董秘 丁结缘	股份代码	830897
	公司网址	www.cincchina.com		主办券商	金元证券股份有限公司
	电话	0512-63517256		传真	0512-63516686
	注册地址	江苏省苏州市吴江区盛泽镇纺织科技示范园区中心大道7号			
	行业分类	制造业			

主要财务指标	指标\报告期	2014.06.30	2013.12.31	2012.12.31
	营业收入(元)	–	359,354,669.61	377,675,287.06
	营业利润(元)	–	8,638,927.96	36,505,672.12
	净利润(元)	–	9,107,375.99	30,895,736.12
	未分配利润(元)	–	15,065,578.08	6,820,202.54
	总资产(元)	–	398,441,565.46	413,228,001.45
	总负债(元)	–	272,371,176.55	296,264,988.53
	净资产(元)	–	126,070,388.91	116,963,012.92
	每股收益(元)	–	0.18	0.60
	每股净资产(元)	–	2.45	2.27
	净资产收益率(%)	–	7.22	26.42

北京华人天地影视策划股份有限公司

公司概况	公司名称	北京华人天地影视策划股份有限公司		股份名称	华人天地
	法人代表	张津	董秘 卫荃胜	股份代码	830898
	公司网址	www.huarenfilm.com/index.asp		主办券商	光大证券股份有限公司
	电话	010-84955488		传真	010-84951196
	注册地址	北京市朝阳区利泽中园106号楼(望京集中办公区188号)			
	行业分类	文化、体育和娱乐业			

主要财务指标	指标\报告期	2014.06.30	2013.12.31	2012.12.31
	营业收入(元)	–	12,810,815.14	3,029,368.78
	营业利润(元)	–	6,507,992.81	82,697.16
	净利润(元)	–	4,877,711.51	64,561.23
	未分配利润(元)	–	4,878,849.95	-220,734.18
	总资产(元)	–	20,157,246.14	5,650,276.46
	总负债(元)	–	2,500,268.82	2,871,010.64
	净资产(元)	–	17,656,977.32	2,779,265.82
	每股收益(元)	–	0.50	0.02
	每股净资产(元)	–	1.77	0.93
	净资产收益率(%)	–	27.63	2.32

联讯证券股份有限公司

公司概况	公司名称	联讯证券股份有限公司			股份名称	联讯证券
	法人代表	徐刚	董秘	苏锋	股份代码	830899
	公司网址	www.lxzq.com.cn		主办券商	财达证券有限责任公司	
	电　话	8610-64408552		传　真	8610-64408592	
	注册地址	广东省惠州市江北东江三路55号广播电视新闻中心西面一层大堂和三、四层				
	行业分类	金融业				

	指标\报告期	2014.06.30	2013.12.31	2012.12.31
主要财务指标	营业收入(元)	–	–	–
	营业利润(元)	25,669,007.83	–	–
	净利润(元)	26,500,016.56	–	–
	未分配利润(元)	26,500,016.56	–10,829,489.87	–
	总资产(元)	4,285,665,662.22	2,700,882,584.43	–
	总负债(元)	3,616,986,985.20	2,073,918,093.50	3,548,021,231.12
	净资产(元)	668,678,677.02	626,964,490.93	623,083,048.47
	每股收益(元)	0.05	0.02	–0.11
	每股净资产(元)	1.34	1.25	1.25
	净资产收益率(%)	3.96	1.29	–9.15

上海维福特科技发展股份有限公司

公司概况	公司名称	上海维福特科技发展股份有限公司			股份名称	维福特
	法人代表	刘云俊	董秘	董骏	股份代码	830900
	公司网址			主办券商	申银万国证券股份有限公司	
	电　话	021-51353107		传　真	021-51353107	
	注册地址	上海市闵行区联航路1369弄4号305-2室				
	行业分类	制造业				

	指标\报告期	2014.06.30	2013.12.31	2012.12.31
主要财务指标	营业收入(元)	–	15,610,239.31	16,235,179.44
	营业利润(元)	–	6,423,873.92	8,785,486.70
	净利润(元)	–	4,878,156.90	4,329,586.69
	未分配利润(元)	–	3,135,752.77	2,930,542.27
	总资产(元)	–	118,665,537.48	92,153,592.88
	总负债(元)	–	10,531,222.49	38,897,434.80
	净资产(元)	–	108,134,314.98	53,256,158.08
	每股收益(元)	–	0.05	0.09
	每股净资产(元)	–	1.08	1.07
	净资产收益率(%)	–	4.51	8.13

无锡隆玛科技股份有限公司

公司概况	公司名称	无锡隆玛科技股份有限公司			股份名称	隆玛科技
	法人代表	杨朝辉	董秘	金明玉	股份代码	830901
	公司网址	www.wxlongmax.com		主办券商	中国中投证券有限责任公司	
	电　话	0510-81157586		传　真	0510-85215320	
	注册地址	江苏省无锡市新区旺庄工业园三区二期1号标准厂房				
	行业分类	制造业				

	指标\报告期	2014.06.30	2013.12.31	2012.12.31
主要财务指标	营业收入(元)	–	49,844,648.09	47,406,599.95
	营业利润(元)	–	3,649,186.08	1,640,464.38
	净利润(元)	–	3,704,675.05	1,987,429.29
	未分配利润(元)	–	7,857,278.39	4,523,070.85
	总资产(元)	–	42,906,135.71	24,250,765.90
	总负债(元)	–	28,281,600.27	13,330,905.51
	净资产(元)	–	14,624,535.44	10,919,860.39
	每股收益(元)	–	0.67	0.36
	每股净资产(元)	–	2.92	1.99
	净资产收益率(%)	–	25.33	18.20

四川长仪油气集输设备股份有限公司

公司概况	公司名称	四川长仪油气集输设备股份有限公司			股份名称	长仪股份
	法人代表	王元义	董秘	宋书中	股份代码	830902
	公司网址	www.cyvalve.com		主办券商	湘财证券股份有限公司	
	电　话	0833-2631238		传　真	0833-2631316	
	注册地址	四川省乐山市市中区乐夹路16号				
	行业分类	制造业				

	指标\报告期	2014.06.30	2013.12.31	2012.12.31
主要财务指标	营业收入(元)	–	86,570,016.96	64,916,902.98
	营业利润(元)	–	19,651,207.29	7,293,016.93
	净利润(元)	–	17,007,260.20	6,030,987.82
	未分配利润(元)	–	6,070,355.91	28,331,021.86
	总资产(元)	–	121,457,934.38	105,565,066.52
	总负债(元)	–	61,922,772.14	38,820,152.32
	净资产(元)	–	59,535,162.24	66,744,914.20
	每股收益(元)	–	0.57	0.30
	每股净资产(元)	–	1.98	3.34
	净资产收益率(%)	–	28.57	9.04

上海复展智能科技股份有限公司

公司概况	公司名称	上海复展智能科技股份有限公司		股份名称	复展科技
	法人代表	孙洪涛	董秘	吴晏子	股份代码 830903
	公司网址		主办券商	方正证券股份有限公司	
	电　　话	021-55520229	传　　真	021-55520239	
	注册地址	上海市杨浦区国定路335号7004A室			
	行业分类	制造业			

主要财务指标	指标\报告期	2014.06.30	2013.12.31	2012.12.31
	营业收入(元)	10,745,883.38	23,234,038.72	19,611,127.91
	营业利润(元)	270,834.63	195,838.15	-340,789.58
	净利润(元)	541,332.25	1,244,650.43	489,348.51
	未分配利润(元)	1,327,795.80	1,042,181.75	-174,055.55
	总资产(元)	78,688,040.77	79,488,722.39	73,899,812.71
	总负债(元)	42,076,113.64	43,418,127.51	39,073,868.26
	净资产(元)	36,611,927.13	36,070,594.88	34,825,944.45
	每股收益(元)	0.02	0.04	0.01
	每股净资产(元)	1.05	1.03	1.00
	净资产收益率(%)	1.48	3.45	1.41

博思特能源装备(天津)股份有限公司

公司概况	公司名称	博思特能源装备(天津)股份有限公司		股份名称	博思特
	法人代表	黄健民	董秘	杨红艳	股份代码 830904
	公司网址	www.petrobest.com	主办券商	国元证券股份有限公司	
	电　　话	022-60955916	传　　真	022-22193895	
	注册地址	天津市武清区京滨工业园泰元道2号			
	行业分类	制造业			

主要财务指标	指标\报告期	2014.06.30	2013.12.31	2012.12.31
	营业收入(元)	-	208,155,431.19	235,084,003.52
	营业利润(元)	-	35,978,739.32	32,198,699.75
	净利润(元)	-	34,402,291.19	29,939,583.54
	未分配利润(元)	-	57,476,549.89	26,491,899.77
	总资产(元)	-	298,180,559.96	297,037,052.48
	总负债(元)	-	76,406,488.08	109,665,271.79
	净资产(元)	-	221,774,071.88	187,371,780.69
	每股收益(元)	-	0.51	0.44
	每股净资产(元)	-	3.28	2.77
	净资产收益率(%)	-	15.51	15.98

湖南成聪软件股份有限公司

公司概况	公司名称	湖南成聪软件股份有限公司		股份名称	成聪软件
	法人代表	于成聪	董秘	于梦琪	股份代码 830905
	公司网址	www.thiscc.com	主办券商	方正证券股份有限公司	
	电　　话	0743-2142142	传　　真	0743-2142142	
	注册地址	湖南省吉首市人民南路69号州吉风投资开发有限责任公司办公楼209号			
	行业分类	信息传输、软件和信息技术服务业			

主要财务指标	指标\报告期	2014.06.30	2013.12.31	2012.12.31
	营业收入(元)	-	3,727,734.85	2,813,454.70
	营业利润(元)	-1,175,248.51	385,669.76	485,184.47
	净利润(元)	-705,522.71	1,075,555.54	979,266.27
	未分配利润(元)	-951,695.09	-246,172.38	1,129,182.26
	总资产(元)	5,599,321.89	6,706,379.28	2,957,289.29
	总负债(元)	232,180.17	633,714.85	730,180.40
	净资产(元)	5,367,141.72	6,072,664.43	2,227,108.89
	每股收益(元)	-0.12	0.20	0.27
	每股净资产(元)	0.89	1.01	2.23
	净资产收益率(%)	-13.15	17.71	43.97

山东万事达建筑钢品股份有限公司

公司概况	公司名称	山东万事达建筑钢品股份有限公司		股份名称	万事达
	法人代表	魏龙柱	董秘	王洪英	股份代码 830906
	公司网址	www.600.com.cn	主办券商	华泰证券股份有限公司	
	电　　话	0543-2285099	传　　真	0543-2162577	
	注册地址	山东省博兴县经济开发区			
	行业分类	制造业			

主要财务指标	指标\报告期	2014.06.30	2013.12.31	2012.12.31
	营业收入(元)	1,042,501,133.09	2,638,308,219.65	2,337,146,499.89
	营业利润(元)	7,842,363.67	14,145,153.18	16,106,730.39
	净利润(元)	6,487,506.88	14,077,804.04	11,610,332.82
	未分配利润(元)	18,235,341.22	11,571,278.07	16,612,334.03
	总资产(元)	870,779,536.42	840,931,088.74	796,351,361.58
	总负债(元)	729,873,417.90	706,657,996.10	678,696,072.98
	净资产(元)	140,906,118.52	134,273,092.64	117,655,288.60
	每股收益(元)	0.08	0.18	0.15
	每股净资产(元)	1.74	1.68	1.47
	净资产收益率(%)	4.80	10.90	9.87

宁波瑞丽洗涤股份有限公司

公司概况	公司名称	宁波瑞丽洗涤股份有限公司			股份名称	瑞丽洗涤
	法人代表	袁铭东	董秘	周红君	股份代码	830907
	公司网址	www.nbruili.com/about.asp	主办券商	齐鲁证券有限公司		
	电　　话	0574-86360700	传　　真	0574-86360707		
	注册地址	浙江省宁波市化工区蛟川工业园瑞远路				
	行业分类	居民服务、修理和其他服务业				

	指标\报告期	2014.06.30	2013.12.31	2012.12.31
主要财务指标	营业收入(元)	–	24,597,691.31	21,811,607.80
	营业利润(元)	–	1,028,416.93	1,612,422.20
	净利润(元)	–	446,107.61	1,204,423.98
	未分配利润(元)	–	60,641.25	–378,728.44
	总资产(元)	–	39,139,103.97	24,782,799.63
	总负债(元)	–	28,449,072.18	14,538,875.45
	净资产(元)	–	10,690,031.79	10,243,924.18
	每股收益(元)	–	0.04	0.11
	每股净资产(元)	–	1.02	0.98
	净资产收益率(%)	–	4.17	11.76

江苏普诺威电子股份有限公司

公司概况	公司名称	江苏普诺威电子股份有限公司			股份名称	普诺威
	法人代表	马洪伟	董秘	郭艳兰	股份代码	830908
	公司网址	www.prvchina.com	主办券商	广发证券股份有限公司		
	电　　话	0512-57475588	传　　真	0512-57475578		
	注册地址	江苏省苏州昆山市千灯镇宏洋路322号				
	行业分类	制造业				

	指标\报告期	2014.06.30	2013.12.31	2012.12.31
主要财务指标	营业收入(元)	53,846,746.32	138,271,947.19	109,689,506.26
	营业利润(元)	1,698,222.62	7,876,355.27	2,000,727.30
	净利润(元)	1,159,026.72	7,295,778.27	2,557,295.90
	未分配利润(元)	3,482,617.32	19,570,591.72	12,595,701.38
	总资产(元)	119,380,771.58	123,482,051.57	123,274,183.53
	总负债(元)	67,386,055.70	72,646,322.03	54,734,232.26
	净资产(元)	51,994,715.88	50,835,729.54	68,539,951.27
	每股收益(元)	0.04	0.24	0.10
	每股净资产(元)	1.73	1.69	2.28
	净资产收益率(%)	2.23	14.35	3.73

河北同成科技股份有限公司

公司概况	公司名称	河北同成科技股份有限公司			股份名称	同成股份
	法人代表	宋彦波	董秘	宋志波	股份代码	830909
	公司网址	www.tcmining.com	主办券商	国信证券股份有限公司		
	电　　话	0319-3928719	传　　真	0319-3928712		
	注册地址	河北省邢台经济开发区港口大街1666号				
	行业分类	制造业				

	指标\报告期	2014.06.30	2013.12.31	2012.12.31
主要财务指标	营业收入(元)	–	233,292,138.14	278,671,416.91
	营业利润(元)	–	42,301,642.98	64,713,429.73
	净利润(元)	–	37,979,548.92	56,004,297.11
	未分配利润(元)	–	58,012,285.17	23,016,974.76
	总资产(元)	–	273,505,727.18	262,778,512.68
	总负债(元)	–	15,802,999.69	43,164,810.20
	净资产(元)	–	257,702,727.49	219,613,702.48
	每股收益(元)	–	0.63	1.20
	每股净资产(元)	–	4.30	3.66
	净资产收益率(%)	–	14.74	25.50

北京安证通信息科技股份有限公司

公司概况	公司名称	北京安证通信息科技股份有限公司			股份名称	安证通
	法人代表	周晓华	董秘	杨辉玉	股份代码	830910
	公司网址	www.esa2000.com	主办券商	江海证券有限公司		
	电　　话	010-62969883	传　　真	010-62980798-605		
	注册地址	北京市海淀区信息路甲28号5层C座05C01				
	行业分类	信息传输、软件和信息技术服务业				

	指标\报告期	2014.06.30	2013.12.31	2012.12.31
主要财务指标	营业收入(元)	–	5,863,061.64	8,302,795.39
	营业利润(元)	–	–1,004,361.68	589,012.34
	净利润(元)	–	169,249.56	1,159,280.00
	未分配利润(元)	–	564,899.95	911,028.88
	总资产(元)	–	6,664,848.62	7,648,444.16
	总负债(元)	–	831,905.55	1,584,750.65
	净资产(元)	–	5,832,943.07	6,063,693.51
	每股收益(元)	–	0.03	
	每股净资产(元)	–	1.17	1.21
	净资产收益率(%)	–	2.90	19.12

江苏标榜装饰新材料股份有限公司

公司概况	公司名称	江苏标榜装饰新材料股份有限公司		股份名称	标榜新材
	法人代表	赵建明	董秘 方程	股份代码	830911
	公司网址	www.pivotacp.com	主办券商	广发证券股份有限公司	
	电　话	0512-86218170	传　真	0512-86061888	
	注册地址	江苏省无锡市江阴市华士镇蒙娜路1号			
	行业分类	制造业			

	指标\报告期	2014.06.30	2013.12.31	2012.12.31
主要财务指标	营业收入(元)	181,420,003.40	339,134,662.93	329,724,380.68
	营业利润(元)	5,894,952.22	16,037,055.81	25,951,961.38
	净利润(元)	5,556,941.58	14,314,819.69	22,141,538.68
	未分配利润(元)	37,467,533.47	31,937,051.41	26,091,164.44
	总资产(元)	323,918,353.66	318,525,604.71	288,876,804.85
	总负债(元)	169,192,459.14	169,360,403.33	147,007,565.99
	净资产(元)	154,725,894.52	149,165,201.38	141,869,238.86
	每股收益(元)	0.08	0.20	0.32
	每股净资产(元)	2.17	2.09	1.99
	净资产收益率(%)	3.64	9.74	15.86

山东科汇电力自动化股份有限公司

公司概况	公司名称	山东科汇电力自动化股份有限公司		股份名称	科汇电自
	法人代表	徐丙垠	董秘 朱亦军	股份代码	830912
	公司网址	www.kehui.cn	主办券商	中国银河证券股份有限公司	
	电　话	0533-3818962	传　真	0533-3818800	
	注册地址	山东省淄博市张店区房镇三赢路16号			
	行业分类	制造业			

	指标\报告期	2014.06.30	2013.12.31	2012.12.31
主要财务指标	营业收入(元)	–	179,307,357.17	141,620,837.91
	营业利润(元)	–	12,949,038.56	12,735,071.69
	净利润(元)	–	14,619,116.90	12,090,734.34
	未分配利润(元)	–	16,633,336.06	12,927,573.01
	总资产(元)	–	191,603,488.92	232,490,612.05
	总负债(元)	–	102,299,002.81	137,124,421.18
	净资产(元)	–	89,304,486.11	95,366,190.87
	每股收益(元)	–	0.24	0.20
	每股净资产(元)	–	1.49	1.59
	净资产收益率(%)	–	16.37	12.68

沈阳中北通磁科技股份有限公司

公司概况	公司名称	沈阳中北通磁科技股份有限公司		股份名称	中北通磁
	法人代表	孙宝玉	董秘 王兴刚	股份代码	830913
	公司网址	www.zbmag.com	主办券商	山西证券股份有限公司	
	电　话	024-23827907	传　真	024-23717968	
	注册地址	辽宁省沈阳市浑南新区汇泉东路8号			
	行业分类	制造业			

	指标\报告期	2014.06.30	2013.12.31	2012.12.31
主要财务指标	营业收入(元)	–	295,170,336.10	441,638,210.98
	营业利润(元)	–	6,259,890.83	60,902,518.48
	净利润(元)	–	5,767,024.09	52,449,330.13
	未分配利润(元)	–	82,277,960.19	77,367,405.77
	总资产(元)	–	390,633,737.07	309,266,871.07
	总负债(元)	–	105,229,233.57	92,629,391.66
	净资产(元)	–	285,404,503.50	216,637,479.41
	每股收益(元)	–	0.07	0.71
	每股净资产(元)	–	3.46	2.89
	净资产收益率(%)	–	2.02	24.21

长沙海赛电装科技股份有限公司

公司概况	公司名称	长沙海赛电装科技股份有限公司		股份名称	海赛电装
	法人代表	胡益雄	董秘 成新明	股份代码	830914
	公司网址	www.hisai.com	主办券商	山西证券股份有限公司	
	电　话	0731-85640559	传　真	0731-85640969	
	注册地址	湖南省长沙市高新开发区桐梓坡西路229号麓谷国际工业园A-1栋4楼			
	行业分类	制造业			

	指标\报告期	2014.06.30	2013.12.31	2012.12.31
主要财务指标	营业收入(元)	–	21,321,120.40	11,965,565.82
	营业利润(元)	–	3,352,617.51	-259,781.61
	净利润(元)	–	3,888,198.99	1,041,284.62
	未分配利润(元)	–	6,963,893.41	4,389,446.33
	总资产(元)	–	27,279,397.25	22,025,926.52
	总负债(元)	–	8,665,006.93	6,499,735.19
	净资产(元)	–	18,614,390.32	15,526,191.33
	每股收益(元)	–	0.41	0.17
	每股净资产(元)	–	1.86	1.65
	净资产收益率(%)	–	21.53	10.90

保定味群食品科技股份有限公司

公司概况						
	公司名称	保定味群食品科技股份有限公司		股份名称	味群食品	
	法人代表	王纪翔	董秘	邹俊敏	股份代码	830915
	公司网址	www.waycheinfood.com	主办券商	长江证券股份有限公司		
	电　话	0312-3107356	传　真	0312-3107358		
	注册地址	河北省保定市天鹅中路178号				
	行业分类	制造业				

主要财务指标	指标\报告期	2014.06.30	2013.12.31	2012.12.31
	营业收入(元)	–	212,564,828.22	185,480,971.33
	营业利润(元)	–	16,020,268.41	10,713,331.34
	净利润(元)	–	10,115,898.18	7,036,908.54
	未分配利润(元)	–	27,093,817.28	23,580,233.84
	总资产(元)	–	208,617,832.45	207,977,747.10
	总负债(元)	–	93,931,662.00	97,816,749.91
	净资产(元)	–	114,686,170.45	110,160,997.19
	每股收益(元)	–	0.13	0.09
	每股净资产(元)	–	1.42	1.36
	净资产收益率(%)	–	8.82	6.39

公准肉食品股份有限公司

公司概况						
	公司名称	公准肉食品股份有限公司		股份名称	公准股份	
	法人代表	韩义文	董秘	宫传忠	股份代码	830916
	公司网址	www.gongzhun.com	主办券商	东兴证券股份有限公司		
	电　话	0455-5791636	传　真	0455-5791602		
	注册地址	黑龙江省海伦市北环路8号				
	行业分类	制造业				

主要财务指标	指标\报告期	2014.06.30	2013.12.31	2012.12.31
	营业收入(元)	–	1,341,720,331.50	1,182,802,597.13
	营业利润(元)	–	100,164,693.60	102,836,658.85
	净利润(元)	–	100,364,193.60	103,085,688.85
	未分配利润(元)	–	235,453,958.73	145,126,184.49
	总资产(元)	–	380,012,259.50	286,382,959.06
	总负债(元)	–	26,869,793.64	33,604,686.80
	净资产(元)	–	353,142,465.86	252,778,272.26
	每股收益(元)	–	1.10	1.13
	每股净资产(元)	–	3.88	2.77
	净资产收益率(%)	–	28.42	40.78

上海网波软件股份有限公司

公司概况						
	公司名称	上海网波软件股份有限公司		股份名称	网波股份	
	法人代表	郭俊	董秘	陈国洪	股份代码	830917
	公司网址	www.wavenet.com.cn	主办券商	国信证券股份有限公司		
	电　话	021-31269900	传　真	021-51719380		
	注册地址	上海市杨浦区中山北二路1121号313B室				
	行业分类	信息传输、软件和信息技术服务业				

主要财务指标	指标\报告期	2014.06.30	2013.12.31	2012.12.31
	营业收入(元)	–	19,492,093.45	10,048,204.41
	营业利润(元)	–	4,120,873.27	2,207,142.34
	净利润(元)	–	4,184,678.44	2,259,608.34
	未分配利润(元)	–	793,883.07	2,007,784.00
	总资产(元)	–	15,105,881.98	8,152,382.69
	总负债(元)	–	3,690,332.43	921,511.58
	净资产(元)	–	11,415,549.55	7,230,871.11
	每股收益(元)	–	0.42	0.36
	每股净资产(元)	–	1.14	1.45
	净资产收益率(%)	–	36.66	31.25

云南银发绿色环保产业股份有限公司

公司概况						
	公司名称	云南银发绿色环保产业股份有限公司		股份名称	银发环保	
	法人代表	魏东	董秘	马可	股份代码	830918
	公司网址	www.ynyf.cn	主办券商	宏源证券股份有限公司		
	电　话	0871-68329158	传　真	0871-68316718		
	注册地址	云南省昆明市高新区海源北路658号云南生物科技创新中心综合楼401号				
	行业分类	水利、环境和公共设施管理业				

主要财务指标	指标\报告期	2014.06.30	2013.12.31	2012.12.31
	营业收入(元)	–	44,662,174.13	32,564,842.58
	营业利润(元)	–	7,928,943.70	3,966,353.31
	净利润(元)	–	7,078,159.46	3,946,919.67
	未分配利润(元)	–	–5,840,682.65	–13,086,656.95
	总资产(元)	–	101,212,805.37	88,161,575.54
	总负债(元)	–	40,688,412.64	44,127,292.27
	净资产(元)	–	60,524,392.73	44,034,283.27
	每股收益(元)	–	0.31	0.17
	每股净资产(元)	–	2.35	2.55
	净资产收益率(%)	–	12.98	9.17

山东飞达集团生物科技股份有限公司

公司概况	公司名称	山东飞达集团生物科技股份有限公司		股份名称	飞达股份
	法人代表	崔俊良	董秘	刘志勇	股份代码	830919
	公司网址		主办券商	申银万国证券股份有限公司	
	电话	0534-6606555	传真	0534-6606777	
	注册地址	山东省乐陵市飞达路壹号			
	行业分类	制造业			

主要财务指标	指标\报告期	2014.06.30	2013.12.31	2012.12.31
	营业收入(元)	–	225,655,802.83	96,519,125.23
	营业利润(元)	–	15,233,899.21	3,363,121.51
	净利润(元)	–	11,979,727.98	1,249,622.90
	未分配利润(元)	–	37,012,459.49	29,560,511.39
	总资产(元)	–	371,821,335.68	301,690,062.89
	总负债(元)	–	144,200,066.18	93,354,949.19
	净资产(元)	–	227,621,269.50	208,335,113.70
	每股收益(元)	–	0.75	0.08
	每股净资产(元)	–	14.23	13.89
	净资产收益率(%)	–	5.26	0.60

重庆聚融建设(集团)股份有限公司

公司概况	公司名称	重庆聚融建设(集团)股份有限公司			股份名称	聚融集团
	法人代表	梁华国	董秘	岳良红	股份代码	830920
	公司网址			主办券商	长城证券有限责任公司	
	电话	023-54666111		传真	023-54213889	
	注册地址	重庆市忠县忠州镇新桥村三组				
	行业分类	制造业				

主要财务指标	指标\报告期	2014.06.30	2013.12.31	2012.12.31
	营业收入(元)	–	123,331,627.58	83,161,716.43
	营业利润(元)	–	9,290,401.81	6,117,667.05
	净利润(元)	–	6,445,048.54	4,346,824.72
	未分配利润(元)	–	8,478,680.72	2,678,137.04
	总资产(元)	–	120,091,386.88	83,083,262.40
	总负债(元)	–	63,056,842.15	32,493,766.21
	净资产(元)	–	57,034,544.73	50,589,496.19
	每股收益(元)	–	0.15	0.10
	每股净资产(元)	–	1.25	1.10
	净资产收益率(%)	–	11.73	8.96

上海海阳保安服务股份有限公司

公司概况	公司名称	上海海阳保安服务股份有限公司			股份名称	海阳保安
	法人代表	黄轲	董秘	熊邦烈	股份代码	830921
	公司网址	www.haiyang-group.com		主办券商	方正证券股份有限公司	
	电话	021-53085505		传真	021-51603011	
	注册地址	上海市杨浦区四平路2500号902室、903室、904室				
	行业分类	租赁和商务服务业				

主要财务指标	指标\报告期	2014.06.30	2013.12.31	2012.12.31
	营业收入(元)	45,807,055.82	70,809,124.18	49,759,791.86
	营业利润(元)	767,588.41	1,042,164.98	1,118,248.51
	净利润(元)	1,152,156.68	1,785,583.66	1,034,266.88
	未分配利润(元)	1,152,156.68	2,453,540.80	846,515.51
	总资产(元)	19,330,459.73	25,911,748.11	33,724,395.35
	总负债(元)	5,452,146.60	13,185,591.66	22,783,822.56
	净资产(元)	13,878,313.13	12,726,156.45	10,940,572.79
	每股收益(元)	0.12	0.18	0.10
	每股净资产(元)	1.39	1.27	1.09
	净资产收益率(%)	8.30	14.03	9.45

上海裕荣光电科技股份有限公司

公司概况	公司名称	上海裕荣光电科技股份有限公司			股份名称	裕荣光电
	法人代表	周翌东	董秘	周亭	股份代码	830922
	公司网址	www.yurongoptical.com		主办券商	中山证券有限责任公司	
	电话	021-60766721		传真	021-60766723	
	注册地址	上海市嘉定区华亭镇华博路666号4幢1层A区				
	行业分类	制造业				

主要财务指标	指标\报告期	2014.06.30	2013.12.31	2012.12.31
	营业收入(元)	–	35,681,898.04	24,860,012.79
	营业利润(元)	–	586,113.50	329,576.67
	净利润(元)	–	493,672.40	346,796.40
	未分配利润(元)	–	234,561.37	-146,221.14
	总资产(元)	–	20,904,857.79	14,751,700.63
	总负债(元)	–	5,557,406.53	2,397,921.77
	净资产(元)	–	15,347,451.26	12,353,778.86
	每股收益(元)	–	0.04	0.04
	每股净资产(元)	–	1.02	0.99
	净资产收益率(%)	–	3.22	2.81

南京上元堂医药股份有限公司

公司概况	公司名称	南京上元堂医药股份有限公司			股份名称	上元堂
	法人代表	杨念明	董秘	吴洁人	股份代码	830923
	公司网址	www.syt.cn		主办券商	国泰君安证券股份有限公司	
	电　　话	025-52124677		传　　真	025--52124677-808	
	注册地址	江苏省南京市江宁区东山街道宏运大道 2199 号山水方舟雅苑 29 幢				
	行业分类	批发和零售业				

	指标\报告期	2014.06.30	2013.12.31	2012.12.31
主要财务指标	营业收入(元)	–	118,041,071.59	81,288,224.30
	营业利润(元)	–	2,931,096.26	6,852,529.53
	净利润(元)	–	1,747,598.54	4,879,906.77
	未分配利润(元)	–	11,227,158.93	9,691,962.47
	总资产(元)	–	54,836,146.94	33,041,191.64
	总负债(元)	–	21,926,175.42	19,272,418.66
	净资产(元)	–	32,909,971.52	13,768,772.98
	每股收益(元)	–	0.49	1.83
	每股净资产(元)	–	3.30	4.59
	净资产收益率(%)	–	5.31	35.44

深圳市星龙科技股份有限公司

公司概况	公司名称	深圳市星龙科技股份有限公司			股份名称	星龙科技
	法人代表	陈汉新	董秘	林晓茹	股份代码	830924
	公司网址	www.xl-ele.com		主办券商	广发证券股份有限公司	
	电　　话	0755-26666861		传　　真	0755-26470506	
	注册地址	广东省深圳市南山区南海大道 4050 号上汽大厦 1203 室				
	行业分类	制造业				

	指标\报告期	2014.06.30	2013.12.31	2012.12.31
主要财务指标	营业收入(元)	–	20,071,928.78	13,674,984.37
	营业利润(元)	–	7,274,280.31	5,572,472.91
	净利润(元)	–	6,293,048.44	4,711,116.27
	未分配利润(元)	–	4,200,807.84	6,779,413.90
	总资产(元)	–	20,437,808.06	14,967,943.00
	总负债(元)	–	3,912,599.92	2,050,783.30
	净资产(元)	–	16,525,208.14	12,917,159.70
	每股收益(元)	–	0.63	0.94
	每股净资产(元)	–	1.65	2.58
	净资产收益率(%)	–	38.08	36.47

湖北鄂信钻石科技股份有限公司

公司概况	公司名称	湖北鄂信钻石科技股份有限公司			股份名称	鄂信钻石
	法人代表	何南兵	董秘	熊小丽	股份代码	830925
	公司网址	www.exindiamond.com.cn		主办券商	长江证券股份有限公司	
	电　　话	0711-2718333		传　　真	0711-2718029	
	注册地址	湖北省鄂州市鄂东大道 188 号				
	行业分类	制造业				

	指标\报告期	2014.06.30	2013.12.31	2012.12.31
主要财务指标	营业收入(元)	–	123,782,905.70	110,846,042.12
	营业利润(元)	–	23,010,091.77	19,457,734.45
	净利润(元)	–	19,355,319.13	19,115,301.91
	未分配利润(元)	–	50,989,066.47	33,569,279.26
	总资产(元)	–	212,627,619.81	162,915,240.58
	总负债(元)	–	99,954,402.45	69,597,342.34
	净资产(元)	–	112,673,217.36	93,317,898.24
	每股收益(元)	–	0.48	1.31
	每股净资产(元)	–	2.82	5.82
	净资产收益率(%)	–	17.18	20.48

山东迪浩耐磨管道股份有限公司

公司概况	公司名称	山东迪浩耐磨管道股份有限公司			股份名称	迪浩股份
	法人代表	吴建新	董秘	徐钦伟	股份代码	830926
	公司网址	www.dihaopipe.com		主办券商	齐鲁证券有限公司	
	电　　话	0533-2900959		传　　真	0533-2905599	
	注册地址	山东省淄博市张店区傅家镇浮山驿村				
	行业分类	制造业				

	指标\报告期	2014.06.30	2013.12.31	2012.12.31
主要财务指标	营业收入(元)	–	65,950,310.55	65,755,332.28
	营业利润(元)	–	4,763,771.80	11,838,479.71
	净利润(元)	–	3,771,401.71	9,151,891.97
	未分配利润(元)	–	11,698,793.71	11,496,829.01
	总资产(元)	–	127,239,215.84	111,956,907.23
	总负债(元)	–	58,740,490.51	45,987,583.61
	净资产(元)	–	68,498,725.33	65,969,323.62
	每股收益(元)	–	0.15	0.30
	每股净资产(元)	–	1.82	1.79
	净资产收益率(%)	–	8.02	15.04

浙江兆久成信息技术股份有限公司

公司概况	公司名称	浙江兆久成信息技术股份有限公司		股份名称	兆久成
	法人代表	张将勇	董秘 陈小英	股份代码	830927
	公司网址	www.chinajoiner.net		主办券商	方正证券股份有限公司
	电　话	0571-28180183		传　真	0571-87311378
	注册地址	浙江省杭州市滨江区滨安路1197号5幢217室			
	行业分类	信息传输、软件和信息技术服务业			

主要财务指标	指标\报告期	2014.06.30	2013.12.31	2012.12.31
	营业收入(元)	–	27,567,077.33	2,727,799.73
	营业利润(元)	–	2,842,402.30	-1,495,374.54
	净利润(元)	–	2,101,990.83	-1,232,855.31
	未分配利润(元)	–	25,834.63	-2,073,285.69
	总资产(元)	–	16,588,647.93	5,915,295.71
	总负债(元)	–	6,559,942.79	1,988,581.40
	净资产(元)	–	10,028,705.14	3,926,714.31
	每股收益(元)	–	0.21	-0.21
	每股净资产(元)	–	1.00	0.65
	净资产收益率(%)	–	20.96	-31.40

珠海市康定电子股份有限公司

公司概况	公司名称	珠海市康定电子股份有限公司		股份名称	康定电子
	法人代表	邓志谊	董秘 张震海	股份代码	830928
	公司网址	www.kdec.cn		主办券商	平安证券有限责任公司
	电　话	0760-85886990		传　真	0760-85886222
	注册地址	广东省珠海市唐家湾镇哈工大路1号-1-A301K			
	行业分类	制造业			

主要财务指标	指标\报告期	2014.06.30	2013.12.31	2012.12.31
	营业收入(元)	–	90,605,364.17	90,356,664.61
	营业利润(元)	–	5,943,552.46	6,269,439.01
	净利润(元)	–	5,606,809.57	5,093,978.11
	未分配利润(元)	–	8,718,394.96	3,693,365.37
	总资产(元)	–	84,549,025.92	83,071,275.29
	总负债(元)	–	38,998,570.10	43,127,629.04
	净资产(元)	–	45,550,455.82	39,943,646.25
	每股收益(元)	–	0.31	0.30
	每股净资产(元)	–	2.53	2.22
	净资产收益率(%)	–	12.31	12.75

广东幸美化妆品股份有限公司

公司概况	公司名称	广东幸美化妆品股份有限公司		股份名称	幸美股份
	法人代表	郭雷平	董秘 田志刚	股份代码	830929
	公司网址	www.hbgd.com.cn		主办券商	太平洋证券股份有限公司
	电　话	020-61286408		传　真	020-61286411
	注册地址	广东省广州市越秀区农林下路81号之-15楼B、C、D、E			
	行业分类	制造业			

主要财务指标	指标\报告期	2014.06.30	2013.12.31	2012.12.31
	营业收入(元)	–	185,467,370.40	142,386,919.77
	营业利润(元)	–	1,537,673.42	374,997.79
	净利润(元)	–	-307,439.62	-941,396.12
	未分配利润(元)	–	450,094.73	2,420,029.61
	总资产(元)	–	154,301,615.61	145,296,922.16
	总负债(元)	–	110,025,658.94	100,713,525.87
	净资产(元)	–	44,275,956.67	44,583,396.29
	每股收益(元)	–	-0.01	-0.02
	每股净资产(元)	–	1.09	1.10
	净资产收益率(%)	–	-0.69	-2.11

青岛天行健物流股份有限公司

公司概况	公司名称	青岛天行健物流股份有限公司		股份名称	天行健
	法人代表	王政	董秘 马元生	股份代码	830930
	公司网址	www.tesjet.com.cn		主办券商	新时代证券有限责任公司
	电　话	0532-80999936		传　真	0532-80999934
	注册地址	山东省青岛市市南区南京路100号A座3001室			
	行业分类	交通运输、仓储和邮政业			

主要财务指标	指标\报告期	2014.06.30	2013.12.31	2012.12.31
	营业收入(元)	–	17,952,194.22	12,432,972.39
	营业利润(元)	–	1,219,258.91	274,799.16
	净利润(元)	–	901,968.36	191,536.35
	未分配利润(元)	–	540,593.05	-294,033.98
	总资产(元)	–	11,087,597.33	9,383,545.87
	总负债(元)	–	4,074,200.18	4,651,639.02
	净资产(元)	–	7,013,397.15	4,731,906.85
	每股收益(元)	–	0.17	0.04
	每股净资产(元)	–	1.17	0.95
	净资产收益率(%)	–	12.86	4.05

上海仁会生物制药股份有限公司

公司概况	公司名称	上海仁会生物制药股份有限公司		股份名称	仁会生物	
	法人代表	桑会庆	董秘	朱志勇	股份代码	830931
	公司网址	www.benemae.com	主办券商	中信建投证券股份有限公司		
	电　话	021-61905511-8035	传　真	021-61905522		
	注册地址	上海市浦东新区周浦镇紫萍路916号				
	行业分类	制造业				

	指标\报告期	2014.06.30	2013.12.31	2012.12.31
主要财务指标	营业收入(元)	–	190,666.04	629,627.33
	营业利润(元)	–	–9,101,851.71	–29,449,493.68
	净利润(元)	–	–8,086,110.15	–28,267,071.99
	未分配利润(元)	–	–81,831,103.79	–73,744,993.64
	总资产(元)	–	141,359,648.52	108,076,431.30
	总负债(元)	–	36,440,752.31	102,571,424.94
	净资产(元)	–	104,918,896.21	5,505,006.36
	每股收益(元)	–	–0.10	–0.36
	每股净资产(元)	–	1.17	0.06
	净资产收益率(%)	–	–7.71	–513.48

威海博扬超声仪器股份有限公司

公司概况	公司名称	威海博扬超声仪器股份有限公司		股份名称	博扬超声	
	法人代表	翟佳禹	董秘	曹颖	股份代码	830932
	公司网址	www.whboyang.com	主办券商	海通证券股份有限公司		
	电　话	0631-5685992	传　真	0631-5686558		
	注册地址	山东省威海市高技区火炬路213号火炬创新创业基地B座114、115、116号				
	行业分类	制造业				

	指标\报告期	2014.06.30	2013.12.31	2012.12.31
主要财务指标	营业收入(元)	–	10,046,693.75	3,970,019.32
	营业利润(元)	–	2,316,856.64	63,881.99
	净利润(元)	–	2,157,693.99	515,903.85
	未分配利润(元)	–	–77,821.10	–204,454.48
	总资产(元)	–	8,351,865.50	3,268,636.73
	总负债(元)	–	1,354,025.96	1,428,491.18
	净资产(元)	–	6,997,839.54	1,840,145.55
	每股收益(元)	–	0.48	0.26
	每股净资产(元)	–	1.00	0.92
	净资产收益率(%)	–	30.83	28.04

纳晶科技股份有限公司

公司概况	公司名称	纳晶科技股份有限公司		股份名称	纳晶科技	
	法人代表	彭笑刚	董秘	高磊生	股份代码	830933
	公司网址	www.nncrystal.com	主办券商	齐鲁证券有限公司		
	电　话	010-82491169	传　真	010-82491279		
	注册地址	浙江省杭州市滨江区秋溢路500号1幢4楼405-407室				
	行业分类	制造业				

	指标\报告期	2014.06.30	2013.12.31	2012.12.31
主要财务指标	营业收入(元)	–	2,806,725.32	2,497,943.69
	营业利润(元)	–	–21,542,612.63	–16,336,759.84
	净利润(元)	–	–19,610,038.22	–11,789,174.55
	未分配利润(元)	–	–49,340,533.55	–40,637,488.36
	总资产(元)	–	54,338,414.40	74,759,805.19
	总负债(元)	–	2,347,333.19	3,121,063.83
	净资产(元)	–	51,991,081.21	71,638,741.36
	每股收益(元)	–	–0.37	–0.33
	每股净资产(元)	–	0.98	2.03
	净资产收益率(%)	–	–37.72	–16.46

武汉玻尔科技股份有限公司

公司概况	公司名称	武汉玻尔科技股份有限公司		股份名称	玻尔科技	
	法人代表	胡金霞	董秘	汪璇	股份代码	830934
	公司网址	www.boerchina.com	主办券商	申银万国证券股份有限公司		
	电　话	027-83373960	传　真	027-83373966		
	注册地址	湖北省武汉市东西湖区五环大道31号				
	行业分类	制造业				

	指标\报告期	2014.06.30	2013.12.31	2012.12.31
主要财务指标	营业收入(元)	12,772,000.95	27,332,222.76	37,183,536.82
	营业利润(元)	1,093,480.11	892,718.98	2,281,407.48
	净利润(元)	930,981.24	1,038,263.93	1,856,813.89
	未分配利润(元)	924,913.37	980,864.00	4,284,336.87
	总资产(元)	30,388,942.91	30,992,830.49	29,886,417.51
	总负债(元)	6,189,060.54	6,740,264.53	13,920,115.48
	净资产(元)	24,199,882.37	24,252,565.96	15,966,302.03
	每股收益(元)	0.05	0.07	0.12
	每股净资产(元)	1.23	1.24	1.57
	净资产收益率(%)	3.85	4.28	11.31

新疆伊帕尔汗香料股份有限公司

公司概况	公司名称	新疆伊帕尔汗香料股份有限公司			股份名称	伊帕尔汗
	法人代表	陈智	董秘	胡轩	股份代码	830935
	公司网址	www.yprh.com		主办券商	兴业证券股份有限公司	
	电话	0999-8182105		传真	0999-8182106	
	注册地址	新疆维吾尔自治区伊犁州伊宁市解放西路221号				
	行业分类	制造业				

	指标\报告期	2014.06.30	2013.12.31	2012.12.31
主要财务指标	营业收入(元)	–	43,487,762.37	46,198,299.34
	营业利润(元)	–	4,123,488.71	5,328,854.06
	净利润(元)	–	4,815,372.18	5,175,551.44
	未分配利润(元)	–	4,291,680.37	7,916,280.59
	总资产(元)	–	54,101,869.00	57,825,773.48
	总负债(元)	–	20,011,836.08	32,448,273.93
	净资产(元)	–	34,090,032.92	25,377,499.55
	每股收益(元)	–	0.31	0.40
	每股净资产(元)	–	1.52	1.98
	净资产收益率(%)	–	14.24	20.39

河南约克信息技术股份有限公司

公司概况	公司名称	河南约克信息技术股份有限公司			股份名称	约克股份
	法人代表	宋刚	董秘	孙蕊蕊	股份代码	830936
	公司网址	www.yorkg.com		主办券商	信达证券股份有限公司	
	电话	0371-86664327-809		传真	0371-69191079	
	注册地址	河南省郑州市高新技术开发区翠竹街6号11号楼3层304				
	行业分类	信息传输、软件和信息技术服务业				

	指标\报告期	2014.06.30	2013.12.31	2012.12.31
主要财务指标	营业收入(元)	–	12,190,366.02	11,327,275.67
	营业利润(元)	–	-271,511.62	-1,058,547.13
	净利润(元)	–	1,553,307.67	547,222.53
	未分配利润(元)	–	3,758,416.56	2,360,439.66
	总资产(元)	–	22,177,789.39	18,799,229.56
	总负债(元)	–	4,898,679.13	3,073,426.97
	净资产(元)	–	17,279,110.26	15,725,802.59
	每股收益(元)	–	0.16	0.05
	每股净资产(元)	–	1.73	1.57
	净资产收益率(%)	–	8.99	3.48

湖南信达电梯股份有限公司

公司概况	公司名称	湖南信达电梯股份有限公司			股份名称	信达电梯
	法人代表	陈美良	董秘	杨小川	股份代码	830937
	公司网址	www.xddtcn.com		主办券商	财富证券有限责任公司	
	电话	0731-85792808		传真	0731-85454854	
	注册地址	湖南省长沙市长沙高新开发区麓泉路与麓松路延农综合大楼14楼E601房				
	行业分类	制造业				

	指标\报告期	2014.06.30	2013.12.31	2012.12.31
主要财务指标	营业收入(元)	–	113,394,610.99	66,308,587.30
	营业利润(元)	–	11,635,741.21	1,778,364.59
	净利润(元)	–	10,961,023.99	1,288,244.75
	未分配利润(元)	–	9,030,591.75	-642,725.64
	总资产(元)	–	193,569,011.76	157,029,141.93
	总负债(元)	–	120,677,475.68	104,798,629.84
	净资产(元)	–	72,891,536.08	52,230,512.09
	每股收益(元)	–	0.21	0.03
	每股净资产(元)	–	1.38	1.04
	净资产收益率(%)	–	16.07	2.47

德州可恩口腔医院股份有限公司

公司概况	公司名称	德州可恩口腔医院股份有限公司			股份名称	可恩口腔
	法人代表	万少华	董秘	王磊	股份代码	830938
	公司网址	www.dzkqyy.com		主办券商	江海证券有限公司	
	电话	0534-5082122		传真	0534-5017760	
	注册地址	山东省德州市德城区德兴中大道987号				
	行业分类	卫生和社会工作				

	指标\报告期	2014.06.30	2013.12.31	2012.12.31
主要财务指标	营业收入(元)	–	20,566,480.52	15,274,126.88
	营业利润(元)	–	-7,375,361.29	2,754,334.59
	净利润(元)	–	-7,711,187.78	2,051,326.33
	未分配利润(元)	–	-7,867,041.75	61,149.34
	总资产(元)	–	50,970,986.59	29,123,903.23
	总负债(元)	–	30,969,063.01	1,410,791.87
	净资产(元)	–	20,001,923.58	27,713,111.36
	每股收益(元)	–	-0.35	0.11
	每股净资产(元)	–	0.91	1.26
	净资产收益率(%)	–	-38.55	7.40

上海君山表面技术工程股份有限公司

公司概况	公司名称	上海君山表面技术工程股份有限公司			股份名称	君山股份
	法人代表	王建成	董秘	何勤阳	股份代码	830939
	公司网址	www.shjsst.com		主办券商	海通证券股份有限公司	
	电　　话	021-56390010		传　　真	021-56390982	
	注册地址	上海市宝山区杨行工业园区共悦路151号				
	行业分类	制造业				

	指标\报告期	2014.06.30	2013.12.31	2012.12.31
主要财务指标	营业收入(元)	–	140,311,182.43	147,602,240.22
	营业利润(元)	–	17,076,684.25	17,025,172.89
	净利润(元)	–	13,688,744.22	15,474,066.98
	未分配利润(元)	–	74,207,110.61	60,924,155.08
	总资产(元)	–	244,041,704.27	232,015,454.30
	总负债(元)	–	96,331,094.08	97,993,588.33
	净资产(元)	–	147,710,610.19	134,021,865.97
	每股收益(元)	–	0.33	0.33
	每股净资产(元)	–	3.52	3.19
	净资产收益率(%)	–	9.27	10.43

黄山科宏生物香料股份有限公司

公司概况	公司名称	黄山科宏生物香料股份有限公司			股份名称	科宏生物
	法人代表	程存照	董秘	万斌	股份代码	830940
	公司网址	www.hskehong.com		主办券商	招商证券股份有限公司	
	电　　话	0559-6523816		传　　真	0559-6524132	
	注册地址	安徽省黄山市歙县循环经济园区纬一路				
	行业分类	制造业				

	指标\报告期	2014.06.30	2013.12.31	2012.12.31
主要财务指标	营业收入(元)	–	72,236,285.46	60,953,946.50
	营业利润(元)	–	23,081,906.44	18,216,998.23
	净利润(元)	–	21,099,947.20	19,448,363.27
	未分配利润(元)	–	11,359,296.05	29,819,859.41
	总资产(元)	–	235,977,548.29	133,605,672.47
	总负债(元)	–	116,907,009.25	35,635,080.63
	净资产(元)	–	119,070,539.04	97,970,591.84
	每股收益(元)	–	0.32	0.75
	每股净资产(元)	–	1.80	3.77
	净资产收益率(%)	–	17.72	19.85

上海明硕供应链管理股份有限公司

公司概况	公司名称	上海明硕供应链管理股份有限公司			股份名称	明硕股份
	法人代表	刘晔	董秘	尤徐艳	股份代码	830941
	公司网址	www.maysun.net		主办券商	中原证券股份有限公司	
	电　　话	021-51089696		传　　真	021-51089697	
	注册地址	上海市虹口区四平路198号14层08室				
	行业分类	交通运输、仓储和邮政业				

	指标\报告期	2014.06.30	2013.12.31	2012.12.31
主要财务指标	营业收入(元)	–	110,100,236.32	86,174,742.92
	营业利润(元)	–	666,729.94	627,826.30
	净利润(元)	–	568,856.31	517,436.93
	未分配利润(元)	–	–1,764,077.47	–2,332,933.78
	总资产(元)	–	26,157,636.38	23,373,208.28
	总负债(元)	–	10,921,713.85	18,706,142.06
	净资产(元)	–	15,235,922.53	4,667,066.22
	每股收益(元)	–	0.08	0.09
	每股净资产(元)	–	1.02	0.67
	净资产收益率(%)	–	3.73	11.09

无锡众志和达数据计算股份有限公司

公司概况	公司名称	无锡众志和达数据计算股份有限公司			股份名称	众志和达
	法人代表	张庆敏	董秘	张衡	股份代码	830942
	公司网址	www.soul.com.cn		主办券商	广发证券股份有限公司	
	电　　话	0510-85385788-868		传　　真	0510-85385798	
	注册地址	江苏省无锡市无锡新区震泽路18号无锡软件园金牛座A栋6层				
	行业分类	信息传输、软件和信息技术服务业				

	指标\报告期	2014.06.30	2013.12.31	2012.12.31
主要财务指标	营业收入(元)	–	155,378,021.27	166,353,283.11
	营业利润(元)	–	3,735,336.98	29,380,732.74
	净利润(元)	–	21,500,164.19	33,210,329.20
	未分配利润(元)	–	39,072,495.69	20,891,234.85
	总资产(元)	–	215,103,364.23	169,679,943.54
	总负债(元)	–	50,325,191.39	25,299,149.87
	净资产(元)	–	164,778,172.84	144,380,793.67
	每股收益(元)	–	0.48	0.78
	每股净资产(元)	–	3.66	3.21
	净资产收益率(%)	–	13.05	23.00

济南科明数码技术股份有限公司

公司概况	公司名称	济南科明数码技术股份有限公司			股份名称	济南科明
	法人代表	陈清奎	董秘	刘道君	股份代码	830943
	公司网址	www.kemingshuma.com		主办券商	长江证券股份有限公司	
	电　话	13156129583		传　真	0531-88693898	
	注册地址	山东省济南市高新区颖秀路1237号动漫游戏产业基地109室				
	行业分类	信息传输、软件和信息技术服务业				

	指标\报告期	2014.06.30	2013.12.31	2012.12.31
主要财务指标	营业收入(元)	–	12,518,579.79	6,026,956.86
	营业利润(元)	–	301,676.79	-172,769.68
	净利润(元)	–	861,556.19	721,142.80
	未分配利润(元)	–	182,000.84	654,362.00
	总资产(元)	–	12,575,635.13	10,940,946.68
	总负债(元)	–	1,477,010.05	5,213,877.79
	净资产(元)	–	11,098,625.08	5,727,068.89
	每股收益(元)	–	0.13	0.48
	每股净资产(元)	–	1.11	1.15
	净资产收益率(%)	–	7.76	12.59

江苏景尚旅业集团股份有限公司

公司概况	公司名称	江苏景尚旅业集团股份有限公司			股份名称	景尚旅业
	法人代表	孙晓东	董秘	王彩芬	股份代码	830944
	公司网址	www.czcqly.com		主办券商	西部证券股份有限公司	
	电　话	0519-86185708		传　真	0519-68766660	
	注册地址	江苏省常州市荷花池街道关河西路斗巷1号斗巷商务中心8楼				
	行业分类	租赁和商务服务业				

	指标\报告期	2014.06.30	2013.12.31	2012.12.31
主要财务指标	营业收入(元)	–	142,600,344.73	134,663,811.82
	营业利润(元)	–	3,030,998.16	912,394.12
	净利润(元)	–	2,254,031.46	662,240.34
	未分配利润(元)	–	1,727,730.35	-111,528.19
	总资产(元)	–	63,826,385.87	16,066,914.12
	总负债(元)	–	50,623,882.60	11,178,442.31
	净资产(元)	–	13,202,503.27	4,888,471.81
	每股收益(元)	–	0.22	0.17
	每股净资产(元)	–	1.21	0.98
	净资产收益率(%)	–	18.50	13.55

江苏麟龙新材料股份有限公司

公司概况	公司名称	江苏麟龙新材料股份有限公司			股份名称	麟龙新材
	法人代表	冯立新	董秘	尹国贤	股份代码	830945
	公司网址	www.china-linlong.com		主办券商	申银万国证券股份有限公司	
	电　话	0510-83899008		传　真	0510-83881301	
	注册地址	江苏省无锡市惠山经济开发区玉祁配套区				
	行业分类	制造业				

	指标\报告期	2014.06.30	2013.12.31	2012.12.31
主要财务指标	营业收入(元)	–	1,357,746,438.30	1,441,514,589.41
	营业利润(元)	–	9,889,768.19	38,687,460.31
	净利润(元)	–	7,609,027.20	32,458,978.43
	未分配利润(元)	–	50,206,209.49	64,768,766.53
	总资产(元)	–	359,967,396.04	315,136,747.29
	总负债(元)	–	220,533,309.27	162,511,687.72
	净资产(元)	–	139,434,086.77	152,625,059.57
	每股收益(元)	–	0.12	0.52
	每股净资产(元)	–	2.23	2.94
	净资产收益率(%)	–	5.46	21.27

江苏森萱医药化工股份有限公司

公司概况	公司名称	江苏森萱医药化工股份有限公司			股份名称	森萱股份
	法人代表	朱春林	董秘	朱狮章	股份代码	830946
	公司网址	www.senxuan.cn		主办券商	德邦证券有限责任公司	
	电　话	0523-87982811		传　真	0523-87485113	
	注册地址	江苏省泰兴市虹桥镇中丹路西侧				
	行业分类	制造业				

	指标\报告期	2014.06.30	2013.12.31	2012.12.31
主要财务指标	营业收入(元)	–	162,899,090.46	184,784,032.22
	营业利润(元)	–	9,389,678.90	10,123,563.86
	净利润(元)	–	8,347,244.05	8,796,536.68
	未分配利润(元)	–	14,423,799.92	6,911,280.28
	总资产(元)	–	123,573,667.51	113,836,614.17
	总负债(元)	–	49,134,171.53	48,427,383.20
	净资产(元)	–	74,439,495.98	65,409,230.97
	每股收益(元)	–	0.15	0.16
	每股净资产(元)	–	1.33	1.17
	净资产收益率(%)	–	11.21	13.45

金柏园林集团股份有限公司

公司概况	公司名称	金柏园林集团股份有限公司		股份名称	金柏园林
	法人代表	寇有良	董秘	潘哲	股份代码	830947
	公司网址		主办券商	广发证券股份有限公司	
	电　话	024-88319222	传　真	024-88329222	
	注册地址	辽宁省沈阳市沈河区大西路43号			
	行业分类	建筑业			

	指标＼报告期	2014.06.30	2013.12.31	2012.12.31
主要财务指标	营业收入（元）	–	184,819,605.29	190,427,101.22
	营业利润（元）	–	18,070,027.79	25,834,031.26
	净利润（元）	–	14,965,854.58	22,010,906.56
	未分配利润（元）	–	12,041,346.15	38,155,302.69
	总资产（元）	–	200,757,551.69	183,760,425.44
	总负债（元）	–	123,055,835.48	121,873,683.81
	净资产（元）	–	77,701,716.21	61,886,741.63
	每股收益（元）	–	0.29	1.10
	每股净资产（元）	–	1.52	3.09
	净资产收益率（%）	–	19.26	35.58

浙江捷昌线性驱动科技股份有限公司

公司概况	公司名称	浙江捷昌线性驱动科技股份有限公司			股份名称	捷昌驱动
	法人代表	胡仁昌	董秘	徐铭峰	股份代码	830948
	公司网址	www.jiecang.com		主办券商	金元证券股份有限公司	
	电　话	0575-86760296		传　真	0575-86297960	
	注册地址	浙江省绍兴市新昌县省级高新技术产业园区				
	行业分类	制造业				

	指标＼报告期	2014.06.30	2013.12.31	2012.12.31
主要财务指标	营业收入（元）	–	114,204,652.28	91,055,969.13
	营业利润（元）	–	17,045,123.24	14,372,359.45
	净利润（元）	–	15,922,801.47	12,939,592.56
	未分配利润（元）	–	32,234,383.01	22,623,694.85
	总资产（元）	–	127,380,096.66	98,732,296.87
	总负债（元）	–	45,478,441.74	28,243,443.42
	净资产（元）	–	81,901,654.92	70,488,853.45
	每股收益（元）	–	0.39	0.36
	每股净资产（元）	–	2.00	1.72
	净资产收益率（%）	–	19.44	18.36

广东中窑窑业股份有限公司

公司概况	公司名称	广东中窑窑业股份有限公司			股份名称	中窑股份
	法人代表	柳丹	董秘	杨晓凭	股份代码	830949
	公司网址	www.zhongyaokiln.com		主办券商	恒泰证券股份有限公司	
	电　话	0757-86136888		传　真	0757-86136838	
	注册地址	广东省佛山市南海区罗村镇下柏工业大道东				
	行业分类	制造业				

	指标＼报告期	2014.06.30	2013.12.31	2012.12.31
主要财务指标	营业收入（元）	–	368,408,985.21	265,728,986.99
	营业利润（元）	–	19,377,965.94	15,460,859.56
	净利润（元）	–	16,438,304.44	13,951,772.99
	未分配利润（元）	–	30,405,642.49	26,435,967.13
	总资产（元）	–	477,665,505.14	435,572,466.12
	总负债（元）	–	308,478,683.88	272,023,949.30
	净资产（元）	–	169,186,821.26	163,548,516.82
	每股收益（元）	–	0.23	0.19
	每股净资产（元）	–	2.35	2.27
	净资产收益率（%）	–	9.72	8.53

新疆华隆油田科技股份有限公司

公司概况	公司名称	新疆华隆油田科技股份有限公司			股份名称	华隆股份
	法人代表	孙靖	董秘	孙靖	股份代码	830950
	公司网址	www.xjhl.com.cn		主办券商	宏源证券股份有限公司	
	电　话	0990-6886163		传　真	0990-6999098	
	注册地址	新疆维吾尔自治区克拉玛依市金星路12-1号				
	行业分类	采矿业				

	指标＼报告期	2014.06.30	2013.12.31	2012.12.31
主要财务指标	营业收入（元）	–	282,634,752.50	250,490,138.48
	营业利润（元）	–	12,644,192.54	14,676,311.20
	净利润（元）	–	13,140,460.03	16,261,080.00
	未分配利润（元）	–	30,091,817.64	27,354,848.22
	总资产（元）	–	335,693,263.98	314,227,446.26
	总负债（元）	–	181,542,868.46	165,442,112.16
	净资产（元）	–	154,150,395.52	148,785,334.10
	每股收益（元）	–	0.12	0.15
	每股净资产（元）	–	1.39	1.34
	净资产收益率（%）	–	8.52	10.93

西安同大实业股份有限公司

公司概况	公司名称	西安同大实业股份有限公司		股份名称	西安同大
	法人代表	岳峰	董秘 陈勇	股份代码	830951
	公司网址	www.ttongda.com	主办券商	国海证券股份有限公司	
	电话	029-68668558	传真	029-68668557	
	注册地址	陕西省西安市高新区锦业路1号绿地世纪城A区1号楼10202			
	行业分类	制造业			

	指标\报告期	2014.06.30	2013.12.31	2012.12.31
主要财务指标	营业收入(元)	–	20,478,757.39	18,534,273.61
	营业利润(元)	–	1,904,014.57	1,577,269.98
	净利润(元)	–	1,901,685.06	1,735,281.21
	未分配利润(元)	–		1,805,123.41
	总资产(元)	–	25,219,602.33	19,856,043.33
	总负债(元)	–	10,356,724.59	7,850,350.65
	净资产(元)	–	14,862,877.74	12,005,692.68
	每股收益(元)	–	0.19	0.17
	每股净资产(元)	–	1.40	1.20
	净资产收益率(%)	–	12.80	14.45

胜利方兰德石油装备股份有限公司

公司概况	公司名称	胜利方兰德石油装备股份有限公司		股份名称	方兰德
	法人代表	付秀荣	董秘 舒宁	股份代码	830952
	公司网址	www.fanland.cc	主办券商	东吴证券股份有限公司	
	电话	0546-8716783	传真	0546-8716783	
	注册地址	山东省东营市东营区烟台路103工业园			
	行业分类	制造业			

	指标\报告期	2014.06.30	2013.12.31	2012.12.31
主要财务指标	营业收入(元)	–	474,795,683.34	509,753,866.75
	营业利润(元)	–	13,228,827.80	45,850,747.92
	净利润(元)	–	10,702,839.73	44,506,039.13
	未分配利润(元)	–	93,717,955.84	88,061,908.78
	总资产(元)	–	568,178,501.74	460,985,221.92
	总负债(元)	–	342,597,554.57	242,130,605.78
	净资产(元)	–	225,580,947.17	218,854,616.14
	每股收益(元)	–	0.16	0.66
	每股净资产(元)	–	3.34	3.24
	净资产收益率(%)	–	4.75	20.34

江西惠当家信息技术股份有限公司

公司概况	公司名称	江西惠当家信息技术股份有限公司		股份名称	惠当家
	法人代表	郭驭华	董秘 雷凌	股份代码	830953
	公司网址	www.lghy.com	主办券商	国盛证券有限责任公司	
	电话	0791-88310832	传真	0791-88104619	
	注册地址	江西省南昌市高新区高新大道589号南昌大学科技园2号楼1101室			
	行业分类	信息传输、软件和信息技术服务业			

	指标\报告期	2014.06.30	2013.12.31	2012.12.31
主要财务指标	营业收入(元)	–	4,087,264.30	539,940.79
	营业利润(元)	–	607,708.90	–279,582.20
	净利润(元)	–	767,605.63	–280,960.84
	未分配利润(元)	–	397,359.55	–300,870.75
	总资产(元)	–	6,122,479.51	4,905,243.49
	总负债(元)	–	655,744.63	206,114.24
	净资产(元)	–	5,466,734.88	4,699,129.25
	每股收益(元)	–	0.15	–0.06
	每股净资产(元)	–	1.09	0.94
	净资产收益率(%)	–	14.04	–5.98

宁波华宝石节能科技股份有限公司

公司概况	公司名称	宁波华宝石节能科技股份有限公司		股份名称	华宝石
	法人代表	程照	董秘 肖伟华	股份代码	830954
	公司网址	www.hobosgroup.com	主办券商	华鑫证券有限责任公司	
	电话	0574-83086518	传真	0574-83086578	
	注册地址	浙江省宁波市鄞州区滨海投资创业中心启航南路233号			
	行业分类	制造业			

	指标\报告期	2014.06.30	2013.12.31	2012.12.31
主要财务指标	营业收入(元)	–	34,134,759.36	26,230,170.92
	营业利润(元)	–	–306,281.97	418,509.73
	净利润(元)	–	332,256.10	387,240.56
	未分配利润(元)	–	–5,756,034.50	–6,322,420.71
	总资产(元)	–	33,719,003.74	27,952,661.17
	总负债(元)	–	12,403,613.30	14,275,081.88
	净资产(元)	–	21,315,390.44	13,677,579.29
	每股收益(元)	–	0.03	0.02
	每股净资产(元)	–	1.03	0.68
	净资产收益率(%)	–	2.75	2.83

大盛微电科技股份有限公司

公司概况	公司名称	大盛微电科技股份有限公司			股份名称	大盛微电
	法人代表	牛怀清	董秘	张灿	股份代码	830955
	公司网址	www.dswd.com.cn		主办券商	国盛证券有限责任公司	
	电　话	0374-3210111		传　真	0374-3318252	
	注册地址	河南省许昌市经济技术开发区				
	行业分类	制造业				

	指标\报告期	2014.06.30	2013.12.31	2012.12.31
主要财务指标	营业收入(元)	–	331,873,660.32	337,169,550.57
	营业利润(元)	–	22,795,580.34	15,287,685.69
	净利润(元)	–	22,382,983.95	11,252,754.63
	未分配利润(元)	–	22,474,596.86	–732,390.04
	总资产(元)	–	397,681,003.03	319,573,258.24
	总负债(元)	–	290,164,213.63	255,506,011.96
	净资产(元)	–	107,516,789.40	64,067,246.28
	每股收益(元)	–	0.38	0.23
	每股净资产(元)	–	1.72	1.20
	净资产收益率(%)	–	21.78	19.38

苏州润佳工程塑料股份有限公司

公司概况	公司名称	苏州润佳工程塑料股份有限公司			股份名称	润佳股份
	法人代表	丁贤麟	董秘	孙林	股份代码	830956
	公司网址	www.szrj.net		主办券商	中信证券股份有限公司	
	电　话	0512-67023999		传　真	0512-62741098	
	注册地址	江苏省苏州工业园区唯亭镇葑亭大道698号				
	行业分类	制造业				

	指标\报告期	2014.06.30	2013.12.31	2012.12.31
主要财务指标	营业收入(元)	–	265,203,641.26	211,136,114.77
	营业利润(元)	–	17,533,864.09	14,869,826.99
	净利润(元)	–	15,879,530.19	12,673,841.39
	未分配利润(元)	–	16,951,562.15	4,179,569.08
	总资产(元)	–	134,866,929.65	106,253,191.47
	总负债(元)	–	87,992,976.11	73,758,768.12
	净资产(元)	–	46,873,953.54	32,494,423.35
	每股收益(元)	–	0.79	0.63
	每股净资产(元)	–	2.34	1.62
	净资产收益率(%)	–	33.88	39.00

江苏佳成科技股份有限公司

公司概况	公司名称	江苏佳成科技股份有限公司			股份名称	佳成科技
	法人代表	钱国平	董秘	钱品芳	股份代码	830957
	公司网址	www.jsjcjx.com		主办券商	长城证券有限责任公司	
	电　话	0512-58350270		传　真	0512-58353355	
	注册地址	江苏省张家港市塘桥镇巨桥村				
	行业分类	制造业				

	指标\报告期	2014.06.30	2013.12.31	2012.12.31
主要财务指标	营业收入(元)	–	89,221,855.63	64,049,675.41
	营业利润(元)	–	4,558,046.62	–2,091,582.66
	净利润(元)	–	4,745,193.70	–1,460,377.45
	未分配利润(元)	–	13,586,501.65	9,341,031.70
	总资产(元)	–	163,536,308.60	130,959,539.89
	总负债(元)	–	140,999,331.23	115,167,756.22
	净资产(元)	–	22,536,977.37	15,791,783.67
	每股收益(元)	–	0.93	–0.29
	每股净资产(元)	–	3.18	3.11
	净资产收益率(%)	–	21.06	–9.25

苏州高新区鑫庄农村小额贷款股份有限公司

公司概况	公司名称	苏州高新区鑫庄农村小额贷款股份有限公司			股份名称	鑫庄农贷
	法人代表	平小发	董秘	王建荣	股份代码	830958
	公司网址			主办券商	东吴证券股份有限公司	
	电　话	0512-69580523		传　真	0512-69581866	
	注册地址	江苏省苏州市高新区名墅花园88幢102室				
	行业分类	金融业				

	指标\报告期	2014.06.30	2013.12.31	2012.12.31
主要财务指标	营业收入(元)	–	–	–
	营业利润(元)	–	46,621,767.20	44,618,477.95
	净利润(元)	–	40,799,807.81	39,011,549.57
	未分配利润(元)	–	21,366,118.11	34,050,191.08
	总资产(元)	–	571,913,196.00	509,725,287.73
	总负债(元)	–	236,620,731.43	166,232,630.97
	净资产(元)	–	335,292,464.57	343,492,656.76
	每股收益(元)	–	0.14	0.13
	每股净资产(元)	–	1.12	1.14
	净资产收益率(%)	–	12.17	11.36

宁波爱珂照明股份有限公司

公司概况	公司名称	宁波爱珂照明股份有限公司		股份名称	爱珂照明
	法人代表	施杰军	董秘	胡悦	股份代码	830959
	公司网址	www.ikeled.com	主办券商	方正证券股份有限公司	
	电话	0574-87915765	传真	0574-87915769	
	注册地址	浙江省宁波市宁波高新区剑兰路 399 号			
	行业分类	制造业			

主要财务指标	指标\报告期	2014.06.30	2013.12.31	2012.12.31
	营业收入(元)	–	23,374,202.48	12,009,931.59
	营业利润(元)	–	30,741.89	–67,530.03
	净利润(元)	–	203,846.28	–118,949.77
	未分配利润(元)	–	–15,948.07	–143,700.97
	总资产(元)	–	21,391,607.26	10,000,551.32
	总负债(元)	–	11,241,461.95	8,644,252.29
	净资产(元)	–	10,150,145.31	1,356,299.03
	每股收益(元)	–	0.03	–0.08
	每股净资产(元)	–	1.02	0.90
	净资产收益率(%)	–	2.01	–8.77

深圳微步信息股份有限公司

公司概况	公司名称	深圳微步信息股份有限公司		股份名称	微步信息
	法人代表	黄建新	董秘	李青勇	股份代码	830960
	公司网址	www.weibu.com	主办券商	浙商证券股份有限公司	
	电话	0755-26507599-890	传真	0755-26507599-883	
	注册地址	广东省深圳市南山区高新中一道2号长园新材料港3栋一层、三层、四层			
	行业分类	信息传输、软件和信息技术服务业			

主要财务指标	指标\报告期	2014.06.30	2013.12.31	2012.12.31
	营业收入(元)	–	74,466,005.10	30,796,958.04
	营业利润(元)	–	8,901,582.77	4,108,555.55
	净利润(元)	–	7,483,551.16	3,795,517.97
	未分配利润(元)	–	4,836,952.27	3,364,740.11
	总资产(元)	–	35,469,052.53	24,643,489.04
	总负债(元)	–	19,335,343.45	10,648,819.28
	净资产(元)	–	16,133,709.08	13,994,669.76
	每股收益(元)	–	0.75	0.38
	每股净资产(元)	–	1.61	1.40
	净资产收益率(%)	–	46.39	27.12

西安圣华农业科技股份有限公司

公司概况	公司名称	西安圣华农业科技股份有限公司		股份名称	圣华农科
	法人代表	党晓辉	董秘	林智宗	股份代码	830961
	公司网址	www.senwas.com	主办券商	广州证券有限责任公司	
	电话	400-029-0608	传真		
	注册地址	陕西省西安市高新瞪羚路 26 号			
	行业分类	制造业			

主要财务指标	指标\报告期	2014.06.30	2013.12.31	2012.12.31
	营业收入(元)	–	80,864,756.40	68,286,883.50
	营业利润(元)	–	13,212,213.38	12,148,607.65
	净利润(元)	–	11,794,641.46	10,235,259.61
	未分配利润(元)	–	10,962,950.53	7,805,238.19
	总资产(元)	–	75,340,138.87	66,597,423.27
	总负债(元)	–	31,569,390.46	26,020,074.32
	净资产(元)	–	43,770,748.41	40,577,348.95
	每股收益(元)	–	0.39	0.34
	每股净资产(元)	–	1.46	1.35
	净资产收益率(%)	–	26.95	25.22

哈尔滨科德威冶金股份有限公司

公司概况	公司名称	哈尔滨科德威冶金股份有限公司		股份名称	科德威
	法人代表	吴荷生	董秘	那英明	股份代码	830962
	公司网址	www.coredwire.cn	主办券商	财达证券有限责任公司	
	电话	0451-84348468	传真	0451-84348469	
	注册地址	黑龙江省哈尔滨市高科技创业中心零号楼 307 室			
	行业分类	制造业			

主要财务指标	指标\报告期	2014.06.30	2013.12.31	2012.12.31
	营业收入(元)	–	21,184,166.54	18,409,974.62
	营业利润(元)	–	644,304.61	4,361.98
	净利润(元)	–	894,849.24	1,368.03
	未分配利润(元)	–	1,031,222.10	225,857.78
	总资产(元)	–	55,830,794.58	48,866,549.94
	总负债(元)	–	32,137,476.75	26,068,081.35
	净资产(元)	–	23,693,317.83	22,798,468.59
	每股收益(元)	–	0.04	0.00
	每股净资产(元)	–	1.07	1.04
	净资产收益率(%)	–	3.78	0.01

伽力森主食企业(无锡)股份有限公司

公司概况	公司名称	伽力森主食企业(无锡)股份有限公司		股份名称	伽力森	
	法人代表	王伟强	董秘	王小莉	股份代码	830963
	公司网址	www.kerisom.com		主办券商	东吴证券股份有限公司	
	电　话	0510-68880999		传　真	0510-68880777	
	注册地址	江苏省无锡市锡山区鹅湖镇工业园区				
	行业分类	制造业				

	指标\报告期	2014.06.30	2013.12.31	2012.12.31
主要财务指标	营业收入(元)	-	136,920,108.73	125,433,567.26
	营业利润(元)	-	20,439,120.61	9,941,798.14
	净利润(元)	-	14,940,761.60	7,027,192.25
	未分配利润(元)	-	417,765.66	30,952,160.10
	总资产(元)	-	131,386,157.54	111,847,282.34
	总负债(元)	-	49,851,293.32	55,371,150.28
	净资产(元)	-	81,534,864.22	56,476,132.06
	每股收益(元)	-	0.80	0.48
	每股净资产(元)	-	4.27	3.35
	净资产收益率(%)	-	18.67	14.36

河北润农节水科技股份有限公司

公司概况	公司名称	河北润农节水科技股份有限公司		股份名称	润农节水	
	法人代表	张国峰	董秘	齐乃凤	股份代码	830964
	公司网址	www.tsrnjs.com		主办券商	国泰君安证券股份有限公司	
	电　话	0315-6153099		传　真	0315-6186878	
	注册地址	河北省唐山市玉田县开发区102国道南				
	行业分类	制造业				

	指标\报告期	2014.06.30	2013.12.31	2012.12.31
主要财务指标	营业收入(元)	-	71,355,377.67	32,994,607.30
	营业利润(元)	-	9,303,887.31	4,371,658.01
	净利润(元)	-	8,248,423.81	3,336,312.22
	未分配利润(元)	-	10,426,262.43	3,002,681.00
	总资产(元)	-	88,119,516.45	55,564,466.47
	总负债(元)	-	26,034,780.42	12,228,154.25
	净资产(元)	-	62,084,736.03	43,336,312.22
	每股收益(元)	-	0.13	0.05
	每股净资产(元)	-	1.00	0.70
	净资产收益率(%)	-	13.29	7.70

大力电工襄阳股份有限公司

公司概况	公司名称	大力电工襄阳股份有限公司		股份名称	大力电工	
	法人代表	高文广	董秘	余志金	股份代码	830965
	公司网址	www.bigpwer.com		主办券商	华泰证券股份有限公司	
	电　话	0710-3211173		传　真	0710-3243977	
	注册地址	湖北省襄阳市高新区航宇路5号				
	行业分类	制造业				

	指标\报告期	2014.06.30	2013.12.31	2012.12.31
主要财务指标	营业收入(元)	-	222,087,317.26	256,799,218.26
	营业利润(元)	-	454,590.01	9,387,329.74
	净利润(元)	-	10,600,353.67	13,223,279.96
	未分配利润(元)	-	30,038,789.69	21,060,984.13
	总资产(元)	-	419,692,955.60	374,395,618.65
	总负债(元)	-	197,576,178.77	157,279,195.49
	净资产(元)	-	222,116,776.83	217,116,423.16
	每股收益(元)	-	0.18	0.22
	每股净资产(元)	-	3.66	3.48
	净资产收益率(%)	-	4.90	6.43

江苏苏北花卉股份有限公司

公司概况	公司名称	江苏苏北花卉股份有限公司		股份名称	苏北花卉	
	法人代表	李生	董秘	王淳	股份代码	830966
	公司网址	www.subeiflower.com		主办券商	华泰证券股份有限公司	
	电　话	0527-83331008		传　真	0527-83332118	
	注册地址	江苏省宿迁市沭阳县庙头镇扎新路北侧				
	行业分类	建筑业				

	指标\报告期	2014.06.30	2013.12.31	2012.12.31
主要财务指标	营业收入(元)	-	553,675,177.41	553,675,177.41
	营业利润(元)	-	63,167,711.75	63,167,711.75
	净利润(元)	-	60,597,539.46	60,597,539.46
	未分配利润(元)	-	122,664,815.24	122,664,815.24
	总资产(元)	-	956,844,798.45	956,844,798.45
	总负债(元)	-	648,113,830.00	648,113,830.00
	净资产(元)	-	308,730,968.45	308,730,968.45
	每股收益(元)	-	1.16	1.16
	每股净资产(元)	-	5.93	5.93
	净资产收益率(%)	-	19.63	19.63

山东巨环铸造机械股份有限公司

公司概况	公司名称	山东巨环铸造机械股份有限公司		股份名称	山东巨环
	法人代表	王勇	董秘	程永平	股份代码	830967
	公司网址	www.juhuanzhuji.com		主办券商	西藏同信证券股份有限公司
	电　话	0536-6046811		传　真	0536-6053672
	注册地址	山东省潍坊市诸城市密州街道北石桥666号			
	行业分类	制造业			

	指标\报告期	2014.06.30	2013.12.31	2012.12.31
主要财务指标	营业收入(元)	–	10,190,614.96	3,393,348.92
	营业利润(元)	–	654,485.92	269,903.27
	净利润(元)	–	626,617.20	247,814.94
	未分配利润(元)	–	308,816.64	-286,856.96
	总资产(元)	–	19,279,715.82	17,054,089.50
	总负债(元)	–	8,686,957.03	7,091,317.27
	净资产(元)	–	10,592,758.79	9,962,772.23
	每股收益(元)	–	0.06	0.02
	每股净资产(元)	–	1.06	1.00
	净资产收益率(%)	–	5.92	2.49

苏州华电电气股份有限公司

公司概况	公司名称	苏州华电电气股份有限公司		股份名称	华电电气
	法人代表	鲍清华	董秘	沈义成	股份代码	830968
	公司网址	www.szhddq.com		主办券商	东吴证券股份有限公司
	电　话	0512-66981130		传　真	0512-67167303
	注册地址	江苏省苏州市吴中经济开发区河东工业园善浦路255号			
	行业分类	制造业			

	指标\报告期	2014.06.30	2013.12.31	2012.12.31
主要财务指标	营业收入(元)	–	145,042,596.23	154,547,026.39
	营业利润(元)	–	19,070,681.84	36,849,497.39
	净利润(元)	–	19,761,784.01	34,297,278.53
	未分配利润(元)	–	91,846,647.23	82,943,719.05
	总资产(元)	–	260,382,663.32	256,082,037.31
	总负债(元)	–	91,995,369.66	98,996,527.66
	净资产(元)	–	168,387,293.66	157,085,509.65
	每股收益(元)	–	0.33	0.57
	每股净资产(元)	–	2.80	2.62
	净资产收益率(%)	–	11.74	21.83

广东智通人才连锁股份有限公司

公司概况	公司名称	广东智通人才连锁股份有限公司		股份名称	智通人才
	法人代表	叶菁	董秘	项贤东	股份代码	830969
	公司网址	www.job5156.com		主办券商	东莞证券有限责任公司
	电　话	0769-87078298		传　真	0769-87078157
	注册地址	广东省东莞市莞城莞太大道79号			
	行业分类	租赁和商务服务业			

	指标\报告期	2014.06.30	2013.12.31	2012.12.31
主要财务指标	营业收入(元)	–	639,286,941.13	351,140,297.28
	营业利润(元)	–	16,516,089.49	10,137,151.39
	净利润(元)	–	14,961,694.25	10,709,828.91
	未分配利润(元)	–	51,414,192.96	45,114,496.09
	总资产(元)	–	197,229,471.19	165,938,479.86
	总负债(元)	–	61,085,319.43	39,522,880.68
	净资产(元)	–	136,144,151.76	126,415,599.18
	每股收益(元)	–	0.28	0.21
	每股净资产(元)	–	2.39	2.23
	净资产收益率(%)	–	11.65	9.26

上海艾录包装股份有限公司

公司概况	公司名称	上海艾录包装股份有限公司		股份名称	艾录股份
	法人代表	陈安康	董秘	陈雪骐	股份代码	830970
	公司网址	www.shailu.cn		主办券商	国金证券股份有限公司
	电　话	021-57293030-8066		传　真	021-57293004
	注册地址	上海市金山区山阳镇阳乐路88号			
	行业分类	制造业			

	指标\报告期	2014.06.30	2013.12.31	2012.12.31
主要财务指标	营业收入(元)	–	194,183,374.55	125,678,195.11
	营业利润(元)	–	27,681,588.87	7,173,177.09
	净利润(元)	–	24,791,911.23	9,190,072.08
	未分配利润(元)	–	14,973,272.96	7,660,552.85
	总资产(元)	–	228,041,566.65	190,963,457.30
	总负债(元)	–	117,737,930.03	90,451,731.91
	净资产(元)	–	110,303,636.62	100,511,725.39
	每股收益(元)	–	0.44	0.16
	每股净资产(元)	–	1.98	1.85
	净资产收益率(%)	–	22.48	9.14

苏州科特环保股份有限公司

公司概况	公司名称	苏州科特环保股份有限公司			股份名称	科特环保
	法人代表	马三剑	董秘	朱义明	股份代码	830971
	公司网址	www.epati.com		主办券商	东吴证券股份有限公司	
	电　　话	0512-66931716		传　　真	0512-66931632	
	注册地址	江苏省苏州市吴中区胥口镇茅蓬路 517 号				
	行业分类	电力、热力、燃气及水生产和供应业				

	指标 \ 报告期	2014.06.30	2013.12.31	2012.12.31
主要财务指标	营业收入(元)	–	40,820,420.23	40,375,349.91
	营业利润(元)	–	2,934,397.50	9,608,164.48
	净利润(元)	–	2,503,908.85	8,502,864.25
	未分配利润(元)	–	684,598.22	13,540,393.35
	总资产(元)	–	72,830,482.09	62,630,283.47
	总负债(元)	–	19,253,392.34	11,145,429.99
	净资产(元)	–	53,577,089.75	51,484,853.48
	每股收益(元)	–	0.06	0.21
	每股净资产(元)	–	1.33	1.29
	净资产收益率(%)	–	4.75	16.52

广东道一信息技术股份有限公司

公司概况	公司名称	广东道一信息技术股份有限公司			股份名称	道一信息
	法人代表	陈侦	董秘	徐婉彬	股份代码	830972
	公司网址	www.do1.com.cn		主办券商	方正证券股份有限公司	
	电　　话	400-111-2626		传　　真	020-84209336	
	注册地址	广东省广州市天河区高普路 1023 号 523 室				
	行业分类	信息传输、软件和信息技术服务业				

	指标 \ 报告期	2014.06.30	2013.12.31	2012.12.31
主要财务指标	营业收入(元)	–	30,155,313.27	28,962,418.66
	营业利润(元)	–	1,198,332.09	842,589.93
	净利润(元)	–	1,651,269.27	1,021,789.31
	未分配利润(元)	–	1,119,649.91	3,433,507.57
	总资产(元)	–	20,189,378.00	20,329,897.68
	总负债(元)	–	3,423,100.32	1,514,889.27
	净资产(元)	–	16,766,277.68	18,815,008.41
	每股收益(元)	–	0.11	0.07
	每股净资产(元)	–	1.11	1.25
	净资产收益率(%)	–	9.85	5.43

辽宁双强塑胶科技发展股份有限公司

公司概况	公司名称	辽宁双强塑胶科技发展股份有限公司			股份名称	双强塑胶
	法人代表	李文波	董秘	安加彬	股份代码	830973
	公司网址	www.shuangguan.net		主办券商	广发证券股份有限公司	
	电　　话	0412-4944033		传　　真	0412-4944833	
	注册地址	辽宁省鞍山市台安经济开发区迎宾路 6 号				
	行业分类	制造业				

	指标 \ 报告期	2014.06.30	2013.12.31	2012.12.31
主要财务指标	营业收入(元)	–	41,226,313.58	35,001,838.60
	营业利润(元)	–	2,812,450.13	2,281,661.12
	净利润(元)	–	4,288,828.67	3,449,951.09
	未分配利润(元)	–	4,539,919.18	3,859,495.56
	总资产(元)	–	75,016,079.91	60,961,711.05
	总负债(元)	–	41,184,357.45	36,418,817.26
	净资产(元)	–	33,831,722.46	24,542,893.79
	每股收益(元)	–	0.15	–
	每股净资产(元)	–	1.21	1.23
	净资产收益率(%)	–	12.68	14.06

杭州凯大催化金属材料股份有限公司

公司概况	公司名称	杭州凯大催化金属材料股份有限公司			股份名称	凯大催化
	法人代表	姚洪	董秘	林桂燕	股份代码	830974
	公司网址	www.katal.com.cn		主办券商	方正证券股份有限公司	
	电　　话	0571-86999694		传　　真	0571-86790551	
	注册地址	浙江省杭州市拱墅区康桥路 7 号 101 室				
	行业分类	制造业				

	指标 \ 报告期	2014.06.30	2013.12.31	2012.12.31
主要财务指标	营业收入(元)	–	56,528,459.96	17,076,582.92
	营业利润(元)	–	3,672,601.93	–155,584.44
	净利润(元)	–	3,360,599.65	–154,026.15
	未分配利润(元)	–	1,128,338.20	–2,106,890.54
	总资产(元)	–	33,112,540.15	52,421,952.67
	总负债(元)	–	1,788,793.39	24,458,805.56
	净资产(元)	–	31,323,746.76	27,963,147.11
	每股收益(元)	–	0.11	–0.01
	每股净资产(元)	–	1.04	0.93
	净资产收益率(%)	–	10.73	–0.55

青岛东和科技股份有限公司

公司概况	公司名称	青岛东和科技股份有限公司			股份名称	东和股份
	法人代表	陈克伟	董秘	崔桂娟	股份代码	830975
	公司网址	www.doohe.com		主办券商	江海证券有限公司	
	电　　话	0532-88139088		传　　真	0532-88139630	
	注册地址	山东省青岛市胶南市海滨工业园上海东一路389号				
	行业分类	制造业				

主要财务指标	指标\报告期	2014.06.30	2013.12.31	2012.12.31
	营业收入(元)	–	19,261,458.92	13,240,253.85
	营业利润(元)	–	666,725.35	–197,346.03
	净利润(元)	–	982,101.25	–254,789.70
	未分配利润(元)	–	557,587.17	–362,559.95
	总资产(元)	–	23,841,395.33	25,646,098.38
	总负债(元)	–	12,864,203.47	15,883,651.65
	净资产(元)	–	10,977,191.86	9,762,446.73
	每股收益(元)	–	0.11	–0.03
	每股净资产(元)	–	1.22	1.08
	净资产收益率(%)	–	8.95	–2.61

深圳电通纬创微电子股份有限公司

公司概况	公司名称	深圳电通纬创微电子股份有限公司			股份名称	电通微电
	法人代表	张建国	董秘	LIYANING	股份代码	830976
	公司网址	www.szdtwcw.com		主办券商	东北证券股份有限公司	
	电　　话	0755-89903933		传　　真	0755-89903533	
	注册地址	广东省深圳市龙岗区平湖街道力昌社区平龙东路349号2#厂房				
	行业分类	制造业				

主要财务指标	指标\报告期	2014.06.30	2013.12.31	2012.12.31
	营业收入(元)	–	51,778,041.15	35,267,621.27
	营业利润(元)	–	3,300,045.92	–4,949,490.08
	净利润(元)	–	3,590,095.51	–2,768,768.20
	未分配利润(元)	–	–1,220,737.71	–4,810,833.22
	总资产(元)	–	49,742,718.57	42,186,454.21
	总负债(元)	–	35,963,456.28	31,997,287.43
	净资产(元)	–	13,779,262.29	10,189,166.78
	每股收益(元)	–	0.24	–0.18
	每股净资产(元)	–	0.92	0.68
	净资产收益率(%)	–	26.05	–27.17

山东婴儿乐股份有限公司

公司概况	公司名称	山东婴儿乐股份有限公司			股份名称	婴儿乐
	法人代表	张祖岩	董秘	于京峰	股份代码	830977
	公司网址	www.baby-joy.com		主办券商	广发证券股份有限公司	
	电　　话	0535-6608617		传　　真	0535-6608633	
	注册地址	山东省烟台市莱山区杰瑞路17号				
	行业分类	制造业				

主要财务指标	指标\报告期	2014.06.30	2013.12.31	2012.12.31
	营业收入(元)	–	63,602,051.41	56,219,889.37
	营业利润(元)	–	4,831,299.80	1,092,188.75
	净利润(元)	–	3,180,328.01	470,323.88
	未分配利润(元)	–	–3,464,188.19	–6,873,157.72
	总资产(元)	–	70,568,800.98	69,317,725.80
	总负债(元)	–	50,976,261.91	57,905,514.74
	净资产(元)	–	19,592,539.07	11,412,211.06
	每股收益(元)	–	0.34	0.03
	每股净资产(元)	–	1.10	0.81
	净资产收益率(%)	–	20.62	3.86

杭州先临三维科技股份有限公司

公司概况	公司名称	杭州先临三维科技股份有限公司			股份名称	先临三维
	法人代表	李诚	董秘	黄贤清	股份代码	830978
	公司网址	www.shining3d.cn		主办券商	国信证券股份有限公司	
	电　　话	0571-82999580		传　　真	0571-82999585	
	注册地址	浙江省杭州市萧山区闻堰镇时代大道4899号一层				
	行业分类	信息传输、软件和信息技术服务业				

主要财务指标	指标\报告期	2014.06.30	2013.12.31	2012.12.31
	营业收入(元)	–	92,309,553.77	55,250,863.36
	营业利润(元)	–	–3,108,782.76	–2,969,441.83
	净利润(元)	–	6,066,388.32	3,834,378.75
	未分配利润(元)	–	43,922,657.73	38,147,423.89
	总资产(元)	–	125,647,655.26	102,395,638.38
	总负债(元)	–	23,247,729.65	19,682,101.09
	净资产(元)	–	102,399,925.61	82,713,537.29
	每股收益(元)	–	0.14	0.09
	每股净资产(元)	–	1.99	1.89
	净资产收益率(%)	–	6.10	5.38

山东泰宝生物科技股份有限公司

公司概况					
公司名称	山东泰宝生物科技股份有限公司			股份名称	泰宝生物
法人代表	周峰	董秘	董娜	股份代码	830979
公司网址	www.sdtfy.com		主办券商	齐鲁证券有限公司	
电　　话	0533-3432799		传　　真	0533-3432799	
注册地址	山东省淄博市沂源民营工业园				
行业分类	制造业				

主要财务指标：指标\报告期	2014.06.30	2013.12.31	2012.12.31
营业收入(元)	–	40,230,693.16	37,416,259.83
营业利润(元)	–	740,139.40	–991,702.56
净利润(元)	–	1,017,339.90	–592,696.37
未分配利润(元)	–	297,707.38	–686,553.92
总资产(元)	–	22,446,156.93	28,344,779.76
总负债(元)	–	10,102,934.08	17,018,896.81
净资产(元)	–	12,343,222.85	11,325,882.95
每股收益(元)	–	0.08	–0.05
每股净资产(元)	–	1.03	0.94
净资产收益率(%)	–	8.24	–5.23

厦门日懋城建园林建设股份有限公司

公司概况					
公司名称	厦门日懋城建园林建设股份有限公司			股份名称	日懋园林
法人代表	苏进展	董秘	车斌	股份代码	830980
公司网址	www.xmrimao.com		主办券商	平安证券有限责任公司	
电　　话	0592-7882788		传　　真	0592-7882688	
注册地址	福建省厦门市翔安区五星路481号综合楼三楼西侧				
行业分类	建筑业				

主要财务指标：指标\报告期	2014.06.30	2013.12.31	2012.12.31
营业收入(元)	–	356,178,817.04	349,887,620.80
营业利润(元)	–	56,125,525.91	47,853,997.89
净利润(元)	–	48,479,533.99	40,697,061.88
未分配利润(元)	–	84,652,456.61	76,686,011.19
总资产(元)	–	492,541,563.09	319,890,894.76
总负债(元)	–	227,244,579.93	103,073,445.59
净资产(元)	–	265,296,983.16	216,817,449.17
每股收益(元)	–	0.58	0.95
每股净资产(元)	–	3.16	5.16
净资产收益率(%)	–	18.27	18.48

湖南世纪钨材股份有限公司

公司概况					
公司名称	湖南世纪钨材股份有限公司			股份名称	世纪钨材
法人代表	单水桃	董秘	闵应龙	股份代码	830981
公司网址	www.sansan.net.cn		主办券商	华福证券有限责任公司	
电　　话	15273011333		传　　真	0734-5235618	
注册地址	湖南省衡阳市衡东县城关镇衡岳北路				
行业分类	制造业				

主要财务指标：指标\报告期	2014.06.30	2013.12.31	2012.12.31
营业收入(元)	–	146,909,661.23	128,032,185.60
营业利润(元)	–	20,257,017.95	21,266,212.97
净利润(元)	–	20,922,889.86	20,419,797.41
未分配利润(元)	–	17,295,911.08	39,305,984.91
总资产(元)	–	183,834,297.10	155,221,845.28
总负债(元)	–	90,799,375.37	83,167,712.38
净资产(元)	–	93,034,921.73	72,054,132.90
每股收益(元)	–	0.70	0.73
每股净资产(元)	–	3.10	3.87
净资产收益率(%)	–	22.49	28.34

深圳市中易腾达科技股份有限公司

公司概况					
公司名称	深圳市中易腾达科技股份有限公司			股份名称	中易腾达
法人代表	王琦凡	董秘	赖厚先	股份代码	830982
公司网址	www.sziton.com		主办券商	中信证券股份有限公司	
电　　话	0755-82079390		传　　真	0755-82079392	
注册地址	广东省深圳市福田区益田路1006号20栋2楼201房				
行业分类					

主要财务指标：指标\报告期	2014.06.30	2013.12.31	2012.12.31
营业收入(元)	–	52,261,244.69	41,288,872.83
营业利润(元)	–	7,337,494.26	10,205,175.11
净利润(元)	–	8,824,454.66	11,433,324.40
未分配利润(元)	–	220,797.31	10,683,929.07
总资产(元)	–	48,653,964.29	38,593,832.09
总负债(元)	–	7,958,477.33	7,722,799.79
净资产(元)	–	40,695,486.96	30,871,032.30
每股收益(元)	–	0.36	1.39
每股净资产(元)	–	1.63	1.62
净资产收益率(%)	–	21.68	37.04

广州保得威尔电子科技股份有限公司

公司概况	公司名称	广州保得威尔电子科技股份有限公司		股份名称	保得威尔
	法人代表	朱嘉祥	董秘 蒋艳娜	股份代码	830983
	公司网址	www.protectwell.com.cn		主办券商	广州证券有限责任公司
	电话	020-28955771		传真	020-28955770
	注册地址	广东省广州高新技术产业开发区科学城开源大道11号C2栋第二层			
	行业分类	制造业			

	指标\报告期	2014.06.30	2013.12.31	2012.12.31
主要财务指标	营业收入(元)	–	51,247,341.74	37,559,595.84
	营业利润(元)	–	–658,745.46	–761,325.12
	净利润(元)	–	420,274.00	–355,144.04
	未分配利润(元)	–	241,011.23	834,036.67
	总资产(元)	–	40,587,478.44	42,999,413.81
	总负债(元)	–	29,195,657.20	32,027,866.57
	净资产(元)	–	11,391,821.24	10,971,547.24
	每股收益(元)	–	0.04	–0.04
	每股净资产(元)	–	1.14	1.10
	净资产收益率(%)	–	3.69	–3.24

南京德邦金属装备工程股份有限公司

公司概况	公司名称	南京德邦金属装备工程股份有限公司		股份名称	德邦装备
	法人代表	邓家爱	董秘 汪和顺	股份代码	830984
	公司网址	www.duble.cn		主办券商	华泰证券股份有限公司
	电话	025-87170232		传真	025-87170202
	注册地址	江苏省南京市江宁区江宁经济技术开发区东善桥工业集中区德邦路8号			
	行业分类	制造业			

	指标\报告期	2014.06.30	2013.12.31	2012.12.31
主要财务指标	营业收入(元)	–	375,549,824.63	428,983,115.25
	营业利润(元)	–	16,533,341.07	37,075,051.41
	净利润(元)	–	22,220,378.13	32,141,958.84
	未分配利润(元)	–	56,552,650.75	39,204,423.91
	总资产(元)	–	809,033,680.46	620,098,358.58
	总负债(元)	–	582,462,672.93	412,547,761.40
	净资产(元)	–	226,571,007.53	207,550,597.18
	每股收益(元)	–	0.44	0.66
	每股净资产(元)	–	4.53	4.56
	净资产收益率(%)	–	9.81	15.49

浙江力诺流体控制科技股份有限公司

公司概况	公司名称	浙江力诺流体控制科技股份有限公司		股份名称	浙江力诺
	法人代表	陈晓宇	董秘 冯辉彬	股份代码	830985
	公司网址	www.linuovalve.cn		主办券商	东方花旗证券有限公司
	电话	0577-65097777		传真	0577-65386988
	注册地址	浙江省温州市瑞安市高新技术(阁巷)园区围一路			
	行业分类	制造业			

	指标\报告期	2014.06.30	2013.12.31	2012.12.31
主要财务指标	营业收入(元)	–	234,453,363.94	208,275,006.00
	营业利润(元)	–	38,957,940.00	37,654,257.87
	净利润(元)	–	32,656,994.36	31,994,795.13
	未分配利润(元)	–	41,673,716.91	12,282,421.99
	总资产(元)	–	320,543,490.94	275,310,582.18
	总负债(元)	–	122,013,556.63	109,437,642.23
	净资产(元)	–	198,529,934.31	165,872,939.95
	每股收益(元)	–	0.65	0.70
	每股净资产(元)	–	3.97	3.32
	净资产收益率(%)	–	16.45	19.29

合肥伊科耐信息科技股份有限公司

公司概况	公司名称	合肥伊科耐信息科技股份有限公司		股份名称	伊科耐
	法人代表	李健	董秘 徐晓东	股份代码	830986
	公司网址	www.mrtlc.com.cn		主办券商	东北证券股份有限公司
	电话	0551-65846601		传真	0551-65845298
	注册地址	安徽省合肥市高新区天湖路9号2号楼5层			
	行业分类	制造业			

	指标\报告期	2014.06.30	2013.12.31	2012.12.31
主要财务指标	营业收入(元)	–	10,937,635.55	8,656,385.83
	营业利润(元)	–	1,320,535.76	–696,920.94
	净利润(元)	–	2,142,333.55	–503,028.40
	未分配利润(元)	–	481,770.74	–1,607,032.73
	总资产(元)	–	10,894,202.52	10,789,237.61
	总负债(元)	–	3,858,901.70	9,396,270.34
	净资产(元)	–	7,035,300.82	1,392,967.27
	每股收益(元)	–	0.71	–0.17
	每股净资产(元)	–	1.33	0.46
	净资产收益率(%)	–	30.45	–36.11

重庆四平塑料包装股份有限公司

公司概况					
公司名称	重庆四平塑料包装股份有限公司			股份名称	四平包装
法人代表	程望罗	董秘	孙玉兵	股份代码	830987
公司网址	www.cqsibz.com		主办券商	中信证券股份有限公司	
电话	023-65636580		传真	023-65633163	
注册地址	重庆市沙坪坝区陈家桥镇陈青路 165 号				
行业分类	制造业				

主要财务指标 指标\报告期	2014.06.30	2013.12.31	2012.12.31
营业收入(元)	–	42,226,636.83	41,069,034.77
营业利润(元)	–	307,647.76	935,012.43
净利润(元)	–	1,308,998.41	1,761,859.41
未分配利润(元)	–	3,874,836.06	2,696,737.49
总资产(元)	–	39,302,681.13	53,511,591.65
总负债(元)	–	27,329,516.96	43,064,825.89
净资产(元)	–	11,973,164.17	10,446,765.76
每股收益(元)	–	0.21	0.28
每股净资产(元)	–	1.88	1.64
净资产收益率(%)	–	10.93	16.87

湖北兴和电力新材料股份有限公司

公司概况					
公司名称	湖北兴和电力新材料股份有限公司			股份名称	兴和股份
法人代表	周锦平	董秘	陈明星	股份代码	830988
公司网址	www.hbxhgf.com		主办券商	宏源证券股份有限公司	
电话	0713-8669508		传真	0713-8812487	
注册地址	湖北省黄冈市新港大道 41 号				
行业分类	制造业				

主要财务指标 指标\报告期	2014.06.30	2013.12.31	2012.12.31
营业收入(元)	–	315,674,313.57	305,046,114.45
营业利润(元)	–	35,118,757.81	29,953,257.32
净利润(元)	–	30,172,216.49	26,290,357.00
未分配利润(元)	–	98,962,101.52	93,053,059.51
总资产(元)	–	359,173,757.86	347,360,008.39
总负债(元)	–	152,413,349.86	146,825,704.44
净资产(元)	–	206,760,408.00	200,534,303.95
每股收益(元)	–	0.58	0.53
每股净资产(元)	–	3.72	3.70
净资产收益率(%)	–	16.24	14.22

北京北方空间建筑科技股份有限公司

公司概况					
公司名称	北京北方空间建筑科技股份有限公司			股份名称	北方空间
法人代表	夏新	董秘	杜莉	股份代码	830989
公司网址	www.north-space.com		主办券商	中国民族证券有限责任公司	
电话	010-85271521-1104		传真	010-85271524	
注册地址	北京市海淀区增光路 38 号 401 室 403 室				
行业分类	建筑业				

主要财务指标 指标\报告期	2014.06.30	2013.12.31	2012.12.31
营业收入(元)	–	171,715,769.71	199,062,776.52
营业利润(元)	–	2,276,028.15	9,991,012.45
净利润(元)	–	1,988,091.35	8,697,259.29
未分配利润(元)	–	–643,217.65	26,921,844.06
总资产(元)	–	146,983,870.49	156,240,654.04
总负债(元)	–	90,185,190.99	101,493,415.89
净资产(元)	–	56,798,679.50	54,747,238.15
每股收益(元)	–	0.05	0.23
每股净资产(元)	–	1.26	2.19
净资产收益率(%)	–	3.50	15.89

上海鹏盾石油运输股份有限公司

公司概况					
公司名称	上海鹏盾石油运输股份有限公司			股份名称	鹏盾石油
法人代表	傅瀛	董秘	胡昌辉	股份代码	830990
公司网址			主办券商	申银万国证券股份有限公司	
电话	021-65185362		传真	021-55800066	
注册地址	上海市虹口区广纪路 800 号 B 幢 138 室				
行业分类	批发和零售业				

主要财务指标 指标\报告期	2014.06.30	2013.12.31	2012.12.31
营业收入(元)	–	149,076,463.12	174,926,817.46
营业利润(元)	–	7,000,792.64	–1,021,718.14
净利润(元)	–	5,277,441.94	–902,080.48
未分配利润(元)	–	9,631,260.85	4,266,775.94
总资产(元)	–	68,956,379.14	110,631,418.89
总负债(元)	–	15,524,804.16	23,652,203.81
净资产(元)	–	53,431,574.98	86,979,215.08
每股收益(元)	–	0.13	–0.02
每股净资产(元)	–	1.30	2.11
净资产收益率(%)	–	9.88	–1.04

北京康盛伟业工程技术股份有限公司

公司概况					
公司名称	北京康盛伟业工程技术股份有限公司			股份名称	康盛伟业
法人代表	李立新	董秘	马强	股份代码	830991
公司网址	www.bjkswy.com		主办券商	中信证券股份有限公司	
电　　话	010-63701723		传　　真	010-63701026	
注册地址	北京市丰台区科学城星火路10号2号楼530室				
行业分类	建筑业				

主要财务指标：指标\报告期	2014.06.30	2013.12.31	2012.12.31
营业收入(元)	–	67,781,500.18	87,324,208.67
营业利润(元)	–	–3,839,489.99	2,075,369.85
净利润(元)	–	–4,149,023.21	1,030,405.74
未分配利润(元)	–	–4,984,740.41	–904,130.31
总资产(元)	–	64,265,435.03	63,596,404.92
总负债(元)	–	38,425,956.49	41,600,403.17
净资产(元)	–	25,839,478.54	21,996,001.75
每股收益(元)	–	–0.19	0.05
每股净资产(元)	–	0.96	1.10
净资产收益率(%)	–	–15.81	4.74

上海磐合科学仪器股份有限公司

公司概况					
公司名称	上海磐合科学仪器股份有限公司			股份名称	磐合科仪
法人代表	赵学伟	董秘	黄晓燕	股份代码	830992
公司网址	www.phky.com.cn		主办券商	海通证券股份有限公司	
电　　话	021-33581021		传　　真	021-33581023	
注册地址	上海市闵行区金都路4299号6幢2楼B81室				
行业分类	制造业				

主要财务指标：指标\报告期	2014.06.30	2013.12.31	2012.12.31
营业收入(元)	–	72,087,929.54	17,632,862.26
营业利润(元)	–	6,533,657.65	350,409.89
净利润(元)	–	5,275,989.47	323,242.62
未分配利润(元)	–	3,010,359.74	–971,001.16
总资产(元)	–	25,184,494.04	10,487,229.67
总负债(元)	–	15,433,326.28	9,458,230.83
净资产(元)	–	9,751,167.76	1,028,998.84
每股收益(元)	–	1.11	0.06
每股净资产(元)	–	1.53	0.51
净资产收益率(%)	–	54.11	31.41

四川壹玖壹玖酒类供应链管理股份有限公司

公司概况					
公司名称	四川壹玖壹玖酒类供应链管理股份有限公司			股份名称	壹玖壹玖
法人代表	杨陵江	董秘	晋青海	股份代码	830993
公司网址	www.1919.cn		主办券商	广发证券股份有限公司	
电　　话	400-999-1919		传　　真	66661919-68800	
注册地址	四川省成都市高新区府城大道西段399号				
行业分类	批发和零售业				

主要财务指标：指标\报告期	2014.06.30	2013.12.31	2012.12.31
营业收入(元)	–	346,419,959.55	174,459,948.50
营业利润(元)	–	5,050,578.15	–2,879,700.14
净利润(元)	–	5,503,942.36	–2,768,354.78
未分配利润(元)	–	690,945.40	–10,929,556.28
总资产(元)	–	130,397,366.15	73,815,204.43
总负债(元)	–	107,653,267.89	64,450,048.53
净资产(元)	–	22,744,098.26	9,365,155.90
每股收益(元)	–	0.26	–0.21
每股净资产(元)	–	1.07	0.45
净资产收益率(%)	–	23.88	–31.77

上海金友金弘电线电缆股份有限公司

公司概况					
公司名称	上海金友金弘电线电缆股份有限公司			股份名称	金友电缆
法人代表	潘晨曦	董秘	陈宛芬	股份代码	830994
公司网址	www.cnshjy.com		主办券商	申银万国证券股份有限公司	
电　　话	021-69571696		传　　真	021-69571666	
注册地址	上海市嘉定区安亭镇外青松公路1148号第2幢				
行业分类	制造业				

主要财务指标：指标\报告期	2014.06.30	2013.12.31	2012.12.31
营业收入(元)	–	105,469,223.20	49,035,615.81
营业利润(元)	–	8,578,942.32	5,244,971.21
净利润(元)	–	7,154,328.47	4,322,753.40
未分配利润(元)	–	2,931,846.41	5,827,516.32
总资产(元)	–	78,735,243.88	36,786,998.29
总负债(元)	–	56,044,406.11	23,059,497.34
净资产(元)	–	22,690,837.77	13,727,500.95
每股收益(元)	–	0.44	0.62
每股净资产(元)	–	1.21	1.96
净资产收益率(%)	–	33.24	31.49

四川九洲光电科技股份有限公司

公司概况	公司名称	四川九洲光电科技股份有限公司		股份名称	九洲光电	
	法人代表	谢拥军	董秘	何刚	股份代码	830995
	公司网址	www.scjz-led.com		主办券商	湘财证券股份有限公司	
	电　　话	0816-2468858		传　　真	0816-2470929	
	注册地址	四川省绵阳市科创园区九洲大道259号				
	行业分类	制造业				

	指标\报告期	2014.06.30	2013.12.31	2012.12.31
主要财务指标	营业收入(元)	-	571,282,766.05	331,047,128.66
	营业利润(元)	-	2,055,030.70	5,686,556.97
	净利润(元)	-	2,174,265.87	4,050,290.25
	未分配利润(元)	-	16,986,363.83	22,229,861.11
	总资产(元)	-	933,273,598.71	677,357,584.08
	总负债(元)	-	576,872,321.20	319,762,701.23
	净资产(元)	-	356,401,277.51	357,594,882.85
	每股收益(元)	-	0.01	0.02
	每股净资产(元)	-	2.11	2.12
	净资产收益率(%)	-	0.61	1.13

北京汇能精电科技股份有限公司

公司概况	公司名称	北京汇能精电科技股份有限公司		股份名称	汇能精电	
	法人代表	孙本新	董秘	齐文华	股份代码	830996
	公司网址	www.epsolarpv.com.cn		主办券商	中信建投证券股份有限公司	
	电　　话	010-82894856		传　　真	010-82894882	
	注册地址	北京市海淀区上地信息产业基地三街1号楼二层A段228号				
	行业分类	制造业				

	指标\报告期	2014.06.30	2013.12.31	2012.12.31
主要财务指标	营业收入(元)	-	118,984,402.41	101,002,226.55
	营业利润(元)	-	13,891,172.39	12,265,043.48
	净利润(元)	-	12,032,575.15	9,796,953.71
	未分配利润(元)	-	10,496,423.10	26,569,678.42
	总资产(元)	-	152,368,139.20	117,435,151.92
	总负债(元)	-	80,638,896.30	57,838,484.17
	净资产(元)	-	71,729,242.90	59,596,667.75
	每股收益(元)	-	0.39	0.46
	每股净资产(元)	-	2.20	1.99
	净资产收益率(%)	-	16.78	16.44

上海领意信息系统集成股份有限公司

公司概况	公司名称	上海领意信息系统集成股份有限公司		股份名称	领意信息	
	法人代表	黄治平	董秘	周熔	股份代码	830997
	公司网址	www.leadsystems.com.cn		主办券商	安信证券股份有限公司	
	电　　话	021-52587000		传　　真	021-52587001	
	注册地址	上海市长宁区广顺路33路8幢348室				
	行业分类	信息传输、软件和信息技术服务业				

	指标\报告期	2014.06.30	2013.12.31	2012.12.31
主要财务指标	营业收入(元)	-	18,319,209.85	16,453,244.82
	营业利润(元)	-	292,385.71	158,064.88
	净利润(元)	-	577,284.99	236,196.52
	未分配利润(元)	-	335,463.21	112,472.85
	总资产(元)	-	7,869,553.56	5,930,229.81
	总负债(元)	-	2,117,298.74	4,755,259.98
	净资产(元)	-	5,752,254.82	1,174,969.83
	每股收益(元)	-	0.11	0.05
	每股净资产(元)	-	1.14	0.23
	净资产收益率(%)	-	10.04	20.10

浙江大铭新材料股份有限公司

公司概况	公司名称	浙江大铭新材料股份有限公司		股份名称	大铭新材	
	法人代表	袁大铭	董秘	邓鑫森	股份代码	830998
	公司网址	www.zjhydr.com		主办券商	申银万国证券股份有限公司	
	电　　话	0571-23208111		传　　真	0571-23208103	
	注册地址	浙江省富阳市富春江高新技术开发区高尔夫路166号				
	行业分类	制造业				

	指标\报告期	2014.06.30	2013.12.31	2012.12.31
主要财务指标	营业收入(元)	-	35,314,696.47	25,052,917.04
	营业利润(元)	-	850,073.09	-2,843,590.88
	净利润(元)	-	2,151,732.02	-3,231,881.49
	未分配利润(元)	-	4,016,085.67	1,829,596.15
	总资产(元)	-	85,790,634.41	73,387,908.67
	总负债(元)	-	50,450,878.28	40,999,884.56
	净资产(元)	-	35,339,756.13	32,388,024.11
	每股收益(元)	-	0.07	-0.11
	每股净资产(元)	-	1.14	1.06
	净资产收益率(%)	-	6.32	-9.98

上海银橙文化传媒股份有限公司

公司概况	公司名称	上海银橙文化传媒股份有限公司			股份名称	银橙传媒
	法人代表	隋恒举	董秘	孙峻峰	股份代码	830999
	公司网址	www.ycmedia.cn		主办券商	首创证券有限责任公司	
	电　话	021-64851212-836		传　真	021-33681336	
	注册地址	上海市奉贤区青村镇南奉公路 3878 号 24 幢 110				
	行业分类	信息传输、软件和信息技术服务业				

	指标\报告期	2014.06.30	2013.12.31	2012.12.31
主要财务指标	营业收入(元)	–	47,946,341.65	16,232,362.79
	营业利润(元)	–	13,392,010.01	–1,619,496.60
	净利润(元)	–	10,557,942.85	–1,294,552.93
	未分配利润(元)	–	7,066,811.21	–2,313,807.74
	总资产(元)	–	35,705,503.80	8,378,346.86
	总负债(元)	–	13,612,843.86	7,692,154.60
	净资产(元)	–	22,092,659.94	686,192.26
	每股收益(元)	–	0.53	–0.06
	每股净资产(元)	–	1.10	0.03
	净资产收益率(%)	–	47.79	–188.66

北京吉芬时装设计股份有限公司

公司概况	公司名称	北京吉芬时装设计股份有限公司			股份名称	吉芬设计
	法人代表	谢锋	董秘	刘军锋	股份代码	831000
	公司网址	www.jefen.com		主办券商	广发证券股份有限公司	
	电　话	010-65980858		传　真	010-65980865	
	注册地址	北京市丰台区方庄芳城园一区龙珠公寓工 A 座 1510				
	行业分类	制造业				

	指标\报告期	2014.06.30	2013.12.31	2012.12.31
主要财务指标	营业收入(元)	–	186,187,502.60	196,123,226.18
	营业利润(元)	–	53,593,925.16	62,574,623.01
	净利润(元)	–	40,218,094.69	46,919,359.59
	未分配利润(元)	–	99,243,839.44	89,454,011.90
	总资产(元)	–	202,513,438.77	185,237,689.58
	总负债(元)	–	31,497,731.16	24,011,809.51
	净资产(元)	–	171,015,707.61	161,225,880.07
	每股收益(元)	–	0.67	0.78
	每股净资产(元)	–	2.85	2.69
	净资产收益率(%)	–	23.52	29.10

上海英特罗机械电气制造股份有限公司

公司概况	公司名称	上海英特罗机械电气制造股份有限公司			股份名称	英特罗
	法人代表	彭拯和	董秘	金菊	股份代码	831001
	公司网址	www.inter-rock.com		主办券商	申银万国证券股份有限公司	
	电　话	021-57437318		传　真	021-57437311	
	注册地址	上海市奉贤区环城东路 383 号 2 幢 4 楼 E06 室				
	行业分类	制造业				

	指标\报告期	2014.06.30	2013.12.31	2012.12.31
主要财务指标	营业收入(元)	–	31,369,729.97	31,335,038.41
	营业利润(元)	–	1,589,551.58	1,344,066.02
	净利润(元)	–	1,092,862.43	968,391.91
	未分配利润(元)	–	–42,251.45	2,972,437.20
	总资产(元)	–	26,082,368.92	18,003,193.45
	总负债(元)	–	12,686,798.49	12,700,485.45
	净资产(元)	–	13,395,570.43	5,302,708.00
	每股收益(元)	–	0.49	0.48
	每股净资产(元)	–	1.12	2.65
	净资产收益率(%)	–	8.16	18.26

成都飞鱼星科技股份有限公司

公司概况	公司名称	成都飞鱼星科技股份有限公司			股份名称	飞鱼星
	法人代表	周龙	董秘	李建文	股份代码	831002
	公司网址	www.adslr.com		主办券商	申银万国证券股份有限公司	
	电　话	028-85336711		传　真	028-85336799	
	注册地址	四川省成都市高新区益州大道中段 1800 号天府软件园 G 区 4 栋 7-8F				
	行业分类	制造业				

	指标\报告期	2014.06.30	2013.12.31	2012.12.31
主要财务指标	营业收入(元)	–	71,114,948.31	65,316,141.67
	营业利润(元)	–	7,878,298.16	6,966,631.10
	净利润(元)	–	13,558,388.22	11,443,024.57
	未分配利润(元)	–	49,027,908.28	38,178,946.18
	总资产(元)	–	86,669,510.62	74,132,289.99
	总负债(元)	–	18,448,667.80	17,969,835.39
	净资产(元)	–	68,220,842.82	56,162,454.60
	每股收益(元)	–	0.91	0.78
	每股净资产(元)	–	4.53	3.72
	净资产收益率(%)	–	20.17	20.93

浙江金大电动车股份有限公司

公司概况	公司名称	浙江金大电动车股份有限公司			股份名称	金大股份
	法人代表	章小理	董秘	杨伟艳	股份代码	831003
	公司网址	www.kingdaychina.com		主办券商	国信证券股份有限公司	
	电　话	0579-82723587		传　真	0579-82271407	
	注册地址	浙江省金华市仙华南街811号5号厂房				
	行业分类	制造业				

	指标\报告期	2014.06.30	2013.12.31	2012.12.31
主要财务指标	营业收入(元)	-	197,834,053.20	133,463,642.20
	营业利润(元)	-	18,986,125.51	12,082,839.57
	净利润(元)	-	13,478,973.43	9,079,319.19
	未分配利润(元)	-	18,718,836.11	6,471,080.05
	总资产(元)	-	159,922,458.13	108,351,361.39
	总负债(元)	-	93,220,131.87	71,128,008.56
	净资产(元)	-	66,702,326.26	37,223,352.83
	每股收益(元)	-	0.45	0.30
	每股净资产(元)	-	1.76	1.24
	净资产收益率(%)	-	20.21	24.39

南京宝泰特种材料股份有限公司

公司概况	公司名称	南京宝泰特种材料股份有限公司			股份名称	宝泰股份
	法人代表	邓宁嘉	董秘	赵瑞晋	股份代码	831004
	公司网址	www.baotaiclad.com		主办券商	万联证券有限责任公司	
	电　话	025-52788060		传　真	025-52788018	
	注册地址	江苏省南京市江宁经济技术开发区高湖路29号				
	行业分类	制造业				

	指标\报告期	2014.06.30	2013.12.31	2012.12.31
主要财务指标	营业收入(元)	-	303,404,753.89	404,543,076.93
	营业利润(元)	-	315,839.10	23,536,881.67
	净利润(元)	-	10,216,958.85	33,357,983.50
	未分配利润(元)	-	71,576,755.46	61,627,904.52
	总资产(元)	-	517,943,818.16	484,629,229.19
	总负债(元)	-	292,175,377.13	269,118,765.71
	净资产(元)	-	225,768,441.03	215,510,463.48
	每股收益(元)	-	0.15	0.52
	每股净资产(元)	-	3.42	3.38
	净资产收益率(%)	-	4.53	15.48

萍乡华维电瓷科技股份有限公司

公司概况	公司名称	萍乡华维电瓷科技股份有限公司			股份名称	华维电瓷
	法人代表	胡文华	董秘	黄海龙	股份代码	831005
	公司网址	www.jxhwdc.com		主办券商	安信证券股份有限公司	
	电　话	0799-7557555		传　真	0799-7557555	
	注册地址	江西省萍乡市芦溪县科技工业园电瓷工业城				
	行业分类	制造业				

	指标\报告期	2014.06.30	2013.12.31	2012.12.31
主要财务指标	营业收入(元)	-	43,262,468.31	39,225,428.50
	营业利润(元)	-	6,752,627.85	4,759,557.26
	净利润(元)	-	7,380,599.14	4,351,897.05
	未分配利润(元)	-	2,379,333.20	-338,883.85
	总资产(元)	-	77,053,639.64	79,479,696.84
	总负债(元)	-	50,011,924.35	59,818,580.69
	净资产(元)	-	27,041,715.29	19,661,116.15
	每股收益(元)	-	0.37	0.22
	每股净资产(元)	-	1.35	0.98
	净资产收益率(%)	-	27.29	22.14

安徽久易农业股份有限公司

公司概况	公司名称	安徽久易农业股份有限公司			股份名称	久易农业
	法人代表	沈运河	董秘	贾立雨	股份代码	831006
	公司网址	www.jiuyinongye.cn		主办券商	宏源证券股份有限公司	
	电　话	0551-65368887		传　真	0551-65368887	
	注册地址	安徽省合肥市循环经济示范园				
	行业分类	制造业				

	指标\报告期	2014.06.30	2013.12.31	2012.12.31
主要财务指标	营业收入(元)	-	208,984,530.62	140,436,589.80
	营业利润(元)	-	7,817,444.58	9,064,176.80
	净利润(元)	-	7,999,834.34	8,750,917.21
	未分配利润(元)	-	59,588,919.85	52,389,068.95
	总资产(元)	-	244,680,243.75	200,122,394.06
	总负债(元)	-	127,167,395.30	90,609,379.94
	净资产(元)	-	117,512,848.45	109,513,014.12
	每股收益(元)	-	0.16	0.17
	每股净资产(元)	-	2.31	2.15
	净资产收益率(%)	-	6.81	7.99

无锡汉咏微电子股份有限公司

公司概况	公司名称	无锡汉咏微电子股份有限公司			股份名称	汉咏股份
	法人代表	郑云华	董秘	韩基东	股份代码	831007
	公司网址	www.herochip.cn		主办券商	国联证券股份有限公司	
	电　话	0510-85898862		传　真	0510-84060007	
	注册地址	江苏省无锡市新区新达路33-1-401				
	行业分类	制造业				

	指标\报告期	2014.06.30	2013.12.31	2012.12.31
主要财务指标	营业收入(元)	–	13,648,273.49	10,470,677.41
	营业利润(元)	–	–491,760.11	78,285.35
	净利润(元)	–	308,600.77	112,443.23
	未分配利润(元)	–	209,399.16	–25,377.60
	总资产(元)	–	10,332,907.47	5,605,106.93
	总负债(元)	–	5,049,684.30	1,630,484.53
	净资产(元)	–	5,283,223.17	3,974,622.40
	每股收益(元)	–	0.07	0.03
	每股净资产(元)	–	1.06	0.99
	净资产收益率(%)	–	5.84	2.83

北京百华悦邦科技股份有限公司

公司概况	公司名称	北京百华悦邦科技股份有限公司			股份名称	百华悦邦
	法人代表	刘铁峰	董秘	王彩香	股份代码	831008
	公司网址	www.bybon.com		主办券商	西南证券股份有限公司	
	电　话	010-57041881		传　真	010-57041884	
	注册地址	北京市朝阳区望京中环南路9号1号楼13层A区				
	行业分类	居民服务、修理和其他服务业				

	指标\报告期	2014.06.30	2013.12.31	2012.12.31
主要财务指标	营业收入(元)	–	375,516,562.93	303,991,756.89
	营业利润(元)	–	40,961,567.34	24,101,924.20
	净利润(元)	–	30,741,879.04	16,172,454.76
	未分配利润(元)	–	60,588,605.50	30,273,609.38
	总资产(元)	–	199,303,601.72	197,808,509.48
	总负债(元)	–	65,905,344.89	95,452,131.69
	净资产(元)	–	133,398,256.83	102,356,377.79
	每股收益(元)	–	0.77	0.44
	每股净资产(元)	–	3.33	2.56
	净资产收益率(%)	–	23.10	15.80

北京合锐赛尔电力科技股份有限公司

公司概况	公司名称	北京合锐赛尔电力科技股份有限公司			股份名称	合锐赛尔
	法人代表	刘玉刚	董秘	王佩生	股份代码	831009
	公司网址	www.hrsel.com		主办券商	齐鲁证券有限公司	
	电　话	010-62987997		传　真	010-62982303	
	注册地址	北京市海淀区上地六街7号1幢5层				
	行业分类	制造业				

	指标\报告期	2014.06.30	2013.12.31	2012.12.31
主要财务指标	营业收入(元)	–	190,372,226.03	218,603,601.23
	营业利润(元)	–	2,651,218.34	8,320,726.41
	净利润(元)	–	8,595,014.91	3,072,499.36
	未分配利润(元)	–	13,102,932.02	5,011,682.80
	总资产(元)	–	242,290,707.16	220,790,986.62
	总负债(元)	–	177,337,360.46	164,432,654.83
	净资产(元)	–	64,953,346.70	56,358,331.79
	每股收益(元)	–	0.17	0.06
	每股净资产(元)	–	1.30	1.13
	净资产收益率(%)	–	13.23	5.45

银川天佳能源科技股份有限公司

公司概况	公司名称	银川天佳能源科技股份有限公司			股份名称	天佳科技
	法人代表	龚晓科	董秘	赵小红	股份代码	831010
	公司网址	www.yctianjia.com.cn		主办券商	东北证券股份有限公司	
	电　话	0951-7829703		传　真	0951-7821212	
	注册地址	宁夏回族自治区银川市银川德胜工业园区内、丰庆路南侧				
	行业分类	制造业				

	指标\报告期	2014.06.30	2013.12.31	2012.12.31
主要财务指标	营业收入(元)	–	18,029,383.98	9,955,920.20
	营业利润(元)	–	–2,776,187.23	–4,550,190.62
	净利润(元)	–	4,954,399.83	–1,419,742.01
	未分配利润(元)	–	4,495,004.56	963,113.81
	总资产(元)	–	98,030,254.95	85,661,111.43
	总负债(元)	–	52,115,386.17	44,700,642.48
	净资产(元)	–	45,914,868.78	40,960,468.95
	每股收益(元)	–	0.11	–0.05
	每股净资产(元)	–	1.15	1.03
	净资产收益率(%)	–	9.96	–3.79

北京三友创美饲料科技股份有限公司

公司概况	公司名称	北京三友创美饲料科技股份有限公司		股份名称	三友创美
	法人代表	佟光辉	董秘	张晋生	股份代码	831011
	公司网址	www.sanyoubf.com		主办券商	中原证券股份有限公司
	电　话	010-64362130		传　真	010-64366070
	注册地址	北京市丰台区科技园产业基地东区 15-D2 号 2 号楼 2703 号			
	行业分类	制造业			

	指标\报告期	2014.06.30	2013.12.31	2012.12.31
主要财务指标	营业收入(元)	–	25,965,556.95	21,259,569.99
	营业利润(元)	–	860,128.42	198,948.07
	净利润(元)	–	668,813.03	86,745.51
	未分配利润(元)	–	2,768,655.04	2,351,330.93
	总资产(元)	–	27,883,841.05	12,226,744.78
	总负债(元)	–	19,551,333.89	7,413,050.65
	净资产(元)	–	8,332,507.16	4,813,694.13
	每股收益(元)	–	0.33	0.04
	每股净资产(元)	–	1.66	2.40
	净资产收益率(%)	–	8.04	1.77

北京岳能科技股份有限公司

公司概况	公司名称	北京岳能科技股份有限公司		股份名称	岳能科技
	法人代表	赵子刚	董秘	王莹莹	股份代码	831012
	公司网址	www.bjyn.com		主办券商	中信建投证券股份有限公司
	电　话	010-63430001		传　真	010-63390168
	注册地址	北京市海淀区北蜂窝路 2 号中盛大厦 1505 房			
	行业分类	软件和信息技术服务业			

	指标\报告期	2014.06.30	2013.12.31	2012.12.31
主要财务指标	营业收入(元)	–	57,621,661.63	47,797,870.17
	营业利润(元)	–	6,797,820.01	5,131,084.66
	净利润(元)	–	5,600,711.77	4,669,900.76
	未分配利润(元)	–	11,692,648.37	6,652,007.78
	总资产(元)	–	49,126,372.17	36,845,376.86
	总负债(元)	–	25,525,223.71	22,444,940.17
	净资产(元)	–	23,601,148.46	14,400,436.69
	每股收益(元)	–	0.24	0.20
	每股净资产(元)	–	1.00	0.61
	净资产收益率(%)	–	23.73	32.43

贵州兴艺景生态景观工程股份有限公司

公司概况	公司名称	贵州兴艺景生态景观工程股份有限公司		股份名称	兴艺景
	法人代表	李大海	董秘	欧莉	股份代码	831013
	公司网址			主办券商	湘财证券股份有限公司
	电　话	0851-7986885		传　真	0851-7986885
	注册地址	贵州省贵阳市观山湖区金阳南路 6 号贵阳世纪城 E 组团 5 单元 7 层 1 号			
	行业分类	建筑业			

	指标\报告期	2014.06.30	2013.12.31	2012.12.31
主要财务指标	营业收入(元)	–	56,597,668.06	39,995,069.15
	营业利润(元)	–	3,077,690.01	2,781,577.23
	净利润(元)	–	2,804,307.75	2,235,829.15
	未分配利润(元)	–	6,712,917.00	4,293,486.59
	总资产(元)	–	52,934,434.54	64,724,293.37
	总负债(元)	–	24,794,518.80	39,284,238.81
	净资产(元)	–	28,139,915.74	25,440,054.56
	每股收益(元)	–	0.11	0.09
	每股净资产(元)	–	1.13	1.02
	净资产收益率(%)	–	9.97	8.79

北京海联捷讯科技股份有限公司

公司概况	公司名称	北京海联捷讯科技股份有限公司		股份名称	海联捷讯
	法人代表	陈春丽	董秘	宋颜	股份代码	831014
	公司网址	www.mt-hirisun.com		主办券商	中原证券股份有限公司
	电　话	010-59081500-8000		传　真	010-59081501
	注册地址	北京市经济技术开发区经海二路 29 号院 7 号楼二层 202-1			
	行业分类	信息传输、软件和信息技术服务业			

	指标\报告期	2014.06.30	2013.12.31	2012.12.31
主要财务指标	营业收入(元)	–	91,900,819.78	73,819,488.82
	营业利润(元)	–	6,458,828.93	6,087,783.79
	净利润(元)	–	6,624,377.42	5,974,249.10
	未分配利润(元)	–	5,218,075.63	9,343,743.40
	总资产(元)	–	78,436,891.36	54,556,627.66
	总负债(元)	–	50,944,139.45	23,600,645.72
	净资产(元)	–	27,492,751.91	30,955,981.94
	每股收益(元)	–	0.33	0.36
	每股净资产(元)	–	1.37	1.55
	净资产收益率(%)	–	24.10	19.30

广东小白龙动漫文化股份有限公司

公司概况	公司名称	广东小白龙动漫文化股份有限公司			股份名称	小白龙
	法人代表	陈振楷	董秘	吕宝斌	股份代码	831015
	公司网址	www.loongon.com		主办券商	广发证券股份有限公司	
	电　话	0754-85833228		传　真	0754-85834089	
	注册地址	广东省汕头市澄海区新市区登峰路以北、宁川北路以东				
	行业分类	制造业				

	指标\报告期	2014.06.30	2013.12.31	2012.12.31
主要财务指标	营业收入(元)	–	107,825,537.65	97,948,592.87
	营业利润(元)	–	12,736,552.00	10,668,592.22
	净利润(元)	–	13,100,661.10	11,099,106.80
	未分配利润(元)	–	3,066,886.01	7,183,704.09
	总资产(元)	–	123,777,642.95	139,262,385.01
	总负债(元)	–	23,795,495.47	47,380,898.63
	净资产(元)	–	99,982,147.48	91,881,486.38
	每股收益(元)	–	0.31	0.26
	每股净资产(元)	–	2.34	2.15
	净资产收益率(%)	–	13.10	12.08

北京帝测科技股份有限公司

公司概况	公司名称	北京帝测科技股份有限公司			股份名称	帝测科技
	法人代表	张向前	董秘	聂慧芬	股份代码	831016
	公司网址	www.digsur.com		主办券商	江海证券有限公司	
	电　话	010-84673931		传　真	010-84673937	
	注册地址	北京市昌平区科技园区超前路9号3号楼2393室				
	行业分类	科学研究和技术服务业				

	指标\报告期	2014.06.30	2013.12.31	2012.12.31
主要财务指标	营业收入(元)	–	37,485,579.05	36,537,371.66
	营业利润(元)	–	–311,615.12	1,900,643.50
	净利润(元)	–	373,383.41	1,996,311.44
	未分配利润(元)	–	4,808,393.06	4,472,347.99
	总资产(元)	–	23,025,713.92	13,369,655.99
	总负债(元)	–	7,721,017.81	2,558,343.29
	净资产(元)	–	15,304,696.11	10,811,312.70
	每股收益(元)	–	0.05	0.34
	每股净资产(元)	–	1.53	1.84
	净资产收益率(%)	–	2.44	18.47

吉林省星月时尚宾馆连锁股份有限公司

公司概况	公司名称	吉林省星月时尚宾馆连锁股份有限公司			股份名称	星月股份
	法人代表	刘扬	董秘	关宇	股份代码	831017
	公司网址	www.starmooninn.com.cn		主办券商	长江证券股份有限公司	
	电　话	0431-88491069		传　真	0431-88491069	
	注册地址	吉林省长春市朝阳区隆礼路1166号				
	行业分类	住宿和餐饮业				

	指标\报告期	2014.06.30	2013.12.31	2012.12.31
主要财务指标	营业收入(元)	–	41,118,205.45	40,084,968.18
	营业利润(元)	–	2,358,810.84	4,085,869.66
	净利润(元)	–	3,031,365.16	–1,190,340.00
	未分配利润(元)	–	13,257,616.13	10,581,197.22
	总资产(元)	–	70,513,019.43	49,726,975.06
	总负债(元)	–	24,418,003.21	6,663,324.00
	净资产(元)	–	46,095,016.22	43,063,651.06
	每股收益(元)	–	0.10	–0.04
	每股净资产(元)	–	1.54	1.44
	净资产收益率(%)	–	6.58	–2.76

江西大族能源科技股份有限公司

公司概况	公司名称	江西大族能源科技股份有限公司			股份名称	大族能源
	法人代表	周朝明	董秘	张志刚	股份代码	831018
	公司网址	www.hanspower.com		主办券商	安信证券股份有限公司	
	电　话	0791-88161711		传　真	0791-88161741	
	注册地址	江西省南昌市高新开发区高新七路918号				
	行业分类	制造业				

	指标\报告期	2014.06.30	2013.12.31	2012.12.31
主要财务指标	营业收入(元)	–	95,037,309.12	100,180,261.99
	营业利润(元)	–	3,674,113.64	–300,618.49
	净利润(元)	–	2,999,975.73	1,807,996.34
	未分配利润(元)	–	21,136,412.12	18,436,433.96
	总资产(元)	–	177,238,807.78	172,508,804.04
	总负债(元)	–	114,630,786.18	112,900,758.17
	净资产(元)	–	62,608,021.60	59,608,045.87
	每股收益(元)	–	0.08	0.05
	每股净资产(元)	–	1.74	1.65
	净资产收益率(%)	–	4.79	3.03

秦皇岛博硕光电设备股份有限公司

公司概况	公司名称	秦皇岛博硕光电设备股份有限公司			股份名称	博硕光电
	法人代表	曹耀辉	董秘	刘满意	股份代码	831019
	公司网址	www.boostsolar.com		主办券商	申银万国证券股份有限公司	
	电　话	0335-3568113		传　真	0335-3564111	
	注册地址	河北省秦皇岛市海港区北部工业园揽月街 33 号				
	行业分类	制造业				

主要财务指标	指标\报告期	2014.06.30	2013.12.31	2012.12.31
	营业收入(元)	–	116,797,581.84	120,234,197.91
	营业利润(元)	–	6,294,199.56	16,095,873.49
	净利润(元)	–	6,034,386.98	13,552,675.69
	未分配利润(元)	–	33,616,166.19	27,642,712.12
	总资产(元)	–	498,229,450.45	523,720,166.49
	总负债(元)	–	53,311,300.16	85,594,917.56
	净资产(元)	–	444,918,150.29	438,125,248.93
	每股收益(元)	–	0.02	0.04
	每股净资产(元)	–	1.23	1.21
	净资产收益率(%)	–	1.52	3.09

大连华阳密封股份有限公司

公司概况	公司名称	大连华阳密封股份有限公司			股份名称	华阳密封
	法人代表	梁玉韬	董秘	王连滨	股份代码	831020
	公司网址	www.dlhuayang.com		主办券商	东北证券股份有限公司	
	电　话	0411-66880000		传　真	0411-66880699	
	注册地址	辽宁省大连市甘井子区营旭路 25 号				
	行业分类	制造业				

主要财务指标	指标\报告期	2014.06.30	2013.12.31	2012.12.31
	营业收入(元)	–	96,083,438.70	113,667,257.13
	营业利润(元)	–	18,050,839.72	30,974,573.74
	净利润(元)	–	20,540,336.15	27,531,533.81
	未分配利润(元)	–	42,837,819.75	70,382,867.91
	总资产(元)	–	238,522,358.43	204,412,510.78
	总负债(元)	–	69,509,693.84	106,940,182.34
	净资产(元)	–	169,012,664.59	97,472,328.44
	每股收益(元)	–	0.52	1.51
	每股净资产(元)	–	4.06	5.27
	净资产收益率(%)	–	12.15	28.25

四川华雁信息产业股份有限公司

公司概况	公司名称	四川华雁信息产业股份有限公司			股份名称	华雁信息
	法人代表	沈建平	董秘	李丽	股份代码	831021
	公司网址	www.whayer.cn		主办券商	申银万国证券股份有限公司	
	电　话			传　真		
	注册地址	四川省成都市高新区天华二路 219 号天府软件园 C 区 10 号楼 16 层				
	行业分类	信息传输、软件和信息技术服务业				

主要财务指标	指标\报告期	2014.06.30	2013.12.31	2012.12.31
	营业收入(元)	–	137,685,631.59	128,241,024.63
	营业利润(元)	–	7,564,666.72	34,772,715.40
	净利润(元)	–	7,191,656.66	30,372,865.19
	未分配利润(元)	–	66,390,745.52	59,957,197.34
	总资产(元)	–	190,173,781.01	178,235,823.54
	总负债(元)	–	56,318,668.19	51,572,367.38
	净资产(元)	–	133,855,112.82	126,663,456.16
	每股收益(元)	–	0.14	0.60
	每股净资产(元)	–	2.62	2.48
	净资产收益率(%)	–	5.37	23.98

郑州三和视讯技术股份有限公司

公司概况	公司名称	郑州三和视讯技术股份有限公司			股份名称	三和视讯
	法人代表	范桂萍	董秘	耿莹鸽	股份代码	831022
	公司网址	www.birdtech.com.cn		主办券商	中国银河证券股份有限公司	
	电　话	0371-67895331		传　真	0371-67896991	
	注册地址	河南省郑州高新区瑞达路 96 号创业广场一号楼四层 D422 号				
	行业分类	制造业				

主要财务指标	指标\报告期	2014.06.30	2013.12.31	2012.12.31
	营业收入(元)	–	3,138,726.47	2,902,131.63
	营业利润(元)	–	180,064.45	8,585.64
	净利润(元)	–	123,934.81	–5,657.82
	未分配利润(元)	–	52,315.91	–65,806.02
	总资产(元)	–	6,827,880.35	3,001,680.76
	总负债(元)	–	919,751.56	1,067,486.78
	净资产(元)	–	5,908,128.79	1,934,193.98
	每股收益(元)	–	0.05	0.00
	每股净资产(元)	–	1.01	0.97
	净资产收益率(%)	–	2.10	–0.29

大连北方国际展览股份有限公司

公司概况	公司名称	大连北方国际展览股份有限公司		股份名称	北展股份
	法人代表	李琼	董秘 周建新	股份代码	831023
	公司网址	www.dbfexpo.com		主办券商	中原证券股份有限公司
	电话	0411-82538686		传真	0411-82538661
	注册地址	辽宁省大连市大连高新技术产业园区高能街40号2-1,2-2号			
	行业分类	租赁和商务服务业			

	指标\报告期	2014.06.30	2013.12.31	2012.12.31
主要财务指标	营业收入(元)	–	78,257,328.82	83,547,065.19
	营业利润(元)	–	39,733,312.68	49,895,820.51
	净利润(元)	–	39,311,252.92	39,847,259.04
	未分配利润(元)	–	116,343,373.01	77,032,120.09
	总资产(元)	–	148,465,321.29	112,209,569.96
	总负债(元)	–	16,294,302.17	19,349,803.76
	净资产(元)	–	132,171,019.12	92,859,766.20
	每股收益(元)	–	4.59	4.64
	每股净资产(元)	–	15.42	10.84
	净资产收益率(%)	–	29.74	42.83

宁波中一石化科技股份有限公司

公司概况	公司名称	宁波中一石化科技股份有限公司		股份名称	中一石科
	法人代表	聂通元	董秘 董华	股份代码	831024
	公司网址	www.nbzysk.com		主办券商	中信证券股份有限公司
	电话	0574-27785300		传真	0574-27785300-606
	注册地址	浙江省宁波市高新区凌云路1177号10栋1、2层北区域			
	行业分类	制造业			

	指标\报告期	2014.06.30	2013.12.31	2012.12.31
主要财务指标	营业收入(元)	–	28,266,677.22	30,221,447.00
	营业利润(元)	–	2,609,315.95	4,063,344.54
	净利润(元)	–	3,167,999.06	3,729,764.72
	未分配利润(元)	–	9,101,073.34	6,249,874.19
	总资产(元)	–	29,337,645.72	26,814,920.95
	总负债(元)	–	14,240,319.33	14,885,593.62
	净资产(元)	–	15,097,326.39	11,929,327.33
	每股收益(元)	–	0.63	0.75
	每股净资产(元)	–	3.02	2.39
	净资产收益率(%)	–	20.98	31.27

佛山市万兴隆再生资源开发股份有限公司

公司概况	公司名称	佛山市万兴隆再生资源开发股份有限公司		股份名称	万兴隆
	法人代表	何杰钊	董秘 李少华	股份代码	831025
	公司网址	www.wxlmetals.com		主办券商	广发证券股份有限公司
	电话	0757-85409801		传真	0757-85414101
	注册地址	广东省佛山市南海区丹灶国家生态工业示范园区核心区捷贝路3号			
	行业分类	制造业			

	指标\报告期	2014.06.30	2013.12.31	2012.12.31
主要财务指标	营业收入(元)	–	558,674,242.99	711,597,964.04
	营业利润(元)	–	5,104,598.24	6,003,803.65
	净利润(元)	–	3,240,114.75	3,706,828.75
	未分配利润(元)	–	13,396,700.80	10,674,559.37
	总资产(元)	–	309,221,074.15	326,062,834.37
	总负债(元)	–	214,289,941.50	235,724,454.50
	净资产(元)	–	94,931,132.65	90,338,379.87
	每股收益(元)	–	0.07	0.09
	每股净资产(元)	–	1.73	1.87
	净资产收益率(%)	–	3.78	4.98

杭州熙浪信息技术股份有限公司

公司概况	公司名称	杭州熙浪信息技术股份有限公司		股份名称	熙浪股份
	法人代表	杨振德	董秘 陈红萍	股份代码	831026
	公司网址	www.egetchina.cn		主办券商	安信证券股份有限公司
	电话	0571-87168200		传真	0571-87168211
	注册地址	浙江省杭州市上城区江城路887号1705室			
	行业分类	信息传输、软件和信息技术服务业			

	指标\报告期	2014.06.30	2013.12.31	2012.12.31
主要财务指标	营业收入(元)	–	51,042,989.75	41,554,694.82
	营业利润(元)	–	−1,618,661.94	−5,322,170.79
	净利润(元)	–	−1,127,049.74	−4,810,050.39
	未分配利润(元)	–	−11,958,544.18	−10,947,031.67
	总资产(元)	–	34,992,044.72	28,731,997.26
	总负债(元)	–	23,577,976.50	14,190,879.30
	净资产(元)	–	11,414,068.22	14,541,117.96
	每股收益(元)	–	−0.11	−0.48
	每股净资产(元)	–	1.22	1.50
	净资产收益率(%)	–	−8.92	−31.94

北京兴致科技股份有限公司

公司概况	公司名称	北京兴致科技股份有限公司			股份名称	兴致科技
	法人代表	刘悦	董秘	蔡英莉	股份代码	831027
	公司网址	www.mmscoo.com		主办券商	东兴证券股份有限公司	
	电　　话	010-52876620		传　　真	010-85718584	
	注册地址	北京市东城区藏经馆胡同 17 号 1 幢 1181 室				
	行业分类	信息传输、软件和信息技术服务业				

	指标\报告期	2014.06.30	2013.12.31	2012.12.31
主要财务指标	营业收入(元)	–	5,766,888.53	4,546,058.53
	营业利润(元)	–	506,546.43	294,902.89
	净利润(元)	–	483,234.37	325,885.19
	未分配利润(元)	–	311,843.49	–136,741.60
	总资产(元)	–	10,433,814.40	11,833,423.03
	总负债(元)	–	87,321.63	1,970,164.63
	净资产(元)	–	10,346,492.77	9,863,258.40
	每股收益(元)	–	0.05	0.05
	每股净资产(元)	–	1.03	0.99
	净资产收益率(%)	–	4.67	3.30

河南华丽纸业包装股份有限公司

公司概况	公司名称	河南华丽纸业包装股份有限公司			股份名称	华丽包装
	法人代表	代建设	董秘	郭保建	股份代码	831028
	公司网址	www.hnhlpp.com		主办券商	中国银河证券股份有限公司	
	电　　话	0374-8564688		传　　真	0374-8564888	
	注册地址	河南华丽纸业包装股份有限公司				
	行业分类	河南省许昌市魏都民营科技园区北区宏腾路中段				

	指标\报告期	2014.06.30	2013.12.31	2012.12.31
主要财务指标	营业收入(元)	–	676,801,549.20	601,184,923.56
	营业利润(元)	–	49,792,584.18	48,174,588.03
	净利润(元)	–	39,543,828.13	36,429,703.59
	未分配利润(元)	–	116,792,444.14	79,477,945.03
	总资产(元)	–	701,359,983.26	572,299,023.76
	总负债(元)	–	479,779,827.36	390,262,695.99
	净资产(元)	–	221,580,155.90	182,036,327.77
	每股收益(元)	–	0.70	0.64
	每股净资产(元)	–	3.90	3.20
	净资产收益率(%)	–	17.85	20.01

湖北银丰棉花股份有限公司

公司概况	公司名称	湖北银丰棉花股份有限公司			股份名称	银丰棉花
	法人代表	蔡亚军	董秘	郑曦琳	股份代码	831029
	公司网址			主办券商	申银万国证券股份有限公司	
	电　　话	027-82841021		传　　真	027-82777809	
	注册地址	湖北省武汉市江岸区青岛路 7 号国际青年大厦 3-4 层				
	行业分类	农、林、牧、渔业				

	指标\报告期	2014.06.30	2013.12.31	2012.12.31
主要财务指标	营业收入(元)	–	7,563,534,056.55	5,622,685,389.37
	营业利润(元)	–	49,235,210.39	44,348,804.65
	净利润(元)	–	57,843,705.21	67,614,371.58
	未分配利润(元)	–	195,515,893.65	174,643,870.73
	总资产(元)	–	3,876,481,776.96	2,780,694,262.89
	总负债(元)	–	3,439,392,720.68	2,410,224,767.76
	净资产(元)	–	437,089,056.28	370,469,495.13
	每股收益(元)	–	0.50	0.63
	每股净资产(元)	–	3.54	3.15
	净资产收益率(%)	–	14.02	19.99

北京卓华信息技术股份有限公司

公司概况	公司名称	北京卓华信息技术股份有限公司			股份名称	卓华信息
	法人代表	张拥军	董秘	李从容	股份代码	831030
	公司网址	www.accellence.com.cn		主办券商	国海证券股份有限公司	
	电　　话	010-82349328		传　　真	010-82349358	
	注册地址	北京市海淀区农大南路 1 号院 4 号楼 7 层 701				
	行业分类	信息传输、软件和信息技术服务业				

	指标\报告期	2014.06.30	2013.12.31	2012.12.31
主要财务指标	营业收入(元)	–	65,785,368.80	41,383,809.06
	营业利润(元)	–	12,765,354.93	6,988,298.43
	净利润(元)	–	12,382,559.42	6,281,922.72
	未分配利润(元)	–	11,144,303.48	5,307,521.40
	总资产(元)	–	79,021,059.55	36,773,027.42
	总负债(元)	–	41,685,698.58	11,820,225.87
	净资产(元)	–	37,335,360.97	24,952,801.55
	每股收益(元)	–	0.69	1.20
	每股净资产(元)	–	2.07	1.39
	净资产收益率(%)	–	33.17	25.18

江苏诚盟装备股份有限公司

公司概况	公司名称	江苏诚盟装备股份有限公司			股份名称	诚盟装备
	法人代表	马宏	董秘	蔡庶	股份代码	831031
	公司网址	www.njcmsj.com		主办券商	万联证券有限责任公司	
	电　　话	025-58871190		传　　真	025-58491672	
	注册地址	江苏省南京市高新区泰山园区柳州北路22号				
	行业分类	制造业				

主要财务指标	指标\报告期	2014.06.30	2013.12.31	2012.12.31
	营业收入(元)	-	129,559,653.48	94,733,739.15
	营业利润(元)	-	16,419,858.39	13,550,147.84
	净利润(元)	-	13,752,099.08	10,673,546.49
	未分配利润(元)	-	16,088,158.01	19,711,268.84
	总资产(元)	-	183,885,109.89	139,138,117.60
	总负债(元)	-	108,325,632.89	80,020,628.31
	净资产(元)	-	75,559,477.00	59,117,489.29
	每股收益(元)	-	0.50	0.43
	每股净资产(元)	-	2.13	2.16
	净资产收益率(%)	-	18.20	18.06

上海景睿营销策划股份有限公司

公司概况	公司名称	上海景睿营销策划股份有限公司			股份名称	景睿策划
	法人代表	曾德峰	董秘	方丽华	股份代码	831032
	公司网址	www.epcomm.cn/main.asp		主办券商	山西证券股份有限公司	
	电　　话	021-62528208		传　　真	021-62529399	
	注册地址	上海市张江高科技园区张江路91号6幢409座				
	行业分类	租赁和商务服务业				

主要财务指标	指标\报告期	2014.06.30	2013.12.31	2012.12.31
	营业收入(元)	-	57,000,692.85	20,742,749.77
	营业利润(元)	-	5,827,783.90	439,456.39
	净利润(元)	-	5,215,971.98	505,037.51
	未分配利润(元)	-	8,520,829.81	3,826,455.03
	总资产(元)	-	29,573,097.96	10,616,671.07
	总负债(元)	-	18,280,670.95	6,040,216.04
	净资产(元)	-	11,292,427.01	4,576,455.03
	每股收益(元)	-	2.61	1.01
	每股净资产(元)	-	5.65	9.15
	净资产收益率(%)	-	46.19	11.04

厦门市朗星节能照明股份有限公司

公司概况	公司名称	厦门市朗星节能照明股份有限公司			股份名称	朗星照明
	法人代表	白鹭明	董秘	王小燕	股份代码	831033
	公司网址	www.xmlangxing.com		主办券商	国金证券股份有限公司	
	电　　话	0592-3675128		传　　真	0592-5905911	
	注册地址	福建省厦门火炬高新区(翔安)产业区同龙二路591#1楼				
	行业分类	制造业				

主要财务指标	指标\报告期	2014.06.30	2013.12.31	2012.12.31
	营业收入(元)	-	67,951,068.01	56,199,370.02
	营业利润(元)	-	679,915.41	328,815.42
	净利润(元)	-	1,884,650.03	3,504,139.02
	未分配利润(元)	-	8,315,462.97	6,649,406.26
	总资产(元)	-	76,600,665.02	81,183,158.81
	总负债(元)	-	39,134,024.73	45,601,168.55
	净资产(元)	-	37,466,640.29	35,581,990.26
	每股收益(元)	-	0.08	0.15
	每股净资产(元)	-	1.63	1.55
	净资产收益率(%)	-	5.03	9.85

无锡红光微电子股份有限公司

公司概况	公司名称	无锡红光微电子股份有限公司			股份名称	红光股份
	法人代表	王福泉	董秘	陶光亮	股份代码	831034
	公司网址	www.wxhgm.com		主办券商	申银万国证券股份有限公司	
	电　　话	0510-85342237		传　　真	0510-85342119	
	注册地址	江苏省无锡市新区新洲路科技产业园93号B区-1地块				
	行业分类	制造业				

主要财务指标	指标\报告期	2014.06.30	2013.12.31	2012.12.31
	营业收入(元)	-	125,666,100.79	129,775,938.52
	营业利润(元)	-	-381,249.31	1,754,199.45
	净利润(元)	-	1,265,788.95	2,496,671.47
	未分配利润(元)	-	2,544,794.50	14,636,123.41
	总资产(元)	-	148,340,314.96	138,067,978.87
	总负债(元)	-	107,779,990.32	97,764,287.38
	净资产(元)	-	40,560,324.64	40,303,691.49
	每股收益(元)	-	0.04	0.08
	每股净资产(元)	-	1.26	1.82
	净资产收益率(%)	-	3.12	6.20

扬州中天利新材料股份有限公司

公司概况	公司名称	扬州中天利新材料股份有限公司		股份名称	中天利
	法人代表	陈琦	董秘	刘彩玫	股份代码	831035
	公司网址	www.yzcrown.com	主办券商	华安证券股份有限公司	
	电　话	0514-85078686	传　真	0514-85078716	
	注册地址	江苏省扬州市邗江区甘泉街道双塘村花庄组			
	行业分类	制造业			

	指标\报告期	2014.06.30	2013.12.31	2012.12.31
主要财务指标	营业收入(元)	–	16,988,607.83	15,826,215.79
	营业利润(元)	–	-3,300,041.15	-707,786.89
	净利润(元)	–	-514,874.74	1,353,920.46
	未分配利润(元)	–	-17,939.71	1,171,049.68
	总资产(元)	–	54,684,049.70	55,148,887.58
	总负债(元)	–	30,397,758.13	30,347,721.27
	净资产(元)	–	24,286,291.57	24,801,166.31
	每股收益(元)	–	-0.02	0.06
	每股净资产(元)	–	1.03	1.06
	净资产收益率(%)	–	-2.12	5.46

湖北裕国菇业股份有限公司

公司概况	公司名称	湖北裕国菇业股份有限公司		股份名称	裕国股份
	法人代表	雷于国	董秘	朱昆山	股份代码	831036
	公司网址	www.yggy.com.cn	主办券商	湘财证券股份有限公司	
	电　话	0722-3593699	传　真	0722-3593777	
	注册地址	湖北省随州市随县烈山湖西路			
	行业分类	制造业			

	指标\报告期	2014.06.30	2013.12.31	2012.12.31
主要财务指标	营业收入(元)	–	961,264,578.41	245,313,462.02
	营业利润(元)	–	50,408,286.19	3,936,142.17
	净利润(元)	–	41,252,594.16	6,169,304.76
	未分配利润(元)	–	1,684,477.21	88,902,019.37
	总资产(元)	–	634,482,839.61	555,122,300.77
	总负债(元)	–	439,964,534.31	360,782,248.10
	净资产(元)	–	194,518,305.30	194,340,052.67
	每股收益(元)	–	0.57	0.09
	每股净资产(元)	–	2.78	2.81
	净资产收益率(%)	–	20.60	3.32

深圳华力兴新材料股份有限公司

公司概况	公司名称	深圳华力兴新材料股份有限公司		股份名称	华力兴
	法人代表	赖华林	董秘	秦勇	股份代码	831037
	公司网址	www.hlxsz.com	主办券商	华创证券有限责任公司	
	电　话	0755-29899889	传　真	0755-22639919	
	注册地址	广东省深圳市宝安区松岗街道潭头西部工业园 A16 栋			
	行业分类	制造业			

	指标\报告期	2014.06.30	2013.12.31	2012.12.31
主要财务指标	营业收入(元)	–	137,782,236.35	133,393,378.76
	营业利润(元)	–	12,927,988.15	17,359,430.68
	净利润(元)	–	12,973,763.51	19,834,203.12
	未分配利润(元)	–	54,513,997.77	42,837,610.61
	总资产(元)	–	153,039,552.52	138,152,796.58
	总负债(元)	–	39,084,477.06	37,171,484.63
	净资产(元)	–	113,955,075.46	100,981,311.95
	每股收益(元)	–	0.26	0.40
	每股净资产(元)	–	2.28	2.02
	净资产收益率(%)	–	11.39	19.64

河南宇建科技股份有限公司

公司概况	公司名称	河南宇建科技股份有限公司		股份名称	宇建科技
	法人代表	马宝安	董秘	杨全昌	股份代码	831038
	公司网址	hn-yjky.com	主办券商	新时代证券有限责任公司	
	电　话	0391-7751886	传　真	0391-7751885	
	注册地址	河南省焦作市黄河大道(西段)128 号			
	行业分类	制造业			

	指标\报告期	2014.06.30	2013.12.31	2012.12.31
主要财务指标	营业收入(元)	–	20,734,080.42	19,305,311.36
	营业利润(元)	–	1,189,878.47	984,589.20
	净利润(元)	–	925,958.15	755,278.82
	未分配利润(元)	–	2,164,167.42	1,330,805.09
	总资产(元)	–	57,234,046.41	52,081,877.35
	总负债(元)	–	28,367,569.94	24,141,359.03
	净资产(元)	–	28,866,476.47	27,940,518.32
	每股收益(元)	–	0.05	0.04
	每股净资产(元)	–	1.44	1.40
	净资产收益率(%)	–	3.21	2.70

国义招标股份有限公司

公司概况						
公司名称	国义招标股份有限公司			股份名称	国义招标	
法人代表	詹国伟	董秘	陈志杰	股份代码	831039	
公司网址	www.gmgitc.com		主办券商	海通证券股份有限公司		
电话	020-87768198		传真	020-37658093		
注册地址	广东省广州市越秀区东风东路726号16楼					
行业分类	居民服务、修理和其他服务业					

主要财务指标			
指标\报告期	2014.06.30	2013.12.31	2012.12.31
营业收入(元)	–	267,842,614.58	216,133,107.75
营业利润(元)	–	41,942,058.26	33,407,163.39
净利润(元)	–	32,982,349.25	26,671,670.64
未分配利润(元)	–	42,133,866.93	26,502,354.28
总资产(元)	–	500,849,481.42	472,513,440.08
总负债(元)	–	256,567,180.59	278,833,488.50
净资产(元)	–	244,282,300.83	193,679,951.58
每股收益(元)	–	0.36	0.29
每股净资产(元)	–	2.67	2.11
净资产收益率(%)	–	15.33	13.77

郑州优波科新材料股份有限公司

公司概况						
公司名称	郑州优波科新材料股份有限公司			股份名称	优波科	
法人代表	傅宏伟	董秘	闫腾飞	股份代码	831040	
公司网址	www.uoboc.com		主办券商	上海证券有限责任公司		
电话	0371-67993915		传真	0371-68756655		
注册地址	河南省郑州市高新区冬青街10号					
行业分类	制造业					

主要财务指标			
指标\报告期	2014.06.30	2013.12.31	2012.12.31
营业收入(元)	–	11,764,260.30	6,675,318.49
营业利润(元)	–	374,070.76	966,219.68
净利润(元)	–	194,865.80	565,896.31
未分配利润(元)	–	44,392.06	-1,929,015.12
总资产(元)	–	12,022,396.14	11,925,366.71
总负债(元)	–	1,456,545.46	3,854,381.83
净资产(元)	–	10,565,850.68	8,070,984.88
每股收益(元)	–	0.02	0.08
每股净资产(元)	–	1.01	0.81
净资产收益率(%)	–	1.84	7.01

江苏兆鋆新材料股份有限公司

公司概况						
公司名称	江苏兆鋆新材料股份有限公司			股份名称	兆鋆新材	
法人代表	鲁平才	董秘	张翔	股份代码	831041	
公司网址	www.composite-cn.com		主办券商	光大证券股份有限公司		
电话	0511-80789769		传真	0511-80789767		
注册地址	江苏省镇江市句容市华阳西路99号					
行业分类	制造业					

主要财务指标			
指标\报告期	2014.06.30	2013.12.31	2012.12.31
营业收入(元)	–	120,259,828.45	35,373,983.91
营业利润(元)	–	12,284,368.52	1,619,631.14
净利润(元)	–	10,443,828.62	2,524,077.38
未分配利润(元)	–	9,561,394.47	222,398.51
总资产(元)	–	129,904,503.42	88,421,466.69
总负债(元)	–	69,274,015.14	38,174,357.23
净资产(元)	–	60,630,488.28	50,247,109.46
每股收益(元)	–	0.21	0.05
每股净资产(元)	–	1.21	1.00
净资产收益率(%)	–	17.23	5.02

芜湖起重运输机器股份有限公司

公司概况						
公司名称	芜湖起重运输机器股份有限公司			股份名称	芜起股份	
法人代表	李静	董秘	安平	股份代码	831042	
公司网址	www.wuhucraneandconveyor.com		主办券商	齐鲁证券有限公司		
电话	0553-3916719		传真	0553-5852711		
注册地址	安徽省芜湖市三山经济开发区官河路与浮山路交叉口					
行业分类	制造业					

主要财务指标			
指标\报告期	2014.06.30	2013.12.31	2012.12.31
营业收入(元)	–	108,792,273.02	107,749,715.92
营业利润(元)	–	3,604,126.65	1,394,802.00
净利润(元)	–	4,563,832.79	1,184,208.97
未分配利润(元)	–	1,848,983.98	9,187,576.15
总资产(元)	–	171,659,762.17	207,955,173.54
总负债(元)	–	98,352,748.06	139,211,992.22
净资产(元)	–	73,307,014.11	68,743,181.32
每股收益(元)	–	0.27	0.07
每股净资产(元)	–	4.31	4.04
净资产收益率(%)	–	6.23	1.72

银川市锦旺农业发展股份有限公司

公司概况					
公司名称	银川市锦旺农业发展股份有限公司		股份名称	锦旺农业	
法人代表	潘军	董秘	杨丽芸	股份代码	831043
公司网址			主办券商	财通证券股份有限公司	
电　话	0951-7656020		传　真	09511-7656020	
注册地址	宁夏回族自治区银川市金凤区良田镇植物园村一组				
行业分类	农、林、牧、渔业				

指标\报告期	2014.06.30	2013.12.31	2012.12.31
营业收入(元)	–	10,915,192.37	8,193,454.58
营业利润(元)	–	–1,844,654.28	–1,421,672.62
净利润(元)	–	696,675.18	212,856.35
未分配利润(元)	–	2,725,828.19	2,098,820.53
总资产(元)	–	22,072,949.60	18,189,056.69
总负债(元)	–	5,933,168.26	5,488,950.52
净资产(元)	–	16,139,781.34	12,700,106.17
每股收益(元)	–	0.05	0.02
每股净资产(元)	–	1.24	0.98
净资产收益率(%)	–	4.32	1.68

贵州安顺家喻新型材料股份有限公司

公司概况					
公司名称	贵州安顺家喻新型材料股份有限公司		股份名称	家喻新材	
法人代表	何克行	董秘	郭建培	股份代码	831044
公司网址			主办券商	申银万国证券股份有限公司	
电　话	0853-3779680		传　真	0853-3779911	
注册地址	贵州省安顺市西秀区两六公路旁(张官屯路段)				
行业分类	制造业				

指标\报告期	2014.06.30	2013.12.31	2012.12.31
营业收入(元)	–	91,237,865.86	16,050,198.86
营业利润(元)	–	5,882,525.98	–1,680,639.13
净利润(元)	–	7,071,259.15	–1,095,209.32
未分配利润(元)	–	4,489,848.38	–1,789,084.58
总资产(元)	–	112,350,275.69	45,698,082.13
总负债(元)	–	77,068,101.12	17,487,166.71
净资产(元)	–	35,282,174.57	28,210,915.42
每股收益(元)	–	0.24	–0.04
每股净资产(元)	–	1.18	0.94
净资产收益率(%)	–	20.04	–3.88

郑州科慧科技股份有限公司

公司概况					
公司名称	郑州科慧科技股份有限公司		股份名称	科慧科技	
法人代表	陈志宏	董秘	吴涛	股份代码	831045
公司网址	www.zzkehui.cn		主办券商	光大证券股份有限公司	
电　话	0371-56576666		传　真	0371-56576006	
注册地址	河南省郑州市高新区开发区冬青街12号				
行业分类	制造业				

指标\报告期	2014.06.30	2013.12.31	2012.12.31
营业收入(元)	–	7,728,957.78	10,057,294.65
营业利润(元)	–	–894,847.84	803,505.80
净利润(元)	–	615,570.57	979,672.95
未分配利润(元)	–	1,925,541.56	1,371,528.05
总资产(元)	–	44,653,393.71	26,754,538.26
总负债(元)	–	8,916,283.09	1,832,998.21
净资产(元)	–	35,737,110.62	24,921,540.05
每股收益(元)	–	0.03	0.05
每股净资产(元)	–	1.60	1.38
净资产收益率(%)	–	1.72	3.93

北京雷克利达机电股份有限公司

公司概况					
公司名称	北京雷克利达机电股份有限公司		股份名称	雷克利达	
法人代表	孙文雷	董秘	黄磊	股份代码	831046
公司网址	www.ricred.com		主办券商	安信证券股份有限公司	
电　话	010-84718019/84718109		传　真	010-84715159	
注册地址	北京市朝阳区南湖东园122楼15层南区1802室				
行业分类	建筑业				

指标\报告期	2014.06.30	2013.12.31	2012.12.31
营业收入(元)	–	105,485,066.48	76,389,508.68
营业利润(元)	–	6,245,840.67	2,234,599.75
净利润(元)	–	4,750,328.07	1,939,586.48
未分配利润(元)	–	246,717.92	–4,081,075.45
总资产(元)	–	38,370,277.32	46,615,181.64
总负债(元)	–	17,701,024.70	20,696,257.09
净资产(元)	–	20,669,252.62	25,918,924.55
每股收益(元)	–	0.24	0.06
每股净资产(元)	–	1.03	0.86
净资产收益率(%)	–	22.98	7.48

四川深远石油钻井工具股份有限公司

公司概况	公司名称	四川深远石油钻井工具股份有限公司			股份名称	深远石油
	法人代表	陈万钧	董秘	张苡源	股份代码	831047
	公司网址	www.deepfast.com		主办券商	中银国际证券有限责任公司	
	电　话	028-87877380		传　真	028-87877382	
	注册地址	四川省成都市成都高新区西芯大道4号B332号				
	行业分类	制造业				

	指标＼报告期	2014.06.30	2013.12.31	2012.12.31
主要财务指标	营业收入(元)	–	75,205,832.23	58,978,378.06
	营业利润(元)	–	22,272,894.67	18,873,388.56
	净利润(元)	–	18,976,544.67	15,978,473.03
	未分配利润(元)	–	3,640,447.62	17,143,129.11
	总资产(元)	–	133,149,902.55	96,839,219.47
	总负债(元)	–	75,125,436.65	57,791,298.24
	净资产(元)	–	58,024,465.90	39,047,921.23
	每股收益(元)	–	0.95	0.80
	每股净资产(元)	–	2.90	1.95
	净资产收益率(%)	–	32.7	40.92

承德天成印刷科技股份有限公司

公司概况	公司名称	承德天成印刷科技股份有限公司			股份名称	天成股份
	法人代表	王贵玉	董秘	孙宏艳	股份代码	831048
	公司网址	www.tianchengps.com		主办券商	东吴证券股份有限公司	
	电　话	0314-3011955		传　真	0314-3011946	
	注册地址	河北省承德市承德县下板城镇下板城村南				
	行业分类	制造业				

	指标＼报告期	2014.06.30	2013.12.31	2012.12.31
主要财务指标	营业收入(元)	–	66,179,834.39	69,998,470.98
	营业利润(元)	–	3,833,461.72	1,094,566.76
	净利润(元)	–	3,024,475.37	1,190,050.71
	未分配利润(元)	–	8,704,164.15	5,982,136.32
	总资产(元)	–	137,937,641.27	82,123,337.44
	总负债(元)	–	116,456,935.52	63,667,107.06
	净资产(元)	–	21,480,705.75	18,456,230.38
	每股收益(元)	–	0.30	0.12
	每股净资产(元)	–	2.15	1.85
	净资产收益率(%)	–	14.08	6.45

广州赛莱拉干细胞科技股份有限公司

公司概况	公司名称	广州赛莱拉干细胞科技股份有限公司			股份名称	赛莱拉
	法人代表	陈海佳	董秘	周文华	股份代码	831049
	公司网址	www.saliai.com		主办券商	广发证券股份有限公司	
	电　话	020-88888884		传　真	020-88888178	
	注册地址	广东省广州市国际生物岛螺旋四路一号生产区第五层502单位				
	行业分类	制造业				

	指标＼报告期	2014.06.30	2013.12.31	2012.12.31
主要财务指标	营业收入(元)	–	23,836,141.75	1,522,517.86
	营业利润(元)	–	9,730,976.47	-4,090,588.09
	净利润(元)	–	10,613,139.37	-3,945,083.56
	未分配利润(元)	–	607,875.13	-9,999,796.95
	总资产(元)	–	78,247,075.29	40,412,540.82
	总负债(元)	–	17,633,732.87	40,362,337.77
	净资产(元)	–	60,613,342.42	50,203.05
	每股收益(元)	–	0.28	-0.39
	每股净资产(元)	–	1.6	0.01
	净资产收益率(%)	–	17.51	-7,858.26

武汉天喻软件股份有限公司

公司概况	公司名称	武汉天喻软件股份有限公司			股份名称	天喻软件
	法人代表	陈立平	董秘	李晓华	股份代码	831050
	公司网址	www.hustcad.com		主办券商	长江证券股份有限公司	
	电　话	0086-27-81338793		传　真	027-81338796	
	注册地址	湖北省武汉市东湖新技术开发区汤逊湖北路华工科技园创新基地3栋				
	行业分类	信息传输、软件和信息技术服务业				

	指标＼报告期	2014.06.30	2013.12.31	2012.12.31
主要财务指标	营业收入(元)	–	17,637,897.33	15,684,454.10
	营业利润(元)	–	-2,183,013.21	-5,188,992.10
	净利润(元)	–	-223,380.94	-996,916.65
	未分配利润(元)	–	-1,041,309.41	6,010,058.70
	总资产(元)	–	22,412,863.13	20,202,751.83
	总负债(元)	–	7,514,044.60	5,080,552.36
	净资产(元)	–	14,898,818.53	15,122,199.47
	每股收益(元)	–	-0.03	-0.12
	每股净资产(元)	–	1.86	1.89
	净资产收益率(%)	–	-1.50	-6.59

北京春秋鸿文化投资股份有限公司

公司概况	公司名称	北京春秋鸿文化投资股份有限公司		股份名称	春秋鸿
	法人代表	刘岩	董秘 刘丹丹	股份代码	831051
	公司网址	www.chunqiuhong.com		主办券商	中信建投证券股份有限公司
	电话	010-83227989		传真	010-83160061
	注册地址	北京市西城区天桥南大街1号305			
	行业分类	文化、体育和娱乐业			

	指标\报告期	2014.06.30	2013.12.31	2012.12.31
主要财务指标	营业收入(元)	–	169,448,187.24	56,571,197.72
	营业利润(元)	–	20,137,422.45	2,568,569.12
	净利润(元)	–	14,975,749.80	175,791.25
	未分配利润(元)	–	12,575,064.03	–1,805,803.31
	总资产(元)	–	289,311,256.17	146,196,397.15
	总负债(元)	–	259,201,309.68	131,402,200.46
	净资产(元)	–	30,109,946.49	14,794,196.69
	每股收益(元)	–	0.90	0.01
	每股净资产(元)	–	1.79	0.89
	净资产收益率(%)	–	50.31	1.19

深圳市金开利科技股份有限公司

公司概况	公司名称	深圳市金开利科技股份有限公司		股份名称	金开利
	法人代表	徐伟	董秘 陈向阳	股份代码	831052
	公司网址	www.kingcarrier.com		主办券商	广发证券股份有限公司
	电话	0755-61155666-6808		传真	0755-61155777
	注册地址	广东省深圳市龙华新区大浪街道浪口社区大浪南路402号B区2栋1-2层			
	行业分类	建筑业			

	指标\报告期	2014.06.30	2013.12.31	2012.12.31
主要财务指标	营业收入(元)	–	89,735,310.77	67,989,153.37
	营业利润(元)	–	3,118,869.34	780,288.47
	净利润(元)	–	2,247,931.88	353,249.70
	未分配利润(元)	–	2,098,248.74	75,110.05
	总资产(元)	–	135,892,470.34	119,955,977.88
	总负债(元)	–	65,440,871.22	52,652,310.64
	净资产(元)	–	70,451,599.12	67,303,667.24
	每股收益(元)	–	0.03	0.01
	每股净资产(元)	–	1.06	1.02
	净资产收益率(%)	–	3.19	0.53

安徽美佳新材料股份有限公司

公司概况	公司名称	安徽美佳新材料股份有限公司		股份名称	美佳新材
	法人代表	王方银	董秘 熊志辉	股份代码	831053
	公司网址	www.anhuimeijia.com		主办券商	长城证券有限责任公司
	电话	0553-7718566		传真	0553-7718299
	注册地址	安徽省芜湖市繁昌经济开发区			
	行业分类	制造业			

	指标\报告期	2014.06.30	2013.12.31	2012.12.31
主要财务指标	营业收入(元)	–	355,108,947.84	305,846,949.56
	营业利润(元)	–	31,579,324.64	24,620,051.29
	净利润(元)	–	29,099,130.60	23,520,469.24
	未分配利润(元)	–	73,785,424.75	47,596,207.21
	总资产(元)	–	563,693,498.21	486,509,749.07
	总负债(元)	–	360,098,680.76	312,014,062.22
	净资产(元)	–	203,594,817.45	174,495,686.85
	每股收益(元)	–	0.52	0.42
	每股净资产(元)	–	3.64	3.12
	净资产收益率(%)	–	14.29	13.48

湖南巴陵炉窑节能股份有限公司

公司概况	公司名称	湖南巴陵炉窑节能股份有限公司		股份名称	巴陵节能
	法人代表	周绍芳	董秘 宋宏炎	股份代码	831054
	公司网址	www.yyblly.com		主办券商	方正证券股份有限公司
	电话	0730-8759887		传真	0730-8759868
	注册地址	湖南省岳阳市经济技术开发区康王乡茶园村新旗组			
	行业分类	制造业			

	指标\报告期	2014.06.30	2013.12.31	2012.12.31
主要财务指标	营业收入(元)	–	65,472,586.58	61,248,916.44
	营业利润(元)	–	3,679,984.86	2,646,675.95
	净利润(元)	–	3,776,387.30	3,928,500.00
	未分配利润(元)	–	2,855,193.23	9,482,604.95
	总资产(元)	–	153,055,832.62	116,709,952.89
	总负债(元)	–	95,261,635.43	62,692,143.00
	净资产(元)	–	57,794,197.19	54,017,809.89
	每股收益(元)	–	0.08	0.12
	每股净资产(元)	–	1.20	1.69
	净资产收益率(%)	–	6.53	7.27

厦门三优光电股份有限公司

公司概况	公司名称	厦门三优光电股份有限公司			股份名称	三优光电
	法人代表	李凌	董秘	孙方韦	股份代码	831055
	公司网址	www.san-u.com		主办券商	申银万国证券股份有限公司	
	电　话	0592-5318000		传　真	0592-5703588	
	注册地址	福建省厦门市火炬高新区创业园伟业楼 N505 室				
	行业分类	制造业				

	指标\报告期	2014.06.30	2013.12.31	2012.12.31
主要财务指标	营业收入(元)	–	68,181,292.70	54,870,971.10
	营业利润(元)	–	3,355,386.20	3,652,385.58
	净利润(元)	–	4,169,156.67	3,833,236.32
	未分配利润(元)	–	10,496,926.70	6,744,685.70
	总资产(元)	–	65,241,116.39	65,356,959.54
	总负债(元)	–	26,359,976.20	30,644,976.02
	净资产(元)	–	38,881,140.19	34,711,983.52
	每股收益(元)	–	0.17	0.15
	每股净资产(元)	–	1.56	1.39
	净资产收益率(%)	–	10.72	11.04

贵州千叶药品包装股份有限公司

公司概况	公司名称	贵州千叶药品包装股份有限公司			股份名称	千叶药包
	法人代表	杨震	董秘	杜祥琴	股份代码	831056
	公司网址	www.chienyeh.cn		主办券商	光大证券股份有限公司	
	电　话	0851-6270265		传　真	0851-6270185	
	注册地址	贵州省贵阳市乌当区高新东路 1 号				
	行业分类	制造业				

	指标\报告期	2014.06.30	2013.12.31	2012.12.31
主要财务指标	营业收入(元)	–	107,117,150.90	98,716,456.56
	营业利润(元)	–	2,808,072.73	1,303,963.38
	净利润(元)	–	4,115,713.87	2,834,484.23
	未分配利润(元)	–	10,861,640.66	7,363,283.87
	总资产(元)	–	79,161,789.07	81,728,218.86
	总负债(元)	–	43,278,516.49	49,960,660.15
	净资产(元)	–	35,883,272.58	31,767,558.71
	每股收益(元)	–	0.14	0.09
	每股净资产(元)	–	1.20	1.06
	净资产收益率(%)	–	11.47	8.92

重庆多普泰制药股份有限公司

公司概况	公司名称	重庆多普泰制药股份有限公司			股份名称	多普泰
	法人代表	甘奇超	董秘	吴有峰	股份代码	831057
	公司网址	www.cqdpt.com		主办券商	华泰证券股份有限公司	
	电　话	023-61227984		传　真	023-67551298	
	注册地址	重庆市万盛区东林清溪桥曹家店				
	行业分类	制造业				

	指标\报告期	2014.06.30	2013.12.31	2012.12.31
主要财务指标	营业收入(元)	–	277,531,123.36	223,189,473.90
	营业利润(元)	–	36,594,810.15	28,084,809.14
	净利润(元)	–	31,028,560.98	25,891,141.58
	未分配利润(元)	–	7,662,920.41	38,402,475.72
	总资产(元)	–	198,640,373.72	150,232,000.72
	总负债(元)	–	83,186,503.93	65,806,691.91
	净资产(元)	–	115,453,869.79	84,425,308.81
	每股收益(元)	–	0.77	0.65
	每股净资产(元)	–	2.88	2.11
	净资产收益率(%)	–	26.88	30.67

武汉天颖环境工程股份有限公司

公司概况	公司名称	武汉天颖环境工程股份有限公司			股份名称	天颖环境
	法人代表	熊建	董秘	肖全生	股份代码	831058
	公司网址	www.tyeec.net		主办券商	长江证券股份有限公司	
	电　话	027-87771896		传　真	027-87420009	
	注册地址	湖北省武汉市东湖新技术开发区佛祖岭三路 29 号				
	行业分类	水利、环境和公共设施管理业				

	指标\报告期	2014.06.30	2013.12.31	2012.12.31
主要财务指标	营业收入(元)	–	14,339,751.52	27,510,897.01
	营业利润(元)	–	247,580.19	642,373.31
	净利润(元)	–	472,474.46	1,122,981.60
	未分配利润(元)	–	448,426.24	23,199.23
	总资产(元)	–	24,951,877.63	19,680,995.29
	总负债(元)	–	9,453,626.25	14,655,218.37
	净资产(元)	–	15,498,251.38	5,025,776.92
	每股收益(元)	–	0.08	0.22
	每股净资产(元)	–	1.03	1.01
	净资产收益率(%)	–	3.05	22.34

广州霍斯通电气股份有限公司

公司概况	公司名称	广州霍斯通电气股份有限公司			股份名称	霍斯通
	法人代表	杨启良	董秘	董敏妍	股份代码	831059
	公司网址	www.fokstone.com		主办券商	广发证券股份有限公司	
	电　话	020-83825212		传　真	020-83740132	
	注册地址	广东省广州市广州经济技术开发区宝聚街 8 号 2-5 层				
	行业分类	制造业				

	指标\报告期	2014.06.30	2013.12.31	2012.12.31
主要财务指标	营业收入(元)	–	51,399,669.98	56,445,530.90
	营业利润(元)	–	4,110,369.03	5,163,600.77
	净利润(元)	–	3,228,264.79	4,018,003.41
	未分配利润(元)	–	5,058,133.19	4,297,732.83
	总资产(元)	–	77,198,265.73	54,864,043.62
	总负债(元)	–	31,966,742.85	12,860,785.53
	净资产(元)	–	45,231,522.88	42,003,258.09
	每股收益(元)	–	0.10	0.11
	每股净资产(元)	–	1.41	1.32
	净资产收益率(%)	–	6.88	8.51

珠海天香苑生物科技发展股份有限公司

公司概况	公司名称	珠海天香苑生物科技发展股份有限公司			股份名称	天香苑
	法人代表	陈雪松	董秘	付耀辉	股份代码	831060
	公司网址	www.txybio.com		主办券商	东莞证券有限责任公司	
	电　话	0756-5230386		传　真	0756-5511139	
	注册地址	广东省珠海市斗门区白蕉工业开发区经纬路 8 号				
	行业分类	制造业				

	指标\报告期	2014.06.30	2013.12.31	2012.12.31
主要财务指标	营业收入(元)	–	48,825,076.68	36,070,701.18
	营业利润(元)	–	7,305,941.59	2,318,675.28
	净利润(元)	–	5,644,204.60	1,659,122.83
	未分配利润(元)	–	6,376,889.85	1,813,831.42
	总资产(元)	–	22,970,388.07	13,078,122.87
	总负债(元)	–	10,560,815.23	7,062,754.63
	净资产(元)	–	12,409,572.84	6,015,368.24
	每股收益(元)	–	1.41	0.47
	每股净资产(元)	–	2.79	1.50
	净资产收益率(%)	–	50.62	27.58

深圳市中瀛鑫科技股份有限公司

公司概况	公司名称	深圳市中瀛鑫科技股份有限公司			股份名称	中瀛鑫
	法人代表	陈文明	董秘	史曼莉	股份代码	831061
	公司网址	www.zyx-pku.com		主办券商	东北证券股份有限公司	
	电　话	0755-82800408-8096		传　真	0755-82800536	
	注册地址	广东省深圳市南山区科丰路 2 号特发信息港大厦 D 栋六楼				
	行业分类	制造业				

	指标\报告期	2014.06.30	2013.12.31	2012.12.31
主要财务指标	营业收入(元)	–	75,297,182.25	61,670,882.58
	营业利润(元)	–	19,688,769.72	9,309,365.93
	净利润(元)	–	17,422,782.63	4,943,280.20
	未分配利润(元)	–	-6,623,379.53	-24,046,162.16
	总资产(元)	–	160,060,899.01	109,122,055.47
	总负债(元)	–	85,460,732.07	54,392,285.15
	净资产(元)	–	74,600,166.94	54,729,770.32
	每股收益(元)	–	0.29	0.10
	每股净资产(元)	–	1.24	0.91
	净资产收益率(%)	–	23.36	9.03

西安远古信息科技股份有限公司

公司概况	公司名称	西安远古信息科技股份有限公司			股份名称	远古信息
	法人代表	尚坚	董秘	徐华	股份代码	831062
	公司网址	www.clubsoft.cn		主办券商	万联证券有限责任公司	
	电　话	029-86699608		传　真	029-87607561	
	注册地址	陕西省西安市高新区科技二路 72 号西安软件园唐乐阁 D102				
	行业分类	信息传输、软件和信息技术服务业				

	指标\报告期	2014.06.30	2013.12.31	2012.12.31
主要财务指标	营业收入(元)	–	11,330,830.41	7,091,480.18
	营业利润(元)	–	4,921,835.07	1,914,386.15
	净利润(元)	–	5,317,101.66	2,437,027.74
	未分配利润(元)	–	755,722.43	-4,477,410.07
	总资产(元)	–	15,515,678.76	6,919,776.08
	总负债(元)	–	4,675,987.17	1,397,186.15
	净资产(元)	–	10,839,691.59	5,522,589.93
	每股收益(元)	–	0.53	0.24
	每股净资产(元)	–	1.08	0.55
	净资产收益率(%)	–	49.05	44.13

安徽省安泰科技股份有限公司

公司概况	公司名称	安徽省安泰科技股份有限公司			股份名称	安泰股份
	法人代表	刘金宇	董秘	宋其义	股份代码	831063
	公司网址	www.antaiib.com		主办券商	海通证券股份有限公司	
	电　话	0551-65590117		传　真	0551-62643342-8008	
	注册地址	安徽省合肥市高新区天达路71号华亿科学园A1幢8楼				
	行业分类	信息传输、软件和信息技术服务业				

	指标\报告期	2014.06.30	2013.12.31	2012.12.31
主要财务指标	营业收入(元)	–	188,739,307.80	113,746,735.58
	营业利润(元)	–	25,390,837.36	9,389,253.62
	净利润(元)	–	21,264,900.74	8,636,911.56
	未分配利润(元)	–	33,930,461.63	14,788,869.10
	总资产(元)	–	255,680,982.01	172,384,904.42
	总负债(元)	–	114,778,276.49	52,772,099.98
	净资产(元)	–	140,902,705.52	119,612,804.44
	每股收益(元)	–	0.37	0.39
	每股净资产(元)	–	2.43	5.14
	净资产收益率(%)	–	15.09	7.61

上海浩驰科技股份有限公司

公司概况	公司名称	上海浩驰科技股份有限公司			股份名称	浩驰科技
	法人代表	余兴亮	董秘	卓文东	股份代码	831064
	公司网址	www.jwneotech.com		主办券商	东方花旗证券有限公司	
	电　话	021-57521111-9055		传　真	021-57527575	
	注册地址	上海市奉贤区奉城镇奉粮路769号2号楼				
	行业分类	制造业				

	指标\报告期	2014.06.30	2013.12.31	2012.12.31
主要财务指标	营业收入(元)	–	67,759,120.00	12,332,187.64
	营业利润(元)	–	12,269,332.91	-4,807,636.91
	净利润(元)	–	10,586,851.86	-4,251,415.10
	未分配利润(元)	–	5,504,002.00	-7,504,287.63
	总资产(元)	–	97,442,237.99	88,177,501.77
	总负债(元)	–	23,209,673.76	25,681,789.40
	净资产(元)	–	74,232,564.23	62,495,712.37
	每股收益(元)	–	2.12	-0.85
	每股净资产(元)	–	1.09	12.50
	净资产收益率(%)	–	14.26	-6.80

鑫干线(北京)科技股份公司

公司概况	公司名称	鑫干线(北京)科技股份公司			股份名称	鑫干线
	法人代表	丰大伟	董秘	钟秀斌	股份代码	831065
	公司网址	www.cabletech.com.cn		主办券商	兴业证券股份有限公司	
	电　话	010-82893092		传　真	010-82893096	
	注册地址	北京市海淀区农大南路1号院2号楼5层办公B-518				
	行业分类	信息传输、软件和信息技术服务业				

	指标\报告期	2014.06.30	2013.12.31	2012.12.31
主要财务指标	营业收入(元)	–	12,582,703.01	13,213,865.64
	营业利润(元)	–	646,586.00	615,132.70
	净利润(元)	–	1,912,714.94	1,468,848.46
	未分配利润(元)	–	3,872,836.17	2,151,392.72
	总资产(元)	–	13,760,667.76	17,914,644.93
	总负债(元)	–	3,457,516.46	4,464,208.57
	净资产(元)	–	10,303,151.30	13,450,436.36
	每股收益(元)	–	0.18	0.13
	每股净资产(元)	–	1.72	1.22
	净资产收益率(%)	–	18.56	10.92

辽宁圣维机电科技股份有限公司

公司概况	公司名称	辽宁圣维机电科技股份有限公司			股份名称	圣维科技
	法人代表	盛利	董秘	盛渤晗	股份代码	831066
	公司网址	www.cnswe.com.cn		主办券商	安信证券股份有限公司	
	电　话	0412-8493519		传　真	0412-8486666	
	注册地址	辽宁省鞍山市千山区达旗街12号				
	行业分类	制造业				

	指标\报告期	2014.06.30	2013.12.31	2012.12.31
主要财务指标	营业收入(元)	–	122,189,435.01	140,105,105.56
	营业利润(元)	–	6,794,479.37	11,264,080.67
	净利润(元)	–	7,061,440.17	15,439,825.29
	未分配利润(元)	–	55,489,923.67	49,134,730.52
	总资产(元)	–	274,716,066.10	397,055,511.72
	总负债(元)	–	158,805,334.79	288,206,220.58
	净资产(元)	–	115,910,731.31	108,849,291.14
	每股收益(元)	–	0.14	0.31
	每股净资产(元)	–	2.32	2.18
	净资产收益率(%)	–	6.09	14.19

河北根力多生物科技股份有限公司

公司概况	公司名称	河北根力多生物科技股份有限公司			股份名称	根力多
	法人代表	王淑平	董秘	李超	股份代码	831067
	公司网址	www.hbwynz.com.cn		主办券商	国海证券股份有限公司	
	电　话			传　真		
	注册地址	河北省邢台市威县世纪大街东侧、北二环南侧				
	行业分类	制造业				

主要财务指标	指标\报告期	2014.06.30	2013.12.31	2012.12.31
	营业收入(元)		260,211,880.72	129,720,642.93
	营业利润(元)	–	11,760,949.65	9,666,468.73
	净利润(元)	–	11,079,859.02	7,803,669.89
	未分配利润(元)	–	6,747,801.68	7,794,405.15
	总资产(元)	–	95,370,282.30	90,446,028.44
	总负债(元)	–	45,544,075.09	36,699,680.24
	净资产(元)	–	49,826,207.21	53,746,348.20
	每股收益(元)	–	0.37	1.10
	每股净资产(元)	–	1.66	1.69
	净资产收益率(%)	–	22.41	15.42

凌志环保股份有限公司

公司概况	公司名称	凌志环保股份有限公司			股份名称	凌志环保
	法人代表	凌美琴	董秘	徐斐	股份代码	831068
	公司网址	www.lzhb.com.cn		主办券商	海通证券股份有限公司	
	电　话	0510-87874418		传　真	0510-87875000	
	注册地址	江苏省宜兴市和桥镇南新东路				
	行业分类	水利、环境和公共设施管理业				

主要财务指标	指标\报告期	2014.06.30	2013.12.31	2012.12.31
	营业收入(元)	–	301,075,814.89	215,150,540.65
	营业利润(元)	–	13,916,896.23	15,844,597.76
	净利润(元)	–	11,747,931.03	24,244,300.95
	未分配利润(元)	–	41,037,206.27	29,249,114.84
	总资产(元)	–	861,267,436.38	721,168,532.48
	总负债(元)	–	480,484,679.32	357,155,607.92
	净资产(元)	–	380,782,757.06	364,012,924.56
	每股收益(元)	–	0.11	0.24
	每股净资产(元)	–	3.41	3.30
	净资产收益率(%)	–	3.22	7.02

浙江瑞明节能科技股份有限公司

公司概况	公司名称	浙江瑞明节能科技股份有限公司			股份名称	瑞明节能
	法人代表	董呈明	董秘	刘明	股份代码	831069
	公司网址	www.roomeye.cn		主办券商	光大证券股份有限公司	
	电　话	0572-8819966		传　真	0572-8183000	
	注册地址	浙江省湖州市德清县武康镇长虹西街69号				
	行业分类	建筑业				

主要财务指标	指标\报告期	2014.06.30	2013.12.31	2012.12.31
	营业收入(元)	–	207,854,671.71	247,780,396.08
	营业利润(元)	–	5,046,629.71	15,850,386.77
	净利润(元)	–	4,671,710.55	12,408,861.70
	未分配利润(元)	–	39,224,101.48	38,663,038.15
	总资产(元)	–	390,575,657.58	378,119,675.86
	总负债(元)	–	235,805,670.71	218,766,154.04
	净资产(元)	–	154,769,986.87	159,353,521.82
	每股收益(元)	–	0.13	0.27
	每股净资产(元)	–	2.88	2.85
	净资产收益率(%)	–	4.67	9.43

厦门威尔圣电气股份有限公司

公司概况	公司名称	厦门威尔圣电气股份有限公司			股份名称	威尔圣
	法人代表	蔡品花	董秘	黄良灿	股份代码	831070
	公司网址	www.xmwes.com		主办券商	东北证券股份有限公司	
	电　话	0592-7191881		传　真	0592-7369158	
	注册地址	福建省厦门市火炬高新区(翔安)产业区翔虹路11号301单元				
	行业分类	制造业				

主要财务指标	指标\报告期	2014.06.30	2013.12.31	2012.12.31
	营业收入(元)	–	25,355,565.01	18,266,249.83
	营业利润(元)	–	4,148,509.63	872,102.39
	净利润(元)	–	3,791,017.90	878,719.10
	未分配利润(元)	–	3,411,916.11	281,789.86
	总资产(元)	–	40,461,496.33	41,698,734.85
	总负债(元)	–	13,357,378.58	18,385,635.00
	净资产(元)	–	27,104,117.75	23,313,099.85
	每股收益(元)	–	0.16	0.04
	每股净资产(元)	–	1.18	1.01
	净资产收益率(%)	–	13.99	3.77

上海北塔软件股份有限公司

公司概况	公司名称	上海北塔软件股份有限公司			股份名称	北塔软件
	法人代表	王俊	董秘	茅培燕	股份代码	831071
	公司网址			主办券商	华福证券有限责任公司	
	电话			传真		
	注册地址	海市宜山路700号86幢301、302、303室				
	行业分类	信息传输、软件和信息技术服务业				

主要财务指标	指标\报告期	2014.06.30	2013.12.31	2012.12.31
	营业收入(元)	–	69,540,936.07	58,175,771.53
	营业利润(元)	–	7,926,271.20	–1,309,468.19
	净利润(元)	–	14,685,065.57	7,525,968.10
	未分配利润(元)	–	20,940,412.14	7,723,853.13
	总资产(元)	–	87,897,938.48	64,600,408.62
	总负债(元)	–	26,403,036.10	17,790,571.81
	净资产(元)	–	61,494,902.38	46,809,836.81
	每股收益(元)	–	0.43	0.22
	每股净资产(元)	–	1.80	1.37
	净资产收益率(%)	–	23.88	16.08

福建瑞聚信息技术股份有限公司

公司概况	公司名称	福建瑞聚信息技术股份有限公司			股份名称	瑞聚股份
	法人代表	毛永泉	董秘	董栋	股份代码	831072
	公司网址	www.ridgetech.com		主办券商	东北证券股份有限公司	
	电话	0591-83378880		传真	0591-88084290	
	注册地址	福建省福州市鼓楼区湖东路79号外运大厦三层西				
	行业分类	信息传输、软件和信息技术服务业				

主要财务指标	指标\报告期	2014.06.30	2013.12.31	2012.12.31
	营业收入(元)	–	16,508,602.96	11,158,592.44
	营业利润(元)	–	2,815,385.52	254,616.13
	净利润(元)	–	2,122,915.54	175,248.57
	未分配利润(元)	–	363,655.76	–1,718,853.58
	总资产(元)	–	23,252,353.32	18,233,855.83
	总负债(元)	–	12,848,291.36	9,952,709.41
	净资产(元)	–	10,404,061.96	8,281,146.42
	每股收益(元)	–	0.21	0.02
	每股净资产(元)	–	1.04	0.83
	净资产收益率(%)	–	20.41	2.12

福建瑞恒信息科技股份有限公司

公司概况	公司名称	福建瑞恒信息科技股份有限公司			股份名称	瑞恒科技
	法人代表	姚云飞	董秘	李昱	股份代码	831073
	公司网址	www.ruitel.com		主办券商	东北证券股份有限公司	
	电话	0591-87830633		传真	0591-83327893	
	注册地址	福建省福州市鼓楼区五四路258号太平洋广场4层				
	行业分类	制造业				

主要财务指标	指标\报告期	2014.06.30	2013.12.31	2012.12.31
	营业收入(元)	–	93,432,392.29	120,426,485.58
	营业利润(元)	–	–1,952,271.62	–3,394,506.65
	净利润(元)	–	–1,154,666.34	–2,116,870.10
	未分配利润(元)	–	13,792,034.41	14,946,520.57
	总资产(元)	–	95,795,108.08	80,173,421.31
	总负债(元)	–	47,157,472.21	30,381,119.10
	净资产(元)	–	48,637,635.87	49,792,302.21
	每股收益(元)	–	–0.03	–0.07
	每股净资产(元)	–	1.61	1.66
	净资产收益率(%)	–	–2.40	–4.29

浙江佳力科技股份有限公司

公司概况	公司名称	浙江佳力科技股份有限公司			股份名称	佳力科技
	法人代表	龚政尧	董秘	沈汉生	股份代码	831074
	公司网址	www.jlkj.com.cn		主办券商	首创证券有限责任公司	
	电话	0571-82565063		传真	0571-82565062	
	注册地址	浙江省杭州市萧山区瓜沥镇				
	行业分类	制造业				

主要财务指标	指标\报告期	2014.06.30	2013.12.31	2012.12.31
	营业收入(元)	–	348,644,413.93	325,135,451.07
	营业利润(元)	–	13,263,719.88	–30,705,260.86
	净利润(元)	–	27,279,849.20	28,083,326.57
	未分配利润(元)	–	182,244,753.71	157,221,391.31
	总资产(元)	–	903,653,395.07	987,589,636.02
	总负债(元)	–	563,648,113.32	675,021,057.58
	净资产(元)	–	340,005,281.75	312,568,578.44
	每股收益(元)	–	0.31	0.32
	每股净资产(元)	–	3.93	3.61
	净资产收益率(%)	–	8.01	8.93

武汉宏海科技股份有限公司

公司概况	公司名称	武汉宏海科技股份有限公司		股份名称	宏海科技
	法人代表	周宏	董秘	赵法川	股份代码	831075
	公司网址	www.hhkjgf.com	主办券商	申银万国证券股份有限公司	
	电　话	027-84478136	传　真	027-84478148	
	注册地址	湖北省武汉市洪山区北港工业园书城路 18 号			
	行业分类	制造业			

	指标\报告期	2014.06.30	2013.12.31	2012.12.31
主要财务指标	营业收入(元)		172,519,398.91	86,806,390.29
	营业利润(元)	–	7,553,179.58	19,514.37
	净利润(元)	–	5,880,588.63	242,805.03
	未分配利润(元)	–	25,899,500.52	20,438,217.03
	总资产(元)	–	164,096,521.94	144,691,240.51
	总负债(元)	–	103,924,604.92	110,399,912.12
	净资产(元)	–	60,171,917.02	34,291,328.39
	每股收益(元)	–	0.29	0.02
	每股净资产(元)	–	2.01	3.43
	净资产收益率(%)	–	9.77	0.71

江苏展博电扶梯成套部件股份有限公司

公司概况	公司名称	江苏展博电扶梯成套部件股份有限公司		股份名称	展博股份
	法人代表	连寅霄	董秘	徐凤琴	股份代码	831076
	公司网址		主办券商	宏源证券股份有限公司	
	电　话	0512-63283055	传　真	0512-63283055	
	注册地址	江苏省苏州市吴江区黎里镇莘塔社区芦莘公路东侧			
	行业分类	制造业			

	指标\报告期	2014.06.30	2013.12.31	2012.12.31
主要财务指标	营业收入(元)	–	14,837,975.92	4,442,829.51
	营业利润(元)	–	581,014.10	105,787.02
	净利润(元)	–	340,527.16	49,842.40
	未分配利润(元)	–	243,363.81	-70,122.93
	总资产(元)	–	16,957,997.07	4,429,445.39
	总负债(元)	–	6,687,592.84	2,499,568.32
	净资产(元)	–	10,270,404.23	1,929,877.07
	每股收益(元)	–	0.07	0.02
	每股净资产(元)	–	1.03	0.96
	净资产收益率(%)	–	3.32	2.58

合肥中鼎信息科技股份有限公司

公司概况	公司名称	合肥中鼎信息科技股份有限公司		股份名称	中鼎科技
	法人代表	夏鼎湖	董秘	谢虎	股份代码	831077
	公司网址	www.zd315.net	主办券商	东北证券股份有限公司	
	电　话	0551-65314928	传　真	0551-65311908	
	注册地址	安徽省合肥市高新区创新大道科技成果转化基地 E 栋			
	行业分类	信息传输、软件和信息技术服务业			

	指标\报告期	2014.06.30	2013.12.31	2012.12.31
主要财务指标	营业收入(元)	–	32,470,707.37	22,162,002.18
	营业利润(元)	–	-2,079,026.53	-4,836,921.78
	净利润(元)	–	776,201.00	-2,339,088.45
	未分配利润(元)	–	1,822,533.45	894,086.50
	总资产(元)	–	36,469,714.41	44,888,668.64
	总负债(元)	–	12,319,926.14	21,631,693.65
	净资产(元)	–	24,149,788.27	23,256,974.99
	每股收益(元)	–	0.05	-0.10
	每股净资产(元)	–	1.21	1.16
	净资产收益率(%)	–	4.02	-8.37

广东斯科电气股份有限公司

公司概况	公司名称	广东斯科电气股份有限公司		股份名称	斯科电气
	法人代表	吕菲	董秘	刘敏	股份代码	831078
	公司网址	www.seedcom.com.cn	主办券商	东北证券股份有限公司	
	电　话	0752-7805127	传　真	0752-7805125	
	注册地址	广东省惠州市惠澳大道惠南高新科技产业园华泰路 1 号			
	行业分类	制造业			

	指标\报告期	2014.06.30	2013.12.31	2012.12.31
主要财务指标	营业收入(元)	–	10,212,263.89	5,004,719.55
	营业利润(元)	–	14,493.60	-75,154.50
	净利润(元)	–	321,891.86	173,044.83
	未分配利润(元)	–	468,858.61	179,155.94
	总资产(元)	–	12,294,858.34	13,606,046.87
	总负债(元)	–	1,443,542.71	3,076,623.10
	净资产(元)	–	10,851,315.63	10,529,423.77
	每股收益(元)	–	0.03	0.03
	每股净资产(元)	–	1.08	1.05
	净资产收益率(%)	–	2.97	1.64

成都瑞琦科技实业股份有限公司

公司概况	公司名称	成都瑞琦科技实业股份有限公司			股份名称	瑞琦科技
	法人代表	韦德	董秘	李茜	股份代码	831079
	公司网址	wwww.cdrich.com		主办券商	广发证券股份有限公司	
	电　话	028-66679689		传　真	028-66679669	
	注册地址	四川省成都市高新区(西区)天勤东街66号				
	行业分类	制造业				

主要财务指标	指标\报告期	2014.06.30	2013.12.31	2012.12.31
	营业收入(元)	–	77,045,523.20	71,134,927.98
	营业利润(元)	–	6,468,418.27	5,050,509.20
	净利润(元)	–	6,548,056.31	5,015,050.58
	未分配利润(元)	–	4,178,167.23	18,716,236.05
	总资产(元)	–	74,155,128.47	73,407,642.86
	总负债(元)	–	54,992,021.58	44,589,901.75
	净资产(元)	–	19,163,106.89	28,817,741.11
	每股收益(元)	–	0.65	0.84
	每股净资产(元)	–	1.92	4.80
	净资产收益率(%)	–	34.17	17.40

厦门立思科技股份有限公司

公司概况	公司名称	厦门立思科技股份有限公司			股份名称	立思股份
	法人代表	张丰	董秘	林琦毅	股份代码	831080
	公司网址	www.lisenergy.com		主办券商	申银万国证券股份有限公司	
	电　话	0592-5764666		传　真	0592-2950221	
	注册地址	福建省厦门市软件园望海路23号104/105单元				
	行业分类	科学研究和技术服务业				

主要财务指标	指标\报告期	2014.06.30	2013.12.31	2012.12.31
	营业收入(元)	–	19,266,746.29	18,301,908.43
	营业利润(元)	–	721,916.53	–3,992,414.54
	净利润(元)	–	498,473.92	–3,514,114.28
	未分配利润(元)	–	–1,359,658.21	–1,858,132.13
	总资产(元)	–	29,991,923.05	27,782,562.57
	总负债(元)	–	9,469,774.44	7,758,887.88
	净资产(元)	–	20,522,148.61	20,023,674.69
	每股收益(元)	–	0.02	–0.18
	每股净资产(元)	–	1.03	1.00
	净资产收益率(%)	–	2.43	–17.55

西安西驰电气股份有限公司

公司概况	公司名称	西安西驰电气股份有限公司			股份名称	西驰电气
	法人代表	张宁	董秘	李秦霞	股份代码	831081
	公司网址	www.xichi.cn		主办券商	湘财证券股份有限公司	
	电　话	029-89020808		传　真	029-89020899	
	注册地址	陕西省西安市高新区草堂科技产业基地秦岭四路西二号				
	行业分类	制造业				

主要财务指标	指标\报告期	2014.06.30	2013.12.31	2012.12.31
	营业收入(元)	–	92,266,055.68	85,221,919.19
	营业利润(元)	–	11,565,563.58	9,712,237.18
	净利润(元)	–	9,389,651.55	8,573,951.70
	未分配利润(元)	–	28,546,738.52	19,222,115.93
	总资产(元)	–	96,450,171.20	74,320,666.43
	总负债(元)	–	42,394,993.68	29,804,504.56
	净资产(元)	–	54,055,177.52	44,516,161.87
	每股收益(元)	–	0.53	0.45
	每股净资产(元)	–	2.63	2.10
	净资产收益率(%)	–	20.05	21.53

唐山汇鑫嘉德节能减排科技股份有限公司

公司概况	公司名称	唐山汇鑫嘉德节能减排科技股份有限公司			股份名称	汇鑫嘉德
	法人代表	闫新平	董秘	刘竹焕	股份代码	831082
	公司网址	www.huixinjiade.com		主办券商	中银国际证券有限责任公司	
	电　话	0315-8823666		传　真	0315-8823996	
	注册地址	河北省唐山市曹妃甸新区装备制造产业园区内				
	行业分类	水利、环境和公共设施管理业				

主要财务指标	指标\报告期	2014.06.30	2013.12.31	2012.12.31
	营业收入(元)	–	1,725,738.50	–
	营业利润(元)	–	–6,959,773.70	–2,390,140.30
	净利润(元)	–	–4,891,547.44	305,759.70
	未分配利润(元)	–	–4,481,363.71	410,183.73
	总资产(元)	–	117,963,815.77	100,215,335.01
	总负债(元)	–	62,399,603.51	62,859,575.31
	净资产(元)	–	55,564,212.26	37,355,759.70
	每股收益(元)	–	–0.08	0.01
	每股净资产(元)	–	0.93	1.01
	净资产收益率(%)	–	–8.80	0.82

北京东润环能科技股份有限公司

公司概况	公司名称	北京东润环能科技股份有限公司		股份名称	东润环能
	法人代表	邓建清	董秘	徐恩强	股份代码	831083
	公司网址	www.eeechina.cn	主办券商	申银万国证券股份有限公司	
	电　话	010-82732720	传　真	010-82311607	
	注册地址	北京市海淀区学清路8号1幢1-14九层901			
	行业分类	信息传输、软件和信息技术服务业			

	指标\报告期	2014.06.30	2013.12.31	2012.12.31
主要财务指标	营业收入(元)	–	64,895,714.95	74,590,542.06
	营业利润(元)	–	-4,006,904.88	13,958,936.63
	净利润(元)	–	3,269,969.15	17,050,359.99
	未分配利润(元)	–	12,673,297.12	30,106,029.24
	总资产(元)	–	118,841,298.43	102,036,754.93
	总负债(元)	–	82,837,039.72	64,902,465.37
	净资产(元)	–	36,004,258.71	37,134,289.56
	每股收益(元)	–	0.07	3.24
	每股净资产(元)	–	1.79	7.50
	净资产收益率(%)	–	9.24	45.87

绿网天下(福建)网络科技有限公司

公司概况	公司名称	绿网天下(福建)网络科技有限公司		股份名称	绿网天下
	法人代表	张锡聪	董秘	喻虹	股份代码	831084
	公司网址	www.gwchina.cn	主办券商	民生证券股份有限公司	
	电　话	0592-5203401	传　真	0592-5288896	
	注册地址	福建省厦门市软件园二期观日路18号401-A室			
	行业分类	信息传输、软件和信息技术服务业			

	指标\报告期	2014.06.30	2013.12.31	2012.12.31
主要财务指标	营业收入(元)	–	26,084,674.63	9,393,463.56
	营业利润(元)	–	3,008,437.60	-1,682,617.47
	净利润(元)	–	5,487,067.94	-734,640.40
	未分配利润(元)	–	2,175,756.65	-3,069,560.55
	总资产(元)	–	36,454,004.82	28,125,297.03
	总负债(元)	–	9,036,497.43	6,194,857.58
	净资产(元)	–	27,417,507.39	21,930,439.45
	每股收益(元)	–	0.22	-0.03
	每股净资产(元)	–	1.10	0.88
	净资产收益率(%)	–	20.01	-3.35

广州博冠光电科技股份有限公司

公司概况	公司名称	广州博冠光电科技股份有限公司		股份名称	博冠股份
	法人代表	曾德祥	董秘	汤凤	股份代码	831085
	公司网址	www.bosma.com.cn	主办券商	招商证券股份有限公司	
	电　话	020-32203001-806	传　真	020-32203099	
	注册地址	广东省广州市广州高新技术产业开发区科学城开源大道11号A5栋第三层A单元			
	行业分类	制造业			

	指标\报告期	2014.06.30	2013.12.31	2012.12.31
主要财务指标	营业收入(元)	–	165,080,077.04	98,940,854.33
	营业利润(元)	–	18,614,868.25	-2,984,420.75
	净利润(元)	–	14,391,524.82	-2,359,690.88
	未分配利润(元)	–	4,288,872.72	-10,102,652.10
	总资产(元)	–	56,872,662.82	41,157,920.36
	总负债(元)	–	43,325,789.48	43,177,954.61
	净资产(元)	–	13,546,873.34	-2,020,034.25
	每股收益(元)	–	2.06	-0.34
	每股净资产(元)	–	1.94	-0.29
	净资产收益率(%)	–	106.24	–

湖南星城石墨科技股份有限公司

公司概况	公司名称	湖南星城石墨科技股份有限公司		股份名称	星城石墨
	法人代表	皮涛	董秘	常小霞	股份代码	831086
	公司网址	www.shinzoom.com	主办券商	西部证券股份有限公司	
	电　话	0731-87982660	传　真	0731-87982655	
	注册地址	湖南省长沙市宁乡县金洲新区泉洲北路(金洲镇龙桥村)			
	行业分类	制造业			

	指标\报告期	2014.06.30	2013.12.31	2012.12.31
主要财务指标	营业收入(元)	–	62,467,945.57	27,295,868.80
	营业利润(元)	–	10,152,654.87	4,050,037.78
	净利润(元)	–	8,142,492.22	3,815,950.88
	未分配利润(元)	–	12,546,397.98	5,218,154.98
	总资产(元)	–	107,188,015.85	65,254,653.34
	总负债(元)	–	42,577,573.65	8,786,703.36
	净资产(元)	–	64,610,442.20	56,467,949.98
	每股收益(元)	–	0.26	0.12
	每股净资产(元)	–	2.08	1.82
	净资产收益率(%)	–	12.60	6.76

河南秋乐种业科技股份有限公司

公司概况	公司名称	河南秋乐种业科技股份有限公司		股份名称	秋乐种业
	法人代表	张新友	董秘	李敏	股份代码	831087
	公司网址	www.qiule.cn		主办券商	中原证券股份有限公司
	电话	0371- 65729019		传真	0371-65729105
	注册地址	河南省郑州市高新技术产业开发区冬青西街 98 号			
	行业分类	农、林、牧、渔业			

	指标\报告期	2014.06.30	2013.12.31	2012.12.31
主要财务指标	营业收入(元)	–	455,800,000.28	550,915,938.44
	营业利润(元)	–	25,761,777.11	48,757,029.94
	净利润(元)	–	31,357,931.10	51,321,722.51
	未分配利润(元)	–	70,426,549.86	67,943,580.08
	总资产(元)	–	525,007,045.59	537,424,238.92
	总负债(元)	–	280,528,357.34	298,131,481.77
	净资产(元)	–	244,478,688.25	239,292,757.15
	每股收益(元)	–	0.24	0.45
	每股净资产(元)	–	1.87	1.83
	净资产收益率(%)	–	12.83	21.45

安徽华恒生物科技股份有限公司

公司概况	公司名称	安徽华恒生物科技股份有限公司		股份名称	华恒生物
	法人代表	郭恒华	董秘	余礼成	股份代码	831088
	公司网址	www.huahengbio.com		主办券商	华安证券股份有限公司
	电话	0551-65689170		传真	0551-65689468
	注册地址	安徽省合肥市双凤工业区			
	行业分类	制造业			

	指标\报告期	2014.06.30	2013.12.31	2012.12.31
主要财务指标	营业收入(元)	–	173,400,448.77	86,677,592.39
	营业利润(元)	–	12,130,735.52	–5,947,212.03
	净利润(元)	–	12,653,630.50	–3,797,351.47
	未分配利润(元)	–	–570,865.31	–2,198,138.91
	总资产(元)	–	184,977,269.80	125,902,132.88
	总负债(元)	–	164,521,778.21	118,100,271.79
	净资产(元)	–	20,455,491.59	7,801,861.09
	每股收益(元)	–	1.30	
	每股净资产(元)	–	2.05	0.78
	净资产收益率(%)	–	63.55	–48.67

上海金东唐科技股份有限公司

公司概况	公司名称	上海金东唐科技股份有限公司		股份名称	金东唐
	法人代表	徐敏嘉	董秘	牛澳翔	股份代码	831089
	公司网址	www.jdt-precision.com		主办券商	申银万国证券股份有限公司
	电话	021-65893513		传真	021-65892235
	注册地址	上海市杨浦区长阳路 2588 号电力研究中心大楼 602/603A 室			
	行业分类	制造业			

	指标\报告期	2014.06.30	2013.12.31	2012.12.31
主要财务指标	营业收入(元)	–	37,283,366.46	30,356,380.73
	营业利润(元)	–	6,678,138.49	5,097,268.28
	净利润(元)	–	5,512,826.17	4,372,679.68
	未分配利润(元)	–	3,377,610.82	3,463,217.31
	总资产(元)	–	28,770,127.33	24,942,005.44
	总负债(元)	–	15,109,281.93	16,793,986.21
	净资产(元)	–	13,660,845.40	8,148,019.23
	每股收益(元)	–	0.79	1.02
	每股净资产(元)	–	1.95	1.89
	净资产收益率(%)	–	40.36	53.67

凉山州锡成滑石矿业股份有限公司

公司概况	公司名称	凉山州锡成滑石矿业股份有限公司		股份名称	锡成矿业
	法人代表	周锡成	董秘	魏强	股份代码	831090
	公司网址	www.xchsk.com		主办券商	山西证券股份有限公司
	电话	0834-6280010		传真	0834-6280010
	注册地址	四川省凉山彝族自治州冕宁县后山乡			
	行业分类	采矿业			

	指标\报告期	2014.06.30	2013.12.31	2012.12.31
主要财务指标	营业收入(元)	–	8,081,129.41	7,467,592.11
	营业利润(元)	–	1,370,715.27	1,865,799.94
	净利润(元)	–	939,044.89	1,590,102.45
	未分配利润(元)	–	1,260,158.27	415,017.87
	总资产(元)	–	426,756,169.93	354,985,133.34
	总负债(元)	–	258,281,549.46	246,474,290.83
	净资产(元)	–	168,474,620.47	108,510,842.51
	每股收益(元)	–	0.01	0.02
	每股净资产(元)	–	1.19	1.00
	净资产收益率(%)	–	0.56	1.47

北京精冶源新材料股份有限公司

公司概况	公司名称	北京精冶源新材料股份有限公司			股份名称	精冶源
	法人代表	左亮珠	董秘	范凌江	股份代码	831091
	公司网址	www.jyy010.com		主办券商	中信证券股份有限公司	
	电　　话	010-51951085		传　　真	010-51951237	
	注册地址	北京市西城区月坛西街甲五号 229 室				
	行业分类	制造业				

主要财务指标	指标\报告期	2014.06.30	2013.12.31	2012.12.31
	营业收入(元)	–	90,700,442.45	109,286,598.47
	营业利润(元)	–	5,430,603.38	245,925.07
	净利润(元)	–	4,111,290.01	90,687.23
	未分配利润(元)	–	2,467,644.92	–1,369,462.32
	总资产(元)	–	50,257,538.53	62,045,024.49
	总负债(元)	–	42,515,710.84	58,414,486.81
	净资产(元)	–	7,741,827.69	3,630,537.68
	每股收益(元)	–	0.82	0.02
	每股净资产(元)	–	1.55	0.73
	净资产收益率(%)	–	53.11	2.50

山东乾元泽孚科技股份有限公司

公司概况	公司名称	山东乾元泽孚科技股份有限公司			股份名称	乾元泽孚
	法人代表	彭泓越	董秘	谭肖璇	股份代码	831092
	公司网址	www.qyzf.cn		主办券商	信达证券股份有限公司	
	电　　话	0531-82398298		传　　真	0531-82398686	
	注册地址	山东省济南市解放路 43 号 2003 室				
	行业分类	制造业				

主要财务指标	指标\报告期	2014.06.30	2013.12.31	2012.12.31
	营业收入(元)	–	25,783,598.54	3,651,106.83
	营业利润(元)	–	974,149.27	–1,099,426.03
	净利润(元)	–	727,242.74	–1,114,472.06
	未分配利润(元)	–	–886,091.55	–1,613,334.29
	总资产(元)	–	37,058,180.56	37,178,141.85
	总负债(元)	–	16,257,958.61	17,725,162.64
	净资产(元)	–	20,800,221.95	19,452,979.21
	每股收益(元)	–	0.04	–0.05
	每股净资产(元)	–	1.01	0.97
	净资产收益率(%)	–	3.50	–5.73

河北鑫航铁塔科技股份有限公司

公司概况	公司名称	河北鑫航铁塔科技股份有限公司			股份名称	鑫航科技
	法人代表	董伟	董秘	刘立宁	股份代码	831093
	公司网址	www.xinhangkeji.cn		主办券商	信达证券股份有限公司	
	电　　话	0318-2178880		传　　真	0318-2138881	
	注册地址	河北省衡水市桃城区赵圈循环经济园				
	行业分类	制造业				

主要财务指标	指标\报告期	2014.06.30	2013.12.31	2012.12.31
	营业收入(元)	–	8,677,217.65	6,756,589.19
	营业利润(元)	–	414,760.01	570,760.53
	净利润(元)	–	392,912.42	557,428.93
	未分配利润(元)	–	906,324.37	552,705.45
	总资产(元)	–	88,700,221.08	56,149,377.08
	总负债(元)	–	36,169,591.92	18,391,658.09
	净资产(元)	–	52,530,629.16	37,757,718.99
	每股收益(元)	–	0.02	0.19
	每股净资产(元)	–	1.03	12.59
	净资产收益率(%)	–	0.75	1.48

成都光大灵曦科技发展股份有限公司

公司概况	公司名称	成都光大灵曦科技发展股份有限公司			股份名称	光大灵曦
	法人代表	余曦明	董秘	叶秀清	股份代码	831094
	公司网址	www.cdgdlx.com		主办券商	中银国际证券有限责任公司	
	电　　话	028-68615189		传　　真	028-68615191	
	注册地址	四川省成都市成都高新区天宇路 2 号				
	行业分类	信息传输、软件和信息技术服务业				

主要财务指标	指标\报告期	2014.06.30	2013.12.31	2012.12.31
	营业收入(元)	–	9,971,024.07	8,019,739.12
	营业利润(元)	–	10,532.27	909,647.71
	净利润(元)	–	533,848.46	740,828.25
	未分配利润(元)	–	1,160,257.03	679,793.42
	总资产(元)	–	16,725,691.05	19,043,919.72
	总负债(元)	–	5,436,516.56	8,288,593.69
	净资产(元)	–	11,289,174.49	10,755,326.03
	每股收益(元)	–	0.05	0.07
	每股净资产(元)	–	1.13	1.08
	净资产收益率(%)	–	4.73	6.89

中网科技(苏州)股份有限公司

公司概况	公司名称	中网科技(苏州)股份有限公司			股份名称	中网科技
	法人代表	王道龙	董秘	夏慧英	股份代码	831095
	公司网址	www.chinanet.cc		主办券商	东吴证券股份有限公司	
	电　话	0512-88868888		传　真	0512-88868899	
	注册地址	江苏省苏州市苏州工业园区新未来花园21幢507室				
	行业分类	信息传输、软件和信息技术服务业				
主要财务指标	指标\报告期	2014.06.30	2013.12.31	2012.12.31		
	营业收入(元)	–	7,643,437.97	4,648,335.16		
	营业利润(元)	–	–745,848.36	–45,264.15		
	净利润(元)	–	–742,904.14	–404,869.50		
	未分配利润(元)	–	–3,399,926.10	–3,783,913.57		
	总资产(元)	–	10,577,519.80	9,900,179.13		
	总负债(元)	–	601,029.25	680,784.44		
	净资产(元)	–	9,976,490.55	9,219,394.69		
	每股收益(元)	–	–0.05	–0.02		
	每股净资产(元)	–	0.83	0.78		
	净资产收益率(%)	–	–6.38	–2.26		

江苏物润船联网络股份有限公司

公司概况	公司名称	江苏物润船联网络股份有限公司			股份名称	物润船联
	法人代表	朱光辉	董秘	朱丹凤	股份代码	831096
	公司网址	www.ship56.net		主办券商	宏源证券股份有限公司	
	电　话	18652437917		传　真	0512-58384820	
	注册地址	江苏省苏州市张家港保税物流园区商务楼3078、3098室				
	行业分类	信息传输、软件和信息技术服务业				
主要财务指标	指标\报告期	2014.06.30	2013.12.31	2012.12.31		
	营业收入(元)	–	3,101,569.58	–		
	营业利润(元)	–	242,621.51	–1,109,638.50		
	净利润(元)	–	208,801.37	–582,638.50		
	未分配利润(元)	–	–373,837.13	–582,638.50		
	总资产(元)	–	11,731,051.99	9,455,108.70		
	总负债(元)	–	1,224,889.12	37,747.20		
	净资产(元)	–	10,506,162.87	9,417,361.50		
	每股收益(元)	–	0.02	–0.06		
	每股净资产(元)	–	1.04	0.94		
	净资产收益率(%)	–	1.99	–6.19		

武汉思为同飞网络技术股份有限公司

公司概况	公司名称	武汉思为同飞网络技术股份有限公司			股份名称	思为同飞
	法人代表	梅松	董秘	张静	股份代码	831097
	公司网址	www.secway.net.cn		主办券商	广州证券有限责任公司	
	电　话	027-67845148		传　真	027-67848826	
	注册地址	湖北省武汉市东湖开发区高新科技园关山二路特一号国际企业中心2幢5层504号				
	行业分类	信息传输、软件和信息技术服务业				
主要财务指标	指标\报告期	2014.06.30	2013.12.31	2012.12.31		
	营业收入(元)	–	9,827,484.50	8,452,370.97		
	营业利润(元)	–	924,372.02	1,544,031.29		
	净利润(元)	–	1,162,548.93	1,974,225.44		
	未分配利润(元)	–	1,776,405.28	1,288,238.69		
	总资产(元)	–	10,948,806.06	11,108,175.88		
	总负债(元)	–	2,079,553.03	2,901,471.78		
	净资产(元)	–	8,869,253.03	8,206,704.10		
	每股收益(元)	–	0.18	0.30		
	每股净资产(元)	–	1.34	1.64		
	净资产收益率(%)	–	13.11	24.06		

常州市武进区通利农村小额贷款股份有限公司

公司概况	公司名称	常州市武进区通利农村小额贷款股份有限公司			股份名称	通利农贷
	法人代表	管正民	董秘	管雪民	股份代码	831098
	公司网址	www.cztldk.com		主办券商	中国中投证券有限责任公司	
	电　话	0519-81663666		传　真		
	注册地址	江苏省常州市武进区南夏墅街道常武南路588号				
	行业分类	金融业				
主要财务指标	指标\报告期	2014.06.30	2013.12.31	2012.12.31		
	营业收入(元)	–	–	–		
	营业利润(元)	–	80,806,659.91	130,961,401.38		
	净利润(元)	–	69,383,362.93	112,873,002.40		
	未分配利润(元)	–	63,273,554.93	102,228,528.29		
	总资产(元)	–	891,491,980.88	974,973,850.29		
	总负债(元)	–	189,301,580.18	242,299,212.52		
	净资产(元)	–	702,190,400.70	732,674,637.77		
	每股收益(元)	–	0.12	0.19		
	每股净资产(元)	–	1.17	1.22		
	净资产收益率(%)	–	9.88	15.41		

新疆维泰开发建设(集团)股份有限公司

公司概况	公司名称	新疆维泰开发建设(集团)股份有限公司			股份名称	维泰股份
	法人代表	张爱平	董秘	李元	股份代码	831099
	公司网址	www.vitai-group.cn		主办券商	东方花旗证券有限公司	
	电话	0991-3782310		传真	0991-3782363	
	注册地址	新疆维吾尔自治区乌鲁木齐市经济技术开发区深圳街2号				
	行业分类	建筑业				

	指标\报告期	2014.06.30	2013.12.31	2012.12.31
主要财务指标	营业收入(元)	–	2,178,544,680.95	1,846,989,161.81
	营业利润(元)	–	140,597,582.06	155,326,555.89
	净利润(元)	–	121,487,947.35	142,443,294.79
	未分配利润(元)	–	405,148,433.71	313,147,871.63
	总资产(元)	–	5,190,945,120.60	3,625,265,417.97
	总负债(元)	–	4,427,522,500.82	2,965,589,635.09
	净资产(元)	–	763,422,619.78	659,675,782.88
	每股收益(元)	–	1.00	1.18
	每股净资产(元)	–	6.29	5.43
	净资产收益率(%)	–	15.92	21.77

武汉博奇玉宇环保股份有限公司

公司概况	公司名称	武汉博奇玉宇环保股份有限公司			股份名称	玉宇环保
	法人代表	韩洪	董秘	黄彩云	股份代码	831100
	公司网址	www.whboch.com		主办券商	国信证券股份有限公司	
	电话	027-87928180		传真	027-87928180	
	注册地址	湖北省武汉市东湖开发区武大园路6号				
	行业分类	建筑业				

	指标\报告期	2014.06.30	2013.12.31	2012.12.31
主要财务指标	营业收入(元)	–	21,625,314.68	10,426,674.13
	营业利润(元)	–	3,080,252.35	–4,094,746.74
	净利润(元)	–	2,905,848.00	–4,235,419.69
	未分配利润(元)	–	–1,203,002.01	–4,108,850.01
	总资产(元)	–	34,514,199.18	20,659,091.10
	总负债(元)	–	4,867,201.19	1,517,941.11
	净资产(元)	–	29,646,997.99	19,141,149.99
	每股收益(元)	–	0.10	–0.18
	每股净资产(元)	–	0.99	0.82
	净资产收益率(%)	–	9.80	–22.13

北京奥维云网大数据科技股份有限公司

公司概况	公司名称	北京奥维云网大数据科技股份有限公司			股份名称	北京奥维
	法人代表	喻亮星	董秘	金晓锋	股份代码	831101
	公司网址	www.avc-mr.com		主办券商	国联证券股份有限公司	
	电话	010-56296655		传真	010-56296655	
	注册地址	北京市朝阳区高碑店乡半壁店村惠河南街1008-B四惠大厦3035-3036房间				
	行业分类	信息传输、软件和信息技术服务业				

	指标\报告期	2014.06.30	2013.12.31	2012.12.31
主要财务指标	营业收入(元)	–	10,425,249.94	2,401,136.45
	营业利润(元)	–	1,162,285.85	–243,807.25
	净利润(元)	–	782,586.09	–183,924.04
	未分配利润(元)	–	458,228.54	–273,443.27
	总资产(元)	–	9,384,520.33	675,365.47
	总负债(元)	–	3,875,377.51	448,808.74
	净资产(元)	–	5,509,142.82	226,556.73
	每股收益(元)	–	0.89	–0.37
	每股净资产(元)	–	1.10	0.45
	净资产收益率(%)	–	14.21	–81.18

湖南湘佳牧业股份有限公司

公司概况	公司名称	湖南湘佳牧业股份有限公司			股份名称	湘佳牧业
	法人代表	喻自文	董秘	何业春	股份代码	831102
	公司网址	www.xiangjiamuye.com		主办券商	山西证券股份有限公司	
	电话	0736-5223898		传真	0736-5223888	
	注册地址	湖南省常德市石门经济开发区天供山居委会夹山路9号				
	行业分类	农、林、牧、渔业				

	指标\报告期	2014.06.30	2013.12.31	2012.12.31
主要财务指标	营业收入(元)	–	614,808,546.93	505,321,284.01
	营业利润(元)	–	691,665.56	43,462,307.37
	净利润(元)	–	3,890,785.98	42,897,969.86
	未分配利润(元)	–	47,774,210.58	45,077,809.72
	总资产(元)	–	415,018,501.50	336,664,017.42
	总负债(元)	–	183,907,566.83	109,352,589.62
	净资产(元)	–	231,110,934.67	227,311,427.80
	每股收益(元)	–	0.05	0.58
	每股净资产(元)	–	3.03	2.98
	净资产收益率(%)	–	1.77	18.91

江苏怡达化学股份有限公司

公司概况	公司名称	江苏怡达化学股份有限公司		股份名称	怡达化学
	法人代表	刘准	董秘 蔡国庆	股份代码	831103
	公司网址	www.yidachem.com	主办券商	平安证券有限责任公司	
	电话	0510-86609388	传真	0510-86609388	
	注册地址	江苏省江阴市西石桥球庄村			
	行业分类	制造业			

主要财务指标	指标\报告期	2014.06.30	2013.12.31	2012.12.31
	营业收入(元)	-	976,708,381.47	845,557,084.17
	营业利润(元)	-	-5,226,736.43	7,176,737.38
	净利润(元)	-	-3,604,614.56	7,380,470.14
	未分配利润(元)	-	19,559,015.45	24,168,538.97
	总资产(元)	-	711,864,217.40	699,774,851.79
	总负债(元)	-	454,848,595.93	443,077,531.10
	净资产(元)	-	257,015,621.47	256,697,320.69
	每股收益(元)	-	-0.07	0.15
	每股净资产(元)	-	5.16	5.15
	净资产收益率(%)	-	-1.40	2.88

天津市翔维科技发展股份有限公司

公司概况	公司名称	天津市翔维科技发展股份有限公司		股份名称	翔维科技
	法人代表	陈津生	董秘 张兆义	股份代码	831104
	公司网址	tjxiangweikeji.1688.com	主办券商	财富证券有限责任公司	
	电话	022-27235002	传真	022-27234021	
	注册地址	天津市和平区南京路235号河川大厦11-B			
	行业分类	制造业			

主要财务指标	指标\报告期	2014.06.30	2013.12.31	2012.12.31
	营业收入(元)	-	14,480,167.71	10,839,993.33
	营业利润(元)	-	-300,003.52	-647,821.08
	净利润(元)	-	-571,224.72	-494,351.82
	未分配利润(元)	-	-125,737.78	-488,595.03
	总资产(元)	-	10,193,719.98	13,006,702.44
	总负债(元)	-	3,752,900.09	3,494,657.83
	净资产(元)	-	6,440,819.89	9,512,044.61
	每股收益(元)	-	-0.07	-0.05
	每股净资产(元)	-	1.07	0.95
	净资产收益率(%)	-	-8.87	-5.20

上海桓伟电子科技股份有限公司

公司概况	公司名称	上海桓伟电子科技股份有限公司		股份名称	桓伟电子
	法人代表	严亚军	董秘 汤英	股份代码	831105
	公司网址	www.4006828299.com	主办券商	湘财证券股份有限公司	
	电话	021-36411796	传真	021-36411799-611	
	注册地址	上海市嘉定区江桥镇沙河路337号1-203室-123			
	行业分类	制造业			

主要财务指标	指标\报告期	2014.06.30	2013.12.31	2012.12.31
	营业收入(元)	-	11,951,511.85	8,654,711.84
	营业利润(元)	-	-69,870.49	274,372.04
	净利润(元)	-	-165,377.82	285,927.45
	未分配利润(元)	-	201,861.38	507,718.31
	总资产(元)	-	15,017,518.56	17,099,154.74
	总负债(元)	-	9,372,602.29	9,795,026.74
	净资产(元)	-	5,644,916.27	7,304,128.00
	每股收益(元)	-	-0.03	0.07
	每股净资产(元)	-	1.13	1.46
	净资产收益率(%)	-	-2.93	3.92

上海埃林哲软件系统股份有限公司

公司概况	公司名称	上海埃林哲软件系统股份有限公司		股份名称	埃林哲
	法人代表	盖莉珊	董秘 傅晓峰	股份代码	831106
	公司网址	www.elitesland.com	主办券商	申银万国证券股份有限公司	
	电话	021-62470087	传真	021-62794887	
	注册地址	上海市浦东郭守敬路498号浦东软件园22301-495座			
	行业分类	信息传输、软件和信息技术服务业			

主要财务指标	指标\报告期	2014.06.30	2013.12.31	2012.12.31
	营业收入(元)	-	39,543,859.68	32,179,979.69
	营业利润(元)	-	4,992,023.25	1,887,034.32
	净利润(元)	-	5,804,601.31	2,214,860.07
	未分配利润(元)	-	9,201,904.43	3,977,763.25
	总资产(元)	-	16,809,297.35	12,538,026.48
	总负债(元)	-	4,584,959.09	6,118,289.53
	净资产(元)	-	12,224,338.26	6,419,736.95
	每股收益(元)	-	0.48	0.18
	每股净资产(元)	-	1.02	0.53
	净资产收益率(%)	-	47.48	34.50

福建金科信息技术股份有限公司

公司概况	公司名称	福建金科信息技术股份有限公司			股份名称	金科信息
	法人代表	何志坚	董秘	何志清	股份代码	831107
	公司网址	www.goldtech.com.cn		主办券商	山西证券股份有限公司	
	电　话	0591-87854718		传　真	0591-87854732	
	注册地址	福建省福州市开发区科技园快安大道创新楼 612 室				
	行业分类	信息传输、软件和信息技术服务业				

	指标\报告期	2014.06.30	2013.12.31	2012.12.31
主要财务指标	营业收入(元)	–	192,237,486.71	166,115,370.35
	营业利润(元)	–	12,535,872.92	9,593,087.47
	净利润(元)	–	11,093,087.47	8,970,150.95
	未分配利润(元)	–	1,345,437.69	–9,747,649.78
	总资产(元)	–	173,565,786.01	167,252,914.03
	总负债(元)	–	120,540,348.32	125,320,563.81
	净资产(元)	–	53,025,437.69	41,932,350.22
	每股收益(元)	–	0.21	0.17
	每股净资产(元)	–	1.03	0.81
	净资产收益率(%)	–	20.92	21.39

浙江茶乾坤食品股份有限公司

公司概况	公司名称	浙江茶乾坤食品股份有限公司			股份名称	茶乾坤
	法人代表	管爵杉	董秘	张建平	股份代码	831108
	公司网址	www.zjcqk.com		主办券商	西部证券股份有限公司	
	电　话	0572-6856188		传　真	0572-6856098	
	注册地址	浙江省湖州市长兴县泗安镇初康村				
	行业分类	制造业				

	指标\报告期	2014.06.30	2013.12.31	2012.12.31
主要财务指标	营业收入(元)	–	20,911,119.38	19,435,557.84
	营业利润(元)	–	–1,007,131.34	–1,870,981.92
	净利润(元)	–	100,491.01	–1,519,705.36
	未分配利润(元)	–	1,366,053.67	1,265,007.48
	总资产(元)	–	25,605,361.09	20,835,025.36
	总负债(元)	–	14,430,017.08	10,530,172.36
	净资产(元)	–	11,175,344.01	10,304,853.00
	每股收益(元)	–	0.01	–0.17
	每股净资产(元)	–	1.04	1.03
	净资产收益率(%)	–	0.97	–14.75

威海金牌生物科技股份有限公司

公司概况	公司名称	威海金牌生物科技股份有限公司			股份名称	金牌股份
	法人代表	杨德福	董秘	孔令川	股份代码	831109
	公司网址	www.haishensl.com		主办券商	齐鲁证券有限公司	
	电　话	0631-6688698		传　真	0631-6688699	
	注册地址	山东省威海市乳山市经济开发区海运街 9 号				
	行业分类	制造业				

	指标\报告期	2014.06.30	2013.12.31	2012.12.31
主要财务指标	营业收入(元)	–	58,432,980.62	71,028,854.95
	营业利润(元)	–	3,635,762.75	12,064,490.10
	净利润(元)	–	5,279,911.22	10,416,719.31
	未分配利润(元)	–	13,088,647.52	11,336,727.42
	总资产(元)	–	73,419,296.96	67,220,371.80
	总负债(元)	–	37,420,799.72	42,001,785.78
	净资产(元)	–	35,998,497.24	25,218,586.02
	每股收益(元)	–	0.27	1.03
	每股净资产(元)	–	1.80	1.26
	净资产收益率(%)	–	14.67	41.31

江苏荣腾精密组件科技股份有限公司

公司概况	公司名称	江苏荣腾精密组件科技股份有限公司			股份名称	荣腾科技
	法人代表	杨荣	董秘	朱祥龙	股份代码	831110
	公司网址	www.rontem.com		主办券商	广发证券股份有限公司	
	电　话	13013850808		传　真	0512-57789407	
	注册地址	江苏省昆山市玉山镇城北高科园益胜路 108 号				
	行业分类	制造业				

	指标\报告期	2014.06.30	2013.12.31	2012.12.31
主要财务指标	营业收入(元)	–	62,870,352.84	49,285,110.28
	营业利润(元)	–	1,578,049.49	–1,307,807.40
	净利润(元)	–	2,676,573.27	–716,887.73
	未分配利润(元)	–	1,194,907.87	–1,336,235.26
	总资产(元)	–	199,423,071.96	167,800,760.70
	总负债(元)	–	151,075,106.99	92,129,369.00
	净资产(元)	–	48,347,964.97	75,671,391.70
	每股收益(元)	–	0.08	–0.03
	每股净资产(元)	–	1.43	2.24
	净资产收益率(%)	–	5.54	–0.95

北京智明恒石油科技股份有限公司

公司概况	公司名称	北京智明恒石油科技股份有限公司			股份名称	智明恒
	法人代表	李贺山	董秘	李栋	股份代码	831111
	公司网址	www.cnpc.net.cn		主办券商	齐鲁证券有限公司	
	电　话	010-82810486		传　真	010-82810476	
	注册地址	北京市海淀区学院路甲5号2幢B北1032室				
	行业分类	采矿业				

	指标\报告期	2014.06.30	2013.12.31	2012.12.31
主要财务指标	营业收入(元)	–	6,928,184.95	1,937,788.68
	营业利润(元)	–	2,728,315.02	173,048.40
	净利润(元)	–	2,302,837.93	118,821.44
	未分配利润(元)	–	3,085,659.96	1,013,105.82
	总资产(元)	–	10,400,276.34	5,334,797.19
	总负债(元)	–	3,971,765.27	1,209,124.05
	净资产(元)	–	6,428,511.07	4,125,673.14
	每股收益(元)	–	0.77	0.04
	每股净资产(元)	–	2.14	1.38
	净资产收益率(%)	–	35.82	2.88

江苏哥伦布商业管理股份有限公司

公司概况	公司名称	江苏哥伦布商业管理股份有限公司			股份名称	哥伦布
	法人代表	孙旭东	董秘	陈永东	股份代码	831112
	公司网址			主办券商	申银万国证券股份有限公司	
	电　话			传　真		
	注册地址	江苏省无锡市金诚东路333-1-108				
	行业分类	租赁和商务服务业				

	指标\报告期	2014.06.30	2013.12.31	2012.12.31
主要财务指标	营业收入(元)	–	45,810,303.97	28,724,820.39
	营业利润(元)	–	13,822,979.78	11,293,853.09
	净利润(元)	–	10,206,290.50	8,329,630.85
	未分配利润(元)	–	5,111,039.58	7,444,320.66
	总资产(元)	–	44,903,326.72	33,644,054.78
	总负债(元)	–	6,413,668.37	15,360,686.93
	净资产(元)	–	38,489,658.35	18,283,367.85
	每股收益(元)	–	0.34	0.83
	每股净资产(元)	–	1.28	1.83
	净资产收益率(%)	–	26.52	45.56

上海杰盛通信工程股份有限公司

公司概况	公司名称	上海杰盛通信工程股份有限公司			股份名称	杰盛通信
	法人代表	叶青	董秘	方洁人	股份代码	831113
	公司网址			主办券商	东兴证券股份有限公司	
	电　话	021-55897670		传　真	021-55897670	
	注册地址	上海市浦东新区泥城镇新城路2号24幢4342室				
	行业分类	信息传输、软件和信息技术服务业				

	指标\报告期	2014.06.30	2013.12.31	2012.12.31
主要财务指标	营业收入(元)	–	29,970,437.78	36,892,162.92
	营业利润(元)	–	319,290.39	5,852,645.91
	净利润(元)	–	359,790.61	5,114,802.65
	未分配利润(元)	–	803,186.18	7,286,021.37
	总资产(元)	–	16,764,319.07	16,137,189.71
	总负债(元)	–	3,599,726.20	3,332,387.45
	净资产(元)	–	13,164,592.87	12,804,802.26
	每股收益(元)	–	0.07	1.02
	每股净资产(元)	–	2.63	2.56
	净资产收益率(%)	–	2.73	39.94

上海易销科技股份有限公司

公司概况	公司名称	上海易销科技股份有限公司			股份名称	易销科技
	法人代表	薛俊	董秘	袁敏凤	股份代码	831114
	公司网址	www.517eshop.com		主办券商	中信建投证券股份有限公司	
	电　话	021-60760618		传　真	021-60760658	
	注册地址	上海市普陀区澳门路477号5幢2楼205室				
	行业分类	信息传输、软件和信息技术服务业				

	指标\报告期	2014.06.30	2013.12.31	2012.12.31
主要财务指标	营业收入(元)	–	14,722,195.72	11,021,421.44
	营业利润(元)	–	–1,777,985.56	1,494,104.85
	净利润(元)	–	–1,235,255.11	1,303,324.07
	未分配利润(元)	–	–2,267,315.92	970,787.40
	总资产(元)	–	21,012,849.43	14,994,976.44
	总负债(元)	–	7,561,651.94	6,808,523.84
	净资产(元)	–	13,451,197.49	8,186,452.60
	每股收益(元)	–	–0.12	0.14
	每股净资产(元)	–	1.35	3.34
	净资产收益率(%)	–	–9.15	15.92

新疆福克油品股份有限公司

公司概况	公司名称	新疆福克油品股份有限公司			股份名称	福克油品
	法人代表	涂登源	董秘	高翔	股份代码	831115
	公司网址	www.xjfk.com		主办券商	东方花旗证券有限公司	
	电　　话	18699028068		传　　真	0991-3712408	
	注册地址	新疆维吾尔自治区乌鲁木齐市头屯河工业园区沙坪西街52号				
	行业分类	制造业				

	指标\报告期	2014.06.30	2013.12.31	2012.12.31
主要财务指标	营业收入(元)	-	71,719,778.79	45,970,487.64
	营业利润(元)	-	10,432,107.35	6,673,322.82
	净利润(元)	-	16,411,540.78	15,468,819.97
	未分配利润(元)	-	29,638,922.99	14,868,536.29
	总资产(元)	-	161,756,300.86	135,270,307.66
	总负债(元)	-	77,215,383.14	67,140,930.72
	净资产(元)	-	84,540,917.72	68,129,376.94
	每股收益(元)	-	0.33	0.36
	每股净资产(元)	-	1.69	1.36
	净资产收益率(%)	-	19.41	22.71

腾远食品(上海)股份有限公司

公司概况	公司名称	腾远食品(上海)股份有限公司			股份名称	腾远食品
	法人代表	马淑娟	董秘	马志刚	股份代码	831116
	公司网址	www.torrfood.com		主办券商	东北证券股份有限公司	
	电　　话	021-61176599		传　　真	021-61176598	
	注册地址	上海市虹口区三门路761号7幢3楼03室				
	行业分类	批发和零售业				

	指标\报告期	2014.06.30	2013.12.31	2012.12.31
主要财务指标	营业收入(元)	-	42,115,093.44	51,426,361.96
	营业利润(元)	-	1,581,797.21	-1,734,520.94
	净利润(元)	-	1,089,709.50	-1,662,263.79
	未分配利润(元)	-	-6,868,234.74	-8,284,182.65
	总资产(元)	-	24,734,499.05	28,416,670.26
	总负债(元)	-	16,488,348.14	35,459,595.53
	净资产(元)	-	8,246,150.91	-7,042,925.27
	每股收益(元)	-	0.51	-3.32
	每股净资产(元)	-	3.83	-14.57
	净资产收益率(%)	-	14.96	-

深圳维恩贝特科技股份有限公司

公司概况	公司名称	深圳维恩贝特科技股份有限公司			股份名称	维恩贝特
	法人代表	陈兵	董秘	梁旭健	股份代码	831117
	公司网址	www.vivebest.com		主办券商	东北证券股份有限公司	
	电　　话	0755-61691910		传　　真	0755-88321105	
	注册地址	广东省深圳市福田保税区红棉道8号英达利科技数码园C栋401CD				
	行业分类	信息传输、软件和信息技术服务业				

	指标\报告期	2014.06.30	2013.12.31	2012.12.31
主要财务指标	营业收入(元)	-	61,403,181.11	47,233,189.81
	营业利润(元)	-	9,744,077.47	6,525,114.66
	净利润(元)	-	9,951,413.79	6,992,374.15
	未分配利润(元)	-	4,268,185.68	20,766,731.49
	总资产(元)	-	67,439,562.02	41,057,365.87
	总负债(元)	-	11,188,419.26	5,183,636.90
	净资产(元)	-	56,251,142.76	35,873,728.97
	每股收益(元)	-	0.26	0.18
	每股净资产(元)	-	1.12	3.45
	净资产收益率(%)	-	19.08	20.45

深圳市兰亭科技股份有限公司

公司概况	公司名称	深圳市兰亭科技股份有限公司			股份名称	兰亭科技
	法人代表	张许昌	董秘	丁琳	股份代码	831118
	公司网址	www.sz-lantern.com		主办券商	安信证券股份有限公司	
	电　　话	0755-33269999		传　　真	0755-33269999-8129	
	注册地址	广东省深圳市坪山新区大工业区青兰二路6号				
	行业分类	制造业				

	指标\报告期	2014.06.30	2013.12.31	2012.12.31
主要财务指标	营业收入(元)	-	153,077,640.23	108,209,044.84
	营业利润(元)	-	20,907,344.93	-331,920.63
	净利润(元)	-	19,051,694.93	2,198,441.55
	未分配利润(元)	-	11,762,343.41	5,251,507.97
	总资产(元)	-	284,036,539.52	338,207,838.90
	总负债(元)	-	203,299,490.19	190,187,706.73
	净资产(元)	-	80,737,049.33	148,020,132.17
	每股收益(元)	-	0.31	0.03
	每股净资产(元)	-	1.32	1.95
	净资产收益率(%)	-	23.60	1.72

云南蓝钻生物科技股份有限公司

公司概况					
公司名称	云南蓝钻生物科技股份有限公司			股份名称	蓝钻生物
法人代表	谭胜华	董秘	熊巍	股份代码	831119
公司网址	lanzuan.com.cn	主办券商	申银万国证券股份有限公司		
电话	0871-63123312	传真	0871-67442525		
注册地址	云南省昆明市二环西398号高新科技信息中心主楼				
行业分类	制造业				

主要财务指标 指标\报告期	2014.06.30	2013.12.31	2012.12.31
营业收入(元)	–	22,596,100.68	12,480,435.86
营业利润(元)	–	1,737,057.26	488,591.05
净利润(元)	–	2,697,774.13	247,713.85
未分配利润(元)	–	1,391,117.61	–396,465.06
总资产(元)	–	35,471,294.72	51,503,257.96
总负债(元)	–	3,169,985.65	18,599,723.02
净资产(元)	–	32,301,309.07	32,903,534.94
每股收益(元)	–	0.09	0.01
每股净资产(元)	–	1.08	1.10
净资产收益率(%)	–	8.35	0.75

江苏达海智能系统股份有限公司

公司概况					
公司名称	江苏达海智能系统股份有限公司			股份名称	达海智能
法人代表	陈卫新	董秘	黄新宇	股份代码	831120
公司网址	www.dhznib.com	主办券商	湘财证券股份有限公司		
电话	0513-86191228	传真	0513-86199058		
注册地址	江苏省南通市通州区世纪大道999号6层				
行业分类	建筑业				

主要财务指标 指标\报告期	2014.06.30	2013.12.31	2012.12.31
营业收入(元)	–	368,285,682.76	293,129,975.44
营业利润(元)	–	51,915,548.54	45,835,611.17
净利润(元)	–	42,578,108.66	39,257,111.00
未分配利润(元)	–	83,515,674.42	44,095,804.00
总资产(元)	–	423,739,738.86	358,021,370.85
总负债(元)	–	194,297,723.95	171,157,464.60
净资产(元)	–	229,442,014.91	186,863,906.25
每股收益(元)	–	0.71	0.65
每股净资产(元)	–	3.82	3.11
净资产收益率(%)	–	18.56	21.01

山东力久特种电机股份有限公司

公司概况					
公司名称	山东力久特种电机股份有限公司			股份名称	力久电机
法人代表	张成	董秘	叶杰	股份代码	831121
公司网址	www.sdljdj.com	主办券商	齐鲁证券有限公司		
电话	0631-6681024	传真	0631-6681024		
注册地址	山东省威海市乳山市山海大道22号				
行业分类	制造业				

主要财务指标 指标\报告期	2014.06.30	2013.12.31	2012.12.31
营业收入(元)	–	145,253,771.77	153,788,236.68
营业利润(元)	–	3,587,313.96	3,232,981.54
净利润(元)	–	3,376,162.99	3,774,511.69
未分配利润(元)	–	12,128,842.18	9,090,373.10
总资产(元)	–	121,608,298.86	126,212,907.28
总负债(元)	–	80,115,982.35	89,696,753.76
净资产(元)	–	41,492,316.51	36,516,153.52
每股收益(元)	–	0.21	0.24
每股净资产(元)	–	2.47	2.17
净资产收益率(%)	–	8.14	10.34

福建永信数控科技股份有限公司

公司概况					
公司名称	福建永信数控科技股份有限公司			股份名称	永信科技
法人代表	林辉煌	董秘	林少鹏	股份代码	831122
公司网址	www.yonthin.com	主办券商	东海证券股份有限公司		
电话	0595-88688899	传真	0595-88688890		
注册地址	福建省石狮市蚶江镇石湖科技工业园区				
行业分类	制造业				

主要财务指标 指标\报告期	2014.06.30	2013.12.31	2012.12.31
营业收入(元)	–	36,238,238.85	30,817,950.40
营业利润(元)	–	1,137,417.88	818,944.92
净利润(元)	–	2,538,002.79	1,269,320.06
未分配利润(元)	–	3,075,911.95	5,110,768.64
总资产(元)	–	84,147,104.50	82,404,251.76
总负债(元)	–	55,973,763.55	56,768,913.60
净资产(元)	–	28,173,340.95	25,635,338.16
每股收益(元)	–	0.11	0.11
每股净资产(元)	–	1.17	1.28
净资产收益率(%)	–	9.01	4.95

湖北大成空间科技股份有限公司

公司概况	公司名称	湖北大成空间科技股份有限公司			股份名称	大成空间
	法人代表	傅礼铭	董秘	唐木森	股份代码	831123
	公司网址	www.hbdckj.com		主办券商	东北证券股份有限公司	
	电　　话	13871158663		传　　真	027-87677747	
	注册地址	湖北省武汉市东湖开发区路瑜路889号武汉光谷中心花园B栋办公楼B栋24层2401号				
	行业分类	制造业				

	指标\报告期	2014.06.30	2013.12.31	2012.12.31
主要财务指标	营业收入(元)	–	25,396,454.05	11,304,017.04
	营业利润(元)	–	5,370,687.14	1,773,429.56
	净利润(元)	–	4,986,900.00	1,721,582.06
	未分配利润(元)	–	4,509,545.19	21,335.19
	总资产(元)	–	25,756,338.49	16,829,993.00
	总负债(元)	–	8,456,732.72	6,806,287.23
	净资产(元)	–	17,299,605.77	10,023,705.77
	每股收益(元)	–	0.50	0.30
	每股净资产(元)	–	1.44	1.00
	净资产收益率(%)	–	28.83	17.18

北京中标新亚节能工程股份有限公司

公司概况	公司名称	北京中标新亚节能工程股份有限公司			股份名称	中标节能
	法人代表	高剑云	董秘	仝宝雄	股份代码	831124
	公司网址	www.hcazb.com		主办券商	招商证券股份有限公司	
	电　　话	010-88515001		传　　真	010-68482317	
	注册地址	北京市平谷区金海角科技园区				
	行业分类	科学研究和技术服务业				

	指标\报告期	2014.06.30	2013.12.31	2012.12.31
主要财务指标	营业收入(元)	–	310,888,545.61	252,943,854.69
	营业利润(元)	–	12,732,469.68	14,436,862.13
	净利润(元)	–	10,622,640.06	12,239,758.03
	未分配利润(元)	–	12,536,834.57	2,976,458.52
	总资产(元)	–	165,451,845.09	142,881,412.00
	总负债(元)	–	109,703,629.22	97,755,836.19
	净资产(元)	–	55,748,215.87	45,125,575.81
	每股收益(元)	–	0.27	0.40
	每股净资产(元)	–	1.39	1.13
	净资产收益率(%)	–	19.06	27.12

湖北欧安电气股份有限公司

公司概况	公司名称	湖北欧安电气股份有限公司			股份名称	欧安电气
	法人代表	杨辉	董秘	左兰	股份代码	831125
	公司网址	www.ouan.com.cn		主办券商	广州证券有限责任公司	
	电　　话	0710-3118191		传　　真	0710-3118193	
	注册地址	湖北省襄阳市高新工业园区航天路3号				
	行业分类	制造业				

	指标\报告期	2014.06.30	2013.12.31	2012.12.31
主要财务指标	营业收入(元)	–	35,603,504.33	30,178,005.85
	营业利润(元)	–	-3,360,785.53	-2,738,585.58
	净利润(元)	–	-803,931.43	378,616.70
	未分配利润(元)	–	5,021,333.16	5,302,410.46
	总资产(元)	–	64,323,607.16	59,590,923.15
	总负债(元)	–	30,465,936.94	24,929,321.50
	净资产(元)	–	33,857,670.22	34,661,601.65
	每股收益(元)	–	-0.02	0.06
	每股净资产(元)	–	3.29	3.31
	净资产收益率(%)	–	-0.71	1.77

北京元鼎时代科技股份有限公司

公司概况	公司名称	北京元鼎时代科技股份有限公司			股份名称	元鼎科技
	法人代表	魏晓光	董秘	李文娜	股份代码	831126
	公司网址	www.yuandingit.com		主办券商	新时代证券有限责任公司	
	电　　话	010-52550628		传　　真	010-51626208	
	注册地址	北京市海淀区蓝靛厂东路2号院2号楼金源时代商务中心2号楼B座6D				
	行业分类	信息传输、软件和信息技术服务业				

	指标\报告期	2014.06.30	2013.12.31	2012.12.31
主要财务指标	营业收入(元)	–	66,984,530.46	38,450,568.55
	营业利润(元)	–	2,406,427.68	223,703.48
	净利润(元)	–	2,034,504.37	197,407.78
	未分配利润(元)	–	2,145,826.82	546,879.66
	总资产(元)	–	29,598,425.77	36,086,078.56
	总负债(元)	–	14,997,300.96	25,519,458.12
	净资产(元)	–	14,601,124.81	10,566,620.44
	每股收益(元)	–	0.19	0.02
	每股净资产(元)	–	1.22	1.06
	净资产收益率(%)	–	13.93	1.87

山东祺龙海洋石油钢管股份有限公司

公司概况	公司名称	山东祺龙海洋石油钢管股份有限公司			股份名称	祺龙股份
	法人代表	王志明	董秘	刘秀平	股份代码	831127
	公司网址	www.sllongxigangguan.com	主办券商	首创证券有限责任公司		
	电　话	0546-8739526	传　真	0546-8739576		
	注册地址	山东省东营市东营区淮河路73号				
	行业分类	制造业				

	指标\报告期	2014.06.30	2013.12.31	2012.12.31
主要财务指标	营业收入(元)	–	63,149,262.03	110,471,340.76
	营业利润(元)	–	2,531,241.00	12,868,211.15
	净利润(元)	–	2,183,031.98	10,799,532.32
	未分配利润(元)	–	1,246,884.86	43,011,646.23
	总资产(元)	–	161,628,052.87	170,713,331.83
	总负债(元)	–	17,563,629.81	52,352,673.06
	净资产(元)	–	144,064,423.06	118,360,658.77
	每股收益(元)	–	0.02	0.10
	每股净资产(元)	–	1.06	1.69
	净资产收益率(%)	–	1.52	9.12

宁波大汉印邦股份有限公司

公司概况	公司名称	宁波大汉印邦股份有限公司			股份名称	大汉印邦
	法人代表	单亚敏	董秘	单亚敏(代)	股份代码	831128
	公司网址	www.dahanyinbang.com	主办券商	国金证券股份有限公司		
	电　话	0574-88919890	传　真	0574-88919869		
	注册地址	浙江省奉化市岳林东路481号				
	行业分类	制造业				

	指标\报告期	2014.06.30	2013.12.31	2012.12.31
主要财务指标	营业收入(元)	–	41,082,078.66	43,406,656.56
	营业利润(元)	–	1,737,457.36	–62,398.30
	净利润(元)	–	1,732,199.54	–14,789.23
	未分配利润(元)	–	–5,867,613.73	–7,599,813.27
	总资产(元)	–	43,241,448.81	49,155,128.78
	总负债(元)	–	29,109,062.54	36,754,942.05
	净资产(元)	–	14,132,386.27	12,400,186.73
	每股收益(元)	–	0.09	0.00
	每股净资产(元)	–	0.71	0.62
	净资产收益率(%)	–	12.26	–0.12

山东领信信息科技股份有限公司

公司概况	公司名称	山东领信信息科技股份有限公司			股份名称	领信股份
	法人代表	李鹏	董秘	毕文绚	股份代码	831129
	公司网址	www.leadthing.com.cn	主办券商	山西证券股份有限公司		
	电　话	0633-2959881	传　真	0633-2959880		
	注册地址	山东省日照市北园四路与兖州路交汇处				
	行业分类	信息传输、软件和信息技术服务业				

	指标\报告期	2014.06.30	2013.12.31	2012.12.31
主要财务指标	营业收入(元)	–	5,590,889.35	1,227,003.42
	营业利润(元)	–	899,584.69	–582,396.55
	净利润(元)	–	827,959.36	–401,804.03
	未分配利润(元)	–	171,356.42	–637,563.34
	总资产(元)	–	12,357,717.91	10,449,049.80
	总负债(元)	–	2,167,321.89	1,086,613.14
	净资产(元)	–	10,190,396.02	9,362,436.66
	每股收益(元)	–	0.08	–0.04
	每股净资产(元)	–	1.02	0.94
	净资产收益率(%)	–	8.13	–4.29

河南环宇石化装备科技股份有限公司

公司概况	公司名称	河南环宇石化装备科技股份有限公司			股份名称	环宇装备
	法人代表	陈志强	董秘	王朝选	股份代码	831130
	公司网址	www.hyzbkj.com	主办券商	中原证券股份有限公司		
	电　话	0371-86561178	传　真	0371-86559136		
	注册地址	河南省焦作市修武县产业集聚区云翔路中段南侧				
	行业分类	制造业				

	指标\报告期	2014.06.30	2013.12.31	2012.12.31
主要财务指标	营业收入(元)	–	35,519,312.97	27,350,997.42
	营业利润(元)	–	608,081.97	107,796.22
	净利润(元)	–	1,592,166.18	400,901.09
	未分配利润(元)	–	1,322,261.39	–84,114.15
	总资产(元)	–	102,182,420.95	74,854,986.74
	总负债(元)	–	75,610,490.95	47,515,298.18
	净资产(元)	–	26,571,930.00	27,339,688.56
	每股收益(元)	–	0.06	0.02
	每股净资产(元)	–	1.06	1.09
	净资产收益率(%)	–	5.99	1.47

新疆宏泰矿业股份有限公司

公司概况	公司名称	新疆宏泰矿业股份有限公司			股份名称	宏泰矿业
	法人代表	康红	董秘	张志东	股份代码	831131
	公司网址			主办券商	海通证券股份有限公司	
	电　话	0991-4861727		传　真	0991-4861727	
	注册地址	新疆维吾尔自治区阿勒泰市团结路5区113栋				
	行业分类	采矿业				

	指标\报告期	2014.06.30	2013.12.31	2012.12.31
主要财务指标	营业收入(元)	–	496,407,507.08	321,782,159.50
	营业利润(元)	–	63,827,117.30	49,996,326.44
	净利润(元)	–	73,692,471.70	38,598,200.09
	未分配利润(元)	–	301,384,996.86	288,209,630.28
	总资产(元)	–	1,331,679,489.27	1,133,109,838.05
	总负债(元)	–	488,076,070.27	369,313,177.73
	净资产(元)	–	843,603,419.00	763,796,660.32
	每股收益(元)	–	0.49	0.26
	每股净资产(元)	–	5.38	4.95
	净资产收益率(%)	–	9.03	5.26

山东临风科技股份有限公司

公司概况	公司名称	山东临风科技股份有限公司			股份名称	临风股份
	法人代表	王洪强	董秘	岳振梅	股份代码	831132
	公司网址	www.lnfengji.com		主办券商	国泰君安证券股份有限公司	
	电　话	0539-6012921		传　真	0539-6012916	
	注册地址	山东省临沂市经济技术开发区杭州路25号				
	行业分类	制造业				

	指标\报告期	2014.06.30	2013.12.31	2012.12.31
主要财务指标	营业收入(元)	–	60,007,581.33	69,002,587.06
	营业利润(元)	–	57,989.66	–1,913,636.76
	净利润(元)	–	2,034,459.77	–1,699,914.58
	未分配利润(元)	–	–156,603.67	–2,191,063.44
	总资产(元)	–	151,104,252.80	144,046,789.87
	总负债(元)	–	85,380,893.18	80,357,890.02
	净资产(元)	–	65,723,359.62	63,688,899.85
	每股收益(元)	–	0.05	–0.04
	每股净资产(元)	–	1.31	1.27
	净资产收益率(%)	–	3.10	–2.67

科润智能科技股份有限公司

公司概况	公司名称	科润智能科技股份有限公司			股份名称	科润智能
	法人代表	李新华	董秘	邓平飞	股份代码	831133
	公司网址	www.greenits.net		主办券商	西部证券股份有限公司	
	电　话	029-85263382		传　真	029-85263382	
	注册地址	陕西省西安市高新区沣惠南路34号新长安广场1幢2单元21502室				
	行业分类	信息传输、软件和信息技术服务业				

	指标\报告期	2014.06.30	2013.12.31	2012.12.31
主要财务指标	营业收入(元)	–	242,898,383.96	55,257,962.41
	营业利润(元)	–	13,357,801.66	4,526,543.30
	净利润(元)	–	11,673,503.70	3,613,554.39
	未分配利润(元)	–	884,333.21	–10,690,911.24
	总资产(元)	–	284,454,272.45	141,425,351.66
	总负债(元)	–	197,471,679.99	66,116,262.90
	净资产(元)	–	86,982,592.46	75,309,088.76
	每股收益(元)	–	0.14	0.05
	每股净资产(元)	–	1.01	0.88
	净资产收益率(%)	–	13.42	4.80

常州爱特科技股份有限公司

公司概况	公司名称	常州爱特科技股份有限公司			股份名称	爱特科技
	法人代表	何寿根	董秘	臧小兰	股份代码	831134
	公司网址	www.aitetech.com		主办券商	申银万国证券股份有限公司	
	电　话	0519-83111715		传　真	0519-83111727	
	注册地址	江苏省常州市钟楼区新闸街道新冶路888号				
	行业分类	制造业				

	指标\报告期	2014.06.30	2013.12.31	2012.12.31
主要财务指标	营业收入(元)	–	30,463,803.65	35,101,217.90
	营业利润(元)	–	5,988,214.59	1,896,822.55
	净利润(元)	–	6,246,387.27	2,003,316.74
	未分配利润(元)	–	3,450,833.36	5,128,491.04
	总资产(元)	–	34,488,947.63	24,769,231.63
	总负债(元)	–	12,274,021.69	8,800,692.96
	净资产(元)	–	22,214,925.94	15,968,538.67
	每股收益(元)	–	0.62	0.20
	每股净资产(元)	–	2.22	1.60
	净资产收益率(%)	–	28.12	12.55

上海永冠胶粘制品股份有限公司

公司概况	公司名称	上海永冠胶粘制品股份有限公司		股份名称	永冠股份
	法人代表	吕新民	董秘	杨德波	股份代码	831135
	公司网址	www.ygtape.com		主办券商	爱建证券有限责任公司
	电　话	021-59830677		传　真	021-59832200
	注册地址	上海市青浦区朱家角工业园区康工路15号			
	行业分类	制造业			

	指标＼报告期	2014.06.30	2013.12.31	2012.12.31
主要财务指标	营业收入(元)	–	578,530,919.46	480,287,629.81
	营业利润(元)	–	55,293,444.47	40,960,055.93
	净利润(元)	–	50,151,057.08	35,461,476.07
	未分配利润(元)	–	141,197,921.86	94,941,900.93
	总资产(元)	–	436,772,770.53	305,213,453.72
	总负债(元)	–	188,498,270.28	141,090,010.55
	净资产(元)	–	248,274,500.25	164,123,443.17
	每股收益(元)	–	0.89	0.71
	每股净资产(元)	–	2.76	3.28
	净资产收益率(%)	–	20.20	21.61

安徽颍元农业科技股份有限公司

公司概况	公司名称	安徽颍元农业科技股份有限公司		股份名称	颍元股份
	法人代表	梁亦才	董秘	苏洪海	股份代码	831136
	公司网址	www.yynykj.com		主办券商	中国中投证券有限责任公司
	电　话	0558-4560689		传　真	0558-4560689
	注册地址	安徽省阜阳市颍上县工业园区颍泰路			
	行业分类	制造业			

	指标＼报告期	2014.06.30	2013.12.31	2012.12.31
主要财务指标	营业收入(元)	–	122,978,346.68	100,319,233.51
	营业利润(元)	–	1,619,273.95	855,615.52
	净利润(元)	–	1,181,811.61	661,867.31
	未分配利润(元)	–	4,500,461.56	3,436,831.11
	总资产(元)	–	85,446,760.08	80,033,090.41
	总负债(元)	–	32,282,065.47	28,050,207.41
	净资产(元)	–	53,164,694.61	51,982,883.00
	每股收益(元)	–	0.02	0.01
	每股净资产(元)	–	1.11	1.08
	净资产收益率(%)	–	2.22	1.27

芜湖泰和管业股份有限公司

公司概况	公司名称	芜湖泰和管业股份有限公司		股份名称	泰和股份
	法人代表	汪贤文	董秘	刘进	股份代码	831137
	公司网址	www.whthgy.com		主办券商	齐鲁证券有限公司
	电　话	0553-2246766		传　真	0533-2243709
	注册地址	安徽省芜湖市高新技术产业开发区中山南路678号			
	行业分类	制造业			

	指标＼报告期	2014.06.30	2013.12.31	2012.12.31
主要财务指标	营业收入(元)	–	20,453,037.63	13,387,543.42
	营业利润(元)	–	1,469,780.47	801,816.38
	净利润(元)	–	1,136,473.36	635,635.63
	未分配利润(元)	–	2,178,184.83	1,155,358.81
	总资产(元)	–	25,933,761.21	21,823,024.54
	总负债(元)	–	7,833,410.72	16,859,147.41
	净资产(元)	–	18,100,350.49	4,963,877.13
	每股收益(元)	–	0.32	0.21
	每股净资产(元)	–	1.72	1.55
	净资产收益率(%)	–	6.28	12.81

北京光影侠数码科技股份有限公司

公司概况	公司名称	北京光影侠数码科技股份有限公司		股份名称	光影侠
	法人代表	林峰	董秘	李洋	股份代码	831138
	公司网址	www.shuma7.com		主办券商	国都证券有限责任公司
	电　话	010-64465028		传　真	010-64462128
	注册地址	北京市东城区海运仓1号海运仓国际大厦B1层B1-068室			
	行业分类	文化、体育和娱乐业			

	指标＼报告期	2014.06.30	2013.12.31	2012.12.31
主要财务指标	营业收入(元)	–	4,349,703.23	3,178,375.20
	营业利润(元)	–	8,466.40	65,943.18
	净利润(元)	–	7,773.67	49,457.67
	未分配利润(元)	–	296,277.09	289,280.78
	总资产(元)	–	2,691,809.86	2,946,473.03
	总负债(元)	–	379,560.46	641,997.31
	净资产(元)	–	2,312,249.40	2,304,475.72
	每股收益(元)	–	0.00	0.02
	每股净资产(元)	–	1.16	1.15
	净资产收益率(%)	–	0.34	2.15

江西省广蓝传动科技股份有限公司

公司概况	公司名称	江西省广蓝传动科技股份有限公司		股份名称	江西广蓝
	法人代表	李金平	董秘 温九梅	股份代码	831139
	公司网址	www.jxxgbc.com		主办券商	海通证券股份有限公司
	电　话	0797-5342616		传　真	0797-5342619
	注册地址	江西省赣州市兴国县红门工业园C区			
	行业分类	制造业			

主要财务指标	指标\报告期	2014.06.30	2013.12.31	2012.12.31
	营业收入(元)	–	100,052,380.08	85,703,977.64
	营业利润(元)	–	8,907,255.91	3,634,700.22
	净利润(元)	–	8,689,973.36	1,601,225.59
	未分配利润(元)	–	20,637,371.39	12,461,755.84
	总资产(元)	–	261,523,653.70	336,327,950.02
	总负债(元)	–	203,984,129.73	268,033,010.04
	净资产(元)	–	57,539,523.97	68,294,939.98
	每股收益(元)	–	0.29	0.05
	每股净资产(元)	–	1.93	1.64
	净资产收益率(%)	–	15.10	9.49

上海力阳道路加固科技股份有限公司

公司概况	公司名称	上海力阳道路加固科技股份有限公司		股份名称	力阳科技
	法人代表	陆海忠	董秘 季晓丽	股份代码	831140
	公司网址			主办券商	华鑫证券有限责任公司
	电　话	021-67311517		传　真	021-67311507
	注册地址	上海市金山区朱泾镇中发路835号			
	行业分类	建筑业			

主要财务指标	指标\报告期	2014.06.30	2013.12.31	2012.12.31
	营业收入(元)	–	11,850,221.75	9,637,667.04
	营业利润(元)	–	1,156,470.12	103,804.16
	净利润(元)	–	842,083.32	–40,318.94
	未分配利润(元)	–	2,528,312.40	1,770,437.41
	总资产(元)	–	14,038,708.00	15,792,117.14
	总负债(元)	–	8,224,992.12	10,820,484.58
	净资产(元)	–	5,813,715.88	4,971,632.56
	每股收益(元)	–	0.08	0.00
	每股净资产(元)	–	0.58	0.50
	净资产收益率(%)	–	14.48	–0.81

沈阳金铠建筑科技股份有限公司

公司概况	公司名称	沈阳金铠建筑科技股份有限公司		股份名称	金铠建科
	法人代表	王喜林	董秘 张英昕	股份代码	831141
	公司网址	www.jk-jk.com		主办券商	长江证券股份有限公司
	电　话	024-31688052		传　真	024-31688053
	注册地址	辽宁省沈阳市浑南新区世纪路22号			
	行业分类	制造业			

主要财务指标	指标\报告期	2014.06.30	2013.12.31	2012.12.31
	营业收入(元)	–	30,149,193.59	26,165,140.02
	营业利润(元)	–	5,227,457.63	3,217,737.41
	净利润(元)	–	4,437,902.57	2,709,738.38
	未分配利润(元)	–	5,618,719.64	1,624,607.33
	总资产(元)	–	26,089,830.83	18,441,395.79
	总负债(元)	–	14,846,809.00	11,636,276.53
	净资产(元)	–	11,243,021.83	6,805,119.26
	每股收益(元)	–	0.89	0.54
	每股净资产(元)	–	2.25	1.36
	净资产收益率(%)	–	39.47	39.82

北京易讯通信息技术股份有限公司

公司概况	公司名称	北京易讯通信息技术股份有限公司		股份名称	易讯通
	法人代表	杜栩	董秘 王松利	股份代码	831142
	公司网址	www.easted.com		主办券商	长江证券股份有限公司
	电　话	010-51289959		传　真	010-82537066
	注册地址	北京市海淀区学院路7号12层1201室			
	行业分类	信息传输、软件和信息技术服务业			

主要财务指标	指标\报告期	2014.06.30	2013.12.31	2012.12.31
	营业收入(元)	–	10,239,509.05	6,296,292.55
	营业利润(元)	–	1,331,556.52	15,926.79
	净利润(元)	–	1,719,504.58	90,038.22
	未分配利润(元)	–	957,886.16	–655,186.62
	总资产(元)	–	10,353,879.00	3,910,503.10
	总负债(元)	–	6,289,561.04	1,565,689.72
	净资产(元)	–	4,064,317.96	2,344,813.38
	每股收益(元)	–	–	–
	每股净资产(元)	–	3.45	1.30
	净资产收益率(%)	–	42.31	3.84

江苏焕鑫新材料股份有限公司

公司概况	公司名称	江苏焕鑫新材料股份有限公司			股份名称	焕鑫股份
	法人代表	钱建华	董秘	陈小峰	股份代码	831143
	公司网址	www.huanxinchem.com		主办券商	大通证券股份有限公司	
	电话	0512-50339798		传真	0512-50339700	
	注册地址	江苏省大丰市港区生物科技园区纬二路北侧(海洋经济综合开发区)				
	行业分类	制造业				

	指标\报告期	2014.06.30	2013.12.31	2012.12.31
主要财务指标	营业收入(元)	–	118,238,606.66	118,238,606.66
	营业利润(元)	–	2,681,902.67	2,681,902.67
	净利润(元)	–	3,058,210.89	3,058,210.89
	未分配利润(元)	–	–493,125.95	–493,125.95
	总资产(元)	–	308,350,247.33	308,350,247.33
	总负债(元)	–	222,450,156.92	222,450,156.92
	净资产(元)	–	85,900,090.41	85,900,090.41
	每股收益(元)	–	0.05	0.05
	每股净资产(元)	–	1.35	1.35
	净资产收益率(%)	–	3.56	3.56

上海欣影电力科技股份有限公司

公司概况	公司名称	上海欣影电力科技股份有限公司			股份名称	欣影科技
	法人代表	孙建中	董秘	徐伟	股份代码	831144
	公司网址	www.xinyingpower.com		主办券商	海通证券股份有限公司	
	电话	021-33878606		传真	021-33878610	
	注册地址	上海市闸北区江场三路250号214室				
	行业分类	制造业				

	指标\报告期	2014.06.30	2013.12.31	2012.12.31
主要财务指标	营业收入(元)	–	48,642,938.83	33,632,684.74
	营业利润(元)	–	4,111,644.93	303,495.66
	净利润(元)	–	5,841,199.71	449,522.69
	未分配利润(元)	–	2,095,117.27	–3,541,953.63
	总资产(元)	–	89,011,883.53	79,108,534.33
	总负债(元)	–	26,712,637.45	22,650,487.96
	净资产(元)	–	62,299,246.08	56,458,046.37
	每股收益(元)	–	0.10	0.01
	每股净资产(元)	–	1.04	0.94
	净资产收益率(%)	–	9.38	0.80

江苏阿路美格新材料股份有限公司

公司概况	公司名称	江苏阿路美格新材料股份有限公司			股份名称	阿路美格
	法人代表	陈建明	董秘	王少海	股份代码	831145
	公司网址	www.a2acp.com		主办券商	申银万国证券股份有限公司	
	电话	0517-86856800		传真	0517-86856700	
	注册地址	江苏省淮安市金湖县建设西路898号				
	行业分类	制造业				

	指标\报告期	2014.06.30	2013.12.31	2012.12.31
主要财务指标	营业收入(元)	–	98,112,077.46	82,685,070.29
	营业利润(元)	–	7,901,017.74	–4,263,329.10
	净利润(元)	–	7,611,151.16	–1,461,589.93
	未分配利润(元)	–	19,176,187.39	13,648,625.36
	总资产(元)	–	132,021,172.49	115,074,840.90
	总负债(元)	–	80,483,241.02	70,648,060.59
	净资产(元)	–	51,537,931.47	44,426,780.31
	每股收益(元)	–	0.38	–0.07
	每股净资产(元)	–	1.96	1.71
	净资产收益率(%)	–	14.12	–4.64

上海建科建筑节能技术股份有限公司

公司概况	公司名称	上海建科建筑节能技术股份有限公司			股份名称	建科节能
	法人代表	叶倩	董秘	卢戎	股份代码	831146
	公司网址	www.shjkjn.com		主办券商	上海证券有限责任公司	
	电话	021-64386222		传真	021-64274150	
	注册地址	上海市徐汇区宛平南路75号401室				
	行业分类	科学研究和技术服务业				

	指标\报告期	2014.06.30	2013.12.31	2012.12.31
主要财务指标	营业收入(元)	–	26,569,317.41	27,865,841.48
	营业利润(元)	–	504,109.68	1,890,537.05
	净利润(元)	–	1,914,046.81	2,167,370.10
	未分配利润(元)	–	330,105.81	222,050.13
	总资产(元)	–	49,592,023.48	29,838,793.88
	总负债(元)	–	26,222,964.42	18,383,781.63
	净资产(元)	–	23,369,059.06	11,455,012.25
	每股收益(元)	–	0.16	0.22
	每股净资产(元)	–	1.17	1.15
	净资产收益率(%)	–	8.19	18.92

浙江合建重工科技股份有限公司

公司概况	公司名称	浙江合建重工科技股份有限公司		股份名称	合建重科
	法人代表	陈敏兆	董秘 林元楚	股份代码	831147
	公司网址	www.hlcm.net	主办券商	平安证券有限责任公司	
	电　话	0577-58128390	传　真	0577-58128443	
	注册地址	浙江省温州市平阳县鳌江镇墨城临港工业小区4号路			
	行业分类	制造业			

主要财务指标	指标\报告期	2014.06.30	2013.12.31	2012.12.31
	营业收入(元)	–	82,408,136.12	58,315,747.80
	营业利润(元)	–	7,032,578.74	–8,777,352.95
	净利润(元)	–	4,035,710.26	–7,583,981.42
	未分配利润(元)	–	1,766,761.36	–1,296,754.97
	总资产(元)	–	229,701,854.65	199,738,615.52
	总负债(元)	–	162,955,605.15	172,408,505.90
	净资产(元)	–	66,746,249.50	27,330,109.62
	每股收益(元)	–	0.10	–0.29
	每股净资产(元)	–	1.06	1.01
	净资产收益率(%)	–	6.11	–28.53

湖南长宏锅炉科技股份有限公司

公司概况	公司名称	湖南长宏锅炉科技股份有限公司		股份名称	长宏科技
	法人代表	曹希新	董秘 唐跃宇	股份代码	831148
	公司网址	www.hnchbc.com	主办券商	国泰君安证券股份有限公司	
	电　话	0734-8430866	传　真	0734-8431507	
	注册地址	湖南省衡阳市雁峰区白沙洲工业园区工业大道3号			
	行业分类	制造业			

主要财务指标	指标\报告期	2014.06.30	2013.12.31	2012.12.31
	营业收入(元)	–	43,850,647.20	49,026,901.86
	营业利润(元)	–	2,356,946.24	2,083,114.93
	净利润(元)	–	2,837,639.25	3,094,590.58
	未分配利润(元)	–	610,887.53	–2,165,067.81
	总资产(元)	–	104,699,081.41	102,635,977.82
	总负债(元)	–	33,929,075.41	34,703,611.07
	净资产(元)	–	70,770,006.00	67,932,366.75
	每股收益(元)	–	0.04	0.04
	每股净资产(元)	–	1.01	0.97
	净资产收益率(%)	–	4.00	4.56

山东奥美环境股份有限公司

公司概况	公司名称	山东奥美环境股份有限公司		股份名称	奥美环境
	法人代表	窦大河	董秘 李娜	股份代码	831149
	公司网址	www.amswater.com	主办券商	齐鲁证券有限公司	
	电　话	0531-67801818	传　真	0531-67801919	
	注册地址	山东省济南市高新区工业南路44号丁豪广场6号楼2单元2409室			
	行业分类	制造业			

主要财务指标	指标\报告期	2014.06.30	2013.12.31	2012.12.31
	营业收入(元)	–	14,718,535.93	3,457,923.87
	营业利润(元)	–	1,924,302.06	–2,044,065.16
	净利润(元)	–	1,425,216.34	–1,763,453.24
	未分配利润(元)	–	–766,201.98	–2,191,418.32
	总资产(元)	–	15,029,323.63	10,527,386.13
	总负债(元)	–	5,795,525.61	2,718,804.45
	净资产(元)	–	9,233,798.02	7,808,581.68
	每股收益(元)	–	0.14	–0.18
	每股净资产(元)	–	0.92	0.78
	净资产收益率(%)	–	15.44	–22.58

吉林省金越交通装备股份有限公司

公司概况	公司名称	吉林省金越交通装备股份有限公司		股份名称	金越交通
	法人代表	金明南	董秘 刘迎军	股份代码	831150
	公司网址	www.jlginyo.com	主办券商	财达证券有限责任公司	
	电　话	0431-86773558	传　真	0431-81054007	
	注册地址	吉林省长春市兰家大街3950号			
	行业分类	制造业			

主要财务指标	指标\报告期	2014.06.30	2013.12.31	2012.12.31
	营业收入(元)	–	157,404,975.40	178,666,358.69
	营业利润(元)	–	12,372,059.64	22,099,923.12
	净利润(元)	–	15,001,730.76	19,526,166.83
	未分配利润(元)	–	22,270,082.02	14,434,677.17
	总资产(元)	–	288,162,141.50	298,448,993.60
	总负债(元)	–	200,923,140.59	220,211,723.45
	净资产(元)	–	87,239,000.91	78,237,270.15
	每股收益(元)	–	0.25	0.33
	每股净资产(元)	–	1.45	1.30
	净资产收益率(%)	–	17.20	24.96

上海全胜物流股份有限公司

公司概况	公司名称	上海全胜物流股份有限公司			股份名称	全胜物流
	法人代表	孙仟花	董秘	杜怡斐	股份代码	831151
	公司网址	www.shqs56.com		主办券商	申银万国证券股份有限公司	
	电　话	021-60370122		传　真	021-60370111-122	
	注册地址	上海市普陀区真北路3199弄20号339室				
	行业分类	交通运输、仓储和邮政业				

主要财务指标	指标\报告期	2014.06.30	2013.12.31	2012.12.31
	营业收入(元)	–	314,310,498.89	372,295,354.96
	营业利润(元)	–	342,398.75	648,586.79
	净利润(元)	–	291,947.72	1,226,297.23
	未分配利润(元)	–	961,254.90	5,155,553.56
	总资产(元)	–	58,749,265.49	75,786,660.59
	总负债(元)	–	11,512,098.64	24,507,663.56
	净资产(元)	–	47,237,166.85	51,278,997.03
	每股收益(元)	–	0.01	0.04
	每股净资产(元)	–	1.57	1.71
	净资产收益率(%)	–	0.62	2.39

昆明理工恒达科技股份有限公司

公司概况	公司名称	昆明理工恒达科技股份有限公司			股份名称	昆工恒达
	法人代表	郭忠诚	董秘	赵亮	股份代码	831152
	公司网址	www.hendera.com		主办券商	申银万国证券股份有限公司	
	电　话	0871-68359897		传　真	0871-68352599	
	注册地址	云南省昆明高新区昌源北路1299号				
	行业分类	制造业				

主要财务指标	指标\报告期	2014.06.30	2013.12.31	2012.12.31
	营业收入(元)	–	96,250,889.23	67,202,346.32
	营业利润(元)	–	2,515,948.63	1,913,228.32
	净利润(元)	–	5,164,478.31	3,304,994.07
	未分配利润(元)	–	7,786,452.02	19,623,541.51
	总资产(元)	–	165,308,208.80	144,884,564.95
	总负债(元)	–	92,356,866.58	77,097,701.04
	净资产(元)	–	72,951,342.22	67,786,863.91
	每股收益(元)	–	0.09	0.16
	每股净资产(元)	–	1.22	3.21
	净资产收益率(%)	–	7.08	4.88

杭州全维通信服务股份有限公司

公司概况	公司名称	杭州全维通信服务股份有限公司			股份名称	全通服
	法人代表	朱建武	董秘	王妙妙	股份代码	831153
	公司网址	www.hzquanwei.com		主办券商	齐鲁证券有限公司	
	电　话	0571-88947128		传　真	0571-88308300	
	注册地址	浙江省杭州市西湖区西斗门路3号天堂软件园D幢8层B座				
	行业分类	信息传输、软件和信息技术服务业				

主要财务指标	指标\报告期	2014.06.30	2013.12.31	2012.12.31
	营业收入(元)	–	7,937,520.51	2,511,560.91
	营业利润(元)	–	–340,271.10	–276,788.80
	净利润(元)	–	–313,159.45	–277,699.17
	未分配利润(元)	–	–590,858.62	–277,699.17
	总资产(元)	–	8,438,774.75	5,221,897.00
	总负债(元)	–	4,029,633.37	499,596.17
	净资产(元)	–	4,409,141.38	4,722,300.83
	每股收益(元)	–	–0.06	–0.06
	每股净资产(元)	–	0.88	0.94
	净资产收益率(%)	–	–7.10	–5.88

广州益方田园环保股份有限公司

公司概况	公司名称	广州益方田园环保股份有限公司			股份名称	益方田园
	法人代表	田永	董秘	卢燕苹	股份代码	831154
	公司网址	www.tyepi.com		主办券商	万联证券有限责任公司	
	电　话	020-85547877		传　真	020-85547415	
	注册地址	广东省广州市萝岗区科学大道科汇发展中心科汇一街11号201房				
	行业分类	水利、环境和公共设施管理业				

主要财务指标	指标\报告期	2014.06.30	2013.12.31	2012.12.31
	营业收入(元)	–	19,176,493.48	17,266,409.32
	营业利润(元)	–	565,652.91	–278,337.48
	净利润(元)	–	423,212.96	156,278.28
	未分配利润(元)	–	123,270.35	–222,139.89
	总资产(元)	–	10,484,605.67	13,279,336.54
	总负债(元)	–	2,992,162.91	6,210,106.74
	净资产(元)	–	7,492,442.76	7,069,229.80
	每股收益(元)	–	0.06	0.04
	每股净资产(元)	–	1.07	1.01
	净资产收益率(%)	–	5.65	2.21

武汉振源电气股份有限公司

公司概况	公司名称	武汉振源电气股份有限公司			股份名称	振源电气
	法人代表	刘俊义	董秘	段昕宏	股份代码	831155
	公司网址	www.whzydl.com		主办券商	长江证券股份有限公司	
	电　话	027-83370689		传　真	027-83264151	
	注册地址	湖北省武汉市东西湖辛安渡工业园20号				
	行业分类	制造业				

	指标＼报告期	2014.06.30	2013.12.31	2012.12.31
主要财务指标	营业收入(元)	–	37,544,701.47	43,265,562.77
	营业利润(元)	–	498,830.04	1,246,221.20
	净利润(元)	–	1,226,006.27	1,072,730.20
	未分配利润(元)	–	–1,253,190.61	–2,479,196.88
	总资产(元)	–	83,678,476.14	82,168,853.82
	总负债(元)	–	54,931,666.75	54,648,050.70
	净资产(元)	–	28,746,809.39	27,520,803.12
	每股收益(元)	–	0.04	0.04
	每股净资产(元)	–	0.96	0.92
	净资产收益率(%)	–	4.27	3.90

上海浩祯自动化技术股份有限公司

公司概况	公司名称	上海浩祯自动化技术股份有限公司			股份名称	浩祯股份
	法人代表	徐继红	董秘	楼晓	股份代码	831156
	公司网址	www.haozhen-servo.com		主办券商	安信证券股份有限公司	
	电　话	021-68415361		传　真	021-68415361	
	注册地址	上海市松江区泖港镇中南路30弄15号				
	行业分类	批发和零售业				

	指标＼报告期	2014.06.30	2013.12.31	2012.12.31
主要财务指标	营业收入(元)	–	96,700,029.79	34,379,499.69
	营业利润(元)	–	6,898,895.44	546,226.30
	净利润(元)	–	5,010,663.99	389,582.61
	未分配利润(元)	–	1,855,129.86	345,532.27
	总资产(元)	–	20,913,142.95	13,746,547.77
	总负债(元)	–	13,518,554.21	12,862,623.02
	净资产(元)	–	7,394,588.74	883,924.75
	每股收益(元)	–	0.72	0.06
	每股净资产(元)	–	1.06	0.13
	净资产收益率(%)	–	67.76	44.07

山东信合节能科技股份有限公司

公司概况	公司名称	山东信合节能科技股份有限公司			股份名称	信合节能
	法人代表	苏哲	董秘	董新军	股份代码	831157
	公司网址	www.sdxh001.com		主办券商	长城证券有限责任公司	
	电　话	0531-88988163		传　真	0531-82689199	
	注册地址	山东省济南市高新区颖秀路2600号(山大科技园)3号楼802A				
	行业分类	科学研究和技术服务业				

	指标＼报告期	2014.06.30	2013.12.31	2012.12.31
主要财务指标	营业收入(元)	–	32,315,598.51	15,988,821.90
	营业利润(元)	–	12,864,965.22	8,253,319.27
	净利润(元)	–	14,560,337.82	8,655,548.12
	未分配利润(元)	–	19,290,696.51	6,154,645.99
	总资产(元)	–	52,694,634.54	31,931,560.04
	总负债(元)	–	20,195,801.18	19,993,064.50
	净资产(元)	–	32,498,833.36	11,938,495.54
	每股收益(元)	–	1.65	1.70
	每股净资产(元)	–	3.13	2.34
	净资产收益率(%)	–	46.36	72.50

张家界金鲵生物工程股份有限公司

公司概况	公司名称	张家界金鲵生物工程股份有限公司			股份名称	金鲵生物
	法人代表	王建文	董秘	柯春	股份代码	831158
	公司网址	www.jinni.cn		主办券商	东北证券股份有限公司	
	电　话	0744-8219098		传　真	0744-8283538	
	注册地址	湖南省张家界市桑植县芙蓉桥白族乡合群村				
	行业分类	农、林、牧、渔业				

	指标＼报告期	2014.06.30	2013.12.31	2012.12.31
主要财务指标	营业收入(元)	–	22,528,272.13	23,749,058.54
	营业利润(元)	–	–2,923,251.10	2,904,042.03
	净利润(元)	–	2,773,972.88	4,371,278.05
	未分配利润(元)	–	6,756,437.96	4,364,832.51
	总资产(元)	–	85,873,861.75	98,101,587.12
	总负债(元)	–	48,181,432.26	63,183,130.51
	净资产(元)	–	37,692,429.49	34,918,456.61
	每股收益(元)	–	0.09	0.15
	每股净资产(元)	–	1.26	1.16
	净资产收益率(%)	–	7.36	12.52

天津安达物流股份有限公司

公司概况						
公司名称	天津安达物流股份有限公司			股份名称	安达物流	
法人代表	崔洪金	董秘	王春钢	股份代码	831159	
公司网址	www.anda.com.cn		主办券商	申银万国证券股份有限公司		
电　话	13602180905		传　真	022-24392675		
注册地址	天津市东丽区二经路7号					
行业分类	交通运输、仓储和邮政业					

主要财务指标			
指标\报告期	2014.06.30	2013.12.31	2012.12.31
营业收入(元)	–	346,097,167.41	379,474,027.02
营业利润(元)	–	25,379,577.86	31,243,317.24
净利润(元)	–	19,043,779.84	23,090,986.49
未分配利润(元)	–	10,369,598.32	23,597,675.57
总资产(元)	–	267,572,987.50	208,557,542.50
总负债(元)	–	144,295,428.47	74,896,438.03
净资产(元)	–	123,277,559.03	133,661,104.47
每股收益(元)	–	0.38	0.46
每股净资产(元)	–	2.47	2.67
净资产收益率(%)	–	15.45	17.28

浙江晨龙锯床股份有限公司

公司概况						
公司名称	浙江晨龙锯床股份有限公司			股份名称	晨龙锯床	
法人代表	丁泽林	董秘	周杰	股份代码	831160	
公司网址	www.chenlong.com/cn		主办券商	财通证券股份有限公司		
电　话	0578-3162169		传　真	0578-3155088		
注册地址	浙江省丽水市缙云县壶镇镇华强路1号					
行业分类	制造业					

主要财务指标			
指标\报告期	2014.06.30	2013.12.31	2012.12.31
营业收入(元)	–	90,663,979.42	99,287,000.96
营业利润(元)	–	478,087.54	2,373,908.12
净利润(元)	–	1,635,100.80	3,171,651.18
未分配利润(元)	–	21,101,947.95	19,591,681.18
总资产(元)	–	152,571,657.33	139,604,991.72
总负债(元)	–	98,884,172.78	87,552,607.97
净资产(元)	–	53,687,484.55	52,052,383.75
每股收益(元)	–	0.05	0.11
每股净资产(元)	–	1.79	1.74
净资产收益率(%)	–	3.05	6.09

辽宁伊菲科技股份有限公司

公司概况						
公司名称	辽宁伊菲科技股份有限公司			股份名称	伊菲股份	
法人代表	徐涛	董秘	王雪	股份代码	831161	
公司网址	www.yifeigufen.com		主办券商	西藏同信证券股份有限公司		
电　话	0429-6331811		传　真	0429-6331811		
注册地址	辽宁省葫芦岛市东戴河新区A区燕山路东段11号					
行业分类	制造业					

主要财务指标			
指标\报告期	2014.06.30	2013.12.31	2012.12.31
营业收入(元)	–	16,872,701.46	9,617,788.94
营业利润(元)	–	2,605,975.05	1,058,546.36
净利润(元)	–	2,700,211.43	875,043.56
未分配利润(元)	–	2,889,907.16	459,716.87
总资产(元)	–	33,099,531.90	23,299,526.72
总负债(元)	–	19,888,523.95	12,788,730.20
净资产(元)	–	13,211,007.95	10,510,796.52
每股收益(元)	–	0.23	0.08
每股净资产(元)	–	1.32	1.05
净资产收益率(%)	–	20.44	8.33

南京天河汽车零部件股份有限公司

公司概况						
公司名称	南京天河汽车零部件股份有限公司			股份名称	天河股份	
法人代表	王保平	董秘	薛萍	股份代码	831162	
公司网址			主办券商	申银万国证券股份有限公司		
电　话	025-56233515		传　真	025-56213730		
注册地址	江苏省南京市溧水区经济开发区团山东路5号					
行业分类	制造业					

主要财务指标			
指标\报告期	2014.06.30	2013.12.31	2012.12.31
营业收入(元)	–	91,437,446.72	107,175,272.60
营业利润(元)	–	9,644,354.26	2,839,620.19
净利润(元)	–	7,756,076.25	1,685,508.71
未分配利润(元)	–	8,393,627.48	1,413,158.86
总资产(元)	–	109,296,554.75	130,328,262.55
总负债(元)	–	69,970,301.99	118,758,086.04
净资产(元)	–	39,326,252.76	11,570,176.51
每股收益(元)	–	0.78	0.17
每股净资产(元)	–	1.31	1.16
净资产收益率(%)	–	19.72	14.57

广州艾科新材料股份有限公司

公司概况	公司名称	广州艾科新材料股份有限公司		股份名称	艾科新材
	法人代表	李红领	董秘	黄建	股份代码	831163
	公司网址	www.colortechchina.com		主办券商	国海证券股份有限公司
	电　话	020-32066158		传　真	020-32066151
	注册地址	广东省广州市经济技术开发区东区骏功路 18 号			
	行业分类	制造业			

	指标\报告期	2014.06.30	2013.12.31	2012.12.31
主要财务指标	营业收入(元)	–	9,660,766.79	10,128,856.80
	营业利润(元)	–	1,159,395.18	1,028,542.97
	净利润(元)	–	842,531.48	779,404.96
	未分配利润(元)	–	5,327,386.18	4,569,107.85
	总资产(元)	–	7,874,940.19	6,776,105.96
	总负债(元)	–	943,540.27	687,237.52
	净资产(元)	–	6,931,399.92	6,088,868.44
	每股收益(元)	–	0.14	0.13
	每股净资产(元)	–	1.16	1.01
	净资产收益率(%)	–	12.16	12.80

南京腾楷网络股份有限公司

公司概况	公司名称	南京腾楷网络股份有限公司		股份名称	腾楷网络
	法人代表	张维	董秘	胡先兵	股份代码	831164
	公司网址	www.tenkent.com		主办券商	南京证券股份有限公司
	电　话	025-83209996		传　真	025-83244331
	注册地址	江苏省南京市高淳县淳溪镇镇兴路 208 号			
	行业分类	信息传输、软件和信息技术服务业			

	指标\报告期	2014.06.30	2013.12.31	2012.12.31
主要财务指标	营业收入(元)	–	76,613,322.61	70,508,321.89
	营业利润(元)	–	4,680,247.97	7,933,014.68
	净利润(元)	–	4,820,128.96	7,860,167.36
	未分配利润(元)	–	18,227,461.55	13,863,393.59
	总资产(元)	–	71,762,683.60	62,705,178.79
	总负债(元)	–	27,064,037.17	22,826,661.32
	净资产(元)	–	44,698,646.43	39,878,517.47
	每股收益(元)	–	0.23	0.37
	每股净资产(元)	–	2.10	1.87
	净资产收益率(%)	–	10.78	19.71

上海远洲管业科技股份有限公司

公司概况	公司名称	上海远洲管业科技股份有限公司		股份名称	远洲股份
	法人代表	周文忠	董秘	姚爱军	股份代码	831165
	公司网址	www.vizol.cn		主办券商	天风证券股份有限公司
	电　话	021-59235888		传　真	021-59235887
	注册地址	上海市青浦区朱家角镇康业路 951 弄 32 号 1 幢 2 层 P 区 280 室			
	行业分类	制造业			

	指标\报告期	2014.06.30	2013.12.31	2012.12.31
主要财务指标	营业收入(元)	–	60,909,667.24	36,364,038.42
	营业利润(元)	–	6,522,793.10	157,739.05
	净利润(元)	–	6,373,981.10	-334,328.40
	未分配利润(元)	–	5,448,946.80	-319,595.77
	总资产(元)	–	41,995,265.87	33,626,587.03
	总负债(元)	–	15,910,112.66	28,915,414.92
	净资产(元)	–	26,085,153.21	4,711,172.11
	每股收益(元)	–	0.46	-0.07
	每股净资产(元)	–	1.30	0.94
	净资产收益率(%)	–	24.44	-7.10

苏州纳地金属制品股份有限公司

公司概况	公司名称	苏州纳地金属制品股份有限公司		股份名称	纳地股份
	法人代表	秦俭	董秘	王益勤	股份代码	831166
	公司网址	www.cococasualfurniture.com		主办券商	东吴证券股份有限公司
	电　话	0512-63150917		传　真	0512-63648873
	注册地址	江苏省吴江市平望镇中鲈生态科技工业园内			
	行业分类	制造业			

	指标\报告期	2014.06.30	2013.12.31	2012.12.31
主要财务指标	营业收入(元)	–	38,180,092.02	24,477,064.71
	营业利润(元)	–	1,973,493.47	-769,802.67
	净利润(元)	–	2,148,467.60	-681,367.95
	未分配利润(元)	–	-4,135,065.64	-6,283,533.24
	总资产(元)	–	58,112,381.15	57,172,921.68
	总负债(元)	–	33,211,346.88	34,352,430.35
	净资产(元)	–	24,901,034.27	22,820,491.33
	每股收益(元)	–	0.07	-0.02
	每股净资产(元)	–	0.85	0.78
	净资产收益率(%)	–	8.63	-2.99

深圳市鑫汇科股份有限公司

公司概况					
公司名称	深圳市鑫汇科股份有限公司			股份名称	鑫汇科
法人代表	丘守庆	董秘	肖文松	股份代码	831167
公司网址	www.chk.net.cn		主办券商	安信证券股份有限公司	
电　话	0755-27812095		传　真	0755-27802300	
注册地址	广东省深圳市宝安区13区宝民一路宝通大厦2701-2712、2201-2211				
行业分类	制造业				

主要财务指标：指标\报告期	2014.06.30	2013.12.31	2012.12.31
营业收入(元)	–	276,134,366.81	174,051,984.20
营业利润(元)	–	14,664,167.56	37,737,676.62
净利润(元)	–	13,630,169.64	35,201,806.85
未分配利润(元)	–	30,944,055.43	17,305,564.83
总资产(元)	–	162,545,639.32	162,928,207.56
总负债(元)	–	115,160,520.35	133,702,244.23
净资产(元)	–	47,385,118.97	29,225,963.33
每股收益(元)	–	0.45	1.17
每股净资产(元)	–	1.57	0.97
净资产收益率(%)	–	28.88	121.16

南通华尔康医疗科技股份有限公司

公司概况					
公司名称	南通华尔康医疗科技股份有限公司			股份名称	华尔康
法人代表	吴永高	董秘	冯宝星	股份代码	831168
公司网址	www.nthrc.com		主办券商	金元证券股份有限公司	
电　话	0513-81182311		传　真	0513-81182311	
注册地址	江苏省海门市海门镇南海东路555号				
行业分类	制造业				

主要财务指标：指标\报告期	2014.06.30	2013.12.31	2012.12.31
营业收入(元)	–	19,297,425.23	17,662,163.83
营业利润(元)	–	1,588,537.51	-120,362.89
净利润(元)	–	1,148,520.72	-791,990.65
未分配利润(元)	–	8,480,982.68	12,431,802.50
总资产(元)	–	61,294,338.90	61,375,320.95
总负债(元)	–	45,694,680.42	42,214,183.19
净资产(元)	–	15,599,658.48	19,161,137.76
每股收益(元)	–	0.17	-0.17
每股净资产(元)	–	2.49	9.41
净资产收益率(%)	–	8.14	-4.34

北京百特莱德工程技术股份有限公司

公司概况					
公司名称	北京百特莱德工程技术股份有限公司			股份名称	百特莱德
法人代表	陈宝迁	董秘	李真开	股份代码	831169
公司网址	www.betterclyde.com		主办券商	平安证券有限责任公司	
电　话	13691334137		传　真	010-52323107	
注册地址	北京市密云县经济开发区兴盛南路20号				
行业分类	制造业				

主要财务指标：指标\报告期	2014.06.30	2013.12.31	2012.12.31
营业收入(元)	–	39,720,794.80	6,588,251.53
营业利润(元)	–	8,326,008.81	-3,995,164.33
净利润(元)	–	7,028,690.21	-4,020,487.27
未分配利润(元)	–	1,959,529.53	-4,851,435.18
总资产(元)	–	60,198,710.02	35,206,132.59
总负债(元)	–	43,441,454.99	27,257,567.77
净资产(元)	–	16,757,255.03	7,948,564.82
每股收益(元)	–	0.54	-0.31
每股净资产(元)	–	1.15	0.62
净资产收益率(%)	–	41.94	-50.58

广州熵能创新材料股份有限公司

公司概况					
公司名称	广州熵能创新材料股份有限公司			股份名称	熵能新材
法人代表	石建伟	董秘	周亮	股份代码	831170
公司网址	www.shinepolymer.com		主办券商	中信证券股份有限公司	
电　话	020-39388509		传　真	020-39388939	
注册地址	广东省广州市番禺区东环街迎宾路730号				
行业分类	制造业				

主要财务指标：指标\报告期	2014.06.30	2013.12.31	2012.12.31
营业收入(元)	–	62,249,798.01	56,407,489.67
营业利润(元)	–	14,889,979.43	9,268,468.07
净利润(元)	–	13,299,787.71	15,393,844.41
未分配利润(元)	–	8,118,032.71	12,539,131.75
总资产(元)	–	44,170,125.72	33,241,468.34
总负债(元)	–	3,751,281.93	6,119,063.68
净资产(元)	–	40,418,843.79	27,122,404.66
每股收益(元)	–	0.47	1.40
每股净资产(元)	–	1.34	2.22
净资产收益率(%)	–	35.19	63.08

广东海纳川药业股份有限公司

公司概况	公司名称	广东海纳川药业股份有限公司		股份名称	海纳川
	法人代表	周玉岩	董秘 张志民	股份代码	831171
	公司网址	www.hinapharm.com	主办券商	广发证券股份有限公司	
	电话	0757-88858688	传真	0757-88858668	
	注册地址	广东省佛山市高明区沧江工业园杨和园区沙水河西路			
	行业分类	制造业			

主要财务指标	指标\报告期	2014.06.30	2013.12.31	2012.12.31
	营业收入(元)	–	285,325,278.50	208,993,883.48
	营业利润(元)	–	37,510,012.54	23,223,491.61
	净利润(元)	–	33,899,729.46	20,914,639.26
	未分配利润(元)	–	55,362,286.25	28,169,634.78
	总资产(元)	–	210,319,992.57	110,021,039.49
	总负债(元)	–	59,682,954.81	36,951,431.19
	净资产(元)	–	150,637,037.76	73,069,608.30
	每股收益(元)	–	0.94	0.63
	每股净资产(元)	–	3.07	2.19
	净资产收益率(%)	–	22.50	28.62

浙江华尔达热导技术股份有限公司

公司概况	公司名称	浙江华尔达热导技术股份有限公司		股份名称	华尔达
	法人代表	陈智	董秘 陈坚明	股份代码	831172
	公司网址	www.huaerda.cn	主办券商	方正证券股份有限公司	
	电话	0577-65137688	传真	0577-25668855	
	注册地址	浙江省温州市瑞安市经济开发区华尔达工业园			
	行业分类	制造业			

主要财务指标	指标\报告期	2014.06.30	2013.12.31	2012.12.31
	营业收入(元)	–	32,733,011.06	30,772,963.79
	营业利润(元)	–	1,244,055.75	322,558.81
	净利润(元)	–	1,563,704.67	633,466.68
	未分配利润(元)	–	-555,475.11	-2,119,179.78
	总资产(元)	–	38,605,197.60	35,103,362.45
	总负债(元)	–	33,080,672.71	31,142,542.23
	净资产(元)	–	5,524,524.89	3,960,820.22
	每股收益(元)	–	0.26	0.10
	每股净资产(元)	–	0.91	0.65
	净资产收益率(%)	–	28.31	15.99

广东泰恩康医药股份有限公司

公司概况	公司名称	广东泰恩康医药股份有限公司		股份名称	泰恩康
	法人代表	郑汉杰	董秘 陈淳	股份代码	831173
	公司网址	www.tai-kang.com.cn	主办券商	广发证券股份有限公司	
	电话	0754-88847515	传真	0754-88847519	
	注册地址	广东省汕头市龙湖区浦江路48号1栋3楼			
	行业分类	批发和零售业			

主要财务指标	指标\报告期	2014.06.30	2013.12.31	2012.12.31
	营业收入(元)	–	280,143,645.43	261,065,552.89
	营业利润(元)	–	64,971,856.92	60,304,112.39
	净利润(元)	–	48,064,659.77	45,592,287.23
	未分配利润(元)	–	81,507,657.38	57,483,459.36
	总资产(元)	–	238,516,272.03	212,397,071.49
	总负债(元)	–	48,889,489.85	50,834,949.08
	净资产(元)	–	189,626,782.18	161,562,122.41
	每股收益(元)	–	0.71	0.68
	每股净资产(元)	–	2.81	2.39
	净资产收益率(%)	–	25.35	28.22

沈阳全密封变压器股份有限公司

公司概况	公司名称	沈阳全密封变压器股份有限公司		股份名称	全密封
	法人代表	赵淮林	董秘 李毓光	股份代码	831174
	公司网址	www.lilin.cn	主办券商	山西证券股份有限公司	
	电话	024-23669942	传真	024-23662792	
	注册地址	辽宁省沈阳市浑南新区远航东路8号			
	行业分类	制造业			

主要财务指标	指标\报告期	2014.06.30	2013.12.31	2012.12.31
	营业收入(元)	–	180,423,478.84	173,601,751.45
	营业利润(元)	–	4,937,369.76	-9,921,433.44
	净利润(元)	–	5,328,407.08	-5,135,034.05
	未分配利润(元)	–	7,647,711.39	2,852,145.02
	总资产(元)	–	265,162,053.63	259,543,498.65
	总负债(元)	–	171,950,911.86	171,660,763.96
	净资产(元)	–	93,211,141.77	87,882,734.69
	每股收益(元)	–	0.07	-0.06
	每股净资产(元)	–	1.17	1.10
	净资产收益率(%)	–	5.72	-5.84

珠海派诺科技股份有限公司

公司概况	公司名称	珠海派诺科技股份有限公司		股份名称	派诺科技
	法人代表	李健	董秘	袁媛	股份代码	831175
	公司网址	www.pmac.com.cn	主办券商	华林证券有限责任公司	
	电话	0756-3629688	传真	0756-3629600	
	注册地址	广东省珠海市高新区科技创新海岸科技六路15号一至三层			
	行业分类	制造业			

	指标\报告期	2014.06.30	2013.12.31	2012.12.31
主要财务指标	营业收入(元)	–	189,916,746.64	152,992,261.55
	营业利润(元)	–	29,894,206.78	28,566,408.01
	净利润(元)	–	41,762,355.22	39,161,858.54
	未分配利润(元)	–	98,796,018.73	64,975,583.84
	总资产(元)	–	276,814,380.72	227,073,420.78
	总负债(元)	–	51,750,018.96	40,421,414.24
	净资产(元)	–	225,064,361.76	186,652,006.54
	每股收益(元)	–	0.68	0.64
	每股净资产(元)	–	3.70	3.07
	净资产收益率(%)	–	18.40	20.97

山东天鸿模具股份有限公司

公司概况	公司名称	山东天鸿模具股份有限公司		股份名称	天鸿股份
	法人代表	逄平	董秘	张田雨	股份代码	831176
	公司网址	www.thtechchina.com	主办券商	招商证券股份有限公司	
	电话	0535-6999911	传真	0535-6999922	
	注册地址	山东省烟台市福山区英特尔大道19号			
	行业分类	制造业			

	指标\报告期	2014.06.30	2013.12.31	2012.12.31
主要财务指标	营业收入(元)	–	16,907,638.78	3,114,877.55
	营业利润(元)	–	3,136,752.73	178,061.55
	净利润(元)	–	2,255,884.50	124,782.34
	未分配利润(元)	–	512,028.40	–256,517.60
	总资产(元)	–	21,779,138.73	5,573,685.79
	总负债(元)	–	14,449,771.83	2,430,203.39
	净资产(元)	–	7,329,366.90	3,143,482.40
	每股收益(元)	–	0.42	0.04
	每股净资产(元)	–	1.38	0.92
	净资产收益率(%)	–	30.78	3.97

河南心连心深冷能源股份有限公司

公司概况	公司名称	河南心连心深冷能源股份有限公司		股份名称	深冷能源
	法人代表	周永军	董秘	王晓文	股份代码	831177
	公司网址	www.xlxslny.com	主办券商	申银万国证券股份有限公司	
	电话	0373-5710789	传真	0373-5710777	
	注册地址	河南省新乡市经济开发区(青龙路)			
	行业分类	水利、环境和公共设施管理业			

	指标\报告期	2014.06.30	2013.12.31	2012.12.31
主要财务指标	营业收入(元)	–	48,310,111.94	32,745,000.86
	营业利润(元)	–	3,327,055.14	1,151,857.56
	净利润(元)	–	6,296,637.92	1,990,001.95
	未分配利润(元)	–	5,177,186.88	7,347,292.74
	总资产(元)	–	80,863,666.73	66,673,999.36
	总负债(元)	–	27,454,536.86	19,561,507.41
	净资产(元)	–	53,409,129.87	47,112,491.95
	每股收益(元)	–	0.16	0.22
	每股净资产(元)	–	1.34	2.36
	净资产收益率(%)	–	11.79	4.22

浙江科马摩擦材料股份有限公司

公司概况	公司名称	浙江科马摩擦材料股份有限公司		股份名称	科马材料
	法人代表	王宗和	董秘	徐长城	股份代码	831178
	公司网址	www.zj-km.com	主办券商	浙商证券股份有限公司	
	电话	0578-8068008	传真	0578-8069568	
	注册地址	浙江省丽水市松阳县西屏镇瑞阳大道312号			
	行业分类	制造业			

	指标\报告期	2014.06.30	2013.12.31	2012.12.31
主要财务指标	营业收入(元)	–	134,137,736.20	109,195,387.73
	营业利润(元)	–	16,028,571.03	11,933,326.31
	净利润(元)	–	20,647,109.39	17,556,109.26
	未分配利润(元)	–	23,431,589.60	44,742,897.32
	总资产(元)	–	257,443,610.94	191,156,175.27
	总负债(元)	–	136,621,160.35	51,578,022.31
	净资产(元)	–	120,822,450.59	139,578,152.96
	每股收益(元)	–	0.40	0.34
	每股净资产(元)	–	2.36	2.74
	净资产收益率(%)	–	17.10	12.58

武汉奥杰科技股份有限公司

公司概况	公司名称	武汉奥杰科技股份有限公司			股份名称	奥杰科技
	法人代表	吕元	董秘	吕元	股份代码	831179
	公司网址	027-87408216		主办券商	长江证券股份有限公司	
	电　话	027-87461552		传　真	www.wh-aojie.com	
	注册地址	湖北省武汉市东湖开发区汤逊湖北路华工科技园				
	行业分类	制造业				

	指标\报告期	2014.06.30	2013.12.31	2012.12.31
主要财务指标	营业收入(元)	–	17,442,593.94	14,685,094.12
	营业利润(元)	–	-4,933.10	-2,586,531.79
	净利润(元)	–	232,447.66	-1,498,257.92
	未分配利润(元)	–	313,042.28	115,377.10
	总资产(元)	–	19,300,658.64	21,618,758.70
	总负债(元)	–	11,243,350.54	16,309,598.26
	净资产(元)	–	8,057,308.10	5,309,160.44
	每股收益(元)	–	0.04	-0.30
	每股净资产(元)	–	1.49	1.06
	净资产收益率(%)	–	2.89	-28.22

南京华苏科技股份有限公司

公司概况	公司名称	南京华苏科技股份有限公司			股份名称	华苏科技
	法人代表	吴冬华	董秘	陈大龙	股份代码	831180
	公司网址	www.howso.cn		主办券商	招商证券股份有限公司	
	电　话	025-68271900		传　真	025-68271906	
	注册地址	江苏省南京市高淳区淳溪镇龙井路6号				
	行业分类	信息传输、软件和信息技术服务业				

	指标\报告期	2014.06.30	2013.12.31	2012.12.31
主要财务指标	营业收入(元)	–	194,409,187.49	165,178,929.42
	营业利润(元)	–	26,643,812.16	17,803,093.86
	净利润(元)	–	25,732,153.78	18,763,099.19
	未分配利润(元)	–	67,805,082.36	44,655,170.40
	总资产(元)	–	196,976,002.90	150,672,931.28
	总负债(元)	–	86,768,552.04	64,785,892.36
	净资产(元)	–	110,207,450.86	85,887,038.92
	每股收益(元)	–	0.74	0.54
	每股净资产(元)	–	3.15	2.41
	净资产收益率(%)	–	23.36	22.17

北京莱特九州技术服务股份有限公司

公司概况	公司名称	北京莱特九州技术服务股份有限公司			股份名称	莱特九州
	法人代表	刘树祥	董秘	王喆	股份代码	831181
	公司网址	www.letec.com.cn		主办券商	首创证券有限责任公司	
	电　话	010-84935889		传　真	010-64855726	
	注册地址	北京市朝阳区安翔北里11号5层500-503、507				
	行业分类	科学研究和技术服务业				

	指标\报告期	2014.06.30	2013.12.31	2012.12.31
主要财务指标	营业收入(元)	–	8,340,238.03	3,822,899.48
	营业利润(元)	–	1,560,931.14	205,610.02
	净利润(元)	–	1,311,565.64	122,611.66
	未分配利润(元)	–	1,280,826.80	96,308.55
	总资产(元)	–	21,798,541.72	3,538,881.50
	总负债(元)	–	7,373,826.91	425,732.33
	净资产(元)	–	14,424,714.81	3,113,149.17
	每股收益(元)	–	0.07	0.01
	每股净资产(元)	–	0.76	0.16
	净资产收益率(%)	–	9.09	3.94

深圳市堃琦鑫华股份有限公司

公司概况	公司名称	深圳市堃琦鑫华股份有限公司			股份名称	堃琦鑫华
	法人代表	严永农	董秘	尹茂思	股份代码	831182
	公司网址			主办券商	华创证券有限责任公司	
	电　话	0755-89253020		传　真	0755-89253332	
	注册地址	广东省深圳市龙岗区坂田街道雪象社区上雪科技工业城东区八号F栋1楼2号				
	行业分类	制造业				

	指标\报告期	2014.06.30	2013.12.31	2012.12.31
主要财务指标	营业收入(元)	–	22,049,184.95	18,684,355.88
	营业利润(元)	–	4,266,295.89	1,223,373.62
	净利润(元)	–	4,090,330.94	1,816,954.16
	未分配利润(元)	–	11,236,132.32	7,561,818.43
	总资产(元)	–	19,228,060.07	14,797,811.23
	总负债(元)	–	2,337,303.73	3,347,385.83
	净资产(元)	–	16,890,756.34	11,450,425.40
	每股收益(元)	–	1.36	0.61
	每股净资产(元)	–	1.13	0.76
	净资产收益率(%)	–	24.22	15.87

北京可视化节能科技股份有限公司

公司概况	公司名称	北京可视化节能科技股份有限公司		股份名称	可视化
	法人代表	高维嘉	董秘	邓全亮	股份代码	831183
	公司网址	www.kshjn.com	主办券商	长江证券股份有限公司	
	电　话	010-84984345	传　真	010-84984345-8016	
	注册地址	北京市朝阳区利泽中园106号楼4层406A号房间			
	行业分类	科学研究和技术服务业			

	指标\报告期	2014.06.30	2013.12.31	2012.12.31
主要财务指标	营业收入(元)	–	4,907,847.18	2,235,723.54
	营业利润(元)	–	259,638.70	–166,251.58
	净利润(元)	–	278,675.26	–166,947.66
	未分配利润(元)	–	801,613.66	550,805.93
	总资产(元)	–	7,921,912.04	7,244,094.62
	总负债(元)	–	2,012,680.45	1,613,538.29
	净资产(元)	–	5,909,231.59	5,630,556.33
	每股收益(元)	–	0.06	–0.03
	每股净资产(元)	–	1.18	1.13
	净资产收益率(%)	–	4.72	–2.97

江苏强盛功能化学股份有限公司

公司概况	公司名称	江苏强盛功能化学股份有限公司			股份名称	强盛股份
	法人代表	应志耀	董秘	唐明亮	股份代码	831184
	公司网址	www.qschem.com	主办券商	红塔证券股份有限公司		
	电　话	0512-52535868	传　真	0512-52537768		
	注册地址	江苏省常熟市白茆工业经济开发区				
	行业分类	制造业				

	指标\报告期	2014.06.30	2013.12.31	2012.12.31
主要财务指标	营业收入(元)	–	350,857,197.25	356,096,963.30
	营业利润(元)	–	36,519,321.65	41,432,484.19
	净利润(元)	–	31,827,710.36	38,104,338.03
	未分配利润(元)	–	107,277,124.77	78,778,006.63
	总资产(元)	–	324,198,777.98	302,454,914.45
	总负债(元)	–	82,544,918.58	93,884,784.43
	净资产(元)	–	241,653,859.40	208,570,130.02
	每股收益(元)	–	0.32	0.38
	每股净资产(元)	–	2.41	2.08
	净资产收益率(%)	–	13.16	18.27

洛阳众智软件科技股份有限公司

公司概况	公司名称	洛阳众智软件科技股份有限公司			股份名称	众智软件
	法人代表	丁伟	董秘	潘茂龙	股份代码	831185
	公司网址	www.gisroad.com	主办券商	大通证券股份有限公司		
	电　话	0379-63915090	传　真	0379-63915095		
	注册地址	河南省洛阳市高新开发区延光路火炬园D座402、403室				
	行业分类	信息传输、软件和信息技术服务业				

	指标\报告期	2014.06.30	2013.12.31	2012.12.31
主要财务指标	营业收入(元)	–	350,857,197.25	21,503,663.24
	营业利润(元)	–	36,519,321.65	1,325,884.02
	净利润(元)	–	31,827,710.36	2,523,393.45
	未分配利润(元)	–	107,277,124.77	9,837,343.45
	总资产(元)	–	324,198,777.98	27,848,964.78
	总负债(元)	–	82,544,918.58	5,147,817.91
	净资产(元)	–	241,653,859.40	22,701,146.87
	每股收益(元)	–	0.32	0.26
	每股净资产(元)	–	2.41	2.32
	净资产收益率(%)	–	13.16	11.12

珠海金鸿药业股份有限公司

公司概况	公司名称	珠海金鸿药业股份有限公司			股份名称	金鸿药业
	法人代表	上官清	董秘	刘立军	股份代码	831186
	公司网址	www.kinhoo.com	主办券商	中国银河证券股份有限公司		
	电　话	0756-6292066	传　真	0756-6292099		
	注册地址	广东省珠海市金湾区金海岸生物工业区				
	行业分类	制造业				

	指标\报告期	2014.06.30	2013.12.31	2012.12.31
主要财务指标	营业收入(元)	–	191,459,461.12	179,912,794.75
	营业利润(元)	–	17,328,556.05	17,157,559.88
	净利润(元)	–	17,159,598.35	16,176,613.16
	未分配利润(元)	–	29,135,882.44	18,192,243.93
	总资产(元)	–	159,320,995.80	134,986,120.20
	总负债(元)	–	92,821,376.40	81,146,099.15
	净资产(元)	–	66,499,619.40	53,840,021.05
	每股收益(元)	–	0.57	0.54
	每股净资产(元)	–	2.22	1.79
	净资产收益率(%)	–	25.80	30.05

广州创尔生物技术股份有限公司

公司概况	公司名称	广州创尔生物技术股份有限公司			股份名称	创尔生物
	法人代表	佟刚	董秘	陈玉莲	股份代码	831187
	公司网址	www.trauer.com.cn		主办券商	广州证券有限责任公司	
	电　话	020-32211406		传　真	020-32211406	
	注册地址	广东省广州市高新技术产业开发区香山路17号A栋4层1号				
	行业分类	制造业				

	指标\报告期	2014.06.30	2013.12.31	2012.12.31
主要财务指标	营业收入(元)	–	46,843,010.88	33,675,259.74
	营业利润(元)	–	13,783,214.69	10,687,817.62
	净利润(元)	–	12,544,273.87	10,261,907.82
	未分配利润(元)	–	4,969,584.51	27,755,296.44
	总资产(元)	–	60,873,085.71	55,362,926.32
	总负债(元)	–	10,204,670.80	7,238,785.28
	净资产(元)	–	50,668,414.91	48,124,141.04
	每股收益(元)	–	0.31	0.26
	每股净资产(元)	–	1.27	1.20
	净资产收益率(%)	–	24.76	21.32

雅安正兴汉白玉股份有限公司

公司概况	公司名称	雅安正兴汉白玉股份有限公司			股份名称	正兴玉
	法人代表	陈雪汶	董秘	张珂	股份代码	831188
	公司网址	www.zxmarble.com		主办券商	华创证券有限责任公司	
	电　话	0835-6821866		传　真	0835-6822877	
	注册地址	四川省雅安市宝兴县灵关镇赵家坝				
	行业分类	采矿业				

	指标\报告期	2014.06.30	2013.12.31	2012.12.31
主要财务指标	营业收入(元)	–	51,320,979.13	51,753,926.43
	营业利润(元)	–	10,103,384.55	20,976,678.41
	净利润(元)	–	8,182,381.53	13,884,875.45
	未分配利润(元)	–	7,154,789.07	349,455.74
	总资产(元)	–	84,182,849.05	81,093,315.32
	总负债(元)	–	46,414,070.32	58,880,473.97
	净资产(元)	–	37,768,778.73	22,212,841.35
	每股收益(元)	–	0.41	0.69
	每股净资产(元)	–	1.89	1.11
	净资产收益率(%)	–	21.66	62.51

浙江乔顿服饰股份有限公司

公司概况	公司名称	浙江乔顿服饰股份有限公司			股份名称	乔顿服饰
	法人代表	沈应琴	董秘	王献	股份代码	831189
	公司网址	www.jodoll.com		主办券商	国金证券股份有限公司	
	电　话	0577-86531988-8318		传　真	0577-86531820-8318	
	注册地址	浙江省温州市经济技术开发区滨海二道1288号				
	行业分类	制造业				

	指标\报告期	2014.06.30	2013.12.31	2012.12.31
主要财务指标	营业收入(元)	–	307,357,068.47	284,511,495.81
	营业利润(元)	–	11,031,718.57	17,451,887.68
	净利润(元)	–	10,166,630.01	12,650,198.78
	未分配利润(元)	–	41,130,586.83	31,974,063.80
	总资产(元)	–	272,574,069.12	257,196,849.14
	总负债(元)	–	176,220,238.51	171,009,648.54
	净资产(元)	–	96,353,830.61	86,187,200.60
	每股收益(元)	–	0.20	0.29
	每股净资产(元)	–	1.93	1.72
	净资产收益率(%)	–	10.55	14.68

常州第六元素材料科技股份有限公司

公司概况	公司名称	常州第六元素材料科技股份有限公司			股份名称	第六元素
	法人代表	瞿研	董秘	刘星宇	股份代码	831190
	公司网址	www.thesixthelement.com.cn		主办券商	安信证券股份有限公司	
	电　话	0519-81231768		传　真	0519-81230998	
	注册地址	江苏省常州市武进经济开发区西太湖大道9号				
	行业分类	制造业				

	指标\报告期	2014.06.30	2013.12.31	2012.12.31
主要财务指标	营业收入(元)	–	306,746.44	–
	营业利润(元)	–	–11,928,875.58	–9,433,495.40
	净利润(元)	–	–8,578,802.08	–6,867,497.57
	未分配利润(元)	–	–17,010,320.10	–8,431,518.02
	总资产(元)	–	26,154,809.86	34,755,963.13
	总负债(元)	–	3,165,129.96	3,187,481.15
	净资产(元)	–	22,989,679.90	31,568,481.98
	每股收益(元)	–	–0.21	–0.35
	每股净资产(元)	–	0.57	0.79
	净资产收益率(%)	–	–37.32	–21.75

郑州彩通科技股份有限公司

公司概况	公司名称	郑州彩通科技股份有限公司		股份名称	彩通科技
	法人代表	张玉峰	董秘	董高云	股份代码	831191
	公司网址	www.ctone.net		主办券商	国泰君安证券股份有限公司
	电　话	0371-60682299		传　真	0371-65386161
	注册地址	河南省郑州市高新区翠竹街1号11幢			
	行业分类	信息传输、软件和信息技术服务业			

主要财务指标	指标\报告期	2014.06.30	2013.12.31	2012.12.31
	营业收入(元)	-	63,734,100.38	36,729,717.15
	营业利润(元)	-	4,663,070.74	-20,746.44
	净利润(元)	-	3,879,294.69	280,386.68
	未分配利润(元)	-	3,162,751.35	-365,126.52
	总资产(元)	-	49,032,960.99	35,901,555.45
	总负债(元)	-	23,508,792.82	14,256,681.97
	净资产(元)	-	25,524,168.17	21,644,873.48
	每股收益(元)	-	0.18	0.01
	每股净资产(元)	-	1.16	0.98
	净资产收益率(%)	-	15.20	1.30

威海市海明威集团股份有限公司

公司概况	公司名称	威海市海明威集团股份有限公司		股份名称	海明威
	法人代表	包秀明	董秘	王娅苹	股份代码	831192
	公司网址	www.hmwdj.com		主办券商	齐鲁证券有限公司
	电　话	0631-5556661		传　真	0631-5556660
	注册地址	山东省威海市临港经济技术开发区浙江路116号			
	行业分类	制造业			

主要财务指标	指标\报告期	2014.06.30	2013.12.31	2012.12.31
	营业收入(元)	-	39,208,903.48	36,465,576.40
	营业利润(元)	-	-3,414,914.23	-8,880,426.58
	净利润(元)	-	1,258,047.02	-8,924,667.80
	未分配利润(元)	-	1,021,672.38	-14,195,334.81
	总资产(元)	-	93,029,477.97	77,711,791.63
	总负债(元)	-	62,907,805.59	71,922,559.24
	净资产(元)	-	30,121,672.38	5,789,232.39
	每股收益(元)	-	0.14	-0.30
	每股净资产(元)	-	1.51	0.29
	净资产收益率(%)	-	4.04	-153.41

四川新健康成生物股份有限公司

公司概况	公司名称	四川新健康成生物股份有限公司		股份名称	新健康成
	法人代表	王大平	董秘	韩勤	股份代码	831193
	公司网址	www.bio-sinew.com		主办券商	国泰君安证券股份有限公司
	电　话	028-87822789		传　真	028-87822689
	注册地址	四川省成都市高新区天辰路88号			
	行业分类	制造业			

主要财务指标	指标\报告期	2014.06.30	2013.12.31	2012.12.31
	营业收入(元)	-	65,917,685.22	56,475,161.67
	营业利润(元)	-	13,925,485.73	9,414,598.49
	净利润(元)	-	13,370,078.26	10,136,893.84
	未分配利润(元)	-	27,409,906.03	15,293,443.12
	总资产(元)	-	104,340,020.84	69,268,221.91
	总负债(元)	-	58,151,089.45	41,949,368.78
	净资产(元)	-	46,188,931.39	27,318,853.13
	每股收益(元)	-	0.74	0.56
	每股净资产(元)	-	2.29	1.35
	净资产收益率(%)	-	29.35	37.66

上海派拉软件股份有限公司

公司概况	公司名称	上海派拉软件股份有限公司		股份名称	派拉软件
	法人代表	谭翔	董秘	李广兵	股份代码	831194
	公司网址	www.paraview.cn		主办券商	广发证券股份有限公司
	电　话	021-64356822		传　真	021-64356896
	注册地址	上海市张江高科技园区亮秀路112号1号楼909室			
	行业分类	信息传输、软件和信息技术服务业			

主要财务指标	指标\报告期	2014.06.30	2013.12.31	2012.12.31
	营业收入(元)	-	24,165,052.46	10,624,525.97
	营业利润(元)	-	3,781,450.61	-3,022,191.39
	净利润(元)	-	4,082,157.99	-2,153,734.25
	未分配利润(元)	-	1,921,189.19	-1,886,905.88
	总资产(元)	-	14,709,536.84	7,897,187.97
	总负债(元)	-	2,923,990.35	1,993,799.47
	净资产(元)	-	11,785,546.49	5,903,388.50
	每股收益(元)	-	0.48	-0.36
	每股净资产(元)	-	1.31	0.98
	净资产收益率(%)	-	34.64	-36.48

青岛三祥科技股份有限公司

公司概况	公司名称	青岛三祥科技股份有限公司			股份名称	三祥科技
	法人代表	魏增祥	董秘	薛艳艳	股份代码	831195
	公司网址	www.sun-song.cn		主办券商	中原证券股份有限公司	
	电　　话	0532-83113737		传　　真	0532-83113916	
	注册地址	山东省青岛市胶南市王台镇临港产业园				
	行业分类	制造业				

	指标\报告期	2014.06.30	2013.12.31	2012.12.31
主要财务指标	营业收入(元)	–	236,931,152.46	196,131,966.97
	营业利润(元)	–	6,177,630.40	10,741,287.87
	净利润(元)	–	6,266,696.71	8,753,567.84
	未分配利润(元)	–	11,837,291.39	6,671,295.84
	总资产(元)	–	251,428,430.28	226,638,462.83
	总负债(元)	–	158,310,848.44	139,777,238.50
	净资产(元)	–	93,117,581.84	86,861,224.33
	每股收益(元)	–	0.10	0.14
	每股净资产(元)	–	1.50	1.40
	净资产收益率(%)	–	6.65	10.23

深圳市恒扬科技股份有限公司

公司概况	公司名称	深圳市恒扬科技股份有限公司			股份名称	恒扬科技
	法人代表	陈龙森	董秘	黄擎	股份代码	831196
	公司网址	www.semptian.com		主办券商	宏源证券股份有限公司	
	电　　话	0755-86656060 转 825		传　　真	0755-86656090	
	注册地址	广东省深圳市南山区高新南区海天二路 14 号软件产业基地 5D 座 7 层				
	行业分类	信息传输、软件和信息技术服务业				

	指标\报告期	2014.06.30	2013.12.31	2012.12.31
主要财务指标	营业收入(元)	–	146,460,214.64	120,477,380.20
	营业利润(元)	–	26,704,043.24	22,469,513.05
	净利润(元)	–	25,222,923.33	21,720,323.09
	未分配利润(元)	–	48,950,626.91	50,480,512.13
	总资产(元)	–	176,796,631.47	98,162,594.66
	总负债(元)	–	100,911,989.39	32,474,198.91
	净资产(元)	–	75,884,642.08	65,688,395.75
	每股收益(元)	–	0.50	0.44
	每股净资产(元)	–	1.50	1.32
	净资产收益率(%)	–	33.24	33.07

佛山市雅洁源科技股份有限公司

公司概况	公司名称	佛山市雅洁源科技股份有限公司			股份名称	雅洁源
	法人代表	李杰	董秘	陈寒	股份代码	831197
	公司网址	www.miclean.com		主办券商	东兴证券股份有限公司	
	电　　话	0757-82106169		传　　真	0757-83816099	
	注册地址	广东省佛山市南海区桂城街道深海路 17 号瀚天科技城 A 区 6 号楼三楼 301 单元				
	行业分类	制造业				

	指标\报告期	2014.06.30	2013.12.31	2012.12.31
主要财务指标	营业收入(元)	–	4,027,015.68	3,275,730.36
	营业利润(元)	–	-1,200,192.78	-631,138.99
	净利润(元)	–	37,220.30	9,273.23
	未分配利润(元)	–	237,307.40	200,087.10
	总资产(元)	–	8,960,701.28	8,259,738.54
	总负债(元)	–	2,553,393.88	1,889,651.44
	净资产(元)	–	6,407,307.40	6,370,087.10
	每股收益(元)	–	0.01	0.01
	每股净资产(元)	–	1.28	1.27
	净资产收益率(%)	–	0.58	0.15

北京博华信智科技股份有限公司

公司概况	公司名称	北京博华信智科技股份有限公司			股份名称	博华科技
	法人代表	高晖	董秘	刘姝含	股份代码	831198
	公司网址	www.bhxz.net		主办券商	中信证券股份有限公司	
	电　　话	010-64446199		传　　真	010-64446196	
	注册地址	北京市昌平区白浮泉路 21 号富泉花园卢森堡园 F 座 111 室				
	行业分类	信息传输、软件和信息技术服务业				

	指标\报告期	2014.06.30	2013.12.31	2012.12.31
主要财务指标	营业收入(元)	–	63,931,166.30	52,857,610.48
	营业利润(元)	–	14,836,614.41	14,317,954.16
	净利润(元)	–	16,794,419.61	14,149,947.14
	未分配利润(元)	–	26,623,744.44	30,158,766.79
	总资产(元)	–	70,186,417.88	51,287,796.45
	总负债(元)	–	31,367,660.57	13,063,458.75
	净资产(元)	–	38,818,757.31	38,224,337.70
	每股收益(元)	–	4.80	4.04
	每股净资产(元)	–	11.09	10.92
	净资产收益率(%)	–	43.26	37.02

诸暨市海博小额贷款股份有限公司

公司概况	公司名称	诸暨市海博小额贷款股份有限公司			股份名称	海博小贷
	法人代表	冯亚丽	董秘	金炜	股份代码	831199
	公司网址	www.zjhbdk.com		主办券商	广发证券股份有限公司	
	电　　话	0575-87110568		传　　真	0575-87110608	
	注册地址	浙江省诸暨市店口镇中央路299号华东汽配水暖城15幢				
	行业分类	金融业				

	指标\报告期	2014.06.30	2013.12.31	2012.12.31
主要财务指标	营业收入(元)	–	–	–
	营业利润(元)	66,084,852.41	145,810,198.09	196,248,344.93
	净利润(元)	49,912,501.86	125,802,970.53	163,188,642.63
	未分配利润(元)	58,098,706.54	8,186,204.68	218,280,502.74
	总资产(元)	1,108,018,747.49	1,169,585,849.48	1,214,727,052.70
	总负债(元)	333,780,067.50	445,259,671.35	304,203,845.10
	净资产(元)	774,238,679.99	724,326,178.13	910,523,207.60
	每股收益(元)	0.08	0.21	0.27
	每股净资产(元)	1.29	1.21	1.52
	净资产收益率(%)	6.45	17.37	17.92

深圳巨正源股份有限公司

公司概况	公司名称	深圳巨正源股份有限公司			股份名称	巨正源
	法人代表	王立贵	董秘	李明	股份代码	831200
	公司网址	www.jzyjt.cn		主办券商	爱建证券有限责任公司	
	电　　话	0755-83395333-889		传　　真	0755-83185688	
	注册地址	广东省深圳市前海深港合作区前湾一路鲤鱼门街1号				
	行业分类	批发和零售业				

	指标\报告期	2014.06.30	2013.12.31	2012.12.31
主要财务指标	营业收入(元)	–	1,386,755,781.09	1,018,659,673.18
	营业利润(元)	–	2,969,954.75	40,677,653.71
	净利润(元)	–	981,567.74	30,952,230.24
	未分配利润(元)	–	102,519,149.05	103,955,416.57
	总资产(元)	–	876,694,237.31	571,515,906.87
	总负债(元)	–	537,962,852.43	234,031,981.60
	净资产(元)	–	338,731,384.88	337,483,925.27
	每股收益(元)	–	–0.01	0.20
	每股净资产(元)	–	2.38	2.39
	净资产收益率(%)	–	–0.47	8.58

江苏润华电缆股份有限公司

公司概况	公司名称	江苏润华电缆股份有限公司			股份名称	润华股份
	法人代表	茆成彦	董秘	窦安星	股份代码	831201
	公司网址	www.jsrunhua.cn		主办券商	中山证券有限责任公司	
	电　　话	0514-85085098		传　　真	0514-84582416	
	注册地址	江苏省高邮市高邮镇工业集中区				
	行业分类	制造业				

	指标\报告期	2014.06.30	2013.12.31	2012.12.31
主要财务指标	营业收入(元)	–	348,626,786.46	304,590,158.69
	营业利润(元)	–	3,543,622.88	6,087,783.92
	净利润(元)	–	5,568,802.31	7,600,940.07
	未分配利润(元)	–	10,348,108.07	5,336,185.99
	总资产(元)	–	266,518,609.69	238,763,776.75
	总负债(元)	–	126,741,096.45	104,555,065.82
	净资产(元)	–	139,777,513.24	134,208,710.93
	每股收益(元)	–	0.04	0.06
	每股净资产(元)	–	1.10	1.06
	净资产收益率(%)	–	3.98	5.66

广东摩德娜科技股份有限公司

公司概况	公司名称	广东摩德娜科技股份有限公司			股份名称	摩德娜
	法人代表	陈其活	董秘	李展华	股份代码	831202
	公司网址	www.modena.com.cn		主办券商	招商证券股份有限公司	
	电　　话	0757-86667283		传　　真	0757-86631777	
	注册地址	广东省佛山市南海区狮山镇小塘三环西工业开发区				
	行业分类	制造业				

	指标\报告期	2014.06.30	2013.12.31	2012.12.31
主要财务指标	营业收入(元)	–	391,659,716.43	401,607,078.15
	营业利润(元)	–	7,924,699.40	12,043,342.26
	净利润(元)	–	8,515,798.84	14,722,054.20
	未分配利润(元)	–	33,052,577.45	24,578,478.12
	总资产(元)	–	490,656,399.86	365,582,204.99
	总负债(元)	–	362,659,993.90	246,959,022.58
	净资产(元)	–	127,996,405.96	118,623,182.41
	每股收益(元)	–	0.20	0.35
	每股净资产(元)	–	3.05	2.82
	净资产收益率(%)	–	6.65	12.41

上海瑞纽机械股份有限公司

公司概况	公司名称	上海瑞纽机械股份有限公司		股份名称	瑞纽机械
	法人代表	谢铭刚	董秘	焦洋	股份代码	831203
	公司网址	www.rnmachine.com	主办券商	海通证券股份有限公司	
	电　话	021-68043250	传　真	021-68043327	
	注册地址	上海市浦东新区宣桥镇园德路105号			
	行业分类	制造业			

	指标\报告期	2014.06.30	2013.12.31	2012.12.31
主要财务指标	营业收入(元)	-	59,724,623.97	62,406,146.90
	营业利润(元)	-	1,356,685.77	8,449,988.09
	净利润(元)	-	3,643,455.16	9,227,247.65
	未分配利润(元)	-	37,889,744.41	35,600,963.70
	总资产(元)	-	179,101,458.46	176,469,097.63
	总负债(元)	-	44,782,112.34	44,793,206.67
	净资产(元)	-	134,319,346.12	131,675,890.96
	每股收益(元)	-	0.17	0.42
	每股净资产(元)	-	6.11	5.99
	净资产收益率(%)	-	2.73	7.04

合肥汇通控股股份有限公司

公司概况	公司名称	合肥汇通控股股份有限公司		股份名称	汇通控股
	法人代表	陈王保	董秘	廖如海	股份代码	831204
	公司网址	www.conver.com.cn	主办券商	国元证券股份有限公司	
	电　话	0551-63845777	传　真	0551-63845666	
	注册地址	安徽省合肥经济技术开发区汤口路99号厂房			
	行业分类	制造业			

	指标\报告期	2014.06.30	2013.12.31	2012.12.31
主要财务指标	营业收入(元)	-	73,778,980.46	52,163,635.73
	营业利润(元)	-	-840,053.07	-3,998,636.40
	净利润(元)	-	708,716.74	222,598.17
	未分配利润(元)	-	2,614,785.76	1,976,940.69
	总资产(元)	-	124,601,538.96	106,033,986.03
	总负债(元)	-	101,893,621.71	84,034,785.52
	净资产(元)	-	22,707,917.25	21,999,200.51
	每股收益(元)	-	0.04	0.01
	每股净资产(元)	-	1.14	1.10
	净资产收益率(%)	-	3.12	1.01

上海圣博华康文化创意投资股份有限公司

公司概况	公司名称	上海圣博华康文化创意投资股份有限公司		股份名称	圣博华康
	法人代表	孙业利	董秘	王潇梵	股份代码	831205
	公司网址	www.sunpowergroup.biz	主办券商	中信建投证券股份有限公司	
	电　话	021-58765686	传　真	021-59780915	
	注册地址	上海市浦东新区崂山路332号2幢215室			
	行业分类	租赁和商务服务业			

	指标\报告期	2014.06.30	2013.12.31	2012.12.31
主要财务指标	营业收入(元)	-	71,688,667.92	45,043,457.17
	营业利润(元)	-	19,213,231.59	661,025.25
	净利润(元)	-	13,625,626.41	-61,286.88
	未分配利润(元)	-	-6,652,324.96	-16,475,879.73
	总资产(元)	-	150,279,888.68	214,008,692.72
	总负债(元)	-	110,474,895.48	184,776,302.28
	净资产(元)	-	39,804,993.20	29,232,390.44
	每股收益(元)	-	0.33	-0.06
	每股净资产(元)	-	0.94	0.45
	净资产收益率(%)	-	34.65	-12.12

广州尚恩科技股份有限公司

公司概况	公司名称	广州尚恩科技股份有限公司		股份名称	尚恩科技
	法人代表	熊卫	董秘	吴如芬	股份代码	831206
	公司网址	www.shine-tech.net	主办券商	中信证券股份有限公司	
	电　话		传　真		
	注册地址	广东省广州市天河区天河软件园高普路1023号529室			
	行业分类	信息传输、软件和信息技术服务业			

	指标\报告期	2014.06.30	2013.12.31	2012.12.31
主要财务指标	营业收入(元)	-	50,633,523.69	83,258,875.17
	营业利润(元)	-	2,168,600.17	3,096,706.53
	净利润(元)	-	1,840,525.85	2,456,795.78
	未分配利润(元)	-	3,499,311.55	1,862,685.87
	总资产(元)	-	29,912,350.29	34,762,023.83
	总负债(元)	-	10,471,186.39	17,148,806.25
	净资产(元)	-	19,441,163.90	17,613,217.58
	每股收益(元)	-	0.12	0.17
	每股净资产(元)	-	1.28	1.17
	净资产收益率(%)	-	9.47	13.95

福建南方制药股份有限公司

公司概况	公司名称	福建南方制药股份有限公司			股份名称	南方制药
	法人代表	刘平山	董秘	李永	股份代码	831207
	公司网址	www.southpharma.com		主办券商	国金证券股份有限公司	
	电　　话	0598-2860495		传　　真	0598-2860416	
	注册地址	福建省三明市明溪县雪峰镇东新路98号				
	行业分类	制造业				

	指标\报告期	2014.06.30	2013.12.31	2012.12.31
主要财务指标	营业收入(元)	–	133,855,454.73	109,937,437.57
	营业利润(元)	–	8,195,754.93	6,295,907.66
	净利润(元)	–	8,787,050.12	6,166,380.55
	未分配利润(元)	–	25,117,321.90	17,407,899.21
	总资产(元)	–	257,311,500.75	257,566,748.59
	总负债(元)	–	137,198,019.66	146,240,317.62
	净资产(元)	–	120,113,481.09	111,326,430.97
	每股收益(元)	–	0.12	0.08
	每股净资产(元)	–	1.59	1.47
	净资产收益率(%)	–	7.32	5.54

上海洁昊环保股份有限公司

公司概况	公司名称	上海洁昊环保股份有限公司			股份名称	洁昊环保
	法人代表	肖惠娥	董秘	张丽	股份代码	831208
	公司网址	www.gehope.com		主办券商	海通证券股份有限公司	
	电　　话	021-32528162		传　　真	021-32528160-8008	
	注册地址	上海市奉贤区望园路2165弄13号228室				
	行业分类	制造业				

	指标\报告期	2014.06.30	2013.12.31	2012.12.31
主要财务指标	营业收入(元)	–	56,265,023.48	23,359,159.83
	营业利润(元)	–	16,422,582.81	1,087,364.65
	净利润(元)	–	13,939,205.43	726,962.80
	未分配利润(元)	–	11,821,671.35	-341,811.99
	总资产(元)	–	43,919,444.29	21,176,790.08
	总负债(元)	–	15,781,795.41	15,773,970.96
	净资产(元)	–	28,137,648.88	5,402,819.12
	每股收益(元)	–	1.67	0.15
	每股净资产(元)	–	1.88	1.08
	净资产收益率(%)	–	49.54	13.46

河南鑫安利安全科技股份有限公司

公司概况	公司名称	河南鑫安利安全科技股份有限公司			股份名称	鑫安利
	法人代表	杨耀党	董秘	赵定文	股份代码	831209
	公司网址	www.xinanli.cn		主办券商	中信建投证券股份有限公司	
	电　　话	0371-67679562		传　　真	0371-86031537	
	注册地址	河南省郑州市高新区翠竹街1号总部企业基地59号楼				
	行业分类	科学研究和技术服务业				

	指标\报告期	2014.06.30	2013.12.31	2012.12.31
主要财务指标	营业收入(元)	–	48,584,294.11	38,543,148.00
	营业利润(元)	–	3,400,107.76	1,687,561.73
	净利润(元)	–	2,515,336.00	1,521,893.26
	未分配利润(元)	–	26,677,296.22	24,325,414.63
	总资产(元)	–	47,669,309.20	49,732,152.65
	总负债(元)	–	12,738,304.44	17,316,483.89
	净资产(元)	–	34,931,004.76	32,415,668.76
	每股收益(元)	–	0.42	0.25
	每股净资产(元)	–	5.82	5.40
	净资产收益率(%)	–	7.20	4.70

北京圣海林生态环境科技股份有限公司

公司概况	公司名称	北京圣海林生态环境科技股份有限公司			股份名称	圣海林
	法人代表	赵方莹	董秘	赵方莹	股份代码	831210
	公司网址	www.shenghailin.com		主办券商	金元证券股份有限公司	
	电　　话	010-82838440		传　　真	010-82838519	
	注册地址	北京市海淀区清华东路35号北京林业大学5-38号科贸楼2层2123				
	行业分类	水利、环境和公共设施管理业				

	指标\报告期	2014.06.30	2013.12.31	2012.12.31
主要财务指标	营业收入(元)	–	29,512,288.39	18,909,823.45
	营业利润(元)	–	5,189,199.02	583,761.58
	净利润(元)	–	4,903,510.64	314,413.27
	未分配利润(元)	–	5,114,401.98	667,369.33
	总资产(元)	–	42,212,345.68	38,241,019.79
	总负债(元)	–	6,497,836.59	7,430,021.34
	净资产(元)	–	35,714,509.09	30,810,998.45
	每股收益(元)	–	0.16	0.02
	每股净资产(元)	–	1.19	1.03
	净资产收益率(%)	–	13.73	1.02

上海尊马汽车管件股份有限公司

公司概况	公司名称	上海尊马汽车管件股份有限公司			股份名称	尊马管件
	法人代表	夏祯兴	董秘	杨英	股份代码	831211
	公司网址	www.shzunma.com		主办券商	招商证券股份有限公司	
	电　话	021-51343856		传　真	021-51343880	
	注册地址	上海市奉贤区奉浦国顺路 913 号第三幢 1-5				
	行业分类	制造业				

	指标\报告期	2014.06.30	2013.12.31	2012.12.31
主要财务指标	营业收入(元)	–	75,949,170.49	62,469,627.69
	营业利润(元)	–	4,375,645.79	–3,038,752.13
	净利润(元)	–	4,397,349.59	–3,128,456.99
	未分配利润(元)	–	3,203,780.49	–774,960.26
	总资产(元)	–	42,241,735.94	39,719,278.65
	总负债(元)	–	28,108,488.80	29,283,381.10
	净资产(元)	–	14,133,247.14	10,435,897.55
	每股收益(元)	–	0.44	–0.31
	每股净资产(元)	–	1.39	1.01
	净资产收益率(%)	–	31.94	–30.87

云南昆钢耐磨材料科技股份有限公司

公司概况	公司名称	云南昆钢耐磨材料科技股份有限公司			股份名称	耐磨科技
	法人代表	李亚鹏	董秘	张文	股份代码	831212
	公司网址	www.kgnmkj.com		主办券商	太平洋证券股份有限公司	
	电　话	0871-68180366		传　真	0871-68180366	
	注册地址	云南省玉溪市新平县扬武镇新奎路 7 号				
	行业分类	制造业				

	指标\报告期	2014.06.30	2013.12.31	2012.12.31
主要财务指标	营业收入(元)	–	137,998,516.38	99,210,972.75
	营业利润(元)	–	7,815,087.28	3,136,814.55
	净利润(元)	–	6,739,475.90	3,449,846.33
	未分配利润(元)	–	12,096,952.05	6,531,423.74
	总资产(元)	–	186,860,415.31	165,866,617.28
	总负债(元)	–	113,308,246.34	98,553,924.21
	净资产(元)	–	73,552,168.97	67,312,693.07
	每股收益(元)	–	0.11	0.06
	每股净资产(元)	–	1.23	1.12
	净资产收益率(%)	–	9.16	5.13

宁波博汇化工科技股份有限公司

公司概况	公司名称	宁波博汇化工科技股份有限公司			股份名称	博汇股份
	法人代表	王律	董秘	尤丹红	股份代码	831213
	公司网址	www.bhpcc.com		主办券商	光大证券股份有限公司	
	电　话	0574-86369399		传　真	0574-86369399	
	注册地址	浙江省宁波市石化经济技术开发区泰兴路 199 号				
	行业分类	制造业				

	指标\报告期	2014.06.30	2013.12.31	2012.12.31
主要财务指标	营业收入(元)	–	118,348,482.19	182,821,011.04
	营业利润(元)	–	–19,684,636.52	–15,321,594.12
	净利润(元)	–	28,390,671.51	3,705,243.71
	未分配利润(元)	–	387,508.97	–16,848,994.88
	总资产(元)	–	61,404,480.24	43,151,831.72
	总负债(元)	–	47,862,803.61	48,000,826.60
	净资产(元)	–	13,541,676.63	–4,848,994.88
	每股收益(元)	–	2.37	0.31
	每股净资产(元)	–	1.13	–0.40
	净资产收益率(%)	–	209.65	–

浙江中晶科技股份有限公司

公司概况	公司名称	浙江中晶科技股份有限公司			股份名称	中晶股份
	法人代表	徐一俊	董秘	黄笑容	股份代码	831214
	公司网址	www.cowinele.com		主办券商	东吴证券股份有限公司	
	电　话	0572-6508787		传　真	0572-6508782	
	注册地址	浙江省湖州市长兴县经济开发区县前东街 1299 号				
	行业分类	制造业				

	指标\报告期	2014.06.30	2013.12.31	2012.12.31
主要财务指标	营业收入(元)	–	31,467,245.89	22,051,623.49
	营业利润(元)	–	–144,515.71	–7,173,259.94
	净利润(元)	–	460,573.69	–6,100,049.05
	未分配利润(元)	–	–8,457,813.35	–8,918,387.04
	总资产(元)	–	64,695,851.33	68,038,691.45
	总负债(元)	–	20,353,664.68	24,157,078.49
	净资产(元)	–	44,342,186.65	43,881,612.96
	每股收益(元)	–	0.01	–0.12
	每股净资产(元)	–	0.88	0.87
	净资产收益率(%)	–	1.04	–13.90

贵阳新天药业股份有限公司

公司概况	公司名称	贵阳新天药业股份有限公司			股份名称	新天药业
	法人代表	董大伦	董秘	董大伦	股份代码	831215
	公司网址	www.gyxtyy.com		主办券商	民生证券股份有限公司	
	电　话	0851-6298482		传　真	0851-6298482	
	注册地址	贵州省贵阳国家高新技术产业开发区新添大道114号				
	行业分类	制造业				

	指标\报告期	2014.06.30	2013.12.31	2012.12.31
主要财务指标	营业收入(元)	–	406,126,853.61	330,088,865.47
	营业利润(元)	–	13,546,187.32	25,509,377.76
	净利润(元)	–	15,094,992.44	26,392,570.60
	未分配利润(元)	–	32,536,539.29	56,251,519.20
	总资产(元)	–	379,742,387.78	352,021,643.82
	总负债(元)	–	222,364,961.71	173,577,210.19
	净资产(元)	–	157,377,426.07	178,444,433.63
	每股收益(元)	–	0.29	0.51
	每股净资产(元)	–	3.05	3.45
	净资产收益率(%)	–	9.59	14.79

浙江中林勘察研究股份有限公司

公司概况	公司名称	浙江中林勘察研究股份有限公司			股份名称	中林股份
	法人代表	商夏明	董秘	竹海颖	股份代码	831216
	公司网址	www.zjzhonglin.com/cn		主办券商	财通证券股份有限公司	
	电　话	0575-83006806		传　真	0575-83357566	
	注册地址	浙江省嵊州市三江街道兴旺街288-20号				
	行业分类	科学研究和技术服务业				

	指标\报告期	2014.06.30	2013.12.31	2012.12.31
主要财务指标	营业收入(元)	–	10,253,287.81	6,158,578.22
	营业利润(元)	–	31,375.17	–11,940.92
	净利润(元)	–	–34,498.87	–49,184.06
	未分配利润(元)	–	1,861,821.46	1,896,320.33
	总资产(元)	–	15,384,317.50	12,855,941.99
	总负债(元)	–	8,522,496.04	5,959,621.66
	净资产(元)	–	6,861,821.46	6,896,320.33
	每股收益(元)	–	–0.01	–0.01
	每股净资产(元)	–	1.37	1.38
	净资产收益率(%)	–	–0.50	–0.71

河南书网教育科技股份有限公司

公司概况	公司名称	河南书网教育科技股份有限公司			股份名称	书网教育
	法人代表	巩天蔚	董秘	高廷震	股份代码	831217
	公司网址	www.shuwang100.com		主办券商	安信证券股份有限公司	
	电　话	0371-65712919		传　真	0371-65742998	
	注册地址	河南省郑州市金水区经五路66号院后勤楼四层6室				
	行业分类	文化、体育和娱乐业				

	指标\报告期	2014.06.30	2013.12.31	2012.12.31
主要财务指标	营业收入(元)	–	12,083,364.46	4,705,297.10
	营业利润(元)	–	3,781,802.87	401,457.42
	净利润(元)	–	2,349,566.53	–38,386.79
	未分配利润(元)	–	2,080,033.86	–143,097.98
	总资产(元)	–	12,070,376.08	5,974,762.23
	总负债(元)	–	4,659,227.35	1,100,628.45
	净资产(元)	–	7,411,148.73	4,874,133.78
	每股收益(元)	–	0.48	–0.02
	每股净资产(元)	–	1.45	2.44
	净资产收益率(%)	–	32.88	–0.79

宁夏成丰农业科技开发股份有限公司

公司概况	公司名称	宁夏成丰农业科技开发股份有限公司			股份名称	成丰股份
	法人代表	丁生国	董秘	杨丽娟	股份代码	831218
	公司网址	www.nxcfgm.com		主办券商	东北证券股份有限公司	
	电　话	18609512058		传　真	0951-4023928	
	注册地址	宁夏回族自治区灵武市羊绒产业园区				
	行业分类	制造业				

	指标\报告期	2014.06.30	2013.12.31	2012.12.31
主要财务指标	营业收入(元)	–	105,425,996.95	33,159,219.41
	营业利润(元)	–	–1,959,921.53	–3,325,334.75
	净利润(元)	–	1,689,155.14	–1,299,676.06
	未分配利润(元)	–	74,313.11	–1,606,585.02
	总资产(元)	–	92,365,363.22	139,719,117.87
	总负债(元)	–	77,282,793.10	126,325,702.89
	净资产(元)	–	15,082,570.12	13,393,414.98
	每股收益(元)	–	0.11	–0.09
	每股净资产(元)	–	1.01	0.89
	净资产收益率(%)	–	11.20	–9.70

安徽詹氏食品股份有限公司

公司概况	公司名称	安徽詹氏食品股份有限公司			股份名称	詹氏食品
	法人代表	詹权胜	董秘	方勇	股份代码	831219
	公司网址	www.zhanshifood.com		主办券商	国元证券股份有限公司	
	电　话	0563-4186188		传　真	0563-4186188	
	注册地址	安徽省宁国市经济技术开发区外环南路6号				
	行业分类	制造业				

主要财务指标	指标\报告期	2014.06.30	2013.12.31	2012.12.31
	营业收入(元)	-	131,590,731.33	119,061,935.17
	营业利润(元)	-	-19,620,547.16	33,691.47
	净利润(元)	-	-15,210,855.25	7,779,215.53
	未分配利润(元)	-	-14,924,171.76	17,640,316.84
	总资产(元)	-	153,931,248.00	160,357,773.73
	总负债(元)	-	99,058,009.98	90,273,680.46
	净资产(元)	-	54,873,238.02	70,084,093.27
	每股收益(元)	-	-0.76	-
	每股净资产(元)	-	2.74	3.82
	净资产收益率(%)	-	-27.72	11.10

安徽新宁装备股份有限公司

公司概况	公司名称	安徽新宁装备股份有限公司			股份名称	新宁股份
	法人代表	周道宏	董秘	夏显军	股份代码	831220
	公司网址	www.ngxn.com		主办券商	华安证券股份有限公司	
	电　话	13637212590		传　真	0563-4180028	
	注册地址	安徽省宁国市宁国经济技术开发区河沥园区东城大道与东城路交汇处				
	行业分类	制造业				

主要财务指标	指标\报告期	2014.06.30	2013.12.31	2012.12.31
	营业收入(元)	-	22,100,642.84	6,812,288.77
	营业利润(元)	-	2,017,918.04	297,472.23
	净利润(元)	-	1,393,197.68	230,208.42
	未分配利润(元)	-	1,460,537.25	206,659.34
	总资产(元)	-	46,545,781.56	19,506,974.41
	总负债(元)	-	24,389,364.31	14,277,294.23
	净资产(元)	-	22,156,417.25	5,229,680.18
	每股收益(元)	-	0.07	0.01
	每股净资产(元)	-	1.11	0.26
	净资产收益率(%)	-	6.29	4.40

苏州聚阳环保科技股份有限公司

公司概况	公司名称	苏州聚阳环保科技股份有限公司			股份名称	聚阳环保
	法人代表	沈建强	董秘	张东红	股份代码	831221
	公司网址	www.szjuyang.com		主办券商	东吴证券股份有限公司	
	电　话	0512-62727278		传　真	0512-62727278	
	注册地址	江苏省苏州市苏州工业园区娄葑镇民生路88号				
	行业分类	制造业				

主要财务指标	指标\报告期	2014.06.30	2013.12.31	2012.12.31
	营业收入(元)	-	10,243,756.15	1,724,059.87
	营业利润(元)	-	2,919,665.20	-949,088.15
	净利润(元)	-	3,302,414.09	-965,832.31
	未分配利润(元)	-	260,246.53	-3,013,251.28
	总资产(元)	-	9,233,001.11	4,788,036.31
	总负债(元)	-	3,943,838.30	2,801,287.59
	净资产(元)	-	5,289,162.81	1,986,748.72
	每股收益(元)	-	0.66	-0.19
	每股净资产(元)	-	1.06	0.40
	净资产收益率(%)	-	62.44	-48.61

北京市金龙腾装饰股份有限公司

公司概况	公司名称	北京市金龙腾装饰股份有限公司			股份名称	金龙腾
	法人代表	孙喜顺	董秘	宋斌	股份代码	831222
	公司网址	www.jlttop.com.cn		主办券商	中信建投证券股份有限公司	
	电　话	010-84988897		传　真	010-84988823	
	注册地址	北京市海淀区清河安宁庄东路30号院12号楼107室				
	行业分类	建筑业				

主要财务指标	指标\报告期	2014.06.30	2013.12.31	2012.12.31
	营业收入(元)	-	383,587,669.80	224,390,173.98
	营业利润(元)	-	8,089,290.54	1,004,120.60
	净利润(元)	-	5,527,355.99	750,999.48
	未分配利润(元)	-	2,259,601.66	-2,984,541.80
	总资产(元)	-	243,369,647.90	97,674,394.32
	总负债(元)	-	219,026,833.71	88,858,936.12
	净资产(元)	-	24,342,814.19	8,815,458.20
	每股收益(元)	-	0.44	0.06
	每股净资产(元)	-	1.12	0.75
	净资产收益率(%)	-	22.71	8.52

江苏中旗作物保护股份有限公司

公司概况	公司名称	江苏中旗作物保护股份有限公司		股份名称	江苏中旗
	法人代表	吴耀军	董秘 丁阳	股份代码	831223
	公司网址	www.flagchem.com		主办券商	西部证券股份有限公司
	电话	025-58375015		传真	025-58375450
	注册地址	江苏省南京市南京化学工业园区长丰河路309号			
	行业分类	制造业			

	指标\报告期	2014.06.30	2013.12.31	2012.12.31
主要财务指标	营业收入(元)	–	639,912,916.25	511,852,776.42
	营业利润(元)	–	78,409,063.02	64,385,277.50
	净利润(元)	–	68,875,506.95	56,010,141.65
	未分配利润(元)	–	120,038,789.25	63,530,706.11
	总资产(元)	–	644,156,634.85	434,448,043.11
	总负债(元)	–	332,233,659.69	185,255,746.92
	净资产(元)	–	311,922,975.16	249,192,296.19
	每股收益(元)	–	1.25	1.02
	每股净资产(元)	–	5.67	4.53
	净资产收益率(%)	–	22.08	22.48

杭州沈氏节能科技股份有限公司

公司概况	公司名称	杭州沈氏节能科技股份有限公司		股份名称	沈氏节能
	法人代表	沈卫立	董秘 崔玉舒	股份代码	831224
	公司网址			主办券商	兴业证券股份有限公司
	电话	0571-58318783		传真	0571-64515888
	注册地址	浙江省建德市航头镇工业功能区大店口区块			
	行业分类	制造业			

	指标\报告期	2014.06.30	2013.12.31	2012.12.31
主要财务指标	营业收入(元)	–	74,939,744.34	64,028,767.26
	营业利润(元)	–	5,564,639.42	5,591,810.27
	净利润(元)	–	6,397,648.07	6,567,257.09
	未分配利润(元)	–	26,827,805.47	20,301,336.10
	总资产(元)	–	66,926,401.11	61,528,851.29
	总负债(元)	–	35,366,167.14	36,366,265.39
	净资产(元)	–	31,560,233.97	25,162,585.90
	每股收益(元)	–	2.22	2.43
	每股净资产(元)	–	10.44	8.27
	净资产收益率(%)	–	21.30	29.36

北京宏景世纪软件股份有限公司

公司概况	公司名称	北京宏景世纪软件股份有限公司		股份名称	宏景软件
	法人代表	王玉霞	董秘 王芳	股份代码	831225
	公司网址	www.hjsoft.com.cn		主办券商	中信建投证券股份有限公司
	电话	010-62210089-261		传真	010-62210089-213
	注册地址	北京市海淀区西直门北大街43号1幢807-811室			
	行业分类	信息传输、软件和信息技术服务业			

	指标\报告期	2014.06.30	2013.12.31	2012.12.31
主要财务指标	营业收入(元)	–	32,209,336.76	23,382,393.56
	营业利润(元)	–	6,249,525.58	2,523,402.27
	净利润(元)	–	9,113,595.07	3,312,102.84
	未分配利润(元)	–	13,994,444.75	5,792,209.19
	总资产(元)	–	41,995,712.36	30,989,479.68
	总负债(元)	–	16,758,697.82	14,866,060.21
	净资产(元)	–	25,237,014.54	16,123,419.47
	每股收益(元)	–	0.91	0.33
	每股净资产(元)	–	2.52	1.61
	净资产收益率(%)	–	36.11	20.54

上海聚宝网络科技股份有限公司

公司概况	公司名称	上海聚宝网络科技股份有限公司		股份名称	聚宝网络
	法人代表	戴懿	董秘 李雯佳	股份代码	831226
	公司网址	www.joybymedia.com		主办券商	中信建投证券股份有限公司
	电话			传真	
	注册地址	上海市张江高科技园区祖冲之路887弄84号304室A单元			
	行业分类	租赁和商务服务业			

	指标\报告期	2014.06.30	2013.12.31	2012.12.31
主要财务指标	营业收入(元)	–	70,749,532.22	64,111,845.91
	营业利润(元)	–	30,259,163.72	25,653,229.10
	净利润(元)	–	23,392,201.53	19,469,589.29
	未分配利润(元)	–	46,773,528.48	23,441,152.99
	总资产(元)	–	78,928,887.84	60,281,915.38
	总负债(元)	–	11,841,028.62	16,536,257.69
	净资产(元)	–	67,087,859.22	43,745,657.69
	每股收益(元)	–	1.17	0.96
	每股净资产(元)	–	3.35	2.17
	净资产收益率(%)	–	34.81	44.34

江西宜春汽车运输股份有限公司

公司概况	公司名称	江西宜春汽车运输股份有限公司			股份名称	宜运股份
	法人代表	时德田	董秘	樊援越	股份代码	831227
	公司网址	www.jxycqy.com		主办券商	申银万国证券股份有限公司	
	电　　话			传　　真		
	注册地址	江西省宜春市袁州区袁山中路 323 号				
	行业分类	交通运输、仓储和邮政业				

主要财务指标	指标＼报告期	2014.06.30	2013.12.31	2012.12.31
	营业收入(元)	–	991,156,909.26	1,182,935,990.82
	营业利润(元)	–	29,725,253.17	3,374,053.46
	净利润(元)	–	75,488,818.85	40,410,210.78
	未分配利润(元)	–	–8,611,657.58	30,807,186.05
	总资产(元)	–	713,958,634.31	927,341,562.64
	总负债(元)	–	598,985,314.47	827,792,447.98
	净资产(元)	–	114,973,319.84	99,549,114.66
	每股收益(元)	–	1.43	0.77
	每股净资产(元)	–	1.42	1.98
	净资产收益率(%)	–	65.78	39.03

安徽夏阳机动车辆检测股份有限公司

公司概况	公司名称	安徽夏阳机动车辆检测股份有限公司			股份名称	夏阳检测
	法人代表	姚树平	董秘	姚盛良	股份代码	831228
	公司网址	www.xycj.com.cn		主办券商	国元证券股份有限公司	
	电　　话	0551–65661218		传　　真	0551–65661200	
	注册地址	安徽省合肥市庐阳区产业园观塘东路 6 号				
	行业分类	科学研究和技术服务业				

主要财务指标	指标＼报告期	2014.06.30	2013.12.31	2012.12.31
	营业收入(元)	–	15,362,112.83	8,553,520.83
	营业利润(元)	–	1,700,995.16	–2,048,806.23
	净利润(元)	–	2,715,029.46	–225,421.67
	未分配利润(元)	–	547,292.79	–2,294,384.50
	总资产(元)	–	79,474,177.45	56,183,536.50
	总负债(元)	–	51,489,450.02	32,550,624.54
	净资产(元)	–	27,984,727.43	23,632,911.96
	每股收益(元)	–	0.37	–0.05
	每股净资产(元)	–	1.51	4.37
	净资产收益率(%)	–	10.15	–0.01

湖北木兰花家政服务股份有限公司

公司概况	公司名称	湖北木兰花家政服务股份有限公司			股份名称	木兰花
	法人代表	胡勋璧	董秘	贺庆屏	股份代码	831229
	公司网址	www.mlhjz.cn		主办券商	长江证券股份有限公司	
	电　　话	027–87129205		传　　真	027–87129205	
	注册地址	湖北省武汉市武昌区洪山路 30 号新海天大厦				
	行业分类	居民服务、修理和其他服务业				

主要财务指标	指标＼报告期	2014.06.30	2013.12.31	2012.12.31
	营业收入(元)	–	16,503,340.48	12,676,054.08
	营业利润(元)	–	37,443.39	–271,552.90
	净利润(元)	–	28,896.60	1,587,590.76
	未分配利润(元)	–	63,305.57	1,642,870.01
	总资产(元)	–	9,059,725.05	4,976,577.45
	总负债(元)	–	2,322,976.54	1,768,725.54
	净资产(元)	–	6,736,748.51	3,207,851.91
	每股收益(元)	–	0.01	0.32
	每股净资产(元)	–	1.35	0.64
	净资产收益率(%)	–	0.43	49.49

上海双申医疗器械股份有限公司

公司概况	公司名称	上海双申医疗器械股份有限公司			股份名称	双申医疗
	法人代表	王驰巍	董秘	杨玉衡	股份代码	831230
	公司网址	www.shuangshen.net		主办券商	宏源证券股份有限公司	
	电　　话			传　　真		
	注册地址	上海市青浦区华新镇华徐公路 4638 弄 465 号				
	行业分类	制造业				

主要财务指标	指标＼报告期	2014.06.30	2013.12.31	2012.12.31
	营业收入(元)	–	6,198,401.52	5,517,848.30
	营业利润(元)	–	2,276,706.46	1,410,725.80
	净利润(元)	–	1,926,345.68	1,614,386.83
	未分配利润(元)	–	6,238,842.06	4,505,130.95
	总资产(元)	–	28,199,448.00	27,562,384.21
	总负债(元)	–	509,917.57	1,799,199.46
	净资产(元)	–	27,689,530.43	25,763,184.75
	每股收益(元)	–	0.10	0.10
	每股净资产(元)	–	1.38	1.29
	净资产收益率(%)	–	6.96	6.27

深圳市佳保安全股份有限公司

公司概况	公司名称	深圳市佳保安全股份有限公司			股份名称	佳保安全
	法人代表	徐卫东	董秘	周萍	股份代码	831231
	公司网址	www.jobsafety.com.cn		主办券商	中山证券有限责任公司	
	电　话	0755-26698670		传　真	0755-26812005	
	注册地址	广东省深圳市南山区蛇口望海路1166号招商局广场1#楼04层A、B、C单元				
	行业分类	科学研究和技术服务业				

	指标\报告期	2014.06.30	2013.12.31	2012.12.31
主要财务指标	营业收入(元)	–	6,682,946.58	7,147,891.70
	营业利润(元)	–	63,265.62	89,867.38
	净利润(元)	–	23,599.31	64,303.29
	未分配利润(元)	–	868,011.63	846,645.55
	总资产(元)	–	4,960,578.67	3,522,967.54
	总负债(元)	–	2,410,768.51	1,396,756.69
	净资产(元)	–	2,549,810.16	2,126,210.85
	每股收益(元)	–	0.01	0.03
	每股净资产(元)	–	1.27	1.08
	净资产收益率(%)	–	0.93	3.02

江苏红旗种业股份有限公司

公司概况	公司名称	江苏红旗种业股份有限公司			股份名称	红旗种业
	法人代表	黄银琪	董秘	查联群	股份代码	831232
	公司网址	www.redflagseed.com		主办券商	国都证券有限责任公司	
	电　话	0523-86297765		传　真	0523-86297435	
	注册地址	江苏省泰州市红旗良种场种子楼				
	行业分类	农、林、牧、渔业				

	指标\报告期	2014.06.30	2013.12.31	2012.12.31
主要财务指标	营业收入(元)	–	190,312,675.57	150,129,322.08
	营业利润(元)	–	-1,579,470.71	-1,794,780.07
	净利润(元)	–	5,962,144.91	3,433,088.54
	未分配利润(元)	–	42,058,126.78	36,692,196.36
	总资产(元)	–	207,561,140.68	240,046,883.90
	总负债(元)	–	47,642,987.59	87,098,875.72
	净资产(元)	–	159,918,153.09	152,948,008.18
	每股收益(元)	–	–	–
	每股净资产(元)	–	1.50	1.45
	净资产收益率(%)	–	3.75	2.25

新疆恒丰现代农业科技股份有限公司

公司概况	公司名称	新疆恒丰现代农业科技股份有限公司			股份名称	恒丰科技
	法人代表	周宇刚	董秘	赵振忠	股份代码	831233
	公司网址	hxzy.xjhxtz.com		主办券商	广州证券股份有限公司	
	电　话	0994-2341903		传　真	0994-2341903	
	注册地址	新疆维吾尔自治区昌吉州昌吉市大西渠镇北9公里处				
	行业分类	农、林、牧、渔业				

	指标\报告期	2014.06.30	2013.12.31	2012.12.31
主要财务指标	营业收入(元)	–	17,319,760.83	17,307,969.38
	营业利润(元)	–	3,121,073.06	1,205,098.44
	净利润(元)	–	5,046,438.06	2,400,139.44
	未分配利润(元)	–	5,137,930.75	848,458.39
	总资产(元)	–	75,487,110.17	52,342,264.60
	总负债(元)	–	43,442,485.76	25,344,078.25
	净资产(元)	–	32,044,624.41	26,998,186.35
	每股收益(元)	–	0.25	0.12
	每股净资产(元)	–	1.60	1.35
	净资产收益率(%)	–	15.75	8.89

济南天辰铝机股份有限公司

公司概况	公司名称	济南天辰铝机股份有限公司			股份名称	天辰股份
	法人代表	侯秀峰	董秘	冯军涛	股份代码	831234
	公司网址	www.tianchenalum.com		主办券商	民生证券股份有限公司	
	电　话	0531-88877033		传　真		
	注册地址	山东省济南市高新区天辰大街1571号				
	行业分类	制造业				

	指标\报告期	2014.06.30	2013.12.31	2012.12.31
主要财务指标	营业收入(元)	–	127,704,603.14	125,271,493.36
	营业利润(元)	–	18,682,179.61	17,745,284.10
	净利润(元)	–	16,149,704.29	15,527,726.00
	未分配利润(元)	–	43,975,385.93	29,439,954.03
	总资产(元)	–	160,783,370.15	130,195,353.52
	总负债(元)	–	66,107,865.67	51,669,553.33
	净资产(元)	–	94,675,504.48	78,525,800.19
	每股收益(元)	–	0.81	0.78
	每股净资产(元)	–	4.73	3.93
	净资产收益率(%)	–	17.06	19.77

江苏谋士在仁人才管理咨询股份有限公司

公司概况	公司名称	江苏谋士在仁人才管理咨询股份有限公司			股份名称	谋士人才
	法人代表	周康康	董秘	周慧鹤	股份代码	831235
	公司网址	www.jsmszr.com		主办券商	宏源证券股份有限公司	
	电　话			传　真		
	注册地址	江苏省南京市浦口区海峡两岸科技工业园台中路99-109号				
	行业分类	租赁和商务服务业				
主要财务指标	指标\报告期	2014.06.30	2013.12.31	2012.12.31		
	营业收入(元)	–	19,277,808.84	10,717,173.96		
	营业利润(元)	–	1,645,641.82	1,233,750.02		
	净利润(元)	–	1,220,067.70	908,835.50		
	未分配利润(元)	–	3,185,443.42	2,087,382.49		
	总资产(元)	–	21,336,090.59	16,796,202.16		
	总负债(元)	–	7,796,709.01	4,476,888.28		
	净资产(元)	–	13,539,381.58	12,319,313.88		
	每股收益(元)	–	0.12	0.09		
	每股净资产(元)	–	1.35	1.23		
	净资产收益率(%)	–	9.01	7.38		

威海华东修船股份有限公司

公司概况	公司名称	威海华东修船股份有限公司			股份名称	华东修船
	法人代表	尹远华	董秘	张华阳	股份代码	831236
	公司网址	www.rchsrc.com		主办券商	广发证券股份有限公司	
	电　话	0631-7381310		传　真	0631-7384347	
	注册地址	山东省威海市荣成市石岛海港路299号11号楼				
	行业分类	制造业				
主要财务指标	指标\报告期	2014.06.30	2013.12.31	2012.12.31		
	营业收入(元)	–	143,855,038.45	171,830,913.54		
	营业利润(元)	–	10,257,966.15	11,479,630.31		
	净利润(元)	–	18,688,279.38	9,315,554.87		
	未分配利润(元)	–	20,341,702.50	8,470,950.71		
	总资产(元)	–	364,547,365.96	364,983,965.41		
	总负债(元)	–	280,349,981.37	294,034,074.78		
	净资产(元)	–	84,197,384.59	70,949,890.63		
	每股收益(元)	–	0.37	0.19		
	每股净资产(元)	–	1.68	1.42		
	净资产收益率(%)	–	22.20	13.13		

苏州飞宇精密科技股份有限公司

公司概况	公司名称	苏州飞宇精密科技股份有限公司			股份名称	飞宇科技
	法人代表	乐勇	董秘	王建琴	股份代码	831237
	公司网址	www.fy-mold.com		主办券商	东吴证券股份有限公司	
	电　话			传　真		
	注册地址	江苏省昆山市玉山镇城北四方路28号				
	行业分类	制造业				
主要财务指标	指标\报告期	2014.06.30	2013.12.31	2012.12.31		
	营业收入(元)	–	54,572,312.32	45,960,114.28		
	营业利润(元)	–	1,782,037.97	6,384,309.51		
	净利润(元)	–	1,711,709.22	5,401,928.15		
	未分配利润(元)	–	6,436,961.98	4,897,934.16		
	总资产(元)	–	88,821,001.51	83,243,022.37		
	总负债(元)	–	32,729,799.33	23,663,529.41		
	净资产(元)	–	56,091,202.18	59,579,492.96		
	每股收益(元)	–	0.04	0.17		
	每股净资产(元)	–	1.34	1.26		
	净资产收益率(%)	–	3.05	9.07		

山东旭业新材料股份有限公司

公司概况	公司名称	山东旭业新材料股份有限公司			股份名称	旭业新材
	法人代表	刘旭思	董秘	吴斌	股份代码	831238
	公司网址	www.xuyechem.com		主办券商	天风证券股份有限公司	
	电　话	0546-3633129		传　真	0546-3637919	
	注册地址	山东省东营市河口区黄河口高新技术企业创业园				
	行业分类	制造业				
主要财务指标	指标\报告期	2014.06.30	2013.12.31	2012.12.31		
	营业收入(元)	–	298,352,039.06	239,752,253.91		
	营业利润(元)	–	15,959,878.15	14,724,426.67		
	净利润(元)	–	15,596,155.59	13,757,331.05		
	未分配利润(元)	–	26,629,049.00	12,244,593.10		
	总资产(元)	–	220,791,281.15	199,886,688.34		
	总负债(元)	–	98,176,472.94	92,868,035.72		
	净资产(元)	–	122,614,808.21	107,018,652.62		
	每股收益(元)	–	0.35	0.31		
	每股净资产(元)	–	2.72	2.38		
	净资产收益率(%)	–	12.72	12.86		

云南杨丽萍文化传播股份有限公司

公司概况	公司名称	云南杨丽萍文化传播股份有限公司		股份名称	云南文化
	法人代表	杨丽萍	董秘 张鸿卿	股份代码	831239
	公司网址	www.yangliping.com		主办券商	中信建投证券股份有限公司
	电话	0871-65667566		传真	0871-63134321
	注册地址	云南省昆明市盘龙区穿金路764号云南映象主题文化小区			
	行业分类	文化、体育和娱乐业			

主要财务指标	指标\报告期	2014.06.30	2013.12.31	2012.12.31
	营业收入(元)	–	50,441,524.73	32,151,947.34
	营业利润(元)	–	12,387,082.74	8,145,198.16
	净利润(元)	–	13,411,015.12	8,937,042.00
	未分配利润(元)	–	20,698,463.46	8,717,166.81
	总资产(元)	–	74,437,987.64	59,883,892.09
	总负债(元)	–	17,448,502.31	16,565,421.88
	净资产(元)	–	56,989,485.33	43,318,470.21
	每股收益(元)	–	0.45	0.30
	每股净资产(元)	–	1.89	1.44
	净资产收益率(%)	–	23.64	20.63

祺景(上海)光电科技股份有限公司

公司概况	公司名称	祺景(上海)光电科技股份有限公司		股份名称	祺景光电
	法人代表	董懃匡	董秘 赵琼玮	股份代码	831240
	公司网址	www.visionmax-sh.com		主办券商	华安证券股份有限公司
	电话	021-64683133		传真	021-64682992
	注册地址	上海市嘉定区兴贤路1368号3幢2041室			
	行业分类	批发和零售业			

主要财务指标	指标\报告期	2014.06.30	2013.12.31	2012.12.31
	营业收入(元)	–	14,638,404.30	347,345.76
	营业利润(元)	–	-2,546,409.66	-2,899,523.14
	净利润(元)	–	-2,545,848.28	-2,899,523.14
	未分配利润(元)	–	-326,528.75	-3,547,889.99
	总资产(元)	–	31,678,814.95	10,247,548.37
	总负债(元)	–	9,823,535.92	4,846,421.06
	净资产(元)	–	21,855,279.03	5,401,127.31
	每股收益(元)	–	-0.14	-0.36
	每股净资产(元)	–	1.09	0.68
	净资产收益率(%)	–	-11.65	-53.68

新疆博峰新业石油工程技术股份有限公司

公司概况	公司名称	新疆博峰新业石油工程技术股份有限公司		股份名称	博峰新业
	法人代表	田树泉	董秘 白爱芬	股份代码	831241
	公司网址			主办券商	国盛证券有限责任公司
	电话	0990-6245937		传真	0990-6245912
	注册地址	新疆维吾尔自治区克拉玛依市通讯路89号			
	行业分类	采矿业			

主要财务指标	指标\报告期	2014.06.30	2013.12.31	2012.12.31
	营业收入(元)	–	343,467,959.09	321,218,827.69
	营业利润(元)	–	5,300,158.35	3,314,954.09
	净利润(元)	–	5,722,038.30	5,418,367.22
	未分配利润(元)	–	6,848,163.63	1,772,008.62
	总资产(元)	–	219,016,370.02	163,064,726.00
	总负债(元)	–	185,924,890.59	137,699,620.50
	净资产(元)	–	33,091,479.43	25,365,105.50
	每股收益(元)	–	0.28	0.29
	每股净资产(元)	–	1.63	1.39
	净资产收益率(%)	–	17.12	21.04

深圳市特辰科技股份有限公司

公司概况	公司名称	深圳市特辰科技股份有限公司		股份名称	特辰科技
	法人代表	沈海晏	董秘 张维贵	股份代码	831242
	公司网址	www.ctc-ctc.com		主办券商	长江证券股份有限公司
	电话	0755-25802266		传真	0755-25516699
	注册地址	广东省深圳市罗湖区深南东路2017号华乐大厦6楼			
	行业分类	科学研究和技术服务业			

主要财务指标	指标\报告期	2014.06.30	2013.12.31	2012.12.31
	营业收入(元)	–	141,181,243.56	90,284,761.87
	营业利润(元)	–	28,669,687.11	25,151,761.48
	净利润(元)	–	26,707,437.98	22,332,258.73
	未分配利润(元)	–	69,153,896.73	45,089,219.25
	总资产(元)	–	307,474,681.03	258,402,871.68
	总负债(元)	–	102,837,112.91	80,472,741.54
	净资产(元)	–	204,637,568.12	177,930,130.14
	每股收益(元)	–	0.50	0.43
	每股净资产(元)	–	3.84	3.34
	净资产收益率(%)	–	13.05	12.55

宁夏晓鸣农牧股份有限公司

公司概况	公司名称	宁夏晓鸣农牧股份有限公司			股份名称	晓鸣农牧
	法人代表	魏晓明	董秘	杜建峰	股份代码	831243
	公司网址	www.nxxmqy.com		主办券商	宏源证券股份有限公司	
	电　话	0951-3066628		传　真	0951-3066648	
	注册地址	宁夏回族自治区永宁县黄羊滩沿山公路93公里处向西3公里				
	行业分类	农、林、牧、渔业				

	指标\报告期	2014.06.30	2013.12.31	2012.12.31
主要财务指标	营业收入(元)	–	129,274,326.09	106,372,307.47
	营业利润(元)	–	5,636,286.30	16,952,219.13
	净利润(元)	–	12,508,786.30	18,624,179.12
	未分配利润(元)	–	29,640,911.09	18,383,003.42
	总资产(元)	–	226,222,872.45	146,934,441.09
	总负债(元)	–	122,803,410.46	56,023,765.40
	净资产(元)	–	103,419,461.99	90,910,675.69
	每股收益(元)	–	0.50	0.74
	每股净资产(元)	–	4.14	3.64
	净资产收益率(%)	–	12.10	20.49

西安星展测控科技股份有限公司

公司概况	公司名称	西安星展测控科技股份有限公司			股份名称	星展测控
	法人代表	韩磊	董秘	冯振军	股份代码	831244
	公司网址	www.satpro.com		主办券商	民生证券股份有限公司	
	电　话	029-65660066		传　真	029-65660008	
	注册地址	陕西省西安市高新区草堂科技产业基地秦岭大道西2号科技企业加速器10号楼3单元				
	行业分类	制造业				

	指标\报告期	2014.06.30	2013.12.31	2012.12.31
主要财务指标	营业收入(元)	–	27,871,766.85	6,745,615.47
	营业利润(元)	–	239,547.06	–4,352,935.98
	净利润(元)	–	339,823.81	–3,433,222.86
	未分配利润(元)	–	63,616.86	–259,931.89
	总资产(元)	–	33,155,942.37	23,736,774.62
	总负债(元)	–	16,657,126.16	7,577,782.22
	净资产(元)	–	16,498,816.21	16,158,992.40
	每股收益(元)	–	0.03	–0.30
	每股净资产(元)	–	1.37	1.35
	净资产收益率(%)	–	2.06	–21.25

江苏扬开电力设备股份有限公司

公司概况	公司名称	江苏扬开电力设备股份有限公司			股份名称	扬开电力
	法人代表	唐振民	董秘	姚越	股份代码	831245
	公司网址	www.yz-yk.com		主办券商	海通证券股份有限公司	
	电　话	0514-85865005		传　真	0514-85865007	
	注册地址	江苏省扬州市荷叶西路208号				
	行业分类	制造业				

	指标\报告期	2014.06.30	2013.12.31	2012.12.31
主要财务指标	营业收入(元)	–	139,345,348.70	96,130,052.08
	营业利润(元)	–	29,374,498.41	18,991,293.25
	净利润(元)	–	24,017,375.94	16,964,251.20
	未分配利润(元)	–	73,931,594.38	52,223,722.29
	总资产(元)	–	213,866,947.89	141,824,454.07
	总负债(元)	–	83,638,135.27	43,113,017.39
	净资产(元)	–	130,228,812.62	98,711,436.68
	每股收益(元)	–	0.48	0.34
	每股净资产(元)	–	2.60	1.97
	净资产收益率(%)	–	18.44	17.19

珠海欧力配网自动化股份有限公司

公司概况	公司名称	珠海欧力配网自动化股份有限公司			股份名称	欧力配网
	法人代表	张俊	董秘	杜小丽	股份代码	831246
	公司网址	www.oleauto.cn		主办券商	广州证券股份有限公司	
	电　话	0756-3628829		传　真	0756-3628820	
	注册地址	广东省珠海市唐家湾镇港湾大道金星路1号2#厂房一层				
	行业分类	制造业				

	指标\报告期	2014.06.30	2013.12.31	2012.12.31
主要财务指标	营业收入(元)	–	13,179,198.96	9,747,679.73
	营业利润(元)	–	714,350.77	447,875.82
	净利润(元)	–	1,871,329.60	1,230,976.70
	未分配利润(元)	–	3,499,994.79	1,751,762.86
	总资产(元)	–	15,711,730.17	13,441,490.37
	总负债(元)	–	5,030,772.58	4,631,862.38
	净资产(元)	–	10,680,957.59	8,809,627.99
	每股收益(元)	–	0.27	0.18
	每股净资产(元)	–	1.53	1.26
	净资产收益率(%)	–	17.52	13.97

成都盛帮密封件股份有限公司

公司概况	公司名称	成都盛帮密封件股份有限公司			股份名称	盛帮股份
	法人代表	赖喜隆	董秘	张金晶	股份代码	831247
	公司网址	www.chsbs.com		主办券商	金元证券股份有限公司	
	电　话	028-85772585		传　真	028-85772585	
	注册地址	四川省成都市双流县成双大道南段999号				
	行业分类	制造业				

	指标\报告期	2014.06.30	2013.12.31	2012.12.31
主要财务指标	营业收入(元)	–	145,510,138.73	116,883,427.30
	营业利润(元)	–	6,145,451.52	8,957,372.84
	净利润(元)	–	7,182,709.76	8,118,988.81
	未分配利润(元)	–	39,386,271.45	33,177,747.67
	总资产(元)	–	233,795,176.59	202,631,835.50
	总负债(元)	–	107,164,003.96	83,183,372.63
	净资产(元)	–	126,631,172.63	119,448,462.87
	每股收益(元)	–	0.20	0.22
	每股净资产(元)	–	3.49	3.29
	净资产收益率(%)	–	5.67	6.80

杭州瑞德设计股份有限公司

公司概况	公司名称	杭州瑞德设计股份有限公司			股份名称	瑞德设计
	法人代表	李琦	董秘	郭维康	股份代码	831248
	公司网址	www.rddesign.cc		主办券商	平安证券有限责任公司	
	电　话	0571-89891016		传　真	0571-28051720	
	注册地址	浙江省杭州市滨江区长江路365号2幢第三层				
	行业分类	科学研究和技术服务业				

	指标\报告期	2014.06.30	2013.12.31	2012.12.31
主要财务指标	营业收入(元)	–	84,824,084.28	89,165,998.21
	营业利润(元)	–	-947,897.59	5,175,456.34
	净利润(元)	–	226,632.65	4,865,469.90
	未分配利润(元)	–	4,975,044.61	8,161,884.81
	总资产(元)	–	87,731,475.68	58,663,946.35
	总负债(元)	–	46,253,938.96	29,134,742.28
	净资产(元)	–	41,477,536.72	29,529,204.07
	每股收益(元)	–	0.05	4.86
	每股净资产(元)	–	7.03	29.38
	净资产收益率(%)	–	0.65	16.55

无锡朗源科技股份有限公司

公司概况	公司名称	无锡朗源科技股份有限公司			股份名称	朗源科技
	法人代表	陈雪晴	董秘	钟志刚	股份代码	831249
	公司网址	www.accly.com.cn		主办券商	财通证券股份有限公司	
	电　话	0510-68785597		传　真	0510-68785593	
	注册地址	江苏省无锡市菱湖大道180-35-401				
	行业分类	信息传输、软件和信息技术服务业				

	指标\报告期	2014.06.30	2013.12.31	2012.12.31
主要财务指标	营业收入(元)	–	18,381,307.63	35,697,316.34
	营业利润(元)	–	-7,841,880.42	-1,896,669.86
	净利润(元)	–	494,909.31	481,637.07
	未分配利润(元)	–	59,107.58	-429,234.22
	总资产(元)	–	23,934,919.16	6,901,670.44
	总负债(元)	–	3,869,244.07	2,330,904.66
	净资产(元)	–	20,065,675.09	4,570,765.78
	每股收益(元)	–	0.04	0.10
	每股净资产(元)	–	1.00	0.91
	净资产收益率(%)	–	2.47	10.54

浙江维涅斯装饰材料股份有限公司

公司概况	公司名称	浙江维涅斯装饰材料股份有限公司			股份名称	维涅斯
	法人代表	吴坤燊	董秘	黄建英	股份代码	831250
	公司网址	www.venecia.com.cn		主办券商	东莞证券有限责任公司	
	电　话	0572-6635866		传　真	0572-6635966	
	注册地址	浙江省长兴县李家巷镇工业集中区				
	行业分类	建筑业				

	指标\报告期	2014.06.30	2013.12.31	2012.12.31
主要财务指标	营业收入(元)	–	94,908,074.36	81,281,350.13
	营业利润(元)	–	549,149.23	-23,445.06
	净利润(元)	–	62,399.82	-1,808.40
	未分配利润(元)	–	2,635,540.89	2,573,141.07
	总资产(元)	–	98,072,851.61	75,765,550.36
	总负债(元)	–	82,776,893.45	60,531,992.02
	净资产(元)	–	15,295,958.16	15,233,558.34
	每股收益(元)	–	0.01	0.00
	每股净资产(元)	–	1.27	1.27
	净资产收益率(%)	–	0.41	-0.01

深圳市库马克新技术股份有限公司

公司概况	公司名称	深圳市库马克新技术股份有限公司		股份名称	库马克
	法人代表	李瑞常	董秘	佘静	股份代码	831251
	公司网址	www.cumark.com.cn	主办券商	民生证券股份有限公司	
	电　话	0755-83843111	传　真	0755-83843108	
	注册地址	广东省深圳市福田区深南路车公庙工业区泰然苍松工业大厦706号			
	行业分类	制造业			

	指标\报告期	2014.06.30	2013.12.31	2012.12.31
主要财务指标	营业收入(元)	–	168,459,580.00	163,688,872.47
	营业利润(元)	–	3,363,905.03	3,986,955.28
	净利润(元)	–	4,424,030.96	3,228,669.80
	未分配利润(元)	–	39,564,980.61	55,950,212.80
	总资产(元)	–	214,439,887.53	190,919,637.40
	总负债(元)	–	95,546,896.11	56,357,538.49
	净资产(元)	–	118,892,991.42	134,562,098.91
	每股收益(元)	–	0.08	0.06
	每股净资产(元)	–	2.07	2.34
	净资产收益率(%)	–	3.72	2.40

武汉博润通文化科技股份有限公司

公司概况	公司名称	武汉博润通文化科技股份有限公司		股份名称	博润通
	法人代表	万君堂	董秘	董然	股份代码	831252
	公司网址	www.boruntong.com	主办券商	天风证券股份有限公司	
	电　话	027-59723218	传　真	027-87590135	
	注册地址	湖北省武汉市东湖新技术开发区关山大道465号			
	行业分类	文化、体育和娱乐业			

	指标\报告期	2014.06.30	2013.12.31	2012.12.31
主要财务指标	营业收入(元)	–	1,766,028.43	3,214,807.23
	营业利润(元)	–	-2,490,191.12	8,836.70
	净利润(元)	–	768,073.38	2,397,639.05
	未分配利润(元)	–	3,649,730.81	2,746,306.42
	总资产(元)	–	8,948,642.26	6,784,912.32
	总负债(元)	–	795,783.96	200,127.40
	净资产(元)	–	8,152,858.30	6,584,784.92
	每股收益(元)	–	0.30	0.69
	每股净资产(元)	–	2.18	1.88
	净资产收益率(%)	–	13.56	36.41

惠州东进农牧股份有限公司

公司概况	公司名称	惠州东进农牧股份有限公司		股份名称	东进农牧
	法人代表	何新强	董秘	邵晓明	股份代码	831253
	公司网址	www.dongjin-cn.com	主办券商	广发证券股份有限公司	
	电　话	0752-2230000	传　真	0752-2889701	
	注册地址	广东省惠东县白花镇莆田村管理区百岭村			
	行业分类	农、林、牧、渔业			

	指标\报告期	2014.06.30	2013.12.31	2012.12.31
主要财务指标	营业收入(元)	–	635,608,128.91	483,984,652.25
	营业利润(元)	–	1,803,487.95	42,394,260.31
	净利润(元)	–	8,313,036.44	43,159,550.08
	未分配利润(元)	–	62,072,553.61	54,449,230.18
	总资产(元)	–	445,472,886.92	330,452,479.52
	总负债(元)	–	220,320,214.07	98,887,430.34
	净资产(元)	–	225,152,672.85	231,565,049.18
	每股收益(元)	–	0.12	0.59
	每股净资产(元)	–	3.41	3.43
	净资产收益率(%)	–	3.55	17.15

深圳市平方科技股份有限公司

公司概况	公司名称	深圳市平方科技股份有限公司		股份名称	平方科技
	法人代表	张向辉	董秘	丁玲	股份代码	831254
	公司网址	www.pingfang.net	主办券商	兴业证券股份有限公司	
	电　话	0755-27041217	传　真	0755-33693029	
	注册地址	广东省深圳市龙华新区龙华办事处和平路金銮时代广场			
	行业分类	信息传输、软件和信息技术服务业			

	指标\报告期	2014.06.30	2013.12.31	2012.12.31
主要财务指标	营业收入(元)	–	8,529,588.48	6,082,167.21
	营业利润(元)	–	359,286.53	59,754.84
	净利润(元)	–	695,455.54	183,247.66
	未分配利润(元)	–	1,370,462.35	744,552.36
	总资产(元)	–	8,959,417.76	7,609,132.12
	总负债(元)	–	2,436,681.81	1,781,851.71
	净资产(元)	–	6,522,735.95	5,827,280.41
	每股收益(元)	–	0.14	0.14
	每股净资产(元)	–	1.30	1.17
	净资产收益率(%)	–	10.66	3.15

杭州佳和电气股份有限公司

公司概况	公司名称	杭州佳和电气股份有限公司		股份名称	佳和电气
	法人代表	胡雪钢	董秘	陈佳琰	股份代码	831255
	公司网址	www.gaea.cn	主办券商	民生证券股份有限公司	
	电　话	0571-87713987	传　真	0571-87713998	
	注册地址	浙江省杭州市滨江区江南大道 3880 号华荣时代大厦 1510 室			
	行业分类	制造业			

	指标\报告期	2014.06.30	2013.12.31	2012.12.31
主要财务指标	营业收入(元)	–	40,997,493.31	33,710,125.77
	营业利润(元)	–	5,831,800.58	–719,050.97
	净利润(元)	–	8,051,386.16	1,678,745.56
	未分配利润(元)	–	300,008.90	3,053,761.36
	总资产(元)	–	29,867,500.16	27,860,627.41
	总负债(元)	–	17,474,144.88	13,426,836.29
	净资产(元)	–	12,393,355.28	14,433,791.12
	每股收益(元)	–	0.81	0.17
	每股净资产(元)	–	1.24	1.44
	净资产收益率(%)	–	64.97	11.63

新疆银丰现代农业装备股份有限公司

公司概况	公司名称	新疆银丰现代农业装备股份有限公司		股份名称	新疆银丰
	法人代表	韩鑫玉	董秘	许刚	股份代码	831256
	公司网址		主办券商	宏源证券股份有限公司	
	电　话	0991-2615985	传　真	0991-2626592	
	注册地址	新疆维吾尔自治区五家渠市九区(天山北路 146 号)第五层			
	行业分类	农、林、牧、渔业			

	指标\报告期	2014.06.30	2013.12.31	2012.12.31
主要财务指标	营业收入(元)	–	229,802,560.23	126,865,829.84
	营业利润(元)	–	26,985,529.47	–4,528,860.91
	净利润(元)	–	28,637,493.95	4,432,609.05
	未分配利润(元)	–	15,212,450.89	2,232,002.82
	总资产(元)	–	851,591,391.88	677,616,937.48
	总负债(元)	–	706,661,256.42	576,074,295.97
	净资产(元)	–	144,930,135.46	101,542,641.51
	每股收益(元)	–	0.17	0.01
	每股净资产(元)	–	1.22	1.04
	净资产收益率(%)	–	14.22	0.90

北京赛德盛医药科技股份有限公司

公司概况	公司名称	北京赛德盛医药科技股份有限公司		股份名称	赛德盛
	法人代表	汪金海	董秘	鲍小海	股份代码	831257
	公司网址	www.ctsmed.com	主办券商	申银万国证券股份有限公司	
	电　话	010-85866477	传　真	010-85866376	
	注册地址	北京市通州区经济开发区东区创益西路 558 号			
	行业分类	科学研究和技术服务业			

	指标\报告期	2014.06.30	2013.12.31	2012.12.31
主要财务指标	营业收入(元)	–	29,486,008.61	19,338,149.27
	营业利润(元)	–	4,734,095.53	2,646,386.98
	净利润(元)	–	3,528,206.29	1,832,463.21
	未分配利润(元)	–	3,316,300.91	–76,004.85
	总资产(元)	–	15,892,606.41	17,332,710.09
	总负债(元)	–	9,440,404.97	14,408,714.94
	净资产(元)	–	6,452,201.44	2,923,995.15
	每股收益(元)	–	1.18	1.37
	每股净资产(元)	–	2.15	0.97
	净资产收益率(%)	–	54.68	62.67

黑龙江省龙蛙农业发展股份有限公司

公司概况	公司名称	黑龙江省龙蛙农业发展股份有限公司		股份名称	龙蛙农业
	法人代表	翟清斌	董秘	韩秋月	股份代码	831258
	公司网址	www.longwaliangyou.com	主办券商	华创证券有限责任公司	
	电　话	0455-6756666	传　真	0455-6761225	
	注册地址	黑龙江省绥化市望奎县经济技术开发区兴望路 166 号			
	行业分类	制造业			

	指标\报告期	2014.06.30	2013.12.31	2012.12.31
主要财务指标	营业收入(元)	–	83,081,298.86	40,909,849.34
	营业利润(元)	–	–3,387,437.62	–2,456,755.14
	净利润(元)	–	–1,465,290.85	–2,531,412.68
	未分配利润(元)	–	–3,698,522.85	–2,233,232.00
	总资产(元)	–	69,834,874.06	68,644,680.23
	总负债(元)	–	53,533,396.91	50,877,912.23
	净资产(元)	–	16,301,477.15	17,766,768.00
	每股收益(元)	–	–0.07	–0.13
	每股净资产(元)	–	0.82	0.89
	净资产收益率(%)	–	–8.99	–14.25

天津福斯特科技股份有限公司

公司概况						
	公司名称	天津福斯特科技股份有限公司			股份名称	津福斯特
	法人代表	张励	董秘	刘婷娜	股份代码	831259
	公司网址	www.fsttechnology.com		主办券商	首创证券有限责任公司	
	电　话	022-23370872		传　真	022-23370872	
	注册地址	天津市开发区黄海路 29 号 9 门 501				
	行业分类	制造业				

主要财务指标	指标\报告期	2014.06.30	2013.12.31	2012.12.31
	营业收入(元)	–	10,978,628.88	1,077,247.86
	营业利润(元)	–	968,352.60	–359,013.11
	净利润(元)	–	641,893.93	–238,681.01
	未分配利润(元)	–	–180,209.30	–822,103.23
	总资产(元)	–	12,518,179.02	4,265,188.22
	总负债(元)	–	2,198,388.32	4,087,291.45
	净资产(元)	–	10,319,790.70	177,896.77
	每股收益(元)	–	0.37	–0.32
	每股净资产(元)	–	1.03	0.18
	净资产收益率(%)	–	6.54	–134.17

宁国东方碾磨材料股份有限公司

公司概况						
	公司名称	宁国东方碾磨材料股份有限公司			股份名称	东方碾磨
	法人代表	赵金斌	董秘	朱静	股份代码	831260
	公司网址	www.ng-df.com		主办券商	国元证券股份有限公司	
	电　话	0563-4187878		传　真	0563-4182677	
	注册地址	安徽省宁国市宁阳西路 47 号				
	行业分类	制造业				

主要财务指标	指标\报告期	2014.06.30	2013.12.31	2012.12.31
	营业收入(元)	–	176,902,624.12	163,141,735.08
	营业利润(元)	–	7,474,862.77	5,325,886.74
	净利润(元)	–	7,972,911.32	5,653,950.84
	未分配利润(元)	–	1,204,988.35	23,700,192.18
	总资产(元)	–	147,154,617.16	140,762,645.30
	总负债(元)	–	97,537,159.83	98,222,099.29
	净资产(元)	–	49,617,457.33	42,540,546.01
	每股收益(元)	–	0.50	0.35
	每股净资产(元)	–	3.10	2.66
	净资产收益率(%)	–	16.07	13.29

山东天海科技股份有限公司

公司概况						
	公司名称	山东天海科技股份有限公司			股份名称	天海科技
	法人代表	刘立江	董秘	程永生	股份代码	831261
	公司网址	www.tianhaidz.com		主办券商	海通证券股份有限公司	
	电　话	0635-3991396		传　真	0635-3991106	
	注册地址	山东省聊城市高唐县经济技术开发区风帆路 6 号				
	行业分类	制造业				

主要财务指标	指标\报告期	2014.06.30	2013.12.31	2012.12.31
	营业收入(元)	–	37,848,706.37	28,042,139.44
	营业利润(元)	–	1,590,034.54	–1,164,449.02
	净利润(元)	–	2,234,814.09	2,466,172.81
	未分配利润(元)	–	2,080,943.41	133,623.57
	总资产(元)	–	61,445,360.52	49,494,064.49
	总负债(元)	–	41,220,303.34	37,203,821.40
	净资产(元)	–	20,225,057.18	12,290,243.09
	每股收益(元)	–	0.18	0.26
	每股净资产(元)	–	1.44	1.05
	净资产收益率(%)	–	11.93	24.31

重庆广建装饰股份有限公司

公司概况						
	公司名称	重庆广建装饰股份有限公司			股份名称	广建装饰
	法人代表	叶东	董秘	程耕	股份代码	831262
	公司网址	www.cqgjgf.com		主办券商	安信证券股份有限公司	
	电　话	023-67891971		传　真	023-67891971	
	注册地址	重庆市江北区洋河路 9 号 A 栋 13-3				
	行业分类	建筑业				

主要财务指标	指标\报告期	2014.06.30	2013.12.31	2012.12.31
	营业收入(元)	–	293,201,042.99	246,987,566.30
	营业利润(元)	–	2,857,367.70	9,044,723.64
	净利润(元)	–	1,353,425.35	7,416,304.57
	未分配利润(元)	–	8,988,723.61	7,647,510.24
	总资产(元)	–	330,410,948.93	292,400,386.00
	总负债(元)	–	266,329,591.48	229,313,020.96
	净资产(元)	–	64,081,357.45	63,087,365.04
	每股收益(元)	–	0.03	0.18
	每股净资产(元)	–	1.26	1.24
	净资产收益率(%)	–	2.11	11.76

科华控股股份有限公司

公司概况	公司名称	科华控股股份有限公司			股份名称	科华控股
	法人代表	陈洪民	董秘	李阳	股份代码	831263
	公司网址	www.khmm.com.cn		主办券商	爱建证券有限责任公司	
	电　话	0519-87835309		传　真	0519-87835332	
	注册地址	江苏省溧阳市竹箦镇余桥村				
	行业分类	制造业				

	指标\报告期	2014.06.30	2013.12.31	2012.12.31
主要财务指标	营业收入(元)	–	370,134,506.52	279,777,206.00
	营业利润(元)	–	38,899,838.68	31,719,065.33
	净利润(元)	–	33,515,874.70	28,758,224.54
	未分配利润(元)	–	83,189,123.92	82,991,920.18
	总资产(元)	–	560,598,511.19	420,539,542.56
	总负债(元)	–	382,791,508.57	295,683,227.00
	净资产(元)	–	177,807,002.62	124,856,315.56
	每股收益(元)	–	–	–
	每股净资产(元)	–	6.63	5.82
	净资产收益率(%)	–	18.85	23.03

武汉柏康科技股份有限公司

公司概况	公司名称	武汉柏康科技股份有限公司			股份名称	柏康科技
	法人代表	徐文澜	董秘	周华燕	股份代码	831264
	公司网址	www.ponkong.com		主办券商	齐鲁证券有限公司	
	电　话	027-83514969		传　真	027-83560756	
	注册地址	湖北省武汉市江汉区经济开发区江旺路8号				
	行业分类	制造业				

	指标\报告期	2014.06.30	2013.12.31	2012.12.31
主要财务指标	营业收入(元)	–	9,271,203.36	7,307,697.76
	营业利润(元)	–	497,761.75	220,029.20
	净利润(元)	–	354,883.05	185,935.90
	未分配利润(元)	–	764,985.23	445,590.48
	总资产(元)	–	7,360,238.64	2,942,853.29
	总负债(元)	–	1,510,255.06	1,217,752.76
	净资产(元)	–	5,849,983.58	1,725,100.53
	每股收益(元)	–	0.29	0.15
	每股净资产(元)	–	1.17	1.40
	净资产收益率(%)	–	6.07	10.78

湖北省宏源药业科技股份有限公司

公司概况	公司名称	湖北省宏源药业科技股份有限公司			股份名称	宏源药业
	法人代表	尹国平	董秘	刘展良	股份代码	831265
	公司网址	www.hbhypharm.com		主办券商	长江证券股份有限公司	
	电　话	0713-5072024		传　真	0713-5072024	
	注册地址	湖北省罗田县凤山镇义水北路428号				
	行业分类	制造业				

	指标\报告期	2014.06.30	2013.12.31	2012.12.31
主要财务指标	营业收入(元)	–	928,285,983.79	920,927,926.82
	营业利润(元)	–	19,950,933.51	605,431.76
	净利润(元)	–	24,669,728.55	5,137,460.62
	未分配利润(元)	–	73,885,343.77	50,945,856.21
	总资产(元)	–	769,415,781.14	649,581,392.06
	总负债(元)	–	605,065,925.45	510,401,264.92
	净资产(元)	–	164,349,855.69	139,180,127.14
	每股收益(元)	–	0.37	0.26
	每股净资产(元)	–	2.22	1.85
	净资产收益率(%)	–	16.49	4.01

广西一铭软件股份有限公司

公司概况	公司名称	广西一铭软件股份有限公司			股份名称	一铭软件
	法人代表	余时均	董秘	黄珍	股份代码	831266
	公司网址	www.imindsoft.com		主办券商	东北证券股份有限公司	
	电　话	0771-5590288		传　真	0771-5590288	
	注册地址	广西壮族自治区南宁市高新区科园东五路4号				
	行业分类	信息传输、软件和信息技术服务业				

	指标\报告期	2014.06.30	2013.12.31	2012.12.31
主要财务指标	营业收入(元)	–	9,190,105.38	3,931,333.43
	营业利润(元)	–	2,197,523.07	–2,132,461.29
	净利润(元)	–	3,639,437.75	–1,041,238.99
	未分配利润(元)	–	–349,685.38	–3,923,147.26
	总资产(元)	–	24,889,183.27	19,145,118.25
	总负债(元)	–	2,442,892.78	338,265.51
	净资产(元)	–	22,446,290.49	18,806,852.74
	每股收益(元)	–	0.16	–0.05
	每股净资产(元)	–	0.99	0.83
	净资产收益率(%)	–	16.21	–5.54

宁夏法福来清真食品股份有限公司

公司概况	公司名称	宁夏法福来清真食品股份有限公司			股份名称	法福来
	法人代表	顾平	董秘	马耿	股份代码	831267
	公司网址	www.fafulai.com		主办券商	财达证券有限责任公司	
	电　话	0953-3067434		传　真	0953-3069139	
	注册地址	宁夏回族自治区青铜峡市小坝永丰路北段				
	行业分类	制造业				

	指标\报告期	2014.06.30	2013.12.31	2012.12.31
主要财务指标	营业收入(元)	–	57,301,560.26	60,218,438.17
	营业利润(元)	–	266,138.92	350,082.81
	净利润(元)	–	5,356,245.86	5,669,382.81
	未分配利润(元)	–	7,966,707.47	3,146,086.20
	总资产(元)	–	130,453,176.08	131,744,632.59
	总负债(元)	–	69,368,076.26	76,015,778.63
	净资产(元)	–	61,085,099.82	55,728,853.96
	每股收益(元)	–	0.09	0.09
	每股净资产(元)	–	1.02	0.93
	净资产收益率(%)	–	8.77	10.17

江苏惠丰润滑材料股份有限公司

公司概况	公司名称	江苏惠丰润滑材料股份有限公司			股份名称	惠丰润滑
	法人代表	惠进德	董秘	惠逸麟	股份代码	831268
	公司网址	www.hflube.com		主办券商	中信证券股份有限公司	
	电　话	0512-52549558		传　真	0512-52549558	
	注册地址	江苏省常熟市支塘镇何市工业园19号				
	行业分类	制造业				

	指标\报告期	2014.06.30	2013.12.31	2012.12.31
主要财务指标	营业收入(元)	–	45,564,643.51	43,007,968.00
	营业利润(元)	–	1,044,613.95	1,407,192.14
	净利润(元)	–	781,893.85	1,194,558.32
	未分配利润(元)	–	5,246,741.23	4,614,747.69
	总资产(元)	–	31,735,618.65	28,927,767.53
	总负债(元)	–	10,755,144.70	8,729,187.43
	净资产(元)	–	20,980,473.95	20,198,580.10
	每股收益(元)	–	0.07	0.12
	每股净资产(元)	–	2.06	1.98
	净资产收益率(%)	–	3.64	6.10

浙江博凡动力装备股份有限公司

公司概况	公司名称	浙江博凡动力装备股份有限公司			股份名称	博凡动力
	法人代表	张磊	董秘	陈诚	股份代码	831269
	公司网址	www.bofine.cn		主办券商	中信证券股份有限公司	
	电　话	0573-86035955		传　真	0573-86408225	
	注册地址	浙江省海盐县秦山镇工业区庆丰南一路				
	行业分类	制造业				

	指标\报告期	2014.06.30	2013.12.31	2012.12.31
主要财务指标	营业收入(元)	–	35,160,204.52	33,975,934.19
	营业利润(元)	–	3,143,820.01	111,497.58
	净利润(元)	–	3,741,195.19	985,526.37
	未分配利润(元)	–	7,565,121.00	4,269,584.33
	总资产(元)	–	83,785,832.69	87,040,097.63
	总负债(元)	–	39,107,852.15	47,331,773.28
	净资产(元)	–	44,677,980.54	39,708,324.35
	每股收益(元)	–	0.10	0.03
	每股净资产(元)	–	1.23	1.13
	净资产收益率(%)	–	8.37	2.48

山东宇虹新颜料股份有限公司

公司概况	公司名称	山东宇虹新颜料股份有限公司			股份名称	宇虹颜料
	法人代表	陈都方	董秘	崔春梅	股份代码	831270
	公司网址	www.yuhongchem.com		主办券商	江海证券有限公司	
	电　话	18866057997		传　真	0534-2323974	
	注册地址	山东省德州市德城区天衢工业园果园路6号				
	行业分类	制造业				

	指标\报告期	2014.06.30	2013.12.31	2012.12.31
主要财务指标	营业收入(元)	–	123,424,689.64	112,640,858.37
	营业利润(元)	–	4,102,692.01	3,502,309.82
	净利润(元)	–	4,485,332.75	2,654,852.74
	未分配利润(元)	–	4,616,115.34	1,896,797.35
	总资产(元)	–	69,859,883.21	63,700,582.26
	总负债(元)	–	37,416,860.11	34,425,410.43
	净资产(元)	–	32,443,023.10	29,275,171.83
	每股收益(元)	–	0.27	0.19
	每股净资产(元)	–	1.98	1.81
	净资产收益率(%)	–	13.83	9.07

浙江燎原药业股份有限公司

公司概况						
公司名称	浙江燎原药业股份有限公司			股份名称	燎原药业
法人代表	屠锡淙	董秘	屠瑛	股份代码	831271
公司网址	www.liaoyuan.com.cn		主办券商	国泰君安证券股份有限公司	
电　　话	0576-85588680		传　　真	0576-85588026	
注册地址	浙江省化学原料药基地临海园区				
行业分类	制造业				

主要财务指标 指标\报告期	2014.06.30	2013.12.31	2012.12.31
营业收入(元)	–	181,712,401.62	207,310,379.11
营业利润(元)	–	12,020,364.99	29,676,920.60
净利润(元)	–	10,047,938.31	22,571,104.54
未分配利润(元)	–	47,687,687.46	46,714,749.15
总资产(元)	–	240,455,764.63	264,504,598.74
总负债(元)	–	159,583,600.21	191,829,950.73
净资产(元)	–	80,872,164.42	72,674,648.01
每股收益(元)	–	0.50	1.13
每股净资产(元)	–	4.04	3.63
净资产收益率(%)	–	12.43	31.06

同力天合(北京)管理软件股份有限公司

公司概况					
公司名称	同力天合(北京)管理软件股份有限公司			股份名称	同力天合
法人代表	闫平	董秘	王佳	股份代码	831272
公司网址	www.mbestway.com		主办券商	西南证券股份有限公司	
电　　话	010-82872666		传　　真	010-82872666-800	
注册地址	北京市海淀区海淀大街38号楼12-06				
行业分类	信息传输、软件和信息技术服务业				

主要财务指标 指标\报告期	2014.06.30	2013.12.31	2012.12.31
营业收入(元)	–	6,686,562.63	1,484,050.69
营业利润(元)	–	2,890,382.09	-1,638,790.08
净利润(元)	–	2,933,271.61	-1,421,188.76
未分配利润(元)	–	-211,607.99	-2,649,578.78
总资产(元)	–	7,852,699.12	4,188,120.15
总负债(元)	–	2,569,006.29	1,837,698.93
净资产(元)	–	5,283,692.83	2,350,421.22
每股收益(元)	–	0.59	-0.32
每股净资产(元)	–	1.06	0.47
净资产收益率(%)	–	55.52	-60.47

北京金视和科技股份有限公司

公司概况					
公司名称	北京金视和科技股份有限公司			股份名称	金视和
法人代表	和晋云	董秘	周水亮	股份代码	831273
公司网址	www.jshsoft.com		主办券商	国盛证券有限责任公司	
电　　话	010-62410086-821		传　　真	010-62410085-819	
注册地址	北京市海淀区中关村大街1号1220、1221室				
行业分类	信息传输、软件和信息技术服务业				

主要财务指标 指标\报告期	2014.06.30	2013.12.31	2012.12.31
营业收入(元)	–	6,234,748.41	5,647,780.57
营业利润(元)	–	-1,392,437.32	274,426.82
净利润(元)	–	-625,584.40	275,662.07
未分配利润(元)	–	-447,232.28	178,352.12
总资产(元)	–	6,410,633.80	7,738,865.06
总负债(元)	–	799,594.92	2,502,241.78
净资产(元)	–	5,611,038.88	5,236,623.28
每股收益(元)	–	-0.12	0.06
每股净资产(元)	–	1.07	1.05
净资产收益率(%)	–	-11.15	5.26

苏州瑞可达连接系统股份有限公司

公司概况					
公司名称	苏州瑞可达连接系统股份有限公司			股份名称	瑞可达
法人代表	吴世均	董秘	马剑	股份代码	831274
公司网址	www.recodeal.com		主办券商	中信建投证券股份有限公司	
电　　话	0512-89188688		传　　真	0512-89188749	
注册地址	江苏省苏州市吴中区越溪街道北官渡路7号3幢				
行业分类	制造业				

主要财务指标 指标\报告期	2014.06.30	2013.12.31	2012.12.31
营业收入(元)	–	117,670,724.85	112,309,274.59
营业利润(元)	–	11,088,328.44	7,663,757.92
净利润(元)	–	8,882,456.13	5,968,595.73
未分配利润(元)	–	17,653,447.95	9,699,688.56
总资产(元)	–	117,116,313.14	125,114,735.11
总负债(元)	–	37,436,241.04	55,317,119.14
净资产(元)	–	79,680,072.10	69,797,615.97
每股收益(元)	–	0.15	0.27
每股净资产(元)	–	1.33	3.03
净资产收益率(%)	–	11.15	8.84

北京睿力恒一物流技术股份公司

公司概况	公司名称	北京睿力恒一物流技术股份公司			股份名称	睿力物流
	法人代表	高绪坤	董秘	耿君	股份代码	831275
	公司网址	www.ry-le.cn		主办券商	宏源证券股份有限公司	
	电　话	010-88571686		传　真	010-62165436	
	注册地址	北京市昌平区昌平镇科技园区火炬街 10 号 2 幢 2302C 室				
	行业分类	制造业				

	指标\报告期	2014.06.30	2013.12.31	2012.12.31
主要财务指标	营业收入(元)	–	167,132,728.65	177,919,425.99
	营业利润(元)	–	41,256,003.90	45,831,838.80
	净利润(元)	–	34,968,528.51	39,298,594.42
	未分配利润(元)	–	86,834,279.42	56,325,085.80
	总资产(元)	–	237,279,848.10	208,550,172.48
	总负债(元)	–	31,760,625.32	37,999,478.21
	净资产(元)	–	205,519,222.78	170,550,694.27
	每股收益(元)	–	0.53	0.61
	每股净资产(元)	–	3.15	2.62
	净资产收益率(%)	–	16.95	22.77

上海松科快换自动化股份有限公司

公司概况	公司名称	上海松科快换自动化股份有限公司			股份名称	松科快换
	法人代表	邱广伟	董秘	包琼	股份代码	831276
	公司网址	www.sonco.cn		主办券商	光大证券股份有限公司	
	电　话	15026751115		传　真	021-68919938	
	注册地址	上海市张江高科技园区郭守敬路 351 号 2 号楼 A638-10 室				
	行业分类	制造业				

	指标\报告期	2014.06.30	2013.12.31	2012.12.31
主要财务指标	营业收入(元)	–	27,769,180.74	41,217,203.32
	营业利润(元)	–	4,084,993.83	7,983,856.44
	净利润(元)	–	3,824,326.85	6,613,269.83
	未分配利润(元)	–	24,191,069.34	20,907,741.19
	总资产(元)	–	55,177,427.06	47,976,998.83
	总负债(元)	–	20,226,861.43	16,233,060.05
	净资产(元)	–	34,950,565.63	31,743,938.78
	每股收益(元)	–	0.13	0.21
	每股净资产(元)	–	1.06	0.95
	净资产收益率(%)	–	12.30	22.19

钢钢网电子商务(上海)股份有限公司

公司概况	公司名称	钢钢网电子商务(上海)股份有限公司			股份名称	钢钢网
	法人代表	刘长江	董秘	王希燕	股份代码	831277
	公司网址	www.ggang.cn		主办券商	国信证券股份有限公司	
	电　话	021-64633300		传　真	021-64633300-8015	
	注册地址	上海市闵行区中辉路 60 号第 19 幢 406 室				
	行业分类	信息传输、软件和信息技术服务业				

	指标\报告期	2014.06.30	2013.12.31	2012.12.31
主要财务指标	营业收入(元)	–	10,259,383.57	1,213,797.05
	营业利润(元)	–	2,653,053.05	-3,115,993.12
	净利润(元)	–	2,218,465.17	-2,413,784.02
	未分配利润(元)	–	-1,696,313.05	-3,914,778.22
	总资产(元)	–	6,067,175.47	2,024,541.68
	总负债(元)	–	2,763,488.52	939,319.90
	净资产(元)	–	3,303,686.95	1,085,221.78
	每股收益(元)	–	0.44	-0.51
	每股净资产(元)	–	0.66	0.22
	净资产收益率(%)	–	67.15	-222.42

青岛泰德汽车轴承股份有限公司

公司概况	公司名称	青岛泰德汽车轴承股份有限公司			股份名称	泰德股份
	法人代表	张新生	董秘	张锡奎	股份代码	831278
	公司网址	www.qdtaide.com		主办券商	齐鲁证券有限公司	
	电　话	0532-84661798		传　真	0532-84661798	
	注册地址	山东省青岛市李沧区兴华路 10 号				
	行业分类	制造业				

	指标\报告期	2014.06.30	2013.12.31	2012.12.31
主要财务指标	营业收入(元)	–	94,830,134.55	90,069,952.99
	营业利润(元)	–	9,050,865.54	3,531,555.35
	净利润(元)	–	8,285,602.91	3,746,234.29
	未分配利润(元)	–	14,138,656.97	8,886,412.99
	总资产(元)	–	107,906,077.12	95,548,790.03
	总负债(元)	–	53,947,941.15	47,596,256.95
	净资产(元)	–	53,958,135.97	47,952,533.08
	每股收益(元)	–	0.22	0.10
	每股净资产(元)	–	1.42	1.26
	净资产收益率(%)	–	15.36	7.81

江苏和乔科技股份有限公司

公司概况	公司名称	江苏和乔科技股份有限公司			股份名称	和乔科技
	法人代表	周景江	董秘	孙洁	股份代码	831279
	公司网址	www.houge.com		主办券商	东方花旗证券有限公司	
	电　话	0512-58421671		传　真	0512-58422615	
	注册地址	江苏省张家港市凤凰镇西张镇北路20号				
	行业分类	制造业				

	指标\报告期	2014.06.30	2013.12.31	2012.12.31
主要财务指标	营业收入(元)	–	206,684,156.28	19,558,298.42
	营业利润(元)	–	34,300,400.87	2,906,185.35
	净利润(元)	–	29,268,427.24	2,459,815.65
	未分配利润(元)	–	26,113,482.46	–258,711.41
	总资产(元)	–	94,270,111.79	45,884,509.47
	总负债(元)	–	63,448,623.86	44,331,448.78
	净资产(元)	–	30,821,487.93	1,553,060.69
	每股收益(元)	–	16.84	1.42
	每股净资产(元)	–	17.69	0.85
	净资产收益率(%)	–	95.19	163.66

厦门兴恒隆股份有限公司

公司概况	公司名称	厦门兴恒隆股份有限公司			股份名称	兴恒隆
	法人代表	王红艳	董秘	陈碧盟	股份代码	831280
	公司网址	www.xinghenglong.com		主办券商	广发证券股份有限公司	
	电　话	0592-7550880		传　真	0592-7550800	
	注册地址	福建省厦门市同安区莲花镇莲美三路81号				
	行业分类	制造业				

	指标\报告期	2014.06.30	2013.12.31	2012.12.31
主要财务指标	营业收入(元)	–	64,020,377.71	65,705,425.15
	营业利润(元)	–	2,499,850.54	742,286.56
	净利润(元)	–	5,208,674.49	1,968,499.59
	未分配利润(元)	–	–8,754,157.71	–13,962,832.20
	总资产(元)	–	92,801,146.00	96,391,785.63
	总负债(元)	–	49,625,658.85	58,424,972.97
	净资产(元)	–	43,175,487.15	37,966,812.66
	每股收益(元)	–	0.10	0.04
	每股净资产(元)	–	0.86	0.76
	净资产收益率(%)	–	12.06	5.19

上海天悦实业发展股份有限公司

公司概况	公司名称	上海天悦实业发展股份有限公司			股份名称	天悦实业
	法人代表	郭寒潮	董秘	郭帆	股份代码	831281
	公司网址	www.senlinwu.cn		主办券商	申银万国证券股份有限公司	
	电　话	021-62473630		传　真	021-62472792	
	注册地址	上海市闵行区联航路1369弄6号302-1室				
	行业分类	制造业				

	指标\报告期	2014.06.30	2013.12.31	2012.12.31
主要财务指标	营业收入(元)	–	5,337,731.81	64,957.26
	营业利润(元)	–	2,468,251.17	–615,817.27
	净利润(元)	–	2,469,854.50	–611,823.47
	未分配利润(元)	–	–1,410,523.82	–3,880,378.32
	总资产(元)	–	6,691,850.64	1,343,009.41
	总负债(元)	–	3,092,876.33	213,889.60
	净资产(元)	–	3,598,974.31	1,129,119.81
	每股收益(元)	–	0.49	–0.15
	每股净资产(元)	–	0.72	0.23
	净资产收益率(%)	–	68.63	–54.19

北京欧亚机械设备股份有限公司

公司概况	公司名称	北京欧亚机械设备股份有限公司			股份名称	欧亚股份
	法人代表	周剑波	董秘	张姝婷	股份代码	831282
	公司网址	www.ea-machinery.com.cn		主办券商	国信证券股份有限公司	
	电　话	010-80514886		传　真	010-80515398	
	注册地址	北京市通州区永乐经济开发区C区6号				
	行业分类	制造业				

	指标\报告期	2014.06.30	2013.12.31	2012.12.31
主要财务指标	营业收入(元)	–	100,752,881.34	46,082,557.20
	营业利润(元)	–	7,671,677.59	1,921,322.97
	净利润(元)	–	5,995,462.94	79,668.04
	未分配利润(元)	–	16,583,640.94	11,850,862.49
	总资产(元)	–	181,566,248.09	137,219,526.61
	总负债(元)	–	113,080,837.49	74,756,135.29
	净资产(元)	–	68,485,410.60	62,463,391.32
	每股收益(元)	–	0.20	0.05
	每股净资产(元)	–	1.70	1.51
	净资产收益率(%)	–	11.59	3.10

北京蛙视通信技术股份有限公司

公司概况	公司名称	北京蛙视通信技术股份有限公司		股份名称	蛙视通信
	法人代表	马建光	董秘 邵小鹏	股份代码	831283
	公司网址	www.vorx.com.cn		主办券商	上海证券有限责任公司
	电　话	010-88850606		传　真	010-88850606-666
	注册地址	北京市海淀区闵庄路3号清华科技园玉泉慧谷5号楼地上一层西侧101室			
	行业分类	制造业			

	指标\报告期	2014.06.30	2013.12.31	2012.12.31
主要财务指标	营业收入(元)	-	68,208,821.57	70,572,535.36
	营业利润(元)	-	4,665,610.65	-1,190,852.08
	净利润(元)	-	5,002,253.97	93,616.81
	未分配利润(元)	-	7,384,558.37	4,371,347.49
	总资产(元)	-	90,889,546.92	80,514,900.05
	总负债(元)	-	30,970,627.67	24,598,234.77
	净资产(元)	-	59,918,919.25	55,916,665.28
	每股收益(元)	-	0.22	0.00
	每股净资产(元)	-	2.61	2.43
	净资产收益率(%)	-	8.35	0.17

珠海迈科智能科技股份有限公司

公司概况	公司名称	珠海迈科智能科技股份有限公司		股份名称	迈科智能
	法人代表	缪克良	董秘 张宁	股份代码	831284
	公司网址	www.gotechcn.com		主办券商	申银万国证券股份有限公司
	电　话	0756-6905854		传　真	0756-6905856
	注册地址	广东省珠海市金湾区红旗镇永达路66号2#厂房			
	行业分类	制造业			

	指标\报告期	2014.06.30	2013.12.31	2012.12.31
主要财务指标	营业收入(元)	-	850,576,400.82	707,102,017.33
	营业利润(元)	-	81,827,531.33	52,032,008.20
	净利润(元)	-	77,138,910.40	41,604,030.48
	未分配利润(元)	-	119,030,783.15	45,946,089.39
	总资产(元)	-	748,284,531.50	384,744,352.87
	总负债(元)	-	573,262,247.90	285,414,000.60
	净资产(元)	-	175,022,283.60	99,330,352.27
	每股收益(元)	-	1.54	0.83
	每股净资产(元)	-	3.50	1.99
	净资产收益率(%)	-	44.07	41.94

无锡常欣科技股份有限公司

公司概况	公司名称	无锡常欣科技股份有限公司		股份名称	常欣科技
	法人代表	庄鸣	董秘 华贤	股份代码	831285
	公司网址	www.wxlsj.com		主办券商	广发证券股份有限公司
	电　话	0510-85368880		传　真	0510-85368880
	注册地址	江苏省无锡市新区城南路209号			
	行业分类	制造业			

	指标\报告期	2014.06.30	2013.12.31	2012.12.31
主要财务指标	营业收入(元)	-	54,059,344.15	71,611,924.90
	营业利润(元)	-	-5,799,060.40	3,550,164.41
	净利润(元)	-	-2,822,393.95	3,419,294.48
	未分配利润(元)	-	2,986,815.58	5,809,209.53
	总资产(元)	-	194,216,934.05	171,377,124.62
	总负债(元)	-	67,717,906.17	42,055,702.79
	净资产(元)	-	126,499,027.88	129,321,421.83
	每股收益(元)	-	-0.06	0.07
	每股净资产(元)	-	2.48	2.54
	净资产收益率(%)	-	-2.23	-

竹林伟业科技发展(天津)股份有限公司

公司概况	公司名称	竹林伟业科技发展(天津)股份有限公司		股份名称	竹林伟业
	法人代表	竺汉明	董秘 孙玲	股份代码	831286
	公司网址	www.zhulinweiye.com		主办券商	国泰君安证券股份有限公司
	电　话	022-22928966		传　真	022-22928968
	注册地址	天津市武清区三经路17号			
	行业分类	制造业			

	指标\报告期	2014.06.30	2013.12.31	2012.12.31
主要财务指标	营业收入(元)	-	149,971,567.38	67,748,752.00
	营业利润(元)	-	2,431,458.36	1,777,084.87
	净利润(元)	-	1,883,933.20	1,297,593.70
	未分配利润(元)	-	2,130,743.33	477,668.64
	总资产(元)	-	109,896,208.22	83,866,650.44
	总负债(元)	-	83,903,131.36	67,757,506.78
	净资产(元)	-	25,993,076.86	16,109,143.66
	每股收益(元)	-	0.07	0.05
	每股净资产(元)	-	0.91	0.57
	净资产收益率(%)	-	7.25	8.06

唐山启奥科技股份有限公司

公司概况	公司名称	唐山启奥科技股份有限公司		股份名称	启奥科技
	法人代表	于保田	董秘 张淑红	股份代码	831287
	公司网址	www.shinow.com.cn		主办券商	德邦证券有限责任公司
	电话	0315-5068389		传真	0315-5068302
	注册地址	河北省唐山市高新区火炬路122号			
	行业分类	信息传输、软件和信息技术服务业			

	指标\报告期	2014.06.30	2013.12.31	2012.12.31
主要财务指标	营业收入(元)	–	54,450,075.13	39,307,706.47
	营业利润(元)	–	17,857,734.35	14,001,502.14
	净利润(元)	–	21,611,872.92	16,778,144.14
	未分配利润(元)	–	48,318,733.67	28,357,507.14
	总资产(元)	–	135,996,760.65	63,610,660.43
	总负债(元)	–	47,537,468.54	24,299,491.24
	净资产(元)	–	88,459,292.11	39,311,169.19
	每股收益(元)	–	3.20	3.15
	每股净资产(元)	–	11.97	6.55
	净资产收益率(%)	–	24.43	42.68

成都安美勤信息技术股份有限公司

公司概况	公司名称	成都安美勤信息技术股份有限公司		股份名称	安美勤
	法人代表	王雪倩	董秘 王小仲	股份代码	831288
	公司网址	www.amazingsys.com		主办券商	东方花旗证券有限公司
	电话	028-86111797		传真	028-61557371-8002
	注册地址	四川省成都市高新区吉泰五路118号3栋16层1号			
	行业分类	信息传输、软件和信息技术服务业			

	指标\报告期	2014.06.30	2013.12.31	2012.12.31
主要财务指标	营业收入(元)	–	26,122,431.43	14,506,939.81
	营业利润(元)	–	2,031,579.78	119,109.71
	净利润(元)	–	1,601,155.68	148,580.17
	未分配利润(元)	–	2,567,590.43	1,126,550.32
	总资产(元)	–	26,127,458.04	27,290,412.65
	总负债(元)	–	13,108,455.22	15,872,565.51
	净资产(元)	–	13,019,002.82	11,417,847.14
	每股收益(元)	–	0.16	0.01
	每股净资产(元)	–	1.28	1.12
	净资产收益率(%)	–	12.30	1.30

丰泽工程橡胶科技开发股份有限公司

公司概况	公司名称	丰泽工程橡胶科技开发股份有限公司		股份名称	丰泽股份
	法人代表	孙诚	董秘 潘山林	股份代码	831289
	公司网址	www.fz-gf.com		主办券商	华西证券股份有限公司
	电话	0318-2661511		传真	0318-2178897
	注册地址	河北省衡水经济开发区北方工业基地橡塑路15号			
	行业分类	制造业			

	指标\报告期	2014.06.30	2013.12.31	2012.12.31
主要财务指标	营业收入(元)	–	99,476,148.57	123,702,037.98
	营业利润(元)	–	2,242,683.64	2,818,862.69
	净利润(元)	–	2,447,119.03	3,390,386.29
	未分配利润(元)	–	24,872,540.67	26,454,666.13
	总资产(元)	–	205,922,944.89	266,308,741.65
	总负债(元)	–	99,824,262.25	158,134,247.72
	净资产(元)	–	106,098,682.64	108,174,493.93
	每股收益(元)	–	0.04	0.05
	每股净资产(元)	–	1.56	1.59
	净资产收益率(%)	–	2.31	3.13

广东金达照明科技股份有限公司

公司概况	公司名称	广东金达照明科技股份有限公司		股份名称	金达照明
	法人代表	庾健航	董秘 陈志勇	股份代码	831290
	公司网址	www.kamtatlighting.com		主办券商	海通证券股份有限公司
	电话	0769-39016288		传真	0769-39016299
	注册地址	广东省东莞市望牛墩镇横沥村金达工业园			
	行业分类	制造业			

	指标\报告期	2014.06.30	2013.12.31	2012.12.31
主要财务指标	营业收入(元)	–	219,889,067.33	217,258,938.73
	营业利润(元)	–	26,207,704.38	39,643,107.45
	净利润(元)	–	19,112,104.89	30,025,456.33
	未分配利润(元)	–	79,713,799.42	63,023,525.16
	总资产(元)	–	374,903,251.29	297,851,952.38
	总负债(元)	–	179,504,208.67	154,115,014.65
	净资产(元)	–	195,399,042.62	143,736,937.73
	每股收益(元)	–	0.27	0.52
	每股净资产(元)	–	2.79	2.28
	净资产收益率(%)	–	9.81	20.28

郑州恒博科技股份有限公司

公司概况	公司名称	郑州恒博科技股份有限公司		股份名称	恒博科技
	法人代表	王书祥	董秘	张宇卓	股份代码	831291
	公司网址	www.zzhbgs.com	主办券商	中原证券股份有限公司	
	电　话	0371-67579516	传　真	0371-67579517	
	注册地址	河南省郑州市高新区翠竹街1号28幢4层04号			
	行业分类	水利、环境和公共设施管理业			

主要财务指标	指标\报告期	2014.06.30	2013.12.31	2012.12.31
	营业收入(元)	–	25,084,683.10	11,544,485.10
	营业利润(元)	–	629,084.57	1,115,752.00
	净利润(元)	–	101,563.40	921,417.54
	未分配利润(元)	–	1,109,055.87	1,024,339.86
	总资产(元)	–	28,025,071.17	29,511,016.70
	总负债(元)	–	13,502,192.19	15,089,701.12
	净资产(元)	–	14,522,878.98	14,421,315.58
	每股收益(元)	–	0.01	0.09
	每股净资产(元)	–	1.45	1.44
	净资产收益率(%)	–	0.70	6.39

汇智光华(北京)文化传媒股份有限公司

公司概况	公司名称	汇智光华(北京)文化传媒股份有限公司		股份名称	汇智光华
	法人代表	胡圣云	董秘	陆玉刚	股份代码	831292
	公司网址		主办券商	海通证券股份有限公司	
	电　话	010-82896087	传　真	010-82061795	
	注册地址	北京市海淀区东北旺西路8号中关村软件园8号楼1层116号			
	行业分类	批发和零售业			

主要财务指标	指标\报告期	2014.06.30	2013.12.31	2012.12.31
	营业收入(元)	–	162,795,389.64	122,455,503.03
	营业利润(元)	–	1,101,987.36	–4,891,045.94
	净利润(元)	–	4,382,531.50	–5,068,029.98
	未分配利润(元)	–	–1,248,212.65	–4,124,476.33
	总资产(元)	–	69,973,388.69	55,578,974.82
	总负债(元)	–	60,528,908.33	50,517,025.96
	净资产(元)	–	9,444,480.36	5,061,948.86
	每股收益(元)	–	0.42	–0.50
	每股净资产(元)	–	0.94	0.59
	净资产收益率(%)	–	41.54	–84.32

山东征宙机械股份有限公司

公司概况	公司名称	山东征宙机械股份有限公司		股份名称	征宙机械
	法人代表	张平和	董秘	张静	股份代码	831293
	公司网址	www.zhengzhoutools.com	主办券商	江海证券有限公司	
	电　话	0534-4381219	传　真	0534-4381762	
	注册地址	山东省平原县光明东大街			
	行业分类	制造业			

主要财务指标	指标\报告期	2014.06.30	2013.12.31	2012.12.31
	营业收入(元)	–	74,569,189.28	74,295,318.26
	营业利润(元)	–	4,848,636.00	3,642,205.56
	净利润(元)	–	5,112,119.54	4,166,509.18
	未分配利润(元)	–	26,514,088.44	26,594,731.42
	总资产(元)	–	125,241,294.58	124,323,632.99
	总负债(元)	–	21,129,788.47	20,642,695.85
	净资产(元)	–	104,111,506.11	103,680,937.14
	每股收益(元)	–	0.30	0.24
	每股净资产(元)	–	6.06	6.03
	净资产收益率(%)	–	4.91	4.02

浙江中德自控科技股份有限公司

公司概况	公司名称	浙江中德自控科技股份有限公司		股份名称	中德科技
	法人代表	张德光	董秘	粟飞	股份代码	831294
	公司网址	www.zhongdegrope.com	主办券商	光大证券股份有限公司	
	电　话	0572-6660010	传　真	0572-6556888	
	注册地址	浙江省湖州市长兴县太湖街道长兴大道659号			
	行业分类	制造业			

主要财务指标	指标\报告期	2014.06.30	2013.12.31	2012.12.31
	营业收入(元)	–	218,502,227.94	150,561,669.71
	营业利润(元)	–	9,340,380.74	9,466,261.27
	净利润(元)	–	7,878,735.64	7,328,302.82
	未分配利润(元)	–	4,355,693.94	16,867,019.38
	总资产(元)	–	240,918,023.78	201,019,471.23
	总负债(元)	–	172,607,514.23	142,285,485.72
	净资产(元)	–	68,310,509.55	58,733,985.51
	每股收益(元)	–	0.14	0.14
	每股净资产(元)	–	1.22	1.47
	净资产收益率(%)	–	11.53	12.48

湖北川东环保能源开发股份有限公司

公司概况	公司名称	湖北川东环保能源开发股份有限公司			股份名称	川东环能
	法人代表	方心宽	董秘	查方伟	股份代码	831295
	公司网址			主办券商	长江证券股份有限公司	
	电　话	0712-8410095		传　真	0712-8414222	
	注册地址	湖北省汉川市经济开发区新河工业园				
	行业分类	电力、热力、燃气及水生产和供应业				

	指标\报告期	2014.06.30	2013.12.31	2012.12.31
主要财务指标	营业收入(元)	–	10,654,388.11	4,962,950.09
	营业利润(元)	–	3,860,525.08	–143,350.11
	净利润(元)	–	4,027,725.94	324,849.89
	未分配利润(元)	–	453,299.21	–3,516,017.11
	总资产(元)	–	114,997,267.72	117,452,515.78
	总负债(元)	–	74,485,558.89	80,968,532.89
	净资产(元)	–	40,511,708.83	36,483,982.89
	每股收益(元)	–	0.10	0.01
	每股净资产(元)	–	1.01	0.91
	净资产收益率(%)	–	9.94	0.89

沈阳奥拓福科技股份有限公司

公司概况	公司名称	沈阳奥拓福科技股份有限公司			股份名称	奥拓福
	法人代表	武子全	董秘	蔡宇	股份代码	831296
	公司网址	www.apw.cn		主办券商	山西证券股份有限公司	
	电　话	024-24699050		传　真	024-24699050-851	
	注册地址	辽宁省沈阳市出口加工区浑南东路15-1号				
	行业分类	制造业				

	指标\报告期	2014.06.30	2013.12.31	2012.12.31
主要财务指标	营业收入(元)	–	62,523,612.64	49,114,867.61
	营业利润(元)	–	1,041,617.67	–2,278,039.46
	净利润(元)	–	1,090,662.20	–1,268,719.16
	未分配利润(元)	–	–1,622,885.02	–2,493,475.26
	总资产(元)	–	97,762,184.38	97,512,172.04
	总负债(元)	–	30,043,302.33	29,920,942.66
	净资产(元)	–	67,718,882.05	67,591,229.38
	每股收益(元)	–	0.02	–0.02
	每股净资产(元)	–	1.00	0.99
	净资产收益率(%)	–	1.61	–1.88

陕西省数字证书认证中心股份有限公司

公司概况	公司名称	陕西省数字证书认证中心股份有限公司			股份名称	数字股份
	法人代表	尚永安	董秘	盛昀	股份代码	831297
	公司网址	www.snca.com.cn		主办券商	西部证券股份有限公司	
	电　话	029-82300561		传　真	029-88311503	
	注册地址	陕西省西安市高新区高新三路九号信息港大厦七层701室				
	行业分类	信息传输、软件和信息技术服务业				

	指标\报告期	2014.06.30	2013.12.31	2012.12.31
主要财务指标	营业收入(元)	–	30,106,261.81	17,673,876.03
	营业利润(元)	–	6,345,112.82	1,787,940.16
	净利润(元)	–	6,783,958.23	2,025,776.16
	未分配利润(元)	–	1,783,361.58	–4,802,445.36
	总资产(元)	–	36,857,156.51	31,792,830.78
	总负债(元)	–	4,875,643.64	6,595,276.14
	净资产(元)	–	31,981,512.87	25,197,554.64
	每股收益(元)	–	0.23	0.07
	每股净资产(元)	–	1.06	0.84
	净资产收益率(%)	–	21.21	8.04

河南永达美基食品股份有限公司

公司概况	公司名称	河南永达美基食品股份有限公司			股份名称	美基食品
	法人代表	冯永山	董秘	孟祥林	股份代码	831298
	公司网址			主办券商	中原证券股份有限公司	
	电　话	0392-3254981		传　真	0392-3254980	
	注册地址	河南省鹤壁市延河路753号				
	行业分类	制造业				

	指标\报告期	2014.06.30	2013.12.31	2012.12.31
主要财务指标	营业收入(元)	–	33,097,430.73	18,458,644.05
	营业利润(元)	–	4,849,057.82	–2,708,372.92
	净利润(元)	–	4,516,221.24	–2,254,230.65
	未分配利润(元)	–	–3,450,899.24	–7,967,120.48
	总资产(元)	–	54,203,121.11	24,223,184.37
	总负债(元)	–	6,022,496.36	12,190,304.85
	净资产(元)	–	48,180,624.75	12,032,879.52
	每股收益(元)	–	0.23	–0.11
	每股净资产(元)	–	0.96	0.60
	净资产收益率(%)	–	9.37	–18.73

京版北教文化传媒股份有限公司

公司概况	公司名称	京版北教文化传媒股份有限公司		股份名称	北教传媒
	法人代表	乔玢	董秘	李玉凤	股份代码	831299
	公司网址	www.bjkgedu.com	主办券商	华西证券股份有限公司	
	电　话	010-58572466	传　真	010-58572466	
	注册地址	北京市西城区北三环中路6号1号楼五层			
	行业分类	文化、体育和娱乐业			

主要财务指标	指标\报告期	2014.06.30	2013.12.31	2012.12.31
	营业收入(元)	–	220,899,253.07	140,902,740.90
	营业利润(元)	–	6,279,167.69	3,439,669.40
	净利润(元)	–	6,534,248.64	3,262,292.35
	未分配利润(元)	–	777,304.09	–4,103,462.20
	总资产(元)	–	293,818,280.56	234,566,742.51
	总负债(元)	–	223,251,817.57	170,534,528.16
	净资产(元)	–	70,566,462.99	64,032,214.35
	每股收益(元)	–	0.08	0.08
	每股净资产(元)	–	1.01	0.93
	净资产收益率(%)	–	8.18	8.81

山东同创汽车散热装置股份有限公司

公司概况	公司名称	山东同创汽车散热装置股份有限公司		股份名称	同创股份
	法人代表	冯振山	董秘	武强	股份代码	831300
	公司网址	www.sd-tc.com	主办券商	国海证券股份有限公司	
	电　话	0538-5823175	传　真	0538-5823777	
	注册地址	山东省泰安市磁窑经济技术开发区			
	行业分类	制造业			

主要财务指标	指标\报告期	2014.06.30	2013.12.31	2012.12.31
	营业收入(元)	–	272,728,081.44	269,088,804.88
	营业利润(元)	–	4,107,635.77	5,234,013.87
	净利润(元)	–	4,620,742.27	4,735,195.87
	未分配利润(元)	–	15,707,543.22	11,572,272.14
	总资产(元)	–	361,950,937.65	312,854,594.34
	总负债(元)	–	304,599,113.36	255,269,990.18
	净资产(元)	–	57,351,824.29	57,584,604.16
	每股收益(元)	–	0.17	0.17
	每股净资产(元)	–	1.87	1.89
	净资产收益率(%)	–	9.10	9.23

上海零动数码科技股份有限公司

公司概况	公司名称	上海零动数码科技股份有限公司		股份名称	零动数码
	法人代表	张大权	董秘	陈隽	股份代码	831301
	公司网址	www.zeroparnter.com	主办券商	国泰君安证券股份有限公司	
	电　话	021-60839908	传　真	021-60839909	
	注册地址	上海市张江高科技园区蔡伦路1690号2幢			
	行业分类	信息传输、软件和信息技术服务业			

主要财务指标	指标\报告期	2014.06.30	2013.12.31	2012.12.31
	营业收入(元)	–	6,815,363.28	6,319,028.85
	营业利润(元)	–	1,041,275.36	95,373.01
	净利润(元)	–	856,123.85	–64,183.81
	未分配利润(元)	–	2,825,084.39	2,052,431.51
	总资产(元)	–	10,642,310.67	6,090,348.50
	总负债(元)	–	1,183,755.31	2,787,916.99
	净资产(元)	–	9,458,555.36	3,302,431.51
	每股收益(元)	–	0.16	–0.06
	每股净资产(元)	–	1.76	3.30
	净资产收益率(%)	–	9.05	–1.94

北京飞扬天下网络科技股份有限公司

公司概况	公司名称	北京飞扬天下网络科技股份有限公司		股份名称	飞扬天下
	法人代表	崔凯	董秘	崔凯	股份代码	831302
	公司网址	www.fly99.com	主办券商	浙商证券股份有限公司	
	电　话	010-51713100	传　真	010-51713100	
	注册地址	北京市石景山区石景山路22号长城大厦1236室			
	行业分类	信息传输、软件和信息技术服务业			

主要财务指标	指标\报告期	2014.06.30	2013.12.31	2012.12.31
	营业收入(元)	–	5,553,789.80	5,258,234.48
	营业利润(元)	–	1,036,421.02	–120,508.85
	净利润(元)	–	705,846.17	–110,441.95
	未分配利润(元)	–	67,344.46	–631,018.99
	总资产(元)	–	14,427,401.84	12,686,663.80
	总负债(元)	–	4,352,574.66	3,317,682.79
	净资产(元)	–	10,074,827.18	9,368,981.01
	每股收益(元)	–	0.07	–0.01
	每股净资产(元)	–	1.01	0.94
	净资产收益率(%)	–	7.01	–1.18

洛阳澳凯富汇信息技术股份有限公司

公司概况	公司名称	洛阳澳凯富汇信息技术股份有限公司			股份名称	澳凯富汇
	法人代表	刘鹏	董秘	吴瑶	股份代码	831303
	公司网址	www.akfh.cn		主办券商	上海证券有限责任公司	
	电　话	0379-62766276		传　真	0379-62766276	
	注册地址	河南省洛阳市高新开发区丰华路6号银昆科技园1号楼4层D03室				
	行业分类	信息传输、软件和信息技术服务业				

	指标\报告期	2014.06.30	2013.12.31	2012.12.31
主要财务指标	营业收入(元)	–	6,609,541.67	605,731.00
	营业利润(元)	–	108,371.75	–1,070,597.62
	净利润(元)	–	223,154.21	–1,006,828.38
	未分配利润(元)	–	–1,705,368.86	–1,928,523.07
	总资产(元)	–	31,826,023.95	32,871,579.41
	总负债(元)	–	22,531,392.81	23,800,102.48
	净资产(元)	–	9,294,631.14	9,071,476.93
	每股收益(元)	–	0.02	–0.09
	每股净资产(元)	–	0.84	0.82
	净资产收益率(%)	–	2.40	–11.10

山东华阳迪尔化工股份有限公司

公司概况	公司名称	山东华阳迪尔化工股份有限公司			股份名称	迪尔化工
	法人代表	于万震	董秘	卢英华	股份代码	831304
	公司网址	www.dier-chem.cn		主办券商	齐鲁证券有限公司	
	电　话	0538-5826379		传　真	0538-5826423	
	注册地址	山东省泰安市宁阳县磁窑镇华阳化工园区				
	行业分类	制造业				

	指标\报告期	2014.06.30	2013.12.31	2012.12.31
主要财务指标	营业收入(元)	–	242,379,032.44	278,666,645.74
	营业利润(元)	–	22,929,334.70	21,963,479.95
	净利润(元)	–	16,637,700.94	27,236,058.71
	未分配利润(元)	–	22,874,192.51	63,656,491.57
	总资产(元)	–	143,292,484.54	192,156,834.50
	总负债(元)	–	51,142,122.51	59,224,173.41
	净资产(元)	–	92,150,362.03	132,932,661.09
	每股收益(元)	–	0.46	0.76
	每股净资产(元)	–	2.56	3.69
	净资产收益率(%)	–	18.06	20.49

上海海希工业通讯股份有限公司

公司概况	公司名称	上海海希工业通讯股份有限公司			股份名称	海希通讯
	法人代表	LITONG	董秘	蔡娟莉	股份代码	831305
	公司网址	www.hbc.net.cn		主办券商	中信证券股份有限公司	
	电　话			传　真		
	注册地址	上海市徐汇区田林路388号1幢1026,1028–1033室				
	行业分类	制造业				

	指标\报告期	2014.06.30	2013.12.31	2012.12.31
主要财务指标	营业收入(元)	–	219,866,905.94	334,665,386.17
	营业利润(元)	–	7,785,224.11	37,695,731.13
	净利润(元)	–	8,390,819.08	35,735,203.15
	未分配利润(元)	–	102,907,615.57	95,269,752.95
	总资产(元)	–	272,196,926.81	271,244,526.83
	总负债(元)	–	128,396,767.84	135,835,186.94
	净资产(元)	–	143,800,158.97	135,409,339.89
	每股收益(元)	–	0.28	1.19
	每股净资产(元)	–	4.79	4.51
	净资产收益率(%)	–	5.84	26.39

长春丽明科技开发股份有限公司

公司概况	公司名称	长春丽明科技开发股份有限公司			股份名称	丽明股份
	法人代表	程传海	董秘	肖红	股份代码	831306
	公司网址	www.limingtech.com		主办券商	中信建投证券股份有限公司	
	电　话			传　真		
	注册地址	吉林省长春市净月高新技术产业开发区康派小区1栋17号				
	行业分类	信息传输、软件和信息技术服务业				

	指标\报告期	2014.06.30	2013.12.31	2012.12.31
主要财务指标	营业收入(元)	–	31,361,686.77	18,139,083.14
	营业利润(元)	–	8,013,235.92	5,437,902.31
	净利润(元)	–	7,411,956.33	5,941,787.19
	未分配利润(元)	–	6,966,463.16	295,702.46
	总资产(元)	–	33,089,293.07	14,979,855.58
	总负债(元)	–	2,277,590.11	1,580,108.95
	净资产(元)	–	30,811,702.96	13,399,746.63
	每股收益(元)	–	0.74	1.83
	每股净资产(元)	–	2.05	1.34
	净资产收益率(%)	–	24.06	44.34

佛罗伦萨(北京)暖通科技股份有限公司

公司概况	公司名称	佛罗伦萨(北京)暖通科技股份有限公司		股份名称	佛罗伦萨
	法人代表	倪志权	董秘 吴洋洋	股份代码	831307
	公司网址	www.florece.cn		主办券商	广州证券股份有限公司
	电　　话	010-89719898-8031		传　　真	010-89719898-8038
	注册地址	北京市昌平区科技园区超前路5号4幢B座3层302室			
	行业分类	制造业			

	指标\报告期	2014.06.30	2013.12.31	2012.12.31
主要财务指标	营业收入(元)	–	35,102,779.76	37,861,671.61
	营业利润(元)	–	-444,778.74	-1,962,715.85
	净利润(元)	–	172,578.40	-1,666,792.24
	未分配利润(元)	–	-2,671,674.42	-2,844,252.82
	总资产(元)	–	41,714,951.00	53,963,031.70
	总负债(元)	–	10,750,496.49	46,691,950.10
	净资产(元)	–	30,964,454.51	7,271,081.60
	每股收益(元)	–	0.02	-0.17
	每股净资产(元)	–	1.03	0.74
	净资产收益率(%)	–	0.56	-22.92

福建华博教育科技股份有限公司

公司概况	公司名称	福建华博教育科技股份有限公司		股份名称	华博教育
	法人代表	黄勤辉	董秘 杨耕风	股份代码	831308
	公司网址	www.fjhb.cn		主办券商	兴业证券股份有限公司
	电　　话	0591-88266244		传　　真	0591-83791711
	注册地址	福建省福州市鼓楼区工业路611号福建火炬高新技术创业园1号楼五层东5室			
	行业分类	信息传输、软件和信息技术服务业			

	指标\报告期	2014.06.30	2013.12.31	2012.12.31
主要财务指标	营业收入(元)	–	10,739,267.57	10,297,081.51
	营业利润(元)	–	677,693.82	381,488.46
	净利润(元)	–	630,793.26	346,643.51
	未分配利润(元)	–	-1,269,475.82	-1,900,269.08
	总资产(元)	–	12,945,450.48	5,962,219.12
	总负债(元)	–	9,214,926.30	2,862,488.20
	净资产(元)	–	3,730,524.18	3,099,730.92
	每股收益(元)	–	0.13	0.07
	每股净资产(元)	–	0.75	0.62
	净资产收益率(%)	–	16.91	11.18

湖北雷迪特冷却系统股份有限公司

公司概况	公司名称	湖北雷迪特冷却系统股份有限公司		股份名称	雷迪特
	法人代表	庞军	董秘 朱显云	股份代码	831309
	公司网址	www.hbrdt.com		主办券商	长江证券股份有限公司
	电　　话	027-84861566		传　　真	027-84294988
	注册地址	湖北省武汉经济技术开发区民营工业园			
	行业分类	制造业			

	指标\报告期	2014.06.30	2013.12.31	2012.12.31
主要财务指标	营业收入(元)	–	162,724,362.47	146,035,224.88
	营业利润(元)	–	-4,549,159.10	-611,544.20
	净利润(元)	–	-3,613,331.88	-127,142.34
	未分配利润(元)	–	-173,008.25	3,440,323.63
	总资产(元)	–	185,284,237.48	193,425,823.61
	总负债(元)	–	165,060,860.62	169,589,114.87
	净资产(元)	–	20,223,376.86	23,836,708.74
	每股收益(元)	–	-0.18	-0.10
	每股净资产(元)	–	1.01	1.19
	净资产收益率(%)	–	-17.87	-0.53

上海航嘉电子科技股份有限公司

公司概况	公司名称	上海航嘉电子科技股份有限公司		股份名称	航嘉电子
	法人代表	孙晓航	董秘 张丽萍	股份代码	831310
	公司网址	www.hangjia-tech.com		主办券商	申银万国证券股份有限公司
	电　　话	021-20926302		传　　真	021-58700509
	注册地址	上海市浦东新区周浦镇沈梅路99弄8号B座			
	行业分类	制造业			

	指标\报告期	2014.06.30	2013.12.31	2012.12.31
主要财务指标	营业收入(元)	–	42,406,713.97	27,405,797.94
	营业利润(元)	–	7,697,251.14	3,498,726.05
	净利润(元)	–	6,992,910.46	3,157,544.93
	未分配利润(元)	–	30,136,119.61	23,143,209.15
	总资产(元)	–	37,797,973.94	28,674,880.97
	总负债(元)	–	5,888,795.91	3,758,613.40
	净资产(元)	–	31,909,178.03	24,916,267.57
	每股收益(元)	–	6.99	3.16
	每股净资产(元)	–	31.91	24.92
	净资产收益率(%)	–	21.92	12.67

山东博安智能科技股份有限公司

公司概况	公司名称	山东博安智能科技股份有限公司			股份名称	博安智能
	法人代表	杜永安	董秘	徐慧	股份代码	831311
	公司网址	www.boanits.com		主办券商	中信建投证券股份有限公司	
	电　话	0531-88801836		传　真	0531-88801852	
	注册地址	山东省济南市高新开发区大学科技园14号楼				
	行业分类	信息传输、软件和信息技术服务业				

主要财务指标	指标\报告期	2014.06.30	2013.12.31	2012.12.31
	营业收入(元)	–	100,829,170.85	43,467,035.09
	营业利润(元)	–	11,234,885.69	1,746,083.70
	净利润(元)	–	9,340,330.12	1,717,079.38
	未分配利润(元)	–	9,623,947.25	1,217,650.14
	总资产(元)	–	146,239,756.30	132,246,200.51
	总负债(元)	–	72,778,796.93	68,563,571.26
	净资产(元)	–	73,460,959.37	63,682,629.25
	每股收益(元)	–	0.16	0.05
	每股净资产(元)	–	1.22	1.06
	净资产收益率(%)	–	12.72	2.70

四川赛卓药业股份有限公司

公司概况	公司名称	四川赛卓药业股份有限公司			股份名称	赛卓药业
	法人代表	吴晓辉	董秘	张玉红	股份代码	831312
	公司网址	www.scszyy.com		主办券商	华西证券股份有限公司	
	电　话	0816-2550300		传　真	0816-2539695	
	注册地址	四川省绵阳市高新区一康路6号				
	行业分类	制造业				

主要财务指标	指标\报告期	2014.06.30	2013.12.31	2012.12.31
	营业收入(元)	–	9,272,384.99	2,673,699.96
	营业利润(元)	–	3,365,710.69	–4,160,887.19
	净利润(元)	–	2,512,240.16	–3,137,873.47
	未分配利润(元)	–	–4,380,152.43	–6,892,392.59
	总资产(元)	–	105,631,255.79	115,593,971.57
	总负债(元)	–	4,541,808.22	37,486,364.16
	净资产(元)	–	101,089,447.57	78,107,607.41
	每股收益(元)	–	0.03	–0.04
	每股净资产(元)	–	0.96	0.92
	净资产收益率(%)	–	2.49	–4.02

南京中超新材料股份有限公司

公司概况	公司名称	南京中超新材料股份有限公司			股份名称	中超新材
	法人代表	陈友福	董秘	马伟华	股份代码	831313
	公司网址	www.zcxcl.com		主办券商	东北证券股份有限公司	
	电　话	025-68618190		传　真	025-57830177	
	注册地址	江苏省南京市高淳区东坝镇工业园区芜太路北侧				
	行业分类	制造业				

主要财务指标	指标\报告期	2014.06.30	2013.12.31	2012.12.31
	营业收入(元)	–	237,334,108.06	16,228,304.38
	营业利润(元)	–	919,686.90	–5,872,722.59
	净利润(元)	–	1,049,820.12	–5,839,079.33
	未分配利润(元)	–	–4,383,149.95	–5,432,970.07
	总资产(元)	–	264,778,321.67	97,620,275.45
	总负债(元)	–	197,116,348.37	73,008,122.27
	净资产(元)	–	67,661,973.30	24,612,153.18
	每股收益(元)	–	0.04	–0.20
	每股净资产(元)	–	0.75	0.27
	净资产收益率(%)	–	1.55	–23.72

深圳市深科达智能装备股份有限公司

公司概况	公司名称	深圳市深科达智能装备股份有限公司			股份名称	深科达
	法人代表	黄奕宏	董秘	张新明	股份代码	831314
	公司网址	www.szskd.com		主办券商	安信证券股份有限公司	
	电　话	0755-27889869		传　真	0755-27889996	
	注册地址	广东省深圳市宝安区福永街道塘尾社区凤塘大道福洪工业区				
	行业分类	制造业				

主要财务指标	指标\报告期	2014.06.30	2013.12.31	2012.12.31
	营业收入(元)	–	107,945,898.95	65,757,860.96
	营业利润(元)	–	4,866,768.52	8,036,971.85
	净利润(元)	–	9,906,254.85	8,290,752.33
	未分配利润(元)	–	17,421,188.60	8,505,559.24
	总资产(元)	–	107,539,112.34	86,674,794.72
	总负债(元)	–	78,225,036.12	67,266,973.35
	净资产(元)	–	29,314,076.22	19,407,821.37
	每股收益(元)	–	1.46	1.56
	每股净资产(元)	–	4.31	2.85
	净资产收益率(%)	–	33.79	42.72

上海安畅网络科技股份有限公司

公司概况	公司名称	上海安畅网络科技股份有限公司			股份名称	安畅网络
	法人代表	袁奇立	董秘	龚辉	股份代码	831315
	公司网址	www.51idc.com		主办券商	国信证券股份有限公司	
	电　　话	021-60832266		传　　真	021-60832277	
	注册地址	上海市宝山区纪蕴路 588 号 4 号楼二楼 B 区				
	行业分类	信息传输、软件和信息技术服务业				

	指标\报告期	2014.06.30	2013.12.31	2012.12.31
主要财务指标	营业收入(元)	–	54,867,210.63	38,171,585.69
	营业利润(元)	–	4,989,416.96	5,227,386.92
	净利润(元)	–	4,939,818.17	6,104,419.28
	未分配利润(元)	–	1,673,111.74	–2,321,579.84
	总资产(元)	–	38,734,245.54	24,869,866.74
	总负债(元)	–	26,116,007.21	17,191,446.58
	净资产(元)	–	12,618,238.33	7,678,420.16
	每股收益(元)	–	0.49	0.61
	每股净资产(元)	–	1.26	0.77
	净资产收益率(%)	–	39.15	79.50

江苏连连化学股份有限公司

公司概况	公司名称	江苏连连化学股份有限公司			股份名称	连连化学
	法人代表	连加松	董秘	王志林	股份代码	831316
	公司网址	www.lianlianchem.sealing.cn		主办券商	齐鲁证券有限公司	
	电　　话	0518-88588588		传　　真	0518-88588588	
	注册地址	江苏省连云港市灌云县临港产业区纬七路南、经四路西侧				
	行业分类	制造业				

	指标\报告期	2014.06.30	2013.12.31	2012.12.31
主要财务指标	营业收入(元)	–	95,189,934.76	86,105,534.82
	营业利润(元)	–	2,701,135.19	–203,869.15
	净利润(元)	–	1,738,365.94	–643,033.05
	未分配利润(元)	–	3,481,200.76	1,916,671.41
	总资产(元)	–	105,715,849.91	87,790,434.41
	总负债(元)	–	81,690,672.60	65,503,623.04
	净资产(元)	–	24,025,177.31	22,286,811.37
	每股收益(元)	–	0.09	–0.03
	每股净资产(元)	–	1.20	1.11
	净资产收益率(%)	–	7.24	–2.89

上海海典软件股份有限公司

公司概况	公司名称	上海海典软件股份有限公司			股份名称	海典软件
	法人代表	陈卫星	董秘	欧阳立	股份代码	831317
	公司网址	www.hydee.cn		主办券商	广发证券股份有限公司	
	电　　话	021-51976528		传　　真	021-51976528	
	注册地址	上海市浦东新区金湘路 345 号 2225 室				
	行业分类	信息传输、软件和信息技术服务业				

	指标\报告期	2014.06.30	2013.12.31	2012.12.31
主要财务指标	营业收入(元)	–	18,050,465.34	10,760,787.79
	营业利润(元)	–	2,329,317.52	738,243.36
	净利润(元)	–	1,978,725.15	631,872.09
	未分配利润(元)	–	2,223,089.19	1,142,236.56
	总资产(元)	–	13,552,498.94	7,173,874.04
	总负债(元)	–	2,504,622.05	1,904,722.30
	净资产(元)	–	11,047,876.89	5,269,151.74
	每股收益(元)	–	0.20	0.06
	每股净资产(元)	–	1.10	0.53
	净资产收益率(%)	–	17.91	11.99

上海信易信息科技股份有限公司

公司概况	公司名称	上海信易信息科技股份有限公司			股份名称	信易科技
	法人代表	杨扬	董秘	杨扬	股份代码	831318
	公司网址	www.kuaiqi.net		主办券商	中国中投证券有限责任公司	
	电　　话	021-50760938		传　　真	021-58446503	
	注册地址	上海市张江高科技园区郭守敬路 498 号 12 幢 21311-21313 室				
	行业分类	信息传输、软件和信息技术服务业				

	指标\报告期	2014.06.30	2013.12.31	2012.12.31
主要财务指标	营业收入(元)	–	9,405,620.08	7,263,092.25
	营业利润(元)	–	3,861,256.39	–904,591.36
	净利润(元)	–	3,404,220.53	–909,438.93
	未分配利润(元)	–	2,113,799.87	–1,055,554.01
	总资产(元)	–	9,599,234.32	4,994,086.41
	总负债(元)	–	6,250,567.80	5,049,640.42
	净资产(元)	–	3,348,666.52	–55,554.01
	每股收益(元)	–	0.68	–0.18
	每股净资产(元)	–	0.67	–0.01
	净资产收益率(%)	–	101.66	–

湖南绿蔓生物科技股份有限公司

公司概况	公司名称	湖南绿蔓生物科技股份有限公司			股份名称	绿蔓生物
	法人代表	张宝堂	董秘	李芳	股份代码	831319
	公司网址	www.nutra-max.com		主办券商	山西证券股份有限公司	
	电　话	0731-82939655		传　真	0731-82938822	
	注册地址	湖南省长沙市高新开发区麓谷大道627号长海创业基地四楼405				
	行业分类	制造业				

	指标\报告期	2014.06.30	2013.12.31	2012.12.31
主要财务指标	营业收入(元)	–	23,794,098.02	14,284,465.50
	营业利润(元)	–	159,880.69	–1,131,796.44
	净利润(元)	–	485,157.71	–310,142.85
	未分配利润(元)	–	–42,731.96	1,641,147.92
	总资产(元)	–	10,916,982.09	9,431,682.89
	总负债(元)	–	5,297,840.91	4,897,699.42
	净资产(元)	–	5,619,141.18	4,533,983.47
	每股收益(元)	–	0.10	–
	每股净资产(元)	–	1.12	1.70
	净资产收益率(%)	–	8.55	–6.71

上海路骋国际旅行社股份有限公司

公司概况	公司名称	上海路骋国际旅行社股份有限公司			股份名称	路骋国旅
	法人代表	沈纯炜	董秘	宦军	股份代码	831320
	公司网址			主办券商	宏源证券股份有限公司	
	电　话			传　真		
	注册地址	上海市共和新路912号1001-1室				
	行业分类	租赁和商务服务业				

	指标\报告期	2014.06.30	2013.12.31	2012.12.31
主要财务指标	营业收入(元)	–	10,838,424.40	4,596,380.36
	营业利润(元)	–	1,033,815.02	–305,159.79
	净利润(元)	–	1,114,084.76	–263,010.78
	未分配利润(元)	–	–153,244.77	–1,267,329.53
	总资产(元)	–	2,070,275.12	1,295,476.16
	总负债(元)	–	723,519.89	1,062,805.69
	净资产(元)	–	1,346,755.23	232,670.47
	每股收益(元)	–	0.24	–0.05
	每股净资产(元)	–	2.62	0.45
	净资产收益率(%)	–	82.72	–113.04

深圳市顺电连锁股份有限公司

公司概况	公司名称	深圳市顺电连锁股份有限公司			股份名称	顺电股份
	法人代表	刘孝良	董秘	费国强	股份代码	831321
	公司网址	www.sundan.com		主办券商	平安证券有限责任公司	
	电　话	0755-82254213		传　真	0755-83262392	
	注册地址	广东省深圳市福田区华强北路上步工业区103栋				
	行业分类	批发和零售业				

	指标\报告期	2014.06.30	2013.12.31	2012.12.31
主要财务指标	营业收入(元)	–	2,531,547,448.50	2,366,138,942.02
	营业利润(元)	–	9,299,601.52	5,059,527.58
	净利润(元)	–	9,324,978.54	5,533,344.62
	未分配利润(元)	–	99,130,729.64	90,750,964.97
	总资产(元)	–	837,510,067.61	716,994,381.10
	总负债(元)	–	404,971,329.61	293,780,621.64
	净资产(元)	–	432,538,738.00	423,213,759.46
	每股收益(元)	–	0.07	0.04
	每股净资产(元)	–	3.25	3.18
	净资产收益率(%)	–	2.16	1.31

北京朗悦科技股份有限公司

公司概况	公司名称	北京朗悦科技股份有限公司			股份名称	朗悦科技
	法人代表	李宏伟	董秘	臧存智	股份代码	831322
	公司网址	www.longjoy.net		主办券商	南京证券股份有限公司	
	电　话			传　真		
	注册地址	北京市海淀区知春路128号11层1191室				
	行业分类	制造业				

	指标\报告期	2014.06.30	2013.12.31	2012.12.31
主要财务指标	营业收入(元)	–	28,095,951.29	20,632,220.27
	营业利润(元)	–	210,667.65	–114,452.05
	净利润(元)	–	167,897.89	–88,222.46
	未分配利润(元)	–	68,998.25	–91,233.17
	总资产(元)	–	8,162,581.67	6,617,909.03
	总负债(元)	–	2,085,916.95	4,709,142.20
	净资产(元)	–	6,076,664.72	1,908,766.83
	每股收益(元)	–	0.06	–0.04
	每股净资产(元)	–	1.33	0.98
	净资产收益率(%)	–	2.76	–4.62

珠海长先新材料科技股份有限公司

公司概况	公司名称	珠海长先新材料科技股份有限公司			股份名称	长先新材
	法人代表	杨伟明	董秘	李恩文	股份代码	831323
	公司网址	www.changxianchem.com	主办券商	华融证券股份有限公司		
	电　话	0755-83160616	传　真	0755-26824640		
	注册地址	广东省珠海市高栏港经济区精细化工区浪湾路				
	行业分类	制造业				

	指标\报告期	2014.06.30	2013.12.31	2012.12.31
主要财务指标	营业收入(元)	–	81,111,198.81	75,038,878.21
	营业利润(元)	–	2,220,515.12	–574.14
	净利润(元)	–	2,120,152.85	119,569.86
	未分配利润(元)	–	–251,847.53	6,204,094.70
	总资产(元)	–	98,825,727.56	90,663,295.68
	总负债(元)	–	51,623,091.84	38,459,200.98
	净资产(元)	–	47,202,635.72	52,204,094.70
	每股收益(元)	–	0.06	0.00
	每股净资产(元)	–	1.25	1.38
	净资产收益率(%)	–	4.49	0.23

大连凯洋世界海鲜股份有限公司

公司概况	公司名称	大连凯洋世界海鲜股份有限公司			股份名称	凯洋海鲜
	法人代表	魏世凯	董秘	孙洪泽	股份代码	831324
	公司网址	www.kysjhx.com	主办券商	长江证券股份有限公司		
	电　话	0411-87603333	传　真	0411-87120648		
	注册地址	辽宁省大连市甘井子区大连湾北街627号				
	行业分类	批发和零售业				

	指标\报告期	2014.06.30	2013.12.31	2012.12.31
主要财务指标	营业收入(元)	–	78,515,975.80	58,261,083.29
	营业利润(元)	–	7,712,901.57	–6,812,343.63
	净利润(元)	–	1,352,431.55	–6,895,431.91
	未分配利润(元)	–	–6,238,544.35	–7,679,173.76
	总资产(元)	–	84,522,795.96	88,180,996.21
	总负债(元)	–	42,849,940.06	49,324,948.55
	净资产(元)	–	41,672,855.90	38,856,047.66
	每股收益(元)	–	0.03	–0.14
	每股净资产(元)	–	0.93	0.89
	净资产收益率(%)	–	3.46	–13.52

迈奇化学股份有限公司

公司概况	公司名称	迈奇化学股份有限公司			股份名称	迈奇化学
	法人代表	苗胜利	董秘	张晓静	股份代码	831325
	公司网址	www.myj2002.com	主办券商	中信证券股份有限公司		
	电　话	0393-8099666	传　真	0393-4412741		
	注册地址	河南省濮阳市胜利路西段路北				
	行业分类	制造业				

	指标\报告期	2014.06.30	2013.12.31	2012.12.31
主要财务指标	营业收入(元)	–	213,555,326.33	250,669,106.38
	营业利润(元)	–	4,107,178.91	10,327,212.24
	净利润(元)	–	4,512,726.01	8,402,265.97
	未分配利润(元)	–	11,841,910.50	12,522,786.88
	总资产(元)	–	184,869,601.69	162,681,055.87
	总负债(元)	–	71,393,173.13	48,806,448.10
	净资产(元)	–	113,476,428.56	113,874,607.77
	每股收益(元)	–	0.06	0.11
	每股净资产(元)	–	1.48	1.48
	净资产收益率(%)	–	3.98	7.38

焦作市三利达射箭器材股份有限公司

公司概况	公司名称	焦作市三利达射箭器材股份有限公司			股份名称	三利达
	法人代表	苗备战	董秘	腊俊伟	股份代码	831326
	公司网址	www.w168.cn	主办券商	长江证券股份有限公司		
	电　话	0391-3215559	传　真	0391-3214444		
	注册地址	河南省焦作市焦辉路百间房派出所西邻				
	行业分类	制造业				

	指标\报告期	2014.06.30	2013.12.31	2012.12.31
主要财务指标	营业收入(元)	–	36,585,176.71	14,969,154.35
	营业利润(元)	–	4,952,860.27	–61,228.33
	净利润(元)	–	4,018,287.09	223,467.48
	未分配利润(元)	–	3,767,380.95	150,922.57
	总资产(元)	–	23,541,439.46	14,234,553.50
	总负债(元)	–	14,355,460.63	9,066,861.76
	净资产(元)	–	9,185,978.83	5,167,691.74
	每股收益(元)	–	0.80	0.04
	每股净资产(元)	–	1.84	1.03
	净资产收益率(%)	–	43.74	4.32

飞翼股份有限公司

公司概况	公司名称	飞翼股份有限公司			股份名称	飞翼股份
	法人代表	张泽武	董秘	刘翼君	股份代码	831327
	公司网址	www.chinafeny.com		主办券商	东北证券股份有限公司	
	电　　话	0731-87873708		传　　真	0731-87873736	
	注册地址	湖南省宁乡市经济技术开发区创业大道飞翼股份有限公司办公楼				
	行业分类	制造业				

	指标\报告期	2014.06.30	2013.12.31	2012.12.31
主要财务指标	营业收入(元)	–	199,167,601.22	257,020,905.76
	营业利润(元)	–	1,270,782.34	37,192,276.48
	净利润(元)	–	8,156,277.85	32,243,882.49
	未分配利润(元)	–	63,661,994.46	55,904,404.45
	总资产(元)	–	441,002,779.83	348,526,144.34
	总负债(元)	–	270,207,855.10	185,887,497.46
	净资产(元)	–	170,794,924.73	162,638,646.88
	每股收益(元)	–	0.08	0.33
	每股净资产(元)	–	1.71	1.63
	净资产收益率(%)	–	4.88	20.23

科耐特电缆附件股份有限公司

公司概况	公司名称	科耐特电缆附件股份有限公司			股份名称	科耐特
	法人代表	杨俊	董秘	蒋玲琳	股份代码	831328
	公司网址	www.jsconnect.com		主办券商	东北证券股份有限公司	
	电　　话	0510-87688555		传　　真	0510-87694666	
	注册地址	江苏省宜兴市徐舍镇工业集中区长兴路8号				
	行业分类	制造业				

	指标\报告期	2014.06.30	2013.12.31	2012.12.31
主要财务指标	营业收入(元)	–	24,508,851.62	4,031,608.23
	营业利润(元)	–	174,395.54	-2,721,185.42
	净利润(元)	–	524,323.04	-2,657,573.60
	未分配利润(元)	–	-3,578,202.58	-4,102,525.62
	总资产(元)	–	105,729,305.39	49,445,510.50
	总负债(元)	–	59,307,507.97	3,548,036.12
	净资产(元)	–	46,421,797.42	45,897,474.38
	每股收益(元)	–	0.01	-0.05
	每股净资产(元)	–	0.58	0.57
	净资产收益率(%)	–	1.13	-5.79

山东海源达国际贸易股份有限公司

公司概况	公司名称	山东海源达国际贸易股份有限公司			股份名称	海源达
	法人代表	李中华	董秘	蒲巧	股份代码	831329
	公司网址	www.hydgj.cn		主办券商	东莞证券有限责任公司	
	电　　话	18505330922		传　　真	0533-6120210	
	注册地址	山东省淄博市张店区共青团西路136号金石丽城沿街公建3层				
	行业分类	批发和零售业				

	指标\报告期	2014.06.30	2013.12.31	2012.12.31
主要财务指标	营业收入(元)	–	3,480,014,917.12	2,138,247,631.59
	营业利润(元)	–	16,017,490.88	14,910,118.47
	净利润(元)	–	11,857,189.00	11,359,732.75
	未分配利润(元)	–	14,592,022.85	14,714,281.13
	总资产(元)	–	729,859,871.54	306,701,356.61
	总负债(元)	–	644,955,560.37	253,654,234.44
	净资产(元)	–	84,904,311.17	53,047,122.17
	每股收益(元)	–	0.22	0.24
	每股净资产(元)	–	1.50	1.47
	净资产收益率(%)	–	13.97	21.41

上海普适导航科技股份有限公司

公司概况	公司名称	上海普适导航科技股份有限公司			股份名称	普适导航
	法人代表	余磊	董秘	黄华文	股份代码	831330
	公司网址	www.ubinavi.com.cn		主办券商	国信证券股份有限公司	
	电　　话	021-34637600		传　　真	021-34637601	
	注册地址	上海市浦东新区临港海洋高新技术产业化基地A0201街坊432号				
	行业分类	信息传输、软件和信息技术服务业				

	指标\报告期	2014.06.30	2013.12.31	2012.12.31
主要财务指标	营业收入(元)	–	36,312,149.32	26,358,184.79
	营业利润(元)	–	3,331,326.98	-5,406,178.46
	净利润(元)	–	3,331,440.97	-5,396,485.22
	未分配利润(元)	–	-6,697,788.06	-10,029,229.03
	总资产(元)	–	28,481,038.66	20,875,244.28
	总负债(元)	–	23,807,854.02	19,533,500.61
	净资产(元)	–	4,673,184.64	1,341,743.67
	每股收益(元)	–	0.30	-0.49
	每股净资产(元)	–	0.42	0.12
	净资产收益率(%)	–	71.29	-402.20

湖北华奥安防科技运营股份有限公司

公司概况	公司名称	湖北华奥安防科技运营股份有限公司			股份名称	华奥科技
	法人代表	白云	董秘	张蓉	股份代码	831331
	公司网址	www.huaao24.com.cn		主办券商	海通证券股份有限公司	
	电　话	13037120211		传　真	027-59835388 转 8011	
	注册地址	湖北省武汉市东湖开发区珞瑜东路八号慧谷时空大厦 801 室				
	行业分类	信息传输、软件和信息技术服务业				

	指标\报告期	2014.06.30	2013.12.31	2012.12.31
主要财务指标	营业收入(元)	–	17,901,874.71	13,788,765.49
	营业利润(元)	–	1,986,695.75	2,035,983.19
	净利润(元)	–	4,764,428.81	1,932,615.82
	未分配利润(元)	–	2,207,549.91	97,270.33
	总资产(元)	–	63,179,101.86	30,102,593.02
	总负债(元)	–	28,306,594.90	19,994,514.87
	净资产(元)	–	34,872,506.96	10,108,078.15
	每股收益(元)	–	0.16	0.19
	每股净资产(元)	–	1.16	1.01
	净资产收益率(%)	–	13.66	19.12

重庆申高生化制药股份有限公司

公司概况	公司名称	重庆申高生化制药股份有限公司			股份名称	申高制药
	法人代表	龚志国	董秘	杨秀华	股份代码	831332
	公司网址	www.cqsgzy.com		主办券商	江海证券有限公司	
	电　话	023-85791658		传　真	023-85791657	
	注册地址	重庆市万州区申明工业园区				
	行业分类	制造业				

	指标\报告期	2014.06.30	2013.12.31	2012.12.31
主要财务指标	营业收入(元)	–	23,318,624.11	21,258,935.10
	营业利润(元)	–	1,324,801.38	–252,868.15
	净利润(元)	–	1,238,189.50	801,724.18
	未分配利润(元)	–	28,202.25	4,632,617.01
	总资产(元)	–	40,852,558.73	53,173,967.41
	总负债(元)	–	24,467,018.10	38,026,616.28
	净资产(元)	–	16,385,540.63	15,147,351.13
	每股收益(元)	–	0.08	0.05
	每股净资产(元)	–	1.02	0.95
	净资产收益率(%)	–	7.56	5.29

江苏世航国际货运代理股份有限公司

公司概况	公司名称	江苏世航国际货运代理股份有限公司			股份名称	世航国际
	法人代表	葛飞	董秘	丁启明	股份代码	831333
	公司网址	www.we-logistics.com		主办券商	金元证券股份有限公司	
	电　话	0513-85514691		传　真	0513-85514698	
	注册地址	江苏省南通市崇川区南大街 189 号鼎典大厦 605 室				
	行业分类	交通运输、仓储和邮政业				

	指标\报告期	2014.06.30	2013.12.31	2012.12.31
主要财务指标	营业收入(元)	–	19,129,929.08	21,249,258.44
	营业利润(元)	–	536,805.28	441,601.50
	净利润(元)	–	395,346.70	306,395.77
	未分配利润(元)	–	757,768.60	401,956.57
	总资产(元)	–	12,374,160.65	11,732,078.96
	总负债(元)	–	2,622,373.31	3,235,638.32
	净资产(元)	–	9,751,787.34	8,496,440.64
	每股收益(元)	–	0.05	0.04
	每股净资产(元)	–	1.10	1.06
	净资产收益率(%)	–	4.05	3.61

上海竞天科技股份有限公司

公司概况	公司名称	上海竞天科技股份有限公司			股份名称	竞天科技
	法人代表	朱建宾	董秘	黄小东	股份代码	831334
	公司网址	www.gentek.com.cn		主办券商	东吴证券股份有限公司	
	电　话	021-58731616		传　真	021-58730606	
	注册地址	上海市浦东新区兰村路 473 号				
	行业分类	制造业				

	指标\报告期	2014.06.30	2013.12.31	2012.12.31
主要财务指标	营业收入(元)	–	185,847,559.82	116,213,876.45
	营业利润(元)	–	1,073,497.27	–560,021.30
	净利润(元)	–	3,253,592.59	514,008.79
	未分配利润(元)	–	22,186,088.40	19,455,762.72
	总资产(元)	–	283,548,696.67	182,688,009.29
	总负债(元)	–	205,107,181.50	107,500,086.71
	净资产(元)	–	78,441,515.17	75,187,922.58
	每股收益(元)	–	0.07	0.03
	每股净资产(元)	–	1.77	1.70
	净资产收益率(%)	–	4.04	1.94

时空客新传媒(大连)股份有限公司

公司概况	公司名称	时空客新传媒(大连)股份有限公司			股份名称	时空客
	法人代表	王恩权	董秘	张海红	股份代码	831335
	公司网址	www.skkx.com		主办券商	东兴证券股份有限公司	
	电　　话	18241168009		传　　真	0411-39644477	
	注册地址	辽宁省大连市高新技术产业园区黄浦路541号8层0807-0810室				
	行业分类	文化、体育和娱乐业				

	指标\报告期	2014.06.30	2013.12.31	2012.12.31
主要财务指标	营业收入(元)	–	21,520,148.86	14,749,403.42
	营业利润(元)	–	567,518.91	1,282,128.09
	净利润(元)	–	109,340.45	1,025,278.52
	未分配利润(元)	–	225,300.06	1,817,893.66
	总资产(元)	–	50,008,050.62	32,102,222.22
	总负债(元)	–	17,246,828.33	7,725,340.38
	净资产(元)	–	32,761,222.29	24,376,881.84
	每股收益(元)	–	0.00	0.07
	每股净资产(元)	–	1.20	1.44
	净资产收益率(%)	–	0.33	4.21

江苏苏丝丝绸股份有限公司

公司概况	公司名称	江苏苏丝丝绸股份有限公司			股份名称	苏丝股份
	法人代表	韩兴旺	董秘	何道明	股份代码	831336
	公司网址	www.spcc-silk.com		主办券商	东北证券股份有限公司	
	电　　话	0527-85191909		传　　真	0527-85293748	
	注册地址	江苏省宿迁市泗阳县				
	行业分类	制造业				

	指标\报告期	2014.06.30	2013.12.31	2012.12.31
主要财务指标	营业收入(元)	–	162,544,993.15	132,224,310.88
	营业利润(元)	–	-11,058,821.53	-1,024,813.76
	净利润(元)	–	-3,806,216.84	-174,462.57
	未分配利润(元)	–	-6,404,904.03	-2,598,687.19
	总资产(元)	–	225,408,843.87	166,960,138.83
	总负债(元)	–	114,815,066.90	52,560,145.02
	净资产(元)	–	110,593,776.97	114,399,993.81
	每股收益(元)	–	-0.04	–
	每股净资产(元)	–	1.04	1.08
	净资产收益率(%)	–	-3.44	-0.15

北京雷力海洋生物新产业股份有限公司

公司概况	公司名称	北京雷力海洋生物新产业股份有限公司			股份名称	雷力生物
	法人代表	郭占武	董秘	张永华	股份代码	831337
	公司网址	www.leili.com		主办券商	中信建投证券股份有限公司	
	电　　话	13901086600		传　　真	010-68910190	
	注册地址	北京市海淀区西三环北路22号				
	行业分类	制造业				

	指标\报告期	2014.06.30	2013.12.31	2012.12.31
主要财务指标	营业收入(元)	–	163,721,456.77	185,994,479.45
	营业利润(元)	–	4,266,249.94	8,606,768.27
	净利润(元)	–	6,820,092.40	8,965,293.52
	未分配利润(元)	–	8,471,304.87	27,723,108.24
	总资产(元)	–	252,987,032.53	218,864,413.97
	总负债(元)	–	140,364,731.35	113,062,205.19
	净资产(元)	–	112,622,301.18	105,802,208.78
	每股收益(元)	–	0.07	0.22
	每股净资产(元)	–	1.13	2.59
	净资产收益率(%)	–	6.06	8.47

山东信和造纸工程股份有限公司

公司概况	公司名称	山东信和造纸工程股份有限公司			股份名称	山东信和
	法人代表	张磊	董秘	李庆科	股份代码	831338
	公司网址	www.sdxinhe.cn		主办券商	齐鲁证券有限公司	
	电　　话	0635-2933333		传　　真	0635-2936777	
	注册地址	山东省聊城市聊城经济开发区黄河路26号				
	行业分类	制造业				

	指标\报告期	2014.06.30	2013.12.31	2012.12.31
主要财务指标	营业收入(元)	–	59,388,077.53	49,372,567.68
	营业利润(元)	–	1,879,628.51	602,262.62
	净利润(元)	–	1,534,812.12	494,442.88
	未分配利润(元)	–	1,345,598.98	36,474.91
	总资产(元)	–	87,172,779.02	94,708,136.28
	总负债(元)	–	65,101,491.99	84,671,661.37
	净资产(元)	–	22,071,287.03	10,036,474.91
	每股收益(元)	–	0.20	0.10
	每股净资产(元)	–	1.09	2.01
	净资产收益率(%)	–	7.69	4.93

洛阳新思路电气股份有限公司

公司概况	公司名称	洛阳新思路电气股份有限公司		股份名称	新思路	
	法人代表	胡洛平	董秘	贾雪英	股份代码	831339
	公司网址	www.cn-xsl.com		主办券商	西南证券股份有限公司	
	电　话	0379-64314950		传　真	0379-64314950	
	注册地址	河南省洛阳市高新开发区洛宜南路火炬园E座				
	行业分类	制造业				

	指标\报告期	2014.06.30	2013.12.31	2012.12.31
主要财务指标	营业收入(元)	–	88,118,104.20	86,355,765.56
	营业利润(元)	–	−448,343.94	6,871,607.86
	净利润(元)	–	469,792.21	6,131,790.58
	未分配利润(元)	–	21,497,322.57	23,594,509.58
	总资产(元)	–	141,311,693.92	150,400,439.57
	总负债(元)	–	86,509,113.29	93,547,651.15
	净资产(元)	–	54,802,580.63	56,852,788.42
	每股收益(元)	–	0.02	0.24
	每股净资产(元)	–	2.17	2.26
	净资产收益率(%)	–	0.86	10.79

苏州金童机械制造股份有限公司

公司概况	公司名称	苏州金童机械制造股份有限公司		股份名称	金童股份	
	法人代表	蒋明生	董秘	宋顺金	股份代码	831340
	公司网址	www.jintong-sz.com		主办券商	宏源证券股份有限公司	
	电　话	0512-63206789		传　真	0512-63203456	
	注册地址	江苏省苏州市吴江区金家坝工业开发区幸二段				
	行业分类	制造业				

	指标\报告期	2014.06.30	2013.12.31	2012.12.31
主要财务指标	营业收入(元)	–	6,626,371.91	10,258,689.18
	营业利润(元)	–	324,202.90	955,761.39
	净利润(元)	–	244,513.94	687,577.03
	未分配利润(元)	–	491,424.98	271,362.43
	总资产(元)	–	26,980,186.09	27,423,913.14
	总负债(元)	–	20,583,925.01	21,272,166.00
	净资产(元)	–	6,396,261.08	6,151,747.14
	每股收益(元)	–	0.04	0.12
	每股净资产(元)	–	1.10	1.06
	净资产收益率(%)	–	3.82	11.18

大连必由学教育网络股份有限公司

公司概况	公司名称	大连必由学教育网络股份有限公司		股份名称	必由学	
	法人代表	孙桂岩	董秘	孙丹	股份代码	831341
	公司网址			主办券商	上海证券有限责任公司	
	电　话	0411-84457899-826		传　真	0411-84457899-815	
	注册地址	辽宁省大连市高新技术产业园区黄浦路512号20层1号				
	行业分类	教育				

	指标\报告期	2014.06.30	2013.12.31	2012.12.31
主要财务指标	营业收入(元)	–	2,849,941.99	733,080.00
	营业利润(元)	–	−1,215,889.62	−737,592.95
	净利润(元)	–	−612,678.21	−736,872.95
	未分配利润(元)	–	−1,666,813.09	−1,054,134.88
	总资产(元)	–	5,724,710.22	3,951,092.21
	总负债(元)	–	4,391,523.31	2,005,227.09
	净资产(元)	–	1,333,186.91	1,945,865.12
	每股收益(元)	–	−0.20	−0.25
	每股净资产(元)	–	0.44	0.65
	净资产收益率(%)	–	−45.96	−37.87

无锡市大元广盛电气股份有限公司

公司概况	公司名称	无锡市大元广盛电气股份有限公司		股份名称	大元广盛	
	法人代表	朱丽	董秘	薛明丽	股份代码	831342
	公司网址	www.wxdygs.cn		主办券商	申银万国证券股份有限公司	
	电　话			传　真		
	注册地址	江苏省无锡市锡山经济开发区芙蓉中三路99号				
	行业分类	制造业				

	指标\报告期	2014.06.30	2013.12.31	2012.12.31
主要财务指标	营业收入(元)	–	25,843,640.04	19,301,460.12
	营业利润(元)	–	−1,866,331.90	−2,851,331.89
	净利润(元)	–	−1,699,174.83	−2,818,772.84
	未分配利润(元)	–	−8,143,601.89	−6,444,427.06
	总资产(元)	–	27,801,860.00	16,823,976.91
	总负债(元)	–	25,945,461.89	13,268,403.97
	净资产(元)	–	1,856,398.11	3,555,572.94
	每股收益(元)	–	−0.17	−0.28
	每股净资产(元)	–	0.19	0.36
	净资产收益率(%)	–	−91.53	−79.28

湖北益通建设股份有限公司

公司概况	公司名称	湖北益通建设股份有限公司		股份名称	益通建设
	法人代表	陶加林	董秘 张斌	股份代码	831343
	公司网址	www.hbyitong.cn	主办券商	长江证券股份有限公司	
	电话	0717-6357415	传真	0717-6357415	
	注册地址	湖北省宜昌市伍家岗区东山大道 314 号			
	行业分类	建筑业			

	指标\报告期	2014.06.30	2013.12.31	2012.12.31
主要财务指标	营业收入(元)	-	729,804,935.42	561,375,738.49
	营业利润(元)	-	27,286,800.85	19,297,444.06
	净利润(元)	-	15,533,009.69	11,880,935.63
	未分配利润(元)	-	16,125,926.18	3,199,517.15
	总资产(元)	-	727,490,886.29	718,006,022.67
	总负债(元)	-	578,211,937.96	591,582,305.26
	净资产(元)	-	149,278,948.33	126,423,717.41
	每股收益(元)	-	0.15	0.12
	每股净资产(元)	-	1.31	1.08
	净资产收益率(%)	-	11.73	10.80

中际联合(北京)科技股份有限公司

公司概况	公司名称	中际联合(北京)科技股份有限公司		股份名称	中际联合
	法人代表	刘志欣	董秘 谷雨	股份代码	831344
	公司网址	www.3slift.com	主办券商	湘财证券股份有限公司	
	电话	010-69597656-3021	传真	010-69597866-3010	
	注册地址	北京市通州区创益东二路 15 号院 1 号楼			
	行业分类	制造业			

	指标\报告期	2014.06.30	2013.12.31	2012.12.31
主要财务指标	营业收入(元)	-	81,214,283.17	57,437,222.89
	营业利润(元)	-	25,599,763.62	14,931,880.61
	净利润(元)	-	21,721,426.25	12,705,023.79
	未分配利润(元)	-	35,032,379.90	16,097,721.57
	总资产(元)	-	100,198,816.48	79,055,892.53
	总负债(元)	-	21,880,014.06	21,833,516.36
	净资产(元)	-	78,318,802.42	57,222,376.17
	每股收益(元)	-	0.72	0.52
	每股净资产(元)	-	5.87	4.29
	净资产收益率(%)	-	27.74	22.20

江苏海特服饰股份有限公司

公司概况	公司名称	江苏海特服饰股份有限公司		股份名称	海特股份
	法人代表	朱海荣	董秘 朱海燕	股份代码	831345
	公司网址	www.xyytex.com	主办券商	国联证券股份有限公司	
	电话	0510-86150038	传真	0510-86150238	
	注册地址	江苏省江阴市云亭街道长山大道 281 号			
	行业分类	制造业			

	指标\报告期	2014.06.30	2013.12.31	2012.12.31
主要财务指标	营业收入(元)	-	80,619,521.42	56,952,398.27
	营业利润(元)	-	2,181,384.72	2,709,004.92
	净利润(元)	-	1,571,460.25	2,089,727.90
	未分配利润(元)	-	2,691,572.61	1,277,258.39
	总资产(元)	-	63,764,645.62	46,955,265.24
	总负债(元)	-	56,593,030.84	41,355,110.71
	净资产(元)	-	7,171,614.78	5,600,154.53
	每股收益(元)	-	0.39	0.52
	每股净资产(元)	-	1.79	1.40
	净资产收益率(%)	-	21.91	37.32

北京木联能软件股份有限公司

公司概况	公司名称	北京木联能软件股份有限公司		股份名称	木联能
	法人代表	郭晨	董秘 彭喜军	股份代码	831346
	公司网址	www.mlnsof.net	主办券商	华西证券股份有限公司	
	电话	010-62046704	传真	010-82969937	
	注册地址	北京市西城区德外大街 11 号 C 座 408 室(德胜园区)			
	行业分类	信息传输、软件和信息技术服务业			

	指标\报告期	2014.06.30	2013.12.31	2012.12.31
主要财务指标	营业收入(元)	-	31,211,813.65	18,219,979.73
	营业利润(元)	-	4,940,358.07	4,808,423.19
	净利润(元)	-	7,592,128.14	6,623,598.59
	未分配利润(元)	-	14,083,110.03	8,570,194.70
	总资产(元)	-	44,787,945.06	36,078,629.14
	总负债(元)	-	19,040,640.90	16,603,453.12
	净资产(元)	-	25,747,304.16	19,475,176.02
	每股收益(元)	-	0.86	0.75
	每股净资产(元)	-	2.93	2.21
	净资产收益率(%)	-	29.49	34.01

武汉大禹阀门股份有限公司

公司概况	公司名称	武汉大禹阀门股份有限公司			股份名称	大禹阀门
	法人代表	李习洪	董秘	李华军	股份代码	831347
	公司网址	www.dayu-valve.com		主办券商	长江证券股份有限公司	
	电　话	027-84296136		传　真	027-84296136	
	注册地址	湖北省武汉市经济技术开发区沌阳科技工业园				
	行业分类	制造业				

	指标\报告期	2014.06.30	2013.12.31	2012.12.31
主要财务指标	营业收入(元)	–	206,377,890.98	205,028,020.77
	营业利润(元)	–	14,754,925.54	35,591,905.75
	净利润(元)	–	15,978,856.19	31,959,526.62
	未分配利润(元)	–	44,312,956.86	29,931,986.29
	总资产(元)	–	402,982,033.65	341,049,045.05
	总负债(元)	–	214,659,858.22	168,705,725.81
	净资产(元)	–	188,322,175.43	172,343,319.24
	每股收益(元)	–	0.29	0.57
	每股净资产(元)	–	3.37	3.09
	净资产收益率(%)	–	8.49	18.54

江苏碧松照明股份有限公司

公司概况	公司名称	江苏碧松照明股份有限公司			股份名称	碧松照明
	法人代表	王碧松	董秘	张陈晨	股份代码	831348
	公司网址	www.suot.cn		主办券商	申银万国证券股份有限公司	
	电　话	0513-83120869		传　真	0513-83316998	
	注册地址	江苏省启东市汇龙镇人民西路 2077 号				
	行业分类	制造业				

	指标\报告期	2014.06.30	2013.12.31	2012.12.31
主要财务指标	营业收入(元)	–	73,291,042.29	68,528,402.46
	营业利润(元)	–	22,077.42	357,888.65
	净利润(元)	–	852,633.60	762,093.87
	未分配利润(元)	–	963,587.34	609,847.78
	总资产(元)	–	61,587,557.91	45,132,752.22
	总负债(元)	–	39,857,315.67	32,455,143.58
	净资产(元)	–	21,730,242.24	12,677,608.64
	每股收益(元)	–	0.07	0.06
	每股净资产(元)	–	1.09	1.06
	净资产收益率(%)	–	3.92	6.01

扬州市德运塑业科技股份有限公司

公司概况	公司名称	扬州市德运塑业科技股份有限公司			股份名称	德运塑业
	法人代表	刘顺兆	董秘	吴丽萍	股份代码	831349
	公司网址	www.derwins.cn		主办券商	中山证券股份有限公司	
	电　话	0514-84528166		传　真	0514-84528399	
	注册地址	江苏省高邮市八桥镇工业集中区				
	行业分类	制造业				

	指标\报告期	2014.06.30	2013.12.31	2012.12.31
主要财务指标	营业收入(元)	–	111,304,514.43	74,145,842.99
	营业利润(元)	–	–11,535,701.62	–15,298,956.08
	净利润(元)	–	–11,354,186.54	–15,100,390.57
	未分配利润(元)	–	–31,054,962.04	–19,700,775.50
	总资产(元)	–	118,648,160.21	103,451,165.10
	总负债(元)	–	102,723,122.25	92,171,940.60
	净资产(元)	–	15,925,037.96	11,279,224.50
	每股收益(元)	–	–0.76	–1.01
	每股净资产(元)	–	1.06	0.75
	净资产收益率(%)	–	–71.30	–133.88

包头市展浩电气股份有限公司

公司概况	公司名称	包头市展浩电气股份有限公司			股份名称	展浩电气
	法人代表	楚敬毅	董秘	姚小红	股份代码	831350
	公司网址	www.btzhdq.com		主办券商	中信证券股份有限公司	
	电　话	0472-7109926		传　真	0472-5139594	
	注册地址	内蒙古自治区包头市稀土高新区劳动路 15 号				
	行业分类	制造业				

	指标\报告期	2014.06.30	2013.12.31	2012.12.31
主要财务指标	营业收入(元)	–	26,265,414.46	25,441,083.12
	营业利润(元)	–	1,354,608.51	468,642.61
	净利润(元)	–	1,595,676.79	458,443.52
	未分配利润(元)	–	1,914,252.62	478,143.51
	总资产(元)	–	57,436,832.65	59,124,839.75
	总负债(元)	–	15,309,885.30	18,593,569.19
	净资产(元)	–	42,126,947.35	40,531,270.56
	每股收益(元)	–	0.04	0.01
	每股净资产(元)	–	1.05	1.01
	净资产收益率(%)	–	3.79	1.13

杭州浙达精益机电技术股份有限公司

公司概况	公司名称	杭州浙达精益机电技术股份有限公司			股份名称	浙达精益
	法人代表	吕福在	董秘	许东亮	股份代码	831351
	公司网址	www.jingyitech.com		主办券商	海通证券股份有限公司	
	电　话	0571-87671721		传　真	0571-85128737	
	注册地址	浙江省杭州市余杭区文一西路998号未来科技城18幢401室				
	行业分类	制造业				

	指标\报告期	2014.06.30	2013.12.31	2012.12.31
主要财务指标	营业收入(元)	–	87,861,434.85	83,032,030.33
	营业利润(元)	–	1,090,192.91	1,892,834.71
	净利润(元)	–	2,163,979.10	5,584,610.49
	未分配利润(元)	–	2,293,419.88	456,826.44
	总资产(元)	–	76,794,386.69	104,609,134.06
	总负债(元)	–	20,166,413.87	50,145,140.34
	净资产(元)	–	56,627,972.82	54,463,993.72
	每股收益(元)	–	0.10	0.30
	每股净资产(元)	–	2.73	2.63
	净资产收益率(%)	–	3.82	10.25

浙江健力股份有限公司

公司概况	公司名称	浙江健力股份有限公司			股份名称	健力股份
	法人代表	赵健	董秘	何银潮	股份代码	831352
	公司网址	www.cnjol.cn		主办券商	申银万国证券股份有限公司	
	电　话			传　真		
	注册地址	浙江省诸暨市陶朱街道千禧路3号				
	行业分类	制造业				

	指标\报告期	2014.06.30	2013.12.31	2012.12.31
主要财务指标	营业收入(元)	–	669,279,038.33	956,590,989.21
	营业利润(元)	–	–79,024,853.61	–124,465,337.68
	净利润(元)	–	–40,409,564.34	–122,250,377.85
	未分配利润(元)	–	–23,139,177.51	17,270,386.83
	总资产(元)	–	1,270,135,358.68	1,568,860,582.61
	总负债(元)	–	436,316,584.77	687,070,244.74
	净资产(元)	–	833,818,773.91	881,790,337.87
	每股收益(元)	–	–0.07	–0.21
	每股净资产(元)	–	1.44	1.52
	净资产收益率(%)	–	–4.85	–13.86

浙江海盐力源环保科技股份有限公司

公司概况	公司名称	浙江海盐力源环保科技股份有限公司			股份名称	海盐力源
	法人代表	沈万中	董秘	沈学恩	股份代码	831353
	公司网址	www.psr-china.com		主办券商	申银万国证券股份有限公司	
	电　话			传　真		
	注册地址	浙江省海盐县武原街道绮园路68号				
	行业分类	水利、环境和公共设施管理业				

	指标\报告期	2014.06.30	2013.12.31	2012.12.31
主要财务指标	营业收入(元)	–	103,799,293.98	53,487,525.07
	营业利润(元)	–	5,611,643.53	–5,073,468.76
	净利润(元)	–	6,600,063.02	–4,967,626.28
	未分配利润(元)	–	–3,923,264.14	–10,523,327.16
	总资产(元)	–	166,407,037.60	108,199,873.40
	总负债(元)	–	132,485,486.52	90,878,385.34
	净资产(元)	–	33,921,551.08	17,321,488.06
	每股收益(元)	–	0.26	–0.25
	每股净资产(元)	–	0.97	0.69
	净资产收益率(%)	–	19.46	–28.68

话机世界通信集团股份有限公司

公司概况	公司名称	话机世界通信集团股份有限公司			股份名称	话机世界
	法人代表	赵伯祥	董秘	张佳怡	股份代码	831354
	公司网址	www.hjsj.com		主办券商	中信建投证券股份有限公司	
	电　话	0571-85812363		传　真	0571-85828129	
	注册地址	浙江省杭州市拱墅区白马大厦28A室				
	行业分类	批发和零售业				

	指标\报告期	2014.06.30	2013.12.31	2012.12.31
主要财务指标	营业收入(元)	–	2,454,994,429.33	1,777,469,388.74
	营业利润(元)	–	34,680,241.01	23,036,066.94
	净利润(元)	–	24,886,480.24	19,525,576.18
	未分配利润(元)	–	60,341,069.57	37,089,480.40
	总资产(元)	–	1,001,007,546.31	923,792,047.84
	总负债(元)	–	788,928,635.32	736,599,617.09
	净资产(元)	–	212,078,910.99	187,192,430.75
	每股收益(元)	–	0.35	0.28
	每股净资产(元)	–	3.02	2.67
	净资产收益率(%)	–	11.74	10.43

江苏亚特尔地源科技股份有限公司

公司概况	公司名称	江苏亚特尔地源科技股份有限公司			股份名称	地源科技
	法人代表	徐卫东	董秘	王家明	股份代码	831355
	公司网址	www.csyateer.com		主办券商	爱建证券有限责任公司	
	电　话	0512-52827002		传　真	0512-52823009	
	注册地址	江苏省常熟市海虞北路 23-1 号四楼				
	行业分类	建筑业				

	指标\报告期	2014.06.30	2013.12.31	2012.12.31
主要财务指标	营业收入(元)	–	22,251,048.57	15,275,932.72
	营业利润(元)	–	2,509,271.93	626,758.11
	净利润(元)	–	1,919,446.97	276,629.09
	未分配利润(元)	–	3,608,614.07	1,881,111.80
	总资产(元)	–	31,545,297.74	22,909,606.30
	总负债(元)	–	22,535,726.55	15,819,482.08
	净资产(元)	–	9,009,571.19	7,090,124.22
	每股收益(元)	–	0.38	0.06
	每股净资产(元)	–	1.80	1.42
	净资产收益率(%)	–	21.31	3.90

中电智能(福建)系统集成股份有限公司

公司概况	公司名称	中电智能(福建)系统集成股份有限公司			股份名称	中电智能
	法人代表	俞祁平	董秘	李美钦	股份代码	831356
	公司网址			主办券商	招商证券股份有限公司	
	电　话	0591-87871211 转 803		传　真	0591-87871211 转 818	
	注册地址	福建省福州市鼓楼区杨桥路宏扬新城 2# 楼 5 层 A、B、D 单元				
	行业分类	信息传输、软件和信息技术服务业				

	指标\报告期	2014.06.30	2013.12.31	2012.12.31
主要财务指标	营业收入(元)	–	30,159,395.85	13,840,743.35
	营业利润(元)	–	579,100.42	52,682.78
	净利润(元)	–	446,479.38	33,291.15
	未分配利润(元)	–	209,646.63	-83,119.67
	总资产(元)	–	30,373,337.97	15,073,744.10
	总负债(元)	–	9,813,059.57	4,957,237.55
	净资产(元)	–	20,560,278.40	10,116,506.55
	每股收益(元)	–	0.02	0.00
	每股净资产(元)	–	1.02	0.99
	净资产收益率(%)	–	2.23	0.34

河南黄国粮业股份有限公司

公司概况	公司名称	河南黄国粮业股份有限公司			股份名称	黄国粮业
	法人代表	周兴伍	董秘	杜道峰	股份代码	831357
	公司网址	www.huangguo.com.cn		主办券商	长江证券股份有限公司	
	电　话	0376-3112990		传　真	0376-3111808	
	注册地址	河南省信阳市潢川经济技术开发区弋阳东路				
	行业分类	制造业				

	指标\报告期	2014.06.30	2013.12.31	2012.12.31
主要财务指标	营业收入(元)	–	566,346,618.37	584,328,302.76
	营业利润(元)	–	-1,252,288.96	30,603,525.52
	净利润(元)	–	3,820,688.90	36,727,267.49
	未分配利润(元)	–	47,459,137.69	44,638,675.17
	总资产(元)	–	661,628,558.10	514,528,302.64
	总负债(元)	–	392,933,407.12	249,653,840.56
	净资产(元)	–	268,695,150.98	264,874,462.08
	每股收益(元)	–	0.03	0.31
	每股净资产(元)	–	2.24	2.21
	净资产收益率(%)	–	1.42	13.87

石家庄新华能源环保科技股份有限公司

公司概况	公司名称	石家庄新华能源环保科技股份有限公司			股份名称	新华环保
	法人代表	贾会平	董秘	高宝忠	股份代码	831358
	公司网址	www.sjzxh.com		主办券商	安信证券股份有限公司	
	电　话	15075199662		传　真	0311-85468103	
	注册地址	河北省石家庄市装备制造基地北部(装备制造基地新华路 6 号)				
	行业分类	制造业				

	指标\报告期	2014.06.30	2013.12.31	2012.12.31
主要财务指标	营业收入(元)	–	385,244,656.79	343,246,052.61
	营业利润(元)	–	37,838,815.62	46,233,151.86
	净利润(元)	–	33,492,284.51	40,920,053.09
	未分配利润(元)	–	64,674,228.11	34,425,095.80
	总资产(元)	–	682,264,122.47	559,784,181.72
	总负债(元)	–	439,972,732.91	352,013,981.24
	净资产(元)	–	242,291,389.56	207,770,200.48
	每股收益(元)	–	0.45	0.55
	每股净资产(元)	–	3.23	2.77
	净资产收益率(%)	–	13.82	19.70

湖南恒光科技股份有限公司

公司概况	公司名称	湖南恒光科技股份有限公司		股份名称	恒光股份
	法人代表	曹立祥	董秘 李小辉	股份代码	831359
	公司网址	www.hgkjgf.com		主办券商	招商证券股份有限公司
	电　话	0745-7695232		传　真	0745-7695064
	注册地址	湖南省怀化市洪江区岩门01号			
	行业分类	制造业			

	指标＼报告期	2014.06.30	2013.12.31	2012.12.31
主要财务指标	营业收入（元）	–	405,514,322.59	419,736,040.15
	营业利润（元）	–	10,271,945.59	5,020,767.39
	净利润（元）	–	11,507,485.90	5,417,340.48
	未分配利润（元）	–	14,393,507.79	14,310,565.49
	总资产（元）	–	415,755,121.44	439,532,860.22
	总负债（元）	–	141,485,922.62	167,958,317.59
	净资产（元）	–	274,269,198.82	271,574,542.63
	每股收益（元）	–	0.14	0.07
	每股净资产（元）	–	3.43	3.39
	净资产收益率（%）	–	4.20	2.00

武汉超级玩家科技股份有限公司

公司概况	公司名称	武汉超级玩家科技股份有限公司		股份名称	超级玩家
	法人代表	朱学宝	董秘 廖婧	股份代码	831360
	公司网址	www.chinasg.com		主办券商	平安证券有限责任公司
	电　话	13908643606		传　真	027-87880066
	注册地址	湖北省武汉市东湖新技术开发区关山大道465号			
	行业分类	信息传输、软件和信息技术服务业			

	指标＼报告期	2014.06.30	2013.12.31	2012.12.31
主要财务指标	营业收入（元）	–	11,183,716.82	14,527,505.89
	营业利润（元）	–	-3,524,693.39	1,576,608.86
	净利润（元）	–	-1,224,235.14	3,764,663.75
	未分配利润（元）	–	-1,185,058.17	-692,649.93
	总资产（元）	–	26,865,403.59	27,868,633.22
	总负债（元）	–	19,553,472.08	12,215,666.57
	净资产（元）	–	7,311,931.51	15,652,966.65
	每股收益（元）	–	-0.02	0.26
	每股净资产（元）	–	0.92	1.00
	净资产收益率（%）	–	-3.58	25.99

郑州胜龙信息技术股份有限公司

公司概况	公司名称	郑州胜龙信息技术股份有限公司		股份名称	胜龙股份
	法人代表	王鹏	董秘 徐凯	股份代码	831361
	公司网址	www.shenglongit.com		主办券商	中原证券股份有限公司
	电　话	0371-65852755		传　真	0371-65852756
	注册地址	河南省郑州市高新区金梭路32号			
	行业分类	制造业			

	指标＼报告期	2014.06.30	2013.12.31	2012.12.31
主要财务指标	营业收入（元）	–	7,423,283.28	4,958,678.19
	营业利润（元）	–	404,958.02	-915,966.74
	净利润（元）	–	317,403.32	-801,949.69
	未分配利润（元）	–	773,862.21	1,380,837.50
	总资产（元）	–	12,768,783.17	14,046,239.54
	总负债（元）	–	1,070,542.35	2,665,402.04
	净资产（元）	–	11,698,240.82	11,380,837.50
	每股收益（元）	–	0.03	-0.08
	每股净资产（元）	–	1.17	1.14
	净资产收益率（%）	–	2.71	-7.05

重庆和平自动化工程股份有限公司

公司概况	公司名称	重庆和平自动化工程股份有限公司		股份名称	和平股份
	法人代表	何平	董秘 周晓娟	股份代码	831362
	公司网址	www.ccchp.com		主办券商	江海证券有限公司
	电　话	023-61718200		传　真	
	注册地址	重庆市九龙坡区二郎科城路71号			
	行业分类	制造业			

	指标＼报告期	2014.06.30	2013.12.31	2012.12.31
主要财务指标	营业收入（元）	–	24,143,032.54	15,417,553.27
	营业利润（元）	–	1,375,617.99	506,965.60
	净利润（元）	–	2,718,212.90	1,179,086.60
	未分配利润（元）	–	1,858,809.21	1,640,356.50
	总资产（元）	–	21,900,079.72	17,687,553.16
	总负债（元）	–	9,279,248.49	10,864,934.83
	净资产（元）	–	12,620,831.23	6,822,618.33
	每股收益（元）	–	0.34	0.15
	每股净资产（元）	–	1.58	0.85
	净资产收益率（%）	–	21.54	17.28

襄阳佰蒂生物科技股份有限公司

公司概况	公司名称	襄阳佰蒂生物科技股份有限公司			股份名称	佰蒂生物
	法人代表	邓以超	董秘	刘新明	股份代码	831363
	公司网址	www.berrytowns.cn	主办券商	太平洋证券股份有限公司		
	电　话	0710-5815868	传　真	0710-5811333		
	注册地址	湖北省保康县城关镇清溪路 375 号				
	行业分类	农、林、牧、渔业				

	指标\报告期	2014.06.30	2013.12.31	2012.12.31
主要财务指标	营业收入(元)	-	815,133.47	
	营业利润(元)	-	-1,341,002.79	-654,124.95
	净利润(元)	-	-308,066.87	190,875.05
	未分配利润(元)	-	-4,121,228.00	252,242.67
	总资产(元)	-	35,807,647.35	12,269,775.06
	总负债(元)	-	5,835,444.58	6,989,505.42
	净资产(元)	-	29,972,202.77	5,280,269.64
	每股收益(元)	-	-0.02	
	每股净资产(元)	-	1.50	1.06
	净资产收益率(%)	-	-1.03	3.62

上海丰汇医学科技股份有限公司

公司概况	公司名称	上海丰汇医学科技股份有限公司			股份名称	丰汇医学
	法人代表	卫君超	董秘	姚东林	股份代码	831364
	公司网址	www.shfenghui.cn	主办券商	方正证券股份有限公司		
	电　话	021-50589003	传　真	021-50586836		
	注册地址	上海市张江高科技园蔡伦路 720 弄 2 号 501 室				
	行业分类	制造业				

	指标\报告期	2014.06.30	2013.12.31	2012.12.31
主要财务指标	营业收入(元)	-	28,920,170.88	26,660,964.47
	营业利润(元)	-	20,059,180.75	-3,979,182.24
	净利润(元)	-	18,996,096.55	-5,397,790.48
	未分配利润(元)	-	2,026,053.31	-25,492,773.68
	总资产(元)	-	36,308,080.29	27,576,462.77
	总负债(元)	-	8,724,011.20	23,988,490.23
	净资产(元)	-	27,584,069.09	3,587,972.54
	每股收益(元)	-	0.76	-0.22
	每股净资产(元)	-	1.10	0.14
	净资产收益率(%)	-	68.87	-150.44

深圳华意隆电气股份有限公司

公司概况	公司名称	深圳华意隆电气股份有限公司			股份名称	华意隆
	法人代表	杨振文	董秘	王蓉	股份代码	831365
	公司网址	www.szhuayilong.com	主办券商	华创证券有限责任公司		
	电　话	0755-86146393	传　真	0755-86146393		
	注册地址	广东省深圳市南山区留仙大道红花岭工业区五区三栋第一、四、六层东				
	行业分类	制造业				

	指标\报告期	2014.06.30	2013.12.31	2012.12.31
主要财务指标	营业收入(元)	-	264,808,438.60	304,852,243.34
	营业利润(元)	-	-6,875,103.81	8,539,039.85
	净利润(元)	-	-3,669,886.91	8,649,110.02
	未分配利润(元)	-	28,788,874.41	32,458,761.32
	总资产(元)	-	424,132,585.98	367,917,928.99
	总负债(元)	-	277,371,160.81	217,486,616.91
	净资产(元)	-	146,761,425.17	150,431,312.08
	每股收益(元)	-	-0.05	0.12
	每股净资产(元)	-	2.04	2.09
	净资产收益率(%)	-	-2.50	5.75

宁夏国龙医疗发展股份有限公司

公司概况	公司名称	宁夏国龙医疗发展股份有限公司			股份名称	国龙医疗
	法人代表	郭龙	董秘	董旭辉	股份代码	831366
	公司网址	www.nxgl.cn	主办券商	财通证券股份有限公司		
	电　话	13909590480	传　真	0951-6042296		
	注册地址	宁夏回族自治区银川市兴庆区长城东路 536 号				
	行业分类	卫生和社会工作				

	指标\报告期	2014.06.30	2013.12.31	2012.12.31
主要财务指标	营业收入(元)	-	100,043,238.57	84,082,843.15
	营业利润(元)	-	-27,481,123.02	9,131,831.37
	净利润(元)	-	-32,850,902.34	6,125,497.13
	未分配利润(元)	-	-44,204,832.64	-6,116,874.58
	总资产(元)	-	154,726,937.01	131,646,833.39
	总负债(元)	-	150,323,607.47	108,755,801.51
	净资产(元)	-	4,403,329.54	22,891,031.88
	每股收益(元)	-	-0.86	0.16
	每股净资产(元)	-	0.12	0.60
	净资产收益率(%)	-	-744.80	26.81

宁夏红山河食品股份有限公司

公司概况	公司名称	宁夏红山河食品股份有限公司			股份名称	红山河
	法人代表	王占河	董秘	陈志坚	股份代码	831367
	公司网址	www.nxhongshanhe.com		主办券商	财达证券有限责任公司	
	电话	0953-2221111		传真	0953-2221111	
	注册地址	宁夏回族自治区吴忠市清真食品穆斯林用品产业园				
	行业分类	制造业				

	指标\报告期	2014.06.30	2013.12.31	2012.12.31
主要财务指标	营业收入(元)	–	25,208,919.54	15,177,197.66
	营业利润(元)	–	-4,529,775.24	-3,588,163.07
	净利润(元)	–	30,591,190.17	98,726.29
	未分配利润(元)	–	27,348,783.68	-111,085.62
	总资产(元)	–	192,537,637.54	100,807,889.55
	总负债(元)	–	122,014,652.53	74,856,094.71
	净资产(元)	–	70,522,985.01	25,951,794.84
	每股收益(元)	–	0.44	0.00
	每股净资产(元)	–	0.94	0.30
	净资产收益率(%)	–	46.60	0.61

新疆阳光电通科技股份有限公司

公司概况	公司名称	新疆阳光电通科技股份有限公司			股份名称	阳光电通
	法人代表	章健	董秘	陈旭	股份代码	831368
	公司网址	www.yg8898.com		主办券商	中山证券有限责任公司	
	电话	0991-3923509		传真	0991-3923528	
	注册地址	新疆乌鲁木齐市经济技术开发区中亚南路81号宏景大厦四层				
	行业分类	建筑业				

	指标\报告期	2014.06.30	2013.12.31	2012.12.31
主要财务指标	营业收入(元)	–	14,859,200.40	11,818,777.95
	营业利润(元)	–	623,539.77	-200,304.83
	净利润(元)	–	411,822.26	-167,359.26
	未分配利润(元)	–	234,413.72	-151,362.57
	总资产(元)	–	10,365,179.11	7,374,947.40
	总负债(元)	–	4,096,699.17	5,018,289.72
	净资产(元)	–	6,268,479.94	2,356,657.68
	每股收益(元)	–	0.07	-0.07
	每股净资产(元)	–	1.04	0.94
	净资产收益率(%)	–	6.57	-7.10

北京帜扬信通科技股份有限公司

公司概况	公司名称	北京帜扬信通科技股份有限公司			股份名称	帜扬信通
	法人代表	曾晨	董秘	邵征	股份代码	831369
	公司网址	www.bjzyxt.com.cn		主办券商	齐鲁证券有限公司	
	电话	010-51581769		传真	010-51581790-18	
	注册地址	北京市海淀区中关村南大街甲6号铸诚大厦A座513室				
	行业分类	信息传输、软件和信息技术服务业				

	指标\报告期	2014.06.30	2013.12.31	2012.12.31
主要财务指标	营业收入(元)	–	31,201,883.71	21,042,319.34
	营业利润(元)	–	1,838,774.29	491,468.46
	净利润(元)	–	1,543,225.06	323,160.85
	未分配利润(元)	–	194,759.75	2,796,127.62
	总资产(元)	–	19,656,608.84	26,838,043.98
	总负债(元)	–	8,996,845.73	13,731,235.51
	净资产(元)	–	10,659,763.11	13,106,808.47
	每股收益(元)	–	0.15	0.03
	每股净资产(元)	–	1.07	1.31
	净资产收益率(%)	–	14.48	2.47

重庆新安洁景观园林环保股份有限公司

公司概况	公司名称	重庆新安洁景观园林环保股份有限公司			股份名称	新安洁
	法人代表	赵晓光	董秘	陈珊	股份代码	831370
	公司网址	www.cqange.com		主办券商	申银万国证券股份有限公司	
	电话	18996142003		传真	023-68686633	
	注册地址	重庆市渝北区人和镇加新仁和欣座2幢负1-19号				
	行业分类	居民服务、修理和其他服务业				

	指标\报告期	2014.06.30	2013.12.31	2012.12.31
主要财务指标	营业收入(元)	–	111,257,763.32	75,800,002.57
	营业利润(元)	–	23,034,358.83	9,862,221.17
	净利润(元)	–	18,751,740.80	8,448,547.26
	未分配利润(元)	–	12,785,672.34	9,496,570.62
	总资产(元)	–	80,081,351.72	34,244,774.32
	总负债(元)	–	20,414,924.30	10,220,787.70
	净资产(元)	–	59,666,427.42	24,023,986.62
	每股收益(元)	–	0.43	-
	每股净资产(元)	–	1.41	2.11
	净资产收益率(%)	–	30.64	36.40

广东美涂士建材股份有限公司

公司概况	公司名称	广东美涂士建材股份有限公司			股份名称	美涂士
	法人代表	周伟建	董秘	张玉新	股份代码	831371
	公司网址	www.maydos.com.cn	主办券商	广州证券股份有限公司		
	电　　话	13902560909	传　　真	0757-27332182		
	注册地址	广东省佛山市顺德区伦教三洲工业区				
	行业分类	制造业				

	指标\报告期	2014.06.30	2013.12.31	2012.12.31
主要财务指标	营业收入(元)	-	909,931,223.88	821,648,550.98
	营业利润(元)	-	11,115,470.34	40,204,524.61
	净利润(元)	-	6,817,201.83	36,787,226.42
	未分配利润(元)	-	61,805,900.21	54,989,040.08
	总资产(元)	-	586,897,905.94	517,741,254.27
	总负债(元)	-	394,171,018.48	334,981,700.58
	净资产(元)	-	192,726,887.46	182,759,553.69
	每股收益(元)	-	0.18	0.75
	每股净资产(元)	-	3.88	3.64
	净资产收益率(%)	-	4.55	20.60

天津宝成机械制造股份有限公司

公司概况	公司名称	天津宝成机械制造股份有限公司			股份名称	宝成股份
	法人代表	柴宝成	董秘	刘世康	股份代码	831372
	公司网址	www.baocheng.net.cn	主办券商	渤海证券股份有限公司		
	电　　话	022-88691372	传　　真	022-88691360		
	注册地址	天津市津南区双桥河镇欣欣中路9号				
	行业分类	制造业				

	指标\报告期	2014.06.30	2013.12.31	2012.12.31
主要财务指标	营业收入(元)	-	498,401,179.90	476,610,504.80
	营业利润(元)	-	43,784,307.43	36,710,658.54
	净利润(元)	-	36,535,759.61	33,151,292.52
	未分配利润(元)	-	47,091,759.29	14,209,575.64
	总资产(元)	-	905,137,813.38	752,897,185.14
	总负债(元)	-	783,387,568.99	668,117,572.42
	净资产(元)	-	121,750,244.39	84,779,612.72
	每股收益(元)	-	0.54	0.61
	每股净资产(元)	-	1.80	1.26
	净资产收益率(%)	-	30.01	39.10

深圳市电科电源股份有限公司

公司概况	公司名称	深圳市电科电源股份有限公司			股份名称	电科电源
	法人代表	李伦	董秘	司敏	股份代码	831373
	公司网址	www.bstbattery.com	主办券商	国信证券股份有限公司		
	电　　话	0755-84260300	传　　真	0755-84260306		
	注册地址	广东省深圳市龙岗区横岗街道大康社区新龙路37号A栋3楼、C、D栋				
	行业分类	制造业				

	指标\报告期	2014.06.30	2013.12.31	2012.12.31
主要财务指标	营业收入(元)	-	273,840,543.89	257,628,359.46
	营业利润(元)	-	20,797,214.30	12,938,513.30
	净利润(元)	-	18,317,923.25	15,009,823.43
	未分配利润(元)	-	51,366,759.14	34,262,188.03
	总资产(元)	-	313,753,696.97	255,602,937.09
	总负债(元)	-	159,578,684.10	119,196,954.28
	净资产(元)	-	154,175,012.87	136,405,982.81
	每股收益(元)	-	0.26	0.21
	每股净资产(元)	-	2.20	1.95
	净资产收益率(%)	-	11.88	11.00

苏州吉人高新材料股份有限公司

公司概况	公司名称	苏州吉人高新材料股份有限公司			股份名称	吉人高新
	法人代表	吉伟	董秘	刘长青	股份代码	831374
	公司网址	www.jirenqi.com	主办券商	光大证券股份有限公司		
	电　　话	0512-65085723	传　　真	0512-65085723		
	注册地址	江苏省苏州市相城区黄埭镇潘阳工业园春旺路				
	行业分类	制造业				

	指标\报告期	2014.06.30	2013.12.31	2012.12.31
主要财务指标	营业收入(元)	-	313,430,157.36	308,606,092.15
	营业利润(元)	-	41,864,827.97	34,149,120.36
	净利润(元)	-	35,138,011.79	29,903,076.74
	未分配利润(元)	-	69,329,336.32	37,721,236.94
	总资产(元)	-	181,437,246.79	151,322,338.96
	总负债(元)	-	66,888,556.57	75,509,610.17
	净资产(元)	-	114,548,690.22	75,812,728.79
	每股收益(元)	-	2.93	2.49
	每股净资产(元)	-	9.55	6.32
	净资产收益率(%)	-	30.68	39.44

上海三强企业集团股份有限公司

公司概况	公司名称	上海三强企业集团股份有限公司			股份名称	三强股份
	法人代表	陈强	董秘	王俊泉	股份代码	831375
	公司网址	www.shsanqiang.com		主办券商	东吴证券股份有限公司	
	电　话	13818978067		传　真	021-60318618	
	注册地址	上海市奉贤区环城北路152号5幢104室				
	行业分类	制造业				

	指标\报告期	2014.06.30	2013.12.31	2012.12.31
主要财务指标	营业收入(元)	–	155,153,982.26	163,118,759.29
	营业利润(元)	–	13,051,798.09	22,900,419.09
	净利润(元)	–	11,068,294.60	21,067,173.22
	未分配利润(元)	–	60,768,143.28	50,780,137.74
	总资产(元)	–	307,693,946.61	246,879,098.71
	总负债(元)	–	185,291,737.99	135,545,184.69
	净资产(元)	–	122,402,208.62	111,333,914.02
	每股收益(元)	–	0.19	0.35
	每股净资产(元)	–	2.00	1.81
	净资产收益率(%)	–	9.40	19.24

吉林金洪汽车部件股份有限公司

公司概况	公司名称	吉林金洪汽车部件股份有限公司			股份名称	金洪股份
	法人代表	曲金良	董秘	张红	股份代码	831376
	公司网址	www.jljinhong.cn		主办券商	申银万国证券股份有限公司	
	电　话	15981111155		传　真	0432-64206662	
	注册地址	吉林省吉林市永吉经济开发区吉桦路392号				
	行业分类	制造业				

	指标\报告期	2014.06.30	2013.12.31	2012.12.31
主要财务指标	营业收入(元)	–	171,622,319.96	88,601,734.07
	营业利润(元)	–	18,597,051.87	2,514,697.57
	净利润(元)	–	15,575,138.46	3,153,561.48
	未分配利润(元)	–	16,896,867.07	4,865,872.85
	总资产(元)	–	316,502,278.73	185,339,734.22
	总负债(元)	–	257,754,553.87	148,167,378.71
	净资产(元)	–	58,747,724.86	37,172,355.51
	每股收益(元)	–	0.59	0.18
	每股净资产(元)	–	2.03	1.53
	净资产收益率(%)	–	25.11	11.89

有友食品股份有限公司

公司概况	公司名称	有友食品股份有限公司			股份名称	有友食品
	法人代表	鹿有忠	董秘	凌伟	股份代码	831377
	公司网址	www.youyoufood.com		主办券商	东北证券股份有限公司	
	电　话	023-67389309		传　真	023-67389309	
	注册地址	重庆市渝北区国家农业科技园区国际食品工业城宝环一路13号				
	行业分类	制造业				

	指标\报告期	2014.06.30	2013.12.31	2012.12.31
主要财务指标	营业收入(元)	–	978,431,490.43	926,163,351.88
	营业利润(元)	–	134,666,418.36	160,507,213.05
	净利润(元)	–	115,570,207.88	136,782,012.30
	未分配利润(元)	–	43,050,870.65	131,143,709.31
	总资产(元)	–	378,091,904.67	286,679,651.24
	总负债(元)	–	125,947,615.41	85,105,569.86
	净资产(元)	–	252,144,289.26	201,574,081.38
	每股收益(元)	–	0.77	2.74
	每股净资产(元)	–	1.68	4.03
	净资产收益率(%)	–	45.84	67.86

河南富耐克超硬材料股份有限公司

公司概况	公司名称	河南富耐克超硬材料股份有限公司			股份名称	富耐克
	法人代表	李和鑫	董秘	李麟	股份代码	831378
	公司网址	www.funik.com		主办券商	中原证券股份有限公司	
	电　话	0371-67980563		传　真	0371-67980563	
	注册地址	河南省郑州市高新技术产业开发区冬青街16号				
	行业分类	制造业				

	指标\报告期	2014.06.30	2013.12.31	2012.12.31
主要财务指标	营业收入(元)	–	90,354,901.35	109,478,948.34
	营业利润(元)	–	22,415,283.52	32,325,729.57
	净利润(元)	–	23,558,144.04	31,061,681.52
	未分配利润(元)	–	67,944,218.19	46,688,579.64
	总资产(元)	–	475,899,099.36	376,139,718.68
	总负债(元)	–	196,302,770.24	120,101,533.60
	净资产(元)	–	279,596,329.12	256,038,185.08
	每股收益(元)	–	0.38	0.50
	每股净资产(元)	–	4.47	4.09
	净资产收益率(%)	–	8.43	12.13

融信租赁股份有限公司

公司概况					
公司名称	融信租赁股份有限公司			股份名称	融信租赁
法人代表	王丁辉	董秘	王海亮	股份代码	831379
公司网址	www.rxzl.com.cn		主办券商	光大证券股份有限公司	
电　话	13906934119		传　真	0591-88390000	
注册地址	福建省福州市鼓楼区温泉街道五四路109号东煌大厦16楼01室				
行业分类	租赁和商务服务业				

主要财务指标 指标＼报告期	2014.06.30	2013.12.31	2012.12.31
营业收入(元)	–	107,223,393.00	107,223,393.00
营业利润(元)	–	25,390,206.68	25,390,206.68
净利润(元)	–	18,592,682.79	18,592,682.79
未分配利润(元)	–	25,561,812.96	25,561,812.96
总资产(元)	–	1,005,394,347.37	1,005,394,347.37
总负债(元)	–	769,811,526.03	769,811,526.03
净资产(元)	–	235,582,821.34	235,582,821.34
每股收益(元)	–	0.10	0.10
每股净资产(元)	–	1.16	1.16
净资产收益率(%)	–	8.21	8.21

贵州省地质矿产资源开发股份有限公司

公司概况					
公司名称	贵州省地质矿产资源开发股份有限公司			股份名称	地矿股份
法人代表	钟超	董秘	宦秉佳	股份代码	831380
公司网址	www.gzdkzy.com		主办券商	华创证券有限责任公司	
电　话	0851-6878421		传　真	0851-6889297	
注册地址	贵州省贵阳市北京路219号银海元隆广场7号楼33层				
行业分类	科学研究和技术服务业				

主要财务指标 指标＼报告期	2014.06.30	2013.12.31	2012.12.31
营业收入(元)	–	652,274,173.60	260,695,546.92
营业利润(元)	–	63,325,016.88	67,179,613.85
净利润(元)	–	65,641,229.83	63,038,471.40
未分配利润(元)	–	237,476,929.57	176,725,349.97
总资产(元)	–	820,224,434.47	501,545,908.36
总负债(元)	–	379,541,313.47	167,456,757.19
净资产(元)	–	440,683,121.00	334,089,151.17
每股收益(元)	–	0.55	0.53
每股净资产(元)	–	3.35	2.79
净资产收益率(%)	–	16.90	19.38

中持依迪亚(北京)环境检测分析股份有限公司

公司概况					
公司名称	中持依迪亚(北京)环境检测分析股份有限公司			股份名称	中持检测
法人代表	许国栋	董秘	张坤	股份代码	831381
公司网址	www.ceta.cc		主办券商	金元证券股份有限公司	
电　话	010-82815266		传　真	010-82803999	
注册地址	北京市海淀区西小口路66号D2号楼101室				
行业分类	科学研究和技术服务业				

主要财务指标 指标＼报告期	2014.06.30	2013.12.31	2012.12.31
营业收入(元)	–	–	–
营业利润(元)	–	–	–
净利润(元)	–	–	–
未分配利润(元)	–	–	–
总资产(元)	–	–	–
总负债(元)	–	–	–
净资产(元)	–	–	–
每股收益(元)	–	–	–
每股净资产(元)	–	–	–
净资产收益率(%)	–	–	–

北京智创联合科技股份有限公司

公司概况					
公司名称	北京智创联合科技股份有限公司			股份名称	智创联合
法人代表	杨建国	董秘	吴维贵	股份代码	831382
公司网址	www.bjzclh.com		主办券商	安信证券股份有限公司	
电　话	010-69407112		传　真	010-69407116	
注册地址	北京市顺义区马坡白马路59号				
行业分类	制造业				

主要财务指标 指标＼报告期	2014.06.30	2013.12.31	2012.12.31
营业收入(元)	–	30,683,933.71	34,001,323.37
营业利润(元)	–	1,440,482.40	5,437,368.16
净利润(元)	–	1,287,922.59	4,572,102.86
未分配利润(元)	–	3,984,950.71	7,351,483.62
总资产(元)	–	58,763,131.31	53,973,764.63
总负债(元)	–	17,031,688.78	11,664,967.88
净资产(元)	–	41,731,442.53	42,308,796.75
每股收益(元)	–	0.04	0.13
每股净资产(元)	–	1.16	1.18
净资产收益率(%)	–	3.09	10.81

西安楼市通网络科技股份有限公司

公司概况					
公司名称	西安楼市通网络科技股份有限公司			股份名称	楼市通网
法人代表	李涛	董秘	白晓彦	股份代码	831383
公司网址	www.95191.com		主办券商	长江证券股份有限公司	
电话	029-85229299		传真	029-88312226-8000	
注册地址	陕西省西安市高新区高新四路高科广场A幢5层509-1号房				
行业分类	信息传输、软件和信息技术服务业				

主要财务指标：指标\报告期	2014.06.30	2013.12.31	2012.12.31
营业收入(元)	–	7,295,846.28	5,257,257.66
营业利润(元)	–	1,395,241.28	–255,701.64
净利润(元)	–	1,076,356.55	–218,187.92
未分配利润(元)	–	867,888.73	–121,544.55
总资产(元)	–	13,284,358.78	2,043,896.85
总负债(元)	–	1,799,756.73	1,135,651.35
净资产(元)	–	11,484,602.05	908,245.50
每股收益(元)	–	0.10	–0.22
每股净资产(元)	–	1.09	0.91
净资产收益率(%)	–	9.37	–24.02

北京华创网安科技股份有限公司

公司概况					
公司名称	北京华创网安科技股份有限公司			股份名称	华创网安
法人代表	王亚智	董秘	焦建	股份代码	831384
公司网址	www.bjhcns.com		主办券商	第一创业证券股份有限公司	
电话	010-62316060		传真	010-62310606	
注册地址	北京市海淀区学清路甲38号金码大酒店6层606-607室				
行业分类	信息传输、软件和信息技术服务业				

主要财务指标：指标\报告期	2014.06.30	2013.12.31	2012.12.31
营业收入(元)	–	7,437,623.95	4,060,170.98
营业利润(元)	–	–364,062.77	–70,438.03
净利润(元)	–	71,112.80	104,898.68
未分配利润(元)	–	–1,513,736.65	–1,584,849.45
总资产(元)	–	7,435,067.63	7,179,194.63
总负债(元)	–	3,948,804.28	3,764,044.08
净资产(元)	–	3,486,263.35	3,415,150.55
每股收益(元)	–	0.01	0.02
每股净资产(元)	–	0.70	0.68
净资产收益率(%)	–	2.04	3.07

深圳市大地和电气股份有限公司

公司概况					
公司名称	深圳市大地和电气股份有限公司			股份名称	大地和
法人代表	裘新铭	董秘	曾桂云	股份代码	831385
公司网址	www.glelec.com		主办券商	方正证券股份有限公司	
电话	0755-86330861		传真	0755-86330856	
注册地址	广东省深圳市光明新区公明办事处塘家社区东江科技工业园J栋七楼				
行业分类	制造业				

主要财务指标：指标\报告期	2014.06.30	2013.12.31	2012.12.31
营业收入(元)	–	41,050,112.36	41,879,447.80
营业利润(元)	–	633,153.19	6,555,940.48
净利润(元)	–	4,031,088.99	6,998,279.95
未分配利润(元)	–	302,441.28	17,418,153.61
总资产(元)	–	80,718,865.12	71,600,622.94
总负债(元)	–	24,569,622.52	19,482,469.33
净资产(元)	–	56,149,242.60	52,118,153.61
每股收益(元)	–	0.20	0.35
每股净资产(元)	–	2.81	2.61
净资产收益率(%)	–	7.18	13.43

广东风华环保设备股份有限公司

公司概况					
公司名称	广东风华环保设备股份有限公司			股份名称	风华环保
法人代表	梁华新	董秘	梁良	股份代码	831386
公司网址	www.fenghua001.com		主办券商	东莞证券有限责任公司	
电话	0753-2233255		传真	0753-2233244	
注册地址	广东省梅州市梅正路78号				
行业分类	制造业				

主要财务指标：指标\报告期	2014.06.30	2013.12.31	2012.12.31
营业收入(元)	–	25,438,421.68	12,683,857.87
营业利润(元)	–	4,057,824.44	56,813.19
净利润(元)	–	2,969,528.82	275,759.83
未分配利润(元)	–	4,009,355.35	1,336,779.41
总资产(元)	–	44,732,235.66	36,280,085.72
总负债(元)	–	2,677,236.25	4,153,685.13
净资产(元)	–	42,054,999.41	32,126,400.59
每股收益(元)	–	0.10	0.01
每股净资产(元)	–	1.40	1.07
净资产收益率(%)	–	7.06	0.86

山东华特磁电科技股份有限公司

公司概况	公司名称	山东华特磁电科技股份有限公司			股份名称	华特磁电
	法人代表	王兆连	董秘	高效生	股份代码	831387
	公司网址	www.sdhuate.com		主办券商	齐鲁证券有限公司	
	电话	0536-3158019		传真	0536-3158801	
	注册地址	山东省潍坊市临朐经济开发区华特路 5777 号				
	行业分类	制造业				

	指标\报告期	2014.06.30	2013.12.31	2012.12.31
主要财务指标	营业收入(元)	–	284,073,464.89	269,220,939.76
	营业利润(元)	–	23,905,689.72	23,862,019.12
	净利润(元)	–	23,914,170.75	25,326,721.65
	未分配利润(元)	–	122,554,560.91	101,717,951.21
	总资产(元)	–	505,539,464.95	401,029,551.57
	总负债(元)	–	269,130,706.97	189,290,607.68
	净资产(元)	–	236,408,757.98	211,738,943.89
	每股收益(元)	–	0.41	0.44
	每股净资产(元)	–	4.08	3.65
	净资产收益率(%)	–	10.12	11.96

青海福来喜得生物科技股份有限公司

公司概况	公司名称	青海福来喜得生物科技股份有限公司			股份名称	福来喜得
	法人代表	朱军	董秘	马小芳	股份代码	831388
	公司网址	www.flxd.cn		主办券商	光大证券股份有限公司	
	电话	0971-6107358		传真	0971-6119718	
	注册地址	青海省西宁市经济技术开发区金桥路 38 号				
	行业分类	农、林、牧、渔业				

	指标\报告期	2014.06.30	2013.12.31	2012.12.31
主要财务指标	营业收入(元)	–	353,526.12	1,692,583.67
	营业利润(元)	–	-6,316,438.11	-5,887,883.18
	净利润(元)	–	-4,729,165.66	-4,557,618.53
	未分配利润(元)	–	-33,012,501.66	-28,283,336.00
	总资产(元)	–	41,265,837.35	37,438,008.20
	总负债(元)	–	64,095,406.01	55,538,411.20
	净资产(元)	–	-22,829,568.66	-18,100,403.00
	每股收益(元)	–	-0.47	-0.46
	每股净资产(元)	–	-2.28	-1.81
	净资产收益率(%)	–	–	–

新乡市万和过滤技术股份公司

公司概况	公司名称	新乡市万和过滤技术股份公司			股份名称	万和过滤
	法人代表	许黎	董秘	王伟	股份代码	831389
	公司网址	www.guolvqi.com		主办券商	中原证券股份有限公司	
	电话	0373-5471308		传真	0373-5471588	
	注册地址	河南省新乡市大召营镇过滤工业园西排 1 号厂房				
	行业分类	制造业				

	指标\报告期	2014.06.30	2013.12.31	2012.12.31
主要财务指标	营业收入(元)	–	38,138,685.44	35,253,365.06
	营业利润(元)	–	821,594.91	1,150,303.91
	净利润(元)	–	651,225.10	880,078.07
	未分配利润(元)	–	1,306,897.53	720,794.94
	总资产(元)	–	42,604,478.83	31,280,678.99
	总负债(元)	–	21,075,098.71	10,402,523.97
	净资产(元)	–	21,529,380.12	20,878,155.02
	每股收益(元)	–	0.03	0.07
	每股净资产(元)	–	1.08	1.04
	净资产收益率(%)	–	3.03	4.22

湖北宜都运机机电股份有限公司

公司概况	公司名称	湖北宜都运机机电股份有限公司			股份名称	宜都运机
	法人代表	唐万军	董秘	徐阳	股份代码	831390
	公司网址	www.ydyj.net		主办券商	中信建投证券股份有限公司	
	电话	13972553725		传真	0717-4843444	
	注册地址	湖北省宜都市陆逊大道东段				
	行业分类	制造业				

	指标\报告期	2014.06.30	2013.12.31	2012.12.31
主要财务指标	营业收入(元)	–	47,869,007.89	62,253,893.96
	营业利润(元)	–	1,937,004.53	2,238,874.62
	净利润(元)	–	1,855,908.01	2,454,390.18
	未分配利润(元)	–	4,184,900.71	3,128,560.50
	总资产(元)	–	74,357,690.19	65,825,339.17
	总负债(元)	–	43,887,457.38	37,061,014.37
	净资产(元)	–	30,470,232.81	28,764,324.80
	每股收益(元)	–	0.06	0.07
	每股净资产(元)	–	1.35	1.27
	净资产收益率(%)	–	6.09	8.53

三达奥克化学股份有限公司

公司概况	公司名称	三达奥克化学股份有限公司			股份名称	三达奥克
	法人代表	丛力	董秘	李建军	股份代码	831391
	公司网址	www.sdoke.com		主办券商	申银万国证券股份有限公司	
	电　　话	0411-84792289		传　　真	0411-84793099	
	注册地址	辽宁省大连市高新技术产业园区学子街99号				
	行业分类	制造业				

	指标\报告期	2014.06.30	2013.12.31	2012.12.31
主要财务指标	营业收入(元)	–	82,483,559.92	70,392,042.64
	营业利润(元)	–	12,038,041.14	9,414,021.95
	净利润(元)	–	18,215,895.73	14,759,061.73
	未分配利润(元)	–	66,937,858.13	50,533,921.78
	总资产(元)	–	165,368,919.20	151,450,751.68
	总负债(元)	–	11,169,146.21	15,466,881.48
	净资产(元)	–	154,199,772.99	135,983,870.20
	每股收益(元)	–	0.30	0.25
	每股净资产(元)	–	2.56	2.25
	净资产收益率(%)	–	11.89	11.02

郑州天迈科技股份有限公司

公司概况	公司名称	郑州天迈科技股份有限公司			股份名称	天迈科技
	法人代表	郭建国	董秘	底伟	股份代码	831392
	公司网址	www.tiamaes.com		主办券商	长江证券股份有限公司	
	电　　话	0371-67989993		传　　真	0371-67989993	
	注册地址	河南省郑州高新开发区冬青街12号创业5号园3层315房				
	行业分类	信息传输、软件和信息技术服务业				

	指标\报告期	2014.06.30	2013.12.31	2012.12.31
主要财务指标	营业收入(元)	–	119,132,390.48	76,149,065.22
	营业利润(元)	–	21,466,804.39	9,551,379.81
	净利润(元)	–	22,857,150.46	9,643,646.18
	未分配利润(元)	–	23,229,654.40	13,351,769.95
	总资产(元)	–	99,672,610.54	43,207,178.61
	总负债(元)	–	54,747,936.08	24,139,654.61
	净资产(元)	–	44,924,674.46	19,067,524.00
	每股收益(元)	–	2.04	1.44
	每股净资产(元)	–	2.25	3.81
	净资产收益率(%)	–	50.88	50.58

湖北中碧环保科技股份有限公司

公司概况	公司名称	湖北中碧环保科技股份有限公司			股份名称	中碧环保
	法人代表	史艾华	董秘	史娇蓉	股份代码	831393
	公司网址	www.zbhbkj.com		主办券商	长江证券股份有限公司	
	电　　话	0712-2885687		传　　真	0712-2885276	
	注册地址	湖北省孝感市开发区车站工业园				
	行业分类	制造业				

	指标\报告期	2014.06.30	2013.12.31	2012.12.31
主要财务指标	营业收入(元)	–	14,664,388.59	4,171,485.95
	营业利润(元)	–	2,612,295.81	–1,226,004.41
	净利润(元)	–	2,436,505.44	1,063,015.80
	未分配利润(元)	–	2,652,601.67	510,829.81
	总资产(元)	–	31,998,100.75	22,286,043.40
	总负债(元)	–	9,050,765.50	1,775,213.59
	净资产(元)	–	22,947,335.25	20,510,829.81
	每股收益(元)	–	0.12	0.05
	每股净资产(元)	–	1.15	1.03
	净资产收益率(%)	–	10.62	5.18

上海智通建设发展股份有限公司

公司概况	公司名称	上海智通建设发展股份有限公司			股份名称	智通建设
	法人代表	胡继军	董秘	张涵	股份代码	831395
	公司网址	www.zhitongpm.com		主办券商	国泰君安证券股份有限公司	
	电　　话	021-54071256		传　　真	021-54071255	
	注册地址	上海市浦东新区高科西路524号3楼				
	行业分类	科学研究和技术服务业				

	指标\报告期	2014.06.30	2013.12.31	2012.12.31
主要财务指标	营业收入(元)	–	8,795,591.43	2,888,882.42
	营业利润(元)	–	194,103.99	–246,937.53
	净利润(元)	–	189,792.54	–212,327.16
	未分配利润(元)	–	–631,736.22	–821,528.76
	总资产(元)	–	6,233,115.82	3,227,662.70
	总负债(元)	–	3,863,693.15	1,048,032.57
	净资产(元)	–	2,369,422.67	2,179,630.13
	每股收益(元)	–	0.04	–0.04
	每股净资产(元)	–	0.47	0.44
	净资产收益率(%)	–	8.01	–9.74

河南许继智能科技股份有限公司

公司概况	公司名称	河南许继智能科技股份有限公司		股份名称	许继智能
	法人代表	张洪涛	董秘 孙卫东	股份代码	831396
	公司网址	www.xjpmf.com		主办券商	华融证券股份有限公司
	电　话	0374-3212398		传　真	0374-3212398
	注册地址	河南省许昌市中原电气谷许继集团新能源产业园			
	行业分类	制造业			

主要财务指标	指标\报告期	2014.06.30	2013.12.31	2012.12.31
	营业收入(元)	–	105,958,071.08	69,343,640.18
	营业利润(元)	–	5,261,760.22	1,628,771.05
	净利润(元)	–	4,065,615.51	1,252,451.34
	未分配利润(元)	–	10,994,263.71	7,335,209.75
	总资产(元)	–	87,098,224.16	56,764,768.42
	总负债(元)	–	54,179,679.27	28,211,839.04
	净资产(元)	–	32,918,544.89	28,552,929.38
	每股收益(元)	–	0.19	0.08
	每股净资产(元)	–	1.55	1.36
	净资产收益率(%)	–	12.47	4.39

广东康泽药业股份有限公司

公司概况	公司名称	广东康泽药业股份有限公司		股份名称	康泽药业
	法人代表	陈齐黛	董秘 许泽燕	股份代码	831397
	公司网址	www.kzyy.com.cn		主办券商	广发证券股份有限公司
	电　话	020-38023839		传　真	020-38023833
	注册地址	广东省广州市天河区中山大道西路140号1207房			
	行业分类	批发和零售业			

主要财务指标	指标\报告期	2014.06.30	2013.12.31	2012.12.31
	营业收入(元)	–	372,219,129.44	224,734,771.78
	营业利润(元)	–	9,029,194.01	6,575,961.47
	净利润(元)	–	6,604,757.59	4,231,221.75
	未分配利润(元)	–	12,764,864.45	6,159,440.89
	总资产(元)	–	197,686,478.34	135,869,669.82
	总负债(元)	–	164,921,613.89	109,312,050.55
	净资产(元)	–	32,764,864.45	26,557,619.27
	每股收益(元)	–	0.34	0.23
	每股净资产(元)	–	1.64	1.35
	净资产收益率(%)	–	20.48	16.93

内蒙古东联影视动漫科技股份有限公司

公司概况	公司名称	内蒙古东联影视动漫科技股份有限公司		股份名称	东联动漫
	法人代表	郭武荣	董秘 姚宝鑫	股份代码	831398
	公司网址	www.dldm.com		主办券商	恒泰证券股份有限公司
	电　话	0477-8529292		传　真	0477-8529292
	注册地址	内蒙古自治区鄂尔多斯市东胜区乌审西街南7号			
	行业分类	文化、体育和娱乐业			

主要财务指标	指标\报告期	2014.06.30	2013.12.31	2012.12.31
	营业收入(元)	–	4,145,631.15	8,347,769.59
	营业利润(元)	–	–2,895,359.93	–1,630,263.38
	净利润(元)	–	–2,420,845.82	7,739,998.35
	未分配利润(元)	–	5,255,104.97	7,675,950.79
	总资产(元)	–	62,045,342.43	44,739,455.66
	总负债(元)	–	25,937,354.03	26,210,621.44
	净资产(元)	–	36,107,988.40	18,528,834.22
	每股收益(元)	–	–0.10	0.77
	每股净资产(元)	–	1.20	1.85
	净资产收益率(%)	–	–6.71	41.77

辽宁参仙源参业股份有限公司

公司概况	公司名称	辽宁参仙源参业股份有限公司		股份名称	参仙源
	法人代表	于成波	董秘 兰鹏	股份代码	831399
	公司网址	www.sxyshenye.com		主办券商	国金证券股份有限公司
	电　话	0415-5956893		传　真	0415-5959658
	注册地址	辽宁省丹东市宽甸县林明村7组			
	行业分类	农、林、牧、渔业			

主要财务指标	指标\报告期	2014.06.30	2013.12.31	2012.12.31
	营业收入(元)	–	197,698,264.28	75,457,680.46
	营业利润(元)	–	110,991,080.26	–22,482,659.57
	净利润(元)	–	110,969,372.36	–23,290,712.00
	未分配利润(元)	–	69,076,267.17	–37,933,070.12
	总资产(元)	–	585,960,132.04	1,201,959,198.13
	总负债(元)	–	469,208,724.07	1,200,977,645.87
	净资产(元)	–	116,751,407.97	981,552.26
	每股收益(元)	–	1.20	–0.23
	每股净资产(元)	–	1.22	0.02
	净资产收益率(%)	–	98.23	–1,065.51

四川优博创信息技术股份有限公司

公司概况					
公司名称	四川优博创信息技术股份有限公司		股份名称	优博创
法人代表	冯源	董秘	宋予	股份代码	831400
公司网址	www.superxon.com	主办券商	西部证券股份有限公司		
电话	18030690167	传真	028-85980598		
注册地址	四川省成都市高新区世纪城南路216号7栋101、201				
行业分类	制造业				

主要财务指标：指标\报告期	2014.06.30	2013.12.31	2012.12.31
营业收入(元)	–	136,291,992.75	193,555,056.46
营业利润(元)	–	-34,871,578.87	-22,481,101.39
净利润(元)	–	-33,747,041.29	-23,161,170.27
未分配利润(元)	–	-18,191,046.55	15,555,994.74
总资产(元)	–	118,684,648.50	173,349,408.25
总负债(元)	–	94,207,873.22	124,587,291.68
净资产(元)	–	24,476,775.28	48,762,116.57
每股收益(元)	–	-2.39	-2.17
每股净资产(元)	–	1.71	4.06
净资产收益率(%)	–	-137.87	-47.50

北京信立方科技发展股份有限公司

公司概况					
公司名称	北京信立方科技发展股份有限公司		股份名称	信立方
法人代表	唐海霞	董秘	赵鑫	股份代码	831401
公司网址	www.instrument.com.cn	主办券商	招商证券股份有限公司		
电话	010-82055321-8014	传真	010-82051730		
注册地址	北京市西城区新街口外大街28号B座416室(德胜园)				
行业分类	信息传输、软件和信息技术服务业				

主要财务指标：指标\报告期	2014.06.30	2013.12.31	2012.12.31
营业收入(元)	–	28,214,498.29	22,086,147.78
营业利润(元)	–	5,997,901.30	5,737,103.54
净利润(元)	–	5,152,679.53	4,762,297.09
未分配利润(元)	–	18,450,388.20	20,297,708.67
总资产(元)	–	35,706,333.51	38,676,699.65
总负债(元)	–	13,451,230.16	13,769,141.73
净资产(元)	–	22,255,103.35	24,907,557.92
每股收益(元)	–	0.26	0.24
每股净资产(元)	–	21.04	24.91
净资产收益率(%)	–	23.15	19.12

上海帝联信息科技股份有限公司

公司概况					
公司名称	上海帝联信息科技股份有限公司		股份名称	帝联科技
法人代表	康凯	董秘	陈长林	股份代码	831402
公司网址	www.dnion.com	主办券商	宏源证券股份有限公司		
电话	021-61805555	传真	021-61805555		
注册地址	上海市普陀区中江路879弄21号楼1楼101室				
行业分类	信息传输、软件和信息技术服务业				

主要财务指标：指标\报告期	2014.06.30	2013.12.31	2012.12.31
营业收入(元)	–	423,166,489.47	356,102,903.20
营业利润(元)	–	11,608,424.97	-11,045,255.86
净利润(元)	–	16,030,919.15	-3,427,249.60
未分配利润(元)	–	-4,041,890.00	20,737,966.66
总资产(元)	–	246,653,529.48	210,619,368.77
总负债(元)	–	165,330,380.50	107,527,138.94
净资产(元)	–	81,323,148.98	103,092,229.83
每股收益(元)	–	0.36	-0.08
每股净资产(元)	–	1.81	2.29
净资产收益率(%)	–	19.71	-3.32

哈尔滨庆功林泵业股份有限公司

公司概况					
公司名称	哈尔滨庆功林泵业股份有限公司		股份名称	庆功林
法人代表	朴成功	董秘	陈颖	股份代码	831403
公司网址	www.qinggonglin.com.cn	主办券商	申银万国证券股份有限公司		
电话	0451-55139168	传真	0451-55113614		
注册地址	黑龙江省哈尔滨市香坊区公滨路51号				
行业分类	制造业				

主要财务指标：指标\报告期	2014.06.30	2013.12.31	2012.12.31
营业收入(元)	–	42,059,311.69	29,806,125.44
营业利润(元)	–	3,056,504.25	2,654,768.44
净利润(元)	–	2,930,199.72	1,746,937.33
未分配利润(元)	–	4,108,142.44	1,470,962.69
总资产(元)	–	80,535,258.13	57,705,439.00
总负债(元)	–	20,630,719.50	11,864,532.09
净资产(元)	–	59,904,538.63	45,840,906.91
每股收益(元)	–	0.06	0.05
每股净资产(元)	–	1.20	1.04
净资产收益率(%)	–	4.89	3.81

北京宝丽兴源技术服务股份有限公司

公司概况	公司名称	北京宝丽兴源技术服务股份有限公司		股份名称	宝丽兴源
	法人代表	史春	董秘 赵嵘	股份代码	831404
	公司网址	www.poraise.cn	主办券商	安信证券股份有限公司	
	电　话	010-60571176	传　真	010-60571276	
	注册地址	北京市通州区中关村科技园区通州园金桥科技产业基地景盛南二街25号21号楼A			
	行业分类	租赁和商务服务业			

主要财务指标	指标\报告期	2014.06.30	2013.12.31	2012.12.31
	营业收入(元)	–	10,843,145.98	3,368,044.01
	营业利润(元)	–	1,722,781.13	548,583.64
	净利润(元)	–	1,271,200.53	475,123.11
	未分配利润(元)	–	797,763.43	-337,496.43
	总资产(元)	–	20,794,476.45	8,182,872.56
	总负债(元)	–	9,855,928.07	2,515,524.71
	净资产(元)	–	10,938,548.38	5,667,347.85
	每股收益(元)	–	0.25	0.10
	每股净资产(元)	–	2.19	1.13
	净资产收益率(%)	–	11.62	8.38

天津赞普科技股份有限公司

公司概况	公司名称	天津赞普科技股份有限公司		股份名称	赞普科技
	法人代表	张寿权	董秘 贺辉	股份代码	831405
	公司网址	www.zanpu.com	主办券商	广州证券股份有限公司	
	电　话	022-58635555	传　真	022-5863555	
	注册地址	天津市华苑产业区榕苑路2号4-302			
	行业分类	信息传输、软件和信息技术服务业			

主要财务指标	指标\报告期	2014.06.30	2013.12.31	2012.12.31
	营业收入(元)	–	107,105,924.17	67,710,579.58
	营业利润(元)	–	12,185,258.90	-12,790,468.39
	净利润(元)	–	11,298,950.03	-12,754,384.31
	未分配利润(元)	–	-2,530,430.59	-18,136,501.44
	总资产(元)	–	52,425,591.51	50,402,942.94
	总负债(元)	–	42,048,336.01	66,178,939.80
	净资产(元)	–	10,377,255.50	-15,775,996.86
	每股收益(元)	–	1.25	-0.62
	每股净资产(元)	–	0.82	-0.43
	净资产收益率(%)	–	151.96	–

福建森达电气股份有限公司

公司概况	公司名称	福建森达电气股份有限公司		股份名称	森达电气
	法人代表	李建民	董秘 谢贵运	股份代码	831406
	公司网址	www.fjsenda.com	主办券商	中航证券有限公司	
	电　话	0591-83747388	传　真	0591-83745335	
	注册地址	福建省福州市仓山区金山大道618号鼓楼园11座			
	行业分类	制造业			

主要财务指标	指标\报告期	2014.06.30	2013.12.31	2012.12.31
	营业收入(元)	–	94,956,956.54	101,083,981.58
	营业利润(元)	–	7,848,358.50	9,607,540.92
	净利润(元)	–	7,062,538.66	8,652,313.27
	未分配利润(元)	–	3,260,022.43	5,594,577.95
	总资产(元)	–	89,624,291.89	75,497,645.07
	总负债(元)	–	32,786,336.09	23,031,387.62
	净资产(元)	–	56,837,955.80	52,466,257.45
	每股收益(元)	–	0.15	0.25
	每股净资产(元)	–	1.14	1.19
	净资产收益率(%)	–	12.43	16.49

北京万泰中联科技股份有限公司

公司概况	公司名称	北京万泰中联科技股份有限公司		股份名称	万泰中联
	法人代表	宗学伟	董秘 李冰	股份代码	831407
	公司网址	www.wantup.com.cn	主办券商	兴业证券股份有限公司	
	电　话	010-63705396	传　真	010-63705396-906	
	注册地址	北京市丰台区南四环西路188号一区18号楼三层			
	行业分类	信息传输、软件和信息技术服务业			

主要财务指标	指标\报告期	2014.06.30	2013.12.31	2012.12.31
	营业收入(元)	–	10,197,757.59	6,392,474.93
	营业利润(元)	–	1,669,699.22	-136,512.26
	净利润(元)	–	1,310,857.90	-285,894.58
	未分配利润(元)	–	1,091,149.03	33,871.76
	总资产(元)	–	41,854,381.18	36,369,178.17
	总负债(元)	–	7,409,132.57	3,234,787.46
	净资产(元)	–	34,445,248.61	33,134,390.71
	每股收益(元)	–	0.04	-0.01
	每股净资产(元)	–	1.15	1.00
	净资产收益率(%)	–	4.17	-0.95

重庆大美长江三峡游轮股份有限公司

公司概况	公司名称	重庆大美长江三峡游轮股份有限公司		股份名称	大美游轮
	法人代表	罗仕政	董秘 汪增伟	股份代码	831408
	公司网址	www.dmsx.com	主办券商	国泰君安证券股份有限公司	
	电　话	023-54233668	传　真	023-54233668	
	注册地址	重庆市忠县忠州镇滨江路26号			
	行业分类	交通运输、仓储和邮政业			

主要财务指标	指标\报告期	2014.06.30	2013.12.31	2012.12.31
	营业收入(元)	-	75,640,858.09	81,583,271.02
	营业利润(元)	-	-12,166,556.74	-3,592,148.57
	净利润(元)	-	-4,500,890.62	8,883,631.06
	未分配利润(元)	-	4,848,189.43	9,317,191.65
	总资产(元)	-	169,768,965.14	150,438,759.06
	总负债(元)	-	90,801,399.19	67,473,910.19
	净资产(元)	-	78,967,565.95	82,964,848.87
	每股收益(元)	-	-0.07	0.21
	每股净资产(元)	-	1.10	1.16
	净资产收益率(%)	-	-6.04	11.37

华油阳光(北京)科技股份有限公司

公司概况	公司名称	华油阳光(北京)科技股份有限公司		股份名称	华油科技
	法人代表	曾闽山	董秘 任岩	股份代码	831409
	公司网址	www.oildigital.com	主办券商	东北证券股份有限公司	
	电　话	010-82608424-261	传　真	010-82608424-202	
	注册地址	北京市海淀区西直门北大街32号院2号楼5层501室			
	行业分类	采矿业			

主要财务指标	指标\报告期	2014.06.30	2013.12.31	2012.12.31
	营业收入(元)	-	45,080,690.97	34,410,892.79
	营业利润(元)	-	16,681,397.40	14,979,092.84
	净利润(元)	-	14,778,063.22	12,945,211.23
	未分配利润(元)	-	33,519,444.53	20,256,672.88
	总资产(元)	-	76,777,739.50	49,694,395.94
	总负债(元)	-	6,604,698.35	5,489,418.01
	净资产(元)	-	70,173,041.15	44,204,977.93
	每股收益(元)	-	0.68	0.59
	每股净资产(元)	-	3.22	2.03
	净资产收益率(%)	-	21.06	29.29

天和自动化科技(苏州)股份有限公司

公司概况	公司名称	天和自动化科技(苏州)股份有限公司		股份名称	天和科技
	法人代表	钟旭东	董秘 杨伶俐	股份代码	831410
	公司网址	www.tianhesys.com	主办券商	东吴证券股份有限公司	
	电　话	0512-68601236	传　真	0512-68601235	
	注册地址	江苏省苏州市工业园区星湖街328号创意产业园6-403单元			
	行业分类	制造业			

主要财务指标	指标\报告期	2014.06.30	2013.12.31	2012.12.31
	营业收入(元)	-	6,529,107.80	6,529,107.80
	营业利润(元)	-	-2,407,719.72	-2,407,719.72
	净利润(元)	-	-1,827,287.66	-1,827,287.66
	未分配利润(元)	-	-3,524,681.79	-3,524,681.79
	总资产(元)	-	15,049,384.71	15,049,384.71
	总负债(元)	-	8,623,433.86	8,623,433.86
	净资产(元)	-	6,425,950.85	6,425,950.85
	每股收益(元)	-	-0.26	-0.26
	每股净资产(元)	-	0.92	0.92
	净资产收益率(%)	-	-28.44	-28.44

烟台三重技术股份有限公司

公司概况	公司名称	烟台三重技术股份有限公司		股份名称	三重股份
	法人代表	李宏	董秘 王君令	股份代码	831411
	公司网址	www.sampe.cc	主办券商	齐鲁证券有限公司	
	电　话	0535-6282693-8028	传　真	0535-6282673	
	注册地址	山东省烟台市芝罘区青年路16号			
	行业分类	制造业			

主要财务指标	指标\报告期	2014.06.30	2013.12.31	2012.12.31
	营业收入(元)	-	17,403,989.44	9,412,217.85
	营业利润(元)	-	1,886,523.11	814,913.85
	净利润(元)	-	1,579,348.26	620,219.82
	未分配利润(元)	-	44,657.83	-1,529,728.45
	总资产(元)	-	24,235,997.24	16,045,628.80
	总负债(元)	-	16,186,377.43	9,575,357.25
	净资产(元)	-	8,049,619.81	6,470,271.55
	每股收益(元)	-	0.20	0.08
	每股净资产(元)	-	1.01	0.81
	净资产收益率(%)	-	19.62	9.59

武汉天际航信息科技股份有限公司

公司概况					
公司名称	武汉天际航信息科技股份有限公司			股份名称	天际航
法人代表	宋彩虹	董秘	严倩虹	股份代码	831412
公司网址	www.whulabs.com		主办券商	兴业证券股份有限公司	
电　　话	027-87986089		传　　真	027-87986515	
注册地址	湖北省武汉市东湖新技术开发区武汉大学科技园				
行业分类	信息传输、软件和信息技术服务业				

主要财务指标			
指标\报告期	2014.06.30	2013.12.31	2012.12.31
营业收入(元)	–	4,160,098.08	3,499,735.82
营业利润(元)	–	419,790.76	380,799.57
净利润(元)	–	314,413.85	281,249.16
未分配利润(元)	–	468,461.12	185,488.66
总资产(元)	–	8,016,394.99	1,421,574.19
总负债(元)	–	995,882.63	1,115,475.68
净资产(元)	–	7,020,512.36	306,098.51
每股收益(元)	–	0.05	0.04
每股净资产(元)	–	1.40	3.06
净资产收益率(%)	–	4.48	91.88

山东中创软件商用中间件股份有限公司

公司概况					
公司名称	山东中创软件商用中间件股份有限公司			股份名称	中创股份
法人代表	景新海	董秘	曹颂群	股份代码	831413
公司网址	www.inforbus.com		主办券商	齐鲁证券有限公司	
电　　话	0531-81753019		传　　真	0531-81753668	
注册地址	山东省济南市千佛山东路 41-1 号				
行业分类	信息传输、软件和信息技术服务业				

主要财务指标			
指标\报告期	2014.06.30	2013.12.31	2012.12.31
营业收入(元)	–	67,042,699.75	60,531,691.81
营业利润(元)	–	1,588,389.19	6,974,637.30
净利润(元)	–	12,340,106.06	15,697,772.25
未分配利润(元)	–	46,907,377.69	38,551,282.24
总资产(元)	–	160,066,018.34	132,639,593.30
总负债(元)	–	37,842,271.31	20,005,952.33
净资产(元)	–	122,223,747.03	112,633,640.97
每股收益(元)	–	0.22	0.32
每股净资产(元)	–	2.22	2.05
净资产收益率(%)	–	10.10	13.94

武汉大洋义天科技股份有限公司

公司概况					
公司名称	武汉大洋义天科技股份有限公司			股份名称	大洋义天
法人代表	程澜	董秘	肖琼	股份代码	831414
公司网址	www.yt8931.com		主办券商	上海证券有限责任公司	
电　　话	027-67849613		传　　真	027-67849952	
注册地址	湖北省武汉市东湖开发区东信路 SBI 创业街 1-801 号				
行业分类	制造业				

主要财务指标			
指标\报告期	2014.06.30	2013.12.31	2012.12.31
营业收入(元)	–	–	–
营业利润(元)	–	–	–
净利润(元)	–	–	–
未分配利润(元)	–	–	–
总资产(元)	–	–	–
总负债(元)	–	–	–
净资产(元)	–	–	–
每股收益(元)	–	–	–
每股净资产(元)	–	–	–
净资产收益率(%)	–	–	–

河北城兴市政设计院股份有限公司

公司概况					
公司名称	河北城兴市政设计院股份有限公司			股份名称	城兴股份
法人代表	庄彦青	董秘	李江	股份代码	831415
公司网址	www.cxszdi.com		主办券商	国泰君安证券股份有限公司	
电　　话	0312-3282328		传　　真	0312-3282338	
注册地址	河北省保定市三丰西路 671 号				
行业分类	科学研究和技术服务业				

主要财务指标			
指标\报告期	2014.06.30	2013.12.31	2012.12.31
营业收入(元)	–	8,254,321.43	5,580,461.15
营业利润(元)	–	2,117,428.93	262,613.40
净利润(元)	–	1,584,006.04	268,679.67
未分配利润(元)	–	-296,712.55	-1,880,718.59
总资产(元)	–	14,579,314.58	3,554,953.32
总负债(元)	–	4,876,027.13	2,435,671.91
净资产(元)	–	9,703,287.45	1,119,281.41
每股收益(元)	–	0.11	0.02
每股净资产(元)	–	0.65	0.07
净资产收益率(%)	–	16.32	24.01

江苏大成医药科技股份有限公司

公司概况	公司名称	江苏大成医药科技股份有限公司		股份名称	大成医药
	法人代表	张兆春	董秘	朱云	股份代码	831416
	公司网址	www.dachengchem.com	主办券商	浙商证券股份有限公司	
	电　话	0517-87036907	传　真	0517-85200186	
	注册地址	江苏省淮安市淮安区化工集中区			
	行业分类	制造业			

	指标\报告期	2014.06.30	2013.12.31	2012.12.31
主要财务指标	营业收入(元)	–	–	–
	营业利润(元)	–	–	–
	净利润(元)	–	–	–
	未分配利润(元)	–	–	–
	总资产(元)	–	–	–
	总负债(元)	–	–	–
	净资产(元)	–	–	–
	每股收益(元)	–	–	–
	每股净资产(元)	–	–	–
	净资产收益率(%)	–	–	–

重庆峻岭能源股份有限公司

公司概况	公司名称	重庆峻岭能源股份有限公司			股份名称	峻岭能源
	法人代表	周俊	董秘	李晚秋	股份代码	831417
	公司网址	www.junlingenergy.com	主办券商	中银国际证券有限责任公司		
	电　话	023-46737325	传　真	023-46737325		
	注册地址	重庆市荣昌县昌元镇西大街8幢15号				
	行业分类	电力、热力、燃气及水生产和供应业				

	指标\报告期	2014.06.30	2013.12.31	2012.12.31
主要财务指标	营业收入(元)	–	26,141,158.81	4,963,140.91
	营业利润(元)	–	12,821,761.93	–2,296,850.17
	净利润(元)	–	10,378,581.07	3,261,929.59
	未分配利润(元)	–	8,381,889.84	1,337,281.34
	总资产(元)	–	83,344,949.20	49,525,634.33
	总负债(元)	–	32,079,473.49	29,946,433.09
	净资产(元)	–	51,265,475.71	19,579,201.24
	每股收益(元)	–	0.33	0.16
	每股净资产(元)	–	1.28	0.95
	净资产收益率(%)	–	20.25	16.66

山西三合盛节能环保技术股份有限公司

公司概况	公司名称	山西三合盛节能环保技术股份有限公司			股份名称	三合盛
	法人代表	朱锦萍	董秘	韩晓云	股份代码	831418
	公司网址	www.shsgy.com	主办券商	山西证券股份有限公司		
	电　话	0351-7030183	传　真	0351-7025895		
	注册地址	山西省太原市高新区科技街15号留创园A座301				
	行业分类	科学研究和技术服务业				

	指标\报告期	2014.06.30	2013.12.31	2012.12.31
主要财务指标	营业收入(元)	–	14,698,916.64	4,484,750.81
	营业利润(元)	–	–2,487,255.68	–1,301,912.55
	净利润(元)	–	950,889.67	–934,010.09
	未分配利润(元)	–	–612,493.43	–1,525,921.54
	总资产(元)	–	21,927,514.55	19,254,395.30
	总负债(元)	–	4,707,437.25	2,985,207.67
	净资产(元)	–	17,220,077.30	16,269,187.63
	每股收益(元)	–	0.08	–0.10
	每股净资产(元)	–	1.37	1.29
	净资产收益率(%)	–	6.14	–5.87

衡阳鸿铭科技股份有限公司

公司概况	公司名称	衡阳鸿铭科技股份有限公司			股份名称	鸿铭科技
	法人代表	雷霆	董秘	彭丹玉	股份代码	831419
	公司网址		主办券商	浙商证券股份有限公司		
	电　话	0734-8872240	传　真	0734-8872240		
	注册地址	湖南省衡阳市蒸湘区衡阳钢管深加工产业聚集区				
	行业分类	制造业				

	指标\报告期	2014.06.30	2013.12.31	2012.12.31
主要财务指标	营业收入(元)	–	–	–
	营业利润(元)	–	–	–
	净利润(元)	–	–	–
	未分配利润(元)	–	–	–
	总资产(元)	–	–	–
	总负债(元)	–	–	–
	净资产(元)	–	–	–
	每股收益(元)	–	–	–
	每股净资产(元)	–	–	–
	净资产收益率(%)	–	–	–

广东天富电气股份有限公司

公司概况					
公司名称	广东天富电气股份有限公司			股份名称	天富电气
法人代表	郭振清	董秘	郭丽珍	股份代码	831421
公司网址	www.tenfo.cc		主办券商	民生证券股份有限公司	
电　　话	0760-85592863		传　　真	0760-85313639	
注册地址	广东省中山市火炬开发区环茂二路 9 号				
行业分类	制造业				

主要财务指标			
指标\报告期	2014.06.30	2013.12.31	2012.12.31
营业收入(元)	–	–	–
营业利润(元)	–	–	–
净利润(元)	–	–	–
未分配利润(元)	–	–	–
总资产(元)	–	–	–
总负债(元)	–	–	–
净资产(元)	–	–	–
每股收益(元)	–	–	–
每股净资产(元)	–	–	–
净资产收益率(%)	–	–	–

重庆奥根科技股份有限公司

公司概况					
公司名称	重庆奥根科技股份有限公司			股份名称	奥根科技
法人代表	易江	董秘	唐雯	股份代码	831422
公司网址	www.augen-tech.cn		主办券商	大通证券股份有限公司	
电　　话	13708087853		传　　真	023-58500289	
注册地址	重庆市万州经开区联合坝 M2 地 4 号厂房				
行业分类	制造业				

主要财务指标			
指标\报告期	2014.06.30	2013.12.31	2012.12.31
营业收入(元)	–	19,935,983.80	21,562,353.22
营业利润(元)	–	–211,105.45	921,656.46
净利润(元)	–	–98,303.05	1,074,095.05
未分配利润(元)	–	519,680.29	617,983.34
总资产(元)	–	26,490,005.93	28,651,208.52
总负债(元)	–	15,901,660.82	17,964,560.36
净资产(元)	–	10,588,345.11	10,686,648.16
每股收益(元)	–	–0.01	0.11
每股净资产(元)	–	1.06	1.07
净资产收益率(%)	–	–0.93	10.05

上海快易名商企业发展股份有限公司

公司概况					
公司名称	上海快易名商企业发展股份有限公司			股份名称	快易名商
法人代表	施艳	董秘	沈剑	股份代码	831423
公司网址	www.kyms.cc		主办券商	安信证券股份有限公司	
电　　话	021-32532717		传　　真	021-32517028	
注册地址	上海市嘉定工业区叶城路 1630 号 5 幢 2299 室				
行业分类	租赁和商务服务业				

主要财务指标			
指标\报告期	–	–	–
营业收入(元)	–	–	–
营业利润(元)	–	–	–
净利润(元)	–	–	–
未分配利润(元)	–	–	–
总资产(元)	–	–	–
总负债(元)	–	–	–
净资产(元)	–	–	–
每股收益(元)	–	–	–
每股净资产(元)	–	–	–
净资产收益率(%)	–	–	–

江苏薪泽奇机械股份有限公司

公司概况					
公司名称	江苏薪泽奇机械股份有限公司			股份名称	薪泽奇
法人代表	黄仁豹	董秘	袁军	股份代码	831424
公司网址	www.xzqjx.cn		主办券商	齐鲁证券有限公司	
电　　话	0512-58921231		传　　真	0512-58432919	
注册地址	江苏省张家港市塘桥镇西塘路 288 号周巷村				
行业分类	制造业				

主要财务指标			
指标\报告期	2014.06.30	2013.12.31	2012.12.31
营业收入(元)	–	90,702,947.31	96,140,495.31
营业利润(元)	–	–1,747,406.95	5,059,510.21
净利润(元)	–	–1,082,220.67	4,423,789.60
未分配利润(元)	–	7,332,897.62	8,415,118.29
总资产(元)	–	56,151,012.89	66,971,960.59
总负债(元)	–	37,317,398.00	47,056,125.03
净资产(元)	–	18,833,614.89	19,915,835.56
每股收益(元)	–	–0.27	1.11
每股净资产(元)	–	4.71	4.98
净资产收益率(%)	–	–5.75	22.21

厦门致善生物科技股份有限公司

公司概况	公司名称	厦门致善生物科技股份有限公司			股份名称	致善生物
	法人代表	李庆阁	董秘	栾国彦	股份代码	831425
	公司网址	www.zsandx.com		主办券商	兴业证券股份有限公司	
	电　话	15359278115		传　真	0592-7615089	
	注册地址	福建省厦门市火炬高新区(翔安)产业区台湾科技企业育成中心 W602A 室				
	行业分类	制造业				

	指标\报告期	2014.06.30	2013.12.31	2012.12.31
主要财务指标	营业收入(元)	–	11,567,893.32	8,268,342.17
	营业利润(元)	–	–2,127,431.85	–1,382,517.51
	净利润(元)	–	–965,055.84	–1,368,623.85
	未分配利润(元)	–	–2,979,013.02	–2,013,957.18
	总资产(元)	–	15,860,377.83	9,529,978.08
	总负债(元)	–	10,239,390.85	2,943,935.26
	净资产(元)	–	5,620,986.98	6,586,042.82
	每股收益(元)	–	–0.11	–0.21
	每股净资产(元)	–	0.65	0.77
	净资产收益率(%)	–	–17.17	–20.78

北京拂尘龙科技发展股份有限公司

公司概况	公司名称	北京拂尘龙科技发展股份有限公司			股份名称	拂尘龙
	法人代表	王晋	董秘	魏丽萍	股份代码	831426
	公司网址	www.iaq.net.cn		主办券商	海通证券股份有限公司	
	电　话	010-89755410-8032		传　真	010-89755410-8018	
	注册地址	北京市海淀区安宁庄西三条 9 号 1 幢 1 层 9-3				
	行业分类	居民服务、修理和其他服务业				

	指标\报告期	2014.06.30	2013.12.31	2012.12.31
主要财务指标	营业收入(元)	–	16,590,235.58	12,516,832.73
	营业利润(元)	–	382,330.40	–803,494.16
	净利润(元)	–	305,781.09	–719,802.31
	未分配利润(元)	–	113,724.57	–192,056.52
	总资产(元)	–	24,463,348.53	23,805,169.61
	总负债(元)	–	5,476,623.96	5,804,226.13
	净资产(元)	–	18,986,724.57	18,000,943.48
	每股收益(元)	–	0.02	–0.04
	每股净资产(元)	–	1.04	0.99
	净资产收益率(%)	–	1.61	–4.00

山东信通电子股份有限公司

公司概况	公司名称	山东信通电子股份有限公司			股份名称	信通电子
	法人代表	李全用	董秘	孙红玲	股份代码	831427
	公司网址	www.senter.com.cn		主办券商	广发证券股份有限公司	
	电　话	0533-3589256		传　真	0533-3587522	
	注册地址	山东省淄博市高新区柳毅山路 18 号				
	行业分类	制造业				

	指标\报告期	2014.06.30	2013.12.31	2012.12.31
主要财务指标	营业收入(元)	–	72,844,448.62	56,654,890.84
	营业利润(元)	–	2,964,951.26	–96,285.14
	净利润(元)	–	4,262,465.69	1,188,393.11
	未分配利润(元)	–	7,623,513.80	4,287,294.68
	总资产(元)	–	72,964,445.05	71,466,302.42
	总负债(元)	–	41,025,471.88	43,289,794.94
	净资产(元)	–	31,938,973.17	28,176,507.48
	每股收益(元)	–	0.14	0.04
	每股净资产(元)	–	1.60	1.41
	净资产收益率(%)	–	13.35	4.22

数据堂(北京)科技股份有限公司

公司概况	公司名称	数据堂(北京)科技股份有限公司			股份名称	数据堂
	法人代表	齐红威	董秘	吕菊梅	股份代码	831428
	公司网址	www.datatang.com		主办券商	湘财证券股份有限公司	
	电　话	010-82600792		传　真	010-82600553	
	注册地址	北京市海淀区中关村东路 18 号 C1507-1509				
	行业分类	信息传输、软件和信息技术服务业				

	指标\报告期	2014.06.30	2013.12.31	2012.12.31
主要财务指标	营业收入(元)	–	12,798,900.67	1,241,263.43
	营业利润(元)	–	3,977,921.60	–1,683,688.83
	净利润(元)	–	3,647,350.92	–1,515,535.87
	未分配利润(元)	–	1,722,354.74	–1,694,847.15
	总资产(元)	–	7,940,311.01	3,272,404.40
	总负债(元)	–	4,983,857.59	1,963,301.90
	净资产(元)	–	2,956,453.42	1,309,102.50
	每股收益(元)	–	0.24	–0.1
	每股净资产(元)	–	0.2	0.09
	净资产收益率(%)	–	123.37	–115.77

浙江创力电子股份有限公司

公司概况	公司名称	浙江创力电子股份有限公司		股份名称	创力股份	
	法人代表	林琳	董秘	黄勇达	股份代码	831429
	公司网址	www.makepower.cc		主办券商	申银万国证券股份有限公司	
	电话	0577-86557922		传真	0577-86557923	
	注册地址	浙江省温州市经济技术开发区滨海一道 1599 号				
	行业分类	制造业				

	指标\报告期	2014.06.30	2013.12.31	2012.12.31
主要财务指标	营业收入(元)	–	55,890,628.16	58,218,826.65
	营业利润(元)	–	–409,611.63	–5,488,764.93
	净利润(元)	–	4,579,340.00	709,796.26
	未分配利润(元)	–	837,628.85	–3,395,030.33
	总资产(元)	–	141,516,836.24	157,191,283.84
	总负债(元)	–	101,957,369.80	121,896,157.40
	净资产(元)	–	39,559,466.44	35,295,126.44
	每股收益(元)	–	0.15	0.02
	每股净资产(元)	–	0.78	0.69
	净资产收益率(%)	–	11.71	2.10

北京天易门窗幕墙股份有限公司

公司概况	公司名称	北京天易门窗幕墙股份有限公司		股份名称	天易股份	
	法人代表	陈助国	董秘	田勇	股份代码	831430
	公司网址	www.tysystem.cn		主办券商	国泰君安证券股份有限公司	
	电话	010-52643316		传真	0316-8806128	
	注册地址	北京市通州区通胡大街 11 号-1 三层 C3				
	行业分类	建筑业				

	指标\报告期	2014.06.30	2013.12.31	2012.12.31
主要财务指标	营业收入(元)	–	518,182,950.66	483,986,854.86
	营业利润(元)	–	54,901,378.26	53,715,370.38
	净利润(元)	–	46,198,060.25	43,205,004.48
	未分配利润(元)	–	111,466,624.48	69,153,439.06
	总资产(元)	–	616,031,823.46	439,212,330.76
	总负债(元)	–	371,590,189.25	298,881,751.42
	净资产(元)	–	244,441,634.21	140,330,579.34
	每股收益(元)	–	0.58	0.54
	每股净资产(元)	–	3.06	1.75
	净资产收益率(%)	–	18.90	30.79

泉州市东南光电股份有限公司

公司概况	公司名称	泉州市东南光电股份有限公司		股份名称	东南光电	
	法人代表	黄中元	董秘	何立光	股份代码	831431
	公司网址	www.cctvlens.cn		主办券商	东北证券股份有限公司	
	电话	13328879807		传真	0595-22498995	
	注册地址	福建省泉州市经济技术开发区智泰路 7-12A 地块				
	行业分类	制造业				

	指标\报告期	2014.06.30	2013.12.31	2012.12.31
主要财务指标	营业收入(元)	–	11,898,032.39	5,845,058.11
	营业利润(元)	–	–2,748,045.07	261,578.59
	净利润(元)	–	40,339.46	756,868.65
	未分配利润(元)	–	–2,479,901.79	–2,520,241.25
	总资产(元)	–	39,459,726.08	31,553,207.31
	总负债(元)	–	19,719,127.87	14,073,448.56
	净资产(元)	–	19,740,598.21	17,479,758.75
	每股收益(元)	–	0.00	0.04
	每股净资产(元)	–	0.85	0.75
	净资产收益率(%)	–	0.20	4.33

湖北优尼科光电技术股份有限公司

公司概况	公司名称	湖北优尼科光电技术股份有限公司		股份名称	优尼科	
	法人代表	肖红星	董秘	王劲松	股份代码	831432
	公司网址	www.chinaunitech.com		主办券商	长江证券股份有限公司	
	电话	0712-4084001		传真	0712-4084002	
	注册地址	湖北省云梦县城北工业园区				
	行业分类	制造业				

	指标\报告期	2014.06.30	2013.12.31	2012.12.31
主要财务指标	营业收入(元)	–	35,804,548.75	32,651,316.61
	营业利润(元)	–	4,166,935.49	–6,283,184.27
	净利润(元)	–	4,385,735.07	–5,793,423.66
	未分配利润(元)	–	–3,114,739.14	–7,500,474.21
	总资产(元)	–	79,482,654.58	74,391,844.17
	总负债(元)	–	50,157,393.72	49,452,318.38
	净资产(元)	–	29,325,260.86	24,939,525.79
	每股收益(元)	–	0.14	–0.18
	每股净资产(元)	–	0.9	0.77
	净资产收益率(%)	–	14.96	–23.23

佛山市川东磁电股份有限公司

公司概况						
公司概况	公司名称	佛山市川东磁电股份有限公司			股份名称	川东磁电
	法人代表	何华娟	董秘	颜天宝	股份代码	831433
	公司网址	www.cdm21.com		主办券商	齐鲁证券有限公司	
	电　话	0757-88802399		传　真	0757-88802199	
	注册地址	广东省佛山市高明区杨和镇沧江工业园和顺路 372 号				
	行业分类	制造业				

主要财务指标	指标\报告期	2014.06.30	2013.12.31	2012.12.31
	营业收入(元)	–	–	–
	营业利润(元)	–	–	–
	净利润(元)	–	–	–
	未分配利润(元)	–	–	–
	总资产(元)	–	–	–
	总负债(元)	–	–	–
	净资产(元)	–	–	–
	每股收益(元)	–	–	–
	每股净资产(元)	–	–	–
	净资产收益率(%)	–	–	–

哈尔滨行健智能机器人股份有限公司

公司概况						
公司概况	公司名称	哈尔滨行健智能机器人股份有限公司			股份名称	行健智能
	法人代表	王宗义	董秘	穆春娜	股份代码	831435
	公司网址	www.xirobot.com		主办券商	申银万国证券股份有限公司	
	电　话	0451-51789083		传　真	0451-51789081	
	注册地址	黑龙江省哈尔滨市经开区哈平路集中区同江路 8 号 7# 厂房(东侧)				
	行业分类	制造业				

主要财务指标	指标\报告期	2014.06.30	2013.12.31	2012.12.31
	营业收入(元)	–	–	–
	营业利润(元)	–	–	–
	净利润(元)	–	–	–
	未分配利润(元)	–	–	–
	总资产(元)	–	–	–
	总负债(元)	–	–	–
	净资产(元)	–	–	–
	每股收益(元)	–	–	–
	每股净资产(元)	–	–	–
	净资产收益率(%)	–	–	–

福建白水农夫农业股份有限公司

公司概况						
公司概况	公司名称	福建白水农夫农业股份有限公司			股份名称	白水农夫
	法人代表	吴治德	董秘	宋荔辉	股份代码	831436
	公司网址	www.fjgsny.com		主办券商	国金证券股份有限公司	
	电　话	0593-3389553		传　真	0593-3388390	
	注册地址	福建省宁德市屏南县棠口乡际头工业园区				
	行业分类	农、林、牧、渔业				

主要财务指标	指标\报告期	2014.06.30	2013.12.31	2012.12.31
	营业收入(元)	–	–	–
	营业利润(元)	–	–	–
	净利润(元)	–	–	–
	未分配利润(元)	–	–	–
	总资产(元)	–	–	–
	总负债(元)	–	–	–
	净资产(元)	–	–	–
	每股收益(元)	–	–	–
	每股净资产(元)	–	–	–
	净资产收益率(%)	–	–	–

广东天劲新能源科技股份有限公司

公司概况						
公司概况	公司名称	广东天劲新能源科技股份有限公司			股份名称	天劲股份
	法人代表	曾洪华	董秘	曾宪武	股份代码	831437
	公司网址	www.teamgiant.cn		主办券商	国海证券股份有限公司	
	电　话	0755-83726056-8091		传　真	0755-28076992	
	注册地址	广东省深圳市宝安区大浪街道同胜社区华荣路龙富工业区 3 栋厂房 1-3 楼				
	行业分类	制造业				

主要财务指标	指标\报告期	2014.06.30	2013.12.31	2012.12.31
	营业收入(元)	–	–	
	营业利润(元)	–	–	–
	净利润(元)	–	–	–
	未分配利润(元)	–	–	–
	总资产(元)	–	–	–
	总负债(元)	–	–	–
	净资产(元)	–	–	–
	每股收益(元)	–	–	–
	每股净资产(元)	–	–	–
	净资产收益率(%)	–	–	–

益阳生力材料科技股份有限公司

公司概况	公司名称	益阳生力材料科技股份有限公司		股份名称	生力材料
	法人代表	唐磊	董秘 符浩文	股份代码	831438
	公司网址			主办券商	浙商证券股份有限公司
	电　话	0737-4318188		传　真	0737-4328069
	注册地址	湖南省益阳市资阳区长春工业园			
	行业分类	制造业			

主要财务指标	指标\报告期	2014.06.30	2013.12.31	2012.12.31
	营业收入(元)	-	-	-
	营业利润(元)	-	-	-
	净利润(元)	-	-	-
	未分配利润(元)	-	-	-
	总资产(元)	-	-	-
	总负债(元)	-	-	-
	净资产(元)	-	-	-
	每股收益(元)	-	-	-
	每股净资产(元)	-	-	-
	净资产收益率(%)	-	-	-

中喜生态产业股份有限公司

公司概况	公司名称	中喜生态产业股份有限公司		股份名称	中喜生态
	法人代表	张洪勋	董秘 李康	股份代码	831439
	公司网址	www.zhongxishengtai.com		主办券商	光大证券股份有限公司
	电　话	0543-3082101		传　真	0543-3185686
	注册地址	山东省滨州市滨城区小营办事处广青路南侧			
	行业分类	农、林、牧、渔业			

主要财务指标	指标\报告期	2014.06.30	2013.12.31	2012.12.31
	营业收入(元)	-	-	-
	营业利润(元)	-	-	-
	净利润(元)	-	-	-
	未分配利润(元)	-	-	-
	总资产(元)	-	-	-
	总负债(元)	-	-	-
	净资产(元)	-	-	-
	每股收益(元)	-	-	-
	每股净资产(元)	-	-	-
	净资产收益率(%)	-	-	-

湖南友旭信息科技股份有限公司

公司概况	公司名称	湖南友旭信息科技股份有限公司		股份名称	友旭科技
	法人代表	龚柯槐	董秘 夏祺	股份代码	831440
	公司网址	www.yx365.net		主办券商	齐鲁证券有限公司
	电　话	13787789847		传　真	0731-85562195
	注册地址	湖南省长沙市开福区芙蓉中路一段429号金阳大厦九层			
	行业分类	信息传输、软件和信息技术服务业			

主要财务指标	指标\报告期	2014.06.30	2013.12.31	2012.12.31
	营业收入(元)	-	-	-
	营业利润(元)	-	-	-
	净利润(元)	-	-	-
	未分配利润(元)	-	-	-
	总资产(元)	-	-	-
	总负债(元)	-	-	-
	净资产(元)	-	-	-
	每股收益(元)	-	-	-
	每股净资产(元)	-	-	-
	净资产收益率(%)	-	-	-

温州瓷爵士科技股份有限公司

公司概况	公司名称	温州瓷爵士科技股份有限公司		股份名称	瓷爵士
	法人代表	卢成堆	董秘 严玲月	股份代码	831441
	公司网址	www.cijueshi.cn		主办券商	财通证券股份有限公司
	电　话	0577-85507350		传　真	0577-85507365
	注册地址	浙江省温州市龙湾区机场大道4142号			
	行业分类	制造业			

主要财务指标	指标\报告期	2014.06.30	2013.12.31	2012.12.31
	营业收入(元)	-	-	-
	营业利润(元)	-	-	-
	净利润(元)	-	-	-
	未分配利润(元)	-	-	-
	总资产(元)	-	-	-
	总负债(元)	-	-	-
	净资产(元)	-	-	-
	每股收益(元)	-	-	-
	每股净资产(元)	-	-	-
	净资产收益率(%)	-	-	-

烟台枫林食品股份有限公司

公司概况	公司名称	烟台枫林食品股份有限公司			股份名称	枫林食品
	法人代表	于录章	董秘	李华树	股份代码	831442
	公司网址	www.ytfenglin.com.cn		主办券商	中原证券股份有限公司	
	电　话	13235353986		传　真	0535-4742088	
	注册地址	山东省烟台市牟平区水道镇前刘家夼村				
	行业分类	制造业				

	指标\报告期	2014.06.30	2013.12.31	2012.12.31
主要财务指标	营业收入(元)	–	–	–
	营业利润(元)	–	–	–
	净利润(元)	–	–	–
	未分配利润(元)	–	–	–
	总资产(元)	–	–	–
	总负债(元)	–	–	–
	净资产(元)	–	–	–
	每股收益(元)	–	–	–
	每股净资产(元)	–	–	–
	净资产收益率(%)	–	–	–

湖南黑美人茶业股份有限公司

公司概况	公司名称	湖南黑美人茶业股份有限公司			股份名称	黑美人
	法人代表	吴少华	董秘	吴岍	股份代码	831443
	公司网址			主办券商	浙商证券股份有限公司	
	电　话	0737-4290789		传　真	0737-2223598	
	注册地址	湖南省益阳市赫山区春嘉路6号				
	行业分类	制造业				

	指标\报告期	2014.06.30	2013.12.31	2012.12.31
主要财务指标	营业收入(元)	–	–	–
	营业利润(元)	–	–	–
	净利润(元)	–	–	–
	未分配利润(元)	–	–	–
	总资产(元)	–	–	–
	总负债(元)	–	–	–
	净资产(元)	–	–	–
	每股收益(元)	–	–	–
	每股净资产(元)	–	–	–
	净资产收益率(%)	–	–	–

浙江汇隆新材料股份有限公司

公司概况	公司名称	浙江汇隆新材料股份有限公司			股份名称	汇隆新材
	法人代表	沈顺华	董秘	谢明兰	股份代码	831444
	公司网址	www.zjhuilong.com		主办券商	浙商证券股份有限公司	
	电　话	0572-8469281		传　真	0572-8468710	
	注册地址	浙江省湖州市德清县禹越镇杭海路				
	行业分类	制造业				

	指标\报告期	2014.06.30	2013.12.31	2012.12.31
主要财务指标	营业收入(元)	–	–	–
	营业利润(元)	–	–	–
	净利润(元)	–	–	–
	未分配利润(元)	–	–	–
	总资产(元)	–	–	–
	总负债(元)	–	–	–
	净资产(元)	–	–	–
	每股收益(元)	–	–	–
	每股净资产(元)	–	–	–
	净资产收益率(%)	–	–	–

福建龙泰竹业股份有限公司

公司概况	公司名称	福建龙泰竹业股份有限公司			股份名称	龙泰竹业
	法人代表	吴贵鹰	董秘	张丽芳	股份代码	831445
	公司网址	www.longtaibamboo.com		主办券商	国金证券股份有限公司	
	电　话	0599-5892989		传　真	0599-5892989	
	注册地址	福建省建阳市徐市镇林茶果农场1-3层车间4				
	行业分类	制造业				

	指标\报告期	2014.06.30	2013.12.31	2012.12.31
主要财务指标	营业收入(元)	–	–	–
	营业利润(元)	–	–	–
	净利润(元)	–	–	–
	未分配利润(元)	–	–	–
	总资产(元)	–	–	–
	总负债(元)	–	–	–
	净资产(元)	–	–	–
	每股收益(元)	–	–	–
	每股净资产(元)	–	–	–
	净资产收益率(%)	–	–	–

内蒙古亨利新技术工程股份有限公司

公司概况	公司名称	内蒙古亨利新技术工程股份有限公司		股份名称	亨利技术
	法人代表	莫勇玲	董秘	王亚滨	股份代码	831446
	公司网址	www.nmghenry.com		主办券商	国泰君安证券股份有限公司
	电　　话	18604710119		传　　真	0471-2215899
	注册地址	内蒙古自治区呼和浩特市新城区北垣东街 272 号			
	行业分类	建筑业			

	指标\报告期	2014.06.30	2013.12.31	2012.12.31
主要财务指标	营业收入(元)	–	–	–
	营业利润(元)	–	–	–
	净利润(元)	–	–	–
	未分配利润(元)	–	–	–
	总资产(元)	–	–	–
	总负债(元)	–	–	–
	净资产(元)	–	–	–
	每股收益(元)	–	–	–
	每股净资产(元)	–	–	–
	净资产收益率(%)	–	–	–

浙江明烁节能科技股份有限公司

公司概况	公司名称	浙江明烁节能科技股份有限公司		股份名称	明烁节能
	法人代表	余海明	董秘	张辉	股份代码	831447
	公司网址	www.aqx-solarlight.com		主办券商	东吴证券股份有限公司
	电　　话	18668393158		传　　真	0573-84291329
	注册地址	浙江省嘉善县魏塘街道振华路 68 号			
	行业分类	制造业			

	指标\报告期	2014.06.30	2013.12.31	2012.12.31
主要财务指标	营业收入(元)	–	–	–
	营业利润(元)	–	–	–
	净利润(元)	–	–	–
	未分配利润(元)	–	–	–
	总资产(元)	–	–	–
	总负债(元)	–	–	–
	净资产(元)	–	–	–
	每股收益(元)	–	–	–
	每股净资产(元)	–	–	–
	净资产收益率(%)	–	–	–

南昌贝欧特医疗科技股份有限公司

公司概况	公司名称	南昌贝欧特医疗科技股份有限公司		股份名称	贝欧特
	法人代表	朱永斌	董秘	黄宇锋	股份代码	831448
	公司网址	www.biotek-cn.com		主办券商	国信证券股份有限公司
	电　　话	0791-88101060		传　　真	0791-88103176
	注册地址	江西省南昌市高新技术开发区高新二路 18 号			
	行业分类	制造业			

	指标\报告期	2014.06.30	2013.12.31	2012.12.31
主要财务指标	营业收入(元)	–	–	–
	营业利润(元)	–	–	–
	净利润(元)	–	–	–
	未分配利润(元)	–	–	–
	总资产(元)	–	–	–
	总负债(元)	–	–	–
	净资产(元)	–	–	–
	每股收益(元)	–	–	–
	每股净资产(元)	–	–	–
	净资产收益率(%)	–	–	–

北京赛格立诺办公科技股份有限公司

公司概况	公司名称	北京赛格立诺办公科技股份有限公司		股份名称	赛格立诺
	法人代表	陈川	董秘	王文喆	股份代码	831449
	公司网址	www.seglino.com		主办券商	安信证券股份有限公司
	电　　话	010-64455166		传　　真	010-64428687
	注册地址	北京市西城建学胡同 36 号 2 幢 097			
	行业分类	信息传输、软件和信息技术服务业			

	指标\报告期	2014.06.30	2013.12.31	2012.12.31
主要财务指标	营业收入(元)	–	–	–
	营业利润(元)	–	–	–
	净利润(元)	–	–	–
	未分配利润(元)	–	–	–
	总资产(元)	–	–	–
	总负债(元)	–	–	–
	净资产(元)	–	–	–
	每股收益(元)	–	–	–
	每股净资产(元)	–	–	–
	净资产收益率(%)	–	–	–

苏州金宏气体股份有限公司

公司概况	公司名称	苏州金宏气体股份有限公司		股份名称	金宏气体	
	法人代表	金向华	董秘	龚小玲	股份代码	831450
	公司网址	www.jinhonggroup.com		主办券商	招商证券股份有限公司	
	电　　话	0512-65789892		传　　真	0512-65789126	
	注册地址	江苏省苏州市相城区黄埭镇潘阳工业园安民路				
	行业分类	制造业				

	指标\报告期	2014.06.30	2013.12.31	2012.12.31
主要财务指标	营业收入(元)	–	–	–
	营业利润(元)	–	–	–
	净利润(元)	–	–	–
	未分配利润(元)	–	–	–
	总资产(元)	–	–	–
	总负债(元)	–	–	–
	净资产(元)	–	–	–
	每股收益(元)	–	–	–
	每股净资产(元)	–	–	–
	净资产收益率(%)	–	–	–

安徽亿海矿山设备股份有限公司

公司概况	公司名称	安徽亿海矿山设备股份有限公司		股份名称	亿海股份	
	法人代表	刘卫国	董秘	胡静	股份代码	831451
	公司网址	www.ahyh.net		主办券商	长江证券股份有限公司	
	电　　话	0557-2960077		传　　真	0557-3929966	
	注册地址	安徽省宿州市经济技术开发区金泰路西侧				
	行业分类	制造业				

	指标\报告期	2014.06.30	2013.12.31	2012.12.31
主要财务指标	营业收入(元)	–	–	–
	营业利润(元)	–	–	–
	净利润(元)	–	–	–
	未分配利润(元)	–	–	–
	总资产(元)	–	–	–
	总负债(元)	–	–	–
	净资产(元)	–	–	–
	每股收益(元)	–	–	–
	每股净资产(元)	–	–	–
	净资产收益率(%)	–	–	–

武汉宝特龙科技股份有限公司

公司概况	公司名称	武汉宝特龙科技股份有限公司		股份名称	宝特龙	
	法人代表	汪林安	董秘	汪静	股份代码	831452
	公司网址	www.pointrole.com		主办券商	长江证券股份有限公司	
	电　　话	027-84452910		传　　真	027-84452915	
	注册地址	湖北省武汉市汉阳区琴断口街黄金口三村270号				
	行业分类	制造业				

	指标\报告期	2014.06.30	2013.12.31	2012.12.31
主要财务指标	营业收入(元)	–	–	–
	营业利润(元)	–	–	–
	净利润(元)	–	–	–
	未分配利润(元)	–	–	–
	总资产(元)	–	–	–
	总负债(元)	–	–	–
	净资产(元)	–	–	–
	每股收益(元)	–	–	–
	每股净资产(元)	–	–	–
	净资产收益率(%)	–	–	–

福建省皇品文化传播股份有限公司

公司概况	公司名称	福建省皇品文化传播股份有限公司		股份名称	皇品文化	
	法人代表	黄灿明	董秘	刘莹琦	股份代码	831454
	公司网址	www.hpwdy.com		主办券商	兴业证券股份有限公司	
	电　　话	13489574096		传　　真	0595-22002004	
	注册地址	福建省泉州市丰泽区泉秀路领SHOW天地东区C座403单元B区				
	行业分类	文化、体育和娱乐业				

	指标\报告期	2014.06.30	2013.12.31	2012.12.31
主要财务指标	营业收入(元)	–	–	–
	营业利润(元)	–	–	–
	净利润(元)	–	–	–
	未分配利润(元)	–	–	–
	总资产(元)	–	–	–
	总负债(元)	–	–	–
	净资产(元)	–	–	–
	每股收益(元)	–	–	–
	每股净资产(元)	–	–	–
	净资产收益率(%)	–	–	–

广东粤林电气科技股份有限公司

公司概况	公司名称	广东粤林电气科技股份有限公司			股份名称	粤林股份
	法人代表	邓会英	董秘	张平顺	股份代码	831455
	公司网址	www.yuelin.cn		主办券商	东莞证券有限责任公司	
	电　话	0769-38912888		传　真	0769-39010133	
	注册地址	广东省东莞市清溪镇三中金龙工业区				
	行业分类	制造业				
主要财务指标	指标\报告期	2014.06.30	2013.12.31	2012.12.31		
	营业收入(元)	-	-	-		
	营业利润(元)	-	-	-		
	净利润(元)	-	-	-		
	未分配利润(元)	-	-	-		
	总资产(元)	-	-	-		
	总负债(元)	-	-	-		
	净资产(元)	-	-	-		
	每股收益(元)	-	-	-		
	每股净资产(元)	-	-	-		
	净资产收益率(%)	-	-	-		

贵州森瑞新材料股份有限公司

公司概况	公司名称	贵州森瑞新材料股份有限公司			股份名称	森瑞新材
	法人代表	钟海	董秘	饶静	股份代码	831456
	公司网址	www.gzsenrui.com		主办券商	招商证券股份有限公司	
	电　话	0851-8237983		传　真	0851-8237983	
	注册地址	贵州省贵阳市国家高新技术产业开发区金阳科技产业园都匀路14号				
	行业分类	制造业				
主要财务指标	指标\报告期	2014.06.30	2013.12.31	2012.12.31		
	营业收入(元)	-	-	-		
	营业利润(元)	-	-	-		
	净利润(元)	-	-	-		
	未分配利润(元)	-	-	-		
	总资产(元)	-	-	-		
	总负债(元)	-	-	-		
	净资产(元)	-	-	-		
	每股收益(元)	-	-	-		
	每股净资产(元)	-	-	-		
	净资产收益率(%)	-	-	-		

杭州祥龙钻探设备科技股份有限公司

公司概况	公司名称	杭州祥龙钻探设备科技股份有限公司			股份名称	祥龙钻探
	法人代表	徐鸿祥	董秘	魏宝芸	股份代码	831457
	公司网址	www.hz-xianglong.com		主办券商	国元证券股份有限公司	
	电　话	0571-58509967		传　真	0571-64601792	
	注册地址	浙江省桐庐县富春江镇工人路8号				
	行业分类	制造业				
主要财务指标	指标\报告期	2014.06.30	2013.12.31	2012.12.31		
	营业收入(元)	-	-	-		
	营业利润(元)	-	-	-		
	净利润(元)	-	-	-		
	未分配利润(元)	-	-	-		
	总资产(元)	-	-	-		
	总负债(元)	-	-	-		
	净资产(元)	-	-	-		
	每股收益(元)	-	-	-		
	每股净资产(元)	-	-	-		
	净资产收益率(%)	-	-	-		

山东联科新材料股份有限公司

公司概况	公司名称	山东联科新材料股份有限公司			股份名称	联科股份
	法人代表	吴晓林	董秘	邓金杰	股份代码	831458
	公司网址	www.sdlkxcl.com		主办券商	齐鲁证券有限公司	
	电　话	0536-3353538		传　真	0536-3357036	
	注册地址	山东省临朐县干渠路236号				
	行业分类	制造业				
主要财务指标	指标\报告期	2014.06.30	2013.12.31	2012.12.31		
	营业收入(元)	-	-	-		
	营业利润(元)	-	-	-		
	净利润(元)	-	-	-		
	未分配利润(元)	-	-	-		
	总资产(元)	-	-	-		
	总负债(元)	-	-	-		
	净资产(元)	-	-	-		
	每股收益(元)	-	-	-		
	每股净资产(元)	-	-	-		
	净资产收益率(%)	-	-	-		

珠海伟诚科技股份有限公司

公司概况	公司名称	珠海伟诚科技股份有限公司			股份名称	伟诚科技
	法人代表	李世伟	董秘	劳咏红	股份代码	831459
	公司网址	www.vicson.com		主办券商	国信证券股份有限公司	
	电　话	0756-3233251 转 801		传　真	0756-2211633	
	注册地址	广东省珠海市唐家湾镇软件园路 1 号生活区 4# 三层 311 室				
	行业分类	信息传输、软件和信息技术服务业				

	指标\报告期	2014.06.30	2013.12.31	2012.12.31
主要财务指标	营业收入(元)	–	–	–
	营业利润(元)	–	–	–
	净利润(元)	–	–	–
	未分配利润(元)	–	–	–
	总资产(元)	–	–	–
	总负债(元)	–	–	–
	净资产(元)	–	–	–
	每股收益(元)	–	–	–
	每股净资产(元)	–	–	–
	净资产收益率(%)	–	–	–

河北百年巧匠手工艺品股份有限公司

公司概况	公司名称	河北百年巧匠手工艺品股份有限公司			股份名称	百年巧匠
	法人代表	裴艳丽	董秘	康凯	股份代码	831461
	公司网址	www.bainianqiaojiang.com		主办券商	长江证券股份有限公司	
	电　话	15128104252		传　真	0311-86545819	
	注册地址	河北省石家庄市桥西区新石北路 399 号				
	行业分类	文化、体育和娱乐业				

	指标\报告期	2014.06.30	2013.12.31	2012.12.31
主要财务指标	营业收入(元)	–	–	–
	营业利润(元)	–	–	–
	净利润(元)	–	–	–
	未分配利润(元)	–	–	–
	总资产(元)	–	–	–
	总负债(元)	–	–	–
	净资产(元)	–	–	–
	每股收益(元)	–	–	–
	每股净资产(元)	–	–	–
	净资产收益率(%)	–	–	–

浙江友泰电气股份有限公司

公司概况	公司名称	浙江友泰电气股份有限公司			股份名称	友泰电气
	法人代表	徐杰	董秘	张华	股份代码	831462
	公司网址			主办券商	安信证券股份有限公司	
	电　话	0578-2698888		传　真	0578-2978777	
	注册地址	浙江省丽水市莲都区水阁工业园南明路 790 号				
	行业分类	制造业				

	指标\报告期	2014.06.30	2013.12.31	2012.12.31
主要财务指标	营业收入(元)	–	–	–
	营业利润(元)	–	–	–
	净利润(元)	–	–	–
	未分配利润(元)	–	–	–
	总资产(元)	–	–	–
	总负债(元)	–	–	–
	净资产(元)	–	–	–
	每股收益(元)	–	–	–
	每股净资产(元)	–	–	–
	净资产收益率(%)	–	–	–

郑州凯雪冷链股份有限公司

公司概况	公司名称	郑州凯雪冷链股份有限公司			股份名称	凯雪冷链
	法人代表	冯仁君	董秘	孙素梅	股份代码	831463
	公司网址	www.kaixuelenglian.com		主办券商	中原证券股份有限公司	
	电　话	0371-60862181		传　真	0371-60862187	
	注册地址	河南省郑州市中牟县中牟汽车工业园				
	行业分类	制造业				

	指标\报告期	2014.06.30	2013.12.31	2012.12.31
主要财务指标	营业收入(元)	–	–	–
	营业利润(元)	–	–	–
	净利润(元)	–	–	–
	未分配利润(元)	–	–	–
	总资产(元)	–	–	–
	总负债(元)	–	–	–
	净资产(元)	–	–	–
	每股收益(元)	–	–	–
	每股净资产(元)	–	–	–
	净资产收益率(%)	–	–	–

福建创高安防技术股份有限公司

公司概况	公司名称	福建创高安防技术股份有限公司			股份名称	创高安防
	法人代表	李晨	董秘	周颖	股份代码	831464
	公司网址	www.chuango.com		主办券商	大通证券股份有限公司	
	电　话	0591-88025511		传　真	0591-83543611	
	注册地址	福建省福州市开发区江滨东大道108号留学人员创业园617室				
	行业分类	制造业				

主要财务指标	指标\报告期	2014.06.30	2013.12.31	2012.12.31
	营业收入(元)	–	–	–
	营业利润(元)	–	–	–
	净利润(元)	–	–	–
	未分配利润(元)	–	–	–
	总资产(元)	–	–	–
	总负债(元)	–	–	–
	净资产(元)	–	–	–
	每股收益(元)	–	–	–
	每股净资产(元)	–	–	–
	净资产收益率(%)	–	–	–

北京广佳建筑装饰股份有限公司

公司概况	公司名称	北京广佳建筑装饰股份有限公司			股份名称	广佳装饰
	法人代表	唐华雄	董秘	赵雪波	股份代码	831465
	公司网址	www.bjgjzs.cn		主办券商	浙商证券股份有限公司	
	电　话	15652719781		传　真	010-83817623	
	注册地址	北京市西城区展览馆路12号7号楼121室				
	行业分类	建筑业				

主要财务指标	指标\报告期	2014.06.30	2013.12.31	2012.12.31
	营业收入(元)	–	–	–
	营业利润(元)	–	–	–
	净利润(元)	–	–	–
	未分配利润(元)	–	–	–
	总资产(元)	–	–	–
	总负债(元)	–	–	–
	净资产(元)	–	–	–
	每股收益(元)	–	–	–
	每股净资产(元)	–	–	–
	净资产收益率(%)	–	–	–

河北世窗信息技术股份有限公司

公司概况	公司名称	河北世窗信息技术股份有限公司			股份名称	世窗信息
	法人代表	王炳章	董秘	刘东	股份代码	831467
	公司网址	www.worldeyes.net		主办券商	招商证券股份有限公司	
	电　话	0317-7971158		传　真	0317-5503232	
	注册地址	河北省沧州市新华区解放东路欣怡小区1#楼416号				
	行业分类	信息传输、软件和信息技术服务业				

主要财务指标	指标\报告期	2014.06.30	2013.12.31	2012.12.31
	营业收入(元)	–	–	–
	营业利润(元)	–	–	–
	净利润(元)	–	–	–
	未分配利润(元)	–	–	–
	总资产(元)	–	–	–
	总负债(元)	–	–	–
	净资产(元)	–	–	–
	每股收益(元)	–	–	–
	每股净资产(元)	–	–	–
	净资产收益率(%)	–	–	–

新疆金磊建材股份有限公司

公司概况	公司名称	新疆金磊建材股份有限公司			股份名称	金磊建材
	法人代表	王荣欣	董秘	王莉	股份代码	831469
	公司网址			主办券商	国盛证券有限责任公司	
	电　话	0990-6966692		传　真	0990-6975732	
	注册地址	新疆克拉玛依市金西五街5977号				
	行业分类	制造业				

主要财务指标	指标\报告期	2014.06.30	2013.12.31	2012.12.31
	营业收入(元)	–	–	–
	营业利润(元)	–	–	–
	净利润(元)	–	–	–
	未分配利润(元)	–	–	–
	总资产(元)	–	–	–
	总负债(元)	–	–	–
	净资产(元)	–	–	–
	每股收益(元)	–	–	–
	每股净资产(元)	–	–	–
	净资产收益率(%)	–	–	–

山东创通信息技术股份有限公司

公司概况	公司名称	山东创通信息技术股份有限公司		股份名称	创通信息
	法人代表	张海彬	董秘 王贵彬	股份代码	831470
	公司网址	www.lcct.com.cn		主办券商	东北证券股份有限公司
	电话	0635-2180166		传真	0635-2180969
	注册地址	山东省聊城市东昌路177号			
	行业分类	信息传输、软件和信息技术服务业			

主要财务指标	指标\报告期	2014.06.30	2013.12.31	2012.12.31
	营业收入(元)	-	-	-
	营业利润(元)	-	-	-
	净利润(元)	-	-	-
	未分配利润(元)	-	-	-
	总资产(元)	-	-	-
	总负债(元)	-	-	-
	净资产(元)	-	-	-
	每股收益(元)	-	-	-
	每股净资产(元)	-	-	-
	净资产收益率(%)	-	-	-

天津市北方创业园林股份有限公司

公司概况	公司名称	天津市北方创业园林股份有限公司		股份名称	北方园林
	法人代表	高学刚	董秘 王军	股份代码	831471
	公司网址	www.northscape.cn		主办券商	广发证券股份有限公司
	电话	18722343892		传真	022-58883605
	注册地址	天津市东丽区华明大道20号			
	行业分类	建筑业			

主要财务指标	指标\报告期	2014.06.30	2013.12.31	2012.12.31
	营业收入(元)	-	-	-
	营业利润(元)	-	-	-
	净利润(元)	-	-	-
	未分配利润(元)	-	-	-
	总资产(元)	-	-	-
	总负债(元)	-	-	-
	净资产(元)	-	-	-
	每股收益(元)	-	-	-
	每股净资产(元)	-	-	-
	净资产收益率(%)	-	-	-

上海激动网络股份有限公司

公司概况	公司名称	上海激动网络股份有限公司		股份名称	激动网
	法人代表	吕文生	董秘 彭亮	股份代码	831472
	公司网址	www.joy.cn		主办券商	中信建投证券股份有限公司
	电话	021-64825119		传真	021-64757736
	注册地址	上海市闵行区宜山路1618号688室			
	行业分类	信息传输、软件和信息技术服务业			

主要财务指标	指标\报告期	2014.06.30	2013.12.31	2012.12.31
	营业收入(元)	-	-	-
	营业利润(元)	-	-	-
	净利润(元)	-	-	-
	未分配利润(元)	-	-	-
	总资产(元)	-	-	-
	总负债(元)	-	-	-
	净资产(元)	-	-	-
	每股收益(元)	-	-	-
	每股净资产(元)	-	-	-
	净资产收益率(%)	-	-	-

江苏科幸新材料股份有限公司

公司概况	公司名称	江苏科幸新材料股份有限公司		股份名称	江苏科幸
	法人代表	蘧建星	董秘 方炜	股份代码	831473
	公司网址	www.cosil.cc		主办券商	中国中投证券有限责任公司
	电话	0512-58327533		传真	0512-56318600
	注册地址	江苏省张家港市扬子江国际化学工业园区东海路25号			
	行业分类	制造业			

主要财务指标	指标\报告期	2014.06.30	2013.12.31	2012.12.31
	营业收入(元)	-	-	-
	营业利润(元)	-	-	-
	净利润(元)	-	-	-
	未分配利润(元)	-	-	-
	总资产(元)	-	-	-
	总负债(元)	-	-	-
	净资产(元)	-	-	-
	每股收益(元)	-	-	-
	每股净资产(元)	-	-	-
	净资产收益率(%)	-	-	-

上海科特新材料股份有限公司

公司概况	公司名称	上海科特新材料股份有限公司			股份名称	科特新材
	法人代表	王宏晖	董秘	唐佳林	股份代码	831474
	公司网址	www.keter.com.cn		主办券商	红塔证券股份有限公司	
	电　话	021-33505870-807		传　真	021-33506335	
	注册地址	上海市浦东新区东胜路38号9幢				
	行业分类	制造业				

	指标\报告期	2014.06.30	2013.12.31	2012.12.31
主要财务指标	营业收入(元)	–	–	–
	营业利润(元)	–	–	–
	净利润(元)	–	–	–
	未分配利润(元)	–	–	–
	总资产(元)	–	–	–
	总负债(元)	–	–	–
	净资产(元)	–	–	–
	每股收益(元)	–	–	–
	每股净资产(元)	–	–	–
	净资产收益率(%)	–	–	–

广东硕源科技股份有限公司

公司概况	公司名称	广东硕源科技股份有限公司			股份名称	硕源科技
	法人代表	张钧	董秘	钟针	股份代码	831476
	公司网址	www.suorec.com		主办券商	东北证券股份有限公司	
	电　话	0769-22780302		传　真	0769-22780302	
	注册地址	广东省东莞市万江区新和社区创业工业园				
	行业分类	制造业				

	指标\报告期	2014.06.30	2013.12.31	2012.12.31
主要财务指标	营业收入(元)	–	–	–
	营业利润(元)	–	–	–
	净利润(元)	–	–	–
	未分配利润(元)	–	–	–
	总资产(元)	–	–	–
	总负债(元)	–	–	–
	净资产(元)	–	–	–
	每股收益(元)	–	–	–
	每股净资产(元)	–	–	–
	净资产收益率(%)	–	–	–

福建菲达阀门科技股份有限公司

公司概况	公司名称	福建菲达阀门科技股份有限公司			股份名称	菲达阀门
	法人代表	汪安南	董秘	林秀桃	股份代码	831477
	公司网址	www.feidavalve.com		主办券商	东兴证券股份有限公司	
	电　话	0596-8310077		传　真	0596-8310079	
	注册地址	福建省漳州市长泰县兴泰工业区				
	行业分类	制造业				

	指标\报告期	2014.06.30	2013.12.31	2012.12.31
主要财务指标	营业收入(元)	–	–	–
	营业利润(元)	–	–	–
	净利润(元)	–	–	–
	未分配利润(元)	–	–	–
	总资产(元)	–	–	–
	总负债(元)	–	–	–
	净资产(元)	–	–	–
	每股收益(元)	–	–	–
	每股净资产(元)	–	–	–
	净资产收益率(%)	–	–	–

北京天际数字技术股份公司

公司概况	公司名称	北京天际数字技术股份公司			股份名称	天际数字
	法人代表	耿业强	董秘	许小艳	股份代码	831478
	公司网址	www.ourskycg.com		主办券商	华福证券有限责任公司	
	电　话	010-51291868		传　真	010-51291868-803	
	注册地址	北京市西城区车公庄大街21号2号楼2401室				
	行业分类	信息传输、软件和信息技术服务业				

	指标\报告期	2014.06.30	2013.12.31	2012.12.31
主要财务指标	营业收入(元)	–	–	–
	营业利润(元)	–	–	–
	净利润(元)	–	–	–
	未分配利润(元)	–	–	–
	总资产(元)	–	–	–
	总负债(元)	–	–	–
	净资产(元)	–	–	–
	每股收益(元)	–	–	–
	每股净资产(元)	–	–	–
	净资产收益率(%)	–	–	–

湖南湘联节能科技股份有限公司

公司概况	公司名称	湖南湘联节能科技股份有限公司		股份名称	湘联股份
	法人代表	陈为军	董秘 刘宗高	股份代码	831479
	公司网址	www.soliongroup.com		主办券商	申银万国证券股份有限公司
	电　　话	0731-84069318-8811		传　　真	0731-84069319
	注册地址	湖南省长沙经济开发区盼盼路1号			
	行业分类	建筑业			

	指标\报告期	2014.06.30	2013.12.31	2012.12.31
主要财务指标	营业收入(元)	–	–	–
	营业利润(元)	–	–	–
	净利润(元)	–	–	–
	未分配利润(元)	–	–	–
	总资产(元)	–	–	–
	总负债(元)	–	–	–
	净资产(元)	–	–	–
	每股收益(元)	–	–	–
	每股净资产(元)	–	–	–
	净资产收益率(%)	–	–	–

山东福生佳信科技股份有限公司

公司概况	公司名称	山东福生佳信科技股份有限公司		股份名称	福生佳信
	法人代表	单晓兵	董秘 李桂玲	股份代码	831480
	公司网址			主办券商	齐鲁证券有限公司
	电　　话	0531-66773577		传　　真	0531-66773577
	注册地址	山东省济南市高新区舜华路1号创业广场1号楼C座A201、A203室			
	行业分类	信息传输、软件和信息技术服务业			

	指标\报告期	2014.06.30	2013.12.31	2012.12.31
主要财务指标	营业收入(元)	–	–	–
	营业利润(元)	–	–	–
	净利润(元)	–	–	–
	未分配利润(元)	–	–	–
	总资产(元)	–	–	–
	总负债(元)	–	–	–
	净资产(元)	–	–	–
	每股收益(元)	–	–	–
	每股净资产(元)	–	–	–
	净资产收益率(%)	–	–	–

山西和信基业科技股份有限公司

公司概况	公司名称	山西和信基业科技股份有限公司		股份名称	和信基业
	法人代表	赵春雷	董秘 赵春雷	股份代码	831482
	公司网址	www.sxhxjy.com		主办券商	财达证券有限责任公司
	电　　话	18235127222		传　　真	0351-7024979
	注册地址	山西省太原市长治路266号905室			
	行业分类	信息传输、软件和信息技术服务业			

	指标\报告期	2014.06.30	2013.12.31	2012.12.31
主要财务指标	营业收入(元)	–	–	–
	营业利润(元)	–	–	–
	净利润(元)	–	–	–
	未分配利润(元)	–	–	–
	总资产(元)	–	–	–
	总负债(元)	–	–	–
	净资产(元)	–	–	–
	每股收益(元)	–	–	–
	每股净资产(元)	–	–	–
	净资产收益率(%)	–	–	–

南通科达建材股份有限公司

公司概况	公司名称	南通科达建材股份有限公司		股份名称	科达建材
	法人代表	朱赋	董秘 朱胤	股份代码	831485
	公司网址	www.ntkdjc.cn		主办券商	东吴证券股份有限公司
	电　　话	0513-68875058		传　　真	0513-68875000
	注册地址	江苏省南通市海安县海安镇南海大道88号			
	行业分类	制造业			

	指标\报告期	2014.06.30	2013.12.31	2012.12.31
主要财务指标	营业收入(元)	–	–	–
	营业利润(元)	–	–	–
	净利润(元)	–	–	–
	未分配利润(元)	–	–	–
	总资产(元)	–	–	–
	总负债(元)	–	–	–
	净资产(元)	–	–	–
	每股收益(元)	–	–	–
	每股净资产(元)	–	–	–
	净资产收益率(%)	–	–	–

江苏索尔新能源科技股份有限公司

公司概况	公司名称	江苏索尔新能源科技股份有限公司			股份名称	索尔科技
	法人代表	季伟源	董秘	季千雅	股份代码	831486
	公司网址	www.soul-battery.com		主办券商	国金证券股份有限公司	
	电话	0512-56739650		传真	0512-56739600	
	注册地址	江苏省张家港市塘桥镇横泾村光明路				
	行业分类	制造业				

	指标\报告期	2014.06.30	2013.12.31	2012.12.31
主要财务指标	营业收入(元)	–	–	–
	营业利润(元)	–	–	–
	净利润(元)	–	–	–
	未分配利润(元)	–	–	–
	总资产(元)	–	–	–
	总负债(元)	–	–	–
	净资产(元)	–	–	–
	每股收益(元)	–	–	–
	每股净资产(元)	–	–	–
	净资产收益率(%)	–	–	–

山西山大合盛新材料股份有限公司

公司概况	公司名称	山西山大合盛新材料股份有限公司			股份名称	山大合盛
	法人代表	王自卫	董秘	孙林敏	股份代码	831487
	公司网址	www.sxhsbt.com		主办券商	山西证券股份有限公司	
	电话	0351-7675113		传真	0351-7675113	
	注册地址	山西省太原市高新区振兴街 11 号五峰国际 1301				
	行业分类	制造业				

	指标\报告期	2014.06.30	2013.12.31	2012.12.31
主要财务指标	营业收入(元)	–	–	–
	营业利润(元)	–	–	–
	净利润(元)	–	–	–
	未分配利润(元)	–	–	–
	总资产(元)	–	–	–
	总负债(元)	–	–	–
	净资产(元)	–	–	–
	每股收益(元)	–	–	–
	每股净资产(元)	–	–	–
	净资产收益率(%)	–	–	–

湖南天衡儿童用品股份有限公司

公司概况	公司名称	湖南天衡儿童用品股份有限公司			股份名称	天衡股份
	法人代表	罗秋开	董秘	潘一平	股份代码	831489
	公司网址	www.tianhengkids.cn		主办券商	国泰君安证券股份有限公司	
	电话	13790006026		传真	0757-81289208	
	注册地址	湖南省常宁市宜阳工业区工业走廊投资创业 A 基地				
	行业分类	制造业				

	指标\报告期	2014.06.30	2013.12.31	2012.12.31
主要财务指标	营业收入(元)	–	–	–
	营业利润(元)	–	–	–
	净利润(元)	–	–	–
	未分配利润(元)	–	–	–
	总资产(元)	–	–	–
	总负债(元)	–	–	–
	净资产(元)	–	–	–
	每股收益(元)	–	–	–
	每股净资产(元)	–	–	–
	净资产收益率(%)	–	–	–

成都成电光信科技股份有限公司

公司概况	公司名称	成都成电光信科技股份有限公司			股份名称	成电光信
	法人代表	解军	董秘	陈强	股份代码	831490
	公司网址			主办券商	华西证券股份有限公司	
	电话	028-66767307		传真	028-66767306	
	注册地址	四川省成都市高新区天辰路 88 号				
	行业分类	信息传输、软件和信息技术服务业				

	指标\报告期	2014.06.30	2013.12.31	2012.12.31
主要财务指标	营业收入(元)	–	–	–
	营业利润(元)	–	–	–
	净利润(元)	–	–	–
	未分配利润(元)	–	–	–
	总资产(元)	–	–	–
	总负债(元)	–	–	–
	净资产(元)	–	–	–
	每股收益(元)	–	–	–
	每股净资产(元)	–	–	–
	净资产收益率(%)	–	–	–

NSTC® 九恒星®
客服：400-6509-169 网址：www.nstc.com.cn Email：nspublic@nstc.com.cn

上海英特罗机械电气制造股份有限公司

SHANGHAI INTER-ROCK HARDWARE CO., LTD.

证券简称：英特罗　证券代码：831001

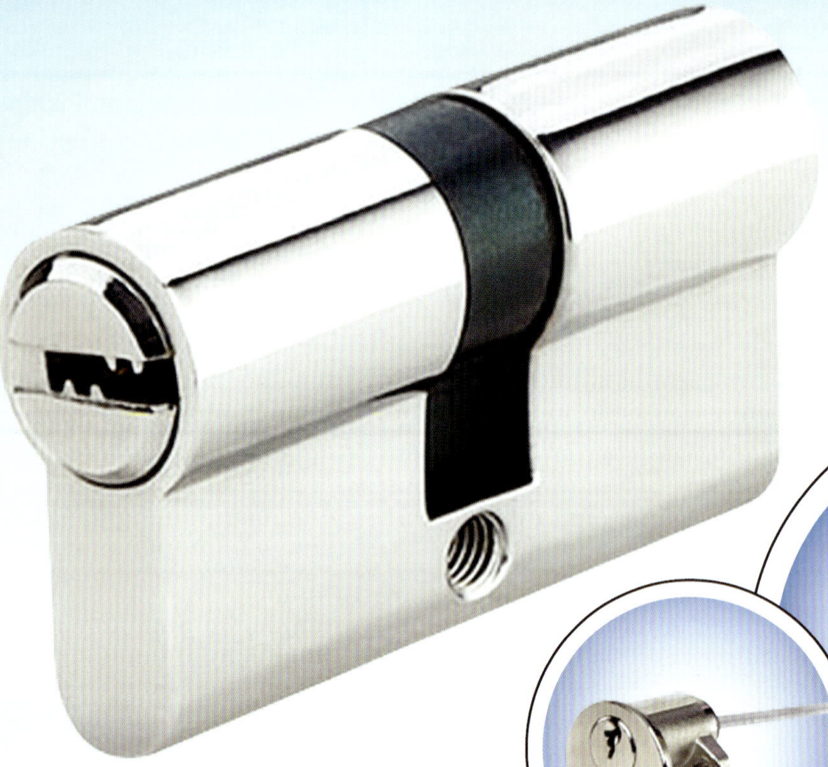

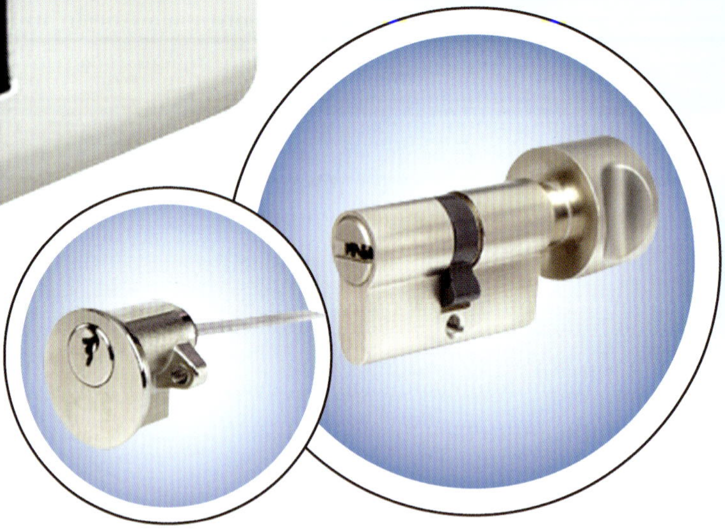

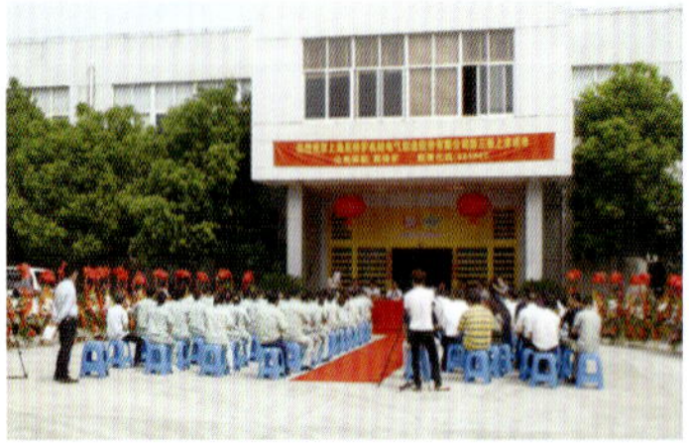

挂牌仪式

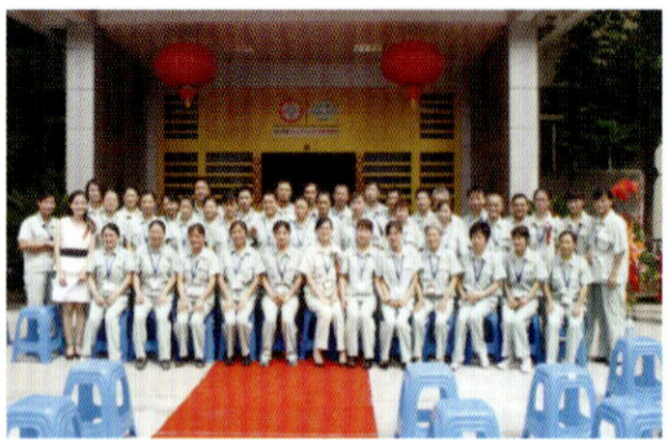

员工

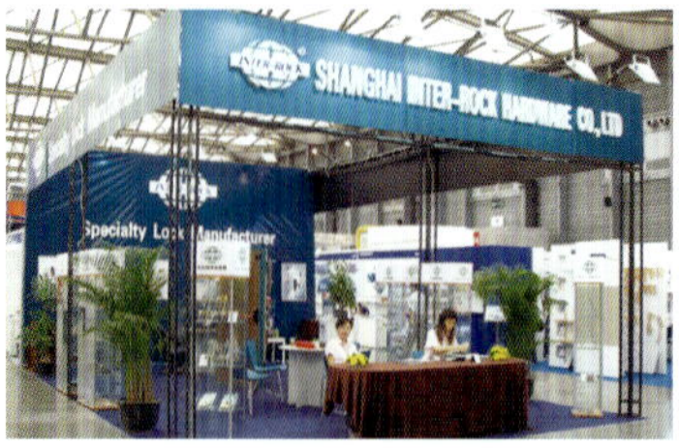

展会

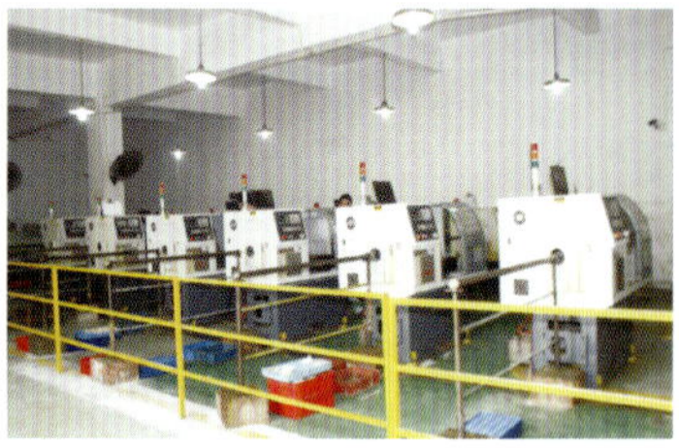

车间

上海英特罗机械电气制造股份有限公司成于1998年，是以生产、销售欧规标准的各类室内外门锁、锁芯、锁体及相关高规格五金门锁系列产品的民营企业。2013年12月顺利完成了股份制公司的改制，2014年8月我们在全国中小企业股份转让系统成功上市，证券代码：831001，证券简称：英特罗，注册资本1200万元，并与CCTV《影响力对话》栏目取得合作，被央视评为最具影响力的锁具企业。

英特罗始终秉承品质第一的原则，先后通过了德国ISO9001：2000国际质量认证、EN1301标准，及取得了多项实用新型专利和发明专利，产品90%以上外销欧洲市场，并快速赢得国际国内客户的亲睐。成功取得了与德国、俄罗斯等国际知名企业超过十年的良好合作关系、签订战略合作协议，成功树立了英特罗高品质的国际企业形象。我们经过多年的科学管理、准确的定位、出色的产品及完善的行销与服务，业绩屡创新高，让我们服务客户的同时也快速累积了资本，我们高品质的畅销产品主要有：多款锁芯及安全门锁、锁体类等相关产品，我们出色的G/P系列锁芯，技术水平领先国际，独特的有：精度最高、耐久度更长、安全性最佳的特质，是全球客户争相采购的精品。

未来，我们将继续生产符合欧规的高品质锁芯产品，在稳住欧洲市场的同时，大力开发美洲及东南亚市场，立争成为世界瞩目的高科技锁芯制造行业的明星，为每一位英特罗人创造无比灿烂辉煌的成就！

地址：上海市奉贤区南桥镇西渡马家宅路200号　电话：021-57437318　传真：021-57437411　邮箱：david@inter-rock.com　网址：www.inter-rock.com

证券简称：三合盛 证券代码：831418

低碳、清洁、创新、持续

天地人合、时势缘备、合作共赢、事业同盛

董事长：朱锦萍女士

2014年12月5日成功挂牌新三板

挂牌敲钟仪式

山西三合盛节能环保技术股份有限公司成立于1996年，前身是山西三合盛工业技术有限公司。现座落于山西省太原市国家级高新技术产业开发区，2011年初由传统单一的服务于电力系统的检修施工企业向自主研发及技术服务方向转型。目前，公司主要致力于电力、化工、冶金等工业领域的节能减排及环保技术的研究开发及应用、技术改造及设备的承装承修。北京圆能工业技术有限公司是我公司的全资子公司。

经过三年多的努力，公司目前已经取得15项国家发明专利及实用新型专利。其中：公司与中科院过程研究所共有专利4项，公司自有专利6项，公司与全资子公司北京圆能工业技术有限公司共有专利4项、北京圆能工业技术有限公司自有专利1项。

公司与中科院和清华大学、山西大学等科研机构有着长期密切的合作：

2012年底，我们与中科院过程所在太原市高新区公司所在地共同建立了煤质分析和多尺度工业过程仿真计算两个实验室。

2013年做为课题主承担单位，我公司承担了国家科技部技术支撑计划“难燃煤解耦燃烧及灰渣协同利用关键技术与工程示范”课题的研究与执行任务（课题编号：2013BAC14B02），协作单位有美国LAMER大学、清华大学、山西大学等单位。2014年与山西大学共建了中试基地。

2014年4月25日被山西省中小企业局认定为山西省中小公共企业服务示范平台，在满足公司研发需求的情况下，帮助省内中小企业更好地利用服务示范平台提供便利服务，共同为山西的转型跨越发展贡献自己的微薄之力。

2014年8月21日被山西省中小企业局认定为“专、精、特、新”。

经过多年发展，公司已拥有丰富的节能环保设备改造和服务经验并获得多项资质及荣誉。是“山西省科技厅、财政厅、国税局、地税局”等单位联合认定的“高新技术企业”；具有山西省住建委颁发的“机电设备安装工程专业承包三级资质”；具有国家电力监管委员会颁发的“承装（修、试）电力设施许可证”；自2008年起持续通过了ISO9001：2000质量管理体系认证和ISO14001:2004环境管理体系认证；是山西省守合同重信用企业；是“质量信誉AA级”企业等。

经营范围：

承揽各种设备的在线带温带压堵漏、防腐、防磨、清洗保温密封技术开发及服务；电力技术咨询与服务、工业环保节能技术的开发、应用及服务；自动化软件的开发与应用及技术服务；机械设备、电器设备维修改造；建筑装潢材料、五金交电、矿山配件、有线通讯设备、工业设备、生铁的销售；进出口业务。

主营业务：

环保服务业，检修维护业务以及商品贸易业务等。

地址：太原市高新区科技街15号留学人员创业园A301 电话：0351-7023456 传真：0351-7025895 网址：www.shsgy.com

Cheng xing
Municipal design institute
城兴市政设计院

Protectwell 保得威尔

证券简称：保得威尔　证券代码：830983

地址：广东省广州高新技术产业开发区科学城开源大道11号C2栋第二层
邮编：510535　电话：020-28955771　传真：020-28955770
网址：www.protectwell.com.cn　邮箱：protectwell@protectwell.com.cn

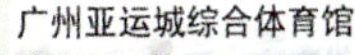

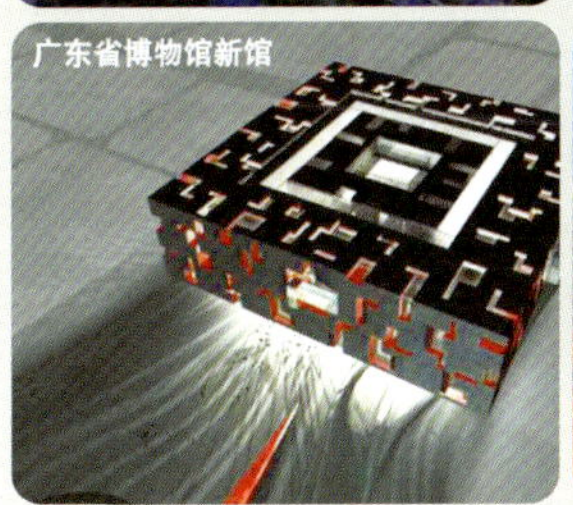

关爱生命与安全

Care Your Life And Safety!

广州保得威尔电子科技股份有限公司是一家集专业开发、生产、销售消防电子产品的国家级高新技术企业，通过ISO-9001:2008质量管理体系认证。与世界500强企业美国霍尼韦尔国际公司合作，研发、生产符合CCCF、UL及FM认证的火灾自动报警系统。公司于2014年8月在全国中小企业股份转让系统成功挂牌，2014年9月25日广州保得威尔正式在全国中小企业股份转让系统作市转让，做市商为广州证券股份有限公司和山西证券股份有限公司。

公司主要经营“保得威尔”品牌火灾自动报警系统、智能网络遮阳系统、智能家居系统、智能疏散指示系统、楼宇自动化系统及广播系统，并提供产品的销售、售后服务、技术支持等服务。拥有近百人的技术人员及商务人员团队，对用户提出的消防报警系统要求进行认真细致的设计评估，务求向用户提供安全、可靠、稳定的火灾自动报警系统方案，所有在职员工均受过严格的专业训练，具有丰富的现场工作经验。

广州保得威尔自成立以来，通过不断发展，八年间陆续在深圳、上海、北京、重庆、成都、长沙、西安、三亚、香港等地设立了办事处，逐步形成强大的覆盖全国各重要城市的销售、服务体系，为客户提供最快捷、最贴心的服务。

保得威尔多年服务于市政、酒店、轨道交通、机场、教育、工业、甲级办公大厦、制造业等领域，积累了丰富的火灾自动报警系统服务与技术经验，并与众多的BAS集成供应商建立良好的合作关系，共同解决系统集成方案。我们本着真诚服务的原则，以我们在防灾领域突出的技术实力、良好的声誉和灵活机制为保证，为保得威尔所承建的所有工程提供优质的技术支持与售后服务。2014年3月获得广州市地下铁道总公司颁发的“六号线首线开通外联保障服务先进单位”荣誉认可。公司已连续多次获此殊荣，标志着保得威尔在产品的性能和服务上都得到了广州地铁的认可。2014年4月获得广州开发区颁发的“瞪羚企业”（广州开发区内技术创新能力强、成长速度快、税收和利润等经济效益指标良好的高成长性企业或具有高成长潜力、在关键技术领域拥有核心专利等自主知识产权，科研队伍和科研设施条件完善的企业）认定荣誉证书。

保证质量、履约能力强、对待工作严谨负责、服务态度细心周到，使保得威尔得到各界人士及同行的赞许。我们愿以优质的产品、完善的服务、辛勤的劳动为广大客户解除消防安全的后顾之忧，为保障社会财富和人民生命与安全做出贡献，一如公司的核心价值理念“Care your life and safety!–关爱生命与安全！”

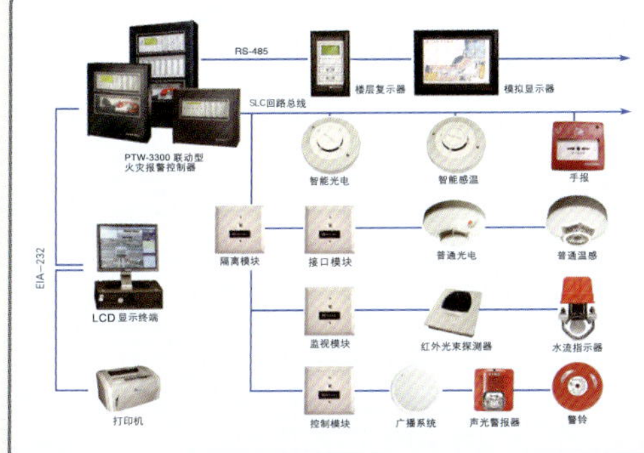

PTW-3300 Fire Alarm System

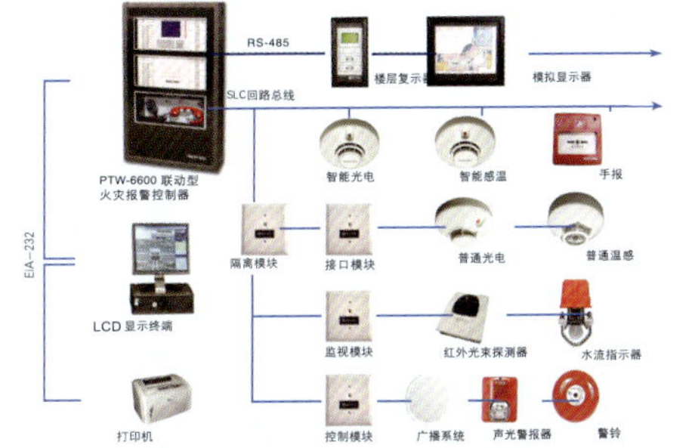

PTW-6600 Fire Alarm System

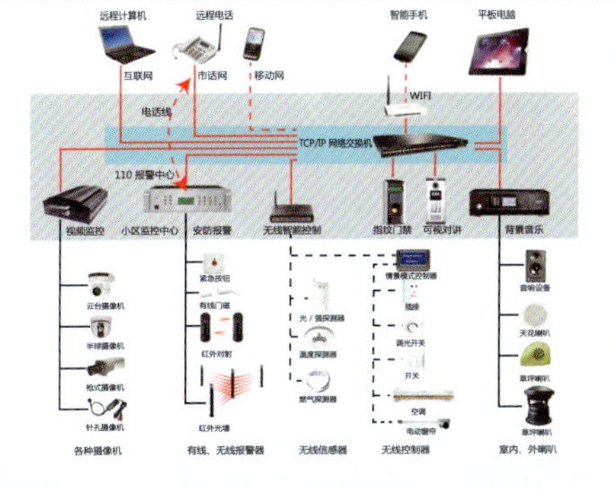

Smart Home System

证券简称：美佳新材　证券代码：831053
地址：安徽省芜湖市繁昌县工业园　邮编：241200
电话：0553-7718566　传真：0553-7718299
网址：www.anhuimeijia.com　电邮：admin@anhuimeijia.com

▲董事长：王方银先生

▲美佳新材挂牌仪式照片

▲公司外观

安徽美佳新材料股份有限公司成立于2000年，座落于安徽省繁昌经济开发区，是一家从事热固性粉末涂料、环氧树脂、聚酯树脂以及化工助剂研发、生产、销售的专业化企业,为国家粉末涂料和环氧树脂的主要生产基地。2009年美佳新材整体变更设立股份公司，2014年8月20日成功在全国中小企业股份转让系统挂牌，证券简称：美佳新材，证券代码：831053，注册资本5600万元。

美佳新材为国家高新技术企业，安徽省信息化与工业化融合示范单位，建有省级企业技术中心和安徽省粉末涂料（重点）实验室，目前拥有粉末涂料实验室一个，粉末涂料研发中心一座，筹建中博士后工作站一个,各类研发技术人员、工程技师40余人，已经取得包括发明专利、实用新型、外观专利等30项授权。

2008年，美佳新材获得国家级高新技术企业，并于2011年通过国家级高新技术企业复审。根据中国化工协会涂料涂装专业委员会公开的年鉴报告资料显示，美佳新材在行业排名第三位，排名仅次于粉末涂料制造企业的国际巨头阿克苏-诺贝尔和杜邦华佳，中国企业排名全国第一。

美佳新材是美的、格力、奥克斯、海尔、美菱、奇瑞汽车、江淮汽车、合力叉车、正泰电器等国内知名企业和名牌产品的重要合作伙伴，同时产品出口到美国、巴西、印度、巴基斯坦、中东等国家。“客户至上，品质第一，精益求精，创新发展”是企业的核心价值理念，同等产品比质量，同等质量比价格，同等价格比服务，满足客户需求是美佳新材料永恒的追求。

展望未来，在全球新材料应用日新月异的今天，美佳新材作为国家重点发展的行业门类，公司将进一步加快产品研发，升级产业链，树立中国新材料行业领域的民族品牌。

威海华东修船股份有限公司

证券代码：831236
证券简称：华东修船

地址：山东省荣成市石岛管理区海港路299号
电话：0631-7381310　传真：0631-7384347
电邮：shuigong@126.com　网址：www.rchsrc.com

▲董事长：尹远华先生

▲华东修船挂牌仪式

▲华东修船夜景

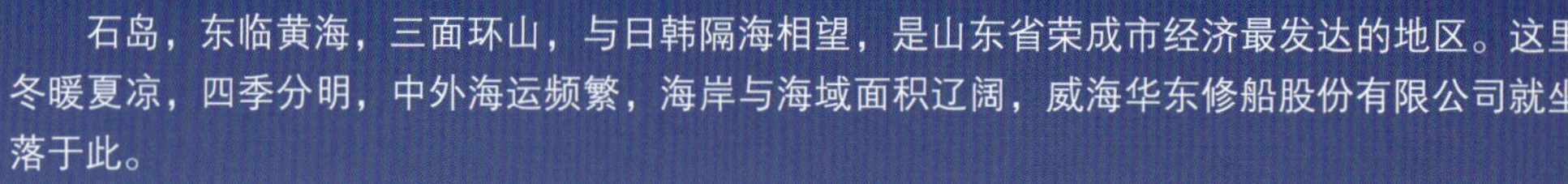
石岛，东临黄海，三面环山，与日韩隔海相望，是山东省荣成市经济最发达的地区。这里冬暖夏凉，四季分明，中外海运频繁，海岸与海域面积辽阔，威海华东修船股份有限公司就坐落于此。

威海华东修船股份有限公司，毗邻天然避风良港、国家一类开放口岸——石岛新港，现有职工278人，其中工程技术和管理人员84人。公司设有10个职能管理部门，建有船务、船体、机电、涂装四大车间。厂区占地面积8万平方米，泊位岸线长3950米，常规泊位10个，其中30万吨泊位2个。拥有15万吨及8万吨干船坞各一座，机械滑道5条。可承接30万吨级以下各类型船舶以及海上作业平台的停泊、修理、改造和建造等业务。

秉承“团结拼搏，求真务实，创新敬业，追求卓越”的企业宗旨，公司与国内外多家具有特修资质的专业技术公司建立了长期的战略合作关系，成立了包括调速器修理、推进器修理、主辅机旧件修理与翻新、涡轮增压器修理、船舶自动化修理的技术服务站，可满足客户的各项修理服务要求。

公司各类起重、运输、焊接、加工等设施齐全，拥有300吨级浮吊1座，2400马力拖轮2艘，4000马力拖轮1艘，25吨级、40吨级及65吨级门座式起重机5台，60吨级滑道龙门吊坞1台，15至45吨级各式内门机18台，高空车24台，等离子数控切割设备1套，钢板预处理线1套，压缩空气机房620立方米，移动空压机20台，12米长、直径1.6米加工车床1台，数字落地铣镗床1台。

公司以服务为魂，以发展为要，以实干为先，在狠抓产品质量的同时还高度重视生产安全。现已通过ISO9001质量管理体系认证，和CCS、DNV船级社认证，具有雄厚的技术力量和生产能力，多年来已承接国内外各种油船、化学品船、散货船、集装箱船、滚装船、LPG船、LNG船、石油钻井平台及工程船舶等船舶修理、改造、建造工作，业务范围遍及亚洲，欧洲，美洲，非洲等20多个国家和地区。

凝聚优势，放眼未来，我们将以“高效创新，健康安全、绿色生态”的理念，将华东修船打造成为中国最东端的，具有一流服务水平的国际化、现代化、专业化船舶维修企业，与业内同仁共创美好未来！

▲阿拉姆·迈斯拉　　▲渤海7号

证券代码：430663 证券简称：大陆机电

地址：山东省济南高新开发区新泺大街786号 邮编：250101
电话：0531-88875686 传真：0531-88870171
网址：www.china-dalu.com 邮箱：dalu@china-dalu.com

▲智能控制仿真研究中心

▲环保实验室

▲企业报

▲粉尘、雾霾治理论坛

基本概况

济南大陆机电股份有限公司成立于1993年，注册资本3330万元，专业从事流程性企业生产过程自动控制和信息管理系统的软硬件开发及系统集成。于2014年3月13日在全国中小企业股份转让系统挂牌。股票简称：大陆机电，股票代码：430663。下设济南梅兰德水质净化有限公司、青岛大陆控制工程有限公司、济南德风物业管理有限公司、山东德风科技企业孵化器有限公司四个子公司。

▲董事长：荆书典先生

业务范围

公司技术和产品涵盖了工业自动化、环境保护、节能服务三大领域，重点服务于热能电力、石油化工和环境保护等行业，客户遍及全国30个省、市、自治区以及印度、印度尼西亚、土耳其、阿塞拜疆等十多个国家和地区。

经营发展

二十年来，大陆机电始终坚持走以人为本、科技创新的路子。与山东大学、上海交大等著名高校建立了良好的合作关系并分别建立了科研机构，研发出了多种具有自主知识产权的高新技术产品，拥有自主知识产权的软件产品17项，软件著作权33个，发明专利4项，实用新型专利3项。其中针对生产过程控制及信息管理系统有6项技术填补了国内空白。在自动化测量与计算机控制、能源计量、智能楼宇、智慧城市建设等方面取得了重大成果，已经成长为山东省自动化控制领域的领军型企业。

大陆机电通过良好的工程服务质量与国内多家EPC工程公司建立了长期友好的合作关系，为企业在工业生产过程自动化系统集成业务的持续发展奠定了良好的基础。近期实施的重大海外工程项目有：印度KMPCL亚临界燃煤电站项目6*600MW机组全厂辅网控制系统、牙买加弗洛姆糖厂和莫尼马斯克糖厂工业技术改造项目、危地马拉JAGUAR电站项目2*150MW机组全厂DCS控制系统、赞比亚马安巴2*150MW燃煤电站项目、哈萨克斯坦乌斯克门热电厂汽机岛EPC项目、印尼西卡里曼坦铝电变频器项目等，其它新业务项目案例有鲁北化工节能改造合同能源管理项目、山东省和云南省的多个市县山洪灾害监测预警项目等。

目前，大陆机电正致力于企业能源资源计量器具动态管理、企业能源管理中心产品的开发，着力开展能源消耗分析系统产品的推广应用，实现地区或集团的能源资源信息监控管理，进一步推动节能减排与雾霾治理工作。同时，基于物联网、能源互联网理念构建智能微电网产业发展规划，形成智能输配电产业集群，实现用电终端的智能化可视化,形成智能建筑和智慧城市的构想，优先和充分使用可再生能源，助力社会的可持续发展。

大陆机电坚持“做工程 干事业 交朋友 重长远”的经营理念，秉承“先做人，后做事；做好人，做好事”的企业宗旨，与广大用户携手并进，同创辉煌。

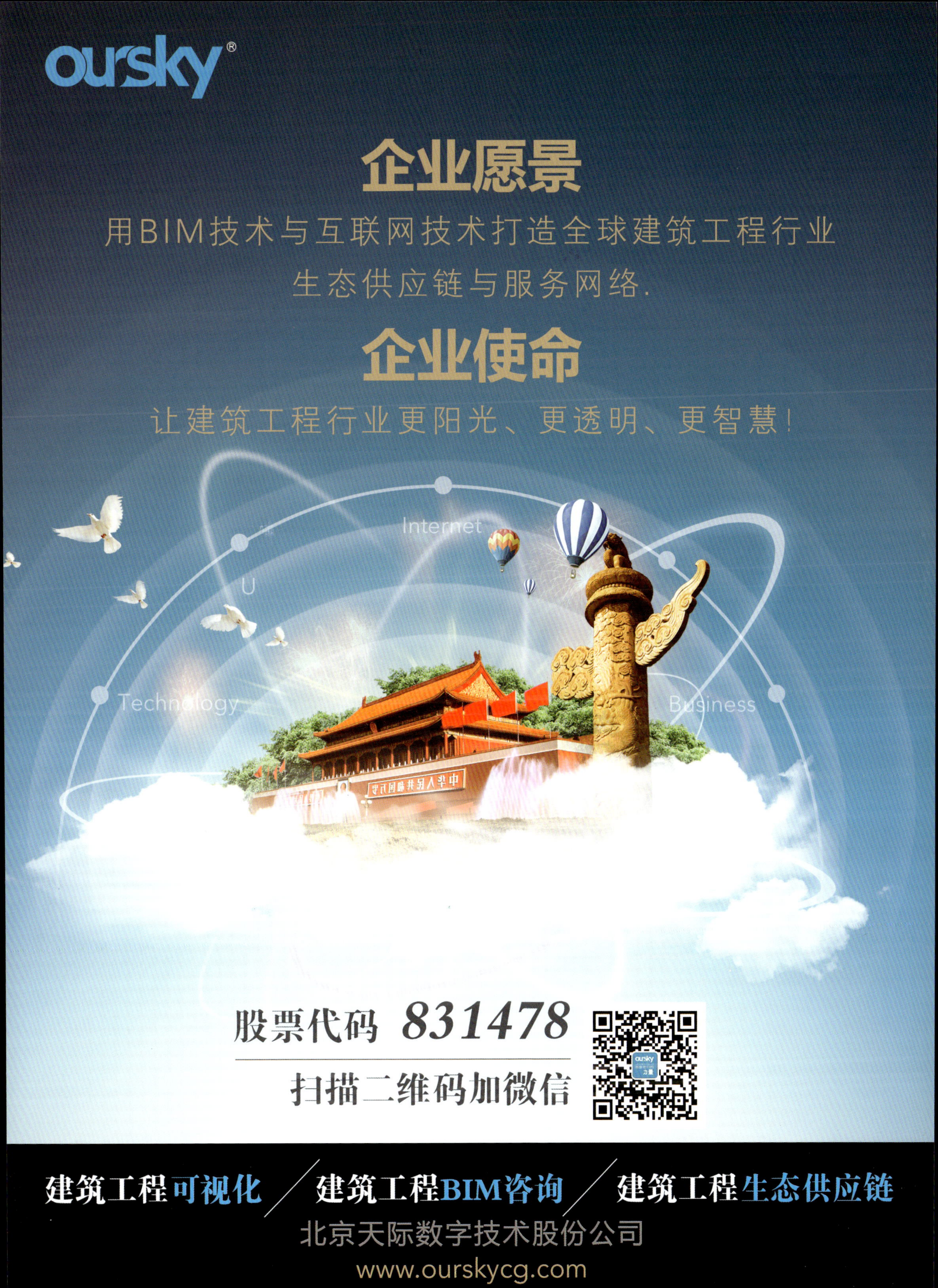
oursky®
企业愿景
用BIM技术与互联网技术打造全球建筑工程行业
生态供应链与服务网络.
企业使命
让建筑工程行业更阳光、更透明、更智慧!
Internet
U
Technology
Business
股票代码 831478
扫描二维码加微信
建筑工程可视化 / 建筑工程BIM咨询 / 建筑工程生态供应链
北京天际数字技术股份公司
www.ourskycg.com

总经理：郭磊先生

基本情况

诸暨市海博小额贷款股份有限公司成立于2010年1月4日，目前注册资金6 亿元。是由海亮集团有限公司控股的浙江科宇金属材料有限公司（上市公司浙江海亮股份有限公司的全资子公司）作为主发起人，联合露笑科技股份有限公司（上市公司）、全兴精工集团有限公司等7家企业和10个自然人共同发起设立。2014年10月24日，公司股票在全国中小企业股份转让系统挂牌。

业务范围

主要在诸暨市行政区划内办理各项小额贷款，办理小企业发展、管理、财务咨询业务。

经营业绩

截止2014年末，公司累计发放贷款1340笔，金额累计达219957.81万元。期末贷款余额112087.62万元，其中保证贷款509笔，金额41074.54万元，占比36.65%；质押贷款8笔，金额3450万元，占比3.07%；抵押贷款324笔，金额67563.08万元，占比60.28%。公司2014年度实现营业收入1.6亿元，上缴企业所得税3376万元，净利润9464万元。

2014年，在浙江省金融办的综合考评中，获最高等级A+级，连续第四年被绍兴市人民政府评定为“优秀小额贷款公司”。同时，公司还获得“中国小额贷款公司竞争力100强”，诸暨市服务业10强等荣誉称号，公司现为浙江省小额贷款协会副会长单位、全国小额信贷机构联席会常务理事单位。

企业文化

公司制定了各项业务操作制度和管理制度，切实提高公司执行力。积极倡导爱岗敬业、忠于职守的工作精神，树立工作第一、责任为重的大局意识，发扬密切协合、同心协力的团队观念。提升全体员工的职业道德水平，开展警示教育活动，加强员工职业操守，增强守法合规意识，切实落实好公司制定的《员工八严禁自律服务制度》。组织每月一次的员工学习培训工作，加强法律、金融、财务等方面知识的学习，提高员工的业务技能和综合素质，努力打造一支业务精湛、纪律严明、团结奋进的员工队伍。

2014年10月24日，公司在全国中小企业股份转让系统挂牌

挂牌敲钟仪式

团队登山活动

诸暨市海博小额贷款股份有限公司
ZHUJI HAIBO MICRO-CREDIT CO.,LTD

公司地址：浙江省诸暨市店口镇华东汽配水暖城15幢
联系电话：0575-87110568

JHAT

证券简称：骏汇股份
证券代码：830795

企业精神：

严谨、务实、诚信、创新
团结、高效、进取、超越

经营理念：

承担责任、团队精神、
精益求精、严谨务实

企业目标：

做全球刹车片钢背最好的生产服务商

广东骏汇汽车科技股份有限公司成立于2005年7月，公司前身是广州市骏佳金属制品有限公司，截止2014年底，公司职工总人数共520人，销售额累计预计达1.3亿。2012年，斥资在韶关始兴省级双转移产业园购置土地135亩用于扩大再生产，一期工程项目已经基本完工，车间进入试生产阶段。2013年，公司在番禺天安节能科技园自购总面积为960多平米的总部办公室。公司下属有六家全资子公司。

公司经营范围为汽车零部件及配件制造，金属结构制造，模具制造，金属及金属矿批发，汽车零部件零售等。是一家专业研发、设计、生产与销售汽车制动器钢背、蹄铁以及其他汽车零部件的国家高新技术企业，也是广东省汽车零部件行业中集“精密冲压技术及工艺研究开发、精冲模具和精冲零部件设计与生产、精密冲压技术培训与服务”于一体的“重点帮扶高成长性企业”。公司现为中国摩擦密封材料行业协会会员单位和德国VDA会员。企业的愿景是，成为全球一流的汽车产业零部件供应商 。企业的核心价值观“严谨 务实 诚信 创新 团结 高效”。

2009年公司通过ISO9001：2008认证，2011年12月通过了TS16949现场审核，2012年12月通过高新技术企业资质认证。连续多年获得当地政府颁发的证书和奖励；2014年6月，广东骏汇汽车科技股份有限公司被正式认定为广州市重点帮扶高成长性中小企业民营企业。公司产品精冲钢背于2014年4月被正式认定为广东省高新技术产品，目前公司已拥有9项商标、13项实用新型专利和2项进入实审阶段的发明专利。骏汇股份为进一步提升公司的品牌形象与知名度，以满足公司业务发展，2013年1月完成了股改，于2014年6月在全国中小企业股份转让系统挂牌。

公司的主导产品是钢背，已开发3300多款钢背品种。按照供应对象不同，零部件市场分为OE市场（即整车配套市场）和AM市场（即售后维修服务市场）。公司钢背产品的尺寸公差、光亮带、平面度等关键性指标完全达到了国内OE市场的标准，20%的产品供应国内OE市场，80%的产品供应国外高端AM市场，已成为世界级各大刹车片品牌使用的制动器精冲钢背的主要供应商。

公司近三年的成长率呈现企业正在向上快速发展的趋势，总资产和净资产近四年在不断增加，2013年度营业收入是11202.62万元，2013年度营业收入比2012年度营业增长率达34%。未来两年韶关基地全线生产，公司将实现年均产值2.8亿，通过技术创新与引进技术相结合的方式大力升级改造精冲钢背指标，全方位提升公司独特竞争优势。

依此发展速度，在不久的将来，骏汇股份一定能够成为全球知名汽车厂商的战略零部件供应商并成为中国最重要的汽配制造企业。

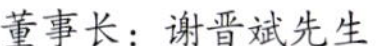
董事长：谢晋斌先生

广东骏汇汽车科技股份有限公司

地址：广州市番禺区南村镇坑头东线路八横路7号
邮箱：jjmp@gzjjmp.com 网址：www.gdjhat.com
电话：020-34699086 34699066
传真：020-34699086 34699069

辽宁中镁控股股份有限公司

地址：辽宁省大石桥市南楼经济开发区

邮编：115103

电话：0417-5252893 5252445

传真：0417-5251105

邮箱：lnfcgs2008@163.com

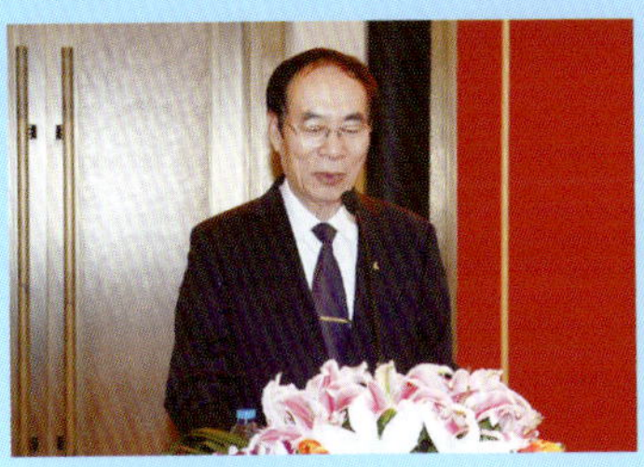

董事长：付常浩先生

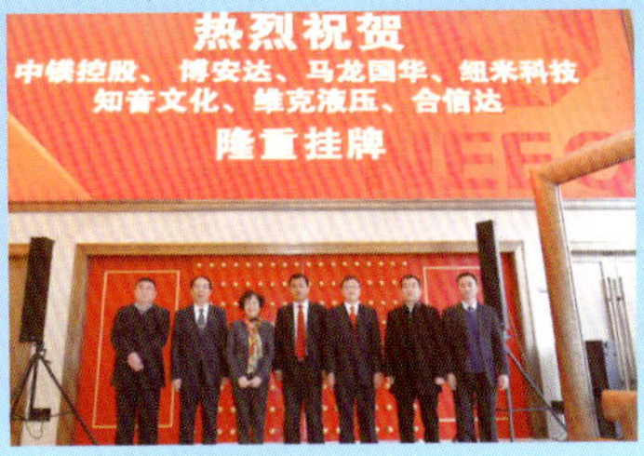

公司挂牌仪式

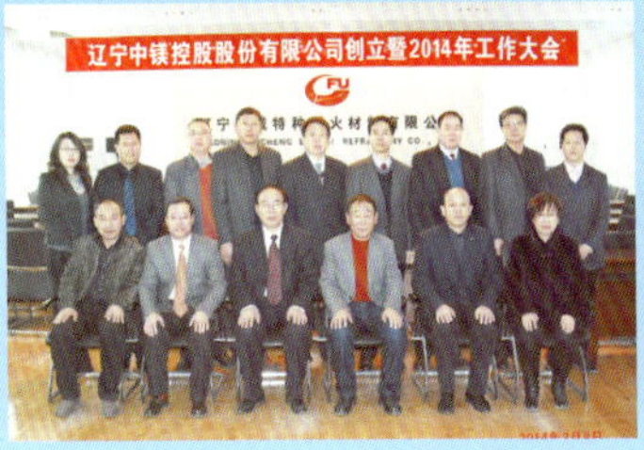

公司创立暨2014年工作大会

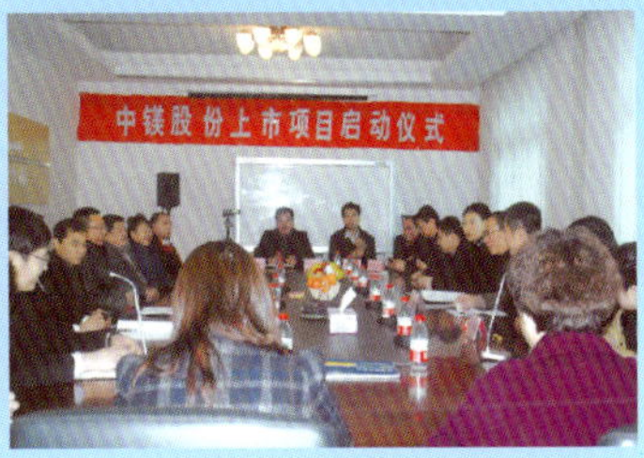

上市项目启动仪式

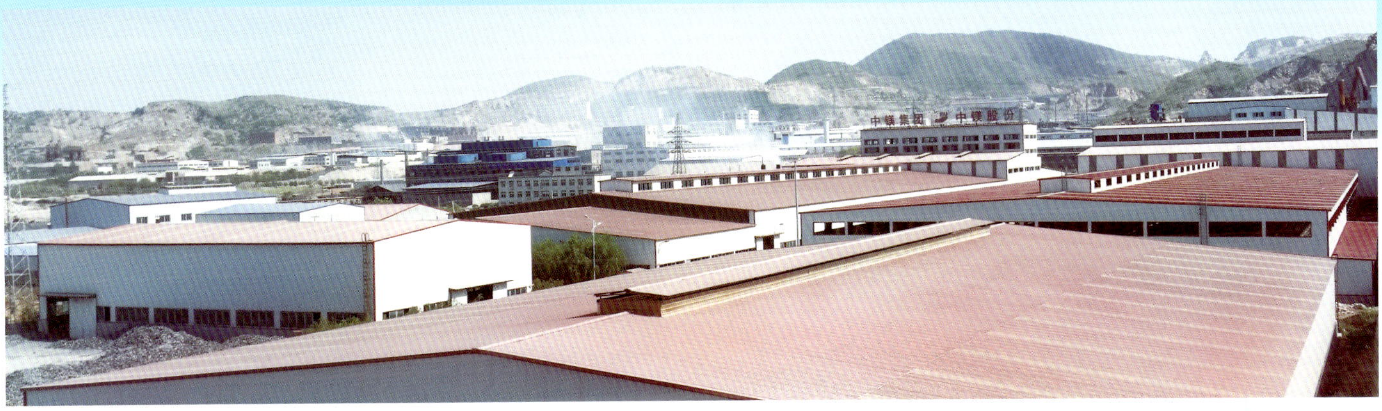

辽宁中镁控股股份有限公司，成立于2003年6月9日，公司位于“中国镁都”辽宁省大石桥市，是一家集科研开发、生产和销售于一体的综合性现代化企业，占地面积28万平方米，现有员工近1000人。公司以高品质碱性耐火材料为主导产品，产品覆盖钢铁冶炼、有色金属、玻璃制品使用的碱性耐材的全部领域。公司是国家级高新技术企业，拥有雄厚的技术实力和完善的管理体系，拥有强大的生产能力和先进的生产技术，产品远销韩国、日本、美国等二十多个国家，依靠优良的品质和完善的售后服务，在耐火材料行业树立了优秀的品牌形象。

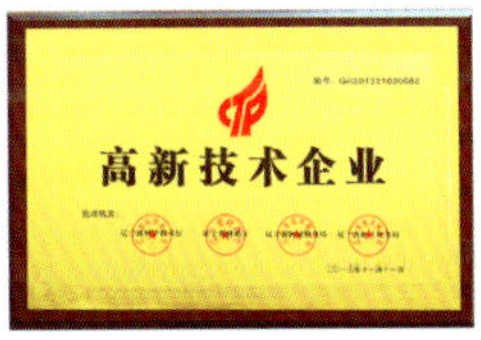

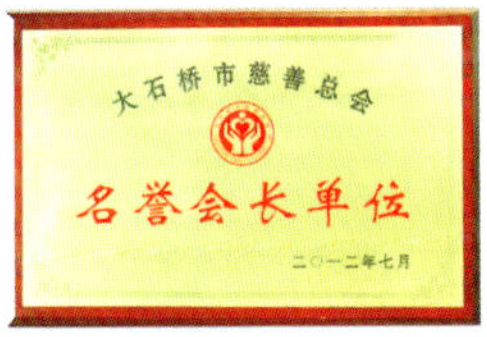

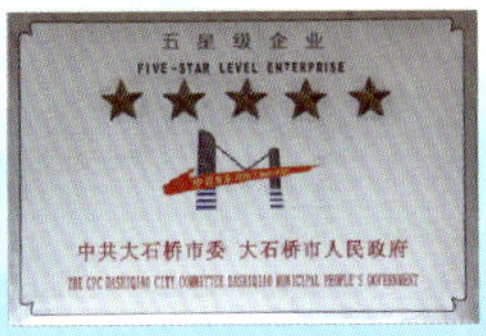

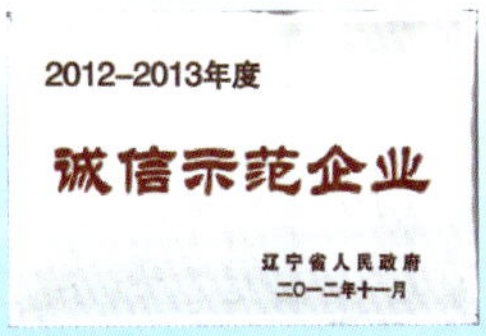

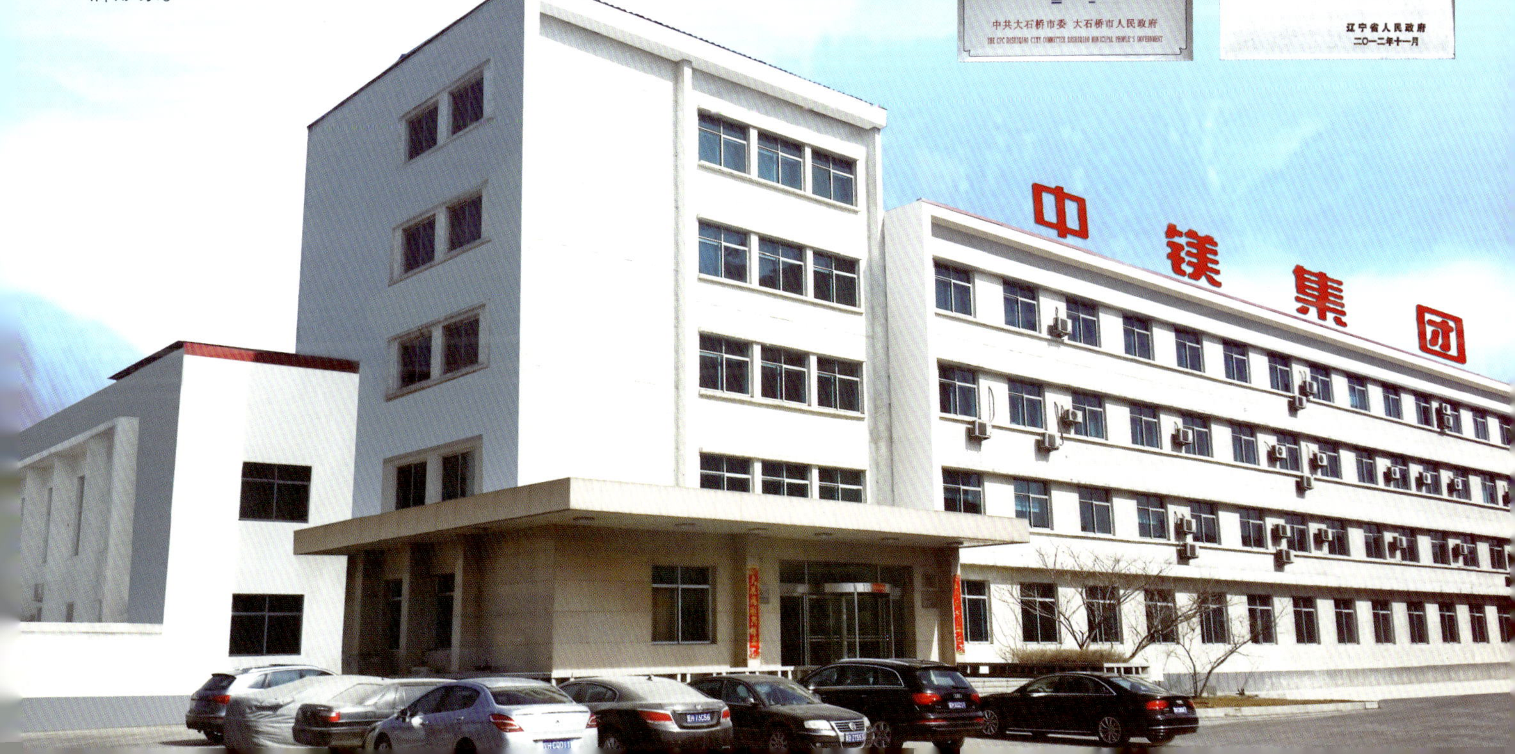

成都蜀虹装备制造股份有限公司

Chengdu Shuhong Equipment Manufacturing Co.,Ltd　证券简称：蜀虹装备　证券代码：831642

地址：成都市青白江区城厢镇玉虹宏业路8号
电话：028-83687388　传真：028-83687388　邮箱：shjxhhc@vip.sina.com　网址：www.cdshjx.com

▲公司创立大会

▲挂牌仪式

成都蜀虹装备制造股份有限公司成立于1996年12月，2013年8月完成改制成立了股份有限公司，公司股本4000万元，2014年12月公司完成了在全国中小企业股份转让系统挂牌（股票代码：831642，股票名称：蜀虹装备），公司也是区内首家完成挂牌的企业。

公司是一家致力于提供高效能的有色金属线材生产系统解决方案，开发并持续推行更环保节能、更领先的线材生产设备及技术系统集成方案的供应商，目前主营业务为研发、生产和销售有色金属线材连铸连轧系列成套设备。公司是我国有色金属线材生产设备领域的领先企业,所研发的40T/H铜杆连铸连轧生产线被评为四川省重大技术装备，是“国内首台（套）产品”。该产品技术含量高、市场潜力大，除本公司外，目前全球仅有美国南线、德国西马克·梅尔公司具有能力生产。

公司设立了企业技术中心，是高新技术企业，申请和取得授权了19项专利。公司所生产的铜、铝（合金）杆连铸连轧生产线被列入成都市地方名优产品推荐目录，“蜀虹”商标为“四川省著名商标”。

公司目前为四川省进出口商会会员，主要产品获得欧盟CE认证，远销至国外20多个国家和地区。公司在国内细分市场上享有较高的声誉，系中国制造网的核心供应商、必联网中国核心供应商，并入选中国名优数据库优秀企业。公司信守“诚信为本，客户至上”的经营理念，被评为成都市AA级守合同重信用企业。

▲展会

▲大轧机

▲公司新厂区效果图

宝丽® Polyspring

北京宝丽兴源技术服务股份有限公司

证券代码：831404　证券简称：宝丽兴源

地址：北京市通州区中关村科技园金桥产业基地景盛南二街25号21楼A座

邮编：101102　网址：www.polyspring.cn

电话：010-60571176　传真：010-60571276

公司董事长：史春女士

宝丽兴源公司新三板挂牌仪式现场

宝丽兴源公司新三板挂牌仪式现场

宝丽兴源公司新三板挂牌仪式现场

北京宝丽兴源技术服务股份有限公司，为国内标识行业第一个新三板挂牌企业。总部位于北京中关村科技园通州园区，面积近10000平方米。旗下有全资子公司：北京百瑞视光电技术有限公司，作为技术研发生产基地，公司为ISO9000质量体系认证企业，拥有多项专利技术。

近二十年的创新与沉淀，铸就了宝丽兴源在标识的设计、制作、安装、维护与保养领域的领先地位。目前拥有五大业务服务板块。

1、管理服务板块：

为客户及行业内提供连锁品牌的形象咨询；设计技术咨询、规划、培训、监理、验收等分项服务；并通过线上管理工具平台实现为项目的完成过程提供管理、分类、记录、统计、报表。

2、创新研发板块：

创新盈利模式，新的材料和多种技术创新应用，创造多元化的盈利模式，与行业内的诸多企业实现共赢。

3、生产制作板块：

目前在北京拥有一个生产基地（百瑞视光电公司），公司计划在3年之内，将在全国5大区通过合资、并购的方式增建生产基地。

4、服务渠道本地化的增值运营服务板块：

在每一个省会城市建立直营（全资）公司，设立办公地，展示中心。服务会覆盖到每个省的下属地市级，二、三，乡镇级区域。同时建立分级加盟。管理用线上平台，各分级基地共同通过宝丽服务平台的认证，来获得业务数据与管理信息。

5、标识行业服务的开放式运营数据平台

通过现场服务终端及物联网通信手持终端实时更新现场项目数据，完成项目的远程管理。线上管理服务可以实现对项目的全面管理，包括项目的申报、审批、修改、更新、结算等不同环节，并对项目信息完成实时存储与读取，以实现管理与评估。从而为市场的长期发展提供数据的分析与支持。

公司业务：

国内标识行业的服务（投资）平台，为标识行业的全过程服务

建立，推动标识行业中创新的盈利和服务模式

建立全行业的生态环境

宝丽兴源经营业绩：

工业类：

米其林轮胎全国网点标识项目

康明斯发动机全国各网点导向标识系统项目

连锁类（餐饮、商超、房产中介、教育）：

百胜餐饮集团旗下，肯德基和必胜客全国各门店商业标识项目

德克士炸鸡全国各门店商业标识项目

星巴克咖啡中国门店商业标识项目

康师傅全国各门店商业标识项目

好伦哥全国各门店商业标识项目

全家超市全国各网点商业标识项目

链家地产中介机构商业标识项目

新东方教育机构网点商业标识项目

金融、通信类：

招商证券全国各网点商业标识项目

中国移动全国网点商业标识项目

由于所有业务是全国服务，2014年在全国有分部：

西安分部（陕西，甘肃，新疆，内蒙古南部，青海，宁夏）；

郑州分部（河南，山西）；

沈阳分部（吉林，辽宁，内蒙古北部）；

哈尔滨分部（黑龙江）；

上海分部（上海，安徽，浙江，江苏，江西）；

深圳分部（福建，广东，湖南，湖北，海南）；

重庆分部（重庆，四川）；

济南分部（山东）；

贵阳分部（贵州，云南，广西）

室外指示标识

3M材料灯箱

亚克力灯箱

独体字

企业logo

立柱灯箱

吊招/侧招/耳招

室内指示标识

立式/挂式海报箱

餐牌箱/价目牌

墙画/挂画

磨砂贴/玻璃贴

门把手

水晶字

灯片

证券简称：飞尼课斯
证券代码：430700

北京飞尼课斯科技股份有限公司是一家拥有多项自主知识产权，集研发、生产、安装抑爆（防爆）产品，销售消防器材、常压油罐为一体的高新科技企业。

我公司特殊铝合金抑爆材料，针对石油制品易燃、易爆的特点，能主动抑制爆炸，在遇枪击、明火、静电、容器泄漏时不会发生爆炸，并可带油补焊。

公司产品经国家安全生产南阳防爆电气检测检验中心、国家民用爆破器材质量监督检验中心及清华大学材料科学与工程系的严格检验，并取得ISO9001：2008GB/T19001-2008质量管理体系认证。本公司严格按照AQ3001-2005，AQ3002-2005标准生产、安装、检测、验收。

子公司重庆耐德飞尼课斯防爆科技有限公司生产的阻隔防爆橇装式燃油加油装置拥有多项国家专利，它占地面积小，可移动，造价低廉，使用方便灵活。

子公司河北芮捷消防设备科技有限责任公司生产的几种水基式消防剂，都获得了公安部消防产品合格评定中心的3C认证，都获得了专利证书，灭火效果处于世界领先水平。

山东分公司生产双层阻隔防爆材料油罐，安全、环保、规格型号齐全，质量可靠，价格合理。

地址：北京市怀柔区杨宋镇凤翔大街12号
邮编：101400
电话：010-61679105
传真：010-61635523
邮箱：fnks88@163.com
网址：www.fnksybcl.com

证券代码：831288
证券简称：安美勤

成都安美勤信息技术股份有限公司（股票代码：831288）成立于2002年4月10日，公司的主营业务是为客户提供信息系统工程监理、信息安全等级保护测评、软件评测等相关服务，是西南地区最早获得工信部颁发的"信息系统工程监理甲级"资质的企业，作为独立的第三方机构专为党政机关、企事业单位的信息化建设提供规划、咨询、项目管理、监理、信息安全等保测评以及软件评测等方面的服务。

公司于2012年10月8日成为全国首批取得工业和信息化部核发的"信息系统工程监理单位资质证书"的企业，资质为甲级。公司还取得了公安部信息安全等级保护评估中心核发的"信息安全等级保护测评机构能力推荐合格证书"和四川省咨询行业协会授予的甲级"四川省科技咨询行业经营资格证书"。

随着信息化建设的扩大，以及大数据、云服务、智慧城市等新兴产物的快速发展，信息化已成为各行各业进行高效规范化管理、维持运营、支撑决策的重要手段之一。安美勤作为具备甲级资质的信息系统工程监理单位，通过对信息系统工程项目实施全过程监理，能有效确保和提高信息系统工程质量、控制工程进度和优化投资成本。

安美勤在电子政务领域、公安、交通、烟草、水务、金融、教育等行业应用方面已经成为客户的重要合作伙伴。多年来稳定的合作也得到了客户的信任和赞誉。随着国家大力发展和加快西部信息产业及信息网络基础设施建设，乃至于全国兴起的信息化建设高潮，信息系统工程监理以及信息安全等级保护服务市场必将蓬勃发展，从而为公司的快速成长提供了广阔空间。作为一家成立和发展于成都地区的信息系统工程监理服务企业，通过多年来坚持不懈的努力，公司已发展成为西南地区领先的信息系统工程监理企业之一。

公司于2014年初完成了股份制改造，并于11月7日在全国中小企业股转系统（新三板）成功挂牌。顺利地进入资本市场，为公司的下一步发展奠定了坚实的基础。面对信息系统工程监理和信息安全等级保护这片蓝海，安美勤已勾画出未来的蓝图，在现有的业务基础上，充分利用大数据并结合云技术完善业务结构和延伸，拓展新的区域，打造高素质的团队，多渠道创新资源，树立公司在行业中的优势地位。

董事长 王雪倩女士

公司高管合影

公司挂牌敲钟仪式

地址：成都市高新区天府大道北段20号高新国际广场B座501室
电话：028-86111797 传真：028-61557371-8002 网站：www.amazingsys.com

阿科力
ACRYL

魅力 创新 创业 幸福

PROCHEMA
无锡阿科力化工有限公司
Wuxi Acryl Chemical CO.,LTD

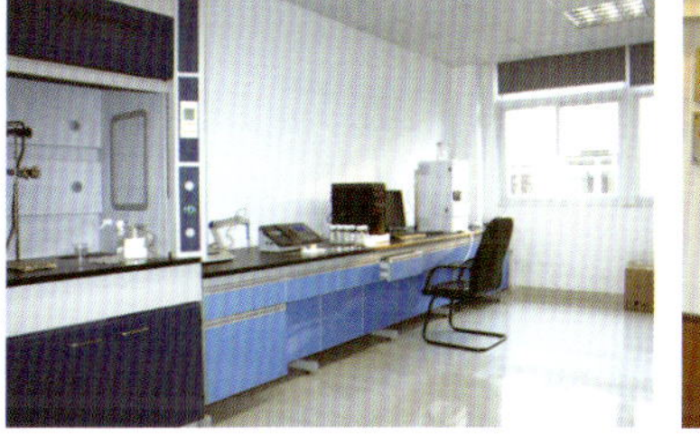

阿科力

万人机构
WANREN MARKET RESEARCH

中华人民共和国
涉外调查许可证

双软认定

CAMIR
中国市场信息调查业协会

CMRA

ESOMAR

山东省源通机械股份有限公司

证券代码：430717　证券简称：源通机械

▲董事长：周仕勇先生

公司简介 >>

山东省源通机械股份有限公司成立于2002年5月30日，位于山东省淄博市沂源县城鲁山路东苑工业园，公司为高端电机配件与机械配件专业化经营与制造企业。公司于2014年4月30日在全国中小企业股份转让系统挂牌交易，股票简称：源通机械，股票代码：430717。

公司是山东省机械行业关键零部件和机械基础件六十强企业之一，年产各类高端电机配件、汽车发动机关键零部件及大型农用机械配件产品50余万件。与ABB、西门子等国际著名机电企业实现了战略合作，目前已成为国内领先的高端电机壳生产企业。

公司成立以来，分别通过了ISO9001质量管理体系、ISO14001环境管理体系、OHSAS18001职业健康安全管理体系及ISO/TS16949质量管理体系认证。各类体系建设为公司的规范运作奠定了良好的基础。

公司将以国家产业政策为导向，以科技创新为支撑，通过产品结构优化、市场资源整合，秉承做高端产品，服务高端客户的经营理念，逐步把公司发展成为具有国际竞争力的专业化制造企业。

全国中小企业股份转让系统
430717
源通机械
山东省源通机械股份有限公司
总资产：11,077.12（万元）
总股本：2,000.00（万股）
净资产：5,935.49（万元）
净利润：887.53（万元）
NEEQ
NATIONAL EQUITIES EXCHANGE AND QUOTATION

▲[430717]源通机械公司挂牌仪式

地址：山东省淄博市沂源县城鲁山路东苑工业园　邮编：256102
电话：0533-3433103　传真：0533-3422825
电邮：sales@ytmachinery.net　网址：www.ytmachinery.net

芜湖盛力科技股份有限公司

Wuhu ShengLi Technology Co., Ltd.

证券代码：430477
证券简称：盛力科技

董事长：张武江先生

盛力科技挂牌庆典

芜湖盛力科技股份有限公司是芜湖盛力制动有限责任公司通过股份制改造设立的民营股份制企业，注册资本3200万元，2014年1月成为芜湖市首批在“新三板”挂牌企业。

公司位于芜湖高新技术产业开发区，占地150亩，具有年产500万只汽车、工程机械制动元器件的生产规模。公司为高新技术企业、国家级知识产权优势企业、安徽省创新型企业、安徽省守合同重信用单位、安徽省劳动保障诚信示范单位、安徽省诚信企业。

公司主要经营的产品有汽车及工程机械气制动元器件、真空助力器和液压制动湿式元器件十几个系列400多个产品，公司属原中国汽车工业公司定点生产汽车制动元器件的专业骨干企业，系全国汽车零配件双百推展工作委员会成员单位，先后加入中国重型汽车集团、安徽江淮汽车集团和中国汽车工程学会、中国汽车工业协会、中国工程机械工业协会,同时是中国汽车、工程机械六十余家主机配套战略合作伙伴。

盛力人秉持着“团结奋斗、励精图治、创新发展”的企业精神，以“提供给顾客最好的产品”为企业使命；以“建设一流的汽车、工程机械配件”为企业愿景；以“和谐、共赢、创新”为企业的核心价值观，努力提升品牌和技术实力，实现盛力可持续发展。

地址：芜湖国家高新技术产业开发区天井山路19号
邮编：241002
电话：0553-3026288　3026161　3026262
传真：0553-3026111
E-mail:wuhu@slzd.com
Http://www.slzd.com

XZYD 仙宜岱股份有限公司

股票代码：430445　股票简称：仙宜岱

公司简介 >>

▲董事长：颜宏钟先生

仙宜岱股份有限公司创立于1999年，位于普宁市军埠镇山家工业区，建筑面积近5万平方米，已发展为一家集设计研发、生产制造、销售服务为一体的高新科技内衣企业。拥有多条生产流水线和一批先进检测设备，年销量1700万件，产品深受国内外客户的青睐。

仙宜岱一直着力于科研开发和产品创新，多项产品获得国家专利证书。先后通过了GB/T 2001—2004/ISO 14001：2004环境管理体系认证、GB/T 19001—2008/ISO 9001：2008质量管理体系认证和ISO 10012.1计量体系国际标准认证。公司荣获“高新技术企业”、“金牌纳税户”、“国家守合同重信用企业”、“全国质量诚信优秀典型企业”、“广东省著名商标”、“广东省民营科技企业”、“广东省最佳诚信企业”、“中国名店”、“中国内衣委员会副会长单位”等多项荣誉称号。

仙宜岱一直实践着"成人之美"的使命，努力塑造一个理想的品牌和卓越的企业，实现健康、可持续的发展，创造更多价值，服务顾客、成就员工、奉献社会。

▲全国中小企业股份转让系统挂牌仪式签字

▲SPAKEYS 十八己首秀盛典暨天猫旗舰店开店仪式

电话：0663-2355666　传真：0663-2355777
地址：普宁市军埠镇山家工业区　邮编：515322
电邮：xzydgf@126.com　网址：WWW.XZYD.CC

国义招标股份有限公司

GMG International Tendering Co., Ltd.

证券简称：国义招标　证券代码：831039

新三板北京挂牌仪式　地铁项目－广州地铁四号线　电力项目－广州抽水蓄能电站　民航项目－潮汕机场　医疗卫生招标项目

国义招标股份有限公司注册资本9160万元，是全国最大的专业招标采购服务商之一。国义招标目前拥有国家商务部、住建部、财政部、发改委颁发的“机电产品国际招标”、“工程招标代理机构”、“政府采购代理机构”、“中央投资项目招标代理”等4项甲级招标采购代理资质。

传承60年国际采购经验，主要为医疗、交通、能源、电信、环保、市政工程等领域的客户提供招标代理服务及招标后续采购服务。2013年延伸服务链，在深圳前海成立金沃国际融资租赁公司，成为国内第一家将招标、采购和融资租赁相结合的招标代理公司。2013年，公司招标额突破500亿元，公司连续多年获得“年度中国招标代理机构十大顶级品牌”、“年度广东省最具竞争力招标机构第一名”、“年度中国最具社会责任感招标机构”。

国义招标拥有一支具备扎实专业理论知识和丰富实战经验的专业团队，精通国内外招投标法律法规，可为用户提供各类项目（包括货物、工程、服务）的招标代理服务以及招标后续采购服务。

作为全国第一家登陆资本市场的招标机构，国义招标秉承“诚信、专精、共进、创新”的核心价值观，为客户提供专业、规范、高效的招标采购服务，使客户付出的成本获得最大的增值！采购满意，首选国义！

地址：广东省广州市越秀区东风东路726号16楼　邮编：510080
电话：020-87768198　传真：020-37658093
邮箱：gmgitc@cngmg.com　网址：www.gmgitc.com

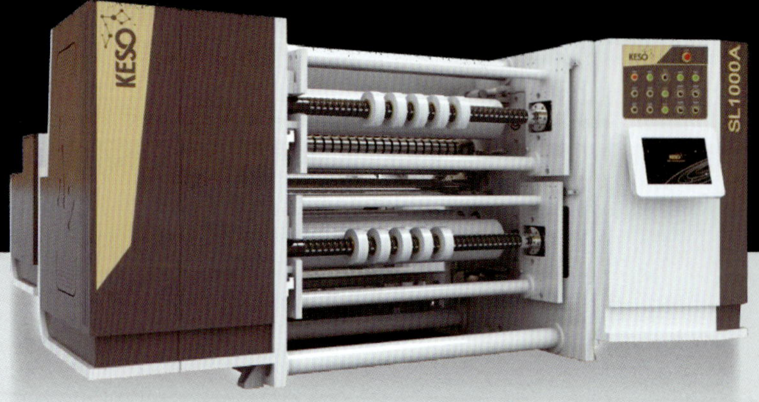

证券简称：科硕科技　证券代码：430571

广东科硕机械科技股份有限公司是国家高新、全国首批新三板挂牌企业。公司主营产品是新能源行业的锂电池隔膜生产方案设备专业制造商；多年来，公司投入大量研发经费，加快了产品的技术创新，在国内相关行业处于领先水平。公司采用研发、生产和销售的商业模式，以解决方案为主要的设备设计理念，为客户提供“优质、高效、先进”的材料生产设备，使公司成为拥有研发和生产能力的创新型科技企业。

副董事长：叶美跃先生参加挂牌仪式

广东省东莞松山湖高新技术产业开发区工业南路6号松湖华科产业孵化园2栋512室　电话：400 830 1608　网址：www.keso.so

证券代码：430465　证券简称：东方科技

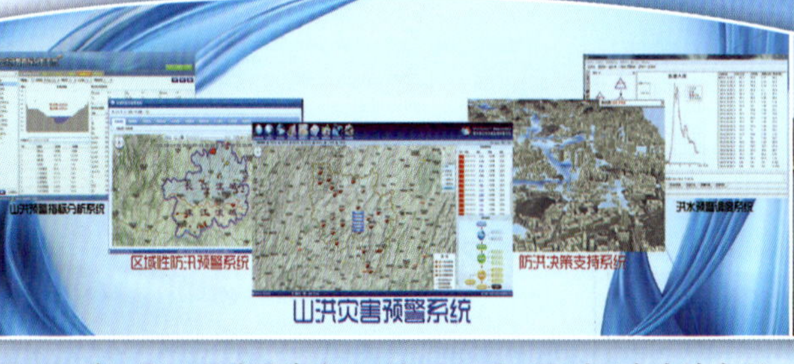

东方科技

贵州东方世纪科技有限责任公司成立于2000年3月，现注册资金3750万元。2013年9月27日，整体变更为股份公司。2014年元月24日，在“新三板”挂牌，成为第一批全国扩容企业、贵州省第一批挂牌企业。

“东方科技”主要从事防汛抗旱指挥系统、山洪灾害防治非工程措施项目、水情测报系统、大坝安全监测系统等水利信息化项目的咨询设计、开发建设和运行维护等业务，是专业从事防洪减灾服务的高新技术企业、省级创新型企业，是贵阳市洪水预报调度工程技术中心的支撑单位。

作为高科技公司，东方科技长期以来十分重视项目产品的研发，公司现拥有软件著作权12项，专利权14项（其中发明专利3项），资质许可12项，同时正在申请专利17项（其中发明专利7项）。

东方科技用户分布全国六个省份，工程近百个，我们通过自己的服务和产品，为水库的预报调度、安全防洪、资源调度提供准确的预报信息和决策依据，为大坝正常运行、水库运行管理及安全评价提供科学依据，为各级防汛部门及时提供各类防汛信息，为防汛决策和指挥抢险救灾提供力的技术支持，增加防灾减灾的能力。

未来我们将继续秉承“诚信为本、质量第一、用户至上、专业创新、共同发展”的基本原则，为水利信息化建设服务，为计算机和信息产业尤其是水利行业的数字化建设做出卓越的贡献，努力成为全国领先的水利信息化服务企业。

地址：贵州省贵阳市宝山南路27号
邮编：550002
电话：0851-5626860
传真：0851-5601201
网址：www.ssking.com

证券代码：831555
证券简称：天乐橡塑

张家港天乐橡塑科技股份有限公司

地址：江苏省张家港市杨舍镇乘航河东路10号
电话：0512-58113780 传真：0512-58985203
网址：www.zjgtianle.com

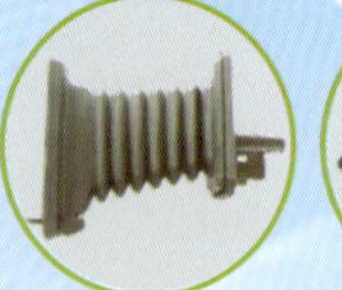

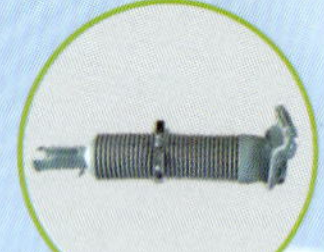

张家港天乐橡塑科技股份有限公司（原名为：张家港市天乐橡塑制品有限公司）始创于2006年，2013年改组重建，是一家专业生产汽车用橡胶塑料制品的民营企业，现有固定资产1000余万元，产区面积1万平方米，在职人员100余人。

公司目前主要产品有串线套管系列，密封系列，减震系列，壳体塑料等不同类型的零件，另外公司还生产汽车相关配套附件，如挡泥板，后备箱垫等。公司目前是上海大众的一级供应商，产品主要为上海大众一次配套，一汽大众、上海通用汽车等汽车整机厂二次配套，以及为德尔福、麦格纳、上海博泽、实业交通等国内著名汽车零部件企业OEM配套。公司坚持以技术力量为主、产品质量可靠，获得国内外汽车行业的广泛赞誉。

在发展历程中，公司秉承“开拓创新，追求卓越”的发展方针，引进闭环伺服注塑机，密炼车间集尘改造配料防错系统。通过近几年来的努力，公司建立了一整套完整的质量保证和质量管理体系，质量保证能力得到了提高，并相继通过了ISO/TS16949质量体系认证，ISO14001环境体系认证和OHSAS18001职业健康及安全管理体系的认证，使公司的管理体系得到了进一步的提高，产品质量得到了有效保证。

公司本着“诚信、求实、创新、高效”的理念，始终以建立现代质量管理制度和企业管理制度为目标，以为用户提供优质的产品和完善的服务为宗旨，向规模化、科学化、现代化、专业化方向迈进。

蓝钻生物

证券代码：831119
证券简称：蓝钻生物

地址：云南省昆明市呈贡新城国家生物产业基地1号楼
网址：www.lanzuan.com.cn
电话：0871-63123312 传真：0871-67442525

云南蓝钻生物科技股份有限公司位于昆明国家高新技术产业开发区内的国家生物产业基地，主要从事保健食品的研究与开发，产品主要涉及藻类、天然植物提取物及功能性营养补充食品。现拥有两家全资子公司，三个通过保健食品GMP认证的工厂，通过保健食品GMP认证4个单元，包括片剂、粉剂、硬胶囊和袋泡茶4个剂型。共有国家药监局批准的保健食品批文6个，国家发明专利2项。目前为中国保健协会理事单位、云南省医药行业协会会员。公司于2014年8月15日正式在新三板挂牌，证券简称：蓝钻生物，证券代码：831119。

公司的产品结构较为丰富多样，对螺旋藻、滇橄榄、三七、玛咖、灵芝、松花粉等进行了系列开发。在产品深度上，对螺旋藻、三七、灵芝进行深度分离特有功效成分，提取其藻蓝蛋白、藻油、皂苷、多糖等加工成高附加值产品；在产品的广度上，大力发展区域特色保健食品，对滇橄榄、玛咖、松花粉、葛根等植物进行深入研究与开发，确立了以“特色健康产业”为企业定位。公司注重提升品牌战略，拥有程海牌、格林斯通、绿源程海、润恬、康悦宝等系列知名品牌，建立了“依托丰富生物资源优势、树诚信品牌、树专业品牌”的品牌战略，全面推进产业技术与市场营销同步发展。

随着人们生活水平的提高和国家对于全民健康的政策支持方向来看，保健食品行业高速发展的趋势不变，人们对于身体健康的持续投入将为该行业提供长期增长的市场机会。未来一段时间，由于我国年龄结构的变化和人口素质的不断提高，保健食品需求很大且将维持一定增速，保健食品市场将健康持续发展，整个行业将迎来快速发展的机遇期。蓝钻生物在新三板的挂牌是我们新征程起点，公司必将抓住成为云南保健食品企业第一股的重大机遇，尊重每个成员的个人价值，汇聚团队的智慧和力量，在流程上、在产品上、对未来做出更多的规划，打造出极具品质的好产品、树立好口碑，全力以赴去实现我们的美好愿景，致力于成为中国保健食品行业领域有特色有亮点的创新型企业。未来希望在公共营养和全民健康方面通过我们的努力可以做出贡献，回馈社会。

证券代码：430745　证券简称：诺文科技

电话：029-81328105-811
传真：029-81328105-810
地址：陕西省西安市雁塔区西三环南段20号　邮编：710077
网址：www.neven.com.cn

西安诺文电子科技股份有限公司成立于2004年，2014年挂牌新三板，公司简称：诺文科技，股票代码：430745，注册资金950万，公司一直专注于城市供水、供热行业应用的计量仪器仪表的设计、研发、生产和销售。致力为城市供水、供热行业提供具有先进技术、周全的服务和符合行业特色的智能化计量控制解决方案。

目前，西安诺文电子科技股份有限公司的主营产品五大系列、30多个品种；拥有三条先进的表计流水生产线，8台表位计量校验设备和西北地区首台大口径热量检定装置,具备年100万只的产能，成为西北地区首家具备全系列计量产品检测和检定能力的单位，经国家权威机构鉴定，具有国内领先水平。取得了多项自主知识产权，科技成果全部转化为产品和服务，树立了良好的品牌形象，并被政府授予“高新技术企业”、“陕西省民营科技企业”、“西安市民营科技企业”、“陕西省著名商标”、“西安市著名商标”等多项荣誉称号。

公司致力于环保节能，以“用科技创造节约”为信条，秉承“科技创新，诚信为本”的经营理念，遵循“为客户创造价值，为社会做出贡献”的企业责任。公司进一步发挥专业、技术和品牌优势，推动技术进步和创新，坚持精益化管理，提升产品品质，致力打造出国内一流的云计量服务平台，不断增强企业的核心竞争能力，努力为中国表计行业的发展做出更大的贡献。

点点滴滴　诺文用科技倡导节约

上海维福特科技发展股份有限公司

证券代码：830900　证券简称：维福特

电话：18913548488　传真：0515-85822022
地址：江苏省东台市东进大道8号
邮编：224200
电邮：18913548488@163.com

公司简介

上海维福特科技发展股份有限公司前身为江苏维福特科技发展有限公司，公司成立于2009年3月，依托良好的投资环境及优越的地理位置，以国家产业政策和经济发展规划为导向，自主投资创业，是一家专业从事高温人工晶体研究和生产的高科技民营企业。公司成立后就开展与晶体生长有关的贵金属材料的制造技术和高温耐火材料合成技术的研究，取得了突破性的成果，研发成功了多种晶体规模生产技术，几类产品创新了十多年来不变的老旧工艺，改变了高能耗、低成品率的问题，把复杂的晶体生产变成可简单操作的工作，使得高温晶体的生产能够走向规模化的公司。公司有着多项技术核心、多种产品结构、更多产品产业化的特点，产品涵盖了以下几个市场巨大的行业：光电材料行业、手工业、和时尚产业。公司的几类晶体材料将成为全球第一供应商，也必然推动我国新材料生产技术发展和材料应用。

上海维福特科技发展东台有限公司建设在中国江苏江苏东台市，首期购置土地53亩，主要规模生产主要生产蓝宝石氧化铝系列（Al_2O_3）;硅酸盐系列（LSO，Y_2SiO_5等）；石榴石系列（YAG）；铝酸铍系列（$BeAl_2O_4$）；钒酸盐系列（YVO_4，$GdVO_4$等）；金红石（TiO_2）；铽镓石榴石（TGG）等高温晶体材料 。还包括宝石产品的制造、设计和销售。

钒酸钇单晶（YVO_4）、金红石晶体（TiO_2）、铽镓石榴石晶体（TGG）被广泛应用于光纤通信领域，是光通信无源器件如光隔离器、旋光器、延迟器、偏振器中的关键材料。三种晶体毛坯单样的市场年需求量都超过2亿元人民币，并以每年120%以上的速度递增。此项目完成后项目公司将占据80%-90%的全球市场。

LSO系列晶体是已被市场证明为紧俏的商品，主要用于医用核成像诊断中的正电子发射断层扫描（PET）PET是最新一代无创伤性、高灵敏度、高分辨率、彩色的影像诊断技术，用于肿瘤、神经系统疾病、心血管疾病等的早期诊断，应用领域还包括高能物理（如精密电磁量能器）、核物理(如电磁量能器)、工业应用（CT）、空间物理、地质勘探等。LSO因其卓越性能正在取代BGO，成为PET首选闪烁晶体，正电子辐射X射断层扫描仪（PET/CT）是目前国际最尖端的医学影像诊断设备的关键材料，我国自主研发器材急需的材料。项目公司巨大的技术和成本优势将保证产品美妙的市场前景。

上海维福特科技发展股份有限公司以绿色生态环境，零排放，低耗能作基础打造全新绿色环保生产基地。因无“三废”产生，在生产过程中不会对周围环境产生不良影响，无需考虑“三废”处理。以不超过0.15超低容积率达到三生环境(即生态、生活、生产)， 生产基地内提供完善室内/室外休闲活动空间给员工在生产过程中和多位专家在新产品研发和生产中享受休闲生活配套。生产过程中利用水循环冷却系统，并使用冷水和热水的温差作发电系统提供部分供电，所以项目自身的能耗很少。建成后将是光通讯晶体材料产业中国最大的生产基地，生产的晶体材料应用在光学产品、光通讯产品、军工产品、医疗产品、新能源产品等市场。

公司历史沿革

上海维福特科技发展股份有限公司（以下简称公司）是一家自主创业，专业从事高温人工晶体研究和生产的民营科技企业。

公司的前身为江苏维福特科技发展有限公司，于2009年3月在张家港市成立，注册资本5000万元人民币。

2011年9月，江苏维福特科技发展有限公司在招商引资大环境的背景下，由张家港迁入东台，通过资产受让方式在东台市城东新区购得土地44.52亩以及厂房14500平方米用于扩大企业的生产规模经营。

2013年4月，江苏维福特科技发展有限公司为增强企业实力，提高企业信用，增资5000万元人民币，实现注册资本达亿元企业。

2013年5月，为适应新三板上市的需求，企业由江苏东台迁入上海，更名为上海维福特科技发展股份有限公司。

2013年7月，为提高企业的市场竞争能力，扩大市场占有率，公司在江苏东台成立子公司，名称为上海维福特科技发展东台有限公司。

上海维福特科技发展股份有限公司及子公司现有的主要业务是：从事光电科技领域内的技术开发、技术咨询、技术转让、技术服务、电子产品、电子元器件、化工原料及产品、光学晶体、晶体材料、激光器件、半导体、机电设备、五金交电的销售，工业设计，软件开发，商务咨询，从事货物及技术的进出口业务。

上海维福特科技发展股份有限公司以绿色生态环境，零排放，低耗能作基础打造全新绿色环保生产基地。因无“三废”产生，在生产过程中不会对周围环境产生不良影响，无需考虑“三废”处理。以不超过0.15超低容积率达到三生环境(即生态、生活、生产)， 生产基地内提供完善室内/室外休闲活动空间给员工在生产过程中和多位专家在新产品研发和生产中享受休闲生活配套。生产过程中利用水循环冷却系统，并使用冷水和热水的温差作发电系统提供部分供电，所以项目自身的能耗很少。建成后将是光通讯晶体材料产业中国最大的生产基地，生产的晶体材料应用在光学产品、光通讯产品、军工产品、医疗产品、新能源产品等市场。

宁波大汉印邦股份有限公司

证券代码：831128　证券简称：大汉印邦

▲董事长：单亚敏女士

公司简介 >>

宁波大汉印邦股份有限公司（以下简称“公司”或“大汉印邦”）是浙江地区具备一定实力的印刷包装服务供应商，注册资本5,000万人民币，公司主要为华润雪花、百威英博等国内外知名啤酒厂商提供啤酒纸箱及酒标的设计打样、生产等服务，通过积累经验，公司形成了印刷包装设计打样、产品制造、质量控制结合的专业生产及服务体系，为客户提供高稳定性、大批量、多批次、高精度和环保性强的印刷包装产品与服务。自成立至今公司始终将产品质量作为企业发展的根本，通过优质的产品和完善的设计打样、生产及售后服务，与华润雪花、百威英博等国际知名啤酒生产企业建立了长期稳定的合作关系。公司占地20,454平方米，建筑面积23,116.99平方米，地理环境优越，交通便捷，距离甬台温高速西坞入口仅1公里，距离宁波市中心30公里。

公司前身宁波德盛印务有限公司2010年、2011年、2012年连续三年实现了产、销、利税每年翻番的业绩。为保持公司的健康、可持续发展，公司将充分利用公司新三板挂牌这一优势，拓宽公司的融资渠道，提高公司品牌知名度，完善公司管理制度，并通过有效的资本运营，兼并、收购同类型的企业，发展壮大公司。公司自始至终坚信“诚信铸就品牌，服务编织未来，创新赢得市场”，在这样的方针指引下相信宁波大汉印邦股份有限公司必将迈向一个更宽、更高的发展空间。

▲2014年9月10日大汉印邦股转系统挂牌上市仪式

电话：0574-88919890　传真：0574-88919869
地址：浙江省奉化市岳林东路481号　邮编：315500
电邮：yingyaer@dahanyinbang.com
网址：www.dahanyinbang.com

中国驰名商标

安徽白兔湖动力股份有限公司
地址：安徽省桐城经济开发区
电话：400 860 4199
传真：0556-6608128
网址：www.wrpower.com.cn

董事长　汪舱海先生

安徽白兔湖动力股份有限公司是一家经营内燃机核心零部件的科技型企业，集研发与产销为一体。主要产品有四缸、六缸内燃机气缸套、铝活塞、曲轴、粉末冶金气门座圈、导管等，服务于国内外一流的内燃机企业及其售后市场。公司于2010年4月成立，2014年4月30日在“新三板”挂牌。主要生产基地位于安徽省桐城市国家级经济开发区，交通便利，人文地理条件优越，是合肥经济圈和皖江城市带的核心区域。

公司视产品质量为企业生命，多次对管理体系进行完善与升级，先后通过了ISO9001质量体系认证、ISO\TS16949国际汽车行业质量体系认证、ISO10012计量检测（保证）体系认证、GB/T24001环境管理体系认证、GB/T28001职业健康安全管理体系认证、GB\T15496-15498国家标准化良好行为企业AAAA级认证等。并获得了54项发明及实用新型专利，参与了国家及行业标准的制订13个。建立了省级博士后科研工作站。

公司为国家级汽车零部件（安庆）高新技术产业特色基地成员企业、国家高新技术企业、安徽省优秀技术中心企业、安徽省百强企业,是中国汽车协会、内燃机工业协会会员和中国机电产品进出口商会会员。“白兔湖”商标获中国驰名商标、安徽省出口名牌、安徽省名牌产品、安徽省自主创新品牌等称号。先后荣获安徽省质量管理奖、安徽省诚信企业、安徽省民营科技先进企业等280多项荣誉。公司荣获中组部“创先争优先进基层党组织”称号。

公司拥有完善的销售网络。始终坚持主机配套市场为主、带动售后维修市场、外贸出口市场齐头并进的营销策略，与国内60多家知名主机厂建立了配套业务，产品覆盖了全国三十个省、市、自治区及欧洲、美洲、东南亚和非洲等十几个国家和地区，并与外商建立了巩固的合作关系，商誉好，品牌响。

广州艾科新材料股份有限公司

证券简称：艾科新材　证券代码：831163

公司前身艾科（广州）化学有限公司成立于2005年6月，2014年5月整体变更为股份公司，2014年9月正式挂牌新三板。公司以生产聚氨酯用色浆和表面处理剂为主，另外涵盖吸水剂、耐黄变剂、脱模剂、抗静电剂等聚氨酯功能助剂。

公司是高新技术企业，精通聚氨酯的工艺与技术，处于聚氨酯组合料应用的高端领域，下游应用包括汽车仪表板、高铁减震块、高档箱包鞋材、滑板车滑轮、密封件及医疗器械零部件等。多年以来，公司采取研发驱动的方式不断提升产品性能与质量，贴近客户产品，满足客户个性化需求，成为包括德国拜耳、巴斯夫、陶氏等国际知名企业的长期战略合作伙伴。

目前，公司正处于业务转型升级的关键时期，未来公司将在保证现有色浆及功能助剂稳步增长的前提下，充分利用自身在聚氨酯行业近10年的技术累积、人才累积和行业经验向下游延伸，在3-5年内拓展聚氨酯制品业务、发泡业务、系统料业务和EVA复合材料业务。骐骥千里，非一跃之功，十年的探索和积淀，造就了有着坚实基础的艾科，我们相信，在不久的将来，艾科将会站在行业的顶端，为国内精细化学行业做出更多的贡献。

地址：广州经济技术开发区骏功路18号
电话：020-32066158
传真：020-32066151
邮件：info@colortechchina.com
网址：www.colortechchina.com

辽宁伊菲科技股份有限公司

Liaoning Tifei Technology Co., Ltd.

地址：辽宁东戴河新区A区燕山路东段11号
邮编：125200
电话：0429-6331711
传真：0429-6331933
网址：www.yifeigufen.com

证券简称：伊菲股份　证券代码：831161 >>>

辽宁伊菲科技股份有限公司位于辽宁东戴河新区，由原绥中伊菲人工晶体科技有限公司整体转制创立而成，是高性能结构陶瓷和高性能功能陶瓷等先进陶瓷材料及其制品的研发和生产的高新技术企业，2014年9月25日在全国中小企业股份转让系统成功挂牌。

公司主营业务为高氮复合陶瓷材料的应用研究、系列产品开发和生产经营，经营范围包括人工晶体陶瓷、屏蔽材料、屏蔽产品、特种工业陶瓷、新型复合陶瓷、工业窑炉陶瓷的研发与制造；陶瓷机械产品制造等。

目前公司已经取得9项实用新型专利，申报并受理的发明专利11项和实用新型专利1项，自主研发并具有知识产权的高氮复合陶瓷、氮化铝及硅酸铝陶瓷系列产品主要包括：浇口杯、浇口套、吸液管、热电偶套管、分流盘、铝液除气杆、保温炉内衬砖、特殊行业所采用的耐热、耐腐蚀、耐冲刷材料等预制件和应用高氮复合陶瓷系列材料研制的铝液转运包、高压保温炉和低压保温炉、液态金属流槽等高精铝铸造行业专用设备两大类400多个型号的系列产品，并广泛应用于中信戴卡股份有限公司、保定市立中车轮制造有限公司、秦皇岛戴卡兴龙轮毂有限公司等70余家铝车轮生产及铝制品等制造企业。

熔炼炉

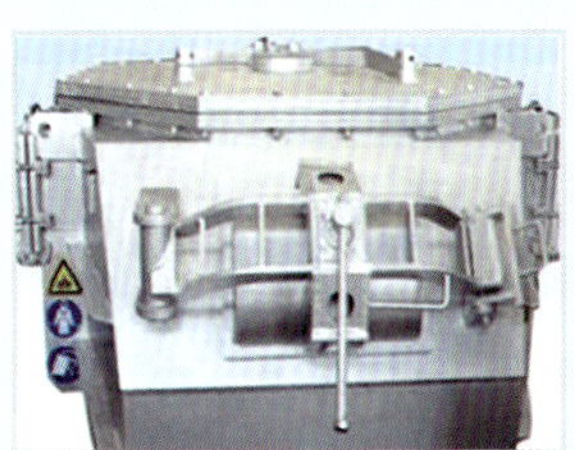

节能保温炉

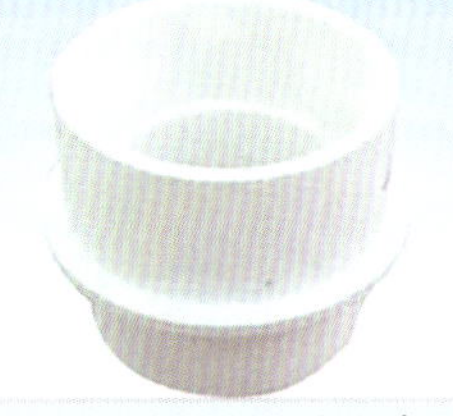

铝液浇口杯、浇口套

铝液转运浇

公司坚持走科技创新之路，以“专注新材料应用领域，研制企业升级换代新产品”为使命，信守“质量第一，客户至上”的经营理念，致力于成为铝车轮生产及铝制品等制造业的优质服务供应商，竭诚欢迎海内外客商以及各界宾朋光临指导，洽谈业务，共谋发展。

证券简称：三叶新材　证券代码：831636

杭州三叶新材料股份有限公司创立于2000年，是专业从事塑料助剂研发与制造的资深企业，是新三板上市公司（股票代码831636）、杭州市高新技术企业、PVC中小型管材企业产业联盟理事长单位，其中“三叶牌”DIBP长盛不衰，产量居国内前茅，是浙江省质量技术监督局通过的省免检产品；“KGF”有机钙液体稳定剂是公司自主研发并已申请了7项发明专利的一种环保、无毒、高效的新型PVC热稳定剂，其技术处于国际领先水平，是当今传统热稳定剂铅盐的首选替代产品。

杭州三叶新材料股份有限公司总部座落于杭州市拱墅区北部软件园“乐富”园区，注册资金人民币3000万元，是拱墅区人民政府命名的“重点企业”。“团结协作、崇尚学习、诚实守信、追求卓越”是公司全体同仁共同的文化和追求。

子公司杭州立富实业有限公司座落在美丽的富春江傍，一流的生产工艺，雄厚的技术力量，先进的生产设备和设施，完善的质量管理体系，确保为用户提供品质上乘的产品和全面的售后服务。

公司与浙江网盛生意宝股份有限公司（股票代码：002095）联合打造的网盛三叶供应链金融，是为中小型企业提供银行融资服务的平台。它改变了传统供应链金融只针对大中型企业提供融资，创新了供应链金融新模式，为成千上万的中小型企业能享受供应链融资服务提供了可能，开辟了中小企业融资新渠道。同时，三叶公司通过这样的服务来实现自身“以服务促贸易”的创新商业模式，带动了公司自身产品的销售和利润的实现，避免了产品销售中日趋激烈的同质化竞争。

杭州三叶新材料股份有限公司

地址：浙江省杭州市拱墅区祥园路30号乐富智汇园12幢703室

电话：0571-56030875

网址：www.sanyechem.com

董事长：叶焙先生

企业资质和荣誉：

- 2006年 通过ISO9001：2000质量管理体系认证。
- 2006年　被推选为中国工程塑料工业协会塑料助剂专委会副理事长单位。
- 2006年 公司成为“热稳定剂——硫醇甲基锡 TM-19”国家标准制定主要起草单位。
- 2007年 被推选为中国热稳定剂行业协会会长单位。
- 2007年　“KGF有机钙液体稳定剂”通过了“浙江省科技创新重点项目”的验收。
- 2007年　公司成为“钙锌热稳定剂应用国家标准”第一起草单位。
- 2007年　公司成为“塑料用热稳定剂——含钙锌热稳定剂技术要求”国家标准制定第一起草单位。
- 2008年　被推选为中国塑料加工工业协会技术协作委员会副理事长单位。
- 2008年　被杭州市认定为2008年第一批“杭州市高新技术企业”。
- 2009年 被评为中国塑料行业“先进单位”。
- 公司连续9年被评为“拱墅区重点企业”，现在是杭州市上市培育对象。
- 2014年9月创立“PSA产业联盟”暨PVC中小型企业产业联盟并担任理事长单位。
- 2015年4月与浙江网盛生意宝股份有限公司合作成立“网盛三叶供应链金融”项目。

天弘激光

证券简称：天弘激光
证券代码：430549

光纤数控激光切割机

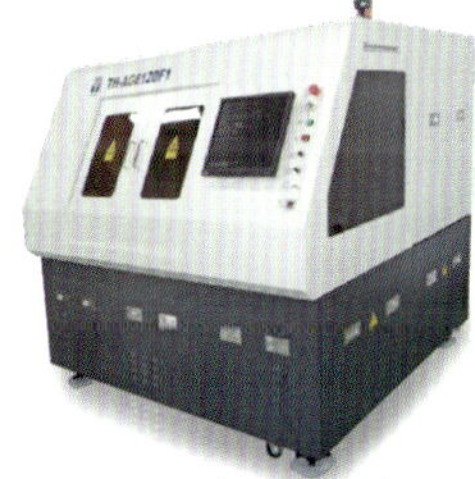

ITO激光刻蚀机

苏州天弘激光股份有限公司成立于2001年1月9日，注册资本5632万元，2014年1月新三板挂牌上市，证券简称：天弘激光，证券代码：430549。2014年8月25日首批参与新三板做市交易。

公司是一家专业从事工业激光加工成套装备的研发、生产和销售的国家级高新技术企业，位于苏州工业园区，置有26000平方的生产基地，现有员工近200人，研发人员约50人，大专及以上学历约占总人数的75%。

公司产品涵盖中小功率激光设备、数控激光切割机系列、数控激光焊接机系列、数控激光微加工系统、激光3D强化与再制造系统、激光器、智能柔性自动化系统等七大系列百余种加工装备，年产各类装备800余台套，是国内激光加工系统的主要系统供应商之一。同时也是华东地区历史最悠久、产品覆盖最广的激光装备制造商。

公司是“十二五”国家863项目“高功率及皮秒激光器产业化”应用示范单位。目前拥有10多项软件著作权、4项发明专利、多项实用新型专利和专有技术及40余项在审专利，系列产品获得江苏省高新技术产品、苏州名牌产品及江苏省著名商标等称号。公司联合清华大学、苏州大学、中科院合肥物质科学研究院等高校院所，进行前瞻性基础研究和产学研合作，创建有“江苏省激光三维成形与微制造工程技术研究中心”、“江苏省企业研究生工作站”等科研设施；承担了多项国家创新基金项目、省科技支撑项目、省成果转化项目、市科技计划项目等科技项目，为公司的长期发展积累了技术基础。

2014年，天弘激光新设一家全资子公司“苏州天左数据科技有限公司”，主要从事数据技术在工业控制和检测方面的应用；同时对外投资控股“苏州柯莱得激光科技有限公司”，结合柯莱得公司3D熔覆再制造领域的技术优势，实现市场与技术双向互补，提升公司在激光3D再制造领域的整体研发能力和市场影响力。

历经14年的坚实发展，天弘激光依托自身的技术团队及科研院校的鼎力合作，拥有数千客户商、九千余台套设备在线运行，在业内拥有广泛的美誉度和影响力。公司秉承“质量为本、客户至上”的服务理念，努力为客户精心打造“高精度、高稳定性、高性价比”的激光加工系统，为国人的工业制造工艺升级做出贡献。

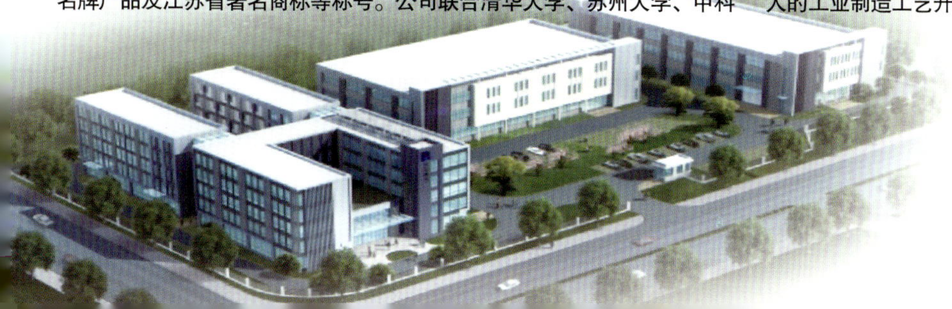

地址：苏州工业园区唯亭镇通和路66号

邮编：215121

电话：400-885-0505（24小时服务热线）

0512-62748818/18912799008

传真：0512-62745989/62748828

邮箱：sale@tianhonglaser.com

网址：www.tianhonglaser.com

北京联合创业环保工程股份有限公司

BEIJING UNITED PIONEER ENVIRONMENTAL ENGINEERING CO., LTD.

证券简称：联合创业
证券代码：430424

北京联合创业环保工程股份有限公司于2008年成立，2014年挂牌新三板。公司分别于2010年和2011年被评为国家高新技术企业和中关村高新技术企业。

公司目前具有环保工程专业承包叁级资质，主要从事环境保护和新能源等方面的工程建设。在环境保护领域不断研究创新，尤其在高浓度有机废水处理方面进行深入研究，并充分利用新技术、新材料在污水治理项目上屡创佳绩。在新能源领域，主要从事生物质秸秆气化集中供气和沼气工程项目，并对生物质燃气高效转化提值技术进行了深入研究。

公司成立至今一直重视知识产权的申请和保护，已获得国家专利局授权6项发明专利和5项实用新型专利。公司十分重视科研投入，与北京化工大学、中国农业大学、北京市环境保护科学院等大专院校和科研院所保持密切合作共同研发新技术，并合作申请十余项北京市、国家及国际科研项目。

公司不断探索污染物及废弃物无害化、资源化综合利用模式，努力为中国的环境保护和新能源行业的发展做出更大贡献。

地址：北京市丰台区马官营南路马官营家园1号楼1单元1502　邮编：100161　电话：010-57530159　传真：010-57530159　网址：www.lhcy.com.cn

证券代码：831166　证券简称：纳地股份

地址：江苏省吴江市平望镇中鲈生态科技工业园内
电话：0512-63150917
网址：www.cococasualfurniture.com

苏州纳地金属制品股份有限公司前身是由国内民营企业吴江市大地工艺金属制品有限公司与加拿大外商BEKA CASTING公司共同投资兴建的高档户外家具生产和销售的中外合资企业。公司由于发展需要于2014年2月28日进行企业性质的变更，变更为内资企业性质，股权也随之转让，公司注册资本为2960万元，座落于江苏苏州吴江区平望中鲈科技园内，公司占地90亩，厂房面积约3.5万平方米。目前纳地公司处于户外家具细分市场铸铝高档户外家具制造商国内前三名。已于2014年9月25日成功登陆新三板，股票名称：纳地股份，股票代码：831166。

本公司具有超过20年户外家具制造销售经验，并且公司在2000年开始专注于户外家具细分市场高档铸铝户外家具个性化小批量订单生产。公司经十多年摸索，借助ERP系统将整个产品设计、研发、生产以及销售过程进行整合，实现将个性化小订单标准化，规模批量生产，提高生产效率。目前这种个性化小批量订单生产高档户外家具的工厂在国内几乎是空白，而这种商业模式正是本公司区别与其他户外家具制造商的核心竞争力。所以公司销售增长迅速，前景甚为乐观。

公司投资人秦俭先生，同济大学国际MBA，从92年开始就从事于户外家具生产和销售行业，是一名有丰富的从业经验，在户外家具领域具有很高知名度的人士。公司管理团队主要人员稳定，都已在公司服务10年以上，积累了丰富的行业管理经验。

双强塑胶
SHUANG QIANG PLASTIC

生产区

大型可循环包装——围板箱

证券简称：华阳密封　证券代码：831020

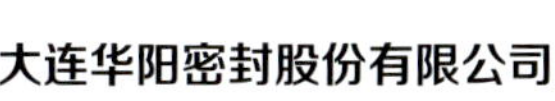

华阳鸟瞰图

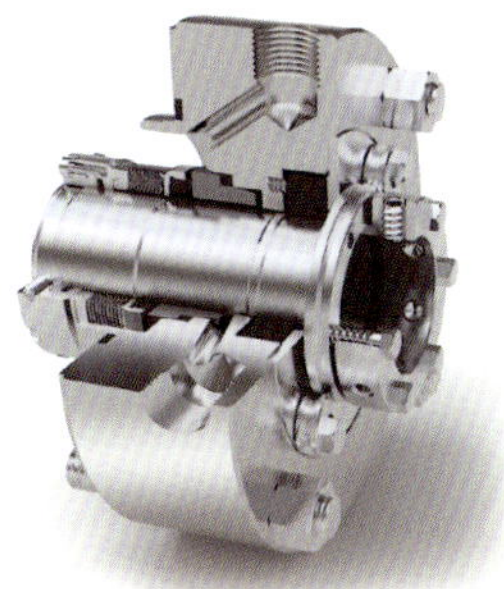

泵用密封

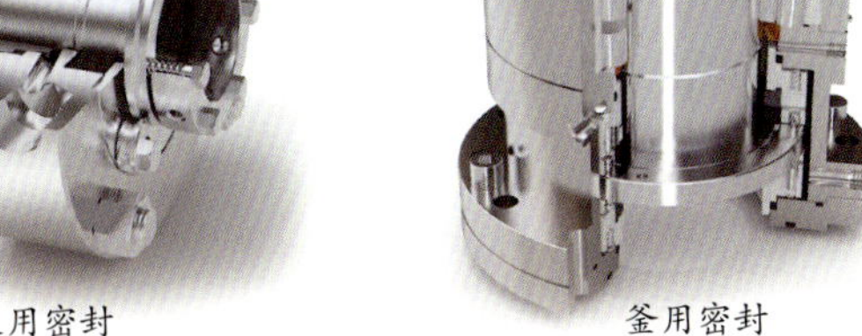

釜用密封

压缩机干气密封

大连华阳密封股份有限公司

地址：大连市甘井子区营旭路25号

电话：0411-66880000

传真：0411-66880066

网址：www.dlhuayang.com

邮箱：hy@dlhuayang.com

邮编：116036

2011年中石化首次高温泵密封国内外行业综合评比第1名

2011年中石油首次高危泵密封国内外行业综合评比第1名

2014年中石化首次压缩机高压干气密封国内外行业综合评比第1名

2014年8月成为国内首家挂牌的密封企业

大连华阳密封股份有限公司成立于2004年，是生产机械密封及辅助工程系统的专业公司，一期项目用地25000平方米。主要产品包括泵用密封、搅拌釜密封、压缩机干气密封、核级密封、干燥机密封、碳环密封及密封辅助系统等，产品广泛应用于石油、化工、造船、发电、食品、造纸、医药等行业，国内外客户超过600家。公司自主研发、生产的大型搅拌釜机封、压缩机干气密封等产品已经出口到欧盟、英国及中东市场，品质达到国际先进水平。

公司现有员工280余人，工程技术人员占100余人，其中高级职称8人，博士2名，硕士9名，主要技术人员均来自国际知名公司、国外留学人员以及国内重点院校。目前，公司拥有48项专利，4项发明专利，44项实用新型专利，3项国家级科技成果鉴定。

公司先后通过DNV ISO9001质量体系认证、美国石油协会API质量体系认证。现为辽宁省企业技术中心，中石油、中石化一级网络供应商，国家级高新技术企业。2011年，在中石油首次“高危泵机械密封厂家综合评比”中名列第一；在中石化首次“高温泵机械密封厂家综合评比”中名列第一。2014年，在中石化第二次国内外机械密封厂家综合评比中，泵用高端波纹管密封及压缩机用高压干气密封名列第一。

公司于2014年8月22日成功登陆全国中小企业股份转让系统，成为国内首家挂牌的密封企业。未来，华阳密封将继续执着于世界中高端密封领域，为民族工业做出自己应有的贡献！

天衡股份

股票代码：831489

湖南天衡儿童用品股份有限公司

佛山市天衡进出口有限公司

北京敲锤挂牌

挂牌交流会

上海展

天衡股份出旗下“湖南天衡儿童用品股份有限公司”及下属子公司“佛山市天衡进出口有限公司”组成。公司拥有3000多平方米办公空间、20000多平方米现代化生产基地，员工超过300人，年产量达5000万套件。

我们一直在追求完美：追求品质的完美，服务的完美，体验的完美；我们一直在制造的不是产品而是快乐，我们一直在创造的不是产品而是体验；我们致力给每一个人带来快乐和温馨……

天衡股份业务涵盖中高档毛绒、糖果玩具、儿童用品、家居用品以及相关的创意类产品等，作为一家经验丰富的研发、生产、销售型企业，企业具备业内一流的质量管理体系，并已取得玩具行业国际最高认证ICTI认证、食品行业国际最高认证HACCP认证、国际管理体系认证ISO认证等；服务的客户遍布全球，是迪士尼、雀巢、沃尔玛等国际巨头的长期合作伙伴；品牌价值和知名度均在国内同行业中处于领先地位。

助学湖南西岭小学

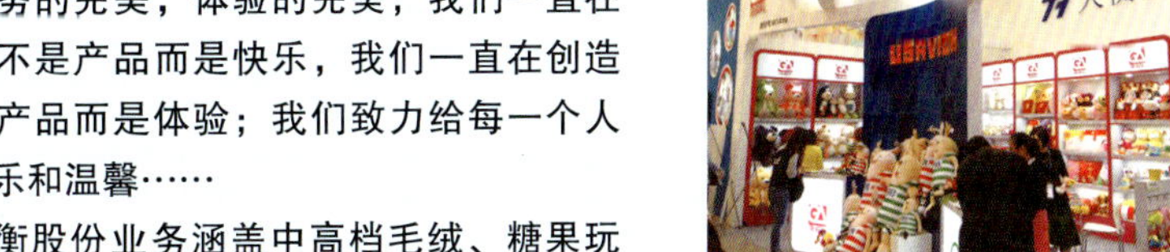

佛山天衡地址：广东佛山市南海区桂城区深海路17号瀚天科技城A区8号楼16楼

电话：0757-8128 7860　传真：0757-8128 9208　网址：www.tianhengkids.com

湖南天衡地址：湖南省衡阳市常宁市宜阳工业区工业走廊投资创业园A基地

电话：0734-7601668　传真：0734-7601669

华丽包装

证券简称：华丽包装
证券代码：831028

河南华丽纸业包装股份有限公司

地址：许昌市魏都民营科技园区北区宏腾路中段
邮编：461000
电话：0374-8564688　传真：0374-8564888
邮箱：hnhlpp@163.com　网址：www.hnhlpp.com

德为本，诚为先，信为天

务实，高效，创新

精细化管理，集约化经营，品牌化生存

质量为本，信誉为魂

华丽包装　让世界更精彩！

河南华丽纸业包装股份有限公司成立于1998年，是一家集纸板、纸箱及彩印等包装制品设计、制造、服务为一体大型综合包装企业。公司现拥有湖北华丽、陕西华丽、甘肃华丽、新疆华丽、河北华丽等多家全资子公司，是河南省包装行业规模最大、设备最齐全、技术最先进的包装企业之一。公司先后荣获“中国包装百强企业”、“中国纸包装50强企业”、“中国包装优秀品牌”等荣誉称号。现为河南省包装技术协会纸制品委员会主任单位，是中国包装联合会第七届理事会的副会长单位。2014年8月29日成功在全国中小企业股份转让系统挂牌。

公司拥有2.5米、2.2米、2米、1.8米等各种规格的全自动高速瓦楞纸板生产线，年生产各类纸板10.6亿平方米。拥有全电脑控制四色、五色印刷模切一体机和全自动粘箱机、覆面机、平压模切机及各种型号的高速自动钉箱机等成箱配套设备。建有设备齐全、功能完备的纸类及纸箱物理性能检测室、化学实验室，被授予省级“企业技术中心”，并通过了ISO9001国际质量管理体系、ISO14000国际环境体系认证。

公司以“始于客户要求，终于客户满意”为服务宗旨，坚持“品牌化生存，集约化经营，精细化管理”的发展道路。目前，公司与富士康、三星、美的、格力、海尔、冠捷、台湾统一、娃哈哈集团、蒙牛集团、中粮集团、徐福记、乐百氏、伊利乳业、今麦郎等众多知名品牌客户建立了长期稳定良好的业务关系。

华丽包装，让世界更精彩。公司本着“做包装行业最大最强”的发展目标，坚持“一业为主、多种经营、做强做精”的发展思路，在未来的经营中将陆续增加资本投入，力争在十二五末跻身全国纸包装前三甲。

华丽人愿携手天下朋友共同腾飞、共铸辉煌！

董事长：代建设先生

公司2014年在全国中小企业股份转让系统挂牌仪式

公司上市挂牌座谈会

百名豫商看华丽

河南省纸制品包装行业2013“华丽杯”职工技能竞赛

盛景科技

中国领先的智慧城市行业应用提供商

股票代码：831648　股票简称：盛景科技

苏州盛景信息科技股份有限公司是江苏省高新技术企业、省规划布局内重点软件企业，致力于成为中国领先的智慧城市行业应用服务提供商。拥有多项国家发明专利、高新技术产品、软件产品及软件著作权等自主知识产权成果，多次获得国家及省部级科技奖项。

经过多年的沉淀，盛景科技在社会管理、市政、燃气、人防、三维数字城市等众多行业领域形成了成熟的细分产品与专业的解决方案，业务遍及江苏、上海、陕西、山西、内蒙、辽宁、广东等省市自治区。

公司立足长三角，向全国辐射发展，期待更多的合作。

苏州盛景信息科技股份有限公司

地址：苏州工业园区金鸡湖大道1355号国际科技园一期111C单元
网址：www.mapscene365.com　电话：0512-65762930

证券简称：点点客
证券代码：430177

移动社交连接一切
我们扩展你的连接

我们提供多样化的产品，帮助企业更快捷的实现传统业务向移动互联网的迁移。

中国正经历一场由移动互联带来的深刻变革与进化。企业如何顺应时代的发展，将业务由线下转到线上，甚至是转到移动互联网，来更好的满足客户多元化的需求、提供更个性化的服务。

成立于2007年上海点客信息技术股份有限公司（点点客）专注于新型移动社交营销工具的开发，是目前国内顶尖的微信第三方开发服务商，也是以移动互联网产品形态为代表的新锐企业。同时，点点客也是国内该领域内唯一一家上市公司。

我们向企业提供一系列的标准化在线软件、客户端软件、嵌入式软件和服务器端软件，帮助企业更好的管理、运营自己的微信、微博、易信或者其他的社交软件账户，从而把传统的营销行为迁移到移动社交工具上来。

经过多年的发展，目前我们的业务范围已经囊括：微信营销软件（含通用版及行业版）、微信代运营，微信定制开发、微信硬件（微打印机、微wifi）、微博营销、易信营销、QQ空间营销及行业短信等，以更宽广的渠道将企业与客户连接在一起。

更好的兼容性、更便捷的操作性、更庞大的集中库、更直观的数据分析，其它同类型的公司都无法提供我们优秀的产品性能和优势，也无法提供如此多范围的多渠道平台营销解决方案。

点点客CEO黄梦

移动社交营销的
最佳拍档

上海点客信息技术股份有限公司
地址：上海市中山西路1065号
SOHO中山广场B座22F
热线：400-881-5150
网址：www.dodoca.com

企业简介

广东金源科技股份有限公司坐落于美丽的海滨城市—汕头市，是一家专业生产热塑性弹性体（TPE）及高档塑料日用品的生产型企业。公司拥有一支专业素质高、业务水平精湛的团队，并采用7S管理理念，竭诚为您提供最优质的产品、最便捷的服务。

本公司生产车间设计独特，并配有成套先进生产设备。所有产品由高级工程技术团队研发，集生产技术、质量监测技术为一体，努力为日用橡塑制品、电线电缆、电子电器、文具礼品、医疗器械、体育用品、机电工具等行业提供性能优越的热塑性弹性体（TPE），产品设计极具个性化、而且环保、卫生、可循环持续利用。其次，公司注塑项目致力于高档复合型塑料日用品的研究与开发，拥有先进的、配套齐全的注塑生产线。产品包括品种齐全的各类高档收纳制品、家居日用系列、保温、加热塑钢复合器皿系列等。公司提高生产能力的同时，注重产品研发和质量控制，产品以优美造型和优良质量赢得了新老客户的认同，同时，公司于2014年4月30日在全国中小企业股份转让系统（简称“新三板”）挂牌上市，正式进军多层次资本市场，促进企业健康、稳定、快速发展。

面向未来，我们力求在产品设计和质量上精益求精，以雄厚的实力、创新的活力，不断推动产品升级及管理升级，与广大国内外客户携手并进，共创辉煌！

金源科技二维码

广东金源科技股份有限公司
地址：广东省汕头市濠江区三联工业区华天富工业园
电话：0754-87352119 传真：0754-87352111
官方网站：www.kingreat.tm

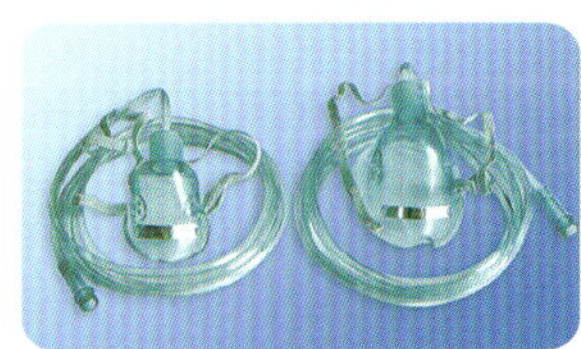

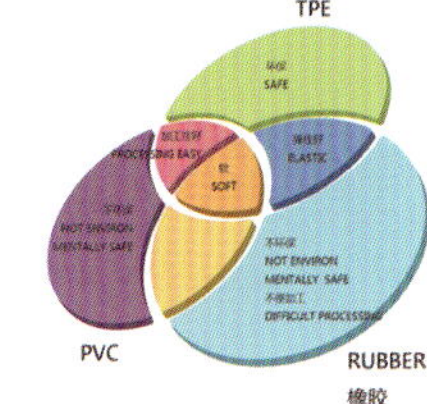

WHY NOT TPE?

北京赛德盛医药科技股份有限公司

Beijing CTS Co.,Ltd.

证券代码：831257　证券简称：赛德盛

引领临床研究平台型智力服务，打造创新医药生态圈
让生命科技最有效率的转化为服务人类健康的产品

北京赛德盛医药科技股份有限公司，是一家专业的医药开发综合外包服务公司，致力于为国内外医药企业提供系统、优质的临床研究全价值链服务，立志成为临床研究领域最具影响力的公司之一。北京赛德盛医药科技股份有限公司成立于2010年11月30日。公司注册资本金为1200万元。公司主要业务是为医药产品研发提供Ⅰ至Ⅳ期临床试验技术服务、数据管理、统计分析、注册申报等临床研究服务。

公司于2012年11月成立全资子公司北京赛姆欧医药科技有限公司，公司主要业务是临床试验现场管理工作（SMO），接受客户委托，赛姆欧将临床试验现场管理技术人员派往各研究中心，经过培训并通过研究者的委托授权，协助研究者处理临床试验的部分日常工作。公司于2013年7月成立全资子公司北京鼎晖思创医药研究有限公司，主要业务是临床试验的专业技术培训和质量管理工作，主要接受制药企业、研究者中心或其他公司的委托提供临床试验领域相关的各类培训及质量管理工作。

赛德盛秉承“尊重产品、尊重客户、尊重团队”的经营理念，公司技术人员均熟悉ICH-GCP、SFDA-GCP及国内外法规要求，具有丰富的国内外临床研究执行及管理经验，其中核心技术人员均具有3年以上国际多中心临床研究经验。赛德盛充分发挥人才优势，严格遵循国际化标准操作规程，密切关注客户需求，全力打造临床试验全产业链的系统性服务体系，充分发挥对制药企业的全面价值。

经过几年的快速发展，公司于2014年取得中关村高新技术企业认证证书和国家高新技术企业认证证书。公司与政府相关部门以及300多家医疗机构（药物临床研究机构）建立了良好的合作关系，积累了丰富的国内外临床研究执行及管理经验，形成了完整的标准化管理和质量控制体系。同时，公司充分发挥人才优势，熟悉ICH-GCP、CFDA-GCP及国内外法规要求，严格遵循国际化标准操作规程，密切关注客户需求，为客户提供高效的医药研究服务。

Z-Park
中关村高新技术企业

地址：北京市朝阳区东西环中路 58号远洋国际中心C座 1801　网址：www.ctsmed.com
电话：010-8586 6744　传真：010-8586 6376　邮箱：hr@ctsmed.com

森达电气

Senda Electric

福建森达电气股份有限公司
地址：福州市仓山区金山大道618号鼓楼园11座
电话：0591-83747388（8025）　传真：0591-83745335
邮箱：guiyun.xie@fjsenda.com　网址：www.fjsenda.com

证券代码：831406　证券简称：森达电气

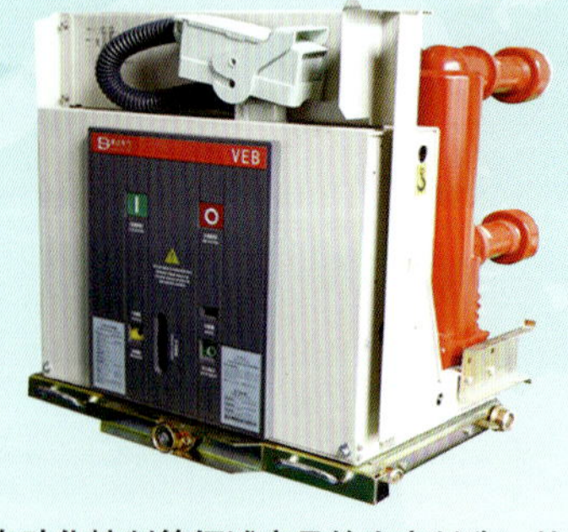

福建森达电气股份有限公司成立于1995年，专业从事城乡电网工程、建筑配电行业、工业电气自动化控制等领域产品的生产制造，其中多项产品已获得省级名牌或国家专利，是一家集科研、开发和制造于一体的“高新技术企业”和“创新型试点企业”，是原机械工业部和电力工业部整顿验收合格定点企业和国家经贸委公布城乡电网建设与改造推荐企业。公司至今与多家科研院所及优秀电气企业有良好、密切的技术合作关系，并设有“企业技术中心”、“专家工作站”和“企业科协”等科研机构，是福建省电器行业技术开发基地唯一协作企业及福建省模具行业技术开发基地合作企业，是国际电气巨头ABB、Schneider公司合作联盟成套厂或合作伙伴。公司凭借着自身的实力、优良的信誉和优秀的产品品质，获得了：中国电工电器制造业500强、福建省著名商标、福建省名牌产品、福建省质量管理先进企业、福建省知识产权试点企业、福建省品牌100强、福建工业效益300佳、福建省用户满意产品、AAA信用等级企业、守合同、重信用单位、劳动保障守法诚信单位、劳动关系和谐企业、标准化成果奖、科学进步奖、产品质量奖、优秀新产品奖、市知识产权示范单位、市知名商标等众多荣誉。

2014新三板优秀企业LOGO汇展

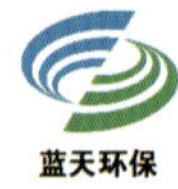

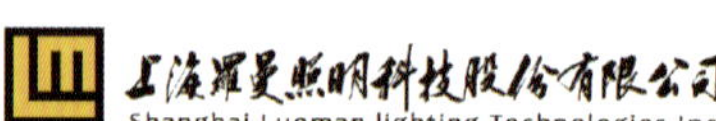

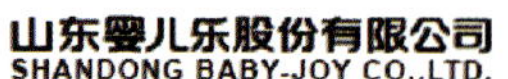

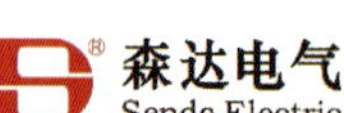

第四章　全国中小企业股份转让系统优秀机构汇展

第一节　优秀挂牌企业选介

【430002】中科软科技股份有限公司

中科软科技股份有限公司依托中国科学院雄厚的人才优势和领先的科研成果，十几年来一直活跃在中国行业信息化建设的前列，是一家集行业解决方案设计、自主软件产品开发、大型行业应用软件开发、系统集成与服务、技术支持和培训于一体的综合性高科技股份制公司。

公司成立于1996年，2000年10月经国家经贸委、财政部和中国科学院批复改制成为股份有限公司，现有注册股本21200万股。2006年1月，公司进入中关村科技园区非上市股份有限公司代办股份报价转让系统，成为首批新三板挂牌的两家企业之一。

长期以来公司本着踏实稳健的企业作风，诚信务实的经营理念，在业内树立了良好的公司信誉和品牌形象，企业信用等级达到AAA级，并获得了中关村企业信用等级最高级ZC1级、纳税信用A级。公司是"国家规划布局内的重点软件企业"、软件百强企业、中国创新软件企业，国家高新技术企业。

公司已获得ISO9000、ISO14000、ISO18000质量体系认证证书；通过了SEI CMMI L5评估。获得工信部计算机系统集成一级资质、工信部信息技术服务运行维护证书、涉及国家秘密的计算机信息系统集成甲级资质、涉及国家秘密的计算机信息系统集成资质（软件开发单项）、建筑智能化工程设计与施工壹级资质、安防工程企业资质（壹级）等多种资质。

公司业务以大型行业应用软件开发及系统集成为核心，涵盖了软件产品的各个层次，经过多年的发展，现已扩展至财产保险、人寿保险、银行领域、政府领域、媒体领域、邮政领域、公共卫生、能源领域、民航领域、呼叫中心、国际合作等10余个应用领域，并在保险、政务及医疗卫生领域形成领先优势。

【430051】北京九恒星科技股份有限公司

北京九恒星科技股份有限公司（NSTC）是一家软件产品及互联网信息技术服务的提供商，致力于通过互联网信息技术的应用，帮助企业改善现金流；在金融机构与企业之间架起桥梁，让企业的资金流更加顺畅。

公司成立于2000年，注册资本8485.5万元，于2008年实行股份制改造；2009年在全国中小企业股份转让系统挂牌，股份简称"九恒星"，股份代码"430051"；2012年在中国深圳证券交易所发行中小企业私募债，证券简称"12九恒星"，证券代码"118009"。

九恒星是国家双软和高新技术企业。公司通过了ISO9001质量管理、ISO27000信息安全、CMMI软件能力成熟度L3认证。在上海、深圳及多个省市设有分子公司及办事处，作为资金管理软件及其互联网增值服务市场的领先者，是目前业内与商业银行总行级接口最多的平台供应商。

企业愿景

· 成为受公众尊敬的资金管理软件及IT服务领先企业

经营宗旨

· 为客户提供优质的产品和咨询服务

经营理念

· 诚信、公正、创新、有序

质量方针

· 产品安全、实用、稳定、精进

· 服务专业、及时、真诚、严谨

安全方针

· 信守合同、遵守法规、保护资产、业务连续

核心技术

九恒星拥有自有知识产权、自主品牌、自主核心技术的资金管理系统产品，截至2015年1月，九恒星共拥有101项软件著作权、3项发明专利（专利号：ZL03101959.5、ZL200910090697.5、ZL200910243447.0）、13项商标注册权、2项网站名称注册、1项经营许可、2项无线网址注册、3项信息名址注册。

公司客户/合作伙伴

九恒星资金管理软件目前已为国内外四百余家以上企业客户成功应用，包括财务公司、集团企业、金融企业、政府、公共事业及小贷公司，分布于能源、钢铁、煤炭、有色金属、建筑、电力、通讯、机械、汽车、交通、贸易、流通、军工、环保、金融、政府及公共服务企业等诸多行业，是目前国内拥有资金管理客户群数量最多的软件供应商。

公司产品

九恒星智能资金管理平台N9、N6、N3系列产品是专注于企业的资金流、结算、资金调度和运作管理、风险控制的管理信息系统，强调对企业资金流的控制，侧重于加强和完善资金在企业的内部循环，调剂余缺、放大效益。

九恒星集团财资管理G6产品，以现金流为主线，全面管理集团企业收入、支出、筹资、投资业务，通过银企互联接口实现和多家商业银行对接，并通过丰富的ERP接口，与其他系统实现数据交互，实现了与其他系统的全面信息集成与共享。

九恒星商业智能解决方案I8可以协助企业改进管理流程和工艺，以量化数字为决策准绳，精细化管理，提升企业的

决策能力和水平，有效规避风险，并获取最大收益。而 I8 通用平台产品是一整套商业智能软件开发的基础功能模块及支持工具。

九恒星不仅为集团企业、金融企业、公共服务企业提供全方位的资金管理解决方案，同时还与国内外多家商业银行、合作伙伴合作，为集团企业、金融企业、公共服务企业提供与多家商业银行进行银企直联的解决方案，以及与其他软件系统（如 ERP 系统、财务软件系统、资金预测分析系统、商业银行信贷系统和票据系统、外汇系统、BPM 系统等）的专用接口解决方案。

· N9：特大型集团企业、大型财务公司
· N6：大型集团企业、中小型财务公司、新批筹财务公司
· N3：企业
· G6：集团企业
· I8：集团企业、金融机构
· 小贷信息管理系统：政府监管机构及小额贷款公司
· 公共事业收费系统：公共服务性企业
· 中国电信客户群体系列产品：中国电信集团客户
· 中国移动客户群体系列产品：中国移动集团客户
· 九恒星金在平台：集团企业、财务公司

【430074】北京德鑫泉物联网科技股份有限公司

北京德鑫泉物联网科技股份有限公司（股份简称“德鑫物联”，股份代码“430074”）成立于 2004 年，是专业从事物联网 RFID（包括智能标签、非接触智能卡、双界面智能卡）生产、应用及个性化全面解决方案（设计、工艺、原材料、读写器、产品及咨询）的高新技术企业。主营产品为包括全自动 RFID inlay 生产设备及机器人与视觉自动化设备的高端智能装备。公司技术实力雄厚，致力于技术创新、工艺积累，申请了 26 项专利核心技术，并蝉联 2010 与 2011 年德勤高科技、高成长中国 50 强、亚太区 500 强。

公司拥有完全自主知识产权的全自动 RFID Inlay 生产线已经成功应用于国内外身份证、驾驶证、电子护照、公交卡、金融、物流、制造等重要领域，力求在行业内做专做强！2008 年，公司顺利通过 ISO9001：2000 国际质量管理体系认证，并依此建立了质量管理体系，公司秉承“企业诚信、技术革新、服务快捷”的经营理念，在实践中不断完善和发展，为中国 RFID 及自动化设备产业贡献自己的绵薄之力！

【430075】北京中讯四方科技股份有限公司

北京中讯四方科技股份有限公司（以下简称“公司”）成立于 2005 年 9 月 23 日，注册资本 6850 万元，信用等级 A 级。公司是一家具有自主研发能力，专业从事声表器件、微波组件/模块、微波系统集成的国家高新技术企业。产品广泛应用于移动通信、雷达、北斗导航、电力、物联网及消费类电子等领域。目前公司拥有多项发明专利，实用新型专利和集成电路布图设计专有权等。2010 年 11 月，公司登陆中关村“新三板”市场，股份代码 430075。

登陆“新三板”后，公司通过资本运作，不断整合行业资源，引进高端人才，在软、硬件方面加大投入力度，先后成立了南京微波组件/模块生产基地和河北高端声表器件生产基地，2014 年 5 月，公司成功并购深圳华远微电科技有限公司，至此，中讯四方已成长为国内一流声表面波技术专家。

公司一直秉承“实业报国、从芯做起、激情进取、追求卓越”的创业宗旨，专注于行业技术创新，为广大客户和股东持续创造价值，以实现社会、环境及利益相关者的全面发展。未来，公司将始终致力于相关实业领域的发展，努力将中讯四方打造成非硅芯片领域的民族品牌和相关产品系统集成方案一流供应商。

【430092】北京金刚游戏科技股份有限公司

北京金刚游戏科技股份有限公司的前身是北京易生创新科技股份有限公司。北京易生创新科技股份有限公司 2001 年 9 月成立，注册地北京。主要研发、生产和销售计算机系统维护及数据安全产品。主要的产品有以增霸卡为代表面向公共机房的计算维护管理产品，以及蓝芯防毒卡为基础面向公共机房的计算维护管理产品。2011 年，公司被认定为高新技术企业，拥有多项专利和软件著作权。2011 年 6 月 21 日正式在全国中小企业股份转让系统挂牌，成为新三板挂牌公司。2013 年 5 月，公司对北京金刚游科技有限公司进行 100% 股权收购，公司主营业务转型为网络游戏和移动游戏的开发和运营为主。公司拥有自主知识产权的游戏引擎和多款自主研发的游戏产品，例如页游产品《剑踪》、《魔兽王座》，手游产品《我在西游当房东》、《龙珠》等，同时还代理运营手游产品，如《罪恶之城》等。2014 年 7 月 25 日董事会选举李柳军为公司新任董事长。2014 年 10 月完成工商变更，公司名称正式变更为北京金刚游戏科技股份有限公司，法定代表人李柳军，注册资本 2000 万。2014 年 11 月 6 日在全国中小企业股份转让系统中证券简称正式变更为金刚游戏，证券代码不变。

公司凝聚了一批富有创新游戏设计理念的研发团队和营销经验丰富的运营团队，目前拥有员工 150 人左右，90% 以上具有本科及以上学历，员工富有创造力，学历层次高，秉持着“精益求金，百炼成刚”的研发理念，立志制作国人引以为傲的民族网游。

游戏引擎，在游戏开发中的重要性，相当于汽车制造业中的汽车发动机。游戏的效率、表现效果、内容玩法、图形渲染与算法等，这些都是依靠引游戏引擎来支撑的，它支撑起游戏整体的架构和外在表现力；好的游戏，除了有策划、美术、程序团队的支持外，引擎是游戏开发的基础，是游戏产业链的最上层。只有在优秀的引擎支持下，才能做出优秀的游戏。而游戏引擎开发具有技术难度大、投资大、人才稀少、持续性开发时间长等瓶颈。而北京金刚游科技有限公司，潜心三年，研发出拥有国内自主知识产权的金刚引擎。金刚引擎提供了游戏开发所需要的各种编辑器，包括引擎的场景编辑、模型编辑、动画编辑、粒子编辑等等功能，游戏设计师可以借助于这些工具，大幅度提高工作效率和品质。金刚 3D 国产引擎目前已经达到世界领先水平，代表了国产引擎的最高水平，填补了国内这个领域多项技术空白。

《剑踪》是公司耗资千万，历时三年，打造出的真 3D 仙侠网页游戏。《剑踪》完美融合了韩国游戏的华美，欧美游戏的底蕴、日本游戏的软萌、国产游戏的酣畅淋漓，问鼎世界 3D 网页游戏巅峰。

《魔兽王座》（原名：弑之神）是由公司金牌游戏制作团队耗时四年，倾心打造的一款基于西方魔幻背景的国际化 3D 网页游戏。产品荣获了“2013 年度（第十届）中国游戏行业年会最受期待网页游戏”奖和“2013 中国原创网页游戏峰会最受期待网页游戏”奖。

《我在西游当房东》是公司研发的一款手机游戏。是国内首款2D横板九宫格即时战斗游戏。游戏结合了休闲游戏的清新、诙谐无厘头的创意与酷炫的即时战斗,适合厌倦了回合制与反复推图的玩家,是喜欢卡通风格的轻度手游玩家的必玩游戏!

自主研发的手游产品《龙珠》和代理的手游产品《罪恶之城》都是拥有IP授权的产品,拥有广大的用户基础。

公司注册所在地北京市东城区属于中心城区,场地局限性大,发展文化创意产业是东城区既定的政策,中关村科技园雍和园也把发展游戏产业作为园区规划的重点之一。

中关村科技园雍和园在此产业升级机遇和挑战并存的背景下,提出了东城区未来3—5年的游戏产业发展新思路:以核心技术聚集产业。通过核心技术来建立游戏公用开发平台,利用游戏公用开发平台来打造一个以文化内容创新设计开发为主导的北京游戏产业孵化基地,从而推动中国游戏产业的升级并抓住产业升级的机会,让游戏的高端产业落地北京,带动地方经济的发展。

在中关村科技园雍和园的规划、监督与指导下,在已有成熟的金刚游戏引擎核心技术基础上,重点解决引擎技术产业化问题,通过开放引擎技术,可以形成游戏产业:以引擎技术为核心,以美术、创意策划设计指导、程序模块、测试等为支撑的技术共享平台。从而推动和实现游戏开发的产业化分工与资源共享。让有限的资金投入于游戏产品的设计与创意。从而改变了传统的游戏开发生产模式,与国际接轨。平台服务于国内几千家中小游戏开发团队,对其中优秀的项目及团队政府,再辅以办公场地物理平台、政策、资金等方面的支持进行孵化,必将带动一大批中小企业的成功,从而推动了中国游戏产业链的升级与竞争力。

在未来几年,公司在致力于深化3D图形引擎技术开发等相关环节工作的同时,也将加大游戏产品的研发和运营的力度,创造北京网络游戏产业的领导先锋作用。

【430119】北京鸿仪四方辐射技术股份有限公司

北京鸿仪四方辐射技术股份有限公司成立于2003年,是一家利用非动力核技术为客户提供辐射加工技术服务的高新技术企业,公司于2011年完成股份制改造并整体变更为股份有限公司,控股方为北京市射线应用研究中心;于2012年4月18日成功在中关村股份报价转让系统挂牌,成为我国辐射加工服务领域第一家登陆资本市场的企业。证券代码:430119,证券简称:鸿仪四方。公司于2012年7月首次发行中小企业私募债券,成为我国首批获准发行中小企业私募债券的企业之一;于2013年4月正式进入全国中小企业股份转让系统。

鸿仪四方拥有国内领先、国际先进水平的拖轨式和悬挂链式γ辐照装置各一座,总设计装源能力为700万居里,独立建有百级无菌实验室,已通过ISO9001、ISO13485和日本药事法认证,并且公司已在美国FDA官方网站上登记备案。

鸿仪四方主营业务为辐射加工技术服务。已进行辐射加工的产品包括药品、食品、医疗用品、调味品、保健品、包装材料、宠物食品及动物饲料、辐射接枝改性材料等12大类1000余种,涉及的客户总数超过1000余家,年辐射加工的产品总量超过3万吨,作为北京市最大的辐射加工服务基地,鸿仪四方为首都北京及其周边地区的公共医疗卫生事业做出了应有的贡献,企业在行业中的影响力不断增强。

鸿仪四方先后被认定为国家级高新技术企业和中关村高新技术企业;是“北京中关村企业信用促进会”会员和中关村“瞪羚重点培育企业”;是中国同位素与辐射行业协会“行业认证合格单位”“全国食品辐照加工信誉单位”和“理事单位”;被北京市知识产权局批准为“专利试点合格单位”;曾荣获通州区“企业自主创新奖”等表彰。

理念:发展辐照技术,为民造福

地址:北京市通州区工业开发区广利街18号

电话:010－61509640

传真:010－69573338

网址:www. hysf. com. cn

【430135】北京三益能源环保发展股份有限公司

北京三益能源环保发展股份有限公司于2006年5月成立,2012年9月成功登陆中关村新三版(国家高新技术园区股份有限公司股份报价转让系统),股票代码:430135,股票简称三益能环。公司致力于生物质能源的发展与废弃物资源化的利用,向客户提供市政污泥与餐厨垃圾资源化处置、市政与工业污水处理的系统解决方案以及新农村区域循环经济商业模式。

公司可提供的服务模式包括EPC(设计—采购—施工),BT(建设—移交),BOO(建设—拥有—经营),BOT(建设—运营—移交),TOT(移交—经营—移交),POT(购买—经营—转让)等。

公司是国家高新技术企业、中关村高新技术企业、丰台区专精特性企业、AAA资质认证、ISO9000和ISO14001认证。公司是北京市科委生物质能源技术创新联盟理事单位,科技部生物质能源产业技术创新战略联盟的常务理事单位和城市生物质燃气产业技术创新战略联盟的理事单位、北京市新能源与可再生能源协会的副理事长单位,中国农村能源行业协会、中国沼气学会、中国生物发酵产业协会的会员单位。

在技术研发领域,公司参加了建设部组织的国家标准《大中型沼气工程技术规范》(GB/T50163－2014)的编制、北京市农业局组织的《大中型沼气工程实用技术教程》动漫培训教程的指导。到目前为止,公司先后承担过了北京市和丰台区科技项目。已获得授权专利19项,公司先后获得北京新能源与可再生能源行业贡献单位、北京市技术市场第十二届金桥奖集体三等奖励、北京市技术市场第十三届金桥奖集体二等奖励。

公司围绕核心业务领域,与多家科研院所、高等院校、国外著名环保公司建立了长期稳定的合作关系,在不断加强自身技术实力的同时,积极引进最新技术,公司与德国、瑞士等的公司进行了项目合作,公司通过不断地提高服务质量和产品附加值,与客户间的试行—反馈—修正,实现企业稳步健康发展。

公司的精神:诚信、效率、创新、快乐。

公司的使命:用我们的知识与经验,改善人类的生存环境,并在社会活动中实现我们的人生价值,社会价值。

公司的文化理念:善待自然,赢得未来。

【430152】北京思创银联科技股份有限公司

北京思创银联科技股份有限公司(简称思创银联),是一家于2004年底诞生于中国硅谷——中关村园区的高科技企业。经过多年的发展,公司团队已经从初创时的3人发展到100余人,公司净资产增长40倍达到8000多万元,年销售额超过亿元。

思创银联自成立以来,紧紧围绕着电子银行自助设备系统和第二代居民身份证银行应用系统这两个热点,研发了大量的产品和解决方案,这两个产品的市场份额都在60%以上,获得业界广泛认可。多年来思创银联为工总行、建总行、农总行、中总行和交行五大国有银行,以及光大、中信、北京农商、青岛等40余家商业银行和地方性银行;为中信、银河、国泰等10余家证券公司,以及中国人寿、中国移动、中国联通等行业大客户,提供了多种相关解决方案、产品以及服务,由此建立起长期稳定的客户关系并得到客户的一致肯定。同时,思创银联也和包括Microsoft、HP、IBM、Lenovo在内的IT业巨头,公安部第一研究所、大唐电信等国内大型科技公司建立了战略合作伙伴关系,并有着广泛且深入的合作。2008年思创银联作为亚太地区唯一的公司参与了微软Windows 7Embedded的TAP开发计划。思创银联的专业能力获得了国际顶尖公司的认同。

思创银联的产品和服务在获得客户和合作伙伴肯定的同时,公司的发展也受到来自媒体和资本市场的关注。目前公司已经获得来自风险投资和私募基金的两轮融资,并于2010年底完成股份制改造。这不但为思创银联积累了雄厚的资金,也通过引入战略投资人为公司积累了更加深厚的社会资本,使得公司向着最终走向公开资本市场迈出了坚实的一步。2013年8月思创银联第一款基于互联网SaaS服务——亦群协作云平台,立足金融领域向互联网、移动互联网服务企业华丽转型。思创银联是中国领先的金融智能终端系统提供商,是北京"祥云计划"核心成员,北京云基地联盟企业。

这些年来的风风雨雨使我们认识到,追求卓越的目的是感动客户,真诚的服务才能为客户创造价值。在此基础上我们才能实现个人身份信息,金融、商务移动个人终端及服务领域第一品牌这一远大目标。

【430177】上海点客信息技术股份有限公司

我们提供多样化的产品,帮助企业更快捷的实现传统业务向移动互联网的迁移。

中国正经历一场由移动互联带来的深刻变革与进化。企业如何顺应时代的发展,将业务由线下转到线上,甚至是转到移动互联网,来更好的满足客户多元化的需求、提供更个性化的服务。

成立于2007年上海点客信息技术股份有限公司(点点客)专注于新型移动社交营销工具的开发,是目前国内顶尖的微信第三方开发服务商,也是以移动互联网产品形态为代表的新锐企业。同时,点点客也是国内该领域内唯一一家上市公司。

我们向企业提供一系列的标准化在线软件、客户端软件、嵌入式软件和服务器端软件,帮助企业更好的管理、运营自己的微信、微博、易信或者其他的社交软件账户,从而把传统的营销行为迁移到移动社交工具上来。

经过多年的发展,目前我们的业务范围已经囊括:微信营销软件(含通用版及行业版)、微信代运营,微信定制开发、微信硬件(微打印机、微wifi)、微博营销、易信营销、QQ空间营销及行业短信等,以更宽广的渠道将企业与客户连接在一起。

更好的兼容性、更便捷的操作性、更庞大的集中库、更直观的数据分析,其他同类型的公司都无法提供我们优秀的产品性能和优势,也无法提供如此多范围的多渠道平台营销解决方案。

我们重新界定了移动社交营销的范畴,为我们的客户增加了更多价值。

根据对移动社交营销的深入研究,我们提出四步阶梯法和CABS马车法则以帮助企业驾驭于网上接触消费者并提高客户粘性的复杂课题。而通过提供同类最佳的产品、扶持服务和思想领导力而为移动社交的优化制定了标准。

经过近年来的快速发展,我们目前已积累了数十万企业用户,近30套版本全面覆盖各个行业,而且每周更新每月迭代,现在正不断推出智能语义分析、优惠券手扫码等创新功能……

此外,我们也拥有22项知识产权、37项技术储备、与全球200多个国家和地区的电信运营商合作、旗下拥有14家分公司及办事处及近300名员工……在微信营销软件乃至于移动社交领域都处于绝对的领先地位。

我们设立了北京研究院,并主动定义移动社交领域的最新发展,不断扩展"可能性"的定义。不断各个移动社交平台公司沟通探讨,密切把握市场走向的脉搏。我们应对那些会对移动社交营销产生影响的变化,以便企业能够专注于自身业务。

我们希望通过不懈的努力,提供优质的产品及卓越的客户体验,不仅解决移动社交营销的复杂性,还跨越多个渠道、最广泛的出现在潜在客户们的眼前。

移动社交连接一切,我们扩展你的连接。

地址:上海市中山西路1065号SOHO中山广场B座22F
热线:400-881-5150
网址:www.dodoca.com

【430196】北京宣爱智能模拟技术股份有限公司

北京宣爱智能模拟技术股份有限公司(以下简称:宣爱智能)有限公司成立于2003年6月23日,股份公司设立于2012年11月8日,2012年12月26日新三版挂牌,证券代码:430196。宣爱智能是一家专注于提供智能机器人教育装备及其云服务的专业供应商。宣爱智能的产品主要涉及教育行业中智能学习的智能教学机器人、基于云服务的传感器网络及智能终端产品,为世界各地教育机构及专业网络拥有者提供硬件设备、软件、服务和解决方案。目前主要服务对象是机动车驾驶培训机构和交通安全研究的科研院所,是从事驾驶培训领域《安全驾驶智慧服务体》系统解决方案的研发、生产、销售、服务及《SimCloud 模云》云服务的高新技术企业。

安全驾驶智慧服务体(简称:安驾服务体)是由《汽车驾驶智能模拟训练中心》(简称:模拟中心)和《中国汽车教育网》(又称:SimCloud 模云)两部分构成的生产性服务项目。安驾服务体既是应用智能机器人配合实车完成驾驶人安全驾驶技能训练的施教平台,又是基于车联网的大数据为驾驶人提供终身汽车生活服务的云平台。

地址:北京市海淀区上地三街9号嘉华大厦C座1110号
电话:010-51666656
传真:010-62964413
电邮:liushihua@bjxa.com
网址:www.bjxa.com

【430209】北京康孚科技股份有限公司

北京康孚科技股份有限公司成立于1994年7月，是注册于北京市中关村科技园的高新技术企业，2012年6月顺利完成了股份公司改制，2013年1月22日在全国中小企业股份转让系统成功挂牌，证券代码为430209，简称：康孚科技，注册资本4500万元。

康孚科技总部位于北京市海淀区清华同方科技广场B座10层，拥有1000余平米自有产权写字间，下设综合管理部、财务会计部、市场销售部、系统集成部、施工安装部、技术研发部、采购物流部、生产制造部、质量管理部、售后服务部，在北京市昌平区崔村镇南庄路拥有近10000平米的自控系统装配调试及新产品研发中试基地。2013年8月康孚科技在天津蓟县经济技术开发区设立全资子公司——康孚（天津）净化空调有限公司，购买45亩工业用地建造了20000余平米的现代化空调设备生产厂房。

康孚科技是一家专业提供建筑物室内热环境、室内空气品质和建筑节能自控集成解决方案的自主品牌企业，核心技术融入了建筑物通风空调技术、自动控制技术和计算机信息集成技术，在建筑环境与节能领域实现了机电技术的无缝对接。主营产品包括组合式空气处理机组、中央空调制冷自控系统、建筑物能源管理与控制系统。公司还针对特定工艺需求，提供定制空调及自控系统集成工程服务，包括立体高架库恒温恒湿通风空调系统、烟叶库集中通风除湿系统、焊装车间集中烟气净化系统、冷却塔与冷水机组联合供冷节能系统等。

康孚科技建立了完善的质量管理体系、环境管理体系和职业健康安全管理体系，拥有建筑业机电设备安装工程、建筑智能化工程专业承包资质，获得了国家质量监督检验检疫总局颁发的空调制冷设备工业产品生产许可证，2008年入选国家发改委、财政部备案的节能服务公司名单，2010年被列入中关村科技园区快速发展的五星级瞪羚企业。

康孚科技主营产品及相关服务已广泛应用于烟草、生物制药、医疗、汽车、电子、航空、大型公共建筑等行业，希望与新老客户携手谱写康孚科技新篇章！

地址：北京市海淀区王庄路1号清华同方科技广场B座十层C号

电话：010－82390088

传真：010－82390086

电邮：ye81378@163.com

网址：www.cn-comfort.com

【430214】上海建中医疗器械包装股份有限公司

上海建中医疗器械包装股份有限公司创始于1988年，自建立以来建中矢于研制广泛的软性包装系列。特别是对医疗器械的纸塑及铝箔包装，为业界提供了实用的方案及经济的价位。超前的服务和安全性的研究使得企业逐步走而壮大。尤其是提出灭菌后保护的理念深得客户认同。二十年来建中做了非凡的努力，将来亦是如此。建中为用户提供的各种专业理念及无微不至的服务将给您信心的保证和相信建中的理由。

建中企业经过多年的潜心经营，被评为上海市医疗器械诚信企业和上海医疗器械名优产品以及中国优秀企业和上海市包装四星级企业，产品由中国包装联合会授予灭菌包装的中国名牌产品，并参与医疗器械行业对灭菌包装标准的制定。特别是企业拥有医用包装的中华人民共和国卫生部市场准入许可批件、上海市卫生局生产卫生许可、美国食品药品管理FDA510K的市场准入批准及欧盟CE、EN ISO 13485等认证证书。

建中企业将遵循"以安全为理由、以质量求生存、以新品拓市场、以信誉交朋友"的企业宗旨，尽最大的努力创造一个更完美更专业的包装世界，使建中成为您合格的战略合作伙伴及可信赖的朋友。相信建中能在不断进取和持续改进中，适应市场，适应日益高涨的产品要求，力争进入世界医用包装的前沿。

地址：上海浦星公路789号漕河泾出口加工区16幢

电话：021－54315666

传真：021－54315801

邮箱：lqh1543@163.com

网址：www.sh-jz.cn

【430238】上海普华科技发展股份有限公司

上海普华科技发展股份有限公司（下称"普华科技"）是专业项目管理整体解决方案著名提供商，是中国项目管理信息化建设领域的领导企业。自1992年成立至今，一直致力于项目管理及相关事业，努力将国外项目管理先进理念与国内管理特色相结合的最佳实践经验应用并普及到所有项目活动中，提供全面的项目管理服务和信息化解决方案。公司2013年初整体改制，设立了股份有限公司，2013年7月4日成功在全国中小企业股份转让系统挂牌（证券简称：普华科技，证券代码：430238），倾注了创业者二十年心血的期待和梦想终成现实，并将以此为契机，进一步优化资产结构，构建新的利润增长点，提高产品研发能力和资本运营水平，为成为一流的、专业级的项目管理解决方案领导企业而努力拼搏！

普华科技定位于中国项目管理信息化先驱者和推动者，从2000年开始，普华科技凭借多年来积累的丰富项目管理实践经验，将业务扩大至项目管理相关的其他业务，主要包括项目管理咨询、项目管理整体解决方案提供、项目管理IT实施服务和项目管理教育培训，以保证为客户的项目管理提供全方位的服务。

公司多年被评定为"国家规划布局内重点软件企业"、"上海市高新技术企业"、"上海市明星软件企业"。普华科技的整体项目管理信息系统PowerPiP和PowerOn分别为项目的甲方和乙方从不同的管理角度进行全面地管理和诠释，其灵活地应用性全面覆盖众多行业领域、企业规模和成长阶段。目前有超过2600家企业选择了普华的产品和服务，有超过3500个用户在使用普华的产品和服务，有超过30000人接受过普华的培训。经过多年积累，近三年来企业业务突飞猛进，2013年营业收入达到9300多万元，营业利润2000多万，并力争实现每年20%左右增长的营收目标。

公司总部设于上海，目前的服务网络已经覆盖全国26个省市，在上海、北京、黑吉辽、山东、陕西、四川、湖北、湖南、江苏、浙江、广东、河北等地设有18家分子公司。普华科技本着"诚信、务实、创新"的企业宗旨，以"演绎纯正的项目管理"为所有员工的专业追求，以客户需求至上，为客户提供全面的项目管理服务，为中国企业的项目管理之崛起而奋斗！

地址：上海市浦东新区向城路58号东方国际科技大厦24层A座

电话:021 - 68406841,4006406840
传真:021 - 68406611
邮箱:info@ powerpms. com
网址:www. powerpms. com

【430253】北京兴竹同智信息技术股份有限公司

北京兴竹同智信息技术股份有限公司(证券简称:兴竹信息。证券代码:430253)成立于2006年,是国家级高新技术企业,北京中关村三星级瞪羚企业,已通过ISO9001认证、CMMI3级认证、软件企业认证,曾获"电力信息化国产化推进先锋"、"电力信息化标杆企业"、"中关村高成长企业TOP100"、"中关村软件行业创新示范百强企业"等荣誉称号。公司于2013年7月23日在全国股转系统挂牌,注册资本5375万元。

公司长期致力于为电力、煤炭、新能源为主的能源行业企业提供信息化解决方案,积累了丰富的行业经验与大量的成功案例,培养出经验丰富、技术过硬、人员稳定的咨询团队和技术团队,已研发了多项自主软件产品和自有的集成应用技术开发平台、移动应用平台。公司以信息化推动工业化发展为己任,立足于客户需求、结合互联网技术和移动技术的应用,不断帮助客户提升管理品质和效益,实现公司与客户的共同发展。

公司秉承"实·卓"的企业精神,积极创新,勇于开拓,在做精品产品、精品项目、精致服务的同时,愿与业界同仁携手共创美好未来。

地址:北京市海淀区上地十街辉煌国际大厦1号楼20层
电话:010 - 58842588
传真:010 - 58842586
电邮:xzdm@ xz-soft. com
网址:www. xz-soft. com

【430263】北京蓝天瑞德环保技术股份有限公司

北京蓝天瑞德环保技术股份有限公司始建于2001年,是国内最早专注于供暖与制冷BOT投资、合同能源管理、新能源开发及利用和污染治理的高新技术企业。

公司于2013年7月22日正式新三板挂牌(股票名称:蓝天环保;股票代码:430263),成北京行业首家上市企业;同时完成北大企业家俱乐部1024万的定向增发和2000万的私募发行工作。

公司注册资金7331.43万元,目前在职职工超300人,年产值过2亿元,已形成供暖与制冷规划、设计、销售、施工、改造、运营、BOT产业链一体化。成功运营政府机关、驻京部队、酒店、写字楼、住宅小区等50多个项目,合作伙伴包括国家博物馆、国防大学、西国贸大酒店以及恒大、金地、世贸、富力、金科等,北京地区运营面积已超600万平方米。

公司具备机电安装工程施工总承包贰级、建筑装修装饰工程专业承包贰级、市政公用工程施工总承包叁级、特种设备安装改造维修许可证——锅炉(2)级、压力管道(GB2-2级、GC3级)等多项施工资质,北京市供热协会副理事单位、北京市特种设备行业协会会员,拥有20项完全自主知识产权的节能技术,其中10项获得国家专利证书。

公司下设客服中心、供暖服务部、技术部、工程部、运营部、采购部及市场营销部等13个部门,随时根据客户需求,提供高效的客户服务和解决方案。2009年即通过并严格执行ISO9001质量管理体系、ISO14001环境管理体系及GB/T28001安全管理体系认证,明确服务质量标准,为客户提供"全程无忧"主动式客户服务,获得用户一致认可。

公司使命:承载蓝天绿地梦想、引领人类品质生活。
公司愿景:成为世界级的节能环保服务供应商。
质量方针:追求卓越、造福社会、奉献精品、关爱生命。
核心价值观:质量为本、客户为友、真诚合作、共同发展。
地址:北京市石景山区鲁谷路35号冠辉国际大厦11层
电话:010 - 88202956
传真:010 - 88204950
电邮:nosc_2008@ 163. com
网址:www. ltgrn. com

【430274】天津重钢机械装备股份有限公司

业务范围:公司是一家以生产非标机械装备和高端钢制品为主的企业,主要产品有港口机械、矿山机械、造桥机械、索道设备等大型连续搬运装备以及起重机械、冶金设备、压力容器、环保设备和船舶舾装件等产品,

经营业绩:2014年上半年公司实现主营业务收入102,043,451.25元,同比增长17.87%,归属于挂牌公司股东的净利润7,484,750.30元,同比增长831.89%。截至2014年6月30日,公司注册资本7560万元,总资产3.4亿元,手持订单近1.6亿元。

主要荣誉:2011年获得全国"安康杯"竞赛优胜企业;2011年被市科委认定为"天津市科技型中小企业";2010年被天津市高新区管委会评为"十一五百优科技型中小企业";2012年被天津市滨海新区总工会评为"工会工作先进集体";2010年被评为"五个好企业党组织";2013年被评为"滨海新区和谐劳动关系示范企业"和"天津市最佳雇主企业";2014年4月,公司的"大型高效物料装卸搬运装备技术"获天津市中小企业"专精特新"产品(技术)认定;2014年被评为天津市重合同守信誉单位。

截至2014年上半年末,公司持有有效专利114项(其中,发明专利14项,实用新型99项,外观1项),新申请一项发明、四项实用新型专利,已获得受理。

企业文化

TZME的灵魂

为更多的愿意劳动的人提供就业机会,让员工率先过上幸福生活。让世界高端客户多使用中国人制造的非标机械装备。

TZME的产品是有灵魂的(坚持不懈地将企业的灵魂注入到制造的产品中)

TZME生存理念

我创造,所以我生存。

务实高效,保持与众不同的优势。

有积极的心态,才有积极的人生。

TZME作风

敢打硬仗,善打硬仗,计划管理,团结协作,顽强拼搏,快速反映,奋勇争先。

TZME价值观

以人为本,员工是最宝贵的资源。员工与企业之间不是博弈的关系,也不仅仅是利益共同体的关系,而且是命运共同体的关系。

价值定位:人的价值高于物的价值;共有的价值高于个体的价值;用户的价值高于生产的价值;企业的社会价值高于企业的利润价值。

TZME 螺丝钉精神

任何时候都以认真、踏实、兢兢业业的态度对待工作,一丝不苟、精益求精,最大限度的做到最好。这就是"螺丝钉"精神。通俗讲就是找准位置,钻进去,持久的拧在那里的精神。

TZME 安全观

对于价值而言,生命是最宝贵的;对于效益而言,安全是第一位的。事故是完全可以避免的。

TZME 营销观

公平竞争、诚实守信、遵守合同、赢得信誉。

客户效益第一,本公司效益第二。

有灵魂的产品是会说话的(承载着灵魂的产品一定会走向世界)。

TZME 质量观

追求卓越品质,创造完美产品。

制造不合格的产品,就是不合格的员工。

没有挑剔的顾客,只有不完美的产品。

TZME 服务观

主动的、不推卸责任的、顾客满意的服务。

把方便让给别人,把困难留给自己。

越是挑剔的客户,越是我们真正的买主。

地址:天津市滨海新区塘沽厦门路 139 号

邮编:300459

电话:022－25214991

传真:022－25211535

网址:www. tzme. net

【430348】北京瑞斯福高新科技股份有限公司

北京瑞斯福高新科技股份有限公司(以下简称为瑞斯福股份公司),前身为北京瑞斯福科技有限公司,注册成立于 2003 年 10 月 27 日,2013 年 10 月 30 日实现新三板挂牌上市(代码 430348)。经过十年的发展,已经成为一家集轨道交通机车车辆关键零部件的研发、生产、销售为一体的高新技术企业。

瑞斯福公司总部位于北京,拥有两个现代化的轨道交通配件生产基地,分别位于山东淄博和天津蓟县。公司先后通过了三大类十余项产品的铁路行业生产资质认证,并多个铁路车辆生产企业确认为重点配件供应商。

公司秉承"专注质量,做优做强"的经营理念,立足于传统铸锻产品,大力发展新型摩擦材料产品,逐步推进高分子复合材料技术和粉末冶金技术的开发和应用。打造国内领先、国际一流的优质品牌,立志成为轨道交通领域摩擦材料产品领军企业。

莫邪利剑,千锤百炼;力拔山河,非一日之功。企业文化的凝练是公司长期建设发展的砺炼和积沉,而企业文化的升腾和巩固,正展现出一个企业的发展后劲和强大生命力。在日趋激烈的市场竞争中,生存充满生机发展更为紧迫,瑞斯福独特的企业文化就是今后生存发展竞争图新的重要支撑。

一、RSF 的宗旨

RSF 的宗旨是:RSF 立志成为轨道交通领域摩擦材料产品领军企业。

RSF 为全球性用户服务。RSF 的事业域为铁路机车车辆领域用摩擦材料,其核心事业域为制动摩擦类产品。

二、RSF 的价值观

RSF 的价值观是:为顾客创造价值,与员工共同成长,为社会作出贡献。

RSF 的价值观充分地体现在她的社会责任上。对 RSF 来说,其存在价值在于,通过全体 RSF 人的努力,遵循"以顾客为关注焦点"的原则,RSF 要成为她所有用户的朋友,互利互惠,共同发展,实现企业资源价值最大化;员工和 RSF 一起成长,实现理想,RSF 与员工共荣辱,要使每个员工为自己是 RSF 一员而自豪;RSF 要为中华民族的繁荣和昌盛,地球村文明进步与发展作出自己的奉献。

三、RSF 的企业精神

RSF 的企业精神是:至诚忠信,协力同心,知人善任,卓越创新。

企业精神是企业员工精神世界的结晶,是企业员工在长期实践中形成的一种共识的简洁表达。RSF 的企业精神表明,全体员工团结一致,梳理群体意识,增强凝聚力,形成企业活力,适应市场变化,不断创新发展的综合表现。

至诚忠信:对领导,对同事,对客户诚实不虚,忠实守信;对工作,对问题,对错误正直感言,勇于承担。

协力同心:上下一心,团结一致,同舟共济,不仅同事之间,部门之间,员工和公司之间也要达到这种和谐一致的默契。

知人善任:了解和掌握员工的特点,并将其合理的安排到相应岗位上工作,尽量发挥员工的工作特长,人尽其材。

卓越创新:革除陈弊,大胆创新,始终追求最完美最卓越的品质,力求将瑞斯福发展成行业第一,打造出世界级的品牌。

四、RSF 的口号

RSF 的口号是:以人为本,以技立业,以质取胜!

企业口号是企业宗旨、企业价值观、企业精神的升华。

RSF 口号表明,RSF 是一个优秀人才的集合,优秀的企业人才是 RSF 发展的动力源泉,同时,RSF 的发展也注重把员工利益作为出发点和落脚点;

RSF 产品满足顾客要求,是通过不断地提升产品技术含量,提高技术创新力度,创造出先进高端的最有价值的产品,同时,RSF 的员工在不同的岗位上都拥有各自的一技之长,精艺强能,提升企业的综合竞争力;

RSF 品牌拥有良好的市场口碑,离不开优异的产品质量,质量水平的提升,才能造就市场业绩的辉煌,同时,全员质量意识的增强,工作质量的提升,可以推动树立良好的企业文化,建立优秀的管理体制,使企业健康可持续发展。

【430357】上海行悦信息科技股份有限公司

上海行悦信息科技股份有限公司(证券简称:行悦信息,证券代码:430357)是主营业务为酒店客房数字多媒体系统平台产品的研发、销售和连锁酒店数字多媒体信息的运营的高新技术企业。公司拥有酒店互动系统,数字媒体装置等多项专利发明,获得多项国家认证。公司坚持自主研发,结合市场客户的个性化需求,能全方位给酒店提供网络、视频、无线上网和电商平台的综合解决方案,并在平台上开展运营。公司通过自有专利技术,创造了融终端设备、内容集成、渠道运营为一体的平台式酒店智慧电视系统。通过酒店互动电视、互联网和手机移动终端，为商旅人士提供尽情享受旅途中的欢乐、便利和高效的全方位信息服务，为包括娱乐、生活、购物、出行、住宿等服务贡献价值。

公司为锦江、如家、铂涛、维也纳、速 8 等多个酒店集团提供专业的产品和服务，拥有近百万间的签约房量。公司已经成为中国各大连锁酒店集团的重要合作伙伴。

地址：上海中山西路 1525 号技贸大厦 5 楼

电话：021 – 64470088

传真：021 – 24197968

电邮：web@ yeah – media. com

网址：www. yeah – media. com

【430363】上海上电电机股份有限公司

上海上电电机股份有限公司是一家专业设计和制造高效节能电机，以及与高端装备配套特种电机的先进制造企业。公司拥有极强的技术创新能力、稳步增长的市场份额和良好的经营业绩，凭借着机制体制的灵活高效、管理的优势和市场挤占能力，在行业细分市场处于领先地位，具有较高的成长性。从 2006 年至今连续被评定为“上海市高新技术企业”。

公司的管理层成员大多具有领导行业领先企业的经历，拥有丰富的行业管理经验。公司董事长曾任上海电机行业协会会长，其他管理层成员在各自主管的专业领域内均有较深的造诣。公司的技术带头人是业内顶尖的技术专家，多次荣获国家级、市级科技进步奖。公司的技术团队具有极强的电机研发和创新能力，设计生产的电机性能优越，能效指标领先于国内水平。

2013 年 12 月 23 日，公司已获准在全国中小企业股份转让系统挂牌，为进一步发展拓宽了融资渠道，成功进入资本市场势必推动企业未来更快、更好地发展。

公司主要从事交、直流电动机的研发、制造及销售。主要产品有 YE3 超高效率电机、YX3 高效率电机、YB3 高效率隔爆电机等全系列低压电动机，YXKK、YX 等全系列高压高效、标准效率及变频电动机，产品广泛应用于电站、钢铁、造纸、水利、矿山、石化、建材、橡胶、市政建设等领域。

近年来在外部经济形势持续低迷的情况下，公司的经营业绩稳中有升。公司根据国家的产业结构导向进行了产品升级，并投资建设新的制造基地，用于制造大型高效高压电机以及技术领先产品。公司提升了管理，推进了信息化系统在企业生产经营全过程中的应用，提高了生产和管理效率。

地址：上海嘉定兴文路 1200 号

电话：021 – 64301556

传真：021 – 64637180

邮箱：info@ shsd-elec. com

网址：www. shsd-elec. com

【430376】青岛东亚装饰股份有限公司

青岛东亚装饰股份有限公司（以下简称“公司”），现为中国建筑装饰协会常务理事单位、山东省建筑装饰协会副会长单位，是一家拥有建筑装饰装修工程专业承包一级，建筑装饰工程专项设计甲级，建筑幕墙设计与施工一体化壹级，钢结构工程、机电设备安装工程、建筑智能化工程、园林古建筑工程专业承包资质为一体的专业化装饰企业。公司先后被评为“全国守合同重信用企业”，“全国优秀施工企业”，“全国信用评价 AAA 级信用企业”，“青岛市专业承包十强企业”等荣誉，连续 11 年跻身“全国装饰百强企业”。

近年来，公司深耕青岛本地市场，并积极开拓外埠市场，不断提升精细化管理水平，盈利能力持续增强。2013 年实现营业收入 65，021. 20 万元，同比增长 29. 34%；实现净利润 1，861. 83万元，同比增长 241. 28%；净资产收益率 33. 66%。

打造装饰经典，永续品牌发展，公司多次荣获“鲁班奖”、“国家优质工程奖”等国家级荣誉，连续十三年蝉联“全国建筑工程装饰奖”，被评为“全国建筑工程装饰奖星级明星企业”。

建精品工程，筑完美空间，东亚装饰先后承接第二十九届奥运会帆船中心，青岛国际机场，青岛大剧院，国家深海基地，国家海洋实验室，世界休闲体育大会，青岛世界园艺博览会接待中心、世园大厦等众多国家、省、市标志性项目。在国内多个省市设有分支机构，承建了西藏日喀则市政府办公楼、新疆卷烟厂、吉林延边州政府办公楼、南京江宁广播电视中心等大型工程，连年被青岛市建管局授予“开拓外埠市场十强企业”。

公司秉承“为客户提供优质服务、为员工创造幸福生活、为社会实现最大回报”的核心价值观，广泛与各界合作共赢，和谐发展，努力打造一个“用户满意、员工自豪、业界尊敬、国内知名”的装饰品牌。

【430383】江苏红豆杉生物科技股份有限公司

一、基本概况

公司名称：江苏红豆杉生物科技股份有限公司

法定代表人：龚新度

成立日期：2004 年 2 月 20 日

股份公司设立日期：2012 年 6 月 27 日

注册资本：25，000 万元

组织机构代码：758456212

所属行业：农业（根据《上市公司行业分类指引》（2012）），行业代码 A01；农业-其他园艺作物种植（根据《国民经济行业分类》（GB/T4754-2011）），行业代码 0149

2014 年 1 月 24 日于全国中小企业股份转让系统挂牌，并获得 2014 年中国区最佳股转系统挂牌项目奖。

二、业务范围

红豆杉的主营业务为红豆杉种植及其绿化、药用和保健功能产品的研发、生产与销售。

公司立足于红豆杉绿化和抗肿瘤药物两大产业，产品涵盖红豆杉盆景园艺、园林绿化和紫杉醇抗癌药物几个领域。另外，为有效延伸红豆杉产业链，公司开发了与红豆杉综合利用有关的保健相关产品。

三、经营业绩

截止 2014 年 6 月，公司实现营业收入 9，416. 50 万元，较上年同期增长 0. 84%；营业成本 4，369. 34 万元，较上年同期减少了 4. 95%；净利润 3，057. 60 万元，较上年同期增长 3. 79%；资产总额 67，277. 27 万元，较上年度增长 4. 18%；经营活动现金净流量净额 4，794. 91 万元，相对于上年同期增加 360. 54%。

四、企业文化

企业愿景：红豆杉综合利用的世界领跑者

核心价值观：诚信、创先、奉献、卓越

企业使命：拥有健康、享受生活

五、其他

住所：无锡市锡山区东港镇港下（红豆工业城内）

邮政编码：214199

董事会秘书：邓婉秋

联系电话：0510－66868298

电子邮箱：dwq@ yew. cn

互联网网址：http://www. yew. cn

【430406】广东奥美格传导科技股份有限公司

广东奥美格传导科技股份有限公司（简称：奥美格，股票代码：430406），成立于2006年，前身是"东莞市大朗大通电线厂"，"东莞市昊通电线电缆有限公司"。2012年公司更名为"广东奥美格传导科技股份有限公司"。公司先后获得了市民营科技企业、省民营科技企业、高新技术企业等荣誉；2014年成功登陆新三板，2015年1月完成股权激励机制，现股本1650万。

奥美格是专业生产新能源电动汽车电缆及配套配件的实业型公司，员工人数约150人，拥有大型生产车间3个，是目前全国新能源传导类产品行业地位领先企业。从2009年开始，研发团队致力于新能源汽车线缆的开发工作，现阶段在新能源汽车高压线、充电枪连接线产品上拥有技术、市场、认证方面的壁垒。2014年公司新能源电动汽车传导类产品完成销售额2519万，成为新能源电动汽车传导类产品国内市场占有率第一的公司。2015年1月，为更有效利用和掌握资源，奥美格与哈尔滨理工大学签约产学研合作协议，致力于新能源电动汽车线缆材料研发项目。

奥美格：绿色创新，造福人类！

【430417】苏州良才物流科技股份有限公司

苏州良才物流科技股份有限公司，成立于1998年，十几年来风雨兼程，一直执着于对物流包装容器的研发与生产，本着绿色环保的理念，旨在提高物流流通的效率化、再利用化、减资源化。专业设计开发生产各类标准化物流周转箱，电力、图书、服装等行业专用物流箱、大型围板箱、托盘、铁制料架、防护包装、特种包装，根据客户需求，"良"体"才"衣，打造更适合于客户的产品与设计方案。

公司总部雄峙于瑰丽秀美的苏州工业园区阳澄湖畔，占地面积30亩，厂房面积3万多平方，旗下另有4家子公司专业生产注塑、吸塑等产品，辐射苏州园区、苏州新区、长春、广州等地，从而提供本地化的生产和服务，在武汉、成都、天津、郑州、青岛也设有办事处，为当地的客户提供更优质文化，为每位员工提供更好的发展平台，并在能力、职位和待遇上得到不断提升。

苏州良才物流科技股份有限公司，荣获省级高新技术企业、拥有省级工程研发中心、江苏省著名商标、中国物流技术装备业十大创新品牌和十大用户满意品牌、通过ISO9001、ISO14000体系认证，拥有各项专利几十项，技术水平达到国际先进水准，跻身于同行业之首。

企业沿革

·1998

公司在苏州新区留学人员创业园注册成立。

·2003

公司搬迁到苏州工业园区扬清路38号板泾工业区。

·2004

注册成立了苏州良才新材料有限公司，从事高分子抗静电化学覆膜原料研究与生产，以及真空吸塑成型制品的生产。

·2005

良才科技正式迁址苏州工业园区瑞华路8号，并进军物流包装领域。

同年成立了苏州良才塑胶有限公司，从事注塑制品的加工以及流通用周转箱的生产与加工成型。

·2007

整体进军物流包装领域，提供全套的物流包装专业化服务，从前期的物流咨询到后期的产品包装设计制作，提供整套的物流包装解决方案。

·2008

从事物流诊断与物流规划咨询的服务，并致力于中国物流包装标准化的推进。

·2009

致力打造物流平台技术的打造，提供全方位的物流服务。

·2011

正式更名为"苏州良才物流科技股份有限公司"。

·2013

公司搬迁至新厂房，位于阳澄湖畔富泽路20号，占地30多亩，进军物流包装领头行业。

·2014

公司在北京新三板市场成功挂牌上市。股票代码：430417

【430422】上海永继电气股份有限公司

公司成立于2002年，前身为上海永继电气有限公司。公司2014年1月在新三板挂牌，股票代码：430422。目前旗下有温州创伟永吉电气有限公司、温州创伟永吉贸易有限公司、上海欣洲电气有限公司和浙江永继电气有限公司。公司注册资本9000万，集团总资产近3.5亿人民币。公司是上海市高新技术企业、上海市科技小巨人培育企业、上海市专利工作试点企业。公司注重管理和技术创新，产品定位于全球高端市场，拥有先进的检测和装配设备，制造工艺精湛。断路器、漏电断路器、塑壳断路器等系列产品拥有自主知识产权，已累计申报国家专利72项，其中发明专利13项。

公司以断路器为核心的产品结构；做强做大国际OEM、ODM市场，逐步开拓国内市场并拓展自主品牌；加强各子公司间的战略协同和专业化能力塑造。以"技术创新和规模化定制能力"为突破口打造企业长期核心竞争力，以集团化运作能力构建、供应链管理体系优化、营销管理能力提升、战略性人力资源体系建设为重点保障，充分借助公司上市优势，走产业经营和资本经营互动发展之路。

业务范围

公司是全球断路器专业供应商，专注于为全球5大断路器品牌提供以ODM为主服务。是一家集科研、制造、加工、贸易于一体的多元化科技型企业。主要生产小型断路器、漏电断路器、塑壳断路器和隔离断路器等9大系列产品62个种类。公司的产品定位于全球高端市场，并通过欧共体CE、德国VDE、美国UL、法国NF、南非SABS、马来西亚SIRIM、印度尼西亚SNI、韩国ERI、瑞典S、荷兰KEMA、芬兰FI、波兰B、阿根廷IRAM及CB等产品安全认证和中国CCC以及ISO9001、ISO14001、GB/T28001综合管理体系等诸多认证体系的严格认证,产品的技术指标达到国际先进水平。

企业文化:

企业使命:“绿色智能电器生活”;

企业愿景:“全球断路器专业供应商”;

企业价值观:“诚信、谦逊、创新、致远”。

【430424】北京联合创业环保工程股份有限公司

北京联合创业环保工程股份有限公司前身为北京联合创业环保工程有限公司,于 2008 年成立,2014 年挂牌新三板。目前注册资金 1000 万元。公司分别于 2010 年和 2011 年被评为国家高新技术企业和中关村高新技术企业。

公司目前具有环保工程专业承包叁级资质,主要从事环境保护和新能源等方面的工程建设。在环境保护领域,公司一直致力于环境污染治理、污水处理厂建设及设备安装、固型污染物综合治理与利用等方面不断研究创新,尤其在高浓度有机废水处理方面进行深入研究,并充分利用新技术、新材料在污水治理项目上屡创佳绩。在新能源领域,公司主要从事生物质秸秆气化集中供气和沼气工程项目,并对生物质燃气高效转化提值技术进行了深入研究。

自成立至今公司一直重视知识产权的申请和保护,已获得国家专利局授权 6 项发明专利和 5 项实用新型专利。公司十分重视科研投入,与北京化工大学、中国农业大学、北京市环境保护科学院等大专院校和科研院所保持密切合作共同研发新技术,并合作申请十余项北京市、国家及国际科研项目。

公司不断探索污染物及废弃物无害化、资源化综合利用模式,努力为中国的环境保护和新能源行业的发展做出更大贡献。

地址:北京市丰台区马官营南路马官营家园 1 号楼
1 单元 1502

电话:010 - 57530159

传真:010 - 57530159

邮编:100161

网址:www. lhcy. com. cn

【430441】英极软件(大连)股份有限公司

英极软件(大连)股份有限公司成立于 2000 年 10 月 18 日,公司坐落于中国北方最为开放、最具活力的港口城市——大连,并地处于大连国家级高新技术产业园区。优越的地理位置,良好的自然和人文环境,雄厚的人才基础,政府的积极支持和国内先进的软件园区,为英极软件(大连)股份有限公司发展软件产业提供了良好的条件。

英极软件(大连)股份有限公司是一家专业从事互联网大型应用软件开发和系统集成的高科技企业。项目主要涉及证券、外汇、期货、电子银行、个人信贷等金融系统,金融门户网站,财务系统,邮件系统,大型门户网站,手机游戏,GOLF 俱乐部系统等各个领域;另有财务处理中心,呼叫中心(Call Center),IT 支持(及运营中心)等 BPO 合作业务;同时教育事业和人才派遣也已经起步,正在逐步壮大。

公司自成立以来,以其独特的经营理念、国际化的管理体制,先进的人才战略方针,富有激情与创造力的领导团队,吸引了国内外众多的有识之士。经过六年的发展,公司现有员工 200 多人,他们都是 Java/C/C + + /Perl/PHP,Unix/Linux/Windows/Mac 等领域具有五年以上经验的技术专家,技术水平居国际前端,行业开发经验丰富,出口创汇从最初的 110 万人民币增加到 5000 万人民币,6 年多来累计出口创汇超过 1 个亿,成为对日外包行业中的佼佼者。

2010 年,英极软件联手 EMCOM HD 和 YAMAT 共同打造中国无锡软件外包服务基地——英脉特信息技术(无锡)有限公司,初期投资 336 万美元。英脉特的成立将大大提高英极在中国软件外包市场的竞争力。

地址:中国辽宁省大连高新技术产业园区火炬路 32 号
创业大厦 B 座 26 层

邮编:116023

电话:0411 - 8475 - 3511

传真:0411 - 8475 - 3577

邮箱:coorp@ edgesoft. cn

网址:www. edgesoft. cn

【430445】仙宜岱股份有限公司

广东仙宜岱时装有限公司创立于 1997 年,位于军埠工业区,占地面积 18000 平方米,是一家集设计、生产、销售、服务为一体的内衣专业生产企业拥有先进生产设备近 1000 台(套)、30 多条流水线及先进的检测仪器,年产量超 600 万件。公司推出的健康调整型系列内衣产品,覆盖了国内 98% 以上的重点市场,畅销美国、日本、韩国、马来西亚、中东及欧盟等 20 多个国家和地区,深受海内外客商的青睐,注册商标“XZYD”已在境外多个国家注册成功。

公司秉承“以人为本,科技兴业”的经营理念,注重企业文化建设和形象树立,十几年来,企业凭借孜孜不倦的拼搏精神和服务广大消费者的坚定信念,在激烈的市场竞争中不断发展壮大,先后通过了 GB/T24004 - 2004ISO 14001:2004 环境管理体系认证和 GB/T19001 - 2008/ISO 9001:2008 质量管理体系认证,荣获“世界知名品牌”、“广东省著名商标”、“名优服装品牌”和“光荣纳税户”等称号,并有多项内衣产品获得国家专利证书,未企业的快速发展奠定了坚实的基础。

回首过去,展望未来,我们坚信:经过全体仙宜岱人与合作伙伴地不断努力,“仙宜岱(XZYD)”品牌内衣将迎来它更辉煌的明天!

地址:普宁市军埠镇山家工业区

邮编:515322

电话:0663 - 2355666

传真:0663 - 2355777

电邮:xzydgf@ 126. com

网址:WWW. XZYD. CC

【430447】湖南广信科技股份有限公司

湖南广信科技股份有限公司,是一家集超特高压绝缘纸板、交直流变压器绝缘成型件研发、制造为一体的创新性企业。公司汇集了中国绝缘纸板和成型件生产制造技术精英,现有员工 280 人,其中技术人员 84 人。

公司实施 ISO9001/ISO14001/OHSAS18001 质量、环境、安全三体系综合管理;生产线实行 6S 管理和清洁生产管理。现有的超/特高压绝缘纸板生产线两条,生产幅面 3200X4200、2100X4200mm,产品厚度 0. 8 ~ 12mm,年产能 10000 吨,产品执行 IEC60642-3-1 标准;

变压器绝缘成型件生产线装备先进、齐全,产品涵盖角环、异形件、结构件、静电屏蔽和整体出线装置等全系列;可生产1100kV及以下电压等级的各型交、直流油浸式电力变压器绝缘成型件约1000台套/年。产品执行IEC标准和先进国家标准。

公司的变压器绝缘纸板和绝缘成型件品牌享誉全球,产品畅销国内外。

公司建有省级技术中心,配备有国内同行业最先进、齐全的试验与检测的设备和仪器,不仅用于公司内部的研发、试验和检测,同时为同行业和变压器厂家提供相关的技术服务。

公司以振兴国家绝缘产业为己任,致力于绝缘材料和绝缘成型件的技术提升和开发,并与国家重点院所和重大用户建立有产学研用技术创新体系。公司现有授权专利50多项,其中发明专利7项,并持续开展群众性技术革新和创造,正在向绝缘材料的新领域迈进。

地址:湖南省邵阳市新邵县酿溪镇东西路8号

邮编:422900

电话:0739-3601566;0739-3603366

传真:0739-3603966

电邮:hngxkj@126.com

网址:www.gx-ei.com

【430451】深圳市万人市场调查股份有限公司

深圳市万人市场调查股份有限公司成立于2001年10月,是专业从事市场研究咨询服务的研究型公司。公司自成立以来,始终坚持"以服务顾客为中心,以顾客满意为宗旨"的经营战略,以国际知名同业机构的行业规范和研究技术为标准,结合先进的专业技术和行业咨询服务经验,以规范、守信、保密、中立为原则,为客户提供高质量的市场调查与咨询服务。

经过十多年的发展,目前已经发展成为广东地区知名的研究型公司,并在部分研究领域处于国内领先地位,如"医疗行业服务质量评估调查""政府绩效评估调查""满意度研究""零售商业研究""工业地产研究"等。目前,公司已经成为深圳市众多政府机构指定的研究智囊,如卫生系统连续十年的质量评估调查、连续七年的文博会统计与评估等。

公司主要研究类型包括:政府与社会公共服务研究、政府绩效评估、政府政策研究评估、文明城市测评、服务研究(如顾客满意度研究)、消费者研究、产品研究、品牌研究、渠道研究、市场竞争研究、细分市场(模型)、传媒广告效果等研究。

公司控股的子公司"徐州市万人市场调查有限公司"拥有专业坐席30个,其目标是成为江苏地区最大的市场研究公司。目前,公司业务已经覆盖国内各级城市,具有全国范围的调查操作能力。

公司是国内第一家登陆资本市场的市场研究公司(股票简称:万人调查,股票代码:430451),预计公司将在未来的几年,在资本推动下,迈入发展的快车道。万人公司的战略目标是在未来的九年,成为国内服务领先、研究专业、布局合理、实力雄厚、规模较大、品牌一流的调研集团;成为国内最具投资价值的市场研究机构。

地址:广东省深圳市福田区八卦三路88号荣生大厦406室

邮编:518029

电话:0755-25844582

传真:0755-25844583

网址:www.wanren.com

【430465】贵州东方世纪科技股份有限公司

贵州东方世纪科技有限责任公司成立于2000年3月,现注册资金3750万元。2013年9月27日,整体变更为股份公司。2014年元月24日,在"新三板"挂牌,成为第一批全国扩容企业、贵州省第一批挂牌企业。

"东方科技"主要从事防汛抗旱指挥系统、山洪灾害防治非工程措施项目、水情测报系统、大坝安全监测系统等水利信息化项目的咨询设计、开发建设和运行维护等业务,是专业从事防洪减灾服务的高新技术企业、省级创新型企业,是贵阳市洪水预报调度工程技术中心的支撑单位。

作为高科技公司,东方科技长期以来十分重视项目产品的研发,公司现拥有软件著作权12项,专利权14项(其中发明专利3项),资质许可12项,同时正在申请专利17项(其中发明专利7项)。

东方科技用户分布全国六个省份,工程近百个,我们通过自己的服务和产品,为水库的预报调度、安全防洪、资源调度提供准确的预报信息和决策依据,为大坝正常运行、水库运行管理及安全评价提供科学依据,为各级防汛部门及时提供各类防汛信息,为防汛决策和指挥抢险救灾提供有力的技术支持,增加防灾减灾的能力。

未来我们将继续秉承"诚信为本、质量第一、用户至上、专业创新、共同发展"的基本原则,为水利信息化建设服务,为计算机和信息产业尤其是水利行业的数字化建设做出卓越的贡献,努力成为全国领先的水利信息化服务企业。

公司基本原则:诚信为本、质量第一、用户至上、专业创新、共同发展

地址:贵州省贵阳市宝山南路27号

邮编:550008

电话:0851-5626860

传真:0851-5601201

网址:www.ssking.com

【430477】芜湖盛力科技股份有限公司

芜湖盛力科技股份有限公司是芜湖盛力制动有限责任公司通过股份制改造设立的民营股份制企业,注册资本3200万元,2014年1月成为芜湖市首批在"新三板"挂牌企业,证券名称:盛力科技;证券代码:430477。

公司位于芜湖高新技术产业开发区,占地150亩,具有年产500万只汽车、工程机械制动元器件的生产规模。公司为国家火炬计划重点高新技术企业、国家级知识产权优势企业、安徽省创新型企业、安徽省守合同重信用单位、安徽省劳动保障诚信示范单位、安徽省诚信企业。

公司主要经营的产品有汽车及工程机械气制动元器件、真空助力器和液压制动湿式元器件十几个系列400多个产品,公司属原中国汽车工业公司定点生产汽车制动元器件的专业骨干企业,系全国汽车零配件双百推展工作委员会成员单位,先后加入中国重型汽车集团、安徽江淮汽车集团和中国汽车工程学会、中国汽车工业协会、中国工程机械工业协会,同时是中国汽车、工程机械六十余家主机配套战略合作伙伴。

盛力人秉持着"团结奋斗、励精图治、创新发展"的企业精神,以"提供给顾客最好的产品"为企业使命;以"建设一流的汽车、工程机械配件"为企业愿景;以"和谐、共赢、创新"为

企业的核心价值观，努力提升品牌和技术实力，实现盛力可持续发展。

地址：芜湖国家高新技术产业开发区天井山路 19 号
电话：0553 - 3026288　3026161　3026262
传真：0553 - 3026111
邮编：241002
网址：www. slzd. com
邮箱：wuhu@ slzd. com

【430515】沈阳麟龙科技股份有限公司

沈阳麟龙科技股份有限公司（以下简称公司）成立于2002 年 1 月，公司地址在辽宁省沈阳市东陵区白塔二南街 18 - 2 号，注册资本 2252 万元，法定代表人为朱荣晖。公司拥有一家具有证券投资咨询业务资格的全资子公司—沈阳麟龙投资顾问有限公司。2014 年 1 月 24 日公司成为首批全国股份转让系统扩容挂牌企业，成功登陆新三板，股份简称：麟龙股份，股份代码：430515，暨挂牌之日公司已经全面进入资本市场。

公司的主营业务：主要从事证券软件研发、销售及系统服务，向投资者提供金融数据、数据分析服务及证券投资咨询服务。

2014 年 1 - 6 月，公司实现营业收入 4349. 71 万元，同比增长 109. 46%；净利润为 1703. 96 元，同比增长 132. 63%。截止 2014 年 6 月 30 日，公司总资产为 9165. 47 万元，净资产为 6874. 05 万元。

公司拥有完整的软件开发队伍、技术服务队伍，公司拥有自己的专业化网站，公司现有产品全部来自于自主研发。

公司已成功地开发出《麟龙选股决策系统》至尊版、专业版和普及版三种产品且都已投向市场，市场反映良好，目前用户数量已达到 10 万人，且客户对软件和服务都很满意。

在 2010 年 4 月中国股指期货市场启动后，公司又一针对股指期货市场推出的专业分析软件系统产品《期天大胜股指期货多屏警戒导航系统》问世，本软件系统开创了全新的股指期货分析模式。

围绕以上各主打品牌，为更好地为广大证券、期货投资者和用户服务，根据证券市场的需要，公司还创办了中国首家理财教育视频网站《石头理财教学网》，以“专注投资者教学”为网站服务理念。

公司 2011 年底成功收购了一家具备证券投资咨询资格的投资顾问公司并更名为“沈阳麟龙投资顾问有限公司”，至此，公司已经向金融、证券行业多元化经营又迈进了一步。

公司以“正气、诚信、合作、服务”为核心价值观，致力于成为中国金融、证券行业综合服务提供商，以提高我国证券分析研究服务水平、推动证券市场理性发展为己任，努力成为投资者教育和金融、证券软件行业中的佼佼者。

【430520】大连世安科技股份有限公司

大连世安科技股份有限公司是依托大连理工大学，由院所科研人员组成。以科研开发、新产品研制为主导实施现代企业制度的高新技术有限公司。公司以机电控制技术、电子传感技术为核心，以大空间自动跟踪定位射流灭火装置为主导产品，集研发、生产、销售、服务于一体。公司注册资本 1200 万元，并于 2014 年 1 月在全国中小企业股份转让系统（新三板）成功挂牌。公司始终视创新为企业灵魂，并充分体现在公司的质量方针当中。公司创立伊始，即把“超越历史、超越同行、超越自我”作为创新发展的理念。

公司主营业务为大空间智能报警设备、自动跟踪定位射流灭火装置的研发、生产与销售，同时提供该种产品相关的专业咨询、设计制造、安装调试、生产技术支持等一系列服务。

公司创立 9 年，终端客户为高大厂房、仓库、体育馆（场）、机场、会展中心、大型商场等公共场所，公司产品已应用的主要项目有上海世博会、哈尔滨大运会、广州亚运会、首都机场、上海浦东机场、大连民航仓库、重庆万州万达商业广场、南阳农运会新闻发布中心、无锡英特宜家、上海自然博物馆、济南动车库等。

宗延杰先生，1954 年出生，中国籍，无境外永久居留权，本科学历，高级工程师，现任公司董事长，自 2012 年 6 月 22 日至 2015 年 6 月 21 日。1970 年 12 月至 1982 年 10 月任东宁县机械厂厂长；1982 年 10 月至 1990 年 10 月于大连理工大学进修；1990 年 10 月至 2005 年 2 月任大连理工大学讲师；2005 年 2 月至 2012 年 6 月任有限公司总经理；2012 年 6 月至今任股份公司董事长、总经理。

地址：辽宁省大连高新技术产业园区信达街 30 号
电话：0411 - 39979615

【430538】哈尔滨中大型材科技股份有限公司

哈尔滨中大型材科技股份有限公司成立于 2002 年，坐落在北国名城哈尔滨松花江畔，公司 2014 年挂牌新三板，证券简称为中大科技，证券代码 430538，总股本 6600 万股。公司专注于生产、研发适用于北方严寒、寒冷地区使用的高性能节能型材，公司产品各项技术指标及创新能力排名国内行业领先，曾多次参加国家、行业、地方相关标准的编制，产品销售立足黑龙江，辐射吉林、辽宁、内蒙古三省及部分西北地区，并远销俄罗斯、蒙古。

近年来公司在社会各界的支持和帮助下，走上了一条高速发展的道路。2013 年公司已全部完成哈高开区 5. 44 万平米厂区开发，并开始着手建设 15 万平米哈科技创新城对青山产业园区“节能门窗用复合材料产学研基地”项目的开发，该工程已被列为省市重点项目工程，2020 年项目全部达产后公司计划年产值达 30 亿元，将成为我国黑龙江省、吉林省、内蒙古等严寒、寒冷地区节能塑料型材及配套中空、真空玻璃、节能门窗系统研发能力最强、生产规模最大，最具有区域性优势的企业。

经营企业就是经营诚信，公司一贯秉承“以人为本、诚信做人，诚信是企业生命之根”的经营理念，本着“一定要成为中国节能型材行业领跑者”的愿景，力争为建筑节能行业作出更大贡献！

【430541】大连翼兴节能科技股份有限公司

大连翼兴节能科技股份有限公司创立于 1992 年。在国家大力倡导节能环保的背景下，翼兴节能始终将研发生产新型建筑节能环保材料作为立业之基、发展之源，不断优化产品结构，推进产品改革创新。在行业发展的大潮中，迅速成长为建筑节能保温材料研发、生产、销售、施工一体化的大型专业公司，并于 2011 年被认定为高新技术企业。

多年来，翼兴节能一直将“科技领先”视为企业快速稳健发展的保障，累计申请国家实用新型专利27项，在加大科研投入力度的同时，翼兴节能与多家国际知名企业及科研机构密切合作，取得了丰硕的成果。注册商标"日兴"与"施耐安"作为市场主打品牌，以优质的产品及完善的服务被市场认知与肯定，突显了企业品牌和行业影响力。为提高管理，翼兴节能通过了ISO9001：2008质量管理体系认证与ISO14001：2004环境管理体系认证。

翼兴节能努力拓展市场维度，增加市场份额，累计参与工程项目150余个，完成墙体保温施工面积500多万平方米。与恒大、龙湖、金地、亿达、大华、友谊合升、沃尔玛等众多知名地产公司建立了稳固的合作关系。服务过的壹品星海、恒大檀溪郡、龙湖水晶郦湾、金地檀溪、大华锦绣华城、亿达第五郡、天兴罗斯福、友谊商城、山姆会员店、苏州海尚壹品、沈阳红阳上河城、营口锦联经典名郡等项目已成为业界的标杆和旗帜。

翼兴节能致力于改善人们的居住环境，"使人们的生活更温暖、更舒适、更清洁"的企业使命，一直激励着翼兴人努力拼搏、奋斗。此外，翼兴节能积极投身社会公益事业，为抗灾救灾、教育捐助等奉献爱心。

天道酬勤！翼兴节能以三年累计532%的高增长率，荣膺"德勤2012亚太地区高科技、高成长500强企业"第110名，名列中国50强第21位；并凭借三年累计174%的增长率，再次入选"德勤大连2013高科技、高成长20强"，成为大连地区唯一一家连续两届上榜的企业。

2014年1月24日，翼兴节能正式成为"新三板"全国首批扩容企业，企业发展驶向快车道。"新三板"的成功挂牌是翼兴节能发展过程中的一个重要里程碑，进一步提升了企业的知名度与美誉度，提高了企业信用等级和融资能力，为翼兴节能的长远发展奠定了坚实基础。

2015年翼兴节能将加大既有建筑节能改造方向的力度，通过新型建筑围护体系为突破口，全面进入既有建筑节能改造领域。

天行健，君子以自强不息。在民营企业新一轮的发展浪潮中，大连翼兴节能科技股份有限公司必将突飞猛进，势如破竹，长风破浪，再创辉煌！

【430549】苏州天弘激光股份有限公司

苏州天弘激光股份有限公司成立于2001年1月9日，注册资本5632万元，2014年1月新三板挂牌上市（证券简称：天弘激光，证券代码：430549）。2014年8月25日首批参与新三板做市交易。

公司是一家专业从事工业激光加工成套装备的研发、生产和销售的国家级高新技术企业，位于苏州工业园区，置有26000平方的生产基地，现有员工近200人，研发人员约50人，大专及以上学历约占总人数的75%。

公司产品涵盖中小功率激光设备、数控激光切割机系列、数控激光焊接机系列、数控激光微加工系统、激光3D强化与再制造系统、激光器、智能柔性自动化系统等七大系列百余种加工装备，年产各类装备800余台套，是国内激光加工系统的主要系统供应商之一。同时也是华东地区历史最悠久、产品覆盖最广的激光装备制造商。

公司是"十二五"国家863项目"高功率及皮秒激光器产业化"应用示范单位。目前拥有10多项软件著作权、4项发明专利、多项实用新型专利和专有技术及40余项在审专利，系列产品获得江苏省高新技术产品、苏州名牌产品及江苏省著名商标等称号。公司联合清华大学、苏州大学、中科院合肥物质科学研究院等高校院所，进行前瞻性基础研究和产学研合作，创建有"江苏省激光三维成形与微制造工程技术研究中心"、"江苏省企业研究生工作站"等科研设施；承担了多项国家创新基金项目、省科技支撑项目、省成果转化项目、市科技计划项目等科技项目，为公司的长期发展积累了技术基础。

2014年，天弘激光新设一家全资子公司"苏州天左数据科技有限公司"，主要从事数据技术在工业控制和检测方面的应用；同时对外投资控股"苏州柯莱得激光科技有限公司"，结合柯莱得公司3D熔覆再制造领域的技术优势，实现市场与技术双向互补，提升公司在激光3D再制造领域的整体研发能力和市场影响力。

历经14年的坚实发展，天弘激光依托自身的技术团队及科研院校的鼎力合作，拥有数千客户商、九千余台套设备在线运行，在业内拥有广泛的美誉度和影响力。公司秉承"质量为本、客户至上"的服务理念，努力为客户精心打造"高精度、高稳定性、高性价比"的激光加工系统，为国人的工业制造工艺升级做出贡献。

【430554】深圳市金正方科技股份有限公司

深圳市金正方科技股份有限公司成立于2009年，是一家专业致力于智能电网领域产品研发、制造、服务的企业，主要从事AMI集抄系统、智能计量计费信息管理系统、售电管理装置、集中器、采集器、载波模块、无线模块、单相电能表、三相电能表等产品的研发、生产及销售。目前公司按照市场导向，正在启动智能水表、热能表、燃气表、电能表四表合一研发及销售。

金正方公司主要为电力系统、合作伙伴提供产品和信息技术服务，是集科研、生产、销售、服务于一体的高新技术企业。公司由一批多年从事电力产品研发、技术研究、市场分析的资深专家及工程技术人员组成，组建了具有丰富电力产品从业经验的现代型企业团队，公司现有员工约387人，分别在深圳、杭州、上海设立研发中心并在多个省份设立金正方公司办事处。公司产品已经在浙江、四川、甘肃、湖北、陕西、山东、宁夏、重庆等省市成功试点，部分产品已展开大范围应用。

金正方公司拥有1万平方米的生产基地，1500平方米研发、办公空间，二十余项自主知识产权，四条SMT贴片流水线，五条插件及四条组装流水线，研发中心具有先进的生产设备和高准确度的计量检测设备。

金正方公司坚持"以雄厚的技术实力打造一流的品牌，以先进的管理确保一流的产品质量"为方针，承诺不断满足和超越客户之要求，领导市场新趋向，经过不断的发展与完善，逐步成为深受电力系统和合作伙伴青睐的研发、生产厂家，公司生产严格执行ISO9001/24001/28001质量体系标准，以确保产品质量稳定、可靠。

移动电源事业部成立于2012年3月。其主要产品与服务项目为：中、高端移动电源产品的生产、销售与服务。事业部自成立至今，已开发出十几款移动电源产品，且已销往：日本、欧洲、中东、南美洲等多个国家和中国台湾地区。产品性价比与品质深受客户好评！

金正方公司将以"为社会创造价值，为员工提供发展平台"为使命，秉承"团队合作、诚实诚信、勇于创新、服务社会"的宗旨，竭诚为广大客户提供最优质的服务。

【430568】厦门光莆电子股份有限公司

厦门光莆电子股份有限公司成立于 1994 年，是国内最早的 LED 制造企业之一，也是国家级高新技术企业。公司总部坐落于国家半导体照明产业基地之一的美丽厦门，在香港等地设有三家全资子公司，并将在欧洲设立照明设计中心。近 20 年的创新及沉淀，铸就了光莆在 LED 封装、LED 背光、LED 照明及 LED 应用的配套领域的领先地位。

公司注册资本 8685 万元，现有员工 1000 多人，投资建成 51000 多平方的制造及物流基地，拥有 40 多套自动化生产线，齐全先进的研发及实验设备，300 多人的高效研发及服务队伍。光莆将继续投资建设 17 万平方米的研发、销售及物流、实验基地，并引入特点突出的上游配套件战略伙伴，把光莆建成服务快速，技术专业，品质领先、性价比优越且顾客信赖的 LED 照明品牌。

在设计及研发技术方面，处于行业领先水平，拥有多名半导体技术的行业顶级专家及复合型技术管理人才，拥有一支 300 多人训练有素的设计及研发队伍，拥有多名国家级核心专家主导的省级“LED 封装工程技术研究中心”，自主研发能力及创新能力位于业界同行前列，积极创新，吸收业界最前沿的技术资源，与厦门大学、香港应科院及国家半导体照明中心建立合作关系，并聘请多名台湾及大陆专家为公司顾问。承担过国家级火炬计划，国家级创新基金计划，国家级重点新产品产业化计划，是厦门市创新重点企业，光莆拥有 100 多项自主专利技术，2012 年研发出 156lm/w 的集成光源，采用独特的自主专利技术—TV 背光技术开发出 91lm/w 的高均匀度的平板灯具。

在品质方面，处于亚洲领先地位，公司具有严谨的品质管理体系，先后通过 ISO9001、TS16949、ISO14001 相关质量及环境管理体系的认证，UL 工厂的认证，产品通过 UL、SGS、3C 等认证。拥有齐全、先进的实验设备，在产品的研发阶段进行严格的设计实验验证，公司产品品质稳定且持续提升，经过近 20 年的磨练，LED 封装产品市场不良率低于 20PPM，为业界品质标杆。

在产品方面，公司具备 LED 应用产品自配套能力强的优势，公司的照明产品整核了公司系列产品的优势，使顾客能用普通的价格享受到高端品质。公司的照明产品整核了企业内部的 LED 封装产品高信赖性、高光效的优势，整核大尺寸 LEDTV 背光、中尺寸显示器背光、小尺寸超薄笔电及平板背光的高均匀性、高品位的优势；整核高密度可绕性线路板 FPC 的柔性设计及精益制造优势。缩短了照明产品的研发周期，提高了产品差异化柔性设计，创造出照明产品设计新颖、品位高雅、服务快速、性价优越的新优势竞争力。

在市场方面，公司与 10 多个国际知名企业建立了 10 多年的长期合作关系。

光莆人将整核优势资源，深耕创新突破，追求品质卓越，缔造服务完美，让每个人享受到经典、清洁、优质的光莆照明，一起守护和谐未来。

【430571】广东科硕机械科技股份有限公司

广东科硕机械科技股份有限公司是国家高新、全国首批新三板挂牌企业。公司主营产品是新能源行业的锂电池隔膜生产方案设备专业制造商；多年来，公司投入大量研发经费，加快了产品的技术创新，在国内相关行业处于领先水平。公司采用研发、生产和销售的商业模式，以解决方案为主要的设备设计理念，为客户提供“优质、高效、先进”的材料生产设备，使公司成为拥有研发和生产能力的创新型科技企业。

地址：广东省佛山市南海区桂城街道深海路 17 号
瀚天科技城 A 区 8 号楼三楼

邮编：523808

电话：0769 – 26622981

传真：0769 – 22232002

网址：www. keso. so

【430583】江苏国贸酝领智能科技股份有限公司

江苏国贸酝领智能科技股份有限公司，2004 年注册于苏州工业园区，注册资金 3200 万人民币。公司专注于绿色智能建筑的咨询、设计、研发、工程实施、运行管理、维护，是行业领先的绿色智能建筑整体方案解决商、综合性服务商。

公司创新能力突出，是国家重点支持的高新技术企业。目前拥有省级工程中心——江苏省智能建筑运维管理工程技术研发中心，市级工程中心——苏州市绿色智能建筑运管技术中心。公司坚持走产学研用结合的道路，先后与清华大学、复旦大学、中科院、北京理工大学和苏州科技学院等高校和科研院所建立了长期战略合作伙伴关系。拥有较强的研发能力和市场成熟度较高的产品体系，如基于物联网和社会网络的智慧酒店全套解决方案。拥有基于绿色智能建筑领域的多项软著、发明专利和专著。通过自主研发和与高校合作研发的科研成果与一线企业和最终用户需求的直接结合，大大提升最新科技成果运用到智慧城市等领域的速度。

面对新时代的挑战及全球化的竞争法则和标准，公司将以“成为中国建筑智能化行业企业的领跑者”为目标，整合国内外一流厂商、专业领域的方案解决商，利用云存储、物联网、移动互联网技术，通过绿色智能建筑云运维管理平台，为绿色智能建筑、智慧城市等领域提供整体解决方案，在共赢的前提下，共同创造企业价值，分享成功的愉悦。

地址：江苏省苏州市工业园区唯亭镇唯文路 5 号

邮编：215100

电话：0512 – 80983555

传真：0512 – 80983777

邮箱：winlead@ gmwinlead. com

网址：www. gm – sz. com

【430604】福建三炬生物科技股份有限公司

福建三炬生物科技股份有限公司成立于 2000 年 7 月，坐落于美丽的滨海城市厦门火炬园内。三炬生物是一家集科研、生产和销售为一体的国家高新技术企业。

本着以专注土壤健康，发展生态农业为宗旨，三炬生物先后联手南京农业大学、厦门大学、福建农林大学、国家海洋局第三研究所等，以极端生物资源，研发出多种高效微生物菌剂产品。在土壤改善、作物抗病抗逆增产、生态养殖、环境治理等方面的使用效果显著，并且有多项产品通过了欧盟 BCS 有机认证。

三炬生物公司是福建省生物肥料企业工程技术研究中心，以顶级核心技术走在微生物菌剂领域的前沿，拥有博士级研发团队，掌握了多项国家发明专利、实用新型专利和多个菌株的菌种保藏专利。同时还承接了国家海洋局和福建省自然科学基金的大型科研项目。

三炬生物一直以执着和严谨的态度把控产品质量，研发生产过程精益求精，只为让更多的农民享受丰收的喜悦，吃上健康安全的粮食。以极强的社会责任感为生态农业的发展贡献一份力量！

【430605】无锡阿科力科技股份有限公司

无锡阿科力科技股份有限公司创建于1999年。公司2014年元月挂牌新三板（证券简称：阿科力，证券代码：430605），总股本6500万股。

阿科力科技股份是国家火炬计划重点高新技术企业、中国石化行业技术创新示范企业、江苏省高新技术企业。公司已建成国家级博士后工作站、省级研究生工作站和省级工程研究中心，多次承担并完成了省市地方的科研项目任务，拥有多项的发明专利、高新技术产品。

公司秉持着"因为专一，所以专业"的经营理念，近年来开发研制的脂肪胺、光学材料、高折光材料、特殊环氧树脂等专利产品，先后进行了技术转化、产业化批量生产，质量水平完全替代进口同类产品，成为国内特种精细化工领域细分行业的佼佼者。

【430654】广东聚科照明股份有限公司

广东聚科照明股份有限公司是一家专业从事LED封装产品研发、生产和销售的国家级高新技术企业（股票代码：430654，股票简称：聚科照明）。

目前，公司拥有20多条SMD、COB、大小功率集成封装生产线，已经通过ISO9001：2008质量管理体系认证，并建成年产500KK支SMD、200KK支大功率LED发光二级管及100KK片COB的生产车间、生产面积达5000多平方米。在封装产品方面，公司可为客户设计特殊应用光学产品及难点光学产品。

广东聚科照明股份有限公司拥有完整的技术、研发、生产和品管专业队伍，他们长期在半导体照明行业及相关领域工作并担任重要职位，拥有丰富的经验及核心技术，并对于LED照明的优劣有着独到的见解，涉及专业有物理、热学、光学、机械、应用电子等。经过技术研发团队的不懈努力，公司取得了大量的技术成果，申报了一百多项国家专利，已获授权的有100多项。

聚科照明系列产品不仅畅销中国大陆市场，还远销美洲、欧洲、东南亚、中东、澳洲及港澳台等五十多个国家和地区，已经获得授权的产品认证有CQC、CE、RoHS及EMC等。

凭借聚科全体员工的不懈努力，以及高度"一致性"、"稳定性"的产品性能，及时的技术支持，良好的售后服务，聚科照明在行业内脱颖而出，成为LED封装行业的佼佼者。

公司的核心文化是：聚贤汇能，科技创新；尊重客户，崇尚科学；我们将不断推进公司的技术创新和产品升级；为市场提供更安全、更可靠的产品，为客户提供更实用、更有效的技术解决方案。

【430663】济南大陆机电股份有限公司

一、基本概况

济南大陆机电股份有限公司成立于1993年，注册资本3330万元，专业从事流程性企业生产过程自动控制和信息管理系统的软硬件开发及系统集成。于2014年3月13日在全国中小企业股份转让系统挂牌。股票简称：大陆机电，股票代码：430663。下设济南梅兰德水质净化有限公司、青岛大陆控制工程有限公司、济南德风物业管理有限公司、山东德风科技企业孵化器有限公司四个子公司。

二、业务范围

公司技术和产品涵盖了工业自动化、环境保护、节能服务三大领域，重点服务于热能电力、石油化工和环境保护等行业，客户遍及全国30个省、市、自治区以及印度、印度尼西亚、土耳其、阿塞拜疆等十多个国家和地区。

三、经营发展

二十年来，大陆机电始终坚持走以人为本、科技创新的路子。与山东大学、上海交大等著名高校建立了良好的合作关系并分别建立了科研机构，研发出了多种具有自主知识产权的高新技术产品，拥有自主知识产权的软件产品17项，软件著作权33个，发明专利4项，实用新型专利3项。其中针对生产过程控制及信息管理系统有6项技术填补了国内空白。在自动化测量与计算机控制、能源计量、智能楼宇、智慧城市建设等方面取得了重大成果，已经成长为山东省自动化控制领域的领军型企业。

大陆机电通过良好的工程服务质量与国内多家EPC工程公司建立了长期友好的合作关系，为企业在工业生产过程自动化系统集成业务的持续发展奠定了良好的基础。近期实施的重大海外工程项目有：印度KMPCL亚临界燃煤电站项目6＊600MW机组全厂辅网控制系统、牙买加弗洛姆糖厂和莫尼马斯克糖厂工业技术改造项目、危地马拉JAGUAR电站项目2＊150MW机组全厂DCS控制系统、赞比亚马安巴2＊150MW燃煤电站项目、哈萨克斯坦乌斯克门热电厂汽机岛EPC项目、印尼西卡里曼坦铝电变频器项目等，其他新业务项目案例有鲁北化工节能改造合同能源管理项目、山东省和云南省的多个市县山洪灾害监测预警项目等。

目前，大陆机电正致力于企业能源资源计量器具动态管理、企业能源管理中心产品的开发，着力开展能源消耗分析系统产品的推广应用，实现地区或集团的能源资源信息监控管理，进一步推动节能减排与雾霾治理工作。同时，基于物联网、能源互联网理念构建智能微电网产业发展规划，形成智能输配电产业集群，实现用电终端的智能化可视化，形成智能建筑和智慧城市的构想，优先和充分使用可再生能源，助力社会的可持续发展。

大陆机电坚持"做工程干事业交朋友重长远"的经营理念，秉承"先做人，后做事；做好人，做好事"的企业宗旨，与广大用户携手并进，同创辉煌。

【430675】上海天跃科技股份有限公司

上海天跃科技股份有限公司创建于2002年。公司2014年挂牌新三板（证券简称：天跃科技，证券代码：430675），总股本4380万股。是专注于提供智能安防系统设计、实施、运维等全面服务的高新技术企业，致力于为行业用户提供专家级的安防解决方案及服务。

天跃科技立足行业发展前沿，创新为本。公司潜心研究行业应用市场，开发出了贴合行业用户需求的一站式行业整体解决方案，方案贯穿智能安防系统设计、实施，运维服务等整个安防管理建设体系，将自有知识产权的众绎联网平台软件及管理化平台软件与视频监控设备（如摄像机、存储设备……）有机融合，深化行业理解和应用。先后获得近100余项软件著作权和专利，多项产品评为国家和上海市重点新产品奖。

天跃行业解决方案将技术创新与十余年行业应用经验紧密结合，广泛应用于金融、教育、大型企业等众多行业。尤其在“高、精、尖“的金融行业备受用户青睐，赢得广泛信任，成功实施建设了近300个全国、省、市级各种规模的金融行业安防监控联网系统。在教育行业亦树立多所著名高校行业应用典范。

作为业内领先的安防管理厂商，天跃科技赢得业界一致美誉，先后成为国家标准委全国安防标准委员会（SAC/TC100）委员单位、中国安防协会常务理事单位、中国建筑智能协会常务理事单位、上海报警协会副理事长单位。并作为主要起草单位，参与了包括《银行安防报警监控联网技术要求》（GB/T16676－2010）、《普通高等院校安防系统技术要求》《安全防范系统光端机技术要求》等多项国家、公安部、上海地方标准的编制。

天跃科技现有员工400余人，在北京、上海、广州、西安、武汉、成都等地设立21家直属分公司，拥有覆盖全国的营销和技术支持体系，为用户提供高效快捷的本地化服务与支持。

2013年，天跃科技成立全资子公司上海信安保安服务有限公司，开启公司“人防＋技防＋物防”整合安防服务业务新里程。

天跃科技秉承“真诚、创新、完美”的司训，信守“尊重他人、诚信正直、直面事实、为客户创造价值”的核心价值观，锐意进取、追求卓越，精耕于为行业用户提供高品质、全方位的安防服务。天跃人有信心、有能力与所有合作伙伴一道，以保障社会安全为己任，努力做出自己最大的贡献。

地址：上海市杨浦区赤峰路63号9楼A座

邮编：200092

电话：021－65981999

传真：021－65985832

网址：www.typrotech.com

【430678】深圳蓝波绿建集团股份有限公司

深圳蓝波绿建集团股份有限公司（简称：蓝波绿建）成立于1993年4月，于2014年4月挂牌全国中小企业股份转让系统（新三板），主要从事绿色建筑总承包及建筑光伏电站管理业务，是集绿色建筑研究、规划、设计、安装施工、维护及运营管理为一体的全面解决方案提供商。绿色建筑总承包业务主要为客户提供符合《绿色建筑评价标准》或美国LEED认证的绿色建筑标识评价和总承包服务，包括绿色建筑的评价咨询、设计咨询、总承包等。公司的传统业务包括建筑幕墙工程总承包、建筑光伏发电系统总承包等服务，此外，公司还从事建筑光伏电站管理业务，主要针对建筑光伏电站的设计、建设、运营及管理，为客户提供可再生能源。

自2014年以来，公司开始为客户提供BIM（Building Information Modeling）咨询，以及基于BIM的SC（Smart Construction）智慧建造技术的研发，目前公司部分项目已经采用SC技术做示范。

经过多年的积累及近几年快速发展，目前公司拥有开展绿建业务所需的国家资质包括国家一级幕墙设计与施工资质、钢结构工程专业承包资质、机电设备安装工程专业承包资质、防水施工资质、室内装修资质等，公司是首批国家级高新技术企业之一。

蓝波绿建作为以创新取胜的高新技术企业，拥有以国家级专家为首的高、中级技术人员组成的技术团队，拥有4项发明专利及52项实用新型专利，每年完成论文十余篇，部分发表于国内建筑核心期刊。公司是深圳市太阳能学会的副理事单位、《民用建筑太阳能光伏系统应用技术规范》等规范的参编单位、以及国家住宅与居住环境工程技术研究中心批准成立的太阳能建筑研发基地。

蓝波绿建在国内拥有7家子公司，在19个城市设有分公司或办事处，在美国、俄罗斯、科威特、伊朗、越南、安哥拉、瓦努阿图等国家和中国香港、澳门地区设有分支机构，在上述国家和地区均有已完工或在建项目。

蓝波绿建，致力于为世界的建筑添上一抹绿色！

【430700】北京飞尼课斯科技股份有限公司

北京飞尼课斯科技股份有限公司（证券简称：飞尼课斯 证券代码：430700）是一家拥有多项自主知识产权，集研发、生产、安装抑爆（防爆）产品，销售消防器材、常压油罐为一体的高新科技企业。

我公司特殊铝合金抑爆材料，针对石油制品易燃、易爆的特点，能主动抑制爆炸，在遇枪击、明火、静电、容器泄漏时不会发生爆炸，并可带油补焊。

公司产品经国家安全生产南阳防爆电气检测检验中心、国家民用爆破器材质量监督检验中心及清华大学材料科学与工程系的严格检验，并取得ISO9001：2008GB/T19001－2008质量管理体系认证。本公司严格按照AQ3001－2005，AQ3002－2005标准生产、安装、检测、验收。

子公司重庆耐德飞尼课斯防爆科技有限公司生产的阻隔防爆橇装式燃油加油装置拥有多项国家专利，它占地面积小，可移动，造价低廉，使用方便灵活。

子公司河北芮捷消防设备科技有限责任公司生产的几种水基式消防剂，都获得了公安部消防产品合格评定中心的3C认证，都获得了专利证书，灭火效果处于世界领先水平。

山东分公司生产双层阻隔防爆材料油罐，安全、环保、规格型号齐全，质量可靠，价格合理。

地址：北京市怀柔区杨宋镇凤翔大街12号

电话：010－61679105

传真：010－61679103

邮编：100070

邮箱：bj－phoenix88@163.com

网址：www.fnksybcl.com

【430712】福建索天信息科技股份有限公司

福建索天信息科技股份有限公司（股票代码：430712）成立于2003年，是国家高新技术企业和双软企业。索天科技是城市一卡通软件系统和硬件产品供应商、城市一卡通及公共自行车系统整体解决方案提供商、智慧城市运营商。

经过多年努力，索天科技在城市通卡系统、第三方金融支付系统、公共交通集成系统及公共直行车运营系统方面成为行业的领先者和标准体系的倡导者。

索天科技运用先进的信息与通信技术，在构建关注民生、便捷、环保、健康的智慧城市做出了实质性的探索和实践，在全国二十多个一二线城市围绕城市通卡系统和公众智能出行系统为核心建设和运营了一批城市智能项目,为这些城市的民生智能工程打下了坚实基础,取得了良好的社会效益。

索天科技恪守"客户第一、品质至上、诚实守信"的经营理念,坚持"科技为用户创造价值"的共赢思路,把客户视为合作伙伴。十余年来索天科技用先进的技术、优质的产品和细致的服务,在全国各地聚集了一批长期合作的伙伴,赢得了市场的广泛赞誉。

地址:福州市铜盘路软件园 B 区 23 号楼 202 室
邮编:350003
电话:0591 - 87303802
传真:0591 - 87275896
E - mail:support@ sys - tech. com. cn

【430715】郑州春泉节能股份有限公司

郑州春泉节能股份有限公司(简称:春泉节能)是以研发、生产和销售建筑节能、计量设备为主,拥有多项自主知识产权的高新技术企业。公司成立于 2002 年 7 月,地址:郑州高新区雪松路 169 号。

公司长期致力于建筑环境与节能领域产品的研发,是国内建筑暖通节能的先行者和倡导者,为中央空调的运行管理和建筑节能做出了积极的贡献,受到河南省人民政府及相关部门的多次表彰。是河南省"知识产权优势企业","全国企事业知识产权试点单位","河南省节能减排科技创新示范企业"。公司现拥有"省级企业技术中心"和"郑州市集中空调节能自控工程技术研究中心"等技术研发平台,已通过"ISO9001:2008 质量管理体系、ISO24001:2004 环境管理体系、GB/T28001 - 2001 职业健康安全管理体系"三项标准管理体系认证。

春泉节能:开启空调"云时代"

没有人可以想象到通过一个不到百元的"云"空调终端产品,即可以让普通的空调实现"云感知""云管理"和"云升级"。然而这种产品却真真正正就在我们生活中存在,而且其高端产品还具有"云计量"和"云诊断"等强大功能。据了解,该产品就是目前春泉节能"空调云"新产品发布会推出的"空调云"应用服方案及产品。

"空调云"让空调管理进入"云时代"

2014 年 11 月 7 日,郑州春泉节能股份有限公司在郑州召开新产品发布会,发布会现场隆重推出具有自主知识产权的"空调云"方案和系列新产品,该新产品刚刚在发布会上"露脸"就有很多客户当场表现出强烈的订购意愿。此次,活动吸引了来自全国各大建筑设计院、各知名空调厂商(工程公司)、部分房地产企业、政府主管部门的相关领导以及春泉节能的部分用户等超过 200 多人共同见证了这一辉煌的时刻。

据了解,"空调云"产品是春泉节能在多项专利技术的基础上,经过多年的努力和积累研制开发出来的,主要用于空调运行、管理和服务的云端技术产品。春泉节能首次把"云"技术应用于传统空调领域,开创了国内"空调云"服务的先河,同时也开启了国内普通空调云端管理的先例,使"云"技术真真实实在空调使用领域落地、生根、开花、结果。

同时,春泉节能的"空调云"产品还具有"云感知、云管理、云计量、云诊断、云升级"五大功能。其应用的核心技术是采用"云"空调终端,通过移动 APP 实现普通空调与人的互动,从而实现了空调的移动互联、智能管理和远程控制。"云"空调终端包括应用于中央空调的当量表空调表、云温控器和应用于分体空调的分散式空调表、云遥控器等。

"空调云"物美价廉客户争相订购

据悉,春泉节能"空调云"新产品发布会发布了空调云方案和两款大众化的"云"空调终端。首先发布的"云"温控器对现行中央空调温控器是颠覆性的创新,是现行中央空调温控器的升级替代产品,其产品在价格上也非常具有优势,只需一个普通温控器的价格即可享受"云"服务。该产品的市场定价为 89 元。接着,紧随其后发布的一款应用于分体空调的"云"遥控器的市场售价仅需 69 元,更是让现场观众惊呼其物美价廉。该产品可实现普通分体空调的"云感知"、"云管理"和"云升级"功能。

相信春泉节能"空调云"方案及产品的推出对加快建设智能家居、智能建筑、智慧城市具有很大的促进作用,同时对用户的空调节能、应用管理乃至我国的建筑节能减排具有重要的意义。

【430717】山东省源通机械股份有限公司

山东省源通机械股份有限公司成立于 2002 年 5 月 30 日,位于山东省淄博市沂源县城鲁山路东苑工业园,公司为高端电机配件与机械配件专业化经营与制造企业。公司于 2014 年 4 月 30 日在全国中小企业股份转让系统挂牌交易,股票简称:源通机械,股票代码:430717。

公司是山东省机械行业关键零部件和机械基础件六十强企业之一,年产各类高端电机配件、汽车发动机关键零部件及大型农用机械配件产品 50 余万件。与 ABB、西门子等国际著名机电企业实现了战略合作,目前已成为国内领先的高端电机壳生产企业。

公司成立以来,分别通过了 ISO9001 质量管理体系、ISO14001 环境管理体系及 OHSAS18001 职业健康安全管理体系认证。各类体系建设为公司的规范运作奠定了良好的基础。

公司将以国家产业政策为导向,以科技创新为支撑,通过产品结构优化、市场资源整合,秉承做高端产品,服务高端客户的经营理念,逐步把公司发展成为具有国际竞争力的专业化制造企业。

地址:山东省淄博市沂源县城鲁山路东苑工业园
邮编:256102
电话:0533 - 3433103
传真:0533 - 3422825
电邮:sales@ ytmachinery. net
网址:www. ytmachinery. net

【430736】江苏中江种业股份有限公司

江苏中江种业股份有限公司(证券代码:430736,证券简称:中江种业)是 2002 年经江苏省人民政府批准,由原江苏省种子公司为主发起人建立的股份有限公司,是集科研、生产、加工、销售为一体的"育繁推一体化"现代种业企业。主要经营水稻、玉米、小麦、油菜、瓜菜等各类农作物种子。2002 年取得农业部颁发的《农作物种子经营许可证》,2012 年成为国家首批、我省首家国家级"育繁推一体化"种业企业,企业信用等级 AAA,目前是国家高新技术企业、中国种业信用骨干企业、中国种子协会理事单位、中国种子协会水稻分会副会长单位、江苏省农业产业化重点龙头企业、江苏省农业科技型企业、江苏省种子诚信企业、江苏省就业先进单位,2005 年通过 ISO9001 - 2000 国际质量体系认证。2014 年4 月20 日,顺利通过了"中国中小企业股份转让系统"的审查,并于5 月5 日成功挂牌。

2007 年6 月以来,经过股权划转和增资扩股,现有股本结构为国有控股、民营参股、管理层持股,总股本1 亿元人民币。

公司坚持"育繁推一体化"的发展思路,以"建设一流团队,选育一流品种"为目标,遵循"创新、诚信、责任、规范"的企业理念,建立了完善的品种选育、种子生产、质量管理和市场营销体系。公司内设研发中心、水稻种子事业部、玉米蔬菜种子事业部、市场运营部、质检部、加工储运部、财务部、办公室等部门,下辖宿迁中江种业有限公司(控股)、南通中江种业有限公司(控股)、江苏中江种业科技有限公司(全资)和江苏绿苑园林建设有限公司(全资)公司等9 个分(子)公司,现有员工150 人,其中推广研究员7 人、高级农艺师12 人、高级农经师2 人,高级会计师1 人,硕士研究生指导老师2 人,扬州大学特聘教授1 人。

公司拥有研发中心专职从事品种选育,经省、市科技部门批准建立了江苏省杂交水稻种质改良与繁育工程技术中心和企业院士工作站。在南京市六合开发区、六合区新篁镇、宿迁市湖滨新区、海南省三亚市建有育种基地计500 多亩。每年参加省级以上区域试验新品种十余个。自主选育并通过国家和省级审定水稻、玉米、瓜菜等新品种34 个。与南京农业大学、福建农科院、江苏农科院等省内外数十家科研院所建立了良好合作关系,合作选育并通过国家及省级审定新品种15 个,联合开发推广新品种20 多个。

公司在省内外建有稳定的种子生产基地10 万亩,其中通过土地流转、租赁等途径建立自主生产基地4 万多亩,常年生产种子4000 多万公斤。公司始终坚持质量第一的方针,从种子生产、精选加工到包装储运等环节实施全面质量管理。公司拥有成套种子加工流水线5 条,建有加工车间6210 平方米,低温和常温种子库6020 平方米,标准检验室280 平方米,先进的设施和一流的管理体系为"三友"牌种子质量提供了有力保证。

公司建有较为完善的试验示范、推广销售体系,拥有销售服务网点700 多个,产品辐射长江中下游和华南等十多个省区以及马里、泰国、科特迪瓦、孟加拉国等,现已成为国内具有较大影响力的"育繁推一体化"种子企业之一。

地址:江苏省南京市六合区龙池街道雄州南路389 号

邮编:211500

电话:025 - 83327150

传真:025 - 83327150

邮箱:zhongjiangseed@ choosan. com

网址:www. choosan. com

【430738】安徽白兔湖动力股份有限公司

安徽白兔湖动力股份有限公司,以下简称"公司",股份代码:430738;股份名称:白兔湖。公司是一家内燃机核心零部件的科技型企业,集研发与产销为一体。主要产品有四缸、六缸内燃机气缸套、铝活塞、曲轴、粉末冶金气门座圈、导管等,服务于国内外一流的内燃机企业及其售后市场。

公司于2010 年4 月成立,2014 年4 月30 日在"新三板"挂牌。主要生产基地位于安徽省桐城市国家级经济开发区,交通便利,人文地理条件优越,是合肥经济圈和皖江城市带的核心区域。

一、公司愿景:

建设成为发动机零部件研发与生产的国际一流企业。

二、公司文化:

企业精神:创业、创新、拼搏、奉献。

员工价值观:先做人,后做事。

宣传语:白兔湖动力,世界因我而动。

三、技术与质量:

公司视产品质量为企业生命。为确保产品质量,多次对管理体系进行完善与升级,先后通过了ISO9001 质量体系认证、ISO\TS16949 国际汽车行业质量体系认证、ISO10012 计量检测(保证)体系认证、GB/T24001 环境管理体系认证、GB/T28001 职业健康安全管理体系认证、GB\T15496 - 15498 国家标准化良好行为企业AAAA 级认证等。并获得了54 项发明及实用新型专利,拥有5 个省级新产品和9 个省高新技术产品,参与了国家及行业标准的制订13 个。建立了省级博士后科研工作站。

四、公司荣誉:

公司为国家级汽车零部件(安庆)高新技术产业特色基地成员企业、国家高新技术企业、安徽省优秀技术中心企业、安徽省百强企业,是中国汽车协会、内燃机工业协会会员和中国机电产品进出口商会会员。"白兔湖"商标获中国驰名商标、安徽省出口名牌、安徽省名牌产品、安徽省自主创新品牌等称号。先后荣获安徽省质量管理奖、安徽省诚信企业、安徽省民营科技先进企业等280 多项荣誉。公司荣获中组部"创先争优先进基层党组织"称号。

五、营销网络:

公司拥有完善的销售网络。始终坚持主机配套市场为主、带动售后维修市场、外贸出口市场齐头并进的营销策略。主机配套市场:已与国内60 多家知名主机厂建立了配套业务;售后维修市场:产品覆盖了全国三十个省、市、自治区,并拟建立品牌"专卖店";外贸出口市场:产品已先后进入欧洲、美洲、东南亚和非洲等十几个国家和地区,并与外商建立了巩固的合作关系,商誉好,品牌响。

【430745】西安诺文电子科技股份有限公司

西安诺文电子科技股份有限公司成立于2004 年,2014 年挂牌新三板(公司简称:诺文科技,股票代码:430745),注册资金950 万,公司一直专注于城市供水、供热行业应用的计量仪器仪表的设计、研发、生产和销售。致力为城市供水、供热行业提供具有先进技术、周全的服务和符合行业特色的智能化计量控制解决方案。

目前,西安诺文电子科技股份有限公司的主营产品五大系列、30 多个品种;拥有三条先进的表计流水生产线,多台8 表位计量校验设备和西北地区首台大口径热量检定装置,具备年30 万只的产能,成为西北地区首家具备全系列计量产品检测和检定能力的单位,经国家权威机构鉴定,具有国内领先水平。取得了多项自主知识产权,科技成果全部转化为产品和服务,树立了良好的品牌形象,并被政府授予"高新技术企业"、"陕西省民营科技企业"、"西安市民营科技企业"、"陕西省著名商标"、"西安市著名商标"等多项荣誉称号。

公司致力于环保节能，以"用科技创造节约"为信条，没有"三高"及其他影响环保问题。秉承"科技创新，诚信为本"的经营理念，遵循"为客户创造价值，为社会做出贡献"的企业责任。公司进一步发挥专业、技术和品牌优势，推动技术进步和创新，坚持精益化管理，提升产品品质，不断增强企业的核心竞争能力，努力为中国表计行业的发展做出更大的贡献。致力打造出国内一流的云计量服务平台

【430758】四联智能技术股份有限公司

四联智能技术股份有限公司创始于1992年，新三板股票代码：430758，简称：四联智能，公司注册资本6600万元，总部位于西安市高新技术产业开发区。

作为建筑智能系统及建筑节能系统综合解决方案提供商，四联智能致力于满足客户对建筑智能和建筑节能技术的个性化需求，公司业务涵涉政府、教育、金融、医疗、电力、公共事业等多行业多体系，公司连续十年荣获全国智能建筑行业"完成工程额前50名企业"称号、"全国最具成长力十佳企业"称号、西安高新区"明星科技企业"称号等荣誉。2010年至2012年连续三年荣获中国地源热泵行业系统集成十强企业，项目建设面积及企业实力位居省内同类企业前列。

【430762】山东荣昌育种股份有限公司

山东荣昌育种股份有限公司位于山东省滨州市无棣良种畜禽繁育场，是一家专注于种猪育种的省级农业产业化重点龙头企业。

荣昌育种2008年6月成立，现注册资本5330万元，员工200余人，资产2亿余元，现拥有四家种猪育种公司：山东荣昌育种股份有限公司、山东华特希尔育种有限公司、滨州市恒利源种猪育种有限公司、滨州市华麟牧业有限公司。经过近几年的快速发展，公司已发展成为全国一流的美系种猪育种企业，山东省农业产业化重点龙头企业。作为国内拥有美系种猪血统最多的育种企业，公司拥博士、硕士等高级技术管理人员10余人，2010年公司与全球最大良种猪繁育企业美国华特希尔公司合资成立山东华特希尔育种有限公司，由美国引进种猪作为原种猪的核心繁育场。华特希尔100%保留了美国优秀种猪遗传基因，该场的纯种猪获得了美国权威机构国家育种登记协会(NSR)的评估和认证，确定为蓝耳病阴性猪场。公司利用美国NSR联合育种平台，实现了与美国同步育种，基因共享。2012年12月，公司被农业部全国畜牧总站吸收为全国种猪联合育种协作组成员单位，生产的纯种猪因其高生产性能和高健康度在国内同类产品中有很高的品牌认知度。

几年来，公司的发展及对社会所做出的贡献赢得了各级政府部门及业界的认可。2012年11月被山东省命名为农业产业化省级重点龙头企业；2012年10月被评为山东省消费者满意单位；2012年当选为中国畜牧业协会猪业分会副会长单位；2012年8月，当选为中国畜牧兽医学会养猪学分会副理事长单位。2013年6月，公司被认定为山东省无公害产品基地。

地址：山东省滨州市无棣县荣昌路21号

邮编：251900

电话：0543－2251886

传真：0543－2251899

【830769】北京华财会计股份有限公司

【公司历史】

北京华财会计股份有限公司(华财会计在线)创办于2004年，是为客户提供全方位财税服务的专业服务平台，是以服务本土各类企业及外资企业为宗旨的整合财税服务商。

在近二十年的成长过程中，华财会计股份有限公司整合了投资顾问、账务服务、会计外包、税务顾问、商务咨询、创业服务、专业培训等多项业务，打造了以财税专业服务为核心、以鉴证服务联盟与各商协会合作伙伴为两翼的"会计在线"财税共享服务中心。

华财会计在线集丰富的专业经验和先进的IT技术于一身，以互联网为依托，集专业化与远程化的双重优势于一身，在国内开创了专业服务集中化、沟通协调本地化，跨越时间与地域限制的财务服务新模式。实现了信息交流数字化、数据传递远程化、工作场所虚拟化、流程管理标准化，从而实现了创造性的效率提升与业务拓展。

我们已成功为国内外上万家企业提供了财税服务，服务过的行业涉及：制造、金融、航空、房地产、机械、电子、医药、化工、建材、纺织、交通运输、冶金、电力、煤炭、教育、大众消费品、餐饮等诸多行业。华财会计在线以专业的服务品质，先进的技术手段，全心全意为客户服务的宗旨，得到了客户的高度评价，并正在赢得更多企业的青睐。

华财会计在线秉承成长源于创新、信任源于专业的经营理念，以高品质的服务为客户创造更大的价值。

2014年6月4日上午9点30分，伴随着北京金融街，全国中小企业股份转让系统开市钟声的敲响，北京华财会计股份有限公司(股票简称：华财会计，股票代码：830769)成功登陆"新三板"，成为"新三板"挂牌企业乃至全国主板，创业板资本市场中第一家，也是唯一一家从事财税会计服务的专业机构。

【做创业期中小企业的成长导师】

中国经济的飞速发展，催生了一大批致力于创新、着力于发展的本土创业型中小企业。但根据《中国中小企业发展年鉴》数据统计，中国创业型中小企业的平均存续时间是2.9年。在专业性与合规风险方面，中国的创业企业普遍面临着如下问题：

1. 财务、税务、法务专业人员成本过高，社会服务缺乏共享平台；

2. 相关政策法规相对复杂，变化性大；

3. 合规意味着更高的成本，而不合规意味着不可避免的风险；

4. 过多专注核心业务，忽略财务内控而带来发展瓶颈；

华财为创业型中小企业提供创业期为期三年的全程保姆式专业服务，帮助创业型企业渡过最艰难的三年，做创业企业成长中的专业导师：

· 政策培训

· 咨询顾问

· 商务代理

· 记账报税

· 创业辅导

【做成长期科技企业的专业顾问】

随着互联网第三次浪潮的席卷，科技型企业已经成为我国经济发展中最被看好的蓝筹股。近年来，随着政府更高得

关注科技型企业的健康发展,科技型企业也面临着诸多问题:

1. 政策变化后资质认定门槛提高,如何令自己合规?

2. 如何最大程度得享受适合自己的优惠政策?

3. 在新会计准则下,如何建立健康财务体系?

4. 如何通过内控手段与财务措施,为将来的融资发展作准备?

华财自2008年新会计准则与新高新技术企业认定标准颁布后开始为高新技术企业服务,致力于成为科技型企业的专业顾问:

· 高新技术企业认定全程咨询

· 高新技术企业认定全程咨询

· 科技型企业财务架构设计

· 科技型企业融资咨询

· 科技型企业年度税务顾问

【做成熟期大型企业的得力助手】

在激烈的市场竞争中,已经走向成熟期的大型企业,同样面临着"开源节流"的问题:

1. 如何优化内部管理流程,节约高效得完成管理工作?

2. 财务的日清月结如何实现,如何做到日监控?

3. 如何通过不增加成本的手段,合理降低管理风险?

4. 琐碎的日常事务如何专业便捷得完成?

作为国内首家为国有大中型企业提供在线财税服务的专业机构,我们为成熟企业提供解决实际问题的高质量解决方案:

· 财务流程外包

· 应收账款外包

· 商务咨询

· 会计出纳外包

· 税务外包

【做外资驻华机构的本土导航】

改革开放激荡三十年,外资企业为中国经济发展注入了活力。但在外资企业入华的过程中,不可避免一些问题的产生:

1. 如何快速了解中国复杂的财税政策,合规经营?

2. 如何以最快的速度开展核心业务,解决财税问题?

3. 如何在控制成本的基础上,降低人事风险?

4. 如何持续高效得处理日益复杂的商务手续?

作为首家为世界500强企业服务的本土财税服务机构,华财深入了解外资企业的需求,力求帮助外资企业快速适应中国投资环境,做进驻中国市场的本土导航:

· 外资企业在华投资商务全程咨询

· 外资企业全年财税顾问

· 外资企业财务流程外包

· 外资企业税务流程外包

· 外资企业年度商务服务外包

【华财的分支机构】

华财以北京为中心,辐射全国,到目前已经在上海、天津、重庆,沈阳、大连、石家庄、济南、郑州、杭州、南京、苏州、南通等地开设了多家服务网点,服务范围覆盖了所有直辖市、省会,部分一,二线城市。同时,华财开拓的脚步还在继续向前,不断扩大服务的覆盖范围,向着全国性大型会计服务机构迈进!

【830771】江苏华灿电讯股份有限公司

江苏华灿电讯股份有限公司是一家专业从事移动通信基站天线及移动通信配套件的研发、生产和销售的民营科技型企业,国家高新技术企业。注册资金6750万元,在编人员1300余名,其中各类专业技术研发人才150人。公司于2014年6月3日在全国中小企业股份转让系统成功挂牌,证券代码:830771,证券简称:华灿电讯。

公司成立以来,专利申请量已达130项,其中发明专利38项,实用新型专利78项,外观设计专利14项。授权发明专利8项,实用新型专利76项,外观设计专利14项。

公司注重技术创新,与中国科学技术大学、东南大学、电子科技大学、江苏大学等多家知名高校建立了长期的产学研合作关系,公司建有江苏省智能化、小型化移动通信基站天线工程技术研究中心,并被纳入中国通信标准化协会会员单位和TD技术论坛高级会员单位。公司科研开发实力雄厚,基础设施、生产设备、检测仪器齐全,具有卓越的自行设计、开发新产品的能力。

公司在国内建有三大生产基地,即:江苏如皋天馈附件、通讯线缆生产基地和基站天线生产基地;江苏镇江射频同轴连接器、避雷器生产基地;广东东莞高低频线缆组件、室分天线生产基地。

公司坚持主动、严谨、务实、高效的工作作风和奋力拼搏、勇于探索、积极奉献、锐意创新的华灿精神,以走精品之路、创华灿品牌的质量理念,建立了完善的内部管理机制和市场营销体系。

因公司在移动通信配套件等方面拥有较强的实力,一直被国内系统集成商华为、中兴等公司选为优质供应商,所供产品份额一直名列前茅。同时,在系统运营商方面,由于我们卓越的产品品质及周到的售后服务,移动、联通、电信等多家运营商选用我们的产品建网,销售量占据国内较大的份额,目前公司产品正向东南亚及欧美等国通信市场迈进!

公司秉承顾客是上帝,质量是生命的经营宗旨;追求顾客满意是我们永恒的追求目标;不断创新、重视科技、尊重人才是公司前进的力量源泉。

【830774】济南百博生物技术股份有限公司

济南百博生物技术股份有限公司(原济南百博生物技术有限责任公司)成立于2003年,是一家专业从事体外诊断试剂研发、生产和销售的高新技术企业。公司已于今年六月份成功登陆新三板(股份名称:百博生物,股份代码:830774),成为国内首家体外诊断试剂行业上市公司。公司建立严格的质量管理体系,并通过ISO9001:2008和ISO13485:2003国际质量体系认证,拥有目前国际先进的全自动生产设备,车间严格按照标准设计,并达到万级净化标准。

百博生物技术力量雄厚,承担多项省市级科技创新项目,目前共拥有43项医疗器械注册证,17项自主知识产权专利,多个产品进入注册阶段,产品主要涉及微生物培养基系列、染色液系列、福尔马林固定液系列、液基细胞处理系列、尿锌尿钙检测系列、血培养瓶系列、支原体检测系列、阴道炎检测系列等。

百博生物秉承"实事求是、唯真唯美"的核心理念,把"客户利益"看得高于一切,把"细节制胜"作为铸就精品的利剑,抱定做精品的理想和决心,推行精益思想,追求产品的尽善尽美。经过百博生物持续不断的努力,产品的安全性、有效性和可控性已得到医疗机构的广泛认可。

百博生物正在以高水平的技术力量、强有力的管理团队、先进的生产设备为广大用户提供高质量的产品,竭尽全力为广大用户真诚服务。

【830777】江西金达莱环保股份有限公司

江西金达莱环保股份有限公司是一家集环保研发、设计、咨询、设备制作、运营为一体的国家级高新技术环保企业，公司注册资本8000万元，是目前全国唯一的国家环境保护电子电镀废水处理及资源化工程技术中心和国内屈指可数的大型环保产业研发基地之一。

自2004年成立以来，公司一直致力于污水治理工作，拥有已授权发明专利67项，其中国外发明专利30项。公司的核心技术："兼氧FMBR(4S-MBR)污水处理技术"和"JDL-重金属废水处理及资源回收技术"，经国家权威机构的鉴定认为，技术先进、成熟、创新点突出，达到国际领先水平，在国内外得到广泛应用，是目前乡镇村污水治理和重金属废水治理最佳解决方案。

【830778】深圳市博思堂文化传媒股份有限公司

深圳市博思堂文化传媒股份有限公司是国内首家挂牌新三板的地产广告服务企业(证券简称：博思堂，证券代码：830778)，成立于1998年，迄今17年时间，已成长为全国最专业最有影响力的地产服务运营商，并获得国家一级广告资质。

博思堂一直专注于为企业提供广告策划服务，涵盖：战略规划、市场调研、策划代理、创意设计、媒介发布等全过程地产增值服务。公司通过长期的资源积累和技术沉淀，现已研发完成《推广策略宝典》、《包装策略宝典》、《攻击策略宝典》、《创作策略宝典》、《刀点》、《九兵法》等多种规范文件。

博思堂下设十大区域公司，现区域携子公司一共18家，覆盖全国近百个城市，同时在线项目超过了200个。公司凭借地产项目整合推广经验和优异执行能力，已在全国范围为客户搭建起实效地产平台，为多个房地产开发商提供了服务。公司与万科、金地、保利、万达、恒大等核心客户建立了长期稳定的业务合作关系，与万科、金地、富通、福星、佳兆业、美景、万通、彰泰等客户合作期限均在10年以上。

【830793】上海晶纯生化科技股份有限公司

上海晶纯生化科技股份有限公司是一家领先的高科技企业，生产和销售高纯度特种化学品和生命科学研发用试剂产品，领域涵盖化学、分析化学、生命科学和材料科学等基础创新领域，助力客户的研究计划。同时，我们还通过芯硅谷高端品牌向全球客户提供高端实验室仪器和耗材产品。我们的客户包括大专院校科研院所，以及制药，微电子，化工/石化等行业具商业规模的企业。

我们的长期发展目标是以高端化学试剂为基础，产品线逐步扩展到抗体、蛋白组学、基因组学、分离材料等高科技试剂领域，通过自主研发和兼并重组不断扩展企业产品线，逐步发展为试剂的专业制造商和电子商务集成供应商，成为我国高端试剂行业发展的引领者，为我国科技发展做出更大贡献。

【830795】广东骏汇汽车科技股份有限公司

广东骏汇汽车科技股份有限公司(以下简称：骏汇股份，股票代码：830795)成立于2005年7月，公司前身是广州市骏佳金属制品有限公司，截止2014年底，公司职工总人数共520人，销售额累计预计达1.3亿。2012年，斥资在韶关始兴省级双转移产业园购置土地135亩用于扩大再生产，一期工程项目已经基本完工，车间进入试生产阶段。2013年，公司在番禺天安节能科技园自购总面积为960多平米的总部办公室。公司下属有六家全资子公司。

一、企业科技力量

经营范围为汽车零部件及配件制造，金属结构制造，模具制造，金属及金属矿批发，汽车零部件零售等。是一家专业研发、设计、生产与销售汽车制动器钢背、蹄铁以及其他汽车零部件的国家高新技术企业，也是广东省汽车零部件行业中集"精密冲压技术及工艺研究开发、精冲模具和精冲零部件设计与生产、精密冲压技术培训与服务"于一体的"重点帮扶高成长性企业"。公司现为中国摩擦密封材料行业协会会员单位和德国VDA会员。企业的愿景是，成为全球一流的汽车产业零部件供应商。企业的核心价值观"严谨务实诚信创新团结高效"。

2009年公司通过ISO9001:2008认证，2011年12月通过了TS16949现场审核，2012年12月通过高新技术企业资质认证。连续多年获得当地政府颁发的证书和奖励；

2014年6月，广东骏汇汽车科技股份有限公司被正式认定为广州市重点帮扶高成长性中小企业民营企业。公司产品精冲钢背于2014年4月被正式认定为广东省高新技术产品，

目前公司已拥有9项商标、13项实用新型专利和2项进入实审阶段的发明专利。

骏汇股份为进一步提升公司的品牌形象与知名度，以满足公司业务发展，2013年1月完成了股改，于2014年6月在全国中小企业股份转让系统挂牌。

二、企业主营业务及主导产品情况

公司的主导产品是钢背，已开发3300多款钢背品种，其他的产品还有消音片、座椅调角器、变速箱零件、安全带带扣和发动机部件等汽车零部件。按照供应对象不同，零部件市场分为OE市场(即整车配套市场)和AM市场(即售后维修服务市场)。公司钢背产品的尺寸公差、光亮带、平面度等关键性指标完全达到了国内OE市场的标准，20%的产品供应国内OE市场，80%的产品供应国外高端AM市场，已成为世界级各大刹车片品牌使用的制动器精冲钢背的主要供应商。

主要客户包括TMD集团(英国/罗马尼亚/巴西/法国工厂)、杭州泰明顿摩擦材料有限公司(TMD集团)、石家庄泰明顿摩擦材料有限公司(TMD集团)、霍尼韦尔摩擦材料(广州)有限公司(美国HONEYWELL)、辉门摩擦材料有限公司(美国FEDERAL-MOGUL墨西哥、捷克、中国工厂)、益美佳(广州)制动器有限公司(马来西亚FBK)、澳大利亚FMP集团和意大利LPR公司等。

三、企业成长性

公司近三年的成长率呈现企业正在向上快速发展的趋势，总资产和净资产近四年在不断增加，2013年度营业收入是11202.62万元，2013年度营业收入比2012年度营业增长率达34%。未来两年韶关基地全线生产，公司将实现年均产值2.8亿，通过技术创新与引进技术相结合的方式大力升级改造精冲钢背指标，全方位提升公司独特竞争优势。

依此发展速度，在不久的将来，骏汇股份一定能够成为全球知名汽车厂商的战略零部件供应商并成为中国最重要的汽配制造企业。

地址：广州市番禺区南村镇坑头东线路八横路7号

电话：020-3469908634699069

传真:020 - 3469908634699069
邮箱:jjmp@ gzjjmp. com
网址:www. gdjhat. com

【830810】广东羚光新材料股份有限公司

广东羚光新材料股份有限公司成立于 2001 年 8 月,是一家专业研发、生产和销售新型电子元器件用新材料和太阳能光伏材料的国家级高新技术企业,主营产品包括太阳能光伏材料和电子元器件用导电浆料、银粉、表面处理材料、粘合剂、特种陶瓷承烧板以及钽铌材料等。公司技术实力雄厚,目前已拥有 10 多项发明专利,拥有"广东省太阳能光伏材料工程技术研究开发中心"、"肇庆市企业技术中心"和"广东省清洁生产技术中心"。公司已通过 ISO9001 质量管理体系及 ISO14001 环境管理体系国家认证,获得"广东省名牌产品"和"A 级纳税人"称号,成功被认定为"广东省中小企业创新产业化示范基地",是广东省重点帮扶高成长性企业、广东省清洁生产企业,是肇庆市电子信息行业协会副理事长单位。

公司始终坚持"诚信、务实、创新、共赢"的经营理念,致力成为电子材料和太阳能光伏材料行业的领跑者。

【830811】贵州安凯达实业股份有限公司

贵州安凯达实业股份有限公司成立于 2011 年 1 月,注册资金 3000 万元。该公司充分利用本地区得天独厚的石灰石资源优势,经过科学规划、合理布局,现已发展成为资源综合利用、循环经济、节能高效,集矿山开采、加工、破碎、销售砂石、商砼、建筑设备出租;建筑废弃物,采矿废砂石的回收挑选、整理加工及销售为一体的现代化企业。

并采用中深孔爆破、台阶开采方式,配备当前露天矿山主流的采掘设备,如风动一体液压潜孔钻机,液压挖掘机及露天矿山专用运输车辆,使露天矿山安全开采作业环境、机械化开采程度达到了同行业领先水平,取得了非金属露天矿山安全标准化建设国家二级认证。除此而外,公司为增强公司自主创新能力,提高市场竞争意识,公司在长期的生产中,不断探索研发矿山开采的新工艺、新技术,现已成功打造了"湿法生产工艺",截止目前,发明专利已进入实质审查阶段,实用新型已获"专利证书"。

为合理利用资源,公司于 2012 年初,引进"三一重工"先进的 HZS180 微机全自动控制混凝土生产线,其极具优势的地理位置、雄厚的配套设施、专业的生产技术、创新的营销模式让安凯达的商砼迅速占领占据了极具竞争的市场优势,同时是贵州省预拌混凝土协会副会长单位、六盘水混凝土协会会长单位。

2014 年 6 月 23 日在全国中小企业股份转让系统实现了"新三板"的挂牌,证券名称:安凯达、证券代码:830811,成为贵州省第四家、六盘水第一家在"新三板"挂牌的企业。这只是公司踏入资本市场的第一步,公司将利用"新三板"平台更好地发展实体经济,向"主板"市场进军。

地址:贵州省六盘水市钟山区荷城花园湖景广场 A 栋 1101 号
电话:0858 - 8963399
传真:0858 - 8606222
网址:www. gzakd. cn
邮箱:gzakdsy@ 163. com

【830818】苏州巨峰电气绝缘系统股份有限公司

苏州巨峰电气绝缘系统股份有限公司由原 2002 年成立的苏州巨峰绝缘材料有限公司整体改制成立,企业现有职工人数 650 多人,专业技术研发人才 100 余人,占地总面积大于 300000 ㎡,公司主要生产绝缘树脂(漆)、云母制品、柔软复合材料、电机线圈、电磁线、绝缘件等,拥有大小客户上千家,遍布电机电器领域的每个角落,从微电机到三峡大型发电机组,从大型变压器到小的电子产品,涉及机械、电子、铁路、冶金、航空航天、航海、军工等行业。

公司是国家火炬计划重点高新技术企业,中国电器工业最具影响力品牌企业,是绝缘材料行业协会副理事长单位。公司拥有国家级博士后流动站、江苏省绝缘材料工程技术研究中心,是苏州大学、西安交通大学的硕士和本科生实习基地,为公司吸引、培养高素质人才创造了良好的氛围,培养了大量后备人才。

公司被评为"苏州市绝缘材料技术服务平台"。拥有雄厚的技术力量,具有很强的新产品研制和开发能力,目前在绝缘材料领域共拥有专利 37 项,其中高压电机绝缘机构(系统)在行业中首次申报专利,公司起草和参与起草 18 项行业国家标准和行业标准。公司自主开发的分子蒸馏环氧酸酐 VPI 树脂、干法高透气度云母带组合的百万千瓦高效发电机组绝缘系统已列为中央财政支持 2012 年国家重大科技成果转化项目。

公司通过了 ISO9001、ISO14001 和 GB/T28001 体系认证,公司一系列产品和多个绝缘系统已通过了美国 UL 认证,成为国内最早电机用绝缘系统通过该认证的企业之一。

公司发展规划,适应行业技术发展趋势和客户需求,巩固和提升在国内绝缘系统研发领域的优势地位,加强精细化管理能力,实现创新、技术、产品、服务的专业化与精确化,提高公司核心竞争力,不断提升自身绝缘系统研发成果及绝缘材料产品的竞争力和市场地位,打造绝缘系统和绝缘材料领域的高端民族品牌,使公司成为国内领先、世界知名的绝缘系统研发机构和绝缘材料提供商。

地址:江苏省吴江市汾湖开发区临沪中路
邮编:215214
电话:0512 - 63247817、63241888
传真:0512 - 63240778、63241777
电邮:jufengcompany@ jufengcompany. com
网址:www. jufengcompany. com

【830827】湖南世优电气股份有限公司

湖南世优电气股份有限公司位于湘潭市国家高新技术开发区,是国内最早研发制造大型风力发电机组电气控制系统的企业之一。公司一直专注于电气控制领域及储能装置核心技术的自主研发和生产,所生产的主控系统、变桨系统、主控系统测试设备、变桨系统测试平台等多项产品,达到国际一流水平,2012 年通过法国必维公司"ISO9000 质量体系认证"。所生产的风力发电机组电控系统全系列产品经世界权威认证机构德国 TUV 的严格评审,荣获欧盟 CE 认证。

公司前身是与荷兰优力创的合资企业,通过中外合作引进了国际最先进的生产工艺和测试标准,确保企业产品的市场认可度和产品品质。2013 年起,在公司董事长彭建国先生的推动和带领下，公司成功完成外方股权收购和公司股份制改制。公司始终将自主研发和科技创新放在发展的首位，已获得20多项国家专利。2013年公司被评定为国家高新技术企业，公司商标被认定为湖南省著名商标。2014年6月成功登陆新三板（证券简称：世优电气，证券编码：830827）。

遵循国家"资源节约型、环境友好型"发展战略，公司将一直致力于绿色能源和智能电网领域的发展，将欧洲精湛工艺和先进的测试水平应用于电控系统等相关领域，突破储能装置等核心技术领域进行自主研发，将公司打造成世界一流企业而努力。

企业文化：诚信、感恩、学习、创新、拼搏、担当、思考、沟通、健康、快乐。

地址：湖南湘潭市国家高新技术创新创业园

邮编：411100

电话：0731－52668800

传真：0731－52668817

网址：www. shiyou－electric. com

【830836】湖北荆楚网络科技股份有限公司

湖北荆楚网络科技股份有限公司前身为湖北楚天传媒网络科技有限责任公司，成立于2003年，负责运营湖北唯一重点新闻门户网站荆楚网，并逐渐形成以荆楚网为核心的互联网新闻宣传服务综合平台。2013年，公司实施改制重组，形成由荆楚网、湖北手机报、大楚网、文谷网、楚天尚漫公司、楚天神码公司、湖北日报数字传媒公司等组成的企业集团，致力打造基于传统互联网、移动互联网和物联网的新媒体新闻信息服务平台，业务形态涵盖新闻网站、手机报、舆情服务、户外媒体、动漫、移动客户端、电子商务、金融信息服务、无人机航拍、大数据服务、网站代建代维、音视频直播录播等，日均受众突破3000万人次，向他们提供最权威、及时、准确的全媒体新闻资讯服务和区域性生活服务，并正向大数据服务领域升级。

2014年，经省委宣传部、文资办等上级部门的批准，公司按照上市要求，完成资产、业务重组和股份制改造工作，并正式向全国中小企业股份转让系统公司提交挂牌申请，6月27日获得同意挂牌的批复，成为首家进入资本市场的省级全国重点新闻门户网站。7月1日，公司在全国中小企业股份转让系统正式挂牌，公司证券简称"荆楚网"，证券代码"830836"。

地址：湖北省武汉市武昌区东湖路181号楚天传媒大厦

邮编：430077

电话：027－88567711；027－88567722

传真：027－88567712

网址：www. cnhubei. com

【830842】广东长天思源环保科技股份有限公司

广东长天思源环保科技股份有限公司是污染源及环境在线监控系统集成与运维服务商、是国内领先的智慧环保解决方案提供商、环境监测监控工程集成商、国际先进环保监测仪器代理商，具有环保治理设施运营资质（水、气在线监测），是国家高新技术企业、广东省民营科技企业、广东省优秀诚信示范企业。

长天思源致力于环保物联网和云服务的研发和应用，推出了有自主知识产权的污染源感知、传输及管理等系列软、硬件产品。公司引入日本技术和资金，成立了佛山和源活性炭再生科技有限公司，生产的VOC在线监测仪，已在家具行业得到初步推广应用；基于物联网及云计算平台，提供感知即服务（aaS）、基础设施即服务（IaaS）、数据即服务（DaaS）、平台即服务（PaaS）、软件即服务（SaaS）、运维即服务（MaaS）等六种涵盖咨询、设备研发、软件开发、工程建设、运行维护等环保物联网服务产业链的整体解决方案。

长天思源污染源自动监控系统项目涉及佛山、广州、肇庆、茂名等地市。承建的"佛山市污染源在线监控系统"得到环保部、省环保厅等各级领导的多次视察指导，分别获得国家重点环境示范工程、广东省环境保护优秀示范工程、广东省环保科技一等奖、广东省高新技术产品等多项荣誉。自主研发的污染源智能环保监控管理系统获得2012年度广东省环境保护优秀示范工程奖荣誉。

长天思源公司以"优化人才，优化程序，不断创新，打造国内环保物联网知名品牌"为企业愿景，以"倡导生态文明，引领智慧环保"为使命，坚持"科学、创新、诚信、合作"的企业价值观，以"感知环境、智慧环保"为技术创新方向，立足自身优势，深度整合资源，力争成为国内领先的"智慧环保"整体解决方案供应商。

发展历程：

·2000年7月，佛山长天思源环保科技有限公司成立

·2010年12月，正式更名为广东长天思源环保科技有限公司

·2012年5月，进驻国家环保服务业华南聚集区——瀚天科技城

·2012年6月，成立控股子公司佛山和源活性炭再生科技有限公司

·2012年10月，成立控股子公司佛山量源环境与安全检测有限公司

·2013年12月，正式更名为广东长天思源环保科技股份有限公司

·2014年3月，成立控股子公司茂名市长天思源环保科技有限公司

·2014年4月，成立控股子公司广州准衡环保科技有限公司

·2014年7月，长天思源股份公司在新三板成功挂牌

我们的远景

·优化人才　优化程序　不断创新

·打造国内环保物联网知名品牌

我们的使命

·倡导生态文明　引领智慧环保

我们的价值观

·科学：客观理性　实事求是

·创新：越越自我　追求卓越

·诚信：诚实守信　立世之本

·合作：团结合作　互惠共赢

证券代码：830842，证券简称：长天思源

地址：广东省佛山市南海区桂城深海路瀚天科技城A区8号楼2号入口3楼

邮编：528200

电话：0757－86089625/38

传真：0757－86089636

网址：http：www. gdctsy. com

【830866】凌志软件股份有限公司

坚决转型　布局未来

凌志软件股份有限公司(证券简称:凌志软件,证券代码:830866)于2003年在苏州成立,是一家专注于向国际、国内客户提供高端金融IT服务的高新技术企业,主营业务涵盖了金融IT系统咨询、设计、开发、测试、验收上线、运维等软件全生命周期作业。业务范围涵盖证券、银行、保险、基金、期货等金融子行业。经过十余年的发展,凌志软件已成为金融领域IT企业的行业翘楚。

凌志总部位于苏州,凌志软件在上海、无锡、如皋及东京均设有分支机构。2014年7月30日,凌志软件在全国中小企业股权转让系统(新三板)挂牌,标志着凌志软件迈向资本市场的重要一步。

凌志软件于2013年10月通过CMMI L5 1.3版本的评估,于2011—2012年、2013—2014年连续两次被认定为"国家规划布局内重点软件企业",2013年获"中国软件出口第七名"、"2012年中国软件出口和服务外包杰出品牌"、"中国软件和信息技术服务业最有价值品牌"、"中国软件和信息服务·服务外包领域杰出企业"。凌志软件已购买科研用地,自建凌志研发大楼,形成产业集聚,带动中国金融软件产业的发展。

专注金融业务领域

凌志软件专注金融领域的软件外包、系统集成、软件产品解决方案的咨询与实施,在证券,银行,保险等金融领域积累了很多国际先进金融市场核心系统的业务经验,并形成了自己的业务特色。金融行业产品研发、软件外包服务的专业性及稳定性,已成为凌志的核心竞争力。目前产品和服务涉及金融核心交易系统、业务支持系统、CRM系统、关键时刻MOT系统、金融互联网软件、大数据应用和云计算等。

在行业人才方面,凌志软件拥有较大规模的具备金融系统业务设计能力的核心团队,对证券的网上交易、业务后台处理、保险的数理统计、理赔、银行的柜面交易及理财服务等核心的业务系统,均具有完整和丰富的设计开发经验。

致力高端服务外包业务

与其他涉足金融领域的IT外包商不同,凌志软件一直处于该行业的上游层面,致力于发展高端服务外包。凌志软件致力于金融领域的系统设计、框架设计及研发,并参与到了客户核心业务流程设计中,业务附加值高,能够占承包总额的80%。

凌志利用多年积累的业务知识,积极发展技术难度大、盈利程度高的软件外包业务,在选择项目时主动放弃了一些仅涉及编码、测试等低端工作的外包业务。凌志软件目前90%以上的项目都是从承接业务设计及框架设计开始,离岸工程则可以一直承接到系统测试阶段。凌志软件在为客户创造高附加值的服务同时,也提升了公司的竞争实力,在同类软件外包企业中做到业务区别化,从而在整个软件外包产业链中占据了高端市场,并在项目的提案能力及控制能力上都有很大的提升,从而提升公司的抗风险能力和可持续发展能力。

构建精细化管理体系

为了实现项目的可视化管理,凌志软件建立了一套严谨的质量管理体系,针对不同的项目建立了不同的质量控制的流程,使用统计学的方法建立了质量控制的基线与模型,实现了精细化的项目管理。

1. 建立公司知识库。在组织层面建立了公司的知识库,用于收集发布公司的标准过程,量化管理的各类基线,用于知识的积累与共享。项目层面针对不同类型的项目在实际实施质量管理的过程中根据公司的裁剪指南,确定项目的各个质量控制的流程,包括需求开发、需求管理、项目计划与监控、风险管理、设计、开发、测试、确认、决策分析、配置管理、度量、培训等各个环节。

2. 组建EPG(工程过程组)。为了保证质量管理体系的有效运行,凌志软件配套成立了相应的组织机构。为保证质量管理体系的持续改进,由各部门项目经理以上人员组成的EPG(工程过程组),负责公司新过程、新基线的审核发布;新技术推广的审核;各种改善建议的审核;重大革新的实施与评估;负责组织知识库的维护。

3. 设立品质管理部。为了保证实施的效果及实施的持续性,凌志软件成立了品质管理部,设专职的SQA人员负责每个项目开发过程中标准流程及质量目标达成状况的检查与改进指导、收集项目中的品质数据并分析、收集项目中的改进建议及成功的案例提交到组织。

4. 成立PMO(项目管理办公室)。为了保证整体的实施效果,公司还成立了PMO(项目管理办公室)不定期对项目的运行情况进行检查,确保质量管理体系的持续实施,公司整个质量管理体系有效的运行。

5. 借助CMMI认证,提升管理水平。凌志软件持续进行自我完善和学习,通过高效的管理手法,结合自主研发的很多自动化工具,在产品质量和生产效率上逐年提升,从而大幅提高了公司的交付能力。目前凌志软件的开发能力和项目管理水平已达到了国际较高水平。整个CMMI过程改进之路,让凌志软件的生产效率、项目分析能力、诊断能力以及评估风险的能力等都得到了很大提升,凌志软件形成了自我改善,自我提高的学习型组织,在对应瞬息万变的国际形势和市场环境时,能够更主动,更快速的反应,使企业的发展更加的稳健。

坚决转型　布局未来

过去,凌志软件商业模式主要是服务大型金融机构的定制系统,客户需要什么样的产品,我们按照客户的需求生产,往往项目比较大、服务时间长。从2008年起,公司做出了重大转型决策——以软件外包业务为支撑,融合海外服务经验和资源,进行尖端技术的研究及技术框架的自主研发。

为了更好地开拓国内市场,凌志软件成立了技术中心及工程技术研究中心,重点进行大型项目基干平台的基础研究。在产品知识库管理的基础上,利用国际国内市场经验,研发紧贴市场需求并具有国际竞争力的产品。

凌志软件拥有灵活的产品创新机制,公司目前已经研发出有自主知识产权的技术框架,基于此框架研发出多款国内金融行业应用软件,并已同国内证券领军企业合作,取得了很高的评价。到目前为止,凌志软件公司已申请专利5项,获得软件著作权25项,其中凌志投行综合管理系统软件、凌志MOT引擎软件、凌志金融衍生品交易平台软件等已经投入到商业应用,并得到客户的高度评价。

随着国际金融一体化的加速发展,与国内外金融机构存在密切合作关系的凌志软件,将在IT专业服务领域获得进一步的发展,持续保持并扩大领先优势。凌志将不断创新,充分发挥持续积累的经验和实力,以"诚信负责、成就客户、造就员工"的双赢经营理念,为国际和国内客户提供更为满意的产品和服务而不懈努力。

【830894】辽宁紫竹桩基础工程股份有限公司

辽宁紫竹桩基础工程股份有限公司(以下简称:紫竹桩基)成立于2011年,主要业务包括各类钢板桩的租赁、设计、施工、防腐,以及其他各类钢结构的制作。现有产品包括U型、Z型、板型等几大系列三十余个规格的钢板桩产品,和φ400mm - φ2000mm的钢管桩产品。产品的生产严格按照国标、日标及欧标标准执行,产品质量达到国际领先水平。

紫竹桩基于2014年8月1日成功登陆新三板,成为新三板中唯一一家租赁业企业,同时成为鞍山地区首家挂牌企业。股票名称:紫竹桩基,股票代码:830894。公司经营范围涵盖地基与基础工程、桩基础工程、深基坑支护工程、边坡治理、地下连续墙、软弱地基处理、钢板桩围堰工程、钢板桩及支护材料租赁、工程机械租赁等。公司下设哈尔滨子公司、鞍山子公司、天津子公司、上海子公司、广州子公司、北京办事处、成都办事处、武汉办事处、福州办事处等十余个分支机构,经营网络覆盖全国。公司拥有先进的打桩及配套施工设备,优秀的专业技术人员,以及专门的施工设计和防腐设计团队,可面向国内国外承揽房屋建筑基坑支护、驳岸码头支护、挡土止水帷幕墙、防波堤导流堤护岸、桥墩止水围堰、临时筑岛、管沟支护及各类市政基坑支护等大中型工程项目的施工。

【830898】北京华人天地影视策划股份有限公司

北京华人天地影视策划股份有限公司成立于2008年2月,一直信奉以人为本,立志为客户创造价值,追求高质量的影视作品为经营管理模式。经过六年的发展,在影视剧的后期制作领域取得了优异的成绩,获得了业内专业人士的高度赞赏,并于2014年9月在全国中小企业股份转让系统中成功挂牌!

在未来的发展中,华人天地将创立一个影视剧的服务平台,一个OTO服务平台,使用互联网思维,为那些在影视行业有追求、有理想、有才华的创作型的导演、编剧、制片人等服务,开拓影视剧新领域,在这个服务平台上追求梦想,实现抱负!

华人天地下设文学部、项目投资部、制作部、宣传部和艺人经纪部,对影视剧产品的剧本策划,筹备拍摄,后期制作宣传发行做全方位的专业服务。万川归海,百舸争流,愿华人天地众同仁携手创造华人奇迹!

【830900】上海维福特科技发展股份有限公司

上海维福特科技发展股份有限公司前身为江苏维福特科技发展有限公司,公司成立于2009年3月,依托良好的投资环境及优越的地理位置,以国家产业政策和经济发展规划为导向,自主投资创业,是一家专业从事高温人工晶体研究和生产的高科技民营企业。公司成立后就开展与晶体生长有关的贵金属材料的制造技术和高温耐火材料合成技术的研究,取得了突破性的成果,研发成功了多种晶体规模生产技术,几类产品创新了十多年来不变的老旧工艺,改变了高能耗、低成品率的问题,把复杂的晶体生产变成可简单操作的工作,使得高温晶体的生产能够走向规模化的公司。公司有着多项技术核心、多种产品结构、更多产品产业化的特点,产品涵盖了以下几个市场巨大的行业:光电材料行业、手工业、和时尚产业。公司的几类晶体材料将成为全球第一供应商,也必然推动我国新材料生产技术发展和材料应用。

上海维福特科技发展东台有限公司建设在中国江苏江苏东台市,首期购置土地53亩,主要规模生产主要生产蓝宝石氧化铝系列(Al2O3);硅酸盐系列(LSO,Y2SiO5等);石榴石系列(YAG);铝酸铍系列(BeAl2O4);钒酸盐系列(YVO4,GdVO4等);金红石(TiO2);鈪镓石榴石(TGG)等高温晶体材料。还包括宝石产品的制造、设计和销售。

钒酸钇单晶(YVO4)、金红石晶体(TiO2)、鈪镓石榴石晶体(TGG)被广泛应用于光纤通信领域,是光通信无源器件如光隔离器、旋光器、延迟器、偏振器中的关键材料。三种晶体毛坯单样的市场年需求量都超过2亿元人民币,并以每年120%以上的速度递增。此项目完成后项目公司将占据80%—90%的全球市场。

LSO系列晶体是已被市场证明为紧俏的商品,主要用于医用核成像诊断中的正电子发射断层扫描(PET)PET是最新一代无创伤性、高灵敏度、高分辨率、彩色的影像诊断技术,用于肿瘤、神经系统疾病、心血管疾病等的早期诊断,应用领域还包括高能物理(如精密电磁量能器)、核物理(如电磁量能器)、工业应用(CT)、空间物理、地质勘探等。LSO因其卓越性能正在取代BGO,成为PET首选闪烁晶体,正电子辐射X射断层扫描仪(PET/CT)是目前国际最尖端的医学影像诊断设备的关键材料,我国自主研发器材急需的材料。项目公司巨大的技术和成本优势将保证产品美妙的市场前景。

上海维福特科技发展股份有限公司以绿色生态环境,零排放,低耗能作基础打造全新绿色环保生产基地。因无“三废”产生,在生产过程中不会对周围环境产生不良影响,无需考虑“三废”处理。以不超过0.15超低容积率达到三生环境(即生态、生活、生产),生产基地内提供完善室内/室外休闲活动空间给员工在生产过程中和多位专家在新产品研发和生产中享受休闲生活配套。生产过程中利用水循环冷却系统,并使用冷水和热水的温差作发电系统提供部分供电,所以项目自身的能耗很少。建成后将是光通讯晶体材料产业中国最大的生产基地,生产的晶体材料应用在光学产品、光通讯产品、军工产品、医疗产品、新能源产品等市场。

【830920】重庆聚融建设(集团)股份有限公司

聚融集团是一家专注于以低碳、绿色、环保为主题的多元化、现代化企业集团。广泛涉足于绿色建材、现代物流、金融和养老产业等领域。凭借其国际化的管理理念,世界一流的制造技术,完美的产品质量,成为三峡库区首家上市企业。(证券简称:聚融集团;证券代码:830920)

聚融集团始创于2003年,旗下拥有重庆聚威节能建材有限公司、重庆聚钡混凝土有限公司、重庆聚恩实业有限公司、重庆聚融投资有限公司四家全子公司和一家控股公司重庆万富园实业有限公司。聚融集团将企业管理与环境保护紧密融合,建立起独具特色的聚融“文化”体系,并已成长为集研发、生产、销售于一体的行业龙头企业。连续多年评为“重合同守信用”单位、“先进企业”称号和行业协会“理事单位”。先后通过ISO质量管理体系、ISO环境管理体系、QC有害物质管理体系和安全标准化管理体系认证。

“致富思源,富而思进”,聚融人时刻不忘“让更多人感受到我们的爱,让所有员工成就梦想”的企业使命。率先在当地成立以企业命名的爱心基金“聚融慈善爱心基金”，用以扶危济困、关爱残疾儿童、资助贫困大学生、援助地方建设等公益慈善事业。

面向未来，聚融集团将以“保护环境，造福人类”为永续经营的坚定信念，坚持环保的产业发展道路。致力于持续改善、推广环保产业，扎根中国，走向世界。服务全球市场，争创世界一流企业。聚融人正以满腔热忱做最受人尊敬的企业，努力在为实现“聚融梦”、“中国梦”的道路上勇往直前！

【830938】德州可恩口腔医院股份有限公司

德州可恩口腔医院股份有限公司创建于 2006 年 7 月，前身为德州人和口腔医院，是一家集口腔医疗、预防、保健、康复为主的综合性医院，也是鲁西北地区规模最大的二级口腔专科医院。自落户德州以来，德州可恩口腔医院凭借精湛的医疗技术，良好的口腔服务，获得了社会各界的广泛认可和关注。先后获得“消费者满意单位”、“守合同重信用企业”、“工人先锋号”、“优秀民营医院”等一系列荣誉称号。

2013 年，为进一步促进口腔医疗事业的发展，可恩口腔医院、可恩山东国际种植牙中心、可恩儿童齿科在省会济南相继成立，标志着可恩在专业化、连锁化道路上迈出新的一步。

专业的技术造就了可恩的良好有序的就诊环境。在技术发展上，可恩严格按照国际化口腔专科发展模式，采用标准国际四手操作，将口腔疾病细分，率先成立了牙体牙髓、牙齿种植、牙齿修复、牙周、正畸、口外六大特色科室。

目前，可恩口腔医院正凭借其雄厚的技术力量，热忱周到的服务，吸引越来越多的患者前来就医。可恩，把优质的口腔服务送到老百姓的身边，让人们都能感受到私人牙医贴心的关怀，她的愿景是让全中国 80% 的家庭拥有自己的私人牙医，让更多的家庭拥有自信的笑容；她以高品质的口腔服务为和谐社会做出贡献，以期实现“百年可恩”的梦想。

【830945】江苏麟龙新材料股份有限公司

江苏麟龙新材料股份有限公司（前身为无锡麟龙铝业有限公司）是一家集有色合金新材料研发制造和加工服务为一体的国家级高新技术企业，注册资金 6240 万。2014 年 08 月，公司顺利在新三板挂牌，证券简称：麟龙新材，证券代码：830945。公司主要产品为热镀覆用铝锌硅系列合金锭；高端耐海洋性气候防腐合金涂料和合金丝材；铸造用系列铝、锌合金锭；挤、锻用系列合金棒四大系列有色合金材料。

公司的发展战略在新型合金材料产业的高新产品的研发和应用，组建了独立的科技研发技术部门，致力于研发当今市场急需的新型高性能低成本的热镀覆系列合金材料、高性能耐海洋气候腐蚀合金材料等，经科技成果鉴定：“麟龙公司自主研发的①高性能热镀用 Al-Zn-Si-RE-Mg 合金材料的研发填补了国内空白、处于国际先进水平。该成果的产业化将对我国热镀行业产品更新换代具有重要的意义；②耐海洋气候腐蚀 Al-Zn-Si 合金涂层具有突出的创新性和实用性，工程应用前景广阔，填补了国内空白，达到国际先进水平”。产品采用了多项新技术、新工艺，共申请发明专利 164 项，其中拥有授权发明专利 148 项；拥有 PCT 授权发明专利 5 项。产品获国家火炬计划项目、江苏省科技成果转化资金项目、江苏省工业支撑计划项目、江苏省专利实施计划项目、无锡市工业支撑计划项目等项目的财政拨款，被确认为国家重点新产品、江苏省高新技术产品、江苏省专利新产品，获得中华全国工商业联合会科技进步奖二等奖、江苏省科技进步三等奖、无锡市科技进步三等奖。与南京航空航天大学共建的热镀覆材料技术工程中心，拥有一支由多位高级技术人员组成的实力雄厚的研发团队，为江苏热镀覆材料工程技术研究中心。

公司的热镀覆系列合金产品为热镀行业上游产品，可取代目前国内广泛使用的 Zn-Al-Pb，Zn-Al-Pb-Sb，Zn-Al-Sb 三种牌号，减少铅和锑对环境的污染。将有力地推动热镀锌产品的更新换代，促进我国的钢铁材料向产业高端攀升，提升国际市场竞争力。为我国家电制造业提供性能更高的壳体材料，还可以在建筑、轻工等领域得到广泛的应用。在国际国内市场上都受到一致好评，销售数量和研发种类都实现历史性的突破。公司已是宝山钢铁、梅山钢铁、中彩集团（新大中钢铁）、联合铁钢、广东华冠、攀钢集团等企业的稳定供货商。仅以公司现有的正常供货客户和达成供求协议、意向客户，就能够实现本项目的市场销售目标。通过这些龙头企业在新产品应用中的示范作用，争取建立热镀钢板产品新的质量标准并上升成为行业和国家技术标准，推动本产品在国内市场占有率快速增长。而公司的风电装备耐海洋气候腐蚀涂层复合材料及其水溶性涂层技术产品可广泛应用于船舶、近海桥梁、海上石油钻井平台等海洋、海岸工程金属部件的防腐蚀工程，对于推动江苏沿海发展战略的实施具有重要的意义，目前已与桥梁、水利、铸管、煤矿机械、交通设施等行业有了初步合作意向。

公司已通过了 ISO9001 质量管理体系、OHSAS28001 职业健康安全管理体系、ISO14001 环境管理体系、CCS 船级社认证，2009 评定为国家高新技术企业、2012 年通过了国家高新技术企业复审，获得江苏省民营科技企业、江苏省科技创新型试点企业、江苏省科技小巨人企业、江苏省知识产权贯标先进单位、江苏省科技型中小企业、江苏省高成长型中小企业、无锡市 AAA 级重合同守信用企业、无锡市劳动保障诚信单位、无锡市知识产权示范企业等荣誉称号。

【830973】辽宁双强塑胶科技发展股份有限公司

辽宁双强塑胶科技发展股份有限公司成立于 2007 年，作为国家级高新技术企业，公司首创中国门窗幕墙玻璃行业 O2O 电商平台，依托技术、材料、设备三大平台以“投资、合作、授权”形式拟标准化复制 400 家萨沃奇暖边节能中空玻璃工厂，同时，在国内率先推出中空玻璃密封材料（复合胶条、三元乙丙胶条、丁基胶、硅酮胶）系统化解决方案，现已成功登陆新三板，股票名称：双强塑胶，股票代码：830973。

在“勇于实践、不断创新”的经营理念指导下，双强塑胶积极发展环保低碳产业，先后与德国克劳斯塔尔工业大学等国内外知名学府建立了“产学研”一体化战略联盟，与中国工程院院士蹇锡高共同建立了“双强院士工作站”，与国家玻璃质量监督检验中心共同编撰了《萨沃奇暖边节能中空玻璃生产技术规程》并通过专家审查，萨沃奇培训师队伍的建立，为双强塑胶自主研发能力提供了有力保障，为“萨沃奇暖边技术”实现门窗建筑领域的节能环保奠定了雄厚的基础。

未来，双强塑胶将以全新的商业模式，整合行业优质资源，践行契约精神，为业内企业提供“同质量、同品牌、价最低”的采购渠道，“无赊欠、量更大”的销售渠道，建立崭新的商业生态环境，搭建每年百亿以上交易额的电商平台。

【830977】山东婴儿乐股份有限公司

山东婴儿乐股份有限公司是由1949年成立的烟台市糕点厂历经演变和发展而成。公司注册资本1650万元，主营业务：自主研发、专业制造、渠道营销婴童食品和用品，下设两个子公司、两个工业园区、占地90亩，厂库房5万多平方米，资产总值近亿元。公司拥有国内最先进的婴幼儿饼干和面食生产线及自动化包装等设备，严格执行《ISO9001质量管理体系认证》和《ISO22000食品安全管理体系认证》，形成质量控制一体化管理模式。目前，“婴儿乐”商标的婴童饼干系列产品在全国24个省市自治区设有300多个经销商，包括家乐福、沃尔玛、银座、大润发、利群等国内的各大商超。

多年来婴儿乐品牌及产品获得中国食品科学技术学会全国推荐产品、山东名牌、山东省著名商标等国家、省部级重大荣誉30多个。2009年，获“改革开放三十年中国食品行业优秀企业”称号；2012年获“第三届全国品牌贡献奖和年度最具成长力品牌”；2013年获“全国食品工业优秀龙头企业”称号。

婴儿乐股份致力于婴童辅食和用品的自主研发、专业制造和联盟合作的伟大事业，呵护中国婴幼儿童益智、健康、快乐成长，全方位服务于中国婴童事业。通过资产优化整合，婴儿乐股份已形成了“一体两翼”的战略发展平台，倾力研究婴童辅食领域新知识、新材料、新工艺、新形式，提高核心产品的技术含量，打造核心竞争优势，做强核心业务；通过自主品牌建设和国际品牌代理的并行战略，有效地整合优势资源，形成规模化连锁经营，做大电子商务；聚焦聚力，引入战略投资伙伴，进行资本运作，实现共赢，做精资本运营。

公司坚持一体两翼的战略方向，做强婴幼儿童食品领域的主营业务，做大婴童食品、用品领域专业化的电子商务平台，做精资本运作的业务体系，实现企业跨跃式成长，打造以市场为导向，不断创新为消费者和客户创造独特价值的核心竞争力。

地址：山东省烟台市莱山区杰瑞路17号

电话：0535－6608617

官网：http://www.baby-joy.com

【830978】杭州先临三维科技股份有限公司

专注于三维数字化与3D打印技术，将两项技术进行融合创新，提供装备及服务一体化综合解决方案，应用于工业制造、教学消费、生物医疗等领域。公司成立于2004年，于2014年8月8日在新三板挂牌上市（830978），为中国三维数字化与3D打印行业第一股。公司于2014年12月完成定向发行700万股，价格为15元/股。

从高精度三维数字化（三维数据的准确获取）——三维软件建模/检测（三维数据的高效处理）——3D打印/快速制造（三维数据输出），公司的三维数字化与3D打印技术综合解决方案已经成功运用于众多行业，已累计服务了2,000多家工业制造、教学消费、生物医疗等领域客户，包括南京市3D打印产业应用创新中心、温州市3D打印快速成型中心、龙泉青瓷宝剑科技服务中心、清华大学、浙江大学、中钢集团洛阳耐火材料研究院、万向集团、成飞集团、奇瑞汽车、大众汽车、长城汽车、松下家电、博世电动、洛阳文物考古研究院、本山传媒、西安世园集团等。

目前已拥有66项自主知识产权，其中发明专利7项，实用新型专利23项，外观设计专利9项，软件著作权27项。公司建有省级研发中心；浙江大学-先临三维数字化技术联合实验室、与华南理工大学建有生物材料3D打印个性化重建联合实验室；公司是中国3D打印技术产业联盟副理事长单位，浙江省3D打印产业联盟理事长单位，公司正作为牵头起草单位制定国家光学三维测量系统行业标准。

地址：杭州市萧山区建设一路66号华瑞中心A座18楼

电话：0571－82999580

传真：0571－82999585

【830983】广州保得威尔电子科技股份有限公司

广州保得威尔电子科技股份有限公司是一家集专业开发、生产、销售消防电子产品的国家级高新技术企业，通过ISO-9001:2008质量管理体系认证。与世界500强企业美国霍尼韦尔国际公司合作，研发、生产符合CCCF、UL及FM认证的火灾自动报警系统。公司于2014年8月在全国中小企业股份转让系统成功挂牌，2014年9月25日广州保得威尔正式在全国中小企业股份转让系统作市转让，做市商为广州证券股份有限公司和山西证券股份有限公司

公司主要经营“保得威尔”品牌火灾自动报警系统、智能网络遮阳系统、智能家居系统、智能疏散指示系统、楼宇自动化系统及广播系统，并提供产品的销售、售后服务、技术支持等服务。拥有近百人的技术人员及商务人员团队，对用户提出的消防报警系统要求进行认真细致的设计评估，务求向用户提供安全、可靠、稳定的火灾自动报警系统方案，所有在职员工均受过严格的专业训练，具有丰富的现场工作经验。

广州保得威尔自成立以来，通过不断发展，八年间陆续在深圳、上海、北京、重庆、成都、长沙、西安、三亚、香港等地设立了办事处，逐步形成强大的覆盖全国各重要城市的销售、服务体系，为客户提供最快捷、最贴心的服务。

保得威尔要求将最好的技术及服务带给用户，并通过不断沟通聆听，使保得威尔的产品更贴近用户的需求。五年来保得威尔多次参加国内大型的消防交流展，在2008、2009、2010、2013年连续四届参加北京国际消防设备展览，并通过此窗口，让更多的用户了解到保得威尔，大大提高保得威尔在行业内、外的知名度。

保得威尔多年服务于市政、酒店、轨道交通、机场、教育、工业、甲级办公大厦、制造业等领域，积累了丰富的火灾自动报警系统服务与技术经验，并与众多的BAS集成供应商建立良好的合作关系，共同解决系统集成方案。我们本着真诚服务的原则，以我们在防灾领域突出的技术实力、良好的声誉和灵活机制为保证，为保得威尔所承建的所有工程提供优质的技术支持与售后服务。2014年3月获得广州市地下铁道总公司颁发的“六号线首线开通外联保障服务先进单位”荣誉认可。公司已连续多次获此殊荣，标志着保得威尔在产品的性能和服务上都得到了广州地铁的认可。2014年4月获得广州开发区颁发的“瞪羚企业”（广州开发区内技术创新能力强、成长速度快、税收和利润等经济效益指标良好的高成长性企业或具有高成长潜力、在关键技术领域拥有核心专利等自主知识产权，科研队伍和科研设施条件完善的企业）认定荣誉证书。

保证质量、履约能力强、对待工作严谨负责、服务态度细心周到，使保得威尔得到各界人士及同行的赞许。我们愿以优质的产品、完善的服务、辛勤的劳动为广大客户解除消防安

全的后顾之忧，为保障社会财富和人民生命与安全做出贡献，一如公司的核心价值理念“Care your life and safety! ——关爱生命与安全!”

【830998】浙江大铭新材料股份有限公司

浙江大铭新材料股份有限公司(原华源电热)创建于1995年，是国家重点扶持高新技术企业、国家高新技术产业化示范工程项目实施单位，是《自限温伴热带》《自限温电热片》国家标准负责起草单位，是富阳市首家新三板挂牌企业(证券代码:830998)。公司注册资本3350万元，占地60余亩。总建筑面积23000平方米。公司现有在册职工人数120人，其中教授级工程师2人，高级工程师3人，工程师7人，技术人员30人。

公司为国内最大的专业从事聚合物正温度系数(PTC)热敏电阻材料研究及相关产品开发、制造企业之一。公司目前已生产和产业化的产品有聚合物正温度系数热敏电阻材料(PPTC材料)、自限温伴热带、恒功率伴热带等系列伴热产品、采样复合管系列产品、自限温电热片、赛沃PTC地暖系统、工业自动化仪表盘、台、箱、柜等。同时，公司还承揽热控设备成套工程、保温工程及烟气连续在线监测(CEMS)工程、地面辐射供暖系统等。产品用户遍及电力、化工、石油、仓储、环保、建筑、民用等诸多领域。

公司技术力量雄厚，取得国家授权发明专利五项，实用及外观专利二十余项。公司承担了一项国家高技术产业化示范工程、四项科技部中小企业创新基金项目，多项产品被列入国家重点新产品推广计划，多次获部、省、市级科技奖。各类产品质量性能稳定，可靠性好，在同行业中率先通过GB/T19001－2000－ISO9001:2000质量管理体系认证证书、B/T24001－2004－ISO14001环境管理体系认证证书、GB/T28001－2001职业健康安全管理体系认证证书。及相关产品取得国CE，ROHS(欧盟指令)，通过美国UL认证，CSA，EMF，IECEX等认证。

截止2014年11月已经完成销售5000万元，利税900万元。预计全年完成销售额5600万元。

【831001】上海英特罗机械电气制造股份有限公司

上海英特罗机械电气制造股份有限公司成于1998年，是以生产、销售欧规标准的各类室内外门锁、锁芯、锁体及相关高规格五金门锁系列产品的民营企业。2013年12月顺利完成了股份制公司的改制，2014年8月我们在全国中小企业股份转让系统成功上市，股票代码831001，简称:英特罗，注册资本1200万元，并与CCTV《影响力对话》栏目取得合作，被央视评为最具影响力的锁具企业。

英特罗始终秉承品质第一的原则，先后通过了德国ISO9001:2000国际质量认证、EN1301标准，及取得了多项实用新型专利和发明专利，产品90%以上外销欧洲市场，并快速赢得国际国内的亲睐。成功取得了与德国、俄罗斯等国际知名企业超过十年的良好合作关系、签订战略合作协议，成功树立了英特罗高品质的国际企业形象。我们经过多年的科学管理、准确的定位、出色的产品及完善的行销与服务，业绩屡创新高，让我们服务客户的同时也快速累积了资本。

我们高品质的畅销产品主要有:多款锁芯及安全门锁、锁体类等相关产品，我们出色的G/P系列锁芯，技术水平领先国际，独特的有:精度最高、耐久度更长、安全性最佳的特质，是全球客户争相采购的精品。

未来，我们将继续以生产符合欧规的高品质锁芯产品，在稳住欧洲市场的同时，大力开发美洲及东南亚市场，立争成为世界瞩目的高科技锁芯制造行业的明星。

地址:上海市奉贤区南桥镇西渡马家宅路200号
电话:021－57437318
传真:021－57437411
邮箱:david@ inter-rock. com
网址:www. inter-rock. com

【831020】大连华阳密封股份有限公司

总部位于中国辽东半岛最南端的大连。大连三面环海，风景秀美，先后获得联合国全球“环境500佳”、“中国最佳旅游城市”等荣誉称号。大连是中国最重要的工业基地之一，包括造船、风力发电、压缩机及泵制造、石油化工行业及IT产业。

大连华阳密封股份有限公司成立于2004年，是生产机械密封及辅助工程系统的专业公司，一期项目用地25000平方米。主要产品包括泵用密封、搅拌釜密封、压缩机干气密封、核级密封、干燥机密封、碳环密封及密封辅助系统等，产品广泛应用于石油、化工、造船、发电、食品、造纸、医药等行业，国内外客户超过600家。公司自主研发、生产的大型搅拌釜机封、压缩机干气密封等产品已经出口到欧盟、英国及中东市场，品质达到国际先进水平。

公司现有员工280余人，工程技术人员占100余人，其中高级职称8人，博士2名，硕士9名，主要技术人员均来自国际知名公司、国外留学人员以及国内重点院校。目前，公司拥有48项专利，4项发明专利，44项实用新型专利，3项国家级科技成果鉴定。

公司先后通过DNV ISO9001质量体系认证、美国石油协会API质量体系认证。现为辽宁省企业技术中心，中石油、中石化一级网络供应商，国家级高新技术企业。2011年，在中石油首次“高危泵机械密封厂家综合评比”中名列第一;在中石化首次“高温泵机械密封厂家综合评比”中名列第一。2014年，在中石化第二次国内外机械密封厂家综合评比中，泵用高端波纹管密封及压缩机用高压干气密封名列第一。

公司于2014年8月22日成功登陆全国中小企业股份转让系统，证券简称:华阳密封，证券代码:831020，成为国内首家挂牌的密封企业。

未来，华阳密封将继续执着于世界中高端密封领域，为民族工业做出自己应有的贡献!

地址:大连市甘井子区营旭路25号
电话:0411－66880000
传真:0411－66880066
网址:www. dlhuayang. com
邮箱:hy@ dlhuayang. com
邮编:116036

【831028】河南华丽纸业包装股份有限公司

河南华丽纸业包装股份有限公司成立于1998年，是一家集纸板、纸箱及彩印等包装制品设计、制造、服务为一体大型综合包装企业。公司现拥有湖北华丽、陕西华丽、甘肃华丽、新疆华丽、河北华丽等多家全资子公司,是河南省包装行业规模最大、设备最齐全、技术最先进的包装企业之一。公司先后荣获"中国包装百强企业"、"中国纸包装50强企业"、"中国包装优秀品牌"等荣誉称号。现为河南省包装技术协会纸制品委员会主任单位,是中国包装联合会第七届理事会的副会长单位。2014年8月29日成功在全国中小企业股份转让系统挂牌,证券简称:华丽包装,证券代码:831028。

公司拥有2.5米、2.2米、2米、1.8米等各种规格的全自动高速瓦楞纸板生产线,年生产各类纸板10.6亿平方米。拥有全电脑控制四色、五色印刷模切一体机和全自动粘箱机、覆面机、平压模切机及各种型号的高速自动钉箱机等成箱配套设备。建有设备齐全、功能完备的纸类及纸箱物理性能检测室、化学实验室,被授予省级"企业技术中心",并通过了ISO9001国际质量管理体系、ISO14000国际环境体系认证。

公司以"始于客户要求,终于客户满意"为服务宗旨,坚持"品牌化生存,集约化经营,精细化管理"的发展道路。目前,公司与富士康、三星、美的、格力、海尔、冠捷、统一集团、娃哈哈集团、蒙牛集团、中粮集团、徐福记、乐百氏、伊利乳业、今麦郎等众多知名品牌客户建立了长期稳定良好的业务关系。

华丽包装,让世界更精彩。公司本着"做包装行业最大最强"的发展目标,坚持"一业为主、多种经营、做强做精"的发展思路,在未来的经营中将陆续增加资本投入,力争在十二五末跻身全国纸包装前三甲。

华丽人愿携手天下朋友共同腾飞、共铸辉煌!

地址:许昌市魏都民营科技园区北区宏腾路中段

邮编:461000

邮箱:hnhlpp@163.com;

网址:www.hnhlpp.com

电话:0374-8564688

传真:0374-8564888

【831039】国义招标股份有限公司

国义招标股份有限公司注册资本9160万元,是全国最大的专业招标采购服务商之一。国义招标目前拥有商务部、住建部、财政部、发改委颁发的"机电产品国际招标"、"工程招标代理机构"、"政府采购代理机构"、"中央投资项目招标代理"等4项甲级招标采购代理资质。

传承60年国际采购经验,主要为医疗、交通、能源、电信、环保、市政工程等领域的客户提供招标代理服务及招标后续采购增值服务。2013年延伸服务链,在深圳前海成立金沃国际融资租赁公司,控股51%,成为国内第一家将招标、采购和融资租赁相结合的招标代理公司。2013年,公司招标额突破500亿元,公司连续多年获得"年度中国招标代理机构十大顶级品牌"、"年度广东省最具竞争力招标机构第一名"、"年度中国最具社会责任感招标机构"。

国义招标拥有一支具备扎实专业理论知识和丰富实战经验的专业团队,精通国内外招投标法律法规,可为用户提供各类项目(包括货物、工程、服务)的招标代理服务以及招标后续采购服务。

作为全国第一家登陆资本市场的招标机构,国义招标秉承"诚信、专精、共进、创新"的核心价值观,为客户提供专业、规范、高效的招标采购服务,使客户付出的成本获得最大的增值!采购满意,首选国义!

地址:广东省广州市越秀区东风东路726号16楼

邮编:510080

电话:020-87768198

传真:020-37658093

邮箱:gmgitc@cngmg.com

网址:www.gmgitc.com

【831041】江苏兆鋆新材料股份有限公司

江苏兆鋆新材料股份有限公司成立于2009年3月,注册资本5000万元。主要从事纤维增强热固性树脂基复合材料及制品、改性工程塑料、结构泡沫塑料等复合材料的研发、生产和销售。公司主要发展定位是依托公司在新材料领域的核心技术和自主知识产权,根据不同产品的属性开发不同的应用市场,并能够根据客户的需求提供定制化的生产服务。公司SMC/BMC领域打造从材料到制品,涵盖配方研发、材料生产、制品设计、制品生产、后道加工、实验检测在内的全产业链,选择发展前景好的领域开展业务,包括电气、汽车、高速列车、家电、建材等领域,并拥有众多优质的客户资源;公司生产的改性工程塑料主要面向国内汽车行业,公司定位于做该领域的原材料提供商,随着产能的不断扩大,公司在国内汽车行业的影响力也逐步提升。2013年,公司通过国家高新技术企业和江苏省企业技术中心认定。

地址:江苏省镇江市句容市华阳西路99号

邮编:212400

电话:0511-80789769

传真:0511-80789769

网址:www.composite-cn.com

【831047】四川深远石油钻井工具股份有限公司

四川深远石油钻井工具股份有限公司位于成都市高新区,注册资金2千万元人民币。主要从事石油金刚石钻头、高性能螺杆钻具及页岩气完井工具的研发、制造、销售和技术服务。其主要产品有高性能的金刚石钻头和螺杆钻具,陆续申请二十多项国内和国际专利,现已审核通过获得专利证书十四项。

深远公司组织机构精练,质量保证体系完善,安全生产管理制度健全。现已通过美国石油学会的API Q1石油和天然气制造组织的质量管理体系认证、APIspec7-1规范产品认证、ISO9000质量管理体系认证、ISO14001环境管理体系认证和OHSAS18001职业健康安全管理体系认证。

在丰富的实践经验和坚实的专业技术基础上,我们通过自主创新和石油院校技术合作,在金刚石钻头和螺杆钻具领域研发了具有自主知识产权的核心技术。现已建成技术先进、设备齐全、管理规范的高性能的石油金刚石钻头和螺杆钻具生产线。

深远牌石油金刚石钻头和螺杆钻具在使用中发挥出优越的性能,不断创造同类产品新的使用指标,并在油田进行全井承包钻井服务,受到油田用户的充分肯定和好评。

地址:四川省成都市高新区西芯大道4号B332号

邮编:611731

电话:028-87877380

传真:028-87877382

网址:www.deepfast.com

【831053】安徽美佳新材料股份有限公司

安徽美佳新材料股份有限公司成立于2000年，坐落于安徽省繁昌经济开发区，是一家从事热固性粉末涂料、环氧树脂、聚酯树脂以及化工助剂研发、生产、销售的专业化企业，为国家粉末涂料和环氧树脂的主要生产基地。2009年美佳新材整体变更设立股份公司，2014年8月20日成功在全国中小企业股份转让系统挂牌，证券简称：美佳新材，证券代码：831053，注册资本5600万元。

美佳新材为国家高新技术企业，安徽省信息化与工业化融合示范单位，建有省级企业技术中心和安徽省粉末涂料（重点）实验室，目前拥有粉末涂料实验室一个，粉末涂料研发中心一座，筹建中博士后工作站一个，各类研发技术人员、工程技师40余人，已经取得包括发明专利、实用新型、外观专利等30项授权。

2008年，美佳新材获得国家级高新技术企业，并于2011年通过国家级高新技术企业复审。根据中国化工协会涂料涂装专业委员会公开的年鉴报告资料显示，美佳新材在行业排名第三位，排名仅次于粉末涂料制造企业的国际巨头阿克苏-诺贝尔和杜邦华佳，中国企业排名全国第一。

美佳新材是美的、格力、奥克斯、海尔、美菱、奇瑞汽车、江淮汽车、合力叉车、正泰电器等国内知名企业和名牌产品的重要合作伙伴，同时产品出口到美国、巴西、印度、巴基斯坦、中东等国家。"客户至上，品质第一，精益求精，创新发展"是企业的核心价值理念，同等产品比质量，同等质量比价格，同等价格比服务，满足客户需求是美佳新材料永恒的追求。

展望未来，在全球新材料应用日新月异的今天，美佳新材作为国家重点发展的行业门类，公司将进一步加快产品研发，升级产业链，树立中国新材料行业领域的民族品牌。

地址：安徽省芜湖市繁昌县工业园
邮编：241200
电话：0553－7718566
传真：0553－7718299
网址：http://www.anhuimeijia.com/
电邮：admin@anhuimeijia.com

【831055】厦门三优光电股份有限公司

厦门三优光电股份有限公司（简称"公司"）是专业研发与量产高速半导体激光器/探测器、光组件的高新技术企业，产品广泛应用于光纤到户、云计算、移动通讯、物联网、光纤传感等领域。

目前光通讯行业生产厂家大都采用手工生产的方式，产品可靠性和稳定性较差，公司经过3年持续引进自动化设备并进行技术改造，现已建成具有三优特色的多条芯片自动封装产线、组件自动耦合产线，处于国内领先水平，并凭借自动化生产的优质产品进入了3家国际顶尖大公司的全球供应链，产品进入了阿尔卡特朗讯、华为、中兴等国际大客户。

公司承担的国家创新基金项目——10G半导体激光器及组件，经过3年的研制，已填补国内空白，公司也成为国内首家成功研制并进入云计算市场的企业，随着全球云计算、大型数据中心的兴建，市场需求激增，在此基础上，公司进一步研制具有国际领先水平的大数据信息高速传输的40G产品，并将成为公司新一代拳头产品及利润增长点。

公司与厦门大学产学研合作成立了"光电研发中心"、"厦门市重点实验室"，形成了极具竞争力的研发实力，技术开发团队在通讯专家及光电专家带领下，承担了4项国家、省级科技项目及创新基金项目，获得2项发明专利，多项实用新型专利。作为海峡两岸光通信产业联盟副理事长和秘书长单位，公司充分发挥对台优势，加强对台合作，将计划与台湾光通信研究机构和企业联合成立研发中心，研制下一代大数据产品的芯片和光器件产品。

近几年公司抓住光通迅行业市场机遇，发展迅速，销售额年均增长超过30%，被评为厦门市2014－2015年最具成长性中小企业。作为厦门市推荐的上市后备企业，公司在市政府及高新区的支持下，于2014年8月在"全国中小企业股份转让系统"顺利挂牌（证券代码：831055），为后续融资并进入资本市场奠定基础。

【831064】上海浩驰科技股份有限公司

上海浩驰科技股份有限公司（原名：上海金午新材料科技有限公司），是一家专业从事汽车隔热膜、建筑膜、防爆膜、特种保护膜等各类功能性薄膜的研发、生产和销售的大规模民营企业。注册资本6833万，固定资产5000余万，凭借国家产业政策的支持和国内房地产、汽车行业的发展，公司近几年发展势头迅猛，为保持快速的发展，2013年收购一家同业企业（该企业后更名为"海安浩驰科技有限公司"），从而使公司的产能跃居国内前列。

公司董事长二十多年专注薄膜领域的经营，有着丰富的管理经验能准确把握市场动向。公司拥有一支高效的研发团队，由美国哈佛大学博士后带领，并与国内外高校和实验机构展开"产学研"的合作，资源和信息互享，能够第一时间掌握国际最新技术研发的动态。公司目前已取得发明专利、实业新型专利十余项，获得多项专利新产品称号，2011年列入上海市重点技术改造项目，2013年获得高新技术企业、上海市小巨人培育企业等称号。

2014年，上海浩驰科技股份有限公司顺利通过全国股转公司审核，成为在同行业里首家在"新三板"挂牌的企业。公司以挂牌上市为契机，秉承"做受人尊重的企业，做客户喜欢的产品，做有责任心的人"的宗旨，投入更大的精力专注于产品的研发和应用，更严格的控制产品的质量，为各领域的客户提供更优质的服务。

地址：上海市奉贤区奉城新奉公路6558号
邮编：201411
电话：021－57521111－9055
传真：021－57527575
网址：www.jwneotech.com

【831069】浙江瑞明节能科技股份有限公司

浙江瑞明节能科技股份有限公司始建于2002年，是一家集研发、培育以及拓展节能门窗系统产业链示范基地为一体的建筑节能典范企业，建筑节能门窗系统方案提供者和系统材料供应商。是国内最早研发生产新型节能门窗的企业之一。

公司已先后获得"国家火炬计划重点高新技术企业"、

"国家知识产权管理标准试点企业"、"浙江省著名商标"、"浙江省知名商号"、"省级企业技术中心"、"省级研发中心"、"浙江省绿色企业"、等一系列国家级、省级荣誉。

公司注重技术创新,引进和培养各类专业技术人才,建立起高素质的科研开发队伍。并与国内著名高等院校、科研单位合作,在高性能节能门窗的研发方面取得丰硕成果。已先后获得授权专利100多项(其中发明专利18项);主编3项国家建筑标准设计图集;参编5项国家标准,4项行业标准和1项地方标准。2项新产品被列入"国家火炬计划"、1项新产品被列入"国家星火计划";至今,共有25个系列产品经国家住建部检测认定,被授予《建筑门窗节能性能标识》。

2014年8月,公司股票在全国中小企业股份转让系统挂牌。

地址:浙江省德清县莫干山经济开发区长虹西街69号
电话:0572-8673658　8831082
传真:0572-8673665
邮箱:dcm@ruiming.com.cn
网站:http://www.ruiming.com.cn

【831090】凉山州锡成滑石矿业股份有限公司

【企业概况】

凉山州锡成滑石矿业股份有限公司是集滑石开采、精深加工、销售于一体的大型实体生产企业,生产基地位于美丽富饶、矿产资源丰富的四川省凉山州冕宁县后山乡,是西南地区唯一的大型滑石矿。公司生产基地毗邻驰名中外的西昌卫星发射中心,交通便利,距108国道仅9公里,距京昆高速15公里,距成昆铁路15公里,距西昌青山机场45公里。

公司前身为冕宁国营滑石矿,公司于2010年8月通过竞拍并投资4.6亿元整合了原有十余家私人采矿权,最终取得冕宁后山滑石矿20年独家采矿权,已探明滑石储量达960余万吨,白云石大理岩矿矿石储量1980余万吨。现公司主要生产400-8000目的高端滑石粉,其年产量60万吨以上。产品洁白细腻、纯度高、化学成分稳定,广泛应用于:油漆、涂料、造纸、塑料、电缆、陶瓷、防水材料等行业。

2013年,公司自主研发出可完全替代高岭土用于各种涂布纸涂料的滑石粉,其特点:白度高、遮盖力强、平滑度和印刷光洁度高,同时可赋予纸张较高的吸墨性。现已建成一条年产20万吨干粉的生产线。

公司坚持以先进技术为指导,以市场需求为导向,注重与相关科研机构的合作,致力于开拓滑石的应用领域。2014年3月20日正式向全国中小企业股份转让系统申请公司股票在"全国中小企业股份转让系统"(俗称"新三板")挂牌交易,经过层层审核、考察、调研,于2014年7月30日由全国中小企业股份转让系统有限责任公司发文【股转系统函〔2014〕1139号】正式豁免核准公司股票公开转让;2014年12月10日正式在全国中小企业股份转让系统挂牌并于12月19日举行了挂牌仪式。我公司股票挂牌交易,是公司的一个巨大的跨越,一次辉煌的飞腾,不仅加快了公司的飞速发展,同时也带同相关的产业一起飞腾,并开创了凉山民营股份公司股票挂牌交易的先河!

公司建立了完整、科学的生产管理体系,拥有立足大西南,辐射全国的营销网络。愿本着互利互惠、合作双赢的经营方针,为广大客户提供优质的产品和诚挚的服务,将以良好的信誉和过硬的品质赢得同行和广大客户的赞誉!

【企业文化】

·企业精神:求真务实开拓创新不屈不挠知难而进逢山开路遇水架桥狭路相逢勇者胜

·经营理念:质量为本诚信为先做世界一流滑石产品树一流民族品牌

·经营战略:以品质塑造品牌以优势发展规模海纳百川缔造旗舰

·发展战略:高筑墙广积粮速发展不张扬

·治厂方略:正合奇胜以质求存

·公司厂训:业精于勤行成于思行胜于言

·质量管理理念:质量就是生命责任重于泰山

·公司管理目标:安全生产"零事故"产品质量"零缺陷"生产设备"零停机"服务质量"零抱怨"

·选人、用人原则:讲文凭、更讲水平面讲职称、更讲称职业讲资历、更讲能力。能力为上,品德为先

·企业着力培养造就的四种人:技术的解难人;管理的创新人;革新销售的大能人;兢兢业业的实干人

【领导介绍】

周锡成,董事长,1979年—1982年参军;1982年—1985年先后从事果木种植,树苗、果木经营;1986年—1990年兴办个体企业,主营滑石矿、石灰石开采、加工和营销;1991年—2003年从事珠宝经营,分别在成都、重庆、广州、北京等地设有销售门市;2004年—2006年就读于四川大学管理班;2010年8月至今经竞拍得到冕宁滑石矿山,同时成立凉山州锡成滑石矿业股份有限公司(原冕宁锡成滑石矿业有限责任公司),任法定代表人至今。周锡成先后从事种植、矿山开采、矿石加工、营销和商贸经营,具体较高的综合管理营运能力,人品素质良好,为人友善,包容性强,具有良好的团队精神,深得当地民众和同行业好评,做事雷厉风行,遇事敢于担当,勤奋好学,做一行爱一行,不仅在公司内部,而且在凉山地区,均获得良好的口碑和威望。

联系我们:

地址:中国滑石精深加工基地(四川省冕宁县后山)
电话:400　615-0016
传真:0834-6280012
网址:www.xchsk.com

【831091】北京精冶源新材料股份有限公司

北京精冶源新材料股份有限公司(原北京市京冶源建筑材料有限公司)成立于2004年,是国家级高新技术企业,2014年8月在新三板挂牌上市(证券代码:831091)。公司专注于耐火材料的研究开发、生产制造、销售、工程和服务。公司的主要产品包括速干浇注料、炮泥、风口区域及炉缸浇注料、喷涂料、陶瓷耐磨料、压入料等。公司工程施工设备齐全,拥有混凝土喷湿机、变频高压注浆泵、高炉整体喷涂机器人、湿法喷涂机及湿法喷涂机器人、高压注浆泵、计量泵等工程施工设备。

公司技术力量雄厚,人才济济,研发和技术人员占比达30%以上。公司在技术研究和产品开发上与各大专业院校、科研院所密切合作,及时跟踪和把握行业的发展动向,并将最新科研成果迅速转化为生产力,使公司在技术和产品上始终处于领先地位。

北京精冶源新材料股份有限公司以技术和服务为本,从原材料的选择、配方和生产工艺直至工程施工、服务追求精益

求精，为客户提供增值服务、不断降低客户的生产成本。公司长期和科研院所合作，开展前瞻性技术研究，使公司的产品在技术性能、环保和节能减排上处于领先地位。

北京精冶源新材料股份有限公司在耐材行业精耕细作十多年来，形成了良好的市场口碑，长期服务的客户包括日照钢铁、沙钢集团、天津钢铁集团、山东钢铁集团、河北钢铁集团、首钢、九江线材、崇利制钢等，很多产品的使用寿命都创造了客户使用的历史记录，产生了良好的经济和社会效益。

【831101】北京奥维云网大数据科技股份有限公司

北京奥维云网大数据科技股份有限公司是一家专注于家电、消费电子、显示及数字内容、商用系统等垂直领域的大数据服务商。北京奥维云网有限公司成立于 2011 年 05 月 03 日，公司注册资本 517.5 万元。自成立以来，专注于家电、消费电子、显示及数字内容、商用系统等领域，利用自有大数据平台和技术，整合全产业链数据体系，通过互联网和移动互联网为企业和用户提供数据产品和应用服务。

在互联网和大数据的时代，奥维云网（AVC）率先站在时代前沿，有效构建了一套富有竞争力的大数据应用解决方案，满足客户在战略决策、产品研发、市场预测、营销管理、用户洞察等方面的需求，帮助企业提前把握用户的消费需求，洞察市场先机，为企业的精准营销和商业决策提供可落地和有实效的大数据应用服务。

奥维云网（AVC）秉承“数据创造价值”的理念，坚持“以客为尊”的服务模式，不断为客户提供定制化、高品质的专业服务。先后与百余家国内外知名企业建立深度合作关系，同时承担多个国家部委司局和行业协会的数据服务和研究支持，在业界树立了“严谨、精确、专业、独立”的形象。

经过几年的快速发展，公司已取得中关村高新技术企业认证证书、双软企业技术资质及涉及大数据技术领域 18 项计算机软件著作权。公司先后与百余家国内外知名企业建立深度合作关系，同时承担多个国家部委司局和行业协会的数据服务和研究支持。同时公司充分发挥人才优势，创立与完善资深数据挖掘团队，专业技术开发团队，力求为客户提供专业、完善的大数据服务。

【影响力】

·20000 参与编辑《视像世界》月刊发行量 20,000 多册，直接影响家电产业链各关键节点

·1000 互联网每日新增近 1,000 条奥维原创观点、数据引用及转载传播

·200 每季度超过 200 位专业人士参加奥维季度行业发布会，覆盖全产业链；全球有超过 200 余家行业内主要企业使用我们的产品和服务

·100 每年超过 100 家媒体报道或转载奥维观点并在新闻稿件中引用奥维数据和分析

·60 近 60 家金融机构依据奥维数据和研究分析来辅助投资策略

·20 超过 20 家企业使用奥维数据进行内部业绩考核依据

·10 为超过 10 个国家部委司局和行业协会提供数据和研究支持

地址：北京市朝阳区惠河南街 1008 – B 四惠大厦 3033 – 3038 室

电话：010 – 52510800

传真：010 – 58857025

网站：http://www.avc – mr.com

邮箱：aowei@ avc – mr.com

【831118】深圳市兰亭科技股份有限公司

深圳市兰亭科技股份有限公司于 1993 年经深圳市经济发展局审批立项，同年在特区内注册成立，是一个综合性日用化工企业，主要从事精细化工原料、药用植物萃取、生物活性添加剂及天然高级系列化妆品等多种日化用品和生物制品的研究、开发、生产和销售。

目前，兰亭科技旗下涵括“兰亭”、“美丽·丝路”、“香榭美舍”、“Le Vital”等多个品牌，各品牌各具特色，相互补充、互相映衬，形成产品结构合理、价格构成齐全、品优质优的产品品牌优势，各大品牌在不同的分销渠道中担任重要的角色，逐步形成一个以兰亭为主体，以樱秀和美丽丝路为两翼的稳固品牌结构，构成一个能有效对抗各种品牌竞争、市场挑战的铁三角品牌结构。为兰亭“开百年企业，做长线品牌”奠定扎实的根基。

2014 年 8 月 19 日，兰亭科技成功在全国中小企业股份转让系统挂牌成功。

【831119】云南蓝钻生物科技股份有限公司

基本概况：

云南蓝钻生物科技股份有限公司位于昆明国家高新技术产业开发区内的国家生物产业基地，主要从事保健食品的研究与开发，产品主要涉及藻类、天然植物提取物及功能性营养补充食品。现拥有两家全资子公司，三个通过保健食品 GMP 认证的工厂，通过保健食品 GMP 认证 4 个单元，包括片剂、粉剂、硬胶囊和袋泡茶 4 个剂型。共有国家药监局批准的保健食品批文 6 个，国家发明专利 2 项。目前为中国保健协会理事单位、云南省医药行业协会会员。公司于 2014 年 8 月 15 日正式在新三板挂牌，证券简称：蓝钻生物，证券代码：831119。

业务范围：

公司的产品结构较为丰富多样，对螺旋藻、滇橄榄、三七、玛咖、灵芝、松花粉等进行了系列开发。在产品深度上，对螺旋藻、三七、灵芝进行深度分离特有功效成分，提取其藻蓝蛋白、藻油、皂苷、多糖等加工成高附加值产品；在产品的广度上，大力发展区域特色保健食品，对滇橄榄、玛咖、松花粉、葛根等植物进行深入研究与开发，确立了以“特色健康产业”为企业定位。公司注重提升品牌战略，拥有程海牌、格林斯通、绿源程海、润恬、康悦宝等系列知名品牌，建立了“依托丰富生物资源优势、树诚信品牌、树专业品牌”的品牌战略，全面推进产业技术与市场营销同步发展。

对未来的展望：

随着人们生活水平的提高和国家对于全民健康的政策支持方向来看，保健食品行业高速发展的趋势不变，人们对于身体健康的持续投入将为该行业提供长期增长的市场机会。未来一段时间，由于我国年龄结构的变化和人口素质的不断提高，保健食品需求很大且将维持一定增速，保健食品市场将健康持续发展，整个行业将迎来快速发展的机遇期。蓝钻生物在新三板的挂牌是我们新征程起点，公司必将抓住成为云南保健食品企业第一股的重大机遇，尊重每个成员的个人价值，

汇聚团队的智慧和力量,在流程上、在产品上、对未来做出更多的规划,打造出极具品质的好产品、树立好口碑,全力以赴去实现我们的美好愿景,致力于成为中国保健食品行业领域有特色有亮点的创新型企业。未来希望在公共营养和全民健康方面通过我们的努力可以做出贡献,回馈社会。

【831121】山东力久特种电机股份有限公司

山东力久特种电机股份有限公司是一家具有40多年历史的电机生产企业,公司专注于电机系统的研发、制造、销售与服务,定位服务于中、高端装备制造业客户,以快速和准确的方式,为客户创造具有特色的高品质电机系统产品与服务,以实现企业价值与客户价值共同成长。2014年3月,山东力久特种电机有限公司经有关部门批准由有限责任公司整体改造为股份公司;8月14日成功在新三板挂牌上市,股票代码831121。

公司系山东省高新技术企业、山东省级企业技术中心、山东省特种电机工程技术研究中心和国家电机专业博士后科研工作站;公司先后荣获专利示范企业、专利大户、中国专利山东明星企业荣誉称号。公司具备完善的质量保证体系,已通过ISO9001质量管理体系国际认证、国家强制性产品CCC认证及国际CE认证,并先后荣获山东名牌和山东省著名商标荣誉称号。

公司主要产品有:特种电机、标准电机和电机控制系统三大类,其中以特种电机为主导,拥有YP2、YX3、YVP、YCT、YD、YDT、DYTS、DYG、TYG、YDGJ、TYP、TYPL、NEMA系列等20多个系列、2000多个规格电机系统。产品与服务广泛应用于石油机械、包装机械、冶金机械、造纸机械、塑料机械、橡胶机械、食品机械、矿山机械、锻压机床、工业生产线等行业,并在多个行业处于业内首创或领先地位。公司是中国石油化工集团公司(中石化)、中国石油天然气股份有限公司(中石油)一级产品供应商。

【831126】北京元鼎时代科技股份有限公司

北京元鼎时代科技股份有限公司(前身为北京元鼎时代科技有限公司)成立于2003年,是一家以IT综合服务、专业化解决方案、电子商务和互联网为核心业务的综合型高科技企业。总部位于北京,在河南设立分公司和技术中心,在上海、广州、深圳和大连设有办事处。公司2013年整体改制,设立了股份有限公司,2014年8月21日成功在全国中小企业股份转让系统挂牌,证券简称:元鼎科技,证券代码:831126。

元鼎科技定位于企业级市场领先的IT综合服务商,创新性的提出了Internet + Technology的IT业务理念,以客户为中心,整合资源全面满足客户需求,助力客户的互联网化和信息化,让每个客户都成为科技型公司。

元鼎科技是ORACLE、微软、IBM、VMWARE、F5、CHECK POINT等近百家国内外优秀IT厂商的重要合作伙伴,拥有业内一流的技术和服务团队。公司通过了ISO9001国际质量体系认证,是国家认定的高新技术企业、计算机软件企业并拥有系统集成叁级资质。元鼎科技于2013年获得了中国国际电子商务协会颁发的"中国互联网电子商务IT服务行业龙头企业",2013软件大会"IT综合领域杰出服务商"等荣誉称号。

元鼎科技一直秉承心悦诚服的服务理念,曾服务于中国人民银行、中国金融认证中心、中原证券、国家电网、中国联通、丰田汽车等上千家优质客户和合作伙伴,均得到客户的高度评价。

"创新开元,诚信铸鼎"是元鼎科技的文化基石,元鼎人将继续加快创新的脚步,在不断加强规范管理的同时,积极开拓市场,不断寻求IT领域的发展机会,聚集业内最优秀人才,打造元鼎科技成为客户信赖的知名品牌,争做国内一流IT公司。经过多年积累,近三年企业业务突飞猛进,以平均每年百分之七十多的营收增长率快速发展,力争实现三年5亿,五年超过10亿的营收目标。元鼎科技在未来的发展中会继续夯实自己的实力,力争在IT服务、互联网、云计算等领域为客户创造更大价值。

地址:北京市海淀区蓝靛厂东路2号院2号楼金源时代商务中心B座6D

电话:010-52550628

网址:www. yuandingit. com

【831128】宁波大汉印邦股份有限公司

宁波大汉印邦股份有限公司(以下简称"公司"或"大汉印邦")是浙江地区具备一定实力的印刷包装服务供应商,注册资本5,000万人民币,公司主要为华润雪花、百威英博等国内外知名啤酒厂商提供啤酒纸箱及酒标的设计打样、生产等服务,通过积累经验,公司形成了印刷包装设计打样、产品制造、质量控制结合的专业生产及服务体系,为客户提供高稳定性、大批量、多批次、高精度和环保性强的印刷包装产品与服务。自成立至今公司始终将产品质量作为企业发展的根本,通过优质的产品和完善的设计打样、生产及售后服务,与华润雪花、百威英博等国际知名啤酒生产企业建立了长期稳定的合作关系。公司占地20,454平方米,建筑面积23,116.99平方米,地理环境优越,交通便捷,距离甬台温高速西坞入口仅1公里,距离宁波市中心30公里。

目前印刷包装行业的上市公司主营业务以烟标、瓦楞包装和综合性包装为主,并设有专业从事啤酒纸箱及酒标印刷的上市公司。公司自设立之初就以啤酒纸箱及酒标印刷的细分领域为主营业务,在啤酒纸箱及酒标的细分市场,公司具备一定的先发优势。公司十分注重印刷技术与高端印刷设备的高效结合,能为客户提供高效、高质的设计与印刷服务。公司目前拥有德国海德堡五色胶印机、海德堡对开双色印刷机、机组式纸箱预印印刷机等国内先进印刷设备。通过这些生产设备,以及公司在生产实践中积累的技术优势,能够独立进行外观设计、预印、凹印、胶印等多种印刷工艺的设计与实施。公司前身宁波德盛印务有限公司2010年,2011年,2012年连续三年实现了产、销、利税每年翻番的业绩。为保持公司的健康、可持续发展,公司将充分利用公司新三板挂牌这一优势,拓宽公司的融资渠道,提高公司品牌知名度,完善公司管理制度,并通过有效的资本运营,兼并、收购同类型的企业,发展壮大公司。公司自始至终坚信"诚信铸就品牌,服务编织未来,创新赢得市场",在这样的方针指引下相信宁波大汉印邦股份有限公司必将迈向一个更宽、更高的发展空间。

地址:浙江省奉化市岳林东路481号

电话:0574-88919890

传真:0574-88919869

邮编:315500

电邮:363959476@ qq. com

网址:www. dahanyinbang. com

【831161】辽宁伊菲科技股份有限公司

辽宁伊菲科技股份有限公司位于辽宁东戴河新区,由原绥中伊菲人工晶体科技有限公司整体转制创立而成,是高性能结构陶瓷和高性能功能陶瓷等先进陶瓷材料及其制品的研发和生产的高新技术企业,2014 年 9 月 25 日在全国中小企业股份转让系统成功挂牌,证券简称:伊菲股份,证券代码:831161。

公司主营业务为高氮复合陶瓷材料的应用研究、系列产品开发和生产经营,经营范围包括人工晶体陶瓷、屏蔽材料、屏蔽产品、特种工业陶瓷、新型复合陶瓷、工业窑炉陶瓷的研发与制造;陶瓷机械产品制造等。

目前公司已经取得 9 项实用新型专利,申报并受理的发明专利 11 项和实用新型专利 1 项,自主研发并具有知识产权的高氮复合陶瓷、氮化铝及硅酸铝陶瓷系列产品主要包括:浇口杯、浇口套、吸液管、热电偶套管、分流盘、铝液除气杆、保温炉内衬砖、特殊行业所采用的耐热、耐腐蚀、耐冲刷材料等预制件和应用高氮复合陶瓷系列材料研制的铝液转运包、高压保温炉和低压保温炉、液态金属流槽等高精铝铸造行业专用设备两大类400 多个型号的系列产品,并广泛应用于中信戴卡股份有限公司、保定市立中车轮制造有限公司、秦皇岛戴卡兴龙轮毂有限公司等 70 余家铝车轮生产及铝制品等制造企业。

公司坚持走科技创新之路,以“专注新材料应用领域,研制企业升级换代新产品”为使命,信守“质量第一,客户至上”的经营理念,致力于成为铝车轮生产及铝制品等制造业的优质服务供应商,竭诚欢迎海内外客商以及各界宾朋光临指导,洽谈业务,共谋发展。

· 实用新型专利——节能保温炉
· 实用新型专利——铝液浇口杯、浇口套
· 实用新型专利——铝液转运浇包
· 2014 年 10 月 24 日伊菲股份挂牌仪式

地址:辽宁东戴河新区 A 区燕山路东段 11 号
邮编:125200
电话:0429 - 6331711
传真:0429 - 6331933
网址:www. yifeigufen. com

【831163】广州艾科新材料股份有限公司

公司前身艾科(广州)化学有限公司成立于2005 年6 月,2014 年 5 月整体变更为股份公司,2014 年 9 月正式挂牌新三板。公司以生产聚氨酯用色浆和表面处理剂为主,另外涵盖吸水剂、耐黄变剂,脱模剂,抗静电剂等聚氨酯功能助剂。

公司是高新技术企业,精通聚氨酯的工艺与技术,处于聚氨酯组合料应用的高端领域,下游应用包括汽车仪表板、高铁减震块、高档箱包鞋材、滑板车滑轮、密封件及医疗器械零部件等。多年以来,公司采取研发驱动的方式不断提升产品性能与质量,贴近客户产品,满足客户个性化需求,成为包括德国拜耳、巴斯夫、陶氏等国际知名企业的长期战略合作伙伴。

目前,公司正处于业务转型升级的关键时期,未来公司将在保证现有色浆及功能助剂稳步增长的前提下,充分利用自身在聚氨酯行业近 10 年的技术累积、人才累积和行业经验向下游延伸,在 3 - 5 年内拓展聚氨酯制品业务、发泡业务、系统料业务和 EVA 复合材料业务。骐骥千里,非一跃之功,十年的探索和积淀,造就了有着坚实基础的艾科,我们相信,在不久的将来,艾科将会站在行业的顶端,为国内精细化学行业做出更多的贡献。

【831164】南京腾楷网络股份有限公司

南京腾楷网络股份有限公司(以下简称“本公司”或“公司”)是专业的电信互联网运营服务商,同时是江苏省电信增值业务行业领头羊。现已形成积分电子商务和移动互联网与增值业务为主的营业架构。公司具备了软件开发、互联网运营、市场策划、项目管理的综合实力,始终致力于为用户提供优质的产品、最佳的互联网解决方案以及全方位的技术服务和技术培训。

公司于 2005 年 10 月成立,原名称为南京腾楷网络通信技术有限公司,2010 年 8 月完成改制,更名为南京腾楷网络股份有限公司。近 9 年的发展,目前企业已经从最初的几个人发展成为 70 人左右的高素质团队,营业收入达到 7000 多万。目前,公司已经获得 13 项软件著作权和双软证书。九年来,经过全体员工的共同努力,公司保持持续高速发展的势头,曾先后得先进企业、软件企业称号,在企业运营过程中取得了 CMMI3 级、ISO27001 以及多项软件产品等证书,并于2011 年荣获江苏省高新技术企业,同时也得到了南京银行“AAA”级信用企业。随着业务的不断扩大,南京腾楷的发展网络除已覆盖江苏省全省之外,电子商务等业务也以扩展至江西、湖北、安徽、浙江、上海等省市区域,并在部分区域设有直属的分支机构。

南京腾楷拥有较为完善的运营模式和丰富的增值及电子商务运营经验,同时,公司拥有一批具有丰富研发和市场策划经验的研发团队和运营团队,拥有一支具备先进经营理念和丰富管理经验的核心管理团队。公司始终以“二个诚信”为本(对内:对员工诚信;对外:对合作伙伴诚信),得到众多合作伙伴的支持。

南京腾楷已“新腾楷、心服务、兴业绩”为企业经营理念,为社会和员工创造出更大的价值。

邓玲女士:1964 年 3 月出生,中国籍,无境外永久居留权,南京大学 EMBA 在读。

1985 年9 月至2005 年5 月,曾就职于熊猫电子集团有限公司,2005 年 10 月创建南京腾楷网络通信技术有限公司,2005 年 10 月至 2010 年 8 月,先后任南京腾楷网络通信技术有限公司经理、董事;现今任腾楷网络董事长、总经理。

【831166】苏州纳地金属制品股份有限公司

苏州纳地金属制品股份有限公司前身是由国内民营企业吴江市大地工艺金属制品有限公司与加拿大外商 BEKA CASTING 公司共同投资兴建的高档户外家具生产和销售的中外合资企业。公司由于发展需要于 2014 年 2 月 28 日进行企业性质的变更,变更为内资企业性质,股权也随之转让,公司注册资本为 2960 万元,坐落于江苏苏州吴江区平望中鲈科技园内。公司占地 90 亩。厂房面积约 3. 5 万平方米。目前纳地公司处于户外家具细分市场铸铝高档户外家具制造商国内前三名。已于 2014 年 9 月 25 日成功登陆新三板,股票名称:纳地股份,股票代码:831166。

本公司具有超过20年户外家具制造销售经验，并且公司在2000年开始专注于户外家具细分市场高档铸铝户外家具个性化小批量订单生产。公司经十多年摸索，借助ERP系统将整个产品设计、研发、生产以及销售过程进行整合，实现将个性化小订单标准化，规模批量生产，提高生产效率。目前这种个性化小批量订单生产高档户外家具的工厂在国内几乎是空白，而这种商业模式正是本公司区别与其他户外家具制造商的核心竞争力。所以公司销售增长迅速，前景甚为乐观。

公司投资人秦俭先生，同济大学国际MBA，从92年开始就从事于户外家具生产和销售这个行业，是一名有丰富的从业经验，在户外家具领域具有很高知名度的人士。公司管理团队主要人员稳定，都已在公司服务10年以上，积累了丰富的行业管理经验。

【831191】郑州彩通科技股份有限公司

郑州彩通科技股份有限公司于2008年注册成立，2014年4月顺利完成股份公司改制，2014年10月9日在全国中小企业股份转让系统成功挂牌。证券简称：彩通科技，证券代码：831191。

彩通科技位于郑州高新区技术产业开发区，注册资本2200万元。公司的主营业务为信息系统集成和行业应用软件开发及服务，其中行业应用软件开发及服务包括行业应用软件开发和IT运维服务。

我们是专业化的政府机构和企业信息化服务提供商，为客户提供“一站式”的IT整体解决方案，致力于帮助客户提升信息化水平，以提高信息工作者的生产力，充分发挥客户的信息化服务能力、提升客户核心竞争力。

我们提供信息系统集成服务，帮助客户应对业务挑战，并创造机会，推动其实现卓越绩效。我们深知行业动态及业务流程，具有应用新兴技术的经验。我们的理念、经验、拥有熟练技术的员工以及行业化的方法使我们在交付高质量、低成本的企业系统方面处于市场领先地位。

我们独特优势在于既能够为客户设计领先的IT架构，又具有强大的实施能力，帮助客户成就卓越绩效。

我们的使命：创造客户和社会的价值，从而实现技术价值；

我们的愿景：成为业内具有竞争力和领先优势的IT综合服务商；

我们的目标：企业通过开放创新、卓越管理、人力资源发展等战略的实施，全面构造公司的核心竞争力，创造客户和社会的价值；即我们要帮助客户不断完善经营、提高效率，从而使其成为高绩效机构或企业。我们期望能与我们的客户分享中国经济的繁荣明天。

资质能力

彩通科技建立了完善的质量管理体系、环境管理体系以及职业健康安全管理体系，现为计算机系统集成三级资质，取得了河南省工信厅颁发的双软企业认定证书，安防工程设计与施工资格三级证书，增值电信业务经营许可证，拥有软件著作权15个，软件产品登记证书15个，在业务能力、研发实力、集成能力等各个方面都具备扎实的积累。

公司拥有自己的研发中心，同时配备了一流的软硬件设备，搭建有一流的开发平台和测试平台，拥有一支30多人的高素质研发团队，其中90%以上成员具有本科及以上学历，具有丰富的产品研发与实施经验。

企业文化

在彩通，我们的成功始终建立在为客户提供卓越的服务和解决方案上。在每件事上追求卓越是公司文化的基石。从一线的客户经理到技术人员，彩通的每一位员工都参加全面培训。我们所有员工郑重作出承诺：为了向客户提供最佳服务而做出决策和采取行动。

为了使每一位员工都能为构建“追求卓越”的企业文化做出贡献，我们为员工建立了明确的职业发展目标，支持他们学习新的技能；我们追求提高个人绩效，为优异者提供嘉奖和晋升的空间。这些基本原则以及由此创造出的环境，是彩通获得成功的基础，也是客户和我们多年来获得胜利的法则。我们为能够提供最高水准的服务而深感自豪；同时，我们也专注并致力于在未来成就更多，为客户搭建通往未来的彩色之路。

经营业绩

公司的客户主要分布在军工、通信、教育和政府等信息化建设投入强度和持续性均比较突出的领域。2012年、2013年、2014年1－3月，公司主营业务收入分别为36,729,717.15元、63,734,100.38元、13,890,985.47元，主营业务收入占营业收入比重均为100%，主营业务明确。

地址：郑州市高新区翠竹街1号总部企业基地11幢

电话：0371－60682299

网址：www. ctone. net

邮箱：ctone@ ctone. net

【831199】诸暨市海博小额贷款股份有限公司

一、基本情况

诸暨市海博小额贷款股份有限公司成立于2010年1月4日，目前注册资金6亿元。是由海亮集团有限公司控股的浙江科宇金属材料有限公司（上市公司浙江海亮股份有限公司的全资子公司）作为主发起人，联合露笑科技股份有限公司（上市公司）、全兴精工集团有限公司等7家企业和10个自然人共同发起设立。2014年10月24日，公司股票（简称：海博小贷，代码：831199）在全国中小企业股份转让系统挂牌。

二、业务范围

主要在诸暨市行政区划内办理各项小额贷款，办理小企业发展、管理、财务咨询业务。

三、经营业绩

截止2014年末，公司累计发放贷款1340笔，金额累计达219957.81万元。期末贷款余额112087.62万元，其中保证贷款509笔，金额41074.54万元，占比36.65%；质押贷款8笔，金额3450万元，占比3.07%；抵押贷款324笔，金额67563.08万元，占比60.28%。

公司2014年度实现营业收入1.6亿元，上缴企业所得税3376万元，净利润9464万元。

2014年，在浙江省金融办的综合考评中，获最高等级A＋级，连续第四年被绍兴市人民政府评定为“优秀小额贷款公司”。同时，公司还获得“中国小额贷款公司竞争力100强”，诸暨市服务业10强等荣誉称号，公司现为浙江省小额贷款协会副会长单位、全国小额信贷机构联席会常务理事单位。

四、企业文化

公司制定了各项业务操作制度和管理制度，切实提高公司执行力。积极倡导爱岗敬业、忠于职守的工作精神，树立工作第一、责任为重的大局意识，发扬密切协合、同心协力的团队观念。提升全体员工的职业道德水平，开展警示教育活动，加强员工职业操守，增强守法合规意识，切实落实好公司制定的《员工八严禁自律服务制度》。组织每月一次的员工学习培训工作，加强法律、金融、财务等方面知识的学习，提高员工的业务技能和综合素质，努力打造一支业务精湛、纪律严明、团结奋进的员工队伍。

【831200】深圳巨正源股份有限公司

主营业务：成品油及其他化工品贸易、仓储和运输

经营范围：从事原油、成品油、燃料油、沥青、润滑油、溶剂油、石脑油、甲醇、石油芳烃、化工轻油、液化石油气、天然气、易燃液体、压缩气体及液化气体、煤油、航空煤油、化工产品（不含化工危险品）等石油化工产品的贸易结算业务和交易业务；投资兴办实业（具体项目另行申报）；能源、新能源、石油化工产品的技术开发与销售（以上不含专营、专卖、专控商品）；石油运输行业的信息咨询、经济信息咨询（以上不含限制项目）；国内贸易（不含专营、专控、专卖商品）；经营进出口业务（法律、行政法规、国务院决定禁止的项目除外，限制的项目须取得许可后方可经营）；供应链管理服务。许可经营项目：水路船舶运输代理业务；生物煤油和航空油品的调合生产（由分支机构经营）。成品油的零售业务；成品油和化工品的公路运输；汽车移动加油业务。

公司业绩

公司 2013 年实现营业总收入 138676 万元，实现净利润 98 万元，截止 2013 年末，公司总资产达 87669 万元。

文化理念

·积微致巨、仁和中正、饮水思源

积微致巨：公司自创建以来，通过在管理上不断完善，资本上长期积累，规模上逐步扩张，将点滴的成果融汇成强大的企业实力，并将继续努力使公司日益发展壮大。

仁和中正：表明公司的经营之道：诚信守法，以人为本；表明公司经营者的为人之道：中庸正直，仁爱和谐。

饮水思源："落其实者思其树，饮其流者怀其源"。公司的发展离不开国家政策与社会各界的支持，离不开每位员工的无私奉献。公司现在有了一定的经济基础与社会地位，应该肩负起社会责任，尽己所能的积极回报国家、社会和民众。

地址：深圳市福田区滨河路证券大厦第四层
邮编：518033
电话：0755－83395333
传真：0755－83395355
邮箱：shenzhenjzy@ jzyjt. cn
网址：http://www. jzyjt. cn

【831219】安徽詹氏食品股份有限公司

詹氏，以创新力量推动产业升级，成就行业领跑者。

安徽詹氏食品股份有限公司创办于 1995 年，是涉足林业生态基地建设、优质农特食品精深加工、连锁加盟销售、电子商务等产业的全国经济林产业化龙头企业、农业产业化省级龙头企业、安徽省"两化融合"示范企业，"詹氏"商标被认定为"中国驰名商标"。成功登陆新三板后，可谓"山核桃第一股"。正是通过品牌化运作，使得中国山核桃产业逐渐从无序的竞争环境中崛起，支撑着宁国农业经济的半壁江山。詹氏全力锻造着中国最完整的农特食品产业链，打造中国农特食品行业专业化的生产商和连锁渠道商，立志成为行业发展的推动者！

一、创业及成长

詹氏在品牌建设和及营销管理上走出了一条自主创新的品牌营销发展之路，从公司创办之初，便确定了以品质铸造品牌推进战略。其中在传统产业上构建以快速复制扩张营销模式，构建以安徽为圆心，辐射全国的詹氏营销网络和优质的服务体系，在国内建立以"詹氏特产连锁"为品牌的农特食品连锁店 100 余个，在店面建设、人员培训等方面给与全方位的支持，并与沃尔玛、家乐福等国际著名大型连锁超市建立了良好合作关系。

二、成长期之基地建设

2003 年，詹氏启动名特优新经济林营造计划，至今共创建了四个基地和三个苗圃，主要分布在南极、梅林、霞西三个乡镇和竹峰办事处，建设面积达 13000 余亩，以培育诸暨香榧、优质山核桃等名特优经济林为主体。以科学技术为支撑，充分发挥基地示范带头作用，规范农产品生产，提高农产品品质；同时为打造詹氏集团后花园奠定了坚实的基础，初步形成了山外创市场，山里建基地的新格局。

虹龙基地于 2011 年 2 月和 2012 年 11 月投入建设，总面积 1163 亩，主要用于建设名特优经济林：诸暨香榧示范园，在 2012 年 3 月底完成 660 亩香榧造林。

大坞基地于 2004 年 12 月投入建设，总面积 4991 亩。内有 1800 亩杉木、柳杉人工纯林，蓄积量达 10000 余方，自 2008 年至 2014 年共营造了诸暨香榧 1025 亩，山核桃 1000 余亩，毛竹 300 亩。在 2011 年度我公司被市财政局纳入宁国市（南极乡）国家农业综合开发土地治理项目实施单位，大坞基地就是该项目的实施地点，通过基地全体员工 10 个月的艰苦努力，该项工程现已全部竣工。

桥头基地于 2011 年 9 月投入建设，总面积 800 亩，主要用于建设诸暨香榧示范基地，于 2014 年 4 月已完成全部山场造林任务。

梅林新安基地于 2003 年 3 月投入建设，总面积 930 亩，主要用于建设山核桃示范基地，自 2004 年至 2006 年止已全部完成该山场的山核桃栽植工作，于 2013 年已完成 500 亩香榧套种任务。

竹峰苗圃于 2008 年 3 月开始租赁，租赁期限为 12 年，租赁面积 94 亩，主要用于培养以桂花为目的树种的绿化苗木基地，目前已种植桂花、紫薇、红豆杉、栀果等苗木共计 94 亩。

吴村苗圃于 2009 年元月开始租赁，租赁期限为 19 年，租赁面积 180 亩，主要用于建设诸暨香榧苗木培育基地，目前已培育香榧实生苗 50 万株，香榧嫁接苗 12 万株。

吉宁苗圃于 2012 年 8 月开始租赁，租赁期限为 15 年，租赁面积 75 亩，主要用于建设诸暨香榧苗木培育基地，目前已培育香榧实生苗 46 万株，香榧嫁接苗 5 万多株。

三、成长期之生产加工

·凭科技升华传统

詹氏在传承传统徽派炒货工艺的基础上，用科技和规范管理进行创新，摒弃过去传统工艺中老师傅凭靠经验的感性做法，通过上万次的时间把山核桃工艺意义剥离解析，定量定质，定温定时，实施每一道工艺数字化的量化管控，是每一颗詹氏山核桃营养与口感并存，让每一颗山核桃都保持詹氏的独有风味。

·用现代管理焕新传统产业

传统的农产品加工企业小作坊是詹氏跨越的第一个瓶颈，自 2000 年起，詹氏不断大力进行硬件投入实现了规模化

生产，按照GMP标准建设新型生产厂房，引进现代化全自动山核桃包装设备、大型色选机械，高端研发实验等先进设备，大大提升了生产效率和质量规范。2003年起又相继通过ISO9001质量管理体系认证、良好农业规范、安全标准化生产、有机产品认证和绿色食品认证。把质量管理和国际标准接轨，真正实现了农特产品从传统产业向高新技术产业的飞跃！

四、创新发展之技术支持

“民以食为天”，詹氏作为农特产品的专业化加工企业，时刻以“生产以老百姓放心的安全食品”为己任，与安徽省农业大学、合肥工业大学等高等院校联合成立“安徽山核桃综合开发工程技术研究中心”，致力于完善和延伸山核桃产业专项研究。如今已拥有80余项专利（发明专利、实用新型技术及包装外观专利）并运用ERP管理系统实现信息化、职能化管理，年加工各类农特食品能力达5000余吨。

2012年，詹氏独创“木糖醇山核桃仁”的工艺制作获得全国坚果炒货行业“创新技术三等奖”的荣誉；2012年11月—2013年6月，仅仅7个月时间完成植物蛋白饮料“山核桃乳”的研发并构建营销渠道，11月再添微辣味的山核桃食品。这些新产品的成功研发并投入生产，不仅填补了詹氏产品架构中的产品种类，詹氏因此也成功拥有了自主研发的核心技术。2013年12月获得批准建设博士后科研工作站，于2014年3月和合肥工业大学在合工大食品与生物学院正式签署协议，就联合招收、培养企业博士后研究人员达成一致意向，并确定了博士后的人选。此举标志着詹氏博士后科研工作站已进入实质性建设阶段，更为促进詹氏企业高层次专业技术人才队伍建设，提高自主创新能力具有重要意义。

如今，詹氏产品技术水平高、质量稳定，主要经济指标和技术指标均名列安徽省同行业首位，在全国同行业中处于领先地位，达到国际领先水平，是带动地方经济发展的标杆。

五、创新发展之电子商务

“壳壳果”是詹氏旗下全资子公司，拥有线下万亩坚果基地及实体生产企业，从种植、加工、到研发、包装、销售，实现全程品控管理；以新鲜、健康为消费理念；依托快捷的电子商务模式，集结天下优质坚果、专供最新鲜的坚果，有效解决渠道长、货架期长的硬伤，致力于打造中国最大最专业的坚果品牌！

壳壳果自2011年1月1日起上线运营至今，创业团队从最开始的4人逐渐发展成为目前的87人。如今已在多家知名的电子商务平台开设店铺，经营坚果类、蜜饯类、干果类、花茶类食品，消费群体广泛，大部分为年轻白领人士，更由于优质的服务和良好的售后，消费群体的人数逐年上升，目前已储备会员顾客60多万。

壳壳果在经营过程中始终坚守“顾客第一、激情创业、创造创新、务实诚信、认真勤奋”五大价值观，制定明确的发展战略目标，探寻一种产业链、电子商务、物流链一体化的新型农产品商业模式，为顾客创造新的价值需求！

六、创新发展之饮品开发

詹氏一直围绕山核桃食品的精深开发孜孜不倦，从未懈怠。相继开发出原果、手剥、仁、油等不同形态的产品，以及椒盐、奶油、低糖、无糖、木糖醇、微辣等不同口味的特色山核桃食品，詹氏将眼光投向更远处，詹氏深知唯有突破创新，才能持续领跑农特食品行业。

2012年9月，安徽詹氏饮品技术开发有限公司注册成立，开发山核桃植物蛋白饮料，并构建营销渠道，成为该全资子公司的重要营销目标。从确定研发项目到营养测配，再到试产成功，再到全面构建以宁国、宣城为中心，辐射全省的营销渠道网络，詹氏饮品只仅仅用了9个月的时间，迅速展开的市场渗透营销策略，让“詹氏山核桃乳”成为安徽省家喻户晓的又一款全新的詹氏山核桃系列食品。2014年持续研发推出复合蛋白饮料山核桃乳食品。

山核桃植物蛋白饮料的面市，成为詹氏向快消食品领域的成功跨越！

七、组建合作社　促林农增收

詹氏企业于2009年2月，领头成立宁国市贵农山核桃专业合作社，带动农户致富；同时参与组建了宣城市山核桃协会，把山核桃产业产业拉上了产业之路。通过专业合作社和产业协会的组建，詹氏牢固树立了品牌意识、合作奉献意识、产业升级意识。打造了一个农民参与国内外经济竞争的现代农业经济组织。通过与高等院校的产学研结合，有效解决了农业快速发展带来的一系列如何循环利用资源，治理环境污染等突出问题，推动了产业的发展、行业的进步和社会的稳定。

在林业局的支持和指导下，2014年春季在梅林、霞西分别培植营造优质山核桃标准化基地1700亩，新增山核桃现有林培育6000亩；同年争创了“国家级示范合作社”。

今后的发展中，贵农合作社将恪守“诚信服务，科学发展”的经营宗旨，提升服务能力，求真务实、开拓创新、吸纳更多的山核桃种植户入社、指导林农科技管理，带动林农致富，为宁国市“贵农”山核桃产业做大做强发挥积极作用。

20余年走来，詹氏已形成了农特食品从优良品种繁育—规范化种植—精深加工—市场营销的完整的产业链条，构建出“一主两翼”的发展战略格局，实现了从田头到餐桌的全覆盖，美化和改善了经济林区的生态环境，企业自身得到长足发展的同时，带动林农增产增效，促进了山核桃产业的健康、稳步、可持续发展。

当时针走到2013年岁末的时候，詹氏已经顺利改制为安徽詹氏食品股份有限公司，企业发展面临着新机遇、新挑战。未来，詹氏要用什么来较量比拼才能走得更远?!

掌握核心科技，推动企业品牌升级，是詹氏得以稳健走来的成功经验，而这些财富必然成为詹氏赢得更旷远未来的源泉和动力！

詹氏必将开创一个更新更强大的商业未来！

行政人力资源部　王庆华

【831236】威海华东修船股份有限公司

石岛，东临黄海，三面环山，与日韩隔海相望，是山东省荣成市经济最发达的地区。这里冬暖夏凉，四季分明，中外海运频繁，海岸与海域面积辽阔，威海华东修船股份有限公司就坐落于此。

威海华东修船股份有限公司，毗邻天然避风良港、国家一类开放口岸——石岛新港，现有职工278人，其中工程技术和管理人员84人。公司设有10个职能管理部门，建有船务、船体、机电、涂装四大车间。厂区占地面积8万平方米，泊位岸线长3950米，常规泊位10个，其中30万吨泊位2个。拥有15万吨及8万吨干船坞各一座，机械滑道5条。可承接30万吨级以下各类型船舶以及海上作业平台的停泊、修理、改造和建造等业务。

秉承“团结拼搏，求真务实，创新敬业，追求卓越”的企业宗旨,公司与国内外多家具有特修资质的专业技术公司建立了长期的战略合作关系,成立了包括调速器修理、推进器修理、主辅机旧件修理与翻新、涡轮增压器修理、船舶自动化修理的技术服务站,可满足客户的各项修理服务要求。

公司各类起重、运输、焊接、加工等设施齐全,拥有 300 吨级浮吊 1 座,2400 马力拖轮 2 艘,4000 马力拖轮 1 艘,25 吨级、40 吨级及 65 吨级门座式起重机 5 台,60 吨级滑道龙门吊坞 1 台,15 至 45 吨级各式内门机 18 台,高空车 24 台,等离子数控切割设备 1 套,钢板预处理线 1 套,压缩空气机房 620 立方米,移动空压机 20 台,12 米长、直径 1.6 米加工车床 1 台,数字落地铣镗床 1 台。

公司以服务为魂,以发展为要,以实干为先,在狠抓产品质量的同时还高度重视生产安全。现已通过 ISO 9001 质量管理体系认证,和 CCS、DNV 船级社认证,具有雄厚的技术力量和生产能力,多年来已承接国内外各种油船、化学品船、散货船、集装箱船、滚装船、LPG 船、LNG 船、石油钻井平台及工程船舶等船舶修理、改造、建造工作,业务范围遍及亚洲,欧洲,美洲,非洲等 20 多个国家和地区。

凝聚优势,放眼未来,我们将以"高效创新,健康安全、绿色生态"的理念,将华东修船打造成为中国最东端的,具有一流服务水平的国际化、现代化、专业化船舶维修企业,与业内同仁共创美好未来!

地址:山东省荣成市石岛管理区海港路 299 号
电话:0631 - 7381310
传真:0631 - 7384347
电邮:shuigong@ 126. com
网址:www. rchsrc. com

【831241】新疆博峰新业石油工程技术股份

新疆博峰新业石油工程技术股份有限公司,是一家主要为克拉玛依油田提供工程建设服务和油气开采技术服务的企业,并拥有房屋建筑工程施工总承包贰级、园林绿化工程总承包二级、市政工程建设、公路路面路基、钢结构、防腐保温、化工石油设备管道等施工资质。

公司始建于 1993 年 2 月,系新疆石油管理局井下作业处多经企业。1998 年 4 月改制为有限责任公司,2014 年 6 月变更为股份有限公司。

由于坚持"以质量和信誉取胜"的服务宗旨,公司规模这些年不断扩大。目前公司下设两个子公司:克拉玛依市博峰物业服务有限公司和克拉玛依市奥峰环保科技有限责任公司;同时设有四个分公司:和布克赛尔蒙古自治县分公司、星缘影城、油田技术服务分公司和电器安装维修中心。公司现有管理人员 180 人,职工 420 人。截至 2014 年 3 月,公司总资产达 1.66 亿元。

在为油田技术工程服务的过程中,公司勇于开拓、不断创新,拥有了自身独特的产品和技术,增强了企业的竞争能力。

公司是目前全疆唯一一家研制和生产压裂支撑剂的企业,产品分为石英砂压裂支撑剂、树脂石英砂压裂支撑剂和低密度树脂陶粒压裂支撑剂。经新疆油田公司采油工艺研究院化验实验中心和中国石油勘探开发研究院廊坊分院油气藏改造实验中心检验,各项性能指标均达到要求。这些产品已广泛应用于克拉玛依油田。目前,利用产品技术优势和地理环境优势,公司正积极开拓中亚市场,不断扩大企业可持续发展能力。

公司于 2014 年还引进回转式污泥热解技术,并进行了专利转让。该项技术给污泥的减量化、稳定化、无害化、资源化提供了有效途径,是最新的节能环保技术。该项目得到克拉玛依市政府的大力支持,项目发展前景可期。

多年来,公司始终坚持以人为本、和谐发展的理念,不断树立企业良好的形象。自 2000 年以来,公司先后获得克拉玛依市"劳动和谐先进企业"、"守合同重信用企业"、"纳税信用 A 级企业"、"平安单位"、"爱心企业"。

地址:新疆克拉玛依市通讯路 89 号
电话:0990 - 6886840
传真:0990 - 6245912
邮编:834000
电邮:bfxygs@ 126. com

【831247】成都盛帮密封件股份有限公司

成都盛帮密封件股份有限公司是一家专业开发、生产、销售系列油封、橡胶密封圈、密封垫、电气绝缘密封产品的国家级高新技术企业。公司秉承"创新、高效、和谐"的经营理念,全套引进具有国际先进水平的自动控制生产线,产品覆盖汽车、电力、军工、核电、石油、通用机械等行业,生产的汽车油封、气封等产品居西南地区首位。

盛帮股份公司以生产汽车橡胶密封件和军工产品为主;盛帮股份旗下两家子公司,分别以电力电气和通用机械、核屏蔽产品为主。

公司主要客户包括通用汽车、成都飞机工业、航天三菱、一汽轿车、施耐德、通用电气、莱尔德等上百家国内外企业。

公司通过了 ISO/TS16949 质量体系、ISO14001 环境管理体系、GJB9001B - 2009 武器装备质量管理体系、ISO/IEC17025:2005 实验室质量管理体系认证。

公司先后被列入"国家级高新技术企业"、"全国重点汽车配件产销企业"、"四川省首批最具成长型中小企业 100 强"、荣获"中国密封件行业十大满意品牌"。2012 年被评为"四川省名牌",2013 年公司技术中心被评为四川省级技术中心,2014 年被认定为"国家(行业)标准制定单位"。

地址:成都市双流县成双大道南段 999 号
邮箱:sbs@ chsbs. com
电话:028 - 85774433
网址:www. chsbs. com

【831257】北京赛德盛医药科技股份有限公司

北京赛德盛医药科技股份有限公司,是一家专业的医药开发综合外包服务公司,致力于为国内外医药企业提供系统、优质的临床研究全价值链服务,立志成为临床研究领域最具影响力的公司之一。北京赛德盛医药科技股份有限公司成立于 2010 年 11 月 30 日。公司注册资本金为 1200 万元。公司主要业务是为医药产品研发提供Ⅰ至Ⅳ期临床试验技术服务、数据管理、统计分析、注册申报等临床研究服务。公司于 2012 年 11 月成立全资子公司北京赛姆欧医药科技有限公司,公司主要业务是临床试验现场管理工作(SMO),接受客户委托,赛姆欧将临床试验现场管理技术人员派往各研究中心,经过培训并通过研究者的委托授权,协助研究者处理临床试验的部分日常工作。公司于 2013 年 7 月成立全资子公司北京鼎晖思创医药研究有限公司,主要业务是临床试验的专业技术培训和质量管理工作,主要接受制药企业、研究者中心或其他公司的委托提供临床试验领域相关的各类培训及质量管理工作。

赛德盛秉承"尊重产品、尊重客户、尊重团队"的经营理念,公司技术人员均熟悉 ICH - GCP、SFDA - GCP 及国内外法规要求,具有丰富的国内外临床研究执行及管理经验,其中核心技术人员均具有 3 年以上国际多中心临床研究经验。赛德盛充分发挥人才优势,严格遵循国际化标准操作规程,密切关注客户需求,全力打造临床试验全产业链的系统性服务体系,充分发挥对制药企业的全面价值。

经过几年的快速发展,公司于 2014 年取得中关村高新技术企业认证证书和国家高新技术企业认证证书。公司与政府相关部门以及 300 多家医疗机构(药物临床研究机构)建立了良好的合作关系,积累了丰富的国内外临床研究执行及管理经验,形成了完整的标准化管理和质量控制体系。同时,公司充分发挥人才优势,熟悉 ICH - GCP、CFDA - GCP 及国内外法规要求,严格遵循国际化标准操作规程,密切关注客户需求,为客户提供高效的医药研究服务。

公司愿景:引领临床研究平台型智力服务,打造创新医药生态圈;让生命科技最有效率的转化为服务人类健康的产品。

公司使命:建设临床研究综合管理系统,让临床研究更高效;提升临床研究全价值链服务能力;构建创新医药研发全产业链服务平台;成为中国医药服务行业最佳雇主企业

公司价值观:诚信、高效、卓越、创新、关怀

地址:北京市朝阳区东西环中路 58 号远洋国际中心 C 座 1801

电话:010 - 85866744

传真:010 - 85866376

邮箱:hr@ ctsmed. com

【831266】广西一铭软件股份有限公司

一铭软件成立于 2006 年,2011 年 1 月完成股份改制,注册资本 2273 万元;是一家从事通用基础软件、云计算应用和东盟小语种智能翻译云的研发、销售及为客户提供软件技术服务的高新技术企业。公司于 2014 年 11 月 6 日在全国中小企业股份转让系统正式挂牌,证券代码:831266。

一铭软件地处西部地区,依托中国——东盟自由贸易区的区位优势,着力打造与国人操作习惯相契合的民族软件;以支持国家正版化工作为起点,以打击盗版,推广正版为己任,助力推进国家软件正版化工作;致力于将自主研发的国产一铭操作系统成为民族产品的代表。公司的一铭系列(前为龙鑫系列)产品包括一铭操作系统、一铭办公软件、一铭正版软件管理系统、一铭办公自动化管理系统、龙鑫云平台系统,一铭东盟小语种智能云翻译等软件产品,同时向各行业单位提供信息化定制解决方案。

公司核心产品一铭操作系统、一铭办公软件、一铭正版软件资产管理系统等在 2013、2014 连续入两年围中央机关政府集中采购产品目录,公司的操作系统产品是入围桌面操作系统的 8 个品牌之一。同时,一铭软件分别荣获"2014 年中国版权最具影响力企业"及"2013—2014 中国软件和信息服务业创新影响力奖"。目前,公司的多种产品已经在政府、海事、教育、房产、旅游贸易等行业得到深入应用,应用领域涉及我国信息化和民生各个方面,应用地域覆盖广西、贵州、湖北、黑龙江、重庆、广东等全国多个省、市、自治区。

【831270】山东宇虹新颜料股份有限公司

山东宇虹新颜料股份有限公司是集研发、制造与销售为一体的股份制企业,坐落于德州市天衢工业园,成立于 2007 年 10 月,注册资金 2324 万元。主营"宇虹"、"凯虹"牌系列有机颜料,红、橙、黄三大色系 40 多个品种近 100 个剂型,年销售额 1.6 亿元。产品广泛用于塑料、橡胶、油墨、油漆、造纸、涂料、印花色浆、文教用品等行业。

公司规范管理,诚信经营,依靠科技创新,借助资本力量,走出了一条快速健康发展之路。于 2012 年 5 月 19 日在齐鲁股权托管交易中心成功挂牌,成为全国有机颜料行业首家挂牌企业。2014 年 11 月 6 日又在新三板挂牌,是有机颜料行业唯一一家登陆高层次资本市场的企业。现公司是全国有机颜料专业委员会委员单位、国家高新技术企业、省级企业技术中心、省一企一技术创新企业、中国专利山东明星企业。现拥有国家发明专利 7 项,专有技术近百项。"宇虹"、"凯虹"商标被评为"山东省著名商标"。

创新是企业制胜的王牌。公司建有德州市有机颜料工程技术研究中心、德州市有机颜料重点实验室。拥有英国、美国、德国及日本生产的世界上最先进的分析、检测仪器,能够为客户专业定做特色鲜明、应用性能良好的产品,同时为客户提供专业技术支持和服务。

谨遵"满足客户需求,超越客户需求"的经营宗旨,依靠强大的市场竞争优势,公司已牢牢占领全国十几个省市区主要市场。我国油墨行业排名前 10 位的企业中有 6 家金牌业务客户,其中三家为上市企业。公司部分产品已出口到欧洲、中东及东南亚等地。

宇虹颜料在发展的同时,坚持"绿色、低碳、环保"理念。通过了清洁生产审核和安全生产评价,并同时通过了国际质量管理体系、环境管理体系和职业健康安全管理体系认证。

公司将以推动有机颜料行业发展为己任,聚焦高性能及环保有机颜料的研发与生产,专业定做,特色经营,为广大客户提供更优质的产品和服务,

宇虹颜料,为世界添光彩!

【831273】北京金视和科技股份有限公司

北京金视和科技股份有限公司成立于 2008 年 11 月,注册资本 526 万元。位于国家自主创新核心示范区——中关村科技园。是经北京市政府认证的国家高新技术企业,以及中关村高新技术企业和中国虚拟现实产业聚集区发起单位和海淀文化创意产业协会理事单位,是公安部中国刑事科学技术协会会员,中国道路交通安全协会会员。2012 年 6 月整体改制,设立了股份有限公司,2014 年 11 月 3 日正式进入全国中小企业股份转让系统。

公司专注于网络虚拟现实、数字三维工业仿真系统、公安刑侦及交通案件现场模拟复原分析系统、应急预案干预处置系统、三维图形动画及数字设计、互联网通讯等软、硬件平台系统产品的研制、开发、生产、和销售,以及进行相关的技术转让、技术咨询、培训和网络服务。

公司将继续秉承"成就客户,多元共赢"的发展理念,不仅将产品多元化,而且将现有产品细化,并为客户定制专属产品,为国内多个领域内的客户提供了虚拟现实技术服务,欢迎各界人士莅临公司指导。

地址：北京市海淀区中关村大街 1 号 1220、1221 室
电话：010－62410085、64210087
网址：http://www.jshsoft.com

【831274】苏州瑞可达连接系统股份有限公司

苏州瑞可达连接系统股份有限公司始创于 2006 年 1 月，注册资本 6400 万元，证券简称：瑞可达，证券代码：831274，是一家以研发、生产和销售电子元件及组件、光电连接器、传感器、线束组件的高新技术企业，中国电子元件协会电接插元件分会会员单位，苏州市军工行业协会会员单位。先后荣获江苏省科技型中小企业、江苏省民营科技企业、江苏省高成长型中小企业重点培育企业等称号。

公司自成立以来一直专注于连接系统产品的设计和开发，系国内知名连接器生产制造商，行业地位名列前茅。公司主要产品包括高频连接器、低频连接器、光纤连接器、工业连接器、高速连接器等，线缆组件主要包括射频线缆组件、信号线缆组件、电源线缆组件、光缆组件、汽车线束等，大部分产品通过了 UL 认证和 TUV 认证。所有产品符合 IEC 国际标准和国内行业标准，广泛应用于数据通信、工业控制、医疗电子、装备制造业、军工配套、汽车线束配套等领域，部分产品远销到北美、南美、欧洲、澳洲、东亚和南亚等国家和地区。公司综合配套和服务能力较强，产品质量稳定可靠，受到了国内外客户的一致好评。

公司先后通过了 ISO9001 质量管理体系认证、ISO/TS16949 质量管理体系认证、ISO13485 质量管理系统认证、GJB9001B：2009 军工质量体系认证，取得了武器装备科研生产单位三级保密资格和武器装备科研生产许可证。

瑞可达拥有一支 60 余人的高素质、经验丰富研发团队，组建有高频、低频、光电、工业、军工、组件、模具设计、工艺与自动化等技术和工程开发团队，有副总工程师、主任（副）设计师、主任（副）工程师等高级技术专家近 10 名。研发机构建设有苏州市企业技术中心、江苏省混合缆到塔连接系统工程研究中心，累计申报国家专利 37 项，已取得发明、实用新型授权专利 22 项。

公司产业链完整，从模具设计、模具维修制造、连续冲压、注塑、机械加工、精密压铸等生产。除拥有强大的在线检测能力外，还配备有现代化的实验室，拥有计量检测能力，可以完成各类连接器的电气性能、机械性能和环境性能测试。

【831288】成都安美勤信息技术股份有限公司

成都安美勤信息技术股份有限公司（股票代码：831288）成立于 2002 年 4 月 10 日，公司的主营业务是为客户提供信息系统工程监理、信息安全等级保护测评、软件评测等相关服务，是西南地区最早获得工信部颁发的“信息系统工程监理甲级“资质的企业，作为独立的第三方机构专为党政机关、企事业单位的信息化建设提供规划、咨询、项目管理、监理、信息安全等保测评以及软件评测等方面的服务。

公司于 2012 年 10 月 8 日成为全国首批取得工业和信息化部核发的“信息系统工程监理单位资质证书”的企业，资质为甲级。公司还取得了公安部信息安全等级保护评估中心核发的“信息安全等级保护测评机构能力推荐合格证书”和四川省咨询行业协会授予的甲级“四川省科技咨询行业经营资格证书”。

随着信息化建设的扩大，以及大数据、云服务、智慧城市等新兴产物的快速发展，信息化已成为各行各业进行高效规范化管理、维持运营、支撑决策的重要手段之一。安美勤作为具备甲级资质的信息系统工程监理单位，通过对信息系统工程项目实施全过程监理，能有效确保和提高信息系统工程质量、控制工程进度和优化投资成本。

安美勤在电子政务领域、公安、交通、烟草、水务、金融、教育等行业应用方面已经成为客户的重要合作伙伴。多年来稳定的合作也得到了客户的信任和赞誉。随着国家大力发展和加快西部信息产业及信息网络基础设施建设，乃至于全国兴起的信息化建设高潮，信息系统工程监理以及信息安全等级保护服务市场必将蓬勃发展，从而为公司的快速成长提供了广阔空间。作为一家成立和发展于成都地区的信息系统工程监理服务企业，通过多年来坚持不懈的努力，公司已发展成为西南地区领先的信息系统工程监理企业之一。

公司于 2014 年初完成了股份制改造，并于 11 月 7 日在全国中小企业股转系统（新三板）成功挂牌。顺利地进入资本市场，为公司的下一步发展奠定了坚实的基础。面对信息系统工程监理和信息安全等级保护这片蓝海，安美勤已勾画出未来的蓝图，在现有的业务基础上，充分利用大数据并结合云技术完善业务结构和延伸，拓展新的区域，打造高素质的团队，多渠道创新资源，树立公司在行业中的优势地位。

【831290】广东金达照明科技股份有限公司

金达照明是全球首屈一指的灯饰制造商，成立于 1993 年一直领导灯饰潮流的设计和生活品味。二十多年来，金达照明见证了中国灯饰业的成长，成绩有目共睹。2005 年，与世界顶级水晶制造商施华洛世奇（SWAROVSKI）联手打造了维沙华品牌，更令金达的发展迈向另一个里程碑，经过多年的努力，维沙华已成为中国水晶灯的领导品牌。

随着企业的不断壮大，其产品线也随之调整和扩展，并以多品牌的企业发展战略布局市场，同时推出堡华士品牌以西班牙云石灯和铜灯为主线，占领并巩固金达照明在高端灯饰市场的领军地位.金达照明目前已经拥有庞大，精细与高效的垂直产业链和强大的研发中心.令其综合竞争力得以俯视整个国内灯饰市场并在以下几点上得以体现。

7 万平方米的生产加工厂房，专业技术人员和员工 1000 多人，拥有由设计、制作、模具、铸造、抛光、喷涂、装配、检测、仓储物流、销售、售后服务等组成的完善的生产销售体系，公司具备配套、严格、齐全的产品质量和生产管理体系，更先后通过了 ISO9001：2000 国际品质管理体系认证、3C 认证、美国 ETL 认证、美国 UL 认证、欧洲 CE 认证等。

工艺超卓——质量领先业界，例如金达水晶灯采用业界高标准的灯架，整流器，灯头等材料；铜灯表面处理质量更超越其他厂商，是为数不多拥有各种车间的生产厂家.各种灯具部件的表面处理的质量和效果冠绝同齐.灯具的每一个部件，每一个工序都是由自己生产，自己掌控，自己完成.工艺要求精益求精。

优秀设计——每件产品都经过设计师的精心雕琢，设计时尚新颖、集功能、潮流与艺术于一体，为用家的生活注入更亮丽的光彩。维沙华已成为国内多家高端豪华楼盘别墅样本间的指定灯具品牌。

营销网络——全国各地的专卖店多达 200 个以上，主要分布在国内各大城市，例如：北京、上海、重庆、青岛、杭州、昆

明、广州、深圳等，形成强大的营销网络。国外客户（经销商），主要分布在欧洲、北美、中东及东南亚等地区。产品享誉国际、国内市场。

酒店工程——金达照明以优质的品质和服务与全国著名地产商和国际品牌酒店管理公司（如万达集团、保利集团、雅高集团、万豪集团、喜达屋集团等）合作，为北京、上海、广州、深圳等大中城市的著名建筑、5星级酒店及高级会所提供了优质的产品和服务。例如：北京全国人大常委会会议楼、北京金融街丽兹卡尔顿酒店、北京王府井希尔顿酒店、北京富力万丽酒店、北京新城兴基铂尔曼酒店……这些都为当地城市留下了璀璨夺目的光辉印记. 金达照明树立了过百个标志性样板工程，赢得了用户的广泛赞誉和良好口碑，一直以来，金达照明矢志不移地致力于照明与艺术的结合，致力于照明与科技、装饰的完美结合。面对日趋激烈的国际、国内市场的竞争，金达照明一直秉承"质量是生命、信誉是市场、用户是上帝"的信念，在经营管理上不断革新，在开发设计上不断创新，在生产工艺、技术水平上精益求精，在施工安装、售后服务上不断完善，为用户和消费者提供更称心完美的产品和服务。金达照明已经成为中国顶级酒店工程服务运营商。

【831292】汇智光华(北京)文化传媒股份有限公司

中国机场高铁连锁书店领跑者、新商旅文化经营模式的引航人。

汇智光华，从2005年成立的北京时代光华教育科技有限公司发展到2014年改制的汇智光华（北京）文化传媒股份有限公司。

这10年来，汇智光华专注于机场、高铁旅行商业连锁，充分发挥其高客流量的平台优势，以品牌连锁文化书店为核心业务，整合发行、营销、推广、销售、服务的综合产业化发展为模式，以高端、优质的文化产品，高品质、专业的服务，满足商务人士、旅游群体对报刊、书籍、音像、便利商品的切实需求，为他们提供轻松、高效的阅读体验，创造丰富、快乐的商旅文化生活，帮助他们快速提升个人价值与生活品质。

目前，汇智光华已开业机场、高铁连锁门店200多家，覆盖了全国近20个省的80多个城市，并形成了书店连锁、文化创意出版、营销推广服务、电商运营四大主营业务，具备良好的盈利能力，已成为领先的新商旅文化服务新锐品牌。

汇智光华人，依托机场高铁商业连锁这一全新的商业模式，正以诚信、高效、快乐的文化精神，前进在追求卓越的道路上……

创新商旅文化新生活！

汇聚百家之智，光耀中华文化！

【831294】浙江中德自控科技股份有限公司

浙江中德自控科技股份有限公司是集研发、生产、销售、服务与一体的专业控制阀制造商。公司自创建以来，致力于发展控制切断阀专业领域技术，使我们的产品始终处在国内切断阀领域的技术领先地位。主要产品有气\电\液动高性能密封蝶阀、高温蝶阀、高性能密封球阀、高温耐磨球阀、快速切断闸阀、调节阀、气动执行机构、机电一体化执行机构等产品广泛应用于石油、化工、天燃气、煤化工等高端领域，并获得了众多用户朋友的高度信任。

公司现已拥有专业阀门技术研发中心和一流的生产平台，技术力量雄厚、设备精良、生产工艺先进、检测手段齐全，具有较强的新产品开发、研制能力。公司采用科学的现代化管理、建立了一整套完善的质量保证体系。并先后通过ISO9001：2008质量体系认证、美国石油协会颁发的API 6D/609产品认证、API 607/6FA防火认证、中国国家质量监督检验检疫总局颁发的特种设备（压力管道元件）"TS"制造许可证、欧共体安全注册CE认证、HSE健康安全与环境管理体系认证（ISO14001：2004\GBT28001：2001）、是中石化、中石油、中海油、中化工、神华、煤化工等领域的一级供应商，是中国仪器仪表行业协会执行器工作委员会理事单位，浙江仪器仪表行业协会理事单位，国家高新技术企业。

公司宗旨："客户的满意我们视之为生命"，为此中德科技在国内建立了十二个直销和服务网络，我们满足用户的需求，无论您在哪里，都会给您提供安全、可靠、放心的产品。同时我们具有丰富经验和专业技术知识的服务团队，虽时都能给您提供认真、负责、快速的优质服务。我们坚守"一个电话，一天到达，一次性成功"的服务承诺。

"以人为本，以德兴业"是中德科技企业文化的核心，是中德人做事的标准。中德人将以"以诚会友，以德待友"，再立潮头，全力打造国内高端切断阀先进制造企业，致力于加快我国控制阀的国产化应用进程，更好地实现顾客满意度最大化。中德愿与您精诚合作，我们竭诚欢迎全国广大用户与设计院、科研院所等单位和国内外朋友进行广泛多样的经济交流与技术合作，并期待着进一步的合作往来，为发展我国自动化工业携手前进。共创美好明天！

【831295】湖北川东环保能源开发股份有限公司

湖北川东环保能源开发股份有限公司是湖北川东投资控股集团控股的股份制公司，2007年3月成立，注册资金人民币4000万元，公司总部位于湖北汉川经济开发区新河工业园，公司于2014年11月6日在全国股份转让系统挂牌，股票代码：831295。

公司投资1.2亿元的新河工业园污水处理厂第一期日处理污水2万吨工程，于2010年12月建成投产，取得《环境污染治理设施运营资质证（乙级）》和《排污许可证》。2015年底建成投资1亿元的第二期2万吨工程，届时日处理能力将达到4万吨。

公司全资子公司红安川东环保能源有限公司成立于2013年11月，已在红安县新型产业园建成投产日供汽250吨的生物质颗粒燃料蒸汽锅炉供汽系统。规划建设的日处理污水8万吨污水处理厂、日产8万吨自来水厂，均已通过政府审批，将于2015年起陆续投入建设。

公司将本着诚信至尊、敢为人先、追求卓越的企业精神，以发展节能、环保、低碳产业为已任，致力跻身国内环保能源供应服务商前列。

【831299】京版北教文化传媒股份有限公司

京版北教文化传媒股份有限公司（下称"北教传媒"）的前身京版北教控股有限公司（下称"北教控股"）成立于2010年12月24日，是由北京出版集团有限责任公司和北京九州英才图书策划有限公司共同投资建立的国有控股出版服务公司，注册资本6000万元。京版集团出资3060万元，持有北教控股51%股权；其余49%的股权由北京九州英才图书策划有限公司(下称“九州英才”)持有。

目前,公司董事长由北京出版集团总经理乔玢兼任,原九州英才总经理刘强任公司副董事长、总经理,石岱峰担任公司总编辑,公司实行董事会领导下的总经理负责制。公司共有员工220多人,设置有小学、初中、高中、拓展四个产品事业部,及质管中心、营销中心、数字出版中心、财务中心、行政中心等部门。

北教传媒的成立是新闻出版署关于出版社体制改革的重要实践,是国企、民营出版机构整合各自优势资源在新闻出版领域开展股份制经营改革的大胆探索。公司成立后,股东双方将各自的核心优质资源,如管理模式、研发团队、发行渠道、售后服务等全部放入新公司运作,通过资源整合、借助、互补等一系列方式,强强联合,旨在通过图书产品的运营,实现滚动发展、多元发展,致力于打造行业内最著名、最具商业价值、最有影响力的品牌旗舰,从而成为国有企业与民营企业市场整合、产业化合作的一面旗帜。

公司成立四年多来,充分借助文化体制改革的东风,将国有出版集团的出版资源与民营公司的经营机制结合起来,呈现高速发展态势,取得了可喜的成绩,打造、维护了如《轻巧夺冠》《提分教练》《名师导学》《基础知识》等多个知名教辅品牌,2014年推出的《轻巧夺冠　直通书系》是全国第一套线上线下相结合的创新型助学读物,一经面市便得到了广大代理商和读者的一致好评。公司策划、发行的图书,在我国教育教辅图书出版领域取得了良好的表现,其码洋占有率稳居全国前四,产品动销品种数一直保持着全国第一的好成绩。同时,公司多种图书取得了突出的社会效益,如《中华文明探微书系》(18本)获国家出版基金奖励并售出中文繁体、英文及德文版权,落实了国家文化“走出去”战略;漫画故事书《我的朋友猪迪克》入选2013年新闻出版广电总局“原动力”中国原创动漫扶持计划;《危情幼儿教育丛书》入选国家“十二五”重点出版物规划。

2012年4月,北教传媒整合业内优质资源,与以策划教育工具书、常销书和学生课外阅读为主的北京小雨明天图书有限公司共同投资2000万元成立北教小雨文化传媒有限公司(简称北教小雨),北教传媒占51%股权。北教小雨在学生工具书、常销书和学生课外阅读板块形成新的业绩增长点,与北教传媒的产品形成互补,实现了北教传媒产品、渠道的多元化,并一举拿下全国少儿读物单品贡献率第一的好成绩。

随着移动互联网技术的迅猛发展和读者阅读习惯的改变,在线教育已成为传统教育出版转型的重要方向。2014年11月,北教传媒在线教育平台跨学网正式上线。跨学网始终以倡导优质教育资源平等共享为己任,让更多的学校和学生享受到信息技术带来的便捷,成为学校、学生最信任的在线学习平台。跨学网上线以来受到行业和媒体的广泛关注,以高质量的内容资源和接地气的学校端产品从1000多家在线教育项目中脱颖而出,被专业机构互联网教育研究院评为在线教育TOP30。北教传媒试图通过对在线教育市场的开发,推动公司由传统出版向数字化出版服务转型。北教传媒还将积极探索动漫、教育培训等业务。

为满足公司业务发展的需求,北教传媒积极试水资本市场,于2013年底启动“新三板”挂牌工作,2014年11月,北教传媒股票正式登陆“新三板”(股票名称:北教传媒,股票代码:831299)。北教传媒在“新三板”的成功挂牌,将有助于公司在今后进一步打通融资渠道,完善资本结构,提高管理水平,拓展企业品牌,更快地将公司建设成一家集投资控股、教育图书策划发行、电子产品与数字出版、教育培训、广告传媒等为一体的大型教育出版产业集团。《中国新闻出版报》在年末盘点出版发行行业2014年的大事、评选“出版发行业年度创新十强”时,北教传媒凭借“登陆‘新三板’为出版发行企业融资做出了示范,也为国有资产的保值增值提供了新思路”而入选“融资创新奖”。

未来,北教传媒将借助资本市场,通过图书产品运营,优质教育资源整合,新媒体、新业务的拓展,成长为一个主业突出、品牌优秀、特色鲜明的现代化出版传媒企业,从而为文化产业大发展、大繁荣做出应有的贡献。

【831311】山东博安智能科技股份有限公司

创新是他前行的动力,拼搏是他梦想的延续,山东博安智能科技股份有限公司依靠坚定的信念求新求变,快速集成。公司自2002年成立以来,专注于公路智能交通领域,在计重收费、路桥收费、超限检测及公路通信、监控、收费综合系统工程实施、软件开发和技术服务方面表现卓越。

作为一家快速成长的公路智能交通领域信息系统集成商,博安智能拥有住建部颁发的公路交通工程专业承包通信、监控、收费综合系统一级资质,拥有中华人民共和国制造计量器具许可证和修理计量器具许可证,公司生产的双台面式动态轴重衡称重精度达到2C级,居业内领先水平。

近年来,公司的业务范围遍及山东、广东、广西、黑龙江、湖南、湖北、山西、河北、安徽、浙江、贵州等十余个省市自治区,计重收费和路桥收费系列化产品在全国两千余条车道得到应用,成功实施了众多超限检测站、通信监控收费三大系统及隧道机电工程项目,年均合同额过亿元。

公司极其重视研发工作,拥有十余项国家级、省部级科研项目,拥有三十多项专利技术、软件著作权,先后开发了“计重收费系统”,“开放式路桥收费系统”,“高速预警系统”,“车辆超限检测系统”等应用软件,其中“开放式路桥收费系统”被评为“国家级火炬计划项目”。公司还承担了多项省、市、区技术创新课题,是山东省“高新技术企业”、“双软企业”。

公司带头人——董事长杜永安先生认为“公司有一个清晰的发展方向,一直做加法,必将走向辉煌”,在他的周围,聚集着公司最优秀的管理团队,大家共担风雨,共享阳光,快乐生活,高效工作。几番拼搏与努力,公司于2014年11月11日成功在新三板挂牌,证券简称:博安智能,证券代码:831311。

伴着踏入新三板的脚步,博安智能最新推出了“鹰巡”移动视频监控系统,填补了视频监控领域的空白;推出了远程供电系统,完美解决了高速公路传统供电的线缆敷设难题……新产品、新方案层出,继往开来,助推企业不断向前。

回首过去,硕果累累;展望未来,前景无限。博安智能将始终秉承“和谐、真诚、高效、双赢”的企业理念,继续提升管理,致力于成为公路智能交通领域机电产品和技术服务的领先者。

博安智能,与您共赢!

地址:山东省济南市高新开发区大学科技园14号楼

电话:0531－88801836

传真:0531－88801852

网址:www.boanits.com

邮箱:boanits@163.com

【831325】迈奇化学股份有限公司

迈奇化学股份有限公司成立于2002年,公司位于国家循环经济改造示范试点园区、国家濮阳经济技术开发区内,是中国最早规模生产、国内产能最大的吡咯烷酮系列化学品生产基地,中国吡咯烷酮行业第一家挂牌上市公司,濮阳市首家成功登陆新三板的企业。

公司现拥有32000吨/年N-甲基吡咯烷酮、γ-丁内酯联合装置,生产规模居亚洲第一、世界第二。该项目采用公司的发明专利——"一种N-甲基吡咯烷酮的合成方法",拥有完全自主知识产权,生产过程采用DCS集散控制系统,工艺指标操作精准,产品质量等级高,技术工艺、产品质量在国内外处于领先水平。产品广泛应用于新能源、锂离子电池、储能电源、通讯基站、智能电网、轨道交通、新材料、高分子材料、化工萃取剂、海水淡化、医药等领域,占据国内60%以上锂电池行业高端市场,并远销多个国家和地区,成为国内同行业生产规模最大、产品质量最优、商业信誉最佳的国家级高新技术企业。

迈奇化学坚持以技术创新为支撑,以资源最大化利用为目标。在国家级高新技术企业的强大支撑下,经过十余年技术积累,现拥有发明专利3项,实用新型专利21项,核心技术在国内同行业处于领先水平。目前拥有省级企业技术中心、河南省博士后研发基地、精馏技术国家工程研究中心天津大学研发基地、濮阳市电子化学品工程技术研究中心,且被认定为国家循环经济示范改造企业、河南省创新型企业,并与天津大学、郑州大学、河南省化工研究所等科研院所建立了长期稳固的技术合作关系。公司参与起草制定了《GB/T27563－2011工业用N－甲基－2－吡咯烷酮》、《GB/T26602－2011工业用2－吡咯烷酮》两项国家标准。同时起草制定的《工业用γ－丁内酯》国家行业标准,已被国家标准化委员会采用。

公司拥有1000余平方米的高端标准化实验室及数十套进口高精分析仪器,研发设施、科研设备齐全、检测手段完善,现已实施ISO17025国家级CNAS实验室认证。同时充分发挥大型仪器资源共享作用,面向社会开展广泛的学术交流与合作,为企事业单位提供技术咨询、产品鉴定等服务,以科学、可靠、准确的检测手段,为地方经济建设和科学技术水平的提高贡献力量。

公司拥有自营进出口权,获得ISO9001:2008国际质量管理体系认证、ISO14001:2004国际环境管理体系认证、QC080000标准认证、国内同行业唯一一家通过ISO/TS16949:2009汽车生产件及相关服务件质量管理体系认证,通过欧盟RoSH认证注册及欧盟REACH预注册,为动力电池及电动汽车生产商提供合格的供应资质和产品质量。

迈奇化学将继续以电子化学品为主导,大力发展电子商务平台,遵循科学的、可持续的、自主创新的发展理念,在提高现有产品竞争力的基础上,保持"行业领先"、坚持"纵横发展",立足现有项目,整合行业资源,延伸上下游产业链,形成特有的发展格局,以行业领跑者的姿态和信念致力于打造中国最大电子化学品基地,为中国的化工事业做出更大贡献!

地址:河南省濮阳市胜利路西段路北

网址:http://www.myj2002.com

电话:0393－8099666　0393－4421729

国内销售电话:0393－4411740

国际销售电话:0393－4411771

【831335】时空客新传媒(大连)股份有限公司

时空客新传媒(大连)股份有限公司前身成立于2005年2月18日,2010年1月28日成功改制。2014年11月13日在新三板挂牌,未来目标三年内在中小板或主板挂牌上市。

历经10年的创新和发展,现已在全国7个省份组建12家分公司,拥有全资及控股子公司3家。时空客股份是中国广告行业细分领域DM广告全国首家挂牌企业,也是目前东北唯一一家户外广告传媒挂牌新三板企业。

时空客股份是一家以全国连锁DM广告为平台,集广告发布、广告代理、品牌宣传、展览展示服务、网络建设、文体活动策划等为一体的综合性广告传媒公司。通过线上和线下020模式平台的互动,全力创建一个集广告宣传、销售与服务为一体的综合性电子商务平台。时空客新股份旗下《戏游科技》游戏全资子公司,打造《97971》游戏公共服务云平台,即将成为在线及移动互联网游戏的新力军;控股子公司大连青泥之恋文化发展有限公司打造大连夜经济文化新地标——大连青泥之恋主题文化广场,即将成为大连商业街的一张靓丽名片。

经营范围

经营广告业务;计算机软硬件开发和应用及相关技术推广服务;经济信息咨询;房屋租售代理;图文设计;展览展示服务;互联网信息服务;国内一般贸易(法律、法规禁止的项目除外,法律、法规限制的项目取得许可证后方可经营)。

主营业务:户外广告发布与广告发布权出租、DM报纸广告发布、广告策划与制作服务、互联网信息服务、车载电视广告发布。

企业文化

"团结、共创、同享、合乐"是时空客股份的合作理念

体现《时空客股份》精神的理念:

激情——是我们对事业执着的热爱。

热情——是我们对客户真诚的态度。

专业——是我们对标准不断的追求。

用心——是我们对每项工作的习惯。

"用策略创造品牌魅力",是《时空客股份》持之以恒的服务理念。

时空客新传媒(大连)股份有限公司自成立以来,以"完善自我、真诚带您、提升价值、追求卓越"为企业精神。在全国树立了良好的企业形象和坦诚务实的工作作风,得到客户的一致认可,以行动为基础,以真诚为起点,为大连及全国广告界的发展注入了勃勃生机,同时也掀开了"时空客"以人为本、品牌连锁经营的华美乐章!

地址:大连市高新园区黄浦路541号网络产业大厦8层807－810室

邮箱:skkx@skkx.com

电话:0411－39644466

传真:0411－39644477

网址:www.skkx.com.cn

微信公众号:skkx99

【831374】苏州吉人高新材料股份有限公司

苏州吉人高新材料股份有限公司(www.jirenqi.com)创建于1998年,系江苏省涂料重点生产企业、高新技术企业、省级技术中心、博士后创新实践基地。是国内首家上市的规模

以上涂料企业,股票代码:831374,证券简称:吉人高新。2013年实现销售收入5亿。公司以科技为主动力,以市场为导向,以产品创新、诚信的专业服务为企业发展和经营目标,与战略合作伙伴互利共赢、和谐发展,共同打造吉人名牌产品。吉人产品齐全,质量优异,荣获"中国驰名商标"、"江苏名牌产品"、"中国500最具价值品牌"等荣誉称号,企业已通过ISO9001质量管理体系和ISO14001环境管理体系认证,现生产十二大类上百个品种,近7万吨的产量。在北京、上海、苏州、淮安、湖北宜城、河北迁西拥有6个大型生产基地,在全国各主要城市设有经销网点近3000个,尤其是"吉人牌"工业漆,汽车专用漆,建筑涂料,装修漆、家具漆、各类水性皮革、金属、高级船舶漆、各种地坪漆,氟碳漆,防火漆以及钢结构专用漆,多次被评为国家、省、市优质产品,畅销全国,已成为国家高档专用漆指定生产企业,深受用户青睐。

公司总部位于苏州市相城区潘阳工业园,交通便捷。企业坚持"以人为本,质量至上,诚信服务"为经营宗旨,与国内多所知名大学,国家级科研中心合作,大力引进世界先进技术和高级管理人才,现已形成集生产、科研开发为一体的国家大型的专业的各种涂料生产基地。其生产工艺科学合理,设备先进精良,质量检验完善,严格的人性化管理,专业的营销团队,雄厚的技术力量和稳定的优质产品,使企业在本行业处于领先地位。

"用户的满意是我们永远的追求。"我们竭诚与国内外新老客户真诚合作,互利共赢,和谐发展,共创企业辉煌的明天!

【831377】有友食品股份有限公司

有友食品股份有限公司是一家专门从事休闲食品研发、生产、销售的现代化企业。自1997年成立以来,始终坚持"诚信务实,执着创新"的企业精神,为社会奉献着味美质优、安全健康的休闲美食。

公司目前拥有重庆和四川两大生产基地,下设四川有友食品开发有限公司、重庆有友食品销售有限公司、重庆有友进出口有限公司和有友食品重庆制造有限公司四家全资子公司,是中国最大规模的泡凤爪休闲食品生产企业,具有较高的产品知名度和品牌效应。公司先后被重庆市人民政府授予"重庆市民营企业50强"、"重庆市优秀民营企业"等荣誉称号。2014年11月20日,公司在"新三板"正式挂牌(证券简称有友食品,证券代码831377),标志着公司正式迈入资本市场。

有友食品注重开拓创新,拥有自主研发、生产泡肉、泡菜及卤制品的核心技术。首创的主导产品"有友泡凤爪"获得国家发明专利(专利号ZL 99 1 14725.1),引领了泡肉行业的发展。"有友"商标被认定为"重庆市著名商标"、"中国驰名商标"。

长风破浪会有时,直挂云帆济沧海。有友食品愿与各界朋友真诚携手,通过全体员工的竭诚努力,共同打造百年有友,把有友中国味传播得更远!

【831397】广东康泽药业股份有限公司

广东康泽药业股份有限公司成立于2003年10月,注册于广州市天河区,是"基于互联网(电子商务)的综合性大型医药经营企业"。公司主营业务为医药经营,设置了药品生产和药品经营的全资子公司,整体经营范围涵盖药品(中药饮片)生产、销售和医疗机构(国医馆)服务等全产业链,流通业务涵盖市场调拨、临床配送、零售连锁三大领域,构成一站式配送服务平台,以电子商务为主要业务模式。

十多年来,公司立足于主营业务,坚持前瞻性的战略规划和业务布局;以规范管理,稳健发展为经营理念。早在2009年初,公司实施了自动化的ERP系统,同时实现了现行新版GSP的全部硬件要求,有效保证了商品质量和大幅度地提高业务效率。公司在经营发展过程中,紧跟行业政策和市场形势,不断创新和调整商业模式,以保持企业充沛的发展源动力和市场竞争力。近年来,公司主要从以下几方面加快业务发展和强化经营管理。

1. 积极开拓优质渠道,构建一站式服务平台。
2. 强化连锁规模效应,积极复制品牌优势。
3. 规范经营管理,确保准确高效。
4. 重构业务发展平台,促进产业模式升级。
5. 大力推进电子商务,实现业务模式升级转型。
6. 重视人才培养和引进,提升企业竞争力。
7. 重视企业价值提升,拓宽融资渠道。
8. 加强企业文化建设,增强团队凝聚力。

康健大众,泽惠百姓!

地址:广州市天河区中山大道西140号
华港商务大厦1207房
邮编:510630
电话:020-38023839
传真:020-38023833
网上商城(B2B):www.kzyy.com.cn
网上药店(B2C):www.kzyyls.com.cn
邮箱:kangze118@163.com
监督热线:400-8830-888

【831404】北京宝丽兴源技术服务股份有限公司

北京宝丽兴源技术服务股份有限公司,为国内标识行业第一个三板挂牌企业。总部位于北京中关村科技园通州园区,面积近10000平方米。旗下有全资子公司:北京百瑞视光电技术有限公司,作为技术研发生产基地,公司为ISO9000质量体系认证企业,拥有多项专利技术。

近二十年的创新与沉淀,铸就了宝丽兴源在标识的设计、制作、安装、维护与保养领域的领先地位。目前拥有五大业务服务板块。

1. 管理服务板块:为客户及行业内提供连锁品牌的形象咨询;设计技术咨询、规划、培训、监理、验收等分项服务;并通过线上管理工具平台实现为项目的完成过程提供管理、分类、记录、统计、报表。

2. 创新研发板块:创新盈利模式,新的材料和多种技术创新应用,创造多元化的盈利模式,与行业内的诸多企业实现共赢。

3. 生产制作板块:目前在北京拥有一个生产基地(百瑞视光电公司),公司计划在3年之内,将在全国5大区通过合资、并购的方式增建生产基地

4. 服务渠道本地化的增值运营服务板块:在每一个省会城市建立直营(全资)公司,设立办公地,展示中心。服务会覆盖到每个省的下属地市级,二、三,乡镇级区域。同时建立分级加盟。管理用线上平台,各分级基地共同通过宝丽服务平台的认证,来获得业务数据与管理信息。

5.标识行业服务的开放式运营数据平台:通过现场服务终端及物联网通信手持终端实时更新现场项目数据,完成项目的远程管理。线上管理服务可以实现对项目的全面管理,包括项目的申报、审批、修改、更新、结算等不同环节,并对项目信息完成实时存储与读取,以实现管理与评估。从而为市场的长期发展提供数据的分析与支持。

公司业务:国内标识行业的服务(投资)平台,为标识行业的全过程服务,

建立推动标识行业中创新的盈利和服务模式

建立全行业的生态环境

宝丽兴源经营业绩

工业类:

·米其林轮胎全国网点标识项目

·康明斯发动机全国各网点导向标识系统项目

连锁类(餐饮、商超、房产中介、教育)

·百胜餐饮集团旗下,肯德基和必胜客全国各门店商业标识项目

·德克士炸鸡全国各门店商业标识项目

·星巴克咖啡中国门店商业标识项目

·康师傅全国各门店商业标识项目

·好伦哥全国各门店商业标识项目

·全家超市全国各网点商业标识项目

·链家地产中介机构商业标识项目

·新东方教育机构网点商业标识项目

金融、通信类:

·招商证券全国各网点商业标识项目

·中国移动全国网点商业标识项目

由于所有业务是全国服务,2014 年在全国有分部:

·西安分部(陕西,甘肃,新疆,内蒙古南部,青海,宁夏)

·郑州分部(河南,山西)

·沈阳分部(吉林,辽宁,内蒙古北部)

·哈尔滨分部(黑龙江)

·上海分部(上海,安徽,浙江,江苏,江西)

·深圳分部(福建,广东,湖南,湖北,海南)

·重庆分部(重庆,四川)

·济南分部(山东)

·贵阳分部(贵州,云南,广西)

地址:北京市通州区中关村科技园金桥产业基地
景盛南二街 25 号 21 楼 A 座

网址:http://www.polyspring.cn

电话:010 60571176

传真:010-60571276

邮编:101102

【831406】福建森达电气股份有限公司

福建森达电气股份有限公司成立于 1995 年,专业从事城乡电网工程、建筑配电行业、工业电气自动化控制等领域产品的生产制造,其中多项产品已获得省级名牌或国家专利,是一家集科研、开发和制造于一体的"高新技术企业"和"创新型试点企业",是原机械工业部和电力工业部整顿验收合格定点企业和国家经贸委公布城乡电网建设与改造推荐企业。公司至今与多家科研院所及优秀电气企业有良好、密切的技术合作关系,并设有"企业技术中心"、"专家工作站"和"企业科协"等科研机构,是福建省电器行业技术开发基地唯一协作企业及福建省模具行业技术开发基地合作企业,是国际电气巨头 ABB、Schneider 公司合作联盟成套厂或合作伙伴。公司凭借着自身的实力、优良的信誉和优秀的产品品质,获得了:中国电工电器制造业 500 强、福建省著名商标、福建省名牌产品、福建省质量管理先进企业、福建省知识产权试点企业、福建省品牌 100 强、福建工业效益 300 佳、福建省用户满意产品、AAA 信用等级企业、守合同、重信用单位、劳动保障守法诚信单位、劳动关系和谐企业、标准化成果奖、科学进步奖、产品质量奖、优秀新产品奖、市知识产权示范单位、市知名商标等众多荣誉。

公司拥有多年设计、生产高低压成套开关设备的经验,不仅设计先进、工艺成熟,且产品设计均采用计算机辅助设计,壳体的制作加工采用先进的数控设备。

主要产品涉及 KYN44A 及 KYN28A 型铠装移开式交流金属封闭式开关柜;XYN 箱式金属封闭式高压开关柜;HXGN20-12F 箱型固定式交流金属封闭环网柜;XGN66-10 高压真空开关柜;UniGear550 金属铠装中置式开关柜(ABB 特许合作生产产品);ZN86A-12 真空断路器;XBZ1、XBJ1 智能型箱式变电站;YBM 预装式变电站;MLS、GCS、GCK、MNS-S 低压抽出式开关柜;MLSD、ArTu、MDmax(ABB 特许合作生产产品)固定分隔式开关柜;SGL、GGD、固定面板式低压配电柜;MNS-E 配电箱(ABB 特许合作生产产品)、XL 动力箱、JXF 配电箱、XM 系列照明配电箱;SPA140 系列微机综合保护装置等。这些产品均通过国家指定试验站型式试验,亦均通过省级鉴定,并取得产品型号使用证书,同时均通过技术监督部门对采用 IEC 国际标准生产的认可,亦是 ISO9001 认证覆盖产品。主要高、低压产品均通过中国质量认证中心 CQC 标志认证及 CCC 强制性认证,并获得认证证书。KYN 中置式开关柜和 MLS 低压抽出式开关柜被福建省人民政府授予"福建名牌产品",SGL 低压开关柜荣获"福州市产品质量奖"。

公司以质量求生存、以效益求发展。为提高全员质量意识,保证产品质量,提高企业的管理水平,促进公司的质量管理与国际规范接轨,公司取得了 ISO9001 质量体系的认证后,将"质量第一"的思想贯彻到了每一个工作环节。通过质量管理体系程序文件的控制,使产品从投入到产出,都有严格的控制程序,各个环节都做到了"按程序,有记录,可追溯"。从元器件的进仓到产品出厂试验,均严格按照 ISO9001 的管理模式,对产品实行全面质量管理。生产过程中严格贯彻"三按"生产,执行"三检"制度,从而使得公司的产品在市场上有良好的质量信誉。

公司一贯重视市场,一切以市场为导向,一切为市场服务。拥有着一支高素质的销售队伍,已建立起一个以省内市场为基础,以省外地区为辅线的销售网络体系。公司将继续扩大销售队伍,建立良好的信息网和客户网,以便更好地配合市场、适应市场。同时公司将以"科学管理、发展创新、持续改进、满意用户"的企业精神,本着"以用户为关注焦点、质量第一"的服务宗旨,脚踏实地紧跟时代步伐,坚持不懈、不断开拓创新,生产开发出更多、更先进的产品,以满足飞速发展的市场需求。

地址:福州市仓山区金山大道 618 号鼓楼园 11 座

电话:0591-83747388(8025)

传真:0591-83745335

邮箱:guiyun.xie@fjsenda.com

网址:http://www.fjsenda.com

【831408】重庆大美长江三峡游轮股份有限公司

重庆大美长江三峡游轮股份有限公司(以下简称:大美游轮公司)是集长江水路涉外旅游运输、长江三峡观光旅游运输、酒店经营管理、旅游接待等业务为一体的综合型股份公司。注册资金6700万元。主要经营"重庆至宜昌、武汉、南京、上海"长江三峡观光旅客运输和涉外旅游船运输;同时还经营酒店住宿、餐饮和国际旅行社有限公司。公司于2014年12月9日在全国中小企业股份转让系成功挂牌,是重庆直辖市首家在新三板上市的游轮企业。证券简称:大美游轮;证券代码:831408。

大美游轮公司以"完善安全管理制度、规范环保工作流程、创建一流服务品牌"为安全环保方针,以"对顾客:安全便捷,舒适满意;对员工:成就员工,实现梦想;对社会:创造财富,回报社会"为企业使命;以"忠诚、敬业、学习、创新"为企业精神;以"诚信为本,服务社会"为企业价值观。多年来为长江水路运输产业发展和地方经济建设做出了显著贡献。公司拥有享受重庆市政府培训补贴的航运专家2人,航运高级管理人才3人。海新大酒店是目前我县区域内设设备最齐全、配套功能最完善的政府指定政务接待酒店。重庆海新国际旅行社有限公司可承接国内外游客的目的地旅游业务。

大美游轮公司先后荣获全国和重庆直辖市"守合同重信用单位"、重庆市"A级纳税信用企业"、"安全生产A级企业"、"重庆市交通行业'十一五'先进集体"、"航运AAA诚信企业"、"长江海事局A级安全诚信企业"、"安全生产标准化生产二级达标企业"、"先进企业"、"忠县交委安全生产先进单位"等殊荣。先后取得了安全与防污染符合证明、水路旅客运输、港口经营许可等营运资质。

公司目前拥有"海内观光"系列内河星级游轮5艘,是经营"重庆至宜昌"长江三峡观光旅游运输的、最具品牌实力的中坚运力之一;近年投资2亿余元投资新建的涉外五星级"华夏神女"系列游轮2艘,其中"华夏神女1"号游轮总长92米,宽18.8米,共6层,载客人数350名;"华夏神女2"号游轮总长119.8米,宽18.8米,共6层,载客人数400名。每艘游轮设有两部观光电梯、装饰风格秉承五千年华夏文化历史,采用海洋豪华邮轮设计手法,时尚动感、磅礴大气、柔和高雅。邮轮房间设有外阳台,独立卫生间。另设有酒吧、咖啡吧、网吧、KTV、中餐厅、西餐厅、烧烤吧、电影院、健身房、桑拿按摩、购物部、美容美发、大型会议室等娱乐休闲会所。在游船上可动态、全方位地观赏山城重庆两江四岸美丽的夜景、江景和山景,畅游中国最奇秀、最雄伟、最集中的山水画廊"长江三峡"。华夏神女邮轮投放于雄伟壮丽、意蕴幽远的长江三峡涉外旅游市场后,与巫山"神女峰"相映成趣,对长江高端旅游运输市场注入了新的能量,推动了长江三峡旅游市场的发展。

"华夏神女"和"海内观光"系列豪华游轮是中外游客游览大、小三峡及长江旖旎风光的最佳选择!同时游轮可承接学术研讨、论坛、庆典、商务考察和生日婚庆等各种大小会议及旅游观光的各类包船业务,为旅客安排旅游行程,让旅客完美体验、感悟、领略、尽享长江三峡的峡江峡谷、山水风情、人物古迹、历史文化……

地址:重庆市忠县忠州街道办事处滨江路26号

传真:023-54457100,023-63709491

电话:023-54457102,

邮编:404300

邮箱:cqhnggbgs100@sina.com

网址:www.dmsx.com.cn。

官方淘宝店铺:http://shop111990128.taobao.com/

预订电话:400-1818-477

微信号:dameiyoulun

【831409】华油阳光(北京)科技股份有限公司

华油阳光(北京)科技股份有限公司成立于2002年,2014年12月在全国中小企业股份转让系统挂牌,证券简称:华油科技,证券代码:831409。

本公司主要从事多方位的油、气田勘探软件开发,以及利用自有软件为油田客户提供相应技术、工程服务。公司利用这些软件和相关技术为客户勘探开发工作提供井场综合数据实时传输(钻井、测井、录井、随钻等)、随钻地质分析(实时测井解释、实时底层对比、在二维地震剖面进行实时井轨迹投影)、随钻地质导向、地震数据处理、综合解释和油藏开发方案设计、地质综合研究、油井数字化建设、油田仿真模拟、智慧油田等服务,帮助石油公司降低勘探风险、提高勘探成功率和资源开采效率。

公司一直坚持以技术优势为依托,以油、气行业为重点,国际化的发展战略,专注于石油勘探、生产环节的专业技术类平台软件的研发,已形成一整套以井场实时数据传输、存储、监控、地质分析应用为核心的自主创新技术和规范,目前已成为国内从地震、测井、地质到油气钻采一体化服务的提供商。

【831415】河北城兴市政设计院股份有限公司

城兴股份,高端的城市规划、设计服务商;卓越的城市建设、运营技术提供商。专注于城市规划、市政设计、环境技术开发、园林景观工程等领域,是华北地区专业性、综合性双突出的特色市政设计院之一。

为城市、为未来,城兴股份有限公司致力成为城市宜居环境的建设者和守护者,积极对接国际市场,以国际化高端设计企业为标杆,加强与国际、国内具有知名度的科研机构、设计院以及国内各名牌大学的合作,借用世界智力资源,树立大文化观,突出园林景观规划和城市环保节能设计特点,把自然元素与建构城乡建设体系相平衡,实现城乡建设自然的生态良性循环。

我们将紧紧围绕"一带一路"国家战略和京津冀协同发展规划,立足华北,积极开拓大西北市场,推行全国的目标市场涵盖战略,逐步确立在行业内的领袖地位。

【831418】山西三合盛节能环保技术股份有限公司

山西三合盛节能环保技术股份有限公司成立于1996年,前身是山西三合盛工业技术有限公司。现坐落于山西省太原市国家级高新技术产业开发区,2011年初由传统单一的服务于电力系统的检修施工企业向自主研发及技术服务方向转型。目前,公司主要致力于电力、化工、冶金等工业领域的节能减排及环保技术的研究开发及应用、技术改造及设备的承装承修。北京圆能工业技术有限公司是我公司的全资子公司。

经过三年多的努力,公司目前已经取得15项国家发明专利及实用新型专利。其中:公司与中科院过程研究所共有专利4项,公司自有专利6项,公司与全资子公司北京圆能工业技术有限公司共有专利4项、北京圆能工业技术有限公司自有专利1项。

公司与中科院和清华大学等科研机构有着长期密切的合作。公司现有员工80人,其中:教授级高级工程师1人、高级工程师3人、中级工程师14人,学历占比:硕士及硕士以上5人,大中专以上学历人员60人。

经过多年发展,公司已拥有丰富的节能环保设备改造和服务经验并获得多项资质及荣誉。

公司是"山西省科技厅、财政厅、国税局、地税局"等单位联合认定的"高新技术企业";具有山西省住建委颁发的"机电设备安装工程专业承包三级资质";具有国家电力监管委员会颁发的"承装(修、试)电力设施许可证";自2008年起持续通过了ISO9001:2000质量管理体系认证和ISO14001:2004环境管理体系认证;是山西省守合同重信用企业;是"质量信誉AA级"企业等。

2012年底,我们与中科院过程所在太原市高新区公司所在地共同建立了煤质分析和多尺度工业过程仿真计算两个实验室。

2013年,做为课题主承担单位,我公司承担了国家科技部技术支撑计划"难燃煤解耦燃烧及灰渣协同利用关键技术与工程示范"课题的研究与执行任务(课题编号:2013BAC14B02),协作单位有美国LAMER大学、清华大学、山西大学等单位。2014年与山西大学共建了中试基地。

2014年4月25日被山西省中小企业局认定为山西省中小公共企业服务示范平台,在满足公司研发需求的情况下,帮助省内中小企业更好地利用服务示范平台提供便利服务,共同为山西的转型跨越发展贡献自己的微薄之力。

2014年8月21日,被山西省中小企业局认定为"专、精、特、新"。

公司于2014年3月14日,完成公司股份制改制,并领取工商局下发的股份制公司营业执照,在完成审计、资产评估、法律意见书等审核并通过山西证券内核,于2014年12月5日正式在全国中小企业股份转让系统挂牌,通过新三板的挂牌,公司将规范法人治理结构、搭建人才平台、提升企业竞争力、打造行业产业链及融资等方面取得实效,从而带来快速成长。

公司自从2010年开始转型发展,由原来的单一模式逐步转变成为面向节能、环保技术产业,具有研发、设计、委托生产到安装调试的综合能力。

2014年,我们以自主创新技术推广为主,截止十月份公司实现营业收入1368.35万元、预计全年能实现营业收入1500万元。

目前,我们的几个专利技术都已经得到应用,我们的前期研发投入已经开始产生效益。公司的几个拥有自主知识产权的主打产品也已经开始得到应用和推广。其中,2012年分控式相变换热技术中标全球环境基金通过世界银行对太原第一热电厂的提高机组效率无偿援助(GEF)项目,在太原一电厂#13、#14炉得到应用。每年为太原一电厂回收大量烟气余热,折算成标煤近10000余吨,平均降低发电煤耗2克/千瓦时,节能效果非常显著。并且由于排烟温度的降低,除尘效率得到一定程度的提高,烟尘、二氧化硫、氮氧化物排放量都因此减少,减排效果也十分显著。目前正在华电陕西蒲城发电有限责任公司#3炉实施的烟气余热回收项目也已经安装调试完毕,正在性能测试中,预计本月底可以验收完毕移交生产。解耦燃烧技术于2013年9月在太原第一热电厂#13炉得以顺利应用,经过近一年的运行观察,降氮效果非常明显,达到了预期效果。原煤仓疏通技术也于2011年4月在国电安徽蚌埠发电厂#1、#2机组得到应用,得到了用户的一致好评。

据测算,目前国内适合进行烟气余热回收改造的锅炉多达2000余台,按照平均每台锅炉1000万的改造费用计算,市场规模达200亿之多。从节能环保的角度测算,如果这些锅炉都完成烟气余热回收改造,那么一年就可以节约标煤1000万吨。不仅如此,还可以减少SO_2排放40万吨、减少NOx排放28万吨、减少CO_2排放2200万吨、减少灰渣排放410万吨,环保减排效益也十分显著。另外,煤粉解耦燃烧技术也具有大约100亿左右的市场容量,节能环保价值也非常巨大。

我们的两个主要专利技术"燃煤锅炉烟气余热回收技术——分控式相变换热器"以及"燃煤锅炉解耦燃烧技术——一种新型的低氮燃烧器"在国内同行业占有绝对的技术领先地位,具有很强的市场竞争力。结合目前国内发电企业正在开展的燃煤电厂"超低排放"技术改造,我们的技术和产品市场前景非常广阔。

正是因为公司未来市场潜力巨大,公司发展空间广阔。因此,我们希望通过在新三板市场的挂牌运营,一方面使公司管理进一步规范,进一步提高效率。另一方面利用这个平台扩大公司知名度,提升在业内的影响力,通过与相关专业公司的广泛合作,把我们公司打造成一个具有坚实基础、具有高成长性、在国内具有一定影响力的专业节能环保技术企业。

下一步,公司将继续以产业发展为核心,继续秉承"低碳、清洁、创新、持续"的发展思路及"天地人合、时势缘备、合作共赢、事业同盛"的工作方略,全力推进新三板挂牌工作,做强做优节能环保的绿色科技产业,努力打造公司核心竞争力,打造"三合盛"品牌,书写公司发展新的篇章,为我市我省的发展做贡献!

专利技术简介:

一、相变换热技术:

1. 技术简介

该技术是由我公司与中国科学院过程所共同研发,并获得国家发明专利的,一项用于工业及电力燃煤锅炉烟气余热回收的节能技术。是针对现有的低温省煤器以及复合式相变换热器技术所存在的问题和缺陷而开发的。从根本上解决了原技术回收效率低、容易发生低温腐蚀、容易堵灰、设备布置不合理等缺陷。投资回报比高,且安全可靠。以一台300MW机组为例,按照降低16—20度烟温设计,机组年平均负荷在不低于70%的情况下,回收热量折算成(7000大卡)标煤可达5000吨/年左右,降低发电煤耗2克/千瓦时,节能效果非常显著。

2. 基本原理

烟道换热器出口蒸汽母管安装有气流调节阀,当测得的相变参数(压力和温度对应)低于设定值时,气流调节阀关小,反之开大,从而控制相变参数和烟道换热器壁温的稳定。蒸汽母管可以同时接往不同的冷源换热器,系统可根据环境温度以及排烟温度的设定值,自动调节不同冷源的供汽量,优先加热锅炉供风,多余热量再去加热其他冷源,从而达到了最佳的余热利用效率。

3. 技术特点

可将余热产生的蒸汽分别控制输送到一次风加热器、二次风加热器、热网加热器和凝结水换热器等不同热用户,并随环境温度和机组负荷的变化，自动进行不同热用户的优化组合，确保热力系统的最佳经济性。

组合系统可在避免低压省煤器发生低温腐蚀和汽化的情况下，提升低压省煤器的出口水温，提高余热回收利用的热力循环效率和经济性。

一次风加热器和二次风加热器可与原暖风器及辅汽系统兼容，可减小风道阻力损失，保护空气预热器，并确保暖风器回热系统的经济性；

采用汽液换热器和辅助蒸汽等控制冷凝液的过冷度，确保烟气换热器不发生局部低温腐蚀，可提高安全裕量；

相变系统采用强制循环，换热器可灵活布置，提高了系统的适应性；

热源相变参数控制系统的时间常数小，调节特性好。易于将多任务控制和多层次保护集成在一个系统，安全性高；

可与空气预热器配套设计为可调式空气预热系统，空预器可采用间壁式结构，以降低漏风损失，提高机组经济性。

二、煤粉解耦燃烧技术：

1. 技术简介

该技术是我公司与中科院过程所合作开发的一种新型煤粉解耦燃烧技术，该技术克解了煤粉燃烧过程中飞灰可燃物与氮氧化物两者的耦合排放问题，实现二者排放同时降低，解决了国际燃烧技术领域长期存在的难以征服的技术难题。该技术在难燃煤种的低氮燃烧应用方面效果尤其显著。

解耦燃烧技术曾获得了“中国科学院技术发明一等奖”。

2. 技术原理

在煤粉燃烧过程中，随着燃烧温度和氧浓度的提高，煤粉更易快速、充分燃尽，烟气中飞灰可燃物和CO的含量降低；但同时，高温富氧又会使燃烧过程中生成的NO×大幅提高；另一方面，燃烧温度和氧浓度越低越有利于抑制氮氧化物NO×生成，但煤粉更不易燃尽。克解两者的耦合排放问题是国际燃烧技术领域长期存在的难以征服的高峰。本技术采取分级解耦燃烧技术，可解除煤粉燃烧的飞灰可燃物与NO×的耦合排放，实现二者排放同时降低。

技术特点：

①煤粉浓缩和稳燃设计一体化：通过集粉分流稳焰器和变截面管的组合，使一次风分流成中间一路浓粉气流和周边多路淡粉气流。浓淡分离周界长，气流转向小，因而煤粉浓缩效率高，而设备压降小；浓缩煤粉气流上下两侧同时卷吸加热，加热速度和深度成倍提高。

②由到内外逐级燃烧：煤粉气流流速、浓缩率、相对滑移速度、回流空间和传热传质速度呈阶梯式分布，中部核心煤粉气流的着火温度最低、着火热最小、火焰传播速度最快，而加热能力最强，散热最慢，因而极易着火，随后中部两侧浓粉气流及外围淡粉气流再相继逐级燃烧。淡粉离开喷口一定距离后才能着火，燃烧器外壳形成膜式冷却，燃烧器寿命更高。

③实现微观空气分级燃烧，抑制NO×的生成：煤粉高度浓缩和高速加热，实现快速热解、热解、气化，可使挥发分氮比例大幅提高，并产生大量NH_3、NCH、CmHn和CO等还原性气体，以气相高速反应为主的多项反应，使生成的NO×大部分转化成稳定的N_2。周边淡粉气流逐步混合燃烧后，焦炭也已相继燃烧，对氧气的消耗增大，贫氧燃烧的条件可维持到大部分挥发分燃烧完。焦炭氮析出时首先穿过碳粒表面还原性气氛层，同时受焦炭的催化还原作用，因而焦炭氮转化为NO×的比率很低。

④易于优化炉膛“三场”，燃烧效率高：去除或降低宏观空气分级的“火上风”量，增加炉膛高温燃烧区二次风量，避免最难燃尽的焦炭推后在低温燃烧区燃烧，以降低飞灰含碳量和排烟温度；同时减少大范围还原性气氛，减轻了炉膛水冷壁高温腐蚀和结焦，也有利于防止煤粉离析。

⑤煤种适应强，性能稳定：根据煤质和锅炉负荷等燃烧条件的变化，通过自动调节燃烧器向火侧的侧边风量，可调节燃烧器附近的环境温度，始终保持燃烧器处于最佳燃烧状态；通过调节背火侧侧边风量，可调节水冷壁附近的含氧量和气流刚度，减轻水冷壁的结焦和高温腐蚀。

三、原煤仓疏通技术：

1. 技术简介

由我公司自主研发的DXC型、DXZ-Ⅱ型料仓堵料疏通设备，攻克了各种流动粘性物料的下料堵塞难题，解除企业的困扰，保障了锅炉用煤供给的稳定可靠，可为企业节约大量助燃用油，经济效益和节能减排效益显著。

2. 技术原理

在煤仓下部的结拱部位，煤粒在重力、支撑力、侧推力、摩擦力和表面张力等共同作用下形成了稳定的受力平衡状态，由于表面张力和煤粒空隙的吸收能力，在较小的定向外力下，该平衡有很强的自稳定特性，因而结拱结构很难破坏。表面张力的另一个特点是形成表面张力的结构一旦被破坏，受力迅速减小，并需在运动中重新建立稳定的结构。本技术是通过连续、多方向、动态地改变结拱部位的受力分配，破坏结拱稳定状态下的受力平衡。在新平衡建立前，在不平衡力的推动下可首先使结拱部位下面的原煤产生新的位移，原有压实的紧密结构发生松动，从而减少形成结拱的摩擦力和粘性物料的表面张力等，使结拱部位的煤粒在重力和上部压力作用下更容易移动，结拱状态陆续解除。另外，为了减小移动的摩擦力，本技术还对结拱部位的煤仓表面材料进行改性处理，采用较小的能量就可使原煤产生较大的位移，从而提高破拱机的破拱能力和潜力。原煤仓原煤的粒度和湿度经常变化，结拱部位受力也不同，本产品采用变频控制，可对不同结拱状态，采用不同的破拱力，从而节约电能和减少对设备的冲击。本技术利用振动提供变幅运动的破拱原理来解决物料结拱疏松和输送的问题。

3. 技术特点

①采用中心导流体克解物料仓堵料的瓶颈：物料仓设有可往复旋转震动的中心导流体，以调整中心流，增加仓壁附近物料的流动能力；中心导流体安装位置的通流截面积大于出料口，通过旋转震动可疏通该区域积堵。中心导流体可减小下部物料内部压力及与仓壁的摩擦力，解决了口径最小、受力又较大的出料口堵料的瓶颈。

②采用切向旋转与横向摆动的复合冲击破除粘壁和结拱：将出料口部分设计为采用柔性吊架的活动料斗。活动料斗可受到切向冲击力的作用，产生切向旋转和横向平移的复合往复冲击运动。切向冲击使粘附在料斗壁上的物料与料斗发生往复相对运动而分离，保持壁面的光滑。横向冲击运动使物料间往复挤压和松动，以破坏结拱物料的受力平衡，实现破拱疏通。

③自适应蓄能激振器能耗低、效用高：蓄能激振器可成倍放大振动源的作用力峰值，克服阻尼推动起振，受迫振动体起振后，又可迅速减小振动力，避免对料仓造成破坏性冲击。振动系统将振动源振动频率、弹簧自振频率和料仓的自振频率有机调和，形成高频与低频振动叠加的复合振动，使振动系统振动能量的积累和释放过程自动适应受振体的惯性力和内应力。

地址:太原市高新区科技街15号留学人员创业园A301
电话:0351-7023456
传真:0351-7025895
网址:http://www.shsgy.com/
邮箱:924826394@qq.com

【831427】山东信通电子股份有限公司

山东信通电子股份有限公司,成立于1996年,是一家致力于提供通信测试仪器和网络综合监控方案的高新技术企业。现有员工180人,注册资金3000万元,占地面积20000平米。根据公司业务类型,公司司划分为通信、电力事业部和管理中心,并在青岛设有新技术开发中心。

通信事业部,专业致力于为各通信运营商和专网用户提供各类通信维护测试仪器仪表和系列解决方案,主要产品包括智能维护调度PDA终端、光通信测试仪器、线缆接入业务测试仪器、线缆工具仪表、无线测试仪表等,产品覆盖了从语音、窄带到宽带,从线缆到光纤等通信维护领域的各个方面。

电力事业部,主要面向电力行业提供各类综合监控解决方案,主要产品包括输电线路智能巡检系统、智能变电站辅助系统综合监控平台,无源无线高压设备温度在线监测系统,电力巡检用物联网智能终端,产品覆盖智能电网输电、变电、配电等领域的各个方面。

自2000年以来,公司通过ISO9001国际质量体系认证,并由此迈入了企业管理规范的新台阶,近年来,公司不断完善公司的各项管理制度,按照PDCA循环持续改进和提升,做到了职责明确,流程清晰,执行到位,公司的管理基础得以夯实和大幅提升。

持续发展,基业长青,是全体信通人的美好愿景,面临信息化环境高速变幻的今天,唯有全力以赴,才能在时代高速发展的浪潮中勇立潮头,为此,我们信通一直在努力。

【831450】苏州金宏气体股份有限公司

苏州金宏气体股份有限公司成立于1999年10月,位于苏州市相城区黄埭镇潘阳工业园,专业从事工业气体的研发、生产、销售和服务的高新技术企业,主要为客户提供各种特种气体、合成气体和空分气体的一站式供气解决方案。公司注册资本6150万元人民币,总资产超7亿元人民币,职工人数669人。2014年实现营业收入51706.86万元,净利润4654.43万元,入库税收总额达4903万元。公司于2014年12月15日,成功登陆"新三板",正式走向资本市场。经过十多年的稳步发展,具备了多品种气体管理优势,并与众多下游的优质客户建立了紧密的合作关系,已成为环保集约型综合气体提供商。

公司为中国工业气体工业协会理事单位、江苏省气体工业协会副理事长单位、苏州市工业气体协会理事长单位,先后荣获江苏省高新技术企业、国家火炬计划重点高新技术企业、江苏省创新型企业、"十一五"全省技术改造先进单位、江苏省著名商标、江苏省科技型中小企业、江苏省创新建设示范企业、江苏省信息化与工业化融合试点企业、江苏省信用管理贯标企业、江苏省用户满意服务单位、苏州市创新先锋企业、AAA级资信等称号。致力于质量控制体系的建设和完善,公司于2008年通过了ISO质量管理体系认证,并于2013年通过了ISO环境管理体系认证、OHSAS职业健康安全管理体系认证以及国家CNAS实验室认可。公司设有研发中心、实验室、江苏省企业技术中心、江苏省特种气体及吸附剂制备工程技术研究中心等。近三年来,共开展各类研发21项,其中13只产品形成的成果已转化进入市场,让半导体及光电产业生产商拥有了新选择。多年来公司一直坚持为客户创造纯金价值——"金宏气体、纯金品质"的经营理念,致力于打造民族品牌——"金宏气体"。

【831453】江西远泉林业股份有限公司

江西远泉林业股份有限公司是一家主营绿化苗木种植与销售、茶叶生产和销售、花卉销售与租摆、园林绿化及市政工程施工与维护的综合性林业企业,注册资金6000万元人民币,是农业产业化国家重点龙头企业、江西省省级林业龙头企业。下属有江西远泉园林绿化有限公司、上饶县远泉茶业有限公司、婺源县远泉茶业有限公司三个全资子公司,公司位于江西省上饶经济技术开发区,毗邻320国道、沪昆高速公路、浙赣铁路和三清山、龙虎山、武夷山风景区,交通便捷。

公司拥有十四个自主苗木生产基地,种植面积近万亩,各类苗木品种有200多个,名贵品种主要有罗汉松、香樟、桂花、樱花、大阪松等。公司曾荣获"第十一届绿色环保健康产业示范企业"。

公司秉承"信誉第一,客户至上"的经营理念,坚持致力于绿色、低碳、环保的经营导向,以人才为根本,以科技为支撑,以工程为推动,以服务为保证,积极开拓市场和创新机制,坚持走"以绿化为主,与科技联姻,实施苗木、茶叶、果业等综合开发"的发展道路,为社会创造和提供"绿的海洋、鸟的天堂、人的乐园"作出贡献。

【831456】贵州森瑞新材料股份有限公司

贵州森瑞新材料股份有限公司(原贵州森瑞管业有限公司)成立于2003年,位于贵阳市贵州乌当经济开发区,占地面积400000余平方米,公司注册资金15750万元,是贵州省规模最大的专业从事新型塑料管道研发、制造、销售的新型环保科技企业,拥有位于贵阳洛湾、贵阳乌当、武汉黄陂等已投产的生产基地。

公司目前装备了100余条国际、国内先进生产线,并建立有完善的检测设备手段。营销网络覆盖广泛,能及时有效地为客户提供优质齐全的管材及管件。主要产品有埋地用聚乙烯(PE)给水管;燃气用埋地聚乙烯(PE)管;煤矿井下用聚乙烯(PE)管;钢丝骨架聚乙烯(PE)复合管;埋地排水用HDPE双壁波纹管、PVC-U双壁波纹管、钢带增强聚乙烯(PE)螺旋波纹管;地下通信管道用实壁管\双壁波纹管\硅芯管\梅花管\栅格管\蜂窝管;埋地用PVC-C电力电缆护套管;建筑用PP-R给水管和PVC-U排水管、环保健康精品家装PP-R给水管、环保健康精品家装PVC电工套管;阻燃型PVC电线槽、工业线槽、电工套管等,以及与管材相应管、配件系统,产品覆盖了国家标准或行业标准所列全部规格。被广泛应用于给水、排水、排污、燃气、农业、水利、电力、矿山和通信等领域。

我们始终以"向社会提供环保、节能、安全、经济的塑料管道系统"为质量方针,以"改善和提高人类居住环境、缔造绿色健康生活空间"为使命,坚持内抓质量管理,外抓市场开拓,以顾客为中心,不断提高产品和服务质量,满足顾客要求。公司先后通过"ISO9001:2008质量管理体系认证"、

"ISO14001:2004 环境管理体系认证"、"ISO10012:2003 测量管理体系认证"、"OHSAS18001 职业健康安全管理体系认证"、"压力管道元件认证"、"矿用产品安全标志认证"和"中国环境标志产品认证"等。被国家科技部批准为"国家火炬计划项目"、"国家高新技术企业"、"国家守合同重信用企业"、"省级企业技术中心"、"技术改进先进单位"。从成立至今一直被省工商局评定为"守合同、重信用"单位及荣获"先进纳税企业"、"财政贡献突出企业"、"贵州质量诚信5A级品牌企业"、"管理体系认证优秀企业"。同时是"国家质检总局授权的'聚乙烯(PE)管道焊工考试委员会'单位、"中国质量诚信企业协会副会长单位和理事单位","住房和城乡建设部科技发展促进中心《建设科技》理事单位"。森瑞系列产品被建设部列为"全国建设行业科技成果推广项目"、连续多年入选《全国农村饮水安全工程材料设备产品信息年报》,被中国中轻产品质量中心确认为"中国优质产品"及获得"中国绿色环保建材产品"、"贵州省名牌产品"和"贵州省著名商标"等诸多荣誉。

公司坚持"以质量求生存、以服务求发展、以诚信求双赢"的经营理念,发扬"诚信、务实、学习、创新"的企业文化,及"让城市更美丽,让生活更美好"、"保护家乡环境,共建美好家园"的环保理念,立足于科技研发,为广大用户提供快捷、优质的管道工程系统。真诚感谢广大用户和社会各界对公司一如既往的支持和信赖,我们将竭诚为用户提供更优质的产品和更满意的服务,欢迎社会各界同仁莅临指导。

统一服务电话:400-602-7000

【831466】深圳市软通供应链股份有限公司

深圳市软通供应链股份有限公司是一家专注于为国内信息技术(IT)制造业设计并组织实施集公路快运、转关、库存管理、城际配送等为一体的综合服务型现代物流服务商,注册资本为6000万元人民币,总部设在深圳。公司始终秉承"正直诚信、创新优质,客户第一"的服务理念,先后在深圳、香港、北京、上海、苏州、重庆、厦门等中国30多个重要城市,以及越南、泰国、马来西亚、新加坡等东盟自由贸易国分别建立了快速物流网络运营节点,形成中国与东盟自由贸易区域的物流网络布局。公司在跨关境转关货物运输、东盟自由贸易区跨境;城际转关货物运输;城际整车普货业务;华南中港业务;保税货物库存管理服务上,通过对品质上的把控,物流模式上的创新,赢得了全球众多知名企业的信赖和肯定。

软通以综合服务为核心,以物流信息化技术为支撑,以高端客户体系为依托,整合各种物流资源,自主研发并形成了一套物流智能化管理系统,集订单、作业、营銷、仓储、配送、关务、客户、結算等多功能为一体,倾力打造专业化、定制化、一站式的现代物流服务体系,让客户享受便捷、安全、可靠、快速、精准的物流服务。

目前,公司在全国建立了成熟的城际配送服务体系,拥有强大的车辆运输团队,其中长途集装箱货柜监管车、厢式货车300余辆、中港车、短途配送车100余辆,车辆配置了GPS卫星定位系统,做到全天24小时不间断的对车辆进行GPS追踪、头架分离报警、开门门磁报警、偏移线路报警、超速行驶报警、天气预报预警等功能的实时监控,针对工作过程中的具有风险的环节,备有成熟的应急机制和预案,大大的保证了货物运输的安全。公司依靠多年来丰富的仓储管理经验和诚信创新的精神,现已发展拥有总面积近50000平方米的集货和分拨的中转仓库,各仓库内的功能设施先进齐全。为客户提供24小时的仓储作业服务。

软通以"成为大中华区域内信息技术(IT)产品领域的知名物流服务品牌"为发展目标,不断改善质量管理体系,提升产品和客户服务的品质,2013年通过SGS认证并颁发ISO9001:2008质量管理体系认证证书;积极倡导低碳环保、专注打造"绿色物流、品牌物流"企业形象。先后获得了"深圳高端服务业十大成长型物流企业""深圳市绿色环保企业""AAA物流企业"等等一系列荣誉证书及称号;2012年度成为中国华南地区首家通过TAPA 2012 TSR(一级)认证的物流公司;2014年11月成功登陆全国中小企业股份转让系统(简称"新三板")并正式挂牌,股票简称:软通股份,股票代码:831466。"新三板"的成功挂牌,意味着软通股份正式迈入资本市场,对增加企业知名度,扩大营销、吸引人才等具有积极而深远的意义,同时有助于公司在未来的发展中以更加严格的要求规范经营、建立更加科学合理的法人治理结构、有效提高运作管理水平;为新形势下中小企业拓宽融资渠道、促进良好发展树立了成功典范。

公司贯彻实施"质量为本、创新优质、安全快捷　持续改进"的质量方针,将不断持续改善质量管理体系,不断提升产品和客户服务的品质,承诺成为名副其实的不断创新服务模式、持续提升优质服务的物流服务企业,让客户享受便捷、安全、可靠的物流服务,为IT制造业提供更加优良的物流软环境,实现公司与客户长期合作发展的"双赢"格局。

软通公司的愿景:为企业在大中华区域内的跨关境、跨关区物流活动提供一站式物流解决方案,并不断创新方案实施手段,使"软通"成为大中华区域内信息技术(IT)产品领域知名物流服务品牌。

软通公司的使命:通过不断创新的物流运行模式和高效快捷的组织实施,为客户营造更优的物流软环境,创造物流时空价值,降低物流总成本。

软通公司的核心价值观

1.商业伦理:我们实施一切商业行为的目的并不仅仅为赚取金钱,而更是为赚取人心,人心的向背最终将决定金钱的得失,义利合一是我们孜孜追求的团队行动目标。

2.正直诚信:我们承诺成为一个奉守商道之德而展开经营活动的企业,当面对道德选择时,我们将做正确的事情,我们将把职业道德和诚信仁义融入我们所做的每一件事当中,以致力于成为一个正直诚信的企业。

3.社会责任:基于我们成为诚信企业的承诺,我们将不断提高物流服务效率,改善社会经济活动中的物流环境,我们将全员参与并协助保护环境,努力成为我们运营的每一个社区和区域的好公民,从而为社会的繁荣与和谐做出贡献。

4.团队精神:我们大家聚在一起,就要比单独的个人更为强大和明智。我们将在企业内培养冠军团队的观念,在追求共同目标的合作中,形成热情、奉献和快乐的精神。我们将注重同事的多元化,尊重每个人及其价值。我们将以公平和尊重的态度对待同事,并以关注客户、关注服务、关注公司和关心他人的员工为骄傲。

5.创新优质:我们是一家物流服务产品驱动型的企业,只有模式领先、质量过硬,企业才会更好。我们承诺成为名副其实的不断创新服务模式、持续提升优质服务的物流服务企业。

6.客户第一:在我们公司,客户永远是第一位的,我们的客户服务追求的是每天都能超越客户的期望。我们要比竞争对手对客户的需求更敏感、更迅速地做出反应。

软通公司的发展战略:我们将根据客户货物供应链的分布及业务操作的需要,在环渤海经济圈、环长三角经济圈、环珠三角经济圈内合适的地点设立以仓库为中心的服务网点,以此为依托,通过公路、铁路、航空等运输方式的纽带联接,以中央总控的物流信息管理平台为指挥枢纽,构建一个柔性的立体综合物流服务网络,以便随时随地满足客户多样化、个性化的服务需求。

地址:深圳市福田区福田南路7号皇城广场26楼

电话:0755-83694444

传真:0755-83694755

电邮:info@ softtrans. com

网址:www. softtrans. com

【831467】河北世窗信息技术股份有限公司

河北世窗信息技术股份有限公司成立于2004年,是行业领先的IT服务提供商,是河北省软件企业、高新技术企业、沧州市信息产业与信息化协会会长单位。2014年12月9日,公司在全国中小企业股份转让系统(即"新三板")成功挂牌,成为沧州市首家"新三板"挂牌企业。

河北世窗公司致力于为智慧城市提供信息化解决方案和大数据服务,为行业及公众提供移动互联网应用服务、电信增值服务、云计算与物联网服务。经过10余年的发展,最终确立了"4+1"发展战略,4是指在智慧教育、智慧卫生、智慧政府、智慧农业方面重点发力,1是指着力发展智慧城市信息化系统集成项目。

公司拥有各类IT应用服务资质,包括系统集成专业资质,软件企业资质、安防企业资质,增值电信资质等等,拥有几十件各类自主知识产权的产品,专利技术,通过了ISO9001质量管理体系认证,具备强大的软件研发能力,工程施工能力,公司以领先的技术和优秀的服务赢得了客户的尊敬。

公司拥有一支由高素质员工组成的IT服务团队,80%以上为本科学历,公司建立了领先的技术管理模式、IT服务模式,形成了一套具有自身特色的、符合国际规范的高新技术企业管理体系,促进了企业健康快速成长,为客户提供全面的IT综合服务。

地址:河北省沧州市解放西路颐和国际B座一区

电话:0317-3079991

传真:0317-5503232

电邮:shichuanggufen@ 163. com

网址:www. worldeyes. net

【831469】新疆金磊建材股份有限公司

新疆金磊建材股份有限公司始创于2003年,为预拌混凝土专业生产厂家,具有预拌商品混凝土专业承包贰级资质。2014年7月变更为股份有限公司。公司注册资金3545万元。资产总额14353万元,是克拉玛依地区成立最早、实力最强,规模最大的混凝土预拌混凝土专业生产企业。

公司现有职工160余人,其中大中专以上学历31人,有专业技术职称16人,检验试验人员18人,技术工种持证上岗率达100%,拥有各类运输、泵送设备45台套,混凝土生产线6条,年生产能力可180万方,2013年主营业务收入16868万元,净资产收益率34.7%,公司拥有满足混凝土产品质量及原材料检测所需的试验设备。

公司自成立以来已经向克拉玛依区、乌尔禾区、白碱滩区等地区供应了数百万方商品混凝土,也为许多急、难、险、重的基础项目提供了方便、快捷的服务。在高抗冻融循环混凝土、轻骨料混凝土等特殊混凝土的生产及大体积混凝土浇筑、远距离混凝土运输及冬季混凝土生产等方面积累了一定的经验。先后为克拉玛依市一些重点、标志性工程如克拉玛依市政府办公大楼、中国石油办公大楼、会展中心、科技博物展览馆、雪莲宾馆、青少年活动中心、文化馆及油建大桥等工程,提供了所需的商品混凝土。

公司秉承"高快、高效、优质"的工作作风,积极向上,不断加强自身建设,努力提高竞争实力,于2005年取得GB/T19001质量管理体系认证,2014年完成安全标准化达标准工作,荣获克拉玛依区"守合同重信用企业"、"纳税信用A级企业"、"先进工会"、"劳动关系和谐先进企业"、克拉玛依市"慈善大使"、克拉玛依区"安康杯"优胜企业等殊荣。

公司紧紧围绕诚信是市场、质量是生命,安全是保障的经营方针,把质量理念贯穿于生产全过程,走质量兴企的可持续发展之路,靠过硬的产品质量和真诚的服务赢得良好的社会信誉和市场份额。

地址:新疆克拉玛依市金西五街5977号

电话:0990-6975732

传真:0990-6975732

电邮:367291@ qq. com

【831478】北京天际数字技术股份公司

天际数字是一家以三维技术为核心的建筑信息可视化服务提供商,成立于2008年,总部位于中国北京,是国家高新技术企业,国家双软企业。公司成立初期,产品形式以建筑效果图(CG静态视觉服务)和建筑动画动漫(CG动态视觉服务)为主。2012年,公司开始提供BIM(Building Information Modeling,建筑信息模型,简称BIM)技术服务;2013年,公司开始研发基于互联网技术和云计算技术的建筑行业相关图形图像系列软件,并努力打造独立设计师的O2O互联网平台。公司业务目前已涉及建筑视觉效果图设计及制作、建筑动画制作、政府汇报宣传片、建筑产品推广数字影片、数字展厅展览展示、建筑行业人员及企业培训等领域;并积极向工程及建筑全生命周期咨询及规划、工程信息模型托管等业务领域拓展。公司提供的建筑信息可视化服务种类齐全,应用广泛,涵盖建筑整个生命周期。在建筑项目的策划、勘察、规划、设计、施工、销售、运营维护以及拆除爆破等阶段,公司均能提供相应的配套产品及服务。旗下分别有北京分公司,天津分公司,上海分公司和深圳分公司,立志成为世界建筑信息可视化服务领域的第一品牌。

地址:北京市西城区车公庄大街21号新大都饭店2号楼四层

电话:010-51291868

传真:010-51291868-803

网址:www. ourskycg. com

天津分公司:天津市河西区气象台路98号增1号创智中心707

上海分公司:上海市普陀区长寿路97号世纪商务大厦14层

深圳分公司:深圳市福田区天安数码城天展大厦CD座5C

【831481】浙江瑞铃企业管理股份有限公司

浙江瑞铃企业管理股份有限公司(简称"瑞铃企管")是一家专业从事制造业企业精益生产(即日本丰田生产方式)管理体系咨询辅导、培训的生产性服务企业,成立于2005年11月,现有员工60多人,其中日本专家6位(丰田集团4位)、国内企管资深专家50多。2008—2013年连续六年荣获"台州经济开发区先进服务业"称号;2011年、2013年被授予"台州市区服务业重点企业",2009年被省中小企业局评为"浙江省县级中小企业创业辅导中心";2009—2010年连续两年被省经委指定为"浙江省企业经营管理人员培训基地";2011年3月被省经委授予"浙江省企业管理咨询培训行业十大示范机构"称号。2012年12月获"台州服务名牌"称号,2012年荣获首批台州市服务业商业模式创新"十佳企业"。

2013年8月被省财政厅和省发改委评为"2013年度浙江省服务业高端企业";2013年10月认定为"浙江省工商企业信用AA级守合同重信用单位"。2014年4月被台州市人民政府授予"台州市模范集体"称号。

浙江瑞铃已成为国内精益生产咨询领域的领先企业,位列浙江省咨询行业前三甲,2014年已实现营业收入2000多万元,纳税340多万的业绩。公司已为国内150多家规模企业导入精益生产管理模式,服务范围已覆盖浙江的台州、杭州、温州、宁波、金华和重庆、武汉、广东、江苏、安徽部分区域。通过推行精益生产管理模式,不但扩大了企业的生产规模,还大幅度节约了企业生产成本,增强了企业市场竞争能力,提高了产品质量和企业经济效益,更为企业的可持续发展奠定了最为坚实、最为可靠的基础。

2010年底公司创建"技术创新研究所",用于向企业提供技术、工艺改进服务的机构。专业设计开发能更好满足精益生产的自动化设备和工装夹具,提高企业制造精度、生产效率、生产过程的品质保障,减少重要生产环节对人工的依赖,从而提高客户企业生产效率和品质。技术创新研究所研发制作的专用设备均已得到客户企业的认可和高度赞扬。

通过精益生产项目的推广,在生产效率、品质、在制品等方面取得了不错的业绩;构建了整理整顿漂亮的生产现场;转变了管理层固有的管理模式。务实、持续改善、精益求精的管理思想逐渐成为管理的主流。

【831489】湖南天衡儿童用品股份有限公司

天衡股份由"湖南天衡儿童用品股份有限公司"及下属子公司"佛山市天衡进出口有限公司"组成。公司拥有3000多平方米办公空间、20000多平方米现代化生产基地,员工超过300人,年产量达5000万套件。

湖南天衡一直致力于开发、生产、销售中高档毛绒玩具、塑胶糖果玩具、儿童、家居用品以及相关的创意产品。产品远销欧洲、美国、日本、巴西、澳大利亚等多个国家和地区,是沃尔玛、家乐福、玩具反斗城、迪斯尼等国际巨头的长期合作伙伴;公司同时拥有多个自主品牌,包括"GA金洋创意"、"bebecocoon贝窝"、"开心团团圆"、"欢乐牛牛"、"大眼睛"、"开心家族"等。

佛山天衡业务涵盖家居婴幼用品、床上用品、毛绒玩具等60多个产品系列,作为一家经验丰富的国际贸易公司,具备业内一流的质量管理体系,已取得玩具行业国际最高认证ICTI认证、食品行业国际最高认证HACCP认证、国际管理体系证ISO认证等,其品牌价值和知名度均在国内同行业中处于领先地位。

2014年,湖南天衡儿童用品股份有限公司顺利通过全国股转公司审核,正式挂牌新三板(股票代码:831489),成为国内同行业唯一公众公司。公司将以挂牌上市为契机,投入更大的精力专注于儿童毛绒玩具的研发,更严格的控制产品的品质与质量,为广大客户提供更新颖优质的产品!

佛山天衡地址:广东佛山市南海区桂城区深海路17号瀚天科技城A区8号楼16楼

电话:0757-81287860

传真:0757-81289208

网址:www.tianhengkids.com

湖南天衡地址:湖南省衡阳市常宁市宜阳工业区工业走廊投资创业园A基地

电话:0734-7601668

传真:0734-7601669

【831511】南京中科水治理股份有限公司

公司背景

南京中科水治理股份有限公司为中国科学院南京地理与湖泊研究所参股企业,由高级工程师、有突出贡献的、享受国家津贴的科技干部、曾被评为"中国科学院优秀青年"的马亦兵董事长领导,主要负责将科研技术成果转化运用到河流、湖泊和景观水体污染治理工作中。

南京地理与湖泊研究所是全国唯一以湖泊——流域系统为研究对象的综合研究机构,于2001年8月进入中国科学院知识创新工程试点单位序列。研究所的战略定位是:瞄准国家在湖泊及流域资源合理开发、生态环境建设和经济可持续发展等方面的迫切需求,以湖泊——流域系统为核心,在湖泊资源与环境、湖泊—流域相互作用、流域发展与管理三大领域,开展原创性与应用基础性研究,为我国湖泊资源的合理利用与生态环境改善、流域可持续发展提供决策依据与关键技术。

研究所现设中国科学院湖泊沉积与环境重点实验室、湖泊资源与环境研究室、流域管理与模拟实验室、地理信息科学研究室、太湖湖泊生态系统研究站(国家重点野外科学观测试验站、中国科学院生态网络实验站)。

公司简介

南京中科水治理股份有限公司(Nanjing zhongke water environment engineering CO.,Ltd)成立于1997年,依托中国科学院和国内知名院校雄厚的科研资源,结合社会需求研发了清水型生态系统构建技术,公司立足于水体环境治理、水质改善保护工程的实施和运行管理。在相关行业中处于领军地位,被认定为资源与环境技术领域内的高新技术企业。

自公司成立以来,本着以人才为资本,以技术为优势,以社会需求为己任的理念,汇聚了一批技术研发企业管理精英,他(她)们之中不乏博导教授、高级工程师和实践经验丰富的项目经理。公司以专业人才为骨干,梯次配置了学者型、管理型员工队伍,从而确保了将领先技术精髓和高品质服务提供给客户。

为满足市场和客户多样性需求,公司不仅提供工程施工服务,而且可以提供水体从本底环境状况调查分析、提出技术方案、工程设计、施工到竣工后运行管理等的一揽子服务。

随着全球环境的恶化，国内急需水体污染治理与改善生态环境的技术手段，中科水治理将其自身的发展与环境保护工作紧密结合，把科研院所的成果转化应用到工程实践中。针对城市河道、供水水库、自然湖泊、景观水体、农村种养殖污染状况，我们研发的清水型生态系统构建系列技术，成功地解决了水体的水质改善和生态修复问题。公司多次参加国家"973"课题和重大科技专项研究，承建"863"示范工程，为各类水体的水质保护献计献策。

南京中科水治理股份有限公司力求把精湛的工程技术和人文理念有机的结合起来，为我们的客户提供前卫技术、全面服务的同时力求建立起和谐、互信的合作关系。

业务范围

湖泊、水库、河道的生态治理、环保疏浚、水质净化

园林工程和绿化景观工程内水系的设计施工

防水、防渗施工及技术服务

水污染治理技术研发与服务、工程施工

水生动植物种养殖、销售

土壤复垦与生态改良

企业文化

企业的愿景(使命)：让地球更健康

企业的文化：快乐每一刻，珍惜每一天

企业的目标：做中国水生态修复的开拓者和领跑者

技术理念：师法自然，大道无痕

经营理念：以人才为资本，以技术为优势，以社会需求为己任

服务理念：满足客户需求，细心、耐心、恒心

核心技术：清水型生态系统构建技术和长效运行管理措施

工程业绩

·秀山湖清水型生态系统构建设计施工一体化工程

(工程亮点：设计施工一体化)

马鞍山市秀山新区秀山湖常水位水面面积共计42万平方米，湖区水深最深4.7m，平均水深2.5米，秀山新区位于马鞍山市中心城区的东部，介于花山工业园与雨山工业园之间，规划范围南起九华东路，西至宁芜高速公路，北临五亩山东路，东至东部环路、313省道、凤凰湖大道和自然山体围合区，规划总面积约35平方公里。

工程预期效果：秀山湖生物多样性极大地增加，生态系统健康运行，极大地控制了水体富营养化进程，大幅降低了水体营养盐浓度，有效抑制浮游植物生物量的大幅增长，避免秀山湖发生蓝藻水华等水体污染事件，水体清新，保证其景观功能的发挥；水质将得到极大的改善，出水断面水质主要指标达到《地表水环境质量标准》GB3838－2002Ⅲ类水标准。

秀山湖位于秀山新区核心区的中心位置，是秀山新区的生态核心。马鞍山市秀山新区秀山湖为新开挖湖体，秀山湖工程完全由我公司自行设计和施工，展示了公司湖泊大水体设计和施工的实力，在水生态工程行业内树立了一个工程设计、施工一体化的新标杆。

·锦城湖清水型生态系统构建设工程

(工程亮点：陆生系统转变为清水景观湖)

锦城湖工程(3#、4#湖)清水型生态系统构建工程位于成都高新区内，是成都高新区投资建设开发有限公司打造的198项目，3#、4#湖水面总面积为21.23万㎡。3#湖最大水深5.5米，4#湖最大水深3.2米。

由于是新开挖的人工湖，生态机制很不完善，水生生物物种多样性少，生态系统功能低，对外源污染物负荷的缓冲耐受能力差，如不构建健康稳定的生态系统，就可能出现水质恶化的情况。

锦城湖工程(3#、4#湖)清水型生态系统构建工程，自2013年3月25日开工至5月底主要施工任务完成，从6月1日开始进入优化调整阶段。2014年4月通过竣工验收，锦城湖工程(3#、4#湖)清水型生态系统构建工程完工后，水体清澈，水质优于《地表水环境质量标准》GB3838－2002 Ⅳ类($TP<0.1mg/L$，$TN<0.5mg/L$)，水生生物多样性高，沉水植物覆盖度达到60%以上，有效抑制了水体富营养化趋势，水体透明度达到2米，部分区域清澈见底，水体景观性良好。

·惠州市西湖示范区及南湖景观水体综合治理工程

(工程亮点：构建自04年完成以来，一直稳定运行)

惠州西湖环境改善示范工程是惠州东江环境综合整治工作的重要组成部分，示范区地点选择在平湖西湖宾馆旁。南南湖水面约12万平方米，水深1.6m至2.2m之间。常年水色为黄褐色，属国家地表水水质标准的劣Ⅴ类。而由于叶绿素和悬浮物浓度高，南湖水色常年为黄绿色，透明度低，感观很差。

水体透明度低，营养盐含量高，常年水色为黄褐色，在高温季节，水体局部地区发绿，有异味，并伴有死鱼现象；水体生态系统已经破坏，失去水体景观功能，与周边的环境极为不和谐，是典型的浑水型景观湖泊；大型水生植物已经消失，湖泊生物个体小，生命周期和食物链短(不超过3级)，生态系统结构简单，多样性低；营养盐循环速率高，沉积物——水耦合作用剧烈，加上南湖表层沉积物颗粒细，含水率高，在动力扰动的情况下极易发生再悬浮作用；氮、磷向下垂直通量小，整个水生态系统自净能力低。

工程完工后，基本指标达到国家地表水环境质量标准Ⅱ类，部分指标达到Ⅲ类标准；透明度一直保持清澈见底，湖泊总磷和叶绿素a指标下降最为显著(下降幅度为70%以上)，工程区自04年生态系统构建完毕以来一直生机勃勃，水生态系统稳定健康。

【831518】南京波长光电科技股份有限公司

南京波长光电科技股份有限公司成立于2002年，是一家集光学设计、生产、销售于一体的国家级高科技企业，公司位于南京江宁湖熟工业集中区，占地面积13000余平方米，旗下设有南京光研，新加坡波长子公司。

十年来，在公司全体员工的开拓进取和团结协作下，公司规模不断扩大，产能迅速扩张，逐渐转变为一家以人性化科学管理，且具一定规模的集激光光学产品、红外镜片镜头、光电检测系统以及光机电软方案的研发、生产、销售为一体的高新技术企业。公司在中、小功率激光加工光学界名列第一，分别与大族激光、华工激光、金运激光等知名公司建立了战略合作伙伴关系，并于2014年12月16日成功登陆"新三板"，取得证券挂牌资格。

公司生产能力覆盖切割、研磨、抛光、镀膜、检测、装配整套工艺流程，业已通过ISO9001质量体系和ISO14000环境体系认证。激光加工技术、红外探测技术广泛应用于新材料、新能源、生命科学、工业监控、安全防卫、电力监测等领域。公司引进全进口的检测设备，美国产分光光度计、日本三丰轮廓仪、美国Zygo干涉仪，使产品高性价比与高品质完美结合。

面对激烈的市场竞争,波长光电坚持技术创新和自我变革。公司总计有专利12项,软件著作权6项,发明专利1项在公示期,发明专利2项已公开。波长光电坚持技术引领的发展思路,早在2007年就成立了南京研发中心,2013年,全球技术支持中心成立正式投入使用,技术研发实力再上新台阶。公司先后与中国科学院、北京大学、南京大学、东南大学、南京理工大学、解放军理工大学、新加坡国立大学,南洋理工大学和新加坡科学技术研究院等高等院校院所建立了合作关系,实现了产学研一体。

公司推行全方位的市场服务体系,国际国内市场齐头并进。以新加坡波长科技有限公司为龙头,南京波长光电科技有限公司为母体,下设有北京、深圳、成都销售处及韩国光研、美国波长,产品除满足中国市场需求外,产品远销欧洲、美洲、东南亚国际市场。

默默耕耘12年的波长光电,经历了无数次自我革新的蜕变,牢记"让波长更宽广"的使命,凭借自己的产品优势与优质的服务,朝着"成为光电行业的主导力量"的远景目标前进!

【831522】黄石汇波材料科技股份有限公司

黄石汇波材料科技股份有限公司,是一家专业的高分子材料生产和服务商,开发经营高分子材料及配套产品,并积极拓展相关联的产业及服务领域,致力于成为全球有影响力的利用可再生资源制造新材料的供应商。公司位于湖北省黄石市下陆区,属高新技术企业,具有二级建筑施工资质。2014年12月18日在全国中小企业股份转让系统成功挂牌(证券简称:汇波材料,证券代码:831522)。

公司以呋喃树脂为核心,重点关注防腐蚀和铸造两大领域。我们专注防腐行业20年,为客户提供可靠的防腐蚀产品和全方位的防腐蚀服务。我们还致力于开发铸造用树脂新材料,为铸造树脂行业带来革新。

作为中国工业防腐蚀技术协会常务理事单位,中国工程建筑标准化协会理事单位,公司参与编制和审查了《工业建筑防腐蚀设计规范》等7项国家及行业标准,还承担了国家人社部《防腐蚀工培训教程》的主编工作。目前公司涉及防腐及铸造两大行业50多个型号的产品均拥有自主知识产权,产品广泛应用于有色冶炼、化工、钢铁、铸造、装备制造等企业,并远销海内外。

为全球客户和合作伙伴提供更大的价值是汇波的使命,我们竭诚欢迎海内外客商以及各界宾朋光临指导,洽谈业务,共谋发展。

地址:湖北省黄石市磁湖路231号
邮编:435003
电话:0714－5378456
传真:0714－5376230
网址:www.fybo.com.cn
邮箱:fybo@fybo.com.cn

【831551】北京世纪合辉医药科技股份有限公司

北京世纪合辉医药科技股份有限公司作为医药健康领域的高新科技企业,立足全球科技,专注保健食品行业,集研发与生产、技术服务与转让、品牌推广与销售于一体。2014年,通过不断在研发技术和数量、产品营销和服务上推陈出新,世纪合辉正式在新三板挂牌,在发展上实现了巨大飞跃。

世纪合辉坚持"全球科技、引领健康"的企业理念,通过引进全球先进研发理念,精选全球优质原料,采用全球顶尖设备和技术,以国际最高品质为标准,研发出让中国人信赖的优质健康产品。通过与世界级跨国企业深度合作,将全球先进的研发技术和理念引入中国,成为中国保健品科技的先行者和领航者。

至今,世纪合辉已累计成功申报国家500多个保健品批文,自主品牌批文数量达到100多个,均居全国第一。2013年,世纪合辉取得国家高新技术企业认证证书。

世纪合辉从2013年就引入药品GMP质量管理体系,将保健品按药品的质量检验程序严格执行,且所有产品和原料都有完备的第三方权威质量检测报告,以确保产品的功效和品质;世纪合辉始终坚持以消费者为中心,公司销售网络覆盖全国,产品销售遍及全国30多个省、自治区和直辖市;世纪合辉注重科技引领未来,打造了国内最顶尖的研发、生产、营销、销售精英团队,不断探索,勇于创新,立志成为中国健康产业一线企业。

企业理念:全球科技,引领健康
地址:北京市西城区西环广场A座3A1
电话:010－87887607
传真:010－87887627
电邮:hehui-wx@kwa.com.cn
网址:www.hehuionline.com

【831553】陕西中科非开挖技术股份有限公司

陕西中科非开挖技术股份有限公司成立于2001年3月,股本为4500万元,是一家以非开挖管道铺设、管道修复、管道更换为主的高新技术企业。致力于非开挖管道技术领域的研发与应用,拥有从行业研究、技术研发、市场营销、专业服务等方面的核心团队。

公司研发技术力量雄厚,施工设备先进。具有高、中级职称的技术人员百余人,其中一、二级建造师二十余人;拥有15T-500T等大、中、小型定向钻机及管道更换、修复设备五十余套,并配有先进的工程测量及地下管线探测仪器。在全国各地完成城际管线铺设数百个、城市管线铺设数千个,具备长距离、大管径、复杂地层非开挖管道铺设、修复及更换能力。

中科人发扬"敬业、团队、创新、善打硬仗"的企业精神,不断吸取和研究行业发展需求,创新行业管理价值,公司根据自身的战略定位及发展目标,提出整合资源、创新价值,适应市场新的需求,已从传统的非开挖施工企业转变为国内领先的管道非开挖技术服务一站式服务平台。从而突破以往管理瓶颈,实现技术兴业的宏伟目标。成为国内非开挖行业首家挂牌企业。站在中国纳斯达克的风口,借助资本市场的力量,公司愿意基于同行的强大资源构建平台,挖掘行业综合管理的新价值,通过协作分工、长久合作、携手同行,构建和谐-共成长生态圈,共谋持续化发展大业。

地址:陕西省西安市经开区凤城一路8号御道华城B座2101号
电话:029－86523208
传真:029－86523208
电邮:zkpipe@163.com
网址:www.zkpipe.com

【831555】张家港天乐橡塑科技股份有限公司

张家港天乐橡塑科技股份有限公司(原名为:张家港市天乐橡塑制品有限公司)始创于2006年,2013年改组重建,位于江苏省张家港市,是一家专业生产汽车用橡胶塑料制品的民营企业,现有固定资产1000余万元,产区面积1万平方米,在职人员100余人。

公司目前主要产品有串线套管系列,密封系列,减震系列,壳体塑料等不同类型的零件,另外公司还生产汽车相关配套附件,如挡泥板,后备箱垫等。公司目前是上海大众的一级供应商,产品主要为上海大众一次配套,一汽大众、上海通用汽车等汽车整机厂二次配套,以及为德尔福、麦格纳、上海博泽、实业交通等国内著名汽车零部件企业OEM配套。公司坚持以技术力量为主、产品质量可靠,获得国内外汽车行业的广泛赞誉。

在发展历程中,公司秉承"开拓创新,追求卓越"的发展方针,引进闭环伺服注塑机,密炼车间集尘改造配料防错系统。通过近几年来的努力,公司建立了一整套完整的质量保证和质量管理体系,质量保证能力得到了提高,并相继通过了ISO/TS16949质量体系认证,ISO14001环境体系认证和OHSAS18001职业健康及安全管理体系的认证,使公司的管理体系得到了进一步的提高,产品质量得到了有效保证。

公司本着"诚信、求实、创新、高效"的理念,始终以建立现代质量管理制度和企业管理制度为目标,以为用户提供优质的产品和完善的服务为宗旨,向规模化、科学化、现代化、专业化方向迈进。

地址:江苏省张家港市杨舍镇乘航河东路10号
电话:0512-58113780
传真:0512-58985203
网址:www.zjgtianle.com

【831570】深圳市鸿益达供应链股份有限公司

鸿益达供应链由鸿益达物流改组而成,成立于2005年,早年专注于VMI、JIT和制造企业的生产配送,逐渐延伸到各种干线网络和区域分拨中心等物流业务,于2014年12月30日挂牌新三板(股票号码:831570,股票简称:鸿益达),凭着多年在物流的操作能力,现正进一步串联商流,信息流和资金流的整合供应链方案。

现有组织架构中包括下列三个板块:

1. 物流-主要以仓储配送,专线,车队和物流整合项目等部门所组成,在全国多个城市的分点之间形成联动网络;

2. 供应链金融-组合动产质押,贸易融资和应收帐保理等,并推广"全供应链质押"概念并予以实施。

3. 信息技术-成立独立科技子公司研发在线供应链系统"协能SYNERGY",以协助客户串联供应链的相关环节。

鸿益达供应链的核心价值在于整合和协同,并以降低客户在组织供应链各环节的交易成本为使命!

地址:广东省深圳市宝安区福永街道下十围路鸿益达物流中心
电话:0755-29987168
传真:0755-29987448
电邮:hyt@hyt-scm.com
网址:www.hyt-scm.com

【831605】山东奔速电梯股份有限公司

山东奔速电梯股份有限公司是专业从事电梯研发、设计、制造、销售、安装及售后服务为一体的现代电梯制造企业。具有国家电梯制造、安装、维修、改造双A级资质,内部设有电梯技术研发中心,拥有数十名国内电梯领域高端技术人才。公司位于莱芜市莱城工业区,现注册资本5000万元,一期工程已建设完成并顺利投产。整体规划建设完成后,将成为现代电梯及相关产业为一体的综合性电梯工业园。公司2012年被认定为山东省高新技术企业。

公司自成立以来,实行"边建设,边研发,边投产"的方针,创造了当年建设,当年见效益的良好业绩。目前,一期建设已完成5万多平米的生产车间,百米高电梯试验塔,以及产品展示中心和电子无尘车间等,涵盖了乘客电梯、载货电梯、汽车电梯、自动扶梯、自动人行道在内的多系列电梯的研发、设计、制造、安装及售后服务。

公司紧紧围绕加强自主创新,加大科技投入,调整产品结构,完善运营机制,集聚优势,走出了一条依靠科技创新,全面提升企业竞争力的路子。几年来,企业规模、技术创新水平、质量效益得到同步提升。完善了产品系列,并实现了整机产品与高端部件的专业化生产。

公司基础管理工作健全,各项管理制度完善,企业经营行为规范。按照三会一层(股东大会、董事会、监事会、高级经营管理层)的模式规范治理结构;董事长李长明为硕士研究生学历,莱城区有突出贡献的中青年专家,并兼职山东建筑大学客座教授。其他公司高管都是本行业领域的高端专业人才。公司经营管理机构简捷高效,规范有序。公司目前正进一步推进企业股份制改造,优化企业资本结构,建立现代企业制度,继续完善法人治理结构,实施品牌战略,推进资本运作,实现跨越式高速发展。

公司所有产品全面执行GB7588和EN81-1标准,并依据ISO9001质量管理体系标准建立了科学、严格、有效的企业质量保证体系,确保了产品从设计、制造、安装、到售后服务全过程的质量控制。

公司注重员工队伍建设,大专以上学历占公司人员的45%以上,科研人员占公司人员的23%以上,各类专业人才涵盖了电梯设计、研发、生产、销售、安装、维保及企业经营管理等方面,企业内部设置有独立的电梯技术研发中心,使公司具备了对电梯产品和技术进行独立研发及市场转化的能力。另外,为提升公司的研发水平和能力,引进高层次研发人才,企业也搭建了各种形式的创新平台:与山东建筑大学共建了产学研示范基地,董事长李长明还兼职担任了该大学客座教授,通过这一平台进行产学研互动交流,并为公司的科研开发提供技术和人才支持。为了新型高速电梯曳引机的研发和产业化生产,还与中国工程院唐任远院士及所属"国家稀土永磁电机工程研究中心"共同设立了"奔速电梯院士工作站",用世界前沿的永磁同步电机技术,研发和制造高效、节能、环保的新型电梯曳引机。公司依托这一平台所研制的环保节能型的"新型高速电梯曳引机"已有两种型号获省级新产品成果鉴定,分别达到同类产品国内领先和世界先进水平。公司秉承高起点、高品质的发展战略,坚持自主创新,拥有自主研发的发明和实用新型专利数十项;"新型无机房电梯"和"无机房观光电梯""3m/s、4m/s电梯曳引机"获省级新产品成果鉴定,并荣获莱芜市科技进步二等奖。为满足国内、国外客户对电梯安全性能的要求，公司利用自有发明专利技术，实施“电梯远程监控嵌入式系统的开发与应用”项目，建设了新一代电梯远程报警监控中心，利用现代远程控制技术全天候监控我公司电梯在国内外的安全运行情况，提高了公司产品的安全保障，实现了信息技术与传统制造业跨界融合的目标，以优质的服务打造成客户信赖的优质的民族电梯品牌。

由于企业加快转型升级，产品技术水平提升，使公司产品从国内低中端市场逐步进入国内高端市场并积极参与国内国际知名品牌的产品竞争，在不断扩大国内市场的同时，开始进入国际市场。近年来，企业产品已陆续出口越南、泰国、澳大利亚等世界各地；2014 年 5 月，公司三个系列，近百台电梯，在格鲁吉亚 2015 年十三届欧洲青奥会场馆建设项目中一举中标，并如期完成交货安装任务，获得格鲁吉亚当地政府和国外客户的良好赞誉；并与我们达成了持续合作意向。

为适合行业特点，发展规模经济，提升品牌效应。上年，我们及时抓住新三板资本市场启动的历史机遇，加快公司资本运作进程，积极推进建立现代企业制度，优化资本结构，顺利完成公司股份制改造；至上年底，公司股票被核准在全国股转系统挂牌上市，成为山东电梯制造行业首个新三板挂牌企业，迈出了走向资本市场的第一步，使企业步入快速发展的轨道。

年产 5000 部新型智能电梯项目介绍

一、项目建设必要性

目前，随着国家的经济发展及新型城镇化的逐步推进，商品住宅、公共设施等建设，对电梯产品的需求日益增长。巨大的市场容量，将为电梯产业的发展带来新的机遇。同时，随着电梯技术的进步，曳引机及电器元件的小型化，电梯产品正在以其节能、环保、安全、节省建筑面积等优势，逐渐成为人们对电梯产品需求的重点。因此，该项目产品“新型智能电梯”以其拥有永磁同步无齿轮曳引机驱动（节能、环保、舒适）、结构紧凑、体积精巧、安全可靠（具备远程报警装置）、能减少建筑面积占用等特点而备受广大消费市场青睐。未来几年，也是全世界电梯产品的流行趋势。

我公司研发的新型智能电梯，除了具备现代电梯的性能特点外，还具备一些独特的性能和优势，充分发挥了公司的自有知识产权和研发平台优势。采用变频控制技术和永磁同步电机技术以及现代无机房电梯技术，节能、环保、节省建筑面积，深受广大用户的欢迎。产品深谙环保理念，节能降耗，节约建筑面积，提高设计自由度，能充分体现绿色人文。与同等载重量级别的电梯相比，节能降耗，节约建筑面积，增加了舒适感和安全性，使电梯关键部位的技术和性能得到了大幅度的改善。

具体分析，本项目产品的主要特点和优势有以下几点：

（1）节能、采用变频控制技术和永磁同步电机技术，使用自行研发的永磁同步电梯曳引机，启动电流小，传动效率高，电机无需激励，热能消耗也非常低，与传统曳引机相比，大幅度节约了电能消耗，显著降低了电梯的使用成本。

（2）环保、智能电梯采用无齿轮永磁同步主机，免润滑设计，无需频繁更换机油不仅耗能低，而且无需用油，从而消除了传统曳引系统和液压系统中油污染及火灾的潜在危险。维保也更加方便，为乘客营造一个绿色的乘坐空间。

（3）舒适，宁静运行：无齿轮同步传动，并且有结构的改善，噪音和振动大为改善增加了乘坐的舒适性，给电梯轿厢运行创造了一个安静的空间。

（4）采用自有发明专利技术：“电梯远程监控报警系统”增加了电梯安全性能。

（5）结构简单紧凑，生产效率高：利用多项自有专利技术，优化了设计，紧凑的尺寸减少了电梯所需井道空间，减轻了电梯重量，降低了产品制造成本和安装成本。

（6）节省建筑面积：采用与世界同步的紧凑型永磁同步无齿轮曳引机和苗条型控制柜，以及无机房电梯技术，减少机房面积、节约了建筑面积，降低了建筑成本。

（7）运行精度高。平层精度误差 3 mm以下。

因为新型智能电梯具有以上优点，其市场前景很好，将会成为公司新的经济增长点。且具有重要的社会意义，符合国家倡导的低碳经济。

山东奔速电梯股份有限公司在本项目实施过程中，运用了自有知识产权十余项，用自身优秀的研发团队，利用公司与社会科研机构结合的创新平台，对项目产品进行了不断的优化改进。多项科研成果在该项目中得到应用。智能电梯的成果转化项目，具有重要的技术经济效益和良好的社会效益。可为产业振兴和技术改造、装备工业基础能力提升和重点装备产品升级，起到良好的示范带动作用。

二、项目布局情况及发展规划符合情况

项目位于莱芜市具有广阔发展潜力的莱城工业区，莱城工业区由中国城市规划设计研究院规划设计，面积 150 平方公里，核心区 85 平方公里，该区自 2006 年经省政府批准由莱城区北部工业园升格为省级经济开发区，在莱城区十二五建设规划中，被列为重点产业转移新区，定位为先进制造、新材料、电子信息、现代物流等优势及战略新兴产业区块。区内基础设施及配套服务设施正在快速完善，产业聚集功能日益凸显。

该区域地处济南和莱芜城区衔接部位，也是济南都市圈和济莱协作区建设的前沿和重点区域。工业区整体规划与济莱协作区规划相衔接，其区位优势明显，将合力将济莱协作区打造成为全省区域一体化发展先行示范区；合力探索实施一批改革试点；合力加快莱芜经济“转、调、创”步伐；合力推进一批重点项目建设；合力推进重大战略规划编制实施和工程咨询建设；合力推进系统共建等。莱城工业区在济南都市圈和济莱协作区建设过程中将得到省会和莱芜市更多支持和指导。对济莱协作发展课题研究，深化对接交流，建立推进机构，制定推进方案，健全推进机制，按照协作互补化、项目化的要求，建设一批合作项目，全方位推进济莱合作，充分发挥好示范引领作用。

莱城工业区是省级产业园区，在莱城区十二五建设规划中，被列为重点产业转移新区，定位为先进制造、生物制药、新材料、电子信息、现代物流等优势及战略新兴产业区块。该区域地处济南和莱芜城区衔接部位，也是济南都市圈和济莱协作区建设的前沿和重点区域。该项目的实施使工业区整体规划与济莱协作区规划相衔接，起到合力打造济南都市圈，济莱协作区区域一体化发展的示范效应，带动该区域乃至莱芜市先进制造业的快速发展。

三、项目市场前景

纵观我国电梯行业的发展历程，从改革开放到今天，电梯行业走过了一个从无到有，从有到多，从多到精的发展历程。未来几十年内，随着我国经济发展和住房面积的增加，电梯需求量会持续增大。此外，机场、商场、地铁等大型公共设施建设对自动扶梯、观光电梯等电梯的需求也十分可观。中国已经成为全球容量最大、增长最快的电梯市场。在巨大的电梯

市场需求中，人们对电梯的品种、性能、质量、舒适度等也有了更高层次的要求，并且进一步推动了电梯技术的创新和发展。我公司研制的“新型智能电梯项目”，也由此应运而生。

未来几年，技术创新是推动电梯行业进步的关键，我国电梯市场还远未饱和。随着新型城镇化的逐步推进，我国电梯需求更将呈现快速增长的态势，同时向高品质、舒适安全、节能环保等特点过度。因此，本项目产品“新型智能电梯”因其突出的特点和创新点，满足各层次消费群体需求，将会成为未来电梯市场的主导消费品种，引领电梯技术发展的方向，其市场潜力是非常巨大的，本项目投产后市场前景非常乐观。

四、项目技术水平或建设方案落实情况

山东奔速电梯股份有限公司运行七年来，积累了丰富的电梯行业从业经验，并具有相当的技术实力和管理能力，始终秉承高起点、高品质的发展战略，坚持自主创新。该项目具有较强的实用性和技术前沿性，成果属企业自主研发。在研发过程中，采用了自主研发的发明和实用新型专利十余项；以及“新型无机房电梯技术”和“新型永磁同步电梯曳引机技术”，借助“奔速电梯院士工作站”中国工程院唐任远院士及所领衔的“国家稀土永磁电机工程研究中心”的世界前沿的永磁同步电机技术，研制成功的智能电梯主机——新型永磁同步电梯曳引机，使该项目的科技含量和产品的技术水平得到了大幅提升。

研究内容及创新点：

(1)驱动技术：采用自行研发的永磁同步无齿轮曳引机和变频控制技术，节能环保高效：启动电流小，传动效率高，与传统曳引机相比，节能环保，降低使用费用；无齿轮同步传动，并且有结构的改善，噪音和振动大为改善，增加了乘坐的舒适性；免润滑设计，不仅耗能低，而且无需用油，从而消除了传统曳引系统和液压系统中油污染及火灾的潜在危险。

(2)控制技术：采用 VVVF 驱动控制技术，电梯运行平稳，平层精度高，舒适感好。

(3)安全性能：采用自有发明专利技术：“电梯远程监控报警系统”增加了电梯安全性能。

(4)，降低成本，生产效率高：利用多项自有专利技术，优化了设计，结构简单紧凑，减少了电梯所需井道空间，减轻了电梯重量，降低了产品制造成本和安装成本。

(5)节省建筑面积：采用与世界同步的紧凑型永磁同步无齿轮曳引机和苗条型控制柜，以及无机房电梯技术，节约了建筑面积，降低了建筑成本。

该项目研发阶段已完成，已进行小批量试制，用户反映良好。现正处于成果转化，批量生产的准备阶段。

五、项目可持续发展情况

项目符合国家、地方产业政策要求：新型智能电梯技改项目，属国家战略性新兴产业；高端装备制造领域；节能技术和装备、高端产业转型升级、新技术应用和新产品开发等。并符合国家产业振兴和技术改造专项重点方向：装备工业基础能力提升和重点装备产品升级；电机及驱动装置领域。属国家重点支持的产业领域。本项目的实施符合国家、地方产业政策要求。属国家鼓励发展产业。项目产品目前已成为电梯行业主流产品，相比传统电梯在安全、节能、效率、稳定性、运行噪音等指标方面都有明显提升，制动系统可实现电梯上行超速保护功能，降低了系统的配置成本等优越性。因此，本项目的实施可带动和提升相关产业的发展。

六、项目完成后可带来的社会效益

该项目建成后将成为莱芜地区国民经济的传统重要产业，也是国际竞争优势明显的行业，在吸纳就业、稳定经济发展、满足人民物质生活等方面发挥着重要作用。符合国家产业政策及地区发展规划。

该项目的建设对于增强企业产品市场竞争力，产业升级等方面有着重大的意义。对于扩大产品出口、繁荣市场和调整地区产业结构，振兴地方经济具有十分深远的影响。企业得以实现规模经济，降低产品成本，提高企业经济效益，大大增强了企业竞争力。

项目完成后，其技术、经济和社会效益较同行业将更为突出，具体表现为高性能、低成本、低能源消耗、低资源消耗、环境保护改善等指标。符合国家倡导的低碳经济；同时，增加了电梯安全性能，有效解决了目前普遍关注的电梯安全问题，有利于社会和谐安定；因此，该项目的实施具有重要的社会意义。

新三板挂牌后的发展思路和规划

公司今后两年的总体发展目标是：以“科技强企”、“规模效益”，为基本出发点；以实现企业经济指标两年连续翻番，实现企业跨越式发展为目标；充分利用企业新三板挂牌上市的有利条件和机遇；持续以科技进步为先导，重点突出行业转型升级，实施工业强基工程，为今后更大的发展奠定坚实基础。

公司新三板挂牌上市后，即与主办券商协商签订了《后续资本运作之财务顾问协议书》，并共同研究梳理了公司的产业项目实施与投资计划。

项目投资计划内容大体可分为两类：一是产业——转型升级；二是产品——走出国门。

产业——转型升级：奔速电梯经过近年来的发展，产品体系不断完善，技术水平稳步提升，初步具备在行业领域中博弈的能力。以我们的经营实践“落实好制造业行业转型升级实施方案。启动实施工业强基工程”。“积极推动标准经济对企业的引领作用，以标准为核心，通过标准化活动，规范市场经济行为、引领经济转型提升。”使本行业产业不断转型升级，积极参与行业标准的制定，按标准经济的发展要求向行业标准争取话语权。另外，继续推进信息技术与传统制造业跨界融合，以先进的技术和优质的服务打造客户信赖的优质民族电梯品牌。

目前，公司有十余项科技创新，成果转化，产业化技术改造项目正在稳步推进。主要有：“新型智能电梯技术改造项目”；“新型高速永磁同步电梯曳引机系列产品研发及产业化”；“电梯远程监控嵌入式系统的开发及其一体化产品应用项目”；“电梯电子部件研发、技改、产业化项目”；“自动扶梯生产线技改项目”以及“高性能电梯导轨项目”等。大部分已结束研发阶段，正在进行成果转化或产业化生产技术改造。我们将根据市场需求和企业发展规划，结合企业资本运作情况，稳健快速的实施。其中，公司三号电子无尘车间，目前厂房土建已竣工，作为“电梯控制系统及电子部件制造”基地，是目前的建设重点，现已与有关科研院所达成合作意向，共同搭建产学研合作平台，共建电子部件车间，并联合研发新一代电梯控制一体机及智能电梯电子部件等，使公司向电梯控制系统软硬件先进技术发展，提高产品的科技含量和技术水平；“新型高速永磁同步电梯曳引机系列产品研发及产业化”；“电梯远程监控嵌入式系统的开发及其一体化产品应用项目”“智能双轿厢电梯研发”等项目已经有了良好开端，需要在资本市场融资后继续稳步推进；另外“高性能电梯导轨项目”也正在紧锣密鼓实施，车间和生产设备有望今年初完成到位，顺利投产。

产品——走出国门

近年来，由于公司产业升级，竞争力增强，产品开始进入国际市场。已陆续出口越南、泰国、澳大利亚等地；2014 年在格鲁吉亚 2015 年十三届欧洲青奥会场馆建设项目中一举中标，并如期完成交货安装任务，获得格鲁吉亚当地政府和国外客户的良好赞誉；并与我们达成了包含“市场”、“投资”、“技术”、“人才”多方面持续合作的意向。进一步增强了公司走出国门，加大持续开发国际市场的决心，提高了企业的市场开拓和科技创新能力，开始了将产品推向东欧、西亚市场的大胆尝试，以我们制造业产品走出去的探索，深入实施市场多元化和以质取胜战略，加大国际市场开拓力度，加快提升以技术、品牌、质量、服务为核心的竞争力的对外开放思路。践行民族制造业，国家“一路一带”的宏伟战略部署。

【831606】山东方硕电子科技股份有限公司

企业简介

山东方硕电子科技股份有限公司成立于 2011 年 6 月，坐落在美丽的海滨城市烟台，注册资本 1800 万元，是首家与中俄孵化基地战略合作的车联网企业。公司始终坚持“沟通诚信发展共赢”的企业理念及“客户永远第一，服务永无止境”的企业精神，旨在为车主、4S 店、厂商及金融机构提供线上、线下的全方位服务。作为汽车电子行业及“智慧城市”发展的领军者，方硕科技坚持走自主创新之路，先后通过了国家高新技术企业认证、“双软企业”、山东省车联网工程技术研发中心等资质；荣获了“烟台高新区 2013 年十佳创新企业”、“‘中国梦’宣传调研基地”、“高新区 2014 年度科技‘小巨人’领军企业”、山东省服务业创新团队、第三届中国创新创业大赛全国优秀企业等荣誉称号。

核心产品

方硕科技始终致力于车联网应用的研发与推广，成立了“车联网工程研发中心”，为行业用户提供整体解决方案和个性定制化产品。先后自主研发了方硕云、车管家、邦途 VPS、邦途 A5C 等多款产品，创新性地将汽车 OBD、北斗、GPS、GSM/GPRS、移动互联网等技术等进行整合；其基于云计算与大数据的解决方案涵盖了私家车、4S 店、保险公司、汽车金融公司、主机厂等全行业生态链；产品通过各权威机构检验，安全性和稳定性都达到国际先进水平。

服务领域

方硕科技先后为全国 1400 多家 4S 店、多家保险公司、银行、汽车金融公司提供了基于车联网的行业解决方案，公司经过短短三年多的发展，已经从一个简单的产品研发、运营商，成长为行业解决方案和个性化定制服务的提供商。

企业文化

企业目标：科技领先，智连未来，百年方硕。

企业宗旨：拼搏创新，回报社会。

企业理念：沟通，诚信，和谐，发展，共赢，感动。

企业价值观：团队协作，资源整合，稳步成长。

企业精神：客户永远第一，服务永无止境。

企业广告语：方硕科技，一路保护你！

企业愿景：适度集团化和国际化，打造行业旗舰现代化。

企业使命：以人为本，勇于担当，敢于开拓，奉献更好最大价值。

方硕梦想

2015 年 1 月，烟台市政府和方硕科技签订了《智慧城市车海发展方案》的项目协议，公司正式进军“智慧城市”领域。公司的目标是三年内成为专业的、全国性的车联网服务和智慧城市方案提供商，确立北方最大的车联网行业领军地位，并依靠自身的研发实力成为车联网行业技术的领导者，同时方硕将利用自身优势整合资源，将产业链上下游有效结合，实现真正的车联网、物联网、互联网多领域发展，形成自己的配套产业链。未来两年，在全体方硕人的共同努力下，实现顺利转板！

【831621】辽宁中镁控股股份有限公司

一、基本概况

公司名称：辽宁中镁控股股份有限公司

英文名称：Liaoning Zhongmei Co. , Ltd.

股票代码：831621

法定代表人：付常浩

成立日期：2003 年 6 月 9 日

所属行业：根据证监会颁布的《上市公司行业分类指引》(2012 年新版)公司所处行业为“C30 非金属矿物制品业”；根据《国民经济行业分类标准(GB/T4754 - 2011)》公司所处行业为“C30 非金属矿物制品业”中对应的“C3089 耐火陶瓷制品及其他耐火材料制造”。

二、经营范围

生产、加工销售：耐火材料、冶金辅料、合金；钢材销售、化工产品(危险化学品除外)销售；冶金工程承揽及施工、维护。

三、企业简介

辽宁中镁控股股份有限公司位于“中国镁都”辽宁省大石桥市，是一家集科研开发、生产和销售于一体的综合性现代化企业。

公司占地面积 28 万平方米，现有员工近 1000 人，年销售额近 5 亿元人民币，净利润 3000 余万元。公司以高品质碱性耐火材料为主导产品，产品覆盖钢铁冶炼、有色金属、玻璃制品使用的碱性耐材的全部领域。

公司拥有强大的生产能力和先进的生产技术，产品远销韩国、日本、美国等二十多个国家，依靠优良的品质和完善的售后服务，在耐火材料行业树立了优秀的品牌形象。

公司是国家级高新技术企业，拥有雄厚的技术实力和完善的管理体系。公司现已拥有发明专利和实用新型专利 20 余项，并通过了 ISO9001 质量体系、环境管理体系认证，取得了安全标准化管理证书，耐火材料一级优秀承包商证书，辽宁省诚信示范企业等一系列资格证书和荣誉。

自成立以来，公司始终秉承“水远诚为岸，山高德为巅”的经营理念，以优质稳定的产品和独特周到的服务赢得了国内外客户的广泛好评。

【831642】成都蜀虹装备制造股份有限公司

成都蜀虹装备制造股份有限公司成立于 1996 年 12 月，2013 年 8 月完成改制成立了股份有限公司，公司股本 4000 万元，2014 年 12 月公司完成了在全国中小企业股份转让系统挂牌(股票代码：831642，股票名称：蜀虹装备)，公司也是区内首家完成挂牌的企业。

公司是一家致力于提供高效能的有色金属线材生产系统

解决方案，开发并持续推行更环保节能、更领先的线材生产设备及技术系统集成方案的供应商，目前主营业务为研发、生产和销售有色金属线材连铸连轧系列成套设备。公司是我国有色金属线材生产设备领域的领先企业，所研发的40T/H铜杆连铸连轧生产线被评为四川省重大技术装备，是“国内首台(套)产品”。该产品技术含量高、市场潜力大，除本公司外，目前全球仅有美国南线、德国西马克·梅尔公司具有能力生产。

公司设立了企业技术中心，是高新技术企业，申请和取得授权了19项专利。公司所生产的铜、铝(合金)杆连铸连轧生产线被列入成都市地方名优产品推荐目录，“蜀虹”商标为“四川省著名商标”。

公司目前为四川省进出口商会会员，主要产品获得欧盟CE认证，远销至国外20多个国家和地区。公司在国内细分市场上享有较高的声誉，系中国制造网的核心供应商、必联网中国核心供应商，并入选中国名优数据库优秀企业。公司信守“诚信为本，客户至上”的经营理念，被评为成都市AA级守合同重信用企业。

地址：成都市青白江区城厢镇玉虹宏业路8号

电话：028－83687388

传真：028－83687388

网址：http://www.cdshjx.com/

邮箱：shjxhhc@vip.sina.com

【831647】江苏联瑞新材料股份有限公司

联瑞立志成为全球领先的非金属粉体材料应用方案的供应商。我们围绕客户的需求持续创新，与合作伙伴开放合作。我们致力于为电子材料、电工绝缘材料、特种陶瓷、精密铸造、油漆涂料、硅橡胶、功能性橡胶、塑胶、高级建材以及其他功能性应用提供有竞争力的解决方案和服务，为客户创造最大价值。目前，公司产品和解决方案已经应用于全球诸多国家和地区的近300家企业。

客户需求是联瑞发展的原动力。我们坚持以客户为中心，快速响应客户需求，持续为客户创造长期价值进而成就客户。“及时提供满足顾客要求的产品和服务并持续改进”是我们工作的方向和价值评价的标尺，成就客户就是成就我们自己。

随着全球新材料技术的快速进步，非金属粉体材料特别是硅微粉的重要功能愈加得到体现，公司正进一步利用自身在硅微粉行业已有技术优势，积极向产品链中高附加值部分及其他非金属粉体材料拓展，并加大对于非金属粉体材料的应用技术领域的研究。

展望未来，联瑞新材必将成为中国非金属粉体材料研发领域的领跑者，树立行业标杆，成为全球非金属粉体材料应用方案的品牌供应商！

地址：江苏省连云港市海州区新浦经济开发区珠江路6号

电话：0518－85703939

传真：0518－85846111

邮箱：powder@china－sio2.com

网址：http://www.china－sio2.com

【831648】苏州盛景信息科技股份有限公司

苏州盛景信息科技股份有限公司是新三板正式挂牌上市企业(盛景科技〔831648〕)，江苏省高新技术企业和软件企业，公司位于苏州工业园区，自成立以来，一直致力于应用信息技术提升城市公共管理与服务的水平。

面对城市的快速发展、日益凸显的资源瓶颈以及日新月异的技术变革，盛景专注于技术创新，努力通过其软件和服务帮助用户改进固有的工作模式和方法，通过信息化让城市更加高效。

公司致力于应用地理信息技术实现城市资源直观可视，利用工作流等技术让部门工作更为高效协同，利用物联感知等技术让公共管理敏捷响应，利用大数据分析帮助决策者更加科学地进行决策，为公共事业部门提供GIS、MIS、SCADA、BI等一体化的行业信息化解决方案。通过多年的沉淀，在市政、燃气、人防、社会管理、三维地下管线等众多行业领域形成了成熟的细分产品与专业的行业解决方案。

公司注重资质与业务同步发展，目前已通过了获得乙级测绘资质、江苏省高新技术企业、江苏省规划布局内重点软件企业、江苏省双软认证企业、苏州园区科技领军企业、AAA级资信企业、江苏省民营科技企业、ISO9001质量体系认证、ISO27001信息安全管理体系认证等多项资质认证，是中国GIS协会会员单位、ESRI和Oracle银牌合作伙伴。

盛景科技重视原创的技术研究和创新，拥有多项自主知识产权软件产品。目前公司及子公司已获得9项国家发明专利、3项高新技术产品、12项软件产品登记证、36项软件著作权，公司的相关的地理信息软件产品先后荣获国家测绘地理信息局科学技术进步奖、国家测绘局地理信息优秀工程奖、住建部华夏建设科技技术奖、江苏省测绘地理信息科技进步奖等多个奖项，技术得到国家和省部级单位认可。

创造客户价值是我们一直追求的企业目标，盛景秉承“以技术创新推动管理与服务创新”的经营理念，致力于成为客户最可信赖的合作伙伴，通过自身的技术优势帮助解决城市发展过程中的管理问题和社会需求。公司立足长三角，向全国辐射发展，以开放务实的态度，期待更多的合作。

地址：苏州工业园区金鸡湖大道国际科技园一期111C

电话：0512－65762930

传真：0512－65761192

网址：www.mapscene365.com

邮箱：service@mapscene365.com

第二节　优秀会计师事务所选介

北京兴华会计师事务所(特殊普通合伙)

北京兴华会计师事务所(特殊普通合伙)目前是中国前20强会计师事务所之一。自1992年成立以来,北京兴华在社会各界大力支持下,经过全体同仁的不懈努力,在股票发行与上市、企业重组、公司改制、国企审计及财务咨询等专业服务方面具有极强的实力和出色的业绩,目前已有上市公司客户近40余家。

北京兴华一直保持高速增长,2013年业务收入为4.3亿元,全国行业排名17位。

北京兴华总部设在北京,现有十位权益合伙人,在职员工1400余名,注册会计师500余名。经财政部门批准,本所相继在贵州、广东、湖北、黑龙江、湖南、安徽、福建、山东、河北、吉林、四川、上海、深圳、西安、云南、石家庄、天津、浙江、辽宁设立了19家分所,现已成为国内颇具影响力的知名会计师事务所之一。

北京兴华一直秉承以客户为本的执业服务理念,正确处理服务与监督的关系,赢得了监管机构和客户的好评。

北京兴华业务涉及审计、评估、咨询等各个领域,拥有国有大型企业审计资质、证券期货相关业务审计资质、金融相关业务审计资质、司法鉴定资质。北京兴华所属公司拥有证券业评估资质、甲级工程造价咨询资质、税务审计资质等。

北京兴华的管理团队由经验丰富、年富力强的资深专业人士组成。首席合伙人王全洲先生拥有超过二十年从事与审计、评估、咨询相关的专业工作经历,对企业改制上市、年度审计、企业收购兼并、再融资等具有丰富经验和指导能力,并在财税、经贸、金融、证券各界拥有广泛、良好的社会关系与资源。

北京兴华于2000年经财政部批准,正式成为马施云国际成员所并自此跨入国际审计市场,为近十家企业境外上市提供了审计服务。

北京兴华一贯坚持专业化机制与制度建设,建立了一套完整的事务所管理制度及执业规程。

诚信铸就品牌,专业提升价值,北京兴华将一直秉承“独立、客观、公正”的原则,坚守职业道德,为客户提供最优质的服务!

大信会计师事务所

公司简介

大信会计师事务所(以下简称大信)系由我国现代会计先行者吴英豪先生创建于1945年。由其学子——武汉大学兼职教授吴益格先生重建于1985年,是我国注册会计师行业恢复重建后成立的第一家合伙会计师事务所。

目前大信总部(注册地)设在北京,在武汉、山东、上海、深圳、江西、吉林等地设有七个区域性业务总部,分辖24个直属审计业务部及江苏、重庆、广东、辽宁、广州、四川、云南、青岛、河南、广西、天津、湖南、山西、陕西、青海、厦门等分所,还在香港设立大信梁学濂(香港)会计师事务所。常年客户达3000余家,包括中央企业30家,省属大型国企86家,H股、B股、A股上市公司近百家,拟上市公司近百家。遍布全国近三十个省、市、自治区。

2012年全所员工达到4021人,其中CPA1056人,不包括英国皇家特许CPA及香港CPA。2012年实现业务收入过13亿元,居中国注册会计师协会2012年“百强所”综合排名第七位(本土所第三位);上市公司客户量连续十二年居中国证监会排名前十位;国家审计署备选中介机构综合排名第六位。被媒体誉为“一家受上市公司欢迎的会计师事务所”、“注册会计师行业一个知名品牌”。

大信的专业力量在发展中壮大成长。现已形成一支以“三师”(注册会计师、注册税务师、注册造价师)为核心的专业团队。并以其规模和实力,获得会计中介机构各种执业资格,包括H股企业审计资质;财政部、中国证监会颁发的证券、期货相关业务审计;建设部批准颁发的工程造价咨询(甲级)资质;国土资源部颁发的土地咨询A级资质;国务院国资委授予的中央企业审计资质。

大信在不断发展壮大的过程中,逐步建立健全了内部治理结构和质量控制标准,同时形成了“三大”服务专长:即上市公司审计与股份制改制服务,金融审计及其他法定审计服务,企业管理咨询服务。

大信常年服务的客户主要有中国华能集团、中国电子信息产业集团、中国兵器装备集团、中国出版集团、国家开发投资公司、中国化工集团、武汉钢铁(集团)公司、中国核工业集团、中国船舶工业集团等大型、特大型企业。

大信文化

大信所成立二十年来,已经形成了以“尽CPA职责,爱我大信所”为基本内涵的、指导大信人行为准则的大信企业文化。为此,他们热爱党,2011年成立了中国共产党大信会计师事务有限公司委员会;他们热爱祖国,支持公益事业,为抗震、抗旱、抗洪救灾及助学办教踊跃捐款;他们热爱本职工作,全心全意为公众利益服务;他们热爱生活,与人相互关爱,和睦相处。

大信所训:诚实做人诚信执业

大信理念:大诚于人信通天下

大信精神:团结诚信勤奋开拓

大信执业宗旨:依法执业热诚服务质量第一信誉至上

大华会计师事务所

大华会计师事务所创立于1985年,是国内最具规模的四大会计师事务所之一,是国内首批获准从事H股上市审计资质的事务所,是财政部大型会计师事务所集团化发展试点事务所。2013年,大华业务收入超过12亿元人民币,排名居中国行业第八,本土第四。2013年9月大华加入全球排名第十的马施云国际会计公司,一举加强了这个全球性会计咨询机构的业务实力,也开启了大华国际化的新征程。

大华会计师事务所总部设在北京，在上海、深圳、呼和浩特、广州、武汉、长春、沈阳、珠海、南昌、西安、合肥、杭州、大连、郑州、长沙、太原、南京、昆明、济南、青岛、成都、海口、苏州等国内重要城市设立了分支机构，并在香港、新加坡等地设有多家联系机构。

大华会计师事务所出资额1200万元，现有从业人员3800余名，拥有中国注册会计师资格者近1000人，具有美国、英国和澳大利亚等国外发达国家注册会计师资格、能够提供国际业务服务的专业人员约100人；获得“中国注册会计师行业领军后备人才”称号的专家有14人，另外还有业内外知名的各类杰出业务专家，这些专家在财务会计、审计、税务、公司治理和战略管理咨询、内部控制、风险管理、全面预算管理、企业购并重组、IT审计和国际化业务等方面具有业内领先的水平。

大华会计师事务所经PCAOB认可具有美国上市公司审计业务执业资格，2010年取得H股上市公司审计业务资质，大华不仅能够从事国内上市公司审计、大型中央和地方国有企业审计、大型金融保险企业审计，而且可以为开拓海外市场的中国企业及进入中国市场的外资企业提供全球化的审计和咨询等专业服务。大华会计师事务所的业务范围包括审计鉴证、管理咨询、资产评估、工程咨询、税务服务等，服务对象主要为上市公司、大型国有企业、金融保险企业、外商投资企业等，常年审计客户8000余家，其中上市公司169家、中央企业近20家、省级企业集团300余家、外资企业500余家，涉及航空航天、金融保险、能源矿产、石油化工、电子科技、公共服务、房地产、交通运输、加工制造、仪表设备、快速消费品、酒店餐饮、商业百货、电子商务、农产品制造、旅游、医药、电信等多个行业领域，并多次接受政府部门和国际组织委托承担其他特殊目的的专项审计。

大华坚持按照新起点规划未来、高标准开展工作、高水平科学发展的企业宗旨，坚持“以人为本、精益求精”的内部管控理念，构建“规范、协调、高效”的一体化管理机制，以维护公众利益为目标，建立有效的内部管理制度体系，全面提升执业水平，着力打造业内公认、社会信赖、管理规范、服务一流的品牌事务所，竭诚为社会提供优质、高效的专业服务，再造民族会计品牌的辉煌。

福建华兴会计师事务所

福建华兴会计师事务所（特殊普通合伙）前身系福建华兴会计师事务所，创立于1981年，隶属于福建省财政厅。1998年12月底与原主管单位福建省财政厅脱钩，改制为福建华兴有限责任会计师事务所，2009年1月1日起更名为福建华兴会计师事务所有限公司，2014年1月起转制为福建华兴会计师事务所（特殊普通合伙）。

福建华兴会计师事务所（特殊普通合伙）具有中国证监会、财政部颁发的从事证券期货相关业务审计资格，中国人民银行、财政部颁发的金融审计资格等，是中国银行间市场交易商协会会员。服务范围包括：会计审计服务、清产核资服务、工商登记服务、税务咨询服务、资产评估服务、基本建设项目审计、工程造价咨询服务、管理咨询服务等，连续多年被中国注册会计师协会评为中国百强会计师事务所，也是目前唯一一家总部在福建省的具有证券期货审计资格的会计师事务所。

福建华兴会计师事务所有限公司从诞生至今已走过了三十多年不平凡历程，在工作中积累了丰富经验，建设了一支高素质、高学历的人才队伍，现拥有从业人员400多名，其中注册会计师200多名，此外还有注册资产评估师、注册税务师、注册造价师、房地产估价师、土地估价师等多种专业人才。

福建华兴会计师事务所（特殊普通合伙）为各类客户提供的服务中，以为股份制企业、国有企业、外资企业和其他大中型企业提供审计、清产核资、资产评估和财务顾问服务见长，涉及的行业有金融证券、能源、电子信息、交通运输、石油化工、冶金、机械、房地产、工程施工等，客户遍布全国各地。重要客户包括东百集团、三木集团、漳州发展、闽福发、福建南纸、福建水泥、中国武夷、青山纸业、厦门钨业、众和股份、国脉科技、七匹狼、浔兴股份、凤竹纺织、福建南纺、华映科技、福日电子、厦华电子、正和股份、福晶科技、太阳电缆、泰亚股份、台基股份、星网锐捷、青松股份、元力股份、纳川股份、海欣食品等近30家上市公司以及数十家拟IPO企业；兴业银行、兴业证券、海峡银行、泉州银行、晋江农商行、石狮农商行等金融企业；省能源集团、高速公路集团、中旅集团、华闽实业（集团）、汽车工业集团、船舶工业集团、投资集团、冶金集团、石化集团、轻纺控股、电子信息产业集团、外贸集团、建工集团、机电控股集团等大型省属控股公司；以及部分大型外商投资企业及外国企业。

福建华兴会计师事务所（特殊普通合伙）最高权利机构为合伙人大会。首席合伙人、管理合伙人、合伙事务监督人由合伙人大会选举产生，管理合伙人会议聘用经营管理层。各职能部门设置由管理合伙人会议决定，现设有业务一部、业务二部、业务三部、业务四部、业务五部、业务六部、业务七部、业务八部、业务九部、业务十部、业务十一部、质量控制部、信息咨询部、业务发展部、人力资源部、行政部、财务室、信息化部、顾问室等职能部门，以及北京分所、厦门分所、泉州分所、漳州分所、龙岩分所、莆田分所、福建华兴资产评估房地产土地估价有限公司、福建华兴税务师事务所有限公司和福州华兴正风财务咨询有限公司等分支机构，形成了跨区域的服务能力，能够为客户提供全面的审计、会计、评估、税审和咨询等服务。

福建华兴会计师事务所（特殊普通合伙）经过了三十多年的的市场锤炼，始终坚持“独立、客观、公正”的执业道德规范，一贯恪守“以质量求生存、以信誉求发展”的办所方针，严格遵循各项执业道德守则和执业规范标准，建立了一套科学有效的经营管理机制和严格的执业规范体系，树立了良好的社会信誉。

我们将竭诚为广大客户提供专业和优质的服务！

广东正中珠江会计师事务所

广东正中珠江会计师事务所（特殊普通合伙）是为了贯彻落实国务院、财政部关于加快发展我国注册会计师行业的方针政策，由广东正中珠江会计师事务所有限公司、广州健明会计师事务所有限公司、中山中信会计师事务所有限公司、韶关中一会计师事务所有限公司、广州市德信会计师事务所有限公司的注册会计师共同发起设立。

同时广东正中国穗税务师事务所有限公司是为了贯彻落实国家税务总局关于支持注册税务师行业发展的精神，由广州市正中珠江税务师事务所有限公司、广州国穗税务师事务所有限公司、广州市蓝舜税务师事务所有限公司经酝酿共同组建。

新的“正中珠江”与“正中国穗”秉承数十年服务客户之经验，已成为广东省具有广泛影响力的专业团队，做为总部设立在广东的证券资格会计师事务所，我们在广东企业在证券市场、债券市场融资成绩斐然！

我们的合伙人团队相信，新的"正中珠江"和"正中国穗"不仅在上市融资审计方面，同时在税务鉴证，税务筹划，管理咨询等领域可为我们的客户带来更全面更具价值的专业服务！

我们感谢社会各界与广大客户多年来对原正中珠江、广州健明、中山中信、韶关中一、广州德信的关怀与支持，我们希望通过我们的专业服务能为广东的经济发展贡献一份力量，与我们的客户共创更美好的未来！

人员组织

新的"正中珠江"与"正中国穗"是唯一总部设立在广东具有证券业务资格的会计师事务所。员工逾七百人，注册会计师超过二百人，注册税务师近百人。并在中山、韶关、番禺均设立了分所，业已成为广东省最具规模的审计、税务专业服务机构！

强强联合，我们具备了更强的品牌优势、专业优势、人才优势、地域优势。让我们能够为客户提供包括审计、税务鉴证、纳税筹划、管理咨询、工程造价等更加全方位的专业服务。

新的"正中珠江"与"正中国穗"汇聚原正中珠江、广州健明、中山中信、韶关中一、广州德信之优秀人才，拥有一批既有专业知识又有丰富实践经验的会计、审计、金融、税务、管理、计算机及工程造价人才。

我们的合伙人团队年富力强，朝气蓬勃，很多人在业内具有广泛的影响力，都是不同领域不同的行业公认的财务专家。

资格介绍

正中珠江具有以下资格：

证券期货相关业务资格

A 股补充审计及证券发行业务专项复核审计资格

金融业务资格

国有大型企业审计资格

税务代理资格

我们本着"以质量求信誉，以信誉求发展"的宗旨，为客户提供全方面而高效率的服务；以客观公正的态度，依据有关法规及审计准则，从事专业工作以昭社会公信。

江苏苏亚金诚会计师事务所

江苏苏亚金诚会计师事务所（特殊普通合伙），原为江苏苏亚审计事务所，成立于 1996 年 5 月（原隶属于江苏省审计厅），在江苏省工商行政管理局登记注册。2013 年 11 月经江苏省财政厅批准转制为特殊普通合伙企业，出资额 1230 万元。事务所从事《注册会计师法》规定的法定审计业务，并承办会计咨询和会计服务业务，具有财政部和中国证监会批准的执行证券、期货相关业务资格，以及司法鉴定资格等，是中国银行间市场交易商协会会员、中国证券业协会会员。目前，有从业人员 1000 余人，其中注册会计师 255 人，注册造价师 114 人，注册资产评估师 87 人，注册咨询专家（工程师）24 人，资深注册会计师 3 人，具有各类高级职称人员 88 人，拥有注册会计师行业领军人才 9 名，ACCA、ACA 及澳洲 CPA 等国际资质人才 11 名。

事务所内设证券金融审计业务一部、证券金融审计业务二部、审计业务一部、审计业务二部、审计业务三部（涉外业务部）、审计业务四部（工程财务审计部）、质量控制与技术支持部、业务培训部、业务发展部和办公室，下设北京、连云港、扬州、常州、镇江、苏州、无锡、安徽、盐城等 9 个分支机构。

自 2004 年以来，事务所一直被江苏省注册会计师协会授予"江苏省先进会计师事务所"和"先进党支部"荣誉称号；2011 年 6 月被中国注册会计师行业党委表彰为"全国先进会计师事务所党组织"；2012 年、2013 年被江苏省注册会计师协会评为 AAAAA 级会计师事务所。

事务所自 2003 年以来连续名列中国注册会计师协会公布的全国百家会计师事务所综合评价排名前 30 位，其中 2013 年全国百家会计师事务所综合评价排名第 24 位。

事务所 1998 年 11 月被英国特许公认会计师公会指定为 ACCA 学员实践基地；2000 年 4 月被南京大学指定为会计专业实验基地；2008 年 4 月被英格兰及威尔士特许会计师协会指定为 ICAEW 培训机构；2011 年 5 月，被南京理工大学指定为研究生和经济管理学院实习基地；2012 年 6 月，被共青团江苏省委、江苏省注协指定为青年就业创业见习基地；2012 年 3 月，被 ACCA 协会评为"金牌雇主"；2012 年 7 月，被南京大学指定为会计专业硕士实习基地；2012 年 8 月，被江苏省教育厅指定为江苏省企业研究生工作站。

近年来，事务所先后入围国家审计署、财政部投资评审中心、财政部国家农业综合开发办公室、财政部民口科技重大专项财务验收、工业和信息化部、中国铁路总公司（原铁道部）、卫生部、国家体育总局、北京市人民政府国有资产监督管理委员会、北京市人力资源与社会保障局、北京市政府采购中心、江苏省财政厅、江苏省交通运输厅、江苏省审计厅等政府部门的审计机构库。另外，还是中国国电集团公司、中国电力投资集团公司、国家烟草专卖局、中国电信集团公司、中国移动通信集团公司等中央企业的审计机构库成员。

事务所业务涉及财务审计、司法鉴定、管理咨询等财经服务领域，其中财务审计包括上市公司财务报表审计和 IPO 审计。服务客户涉及大型制造企业、商业连锁及高端零售企业、证券金融类企业、文化传媒企业、医药化工企业、航空及交通运输企业、采矿业企业及电力生产企业等，业务服务范围遍及全国 25 个省级行政区。

事务所在市场竞争中始终坚持以信誉求生存、以质量求发展的经营理念，严格执行《中国注册会计师执业准则》和中注协《中国注册会计师职业道德守则》，建立和完善内部质量控制制度，恪守独立、客观、公正的执业原则，坚持诚信为本、质量为重、遵循规范、服务至上的宗旨。在发展过程中，事务所注重培养员工的敬业精神和团队精神，着力提高员工专业胜任能力，积累了解决各种问题的专业经验，树立了良好的执业形象，赢得了社会的信赖。

企业文化

企业使命：争创民族品牌

战略目标：在江苏有地位，在全国有影响

核心价值观：诚信为本，以人为本

执业理念：独立、客观、公证，专业、专心、专注

企业行为准则：遵守法律，遵循规则；恪守承诺，互利共赢；关爱员工，关爱社会；稳健经营，稳步发展

员工行为准则：不断学习，高效工作；爱岗敬业，遵循准则；诚实守信，尊重他人；合作沟通，团结互助

江苏天衡会计师事务所

发展历史

江苏天衡会计师事务所的前身是江苏会计师事务所，由江苏省财政厅于 1985 年 10 月创建。1999 年 1 月 6 日，江苏

会计师事务所整体改制为天衡会计师事务所有限公司。

1993年,经中华人民共和国财政部和中国证券监督管理委员会批准,成为中国首批取得从事证券、期货相关业务财务审计许可证的会计师事务所。1993年,经国家国有资产管理局和中国证券监督管理委员会批准,成为中国首批取得从事证券、期货相关业务资产评估许可证的会计师事务所。2000年,经中华人民共和国财政部和中国人民银行批准,成为中国首批取得金融机构财务审计资格的会计师事务所。

2002年5月22日,社会培训业务单独成立天衡会计师事务所培训中心。

2005年3月15日,工程造价咨询业务从事务所分立,成立江苏天衡工程造价咨询有限公司。

2008年6月6日,资产评估业务从事务所分立,成立天健兴业江苏分公司。

2009年2月9日,天衡取得中华人民共和国财政部和中国证监会新换发的证券、期货相关业务许可证。

天衡现有十四家分所,分别为北京分所、深圳分所、苏州分所、无锡分所、常州分所、徐州分所、连云港分所、扬州分所、江阴分所、苏州安信分所、苏州中惠分所、苏州勤业分所、宜兴分所、镇江分所。

专业服务

公开发行股票上市(IPO)审计:

天衡是中国第一批获得证券、期货相关业务财务审计特许资格的会计师事务所,从1992年至今,作为公司上市申报的注册会计师,已帮助40余家公司成功上市。

天衡时刻关注IPO监管和会计准则最新动态,深谙IPO过程中复杂会计问题的处理和信息披露要求,与各大主承销商及保荐人建立了很好的沟通和合作关系,在长期从事公司股份制改制、资产重组方案策划及股票发行及上市审计服务过程中,积累了丰富的经验。

IPO审计服务内容主要有:

·企业上市前的可行性研究及咨询

·协助和辅导企业完成上市前的规范工作,包括为IPO方案提供专业意见

·担任企业股份制改制与上市中的审计、验资、内部控制鉴证及其他专项报告的审核工作

·财务报表审计

·定期报告的审计是我们的基本服务内容。在审计准则的指引下,天衡已形成完整规范的审计技术流程、标准和体系,训练有素的专业审计人员随时为您提供及时、高效的审计服务。同时我们的审计服务已不再满足于停留在简单的审计技术层面,而是更专注于帮助客户解决问题、提出管理建议、提供解决方案

财务报表审计类型包括:

·中期财务报表审计

·年度财务报表审计

·专项鉴证服务

天衡汇集了一批具有国内资深专业背景和丰富实务经验的人员,能够提供符合国内业务规范的各种专项服务,包括:

·验资

·清产核资审计

·债券发行审计

·企业内控制度调查及评价

·企业收购、兼并、重组审计

·财务调查

·任期经济责任审计

·其他专项鉴证

·管理咨询

天衡拥有一批有多年实务经验的、高素质的专业人员,能为满足企业的发展需求提供广泛的管理咨询服务。精心设计的方案、严谨的专业技术确保了高品质的服务,长久以来,深受客户的信赖与肯定。主要包括:

·设计企业内部控制制度

·独立财务顾问报告

·项目可行性研究或项目评价

·为企业合并、分立、重组、投资、清算等提供专业意见

·担任会计顾问,提供管理咨询

·设计会计制度

·其他管理咨询

立信会计师事务所

立信会计师事务所(以下简称“立信”)由中国会计泰斗潘序伦先生于1927年在上海创建,是中国建立最早和最有影响的会计师事务所之一。1986年复办,2000年成立上海立信长江会计师事务所有限公司,2007年更名为立信会计师事务所有限公司。立信依法独立承办注册会计师业务,具有证券期货相关业务从业资格。2010年,立信获得首批H股审计执业资格。2010年12月改制成为国内第一家特殊普通合伙会计师事务所。

经过八十余年的长足发展,立信在业务规模、执业质量和社会形象方面都取得了国内领先的地位。2001年起,立信在全国会计师事务所签发国内上市公司审计报告数量排行榜上一直保持第一。

经中注协全国前百家会计师事务所综合评价排名统计:

2002—2006年度连续五年立信排名均列第五位(前四家均为国际“四大”),2007—2011年立信排名位列第六位。

2012年立信实现业务收入17.74亿元,在2012—2013年中国注册会计师协会公布的全国百家会计师事务所综合评价排名第五位。

2000年立信加入国际网络提前实现了专业服务与国际接轨,并扎实培养了一批国际化人才。

2009年立信加入全球第五大国际会计网络——BDO国际,通过与境外成员所的交流,锻炼、巩固和发展了立信跨境业务的经验与优势。

2000年至2013年间,经由中华人民共和国财政部批准,立信又相继在北京、深圳等地设立了29家分所,立信在打造本土最具核心竞争优势的专业服务机构的同时,逐步完善和实现战略布局,为顺应国际资本市场一体化发展趋势,立信人正以诚信和专业铸就着民族品牌。

立信现有从业人员6000余名,其中执业注册会计师1600余名。总部设在上海,有七个专业委员会,以及审计业务部、国际业务部、银行业务部及审计风险管理部、信息技术部、教育培训部、管理咨询部、税务部、资产评估部、工程造价咨询部、信息鉴证部、公司清算部、市场与品牌推广部、会计政策研究中心、产学研基地等与业务相关的部门。现有客户遍布全国各地,其中上市公司300余家,IPO公司300余家,外商投资企业2000余家,并为大型央企、国有集团、银行、证券公司、期货经纪公司、保险公司、信托公司、基金公司等提供审计及相关业务。

独立、公正、客观是立信一贯秉承的原则。在信用经济和信息社会化的时代中，立信人将永远恪守职业道德，勤勉尽责，坚持执业质量，保护公众利益，承担社会责任，为国内外委托人提供高品质、高附加值的专业服务。

组织机构

2006 年 10 月，立信旗舰扬帆，立信会计师事务所管理有限公司成立，设立七个专业委员会。管理公司作为立信的管理总部，是“立信”的品牌经营中心、质量控制的指挥中心、素质培训的组织中心、信息资源的交换中心，将整体负责立信的经营管理、专业发展及对外协调和宣传，包括制订统一的执业标准、统一的内部管理制度、统一的人员培训制度并组织实施。我所均已制定了全面质量控制政策及程序，对所有审计项目执行严格的内部分级督导与三级复核制度。专业委员会目前已建立并实施的制度如《审计质量管理制度》、《审计项目质量控制分级复核与报告签发制度》、《审计规范第 1 号 - 风险分类与管理》等。我所成为管理公司上海总部，下设有三十个审计业务部，还有资产评估部、工程造价咨询部、管理咨询部、税务咨询部、技术标准部、国际业务部、法律服务部以及行政部等。立信拥有多名资深、经验丰富、并在会计界有影响的会计专家。

我们的优势

立信拥有专业知识及技术支援，为客户提供顶尖的专业服务。

不论客户身处何处，立信与其他 BDO 国际网络成员均能透过综合的会计软件及技术，确保客户得到一致的高品质服务。

BDO 国际网络世界各地成员所于当地均拥有悠久历史，享有领导地位。

我们的专业团队经验丰富，对各行各业有深厚的认识，并掌握商业社会的最新动态，时刻与客户保持紧密沟通。

我们从客户的角度出发，细心聆听，明白客户需要，从而提供客户的专业意见。

我们不断检讨我们自己的服务素质，以求保持优质的专业服务。

立信多年来赢得客户的信赖，不仅因为我们对本地市场了解透澈，恪守高水平的专业准则，更因为我们拥有坚持为客户提供切合需要的服务决心。

四川华信(集团)会计师事务所

四川华信(集团)会计师事务所是全国首批完成脱钩改制的具有证券期货从业(审计)资格的会计中介服务机构，也是目前四川省收入最高、综合排名第二的会计师事务所，同时也是在西南地区注册的唯一具有证券资格的会计师事务所。总所设在成都，目前在北京、重庆、泸州均设有分所。

本所主要为客户提供审计、资本金验证、资产评估和管理咨询等专业服务，具有财政部和中国证监会颁发的从事上市公司证券业务(审计)资格。我们本着“诚信、和谐、不断进取”的发展理念，以一流的设施和工作手段，以高素质的专业人才和先进的管理，为客户提供优质的服务，助企业蓬勃发展。20 年的专业服务铸就我们享誉业界的优秀品牌，并赢得了社会各界的普遍赞誉和高度信赖，在社会公众心中树立了良好的企业形象。

本所现有员工 450 人，其中注册会计师 196 人，中国注册资产评估师 13 人，注册税务师 10 人，造价工程师 24 人；硕士研究生学历占 10%，大学本科学历占 80%；40% 的员工拥有中、高级专业技术职称。

管理咨询

我所设有专门的咨询部，在咨询项目过程中，我们遵循理论但不拘于理论，我们重视实践经验但不囿于经验，我们强调国际标准但不教条地照搬国际标准。我们应用的是理论的指导作用，经验的借鉴作用，国际标准的标杆作用，追求的是理论、经验及国际标准与客户个性化需求的融合。

我们提供个性化的、贴近客户需求的、实施性强的解决方案。我们不求面面俱到的指点客户的问题，而是力求为客户解决关键性的、真正影响客户价值创造的问题。

我们的业务范围涵盖了财务管理咨询、组织及人力资源管理咨询、风险管理咨询、投融资咨询、组织及人力资源管理咨询、信息系统咨询。

财务管理咨询：

· 财务基础规范(包括财务组织、核算手册、制度手册)
· 资产管理
· 资金管理
· 成本管理
· 管理报表
· 预算管理
· 集团财务管理
· 集团财务战略
· 财务管理顾问

组织及人力资源管理咨询：

· 集团管理组织模式设计及管理流程重整
· 企业经营管理业绩评价
· 薪酬体系设计
· 考核体系设计

风险管理咨询：

·《内部控制基本规范》实施咨询
· 风险管理体系设计与实施
· 风险管理专项咨询
· 内部审计职能设立咨询
· 专项内部审计外包

投资融资咨询：

· 尽职调查
· 收购兼并买方/卖方顾问
· 并购重组方案设计
· 国有产权交易经纪服务及其增值服务
· 上市审计前财务准备
· 上市预评估
· 投资/融资财务顾问

审计服务

审计作为四川华信的支柱业务之一，本所总部设在成都，业务已形成辐射全国的服务网络。我们先后为数十家国有大中型企业集团、世界 500 强企业、金融机构、外商投资企业及民营企业等众多客户提供了多种审计专业服务。作为西南片区唯一有证券期货从业资格的会计师事务所，我们在企业并购重组、资本运作、公司改制、股票的发行与上市的审计方面也具有丰富的经验与良好的业绩。作为申报会计师，我们曾为上百家企业进行改制上市审计，协助几十家股份制企业成功进入资本市场。此外在国内，我们应各级政府及监管部门的需求以及客户之需求提供多种审计专业服务，包括：

- 年度报表审计
- 合并、分立、并购重组审计
- 经济责任调查与审计
- 执行商定程序审计
- 司法鉴定审计
- 破产清算审计
- 内部控制制度审核与评价
- 其他专项审计等

工程造价咨询

本所工程造价业务主要由总所在成都设立的工程造价事务所完成，公司拥有一支优良的团队，多名业内资深专家构成了核心领导层。专业人员中包括工民建、道桥、通信、基建经济、工程财务等多方面专家及专业技术人才，均具有良好的教育背景、优良的业务技能、诚实守信的职业精神和饱满的工作热情。

- 建设项目建议书与可行性研究及投资估算的编制与审核
- 工程概算、预算、结算、竣工结（决）算编制与审核
- 工程量清单、招标控制价、投标报价的编制和审核
- 建设项目各阶段工程造价控制及工程索赔业务
- 工程财务管理咨询及审核
- 工程经济纠纷鉴定
- 基本建设项目内控咨询与审计服务
- 工程造价信息咨询服务
- 与工程造价业务有关的其他业务

评估咨询

本所评估业务主要由总所在成都设立的评估公司完成，公司拥有一支优良的团队，多名业内资深专家构成了核心领导层，均具有良好的教育背景、优良的业务技能、诚实守信的职业精神和饱满的工作热情。

- 企业价值评估
- 单项资产评估
- 房地产评估
- 知识产权评估
- 清算价值评估

天健会计师事务

天健会计师事务所成立于1983年12月，是由我国一批资深注册会计师创办的具有A+H股审计资格的全国性大型专业会计中介服务机构。收入规模逾十亿元，综合实力位列内资所全国前三。总部设在杭州，在北京、上海、重庆、深圳、湖南、湖北、广东、山东、安徽、常州、厦门、云南、四川、新疆、陕西设有分所，并在美国、比利时、德国以及中国香港和台湾地区设有成员所或联系所。

天健是荣誉品牌

中共中央组织部授予“全国创先争优先进基层党组织”称号

浙江省人民政府认定为“浙江省服务业重点企业”

浙江省工商行政管理局认定为“浙江省著名商标”

浙江省名牌战略推进委员会认定为“浙江名牌”

浙江省金融办认定为“优秀证券中介机构”

天健是民族品牌

天健是全国十强中纯中华民族品牌的会计师事务所。

天健是专业品牌

天健拥有30年的丰富执业经验和雄厚的专业服务能力。天健是中国会计准则委员会、中国审计准则委员会、中国证监会股票发行审核委员会、上海证券交易所上市委员会、深圳证券交易所上市委员会成员单位。现有3800余名从业人员中，有博士、硕士学位和会计、审计、经济、工程技术等高级专业职称的500余名，注册会计师1400余名，注册会计师行业领军人才28名（占全国行业总数的8%），教授级高级会计师13名（占浙江省总数的20%），60余名从业人员拥有境外执业会计师资格。

天健是服务品牌

天健恪守“专业报国、服务社会”的宗旨，奉行“为客户创造价值、与企业共同发展”的服务理念。截至2013年12月底，拥有包括A股、B股、H股上市公司、大型国有企业、外商投资企业等在内的固定客户3000多家，其中上市公司客户近300家，位居全国前茅。

“天行健，君子以自强不息”。天健人始终奉行规范执业、稳健经营的理念，坚持诚信、客观、公正、独立的原则，与时俱进，奋发有为，向着中华民族一流强所的目标挺进！

执业资质

天健在长期的执业过程中，积累了丰富的执业经验，获得了各级政府部门的肯定和市场的认可。拥有的主要执业资格包括：

- 注册会计师法定业务
- 证券期货相关审计业务
- H股企业审计业务
- 美国公众公司会计监督委员会（PCAOB）注册事务所
- 中央企业审计入围机构
- 金融相关审计业务
- 从事特大型国有企业审计资格
- 军工涉密业务咨询服务
- IT审计业务
- 税务代理
- 工程造价咨询（甲级）
- 工程预结算审价（一级）
- 国家建设项目工程预决算审计验证（A级）
- 工程咨询（甲级）
- 招投标代理资格
- 司法会计鉴定
- 破产管理人资格
- 浙江股权交易中心会员

天职国际会计师事务所

天职国际会计师事务所（特殊普通合伙）简称天职国际，创立于1988年12月，总部北京，是一家专注于会计审计、管理咨询、税务筹划、司法会计鉴定与破产管理人、工程咨询、资产评估的特大型综合性咨询机构。2013年度，天职国际实现业务收入10.6亿元，在2014年公布的中国注册会计师百强事务所排行中位列第11位，本土所名列第7位，已连续多年走在本土事务所前列。

天职国际内部治理机制完善，实行一体化管理模式，在执业标准、专业规范、质量控制、风险控制以及事务所管理等制度方面已形成一整套成熟的规范体系。天职国际国内网络布局合理，在中国大陆及香港特别行政区设有近20家分支机构。同时，天职国际是Baker TillyInternational（全球第八大会计网络）在中国地区的唯一成员所，在全球拥有广泛的服务

网络资源。天职国际致力打造专家型的人才团队。截至2014年，天职国际共拥有专业人员3000余人，其中，注册会计师800余人，拥有ACCA、ACA、CGA、HKCPA及其他境外执业资格的员工100余人，注册会计师行业领军人才10余人。

发展路上二十多年，天职国际已为不同行业的上万家客户提供了专业服务，客户类型涵盖中央及地方企业集团、上市公司及拟上市公司、金融机构、大型工程业主公司、政府经济主管（监督）部门等，涉及能源、制造、商品流通、建材、房地产、交通、医药、金融、TMT等多个行业。

“天道酬勤职守笃行”是天职国际长期以来坚守的办所理念，随着中国全球化的进程加快，天职国际必将凭借科学的内部治理机制、合理的机构设置、精细的专业分工、卓越的服务品质以及高效的团队合作，为广大客户提供更为细致、更为科学的专业化服务。

天职国际愿与您携手，共创卓越！

文化理念

我们的核心理念：

天道酬勤　职守笃行

我们的行动口号：

开诚立信　务实求真　廉洁协作　勤奋严谨

我们的价值观：

社会、员工、客户、合伙人四方和谐

我们的发展战略：

规范化　集团化　国际化

我们的愿景：

团队一流　专业一流　服务一流　社会尊敬

我们倡导的团队氛围：

简单　透明　平和　宽容

我们倡导的个人信条：

坚守诚信；己所不欲，勿施于人；未听取正反双方意见，不妄下断语；保护不在场的人；高调做事，低调做人；外柔内刚，诚恳但立场坚定；态度积极，保持幽默；别怕犯错误，怕的是不能吸取教训；协助属下成功；多请教别人；计划好明天；生活与工作有条不紊；爱自己、爱家人、爱生活、爱工作。

希格玛会计师事务所

希格玛会计师事务所（特殊普通合伙）是全国最早成立的八家会计师事务所之一，事务所机构健全、管理规范、资质齐备，以雄厚的综合实力位于中国百强会计师事务所之列。

希格玛所注册地中国西安，在北京、甘肃、宁夏、新疆、四川、河南、厦门和陕西宝鸡等地设有分所，在北京设有管理总部。事务所现有员工1000余人，其中注册会计师300余人，资产评估师、造价工程师和注册税务师等相关资格的专业人员150余人，平均年龄34岁。

希格玛所具有证券期货相关业务资格、工程造价咨询甲级资格、招投标代理甲级资格，是国务院国资委监事会常年聘请的特别技术助理单位。事务所秉承“诚信、严谨、求实”的职业精神，恪守“独立、客观、公正”的执业原则，依靠科学的管理和雄厚的人才优势，提供各类专业服务，特别是在企业重组、改制上市、管理咨询、工程造价咨询和税务筹划等方面具有丰富的实践经验。

希格玛所现已形成以证券期货相关业务为龙头，财务审计、管理咨询、工程造价咨询为核心，集税务筹划、司法鉴定和专业培训等业务于一体的服务网络，业务涉及各行各业，客户分布全国20多个省、市和自治区，以优质高效的服务赢得社会各界的充分认可，以前瞻、创新、追求卓越的职业精神，立足中国，走向世界。

资质与等级

·财政部和中国证监会授予从事证券、期货相关业务审计资格

·中国人民银行和财政部授予从事金融相关审计业务资格

·国务院国资委审计项目入围会计师事务所

·国防科工局备案的军工涉密业务咨询服务单位

·中国银行间市场交易商协会会员单位

·工业和信息化部中介机构备选库入库单位

·财政部投资评审中心入围的社会中介机构

·国家烟草专卖局2013—2016年入围会计师事务所

·住房和城乡建设部授予工程造价咨询和招标代理甲级资格

·陕西省、甘肃省、四川省、宁夏自治区、新疆自治区（新疆兵团）、四川省、河南省、福建省国资委审计项目入围的会计师事务所

·西安市国资委审计项目入围的会计师事务所

·陕西省高级人民法院入围的司法鉴定社会中介机构

·西安市中院指定的企业破产案件社会中介机构管理人

·国务院国资委监事会工作会聘请的特别技术助理单位

信永中和会计师事务所

信永中和会计师事务所是中国大陆成立时间最长，最具声望、最具规模的综合性会计师事务所之一，也是大陆唯一一家与国际知名会计公司有着长达七年合资经历的会计师事务所。我们始终将“发展成为具有竞争力的会计师事务所、参与国际竞争”作为长远发展战略，不断提炼与升华所承袭的具有国际水平的质量体系与管理体系，跻身于中国注册会计师行业的领军行列。

我们的总部设在北京，目前在上海、深圳、成都、西安、天津、青岛、长沙、长春、银川、昆明、大连、济南、广州、福州设有14家分所，并在中国香港、新加坡、澳大利亚、日本设有4家境外成员所，2011年我们加盟Praxity国际会计师事务所联盟组织，实现了又一次国际化战略举措。截至2010年底，拥有员工总数已超过2700人，中国注册会计师1000余人，具有各项境外执业资格人数逾100人。

成立至今，我们的专业服务领域不断向纵深发展，并逐步扩大，形成了审计业务、管理咨询业务、工程造价咨询业务、税务及会计服务业务四大板块和五类专业服务，2010年成为财政部、证监会首批获准从事H股企业审计业务的12家内地大型会计师事务所之一。不但能够为国内企业提供符合中国会计准则的高品质服务，而且也具备了为在香港联交所上市的H股公司以及走向国外资本市场的中国企业提供符合国际标准的专业服务能力。

我们拥有训练有素、执业水平精湛的专业服务团队。事务所的人和文化为员工创造了良好的工作氛围，科学的绩效考评为员工实现自我职业规划奠定了基础，持续的专业培训实现了员工与事务所的共同发展。我们的成功源于专业品质，我们的持续发展依靠优秀人才的加盟。为了配合事务所的业务扩展，我们真诚聘请有抱负、有才能的专业人士加入！让我们的信念、发展与你的理想、人生共同飞翔！

亚太(集团)会计师事务所

亚太(集团)会计师事务所(以下简称亚太)前身是成立于1984年的河南首家会计师事务所——河南省会计师事务所。1993年更名为亚太会计师事务所,1994年取得了执行证券、期货相关业务资格,1998年11月,经国家财政部财协字(1998)22号文批准,在跨地区吸收了深圳亚太会计事务所、河南亚太会计师事务所等中介机构的基础上,组建了亚太集团会计师事务所,2001年按照国务院关于经济鉴证类社会中介机构与政府部门实行脱钩改制的要求,由专业人员出资设立的改制为亚太(集团)会计师事务所有限公司。2009年10月,为了更好的发展,亚太集团把注册地和总部迁往北京市。2013年11月,根据财政部财会〔2010〕12号《关于印发<财政部、工商总局关于推动大中型会计师事务所采用特殊普通合伙组织形式的暂行规定>的通知》的规定,经北京市财政局京财会许可〔2013〕0052号《关于同意设立亚太(集团)会计师事务所(特殊普通合伙)的批复》批准,亚太(集团)会计师事务所有限公司整体更名为为亚太(集团)会计师事务所(特殊普通合伙)。亚太是伴随我国经济体制改革大潮,在服务我国市场经济建设的宗旨下跨省区组建的全国性、综合性大型会计中介集团。目前,具有财政部、中国证监会批准的执行证券期货相关业务的审计资格,财政部、中国人民银行批准的金融相关业务审计资格,财政部、原国家经贸委确认的国有大中型企业债转股审计评估资格;以及建设部门批准的甲级工程造价咨询资格和司法部门确认的司法会计、评估、计算机、工程造价鉴定资格。2001年,亚太与摩斯伦国际会计组织达成协议,成为其成员所,在专业标准、执业规范方面初步与国际接轨。2011年,亚太加入了国际组织—国际会计师事务所联盟(CPAAI),在其框架下,共享资源,共同发展。

执业资质

亚太的经营范围:审计、资产评估、验资;财务会计咨询服务、信息服务、技术服务、财务软件开发、工程造价咨询。业务领域涵盖审计、资产评估、内部控制体系建设、税务咨询、工程咨询、司法鉴定等,服务对象涉及石油石化、商业、贸易、金融、证券、保险、能源、化工、钢铁、机电、电子等多个行业,业务分布于北京、深圳、河南、贵州、广东、江西、四川、上海、辽宁、重庆、山东等二十多个省市。目前已完成几十家上市和拟上市公司的审计、评估、法律、咨询等业务。亚太在长期的执业实践中,逐步探索形成了辐射全国的服务网络和成龙配套的执业优势,恪守独立、客观、公正的执业准则,先后高质量地完成安钢股份、安彩股份、平煤天安、神火股份、神马实业、平高电气、银鸽投资、焦作鑫安、莲花味精、风神股份、新野棉纺、天方药业等A股上市30多家上市公司的审计业务;为安阳钢铁、焦作万方、洛阳一拖、洛阳春都、冰熊股份、太太药业、河南新闻出版集团、河南粮油进出口公司等40多家企业改制提供审计和评估业务,帮助企业募集了大量社会资金;积极配合并完成了中原传媒大地股份公司借壳上市工作,以及川国际和渝汰白的资产置换;与摩斯伦国际合作,承办了跨国公司鼎新国际在国内的审计业务;接受信达、华融资产管理公司等国家四大资产管理公司委托,先后承做了西南铝加工厂(中国第一大铝加工企业)、大同矿务局(中国第一大矿务局)、洛阳铜加工集团、甘肃金昌化工集团、大连大化、长城铝业公司等数十家大型企业债转股项目的评估和审计业务;受河南省政府委托,多次承办关系到全省经济发展的重大经济活动,参与了三星集团、北原公司、新世纪公司等重大经济案件的财产清查和财务审计工作,为安阳钢铁集团公司等数十家大型企业建立现代企业制度提供优质服务等等;同时完成了多家金融企业的审计、评估业务,如河南省郑州、洛阳等6市城市商业银行的组建,河南全省十家信托投资公司的改制重组,河南证券公司、中原证券公司、省财政证券及吉林省证券公司、重庆新华信托投资公司的重组改制等,有力的促进了产权制度的改革,赢得了各地政府和企业的好评;开展了一系列专项财务检查,严肃了财经纪律,维护了市场经济秩序,在全国市场经济建设中担当重任,为维护社会公众利益、服务企业改制上市、改善投资环境、促进资本市场发育成熟、推动市场经济和社会发展做出了应有的贡献。目前,亚太在继续做好金博士种业、许昌瑞泰、大通物产、科迪乳业、灵宝金源、校信通公司、三晖电器、河南银利达彩印、河南大程粮油集团、新乡华鑫能源材料、省农科院种子公司等拟上市公司业务,同时,又先后开拓了科瑞森、山东国强五金、石家庄沃德思源、武陟江河纸业、天津工业气、大地农化等10多家拟上市公司业务。

质量控制

在执业中,亚太结合行业颁布的各项执业规则,并在长期的实践中积累了一定的执业经验和管理经验,制定出了内部业务操作规范和多项管理制度,如《审计执业操作规范》、《小企业审计模板》、《高新技术认定专项审计指引》、《员工职业道德规范》、《业务质量管理与控制制度(试行)》、《业务委派暂行办法》、《档案管理制度》、《员工职业后续教育制度》、《办公制度》、《劳动制度》、《员工薪资和晋升考核办法》、《员工及部门岗位职责(暂行)》等。上述基本制度形成了具有"亚太"特色的执业规范体系和管理制度框架,在实施过程中,我们还根据业务发展和管理需要,对上述制度及时进行修改、补充和完善,并以会议纪要、文件及其他形式下发,适应了不断变化的新形势。亚太一直把执业质量放在首位,把风险控制作为执业的前提并贯穿执业的全过程。主要的质量控制措施为:一是在全体执业人员中树立牢固的质量意识、风险意识和法律意识,把质量看作是事务所的生命线和自己的职业生命;二是强化职业道德教育,塑造诚实守信、勤勉尽责的职业品德,保持应有的独立性,客观公正执业,防范道德风险;三是完善专业标准和操作规范,建立全面的质量控制制度,在项目实施、项目审核、报告签发、业务档案、业务考核等环节严格质量控制;四是认真落实三级复核制度,对重大问题提交质量控制委员会研究;五是通过风险评估部、业务监管部、专业标准部,协同业务部门贯彻实施集团所质量控制职能;六是重视和强化职业后续教育,加大培训投入,不断提高从业人员的专业胜任能力。七是及时修改了分所管理办法,加强对分所的质量控制和管理。

主要业绩

自1993年设立至今,亚太以管理科学、监管严格、质量优良著称并赢得社会的赞誉,十多年来,共完成审计、评估、验资、工程咨询等项目约9700多项,涉及资产额达88900多亿元,在维护市场经济秩序和社会公众利益,服务市场经济建设等方面发挥了重要作用,并与数百家客户建立了良好的关系。并以优质高效的服务、优良的质量、严格的监管著称,赢得了各地政府企业的好评和广泛的社会赞誉。1995年,荣获财政部授予的"全国先进财会工作集体"荣誉称号。1998年,被评为郑州市文明单位。1999年,被评为郑州市文明标兵单位。2005年,亚太员工荣获"河南省十大杰出会计工作者"荣誉称号。近三年的业务收入分别为:2011 年,8508 万元;在中注协发布的全国会计师事务所综合评价百强中位居第 44 名。2012 年,114000 万元;在中注协发布的全国会计师事务所综合评价百强中位居第 41 名。2012 年,114000 万元;在中注协发布的全国会计师事务所综合评价百强中位居第 41 名。

发展规划

当前,在财政部、中注协做大做强战略的指引下,我们面对新的形势,结合亚太的自身实际,积极采取各项措施,努力把事务所做大、做强、做优。为此,首先制定了事务所中长期发展战略目标,确定了"巩固中原、立足北京、面向全国"的发展战略,进一步巩固在河南省的龙头地位,同时,实行"走出河南"战略,充分发挥北京、深圳、上海、广州等地机构的优势,面向全国发展,不断壮大规模和实力。其次,要坚持亚太品牌优势和做大做强相结合,不断提高亚太品牌的知名度和核心竞争力。经过 10 多年的努力奋斗,亚太在全国会计中介行业领域形成了自身的执业优势,拥有一批优秀的专业人才,一套比较完备的执业质量体系,积累了丰富的改制上市审计经验,从而形成了我们亚太这一知名品牌和良好的社会声誉。因此,我们要充分发挥自身的品牌优势,继续保持在同行中的领先地位,实现强者愈强,大者恒大的发展目标,为全国资本市场提供更好的服务。第三,要始终坚持规范执业、稳健经营的办所宗旨,把执业质量视为事务所的生命线,建立健全内部决策和管理机制,不断完善质量控制体系,加强风险管理和职业道德教育,全面提高执业质量,进一步提高整体执业实力。第四,要做好人才培养战略,注重各类人才的选择和培养,建立人才培养的激励机制,形成大力吸收人才、精心培育人才、注重留住人才的良好环境,坚持以人为本,兼顾事务所"人合"和"资合"的发展理念,建设一支高素质的专家型执业队伍,为我们亚太的持续稳健发展奠定基础。亚太注册地迁址北京,成为全国性会计中介机构后,为下一步发展提供了广阔的平台。目前,全体员工在首席合伙人王子龙的带领下,团结一致,奋力拼搏,开拓进取,科学发展,努力把亚太办成国内一流的大型权威性中介机构,在加强内部治理、做好分所管理和规范发展,重点抓好业务质量和市场开拓、搞好人才队伍建设等方面形成新的思路,采取新的措施,不断壮大规模和实力,持续做优、做大、做强,争取用 3 年左右的时间,业务收入达到 3 亿元以上,注册会计师 350 人以上,跻身全国同行 30 强的目标,从而实现亚太新的跨越,新的崛起。

中审亚太会计师事务所

中审亚太会计师事务所(特殊普通合伙),执行事务合伙人(首席会计师)为郝树平先生,住所为北京市海淀区复兴路 47 号天行建商务大厦 22—23 层。

为响应财政部、中注协"做大做强,走出去"的号召,2008 年中审会计师事务所有限公司总所及其湖北、上海、广东分所与亚太中汇会计师事务所有限公司强强联合,变更名称为中审亚太会计师事务所有限公司。2013 年初,改制为特殊普通合伙制会计师事务所。

中审亚太会计师事务所总所,前身为中国审计事务所,系隶属于审计署的司局级事业单位。1999 年经财政部和审计署批准,脱钩改制为中审会计师事务所。

亚太中汇会计师事务所,前身分别为隶属于云南省财政厅的亚太会计师事务所(1983 年成立)和国家外汇管理局的中汇会计师事务所(1993 年成立),2003 年两所合并,是国内从业历史较长和较早取得证券、期货相关业务审计资质的会计师事务所之一。

组织机构

为适应规范化管理和事务所发展需要,我所按照现代企业制度和公司治理要求建立了健全的组织架构,在合伙人大会和管委会、监事会下,我们设有管理总部,下辖风险控制和专业技术、人力资源和财务管理、战略发展三个委员会和信息部,在北京设有总所,在云南、上海、广东、湖北、贵州、海南、深圳、天津、河北、安徽、西北、重庆、山西、湖南、山东、黑龙江、福建、广西、四川等地设有 19 家分所,并在香港设立了中审亚太才汇(香港)会计师事务所(成员所)。

在北京总所和各地分所的基础上,各机构建立了健全的内部机构,分别设置办公室、人力资源部、财务部、质量监管部、规划发展部、信息部等综合部室和各专业审计部(包括证券期货业务部、工交商贸业务部、金融业务部、行政事业业务部、司法鉴定业务部、工程决算业务部、国际业务部、管理咨询部、IT 业务部等业务部门)。

专业队伍

我所拥有一批优秀的审计专业人员团队,现从业人员近 2000 人,其中:注册会计师 600 多人,拥有注册会计师、注册咨询师、注册评估师、注册造价工程师、注册税务师等双项或多项执业资格人员 400 余人,执业时间在 5 年以上的占从业人员的 70% 以上,大多数员工具有丰富的实践经验和较强的组织协调能力。同时,我所还拥有一批资深专家作为高层技术顾问。

资质资格

齐全的执业资质足以证明在市场经济发展中,我们有资格承担并圆满完成为社会各界的服务。

· 会计师事务所执业证书

· 证券、期货相关业务许可证

· 司法鉴定许可证

· 中国注册会计师协会核准的承担大型及特大型国有企业审计资格

· 金融相关审计业务资格

· 国务院国资委审计监督项目会计师事务所入围资格

· 财政部国家农业综合开发办公室会计师事务所入围资质

· 财政部投资评审中心聘用社会中介机构资格入围资质

· 财政部民口科技重大专项财务验收审计会计师事务所入围资质

· 工业和信息化部审计中介服务机构备选库入选单位资质

· 科技部科技资金审计入围资质

· 国务院机关事务管理局咨询和审计服务入围资质

· 中国烟草总公司(国家烟草专卖局)烟草行业审计会计师事务所入围资质

· 北京市政府中介服务机构入围资格

· 北京市高新技术企业认定中介机构入围资质

· 中国保监会、中国再保险公司等多家保险机构入围资质

· 国家开发投资公司等多家中央企业入围资质

技术能力

我所建立了《业务质量控制制度》等 75 项质量控制和内部管理制度,并得到了较好地执行。初步做到工作电脑化、信息化,通过应用"鼎信诺审计软件",实现了计算机辅助审计工作,加强了审计工作标准化和规范化,提升了执业水平和工作效率;全所应用 OA 系统,实现了办公自动化、程序化。

执业质量

我所始终坚持质量第一、信誉至上、勤勉尽责的执业宗旨，坚持专业化、规模化、集团化、国际化的发展方向，合法经营，规范执业，廉洁自律，为客户提供高水平的服务，具有良好的社会声誉和职业道德记录。近三年内，我所没有因违法、违规行为被有关部门予以处罚的记录。

商业信誉

我所承担10多家大型和特大型中央企业的审计任务，拥有上市公司审计客户30多家和证券、期货公司审计客户30多家，积累了较丰富审计经验，具有良好的专业胜任能力和社会认可度。我所连年居于国内会计师事务所百强，2014年全国行业综合排名第13名（本土会计师事务所10强），在国务院国资委2014—2015年审计监督项目会计师事务所入围中名列第5名。

近年来，我所在接受中国红十字会、审计署、国务院国资委（纪委办公室）、中国证券监督管理委员会委托的汶川地震抗震救灾款收支审计、京沪高铁第三标段（济南段）跟踪审计、中央单位2009年度案件审计检查、大鹏证券有限责任公司和广东股份有限公司风险处置专项审计时，坚持质量第一、信誉至上的宗旨，出色完成任务，受到有关方的表扬。

经营范围

审查企业会计报表，出具审计报告；验证企业资本，出具验资报告；办理企业合并、分立、清算事宜中的审计业务，出具有关报告；基本建设年度财务决算审计；代理记账、会计咨询、税务咨询、管理咨询、会计培训；法律、法规规定的其他业务。

业务领域

我所的业务覆盖全国各行业，为政府机关、社会团体、科技教育、文化体育、金融保险、证券期货、冶金矿业、机械电子、石油化工、煤炭电力、交通航运、通讯信息、IT及高科技、农林水利、建筑建材、房地产、烟草盐业、医疗医药、商品流通以及中外合资和境外企业等，提供财务报表、企业重组、资本运作、公司改制、股票发行与上市、财政投资、企事业经济责任、企业清算、投资决算、司法鉴定等审计和财务咨询服务。

近年来，为适应国内企业向国际市场"走出去"之需求，我们先后在巴西、西班牙、墨西哥、蒙古、新加坡、斐济、印度尼西亚、马来西亚、埃塞俄比亚、坦桑尼亚、摩洛哥、老挝、苏丹、马尔代夫、南非等30多个国家和中国香港地区为国内企业提供专业服务。

主要客户

我所从事贵集团公司以及中国铝业公司、中国电子科技集团公司、中国煤炭科工集团有限公司、中国铁道建筑总公司、中国铁路通信信号集团公司等中央企业的主审工作，中国节能环保集团公司（原中国新时代控股（集团）公司主审）、中国航空工业集团公司、神华集团有限公司、中国化工集团、中国中钢集团公司、中国电子信息产业集团有限公司、中国海洋石油总公司、中国核工业集团公司、国家电网公司等中央企业的协审（参审）工作，中国外运股份有限公司、中国移动通信集团公司、中国房地产开发集团公司、中国中材集团有限公司、中国盐业总公司、中国南方电网有限责任公司、东方航空集团公司、宝钢集团有限公司、中国南方航空集团公司、中国华能集团公司、中国国电集团公司、中国国际企业合作公司等中央企业的专项审计工作，中国东方资产管理公司、中国银河投资有限公司等委托的审计、尽职调查、咨询分析等专项业务工作。

长期以来，我们一直将为国有企业尤其是中央企业和部委企业以及证券期货金融等的审计工作作为我们的主要业务之一和特色业务之一，组织和开展了大量的该项工作，包括承担和参与国务院国资委、审计署等国家有关部委和中央企业等单位委托的多种审计和咨询，积累了比较丰富的工作经验，取得了一定的工作业绩，同时锻炼和成长了注册会计师和助理人员，提高了我们的工作水平，加之精干、专业的管理组织人员，可以在规定工作时间内，按照审计工作的实际情况，有能力调配较强工作力量，统筹安排，合理分工，确保审计工作顺利、有序开展。近三年，我们先后接受国资委委托开展中国电子科技集团公司（A标）、中国电子信息产业集团公司下属2级子公司（E标）等财务抽查审计工作，中国南车集团公司、中国葛洲坝集团公司、中国汽车研究中心、中国远东国际贸易总公司、中国水利投资集团公司经济责任审计，中国华能集团公司会计信息质量检查，多家中央企业年度国有资本经营决算情况审计复核、多家中央企业灾后恢复重建资金国有资本经营预算支出执行情况专项审计；国资委监事会委托的武汉钢铁（集团）公司、中粮集团有限公司、东风汽车公司、中国船舶重工集团公司、中国恒天集团有限公司、中国五矿集团公司、中国中钢集团公司、中国北方机车车辆工业集团公司集中重点检查和境外资产检查工作

中天运会计师事务所

2004年6月，原财政部直管的"中天会计师事务所"和"岳华天运联合会计师事务所"合并，开启了中天运会计师事务所（以下简称"中天运"）发展的新里程。经过八年的建设和发展，中天运由小到大、由大到强，业务收入翻了10余倍，注册会计师人数增长了4倍多，专业团队发展到近千人，成为国内较具竞争力的证券、期货业务资质事务所之一；在全国百强事务所排名中，由2004年的第96位跃居全国百强事务所排名前22名，成为行业发展最快的事务所之一。

中天运与时俱进，根据业务发展需要，先后在新疆、天津、杭州、四川、广东、深圳、辽宁、山东、陕西、云南等省会城市和直辖市设立了10家分所，并在香港设有中天运浩勤会计师事务所有限公司，形成总部在北京、执业在全国各重要省（市）的基本格局。旗下设有中天和资产评估有限公司（证券、期货业务资质）、中天运工程造价咨询有限公司（甲级资质）和中天运税务师事务所（A级所）等专业公司，构建成规模化、集团化、多元化发展的结构体系。

中天运十分重视人才的引进与培养。在近千人的专业团队中，注册会计师321人，注册资产评估师79人，注册税务师58人，注册造价工程师32人，国际注册管理咨询师、国际内部审计师10人，财政部、中注协培养的行业领军人才4人，英国特许注册会计师3人；其中，80%的员工具有本科以上学历，60%的员工具有5年以上审计或相关工作经验，10%的员工具有国外工作或培训经历。

长期以来，中天运为数千家各类企业提供相关审计、评估、咨询、工程审核、司法鉴证和会计外包等服务，包括中央国有大型企业、金融机构、上市公司、IPO企业、跨国国际公司等；服务领域涵盖有色、黑色金属冶炼与压延加工业，电力、热力生产和供应业，煤炭开采和洗选业，专业设备制造业，铁路设备制造业，计算机、通信及其他电子设备制造业；医药制造业、仓储业、证券业、房地产业、商务服务业、饮食服务业等，并远赴非洲、欧洲、美洲、澳洲等地开展境外审计服务。

规范的制度是实现事务所做大做强的重要基础。中天运

秉承“质量至上,以人为本”的管理理念,自建所伊始,就十分重视管理制度的构建,并在实践中不断摸索与完善,现已形成内部决策、市场管理、财务管理、质量控制、业务管理、人力资源管理、行政管理等七大体系,并通过内部协同管理系统予以贯彻落实。

中天运坚持“为社会贡献智慧”的使命,本着“客户为本,尊重个人,团队精神,社会责任,真诚坦率”的核心价值观,秉诚“执着、坚韧、勤奋、创新”的企业精神,形成了“人合、事合、心合、志合”的良好氛围,正朝着更大更强的目标迈进。

发展历程

中天运经历十余年的发展与成功,我们非常自豪地看到,我们已经获得业内和社会广泛赞同。2003 年收入 1,812 万元,全国百强排名第 96 名;2004 年收入 2,834 万元,全国百强排名第 68 位;2005 年收入 3,056 万元,全国百强排名第 51 位;2006 年收入 4,713 万元,全国百强排名第 40 位,2007 年收入 6,597 万元,全国百强排名第 37 位。2008 年收入 10165.00 万元,全国百强排名第 29 位。2009 年收入 12346.02 万元,全国百强排名第 22 位。2010 年收入 14,464.56 万元,全国百强排名第 24 位。2011 年收入 21,242.73 万元,全国百强排名第 23 位。(以上数据摘自中注协发布各年度中国百强事务所信息)

我们一直在努力奋斗,力争使中天运的品牌成为品质和专业的代名词。在永不停息市场变革和挑战面前,我们秉承先进的经营理念努力提升自身执业水准,厚积而薄发抓住时机不断地去超越着行业的领先者。

截至 2011 年底,中天运会计师事务所现有员工 880 人(含各分所),其中:执业注册会计师 413 人,注册资产评估师 80 人,注册税务师 46 人,注册造价工程师 16 人,国际注册管理咨询师、国际内部审计师 10 人;在执业团队中,会计行业领军人才 3 人,英国特许注册会计师 3 人,80% 员工具有本科以上学历,60% 的员工具有 5 年以上从事审计或相关工作经历,10% 的员工具有国外工作或培训经历;年龄在 50 岁以下、年富力强的员工占公司执业人员的 95%,员工平均年龄 31 岁。这支年轻化的服务团队能够承揽各行各业客户委托的各类审计、评估、咨询、工程审核、司法鉴证等业务。

中喜会计师事务所

中喜会计师事务所(特殊普通合伙)于 2013 年 11 月 8 日经北京市财政局(京财会许可〔2013〕0071)号文批准,由中喜会计师事务所有限责任公司转制设立。中喜会计师事务所有限责任公司于 1999 年 9 月由财政部批准设立。

中喜会计师事务所(特殊普通合伙)总部位于北京市东城区崇文门外大街 11 号新成文化大厦 A 座 11 层,设有合伙人办公室、行政事务部、人力资源部、业务发展部、质量控制部。总部直属业务部门 11 个,目前下设石家庄、邯郸、山西、深圳、广东、山东、上海、河南、天津 9 个分所,现有从业人员 600 多名,注册会计师 260 多名,执业范围遍及全国。

中喜会计师事务所拥有一支专业素养深、实践经验丰富、沟通能力良好的精英团队。多年来为客户提供股票发行与上市、公司改制、企业重组、资本运作、财务咨询、管理咨询、税务咨询等专业服务。涉及的行业包括证券公司、银行和金融保险企业、房地产企业、外经商贸企业、电信邮政企业、民航及服务企业、烟草企业、电力企业、工业制造企业、建筑业、行政事业单位等,为客户提供了优质的年度会计报表审计、经济责任审计、专项审计、管理咨询等服务。

中喜秉承“至诚、至精、至公”的执业理念,恪守“独立、客观、公正”的执业原则,建立和完善了经营管理机制和业务质量管理制度,视优秀专业人才为发展之本,并以持续的专业培训为后盾,使员 T 具备良好的执业操守。注重与国内同行、国际著名的会计机构交流与合作,学习国际先进经验,不断提高服务质量与执业水平。

中喜会计师事务所愿与社会各界精诚合作,共同发展。

中兴财光华会计师事务所

中兴财光华会计师事务所(特殊普通合伙)是具有证券期货相关业务资格的合伙企业,取得北京市工商局核发营业执照。在各级领导和广大客户的积极支持下,业务发展迅速,以会计师事务所为中心,先后成立了河北光大工程造价咨询有限责任公司、河北中联光大资产评估有限公司、河北光大税务师事务所,并在天津、上海、山东、山西、河南、安徽、吉林、湖北、深圳、广东、重庆、江西、海南、湖南等省市设有分支机构。

中兴财光华会计师事务所现有从业人员 1352 名,注册会计师 594 名、注册工程造价师 14 名、注册评估师 21 名、注册税务师 17 名、国际注册管理咨询师 9 名。资深教授、副教授、高级会计师、高级工程师、高级税务师、高级管理咨询师 138 名。荟萃了会计、审计、证券期货、资产评估、税务、金融、工程、经济管理等各类专业人才。是一支年龄结构合理、团结和谐、充满朝气和活力的执业队伍,是行业内有核心竞争力的机构之一。2013 年业务收入达到 3.28 亿元,在全国百强会计师事务所中排名列第 17 位,是入围国务院国资委、财政部、科技部、工信部审计项目和南水北调水利项目的会计师事务所之一。

中兴财光华会计师事务所服务范围遍及金融、证券期货、电信、钢铁、石油、煤炭、外贸、纺织、物产、电力、水利、新闻出版、科技、交通运输、制药、农牧业、房地产等行业。为大中型企业提供内控设计、企业策划、投资项目可行性研究服务;为企业改制、资产重组、投资等经济活动提供财务、税务、经济评价和可行性研究;为工程项目提供预算、决算、招投标服务;为企事业单位提供资产评估、价格评估等。树立了良好的社会形象,得到了社会各界的广泛赞誉。2009 年被中国质量协会全国用户委员会评为《全国实施用户满意工程先进单位》。首席合伙人、主任会计师姚庚春同志被评为“用户满意杰出管理者”、“2008 和谐中国十大领军人物”。

中兴财光华会计师事务所以做优、做大、做强、上规模、上档次、上水平为发展战略目标,多年来坚持“以质量求信誉,以信誉促发展”的经营理念,奉行“高效优质、为客户创造价值、为社会创造效益”的服务宗旨,追求稳健务实,与国际接轨的长远发展目标。全体员工精诚团结、锐意进取、竭诚为社会各界提供优质高效服务,为社会经济发展做出积极的贡献。

众环海华会计师事务所

众环海华会计师事务所(特殊普通合伙)成立于 1987 年,前身为财政部中华财务咨询公司与武汉市财政局共同发起设立的武汉中华会计师事务所,是目前中国内陆地区规模最大的会计师事务所,也是全国第一批具有证券、期货及相关业务审计资格、金融审计资格、国有大型企业审计资格的事务所。

近三十年来,众环海华人秉承“以人为本、依法执业,服务至上、诚信永恒”的理念,以勤勉、诚信、追求卓越的专业精神服务于客户,凭借可信赖的质量、高品质的专业能力,与中国资本市场共成长,获得了飞速发展,品牌知名度与美誉度不断提升,已成为享有重要影响力的中国知名品牌事务所。2013年行业综合排名15名(含国际在华机构),中国品牌事务所第10名。

众环海华的核心竞争力来自于一支稳定、朝气蓬勃、富有理想、具备高度责任感的专业团队。他们具有深厚的理论基础、精湛的专业素养、丰富的执业经验和宽广的国际视野,是审计、会计、金融、管理、企业运营等领域的专家。1500名具有不同专业背景和行业经验的专业人士,能够为不同客户的个性化需求,提供多元化、强有力的专业支持。

完善的内部治理机制是众环海华稳步、快速发展的有力保障。事务所立足长远,规范管理,在执业标准、专业规范、质量控制、风险控制,以及内部管理等方面形成了一套科学规范的管理体系。

事务所实行一体化管理,在北京、广州等全国主要省市和经济发达地区设有近20个分所,主要业务已覆盖全国所有省、市、自治区,客户涵盖上市公司、大型国有企业、金融企业、民营以及外资公司等各类组织。作为1992年首批获取证券及期货相关审计业务资格的会计师事务所,凭借多年积累的专业经验,已成功服务于百余家上市公司和近百家特大型及大型国有企业。

众环海华人将恪守专业、创新、追求卓越的精神,不断超越自我,服务客户,实现客户价值最大化,为中国和世界经济健康发展持续贡献专业力量。

业务领域

1. 证券、期货相关业务作为首批获国家批准具有从事证券、期货相关业务资格的事务所(1992年取得该资格),自成立以来,一直将企业股份制改组、企业上市、上市公司年度审计以及上市公司并购重组等业务作为主要业务发展方向。迄今为止,本公司已完成了中金黄金、长江证券、华工科技、武商集团、爱尔眼科、华中数控、徐州燃控、先锋新材、九州通、福星晓程等60余家上市公司的改制、辅导、首发上市及并购重组的财务顾问、审计鉴证等业务。目前常年服务的上市公司近50家,作为上市公司的后备资源,本公司还在为50余家拟上市公司、30余家拟新三板挂牌企业进行上市、挂牌前的改制、辅导、审计服务,我们所提供的优质服务,获得众多上市及拟上市公司的好评。2011年,湖北省人民政府专门向本所发来感谢信,向本所多年来对湖北经济建设和社会发展给予的大力支持表示感谢。

2. 国有大型企业本所具有的良好的声誉、质量优势,已成为行业内服务于政府、大型国企的主力军,先后承接了大量的中央、地方国企的审计及咨询服务业务,连续多年为多家特大型中央企业如中航工业、中国电信、中国移动、中国南车、中国烟草、中建三局、中冶集团、中交集团、中国卫星通信、中国铁建、中国新兴、中国电信科学研究院、中国节能投资、中国恒天集团公司、铁路物资总公司、机研院、中储棉、武钢等大型央企提供了年度决算、清产核资、专项审计和咨询等服务工作。

3. 金融行业本所设有专门的金融审计部,拥有一支素质高、业务精、行业经验丰富的金融业务审计服务人才,先后承接了包括中国邮政储蓄银行、中邮人寿保险公司、中国建设银行、汉口银行股份有限公司、江西中检保险公估有限公司、三峡集团财务有限责任公司、交通银行武汉分行、浦发银行武汉分行、中国工商银行武汉市分行、长江证券股份有限公司、华林证券有限责任公司、亚洲证券有限责任公司、天一证券有限责任公司和企业集团财务公司等多个银行、非银行金融机构的年度财务报告审计、破产清算审计、专项审计及其他服务业务。

4. 债券发行、资产证券化等创新业务目前,本所先后承接各类大型国企和各类企业集团、民营企业的债券发行审计20余家,包括各类企业债和公司债、中小企业私募债、可交换债券、中期票据及短融和资产证券化等创新业务,经我所审计服务的客户先后成功获批并发行。

5. 破产清算业务公司曾先后接受委托,担任大型金融企业及其他企业集团的破产清算管理人和破产清算审计项目,由于公司团队业务精、专业胜任能力强,工作尽职尽责,均顺利、平稳地完成了相关业务,并获得委托人好评。

核心优势

1. 丰富的专业经验:近30年来,众环海华在航空航天、能源、电力、钢铁、医药及医疗服务、房地产、金融、传媒、电子、商业、新材料物流等领域积累了丰富的行业经验,在企业上市、股份制改制、国有大型企业、金融企业等众多行业和领域形成了独特专长和特色。

2. 高素质的专业人才队伍:近30年的积淀,众环海华建立起了一支高素质管理和业务团队。现有专业人员均是大学本科以上学历,博士、海归等行业高端人才比例和数量位居行业前列。

3. 良好的社会资源:近30年来,众环海华依托良好的品牌优势、完善的市场网络和领先的服务产品,在业界积累了雄厚的社会资源,与政府部门、业界专家学者均建立有良好的沟通管道和合作机制。此外,事务所凭借多年来对各行业的深刻了解与把握,搭建了业界领先的综合大数据信息平台。

4. 领先的服务模式:近30年的探索与积累,众环海华以极具前瞻性的眼光,牢牢把握世界信息化发展潮流,以差异化竞争为手段,以实现客户价值最大化的增值服务为目标,在业界创立了多种领先的服务模式。

5. 广阔的国际化视野:近30年来,众环海华积极借鉴、研究和引入优秀跨国企业管理实践与领先方法,为中国企业提升管理能力,以及国际化发展提供详实的理论支撑与实践支持。

第三节　优秀律师事务所选介

北京国枫律师事务所

基本概况

国枫律师事务所是中国领先的综合性律师事务所，创立于1994年，经过二十年的稳健发展，现已成为中国最大的综合性律师事务所之一。国枫总部设于北京，在上海、深圳、成都和西安设有分所，目前拥有律师和专业人员300余人。

国枫具有高度的专业特色，在证券与资本市场、兼并与收购、银行与金融、投融资、工程、地产、基础设施、争议解决等诸多专业领域居于业内领先地位。国枫注重专业的服务品质，业务能力不仅体现在专业化分工下诸多业务领域全过程的深度法律服务经验，更体现在综合法律服务为客户所提供的全方位量体裁衣式法律支持上。国枫从不松懈的严格内控机制在业内有口皆碑，多年来厚积薄发，深得客户和社会各界的赞誉。

国枫始终以客户需求为第一位，致力于客户的成功，热诚为中外客户提供全方位、多层次的法律解决方案。国枫广泛的客户群体既包括世界500强的中外知名企业和跨国公司，也包括众多的大中型国企、外资企业和民营公司，以及各级政府机构和部门、各类协会、学会和非政府组织；所涉业务领域涵盖了电信、航空、航天、钢铁、矿业、铁路、公路、石油、军工、化工、汽车、电力、公用事业、工程、地产、基础设施、港口、码头、桥梁、隧道、银行、保险、投资、环境、资源、能源、软件、高科技、文化、传媒、体育、医疗、食品、服装、餐饮、娱乐、商业零售、贸易等各个行业。

国枫汇聚了一大批高素质、经验丰富、有理想并勇于实践的专业法律人才。国枫大多数律师毕业于国内外著名法律学府，诸多律师具有国际知名律师事务所工作经历，以及证券、金融、保险、房地产、建筑、环境、资源、知识产权等专业背景。国枫强调团队合作，注重资源共享，确保客户享受高品质法律服务。

荣誉奖项

《商法》卓越律所大奖——资本市场领域（商法，2014）

亚洲股权及股权相关市场发行商法律顾问第6位（汤森路透，2014）

2014年中国企业境内上市最佳法律顾问机构第二名（中国创业投资暨私募股权投资年度排名，2014）

亚洲50大律师事务所（ALB，2014）

中国25大律师事务所（ALB，2014）

中国十佳成长律所（ALB，2014）

中国资本市场—债券及股权领域领先律所（钱伯斯，2011－2013）

全国从事证券法律业务的律师事务所IPO项目审核通过量业绩排名第一（中国证监会，2011－2012）

IPO优秀律师事务所，分别居创业板第一位、主板五强以及中小板十强（商法，2013）

中国IPO律所Top50前五强（方圆律政，2013）

企业境内上市最佳法律顾问机构第二名（中国创业投资暨私募股权投资年度排名，2012）

“最佳再融资项目奖”和“最佳公司债项目奖”（新财富，2013）

亚洲50大律师事务所（亚洲法律杂志，2013）

中国20大律师事务所（亚洲法律杂志，2013）

亚太律师事务所100强（英国律师杂志，2013）

中国十大发展最快的律师事务所（亚洲法律杂志，2013）

中国大陆精品所（钱伯斯，2012）

“全国法律服务最具竞争力十大诚信品牌”和“2012年度中国企业上市优秀服务机构金手指奖”（中国竞争力论坛暨诚信与发展高峰会，2012）

中国上市公司最信赖律师事务所（中国上市公司与城市发展论坛，2011）

IPO发行人律师市场份额、发行人律师定价权前五强（新财富，2011）

中国国内IPO发行人法律顾问10强（彭博，2011）

最佳并购项目大奖提名（亚洲法律杂志，2010）

中国优秀证券律师事务所（商法，2010）

中国大陆地区律师事务所兼并收购业务法律顾问第三名（彭博，2010）

IPO创业板业绩

北京浩丰创源科技股份有限公司（创业板，2015年1月22日上市，300419，浩丰科技，软件和信息技术服务业，北京）

辽宁科隆精细化工股份有限公司（创业板，2014年10月30日上市，300405，科隆精化，计算机、化学原料及化学制品制造业，辽宁）

西安天和防务技术技术有限公司（创业板，2014年9月10日上市，300397，天和防务，计算机、通信和其他电子设备制造业，陕西）

东方网力科技股份有限公司（创业板，2014年1月28日上市，300367，东方网力，国内安防及视频监控行业，北京）

四川创意信息技术股份有限公司（创业板，2014年1月27日上市，300366，创意信息，电子信息，广东）

江苏南大光电材料股份有限公司（创业板，2012年8月7日上市，300346，南大光电，材料行业，江苏）

上海新文化传媒集团股份有限公司（创业板，2012年7月10日上市，300336，新文化，广播电影电视业，上海）

宁波慈星股份有限公司（创业板，2012年3月29日上市，300307，慈星股份，机械行业，浙江）

江苏云意电气股份有限公司（创业板，2012年3月21日上市，300304，云意电器，汽车行业，江苏）

北京同有飞骥科技股份有限公司（创业板，2012年3月21日上市，300302，同有科技，电子信息，北京）

富春通信股份有限公司（创业板，2012年3月19日上市，300299，富春通信，通讯行业，福建）

长沙三诺生物传感技术股份有限公司（创业板，2012年03月19日上市，300298，三诺生物，医药行业，湖南）

蓝盾信息安全技术股份有限公司（创业板，2012年3月15日上市，300297，蓝盾股份，电子信息业，广东）

无锡和晶科技股份有限公司（创业板，2011年12月29日上市，300279，和晶科技，电子信息业，江苏）

湖北三丰智能输送装备股份有限公司（创业板，2011年11月15日上市，300276，三丰智能，机械行业，湖北）

苏州雅本化学股份有限公司（创业板，2011年9月6日上市，300261，雅本化学，化工行业，江苏）

昆山新莱洁净应用材料股份有限公司（创业板，2011年9月6日上市，300260，新莱应材，材料行业，江苏）

北京光线传媒股份有限公司（创业板，2011年8月3日上市，300251，光线传媒，文化传媒业，北京）

郑州新开普电子股份有限公司（创业板，2011年7月29日上市，300248，新开普，电子信息业，河南）

深圳市瑞丰光电子股份有限公司（创业板，2011年7月12日，300241，瑞丰光电，电子元件业，广东）

广东银禧科技股份有限公司（创业板，2011年5月25日上市，300221，银禧科技，塑胶制品业，广东）

通裕重工股份有限公司（创业板，2011年2月17日上市，300185，通裕重工，机械行业，山东）

江苏宝利沥青股份有限公司（创业板，2010年10月26日上市，300135，宝利沥青，化工行业，江苏）

河北建新化工股份有限公司（创业板，2010年8月20日上市，300107，建新股份，化工行业，河北）

新疆西部牧业股份有限公司（创业板，2010年8月20日上市，300106，西部牧业，农牧饲渔业，新疆）

北京当升材料科技股份有限公司（创业板，2010年4月27日上市，300073，当升科技，材料行业，北京）

北京三聚环保新材料股份有限公司（创业板，2010年4月27日上市，300072，三聚环保，化工行业，北京）

广东天龙油墨集团股份有限公司（创业板，2010年3月26日上市，300063，天龙集团，化工行业，广东）

上海康耐特光学股份有限公司（创业板，2010年3月19日上市，300061，康耐特，塑胶制品业，上海）

IPO 中小板业绩

沈阳萃华金银珠宝股份有限公司（中小板，2014年11月4日上市，002731，萃华珠宝，纺织服装、服饰业，辽宁）

北京金一文化发展股份有限公司（中小板，2014年1月27日上市，002721，金一文化，有色金属，北京）

广州天赐高新材料股份有限公司（中小板，2014年1月23日上市，002709，天赐材料，化学制造，北京）

广东新宝电器股份有限公司（中小板，2014年1月21日上市，002705，新宝股份，家电行业，广东）

福建腾新食品股份有限公司（中小板，2012年10月11日上市，002702，腾新食品，食品行业，福建）

金河生物科技股份有限公司（中小板，2012年7月13日上市，002688，金河生物，农牧饲渔业，内蒙古）

浙江亿利达风机股份有限公司（中小板，2012年7月3日上市，002686，亿利达，家电行业，浙江）

兴业皮革科技股份有限公司（中小板，2012年5月7日上市，002674，兴业皮革，纺织服装业，福建）

青海互助青稞酒股份有限公司（中小板，2011年12月22日上市，002646，青稞酒，酿酒行业，青海）

浙江巨龙管业股份有限公司（中小板，2011年9月29日上市，002619，巨龙管业，水泥建材业，浙江）

大连电瓷集团股份有限公司（中小板，2011年8月5日上市，002606，大连电瓷，输配电气业，辽宁）

石家庄以岭药业股份有限公司（中小板，2011年7月28日上市，002603，以岭药业，医药行业，河北）

北京国电清新环保技术股份有限公司（中小板，2011年4月22日上市，002573，国电清新，公用事业，北京）

吉林省集安益盛药业股份有限公司（中小板，2011年3月18日上市，002566，益盛药业，医药行业，吉林）

福建海源自动化机械股份有限公司（中小板，2010年12月24日上市，002529，海源机械，机械行业，福建）

山东矿机集团股份有限公司（中小板，2010年12月17日上市，002526，山东矿机，机械行业，山东）

苏州宝馨科技股份有限公司（中小板，2010年12月3日上市，002514，宝馨科技，材料行业，江苏）

中顺洁柔纸业股份有限公司（中小板，2010年11月25日上市，002511，中顺洁柔，造纸印刷业，广东）

重庆市涪陵榨菜集团股份有限公司（中小板，2010年11月23日上市，002507，涪陵榨菜，食品行业，重庆）

浙江永强集团股份有限公司（中小板，2010年10月21日上市，002489，浙江永强，家具制造业，浙江）

烟台双塔食品股份有限公司（中小板，2010年9月21日上市，002481，双塔食品，食品行业，山东）

昆山金利表面材料应用科技股份有限公司（中小板，2010年8月31日上市，002464，金利科技，塑胶制品业，江苏）

秦皇岛天业通联重工股份有限公司（中小板，2010年8月10日上市，002459，天业通联，机械行业，河北）

江阴中南重工股份有限公司（中小板，2010年7月13日上市，002445，中南重工，机械行业，江苏）

福建三元达通讯股份有限公司（中小板，2010年6月1日上市，002417，三元达，通信行业，福建）

北京科锐配电自动化股份有限公司（中小板，2010年2月3日上市，002350，北京科锐，输配电气业，北京）

深圳市新纶科技股份有限公司（中小板，2010年1月22日上市，002341，新纶科技，材料行业，广东）

厦门科华恒盛股份有限公司（中小板，2010年1月13日上市，002335，科华恒盛，输配电气业，福建）

2014年新三板业绩

话机世界通信集团股份有限公司（831354，话机世界）

北京木联能软件股份有限公司（831346，木联能）

山东同创汽车散热装置股份有限公司（831300，同创股份）

新疆宏泰矿业股份有限公司（831131，宏泰矿业）

江苏怡达化学股份有限公司（831103，怡达化学）

四川华雁信息产业股份有限公司（831021，华雁信息）

北京康盛伟业工程技术股份有限公司（830991，康盛伟业）

上海银橙文化传媒股份有限公司（830999，银橙传媒）

山东巨环铸造机械股份有限公司（830967，山东巨环）

江苏标榜装饰新材料股份有限公司（830911，标榜新材）

湖南世纪钨材股份有限公司（830981，世纪钨材）

大盛微电科技股份有限公司（830955，大盛微电）

大连约伴传媒股份有限公司（830812，约伴传媒）

江苏景尚旅业集团股份有限公司（830944，景尚旅业）

广东智通人才连锁股份有限公司（830969，智通人才）

济南圣泉集团股份有限公司（830881，圣泉集团）

基康仪器股份有限公司（830879，基康仪器）

重庆市旺成科技股份有限公司（830896，旺成科技）

云南万绿生物股份有限公司(830828,万绿生物)

广州凯路仕自行车运动时尚产业股份有限公司(430759,凯路仕)

山东先大药业股份有限公司(430730,先大药业)

新疆七星建设科技股份有限公司(430746,七星科技)

山东省源通机械股份有限公司(430717,源通机械)

武汉康普常青软件技术股份有限公司(430698,康普常青)

无锡顺达智能自动化工程股份有限公司(430622,顺达智能)

成都国科海博信息技术股份有限公司(430629,国科海博)

苏州方林科技股份有限公司(430432,方林科技)

宁夏早康枸杞股份有限公司(430631,早康枸杞)

深圳市凯立德科技股份有限公司(430618,凯立德)

深圳市方迪科技股份有限公司(430464,方迪科技)

北京朗威视讯科技股份有限公司(430337,朗威视讯)

天津重钢机械装备股份有限公司(430274,重钢机械)

天津桦清信息技术股份有限公司(430232,桦清股份)

北京总部:

地址:北京市东城区建国门内大街 26 号新闻大厦 7 层

电话:861088004488,66090088

传真:861066090016

邮编:100005

上海分所:

地址:上海市浦东新区民生路 1403 号上海信息大厦 2903 室

电话:862158209370

传真:862158209375

邮编:200135

深圳分所:

地址:深圳市南山区深南大道高新南一道 8 号创维大厦 C 座 12 层

电话:8675523993388

传真:8675586186205

邮编:518026

成都分所:

地址:成都市高新区交子大道 333 号中海国际中心 E 座 602 室

电话:862865585333

传真:862866266533

邮编:610041

西安分所:

地址:西安市高新区科技路 50 号金桥国际广场 C 座 1705 室

电话:862988860510,88860511

传真:862988860501

邮编:710075

北京大成律师事务所

基本概况

大成律师事务所("大成")成立于 1992 年,是中国成立最早、规模最大的综合性律师事务所。

大成自 2004 年起进行了从个体化作业向团队化作业转型,向规模化、规范化、专业化、品牌化、国际化方向发展的探索和改革。通过一系列的研究和改革,大成目前已实现了跨越式发展,不仅规模化建设取得明显成效,而且规范化、专业化、团队化建设也取得了丰硕成果。大成现已建立了先进的管理体制和专业化团队作业模式,奠定了有效控制业务质量的基础,建设了资源共享机制的路径。大成将坚持不懈地积极探索中国律师事务所品牌化、国际化的建设和发展道路。

大成拥有 4000 余名律师及其他专业人员。其中,大多数律师毕业于国内外知名的法学院校;多数律师取得了美、英、法、日、韩、俄等国一流法学院校学位,并具有在国际知名律师事务所工作的经验;相当数量的律师还具备国际贸易、金融、建筑工程、工商管理、会计、税务等其他专业背景。大成的律师及其他专业人员能够以英、法、日、韩、俄、蒙古等语言为客户提供服务。

大成作为一家大型的、综合性的律师事务所,始终贯彻最大程度维护客户利益的执业宗旨,为国内外客户及时提供专业的、全面的、务实的法律及商务解决方案。大成的主要专业领域包括:公司综合类业务、公司收购、兼并与重组、证券与资本市场、私募股权与投资基金、国企改制与产权交易、银行与金融、外商直接投资与外资并购、境外投资、反垄断与国家安全审查、税务、国际贸易、国际贸易救济与 WTO 业务、海商海事、知识产权、房地产与建设工程、矿业、能源与自然资源、诉讼仲裁、刑事辩护和劳动法等。

大成已建立了覆盖全国、遍布世界重要城市的全球法律服务网络,大成的境内外机构均可共享大成全球法律服务网络内的项目信息、专业知识、业务经验、专业人才、社会关系等资源。大成的总部设在北京,在长春、长沙、常州、成都、重庆、大连、福州、广州、哈尔滨、海口、杭州、合肥、呼和浩特、黄石、吉林、济南、昆明、拉萨、南昌、南京、南宁、南通、宁波、青岛、苏州、上海、深圳、沈阳、石家庄、天津、太原、武汉、无锡、乌鲁木齐、温州、西宁、厦门、西安、银川、郑州、舟山、珠海等 42 个境内城市均设有分所。同时,大成在芝加哥、巴黎、洛杉矶、纽约、新加坡、中国台湾、莫斯科及蒙古等境外均设有当地律师事务所。

大成作为中国区唯一成员,加入了世界最大的、汇集全球顶级律师事务所、会计师事务所、投资机构、金融机构等专业性服务公司的独立专业服务组织 WorldServiceGroup("WSG"世界服务集团)。大成与 100 多个国家的律师事务所、会计师事务所、投资机构、金融机构的 8 万多名专业人士建立起了长期稳定的信息交换渠道和业务合作平台,更有效地满足国内外客户的全球化的法律及商务服务需求。

公司荣誉:

· 大成被国际知名杂志 Corp INTL 评选为年度最佳竞争法中国律师事务所

· 大成上海分所律师获 Finance Monthly2014 年度交易撮合者大奖

· 大成被《全球竞争评论》列为中国重点推荐的反垄断律师事务所

· 大成重庆分所荣获 2011—2014 年度"重庆市优秀律师事务所"

· 大成被国家知识产权局确定为"知识产权分析评议示范创建机构"

· 大成被评为 2013 年度中关村知识产权服务机构绩效考核优秀单位

· 大成被北京市知识产权局评为企业知识产权管理规范标准推行辅导机构

·北京大成律师事务所荣获“2013 年度先进职工之家”荣誉称号

证券业务领域：

大成资本市场领域法律服务包括但不限于：

·各类基金的设立、募资、投资
·企业境内外 IPO
·上市公司再融资
·担任主承销商法律顾问
·并购重组(含借壳上市)
·私募股权投融资
·战略投资及风险投资
·各类债券的发行
·信托投融资
·资产证券化
·期货、期权及其他金融衍生品交易
·企业改制及产权交易
·大型项目建设及资本运作
·担任各类基金管理公司常年法律顾问
·担任上市公司常年法律顾问

地址：北京市朝阳区东大桥路 9 号侨福芳草地 D 座 7 层
邮编：100020
电话：86－10－58137799
传真：86－10－58137788
网址：www. dachenglaw. com

北京金诚同达律师事务所

基本概况

金诚同达创立于 1992 年年底，其总部设在北京，并在上海、深圳、沈阳、西安、成都、乌鲁木齐设有分所和办公室。金诚同达现拥有 260 多位优秀的专业律师，已发展成为中国境内规模最大、最富活力的律师事务所之一。2000 年金诚同达被司法部命名为“部级文明律师事务所”，2005 年被中华全国律师协会评为“全国优秀律师事务所”，2006 年被《亚洲法律事务》杂志(ALB)评选为“亚洲地区蓬勃发展中的 30 家律所”。

专业团队：

金诚同达集萃了众多跨领域的专家型法律人才，其中众多律师拥有美国、欧洲、日本等知名法学院的教育背景和美国、英国、德国、日本、香港的律师事务所工作经验。金诚同达秉承“守信金诚，励志同达”的理念和“同心合力，事业腾达”的目标，倡导“法理精神、一品服务”和“服务创造价值”。金诚同达致力于运用其资深专业技术和丰富实践经验竭诚为客户提供专业、全方位的法律服务。金诚同达律师能够切实地从客户的立场和观点出发并结合案件具体情况，在各个业务领域都提供高水准的优质法律服务。金诚同达以学者型的严谨态度、专家型的服务水平、团队型的合作模式和国际化的质量标准严格要求自己。金诚同达正在成为客户最为信任和依赖的重要伙伴。

公司与证券业务

金诚同达是最早拥有证券法律业务从业资格的律师事务所之一，自中国证券市场创立阶段即开始从事相关法律服务，多年来累积了丰富的专业知识和实务经验。金诚同达深谙公司及证券类法律、法规和监管规则，熟悉公司及证券类业务的运作与流程，同相关部门和中介机构建立了长期的、良好而稳定的沟通与合作关系。多年来，金诚同达承办的证券业务，包括为拟上市公司提供股份制改造、在境内外发行股票并上市(包括在国内外主板、中小企业板、创业板、三板以及其他类别的证券市场上市)的法律服务(IPO)，为上市及非上市公司的私募、增发、配股、股权转让、重组(包括借壳上市等)、改制(包括国有企业改制等)、股权收购与反收购、重大资产收购、重大投资(包括独资、合资、合作、联营及其他类型的投资等)，发行优先股、债券(包括可转债、分离交易可转债、企业债券、公司债券、金融债券、短期融资券等)、权证、股权或期权激励(奖励)等提供法律服务，以及为证券公司、期货公司、各类基金与投资公司提供相关法律服务等。此外，金诚同达还为各类公司提供常年法律顾问服务，及诉讼、仲裁、清算、破产等其他法律服务。

业绩

金诚同达办理的具有里程碑意义的项目如下：

·第一家境内跨交易所多家上市公司合并
·第一家股权分置改革后全流通概念下上市公司
·第一批中小企业板上市公司
·第一家信托公司通过吸收合并方式借壳上市
·第一家由律师组成清算工作组全面接管清算证券公司
·第一家国有控股上市公司公开实行股权激励制度
·第一家上市公司采用托管方式进行业务整合并解决同业竞争问题
·第一批财务公司发行金融债券
·第一家上市公司通过国家股全部回购进行股权重组并实现国有公司民营化
·第一家持续赢利上市公司全额资产置换彻底改变主营业务
·第一家上市公司国有大股东通过实施破产进行债务重组和股权重组
·第一家突破既往规则通过定向转增进行股权分置改革

上海锦天城律师事务所

基本概况

上海锦天城律师事务所是一家提供全方位法律服务的、全国领先的中国律师事务所，目前是上海市规模最大、执业律师最多，年创收额最高的律师事务所，也是国内第一家总部在上海的全国性律师事务所，在北京、杭州、深圳、苏州、南京、成都、重庆、太原和香港设有分所。

锦天城是国内最早取得证券法律业务从业资格的律师事务所之一。近年来，锦天城提供服务的 IPO 项目、上市公司再融资及重组并购项目、公司债及可转换公司债券项目、新三板项目，均名列国内律所三强之列。

锦天城还提供公募基金设立及募集及私募股权投资、战略投资、资产管理及证券化、期货方面的法律服务，业已成为行业的翘楚。

证券与资本市场

锦天城一直是中国证券业领域的主要法律服务提供者，并且也是证券业务最为多样化的中国律师事务所之一。在国内具有证券业务资格的律师事务所中，我们是代表发行人在上海和深圳主板上市与发行数量最多的律师事务所之一。在多年的实务积累中，锦天城与相关国家和地区的证券监管部门、证券交易所以及各类中介机构建立了良好的合作关系，确保为客户提供最优质的法律服务。

我们的荣誉

锦天城多次被司法部、地方司法局、律师协会以及国际知名法律媒体和权威评级机构列为中国最顶尖的法律服务提供者之一，位居全国十大品牌律师事务所前列。

锦天城多次获得中华全国律师协会颁发的“全国优秀律师事务所”荣誉称号以及上海市司法行政系统先进集体、上海市文明单位等荣誉。

锦天城多位合伙人曾任或现任中国证监会主板及创业板发行审核委员会委员或候选人。

Asia Pacific Legal 500 曾在《中国商业律师事务所指南》中评价锦天城是一家在外商直接投资、公司和商业法律领域顶尖的上海律师事务所，是“其他律师事务所希望成为的公司和商业律师事务所”。

《亚洲法律杂志》(ALB)在其每年举办的“中国法律年度大奖”中多次授予锦天城重大奖项和提名。近几年来，锦天城所获奖项和提名包括“中国律师事务所大奖”、“上海律师事务所大奖”、“年度最佳中国公司法务”等综合性奖项和各主要业务领域奖项。此外，我们曾获得“年度管理合伙人奖”提名和多次“中国律师事务所最佳雇主”称号。

钱伯斯法律评级机构(Chambers and Partners)近期授予锦天城连续三年“领先中国律师事务所”证书。

北京德恒律师事务所

基本概况

北京德恒律师事务所原名中国律师事务中心，经中华人民共和国司法部批准，1993 年 1 月创建于北京，1995 年更名为德恒律师事务所。德恒在中国首倡全球合伙制度，总部设在北京，设有 23 家国内和 5 家海外分支机构，建成了在世界 100 多个主要城市设有分支与合作机构的全球服务网络。

德恒拥有一流的律师队伍，全球员工 1500 人，其中北京总部 430 人。德恒专业人员 80% 以上具有硕士、博士学位，以中国律师为主体，部分律师持多国律师执照，能熟练运用多种语言从事法律服务，具有在国内外立法、司法、行政机关以及跨国公司、大型国企、金融证券机构的工作经历和经验。

专业领域

德恒律师信守“德行天下，恒信自然”的理念，遵从“勤勉尽责、竭诚服务、追求公正”的宗旨，致力于为中外客户提供优质高效的法律服务。德恒在公司证券、并购重组、金融保险、公平竞争、国际贸易、跨境投资、争议解决、建设地产、破产重组、知识产权、劳动保障、私募融资、税务服务等专业领域形成了核心竞争力，能够为客户提供全方位的法律服务。并经司法部、证监会、国家发改委等部门批准，首批获得证券法律服务、基本建设项目招投标法律服务、破产管理人、境内外知识产权代理等专项法律业务资质。

社会责任

德恒与吉林大学于 1993 年在长春创办了中国第一所专门培养律师人才的全日制高等院校——德恒律师学院，为德恒和中国法治建设培养了大量博学务实的专业人才。

德恒热衷于公益事业，自建所以来，各项捐款共计2519.1 万元。2008 年，德恒向法律援助基金会捐款 100 万元人民币。

自 1993 年起，德恒就为中国科学院和中国工程院所有院士提供义务法律服务，至今已有 20 年。

德恒曾成功举办“走有中国特色的律师之路”、“WTO 与法律服务全球化”、“中国企业走出去与政府关系研讨会”、“法律服务与社会责任”等颇具影响的大型国际研讨会。

德恒与中国人民大学、北京大学、清华大学、中国政法大学、吉林大学、上海交通大学、中国青年政治学院合办了德恒民商法论坛、德恒刑事法论坛、德恒证据学论坛、德恒比较法论坛、德恒金融法论坛、德恒法学名家论坛、德恒司法改革与律师论坛、德恒行政法论坛、德恒程序法论坛、德恒法律实务讲堂等 10 余个论坛。

德恒荣誉

·“2013 年度优秀内资反垄断律所”(2013)

·德恒获颁 21 世纪经济报道 2012 年度(PE/VC)最佳 IPO 律师事务所(2012)

·德恒党支部荣获“全国创先争优先进基层党组织”、“北京市律师行业创先争优先进集体”(2012)

·“2009 - 2011 年度北京市优秀律师事务所”(2012)

·担任中国农业银行股份有限公司 A + H 股首发发行人律师，农业银行 IPO 获 ALB(《中国法律杂志》)评选的“年度最佳股票市场项目大奖”(2011)

·自 2007 年起，德恒一直位列 ALB 全国律所规模二十强中前三强(2010)

·“中国法律援助志愿者行动贡献奖”(2009)

·担任中国铁建股份有限公司 A + H 股首发发行人律师，中铁建 IPO 获 ALB 中国法律大奖“年度最佳股权市场项目大奖”(2009)

·据并购市场资讯公司(Mergermarket)统计，德恒代理了总价值 190 亿美元的重大资产重组并购业务，列亚太地区(日本除外)重组并购业务排行榜(按金额)的第二名(2009)

·“北京市律师行业奥运工作先进集体”(2008)

·由德恒提供法律服务的证券投资基金上证 50ETF，在香港获得亚洲资产管理杂志“最佳产品创新奖”、美国 Exchangetradedfunds. com 和英国国际基金投资杂志全球 ETF 大奖中的“亚太地区最佳产品创新奖”(2005)

·担任中国长江电力股份有限公司 A 股首发发行人律师，长江电力股票首发上市摘得 ALB 评选的“最佳本地 IPO 项目奖”(2004)

地址：北京西城区金融大街 19 号富凯大厦 B 座 12 层
邮编：100033
电话：010 - 52682888
传真：010 - 52682999
邮箱：deheng@ dehenglaw. com

金杜律师事务所

基本概况

金杜律师事务所是亚太地区最大律师事务所联盟，在中国、澳大利亚、香港及其他国际金融中心共拥有 21 个办公室，全球员工总人数达 3800 人，能同时提供中国、香港、澳大利亚和英国法律服务。

2012 年，Acritas Sharplegal 旗下的国际著名刊物《全球精英品牌指南》通过对全球 5000 家大型跨国企业法律顾问的调查问卷做出国际律所排名，金杜律师事务所荣登国际律所排名第 16 名。

金杜作为成立最早的中国合伙制律师事务所之一，经过 20 年的发展，在为中国企业提供服务的几乎所有法律服务领域具备了丰富的经验和卓越的综合实力，在融资、外商投资、公司事务、证券业务、并购、国际贸易、争议解决业务、知识产权保护、劳动法、反垄断、公司合规业务、破产重整、不良资产处置、资产证券化、风险投资和杠杆收购业务等各个方面都处于中国法律服务的最前沿。金杜目前在中国（包括香港）拥有230多名合伙人，1200多名律师及法律专业人士，员工总数近2000人，在国内外商界和同行中赢得了很高的声誉和评价。

金杜是中国最早取得从事证券业务资格的律师事务所之一。多年来金杜曾代表发行人及承销商参与过数百件各类境内外股票首次公开发行及增发业务，并协助客户处理与股权融资、债券融资、基金、上市公司并购重组以及上市公司日常咨询等大量业务，客户涵盖了化工、房地产、建筑、制造、交通运输、金融保险、能源矿产、电信传媒、医疗保健、食品农业、零售贸易等众多的行业类别，并在能源矿产和金融保险行业取得了卓越成绩。四大国有商业银行（工商银行、农业银行、中国银行、交通银行）、五大保险公司（中国人保、中国人寿、平安保险、太平洋保险、新华保险）、众多证券公司及中国石油、中国海洋石油、神华能源、兖州煤业、大同煤业等大型国企都是我们的长期客户。

公司荣誉

金杜20年来获得各类国内、国际法律大奖上百个，其中2012年度：

·被 legal business，The lawyer Awards 评为“年度最佳国际律师事务所”

·被钱伯斯亚太大奖及国际金融法律评论亚洲大奖评为“年度最佳中国律师事务所”

·被亚洲法律事务所中国大奖评为“年度最佳北京律师事务所”

·被 Asian－Mena 杂志调研报告评为“年度最佳保险领域律师事务所”

·和记港口控股信托上市项目被亚洲法律杂志中国/东南亚地区大奖评为“年度最佳股票市场交易大奖”

·兖州煤业发行担保票据交易项目被中国法律商务大奖评为“年度最佳交易大奖”

北京市邦盛律师事务所

北京市邦盛律师事务所（以下简称“邦盛律师”）总部位于中关村国家自主创新示范区核心区，是一家高速发展的规模化、专业化法律服务机构。

秉承“优质、高效、审慎、尽责”的执业精神，崇尚专业精细化分工与团队无缝隙合作，邦盛律师在资本市场法律服务领域业绩斐然。

邦盛律师拥有“上市快车”、“融资快车”、“法律随身行”、“民商诉伸”等数个专家团队，曾成功办理五十余个企业上市等重大证券法律服务项目，成功办理“中国股权激励第一案”、“中国负案上市第一案”、“中国 PE 投资第一案”等有影响力的重大案例，获得了客户的广泛认可。

邦盛“新三板上市快车”：

·优质——专家团队成功经验丰富，“上市快车”企业上市法律顾问服务通过 ISO9001；2000 认证

·便捷——与卓越权威中介机构（券商、会计师等）无间合作，省去您挑选中介机构花费的精力，让您更专注于企业管理

·优惠——提供独特“绿色通道”服务，享受优惠中介机构打包价格

·专业——精确把握挂牌流程，服务于新三板征程的每个阶段，为您的企业保驾护航

·专注——立足新三板诞生之地中关村，长期研究相关问题，精心总结实务经验，专注服务于新三板

地址：北京市海淀区彩和坊路11号首都科技中介大厦12层

邮编：100080

电话：010－82870288

传真：010－82870299

网址：www. bastionlaw. com

北京市国联律师事务所

基本概况

国联律师事务所是经北京市司法局批准成立的合伙制律师事务所。自1998年9月创立以来，国联秉承“捍卫客户利益、弘扬法治精神”的执业宗旨，始终致力于向中外客户提供高水准的商业与诉讼法律服务，已经形成以金融、证券、知识产权和劳动人事法律服务为主的业务特色，并已发展成为一家具有相当影响力和美誉度的专业型律师事务所。凭借海纳百川的宽广胸襟和精益求精的执业作风，国联律师事务所在竞争日趋激烈的法律服务市场中占据一席之地。

国联律师事务所现共有人员一百余人，其中注册执业律师70余人，律师助理30余人，大多毕业于中国人民大学、北京大学、中国政法大学、对外经贸大学等著名学府法学院。80%以上拥有法学专业硕士以上学历，合伙人从事法律工作均超过十年。部分律师曾在英国、加拿大、美国、法国、韩国等国家著名法学院校深造并具有在国际著名律师事务所的工作经验。工作语言包括中文、英文、德文、法文等。

国联律师杰出的业务能力体现在国联专业领域法律服务上，无论在银行、保险、期货、证券、房地产、公司事务、刑事与行政、婚姻家庭、医疗纠纷等传统领域，还是在知识产权、劳动保护、不良资产处置、金融衍生产品、招投标等新兴业务领域，国联律师均拥有业内领先的专业水准。

为确保高质量法律服务，国联律师事务所建立了系统的业务培训制度，经常邀请各领域的著名专家学者来所授课培训，有多名著名大学及研究机构的知名学者、教授在国联担任兼职律师。

国联律师事务所建有一支以中国人民大学副校长王利明教授为首席顾问的高水平的专家团队，国联专家顾问团成员还包括：中国人民大学法学院民商事法律科学研究中心主任杨立新教授、中央财经大学法学院副院长李轩副教授、中国人民大学法学院国际法教研室主任韩立余教授、中国人民大学法学院民商事法律科学研究中心副主任姚欢庆副教授等等。

国联律师事务所秉承团队协作、高效务实的工作作风，恪守国际公认的律师执业准则，依据“以人为本”的原则进行管理，系统整合每位律师的经验和资源，从而将国联建成一个紧密合作、团结统一的律师事务所。

国联律师事务所重视社会责任，热心公益事业，设立国联律师奖学金、与多个社区合作定期普法、免费进行法律咨询，为和谐社会做出了应有的贡献。

国联律师事务所取得的业绩已在国内外客户和同行中赢得了良好的声誉，多次被评选为“北京市优秀律师事务所”和

"北京市法律服务先进集体"。

业务部简介

国联律师事务所持有司法部和中国证券监督管理委员会联合授予的从事证券法律业务的资格证书。公司证券法律部现有十余名专业律师。

国联律师事务所公司证券部同国内法律界、企业界、证券界、金融界保持有良好的工作关系和协作关系。同时，为了适应律师业务国际化的需要，本所还与欧美、台湾、香港的多家著名律师事务所和券商建立了合作关系。

本所公司证券部律师已承办了近百家涉及企业改制、重组、并购及股份公司发行与上市A股、B股、H股、香港创业板、境外上市、全国中小企业股份转让系统（即原"新三板"）、区域性场外股权交易市场、发行可转换公司债、债转股、企业短期融资债券、私募股权投资的法律业务，在业内享有盛誉，能为客户提供一流的专业化法律服务。

本所公司证券部律师因长期和专业从事公司、证券法律业务，与中国证监会、各地证监局、以及相关政府主管部门如发改委、国资委、财政部（厅）、科技部、各地高新园区、金融局等保持着良好的联系，能及时把握企业改制上市、重组、国有资产管理、债券发行、场外市场建设等相关事务的法律和政策的最新动向。

本所公司证券部律师与国内证券执业机构具有广泛而密切的合作。与境外券商、律师、会计师等其他中介机构也有过多次合作。

本所公司证券部律师从事公司证券法律服务始终坚持严肃认真、一丝不苟的工作态度，本所制作的法律意见书受到有关各方的普遍肯定和高度好评。

该领域法律服务项目：

·公司、企业的私募股权投资、改制、并购及重组

·公司的设立及法人治理结构的建立

·风险投资、战略投资尽职调查及方案设计

·公司在境内发行内资股股票及上市

·公司在境外发行股票并上市

·在中国拥有投资权益的境外公司在境外上市

·上市公司再融资，包括公开或定向发行股票、发行公司债、发行可转换公司债券或短期融资券等

·上市公司收购、兼并、换股、重大资产重组

·大型国有企业发行企业债券、中小企业发行私募债券

·公司的合并、解散与清算

·（上市）公司常年法律顾问。

主要业绩

·金晶科技（600586）改制及A股发行上市

·金晶科技（600586）两次定向增发

·金晶科技（600586）发行短期融资债券及中期票据融资

·龙建路桥（600853）股权转让与资产置换及恢复上市

·邯郸钢铁（600001）发行可转换公司债

·东软软件（600718）A股增发

·苏福马（600290）股权转让及资产重组

·常林股份（600710）定向增发

·银星能源（000853）重大资产重组与定向增发

·小商品城（600145）定向增发

·葛洲坝（600068）改制及A股发行与上市

·中宝股份（600208）改制及A股发行与上市

·迪康药业（600466）改制及A股发行与上市

·万杰高科（600223）改制及A股发行与上市

·首旅股份（600258）改制及A股发行与上市

·浙江阳光（600261）改制及A股发行与上市

·春都股份（000885）改制及A股发行与上市

·唐钢股份（000709）吸收合并邯郸钢铁（600001）、承德钒钛（600357）

·徐州燃控科技股份有限公司改制及创业板发行上市（300152）

·江西世龙实业股份有限公司中小板发行申请及资产并购重组（已过会待发行）

·山东中孚信息技术股份有限公司创业板发行上市申请

·国华绥中发电有限责任公司发行短期融资债券

·武汉金凰珠宝有限公司改制及A股上市申请

·武汉金凰珠宝有限公司境外上市

·浙江燎原灯具股份有限公司改制及A股上市申请

·中福马集团国有股权转让

·安信证券股份有限公司资产重组专项法律顾问；

·上海浦东软件园信息技术股份有限公司等十余家公司在上海股权交易中心挂牌项目

·重庆南松医药股份有限公司在重庆股权交易中心挂牌项目

·协助Arjowiggins与晨鸣纸业在山东的特种纸合资企业的重组

·参与山东晨鸣纸业等境内企业通过红筹方式在香港联交所的股票发行和首次股票上市

·北京联飞翔科技股份有限公司发行中小企业私募债项目

·诺思兰德、联讯证券等40多家新三板挂牌项目

·九恒星等10多家新三板挂牌企业股票发行项目。

北京市国联律师事务所证券业务团队是中国律师中最早介入新三板市场业务的律师团队，目前也是承办新三板业务最多的律师团队，在中关村园区、深交所具有一定的影响力。本所作为公司律师，为下列已成功挂牌的公司提供了法律服务：

·盖特佳（430015）

·胜龙科技（430016）

·合纵科技（430018）

·新松佳和（430019）

·京鹏科技（430028）

·凯英信业（430032）

·彩讯科技（430033）

·联飞翔（430037）

·中机非晶（430041）

·科瑞讯（430042）

·世纪东方（430043）

·东土科技（430045）

·诺思兰德（430047）

·首都在线（430071）

·中讯四方（430075）

·君德同创（430078）

·新锐英诚（430085）

·易生创新（430092）

·九尊能源（430100）

·合力思腾（430105）

·永瀚星港（430114）

·可来博（430134）

· 三众能源(430163)
· 道从科技(430181)
· 铜牛信息(430243)
· 环宇畜牧(430387)
· 威控科技(430292)
· 百文宝(430303)
· 每日视界(430304)
· 泽天盛海(430308)
· 海能仪器(430476)
· 英诺尔(430525)
· 雅威特(430612)
· 大陆机电(430663)
· 天加新材(830853)
· 联讯证券(830899)
· 三友创美(831011)
· 朗星照明(831033)
· 领信股份(831129)
· 天际数字(831478)
· 世纪合辉(831551)
· 华牧天元(831569)。

同时,本所还为以下挂牌企业提供了股票发行专项法律服务:

· 九尊能源(430100)
· 尚水股份(430080)
· 联飞翔(430037)
· 首都在线(430071)
· 九恒星(430051)
· 新锐英诚(430085)
· 北京奥维(831101)
· 领信股份(831129)
· 铜牛信息(430243)
· 道从科技(430181)
· 莱富特佰(430081)

此外,目前本所还为中关村园区的十余家企业提供改制、申请挂牌服务;外地高新园区(上海张江、苏州、济南、厦门、重庆、大连等地)数十家企业提供改制及挂牌申请服务。与银河证券、国信证券、申万证券、齐鲁证券、中信证券、广发证券、东方证券、中原证券、国联证券等机构建立了良好的合作关系。

地址:海淀区知春路113号银网中心B座11层

邮编:100086

电话:86-10-62532155/56

传真:86-10-62536183

北京市冠腾律师事务所

北京市冠腾律师事务所是按《中华人民共和国律师法》与有关规定成立的综合性合伙制律师事务所。冠腾位于北京市东城区,地处北三环安定路,系北京最现代、最繁华的地区之一,立体交通资源齐备。冠腾坚持"勤勉尽职、敬业创新"的执业精神,以关注客户内在需求,维护客户利益为己任,经过不懈的开拓、创新和发展,在法律服务、专业建设和规范管理等方面取得了长足进步,在律师界享有广泛好评。

北京市冠腾律师事务所拥有公司、证券、金融、民商诉讼、涉外法律事务、知识产权、房地产及基础设施、信息技术服务、能源与环保、刑事诉讼等十一个业务部门。业务涉及企业收购与兼并、风险投资、资产重组、产权界定、企业改制、股票和债券的发行与上市、股权转让、公司治理、清算、管理层培训、法律风险防范、国际投资、国际贸易、知识产权、金融、招标与投标、医疗和工伤纠纷、劳动关系与社会保障等领域。近年来冠腾积极开拓发展包括新三板挂牌等场外市场专项法律顾问业务、与北京先邦集智法律咨询有限公司联合设立4000-900-148民营企业法律服务北京中心平台、为北京市朝阳区高新技术企业协会聘任的辖区企业法律服务会员制法律顾问单位等资本市场与证券领域业务,同时也与中关村管理委员会有着良好的关系,并凭借自身的努力成为2014年北京市司法局本级律师公益法律服务政府采购项目、2015年北京市市级行政事业单位"2015-2016年度"法律定点服务政府采购项目中标单位。专注于为不同行业的客户提供专业、优质、高效的法律服务。

地址:北京市东城区安定路甲26号冠腾律师楼

邮编:100029

电话:010-64428696

传真:010-64423696

网址:www.guantenglaw.com

辽宁恒信律师事务所

辽宁恒信律师事务所成立于1994年12月,是辽宁省第一批合伙制律师事务所之一,并于2001年在沈阳成立分所,2014年初在上海成立分所,成为大连市首家在外省成立分所的律师事务所。本所现有执业律师、律师助理及其他辅助人员共计80余人,其中合伙人12人,我们坚信丰富的专业知识和经验是律师优质服务的基础,因此我们注重人才的吸纳和培养,汇聚了一大批具有法学博士、硕士和学士学位的高素质人才。我们的律师多数来自从事多年司法、教学和实务工作的资深人士及海外留学归国专业人员,具有丰富的处理各类法律事务的经验,并具备出色的语言能力,能为客户提供英、日、韩、法等多语种法律服务,部分律师先后兼任中华全国律师协会专业委员会委员、辽宁省律师协会专业委员会委员、大连市律师协会副会长及中国国际经济贸易仲裁委员会仲裁员、大连仲裁委员会仲裁员等职务。

本所成立以来,先后取得多项荣誉,1998年至2003年连续六年被大连市司法局授予"文明律师事务所"称号,2001年至2003年被评为"省级文明律师事务所",2004年末被辽宁省司法厅授予"辽宁省AAA诚信律师事务所",2005年6月被中华全国律师协会评为首届"全国优秀律师事务所",2006年被辽宁省司法厅评为"辽宁省先进律师事务所",2007年被大连市司法局评为"优质法律服务年"先进单位,2008年被大连市司法局评为"大连市AAA诚信律师事务所",2012年被大连市司法局评为2011-2012年度"大连市优秀律师事务所",2014年被辽宁省司法厅评为2012-2013年度"辽宁省优秀律师事务所",在最新颁布的钱伯斯中国律所排名中,本所凭借其公司商事和海事海商领域的突出表现和卓越服务分别入围公司/商事(中国东北部)、海事海商(中国北部)排名,均位列第一等级,充分体现了本所的专业实力和良好服务。

本所建成了现代化的办公系统,拥有完善的内部网络系统、办公软件系统、信息管理系统及先进的文字处理系统,为快速、高效办理法律事务提供了可靠的保障。同时,本所通过网站及其他移动平台及时对外发布最新法律动态,刊登律师撰写的理论文章、经典案例、办案心得及其他法律资讯,为客户了解本所提供了快捷的途径。

为给国内外客户提供优质的法律服务,本所根据专业的不同内部划分为六个法律事务部门,包括:

·公司商事法律事务部

·海事海商法律事务部

·房地产与建筑工程法律事务部

·银行与金融法律事务部

·知识产权法律事务部

·争议解决法律事务部

这种"专业化分工、规范化管理"的团队服务模式,使所内资源得到有效整合,使每位律师的专长都得以充分发挥。本所先进的管理理念使得恒信律师具有高度的团队合作精神,不同领域的律师相互配合为客户提供全方位的综合法律服务。各个部门之间以及各律师之间既有具体的分工,又保持协调和配合,坚持法律服务的团队化,确保任何一项具体法律服务都是由主办律师、协作律师和辅助人员组成的团队工作成果的体现,从制度上更好地保障客户利益。因此,我们的服务既是专业的,又是全方位的。

本所创造了堪称一流的律师办公条件和服务信誉,能够及时为客户提供优质的法律服务。经过二十多年的努力,我们已经赢得了客户和社会各界的信任,并与众多客户建立起长期稳定的业务联系。本所律师先后为百余家跨国公司、集团公司、上市公司、金融机构、保赔协会、外商投资企业等企业及政府部门提供了法律服务。同时,本所律师也为大量的投融资、并购、改制、重组、清算、破产等非诉讼项目提供了专业的法律服务。我们的客户遍布海内外,主要包括:投资公司、贸易公司、政府机构、船东保赔协会、船务公司、房地产开发公司、银行、保险公司、国有资产管理公司、酒店及律师事务所等。在新三板业务方面,本所律师已经为大连数十家高新技术企业新三板项目提供了专项法律服务。2014 年,本所律师服务的数家企业已成功在全国中小企业股份转让系统挂牌,主要包括:大连恒锐科技股份有限公司、大连翼兴节能科技股份有限公司、大连北方国际展览股份有限公司、大连必由学教育网络股份有限公司、辽宁成大生物股份有限公司、大连同方软银科技股份有限公司等,其他企业也将陆续进行申报并完成挂牌及公开转让。

我们始终以"恒久信赖"为宗旨,秉承"专业、勤勉、尽责"的服务理念,以创办一流律师事务所为目标,竭诚为广大客户提供高品质的法律服务。

附:恒信律师事务所各部门简介

1. 公司商事法律事务部:

公司商事法律事务一直是恒信的主要核心业务之一。公司商事法律事务部主要从事有关公司日常法律事务、公司治理、投资与并购、劳动人事、资本市场及公司证券法律事务等法律服务。公司商事法律事务部已为数百家国内外客户提供专业法律服务,并赢得了广泛的好评,并在最近国际权威的法律评级机构钱伯斯(Chambers and Partners)排名中,入围公司/商事(中国东北部)第一等级。恒信律师事务所在公司商事领域提供的法律服务主要包括:

·公司的设立、合并及分立

·公司的收购、兼并及重组

·公司的清算、重整及破产

·公司的法人治理结构及股权激励机制的设计与完善

·公司的境内外首次公开发行、借壳上市及新三板挂牌

·上市公司的收购、重大资产重组、退市及恢复

·公司债券及短期融资券

·私募基金的设立、资金募集及清算

·国企改制及产权交易

·国际贸易及境外投资

·加盟连锁及特许经营

·WTO 及反倾销

·反不正当竞争及反垄断

·劳动人事及社会保障

2. 海事海商法律事务部:

海事海商业务一直是恒信的主要核心业务之一。海事海商部长期以来为 10 余家国际保赔协会、国内外知名的保险公司、航运公司、救助人、海事局、银行等客户提供有关海事、海商及船舶融资等方面的法律服务。自 2011 年起连续多年被国际权威的法律评级机构钱伯斯(Chambers and Partners)评为中国北方区域第一等级的海事律师事务所。恒信律师事务所在海事海商领域提供的法律服务主要包括:

·海洋污染事故

·船舶碰撞、触碰及搁浅

·海难救助、打捞、海上拖航

·海上人身伤亡

·海上运输合同,包括提单和航次租船合同

·船舶租用合同,包括期租和光租合同

·海上保险,包括船舶保险、货物保险、保赔保险

·船舶买卖、融资、抵押、租购

·船舶修理、建造

3. 房地产与建筑工程法律事务部:

房地产与建筑工程法律事务部主要为房地产项目开发与建筑工程提供法律咨询服务,内容涉及项目融资、前期规划设计、土地使用权收购、施工建设、销售和后期物业管理等每个环节。恒信律师事务所在房地产与建筑工程领域提供的法律服务主要包括:

·土地一级开发

·土地使用权招标、拍卖、挂牌

·土地使用权的出让、转让

·土地征用、拆迁补偿

·房地产公司的项目立项、设立、运营、转让及并购

·建筑工程勘察设计、发包、承包、招标、投标及结算

·物业销售、转让、租赁及物业管理

·房地产项目融资及信托

·房地产项目开发全流程法律风险管理

4. 银行与金融法律事务部:

银行与金融法律事务部主要为各大银行及金融机构、商业保理公司提供业务合规性审查等专业法律服务,是多家内资、外资金融机构的常年法律顾问。恒信律师事务所在银行与金融领域提供的法律服务主要包括:

·银行保理及商业保理

·商业贷款及银团贷款

·政府及国际金融机构贷款及转贷款

·项目融资

·信用证及保函业务

·融资租赁

·各类金融衍生产品

·互联网金融及其他金融创新业务

·银行及其他金融机构的设立、变更、改制、清算及破产

·金融机构的法律及各项业务的合规审核、风险识别与防范体系建设

·金融机构的不良资产处置，债务重组及资产重组，投资及并购业务

保单质押、保险理赔和追偿等方面的法律服务

5. 知识产权法律事务部：

知识产权法律事务部在企业知识产权创造、运用、管理和保护过程中，为客户提供高端、专业、优质的法律服务。恒信律师事务所在知识产权领域提供的法律服务主要包括：

·企业知识产权战略咨询

·企业知识产权组合管理

·专利申请和专利无效

·商标申请、撤销、复审和异议

·版权作品、软件著作权登记

·集成电路布图登记

·知识产权尽职调查、许可和交易

·知识产权行政保护程序

·反假冒产品和海关知识产权保护程序

·知识产权侵权案件

·商业秘密和不正当竞争案件

·域名注册和争议解决

·与知识产权滥用有关的反垄断法案件

·互联网、技术、电信和媒体法律事务

6. 争议解决法律事务部：

争议解决法律事务部主要从事有关纠纷调解、诉讼及仲裁的代理服务。争议解决法律事务部以出色的专业素养以及优质的客户服务赢得了当事人信任及社会各界的肯定。恒信律师事务所在争议解决领域提供的法律服务主要包括：

·商事诉讼及国内仲裁、国际仲裁

·民事诉讼

·刑事诉讼

·行政诉讼

·非诉讼调解

重庆志和智律师事务所

基本概况

重庆志和智律师事务所（以下简称："志和智"）成立于1998年，拥有一支40余人的专职律师队伍。其中部分律师在获得工程、管理、财务、外语等学历后，继续法律专业深造，开始律师执业生涯，积累了处理各专业领域内法律事务的丰富经验，特别是在金融、证券、保险、房地产、建筑工程、劳动合同管理、疑难民商案件、公司治理、电子商务等法律领域。

"志和智"拥有一个由法律专家组成的顾问班子。其中，有的是国内外名牌大学的教授、博士，有的担任过法官、仲裁员、企业高管和政府官员。

执业情况及行业内评价

"志和智"律师以"自律之师"为座右铭，以"先做人后做事"为律令，秉承忠于事实和法律、诚实守信、快捷高效的执业理念，取得了良好的社会效益和经济效益，受到社会各界的广泛赞誉。

"志和智"两次荣获重庆市司法局授予的"重庆市优秀服务律师事务所"称号，获重庆市律师协会授予的"最佳成长律师事务所"，先后获得重庆市司法局授予的"人民满意的律师事务所"及渝中区委、区府授予的"优秀中介服务机构"及"重点中介服务机构"等荣誉称号。此外，"志和智"部分律师还荣获重庆市司法局、重庆市律师协会授予的"诚信百优律师"、"重庆市优秀律师"及"重庆市十佳女律师"称号。

"志和智"自创办以来始终坚守行业规范及职业道德，并热心公益活动。在行业内有着较高的认可度。荣获重庆新闻广播、重庆市律师协会青年律师工作委员会颁发的"重庆新闻广播《身边说法》栏目优秀嘉宾律师事务所"，荣获重庆市律师协会、重庆广播电视集团（总台）、重庆新闻广播（或重庆之声）颁发的"《身边说法》栏目2011、2013年度优秀嘉宾律师事务所"。

我所在证券、投融资、金融、保险领域的主要业绩、案例及经验

"志和智"证券领域的主要业绩及案例如下：

为重庆聚融建设（集团）股份有限公司（已挂牌）、重庆四平塑料包装有限公司（已挂牌）、重庆巨创计量设备股份有限公司（已挂牌）、重庆博浪塑胶股份有限公司、重庆理思建设工程有限公司、重庆皇华种业股份有限公司等十余家公司股份在"新三板"挂牌报价转让进行尽职调查及股份制改造，并对公司的合法合规性、独立性、重大债权债务、内部控制情况等出具《法律意见书》。

为川深金属新材料股份有限公司、重庆正德科技股份有限公司等多家公司进行股份制改制，并为其公司股份在重庆股份转让中心挂牌报价转让进行尽职调查并出具《法律意见书》。

"志和智"投融资领域的主要业绩及案例如下：

为中国建设银行股份有限公司对多家水电公司以其电站收益权作抵押贷款进行尽职调查并对电站收益权是否合法、清洁、无争议等事项出具《法律意见书》。

为北京国维科技有限公司收购重庆旅发集团股权进行尽职调查，并对被收购公司的各子公司、分公司、关联公司的相关债权债务、内部控制情况等进行法律分析，并出具《法律意见书》。

为中国四联仪器仪表集团有限公司发行短期融资券提供专项法律服务；为重庆西部现代物流园资产经营管理有限责任公司发行中小企业私募债券提供专项法律服务；为重庆高速公路股份有限公司、武隆喀斯特旅游集团公司发行中期票据提供专项法律服务并出具《法律意见书》。

"志和智"金融领域的主要业绩及案例如下：

为中国建设银行股份有限公司重庆分行、重庆长城资产管理有限公司重庆办事处、重庆金合信用担保有限公司、重庆中色投资信用担保有限公司等金融机构贷款追偿、资产包处理、担保、追偿等案件提供法律服务

为设立重庆市北部新区小康小额贷款有限公司、重庆忠商投资股份有限公司提供法律服务；为多家银行、担保公司、投资公司提供常年法律服务，并为其提供借贷、担保事务日常管理、风险控制服务；

为多家房地产公司提供常年法律顾问服务，为其项目开发、融资借贷提供专项法律服务；

"志和智"保险领域的主要业绩及案例如下：

为利宝保险有限公司、富邦财产保险有限公司重庆分公司、信达财产保险股份有限公司重庆分公司等保险公司提供常年法律顾问服务，并为其处理追偿、保险理赔等案件。

江苏东晟律师事务所

江苏东晟律师事务所位于江苏省常州市劳动西路怀德桥南华景大厦1210室，成立于2003年11月，为合伙制律师事务所，现有执业律师16名。均具有本科以上学历，其中硕士研究生7名，其他辅助人员10名，有多名律师具有工程师、经济师、讲师等双重资格，是目前常州学历层次较高，知识结构较为完善的律师事务所。

成立以来，律师事务所经历了由无到有、由小到大、由弱到强的发展历程，无论从执业律师的数量与质量、业务收入总额、办案质量与影响力等各方面，在常州律师业界均有一定的影响和地位。事务所经办的案件共计四千余件，成功办理无罪辩护和改变定性案件十余件，并至今保持着受理案件“零投诉”的业内佳绩。事务所集体和个人共获得省、市各种荣誉二十余项，律师在省、市发表文章共计五十余篇，屡次获得国家、省、市各项奖励，其中有三篇论文被中国人民大学报刊复印资料全文转载。为维护弱势群体的合法权益，共办理了各类法律援助案件三百余件，屡次为弱势群体捐款，金额均在常州律师界前列，为常州社会的经济发展和和谐稳定做出了应有的贡献。

事务所依仗优良的律师素质和强盛的整体实力，本着“专业立足、团队立所、道德立业”的工作理念，坚持“仗义执言、诚实守信、勤勉尽责”的行为准则，不断拓展法律服务的广度和深度。事务所律师担任百余家单位的法律顾问，其中既有世界著名的公司，也有政府机关、企事业单位。目前，本所为常州市人民政府、常州市钟楼区人民政府、常州市新北区人民政府、常州市规划局、华润集团、江苏炎黄在线物流股份有限公司、远东实业股份有限公司、江苏常宝钢管股份有限公司、江苏创业房地产集团有限公司、中国电信股份有限公司常州分公司、江苏常牵庞巴迪牵引系统有限公司、河海大学常州校区等一百五十多家政府、企事业单位提供法律顾问服务。

本所业务范围涉及专项或常年法律顾问。参与重大经济项目谈判、公司实务、企业股份制改造、公司融资及上市、税务策划、劳资纠纷、代理国内外诉讼、仲裁等方面；其中在建筑与房地产、合同管理、公司融资及上市、国际投资与国际贸易等方面具有专业优势，并能用英语作为工作语言为客户服务。本所近几年来一直致力于资本市场的法律服务，事务所律师担任常宝股份、南方轴承、远东股份、炎黄在线等上市公司的法律顾问或独立董事，担任了卡特股份等企业并购重组的法律顾问。新三板市场扩容后，本所已经助力常州三家企业在全国中小企业股份转让系统成功挂牌，其中本所服务的常州瑞杰塑料股份有限公司是常州市第一家在全国中小企业股份转让系统成功挂牌的企业。

近几年来，事务所承办的各类成功案件层出不穷，曾被《新华日报》、《常州日报》、《凤凰网》等国内多家主流媒体报道一百多次，并为企业及社会各界作了八十多次法律实务讲座，获得社会各界的广泛好评。律师事务所先后获得江苏省律师行业文明单位、江苏省法律援助先进集体、常州市首届律师辩论赛团体冠军、常州市文明律师事务所、常州市群众满意的窗口服务单位、常州市首届律师辩论赛组织奖、常州市首届检察官与律师辩论大赛团体三等奖、常州市法制宣传先进单位、常州市律师队伍集中教育整顿先进集体等荣誉称号。事务所律师有的被评为江苏省优秀律师、常州市十佳律师，常州市十大杰出青年法学人才，常州市律师辩论赛最佳辩手；有的当选为江苏省律师协会理事、江苏省女律师联谊会委员，常州市律师协会常务理事；有的被聘为常州仲裁委员会仲裁员，常州市普法讲师团和常州市生命教育讲师团成员，常州市中级人民法院特邀监督员，多名律师入选省、市 WTO 人才库。

东晟理念

· 我们的理念：专业立足、团队立所、道德立业

· 我们的准则：仗义执言、诚实守信、勤勉尽责

走进东晟

江苏东晟律师事务所自2003年成立以来，完善了科学管理体系，建立了资源共享机制，实现了从个体化作业向团队化协作的转型。

东晟不断拓展法律服务的广度和深度，担任数百家政府、企事业单位的常年法律顾问。无论是在传统优势领域，如建筑与房地产、公司实务、合同管理、劳动争议，还是在新兴的业务领域，如证券与资本市场、知识产权保护、风险投资、涉外业务等方面，东晟一直处于法律服务的前沿。

近几年来，东晟承办的各类成功案件涉案标的达十多亿，曾被国内数十家媒体报道一百多次。东晟及东晟律师获得国家、省、市数十项殊荣。

东晟将坚持不懈地积极探索律师事务所专业化、品牌化的建设和发展之路……

优秀团队

东晟优秀的律师团队具有合理的知识结构、深厚的法学功底、丰富的执业经验及高度的责任心，现有执业律师18名，均具有本科以上学历，其中硕士研究生8名，各类专业人员15名，多名律师具有工程师、经济师、教授等多重资格。东晟律师本着勤勉敬业的执业准则，凭藉着精湛的业务素质和对客户需求的熟谙，为广大客户提供多元化、深层次的专业法律服务，以实现客户合法权益最大化。

律师荣誉

· 江苏省优秀律师

· 江苏省知名律师

· 江苏省“双促双助”法律服务活动先进个人

· 常州市十大杰出青年法学人才

· 常州市十佳律师

· 常州市法学研究先进个人

· 常州市司法行政系统先进工作者

· 常州市优秀法律服务工作者

· 常州优秀仲裁员

· 常州市2006－2011年度巾帼帮教先进个人

· 中国法学会培训中心优秀刑事辩护律师及优秀辩护词一等奖

社会职务

· 常州市钟楼区政协副主席

· 江苏省法学会民事诉讼法研究会常务理事

· 江苏省律师协会理事

· 江苏省及常州市 WTO 咨询中心成员

· 常州市中级人民法院特邀监督员

· 常州仲裁委员会仲裁员

· 常州市律师协会常务理事

· 常州市法学会理事

· 常州市法学会企业法委员会总干事

· 常州市妇联特邀调解员

· 常州市女律师联谊会执委

· 民进常州市委法制工作委员会副主任

部分客户

·常州市钟楼区人民政府
·常州市规划局
·九龙云天集团有限公司
·江苏创业房地产集团有限公司
·江苏金土地建筑集团有限公司
·江苏嘉宏投资集团
·元亨控股有限公司
·江苏华源建筑设计研究院有限公司
·江苏宏大建设集团有限公司
·新华建筑集团有限公司
·江苏宝进生化集团有限公司
·江苏鑫洋房地产顾问有限公司
·江苏常宝钢管股份有限公司
·江苏炎黄在线物流股份有限公司
·远东实业股份有限公司
·中国电信股份有限公司常州分公司
·上海诺辉投资管理有限公司
·上海俊升创业投资中心
·江苏卡特新能源有限公司
·常州紫旭光电有限公司
·常州市外商投资企业协会
·光宝绿能科技有限公司
·海顿直线电机(常州)有限公司
·奥普特迈斯(常州)机械制造有限公司
·江苏常牵庞巴迪牵引系统有限公司
·西玛(常州)通用设备有限公司
·富士电子科技(常州)有限公司
·派世菲克(常州)管件有限公司
·江苏浩华纺织有限公司
·江苏金鼎楼宇智能系统工程有限公司
·江苏先电机械有限公司
·江苏羔羊屋家纺有限公司
·常州市武进工贸资产经营管理有限公司
·河海大学常州校区
·常州机电职业技术学院
……

专业领域

·建筑房地产类法律事务
·土地使用权的取得与转让
·工程招标、投标
·建筑施工工程专项法律服务
·设备安装工程专项法律服务
·装修、装饰工程专项法律服务
·代理房地产确权、侵权诉讼
·起草制定商品房销售(租赁)文件
·拆迁安置与补偿
·房屋买卖合同的审查
·房屋租赁和抵押
·相邻权纠纷
·为购房人对房地产项目的合法性进行审查并出具法律意见
·办理房屋所有权和国有土地使用权登记手续
·证券与资本市场类法律事务
·改制与重组方案设计
·法律尽职调查
·协助拟订重组协议、股东发起人协议、关联交易协议、公司章程以及其他相关法律文件
·协助建立并完善公司法人治理结构
·协助拟订招股说明书等信息披露文件
·出具法律意见书
·公司类法律事务
·公司股份制改造与公司上市
·公司的组建、合并和分立
·公司资产的产权界定
·资产重组
·公司破产与清算
·公司债权债务处理
·公司经营决策的法律保障
·投融资项目策划和法律审慎调查
·公司合同管理系统.经营的合规性审查
·公司财会、税务、劳动人事管理
·公司员工的法律培训
·公司股权转让、股东权益纠纷处理、内部职工持股等股权纠纷处理
·合同类法律事务
·合同谈判
·合同草案的拟定和审查
·合同履行、变更与撤销
·合同担保
·代理合同纠纷的调解与诉讼
·合同权利或义务的转让
·商事类法律事务
·融资方式的选择
·各种票据、单证的审查与转让
·贸易术语和结算方式的选择
·商业秘密
·不正当竞争
·海事海商、保险理赔
·国际专利、商标、版权、软件保护
·国际技术转让
·国际税务
·国际商事仲裁、诉讼
·国际投资、融资、借贷、信托
·知识产权类法律事务
·专利实施许可与转让
·代理专利复审请求
·代理专利侵权诉讼
·注册商标的转让与续展
·代理商标侵权诉讼
·著作权许可使用
·代理著作权侵权诉讼
·知识产权的权属调查、不正当竞争调查
·技术转让或许可协议、技术诀窍和保密协议
·劳动关系类法律事务
·劳动争议调解及处理
·劳动纠纷诉讼代理及仲裁代理
·劳动保护、社会保险、工伤及职业病事务
·协助拟订员工手册等公司内部规章制度
·协助客户制订整体劳动关系及人力资源管理方案和制度

·协助起草员工个人、集体劳动合同、培训协议、竞争协议及保密协议

·公司重组、破产及清算程序中的人员转移、解散与安置

·婚姻家庭关系类法律事务

·婚前财产的处理

·离婚财产

·抚养收养

·婚内共有财产纠纷

·律师调查

·家庭财产的分割

·遗产与继承

·刑事类法律事务

·为被告人出庭辩护

·代理当事人进行刑事案件的举报控告

·在侦查阶段为犯罪嫌疑人提供法律帮助

·代理被害人参加刑事诉讼活动和进行刑事附带民事诉讼活动

·代理当事人进行刑事案件申诉以及其他与刑事有关的法律活动

·为审查起诉阶段的犯罪嫌疑人、审判阶段的被告人、上诉人担任辩护人

·行政类法律事务

·行政法律咨询

·参加行政听证

·代理行政复议

·代理行政诉讼

·代理行政仲裁

·仲裁非诉类法律事务

·庭前调查取证

·财产保全

·仲裁等非诉案件代理

·劳动争议仲裁

·经济仲裁

·国际商事仲裁

·生效法律文书强制执行

·客户业务法律风险管理

·客户员工法律风险管理培训

·诉讼仲裁个案的法律风险管理总结

·其他类法律事务

除了以上的专业服务领域，东晟的服务项目还主要包括以下几个方面：

·法律援助

·法律咨询

·法律知识培训

·法律事务代书

·出具法律意见书、法律建议书和律师函

·律师见证、律师提存及代办公证业务

东晟荣誉

·江苏省法律援助先进集体

·常州市法制宣传教育先进集体

·常州市文明律师事务所

·常州市首届律师辩论赛团体冠军

·常州市律师队伍集中教育整顿先进集体

·常州市维护妇女权益示范岗

·常州市群众满意窗口服务单位

研究成果

培养较高的职业素养和处理复杂疑难法律事务的能力需要深入而持久地进行学术研究。东晟律师积极参与学术研讨、论证研究，在《法制日报》、《中国司法》等国家各级刊物上发表各类学术著作及论文共计100余篇，获得国家、省、市级奖励数十项，其中有两篇论文被中国人民大学复印报刊资料全文转载。

东晟文化

多年来，东晟坚持发展与仁爱并行，积极投身社会公益事业：公益捐款、普法讲座、社区法律咨询、青少年普法讲座等各类公益慈善活动中总能看到东晟律师的身影。与此同时，内涵丰富的东晟文化日益彰显：辩论比赛、文艺晚会、旅游活动等丰富多彩的文化生活，为东晟律师展示风采提供了舞台，增强了团队凝聚力。

东晟文化，正逐渐凝萃成昂扬向上的风华……

抢占新三板

新三板市场是由全国中小企业股份转让系统有限责任公司组织和督导，受中国证监会监督的全国性交易市场，是除主板、中小板、创业板之外的企业股权交易、融资并购新去处。江苏东晟律师事务所致力于帮助企业登陆新三板，在资本市场抢占先机。

1. 新三板简介

·国务院批复设立

·证监会统一监管

·全国中小企业股份转让系统有限责任公司（“北交所”）直接管理

·为创新、创业型中小企业提供股份转让、融资服务

·全国性股份交易系统

2. 挂牌条件

·依法设立且合法存续两年以上的股份有限公司，有限公司整体变更可以连续计算

·挂牌前股本总额不低于500万元

·业务明确，具有持续经营能力

无硬性财务指标要求

3. 本所业务

·拟挂牌企业和其他中介机构法律咨询

·拟挂牌企业新三板法律体系培训

·拟挂牌企业公司规范经营及资本运作

·协助拟挂牌企业设计股改方案、实施改制方案

·尽职调查，起草尽职调查报告、调查工作底稿，制作备案文件，发现法律瑕疵，提供解决方案

·出具法律意见书、核查意见、鉴证意见等挂牌报送材料

·挂牌后督促企业以公众公司标准规范经营、根据法律法规的规定对企业之信息披露进行辅导

·挂牌后代表企业与潜在投资对象进行谈判

·挂牌后协助企业融资、转板、直通IPO

4. 挂牌案例（详情请登录 http://www.neeq.com.cn/）

·常州瑞杰塑料股份有限公司（瑞杰塑料:430721）

常州瑞杰塑料股份有限公司是一家现代化的、专业的塑料包装及制品生产企业，主要从事注塑包装，吹塑包装，吹塑容器，日化包装以及异形吹塑等。

2014年4月30日，常州瑞杰塑料股份有限公司成功挂牌，名称：瑞杰塑料；股票代码:430721。常州瑞杰塑料股份有限公司是常州市第一家在北交所成功挂牌的企业。

2014年4月24日，常州日报以：我市第一家——瑞杰塑

料登陆“新三板”为题，发表报道，为常州第一家新三板挂牌企业报喜。（http://epaper.cz001.com.cn/site1/czrb/html/2014-04/24/content_735046.htm）

·江苏华源建筑设计研究院股份有限公司（华源股份：830786）

江苏华源建筑设计研究院股份有限公司前身是从事工业设计的设计研究院，主营建筑工程设计、勘察、咨询，城市规划编制，建筑工程项目管理总承包。

2014年6月4日，江苏华源建筑设计研究院股份有限公司成功挂牌，名称：华源股份；股票代码：830786。

5.签约项目

事务所已经与常州爱特科技股份有限公司等十余家企业签订“新三板”专项法律顾问协议，推动企业在新三板挂牌。

·常州爱特科技股份有限公司

·常州友邦净水材料有限公司

·常州万联网络设备有限公司

·江苏中科机器人科技有限公司

6.律所介绍

江苏东晟律师事务所位于常州市劳动西路怀德桥南华景大厦1210室，成立于2003年11月，为合伙制律师事务所，现有执业律师16名。均具有本科以上学历，其中硕士研究生7名，其他辅助人员10名，是目前常州学历层次较高，知识结构较为完善的律师事务所。

律师事务所先后被被评为江苏省法律援助先进集体、常州市群众满意的窗口服务单位、江苏省律师行业文明单位。

江苏东晟律师事务所为常州市人民政府、常州市钟楼区人民政府、常州市规划局、江苏炎黄在线物流股份有限公司、远东实业股份有限公司、江苏常宝钢管股份有限公司、江苏创业房地产集团有限公司、中国电信股份有限公司常州分公司、江苏常牵庞巴迪牵引系统有限公司、河海大学常州校区等一百二十多家政府、企事业单位提供法律顾问服务。

上海市捷华律师事务所

上海市捷华律师事务所成立于1994年7月，是上海市法学会团体会员单位、上海市第二批企业破产案件管理人。

自建所以来，捷华律所倡导“以人为本、与时俱进、和谐发展”的文化理念，秉承“开拓、勤勉、严谨、诚信、高效”的执业理念，努力践行“提供优质高效服务，维护社会公平正义”的服务宗旨，汇聚人才、规范服务，为客户提供以解决方案为导向的优质法律服务。捷华律师的服务质量得到了客户的一致赞誉，并为事务所赢得多项荣誉，先后多次获得区市级与全国文明单位、先进集体等荣誉称号。

【捷华荣誉】（市级以上）

·2013年1月，全国“化解社会矛盾维护和谐稳定”成绩突出律师事务所

·2012年9月，全国律师行业创先争优先进集体

·2012年3月，全国律师行业创先争优活动示范点

·2014年12月，上海市诚信创建单位

·2013年5月，上海市文明单位

·2011年1月，服务世博先进律师事务所

·1999—2012年，上海市司法行政系统集体三等功

·2003、2005、2006、2007、2010、2012年，上海市司法行政系统先进集体

·2009年11月，上海市优秀律师事务所

·2000年，上海市司法行政系统文明律师事务所

【证券与资本市场法律事务部】

部门成员均具有证券及资本市场领域的法学背景，多名成员还拥有海外留学经历，既掌握扎实的法律基础、又熟悉最新的政策法规。在企业首次公开发行股票并上市、非上市企业融资、新三板等领域拥有丰富经验，参与不同类型企业上市筹划及全程法律服务，在境内外证券与资本市场领域具有扎实的实务操作经验。

捷华的证券与资本市场法律服务涵盖：企业新三板挂牌、股票首次公开发行和再融资、企业和公司债券的发行、上市公司的收购及兼并、公司私募融资及其他相关证券交易业务。上海市捷华律师事务所作为企业新三板挂牌法律服务的第一批律师事务所，熟知国家相关金融法律法规与金融政策，与数家知名券商建立了紧密的战略合作关系，参与或主导处理了上海、江苏、浙江、广东、四川等多地企业新三板挂牌服务，涉及企业股份制改革、挂牌尽职调查、股东大会见证、解决挂牌中的法律障碍或问题，出具法律意见书等，具有丰富地项目经验。

【业务领域】

·金融投资、证券与资本市场、婚姻家庭、房产建筑、知识产权、涉外法律事务、公司并购与重组

【执业理念】

·开拓、勤勉、严谨、诚信、高效

【联系我们】

地址：上海市武宁南路488号智慧广场23楼

电话：021-51182318

传真：021-51182378

网址：www.jhlawfirm.cn

邮箱：jiehua@jhlawfirm.cn

上海序伦律师事务所

基本概况

上海序伦律师事务所是一家具有财经视角的合伙制专业法律服务机构，专注于为客户提供金融、资本市场法律服务，具有专利代理人执业证，由兼具注册会计师、注册评估师、专利代理人资格的本土资深律师携台湾法律界人士共同发起组建，序伦所秉持立信财经事业创始人潘序伦博士“信以立志、信以处事、信以待人”的执业理念，致力于为国内外客户提供专业、全面、及时、优质、高效的法律服务。序伦所在服务于规范治理要求最严格的新三板挂牌企业及上市公司的过程中，接受了市场的检验，赢得了客户的赞誉。

新三板法律服务

序伦律师事务所在全国中小企业股份转让系统扩容之前即开始研究和开展新三板市场制度和业务，仅2014年就为十数家中小企业提供了辅导挂牌和定向发行融资服务。目前已形成专业、全面、高效的新三板法律服务团队，执业律师兼具财务会计、企业管理、专利代理、证券市场等专业背景，既有熟谙资本运作的资深律师，亦有海外留学归国的高端人才，更有受聘为券商内核委员的专业律师。律所与多家主办券商、会计师事务所拥有良好的紧密合作关系，能够为企业客户提供全方位、综合性的新三板市场服务。

地址：上海市徐汇区肇嘉浜路333号亚太企业大楼11层

邮编：200032

电话:021 - 64224886
传真:021 - 64224900
电邮:shulun@ shulunlaw. com
网址:http://www. shulunlaw. com

上海市上正律师事务所

上海市上正律师事务所创立于中国经济最活跃的地区——上海浦东陆家嘴金融贸易区,是以办理公司、证券、外商投资、金融及房地产等经济法律事务为主的专业化律师事务所。凭借从业至今的良好业务记录及社会信誉,上正律师事务所已奠定了"服务专业"、"技术领先"的行业地位。

作为中国境内较早被政府授予证券从业资格的法律服务机构之一,在首发、再融资、重大资产重组、上市公司收购、国有及集体企业改制、MBO、信托融资、风险融资、外商投资、境内外股权投资及公司境外上市等资本市场法律服务领域拥有大量成功案例,具有丰富的经验和良好的业绩,赢得广大客户的认可和肯定。

卓越的团队组成

上正律师事务所高学历、高层次人才密集。执业律师均毕业于中国或境外著名的法学院校,接受过系统、严格的法学教育和法律专业培训,其中法学博士4名,其余律师基本都具有法学硕士学位。多名律师拥有在投资银行法律业务领域的资深经历,部分律师拥有在美国、加拿大、日本、香港或新加坡知名律师事务所的执业经验,并有两位律师在欧盟及世界贸易组织总部接受过全面培训,被上海市政府确定为"上海WTO事务专业高级人才"。

精湛的业务能力

上正律师事务所在公司法及与公司运行有关的合同、工商、税务、外汇、知识产权、劳动关系等法律领域具有较强的研究能力,时刻关注最新的立法动态和司法实践,并积累了丰富的执业经验。在法律服务中不仅能够妥善地为客户处理日常的法律事务,而且在面对复杂、疑难、急迫的重大法律事务时,亦有足够的控制能力和操作技巧。

上正律师事务所多名具有境外工作背景的律师不仅熟悉欧、美、日等西方主要国家或地区的法律制度,而且了解WTO规则及国际惯例,能够为客户提供涉及反倾销、反补贴、国际知识产权保护等国际贸易方面的法律服务。

优质的客户资源

上正律师事务所是上海证券业协会指定的"为会员提供法律服务的律师事务所"。自1998年以来,一直担任上海证券交易所的常年法律顾问,2007年开始担任中国金融期货交易所的常年法律顾问。上正律师事务所多次应邀参加由全国人大法工委、国务院法制局、中国证监会等部门组织的《公司法》、《证券法》、《上市公司收购管理办法》、《上市公司股东持股变动信息披露管理办法》等法律法规或规范性文件草案的讨论和征求意见。自成立以来,先后为逾百家企业集团、上市公司,以及证券公司和投资机构提供常年法律顾问或改制、上市、收购、重组等专项法律顾问服务。

全方位的资本市场法律服务

我国资本市场从20世纪90年代发展至今,包括主板(含中小板)、创业板(俗称二板),全国中小企业股份转让系统(俗称新三板)、区域性股权交易市场(俗称四板)以及证券公司主导的柜台市场的多层次资本市场体系已经逐渐形成(见下图)。

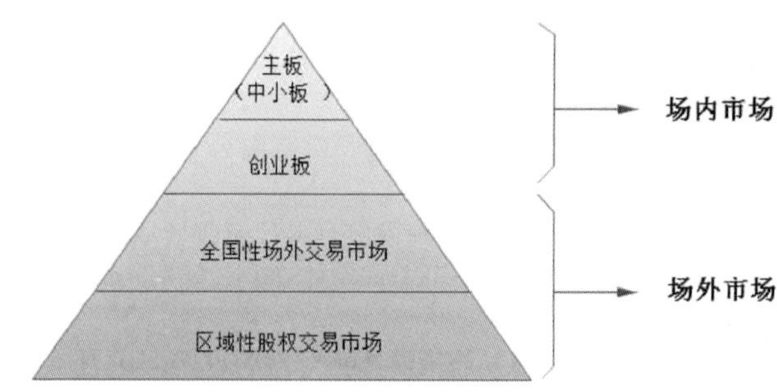

上正律师事务所通过多年来的不懈努力,已经形成了覆盖我国多层次资本市场的全方位法律服务,并在各层次的市场均积累了丰富的业务经验。

联系我们

地址:上海市浦东新区浦东南路528号上海证券大厦北塔2301室
电话:021 - 68816261
传真:021 - 68816005
邮箱:lawyer@ cs - lawyer. com

上正律师事务所一贯坚持"客户至上、诚信为本"的执业理念,注重与客户形成长期、稳定的合作伙伴关系,以务实、高效的法律服务为广大客户实现商业目标提供鼎力支持。

协力律师事务所

概况:

协力律师事务所是一家兼具国际视野和本地智慧的综合性专业法律服务机构,在中国北京、苏州、长沙、南通、无锡、徐州、郑州等地设有分所,并在日本大阪、意大利米兰、新加坡、法国巴黎设有办公室。

协力尊崇"专注、专研、专业"的服务宗旨,凭借精细的专业分工与经验丰富的专业律师,协力可以为国内外客户提供公司证券、并购金融、反垄断与贸易救济、国际投资、国际贸易、海商海事、建筑房地产、知识产权、争议解决等领域的高效法律服务,协力深谙客户需求,擅长创造性地为客户设计并实施具备最佳成本效益的专业解决方案。

荣誉

· 协力荣居2014年亚太律所150强
· 协力入围年度上海律师事务所大奖
· 协力荣获亚太年度"公司、商法和知识产权领域领先律所"重点推荐奖
· 协力被评为"上海商事法领先律师事务所"
· 协力被评为"2010年度上海市司法行政系统'先进集体'"
· 协力被评为"上海市优秀律师事务所"

公司证券与资本市场

协力公司证券团队专注于资本市场、公司治理、基金业务、投融资及并购重组法律服务。

协力作为新三板法律服务机构的先行者,曾在上海、无锡、徐州、苏州、南通、长沙等地为首批新三板挂牌企业提供全程法律服务,这些企业包括:腾旋科技(无锡市首批)、中矿微星(徐州市首家)、超弦科技(长沙市首批)、泓源光电(江阴市第二家)、隆玛科技、哥伦布商业、富岛科技、胜禹股份、美居客科技、超伟股份、恒晟股份、宝信建筑等。

协力还为新三板挂牌企业和上市企业客户提供增发融

资、信息披露、三会治理、并购重组等后续资本市场法律服务，从公司治理及风险防控等方面为顾问单位的健康、长远发展保驾护航。

联系我们：

地址：上海市陆家嘴环路958号华能联合大厦35层
电话：021－68866151
传真：021－58871151
网站：www.co－effort.com

海华永泰律师事务所

基本概况

海华永泰律师事务所，成立于1995年，总部位于上海浦东陆家嘴金融区，北京设有分所，是上海市综合实力名列前茅的大型法律服务机构。执业律师超过一百三十名。设立至今为近千家知名企业提供了优质的法律服务，服务范围包括房地产与建设工程、金融证券、国际贸易与海关业务、公司业务、新型法律服务（不良资产和应收账款清收与处置、娱乐传媒、环保新能源等）、知识产权、争端解决等方面。

“专业赢得尊重、携手成就理想”是海华永泰的核心价值观。事务所的各项重点工作都围绕核心价值观的实现展开。团队强大复合背景与实务经验保证我们法律服务专业的品质；业务的团队化操作保证我们对所承接的项目提供精准及时的服务；协助客户实现商业目标成为我们追求的不变理想。

业务领域

1. 金融证券

金融证券业务是海华永泰的另一个传统核心业务领域。海华永泰参与了众多境内机构首次公开发行、再融资、借壳上市等项目，积累了丰富经验且业绩优异。特别在境外上市领域，海华永泰已经成为业内提供境外上市法律服务最多的机构之一，上市地包括：美国、英国、新加坡、香港、马来西亚等。

另一方面，海华永泰还是私募基金法律服务的领跑者，为大量私募基金提供设立、投资退出等全程法律服务。我们不但在传统私募股权投资基金和风险投资基金领域有卓越的表现，我们还是私募房地产基金法律服务的创新者和开拓者。

2. 公司业务

公司业务作为海华永泰的核心业务之一，有着坚实的理论基础和丰富的服务经验。我们能够为客户提供全面的公司运营涉及的管理、经营、投资、法人治理结构等咨询意见和实施方案，这一工作可以有效提高客户的管理效率和良性运作，减少不必要的行政处罚、民事责任和刑事责任以及可能对客户业务造成重大不利影响的其他法律风险。

海华永泰拥有一批具有丰富经验的公司法专业律师，并配合专业的劳动法、知识产权以及投融资律师为各个顾问单位及非顾问公司提供适应个性化、专业化的法律服务。

本事务所现已有几百家常年顾问单位，主要服务对象包括国有大中型企业、金融证券机构、外商投资企业、房地产企业、高科技企业、投资公司等。

地址：中国上海浦东新区东方路69号裕景国际商务广场A座15楼
电话：86－21－58773177
传真：86－21－58773268
邮编：200120
网址：http://www.hiwayslaw.com

北京市长安律师事务所

北京市长安律师事务所是1994年在中国北京成立，中国创办最早的合伙制律师事务所之一，总部设在北京，在湖南长沙、上海、海南海口设有分所。

长安律师事务所业务范围涵盖金融、证券、公司业务、并购与重组、投融资、房地产、矿产和资源、知识产权、国际业务、反不正当竞争与反垄断、信息网络与传媒、公用事业私营化、诉讼与仲裁、私人法律业务等领域，是一家专业化、规模化、国际化、品牌化的大型综合性律师事务所。

长安是经中国司法部及中国证监会批准，最早取得从事证券业务资格的律师事务所之一。与中国证监会、上交所、深交所、香港联交所等机构建立了业务联系，曾代表发行人及承销商参与过大量的各类境内外证券交易。在各类证券业务中均卓有业绩，积累了丰富的经验。无论在传统金融法律服务领域，如银行信贷业务、结算业务、资产保全业务、信用尽职调查业务、银行地产按揭业务、保险业务、还是在新兴的金融业务领域，如投资并购业务、私人股权投资、不良资产处置重组、IPO、股权融资业务、债权融资业务、金融衍生产品、资产证券化、股权投资信托计划，长安一直是处于领先地位的律师事务所之一。

证券法律业务

证券法律业务领域是长安的核心及优势业务领域之一。

多年来，长安为众多知名公司在中国境内外首次公开发行股票及上市提供法律服务，也为上市公司配股、增发、公司债券发行等再融资提供法律服务。

长安在该领域的服务范围包括：

·公司首次公开发行股票及上市法律业务
·上市公司再融资法律业务
·申请在代办股份转让系统挂牌交易法律业务
·基金公司、证券公司、期货公司、证券投资咨询机构法律业务
·资产证券化相关法律业务
·该专业领域的其他法律业务

长安在该领域的主要服务内容包括：

·尽职调查
·出具法律意见书
·公司股份制改造
·公司股票发行与上市前的股权结构设置
·公司员工或管理层的激励方案
·公司股票发行与上市前的辅导培训
·证券公司、基金管理公司、期货公司的设立、合并、分立及规范运作
·证券公司、基金管理公司、期货公司章程修改、注册资本变更、股东变更、股东持股比例变化等
·证券公司、基金管理公司、期货公司停业、解散、破产
·证券公司集合资产管理计划

投融资法律业务

投融资法律业务领域是长安发展迅速的创新性业务领域之一。

长安在该领域的服务范围包括：

·债券发行与交易法律业务
·私募股权基金、产业基金及企业融资相关法律业务
·地方融资平台项目融资法律业务

·政策性融资法律业务
·公用事业私营化
·该专业领域的其他法律业务
长安在该领域的主要服务内容包括：
·企业债券、短期融资券、中期票据、中小企业集合票据、私募债券等业务的发行方案设计、尽职调查及出具法律意见书
·为私募股权基金、产业基金的募集、设立及规范运作提供方案设计、出具法律意见书
·企业融资方案设计及协商谈判
·项目公司兼并、收购融资方案设计
·风险资本投资吸收及退出方案设计
·地方融资平台融资项目方案设计
·政策性融资项目方案设计
·BOO、BOT 及相关特许经营方案设计
·相关法律文件起草、修改

北京市长安律师事务所始终致力于为客户提供专业、高效和优质的证券法律服务。经过多年对专业化道路的坚持和积累，长安律所的公司证券业务团队在公司证券、并购重组、项目融资、企业法律风险控制等方面形成了专业的法律服务体系，以丰富的经验、精湛的专业，为长安所"新三板"专项法律服务业务的开展提供了强大的后盾。

安徽天禾律师事务所

安徽天禾律师事务所成立于 1987 年，原系安徽国办省直律师事务所。1998 年整所转制为省内第一家合伙制律师事务所。自成立以来，天禾人以"诚信勤勉"为执业信条，伴随安徽经济的崛起走过了二十八个春秋。二十多年来，天禾所规划不断发展壮大，业务上不断取得突破，制度建设不断完善，人文天禾的氛围基本形成，发展为安徽及至中部地区规模大所。

事务所现有执业律师和律师助理 80 余名，拥有两千多平方米的办公场所，现代办公设备一应俱全，设立了档案室、资料室、会议室、党员活动室以及多个独立的接待室，并配有专业文秘人员。

事务所业务涵盖证券、金融、投资融资、并购重组、公司事务及劳动、破产、房地产、知识产权等各类非诉讼和诉讼领域，并在诸多法律服务领域取得了良好的业绩和声誉。

证券业务方面。本所已先后为省内外三十余家上市公司的公开发行股票和上市提供专项的法律服务，参与公司股票发行、上市、配股、增发、可转换公司债券及股改等工作，现还担任省内外五十多家拟在主板、中小企业板和创业板上市的企业专项法律顾问，为企业改制及发行股票并上市提供全过程法律服务，成为中西部地区从事证券业务业绩最突出的律师事务所之一。

本所律师先后参与了合肥 - 安庆高速公路项目、合巢芜高速公路回购项目、庐江 - 铜陵高速公路项目收购并建设项目、合肥新机场高速公路建设项目、琅琊山蓄能抽水电站、淮沪煤电有限公司田集电厂/丁集煤矿银团贷款项目以及部分省内重点建设工程项目中的有关法律事务，为组建项目法人、设计融资方案、缮制有关法律文件提供了卓有成效的法律服务。本所律师先后为我省第一个利用奥地利政府出口信贷及商业贷款建设的滁州抽水蓄能电站项目提供全过程法律服务，参与了安徽省发展史上最大工业项目"皖北煤化 - 盐化一体化"建设项目的法律服务。

并购重组活动法律服务方面。本所为青岛海尔集团兼并黄山电子有限公司、安徽江淮汽车集团兼并皖东机械厂、安徽金种子集团兼并含山啤酒厂及庐江啤酒厂、安徽安科生物工程股份有限公司兼并安庆余良卿药业公司、亳州市国资委转让亳州古井集团国有股权、美菱集团股权转让、四川长虹股权转让、荣事达集团与法国 ELCOBRANDTS. A. 及美的集团股权转让、黄山金马股份与浙江铁牛集团股权转让、安徽长江农业装备股份与浙江精工钢构集团股权转让、淮南矿业集团十亿元信托持股计划、安徽国风集团有限责任公司产权转让项目等省内外多宗企业并购案设计重组方案，出具法律意见，参与考察、谈判，拟定并购协议，为上述企业顺利实现资产重组提供了有力的法律服务保障。

劳动人事法律方面。本所律师先后为合肥荣事达三洋电器有限公司、合肥市美菱股份有限公司、安徽叉车集团有限责任公司、中国科学技术大学、安徽省国家税务局等十家国家机关、企事业单位起草、修订劳动合同管理制度、考勤管理制度、薪酬管理制度、招聘管理制度、培训制度、员工手册等规章制度。

本所还为循环经济环保事业方面提供法律服务。自 2004 年开始，在从事联合国清洁发展机制（CDM）法律事务方面，本所先后为北京环卫集团垃圾填埋气利用项目、安徽皖北矿务局瓦斯发电项目、安徽淮南矿务局煤层气利用项目、天津泰达集团垃圾焚烧发电项目、江苏丰城矿务局煤层气发电项目、新疆天风公司风力发电项目、广州珠江天然气公司燃气（LNG）联合循环发电项目、杭州天远环境技术公司南昌填埋气收集利用项目及北京华晨风环保科技公司填埋气利用项目提供了 CDM 项目的专业法律服务。

天禾人在业务方面取得一定成绩的同时，更加注重社会责任的承担，积极参加社会公益活动，参与社会救助，参政议政，真情回馈社会，受到社会各界的良好评价。2008 年 5 月 20 日，天禾所全体同仁向汶川地震灾区捐款设立希望学校款共计 95600 元；5 月 26 日，本所党员律师交纳特殊党费 12000 元。2009 年参与"爱心圆梦大学"活动，本所党员捐款 10000 元资助贫困大学生圆梦大学。本所律师先后被授予"全国司法行政系统劳动模范"、"全国优秀律师"、安徽省"十佳律师"、"安徽省十大杰出青年"、"中国律师业特殊贡献奖"、"首届安徽省十位优秀中青年法学法律专家之法律专家称号"等光荣称号；本所先后获得了"全国优秀律师事务所"、"全国优秀青少年维权岗"、"安徽省司法行政系统先进集体"、"安徽省优秀品牌律师事务所"、"安徽省文明律师事务所"、"安徽省律师事务所综合实力十强"、"安徽省优秀律师事务所"等光荣称号；本所党支部先后获得了中共安徽省直工委"效能建设红旗党支部"、安徽省司法行政系统"优秀党支部"等光荣称号。

天禾所积极投身安徽经济腾飞的大潮中，向规模化、规范化进一步发展，力争成为中部地区的最强所之一。

北京伯彦律师事务所

基本概况

北京伯彦律师事务所是一家从事经济金融法律业务的专业化律师事务所，在企业债券发行、上市并购、税务咨询、公司法律顾问等领域不断拓展。

伯彦律师事务所 2009 年成为银行间交易商协会会员，获

批从事银行间债券市场服务;2012 年成为天津股权交易所会员,为企业在天交所挂牌提供服务;2013 年成为石景山金融联盟会员,为石景山区企业提供金融类法律服务。

现在,伯彦在金融专业领域取得了令人鼓舞的成果。我们服务的融资项目遍及全国各地,服务的企业包括房地产、新材料、新能源、高新企业。业务类型从地方政府融资平台的企业债到北京市第一支农业集合票据;从河南新乡区域集优票据到北京市第一批中小企业私募债;从创业板上市到全国中小企业股份转让系统挂牌。

未来,伯彦仍坚持在经济金融领域深耕细作,向高精化律师事务所的方向发展。

专业领域:

· 公司业务

· 知识产权

· 融资

· 税务

· 证券

· 诉讼

伯彦新闻

天津大无缝彩涂板股份有限公司最后一刻赶上 2014 年新三板列车。

天津大无缝彩涂股份有限公司在 2014 年最后一天获得全国中小企业股份转让系统同意挂牌的函。

北京瑞特爱能源科技股份有限公司成功登陆全国中小企业股份转让系统。

北京伯彦律师事务所为北京瑞特爱能源科技股份有限公司登陆全国中小企业股份转让系统提供专业法律服务。

伯彦律师成功服务江苏薪泽奇机械股份有限公司挂牌新三板。

首页江苏省级高新技术企业——江苏薪泽奇机械股份有限公司(原仁田机械)是专业研发、生产和销售焊管机组、铜包铝 & 铜包钢双金属复合设备、球磨钢球等多领域设备的现代化企业。

北京市京都律师事务所

基本概况

北京市京都律师事务所(以下简称:京都律师事务所)成立于 1995 年,是国内较早设立的合伙制律师事务所之一。目前,京都已建设成为一家提供包括非诉业务、民商诉讼、刑事诉讼等全面法律服务的综合性律师事务所。其中,京都在刑事诉讼领域居于全国领先地位。

京都律师事务所总部位于北京 CBD 中央商务区,另在上海、深圳和大连设有分支机构。京都目前拥有 300 余名执业律师及专业人员,国内外著名法律学府的教育背景以及金融、知识产权、国际贸易等行业企业、行业协会、大学、国外知名律师事务所和政府部门的工作经历使得京都律师在各自业务领域能够为客户提供高标准的法律服务,包括刑事诉讼、民商诉讼、企业风险防控、金融、证券、房地产与基础设施、公司、破产重整、知识产权、能源与环保、信息技术、国际、海商海事等十三个业务领域。同时,京都律师事务所的先进管理理念还使得京都律师具有高度的团队合作精神,不同领域的律师相互配合为客户提供全方位的综合法律服务。

"强化责任观念,修炼气质风度,树立精品意识,提供系统服务"是京都一直推崇和坚持的执业理念。我们将秉承这一宗旨,持续提升自身素质,不断超越自我,依法维护海内外客户的最大合法权益;同时,京都律师事务所积极参与国家的法治建设,通过参政议政、普及法律知识、办理法律援助案件以及各种公益活动等最大限度地履行社会责任。

京都律师事务所不断开拓,积极引进先进的管理理念和人才,致力于成为中国最优秀的专业化、团队化、国际化的综合性律师事务所。

社会责任

事务所办理法律援助案件及参加各种公益事业。

作为在中国具有较大影响力的优秀律师事务所,京都始终奉行"源于社会,回报社会"的宗旨,积极投身各项社会公益事业,践行社会责任,采取了一系列积极的行动回馈社会:进行法律援助、推进法治建设、普及法律知识、参与公益慈善等。

进行法律援助:京都律师每年通过北京市法律援助中心和朝阳区法律援助中心代理大量的法律援助案件,免费为被援助人提供京都专业优良的法律服务,维护被援助人的合法权益。

推进法治建设:我所律师多次以律师身份参与刑法、刑诉法、证据法、律师法的立法研讨活动,提出了很多有价值的建议。我所主任田文昌律师主持起草并出版了我国第一部以律师协会名义起草出版的《刑事诉讼法修改律师建议稿》,这是中国律师界第一次以律师名义向立法机关正式提交的建议稿。

普及法律知识:我所与中央电视台、北京广播电台、法制晚报、北京晚报等多家媒体进行合作,提供法律讲堂、义务咨询、专家点评等法律宣传服务。并应北京大学、清华大学、中国人民大学、中国政法大学、国家法官学院、国际关系学院等多所学校邀请,进行免费法律课程的讲座。我们还积极参加各种形式的普法活动,现场为群众解答各种法律问题。

参与公益慈善:在汶川地震、西南旱灾等重大自然灾害发生时,京都人都积极伸出援手,踊跃向灾区捐款捐物,奉献自己的一片爱心。2012 年 6 月,京都泉计划方案正式启动,旨在为困难家庭的学生提供物质和精神上的帮助。

未来,京都人也将继续努力,恪尽社会职责,以诚信实践承诺,为推动社会的和谐进步贡献更大力量。

相关活动:

· 高校成长成才系列

· 京都"泉计划"系列活动

· 高校"京都杯"系列活动

· 京都普法讲座系列

· 京都法律援助系列

典型案例

1. 非诉业务

· 京都律师事务所合伙人赵岐龙代表中国吉商协会与澳大利亚国际商会签署战略合

· 京都律所成功签约北京富力城房地产公司 2013 年法律顾问

· 京都所为光大银行提供劳动与社会保障法律顾问服务

· 京都律所为北京王府井百货(集团)股份有限公司百货大楼提供常年法律顾问服务

· 京都律所为鲁艺房地产开发有限公司提供常年法律顾问服务

· 京都律所为 2011 年地王项目提供建设工程项目常年法律顾问

·京都律所为首都经贸大学提供非诉法律顾问服务

·京都律所与中信银行总行成功续签法律顾问协议

·京都律所为最高人民法院机关服务中心、第二招待所提供法律服务

·京都律师事务所受聘为中国广播电视协会演员委员会常年法律顾问——助演员行

·京都律师事务所与云南省政府金融办签署战略合作协议,全面支持云南省抢滩东

·京都律所大连分所主任华洋律师被大连金州新区管委会聘为首席法律顾问

·京都律所协助人民日报社成功重组中国华闻投资控股有限公司

2. 刑事诉讼业务

·审判中的双重标准——孙某案判决书评析

·一起贪污案件的成功辩护

·李代沫容留他人吸毒案获刑 9 个月辩护词赏析

·我为正部级被告人辩护的经历——原云南省省长李嘉廷受贿案

·一起非法证据排除的成功案例——侦查机关因未全程录音录像证据被排除

·无罪的有罪判决一起受贿案无罪辩护手记

·生死刑辩

·一场聚众斗殴致死案件的成功缓刑辩护

·一起律师诈骗案的成功辩护

·新立克集团高管贪污案

·吴英案

·北京律师韩某某涉嫌提供虚假证明文件罪无罪释放

·新华社高级记者冯某被控诈骗案终判无罪

·洪某某非法运输毒品辩为非法持有毒品

·无罪释放——赵某某被指控贪污案

·高广友的程序问题

·于某某涉嫌故意杀人罪的无罪辩护

·八年抗战,终获国家赔偿——一起刑事案件中因错误没收财产而提起国家赔偿

·南水北调工程中所涉合同诈骗罪,为被告减轻刑罚七年

·陈道荣涉黑案成功"脱黑"

·广东阳江重大黑社会性质组织案中林国钦故意杀人案的成功无罪辩护

·原云南省省长李嘉廷受贿案

·中国长城葡萄酒股份有限公司副总经理高某贷款诈骗案,无罪释放

·肖某等三人涉嫌走私、运输毒品案死刑立即执行改判死缓

·深圳三九企业集团董事长赵某滥用职权案,宣判后即刑满释放

·乔某被控集资诈骗罪二审改判

·郭清云被诉故意伤害(致死)案法院作出无罪宣判

·弱妻杀夫案二审改缓刑——姜宝琴故意杀人案二审辩护侧记

·青岛远洋运输公司原计划财务部副部长孙某被控贪污案

3. 民商事诉讼业务

·地产开发有限公司欠款案件介绍

·企业中表见代理行为的防与控

·蛰伏——进退两难中,以简制繁的胜诉之路

·对弈布局——始于合作之初,终于争议之末的操盘

·一起农村宅基地房屋买卖合同纠纷案件

·以"刑"攻"民"——从一起股东资格确认纠纷案件谈起

·从"百粥香"与"百粥乡"商标侵权件诉讼案谈企业对未注册商标的保护

·不战而屈人之兵——以河北省香河退房潮中的一起群体诉讼为例

·金山公司诉周鸿再次胜诉——法院重申网络言论自由界限

·以子之矛,攻子之盾

·量房(二手房)买卖合同纠纷案

·势微下的博弈——宏通公司诉千叶公司及东方公司、森林大酒店、森林公园公司…

·浅析赶集网诉百姓网不正当竞争纠纷案

·诉讼的智慧——以北京 DZ 餐饮集团与南京 FS 房产公司房屋租赁合同纠纷案为例

·豪宅迟迟无法入住,如何主张权利?

·没有证据也能打赢官司——谈一起债权人撤销权纠纷中举证责任倒置

·微博骂人,代价几何?——"微博诉讼第一案"案例综述

·"网络暴力第一案"——王菲诉张乐奕等名誉权纠纷案

·用人单位拒绝出具离职证明导致劳动者无法就业的损害赔偿责任

·深圳本鲁克斯实业股份有限公司与蛇口汉盛电子有限公司房地产买卖合同无效案

·深圳市婚姻介绍所上诉颖源公司全国首例互联网软件侵权纠纷

·北京市房山区某村委会诉村民荒山承包合同案,原告撤诉

·技术创新 OR 侵权帮凶?——全国首例 P2P 视频播放器开发者侵犯著作权纠纷案

·广东珠海金镭联激光主盘制造有限公司侵犯著作权案

·700 农民集团诉讼东莞市政府征地案

·赵世伟诉吉林省辽源市广播电视局、辽源市有线电视台等产权纠纷案

北京李伟斌律师事务所

北京李伟斌律师事务所(以下简称"北京李伟斌")前身为中顺律师事务所,成立于 1999 年,以香港李伟斌律师行首席合伙人李伟斌律师的名字为字号,系国内首家获司法部批准的与境外律师事务所字号相同的内地事务所。北京李伟斌与香港李伟斌律师行具有密切合作关系,在同时涉及中港两地的法律服务方面具有明显优势。

北京李伟斌作为资本市场法律服务的提供者,秉承"德信真诚,务实求精;畅所欲言,团结互助;各展所长,共同发展"的文化理念,致力于为客户的境内外首次公开发行上市、新三板发行与上市、并购重组、境内外投融资、债券发行等提供优质、高效、全方位的法律服务。

地址:北京市朝阳区劲松三区甲 302 号华腾大厦 11 层
邮编:100021

电话:010 - 87216188
传真:010 - 87216165
网址:www. li - partners. com

北京市观远律师事务所

北京市观远律师事务所是经北京市司法局批准成立的合伙制律师事务所,由欧洲归国涉外律师和国内一批资深律师创立,设有公司、证券、金融、基础设施开发与项目融资、房地产与建筑工程、能源、国际业务、知识产权、诉讼九个业务部门;主要客户为金融机构、上市公司、国有大中型企业、外资企业、民营高科技企业、房地产开发企业。目前北京市观远律师事务所在职人员共计 34 人,平均年龄 35 岁。其中执业律师有 27 名,硕士 21 名,博士 3 名,均具有国际知名法学院学习及知名律师事务所工作经历。观远律师事务所律师具有复合型人才的特征,高级经济师资格 2 名,英国律师资格 1 人,证券业务从业资格 2 人,商务咨询师 1 人。观远律师事务所涉外工作能力极强,可以用英语、俄语、德语、法语、韩语、蒙语作为工作语言。核心办公机构在亚运村核心地段高级写字楼,香港、深圳和上海设有办事处。

秉承不断创新及追求卓越的现代法律理念,观远律师事务所目前已成为中国律师业中有影响、业务领先的综合性律师事务所,为来自世界各地的高端客户,尤其是大型企业提供着优质高效的法律服务。经过多年的工作中实践,本律师事务所在国内外建立了良好的社会关系网络,聘请了一批在各专业领域卓有成就的专家学者作为专业顾问,在重大疑难案件和社会热点问题方面与专家顾问共同对立法和政策进行研讨,并通过大众媒体探讨宣传法制和立法精神。

观远律师事务所为国内外广大客户提供专业、高效的法律服务,能够深刻理解客户需求,为客户提供具有建设性及可操作性的解决方案。观远律师出色的业务能力体现在全方位的法律服务上,无论在传统的法律业务中有良好的基础,尤其对于近几年的公司新兴的法律业务领域更为突显我们的优势,如改制、并购、重组、上市、破产、不良资产处置、资产证券化、海外投资等领域。

"信誉、质量、效率、前瞻"是我们的宗旨,"公听并观、任重致远"是我们的座右铭。观远律师团队相信,我们专业尽职的服务,一定能够为客户带来物超所值的服务。

证券法律业务

公司上市是直接融资的重要手段,我国法律规定了严格的上市条件和程序,国有企业可以直接上市,或参与已上市公司重组、并购间接上市,观远律师为境内外上市提供法律服务包括但不限于:

· 协助确定上市目标(改制、重组、并购),并对目标的可行性、合规性进行法律论证,出具法律意见

· 协助拟订改制/重组/并购上市的方案、协议

· 协助办理国有资产评估手续,对资产评估的合法性出具法律意见

· 协助准备上市申报材料、办理审批手续

· 协助起草发起人协议、公司章程、股份公司创立大会文件、股东大会工作程序规则、董事会议事规则、监事会议事规、总经理/经理工作规则等法律文件

· 协助拟定股票发行方案并出具法律意见

· 协助拟订国有股权管理方案,出具关于资产重组、国有股权管理的法律意见书

· 出具拟任职董事、监事和高能管理人员资格的法律意见书

· 出席创立大会暨第一次股东大会进行律师见证并出具法律意见书

· 出具股份有限公司上市法律意见书

· 协助办理工商登记(变更)手续

观远律事务所承办的上市业务简介:

· 为江苏远洋数据有限公司与达晨基金公司提供签订投资协议及其他法律文件的提供专业律师服务;并为该公司与汉农投资顾问公司签订财务咨询合同及相关法律文件提供法律支持。为江苏数据有限公司改制重组项目及该公司主板上市提供律师服务

· 作为银基集团法律顾问,组建银基集团公司,并为筹备集团公司上市提供专项法律服务

· 承办中国建设银行、中国神华能源股份有限公司 A 股发行并上市项目、宁波银行 A 股发行并上市项目

· 我所律师作为一家铜业公司 A 股发行并上市项目的保荐人参与项目

· 作为北京全有时代科技有限公司、中科点击科技有限公司新三板的挂牌上市的专项法律顾问

为中海阳电力工程股份有限公司重组、增资扩股、股份公司改制提供法律专业服务。为该公司收购四川双流基地公司项目完成谈判、签署初期投资为人民币 20 亿元的大型项目全套法律文件的工作;并作为中海阳电力工程有限公司的常年法律顾问,向证监会出具合法、有效的专业律师意见及报告。顺利完成该公司新三板的挂牌上市交易及成功申报创业板上市的法律工作。

北京市金开律师事务所

北京市金开律师事务所(金开)成立于 2002 年,总所设立于北京,成都、重庆、南宁(拟建)、深圳(拟建)设有分所,并在杭州、兰州、武汉、拉萨等地建立了法律工作站,服务范围涉及全国及境外。我们坚持"一流人才是立业发展的根本,优质服务是赢得成功的关键"这一宗旨,秉承法文化精神、建立互动沟通、形成执业专注,在充分理解客户商业需求的基础上,提供务实又富有建设性的方案,帮助客户实现商业目的。

金开由一批既有理想又勇于实践的中青年律师共同组建而成,现有合伙律师九名,专业律师七十余名,兼职律师、专家顾问数十名。执业律师均毕业于国内著名高等院校法学以及经济、管理学相关专业,2/3 以上拥有博士、硕士学位。他们不仅具有多年律师执业经历及其他法律工作经历,为其所负责法律领域的专家,并具备良好的分析、归纳、判断能力,有着快速和高效的工作习惯。

本着专业化的思路,我们将核心业务定位于公司证券、金融、应收欠款清收、房地产等法律服务,金开的主要发起律师均有服务于金融、证券、公司、集团企业的从业经验,这使得我们始终专注于这些核心服务领域,并注重提高专业品质,不局限于单一法律问题,更致力于在核心业务领域为客户提供整体解决方案。

金开在强调依靠全体律师整体的经验、知识以及律师间协调配合的同时,注重每一位执业律师在相关法律领域内掌握扎实的专业知识,全面、深刻地理解中国的司法及经济制度,在充分理解客户的具体需要的基础上,以严谨、认真、负责的工作态度,采取多方位服务和大胆创新的方法为客户的要

求提供法律上具有可操作性的建议、安排和方案。同时，金开及其律师与国内有关政府部门、司法机关以及相关行业组织建立了良好的工作关系，与境外的多家知名律师事务所具有业务合作关系，可以根据国内外客户委托事项的需要，及时为客户提供便利。

我们服务于客户的是，服务团队的稳定性、执业水平的一致性以及视野、经验和资源的共享性，这使每个客户得到的法律服务都是金开全体律师相互之间分工协作、专业积淀的结果。金开以各地分所及常驻法律服务工作站为依托、协同作战，能够为客户特别是全国范围有分支机构或业务的大型客户提供跨地区、全接口的延伸服务。

我们与西南政法大学共建"金开名家讲坛"，为四川大学法学院贫困学生提供助学金。我们密切关注中国立法和法律研究的动态发展，以保持我们的法学理念处于法学前沿，并始终保持对客户商业需求的高度关注，通过不断地提高我们的效率和反应能力，透析最前沿的法律，向客户提供最新的市场发展动态。

金开郑重承诺，只要客户需要，我们将尽最大努力为其提供高水准的法律支持，使客户充分享受我们独具特色的超值服务。

经过几年的建设，金开已成为一家定位准确、管理规范、服务精细、人才辈出的优秀律师事务所。

随着国民经济的高速发展及改革开放的不断深入，经济活动中对优质、高效及全过程甚至全方位的法律服务的需求亦日益增长。在全球一体化的宏观经济大潮中，金开全体律师愿以客户的需要为目标，以维护客户合法权益为己任，本着"精诚所至，金石为开"的执业理念，为每一位客户提供卓越的服务。

业务领域

新三板业务、信托业务、工程和房地产、金融法律服务、企业法律事务、商务及贸易、企业清算事务、投资法律事务、知识产权、民事诉讼、刑事法律事务、法律顾问服务、商事仲裁。

北京市涌金律师事务所

涌金律师事务所是一家在中国北京成立的综合性合伙制律师事务所。涌金严格按照国际律师事务所模式组建，实行高度专业化分工和紧密团队合作，并致力成为中国优质、高效法律服务的领先提供者。

涌金的核心理念在于:以严谨务实的工作方法为客户提供富有针对性、建设性、创造性的法律解决方案，协助客户实现其利益的最大化。

涌金拥有众多经验丰富的执业律师和多个领域的法律专家。凭借严格、科学的管理和现代化的办公环境，涌金律师在能源、交通运输、金融、税务、建筑工程、房地产、知识产权、外国直接投资、证券、基础设施建设、国际贸易、电信、娱乐、传媒、体育及高新技术产业等方面为客户提供优质、高效的专业法律服务。

涌金位于有中国"硅谷"之称的北京中关村地区，临近培养精锐智力资源的清华大学、北京大学等中国著名学府，有能力提供最优秀的法律专业人才和研究力量，确保法律服务质量。身处当今中国经济和科技发展最迅猛的地区，涌金律师将持续在法律业务的前沿领域提供增值的法律服务。

涌金由一批拥有共同理念、具备团队精神、丰富执业经验及法律专业特长的资深律师倡议并设立。涌金律师均毕业于国内外著名法律院校，能使用多种语言文字工作，其中一些律师拥有外国律师资格并曾服务于在华国际知名律师事务所。

涌金在实行高度专业化分工和紧密团队合作的基础上，根据客户的不同需求，就每一项工作指派相关领域最资深的专业律师负责，并实行有效的团队协作，以确保涌金律师能够为客户提供高水准、专业化的法律服务。

涌金律师拥有丰富的处理棘手法律问题的经验与能力。在处理每项具体业务时，均着眼于准确把握该业务的背景材料，并凭借对该业务所涉及的国内外法律的全面和深刻的理解，为客户提供最稳妥、最具有操作性的解决方案。

涌金按照国际公认的法律服务标准创立了一套完善的事务所管理机制、服务质量评价及监督体系和严格的律师职业道德准则。涌金律师专注于对专业服务质量和律师职业道德的追求，并把这种追求建立在对法律规则的深入研究、对客户事业发展的充分理解和对律师社会责任关注的基础之上。

涌金建立了规范的客户联络机制。在工作中，涌金律师定期向客户汇报工作进度及存在的法律风险和问题，保持与客户及时沟通，保证客户了解每一个重要的法律步骤，并确保该法律步骤符合客户的最大利益。

在对客户提供优质、高效法律服务的同时，涌金力求使涌金团队的每一位成员得到尊重和关怀，并为每位成员充分提供职业发展的机会及必要的支持，而这一切又从根本上保证了涌金作为一个整体能够为客户持续提供高水准及可以信赖的法律服务。

在长期执业过程中，涌金律师已经在多个主要法律领域成功地服务于国内外的客户，包括名列世界五百强的跨国公司、政府机构、非政府组织、国内大型国有及民营企业、行业协会、社会公益组织，如美国宝洁、联邦快递、德国汉高、泛亚班拿、中旅集团、中国银行、三联集团、清华同方、北京城建集团、北京东方广场、商务部、国家发展与改革委员会、中国对外承包工程商会、中国制药装备行业协会、中央文史馆、中央民族大学等。

涌金律师除了为客户提供专业法律服务外，还将致力成为客户可信任的合作伙伴和事业可持续发展的重要外联资源。

涌金律师已与中央和地方相关政府部门建立了良好的沟通渠道和稳定的工作联系，其中包括中国证券监督管理委员会、国务院国有资产管理委员会、国家发展和改革委员会、商务部、国家工商行政管理总局、中国保险监督管理委员会、中国银行业监督管理委员会、国家外汇管理局、海关

家知识产权局、国家税务总局、国家广播电影电视总局等。涌金律师经常被邀请参加由政府部门组织的各种研讨会并对国家的立法和执法工作提供专业的咨询意见。

涌金律师在为众多国内和国外客户提供法律服务的过程中，也与国内外法律界、商界、非政府机构及社会公益组织建立了广泛的业务联系。

观韬律师事务所

基本概况

观韬律师事务所成立于 1994 年 2 月，是总部设于中国北京的专业化、综合性大型律师事务所。经过数年不断的开拓、创新和发展，观韬律师事务所在法律服务、专业建设和律师团队等方面已成为中国优秀律师事务所之一。坚持追求卓越，诚信勤勉，高效优质是观韬律师事务所的理念，委托人利益高于一切是观韬律师事务所的价值观。

2000年11月，国家司法部授予本所为《中华人民共和国司法部部级文明所》。2005年、2008年和2011年，中华全国律师协会连续三次授予本所为《全国优秀律师事务所》。自2005年至今，观韬律师事务所因在资本市场、银行与金融、公司与并购、国际贸易、工程基建与能源资源、重组与破产、房地产、争议解决等业务领域具有良好的业绩和声誉，多次入选《钱伯斯亚洲》、《钱伯斯全球》、《亚太法律500强》、《国际金融法律评论1000》、《亚洲法律评论》等国际知名法律评级机构的排名领域，并有数名律师入选排名律师。在"亚洲法律杂志中国法律大奖"历年的评选中，观韬律师事务所均获得包括"年度最佳北京律师事务所"和"年度最佳中国律师事务所"等多项奖项提名，并于2008年荣获"年度最佳能源和资源交易大奖"、于2009年和2011年两次荣获"年度破产清算和重组律师事务所"大奖，在2012年"亚洲法律杂志中国法律大奖"评选中获得多达9个年度奖项的提名。

观韬律师事务所的法律服务范围涵盖了银行、证券、保险、电信、大型基本建设、房地产、机械制造、交通、能源和自然资源、电力工程、环境保护、旅游、化工、医药、科研和服务业等领域。法律服务业务涉及国际投资、国际贸易、反倾销、反垄断、收购与兼并、私募/风险投资、资产重组、银行和非银行金融机构风险处置和破产清算、产权界定、股份制改造、股票和债券的发行、知识产权、高新技术、金融、招标与投标、国际税法，以及反洗钱、行政法业务等诸多方面。同时，在传统的商业诉讼与仲裁法律事务方面亦具有良好业绩。

观韬律师事务所除北京总部以外，在上海、深圳、大连、西安、成都、济南、厦门、香港、天津、广州等地设有分所，以便为不同地区的委托人提供更加有效、及时的法律服务。观韬律师事务所在相关专业方面还与境外和港、澳地区的律师行具有良好的业务合作关系。观韬与亚司特(Ashurst)国际律师行建立了联盟关系。亚司特是一间总部位于英国的国际律师行。通过与亚司特律师行的紧密合作，使我们可以在全球的平台上、持之以恒地为我们的国内及国际客户提供有价值的、全方位的法律服务。

观韬律师事务所拥有一支理论深厚、经验丰富、勤勉尽责、服务诚信、业绩良好、追求卓越的律师工作团队，并拥有多名相关专业的法律专家，能够为不同行业、不同客户提供全过程的综合性法律服务。

业务领域

· 反垄断业务
· 资本市场业务
· 公司、并购与商事业务
· 大型基建和房地产业务
· 银行与金融业务
· 诉讼与仲裁业务
· 破产业务
· 知识产权与电信传媒业务
· 国际投资与贸易业务
· 海事海商及船舶融资业务
· 能源与项目融资业务
· 行政法业务
· 招投标业务

观韬荣誉

2014年11月，观韬律师事务所在银行与金融、资本市场、收购与兼并、投资基金、私募、竞争法、能源与基建等业务领域获得国际金融法律评论(IFLR1000)2015年中国金融律所较高排名。此外，观韬以下九位合伙人也在各自业务领域被评价为杰出律师。崔利国：资本市场、收购与兼并孙东莹：私募、投资基金、收购与兼并萧红明：私募；行业：能源、矿产姜玮：能源与基建：项目开发；行业：石油和天然气、电力吕立秋：银行与金融闫芃芃：资本市场、收购与兼并；行业：医疗、电信科技孙韶松：竞争法李岩：收购与兼并；行业：保险、电力、电信科技王阳：资本市场、投资基金；行业：石油和天然气、电力。国际金融法律评论是一部关于全球领先的金融和公司业务律师事务所的年度指引，于1990年开始发行，目前对全球超过120个法域的律师事务所进行调研和排名。国际金融法律评论(IFLR1000)是专注于国际金融行业的媒体－－欧洲货币法律传媒集团的组成部分。

2014年10月，汤森路透(Thomson Reuters)的投资银行交易数据团队对外公布了2014年前三季度的并购法律顾问回顾报告，本篇报告还包含专为中国市场设计的中国海外并购报告，观韬因协助澳大利亚Transpacific Industries Group向北京首创集团出售新西兰废品处理公司股权项目，在中国海外并购法律顾问排名中位列中国律所第六位。该项目曾在2014年第一季度的并购法律顾问报告中入选中国海外并购十大交易。

2014年3月13日，《钱伯斯全球2014》发布最新律所排名结果，观韬在资本市场(境内发行)、公司与并购、争议解决(北京)、能源与自然资源、工程与基建等五大业务领域获得较高排名(其中，能源与自然资源、工程与基建两个领域均排名第二等级)，并有7位律师入选排名律师(刘榕、姜玮、付三中、萧红明、徐玲、闫芃芃、洪宇昊，其中刘榕和姜玮分别在资本市场和工程领域排名为第二等级律师)。

2014年2月18日，《钱伯斯亚太2014》发布最新律所排名结果，观韬在资本市场(境内发行)、公司与并购、争议解决(北京)、能源与自然资源、工程与基建、房地产、重组与破产等七大业务领域获得较高排名(其中，能源与自然资源、工程与基建两个领域均排名第二等级)，并有10位律师入选排名律师(杨光、刘榕、甘为民、姜玮、孙韶松、付三中、萧红明、徐玲、闫芃芃、洪宇昊，其中杨光、刘榕、甘为民、姜玮分别在重组与破产、资本市场、公司商事、工程领域排名为第二等级律师)。

2014年2月，本所在重组及破产领域，获得2013商法卓越律所大奖。

2014年1月，本所在*Corporate INTL*杂志2014年全球评选中，获得"中国年度全方位法律服务律师事务所"大奖。

2013年11月，观韬因在银行与金融、资本市场、公司与并购、争议解决、工程与能源、WTO/国际贸易等业务领域具有良好的业绩和声誉，获得Legal 500 Asia Pacific 2014较高排名；合伙人吕立秋、闵庆轩、谭卫红、田向群、崔利国、孙东峰、孙东莹、洪宇昊、萧红明、徐玲、刘榕、杨光、姜玮、栾成妤也在各自业务领域获得高度推荐。

2013年10月，国际金融法律评论(IFLR1000)公布了2014年中国金融律所业务领域排名。观韬律师事务所在银行与金融、资本市场、收购与兼并、投资基金、私募、竞争法等业务领域获得较高排名。合伙人崔利国、孙东莹、萧红明、吕立秋、闫芃芃、孙韶松、李岩、王阳也在各自业务领域被评为杰出律师。

2013年9月12日观韬获得《中国法律与实践》2013年度工程、能源和基建团队大奖。

2013年6月，杂志首次推出亚洲律师事务所规模100强名单，观韬律师事务所等三十余家中国律所入选排名。

2013 年 4 月，观韬在 *Corporate INTL* 杂志举办的“2013 法律大奖”评选中获得“中国年度最佳工程律师事务所”奖项。

地址：北京市西城区金融大街 28 号盈泰中心 2 号楼 17 层
邮编：100140
电话：010 - 66578066
传真：010 - 66578016
E - mail：guantao@ guantao. com

广东华商律师事务所

基本概况

广东华商律师事务所（以下简称“华商所”）创建于 1993 年 12 月，是全国第一批获准设立的合伙制律师事务所之一。经过近 12 年的发展，华商所已成为国内规模最大的综合性律师服务机构之一。

1996 年 7 月，华商所获得了中国司法部和中国证监会颁发的《律师事务所从事证券法律业务资格书》；2000 年 12 月，华商所被中国司法部和中国证监会指定为可以从事涉及境内权益的境外公司在境外发行股票及上市法律业务（即红筹上市）的中国五十九家律师事务所之一。

自 1997 年到目前为止，华商所已办理近百家企业的证券法律业务，在业界名列前茅。2008 年在中华全国律师协会综合排名中位列证券业务全国前十五名，有资格推荐发审委、重组委成员。2003 年，华商所耗资 2800 多万元人民币，购买位于深圳市中央商务区（CBD）的顶级写字楼“时代金融中心”十四楼整层面积共 1800 平方米的房产作为办公楼。2004 年，华商所被北京大学列为研究生、博士生教学研究实习基地。同时也是西南政法大学、深圳大学的毕业生实习基地。

2004 年，华商所受司法部和广东省司法厅委托对《中华人民共和国律师法》核心部分“律师业务和权利、义务”进行调研和修改起草工作。全球法律权威网站 www. legal500. com（《法律 500 强》）和 2005 年出版的 *The Asia Pacific Legal* 500（《亚太法律 500 强》）杂志将华商所列为推荐的中国律师行之一，并被列为在公司业务、外商投资、项目融资等方面的推荐的中国律师。

同时，华商所还获得 2004—2005 年度法律商业奖（2004 - 2005 Annual Legal Business Award）的提名。2007 年，华商（China Commercial）律师事务所加入了路伟（Lovells）国际律师事务所（全球排名第六）牵头的“中世律所联盟”Sino - Global Legal Alliance（SGLA）。这是全国首家采用这种模式的规模最大的律所联盟。本所是深圳地区唯一一家成员所，能让本所在全国乃至全球国际项目的拓展方面提供更好的一站式服务。2008 年，被深圳市中级人民法院指定为破产案件管理人，成为深圳市能够承办破产案件的十五家律师事务所之一。2008 年，为深圳市公安局组建“深圳市公安民警正当执法权益保护委员会”常年法律服务律师团。2008 年，华商律师事务所与深圳大学法学院建立了战略合作关系，双方就研究生培养、学生实习、学术交流及课题研究等达成了多方位的合作协议。

主要业务

证券法律事务：公司股份制改造、股票发行与上市、上市公司兼并与收购、可转债和企业债券发行与上市等的策划、法律论证、法律审查、法律文件制作等事务。

风险投融资法律事务：为风险投资人、投资机构提供项目法律评估、尽责调查、投资策划、投资企业制度策划及建立、风险投资退出等法律服务；为高科技企业风险融资提供方案策划、机制建立、融资包装、制作商业计划书等法律服务。

公司法律事务：公司的设立、合资、合作、收购、兼并、改组、破产、清盘、股权转让、资产重组等。

房地产法律事务：土地使用权的出让与转让、房地产项目开发、交易、建筑装饰工程法律事务以及与此有关的融资、担保、抵押等法律事务。

国际商务、投资法律事务：国际贸易合同谈判，大型投资项目的策划、法律及投资环境评估、资信调查、谈判、起草合同等有关文件。

知识产权法律事务：商标申请、续展、转让、使用许可法律事务及侵权纠纷的处理，专利权的申请、保护、转让、使用许可法律事务及侵权纠纷的处理，著作权（包括计算机软件）的保护、使用、许可法律事务及侵权纠纷的处理等。

诉讼与仲裁代理事务：代理各类民事、经济、刑事、行政诉讼案件及商事仲裁案件。

海事、商事法律事务：有关船舶事务、海上客、货运输、租船、船舶碰撞、海上救助、海事赔偿、海上保险、船舶扣押等有关事务的代理。

贵州中创联律师事务所

贵州中创联律师事务所是 2004 年由贵州省司法厅直属的四个律师事务所整合资源成立、省内大规模的综合性律师执业机构，以“中创联——客户价值助创人、客户财富守护神”为服务理念，以“团结、创新、规范、高效”为管理理念，以“分类管理，分级要求，人尽其才，物尽其用，多模式”为经营理念，以建设“规范化、规模化、专业化、现代化、品牌化”律所集团为战略目标。系贵州大学、贵阳医学院等 5 所大学法学教学科研实习基地，是北京大成律师事务所上海分所战略合作单位。

本所现有执业律师 60 余名，其中法学博士 4 名，经济学博士 1 名，70% 以上的律师具有硕士或者双学位，30% 以上的律师具有警官、检察官、法官、政府官员、国企高管等经历，仲裁员 7 名，是一支以高素质资深律师和具有法学教授、法学研究员、项目投资分析师、高级工程师、主任医师、心理咨询师等高级复合型人才为骨干的强力律师团队。本所及本所律师多人、多次被评为司法部、贵州省、司法厅先进。

本所的最高权力机构是合伙人会议，最高执行机构是管理委员会，设有监事会。中共党员 24 名，成立了中共贵州省司法厅机关党委第十八党支部。各民主党派党员 12 人。

本所主任是八十年代全国重点大学毕业，具有丰富社会阅历，前瞻性、开拓型、学术型、多面手的资深律师。合伙人会议主席是贵州省律协副会长，贵州唯一一个全国律协常务理事，西部律师论坛副主委。党支部书记是贵州省律协青工委主任。监事会主席是国办律师事务所原主任。

本所设有公司（矿山）企业发展法律中心、建设房地产法律事务中心、医事法律服务中心、金融证券部、企业改制部、诉讼仲裁部等内设业务部门。在本省毕节、六盘水市设有分所，为社会提供综合性、全方位的法律服务。

本所前后为近 600 家企业、商会、行业协会担任常年或者专项法律顾问。在企业改制、企业上市、私募资金等方面有足够的人才和成熟的经验。本所先后为贵州省黔峰生物制品厂、贵州久联集团、贵州中伟公司等企业上市、全省上百家企业改制提供了优质法律服务。

本所在刑事辩护、人身损害、医事法律、建筑房地产、大型项目法律顾问、金融证券、企业改制上市等方面成绩斐然。

本所在贵州省会贵阳市中心自有办公面积近700平方，办公环境一流，是律师梦工场。

地址：贵州省贵阳市次南门中创大厦17楼

邮编：550003

电话：0851－59881485989148

传真：0851－5980401

网址：http://www.zcllaw.com

电子邮箱：zcllaw17e@163.com

国浩律师事务所

基本概况

国浩律师集团事务所成立于1998年6月，由北京市张涌涛律师事务所、上海市万国律师事务所、深圳市唐人律师事务所基于合并而共同发起设立，并在中华人民共和国司法部登记注册。前述三家事务所业已于1992年及1993年间组建，至今已有逾十九年的历史。

2011年3月，国浩律师集团事务所更名为国浩律师事务所。国浩律师事务所现有200余名合伙人，90%以上的合伙人具有硕士、博士学位和高级职称，其中多名合伙人为我国某一法律领域及相关专业之著名专家和学者。国浩律师事务所拥有执业律师、律师助理、律师秘书及支持保障人员近1500人。

机构布局

国浩律师事务所是中国最大的跨地域合伙制律师事务所之一，在北京、上海、深圳、杭州、广州、昆明、天津、成都、宁波、福州、西安、南京、南宁、香港及巴黎等十五地设有分支机构，在北京设立的国浩锐思知识产权代理公司也已正式开业。

香港联营

国浩律师事务所现有200余名合伙人，90%以上的合伙人具有硕士、博士学位和高级职称，其中多名合伙人为我国某一法律领域及相关专业之著名专家和学者。国浩律师事务所拥有执业律师、律师助理、律师秘书及支持保障人员近1500人。

客户关系

国浩律师事务所律师与客户合作无间，真实、彻底地了解每一位客户的业务特点和法律需求，并提出准确、精深的专业意见，提供富于创新的法律服务。国浩律师事务所的业务范围业已覆盖整个中国及世界多个国家和地区。

专业资格

国浩律师事务所律师经司法部、中国证券监督管理委员会审核，具有从事证券业务之专业资格。经司法部、原国家科委、原国家国有资产管理局审核，具有从事产权界定之专业资格。经司法部、原国家计委审核，具有从事国家基本建设大中型项目招投标业务之专业资格。经司法部、原经贸部审核，具有从事外贸企业股份制改造职工持股业务之专业资格。

本所系香港联合交易所、美国纽约证券交易所、美国NASDAQ证券交易市场、澳大利亚悉尼证券交易所、新加坡证券交易所等境外证券交易机构认可的可为证券发行上市及公司并购项目出具法律意见的中国律师事务所。

专业业绩

国浩律师事务所业务遍及证券与资本市场、公司与商业、金融与银行、国际投资、基础设施建设、知识产权、海商海事、新能源等所有经济发展的重点领域。尤其是在资本市场，国浩在境内外IPO、再融资、重大资产重组、收购兼并等综合指标上几乎每年均排名行业第一。

专业分工

国浩律师事务所设有证券与资本市场专业委员会、公司与商业专业委员会、银行与金融专业委员会、国际投资专业委员会、基础设施建设专业委员会、知识产权专业委员会等六个专业化法律服务机构，开创了中国律师业规模化、专业化、团队化之先河。

专业理念

国浩律师事务所对涉及的众多服务领域，都特别强调出色的专业服务、对交易的商业理解、成本的控制以及快速的反应。

内部管理

国浩律师事务所建立高效和负责的内部汇报制度，工作气氛友好轻松，以确保内部信息迅速传递，使处理客户事务的专业委员会及相关律师之间保持紧密联系和配合。

支持保障

国浩律师事务所设有专门的研究机构为相关专业委员会及执业律师搜集资料并协助律师了解有关法律和产业的发展情况。

学术成果

国浩律师事务所出版的内部刊物《国浩法律研究》受到广大客户的关注，已成为与客户联系的桥梁，宣传财经法律的论坛。本集团还先后与法律出版社合作出版了《国浩法律文库》，与北京大学出版社合作出版了《国浩财经文库》。

专家统领

国浩律师事务所以人为本，注意培育人才成长和发展的环境和氛围。专家主事、学者掌舵，成为国浩律师事务所人力资源积聚和配置最鲜明的特点之一。

专业信念

国浩律师事务所相信，为使学识精湛高深，业务蒸蒸日上，一定要坚持律师的忠诚独立和勤勉尽责，确保全体专业人员经验丰富、热爱工作，保持国浩律师事务所处理客户事务的一贯作风，即：高效、诚实、信用、审慎、果断。

湖南启元律师事务所

基本概况

启元律师事务所成立于1994年，是中国最早成立的合伙制律师事务所之一。

自成立以来，启元一直专注于资本市场、投融资市场、公司治理等各经济领域法律业务，以能向客户提供卓越而收费公道的专业法律服务而享誉中国资本市场，并由此与境内外一大批声誉卓著的企业、金融机构、投资机构建立了长久、良好的业务关系。

启元拥有最专业化的法律服务团队，拥有精通法律、金融、财务、税务、经济管理、英语等专业知识的复合型人才，可提供中英文双语同步法律服务。

经过多年的努力，启元对资本市场各类业务的法律服务已形成了标准化、规范化的业务标准和执业规范，同时，基于对法律的深刻理解和客户商业需求的准确判断，启元律师可为客户“量身定制”最优化的交易架构与交易模式，并提供与之配套的全程法律服务。

作为中国资本市场法律服务的主要提供者，启元连续数年获得“全国优秀律师事务所”“湖南省优秀律师事务所”、“为国企改革服务工作先进集体”等荣誉称号，创造的资本市场业绩持续位居中国资本市场同行业前列。其中，IPO 法律业务连续数年进入全国证券法律业务前十位；而上市公司并购重组法律业务 2010 年跃居全国第三。

IPO 法律服务，是启元业务的基石。作为资本市场法律服务的主要提供者，启元已连续数年位列中国 IPO 发行人律师市场份额前十名。

经过多年的积累，启元已经形成一整套完整高效的业务流程规范，可为各类型企业提供境内发行人律师及券商律师法律服务。

从国企的改制到民营的规范，启元服务过的企业类型遍及钢铁、冶金、矿产、机械制造、新能源、新材料、信息技术、邮政、公用事业、环保、文化、传媒、出版、医药、医疗、农林牧渔业、食品、商业零售及批发、茶业、造纸、房地产、旅游等各种行业。其中，电广传媒、爱尔眼科、天舟科教均为同行业第一家上市公司。

服务领域——资本市场全方位法律服务

启元长期致力于资本市场各类法律业务，拥有与中国资本市场的发展成长同步的法律服务经验。

1. 企业改制重组

从国企的整合改制到民企的规范重组，启元承办过大量项目并积累了丰富经验，可为客户提供包括方案设计、进程把关、结果审查的全程跟踪法律服务，协助各类型企业实现 IPO 目标。

2. 股票首次公开发行并上市(IPO)

IPO 法律服务，是启元业务的基石，业务范围涵盖 A 股(含主板及创业板)、H 股、涉及中国境内权益的境外发行上市等。服务上市企业家数或融资额连续数年进入全国证券法律业务前十名。

3. 上市公司再融资

配股、增发、非公开发行、可转债、可分离债等上市公司再融资，系启元的核心业务之一。启元在该领域具有持续创新能力。电广传媒公募增发系 A 股市场首批试点单位，三一重工股权分置改革开创了 A 股市场股权分置改革的先河。

4. 债券及票据融资

在企业债券、公司债券、短期融资券、可转换公司债券、金融债券、中期票据、定向债务融资工具等方面，启元已为众多上市公司、非上市大型企业集团及金融机构提供过法律服务。

5. 境外上市融资及相关法律服务

启元可为客户在香港主板和创业板市场的融资提供法律服务，并协助客户利用国际低税区进行境外重组。启元已为三一重工等多家公司在香港主板或创业板上市提供了法律服务，与境外中介机构有着良好的业务协作关系。

6. 并购重组

作为中国资本市场并购重组的主要法律顾问之一，启元一直以“创新性”在中国资本市场独树一帜。参与策划的米塔尔并购华菱钢铁、三一重工并购重组境外红筹资产等已成为我国证券市场的经典案例，并由此引起全国资本市场的瞩目。2010 年并购重组业务跃居全国第三。

7. 金融机构法律服务

启元熟悉各类金融机构的运行机制，并为多家证券公司、银行、保险、信托、基金等各类金融机构提供常年法律顾问、改制重组、投资并购、债券及票据发行、专项调查、合规审查、经济诉讼等多种形式的法律服务。

8. 资产证券化

启元可为参与资产证券化的交易各方提供咨询、设计、法律调查等服务，协助理顺证券化过程中的利益关系及完善信用升级手续等。

9. 私募股权投资

针对以中国境内或香港等境外上市为目标的私募股权投资，启元不仅能为企业客户提供“融资平台 + 法律服务”相结合的双重服务；也能为股权投资者提供项目尽职调查、法律谈判、退出机制设计及监督等全程跟踪法律服务。

启元荣誉

· 2000 年，启元获“2000 年度省直先进律师事务所”称号

· 2002 年，袁爱平、朱旗、吕德璐三名律师获“湖南省证券融资工作先进个人”称号

· 2004 年，袁爱平律师获湖南省第三届“十佳律师”称号

· 2005 年，袁爱平律师被评为 1994 - 2004 年“全国优秀仲裁员”，同时被聘为中国国际经济贸易仲裁委员会仲裁员

· 2005 年，袁爱平律师当选为湖南省律师协会副会长

· 2005 年，启元为华菱集团与全球最大钢铁公司 Mittal Steel Company N. v. 股权交易提供的专项法律服务项目，入围 Asian Legal Business 杂志主办的“2006ALB 中国法律大奖”之“年度最佳能源和资源项目大奖”；该股权交易项目系中国钢铁行业首例外资并购案，并荣登由全国工商联并购公会、全球并购研究中心和中国并购交易网推出的“2005 年度中国十大并购事件”榜首

· 2006 年，启元获“湖南省优秀律师事务所”、“为国企改革服务先进集体”“湖南信用单位先进集体”等称号，袁爱平、吕德璐、朱志怡三名律师获“为国企改革服务优秀律师”称号

· 2008 年，启元获“全国优秀律师事务所”称号，袁爱平律师获“2005 - 2007 年度全国优秀律师”称号

· 2008、2009 年和 2010 年，启元连续三年位居 A 股 IPO 市场发行人律师市场份额前十位

· 2010 年，启元在全国律师事务所从事上市公司并购重组法律业务排名中位列第三

· 2011 年，袁爱平律师被《新财富》杂志评为“2010 年 A 股 IPO 业务中的明星律师”陈金山律师被 Lawfirm50 推选为“中国证券律师 5 年 50 人精英”人选

地址：湖南省长沙市芙蓉中路二段 359 号佳天国际新城北栋 17 层

邮编：410007

电话：0731 - 82953778

传真：0731 - 82953779

E - mail：qy@ qiyuan. com

华联律师事务所

基本概况

华联律师事务所原名华联经济律师事务所，1985 年 1 月经中华人民共和国司法部审核批准，由司法部和中国侨联共同在北京创立。华联经济律师事务所是受司法部直接领导和管理的最早设立的几家律师事务所之一。1998 年经司法部批准，华联经济律师事务所更名为华联律师事务所。2001 年 6 月，华联律师事务所改制为合伙制律师事务所。经过二十余年的发展，华联律师事务所已成为一家规范化的综合性律师事务所。已建成深圳、呼和浩特分所，目前郑州分所正在筹

建中。

早在1990年，华联律师事务所率先在深圳经济特区开设了分支机构，几年来，由于卓有成效的工作，分所负责人当选为深圳市政协委员。

1993年7月，华联律师事务所获得司法部和中国证监会颁发的证券从业资格，成为第一批获得该资格的律师事务所之一。

1994年以来，随着业务的发展，华联律师事务所逐步确立了与美国、加拿大、日本、澳大利亚、新加坡和香港等国家和地区的事务所的合作关系。

2007年9月，华联律师事务所经北京市高级人民法院核准，成为北京市第一批获得企业破产管理人资格的律师事务所之一。

以事实为根据，以法律为准绳，恪守律师职业道德和执业纪律，为国内外客户提供优质、高效、规范的法律服务。诚信、专业、责任是华联所对客户一如既往的承诺。

业务领域

1. 公司证券法律事务部

华联律所凭借完善的人才结构和丰富的执业经验，为内资、外资、国营、民营、大型、小型企业根据其特点提供全方位的法律服务，也是我国最早开展公司改制、股票发行上市、并购重组等证券法律业务的律师事务所之一。具体包括公司设立、登记、变更、股权设置与转让、参股、控股、债转股、收购、兼并、资产重组、托管、联营、产权界定、产权登记、产权交易、股份制改造、公司的破产清算等法律服务，担任各类公司常年法律顾问，代为审查、修改或起草法律文书，协助公司参与商务谈判，为公司决策提供法律依据和法律意见；股份公司的设立、改组、收购、兼并、股权转让，A股（配股、增发）的发行与上市、B股的发行与上市、H股发行与上市、可转债发行与上市、上市公司的收购重组，公司企业债券的发行与上市，证券、基金公司的设立、并购重组及基金的发行与上市，期货公司的设立及并购重组，信托公司的设立、并购重组及信托计划的发行，资产证券化、权证的研究与探索等各个证券法律领域的服务。为投资、贸易、经济技术合作等提供专项法律服务，进行资信调查和项目可行性研究、进行重大项目招投标策划；代办工商、税务、海关、公证、鉴定、政府审批等各种法律手续以及向客户出具详细的法律意见书等方面的法律事务。

2. 金融法律事务部

为银行和非银行金融机构提供各项金融法律服务，包括企业贷款、出口信贷、企业贷款的担保、信用证业务、银行及其相互之间的债务重组、银行与企业债权重组、资产管理与运营（出售、拍卖）及证券基金转换债券、债券回购、不动产按揭、租赁融资、项目投资和融资、贸易融资、商业保险、银行与非银行金融机构的托管和市场退出及清算、为贷款及担保提供法律咨询或见证、代理银行追讨欠款、为企业融资提供法律服务。代理期货、证券、存单、银团贷款、债券发行、债务重整及银行日常法律事务；股票、证券、金融信托风险预测；制作有关法律文书；处理票据纠纷。

华堂律师事务所

基本概况

华堂律师事务所（以下简称"华堂"）1998年在北京成立，是经中华人民共和国司法部批准设立的合伙制律师事务所。华堂由若干在法律实务、法律研究领域卓有成就的专家型律师组成。华堂的大部分律师已执业多年，大多数律师为教授、专家或具有硕士以上学位，部分律师具有海外学习或工作背景。

建所以来非常注重年轻优秀人才的吸收和培养，招聘了多名毕业于国内外著名法学院校的律师。

华堂和社会各界、政府机构、境内外若干中介机构保持着良好的业务联系与合作，能够在不同领域为客户提供及时、有效的法律服务。华堂律师具有丰富的承办各类法律业务的实践经验，承办了若干在国内外有重大影响的项目和案件。

经过多年的发展，华堂在律师界涉及业务领域广泛，专业特色突出，在股票发行与上市、企业并购、公司资产重组、外商投资、国际贸易、金融、保险、房地产、私募基金、风险投资、涉外诉讼仲裁等领域业绩不菲，积累了丰富的经验。

华堂律师不仅重视法律实务，而且致力于法学理论研究与探讨。多名律师曾参与国家法律、法规及政府规章的起草、制定工作。

华堂律师具有深厚的法律功底、较高的业务素养和合理的知识结构，熟练掌握外语、具有工程技术、财务会计、金融税务等专业知识。

多年来，华堂严格遵循行业公认的律师执业标准和准则，恪守勤勉尽责、客户至上、竭诚服务、追求公正的宗旨，以实现委托人合法权益最大化为目标，致力于为客户提供优质、高效的法律服务，受到中外社会各界的肯定和好评。

华堂的客户范围不仅包括境内外自然人和各类公司、企业、社团，也包括中央地方政府有关部门。不同领域的法律事务，由专长该领域的合伙人或资深律师主办；凡重大、复杂项目或案件，均由合伙人或资深的专业律师组成项目小组研究讨论，制定具体的项目方案并实施。

华堂愿以全体律师的经验、智慧、判断力和勤勉的执业精神，竭诚为中外客户提供优质、全面、高效的法律服务。

华堂全体律师希望通过自身的不断努力和进取，为中国经济的发展、为中国与世界各国在经济、技术、贸易等领域的交往与合作，提供适应全球经济发展需要的法律服务。

专业领域

华堂是经中华人民共和国司法部、中国证券监督管理委员会核准的具有从事证券法律业务资格的律师事务所。华堂能够为股份有限公司股票境内外发行、上市；股份制改组、资产重组、股权转让等提供专门的法律服务。包括：

· 公司的重组改制

· 股份制公司的股权转让

· 企业收购、兼并与转让

· 审查公司招股说明书等文件

· 起草、审查、修改公司章程和其他相关发行文件

· 审查公司股票的发行与上市方案并出具法律意见书

· 审查公司的物权、债权及债务凭证

· 参与公司重组、债权债务调整、公司组织结构安排等事务

· 银行贷款及委托贷款合同的审核

· 融资租赁有关事宜

· 贷款担保的审核及担保纠纷处理

· 储蓄纠纷的处理

· 票据、存单纠纷的处理

· 保险合同有关法律事务

· 保险合同的索赔与理赔

· 其他有关金融证券的法律事务并购与公司业务

环球律师事务所

基本概况

环球律师事务所（“环球所”），1984 年由中国国际贸易促进委员会（CCPIT）根据国务院相关规定设立，2001 年初改制为合伙制。环球所是中国改革开放后最早成立、在中国律师业中居于显著领先地位的大型综合性律师事务所。

环球所在外商投资、公司并购、公司上市、国际融资、私募及风险投资、能源和基础设施投资、海商海事、反倾销、国际商事仲裁等众多法律服务领域均在国内同行业处于领先地位，多年来一直被亚太法律 500 强（Asia Pacific Legal 500）、钱伯斯（Chambers）、亚洲法律评论（AsiaLaw Profiles），亚洲法律业务（Asian Legal Business）和国际金融（International Finance Review）等国际权威的法律行业评论机构评选为中国最佳律师事务所之一。

众多第一

第一例：环球办理的堪称中国第一例的案件和项目包括：

·第一个以项目融资方式从境外筹资的电站——山东日照电厂

·第一件应用国际商会 DOCDEX 规则解决信用证纠纷的案件——北京市商业银行信用证案

·第一、第二个中国企业发行 N 股并在纽约证券交易所上市项目——1992 年华晨中国汽车工业控股有限公司和 1994 年中国玉柴国际有限公司上市项目

·第一个中国企业在斯德哥尔摩的仲裁案——广东三水中外合资公司在瑞典斯德哥尔摩商会仲裁院仲裁案

·第一件代理申请承认和执行外国海事仲裁裁决成功的案件——“嘉顿门”轮案

·第一次涉及 1969 年国际油污损害民事责任公约（CLC）的海上溢油污染诉讼案件——“烟救油 2”轮油污案

·第一个离岸资产证券化项目——中国远洋运输公司（COSCO）1997 年海外应收账款的资产证券化项目

·第一个在岸资产证券化项目——中国华融资产管理公司 2003 年总额为人民币 132.5 亿元的债权资产信托处置项目

·第一个“证券价格操纵”案的刑事辩护——吕梁等人被控操纵中科创业（0048）证券价格案，涉案金额人民币 51 亿元

·第一个军工集团公司民品主业整体上市——2009 年中国船舶重工股份有限公司 A 股上市及 2010 年重大资产重组

·第一个两家 NASDAQ 上市公司的中国业务与资产合并项目——新浪和分众传媒 2008 年合并户外广告业务项目，交易额约 100 亿人民币

·第一个国内控股公司完全以境外业务和境外资产在国内发行 A 股的项目——招商能源运输股份有限公司 A 股上市

·第一个国有企业以国内 A 股公司股份在海外反向收购红筹股上市公司并实现买壳上市——2009 年天津港集团以其持有的天津港股份（SH:600717）的股权买壳收购天津港发展（HK:3382），收购金额约 100 亿人民币

专业领域

·资本市场

·公司与投资

·收购与兼并

·私募股权和风险投资

·银行与融资

·国际贸易

·海商海事

·竞争法

·争议解决

·航空法

·知识产权

·税务

·项目建设与建筑

·房地产

·保险

·破产法

荣誉资质

·环球在彭博（Bloomberg）《2010 年中国并购排行榜》中名列亚太地区律师所的前茅

·环球所获得 2010 年度“银行业务最佳律师事务所”大奖

·钱伯斯亚洲 2010

· The Asia Pacific Legal 500（2009/2010）

·The Asia Pacific Legal 500 （2008/2009）

·2006 年和 2007 年《The Asia Pacific Legal 500》

·《亚太律师事务所五百强》（2002－2003 版）

嘉源律师事务所

嘉源专长于证券、金融、企业产权、公司治理以及投资、工程、国际商事等领域，是中国金融市场尤其是资本市场居于领先地位的合伙制律师事务所。十余年来，我们协助数百家境内外企业进行了重组改制、境内外股票发行上市和投资、收购兼并、工程承包等工作。

嘉源律师团队熟通中国及境外法律，既洞察中国金融市场发展变化，又谙悉国际资本市场运作规则，以卓越的专业服务使嘉源成为每个客户最值得信赖的伙伴。

市场地位

多年来，嘉源一直是中国金融市场法律服务的主要机构之一。在国内国际股票发行市场、企业改制以及收购兼并、外资等业务领域，嘉源以卓越的服务确立了一流律师事务所的地位。

近年来，我们为众多在资本市场具有重大影响的项目提供了法律服务。其中包括：

·内蒙古蒙电华能热电股份有限公司非公开发行股票（2011）

·中信证券股份有限公司 H 股公开发行并上市（2011）

·陕西煤业股份有限公司 A 股首次公开发行上市（2011）

·中国铝业股份有限公司 A 股定向增发（2011）

·上海汽车集团股份有限公司重大资产重组（2011）

·中国水利水电建设股份有限公司 A 股首次公开发行上市（2011）

·武汉天喻信息产业股份有限公司在深圳证券交易所创业板挂牌上市（2011）

·湘潭电化科技股份有限公司非公开增发股票（2011）

·华工科技产业股份有限公司非公开增发股票（2011）

·中航航空电子设备股份有限公司重大资产重组

(2011)

·四川成发航空科技股份有限公司非公开增发股票(2011)

·联化科技股份有限公司公开增发股票(2011)

·宏峰太平洋集团有限公司在香港联合交易所创业板成功上市(2011)

·华南城控股有限公司成功发行2.5亿美元优先级债券(2011)

·广东金马旅游集团股份有限公司重大资产重组(2010)

·中国森林控股有限公司成功发行3亿美元优先级债券(2010)

·海汽车集团股份有限公司非公开发行A股股票(2010)

·武汉华中数控股份有限公司A股首次公开发行上市(2010)

·长江证券股份有限公司公开增发股票(2010)

·新天绿色能源股份有限公司在香港联交所主板成功上市(2010)

·福源集团控股有限公司在香港联合交易所成功上市(2010)

·美即控股国际有限公司于香港联合交易所主板成功上市(2010)

·中航电测仪器股份有限公司在深圳证券交易所创业板成功挂牌上市(2010)

·际华集团股份有限公司在上海证券交易所主板成功挂牌上市(2010)

·星谦化工控股有限公司在香港联合交易所成功上市(2010)

·许昌远东传动轴股份有限公司A股在深圳证券交易所中小板成功挂牌上市(2010)

·TCL集团股份有限公司非公开发行A股50亿(2010)

·东安黑豹股份有限公司重大资产重组(2010)

·中国铝业股份有限公司非公开发行A股股票(2010)

·株洲时代新材料科技股份有限公司非公开发行A股股票(2010)

·湖北国创高新材料股份有限公司A股在深圳证券交易所中小板成功挂牌上市(2010)

·中国第一重型机械股份公司A股首次公开发行并上市(2010)

·中国冶金科工股份有限公司A股、H股首次公开发行并上市(2009)

·中国南车股份有限公司A股、H股首次公开发行并上市(2008)

·中信证券股份有限公司A股增发(2008)

·中国中铁股份有限公司(世界500强企业)A股和H股同时首次公开发行并上市(2007)

·中国中材股份有限公司H股首次公开发行并上市(2007)

·中外运航运有限公司首次公开发行并在香港上市(2007)

·中国铝业股份有限公司吸收合并包头铝业股份有限公司,兰州铝业股份有限公司、山东铝业股份有限公司和焦作万方铝业股份有限公司(2006-2007)

·上海汽车股份有限公司(世界500强企业)发行63亿元分离交易可转债(2007)

·中国全聚德(集团)股份有限公司A股首次公开发行并上市(2007)

·中国交通建设股份有限公司180亿港币H股首次公开发行并上市(2006)

·中国中煤能源股份有限公司H股首次公开发行并上市(2006)

·TCL集团收购汤姆逊全球彩电业务及阿尔卡特手机业务(2006)

·湖南有色金属股份有限公司H股H股首次上市及发行(2006)

·中国交通建设集团股份有限公司H股首次公开发行并上市(2006)

·上海汽车股份有限公司(世界500强企业)经过并购整体上市(2006)

专业团队

嘉源专门从事资本市场法律业务的律师近七十位。我们的业务骨干在加入嘉源之前,曾服务于国内外知名律师事务所、证券、投资机构及科研院校,积累了丰富的业务经验。

今天,中国企业与海外资本市场的联系日趋紧密,这对证券律师的素质提出了更高的要求。嘉源的多位律师毕业于英、美著名法学院,并有国际知名律师事务所的工作经历。除了对中国及境外法律精深的理解,他们还谙熟于国际资本市场的运作规则。

业务资格

经司法部和证监会批准,嘉源具有从事证券法律业务资格。

经证监会和司法部批准,嘉源具有从事涉及境内权益的境外公司相关法律业务资格。

经司法部和财政部批准,嘉源具有从事国有资产产权法律事务的资格。

江苏亿诚律师事务所

江苏亿诚律师事务所由江苏省司法厅和江苏省律师协会直接管理,是江苏省内首家探索、实践并成功实现公司制运作模式的律所,建立了公司法律部、金融证券部、建设工程部、知识产权部、劳动法律部、文化事业部等六个专业性业务部门。以诚信为律所文化核心,专注高端、精于商事。在公司、建筑房地产、知识产权、商事合同、证券、破产、银行、信托、基金、投融资、企业法律风险防控、企业改制与重组、电子商务、劳动与人力资源、私募股权投资等前沿商事法律服务领域取得了丰硕的成就,已累计为各类客户赢取经济利益或挽回经济损失十多亿元。本所于2011年获得"省司法厅创先争优先进集体"、全省"双促双助"法律服务活动先进集体,2011—2013年度连续三年被评为"省直律师事务所先进集体"。

亿诚律师均毕业于国内外名牌法学院校,30%的律师拥有博士学位或者博士在读,65%的律师拥有硕士以上学位;多位律师担任江苏省和南京市人大、政府、司法机关的顾问专家。数名律师曾在美国哥伦比亚大学、德国哥廷根大学等地访学,拥有在国外知名律师事务所执业的经验,并先后荣获"中国十大杰出青年法学家"、"全国司法行政系统劳动模范"、"江苏省优秀女律师"、"江苏省直属律所优秀律师"等荣誉。

在资本市场法律服务领域方面,亿诚近年来积累了大量经验,成功开展了多起国内企业首次公开发行上市(长青股份002391)、新三板发行与上市(瀚远科技430610)、上市公司发行可转换公司债券、上市公司股权激励等专项法律服务,并持续多年为各类上市公司、挂牌公司和更多的拟上市公司提供常年法律顾问服务,获得了广大客户的肯定和赞许。

地址:南京市石头城路6号石榴财智中心10号楼

邮编:210013

电话:86-25-66622333

传真:86-25-66622369

竞天公诚律师事务所

基本概况

竞天公诚是中国最早获准设立的合伙制律师事务所之一。自成立以来,竞天公诚一直致力于在各个专业领域为客户提供卓越高效的法律服务。经过近二十年的稳健发展,竞天公诚已成为中国最具规模的综合性律师事务所之一,在诸多领域处于国内领先地位。竞天公诚目前战略性地选择在北京、上海、深圳和成都设立办公室,为国内外客户提供全方位的法律服务。

竞天公诚的律师均拥有良好的专业知识背景,很多律师曾在有关政府部门、国内外律师事务所和企业从事法律服务,在相关专业领域积累了丰富的执业经验。竞天公诚还通过不间断的业务学习和培训,持续地提高其律师团队的专业服务水平。细致的专业分工和一体化的管理制度,则进一步确保了竞天公诚能够长久地为客户提供富有深度的、全方位的法律服务。

竞天公诚的卓越服务在业界赢得了很高的声誉和评价。

专业领域

· 证券与资本市场
· 外商直接投资
· 银行和融资
· 兼并与收购
· 私募投资和风险资本
· 海外投资
· 房地产
· 电信、媒体和科技
· 能源和自然资源
· 基础设施
· 反垄断
· 知识产权
· 劳动法
· 破产、重整与清算
· 争议解决

荣誉奖项

钱伯斯法律评级机构(Chambers & Partners)的出版物"钱伯斯亚太地区——亚洲领先商事律师"(2012版)在"银行和金融""资本市场:债券和证券""公司/并购""私募股权:并购投资""争议解决""能源 & 自然资源""商事法律:中国南部"和"房地产"8个领域内推荐本所为"领先律师事务所"。

钱伯斯法律评级机构(Chambers & Partners)的出版物"钱伯斯全球——客户指南"(2012版)在""银行和金融""资本市场:债券和证券""公司/并购""争议解决""能源 & 自然资源"5个领域内推荐本所为"领先律师事务所"。

2012年12月4日,本所6项交易获得《商法》杂志2012年度杰出交易奖项。其中:

双汇发展全面要约收购及重大资产重组交易被评为年度最佳对内并购交易

大连万达并购AMC被评为年度最佳对外并购交易

内蒙古伊泰煤炭香港上市被评为年度最佳海外股权交易

中国交通建设上海A股上市被评为年度最佳国内股权交易

宝钢发行65亿债券被评为年度最佳债权交易

兖州煤业下属公司发行10亿美元债券被评为年度最佳债权交易

2012年9月13日,在《中国法律与实务》(《China Law & Practice》)举办的颁奖晚会上,竞天公诚律师事务所荣获资本市场最佳中国律师事务所。

本所承办的宝钢集团有限公司发行人民币债项目,万达集团并购AMC等项目分别荣获最佳债券交易和最佳并购交易提名奖。

君泽君律师事务所

基本概况

君泽君律师事务所("君泽君")于1995年创立,总部位于北京,是国内最早也是最大的合伙制律师事务所之一。

君泽君在全国7个城市设有办公室,现有50多名合伙人及300多名执业律师,他们来自民商事法律的代表性专业领域、具有宽广的视野、丰富的经验、突出的执业专长以及超群的专业优势;他们绝大多数都毕业于国内外著名的学校,拥有良好的教育背景;许多律师还具有立法机构、司法机关、行政部门以及金融、证券、信托、股权投资、企业和高等院校、研究机构等工作阅历;多名律师曾参与国家重要法律、法规、部门规章以及行业、领域行业规则的论证、起草和修订工作。

君泽君拥有一大批对金融、资本市场、各类产业投资、基础设施及公用事业、税收、房地产与建筑工程、知识产权、国际投资和贸易及争议解决等领域有深刻理解和丰富实践经验的律师团队。

君泽君多年来始终专注于中国金融及资本市场的制度创新、业务创新、产品创新。君泽君的精英律师团队在金融机构设立、改组和重组,结构性融资,金融产品创新特别是信托产品、金融衍生品及其他创新金融产品的研发设计方面处于中国市场的最领先地位;君泽君律师在证券发行和上市、私募股权投资、产业整合及并购、外商直接投资和并购、基础设施及公用事业、保险资产管理及运营、不良资产处理、医疗健康产业整合、房地产等领域的法律服务中居于国内领先地位。在上述领域,君泽君曾经或正在承办众多创新、领先或代表性的案例。

君泽君一贯倡导及践行以服务客户为核心,深化专业分工,优化及灵活配置法律服务资源,使君泽君能够为来自不同文化和产业领域的客户提供高品质、个性化和增值型的法律服务。君泽君拥有广泛及稳固的客户群体,其中既包括百余家境内外主要金融机构、数十家世界五百强公司,也包括众多拥有良好声誉和业绩的大型国有企业、上市公司和树立了竞争优势或具有高成长性的民营企业。君泽君同时也为国内外政府机构、国际组织、政府间组织、商会、行业协会等提供中国法律服务。

君泽君律师长期积极参与国家立法机关和金融监管机构的诸多立法或修法活动。君泽君在学术、专业领域的持续深度研究能力和良好声誉赢得了监管机构、业界、客户的广泛肯定和尊重。除日常法律研究工作外，君泽君还编辑出版《金融创新与法律》,《君泽君资讯》,与人民大学合办信托与基金研究所，出版《信托与基金研究》。君泽君可以针对行业特征、客户及其业务的个性需求，提供专业法律报告等延伸法律服务，力求为客户提供更多层面的增值服务。

此外，君泽君积极投身法律服务相关的公益事业，参与公益诉讼，践行着律师的社会责任和执业良知。

得益于中国市场经济的稳健增长以及商业法律环境的日益成熟，经过近20年的辛勤耕耘及对执业品质的不懈追求，且秉承为客户提供高质量服务、为社会创造价值的宗旨，君泽君在中国民商事法律的多个领域始终保持着领先地位和专业优势，是中国国内具有领先地位及最优秀的律师事务所之一。

业务领域

君泽君现有金融部、国际业务部、投资银行部、公司事务部、税务部、房地产与建筑事务部、诉讼与仲裁部、国际贸易与政府规章部、知识产权部等九个业务部门。同时，为了提升专业素养，君泽君设有研究与信息部；为了更了解客户需求，不断改善服务质量和效率，确保业务合规和避免利益冲突，君泽君还设有客户服务部。

君泽君的理念：客户利益至上，并与客户共同发展。

君泽君律师团队

合伙人40余名，律师专业人员200多人；

半数以上具有硕士、博士学位；

半数以上具有五年以上的专业律师从业经验；

绝大多数律师具有政府部门、金融证券、产业投资、司法系统、高教单位等双重或多重工作阅历；

多名律师参与信托法、证券投资基金法、公司法证券法及许多法规和部门规章等文件的起草和修订；

经常受邀出访境外客户、合作伙伴以及出席国际性专业会议。

服务方式

团队协作是君泽君的核心服务方式君，泽君向客户提供法律服务时，强调团队作用和协作精神，以团队方式开展具体服务，并充分利用本所资源最大限度的满足客户需求。

对比较重大或疑难的服务项目或某项法律问题，君泽君将依靠如下四个层面的服务保障和监督体系，确保为客户提供最优质的法律服务：

项目工作小组：针对每个法律事务项目的特点，配备具有相关经验和专业技能的律师，组成项目工作小组，提供服务；

项目内核机构：由本所资深律师组成，对项目办理工作提供指导性意见，参与项目办理最佳方案及核心问题的讨论；

部门会议：对于大型项目，可由业务部门主管牵头，组织项目小组成员研究讨论，负责把控项目进展的关键环节和整体协调；

业务指导工作委员会：在行使专业培训、项目质量监管等通常职责外，对于个案事务中出现的重大疑难问题，召集项目小组成员、相关部门主管及所内其他有相关知识和经验的资深律师(必要时还可外请专家)研究讨论解决方案。

此外，君泽君还设立专业的研发部门，除日常法律研究和提升工作外，还编辑出版《金融创新与法律》,《君泽君资讯》,与人民大学合办信托与基金研究所，出版《信托与基金研究》。并可以针对行业特征、客户及其业务的个性需求，提供专业法律报告等延伸法律服务，力求为客户提供更多层面的增值服务！

上海邦信阳中建中汇律师事务所

基本概况

上海邦信阳中建中汇律师事务所(“邦信阳中建中汇”)创设于1995年，是一家总部位于上海的大型综合性律师事务所。在北京、南京、武汉、重庆等地设有分所，拥有40多名合伙人，200余名执业律师。

邦信阳中建中汇借鉴和采用国内外大型律师事务所的运营理念和组织结构，合理配置各业务部门、全面建设各专业团队、科学建立全所联动的管理和服务机制，从而实现客户服务资源配置最佳、效率最高、质量最优。在国内外法律服务市场上，我们除了拥有以分所为网点的国内服务网络外，还是在全球六大洲62个国家和地区85个城市拥有成员的两个大型国际性律师组织PLG国际律师集团和Legalink在中国大陆的唯一成员，同时与美国、欧洲、加拿大、日本、澳大利亚、新加坡及香港、台湾、澳门等地区的国际大型或专业律师事务所建立了长期良好合作关系，可以及时地为客户提供涉及国内外不同国家和地区的法律服务。

邦信阳中建中汇是在涉外法律事务，房地产与建设工程，私募基金、银行、信托和保险等金融法律事务，知识产权，国际商事仲裁和诉讼争议解决等领域处于行业领先地位的中国律师事务所。

邦信阳中建中汇服务的客户具有广泛的多元性，涉及外资、国有和民营企业，包括银行、信托公司和保险公司等金融机构、私募基金、财富管理和投资机构、房地产开发企业、建筑企业、制造业企业、商业服务企业、航运企业、政府部门、体育组织等以及各行业的中小企业。它们当中，有相当部分是世界五百强企业、上市公司或各自行业的领先企业。

业务领域

海外投资

我们服务的领域涉及制造业、TMT、生物医疗、房地产等，涵盖美洲、欧洲、亚洲等地区。我们在投资移民、跨国公司高管移民、海外置业等方面也建立了业务合作网络并积累了许多成功经验。我们注重为中国企业提供、创造海外投资及并购的机会，并协助解决海外投资及并购的多种融资安排，包括内保外贷等手段。我们广泛的海外律师事务所合作网络也为中国客户走出去带来各种便利。

并购、改制与重组

国有企业混合所有制的改制与重组面临诸多法律问题。我们为客户提供创造性的法律解决方案，诸如管理者收购、职工持股、股票期权、股权或资产的转让与置换、不良资产剥离、拍卖、清算、优质资产包装上市、合资经营、战略合作等。国内企业间及国内企业与国外企业间持续不断的并购将为中国企业和跨国公司提供无限活力与发展空间。我们可为企业的并购提供如融资、尽职调查、法律框架构建、合同起草、参与谈判等法律服务。

证券、上市与公司融资

我们为许多中外上市公司提供法律顾问服务。我们的律师曾参与许多公司股票初次上市、股票二次发行、公司股票的回购与转让、各类借壳上市、兼并、收购、以及债券、可转换票据认股权证与可赎回优先股的发行。我们曾为多家中国公司在境外股票市场上市提供服务。我们还积极地为投资银行、基金、保险公司、金融租赁公司及其他金融机构提供各种法律咨询与服务。我们曾参与了数十个股票初次发行及增发、可转债发行、企业债发行等，涵盖了中国的中小板、创业板、香港主板、纽交所、新加坡交易所、澳大利亚交易所、伦敦 AIM、新三板、银行间市场。我们还为证券市场的证券结算机构和银行间市场的清算机构提供法律服务。

地址：中国上海市黄浦区中山南路 100 号 12—15 楼
邮编：200010
电话：8621 - 23169090
传真：8621 - 23169000
邮箱：shanghai@ boss - young. com

上海创远律师事务所

基本概况

上海创远律师事务所是一家专注于商业领域的综合性律师事务所。自成立以来，创远在商业领域为客户提供咨询意见及法律结构的设计，包括境内外上市、私募股权投资、企业兼并收购、银行、项目融资、公司事务、境内直接投资、税务、争议解决等。

创远秉承为客户提供最优质法律服务的理念，通过专业化、细致化的分工合作，为客户提供可行且务实的法律解决方案。

创远拥有一批经验丰富且理论深厚的律师。创远的律师都毕业于国内外知名法学院，其中很多律师具有英国、美国等海外留学经历及在各国际知名律所的工作经历。创远律师的工作语言为中文（包括上海话和粤语）、英文。

专业领域

1. 证券与资本市场

法律服务包括：

· 上市前改制、重组

· 境内及境外交易所（包括美国纽约证券交易所、美国纳斯达克证券交易所、英国伦敦证券交易所、香港联合交易所、德意志交易所、泛欧证券交易所、波兰华沙证券交易所、韩国证券交易所、新加坡证券交易、澳大利亚证券交易所等证券市场）首次公开发行

· 上市公司再融资

· 上市公司收购、合并、分离、重大资产重组

· 管理层激励计划及员工持股计划的设计

· 上市后持续信息披露

· 公司债券的发行、转让及兑现

2. 私募股权与风险资本

法律服务包括：

· 私募股权基金及创业投资机构的设立

· 境内外私募股权交易结构的设计、谈判及法律文件的起草

· 就私募股权基金及风险资本投资于目标公司提供全程法律服务

· 就私募股权、风险资本及基金的退出提供全程法律服务

· 协助公司客户吸引私募股权投资或风险投资

3. 兼并与收购

法律服务包括：

· 目标公司选择及法律可行性论证

· 交易结构的设计

· 法律尽职调报告及法律意见书的出具

· 有关公司税务、环保、劳动等事项的法律咨询

· 协助客户与政府主管部门进行咨询、解释和沟通

· 协助申请政府主管部门的批准或者办理登记

· 公司兼并、收购有关法律文件的准备起草

地址：上海陆家嘴浦东南路 855 号世界广场 13ABC 座
邮编：200120
电话：8621 - 58879631（9632/9633）
传真：8621 - 58879636
邮箱：infor@ trendlaw - sh. com

上海广发律师事务所

基本概述

上海市广发律师事务所是一家致力于提供证券金融法律服务的专业机构，专业化的特色使我们在证券金融法律服务领域更具有竞争优势。

根据中国证监会统计 IPO 排名规则，上海市广发律师事务所近三年均位列全国前十、上海前三，是国内证券业务专业化程度最高的律师事务所。

我们相信，管理模式是一个律师事务所能否可持续发展的关键。广发是实行统一公司制管理的律师事务所。事务所由一名首席管理合伙人领导，并由不同业务组别的协调人和区域管理合伙人协助其工作。部门之间相互协助、相互配合，旨在就某些特别复杂的法律专业及受法规高度监管的行业提供跨部门的服务。

公司制的管理模式有利于最大可能的利用广发的各种资源优势；

公司制的管理模式有别于大多数律所的松散型管理，为项目作业提供强有力的后勤保障和支持，同时也加强了对项目质量的监控。广发对各项目采取团队化作业模式，其优点在于能发挥团队律师的各自优势，便于项目的整体衔接与充分沟通；

公司制的管理模式有利于广发与包括同行在内的各类中外中介机构建立良好的合作关系；

公司制的管理模式有利于广发与各级地方政府、行业监督管理部门及其他部门建立良好的沟通能力。

我们坚持与客户沟通。公司制的管理、团队化的服务方式确保客户与我们的联系畅通无阻；规范、亲切并具有效率，以最好最快的服务帮助客户达到目标。我们的专业能力保证我们异常敏锐地洞察客户的目标，充分理解我们所处理的问题的实质及客户的忧虑。我们认为，无限的沟通有助于为客户提供更全面的解决方案，提升我们的服务价值。

广发承诺以创新的、符合成本效益的方式应用技术，以期更好地满足客户的需要。事务所内部以及事务所与客户之间的合作联系可以通过先进的通讯网络、网站和通行的应用软件进行。

现有技术和及时的更新，确保我们能在第一时间获得大量专业信息和行业信息，以应对不断提升的客户要求。

我们关心技术的进步，任何有助于提升法律服务价值的技术在力所能及的前提下我们都愿意尝试，我们深刻理解技术对于法律服务水准和客户层次提升所带来的巨大影响。

业务领域

1. 证券与资本市场

专业化发展模式使广发律师事务所在金融证券领域颇有建树，是为数不多的、拥有广泛声誉的中国金融证券业律师事务所。已成功为国内数十家公司提供与证券发行上市相关的

法律服务，范围涵盖国内A、B股、新加坡红筹、香港H股和红筹（创业板或主板）、纳斯达克、纽约交易所上市等，赢得了客户广泛赞许。

2. 兼并与收购

广发代理的国内及跨国并购项目涵盖金融、制造、房地产、高科技、基础设施、电子、医药、服务等不同的行业领域，擅长帮助各种类型的并购交易设计结构、参与谈判、完成交割，帮助企业实现平稳运营。我们的经验几乎覆盖任何一种商业组合形式，例如股权收购、资产收购、杠杆收购、要约收购、以及通过拍卖等方式实现的收购和合并等。

在风险投资领域，我们深刻理解风险投资交易的动机及其体系，熟悉风险投资交易各个环节的法律问题，尤其在设计风险投资退出机制方面富有经验，能够有效协助客户安排适当的交易结构，代表投资者圆满处理原始投资及其后续各方面事务。

我们在公司剥离方面同样富有专长，提供的服务是多样化的，包括：针对母公司和被剥离公司目标的商业战略，合理分配公司间的战略资产和资源，通过拟定知识产权特许、产品分销、税务分担、公司服务等类似协议来维持和发展公司间的关系等。

3. 融资顾问

凭借在金融证券领域的多年从业经验，我们不仅积累了丰富的投融资经验，同时也拥有了专业的投融资策划能力、通透的信息资源和广泛的融资渠道。在广发一贯秉持的公司制管理模式下，我们在资源集中整合方面的优势得以最大程度地发挥。我们为每一个客户充分调动各种资源，无论是处于成长期的资本需求者，还是寻求资本收益的投资者，我们寻求在充分了解客户需求的基础上提供专业和全面的融资顾问服务，在投资者与融资需求企业之间架起桥梁。

4. 争议解决

广发律师事务所通过紧密的团队合作，充分发挥各个律师的专长并实现资源共享和优势互补，为客户提供富有建设性和实用性的解决商业争议的法律建议和解决方案，并能积极、有效地代理客户参加各类案件的审理活动。

在诉讼仲裁业务领域，广发提供的法律服务包括但不限于：

· 合同中商业争议解决条款的起草和商业争议解决的建议或方案

· 背景情况调查及采取财产保全措施

· 代理各类经济、民事、行政、刑事诉讼活动

· 国内仲裁、涉外仲裁与劳动仲裁

· 行政复议与国家赔偿

· 生效法律文书的执行

· 申诉、申请再审与执行监督

· 申请强制执行

地址：上海市浦东新区世纪大道1090号斯米克大厦19楼

邮编：200120

电话：58358013/14/15

电子信箱：gf@ gffirm. com

上海源泰律师事务所

上海源泰律师事务所是一家以基金、银行、证券、信托、外商投资、房地产为核心，专业提供境内外金融、投资及地产法律服务的合伙制律师事务所，位于现时中国最具经济活力的地区——上海陆家嘴金融贸易区中心。源泰合伙人和大部分律师均为执业多年的资深律师，绝大多数律师毕业于国内外著名的法律学府其中很多律师都曾赴美国、德国、英国、新加坡和香港等国家和地区留学、培训或在上述国家和地区的国际知名律师事务所工作。

源泰始终秉承其追求和理念，凭借所聚集和吸收的优秀法律人才，依托先进和迅捷的现代办公条件，采用严谨和高效的管理手段，在证券投资基金、金融与银行、证券（资本市场）、公司并购、国际贸易与投资、房地产与基础设施、商务诉讼与仲裁、知识产权、公司等法律服务领域为客户提供优质、高效、全方位的服务，并与世界各地和中国其他地区的知名国内著名律师事务所建立了紧密联盟。数年来，源泰作为一家立足中国，面向世界的专业性涉外商务律师事务所，所取得的优秀成绩已经在国内外商界和同行中赢得了很高的声誉和评价。

源泰拥有广泛的客户群体，其中既包括世界五百强企业，也包括业绩良好的大型国有企业和成长型企业；既包括从事传统的各类企业，也包括国内外著名的投资银行、证券公司、保险公司、公募基金、地产商等服务型企业。

业务领域

1. 股权资本市场

· 上市前改制、重组

· 上市前私募融资

· 境内及跨境首次公开发行

· 上市公司再融资（包括股票、可转换债券、债券存托凭证、REITs等融资工具）

2. 境内外买壳上市

· 上市公司收购、合并、分立、重大资产重组、退市及恢复上市

· 上市公司股份分拆、回购，上市公司治理结构

· 管理层激励计划及员工持股计划的设计

· 上市后持续信息披露

· 上市公司常年法律顾问服务

· 证券化和金融衍生工具

· 债券资本市场

· 公司债券、企业债券、金融债券、短期融资券

3. 公司业务

· 反垄断及反不正当竞争

· 外商直接投资

· 劳动法

· 并购

· 境外投资

· 税务医疗健康

地址：中国上海浦东南路256号华夏银行大厦14层

邮编：200120

电话：021－51150298

传真：021－51150398

电邮：shanghai@ yuantai. com. cn

网站：www. yuantai. com. cn

微博：上海源泰律师事务所

泰和泰律师事务所

泰和泰律师事务所成立于2000年5月25日，系大型的特殊普通合伙制律师事务所。目前，已在北京、成都、重庆、拉萨、深圳、香港等地设立了分支机构。

作为一家居于领先地位的综合性律师事务所，泰和泰致力于为客户提供全方位的一站式法律服务。泰和泰律师事务所设有公司商务部、金融业务部、证券业务部、国际业务部、房产地产部、知识产权部、诉讼仲裁部、政府法务部、企业重整清算部、刑事辩护部、环境能源部、法律研究部十二大部门。

泰和泰不断追求创新与卓越，目前已成为中国中西部最大的律师事务所。泰和泰拥有合伙人50多名，执业律师、律师助理及行政工作人员近600人。各合伙人分别专精于特定的专业领域，大多律师毕业于国内外著名法学院，数十名律师具有博士学位及海外留学经历。

泰和泰拥有广泛的客户群体及战略合作伙伴，既包括跨国公司，也包括大型国企；既包括传统制造业，也包括银行、保险公司、私募基金、地产商、传媒、通信技术等服务行业，同时，与众多政府机构建立了紧密的合作关系。

在专业化分工下，泰和泰在诸多业务领域都做了深度的探究与开拓，在传统业务领域与新兴的业务领域，泰和泰一直都处在法律服务的最前沿。十多年以来，泰和泰以其卓越的服务水准和出色的工作业绩获得客户高度赞誉的同时，赢得了越来越多国外内法律评级机构及业界的高度认可与关注。

为保障泰和泰律师在学术水平、思想观念、职业修养与国际先进水平保持一致，本所加入中国第一个跨国律师事务所联盟——SGLA（中世律所联盟），并与美、英、澳、荷、西、日、韩、香港、台湾、澳门等地的知名律所建立了良好的合作及业务协作关系。

业务领域

1. 证券上市/资本市场

泰和泰律师事务所是经中国证券监督管理机关批准允许从事证券法律服务业务的律师事务所之一，该领域业务由30余名在证券法律事务方面具有丰富经验的资深律师组成。

该领域主要服务：

· 证券发行和上市

· 基金管理法律事务

· 证券纠纷解决

· 债权法律服务

2. 银行/金融/信托

业务介绍：

该领域业务由近40名资深律师共同开展，多数拥有在金融机构从事法律工作的丰富经历以及相关金融法律实务的丰富经验，能够提供涉及金融领域内的各项法律服务。

该领域主要服务：

· 资本市场法律服务

· 票据法律服务

· 信托法律服务

· 外汇法律服务

· 国际结算法律服务

· 融资租赁法律服务

· 国际融资法律服务

· 保险法律服务

· 信用证法律服务

地址：北京市朝阳区东四环中路56号远洋国际中心A座4楼

邮编：100025

电话：86－10－85865151

传真：86－10－85861922

天元律师事务

基本概况

北京市天元律师事务所创立于1992年，是中国成立时间最早和规模最大的合伙制律师事务所之一。天元的总部位于北京，并在上海设有分所。

天元拥有优秀的律师团队。天元目前有执业律师及其他专业人士共200多名。天元的绝大多数律师获有国内外著名法学院校的硕士、博士学位，其中，很多律师拥有在国际知名律师事务所或公司法律部门多年的工作或学习经历。天元律师能够以普通话、英语、法语、日语、韩国语提供法律服务。

天元一直秉持专业、敬业、勤业的理念，致力于为客户提供高质量、高效率、全方位的法律服务。天元作为国内大型综合性律师事务所之一，其业务涵盖了公司并购与重组、证券与资本市场、外商直接投资、境外投资与反向收购、金融和银行、知识产权、房地产、基础设施建设、项目融资、政府采购与招投标、信息产业、资讯与媒体服务、娱乐与传媒、矿产和自然资源、国际贸易、海商与海事、诉讼与仲裁（按业务领域的顺序排序）等多个法律服务领域。同时，天元还不断开发和拓展新的律师业务，或者新的法律服务模式。天元在中国律师业发展过程中创造了多项第一，例如，天元是第一家代表中国企业（如中建总公司、中冶集团、国航等）处理因第一次海湾战争遭受损失向联合国索赔委员会进行国际索赔的律师事务所；天元是中国律师界第一个代表中国企业与国际奥委会谈判申请成为奥运全球战略合作伙伴（TOP项目）的中国律师事务所，等等。

十几年来，天元的法律服务获得了客户的认可和信赖。1998年，天元成为司法部授予的全国首届20家部级“文明律师事务所”之一。2005年，中华全国律师协会授予天元“全国优秀律师事务所”荣誉称号。2008年，天元再次被中华全国律师协会授予“全国优秀律师事务所”荣誉称号。2011年，天元再次被中华全国律师协会评为“2008—2010年度全国优秀律师事务所”。

天元将不断致力于以诚信、勤勉和审慎的态度为客户提供一流的法律服务！

荣誉奖项

天元秉持专业、敬业、勤业的律师执业理念，为委托单位、为社会大众提供优质、高效的法律服务，在业内获得广泛好评，并获得主管机关授予的多项荣誉称号或者权威业内机构评选的奖项。

1998年，天元被中国司法部评为首批20家“部级文明律师事务所”之一。

2003年至今，天元多次获得Legal500、Asialaw、Chambers、Mergermarket等国际法律评级机构的奖项和评级推荐。

1998年至2004年，天元均被授予“北京市优秀律师事务所”、“人民满意的律师事务所”、“文明律师事务所”等荣誉称号。

2005年，天元被中华全国律师协会评为“全国优秀律师事务所”，刘艳律师被评为“全国优秀律师”、王立华律师受到全国律协的嘉奖、任艳玲律师被评为“北京市优秀律师”。

2008年，天元被中华全国律师协会评为“2005－2007年度全国优秀律师事务所”。

2010年7月，据《亚洲法律事务》（ALB）统计，本所入选全国律师事务所规模二十强。

2011 年，天元再次被中华全国律师协会评为“2008—2010 年度全国优秀律师事务所”；天元周研律师被司法部授予“律师行业创先争优党员律师标兵”称号。

2012 年，天元被北京市司法局、北京市律师协会评为“2009 年—2011 年度北京市优秀律师事务所”；同年，天元朱小辉律师被评为“北京市优秀律师”；任艳玲律师被评为“北京市十佳女律师”；柴杰律师、刘玉霞律师被评为“北京市优秀留学归国律师”；郭威律师被评为“北京市优秀青年律师”和“北京市创优争优先进个人”。

内部治理结构与队建设

天元在不断拓展新客户群体和新业务领域的同时，也不断反思自身的风险控制制度、内部治理结构和业务工作流程。天元基本实现了工作流程的全程电子化管理，并通过反复实践委托开发了一系列适合律师事务所工作特征和需要的工作软件，这在全国律师事务所中处于领先甚至超前水平。

天元在事务所文化上非常强调团队合作精神，并将之充分体现在律师工作之中。天元自 1992 年成立以来，在不断壮大的前提下保持了整个所的机构设置和律师骨干力量的稳定性，这保证了天元在承接大型项目需要多位合伙人、律师进行合作攻关时，可以在第一时间保证有足够的人员投入任何急迫、复杂的律师工作，最大限度上减少内部协调成本，充分发挥团队合作优势。

研究能力和国际法律服务能力

天元内部形成了一支理论功底深厚、实务经验丰富的法律研究队伍。该队伍常年定期对成型的案件诉讼仲裁和法律合同文本进行整理、分析、修正和补充，实现诉讼业务和与非诉业务之间的交流与互动。同时，天元不断从各种信息来源，包括参与国家相关机构组织的有关政策、法律法规或司法解释的起草、论证和制定工作、热点难点经济法律问题的专家研讨会等途径搜索法律服务产业新的增长点以及新的法律业务。

天元的客户群包括经常进行国际合作的大型企业集团和政府机关，以及大批的国外或跨国公司的客户，因此天元律师在工作中随时都保持着国际性的眼光，并且具有非常系统的国际法律资源和丰富的国际工作经验。天元与全球主要的知名律师事务所及各类法律服务机构保持着长期友好的业务协作关系，常年互派律师进行交流与访问，因此天元在业务中对中国法以外的问题可以随时获得国外法律机构的帮助和支持。

专业领域

外商直接投资是天元的传统业务领域之一。我们在这一领域的经验涵盖了从基础设施、制造业到新兴的高科技、媒体、娱乐业和特许经营等各个行业。天元有多名律师拥有欧美及日本等国的法律学位、律师资格和国外工作经历，密切关注并及时掌握中国有关外商投资和公司运作方面的法律法规的发展，并同时了解国际商业实践。因此，天元能够准确地理解国内外客户在外商直接投资领域中的项目意图，为实现客户拟定的商业目标提供最佳的法律方案。天元在外商直接投资领域提供的法律服务主要包括：

· 投资项目结构设计

· 法律尽职调查

· 在项目立项和谈判初期阶段协助项目各投资方解决保密、知识产权保护、费用分担、可行性研究及谈判过程中涉及的法律程序性问题

· 协助起草项目申请书、可行性研究报告

· 起草相关法律文件，包括项目申请、项目可行性研究报告、合资合同及章程、资产转让协议、土地使用权协议、场地租赁协议、厂房建筑承包文件、与劳务聘用相关的文件、材料供应协议、国内或出口销售协议、技术许可协议、商标许可协议、以及外商投资企业的股权转让协议等文件

· 参与项目谈判

· 就投资过程中涉及的税务优惠、土地使用、环保、行业管制、外汇等问题提供专项的意见

· 就政府关于外商投资的审批与登记提供咨询意见并协助办理有关法定程序和手续

· 在投资完成后协助客户进行企业日常经营的合规性审查和监督

· 外商投资企业的公司重组、解散与清算的各项法律事务

社会责任

在发展业务的同时，天元一直积极承担作为现代社会企业公民的社会责任。自 1992 年成立以来，天元持续不断地捐助希望小学，在北京大学和北京四中等知名学府设立天元基金或奖学金，为贫困、受灾地区捐款，参加国家及有关部委的立法研究以及提供无偿的法律援助。

通力律师事务所

基本概况

通力律师事务所是一家执业领域包括金融、公司和商业的中国领先律师事务所。我们坚持与客户一起工作的理念，通过与客户的良好沟通，在充分理解客户商业需要的基础上，坚持务实但又富有建设性的法律问题处理方法，以帮助实现客户的商业追求。

通力自 1998 年在中国的金融中心设立时起，就始终走在金融法律和公司法律发展的最前沿。许多国际金融机构和跨国公司客户向通力律师寻求创造性、战略性的法律服务，以适应其在中国本土化的进程，并寻求中国本地法律环境的保护，以避免在中国适用外国法律所带来的风险。我们运用专业技术，发挥想象力，不断创新，迅速成为了银行金融、资本市场以及公司领域的中国法律服务市场领先者。

通力曾为中国第一家外商控股上市公司设计法律框架，帮助通过收购兼并设立外商投资股份公司；为中外客户就其国内商务活动创造了资产信托融资模式，帮助外资银行建立人民币融资和信贷操作规程及制订人民币标准文本；参与中国第一只开放式基金和第一只指数基金的发行设立；为香港上海汇丰银行和香港上海商业银行对上海银行的投资提供法律服务，开创了境外银行入股中国本地银行的先河。

中国加入世界贸易组织这一事件对中国和其他国家的经济发展产生了深远的影响。通力对在这一背景下收购兼并和公司融资交易量的迅速增长和交易复杂度的增加做出了最为敏锐和迅捷的反应，并已成为该市场上的先驱者。在我们 2002 年完成花旗银行对上海浦东发展银行战略投资这一开创性的交易后，银行领域的市场化和重组业务及日益活跃的并购活动占据了我们的公司和银行的业务领域。我们参加了恒生银行对兴业银行的投资、澳洲联邦银行对济南商业银行及杭州商业银行的投资，以及法国巴黎银行对南京商业银行的投资和通用电器消费信贷与深圳发展银行的信用卡合作。我们在中国并购领域的领先地位也包括上海汽车集团对韩国双龙汽车的收购、杜邦向 Koch 出售 DTI 业务、中远太平洋对

中国最大的集装箱码头和其他码头的投资、摩根大通和摩根斯坦利对中国房地产的投资，这一切均表明和应和了日益活跃的国际公司整合其中国业务布局、中国市场及中国公司"走出去"的市场趋势。

近年来，通力在公司并购、银行金融、项目融资和基础设施以及基金等业务领域持续保持着国内领先的地位，越来越多的跨国公司、金融机构和国内大型公司成为我们的日常客户。同时，通力在诉讼仲裁、私人股权投资、知识产权等业务领域亦日渐壮大，如《学习的革命》版权诉讼和瑞士银行出口信贷诉讼等均金额巨大、社会影响力广泛。通力亦致力于继续扩大和强化日本业务的同时，以更好地为客户提供专业并且有效的法律服务。

经营理念

1. 服务于客户，实现交易

我们的宗旨是帮助客户实现其商业目的，我们的工作不仅是帮助客户避免风险，而且是解决问题，促使交易成功。客户的成功就是衡量我们成功的标准。我们富有实践经验且具有商业意识的律师团队正是通力与客户共同成功的最大保证。

2. 国际性的眼光与当地经验的结合

我们的合伙人和业务律师中许多人均具有在境外（美国、英国、法国、日本、香港、澳大利亚、韩国）从业、执业或接受教育和职业培训的经历。这些背景使得我们对于法律服务具有国际性的眼光并对跨国商业活动拥有更多、更深的理解。同时，作为中国这个新兴法律服务市场的参与者，我们在中国市场的执业实践，在本土市场上的扎根发展以及我们对中国市场和文化的了解和专业优势则是我们的立身之本。

3. 与市场同步发展

我们敏锐的市场意识和与政府机构良好的合作关系使得我们能充分关注活跃发展的市场动向，并始终透析最前沿的法律变革。我们始终坚持让客户了解最新的市场发展动态，以使得我们的客户能够清晰明确地把握随时涌现的商机。

特色

向客户提供优质服务的目标要求我们不断地增强律师个人专业素质和团队合作能力。为使我们的律师能持续地拥有最高标准的法律专业知识和实践经验，我们建立了具有明确针对性的、互动性的培训机制。同时，我们也聘请国际性的专业机构负责合伙人、业务律师和秘书的部分培训项目。我们坚信，我们的竞争力并不仅仅依赖于合伙人的能力，而是取决于事务所的每位成员。

我们先进的高科技设施和通讯设备创造性地改进了我们与客户协同工作的方式。通过不断地提高我们的效率和反应能力及以法律简报、专题报告、研讨会和集中培训等方式与员工和客户共享法律信息，我们始终保持着对客户商业需求的高度关注，从而不断提高我们的竞争力。

1. 一体化的合伙

我们的成长依赖于全体合伙人、业务律师和辅助人员的倾力奉献和通力合作。我们依赖并重视事务所的每一成员。怀着这样的信念，我们坚定不移地走事务所一体化的道路，为客户提供一体化的服务。

2. 一体化的执业模式

执业水准的一致性、人员的稳定性以及视野、经验、专业诀窍和资源的共享一直是通力努力的方向。我们所有的客户均能不受时空限制而与我们的律师取得联系并获得服务。我们在一个办公地点的律师经常与其他办公地点的各个领域的律师通力合作，使我们的客户均能在不同的地方获得同样质量的法律服务。

3. 跨专业服务方式

为满足不断提高的处理复杂和专业交易的要求，我们建立了覆盖银行金融、资本市场、公司以及诉讼仲裁等领域的专业部门。与此同时，客户的需求也使我们比以往任何时候更加注重专业部门之间的合作。例如，我们一些银行金融的律师正与收购兼并的律师合作一些金融机构的并购交易。

4. 充满活力的事务所文化

人才是我们最有价值的财富。我们致力于建设培育精英、彰显才华、团队合作和忠诚守信的事务所文化。由于我们执业领域的多样性，我们十分重视培养年青业务律师在广泛执业领域的实践经验。我们的每一位业务律师均能与多位合伙人进行合作，从而有机会接触并学习多样化的业务知识、执业技巧和风格，获得迅速的成长。事务所因而保持不断的活力。

优质服务

1. 服务无界限

随着我们在全国范围内业务参与的不断增加和处理重大复杂交易能力的声誉的逐渐增强，通力经常性地成为客户全国性业务活动中的首选中国律师事务所。由此，我们的执业范围绝不仅限于我们已设有或将设有办公地点的城市。通力可在客户需要我们出现的任何地区提供法律服务。通力植根于上海和北京，但我们清楚地意识到，通力的未来植根在每一个客户需要我们法律服务的地区。

2. 文化和语言

当我们代表在中国投资的国际客户或在海外投资的国内客户进行跨境交易时，除了提供法律服务，我们还经常为处于不同的法律和商业背景的交易各方沟通起到了桥梁作用。我们拥有精通英语、法语、日语和韩语的律师和一支训练有素的翻译队伍辅助律师的工作。

3. 国际协作

作为一家拥有众多国际客户并经常参与跨国交易的律师事务所，我们与在纽约、伦敦、巴黎、东京、香港、新加坡和首尔等国际金融中心及其他世界主要城市的国际性律师事务所建立了长期、良好、紧密的合作关系。在跨国交易中，我们可根据客户的要求，利用上述广泛的国际协作关系，为我们的客户提供最可信赖的法律服务。

执业范围

· 资产管理
· 银行与项目融资
· 资本市场/公司融资
· 公司和商业
· 纠纷解决
· 金融机构
· 收购兼并/资产重组
· 私人股权投资/风险投资
· 房地产
· 税务/海关

信达律师事务所

基本概况

信达律师事务所于 1993 年在深圳设立，是中国最早获批设立的合伙制律师事务所之一。总部办公地点位于深圳市中心商务区核心地带，与未来的深圳证券交易所办公大楼仅一路之隔。

公司与证券业务是信达律师所的核心业务。经过二十年的经营与发展，信达律师所在全国证券法律业务领域已享有盛誉，并成为证券法律服务界的品牌律师事务所之一。近年来，信达律师所参与完成了数百家企业境内外首次公开发行股票、公开与非公开增发股票、配股、公司债券发行等项目，为众多企业提供资产重组、重大收购、股份制改造等法律业务，并参与多家海外收购等项目。

信达律师所长期以来与境内外各类证券服务机构保持着良好的业务联系，并多次受邀参与证券监管部门或其他政府组织的证券类法律、法规、规章的研讨、修订和培训工作。

二十年的执业过程中，信达律师所荣获诸多荣誉，是 Legal500 及亚洲法学在中国推荐的律师事务所之一。

律师团队

信达律师所拥有合伙人近四十名，主办律师、律师助理上百名，律师多毕业于国内外著名法学院校，其中 80% 以上获硕士及以上学位。部分资深律师执业超过二十年，并有律师受聘担任了深圳证券交易所的上市委员会委员、中国证监会创业板发行审核委员会委员、深圳国际仲裁院仲裁员、多家证券公司的内核委员、深交所特聘的企业改制上市培训专家以及多个地方政府上市领导小组办公室的专家团成员等。近年来，信达律师所多名律师前往英美等国留学深造，之后回所继续执业，为信达律师所的律师团队增添了国际化、多元化因素。

业务领域

- 证券、投资、公司业务
- 房地产开发管理及融资业务
- 商事仲裁和诉讼业务
- 银行、金融业务
- 破产及非破产清算业务
- 劳动关系及劳资争议业务
- 外商投资业务
- 常年法律顾问及综合性法律服务

业绩展示

近五年，信达参与完成了企业境内外首次公开发行股票项目和上市公司再融资项目近六十个；其中首发项目包括荣盛石化（002493. SZ）、欣旺达（300207. SZ）、川大智胜（002253. SZ）、英飞拓（002528. SZ）、达实智能（002421. SZ）、珠海鼎利（300050. SZ）、量子高科（300149. SZ）、星河生物（300143. SZ）、新城控股（1030. HK）、长虹佳华（8016. HK）、百勤油服（2178. HK）等；再融资以及重大重组等其他证券项目包括中信海直可转债、德豪润达非公开发行和公司债、日海通讯非公开发行、德福莱中小企业债、嘉力达中小企业债、新城控股公司债、万科 B 股转 H 股、深能源重大资产重组暨非公开发行等。

信达目前担任万科股份（000002. SZ）、招商地产（000024. SZ）、华联控股（000036. SZ）、中航地产（00003. SZ）、中信海直（000099. SZ）、粤华包（200986. SZ）、长城科技（0074. HK）等数十家主板、中小板和创业板上市公司以及境外上市公司的常年法律顾问；

信达与境内外投资机构保持广泛和长期的合作，提供过法律服务的投资机构包括赛富、平安信托、光大控股、东方富海、同创伟业、高特佳、深创投、厚生投资、TCL 创投等境内外知名机构；

2009 年，信达荣获《亚洲法律杂志》（ALB）主办的“ALBChinaLawAward2009 深圳律师事务所”年度大奖；2011 年，信达被《证券时报》主办的中国最具竞争力创投机构（CCVC/PE）评选为 2010 年度最佳中介机构 –“年度最佳律师事务所”。

中伦律师事务所

基本概况

中伦律师事务所创立于 1993 年，是中国司法部最早批准设立的合伙制律师事务所之一。经过数年快速、稳健的发展壮大，中伦已成为中国规模最大的综合性律师事务所之一。中伦目前在北京、上海、深圳、广州、武汉、成都、东京、香港和伦敦设有办公室。

一家综合性律师事务所，旨在为客户的商业活动提供全面的法律支持。中伦拥有近 180 名合伙人和近 700 名专业人员。各合伙人分别专精于特定的专业领域。通过合理的专业分工和紧密的团队合作，中伦有能力在各个领域为客户提供高质量的中国法律服务。在长期执业过程中，中伦并与多家境外知名律师事务所建立起了良好的合作关系，通过与其密切的合作，中伦有能力为客户在中国境外的投资及商务活动提供有力的法律支持。

中伦拥有一批既有丰富经验，又有深厚理论基础的律师。中伦的合伙人大多毕业于国内外著名法学院，不少合伙人并在国际著名律师行工作多年。在成为中伦的合伙人之前，均已在其相关专业领域执业多年，并已经取得良好的业绩。中伦的律师及助理律师在加入中伦前，均需接受严格的遴选，且均为遴选中的佼佼者。中伦并通过各种各样的培训以提高助理律师的服务水平。

中伦拥有广泛的客户群体，其中既包括世界五百强这样的大型跨国公司，也包括业绩良好的大型国有企业和成长型企业；既包括传统的制造业企业，也包括国内外著名的投资银行、保险公司、私募基金、地产商、通讯、信息技术、旅游等服务型企业；中伦同时也为政府机构、国际组织、外国驻华使（领）馆、商会等提供中国法律服务。

执业理念

1. 客户至上

客户是我们的衣食父母。我们所有的价值：成就感、荣誉、社会地位等等，均依赖于客户的成功。在帮助客户成功的同时，也就实现了自身的成功。

客户至上也来源于我们对客户所负有的受信义务（fiduciaryduty）。我们在制度上保证了当客户利益与其他利益构成竞争时，客户利益将受到绝对优先的保护。

2. 团队合作

中伦认识到：建立在科学分工基础上的团队合作能够保证客户在任何一方面的事务都能够得到最优秀的服务。团队合作也有助于控制客户的支出，从而增强事务所的竞争力。基于这些认识，中伦较早地通过制度化的安排，以保证团队合作。

3. 务实创新

作为扎根中国，但又具有国际视野和经验的律师事务所，中伦熟悉中国的政治、社会和人文环境，能够提供契合客户需求的法律服务及切实可行的专业意见和建议。

中伦认识到，在一个快速发展的转型社会，商业需求永远领先于法律。为真正解决客户的问题，律师需要具备较强的学习、研究能力，富有创新精神。中伦的创新能力从早在 20 世纪 90 年代初期引进香港房地产法律服务经验以及在资产证券化等新兴业务的深入研究可以得到最好的说明。

专业领域

· 房地产与建设工程
· 公司融资/资本市场
· 公司收购、兼并及重组
· 私募股权与风险资本
· 外商直接投资/外资并购
· 银行与金融
· 结构性融资与资产证券化
· 项目融资
· 酒店/旅游开发与管理
· 城市基础设施
· 竞争法与反垄断
· 国际贸易
· 海事海商
· 海外投资
· 能源与自然资源
· 信息技术、电信、传媒与娱乐
· 知识产权
· 劳动法
· 破产重整与清算
· 争议解决
· 媒体和娱乐
· 税法

社会责任

作为一所具有社会责任感的综合性律师事务所，中伦格外珍视社会对自身的育培，同时也十分重视对社会的回馈。在北京市中伦律师事务所二零一零年度第一次合伙人会议上，全体合伙人一致通过并做出决定，设立“中伦公益基金”。

为了更好地开展公益活动，事务所专门成立了由十一位合伙人组成的公益基金理事会，负责事务所的公益事业。为了有序、规范的开展公益基金项目，中伦公益基金在成立之初制定了《中伦公益基金章程》。

中伦公益基金自设立之日起，合伙人及律师、工作人员就积极捐款，北京总所和各地分所同时举行多场公益基金募捐活动，中伦人积极践行着履行社会责任的承诺。

中伦公益基金捐赠的项目、领域持续增加，经中伦公益基金理事会审慎调研、讨论通过的公益基金项目，均持续运作并且中伦员工均积极参与其中。

第五章　主办券商

申银万国证券股份有限公司

一、公司概况及简介

<table>
<tr><td rowspan="9">公司概况</td><td>公司名称</td><td colspan="5">申银万国证券股份有限公司</td></tr>
<tr><td>成立日期</td><td>1996－7－16</td><td>法定代表人</td><td>储晓明</td><td>总经理</td><td>储晓明</td></tr>
<tr><td>注册资本（万元）</td><td>671,576.00</td><td>净资产*（万元）</td><td>1,813,514.22</td><td>净资本*（万元）</td><td>1310101.55</td></tr>
<tr><td>注册地址</td><td colspan="3">上海市徐汇区长乐路989号世纪商贸广场45层</td><td>营业部家数</td><td>155</td></tr>
<tr><td>办公地址</td><td colspan="3">上海市徐汇区长乐路989号世纪商贸广场45层</td><td>邮编</td><td>200031</td></tr>
<tr><td>公司网址</td><td>www.sywg.com</td><td>电子邮箱</td><td>sywg@sywg.com.cn</td><td>经营证券业务许可证编号</td><td>Z22731000</td></tr>
<tr><td colspan="6">注：*经审计的最近年度净资产和净资本</td></tr>
<tr><td colspan="3">证监会批准的相关业务资格</td><td colspan="3">证券经纪；证券投资咨询；与证券交易、证券投资活动有关的财务顾问；证券自营；证券承销与保荐；证券资产管理；证券投资基金代销；为期货公司提供中间介绍业务；融资融券业务；代销金融产品业务；国家有关管理机关批准的其他业务。</td></tr>
<tr><td colspan="3">在全国股份转让系统从事的业务种类</td><td colspan="3">经纪业务、推荐业务</td></tr>
<tr><td>公司简介</td><td colspan="6">申银万国证券股份有限公司（以下简称“申银万国”或“公司”），由原上海申银证券公司和原上海万国证券公司于1996年7月16日合并组建而成，是国内最早的一家股份制证券公司。申银万国注册资本67.1576亿元，系大型综合类证券公司。公司拥有控股子公司——上海申银万国证券研究所有限公司、申银万国期货有限公司、申银万国投资有限公司和申万菱信基金管理有限公司，并在香港特别行政区设有申银万国（香港）集团公司和控股的上市公司——申银万国（香港）有限公司。公司还参股富国基金管理有限公司。公司经营范围包括：证券经纪；证券投资咨询；与证券交易、证券投资活动有关的财务顾问；证券自营；证券承销与保荐；证券资产管理；证券投资基金代销；为期货公司提供中间介绍业务；融资融券业务；国家有关管理机关批准的其他业务。</td></tr>
</table>

二、业务动态

推荐挂牌情况				
序号	股份代码	公司名称	挂牌日期	公司状态
1	430002	中科软	2006－01－23	挂牌
2	430001	世纪瑞尔	2006－01－23	已上市
3	430007	久其软件	2006－09－07	已上市
4	430010	现代农装	2006－12－08	挂牌
5	430011	指南针	2007－01－23	挂牌
6	430015	盖特佳	2007－06－18	挂牌
7	430016	胜龙科技	2007－07－26	挂牌
8	430018	合纵科技	2007－09－19	挂牌
9	430020	建工华创	2007－09－28	挂牌
10	430019	新松佳和	2007－09－28	挂牌

11	430023	佳讯飞鸿	2007－10－26	已上市
12	430026	金豪制药	2008－02－18	挂牌
13	430028	京鹏科技	2008－04－30	挂牌
14	430031	林克曼	2008－09－01	挂牌
15	430037	联飞翔	2008－12－05	挂牌
16	430044	东宝亿通	2009－01－12	挂牌
17	430045	东土科技	2009－02－18	已上市
18	430065	中海阳	2010－03－19	挂牌
19	430066	南北天地	2010－04－22	挂牌
20	430069	天助畅运	2010－06－23	挂牌
21	430073	兆信股份	2010－09－10	挂牌
22	430075	中讯四方	2010－11－18	挂牌
23	430083	中科联众	2011－03－28	挂牌
24	430085	新锐英诚	2011－04－01	挂牌
25	430092	易生创新	2011－06－21	挂牌
26	430095	航星股份	2011－08－19	挂牌
27	430097	赛德丽	2011－10－19	挂牌
28	430098	大津股份	2011－11－02	挂牌
29	430131	伟利讯	2012－07－18	挂牌
30	430135	三益能环	2012－09－05	挂牌
31	430147	中矿龙科	2012－09－21	挂牌
32	430151	亿鑫通	2012－10－12	挂牌
33	430150	创和通讯	2012－10－12	挂牌
34	430163	三众能源	2012－11－16	挂牌
35	430185	普瑞物联	2012－12－28	挂牌
36	430202	星河科技	2012－12－31	挂牌
37	430203	兴和鹏	2012－12－31	挂牌
38	430225	伊禾农品	2013－07－05	挂牌
39	430226	奥凯立	2013－07－05	挂牌
40	430252	联宇技术	2013－07－23	挂牌
41	430253	兴竹信息	2013－07－23	挂牌
42	430254	中卉生态	2013－07－23	挂牌
43	430259	华宿电气	2013－07－23	挂牌
44	430266	联动设计	2013－07－23	挂牌
45	430251	光电高斯	2013－07－24	挂牌
46	430258	易同科技	2013－07－25	挂牌
47	430274	重钢机械	2013－08－08	挂牌
48	430278	连能环保	2013－08－08	挂牌
49	430284	科胜石油	2013－08－08	挂牌
50	430269	新网程	2013－08－08	挂牌
51	430270	高曼重工	2013－08－08	挂牌
52	430286	东岩股份	2013－08－08	挂牌
53	430285	锐创信通	2013－08－08	挂牌
54	430344	鼎晖科技	2013－10－15	挂牌
55	430327	元工国际	2013－10－16	挂牌

56	430328	北京希电	2013-10-16	挂牌
57	430331	中环系统	2013-10-16	挂牌
58	430321	博德石油	2013-10-16	挂牌
59	430340	伟钊科技	2013-11-06	挂牌
60	430334	科洋科技	2013-11-06	挂牌
61	430356	雷腾软件	2013-12-10	挂牌
62	430363	上海上电	2013-12-23	挂牌
63	430390	中科网络	2014-01-24	挂牌
64	430407	长合信息	2014-01-24	挂牌
65	430427	飞田通信	2014-01-24	挂牌
66	430520	世安科技	2014-01-24	挂牌
67	430435	数聚软件	2014-01-24	挂牌
68	430439	亚杜股份	2014-01-24	挂牌
69	430493	新成新材	2014-01-24	挂牌
70	430513	中科三耐	2014-01-24	挂牌
71	430524	量天科技	2014-01-24	挂牌
72	430518	嘉达早教	2014-01-24	挂牌
73	430515	麟龙股份	2014-01-24	挂牌
74	430525	英诺尔	2014-01-24	挂牌
75	430526	丝普兰	2014-01-24	挂牌
76	430537	恒通股份	2014-01-24	挂牌
77	430538	中大科技	2014-01-24	挂牌
78	430539	扬子地板	2014-01-24	挂牌
79	430540	五龙制动	2014-01-24	挂牌
80	430612	雅威特	2014-01-24	挂牌
81	430615	华工创新	2014-01-24	挂牌
82	430648	群雁信息	2014-02-14	挂牌
83	430636	法普罗	2014-02-18	挂牌
84	430650	莱博股份	2014-02-18	挂牌
85	430651	金豹实业	2014-02-18	挂牌
86	430663	大陆机电	2014-03-13	挂牌
87	430668	笃诚科技	2014-03-31	挂牌
88	430696	金银花	2014-04-10	挂牌
89	430683	新中德	2014-04-10	挂牌
90	430674	巴兰仕	2014-04-10	挂牌
91	430706	海芯华夏	2014-04-23	挂牌
92	430739	银花股份	2014-04-30	挂牌
93	430721	瑞杰塑料	2014-04-30	挂牌
94	430747	长江机电	2014-05-05	挂牌
95	430741	格林绿化	2014-05-05	挂牌
96	830786	华源股份	2014-06-04	挂牌
97	830817	鼎炬科技	2014-06-20	挂牌
目前已推荐挂牌公司家数		97		
撤回材料及申请被否公司家数		0		
正在挂牌公司家数		93		

已上市公司家数		4		
已被终止挂牌公司家数		0		
推荐定向发行情况				
序号	股份代码	公司名称	发行日期	公司状态
1	430002	中科软	2007－1－15	发行成功
2	430015	盖特佳	2007－12－21	发行成功
3	430015	盖特佳	2007－12－21	发行失败
4	430011	指南针	2008－1－9	发行失败
5	430011	指南针	2008－1－9	发行成功
6	430010	现代农装	2008－3－28	发行失败
7	430010	现代农装	2008－3－28	发行成功
8	430018	合纵科技	2008－4－16	发行成功
9	430018	合纵科技	2008－4－16	发行失败
10	430001	世纪瑞尔	2010－1－12	发行失败
11	430001	世纪瑞尔	2010－1－12	发行成功
12	430037	联飞翔	2010－3－18	发行失败
13	430037	联飞翔	2010－3－18	发行成功
14	430044	东宝亿通	2010－5－14	发行失败
15	430065	中海阳	2010－7－22	发行成功
16	430065	中海阳	2010－7－22	发行失败
17	430037	联飞翔	2011－1－10	发行成功
18	430020	建工华创	2011－1－10	发行成功
19	430037	联飞翔	2011－1－10	发行失败
20	430020	建工华创	2011－1－10	发行失败
21	430020	建工华创	2011－1－10	发行失败
22	430065	中海阳	2011－3－9	发行成功
23	430065	中海阳	2011－3－9	发行失败
24	430010	现代农装	2011－8－30	发行失败
25	430010	现代农装	2011－8－30	发行成功
26	430075	中讯四方	2011－11－2	发行成功
27	430075	中讯四方	2011－11－2	发行失败
28	430028	京鹏科技	2012－6－8	发行失败
29	430028	京鹏科技	2012－6－8	发行成功
30	430002	中科软	2012－6－13	发行成功
31	430083	中科联众	2012－10－23	发行成功
32	430095	航星股份	2012－12－19	发行成功
33	430095	航星股份	2012－12－19	发行失败
34	430085	新锐英诚	2013－3－14	发行成功
35	430085	新锐英诚	2013－3－15	发行失败
36	430147	中矿龙科	2013－7－7	发行失败
37	430147	中矿龙科	2013－7－17	发行成功
38	430648	群雁信息	2013－7－23	发行失败
39	430202	星河科技	2013－8－20	发行失败

40	430037	联飞翔	2013－9－6	发行失败
41	430037	联飞翔	2013－9－6	发行成功
42	430098	大津股份	2013－9－9	发行失败
43	430098	大津股份	2013－9－9	发行成功
44	430202	星河科技	2013－9－11	发行成功
45	430065	中海阳	2013－10－24	发行成功
46	430065	中海阳	2013－10－24	发行失败
47	430075	中讯四方	2013－10－29	发行失败
48	430075	中讯四方	2013－10－29	发行失败
49	430075	中讯四方	2013－10－29	发行成功
50	430254	中卉生态	2013－12－19	发行成功
51	430254	中卉生态	2013－12－20	发行失败
52	430010	现代农装	2014－1－23	发行失败
53	430010	现代农装	2014－1－23	发行成功
54	430185	普瑞物联	2014－3－11	发行成功
55	430185	普瑞物联	2014－3－11	发行失败
56	430284	科胜石油	2014－5－27	发行成功
57	430284	科胜石油	2014－6－10	发行失败
58	430344	鼎晖科技	2014－6－27	发行成功
59	430344	鼎晖科技	2014－7－1	发行失败
推荐定向发行次数		59		
推荐定向发行成功次数		29		
推荐定向发行失败次数		30		

推荐原代办股份转让系统的两网公司及退市公司挂牌情况		
序号	股份代码	公司名称
1	400001	杭州大自然科技股份有限公司
2	400002	长白计算机股份有限公司
3	400005	海国投实业股份有限公司
4	400008	上海水仙电器股份有限公司
5	400012	广东金曼集团股份有限公司
6	400017	上海国嘉实业股份有限公司
7	400018	四川银山化工(集团)股份有限公司
8	400021	鞍山第一工程机械股份有限公司
9	400031	鞍山合成(集团)股份有限公司
10	400037	西安达尔曼实业股份有限公司
11	400043	大连长兴实业股份有限公司
12	400044	哈慈股份有限公司
13	400049	福建闽越花雕股份有限公司
14	400050	黑龙江龙涤股份有限公司
15	400051	陕西精密合金股份有限公司
16	400054	四川托普软件投资股份有限公司
推荐原代办股份转让系统的两网公司及退市公司家数		16

三、部门设置

经纪业务				
人员	姓名	固定电话	传真	Email
经纪业务联络人	唐广荣	021－33389664	021－54030294	tanggr@ sywg. com. cn
经纪业务联络人	孔志华	021－33389653	021－54030294	kongzhh@ sywg. com. cn
推荐业务				
人员	姓名	固定电话	传真	Email
推荐业务联络人	蒋曙云	021－33389858	021－54043534	jiangshy@ sywg. com. cn
推荐业务联络人	徐业伟	021－33389860	021－54043534	xuyw@ sywg. com. cn

东吴证券股份有限公司

一、公司概况及简介

公司概况	公司名称	东吴证券股份有限公司				
	成立日期	1993－4－15	法定代表人	范　力	总经理	范　力
	注册资本（万元）	200,000.00	净资产＊（万元）	782,907.51	净资本＊（万元）	500,661.75
	注册地址	江苏省苏州工业园区星阳街5号			营业部家数	53
	办公地址	江苏省苏州工业园区星阳街5号			邮编	215021
	公司网址	www. dwzq. com. cn	电子邮箱	dwzqdb@ gsjq. com. cn	经营证券业务许可证编号	Z23232000
	注：＊经审计的最近年度净资产和净资本					
	证监会批准的相关业务资格			证券经纪；证券投资咨询；与证券交易、证券投资活动有关的财务顾问；证券承销与保荐；证券自营；证券资产管理；证券投资基金代销；为期货公司提供中间介绍业务；融资融券业务；代销金融产品业务		
	在全国股份转让系统从事的业务种类			经纪业务，推荐业务，做市业务		
公司简介	东吴证券股份有限公司（以下简称“东吴证券”或“公司”），前身为成立于1993年的苏州证券，历经三次增资扩股。2010年5月28日，东吴证券有限责任公司改制并更名为东吴证券股份有限公司。2011年11月23日，经中国证券监督管理委员会核准，东吴证券向社会公开发行5亿股普通A股股票，并于2011年12月12日在上海证券交易所挂牌上市交易，股票简称“东吴证券”，股票代码“601555”。通过登陆资本市场，东吴证券进一步完善了公司治理机构，实现了新的飞跃。公司总部及注册地在苏州，注册资本金20亿元。目前公司下属北京、上海、南京、苏州、昆山、常熟、张家港、吴江、太仓、无锡、常州15个分公司，拥有99家（含筹建）证券营业网点，并参股东吴基金管理有限公司，控股东吴期货有限公司，下设全资子公司东吴创业投资有限公司，东吴创新资本管理有限公司。作为总部在苏州的唯一一家综合性证券公司，东吴证券依托的苏州市场综合经济实力、人均GDP、人均存款等均居于全国前列，且近十年保持快速发展势头，使得公司业务具有良好的客户基础。一直以来，东吴证券以苏州为根据地，深耕细作，走出了一条区域性券商的独特发展道路。					

二、业务动态

推荐挂牌情况				
序号	股份代码	公司名称	挂牌日期	公司状态
1	430055	达通通信	2009－04－28	挂牌
2	430058	意诚信通	2009－08－05	挂牌
3	430144	煦联得	2012－09－07	挂牌
4	430162	聚利科技	2012－11－02	挂牌
5	430178	白虹软件	2012－12－25	挂牌

6	430246	佳星慧盟	2013 - 07 - 23	挂牌
7	430277	福乐维	2013 - 08 - 08	挂牌
8	430405	星火环境	2014 - 01 - 24	挂牌
9	430434	万泉河	2014 - 01 - 24	挂牌
10	430589	银河激光	2014 - 01 - 24	挂牌
11	430583	国贸酝领	2014 - 01 - 24	挂牌
12	430586	兴港包装	2014 - 01 - 24	挂牌
13	430388	苏大明世	2014 - 01 - 24	挂牌
14	430393	三景科技	2014 - 01 - 24	挂牌
15	430401	声威电声	2014 - 01 - 24	挂牌
16	430404	瑞腾科技	2014 - 01 - 24	挂牌
17	430430	普滤得	2014 - 01 - 24	挂牌
18	430414	三光科技	2014 - 01 - 24	挂牌
19	430418	苏轴股份	2014 - 01 - 24	挂牌
20	430432	方林科技	2014 - 01 - 24	挂牌
21	430579	龙源科技	2014 - 01 - 24	挂牌
22	430585	中矿微星	2014 - 01 - 24	挂牌
23	830818	巨峰股份	2014 - 06 - 30	挂牌
24	830952	方兰德	2014 - 08 - 08	挂牌
25	830968	华电电器	2014 - 08 - 08	挂牌
26	830958	鑫庄农贷	2014 - 08 - 08	挂牌
27	830971	科特环保	2014 - 08 - 08	挂牌
28	830963	伽利森	2014 - 08 - 13	挂牌
29	831048	天成股份	2014 - 08 - 22	挂牌
30	831095	中网科技	2014 - 08 - 22	挂牌
31	831166	纳地股份	2014 - 09 - 25	挂牌
32	831221	聚阳环保	2014 - 10 - 17	挂牌
33	831214	中晶股份	2014 - 10 - 21	挂牌
34	831237	飞宇科技	2014 - 10 - 28	挂牌
35	831375	三强股份	2014 - 11 - 21	挂牌
36	831334	竞天科技	2014 - 11 - 27	挂牌
37	831410	天和科技	2014 - 12 - 03	挂牌
38	831485	科达建材	2014 - 12 - 10	挂牌
39	831506	昌信农贷	2014 - 12 - 10	挂牌
40	831447	明烁科技	2014 - 12 - 12	挂牌
41	831561	威孚热能	2014 - 12 - 18	挂牌
42	831558	阳光四季	2014 - 12 - 18	挂牌
43	831532	君悦科技	2014 - 12 - 18	挂牌
44	831554	智博联	2014 - 12 - 18	挂牌
45	831626	胜禹股份	2015 - 01 - 05	挂牌
46	831624	嘉成股份	2015 - 01 - 08	挂牌
47	831612	维艾普	2015 - 01 - 08	挂牌
48	831634	盛世股份	2015 - 01 - 12	挂牌
49	831641	格利尔	2015 - 01 - 13	挂牌
50	831763	康爱特	2015 - 01 - 15	挂牌

51	831808	神元生物	2015-01-16	挂牌
52	831832	科达自控	2015-01-27	挂牌
目前已推荐挂牌公司家数		52		
撤回材料及申请被否公司家数		0		
正在挂牌公司家数		52		
已上市公司家数		0		
已被终止挂牌公司家数		0		
推荐定向发行情况				
序号	股份代码	公司名称	发行日期	公司状态
1	430058	意诚信通	2009-10-29	发行成功
2	430144	煦联得	2013-10-22	发行成功
3	430585	中矿微星	2014-1-24	发行成功
4	430434	万泉河	2014-1-24	发行成功
5	430393	三景科技	2014-6-24	发行成功
6	430405	星火环境	2014-6-27	发行成功
7	430583	国贸酝领	2014-8-6	发行成功
8	831048	天成股份	2014-8-22	发行成功
9	430430	普滤得	2014-10-28	发行成功
10	831214	中晶股份	2015-1-29	发行成功
11	430430	普滤得	2015-1-29	发行成功
推荐定向发行次数		11		
推荐定向发行成功次数		11		
推荐定向发行失败次数		0		
推荐原代办股份转让系统的两网公司及退市公司挂牌情况				
序号	股份代码	公司名称		
推荐原代办股份转让系统的两网公司及退市公司家数		0		

三、部门设置

经纪业务				
人员	姓名	固定电话	传真	Email
经纪业务联络人	马军征	0512-62938777	0512-62938777	sxl_majzh@gsjq.com.cn
推荐业务				
人员	姓名	固定电话	传真	Email
推荐业务联络人	顾利峰	0512-62938573	0512-62938561	gulifeng@gsjq.com.cn
推荐业务联络人	周翰	0512-62938571	0512-62938561	zhouhan@gsjq.com.cn

国信证券股份有限公司

一、公司概况及简介

<table>
<tr><td rowspan="9">公司概况</td><td>公司名称</td><td colspan="5">国信证券股份有限公司</td></tr>
<tr><td>成立日期</td><td>1994－6－30</td><td>法定代表人</td><td>何　如</td><td>总经理</td><td>陈鸿桥</td></tr>
<tr><td>注册资本（万元）</td><td>700,000</td><td>净资产*（万元）</td><td>1,991,300</td><td>净资本*（万元）</td><td>1,374,800</td></tr>
<tr><td>注册地址</td><td colspan="3">深圳市罗湖区红岭中路1012号国信证券大厦16－26层</td><td>营业部家数</td><td>85</td></tr>
<tr><td>办公地址</td><td colspan="3">深圳市罗湖区红岭中路1012号国信证券大厦16－26层</td><td>邮编</td><td>518001</td></tr>
<tr><td>公司网址</td><td>www.guosen.com.cn</td><td>电子邮箱</td><td>jjglmail@guosen.com.cn</td><td>经营证券业务许可证编号</td><td>Z27074000</td></tr>
<tr><td colspan="6">注：*经审计的最近年度净资产和净资本</td></tr>
<tr><td colspan="3">证监会批准的相关业务资格</td><td colspan="3">证券经纪；证券投资咨询；与证券交易、证券投资活动有关的财务顾问；证券承销与保荐；证券自营；证券资产管理；融资融券；证券投资基金代销；为期货公司提供中间介绍业务；金融产品代销。</td></tr>
<tr><td colspan="3">在全国股份转让系统从事的业务种类</td><td colspan="3">经纪业务，推荐业务，做市业务</td></tr>
<tr><td>公司简介</td><td colspan="6">国信证券股份有限公司（简称“国信证券”或“公司”）源起于中国证券市场最早的三家营业部之一——深圳国投证券业务部，1994年成立公司。国信证券是全国性大型综合类证券公司，注册资本70亿元，总部设在深圳，目前在全国57个城市设有11家分公司、84家营业网点，同时拥有三家全资子公司：国信期货有限责任公司、国信弘盛创业投资有限公司、国信证券（香港）金融控股有限公司，并参股鹏华基金管理有限公司、前海股权交易中心、厦门两岸股权交易中心、青岛蓝海股权交易中心。公司拥有齐全的证券业务牌照，业务体系覆盖场内、场外市场，可为广大投资者和客户提供综合金融服务。</td></tr>
</table>

二、业务动态

推荐挂牌情况				
序号	股份代码	公司名称	挂牌日期	公司状态
1	430008	紫光华宇	2006－08－30	已上市
2	430012	博晖创新	2007－02－16	已上市
3	430022	五岳鑫	2007－10－18	挂牌
4	430035	中兴通	2008－10－28	挂牌
5	430041	中机非晶	2008－12－25	挂牌
6	430043	世纪东方	2009－01－19	挂牌
7	430051	九恒星	2009－02－18	挂牌
8	430063	工控网	2010－02－08	挂牌
9	430074	德鑫物联	2010－10－08	挂牌
10	430078	君德同创	2011－01－18	挂牌
11	430105	合力思腾	2012－02－03	挂牌
12	430146	亚泰都会	2012－09－21	挂牌
13	430200	时代地智	2012－12－31	挂牌
14	430229	绿岸股份	2013－07－05	挂牌
15	430287	环宇畜牧	2013－08－07	挂牌
16	430289	华索科技	2013－08－08	挂牌
17	430306	永铭医学	2013－08－09	挂牌
18	430317	日升天信	2013－10－15	挂牌
19	430349	安威士	2013－11－13	挂牌

20	430348	瑞斯福	2013－11－15	挂牌
21	430466	新疆华油	2014－01－24	挂牌
22	430472	安泰得	2014－01－24	挂牌
23	430458	陆海科技	2014－01－24	挂牌
24	430487	佳信捷	2014－01－24	挂牌
25	430488	东创科技	2014－01－24	挂牌
26	430491	蓝斯股份	2014－01－24	挂牌
27	430581	八亿时空	2014－01－24	挂牌
28	430603	回水科技	2014－01－24	挂牌
29	430456	和氏股份	2014－01－24	挂牌
30	430464	方迪科技	2014－01－24	挂牌
31	430471	豪威尔	2014－01－24	挂牌
32	430473	网动股份	2014－01－24	挂牌
33	430455	德联科技	2014－01－24	挂牌
34	430453	恒锐科技	2014－01－24	挂牌
35	430454	百大能源	2014－01－24	挂牌
36	430467	深圳行健	2014－01－24	挂牌
37	430457	三网科技	2014－01－24	挂牌
38	430476	海能仪器	2014－01－24	挂牌
39	430656	财安金融	2014－02－17	挂牌
40	430751	赛格微	2014－05－30	挂牌
41	430759	凯路仕	2014－05－30	挂牌
42	830791	佳晓股份	2014－06－10	挂牌
43	830770	牛商股份	2014－06－10	挂牌
44	830841	长牛股份	2014－07－08	挂牌
45	830851	骏华农牧	2014－07－08	挂牌
46	830845	芯邦科技	2014－07－14	挂牌
47	830840	永力科技	2014－07－15	挂牌
目前已推荐挂牌公司家数		47		
撤回材料及申请被否公司家数		0		
正在挂牌公司家数		45		
已上市公司家数		2		
已被终止挂牌公司家数		0		
推荐定向发行情况				
序号	股份代码	公司名称	发行日期	公司状态
1	430008	紫光华宇	2008－12－5	发行成功
2	430051	九恒星	2010－11－17	发行成功
3	430051	九恒星	2011－7－29	发行成功
4	430063	工控网	2011－11－30	发行成功
5	430078	君德同创	2012－7－18	发行成功
6	430348	瑞斯福	2013－8－20	发行成功
7	430348	瑞斯福	2013－9－18	发行成功
8	430074	德鑫物联	2014－6－27	发行成功
9	430457	三网科技	2014－7－31	发行成功
推荐定向发行次数		9		
推荐定向发行成功次数		9		

推荐定向发行失败次数		0
推荐原代办股份转让系统的两网公司及退市公司挂牌情况		
序号	股份代码	公司名称
1	400006	北京理工中兴科技股份有限公司
2	400009	广东广建集团股份有限公司
3	400011	深圳中浩(集团)股份有限公司
4	400016	金田实业(集团)股份有限公司
5	400023	南洋航运集团股份有限公司
6	400029	广州汇集实业股份有限公司
7	400030	大连北大科技(集团)股份有限公司
8	400032	深圳石化工业集团股份有限公司
9	400035	比特科技控股股份有限公司
10	400039	广东华圣科技股份有限公司
11	400040	中国四川国际合作股份有限公司
12	400045	猴王股份有限公司
13	400046	沈阳菲菲澳家现代农业股份有限公司
14	400055	湖南国光瓷业集团股份有限公司
15	420047	深圳大洋海运股份有限公司
推荐原代办股份转让系统的两网公司及退市公司家数		15

三、部门设置

经纪业务				
人员	姓名	固定电话	传真	Email
经纪业务联络人	谢青	0755 - 82130595	0755 - 82133302	10057@ guosen. com. cn
推荐业务				
人员	姓名	固定电话	传真	Email
推荐业务联络人	唐立	0755 - 82130634	0755 - 82133186	10191@ guosen. com. cn
推荐业务联络人	乐露	0755 - 82130634	0755 - 82133186	10127@ guosen. com. cn

西部证券股份有限公司

一、公司概况及简介

公司概况	公司名称	西部证券股份有限公司				
	成立日期	2001 - 1 - 9	法定代表人	刘建武	总经理	祝　健
	注册资本（万元）	120,000	净资产 *（万元）	465,951	净资本 *（万元）	386,771
	注册地址	陕西省西安市新城区东新街232号信托大厦			营业部家数	72
	办公地址	陕西省西安市新城区东新街232号信托大厦			邮编	710004
	公司网址	www. westsecu. com	电子邮箱	wangbh@ xbmail. com. cn	经营证券业务许可证编号	Z28461000
	注：* 经审计的最近年度净资产和净资本					
	证监会批准的相关业务资格			证券经纪；证券投资咨询；与证券交易、证券投资活动有关的财务顾问；证券承销与保荐；证券自营；证券资产管理；融资融券；证券投资基金代销；为期货公司提供中间介绍业务；代销金融产品业务。		
	在全国股份转让系统从事的业务种类			经纪业务，推荐业务，做市业务		

公司简介	西部证券股份有限公司(以下简称"公司")是经中国证券监督管理委员会批准设立,于2001年1月正式注册开业的证券经营机构。公司在陕西、北京、上海、深圳、山东、江苏、河南、河北、广西、甘肃、宁夏、成都共设有72家证券营业部,在上海设有从事自营业务、客户资产管理业务的第一、二分公司和研究发展中心,在北京设有从事推荐业务的北京第一分公司。西部期货有限公司和西部优势资本投资有限公司作为公司全资子公司与公司主营业务协同运作,独立经营。公司与上海利得财富资产管理有限公司合资设立的西部利得基金管理有限公司在公募和私募基金管理业务领域为客户提供服务。在2001至2005年市场持续低迷的环境中,公司取得了连续5年盈利的经营业绩。在此期间,公司的投资业务形成了与价值投资、长线投资理念相匹配的管理体制、运营模式和操作手法。公司曾被评为全国第一批规范类证券公司和第二批创新类证券公司。2006年以来,公司在扩大经纪业务规模、提升投资业务管理能力的同时,加大对投资银行业务的培植力度,在经营效率方面保持了良好的业绩,开始形成各项业务适应市场竞争环境要求的良性运行格局,使公司始终沿着最具盈利价值和最具增值潜力券商的轨道前行。2007年公司全面导入ISO9000质量管理体系。2012年5月公司在深圳证券交易所正式挂牌上市,成为我国第19家上市证券公司。

二、业务动态

推荐挂牌情况				
序号	股份代码	公司名称	挂牌日期	公司状态
1	430038	信维科技	2008－12－16	挂牌
2	430040	康斯特	2008－12－26	挂牌
3	430042	科瑞讯	2009－01－15	挂牌
4	430046	圣博润	2009－02－18	挂牌
5	430052	斯福泰克	2009－03－19	挂牌
6	430053	国学时代	2009－03－31	挂牌
7	430061	富机达能	2009－11－09	挂牌
8	430067	维信通	2010－04－29	挂牌
9	430084	星和众工	2011－03－28	挂牌
10	430093	掌上通	2011－07－08	挂牌
11	430143	武大科技	2012－09－07	挂牌
12	430219	拓川股份	2013－05－17	挂牌
13	430347	地大信息	2013－11－13	挂牌
14	430529	恒成工具	2014－01－24	挂牌
15	430543	锐源仪器	2014－01－24	挂牌
16	430528	欧丽信大	2014－01－24	挂牌
17	430531	瑞翼信息	2014－01－24	已被终止挂牌
18	430619	格纳斯	2014－01－24	挂牌
19	430530	云铜科技	2014－01－24	挂牌
20	430549	天弘激光	2014－01－24	挂牌
21	430570	蓝星科技	2014－01－24	挂牌
22	430548	大方软件	2014－01－24	挂牌
23	430542	利雅得	2014－01－24	挂牌
24	430616	鸿盛数码	2014－01－24	挂牌
25	430666	绿伞化学	2014－03－20	挂牌
26	430719	九鼎投资	2014－04－29	挂牌
27	430725	九五智驾	2014－05－06	挂牌
28	430763	爱科迪	2014－05－30	挂牌
29	830889	深拓智能	2014－08－05	挂牌
30	830944	景尚旅业	2014－08－11	挂牌
31	831086	星城石墨	2014－08－22	挂牌
32	831108	茶乾坤	2014－08－29	挂牌

33	831133	科润智能	2014－09－17	挂牌
34	831223	江苏中旗	2014－10－28	挂牌
35	831297	数字股份	2014－11－12	挂牌
36	831400	优博创	2014－12－08	挂牌
37	831483	汇通华城	2014－12－16	挂牌
38	831670	捷福装备	2015－01－15	挂牌
39	831890	中润油	2015－02－10	挂牌
目前已推荐挂牌公司家数		39		
撤回材料及申请被否公司家数		0		
正在挂牌公司家数		38		
已上市公司家数		0		
已被终止挂牌公司家数		1		
推荐定向发行情况				
序号	股份代码	公司名称	发行日期	公司状态
1	430053	国学时代	2012－3－30	发行成功
2	430084	星和众工	2012－12－30	发行成功
3	430038	信维科技	2013－6－13	发行成功
4	430093	掌上通	2013－6－27	发行成功
5	430143	武大科技	2013－8－7	发行成功
6	430529	恒成工具	2014－7－18	发行成功
7	430719	九鼎投资	2014－8－7	发行成功
8	430619	格纳斯	2014－8－25	发行成功
9	430619	格纳斯	2014－8－25	发行成功
10	430219	拓川股份	2014－12－12	发行成功
推荐定向发行次数		10		
推荐定向发行成功次数		10		
推荐定向发行失败次数		0		
推荐原代办股份转让系统的两网公司及退市公司挂牌情况				
序号	股份代码	公司名称		
推荐原代办股份转让系统的两网公司及退市公司家数		0		

三、部门设置

经纪业务				
人员	姓名	固定电话	传真	Email
经纪业务联络人	刘锐	029－87406418	029－87406387	liurui@xbmail.com.cn
经纪业务联络人	李冰	029－87406311	029－87406387	libing@xbmail.com.cn
推荐业务				
人员	姓名	固定电话	传真	Email
推荐业务联络人	葛爽	010－68945225	010－68946615	13810879850@163.com
推荐业务联络人	刘斌	010－68947975	010－68946615	13810253721@126.com

华鑫证券有限责任公司

一、公司概况及简介

<table>
<tr><td rowspan="9">公司概况</td><td>公司名称</td><td colspan="5">华鑫证券有限责任公司</td></tr>
<tr><td>成立日期</td><td>2001－3－6</td><td>法定代表人</td><td>俞洋</td><td>总经理</td><td>俞洋</td></tr>
<tr><td>注册资本（万元）</td><td>160,000</td><td>净资产＊（万元）</td><td>275,042.08</td><td>净资本＊（万元）</td><td>227,514.83</td></tr>
<tr><td>注册地址</td><td colspan="3">深圳市福田区金田路4015号安联大厦28层A01、B01(b)单元</td><td>营业部家数</td><td>55</td></tr>
<tr><td>办公地址</td><td colspan="3">深圳市福田区金田路4015号安联大厦28层A01、B01(b)单元</td><td>邮编</td><td>518026</td></tr>
<tr><td>公司网址</td><td>www.cfsc.com.cn</td><td>电子邮箱</td><td>Huaxin_zhengquan@vip.163.com</td><td>经营证券业务许可证编号</td><td>Z28574000</td></tr>
<tr><td colspan="6">注：＊经审计的最近年度净资产和净资本</td></tr>
<tr><td colspan="3">证监会批准的相关业务资格</td><td colspan="3">证券经纪；证券投资咨询；与证券交易、证券投资活动有关的财务顾问；证券自营（不含债券自营）；证券资产管理；证券投资基金代销；为期货公司提供中间介绍业务；融资融券业务；代销金融产品。</td></tr>
<tr><td colspan="3">在全国股份转让系统从事的业务种类</td><td colspan="3">经纪业务，推荐业务，做市业务</td></tr>
<tr><td>公司简介</td><td colspan="6">华鑫证券有限责任公司（以下简称“华鑫证券”或“公司”）是经中国证券监督管理委员会批准的全国性综合类证券经营机构。公司前身是原西安证券有限责任公司和中国农业银行上海市信托投资公司。华鑫证券于2001年3月在深圳经济特区注册成立，公司目前注册资本为人民币16亿元。
华鑫证券下设3家分公司，分别为上海分公司、自营分公司、西安分公司，并在北京、上海、西安、深圳、常州等地拥有55家证券营业部。华鑫证券经过十余年发展，已经成为横跨证券、基金、期货三大领域的金融控股集团公司。公司是华鑫期货有限公司的全资控股股东、摩根士丹利华鑫证券有限责任公司（以下简称“大摩华鑫证券”）的控股股东，是摩根士丹利华鑫基金管理有限公司的第一大股东。
华鑫证券经营范围涵盖证券经纪、证券投资咨询、证券资产管理、融资融券、代销金融产品、与证券交易、证券投资活动有关的财务顾问、股指期货中间介绍业务、证券投资基金代销、证券自营业务（不含债券自营）等综合性业务领域。公司同时拥有沪深证券交易所大宗交易业务资格、上证50ETF一级交易商业务资格、华泰柏瑞沪深300ETF一级交易商业务资格等重要业务资格，并致力于为广大投资者提供优质的一揽子金融服务。</td></tr>
</table>

二、业务动态

<table>
<tr><td colspan="5">推荐挂牌情况</td></tr>
<tr><td>序号</td><td>股份代码</td><td>公司名称</td><td>挂牌日期</td><td>公司状态</td></tr>
<tr><td>1</td><td>430379</td><td>昂盛智能</td><td>2014－01－24</td><td>挂牌</td></tr>
<tr><td>2</td><td>830954</td><td>华宝石</td><td>2014－08－12</td><td>挂牌</td></tr>
<tr><td>3</td><td>831140</td><td>力阳科技</td><td>2014－09－16</td><td>挂牌</td></tr>
<tr><td>4</td><td>831803</td><td>炫泰文化</td><td>2015－01－15</td><td>挂牌</td></tr>
<tr><td colspan="2">目前已推荐挂牌公司家数</td><td colspan="3">4</td></tr>
<tr><td colspan="2">撤回材料及申请被否公司家数</td><td colspan="3">0</td></tr>
<tr><td colspan="2">正在挂牌公司家数</td><td colspan="3">4</td></tr>
<tr><td colspan="2">已上市公司家数</td><td colspan="3">0</td></tr>
<tr><td colspan="2">已被终止挂牌公司家数</td><td colspan="3">0</td></tr>
<tr><td colspan="5">推荐定向发行情况</td></tr>
<tr><td>序号</td><td>股份代码</td><td>公司名称</td><td>发行日期</td><td>公司状态</td></tr>
<tr><td>1</td><td>430379</td><td>昂盛智能</td><td>2014－1－2</td><td>发行成功</td></tr>
<tr><td colspan="2">推荐定向发行次数</td><td colspan="3">1</td></tr>
<tr><td colspan="2">推荐定向发行成功次数</td><td colspan="3">1</td></tr>
</table>

<table>
<tr><td colspan="2">推荐定向发行失败次数</td><td>0</td></tr>
<tr><td colspan="3">推荐原代办股份转让系统的两网公司及退市公司挂牌情况</td></tr>
<tr><td>序号</td><td>股份代码</td><td>公司名称</td></tr>
<tr><td colspan="2">推荐原代办股份转让系统的两网公司及退市公司家数</td><td>0</td></tr>
</table>

三、部门设置

<table>
<tr><td colspan="5">经纪业务</td></tr>
<tr><td>人员</td><td>姓名</td><td>固定电话</td><td>传真</td><td>Email</td></tr>
<tr><td>经纪业务联络人</td><td>徐素萍</td><td>021 - 64377335</td><td>021 - 64374849</td><td>xusp@ cfsc. com. cn</td></tr>
<tr><td>经纪业务联络人</td><td>朱元超</td><td>021 - 64336359</td><td>021 - 64374849</td><td>zhuyc@ cfsc. com. cn</td></tr>
<tr><td colspan="5">推荐业务</td></tr>
<tr><td>人员</td><td>姓名</td><td>固定电话</td><td>传真</td><td>Email</td></tr>
<tr><td>推荐业务联络人</td><td>杜玉强</td><td>021 - 51793730</td><td>021 - 51793720</td><td>duyuqiang86@ 163. com</td></tr>
<tr><td>推荐业务联络人</td><td>张　曦</td><td>021 - 51793728</td><td>021 - 51793720</td><td>crystal_xi23@ hotmail. com</td></tr>
</table>

国泰君安证券股份有限公司

一、公司概况及简介

<table>
<tr><td rowspan="9">公司概况</td><td>公司名称</td><td colspan="5">国泰君安证券股份有限公司</td></tr>
<tr><td>成立日期</td><td>1999 - 8 - 18</td><td>法定代表人</td><td>万建华</td><td>总经理</td><td>杨德红</td></tr>
<tr><td>注册资本（万元）</td><td>610,000</td><td>净资产 *（万元）</td><td>3,500,214.9</td><td>净资本 *（万元）</td><td>2,331,833</td></tr>
<tr><td>注册地址</td><td colspan="3">上海市浦东新区商城路 618 号</td><td>营业部家数</td><td>202</td></tr>
<tr><td>办公地址</td><td colspan="3">上海市银城中路 168 号</td><td>邮编</td><td>200120</td></tr>
<tr><td>公司网址</td><td>www. gtja. com</td><td>电子邮箱</td><td>office@ gtjas. com</td><td>经营证券业务许可证编号</td><td>Z29131000</td></tr>
<tr><td colspan="6">注：* 经审计的最近年度净资产和净资本</td></tr>
<tr><td colspan="3">证监会批准的相关业务资格</td><td colspan="3">证券经纪、证券承销与保荐、融资融券业务、证券自营、证券投资咨询、与证券交易、证券投资活动有关的财务顾问、为期货公司提供中间介绍业务、证券投资基金代销、代销金融产品业务、中国证监会批准的其他业务。</td></tr>
<tr><td colspan="3">在全国股份转让系统从事的业务种类</td><td colspan="3">经纪业务，推荐业务，做市业务</td></tr>
<tr><td>公司简介</td><td colspan="6">国泰君安证券股份有限公司（以下简称“国泰君安”）是国内最大的证券公司之一。1999 年 8 月 18 日，原国泰证券有限公司和原君安证券有限责任公司通过新设合并、增资扩股组建成立国泰君安证券，目前注册资本为 61 亿元。
自成立之日起，国泰君安秉持以客户为中心的服务理念，扎根于国内资本市场，是国内规模最大、经营范围最广、机构分布最广、服务客户最多的证券公司之一，旗下设国泰君安金融控股有限公司（注册地香港）、国泰君安期货有限公司、上海国泰君安证券资产管理有限公司、国泰君安创新投资有限公司、国联安基金管理有限公司、上海国翔置业有限公司 6 家子公司，在全国 30 个省、市、自治区设有 30 家分公司、196 个证券营业部。
国泰君安于 2001 年首批获得由中国证监会和中国证券业协会认定的代办股份转让业务资格，并于 2013 年 3 月首批取得全国中小企业股份转让系统有限公司授予的经纪业务和挂牌业务资格。
国泰君安已成功推荐北京时代（430003）、鼎普科技（430036）、中海纪元（430059）等二十六家企业挂牌股份报价转让系统，有着丰富的项目经验。国泰君安是代办股份转让系统上首家帮助企业成功完成定向增资的券商，也是唯一帮助企业完成三次增资的券商。</td></tr>
</table>

二、业务动态

推荐挂牌情况				
序号	股份代码	公司名称	挂牌日期	公司状态
1	430003	北京时代	2006－03－31	挂牌
2	430036	鼎普科技	2008－10－28	挂牌
3	430059	中海纪元	2009－08－18	挂牌
4	430107	朗铭科技	2012－03－09	挂牌
5	430125	都市鼎点	2012－06－08	挂牌
6	430132	国铁科林	2012－07－18	挂牌
7	430175	科新生物	2012－12－26	挂牌
8	430197	ST 津伦	2012－12－26	挂牌
9	430297	金硕信息	2013－08－08	挂牌
10	430296	平安力合	2013－08－08	挂牌
11	430338	银音科技	2013－11－08	挂牌
12	430350	万德智新	2013－11－15	挂牌
13	430359	同济医药	2013－12－20	挂牌
14	430595	唐人通服	2014－01－24	挂牌
15	430635	展唐科技	2014－02－19	挂牌
16	430711	泓源光电	2014－04－24	挂牌
17	430722	鸿图建筑	2014－05－06	挂牌
18	430755	华曦达	2014－05－30	挂牌
19	830784	威尔凯	2014－06－10	挂牌
20	830871	天元晟业	2014－07－17	挂牌
21	830923	上元堂	2014－07－31	挂牌
22	830964	润农节水	2014－08－08	挂牌
23	831132	临风股份	2014－09－01	挂牌
24	831148	长宏科技	2014－09－19	挂牌
25	831191	彩通科技	2014－10－09	挂牌
26	831193	新健康成	2014－10－13	挂牌
27	831286	竹林伟业	2014－11－05	挂牌
28	831271	燎原药业	2014－11－06	挂牌
29	831301	零动数码	2014－11－11	挂牌
30	831395	智通建设	2014－12－04	挂牌
31	831415	城兴股份	2014－12－04	挂牌
32	831430	天易股份	2014－12－08	挂牌
33	831408	大美游轮	2014－12－09	挂牌
34	831446	亨利技术	2014－12－09	挂牌
35	831489	天衡股份	2014－12－11	挂牌
36	831534	艾倍科	2014－12－18	挂牌
37	831504	中晟光电	2014－12－31	挂牌
38	831661	金马科技	2015－01－12	挂牌
39	831815	山源科技	2015－01－20	挂牌
40	831804	绿宝石	2015－01－20	挂牌
41	831810	本益科技	2015－01－22	挂牌
42	831739	艾斯克	2015－01－26	挂牌

43	831725	凌志股份	2015－01－27	挂牌
44	831662	搜才人力	2015－01－28	挂牌
45	831871	万隆精铸	2015－01－28	挂牌
46	831659	远东钨业	2015－02－03	挂牌
47	831838	福康药业	2015－02－03	挂牌
48	831930	和君商学	2015－02－05	挂牌
49	831991	莱比德	2015－02－13	挂牌
50	832112	网智天元	2015－03－10	挂牌
51	832059	欧密格	2015－03－11	挂牌
目前已推荐挂牌公司家数		51		
撤回材料及申请被否公司家数		0		
正在挂牌公司家数		51		
已上市公司家数		0		
已被终止挂牌公司家数		0		
推荐定向发行情况				
序号	股份代码	公司名称	发行日期	公司状态
1	430003	北京时代	2006－12－29	发行成功
2	430003	北京时代	2009－2－2	发行成功
3	430003	北京时代	2010－12－31	发行成功
4	430036	鼎普科技	2012－2－27	发行成功
5	430059	中海纪元	2012－3－2	发行成功
6	430132	国铁科林	2013－8－26	发行成功
7	430107	朗铭海川	2014－2－24	发行成功
8	430175	科新生物	2014－4－21	发行成功
9	430350	万德智新	2014－9－4	发行成功
10	830923	上元堂	2014－10－28	发行成功
11	430711	泓源光电	2014 12 8	发行成功
12	830964	润农节水	2014－12－22	发行成功
13	830964	润农节水	2015－2－27	发行成功
推荐定向发行次数		13		
推荐定向发行成功次数		13		
推荐定向发行失败次数		0		
推荐原代办股份转让系统的两网公司及退市公司挂牌情况				
序号	股份代码	公司名称		
1	400007	海南华凯实业股份有限公司		
2	400010	北京鹫峰科技开发股份有限公司		
3	400013	山东港岳航电集团股份有限公司		
4	400027	湖北江湖生态农业股份有限公司		
5	400033	长春高斯达生物科技集团股份有限公司		
6	400038	武汉华信高新技术股份有限公司股份		
7	400042	浙江信联股份有限公司		
8	400052	中油龙昌股份有限公司		
推荐原代办股份转让系统的两网公司及退市公司家数		8		

三、部门设置

经纪业务				
人员	姓名	固定电话	传真	Email
经纪业务联络人	巴宇芳	021－38676563	021－38676666	bayf1@ gtjas. com
推荐业务				
人员	姓名	固定电话	传真	Email
推荐业务联络人	赵娜	010－59312951	010－59312813	zhaona011685@ gtjas. com
推荐业务联络人	刘丹妮	010－59312995	010－59312813	liudanni012472@ gtjas. com

财达证券有限责任公司

一、公司概况及简介

公司概况	公司名称	财达证券有限责任公司				
	成立日期	2002－4－25	法定代表人	翟建强	总经理	张明
	注册资本（万元）	221,000	净资产＊（万元）	473,772	净资本＊（万元）	384,956
	注册地址	河北省石家庄市自强路35号			营业部家数	107
	办公地址	河北省石家庄市自强路35号			邮编	050000
	公司网址	www. s10000. com	电子邮箱	wangzhibei@ cdzq. com	经营证券业务许可证编号	13140000
	注：＊经审计的最近年度净资产和净资本					
	证监会批准的相关业务资格			证券经纪；证券投资咨询；证券承销与保荐；证券自营；证券资产管理；融资融券；证券投资基金代销；与证券交易、证券投资活动有关的财务顾问；代销金融产品；为期货公司提供中间介绍业务。		
	在全国股份转让系统从事的业务种类			经纪业务，推荐业务，做市业务		
公司简介	财达证券有限责任公司（以下简称“财达证券”）成立于2002年4月，目前第一大股东为唐山钢铁集团有限责任公司，实际控制人为河北省国资委。财达证券拥有齐全的证券业务牌照，经营范围涵盖：证券经纪；证券投资咨询；证券承销与保荐；证券自营；证券资产管理；融资融券；证券投资基金代销；与证券交易、证券投资活动有关的财务顾问、代销金融产品和为期货公司提供中间介绍业务。 财达证券始终恪守“诚实守信、规范发展”的经营理念，强化内控管理，严防各类风险，积极投身于国内资本市场，各项业务保持了稳步发展的态势，在激烈的市场竞争中树立了守法、合规和信誉至上的良好形象。财达证券凭借规范严谨的公司治理和内控管理，在2010年至2012年连续三年获评A类券商，2013年获评BBB类券商。					

二、业务动态

推荐挂牌情况				
序号	股份代码	公司名称	挂牌日期	公司状态
1	430396	亿汇达	2014－01－24	挂牌
2	430574	星奥股份	2014－01－24	挂牌
3	830837	古城香业	2014－07－08	挂牌
4	830899	联讯证券	2014－08－01	挂牌
5	830962	科德威	2014－08－08	挂牌
6	831150	金越交通	2014－09－22	挂牌
7	831267	法福来	2014－11－03	挂牌
8	831367	红山河	2014－11－19	挂牌
9	831482	和信基业	2014－12－09	挂牌
10	831528	尚真新材	2014－12－18	挂牌

11	831625	蓝天精化	2015-01-06	挂牌
12	831736	利源捷能	2015-01-13	挂牌
13	831743	立高科技	2015-01-13	挂牌
目前已推荐挂牌公司家数		13		
撤回材料及申请被否公司家数		0		
正在挂牌公司家数		13		
已上市公司家数		0		
已被终止挂牌公司家数		0		
推荐定向发行情况				
序号	股份代码	公司名称	发行日期	公司状态
推荐定向发行次数		0		
推荐定向发行成功次数		0		
推荐定向发行失败次数		0		
推荐原代办股份转让系统的两网公司及退市公司挂牌情况				
序号	股份代码	公司名称		
推荐原代办股份转让系统的两网公司及退市公司家数		0		

三、部门设置

经纪业务				
人员	姓名	固定电话	传真	Email
经纪业务联络人	陈丽君	0311-66006315	0311-66006201	clj@ cdzq. com
经纪业务联络人	杨丽娅	0311-66006410	0311-66006201	yangliya2@ cdzq. com
推荐业务				
人员	姓名	固定电话	传真	Email
推荐业务联络人	彭博	0311-66006204	0311-66006204	pengbo@ cdzq. com
推荐业务联络人	张艺韬	0311-66006346	0311-66006204	zhangyitao@ cdzq. com

广州证券股份有限公司

一、公司概况及简介

公司概况	公司名称	广州证券股份有限公司				
	成立日期	1988-3-26	法定代表	邱三发	总经理	邱三发
	注册资本（万元）	333,000	净资产*（万元）	509,347	净资本*（万元）	392,484
	注册地址	广东省广州市天河区珠江西路5号广州国际金融中心主塔19层、20层			营业部家数	36
	办公地址	广东省广州市天河区珠江西路5号广州国际金融中心主塔19层、20层			邮编	510623
	公司网址	www. gzs. com. cn	电子邮箱	zcb@ gzs. com. cn	经营证券业务许可证编号	Z25744000
	注：*经审计的最近年度净资产和净资本					
	证监会批准的相关业务资格			证券经纪；证券投资咨询（仅限于证券投资顾问）；与证券交易、证券投资活动有关的财务顾问；证券承销与保荐；证券自营；证券资产管理；融资融券；证券投资基金代销；代销金融产品（《经营证券业务许可证》有效期至2015年9月26日）。		
	在全国股份转让系统从事的业务种类			经纪业务，推荐业务，做市业务		

<table>
<tr><td>公司简介</td><td>广州证券股份有限公司(以下简称"广州证券"或"公司")是1988年经中国人民银行批准成立,是全国最早设立的证券公司之一,2001年经核准成为全国性综合类券商,目前注册资本达33.3亿元,员工人数约1,200人。公司现在由广州越秀金融控股集团有限公司控股,其为越秀集团的三大支柱产业之一,广州证券为越秀金控的核心主体。
越秀金控集团成立于2012年1月18日,注册资本30.5亿元,是越秀集团三大核心产业之一。目前,拥有18个境内外金融业务平台,涵盖银行、证券、租赁、保险、信托等11项金融业务牌照,业务网点分布于港澳及内地19个省(区、市)、31个城市,全面形成了跨境经营、全国布局、金融控股的发展格局。广州证券以"打造国内一流的证券企业集团"为自身愿景,业务范围涵盖证券经纪、证券投资咨询、与证券交易、证券投资活动有关的财务顾问、证券承销与保荐、证券自营、证券资产管理、融资融券业务、以及中国证监会批准的其他业务等所有综合性业务。广州证券立足广东,走向全国。在广东、北京、杭州等地设立了共36个证券营业部;先后担任了21家股票发行主承销商,26家股票发行副主承销商,2013年IPO主承销家数及金额排名居行业前二十;担任全国各地40家余债券发行的主承销和副主承销商,2012年主承销债券家数居行业前十;投资管理业务三年加权平均收益率约为15%,居行业领先水平,投资收益行业排名前二十。
广州证券旗下拥有全资子公司广州期货有限公司和直投子公司广州证券创新投资管理有限公司,控股金鹰基金管理有限公司和广州广证恒生证券研究所有限公司,其中广证恒生为CEPA框架协议下国内首家合资证券投资咨询公司。</td></tr>
</table>

二、业务动态

推荐挂牌情况				
序号	股份代码	公司名称	挂牌日期	公司状态
1	430141	久日化学	2012-09-07	挂牌
2	430187	全有时代	2012-12-31	挂牌
3	430486	普金科技	2014-01-24	挂牌
4	430451	万人调查	2014-01-24	挂牌
5	430694	华印机电	2014-04-09	挂牌
6	430743	尚思传媒	2014-05-06	挂牌
7	830776	帕特尔	2014-06-09	挂牌
8	830862	丰海科技	2014-07-15	挂牌
9	830891	轩辕网络	2014-07-30	挂牌
10	830983	保得威尔	2014-08-08	挂牌
11	830961	圣华农科	2014-08-12	挂牌
12	831125	欧安电气	2014-08-29	挂牌
13	831097	思为同飞	2014-08-29	挂牌
14	831187	创尔生物	2014-10-08	挂牌
15	831233	恒丰科技	2014-10-29	挂牌
16	831307	佛罗伦萨	2014-11-07	挂牌
17	831246	欧力配网	2014-11-07	挂牌
18	831371	美涂士	2014-11-27	挂牌
19	831405	赞普科技	2014-12-03	挂牌
20	831523	亚成生物	2014-12-17	挂牌
21	831594	赛力克	2014-12-31	挂牌
22	831572	疆能股份	2015-01-05	挂牌
23	831619	五舟科技	2015-01-09	挂牌
24	831621	中镁控股	2015-01-13	挂牌
25	831750	华明泰	2015-01-13	挂牌
26	831776	中云创	2015-01-13	挂牌
27	831922	长宝科技	2015-01-29	挂牌

28	831992	嘉得力	2015－02－05	挂牌
29	832018	固特超声	2015－02－16	挂牌
目前已推荐挂牌公司家数		29		
撤回材料及申请被否公司家数		0		
正在挂牌公司家数		29		
已上市公司家数		0		
已被终止挂牌公司家数		0		
推荐定向发行情况				
序号	股份代码	公司名称	发行日期	公司状态
1	430141	久日化学	2014－6－16	发行成功
推荐定向发行次数		1		
推荐定向发行成功次数		1		
推荐定向发行失败次数		0		
推荐原代办股份转让系统的两网公司及退市公司挂牌情况				
序号	股份代码	公司名称		
推荐原代办股份转让系统的两网公司及退市公司家数		0		

三、部门设置

经纪业务				
人员	姓名	固定电话	传真	Email
经纪业务联络人	赖瑞麟	020－88836999	020－88836654	lairl@ gzs. com. cn
经纪业务联络人	文建钟	020－88836651	020－88836654	wenjz@ gzs. com. cn
推荐业务				
人员	姓名	固定电话	传真	Email
推荐业务联络人	江兰	020－88836999	020－88836624	

西南证券股份有限公司

一、公司概况及简介

公司概况	公司名称	西南证券股份有限公司				
	成立日期	1999－12－28	法定代表人	余维佳	总经理	余维佳
	注册资本（万元）	282,255.46	净资产＊（万元）	1,092,364.51	净资本＊（万元）	612,872.24
	注册地址	重庆市江北区桥北苑8号西南证券大厦			营业部家数	86
	办公地址	重庆市江北区桥北苑8号西南证券大厦			邮编	400023
	公司网址	www. swsc. com. cn	电子邮箱	dshb@ swsc. com. cn	经营证券业务许可证编号	Z28175000
	注：＊经审计的最近年度净资产和净资本					
	证监会批准的相关业务资格			证券经纪，证券投资咨询，与证券交易、证券投资活动有关的财务顾问，证券承销与保荐，证券自营，证券资产管理，融资融券，证券投资基金代销，为期货公司提供中间介绍业务。		
	在全国股份转让系统从事的业务种类			经纪业务，推荐业务，做市业务		

公司简介	西南证券股份有限公司(以下简称“西南证券”或“公司”成立于1999年,注册资本28.23亿元,是唯一一家注册地在重庆市的全国综合性证券公司,也是中国第九家上市证券公司和重庆市第一家上市金融机构。 公司现有员工逾2,000名,在全国27个省(区、市)获批设立109家证券营业部,拥有17个投行业务部门。近年来,西南证券坚持走改革创新、综合经营和市场化发展道路,先后完成改革重组、借壳上市、增发融资、收购兼并等战略性举措,有效激发了内生动力和外生动力,核心竞争力和综合实力显著提高,取得了发展质量和发展效益的“双丰收”,并在2014年证券公司分类评价中获评A类AA级,呈现出跨越式发展的良好态势。公司拥有西证股权投资有限公司、西证创新投资有限公司、西证国际投资有限公司、西南期货有限公司等四家全资子公司,可从事直接股权投资业务、另类投资业务、跨境业务、商品期货和金融期货经纪等业务;拥有重庆股份转让中心有限责任公司53%的股权,是全国首家控股地方股权交易中心的券商;拥有全国排名前十的银华基金管理有限公司49%的股权,为其第一大股东;公司形成了券商“全牌照”经营的格局,能为各类客户提供券商的所有服务。

二、业务动态

推荐挂牌情况				
序号	股份代码	公司名称	挂牌日期	公司状态
1	430536	万通新材	2014-01-24	挂牌
2	430541	翼兴节能	2014-01-24	挂牌
3	430614	星通联华	2014-01-24	挂牌
4	430399	湘财证券	2014-01-24	挂牌
5	831008	百华悦邦	2014-08-29	挂牌
6	831272	同力天合	2014-11-05	挂牌
7	831339	新思路	2014-11-13	挂牌
8	831508	拓新股份	2014-12-17	挂牌
9	831556	文正制衣	2014-12-26	挂牌
10	831657	贝克福尔	2015-01-08	挂牌
11	831622	攀特电陶	2015-01-08	挂牌
12	831642	蜀虹装备	2015-01-09	挂牌
13	831681	智洋电气	2015-01-12	挂牌
14	831683	金航股份	2015-01-15	挂牌
15	831798	博益气动	2015-01-23	挂牌
16	831853	世游科技	2015-01-23	挂牌
目前已推荐挂牌公司家数		16		
撤回材料及申请被否公司家数		0		
正在挂牌公司家数		16		
已上市公司家数		0		
已被终止挂牌公司家数		0		
推荐定向发行情况				
序号	股份代码	公司名称	发行日期	公司状态
1	430536	万通新材	2014-3-19	发行成功
推荐定向发行次数		1		
推荐定向发行成功次数		1		
推荐定向发行失败次数		0		
推荐原代办股份转让系统的两网公司及退市公司挂牌情况				
序号	股份代码	公司名称		
推荐原代办股份转让系统的两网公司及退市公司家数		0		

三、部门设置

经纪业务				
人员	姓名	固定电话	传真	Email
经纪业务联络人	李晓渝	023-63786302	023-63786312	lixy@swsc.com.cn
经纪业务联络人	程旭东	023-63786541	023-63786312	cxd@swsc.com.cn
推荐业务				
人员	姓名	固定电话	传真	Email
推荐业务联络人	刘玉莹	023-67953656	010-88092028	lyyin@swsc.com.cn
推荐业务联络人	田青	010-57631268	010-88092028	tq@swsc.com.cn

山西证券股份有限公司

一、公司概况及简介

公司概况	公司名称	山西证券股份有限公司				
	成立日期	1988.7.28	法定代表人	侯巍	总经理	侯巍
	注册资本（万元）	251,872.52	净资产*（万元）	732,588.32	净资本*（万元）	397,974.95
	注册地址	山西省太原市府西街69号山西国际贸易中心东塔楼			营业部家数	69
	办公地址	山西省太原市府西街69号山西国际贸易中心东塔楼			邮编	030002
	公司网址	www.sxzq.net	电子邮箱	sxzq@i618.com.cn	经营证券业务许可证编号	10680000
	注：*经审计的最近年度净资产和净资本					
	证监会批准的相关业务资格			证券经纪；证券自营；证券资产管理；证券投资咨询；与证券交易、证券投资活动有关的财务顾问；证券投资基金代销；为期货公司提供中间介绍业务；融资融券；代销金融产品。		
	在全国股份转让系统从事的业务种类			经纪业务，推荐业务，做市业务		
公司简介	山西证券股份有限公司成立于1988年，为全国首批证券公司之一。2010年11月15日正式在深圳证券交易所挂牌上市，股票代码002500。 公司注册资本25.187亿元。公司设有分公司16家（管辖59家证券营业部）、总部直辖营业部10家、期货营业网点30家，形成了以国内主要城市为前沿，重点城市为中心，覆盖山西、面向全国的业务发展框架，为八十多万客户提供全面、优质的专业服务。 公司与全球知名投资银行——德意志银行合资设立中德证券有限责任公司，其从事的主要业务为股票和债券的承销与保荐；公司全资控股格林大华期货有限公司，其从事的主要业务为商品期货经纪与金融期货经纪；公司设立直投业务子公司—龙华启富投资有限责任公司，其主要从事的业务为投资管理、项目投资、财务顾问、经济信息咨询等。 未来的山西证券将继续秉承诚信为本、以义制利、专业服务的经营理念，坚持让投资更明白的服务理念，持续丰富公司发展历程中专业化、规模化、品牌化、集团化和国际化的内涵，努力把公司建设成为有特色、有品牌、有竞争力的一流券商。					

二、业务动态

推荐挂牌情况				
序号	股份代码	公司名称	挂牌日期	公司状态
1	430060	永邦科技	2009-08-26	挂牌
2	430087	威力恒	2011-05-31	挂牌
3	430096	航天宏达	2011-08-30	挂牌
4	430103	天大清源	2012-01-18	挂牌
5	430133	赛孚制药	2012-08-01	挂牌
6	430522	超弦科技	2014-01-24	挂牌

7	430602	腾旋科技	2014－01－24	挂牌
8	430523	泰谷生物	2014－01－24	挂牌
9	430697	宝石金卡	2014－04－11	挂牌
10	830913	中北通磁	2014－08－08	挂牌
11	830914	海赛电装	2014－08－11	挂牌
12	831102	湘佳牧业	2014－08－21	挂牌
13	831107	金科信息	2014－08－22	挂牌
14	831032	景睿策划	2014－08－29	挂牌
15	831129	领信股份	2014－09－01	挂牌
16	831174	全密封	2014－10－13	挂牌
17	831319	绿蔓生物	2014－11－07	挂牌
18	831296	奥拓福	2014－12－04	挂牌
19	831418	三合盛	2014－12－05	挂牌
20	831487	山大合盛	2014－12－10	挂牌
21	831090	锡成矿业	2014－12－10	挂牌
目前已推荐挂牌公司家数		21		
撤回材料及申请被否公司家数		0		
正在挂牌公司家数		21		
已上市公司家数		0		
已被终止挂牌公司家数		0		
推荐定向发行情况				
序号	股份代码	公司名称	发行日期	公司状态
1	430133	天大清源	2013－9－4	发行成功
推荐定向发行次数		1		
推荐定向发行成功次数		1		
推荐定向发行失败次数		0		
推荐原代办股份转让系统的两网公司及退市公司挂牌情况				
序号	股份代码	公司名称		
推荐原代办股份转让系统的两网公司及退市公司家数		0		

三、部门设置

经纪业务				
人员	姓名	固定电话	传真	Email
经纪业务联络人	任祥海	0351－8686817	0351－8686889	renxianghai@ sxzq. com
经纪业务联络人	李并	0351－8686890	0351－8686889	libing@ sxzq. com
推荐业务				
人员	姓名	固定电话	传真	Email
推荐业务联络人	李莉	010－82190311	010－82190374	lili3@ sxzq. com
推荐业务联络人	文皓	010－82190368	010－82190374	wenhao@ sxzq. com

长江证券股份有限公司

一、公司概况及简介

<table>
<tr><td rowspan="9">公司概况</td><td>公司名称</td><td colspan="5">长江证券股份有限公司</td></tr>
<tr><td>成立日期</td><td>1991－3－18</td><td>法定代表人</td><td>杨泽柱</td><td>总经理</td><td>叶烨</td></tr>
<tr><td>注册资本（万元）</td><td>237,123.38</td><td>净资产＊（万元）</td><td>1,259,307.74</td><td>净资本＊（万元）</td><td>983,389.8</td></tr>
<tr><td>注册地址</td><td colspan="3">湖北省武汉市江汉区新华路特8号</td><td>营业部家数</td><td>140</td></tr>
<tr><td>办公地址</td><td colspan="3">湖北省武汉市江汉区新华路特8号</td><td>邮编</td><td>430015</td></tr>
<tr><td>公司网址</td><td>www.cjsc.com</td><td>电子邮箱</td><td>inf@cjsc.com.cn</td><td>经营证券业务许可证编号</td><td>Z24935000</td></tr>
<tr><td colspan="6">注：＊经审计的最近年度净资产和净资本</td></tr>
<tr><td colspan="3">证监会批准的相关业务资格</td><td colspan="3">证券经纪；证券投资咨询；证券承销；证券自营；证券资产管理；融资融券业务；证券投资基金代销；为期货公司提供中间介绍业务。</td></tr>
<tr><td colspan="3">在全国股份转让系统从事的业务种类</td><td colspan="3">经纪业务，推荐业务，做市业务</td></tr>
<tr><td>公司简介</td><td colspan="6">长江证券股份有限公司（以下简称“公司”）是总部设在武汉的全国性综合类上市证券公司，股票代码为000783。公司秉承以“追求卓越”为核心价值观的企业文化，致力于成为提供全面理财和融资服务的一流金融企业。公司资产质量优良，资产规模在业内的排名始终保持较前位置。
公司已经取得全国中小企业股份转让系统（以下简称“NEEQ”）主办券商业务资格。公司高度重视全国中小企业股份转让系统业务，设有专门从事该业务的一级部门——场外市场部。
公司场外市场部现有专业人员60多人，其中包括多年投行经验的执业律师、注册会计师、行业分析师等专业人员。业务范围覆盖全国，在北京、武汉两地分别设有业务部，专职开展全国中小企业股份转让系统业务，通过整合公司资源，为中小企业融资发展提供资本市场全方位优质服务。
公司场外市场部服务内容包括：企业股份制改造、企业挂牌NEEQ的承揽和承做、挂牌企业在NEEQ的再融资、挂牌企业在NEEQ的信息披露、NEEQ挂牌企业上市到主板、中小板和创业板的前期辅导、全国中小企业股份转让系统未来开放的各项创新业务等。
公司作为主办券商已成功推荐科若思（430102）、国电武仪（430138）、中科通达（430154）、迈达科技（430220）、璟泓科技（430222）、亿童文教（430223）、颂大教育（430244）、易维科技（430261）、新冠亿碳（430275）、捷安高科（430373）、大禹电气（430386）、康普常青（430698）、芳笛环保（430724）、索泰能源（430752）、武汉蓝电（830779）等近百家企业在NEEQ挂牌。
公司场外市场部项目经验丰富，确立了“公司改制—推荐挂牌—定向增资—推进上市”业务链体系，能够为企业带来显著的增值服务。</td></tr>
</table>

二、业务动态

推荐挂牌情况				
序号	股份代码	公司名称	挂牌日期	公司状态
1	430102	科若思	2011－12－27	挂牌
2	430127	赛尔瑟斯	2012－06－21	挂牌
3	430138	国电武仪	2012－09－07	挂牌
4	430154	中科通达	2012－10－25	挂牌
5	430170	金易通	2012－12－12	挂牌
6	430204	石竹科技	2012－12－28	挂牌
7	430207	威明德	2012－12－28	挂牌
8	430223	亿童文教	2013－07－02	挂牌
9	430222	璟泓科技	2013－07－02	挂牌
10	430221	风帆电镀	2013－07－02	挂牌
11	430241	威林科技	2013－07－02	挂牌

12	430244	颂大教育	2013-07-02	挂牌
13	430220	迈达科技	2013-07-02	挂牌
14	430265	国威机床	2013-07-22	挂牌
15	430261	易维科技	2013-07-22	挂牌
16	430283	景弘环保	2013-08-08	挂牌
17	430275	新冠亿碳	2013-08-08	已被终止挂牌
18	430303	百文宝	2013-08-09	挂牌
19	430320	江扬环境	2013-10-16	挂牌
20	430322	智合新天	2013-10-16	挂牌
21	430332	安华智能	2013-10-22	挂牌
22	430599	艾艾精工	2014-01-24	挂牌
23	430386	大禹电气	2014-01-24	挂牌
24	430373	捷安高科	2014-01-24	挂牌
25	430385	中一检测	2014-01-24	挂牌
26	430380	成明节能	2014-01-24	挂牌
27	430389	意普万	2014-01-24	挂牌
28	430402	吉事达	2014-01-24	挂牌
29	430577	力龙信息	2014-01-24	挂牌
30	430686	华盛控股	2014-04-08	挂牌
31	430698	康普常青	2014-04-18	挂牌
32	430703	高山水	2014-04-23	挂牌
33	430724	芳笛环保	2014-05-05	挂牌
34	430745	诺文科技	2014-05-05	挂牌
35	830779	武汉蓝电	2014-05-30	挂牌
36	430752	索泰能源	2014-05-30	挂牌
37	830833	九生堂	2014-07-04	挂牌
38	830867	全华光电	2014-07-15	挂牌
39	830878	智信股份	2014-07-16	挂牌
40	830875	千草生物	2014-07-17	挂牌
41	830859	金旭农发	2014-07-21	挂牌
42	830925	鄂信钻石	2014-08-01	挂牌
43	830943	济南科明	2014-08-05	挂牌
44	830915	味群食品	2014-08-06	挂牌
45	831050	天喻软件	2014-08-20	挂牌
46	831058	天颖环境	2014-08-21	挂牌
47	831017	星月股份	2014-08-21	挂牌
48	831142	易讯通	2014-09-11	挂牌
49	831141	金铠建科	2014-09-15	挂牌
50	831155	振源电气	2014-09-19	挂牌
51	831183	可视化	2014-10-08	挂牌
52	831179	奥杰科技	2014-10-08	挂牌
53	831229	木兰花	2014-10-24	挂牌
54	831242	特辰科技	2014-10-30	挂牌
55	831265	宏源药业	2014-11-04	挂牌
56	831295	川东环能	2014-11-06	挂牌

57	831309	雷迪特	2014－11－07	挂牌
58	831343	益通建设	2014－11－11	挂牌
59	831324	凯洋海鲜	2014－11－12	挂牌
60	831357	黄国粮业	2014－11－12	挂牌
61	831326	三利达	2014－11－12	挂牌
62	831347	大禹阀门	2014－11－13	挂牌
63	831383	楼市通网	2014－12－02	挂牌
64	831392	天迈科技	2014－12－02	挂牌
65	831432	优尼科	2014－12－04	挂牌
66	831393	中碧环保	2014－12－04	挂牌
67	831461	百年巧匠	2014－12－09	挂牌
68	831452	宝特龙	2014－12－10	挂牌
69	831451	亿海股份	2014－12－10	挂牌
70	831420	北信得实	2014－12－22	挂牌
71	831537	莱恩股份	2015－01－05	挂牌
72	831708	吉华勘测	2015－01－15	挂牌
73	831559	天高股份	2015－01－16	挂牌
74	831676	景川诊断	2015－01－22	挂牌
75	831731	硅海电子	2015－01－22	挂牌
76	831741	信音电子	2015－01－22	挂牌
77	831826	华菱医疗	2015－01－23	挂牌
78	832021	安谱实验	2015－02－11	挂牌
79	832045	红星药业	2015－02－16	挂牌
80	832093	科伦股份	2015－03－05	挂牌
81	832072	紫晶股份	2015－03－05	挂牌
目前已推荐挂牌公司家数		81		
撤回材料及申请被否公司家数		0		
正在挂牌公司家数		80		
已上市公司家数		0		
已被终止挂牌公司家数		1		
推荐定向发行情况				
序号	股份代码	公司名称	发行日期	公司状态
1	430170	金易通	2013－8－15	发行成功
2	430206	尚远环保	2013－8－19	发行成功
3	430283	景弘环保	2014－1－24	发行成功
4	430303	百文宝	2014－2－20	发行成功
5	430206	尚远环保	2014－4－22	发行成功
6	430154	中科通达	2014－4－22	发行成功
7	430222	璟泓科技	2014－5－6	发行成功
8	831392	天迈科技	2014－11－25	发行成功
9	831461	百年巧匠	2014－11－28	发行成功
10	831826	华菱医疗	2015－2－2	发行失败
推荐定向发行次数		10		
推荐定向发行成功次数		9		

<table>
<tr><td colspan="2">推荐定向发行失败次数</td><td>1</td></tr>
<tr><td colspan="3">推荐原代办股份转让系统的两网公司及退市公司挂牌情况</td></tr>
<tr><td>序号</td><td>股份代码</td><td>公司名称</td></tr>
<tr><td>1</td><td>400022</td><td>厦门海洋实业(集团)股份有限公司</td></tr>
<tr><td colspan="2">推荐原代办股份转让系统的两网公司及退市公司家数</td><td>1</td></tr>
</table>

三、部门设置

<table>
<tr><td colspan="5">经纪业务</td></tr>
<tr><td>人员</td><td>姓名</td><td>固定电话</td><td>传真</td><td>Email</td></tr>
<tr><td>经纪业务联络人</td><td>陈昂</td><td>027 - 65799835</td><td>027 - 85481811</td><td>chengang1@ cjsc. com. cn</td></tr>
<tr><td>经纪业务联络人</td><td>代华</td><td>027 - 65799964</td><td>027 - 85481811</td><td>daihua@ cjsc. com. cm</td></tr>
<tr><td colspan="5">推荐业务</td></tr>
<tr><td>人员</td><td>姓名</td><td>固定电话</td><td>传真</td><td>Email</td></tr>
<tr><td>推荐业务联络人</td><td>李一科</td><td>027 - 65799819</td><td>027 - 85481890</td><td>liyk@ cjsc. com. cn</td></tr>
<tr><td>推荐业务联络人</td><td>俞佳</td><td>010 - 66290614</td><td>010 - 66220637</td><td>yujia@ cjsc. com. cn</td></tr>
</table>

中国银河证券股份有限公司

一、公司概况及简介

<table>
<tr><td rowspan="9">公司概况</td><td>公司名称</td><td colspan="5">中国银河证券股份有限公司</td></tr>
<tr><td>成立日期</td><td>2007 - 1 - 26</td><td>法定代表人</td><td>陈有安</td><td>总经理</td><td>顾伟国</td></tr>
<tr><td>注册资本（万元）</td><td>753,725.88</td><td>净资产 *（万元）</td><td>2,503,907.38</td><td>净资本 *（万元）</td><td>2,048,144.62</td></tr>
<tr><td>注册地址</td><td colspan="3">北京市西城区金融大街 35 号 2 - 6 层</td><td>营业部家数</td><td>241</td></tr>
<tr><td>办公地址</td><td colspan="3">北京市西城区金融大街 35 号国际企业大厦</td><td>邮编</td><td>100033</td></tr>
<tr><td>公司网址</td><td>www. chinastock. com. cn</td><td>电子邮箱</td><td>webmaster@ chinastock. com. cn</td><td>经营证券业务许可证编号</td><td>Z10111000</td></tr>
<tr><td colspan="6">注：* 经审计的最近年度净资产和净资本</td></tr>
<tr><td colspan="3">证监会批准的相关业务资格</td><td colspan="3">证券经纪；证券投资咨询；与证券交易、证券投资活动有关的财务顾问；证券承销与保荐；证券自营；融资融券；证券投资基金代销；为期货公司提供中间介绍业务；代销金融产品。</td></tr>
<tr><td colspan="3">在全国股份转让系统从事的业务种类</td><td colspan="3">经纪业务，推荐业务，做市业务</td></tr>
<tr><td>公司简介</td><td colspan="6">中国银河证券股份有限公司（以下简称“公司”，股票代码：06881. HK）是中国证券行业领先的综合性金融服务提供商，提供经纪、销售和交易、投资银行等综合证券服务。
2007 年 1 月 26 日，公司经中国证监会批准，由中国银河金融控股有限责任公司作为主发起人，联合 4 家国内机构投资者共同发起正式成立。中央汇金投资有限责任公司为公司实际控制人。公司本部设在北京，注册资本为人民币 75.37 亿元。截至 2013 年 12 月底，公司共有员工 6900 余人。
公司的经营宗旨是：根据国家法律法规、方针政策及国际惯例，致力开拓证券业务，秉承“忠诚、包容、创新、卓越”的企业精神和“客户至上、员工为本”的经营理念，坚持“创造价值、增长财富”的企业使命，倾力打造“一流服务、最佳投行”，实现股东长期利益和公司价值的最大化，促进、支持国民经济和证券市场的发展。
公司的经营范围为：证券经纪；证券投资咨询；与证券交易、证券投资活动有关的财务顾问；证券承销与保荐；证券自营；融资融券；证券投资基金代销；为期货公司提供中间介绍业务；代销金融产品业务。公司于 2013 年 5 月 22 日在香港联合交易所上市，控股股东为中国银河金融控股有限责任公司。</td></tr>
</table>

二、业务动态

推荐挂牌情况				
序号	股份代码	公司名称	挂牌日期	公司状态
1	430100	九尊能源	2011-12-02	挂牌
2	430191	波尔通信	2012-12-26	挂牌
3	430243	铜牛信息	2013-07-05	挂牌
4	430308	泽天盛海	2013-08-08	挂牌
5	430341	呈创科技	2013-11-06	挂牌
6	430361	般固科技	2013-12-24	挂牌
7	430383	红豆杉	2014-01-24	挂牌
8	430559	新华通	2014-01-24	挂牌
9	430554	金正方	2014-01-24	挂牌
10	430557	希芳阁	2014-01-24	挂牌
11	430558	均信担保	2014-01-24	挂牌
12	430424	联合创业	2014-01-24	挂牌
13	430750	欣易晨	2014-05-29	挂牌
14	830912	科汇电自	2014-08-04	挂牌
15	831022	三和视讯	2014-08-21	挂牌
目前已推荐挂牌公司家数		15		
撤回材料及申请被否公司家数		0		
正在挂牌公司家数		15		
已上市公司家数		0		
已被终止挂牌公司家数		0		
推荐定向发行情况				
序号	股份代码	公司名称	发行日期	公司状态
1	430100	九尊能源	2013-7-18	发行成功
2	430341	呈创科技	2014-5-8	发行成功
3	430558	均信担保	2014-5-29	发行成功
4	430100	九尊能源	2014-6-11	发行成功
推荐定向发行次数		4		
推荐定向发行成功次数		4		
推荐定向发行失败次数		0		
推荐原代办股份转让系统的两网公司及退市公司挂牌情况				
序号	股份代码	公司名称		
1	400026	深圳市中侨发展股份有限公司		
2	400060	江苏炎黄在线物流股份有限公司		
推荐原代办股份转让系统的两网公司及退市公司家数		2		

三、部门设置

经纪业务				
人员	姓名	固定电话	传真	Email
经纪业务联络人	陈利锋	010-66568457	010-83574076	chenlifeng@chinastock.com.cn
经纪业务联络人	王义	010-83574507	010-83574076	wangyi_zb@chinastock.com.cn
推荐业务				

人员	姓名	固定电话	传真	Email
推荐业务联络人	邹大伟	010－66568973	010－66568390	zoudawei@ chinastock. com. cn
推荐业务联络人	龚仙蓝	010－83571496	010－66568390	gongxianlan@ chinastock. com. cn

渤海证券股份有限公司

一、公司概况及简介

公司概况	公司名称	渤海证券股份有限公司				
	成立日期	1988－3－1	法定代表人	王春峰	总经理	周立
	注册资本（万元）	403,719.45	净资产＊（万元）	573,344.45	净资本＊（万元）	422,551.63
	注册地址	天津经济技术开发区第二大街42号写字楼101室			营业部家数	48
	办公地址	天津市南开区宾水西道8号			邮编	300381
	公司网址	www. bhzq. com	电子邮箱	email@ bhzq. com	经营证券业务许可证编号	Z20412000
	注：＊经审计的最近年度净资产和净资本					
	证监会批准的相关业务资格			证券经纪；证券投资咨询；与证券交易、证券投资活动有关财务顾问；证券承销与保荐；证券自营；证券资产管理；证券投资基金代销；为期货公司提供中间介绍业务；证监会批准的其他业务；融资融券业务；代销金融产品业务。		
	在全国股份转让系统从事的业务种类			经纪业务，推荐业务，做市业务		

公司简介

渤海证券股份有限公司的前身渤海证券有限责任公司是在原天津证券有限责任公司与原天津市国际信托投资公司、天津信托投资公司、天津北方国际信托投资公司、天津滨海信托投资有限公司等4家信托机构证券营业部合并重组基础上，集合了国内多家有影响、有实力的国有企业、上市公司、民营企业共同出资组建。

2001年4月，证监会出具《关于同意渤海证券有限责任公司开业的批复》（证监机构字［2001］65号），同意渤海证券有限责任公司开业，注册资本为23.17亿元。2001年3月25日召开第一次股东会暨公司成立大会，5月16日完成工商登记，6月8日正式开业。

2006年9月，经中国证监会核准，渤海证券有限责任公司减资并增资扩股，先将注册资本由231,716.63万元核减至92,686.652万元，在此基础上再由现有股东和新增股东向公司增资13亿元，上述增资完成后渤海有限注册资本增至222,686.652万元。

2008年5月，经中国证监会核准，渤海证券有限责任公司整体改制变更为股份有限公司，变更后公司名称为渤海证券股份有限公司，注册资本为人民币2,226,866,520元。公司于2008年7月23日完成工商变更登记。

2011年1月，经中国证监会核准，渤海证券股份有限公司变更注册资本，注册资本由2,226,866,520元变更为3,226,866,520元。

2012年12月，经中国证监会核准，渤海证券股份有限公司变更注册资本，注册资本由3,226,866,520元变更为4,037,194,486元。

二、业务动态

推荐挂牌情况				
序号	股份代码	公司名称	挂牌日期	公司状态
1	430141	久日化学	2012－09－07	挂牌
2	430142	锐新昌	2012－09－07	挂牌
3	430649	绿清科技	2014－02－18	挂牌
4	430645	中瑞药业	2014－02－18	挂牌
5	831372	宝成股份	2014－11－21	挂牌
目前已推荐挂牌公司家数		5		
撤回材料及申请被否公司家数		0		

正在挂牌公司家数		5		
已上市公司家数		0		
已被终止挂牌公司家数		0		
推荐定向发行情况				
序号	股份代码	公司名称	发行日期	公司状态
1	430645	中瑞药业	2014 - 11 - 17	
2	430141	久日化学		发行成功
3	430645	中瑞药业		发行成功
推荐定向发行次数		3		
推荐定向发行成功次数		2		
推荐定向发行失败次数		0		
推荐原代办股份转让系统的两网公司及退市公司挂牌情况				
序号	股份代码	公司名称		
1	400048	黑龙江省科利华网络股份有限公司		
推荐原代办股份转让系统的两网公司及退市公司家数		1		

三、部门设置

经纪业务				
人员	姓名	固定电话	传真	Email
经纪业务联络人	赵艳	022 - 28451843	022 - 28451892	zhao_yan@ bhzq. com
推荐业务				
人员	姓名	固定电话	传真	Email
推荐业务联络人	陈士莉	022 - 28451823	022 - 28451637	bohai905@ 126. com
推荐业务联络人	高梅	022 - 28451953	022 - 28451637	gm1595@ 126. com

海通证券股份有限公司

一、公司概况及简介

公司概况	公司名称	海通证券股份有限公司				
	成立日期	1988 - 8 - 15	法定代表人	王开国	总经理	瞿秋平
	注册资本（万元）	958,472.12	净资产 *（万元）	6,410,515.89	净资本 *（万元）	3,904,141.83
	注册地址	上海市广东路 689 号海通证券大厦			营业部家数	271
	办公地址	上海市广东路 689 号海通证券大厦			邮编	200001
	公司网址	www. htsec. com	电子邮箱	haitong@ htsec. com	经营证券业务许可证编号	Z22531000
	注：* 经审计的最近年度净资产和净资本					
	证监会批准的相关业务资格			证券经纪；证券自营；证券承销与保荐；证券投资咨询；与证券交易、证券投资活动有关的财务顾问；直接投资业务；证券投资基金代销；为期货公司提供中间介绍业务；融资融券业务、代销金融产品、中国证监会批准的其他业务，公司可以对外投资设立子公司从事金融产品等投资业务。		
	在全国股份转让系统从事的业务种类			经纪业务，推荐业务，做市业务		

公司简介	海通证券股份有限公司(以下简称"海通证券"或"公司")是国内成立最早、综合实力最强的证券公司之一,拥有一体化的业务平台、庞大的营销网络以及雄厚的客户基础,经纪、投行和资产管理等传统业务位居行业前茅,融资融券、股指期货和 PE 投资等创新业务领先行业。海通证券成立于 1988 年,是国内二十世纪八十年代成立的证券公司中唯一一家至今仍在营运并且未更名、未接受政府注资的大型证券公司。海通证券 A 股于 2007 年在上海证券交易所挂牌上市并完成定向增发,H 股于 2012 年 4 月在香港联合交易所挂牌上市,公司总资产和净资产居国内证券行业第二位。公司拥有遍布境内外近 240 家营业部,拥有 460 万零售客户和超过 1.2 万个机构客户及高端客户,客户资产规模近万亿元。公司创新业务位居行业领先地位,融资融券市场排名始终保持第一位;公司股指期货业务位居行业第一;公司首批获得约定购回式证券交易资格、债券质押式报价回购资格、转融通业务资格;公司目前控股海富产业、海通开元、海通吉禾、海通创新资本和海通创意资本等五家 PE 投资子公司;公司 QFII 客户数和资产规模位于市场前列,QFII 交易金额位居行业前三;公司成功收购了香港本地老牌券商大福证券,更名为海通国际,其始终在香港人民币产品领域保持领先地位;公司通过收购恒信租赁收购,进一步完善了海通证券综合金融服务平台的业务板块。

二、业务动态

推荐挂牌情况				
序号	股份代码	公司名称	挂牌日期	公司状态
1	430017	星昊医药	2007-08-16	挂牌
2	430130	卡联科技	2012-07-12	挂牌
3	430157	腾龙电子	2012-10-29	挂牌
4	430193	紫新科技	2012-12-26	挂牌
5	430205	亿房信息	2012-12-31	挂牌
6	430216	风格信息	2013-05-17	挂牌
7	430300	辰光医疗	2013-08-15	挂牌
8	430324	上海致远	2013-10-18	挂牌
9	430358	基美影业	2013-12-10	挂牌
10	430465	东方科技	2014-01-24	挂牌
11	430573	山水节能	2014-01-24	挂牌
12	430588	天松医疗	2014-01-24	挂牌
13	430441	英极股份	2014-01-24	挂牌
14	430673	天佑铁道	2014-04-11	挂牌
15	830932	博扬超声	2014-08-11	挂牌
16	830939	君山股份	2014-08-12	挂牌
17	830992	磐合科仪	2014-08-13	挂牌
18	831039	国义招标	2014-08-19	挂牌
19	831063	安泰股份	2014-08-29	挂牌
20	831131	宏泰矿业	2014-09-02	挂牌
21	831139	江西广蓝	2014-09-09	挂牌
22	831068	凌志环保	2014-09-12	挂牌
23	831144	欣影科技	2014-09-23	挂牌
24	831208	洁昊环保	2014-10-21	挂牌
25	831203	瑞纽机械	2014-10-24	挂牌
26	831245	扬开电力	2014-10-31	挂牌
27	831261	天海科技	2014-11-03	挂牌
28	831292	汇智光华	2014-11-06	挂牌
29	831290	金达照明	2014-11-10	挂牌

30	831331	华奥科技	2014－11－14	挂牌
31	831351	浙达精益	2014－11－14	挂牌
32	831426	拂尘龙	2014－12－05	挂牌
33	831496	华燕房盟	2014－12－12	挂牌
34	831516	金科环保	2014－12－16	挂牌
35	831529	能龙教育	2014－12－19	挂牌
36	831694	黔驰信息	2015－01－09	挂牌
37	831764	拓美传媒	2015－01－12	挂牌
38	831695	创想科技	2015－01－12	挂牌
39	831761	中惠地热	2015－01－12	挂牌
目前已推荐挂牌公司家数		39		
撤回材料及申请被否公司家数		0		
正在挂牌公司家数		39		
已上市公司家数		0		
已被终止挂牌公司家数		0		
推荐定向发行情况				
序号	股份代码	公司名称	发行日期	公司状态
1	430017	星昊医药	2012－10－30	发行成功
2	430300	辰光医疗	2013－8－12	发行成功
3	430358	基美影业	2013－12－19	发行成功
4	430465	东方科技	2014－8－27	发行成功
5	430157	腾龙电子	2014－9－26	发行成功
6	430673	天佑铁道	2014－10－20	发行成功
7	830992	磐合科仪	2014－11－19	发行成功
推荐定向发行次数		7		
推荐定向发行成功次数		7		
推荐定向发行失败次数		0		
推荐原代办股份转让系统的两网公司及退市公司挂牌情况				
序号	股份代码	公司名称		
1	400025	汕头宏业(集团)股份有限公司		
2	400036	沈阳特种环保设备制造股份有限公司		
3	400057	大庆联谊石化股份有限公司		
推荐原代办股份转让系统的两网公司及退市公司家数		3		

三、部门设置

经纪业务				
人员	姓名	固定电话	传真	Email
经纪业务联络人	魏威	021－23219296	021－63410456	weiwei@ htsec. com
经纪业务联络人	陈晴	021－23219283	021－63410456	chenq@ htsec. com
推荐业务				
人员	姓名	固定电话	传真	Email
推荐业务联络人	单华军	010－58067906	010－58067901	shanhj@ htsec. com
推荐业务联络人	方琴	010－58067907	010－58067901	fq7004@ htsec. com

广发证券股份有限公司

一、公司概况及简介

<table>
<tr><td rowspan="9">公司概况</td><td>公司名称</td><td colspan="5">广发证券股份有限公司</td></tr>
<tr><td>成立日期</td><td>1994－1－21</td><td>法定代表人</td><td>孙树明</td><td>总经理</td><td>林治海</td></tr>
<tr><td>注册资本（万元）</td><td>591,929.15</td><td>净资产*（万元）</td><td>3,332,907.29</td><td>净资本*（万元）</td><td>2,070,476.75</td></tr>
<tr><td>注册地址</td><td colspan="3">广东省广州市天河区天河北路183－187号大都会广场43楼(4301－4316房)</td><td>营业部家数</td><td>238</td></tr>
<tr><td>办公地址</td><td colspan="3">广东省广州市天河区天河北路183－187号大都会广场5、7、8、16、18、19、36、38、39、41－44楼</td><td>邮编</td><td>510075</td></tr>
<tr><td>公司网址</td><td>www.gf.com.cn</td><td>电子邮箱</td><td>dshb@gf.com.cn</td><td>经营证券业务许可证编号</td><td>Z25644000</td></tr>
<tr><td colspan="6">注：*经审计的最近年度净资产和净资本</td></tr>
<tr><td colspan="3">证监会批准的相关业务资格</td><td colspan="3">证券经纪；证券投资咨询；与证券交易、证券投资活动有关的财务顾问；证券承销与保荐；证券自营；融资融券；证券投资基金代销；为期货公司提供中间介绍业务；代销金融产品。</td></tr>
<tr><td colspan="3">在全国股份转让系统从事的业务种类</td><td colspan="3">经纪业务，推荐业务，做市业务</td></tr>
<tr><td>公司简介</td><td colspan="6">广发证券股份有限公司前身是1991年成立的广东发展银行证券部，1993年末成立公司，2010年在深交所上市，股票代码：000776。近三年连续被中国证监会评为A类AA级证券公司。
目前公司注册资本59.19亿元，截至2013年12月31日，公司总资产达1,173.49亿元，2013年经审计的合并报表实现营业收入82.08亿元，利润总额34.77亿元，净利润28.13亿元。资本实力及盈利能力在行业持续领先，总市值居国内上市证券公司前列。公司现有证券营业部数量位列全国前三。公司旗下拥有广发期货有限公司、广发控股(香港)有限公司、广发乾和投资有限公司、广发信德投资管理有限公司、广发证券资产管理(广东)有限公司五家全资子公司，并持股广发基金管理有限公司、易方达基金管理有限公司和广东金融高新区股权交易中心有限公司，初步形成了以证券业务为核心的金融控股集团架构。</td></tr>
</table>

二、业务动态

推荐挂牌情况

序号	股份代码	公司名称	挂牌日期	公司状态
1	430004	绿创设备	2006－06－07	挂牌
2	430005	原子高科	2006－07－28	挂牌
3	430006	北陆药业	2006－08－28	已上市
4	430009	华环电子	2006－11－28	挂牌
5	430013	中农羊业	2007－03－21	已被终止挂牌
6	430021	海鑫科金	2007－09－28	挂牌
7	430025	石晶光电	2008－01－16	挂牌
8	430104	全三维	2012－01－18	挂牌
9	430161	光谷信息	2012－11－06	挂牌
10	430179	宇昂科技	2012－12－20	挂牌
11	430183	天友设计	2012－12－26	挂牌
12	430224	网动科技	2013－07－03	挂牌
13	430238	普华科技	2013－07－04	挂牌
14	430237	大汉三通	2013－07－04	挂牌
15	430257	成科机电	2013－07－23	挂牌
16	430279	华安股份	2013－08－05	挂牌
17	430276	晟矽微电	2013－08－08	挂牌

18	430315	众联信息	2013－08－14	挂牌
19	430329	百林通信	2013－10－15	挂牌
20	430325	精英智通	2013－10－16	挂牌
21	430442	华昊电器	2014－01－24	挂牌
22	430482	河源富马	2014－01－24	挂牌
23	430450	正佰电气	2014－01－24	挂牌
24	430437	绿洲生化	2014－01－24	挂牌
25	430436	万洲电气	2014－01－24	挂牌
26	430369	咸门药业	2014－01－24	挂牌
27	430483	森鹰窗业	2014－01－24	挂牌
28	430440	松本绿色	2014－01－24	挂牌
29	430445	仙宜岱	2014－01－24	挂牌
30	430462	树业环保	2014－01－24	挂牌
31	430469	必控科技	2014－01－24	挂牌
32	430470	哲达科技	2014－01－24	挂牌
33	430490	旭龙物联	2014－01－24	挂牌
34	430653	同望科技	2014－02－14	挂牌
35	430637	菱博电子	2014－02－19	挂牌
36	430660	益佰广通	2014－03－07	挂牌
37	430689	摩登百货	2014－04－15	挂牌
38	830788	运通四方	2014－06－09	挂牌
39	830795	骏汇股份	2014－06－13	挂牌
40	830865	南菱汽车	2014－07－16	挂牌
41	830880	火凤凰	2014－07－18	挂牌
42	830863	瑞华天健	2014－07－22	挂牌
43	830908	普诺威	2014－07－25	挂牌
44	830947	金柏园林	2014－08－06	挂牌
45	830977	婴儿乐	2014－08－07	挂牌
46	830973	双强塑胶	2014－08 08	挂牌
47	830911	标榜新材	2014－08－08	挂牌
48	830942	众志和达	2014－08－11	挂牌
49	830993	壹玖壹玖	2014－08－13	挂牌
50	831000	吉芬设计	2014－08－13	挂牌
51	830924	星龙科技	2014－08－13	挂牌
52	831015	小白龙	2014－08－14	挂牌
53	831079	瑞琦科技	2014－08－14	挂牌
54	831025	万兴隆	2014－08－14	挂牌
55	831110	荣腾科技	2014－08－14	挂牌
56	831049	赛莱拉	2014－08－14	挂牌
57	831052	金开利	2014－08－14	挂牌
58	831059	霍斯通	2014－08－15	挂牌
59	831171	海纳川	2014－10－08	挂牌
60	831173	泰恩康	2014－10－08	挂牌
61	831194	派拉软件	2014－10－14	挂牌
62	831199	海博小贷	2014－10－24	挂牌
63	831236	华东修船	2014－10－24	挂牌
64	831253	东进农牧	2014－11－03	挂牌
65	831280	兴恒隆	2014－11－04	挂牌

66	831285	常欣科技	2014－11－05	挂牌
67	831317	海典软件	2014－11－10	挂牌
68	831397	康泽药业	2014－12－02	挂牌
69	831427	信通电子	2014－12－05	挂牌
70	831471	北方园林	2014－12－12	挂牌
71	831526	凯华材料	2014－12－19	挂牌
72	831394	南麟电子	2014－12－25	挂牌
73	831582	井利电子	2014－12－30	挂牌
74	831606	方硕科技	2014－12－30	挂牌
75	831583	未来宽带	2014－12－31	挂牌
76	831714	福航环保	2015－01－08	挂牌
77	831698	工大软件	2015－01－12	挂牌
78	831680	麒润文化	2015－01－15	挂牌
79	831846	飞驰环保	2015－01－21	挂牌
80	831828	利特尔	2015－01－21	挂牌
81	831709	瑞特爱	2015－01－21	挂牌
82	831818	鑫辉精密	2015－01－22	挂牌
83	831914	瑞柯科技	2015－01－29	挂牌
84	831855	浙江大农	2015－02－03	挂牌
85	831920	车头制药	2015－02－04	挂牌
86	831958	健博通	2015－02－13	挂牌
87	832071	晶华光学	2015－03－05	挂牌
目前已推荐挂牌公司家数		87		
撤回材料及申请被否公司家数		0		
正在挂牌公司家数		85		
已上市公司家数		1		
已被终止挂牌公司家数		1		
推荐定向发行情况				
序号	股份代码	公司名称	发行日期	公司状态
1	430006	北陆药业	2008－7－3	发行成功
2	430021	海鑫科金	2012－2－24	发行成功
3	430104	全三维	2013－1－16	发行成功
4	430276	晟矽微电	2013－7－15	发行成功
5	430179	宇昂科技	2013－9－26	发行成功
6	430279	华安股份	2013－11－26	发行成功
7	430238	普华科技	2014－3－13	发行成功
8	430329	百林通信	2014－6－11	发行成功
9	430442	华昊电器	2014－7－18	发行成功
10	830863	瑞华天健	2014－7－22	发行成功
11	430660	益佰广通	2014－8－6	发行成功
12	830924	星龙科技	2014－8－13	发行成功
13	831052	金开利	2014－8－14	发行成功
14	831015	小白龙	2014－8－14	发行成功
15	831110	荣腾科技	2014－8－14	发行成功
16	430369	威门药业	2014－8－14	发行成功
17	831059	霍斯通	2014－8－15	发行成功

18	430004	绿创设备	2014－8－22	发行成功
19	831194	派拉软件	2014－9－24	发行成功
20	430237	大汉三通	2014－11－3	发行成功
21	831394	南麟电子	2014－12－24	发行成功
22	430276	晟矽微电	2014－12－24	发行成功
23	430637	菱博电子	2014－12－26	发行成功
24	831582	井利电子	2014－12－30	发行成功
25	831680	麒润文化	2015－1－15	发行成功
推荐定向发行次数		25		
推荐定向发行成功次数		25		
推荐定向发行失败次数		0		
推荐原代办股份转让系统的两网公司及退市公司挂牌情况				
序号	股份代码	公司名称		
1	400028	珠海鑫光集团股份有限公司		
2	400053	佳木斯全地造纸股份有限公司		
推荐原代办股份转让系统的两网公司及退市公司家数		2		

三、部门设置

经纪业务				
人员	姓名	固定电话	传真	Email
经纪业务联络人	卓文	020－87555232	020－87555417	zw5@ gf. com. cn
经纪业务联络人	廖奕炯	020－87555888－8239	020－87555417	lyj5@ gf. com. cn
推荐业务				
人员	姓名	固定电话	传真	Email
推荐业务联络人	陶红鉴	020－87555888	020－87555303	thj@ gf. com. cn
推荐业务联络人	向伟	010－56571628	010－56571688	gfxw@ 163. com

招商证券股份有限公司

一、公司概况及简介

公司概况	公司名称	招商证券股份有限公司				
	成立日期	1993－8－1	法定代表人	宫少林	总经理	王岩
	注册资本（万元）	466,109.98	净资产＊（万元）	2,718,438.05	净资本＊（万元）	1,404,132.24
	注册地址	广东省深圳市福田区益田路江苏大厦A座38－45层			营业部家数	146
	办公地址	广东省深圳市福田区益田路江苏大厦A座38－45层			邮编	518026
	公司网址	www. newone. com. cn	电子邮箱	sbox@cmschina. com. cn	经营证券业务许可证编号	Z27174000
	注：＊经审计的最近年度净资产和净资本					
	证监会批准的相关业务资格			证券经纪；证券投资咨询；与证券交易、证券投资活动有关的财务顾问；证券承销与保荐；证券自营；证券资产管理；融资融券；证券投资基金代销；为期货公司提供中间介绍业务；代销金融产品业务；保险兼业代理业务。		
	在全国股份转让系统从事的业务种类			经纪业务，推荐业务，做市业务		

公司简介	招商证券股份有限公司(以下简称"公司")是一家主要从事包括证券经纪;证券投资咨询;与证券交易、证券投资活动有关的财务顾问等的公司。公司是百年招商局控股兼具海外业务平台的国内创新试点券商,综合实力进入国内十强,为投资者提供证券代理买卖、证券发行与承销、收购兼并、资产重组、财务顾问、资产管理、投资咨询等证券投、融资全方位服务,是我国证券交易所第一批会员、第一批经核准的综合类券商、第一批主承销商、全国银行间同业拆借市场第一批成员以及第一批具有自营、网上交易和客户资产管理业务资格的券商,拥有国内首个多媒体客户服务中心和国内第一个专业证券交易网站。公司具有稳定的持续盈利能力,自2004年到2008年持续盈利,是行业中仅有的三家连续五年盈利的证券公司之一。

二、业务动态

推荐挂牌情况				
序号	股份代码	公司名称	挂牌日期	公司状态
1	430039	华高世纪	2008-12-10	挂牌
2	430314	新橡科技	2013-08-08	挂牌
3	430312	伟力盛世	2013-08-08	挂牌
4	430553	海红技术	2014-01-24	挂牌
5	430611	长信股份	2014-01-24	挂牌
6	430608	奇维科技	2014-01-24	挂牌
7	430620	益善生物	2014-01-24	挂牌
8	430552	亚成微	2014-01-24	挂牌
9	430534	天涌科技	2014-01-24	挂牌
10	430535	柳爱科技	2014-01-24	挂牌
11	430655	今泰科技	2014-02-18	挂牌
12	430671	一卡易	2014-04-02	挂牌
13	430702	昊福文化	2014-05-06	挂牌
14	830835	南源电力	2014-07-08	挂牌
15	830870	松宝智能	2014-07-21	挂牌
16	830858	华图宏阳	2014-07-24	挂牌
17	830838	新产业	2014-07-25	挂牌
18	830887	吉美思	2014-07-28	挂牌
19	830894	紫竹桩基	2014-08-01	挂牌
20	830940	科宏生物	2014-08-05	挂牌
21	831085	博冠光电	2014-08-19	挂牌
22	831124	中标节能	2014-09-02	挂牌
23	831180	华苏科技	2014-10-14	挂牌
24	831176	天鸿股份	2014-10-16	挂牌
25	831211	尊马管件	2014-10-21	挂牌
26	831202	摩德娜	2014-10-27	挂牌
27	831359	恒光股份	2014-11-18	挂牌
28	831356	中电智能	2014-11-20	挂牌
目前已推荐挂牌公司家数		28		
撤回材料及申请被否公司家数		0		
正在挂牌公司家数		28		
已上市公司家数		0		
已被终止挂牌公司家数		0		
推荐定向发行情况				
序号	股份代码	公司名称	发行日期	公司状态
1	430608	奇维科技	2014-5-6	发行成功
2	430611	长信股份	2014-5-23	发行失败
3	430611	长信股份	2014-7-7	发行成功
4	430312	伟力盛世	2014-7-17	发行成功

推荐定向发行次数		4
推荐定向发行成功次数		3
推荐定向发行失败次数		1
推荐原代办股份转让系统的两网公司及退市公司挂牌情况		
序号	股份代码	公司名称
推荐原代办股份转让系统的两网公司及退市公司家数		0

三、部门设置

经纪业务				
人员	姓名	固定电话	传真	Email
经纪业务联络人	龙劲松	0755－82960248	0755－83074086	longjs@ cmschina. com. cn
经纪业务联络人	黎姗姗	0755－82852935	0755－83074086	lishanshan1@ cmschina. com. cn
推荐业务				
人员	姓名	固定电话	传真	Email
推荐业务联络人	毕敬	82852967	82943121	bij@ cmschina. com. cn
推荐业务联络人	秦杰	010－57601886	010－65663463	qinjie@ cmschina. com. cn

光大证券股份有限公司

一、公司概况及简介

公司概况	公司名称	光大证券股份有限公司				
	成立日期	1996－4－23	法定代表人	薛峰	总经理	薛峰
	注册资本（万元）	341,800	净资产＊（万元）	2,283,622	净资本＊（万元）	1,409,052.4
	注册地址	上海市静安区新闸路1508号			营业部家数	150
	办公地址	上海市静安区新闸路1508号			邮编	200040
	公司网址	www. ebscn. com	电子邮箱	ebs@ ebscn. com	经营证券业务许可证编号	Z22831000
	注：＊经审计的最近年度净资产和净资本					
	证监会批准的相关业务资格			证券经纪；证券投资咨询；与证券交易、证券投资活动有关的财务顾问；证券承销与保荐；证券自营；为期货公司提供中间介绍业务；证券投资基金代销；融资融券业务；代销金融产品业务；中国证监会批准的其他业务。		
	在全国股份转让系统从事的业务种类			经纪业务，推荐业务，做市业务		
公司简介	光大证券股份有限公司（以下简称“公司”）创建于1996年，系由中国光大（集团）总公司投资控股的全国性综合类大型证券公司。公司于2009年8月18日在上海证券交易所成功挂牌上市交易（股票简称“光大证券”，股票代码“601788”）。公司是首批创新试点类券商之一，拥有齐备的证券业务牌照和资质，全资拥有光大富尊投资有限公司、光大资本投资有限公司、光大期货有限公司、上海光大证券资产管理有限公司、光大证券金融控股有限公司，控股光大保德信基金管理有限公司，参股大成基金管理有限公司。 公司成立以来，秉承“塑造公司品牌，提升客户价值，造就员工未来”的核心价值观和“诚信、专业、卓越、共享”的经营理念，积极投身于国内资本市场，各项业务迅速发展，在巩固证券承销、证券经纪、资产管理、证券投资、基金管理、财务顾问、投资咨询等传统业务优势的同时，全方位抢跑集合理财、权证、资产证券化、直接投资、融资融券、股指期货等创新业务，业务规模及主要营业指标居国内证券公司前列。公司强化内控管理，严防各类风险，以净资本为核心的各项风险监控和流动性指标继续保持业内良好水平。					

二、业务动态

推荐挂牌情况				
序号	股份代码	公司名称	挂牌日期	公司状态
1	430062	中科国信	2010 - 01 - 12	挂牌
2	430176	中教股份	2012 - 10 - 18	挂牌
3	430156	科曼股份	2012 - 10 - 26	挂牌
4	430174	沃捷传媒	2012 - 12 - 18	挂牌
5	430217	申石软件	2013 - 05 - 17	挂牌
6	430234	翼捷股份	2013 - 07 - 02	挂牌
7	430256	卓繁信息	2013 - 07 - 19	挂牌
8	430293	奉天电子	2013 - 08 - 08	挂牌
9	430319	欧萨咨询	2013 - 10 - 16	挂牌
10	430626	胜达科技	2014 - 01 - 24	挂牌
11	430601	吉玛基因	2014 - 01 - 24	挂牌
12	430597	博安通	2014 - 01 - 24	挂牌
13	430480	辰维科技	2014 - 01 - 24	挂牌
14	430433	中瑞电子	2014 - 01 - 24	挂牌
15	430368	明波通信	2014 - 01 - 24	挂牌
16	430425	乐创技术	2014 - 01 - 24	挂牌
17	430426	长城软件	2014 - 01 - 24	挂牌
18	430634	南安机电	2014 - 02 - 14	挂牌
19	430633	卡姆医疗	2014 - 02 - 14	挂牌
20	430642	映翰通	2014 - 02 - 18	挂牌
21	430654	聚科照明	2014 - 02 - 20	挂牌
22	430646	上海底特	2014 - 02 - 21	挂牌
23	430661	派尔科	2014 - 03 - 07	挂牌
24	430726	津宇嘉信	2014 - 05 - 06	挂牌
25	830799	艾融软件	2014 - 06 - 03	挂牌
26	830805	德马科技	2014 - 06 - 04	挂牌
27	830898	华人天地	2014 - 08 - 01	挂牌
28	831041	兆鋆新材	2014 - 08 - 21	挂牌
29	831056	千叶药包	2014 - 08 - 21	挂牌
30	831069	瑞明节能	2014 - 08 - 21	挂牌
31	831045	科慧科技	2014 - 08 - 22	挂牌
32	831213	博汇股份	2014 - 10 - 21	挂牌
33	831276	松科快换	2014 - 11 - 04	挂牌
34	831294	中德科技	2014 - 11 - 06	挂牌
35	831374	吉人高新	2014 - 11 - 24	挂牌
36	831379	融信租赁	2014 - 12 - 05	挂牌
37	831388	福来喜得	2014 - 12 - 05	挂牌
38	831439	中喜生态	2014 - 12 - 08	挂牌

39	831521	汉龙科技	2014－12－16	挂牌
目前已推荐挂牌公司家数		39		
撤回材料及申请被否公司家数		0		
正在挂牌公司家数		39		
已上市公司家数		0		
已被终止挂牌公司家数		0		
推荐定向发行情况				
序号	股份代码	公司名称	发行日期	公司状态
1	430062	中科国信	2012－11－20	发行成功
2	430176	中教股份	2013－9－4	发行成功
3	430597	博安通	2014－7－9	发行成功
4	430642	映翰通	2014－8－7	发行成功
5	430234	翼捷股份	2014－8－8	发行成功
6	430174	沃捷传媒	2014－8－18	发行成功
7	831056	千叶药包	2014－9－2	发行成功
8	430174	沃捷传媒	2014－9－13	发行成功
9	430726	津宇嘉信	2014－9－30	发行成功
10	830805	德马科技	2014－11－5	发行成功
11	430726	津宇嘉信	2014－11－5	发行成功
12	430633	卡姆医疗	2014－12－2	发行成功
13	430062	中科国信	2014－12－9	发行成功
14	430480	辰维科技	2014－12－19	发行成功
推荐定向发行次数		14		
推荐定向发行成功次数		14		
推荐定向发行失败次数		0		
推荐原代办股份转让系统的两网公司及退市公司挂牌情况				
序号	股份代码	公司名称		
1	400020	长春北方五环实业股份有限公司		
2	420058	深圳本鲁克斯实业股份有限公司		
推荐原代办股份转让系统的两网公司及退市公司家数		2		

三、部门设置

经纪业务				
人员	姓名	固定电话	传真	Email
经纪业务联络人	王峰	021－22169905	021－22169884	wangfeng@ ebscn. com
经纪业务联络人	王磊	021－22167079	021－22169884	wanglei@ ebscn. com
推荐业务				
人员	姓名	固定电话	传真	Email
推荐业务联络人	张帆	021－22167299	021－22167159	zhangfan1@ ebscn. com
推荐业务联络人	孙相绪	021－22167145	021－22167159	sunxx@ ebscn. com

华泰证券股份有限公司

一、公司概况及简介

<table>
<tr><td rowspan="10">公司概况</td><td>公司名称</td><td colspan="5">华泰证券股份有限公司</td></tr>
<tr><td>成立日期</td><td>1991-4-9</td><td>法定代表人</td><td>吴万善</td><td>总经理</td><td>周　易</td></tr>
<tr><td>注册资本（万元）</td><td>560,000</td><td>净资产*（万元）</td><td>3,205,212.44</td><td>净资本*（万元）</td><td>3,067,221.54</td></tr>
<tr><td>注册地址</td><td colspan="3">江苏省南京市中山东路90号</td><td>营业部家数</td><td>236</td></tr>
<tr><td>办公地址</td><td colspan="3">江苏省南京市江东中路228号华泰证券广场</td><td>邮编</td><td>210002</td></tr>
<tr><td>公司网址</td><td>www.htsc.com.cn</td><td>电子邮箱</td><td>bgs@mail.htsc.com.cn</td><td>经营证券业务许可证编号</td><td>320000000000192</td></tr>
<tr><td colspan="6">注：*经审计的2012年度净资产和净资本</td></tr>
<tr><td colspan="3">证监会批准的相关业务资格</td><td colspan="3">证券经纪业务、证券投资咨询业务、与证券有关的财务顾问业务、证券承销与保荐业务、证券自营业务、证券资产管理业务、其他证券业务。</td></tr>
<tr><td colspan="3">在全国股份转让系统从事的业务种类</td><td colspan="3">经纪业务，推荐业务，做市业务</td></tr>
<tr><td>公司简介</td><td colspan="6">华泰证券股份有限公司（以下简称“公司”）于1991年5月26日成立，是中国证监会首批批准的综合类券商，是全国最早获得创新试点资格的券商之一，于2010年2月26日在上海证券交易所成功挂牌上市交易，股票代码601688。公司旗下控股华泰联合证券有限责任公司、华泰长城期货有限公司、江苏股权交易中心有限责任公司；全资设立华泰金融控股（香港）有限公司、华泰紫金投资有限责任公司；参股南方基金管理有限公司、华泰柏瑞基金管理有限公司、江苏银行股份有限公司、金浦产业投资基金管理有限公司。已基本形成集证券、基金、期货、直接投资和海外业务等为一体的、国际化的证券控股集团架构。</td></tr>
</table>

二、业务动态

推荐挂牌情况				
序号	股份代码	公司名称	挂牌日期	公司状态
1	430076	国基科技	2010-12-08	挂牌
2	430077	道隆软件	2010-12-29	挂牌
3	430294	武汉七环	2013-08-05	挂牌
4	430299	天津宝恒	2013-08-05	挂牌
5	430607	大树智能	2014-01-24	挂牌
6	430756	科电瑞通	2014-05-30	挂牌
7	830868	建策科技	2014-07-16	挂牌
8	830906	万事达	2014-07-30	挂牌
9	830966	苏北花卉	2014-08-08	挂牌
10	830984	德邦工程	2014-08-13	挂牌
11	830965	大力电工	2014-08-13	挂牌
12	831057	多普泰	2014-08-19	挂牌
13	831488	华宏医药	2014-12-16	挂牌
14	831518	波长光电	2014-12-16	挂牌
15	831671	东方传动	2015-01-22	挂牌
16	831771	天邦涂料	2015-01-22	挂牌
17	832020	恩施商贸	2015-02-16	挂牌
目前已推荐挂牌公司家数		17		
撤回材料及申请被否公司家数		0		

正在挂牌公司家数		17		
已上市公司家数		0		
已被终止挂牌公司家数		0		
推荐定向发行情况				
序号	股份代码	公司名称	发行日期	公司状态
1	430077	道隆软件	2012－7－26	发行成功
2	430607	大树智能	2014－7－18	发行成功
推荐定向发行次数		2		
推荐定向发行成功次数		2		
推荐定向发行失败次数		0		
推荐原代办股份转让系统的两网公司及退市公司挂牌情况				
序号	股份代码	公司名称		
推荐原代办股份转让系统的两网公司及退市公司家数		0		

三、部门设置

经纪业务				
人员	姓名	固定电话	传真	Email
经纪业务联络人	姚亮	025－83387003	025－84579879	yaoliang@ htsc. com
经纪业务联络人	臧民	025－83387004	025－84579865	zangmin@ htsc. com
推荐业务				
人员	姓名	固定电话	传真	Email
推荐业务联络人	张宁	025－83387655	025－83387872	zhangning@ htsc. com
推荐业务联络人	孙梵	025－83387671	025－83387872	sunfan@ htsc. com

中信证券股份有限公司

一、公司概况及简介

公司概况	公司名称	中信证券股份有限公司				
	成立日期	1995－10－25	法定代表人	王东明	总经理	程博明
	注册资本（万元）	1,101,690.84	净资产＊（万元）	8,940,209	净资本＊（万元）	3,479,649
	注册地址	深圳市福田区中心三路8号卓越时代广场（二期）北座			营业部家数	40
	办公地址	北京市朝阳区亮马桥路48号中信证券大厦			邮编	100126
	公司网址	www. cs. ecitic. com	电子邮箱	ir@ citics. com	经营证券业务许可证编号	Z20374000
	注：＊经审计的最近年度净资产和净资本					
	证监会批准的相关业务资格			证券经纪；证券投资咨询；与证券交易、证券投资活动有关的财务顾问；证券承销与保荐；证券自营；证券资产管理；融资融券；证券投资基金代销；为期货公司提供中间介绍业务；代销金融产品。		
	在全国股份转让系统从事的业务种类			经纪业务，推荐业务，做市业务		

公司简介	中信证券股份有限公司于1995年10月25日在北京成立。2002年12月13日，经中国证监会核准，中信证券向社会公开发行4亿股普通A股股票，2003年1月6日在上海证券交易所挂牌上市交易，股票简称“中信证券”，股票代码“600030”。2011年10月6日在香港联合交易所上市交易，股票代码为“6030”。2012年6月6日，公司的注册资本正式变更为11,016,908,400.00元。 经中国证监会批准，中信证券开展的业务包括：证券经纪(限山东省、河南省、浙江省、福建省、江西省以外区域)；证券投资咨询；与证券交易、证券投资活动有关的财务顾问；证券承销与保荐；证券自营；证券资产管理；融资融券；证券投资基金代销；为期货公司提供中间介绍业务；代销金融产品。 2013年，中信证券各项主营业务排名继续位居中国证券行业前列。经纪业务合并市场份额6.18%，保持市场第一。投行业务完成股票主承销项目16单，主承销金额人民币543亿元，市场份额10.95%，排名市场第二；完成债券主承销项目141单，主承销金额人民币1595亿元，市场份额4.02%，排名同业第一；完成并购交易项目30单，位居全球财务顾问涉及中国企业参与的交易排行榜单数和金额第一名。资产管理业务管理资产规模人民币5049亿元，排名同业第一。固定收益业务在银行间债券市场的现券交易量继续保持同业第一。融资融券合并业务余额人民币331亿元，市场份额9.64%，排名市场第一。QFII客户增至110家，客户交易量排名市场第一。约定式购回和股票质押式回购业务规模分别为人民币31亿元和人民币79亿元，均排名第一。 2013年3月21日经全国中小企业股份转让系统有限公司核准，中信证券获得了从事全国中小企业股份转让系统推荐业务和经纪业务的资格。

二、业务动态

推荐挂牌情况				
序号	股份代码	公司名称	挂牌日期	公司状态
1	430071	首都在线	2010-08-02	挂牌
2	430326	希文科技	2013-10-22	挂牌
3	430336	皇冠幕墙	2013-11-06	挂牌
4	430337	朗威视讯	2013-11-08	挂牌
5	430412	晓沃环保	2014-01-24	挂牌
6	430555	英派瑞	2014-01-24	挂牌
7	430638	景格科技	2014-02-18	挂牌
8	430748	恒均科技	2014-04-30	挂牌
目前已推荐挂牌公司家数		8		
撤回材料及申请被否公司家数		0		
正在挂牌公司家数		8		
已上市公司家数		0		
已被终止挂牌公司家数		0		
推荐定向发行情况				
序号	股份代码	公司名称	发行日期	公司状态
1	430071	首都在线	2011-9-1	发行成功
2	430071	首都在线	2012-11-1	发行成功
3	430071	首都在线	2013-6-26	发行成功
4	430555	英派瑞	2013-12-19	发行成功
5	430071	首都在线	2014-2-20	发行成功
6	430336	皇冠幕墙	2014-3-28	发行成功
7	430748	恒均科技	2014-4-2	发行成功
推荐定向发行次数		7		
推荐定向发行成功次数		7		
推荐定向发行失败次数		0		
推荐原代办股份转让系统的两网公司及退市公司挂牌情况				
序号	股份代码	公司名称		

推荐原代办股份转让系统的两网公司及退市公司家数	0

三、部门设置

经纪业务				
人员	姓名	固定电话	传真	Email
经纪业务联络人	刘维峰	010 - 60833712	010 - 60833739	liuwf@ citics. com
推荐业务				
人员	姓名	固定电话	传真	Email
推荐业务联络人	王洋	010 - 60838051	010 - 60833739	wangyang@ citics. com

东海证券股份有限公司

一、公司概况及简介

公司概况	公司名称	东海证券股份有限公司				
	成立日期	1993 - 1 - 16	法定代表人	朱科敏	总经理	刘化军
	注册资本（万元）	167,000.00	净资产*（万元）	519,745.07	净资本*（万元）	332,038.63
	注册地址	江苏省常州市延陵西路23号投资广场18层			营业部家数	63
	办公地址	江苏省常州市延陵西路23号投资广场18层			邮编	213003
	公司网址	www. longone. com. cn	电子邮箱	jinj@ longone. com. cn	经营证券业务许可证编号	Z23432000
	注：*经审计的2012年度净资产和净资本					
	证监会批准的相关业务资格			证券经纪、证券投资咨询、与证券交易、财务顾问、证券承销/证券承销与保荐、证券自营、证券资产管理、融资融券、IB业务、上市公司并购重组财务顾问、证券投资基金代销、银行间债券交易资格、代销金融产品。		
	在全国股份转让系统从事的业务种类			经纪业务，推荐业务，做市业务		
公司简介	东海证券有限责任公司的前身为常州市证券公司，系经中国人民银行银复[1992]362号文批准，于1993年1月16日成立，成立时注册资本为人民币3,000万元。1998年，经中国证监会证监机字[1998]36号文批准，原常州市证券公司注册资本增加至8,000万元，同时更名为“常州证券有限责任公司”。2003年，经中国证监会证监机构字[2003]65号文批准，原常州证券有限责任公司注册资本从8,000万元增至101,000万元，同时更名为“东海证券有限责任公司”，并于2003年5月19日完成了工商变更登记。2008年，经中国证监会证监许可[2008]866号文批准，公司注册资本由101,000万元变更为167,000万元，并于2008年9月12日完成了工商变更登记。2013年，经中国证监会《关于核准东海证券有限责任公司变更为股份有限公司的批复》（证监许可[2013]622号），公司变更为股份有限公司。					

二、业务动态

推荐挂牌情况				
序号	股份代码	公司名称	挂牌日期	公司状态
1	430048	建设数字	2009 - 02 - 18	挂牌
2	430082	博雅英杰	2011 - 03 - 18	挂牌
3	430305	维珍创意	2013 - 08 - 16	挂牌
4	430313	国创富盛	2013 - 08 - 16	挂牌
5	430438	星弧涂层	2014 - 01 - 24	挂牌
6	430659	江苏铁发	2014 - 03 - 28	挂牌
7	430740	中天超硬	2014 - 05 - 06	挂牌

8	830857	金冠科技	2014－07－11	挂牌
9	831122	永信科技	2014－08－29	挂牌
目前已推荐挂牌公司家数		9		
撤回材料及申请被否公司家数		0		
正在挂牌公司家数		9		
已上市公司家数		0		
已被终止挂牌公司家数		0		
推荐定向发行情况				
序号	股份代码	公司名称	发行日期	公司状态
推荐定向发行次数		0		
推荐定向发行成功次数		0		
推荐定向发行失败次数		0		
推荐原代办股份转让系统的两网公司及退市公司挂牌情况				
序号	股份代码	公司名称		
1	400056	衡阳市金荔科技农业股份有限公司		
推荐原代办股份转让系统的两网公司及退市公司家数		1		

三、部门设置

经纪业务				
人员	姓名	固定电话	传真	Email
经纪业务联络人	郭晓楚	021－20333365	021－58202343	gxc@ longone. com. cn
经纪业务联络人	罗增	021－20333367	021－58202343	luoz@ longone. com. cn
推荐业务				
人员	姓名	固定电话	传真	Email
推荐业务联络人	游依	021－20333260	021－58202343	youyi@ longone. com. cn
推荐业务联络人	袁娟娟	021－20333801	021－58202343	yjj@ longone. com. cn

国元证券股份有限公司

一、公司概况及简介

公司概况	公司名称	国元证券股份有限公司				
	成立日期	1997－6－6	法定代表人	蔡咏	总经理	俞仕新
	注册资本（万元）	196,410	净资产＊（万元）	1,521,657.25	净资本＊（万元）	733,557.95
	注册地址	安徽省合肥市寿春路 179 号			营业部家数	76 家
	办公地址	安徽省合肥市寿春路 179 号			邮编	230001
	公司网址	www. gyzq. com. cn	电子邮箱	dshbgs@ gyzq. com. cn	经营证券业务许可证编号	Z23834000
	注：＊经审计的最近年度净资产和净资本					
	证监会批准的相关业务资格			证券经纪；证券投资咨询；与证券交易、证券投资活动有关的财务顾问；证券承销与保荐；证券自营；证券资产管理；证券投资基金代销；融资融券；为期货公司提供中间介绍业务；代销金融产品；保险兼业代理业务。		
	在全国股份转让系统从事的业务种类			经纪业务，推荐业务，做市业务		

公司简介	国元证券股份有限公司(以下简称“公司”)是由原安徽省国际信托投资公司和原安徽省信托投资公司作为主发起人,于2001年10月成立。2007年10月30日以股权分置改革为契机,公司借壳“北京化二”成功在深圳证券交易所上市。股票代码:00728,2009年10月29日,公司公开增发5亿股,注册资本19.641亿元。 公司经营范围:证券经纪;证券投资咨询;与证券交易、证券投资活动有关的财务顾问;证券承销与保荐;证券自营;证券资产管理;融资融券;证券投资基金代销;为期货公司提供中间介绍业务;代销金融产品。公司最高权力机构为股东大会,决策机构为董事会,监督机构为监事会,董事长为法定代表人。董事会下设发展战略委员会、风险管理委员会、审计委员会、薪酬与提名委员会。公司内设部门有经纪业务管理总部、投资银行总部、债券业务总部、投资管理总部、客户资产管理总部、证券信用与市场营销总部、场外市场部、研究中心、信息技术部、客户资金存管中心、董事会办公室、办公室、机构管理部、人力资源部、财务会计部、资金计划部、行政管理部、稽核部、风险监管部、合规管理部、党群工作办公室等业务经营与综合管理部门。 目前公司拥有87家证券营业网点(包括11家目前在建营业部),遍及全国主要城市和安徽省各地市。公司设立五家区域分公司:上海分公司、北京分公司、深圳分公司、青岛分公司和西南分公司(其中青岛、西南分公司在建)。公司控股和参股子公司有:国元证券(香港)有限公司、国元股权投资有限公司、国元期货有限公司、国元创新投资有限公司和长盛基金管理有限公司。公司长期以来遵循“法制、监管、自律、规范”八字方针,弘扬“团结、敬业、求实、创新”的企业精神,秉承“诚信为本、规范运作、客户至上、优质高效”的经营理念,切实提高核心竞争力和持续发展能力,开拓创新,追求卓越,力争把公司建设成为资产规模大、市场占有率高、金融品种丰富、内控机制完善、让客户满意、让广大投资者和监管部门放心的具有国内一流水平的上市证券公司。

二、业务动态

推荐挂牌情况				
序号	股份代码	公司名称	挂牌日期	公司状态
1	430236	美兰股份	2013-07-02	挂牌
2	430600	徽电科技	2014-01-24	挂牌
3	430625	联创种业	2014-01-24	挂牌
4	430478	禾益化学	2014-01-24	挂牌
5	430477	盛力科技	2014-01-24	挂牌
6	430370	谢裕大	2014-01-24	挂牌
7	430489	佳先股份	2014-02-17	挂牌
8	430670	东芯通信	2014-03-28	挂牌
9	830807	恒瑞能源	2014-06-18	挂牌
目前已推荐挂牌公司家数		9		
撤回材料及申请被否公司家数		0		
正在挂牌公司家数		9		
已上市公司家数		0		
已被终止挂牌公司家数		0		
推荐定向发行情况				
序号	股份代码	公司名称	发行日期	公司状态
1	430489	佳先股份	2013-12-31	
2	430489	佳先股份	2013-12-31	发行成功
3	430478	禾益化学	2014-1-6	发行成功
4	430478	禾益化学	2014-1-6	
推荐定向发行次数		4		
推荐定向发行成功次数		2		
推荐定向发行失败次数		0		
推荐原代办股份转让系统的两网公司及退市公司挂牌情况				
序号	股份代码	公司名称		
推荐原代办股份转让系统的两网公司及退市公司家数		0		

三、部门设置

经纪业务				
人员	姓名	固定电话	传真	Email
经纪业务联络人	郑伟	0551 - 68167364	0551 - 62207217	zhengwei@ gyzq. com. cn
经纪业务联络人	汪鹏飞	0551 - 68167250	0551 - 62207217	wangpengfei@ gyzq. com. cn
推荐业务				
人员	姓名	固定电话	传真	Email
推荐业务联络人	吴杰	0551 - 62207137	0551 - 62207991	wujie@ gyzq. com. cn
推荐业务联络人	徐祖飞	0551 - 62207882	0551 - 62207991	xuzufei@ gqzq. com. cn

东方证券股份有限公司

一、公司概况及简介

公司概况	公司名称	东方证券股份有限公司				
	成立日期	1998 - 3 - 9	法定代表人	潘鑫军	总经理	金文忠
	注册资本（万元）	428,174.29	净资产 *（万元）	1,549,259.38	净资本 *（万元）	1,118,816.89
	注册地址	上海市中山南路 318 号 2 号楼 22 层、23 层、25 层—29 层			营业部家数	68
	办公地址	上海市中山南路 318 号 2 号楼 21 层、22 层、23 层、25 层—29 层、32 层、36 层、39 层、40 层			邮编	200010
	公司网址	www. dfzq. com. cn	电子邮箱	dfzq@ orientsec. com. cn	经营证券业务许可证编号	10160000
	注：* 经审计的最近年度净资产和净资本					
	证监会批准的相关业务资格			证券经纪；证券投资咨询；与证券交易、证券投资活动有关的财务顾问；证券承销（限国债、政策性银行金融债、短期融资券及中期票据）；证券自营；融资融券；证券投资基金代销；为期货公司提供中间介绍业务；代销金融产品。		
	在全国股份转让系统从事的业务种类			经纪业务，推荐业务，做市业务		
公司简介	东方证券股份有限公司（以下简称“公司”）是一家经中国证券监督管理委员会批准的综合类证券公司，前身是成立于 1998 年 3 月的东方证券有限责任公司，公司现有注册资本金为 42.82 亿元人民币。公司业务范围齐全，涵盖了证券承销、自营买卖、交易代理、投资咨询、财务顾问、企业并购、股权直投、基金管理、资产管理、期货交易和融资融券等众多领域。 公司以上海为总部所在地，截至 2013 年末，在上海、北京、天津等 20 多个城市设有 68 家分支机构，形成了依托上海、立足中心城市、辐射全国的大型证券公司的经营网络。公司拥有上海东证期货有限公司、上海东方证券资本投资有限公司、东方金融控股（香港）有限公司、上海东方证券资产管理有限公司、上海东方证券创新投资有限公司、东方花旗证券有限公司等 6 家全资及控股子公司。					

二、业务动态

推荐挂牌情况				
序号	股份代码	公司名称	挂牌日期	公司状态
目前已推荐挂牌公司家数		0		
撤回材料及申请被否公司家数		0		
正在挂牌公司家数		0		
已上市公司家数		0		
已被终止挂牌公司家数		0		
推荐定向发行情况				

序号	股份代码	公司名称	发行日期	公司状态
推荐定向发行次数		0		
推荐定向发行成功次数		0		
推荐定向发行失败次数		0		
推荐原代办股份转让系统的两网公司及退市公司挂牌情况				
序号	股份代码	公司名称		
推荐原代办股份转让系统的两网公司及退市公司家数		0		

三、部门设置

经纪业务				
人员	姓名	固定电话	传真	Email
经纪业务联络人	丛梦宇	63326283		congmengyu@ orientsec. com. cn
推荐业务				
人员	姓名	固定电话	传真	Email
推荐业务联络人	陈则奚	021 – 23153775		

平安证券有限责任公司

一、公司概况及简介

公司概况	公司名称	平安证券有限责任公司				
	成立日期	1996 – 7 – 1	法定代表人	谢永林	总经理	
	注册资本（万元）	550,000	净资产 *（万元）	863,243	净资本 *（万元）	606,088
	注册地址	广东省深圳市福田中心区金田路 4036 号荣超大厦 16 – 20 层			营业部家数	44
	办公地址	广东省深圳市福田中心区金田路 4036 号荣超大厦 17 层			邮编	518048
	公司网址	www. stock. pingan. com	电子邮箱	pazq@ pingan. com. cn	经营证券业务许可证编号	Z27574000
	注：* 经审计的最近年度净资产和净资本					
	证监会批准的相关业务资格			证券经纪；证券投资咨询；与证券交易、证券投资活动有关的财务顾问；证券承销与保荐；证券自营；证券资产管理；证券投资基金代销；为期货公司提供中间介绍业务；融资融券业务；代销金融产品。		
	在全国股份转让系统从事的业务种类			经纪业务，推荐业务，做市业务		
公司简介	平安证券有限责任公司（以下简称“公司”）是中国平安（保险）集团股份有限公司旗下重要成员，前身为 1991 年 8 月创立的平安保险证券业务部，目前拥有平安财智投资管理有限公司，平安期货有限公司、中国平安证券（香港）有限公司，平安磐海资本有限责任公司共四家子公司。凭借平安集团雄厚的资金、品牌和客户优势，秉承“稳中思变，务实创新”的经营理念，公司建立了完善的合规和风险控制体系，各项业务均保持稳健增长，成为全国综合性主流券商之一。截至 2012 年 12 月 31 日，公司净资产 85.5 亿元，总资产 323.3 亿元。2013 年 4 月，公司注册资本增加到 55 亿元。公司拥有齐全的证券业务牌照，经营范围涵盖：证券经纪；证券投资咨询；与证券交易、证券投资活动有关的财务顾问；证券承销与保荐；证券自营；证券资产管理；证券投资基金代销；为期货公司提供中间介绍业务；融资融券业务；代销金融产品。					

二、业务动态

推荐挂牌情况				
序号	股份代码	公司名称	挂牌日期	公司状态
1	430014	恒业世纪	2007－06－15	挂牌
2	430605	阿科力	2014－01－24	挂牌
3	430760	奥新科技	2014－05－30	挂牌
4	830771	华灿电讯	2014－06－03	挂牌
5	830778	博思堂	2014－06－04	挂牌
6	430762	荣昌育种	2014－07－17	挂牌
7	830928	康定电子	2014－08－05	挂牌
8	830980	日懋园林	2014－08－12	挂牌
目前已推荐挂牌公司家数		8		
撤回材料及申请被否公司家数		0		
正在挂牌公司家数		8		
已上市公司家数		0		
已被终止挂牌公司家数		0		
推荐定向发行情况				
序号	股份代码	公司名称	发行日期	公司状态
1	430014	恒业世纪	2008－8－21	发行成功
2	430014	恒业世纪	2008－8－21	发行失败
推荐定向发行次数		2		
推荐定向发行成功次数		1		
推荐定向发行失败次数		1		
推荐原代办股份转让系统的两网公司及退市公司挂牌情况				
序号	股份代码	公司名称		
推荐原代办股份转让系统的两网公司及退市公司家数		0		

三、部门设置

经纪业务				
人员	姓名	固定电话	传真	Email
经纪业务联络人	林文斌	0755－22626697	0755－82400862	Linwenbin940@ pingan. com. cn
经纪业务联络人	房师杰	0755－22627791	0755－82400862	Fangshijie002@ pingan. com. cn
推荐业务				
人员	姓名	固定电话	传真	Email
推荐业务联络人	杨家聪	0755－22621321	0755－82400862	YANGJIACONG001@ pingan. com. cn
推荐业务联络人	白杰	010－59734911	0755－82400862	baijie778@ pingan. com. cn

中银国际证券有限责任公司

一、公司概况及简介

<table>
<tr><td rowspan="9">公司概况</td><td>公司名称</td><td colspan="5">中银国际证券有限责任公司</td></tr>
<tr><td>成立日期</td><td>2002－2－28</td><td>法定代表人</td><td>许刚</td><td>总经理</td><td>宁敏</td></tr>
<tr><td>注册资本（万元）</td><td>197,916.67</td><td>净资产＊（万元）</td><td>742,134.24</td><td>净资本＊（万元）</td><td>742,134.24</td></tr>
<tr><td>注册地址</td><td colspan="3">上海市浦东银城中路200号中银大厦39层</td><td>营业部家数</td><td>54</td></tr>
<tr><td>办公地址</td><td colspan="3">上海市浦东新区银城中路200号中银大厦39、40、41层</td><td>邮编</td><td>200120</td></tr>
<tr><td>公司网址</td><td>www.bocichina.com</td><td>电子邮箱</td><td>AdminDiv.China@bocichina.com</td><td>经营证券业务许可证编号</td><td>13190000</td></tr>
<tr><td colspan="6">注：＊经审计的最近年度净资产和净资本</td></tr>
<tr><td colspan="3">证监会批准的相关业务资格</td><td colspan="3">证券经纪；证券投资咨询；与证券交易；证券投资活动有关的财务顾问；证券承销与保荐；证券自营；证券资产管理；证券投资基金代销；融资融券；代销金融产品。</td></tr>
<tr><td colspan="3">在全国股份转让系统从事的业务种类</td><td colspan="3">经纪业务，推荐业务，做市业务</td></tr>
<tr><td>公司简介</td><td colspan="6">中银国际证券有限责任公司（以下简称“中银国际证券”）经中国证监会于2002年2月28日在上海成立，注册资本19.79亿元人民币。中银国际证券由中银国际控股有限公司、中国石油天然气集团公司、上海金融发展投资基金（有限合伙）、北京联想科技投资有限公司、云南省投资控股集团有限公司、江西铜业股份有限公司等12家公司共同投资。
中银国际证券的经营范围包括：证券经纪、证券投资咨询、与证券交易、证券投资活动有关的财务顾问、证券承销与保荐、证券自营、证券资产管理、证券投资基金代销、融资融券、代销金融产品。中银国际证券还通过全资子公司中银国际期货有限责任公司和中银国际投资有限责任公司分别从事期货业务和直接投资业务。</td></tr>
</table>

二、业务动态

<table>
<tr><td colspan="5">推荐挂牌情况</td></tr>
<tr><td>序号</td><td>股份代码</td><td>公司名称</td><td>挂牌日期</td><td>公司状态</td></tr>
<tr><td>1</td><td>430272</td><td>世富环保</td><td>2013－08－08</td><td>挂牌</td></tr>
<tr><td>2</td><td>830819</td><td>致生联发</td><td>2014－06－24</td><td>挂牌</td></tr>
<tr><td>3</td><td>831094</td><td>光大灵曦</td><td>2014－08－19</td><td>挂牌</td></tr>
<tr><td>4</td><td>831047</td><td>深远石油</td><td>2014－08－19</td><td>挂牌</td></tr>
<tr><td>5</td><td>831082</td><td>汇鑫嘉德</td><td>2014－09－19</td><td>挂牌</td></tr>
<tr><td>6</td><td>831417</td><td>峻岭能源</td><td>2014－12－04</td><td>挂牌</td></tr>
<tr><td colspan="2">目前已推荐挂牌公司家数</td><td colspan="3">6</td></tr>
<tr><td colspan="2">撤回材料及申请被否公司家数</td><td colspan="3">0</td></tr>
<tr><td colspan="2">正在挂牌公司家数</td><td colspan="3">6</td></tr>
<tr><td colspan="2">已上市公司家数</td><td colspan="3">0</td></tr>
<tr><td colspan="2">已被终止挂牌公司家数</td><td colspan="3">0</td></tr>
<tr><td colspan="5">推荐定向发行情况</td></tr>
<tr><td>序号</td><td>股份代码</td><td>公司名称</td><td>发行日期</td><td>公司状态</td></tr>
<tr><td>1</td><td>430272</td><td>世富环保</td><td>2014－5－8</td><td>发行成功</td></tr>
<tr><td colspan="2">推荐定向发行次数</td><td colspan="3">1</td></tr>
<tr><td colspan="2">推荐定向发行成功次数</td><td colspan="3">1</td></tr>
<tr><td colspan="2">推荐定向发行失败次数</td><td colspan="3">0</td></tr>
<tr><td colspan="5">推荐原代办股份转让系统的两网公司及退市公司挂牌情况</td></tr>
</table>

序号	股份代码	公司名称
推荐原代办股份转让系统的两网公司及退市公司家数		0

三、部门设置

经纪业务				
人员	姓名	固定电话	传真	Email
经纪业务联络人	陆咏梅	021－20328312	021－50372474	yongmei. lu@ bocichina. com
推荐业务				
人员	姓名	固定电话	传真	Email
推荐业务联络人	杨娇	021－20328670	021－50372721	jiao. yang@ bocichina. com

上海证券有限责任公司

一、公司概况及简介

公司概况	公司名称	上海证券有限责任公司				
	成立日期	2001－4－27	法定代表人	龚德雄	总经理	龚德雄
	注册资本（万元）	261,000	净资产*（万元）	436,297.97	净资本*（万元）	312,377.23
	注册地址	上海市西藏中路336号			营业部家数	56
	办公地址	上海市西藏中路336号			邮编	200001
	公司网址	www. shzq. com	电子邮箱	Shzq@ shzq. com	经营证券业务许可证编号	Z22931000
	注：*经审计的最近年度净资产和净资本					
	证监会批准从事的证券业务			证券经纪；证券投资咨询；与证券交易、证券投资活动有关的财务顾问；证券（不含股票、上市公司发行的公司债券）承销；证券自营；证券资产管理；证券投资基金代销；为期货公司提供中间介绍业务；融资融券业务；代销金融产品业务。		
	在全国股份转让系统从事的业务种类			经纪业务，推荐业务，做市业务		
公司简介	上海证券有限责任公司（以下简称“公司”）成立于2001年5月，注册资本金26.1亿元人民币，股东单位为上海国际集团有限公司和上海国际信托有限公司。公司是首批全国创新类证券公司之一，也是上海国际集团核心成员企业之一。 公司现拥有各类专业人员1,000余人，营业网点56家，已形成以上海为中心，北京、深圳、重庆、温州、南京、杭州等发达城市为主体的经营网络。公司资产质量优良，业务资格齐备。公司下属现有海际大和证券有限责任公司和海证期货有限公司两家子公司。公司于2007年正式受让中富证券有限责任公司证券类资产，实现了公司业务在地域和规模上的快速扩张，进一步推动了公司的战略发展。 公司成立以来，秉承“诚信、专业”的核心价值观，以诚信经营为根本，以专业服务为中心；规范运作、稳健务实、开拓进取、和谐创新；立足上海，服务全国，在市场上树立了良好的企业形象。公司将致力于打造自身经营品牌，走现代金融企业的可持续发展道路，不断做强做大，努力成为国内一流的券商。					

二、业务动态

推荐挂牌情况				
序号	股份代码	公司名称	挂牌日期	公司状态
1	430027	北科光大	2008－02－18	挂牌
2	430029	金泰得	2008－06－20	挂牌
3	430030	安控科技	2008－08－20	已上市
4	430033	彩讯科技	2008－10－28	挂牌

5	430064	金山顶尖	2010－03－17	挂牌
6	430094	确安科技	2011－07－18	挂牌
7	430139	华岭股份	2012－09－07	挂牌
8	430168	博维仕	2012－12－06	挂牌
9	430214	建中医疗	2013－05－17	挂牌
10	430360	竹邦能源	2013－12－25	挂牌
11	430517	新吉纳	2014－01－24	挂牌
12	430519	博控科技	2014－01－24	挂牌
13	430511	远大股份	2014－01－24	挂牌
14	430512	芯朋微	2014－01－24	挂牌
15	430695	浩海科技	2014－04－11	挂牌
16	430704	同智伟业	2014－04－22	挂牌
17	830874	金田元丰	2014－07－21	挂牌
18	830883	联桥新材	2014－07－28	挂牌
19	831040	优波科	2014－08－20	挂牌
20	831146	建科节能	2014－09－19	挂牌
21	831303	澳凯富汇	2014－11－10	挂牌
22	831341	必由学	2014－11－10	挂牌
23	831283	蛙视通信	2014－11－11	挂牌
目前已推荐挂牌公司家数		23		
撤回材料及申请被否公司家数		0		
正在挂牌公司家数		22		
已上市公司家数		1		
已被终止挂牌公司家数		0		
推荐定向发行情况				
序号	股份代码	公司名称	发行日期	公司状态
1	430029	金泰得	2010－7－5	发行成功
2	430033	彩讯科技	2010－11－26	发行成功
3	430027	北科光大	2011－10－13	发行成功
4	430064	金山顶尖	2012－2－15	发行成功
5	430214	建中医疗	2014－2－19	发行成功
6	430139	华岭股份	2014－6－25	发行成功
7	430511	远大股份	2014－8－8	发行成功
8	430029	金泰得	2014－9－11	发行成功
9	430704	同智伟业	2014－10－15	发行成功
10	430033	彩讯科技	2014－10－15	发行成功
推荐定向发行次数		10		
推荐定向发行成功次数		10		
推荐定向发行失败次数		0		
推荐原代办股份转让系统的两网公司及退市公司挂牌情况				
序号	股份代码	公司名称		
推荐原代办股份转让系统的两网公司及退市公司家数		0		

三、部门设置

经纪业务				
人员	姓名	固定电话	传真	Email
经纪业务联络人	施蔼云	021－53519888－6015	021－33303378	shiaiyun@ shzq. com
经纪业务联络人	叶海	021－53519888－6038	021－33303378	yehai@ shzq. com
推荐业务				
人员	姓名	固定电话	传真	Email
推荐业务联络人	王国春	021－63607383	021－63609593	15821662548@ 139. com
推荐业务联络人	王世宏	010－68254026	010－68254026	Wangshihong777@ sina. com

中国中投证券有限责任公司

一、公司概况及简介

公司概况	公司名称	中国中投证券有限责任公司				
	成立日期	2005－9－28	法定代表人	龙增来	总经理	胡长生
	注册资本（万元）	500,000	净资产＊（万元）	874,440.02	净资本＊（万元）	585,741.67
	注册地址	深圳市福田区益田路与福中路交界处荣超商务中心 A 栋第18—21 层及第 4 层			营业部家数	112
	办公地址	深圳市福田区益田路与福中路交界处荣超商务中心 A 栋第18—21 层及第 4 层			邮编	518026
	公司网址	www. china－invs. cn	电子邮箱	cjis@ china－invs. cn	经营证券业务许可证编号	Z16874000
	注：＊经审计的最近年度净资产和净资本					
	证监会批准从事的证券业务			证券经纪、证券自营、证券承销与保荐、证券资产管理、证券投资咨询、与证券交易、证券投资活动有关的财务顾问、证券投资基金代销、为期货公司提供中间介绍业务、融资融券。		
	在全国股份转让系统从事的业务种类			经纪业务，推荐业务，做市业务		
公司简介	中国中投证券有限责任公司（简称“中投证券”）于 2005 年 9 月 28 日在深圳注册成立，是一家全国性综合类的证券公司，由中央汇金投资有限责任公司全资控股，注册资本金 50 亿人民币。目前设有北京分公司、上海分公司，在全国拥有 110 家营业网点，控股天琪期货公司、瑞石投资公司、中投证券（香港）金融控股有限公司。公司成立以来，经纪业务市场份额稳步上升，2009 年托管资产总规模一举突破万亿元，列同业第四名。企业融资业务已累计完成债权主承销金额 698.61亿元，完成股权主承销金额 376.56 亿元，被深圳交易所评为 2009 年度最佳保荐机构。资产管理业务已成功发行四只理财产品，净值排名稳居行业前茅。证券投资业务在证券业协会统计的 2008 年证券公司自营业务实现收益率排名中位于第二名。创新业务、结构融资业务、金融衍生品业务、期货 IB 业务等创新业务均取得可喜成绩。新一代集中交易系统、多银行存管系统、“一柜通”前台营业管理系统等多个金融创新项目获得行业协会和政府颁发的多重奖项。秉承“以专业精神和卓越服务，提升客户价值”的理念，以“服务、人本、创新”为核心价值观，规范运作、稳健经营，公司致力于成为最具竞争力最具价值创造力的一流现代投资银行。					

二、业务动态

推荐挂牌情况				
序号	股份代码	公司名称	挂牌日期	公司状态
1	430024	金和软件	2007－12－27	挂牌
2	430672	东安液压	2014－01－24	挂牌
3	430627	页游科技	2014－01－24	挂牌

4	430567	无锡海航	2014－01－24	挂牌
5	830787	唐朝股份	2014－05－30	挂牌
6	830801	盈富通	2014－06－06	挂牌
7	830842	长天思源	2014－06－27	挂牌
8	830864	诚思科技	2014－07－17	挂牌
9	830901	隆玛科技	2014－07－25	挂牌
10	831098	通利农贷	2014－08－15	挂牌
11	831136	颍元股份	2014－08－26	挂牌
12	831318	信易科技	2014－11－10	挂牌
13	831473	江苏科幸	2014－11－28	挂牌
14	831491	佳音王	2014－11－28	挂牌
15	831571	大洋线缆	2014－12－12	挂牌
16	831752	蓝图新材	2014－12－26	挂牌
17	831845	新马铝业	2014－12－30	挂牌
18	831794	正大富通	2014－12－31	挂牌
19	831829	同方软银	2014－12－31	挂牌
目前已推荐挂牌公司家数		19		
撤回材料及申请被否公司家数		0		
正在挂牌公司家数		19		
已上市公司家数		0		
已被终止挂牌公司家数		0		
推荐定向发行情况				
序号	股份代码	公司名称	发行日期	公司状态
1	831136	颍元股份	2014－9－1	发行成功
2	831571	大洋线缆	2014－11－12	发行成功
推荐定向发行次数		2		
推荐定向发行成功次数		2		
推荐定向发行失败次数		0		
推荐原代办股份转让系统的两网公司及退市公司挂牌情况				
序号	股份代码	公司名称		
推荐原代办股份转让系统的两网公司及退市公司家数		0		

三、部门设置

经纪业务				
人员	姓名	固定电话	传真	Email
经纪业务联络人	叶夏斌	0755－82026975	0755－82026517	yexiabin@ china－invs. cn
经纪业务联络人	陈秀芳	0755－82026753	0755－82026889	chenxiufang@ china－invs. cn
推荐业务				
人员	姓名	固定电话	传真	Email
推荐业务联络人	于玫	010－63222977	010－63222809	yumei@ china－invs. cn
推荐业务联络人	石彦琛	0755－82026560	0755－82026568	shiyanchen@ china－invs. cn

宏源证券股份有限公司

一、公司概况及简介

<table>
<tr><td rowspan="8">公司概况</td><td>公司名称</td><td colspan="5">宏源证券股份有限公司</td></tr>
<tr><td>成立日期</td><td>1993－5－25</td><td>法定代表人</td><td>冯戎</td><td>总经理</td><td>冯戎代行</td></tr>
<tr><td>注册资本（万元）</td><td>397,240.8</td><td>净资产＊（万元）</td><td>1,480,051.9</td><td>净资本＊（亿元）</td><td>1,034,002.4</td></tr>
<tr><td>注册地址</td><td colspan="3">新疆维吾尔自治区乌鲁木齐市文艺路233号</td><td>营业部家数</td><td>139</td></tr>
<tr><td>办公地址</td><td colspan="3">北京西城区太平桥大街19号</td><td>邮编</td><td>100033</td></tr>
<tr><td>公司网址</td><td>www.hysec.com</td><td>电子邮箱</td><td>hyzq@hysec.com</td><td>经营证券业务许可证编号</td><td>10380000</td></tr>
<tr><td colspan="6">注：＊经审计的最近年度净资产和净资本</td></tr>
<tr><td colspan="3">证监会批准的相关业务资格</td><td colspan="3">证券经纪；证券投资咨询；与证券交易、证券投资活动有关的财务顾问；证券承销与保荐；证券自营；证券资产管理；融资融券；证券投资基金代销；为期货公司提供中间介绍业务；代销金融产品。</td></tr>
<tr><td></td><td colspan="3">全国股份转让系统从事的业务种类</td><td colspan="3">经纪业务，推荐业务，做市业务</td></tr>
<tr><td>公司简介</td><td colspan="6">宏源证券股份有限公司（证券代码:000562）是中国第一家上市证券公司，是经中国证监会批准的全国性、综合类、创新类券商，全国首批保荐机构之一。
公司拥有全面的证券类业务资格，主要经营范围包括：证券经纪，证券投资咨询，与证券交易、证券投资活动有关的财务顾问，证券承销与保荐，证券自营，证券资产管理，证券投资基金代销，为期货公司提供中间介绍业务，融资融券业务，代销金融产品等。
截至2014年2月底，公司下辖北京承销保荐分公司、北京资产管理分公司两家分公司；全资拥有宏源期货有限公司、宏源汇富创业投资有限公司和宏源汇智投资有限公司三家子公司；在全国拥有139家证券营业部及上海、广西两家经纪业务分公司。2013年，公司实现营业收入41.30亿元，实现净利润12.47亿元。截止2013年年底，公司总资产346亿元，净资产148亿元。
公司始终履行“为客户创造价值、为员工提升价值、为股东实现价值、为社会奉献价值”的使命，坚持“客户至上、人才为本、诚信协作、进取卓越”的核心价值观，践行“专业、高效、创新、发展”的经营管理理念，努力成为持续创造价值的一流金融服务公司。</td></tr>
</table>

二、业务动态

推荐挂牌情况				
序号	股份代码	公司名称	挂牌日期	公司状态
1	430054	超毅网络	2009－04－16	挂牌
2	430072	亿创科技	2010－08－31	挂牌
3	430120	金润科技	2012－04－27	挂牌
4	430263	蓝天瑞德	2013－07－22	挂牌
5	430260	布雷尔利	2013－07－22	挂牌
6	430461	视威科技	2014－01－24	挂牌
7	430485	南京旭建	2014－01－24	挂牌
8	430416	地林伟业	2014－01－24	挂牌
9	430593	华尔美特	2014－01－24	挂牌
10	430460	太湖股份	2014－01－24	挂牌
11	430596	新达通	2014－01－24	挂牌
12	430468	锦棉种业	2014－01－24	挂牌
13	430631	早康枸杞	2014－01－24	挂牌

14	430644	紫贝龙	2014－02－18	挂牌
15	430691	麦稻之星	2014－04－18	挂牌
16	430714	奇才股份	2014－04－30	挂牌
17	430746	七星科技	2014－05－05	挂牌
18	430761	升禾环保	2014－05－30	挂牌
19	830780	永鹏科技	2014－06－09	挂牌
20	830831	华泰集团	2014－06－26	挂牌
21	830843	沃迪装备	2014－07－09	挂牌
22	430735	智达康	2014－07－11	挂牌
23	830896	旺成科技	2014－08－01	挂牌
24	830918	银发环保	2014－08－11	挂牌
25	830988	兴和股份	2014－08－12	挂牌
26	830950	华隆股份	2014－08－13	挂牌
27	831006	久易农业	2014－08－19	挂牌
28	831076	展博股份	2014－08－21	挂牌
29	831096	物润船联	2014－08－21	挂牌
30	831196	恒扬科技	2014－10－14	挂牌
31	831230	双申医疗	2014－10－23	挂牌
32	831243	晓鸣农牧	2014－10－30	挂牌
33	831256	新疆银丰	2014－10－31	挂牌
34	831235	谋士人才	2014－11－03	挂牌
35	831275	睿力物流	2014－11－04	挂牌
36	831320	路骋国际	2014－11－10	挂牌
37	831340	金童股份	2014－11－11	挂牌
38	831402	帝联科技	2014－12－02	挂牌
39	831511	水治理	2014－12－17	挂牌
40	831468	威顿晶磷	2014－12－24	挂牌
41	831542	贝斯塔德	2014－12－26	挂牌
42	831573	佳盈物流	2014－12－30	挂牌
43	831668	天元小贷	2014－12－31	挂牌
44	831666	亿丰洁净	2015－01－12	挂牌
目前已推荐挂牌公司家数		44		
撤回材料及申请被否公司家数		0		
正在挂牌公司家数		44		
已上市公司家数		0		
已被终止挂牌公司家数		0		
推荐定向发行情况				
序号	股份代码	公司名称	发行日期	公司状态
1	430263	蓝天环保	2014－7－22	发行成功
2	430120	金润科技	2014－8－1	发行成功
3	831511	水治理	2014－11－17	发行成功
推荐定向发行次数		3		
推荐定向发行成功次数		3		
推荐定向发行失败次数		0		
推荐原代办股份转让系统的两网公司及退市公司挂牌情况				

<table>
<tr><td>序号</td><td>股份代码</td><td>公司名称</td></tr>
<tr><td colspan="2">推荐原代办股份转让系统的
两网公司及退市公司家数</td><td>0</td></tr>
</table>

三、部门设置

<table>
<tr><td colspan="5">经纪业务</td></tr>
<tr><td>人员</td><td>姓名</td><td>固定电话</td><td>传真</td><td>Email</td></tr>
<tr><td>经纪业务联络人</td><td>李季</td><td>010－88085115</td><td>010－88085159</td><td>liji@ hysec. com</td></tr>
<tr><td>经纪业务联络人</td><td>陈石</td><td>010－88085112</td><td>010－88085159</td><td>chenshi@ hysec. com</td></tr>
<tr><td colspan="5">推荐业务</td></tr>
<tr><td>人员</td><td>姓名</td><td>固定电话</td><td>传真</td><td>Email</td></tr>
<tr><td>推荐业务联络人</td><td>尹百宽</td><td>010－88013856</td><td>010－88085256</td><td>yinbaikuan@ hysec. com</td></tr>
<tr><td>推荐业务联络人</td><td>盛家华</td><td>010－88085912</td><td>010－88085256</td><td>shengjiahua@ hysec. com</td></tr>
</table>

南京证券股份有限公司

一、公司概况及简介

<table>
<tr><td rowspan="9">公司概况</td><td>公司名称</td><td colspan="5">南京证券股份有限公司</td></tr>
<tr><td>成立日期</td><td>1990－11－23</td><td>法定代表人</td><td>步国旬</td><td>总经理</td><td>李剑锋</td></tr>
<tr><td>注册资本
（万元）</td><td>190,000</td><td>净资产＊
（万元）</td><td>403,998</td><td>净资本＊
（万元）</td><td>301,104</td></tr>
<tr><td>注册地址</td><td colspan="3">江苏省南京市玄武区大钟亭8号</td><td>营业部家数</td><td>75</td></tr>
<tr><td>办公地址</td><td colspan="3">江苏省南京市玄武区大钟亭8号</td><td>邮编</td><td>210008</td></tr>
<tr><td>公司网址</td><td>www. njzq. com. cn</td><td>电子邮箱</td><td>office@ njzq. com. cn</td><td>经营证券业务
许可证编号</td><td>Z2313200039</td></tr>
<tr><td colspan="6">注：＊经审计的最近年度净资产和净资本</td></tr>
<tr><td colspan="3">证监会批准从事的证券业务</td><td colspan="3">证券经纪；证券投资咨询；与证券交易、证券投资活动有关的财务顾问；证券承销与保荐；证券自营；融资融券；证券资产管理；证券投资基金代销；代销金融产品；为期货公司提供中间介绍业务。</td></tr>
<tr><td colspan="3">在全国股份转让系统从事的业务种类</td><td colspan="3">经纪业务，推荐业务，做市业务</td></tr>
<tr><td>公司简介</td><td colspan="6">南京证券股份有限公司（以下简称“南京证券”）是1990年10月经中国人民银行批准设立的江苏省第一家专业证券机构，全国创新类证券公司。截止2013年12月，注册资本19亿元，总资产109亿元，净资产41亿元，控股南证期货有限责任公司、“富安达”基金管理有限公司和南京巨石创业投资有限公司。南京证券业务范围涵盖证券经纪、证券承销、证券自营、融资融券、客户资产管理、财务顾问等诸多领域，设有24个职能管理和业务部门，在全国设有89家分支机构，可以为广大企业和投资者投融资提供全方位服务。南京证券历经23年的风雨洗礼和岁月磨炼，基础管理和改革、业务经营和规模、行业地位和影响均取得了长足进步和发展。23年年均证券交易量增长54.20%，年均利润增长26.89%、年均股东回报率12.98%，成为全国证券行业唯一一家自成立23年来从未亏损、持续盈利、稳定回报的优质证券公司。
南京证券2013年荣获“全国五一劳动奖状”；2011年荣获“全国文明单位”称号，是证券行业第一家全国文明单位；2010年荣获“江苏省文明单位标兵”称号；连续15年荣获“南京市文明单位”、连续14年荣获“江苏省文明单位”；先后6次荣获“建设新南京有功单位”；荣获“中国企业文化优秀奖”、“中国证监会为圆满完成证券公司风险处置做出积极贡献荣誉证书”，是江苏省和南京市“国有企业创建‘四好’领导班子先进集体”、江苏省和南京市“先进基层党组织”、全国首批“国家级征信企业”、“中国100最具影响力企业”、“南京市劳动关系和谐企业”；2013年南京证券团委荣获“江苏省五四红旗团委”称号，34家分支机构分别荣获国家、省、市级“青年文明号”，其中国家级青年文明号4家，始终走在证券行业又好又快发展的前列。</td></tr>
</table>

二、业务动态

推荐挂牌情况

序号	股份代码	公司名称	挂牌日期	公司状态
1	430034	大地股份	2008－10－28	挂牌
2	430057	清畅电力	2009－07－14	挂牌
3	430079	环拓科技	2011－01－21	挂牌
4	430086	爱迪科森	2011－04－08	挂牌
5	430116	中矿华沃	2012－04－18	挂牌
6	430113	中交远洲	2012－04－18	挂牌
7	430117	航天理想	2012－04－18	挂牌
8	430126	马氏兄弟	2012－06－27	挂牌
9	430159	创世生态	2012－11－09	挂牌
10	430186	国承瑞泰	2012－12－20	挂牌
11	430208	优炫软件	2013－01－29	挂牌
12	430624	中天金谷	2014－01－24	挂牌
13	430443	易丰股份	2014－01－24	挂牌
14	430500	亚奥科技	2014－01－24	挂牌
15	430504	众智科技	2014－01－24	挂牌
16	430505	上陵牧业	2014－01－24	挂牌
17	430506	云飞扬	2014－01－24	挂牌
18	430693	恒力液压	2014－04－10	挂牌
19	430681	芒冠光电	2014－04－10	挂牌
20	430729	万里智能	2014－05－05	挂牌
21	830765	协盛科技	2014－05－30	挂牌
22	830773	正扬冶金	2014－05－30	挂牌
23	830794	奥派股份	2014－06－11	挂牌
24	830852	中科仪	2014－07－16	挂牌
25	830876	黄河软轴	2014－07－21	挂牌
26	831164	腾楷网络	2014－09－29	挂牌
27	831322	朗悦科技	2014－11－11	挂牌
28	831520	东来办公	2014－12－18	挂牌
29	831555	天乐橡塑	2014－12－19	挂牌
30	831599	龙虎网	2014－12－26	挂牌
31	831590	百川建科	2014－12－29	挂牌
目前已推荐挂牌公司家数		31		
撤回材料及申请被否公司家数		0		
正在挂牌公司家数		31		
已上市公司家数		0		
已被终止挂牌公司家数		0		
推荐定向发行情况				
序号	股份代码	公司名称	发行日期	公司状态
1	430057	清畅电力	2010－4－7	发行成功
2	430057	清畅电力	2011－8－18	发行成功
3	430208	优炫软件	2013－8－2	发行成功
4	430208	优炫软件	2014－3－6	发行成功
5	430186	国承瑞泰	2014－6－30	发行成功
6	430159	创世生态	2014－7－8	发行成功

7	430729	万里智能	2014－11－28	发行成功
8	430505	上陵牧业	2014－12－31	发行成功
推荐定向发行次数		8		
推荐定向发行成功次数		8		
推荐定向发行失败次数		0		
推荐原代办股份转让系统的两网公司及退市公司挂牌情况				
序号	股份代码	公司名称		
推荐原代办股份转让系统的两网公司及退市公司家数		0		

三、部门设置

经纪业务				
人员	姓名	固定电话	传真	Email
经纪业务联络人	孙秀玉	025－83367888	83320066	xysun@ njzq. com. cn
推荐业务				
人员	姓名	固定电话	传真	Email
推荐业务联络人	吕晓璐	025－57710519	025－57710532	115974960@ qq. com
推荐业务联络人	李晶晶	025－57710519	025－57710532	273204167@ qq. com

齐鲁证券有限公司

一、公司概况及简介

公司概况	公司名称	齐鲁证券有限公司				
	成立日期	2001－5－15	法定代表人	李　玮	总经理	毕玉国
	注册资本（万元）	521,224.57	净资产＊（万元）	1,158,516.85	净资本＊（万元）	671,636.4
	注册地址	山东省济南市经七路86号			营业部家数	205
	办公地址	山东省济南市经七路86号			邮编	250001
	公司网址	www. qlzq. com. cn	电子邮箱	bgs@ qlzq. com. cn	经营证券业务许可证编号	Z19037000
	注：＊经审计的最近年度净资产和净资本					
	证监会批准的相关业务资格			证券经纪；证券投资咨询；与证券交易、证券投资活动有关的财务顾问；证券承销与保荐；证券自营；证券资产管理；融资融券；证券投资基金代销；为期货公司提供中间介绍业务。		
	在全国股份转让系统从事的业务种类			经纪业务，推荐业务，做市业务		
公司简介	齐鲁证券有限公司是全国大型综合类券商，注册资本52.12亿元，员工6,000余人，在全国27个省、自治区、直辖市设有205家证券营业部、15家证券分公司，控股鲁证期货股份有限公司、万家基金管理有限公司、鲁证创业投资有限公司、齐鲁国际控股有限公司，形成了集证券、基金、期货、直投为一体的综合性证券控股集团。截至2013年12月底，公司总资产379亿元，净资产116亿元。场外市场业务，公司组建并形成一支综合素质较高、专业能力较强、敬业程度较好、70余人的新三板业务团队。目前拥有4名准保荐代表人，28名注册会计师、13名律师，其中硕士、博士学历人员占80%以上，他们均具备良好的专业素质和丰富的股份制改制、资本运作、财务顾问经验，并充分依托公司200多家营业部为所在地中小微企业提供优质高效的资本市场融资、并购、股权投资、财务顾问等各类服务。目前，齐鲁证券在新三板市场成功推荐挂牌65家，业内排名第二位，在中关村园区推荐的挂牌公司诺思兰德成为业内经典案例。 齐鲁证券已与长沙高新园区、淄博高新园区、大连高新园区、潍坊高新园区、启迪创投、中关村创盟等近十家国家级高新园区、创投机构签订了战略合作协议，并与三十多家国家级高新园区建立起业务合作关系，齐鲁证券被多家园区授予“改制上市工作优秀中介机构”，并于2014年荣获中国区股转系统最佳主办券商荣誉称号。					

二、业务动态

推荐挂牌情况				
序号	股份代码	公司名称	挂牌日期	公司状态
1	430032	凯英信业	2008－10－28	挂牌
2	430047	诺思兰德	2009－02－18	挂牌
3	430080	尚水股份	2011－03－01	挂牌
4	430118	华欣远达	2012－04－10	挂牌
5	430110	百拓科技	2012－04－10	挂牌
6	430111	北京航峰	2012－04－10	挂牌
7	430115	阿姆斯	2012－04－10	已被终止挂牌
8	430145	智立医学	2012－09－17	挂牌
9	430160	三泰晟驰	2012－11－07	挂牌
10	430177	点点客	2012－12－18	挂牌
11	430215	必可测	2013－05－16	挂牌
12	430218	长虹立川	2013－05－16	挂牌
13	430233	星原丰泰	2013－07－04	挂牌
14	430282	优睿传媒	2013－08－07	挂牌
15	430280	索享股份	2013－08－08	挂牌
16	430291	中试电力	2013－08－09	挂牌
17	430309	易所试	2013－08－13	挂牌
18	430318	四维传媒	2013－10－16	挂牌
19	430323	天阶生物	2013－10－16	挂牌
20	430533	同立高科	2014－01－24	挂牌
21	430594	盈光科技	2014－01－24	挂牌
22	430384	宜达胜	2014－01－24	挂牌
23	430502	万隆电气	2014－01－24	挂牌
24	430371	科传股份	2014－01－24	挂牌
25	430498	嘉网股份	2014－01－24	挂牌
26	430501	超宇环保	2014－01－24	挂牌
27	430609	中磁视讯	2014－01－24	挂牌
28	430604	三炬生物	2014－01－24	挂牌
29	430497	威硬工具	2014－01－24	挂牌
30	430496	大正医疗	2014－01－24	挂牌
31	430495	奥远电子	2014－01－24	挂牌
32	430492	老来寿	2014－01－24	挂牌
33	430662	罗曼股份	2014－03－05	挂牌
34	430679	嘉宝华	2014－04－10	已被终止挂牌
35	430732	威马股份	2014－04－30	挂牌
36	430728	五岳钻具	2014－04－30	挂牌
37	430731	凯地钻探	2014－04－30	挂牌
38	430744	嘉瑶信息	2014－05－05	挂牌
39	430720	东方炫辰	2014－05－07	挂牌
40	430734	源渤科技	2014－05－07	挂牌
41	830783	广源精密	2014－05－28	挂牌
42	430764	美诺福	2014－05－30	挂牌

43	830768	耀通科技	2014－05－30	挂牌
44	830772	远航科技	2014－06－03	挂牌
45	830806	亚锦科技	2014－06－06	挂牌
46	830808	中智华体	2014－06－26	挂牌
47	830826	泰瑞机械	2014－07－08	挂牌
48	830834	信达化工	2014－07－09	挂牌
49	830832	齐鲁华信	2014－07－09	挂牌
50	830839	万通液压	2014－07－14	挂牌
51	830846	格林检测	2014－07－14	挂牌
52	830848	鑫森海	2014－07－14	挂牌
53	830884	华盛供水	2014－07－22	挂牌
54	830886	太尔科技	2014－07－23	挂牌
55	830907	瑞丽洗涤	2014－07－25	挂牌
56	830881	圣泉集团	2014－07－28	挂牌
57	830933	纳晶科技	2014－08－05	挂牌
58	830979	泰宝生物	2014－08－08	挂牌
59	830926	迪浩股份	2014－08－08	挂牌
60	831009	合锐赛尔	2014－08－14	挂牌
61	831109	金牌股份	2014－08－14	挂牌
62	831121	力久电机	2014－08－14	挂牌
63	831042	芜起股份	2014－08－14	挂牌
64	831111	智明恒	2014－08－14	挂牌
65	831137	泰和股份	2014－09－16	挂牌
66	831149	奥美环境	2014－09－18	挂牌
67	831153	全通服	2014－09－19	挂牌
68	831192	海明威	2014－10－08	挂牌
69	831264	柏康科技	2014－11－04	挂牌
70	831278	泰德股份	2014－11－04	挂牌
71	831316	连连化学	2014－11－10	挂牌
72	831338	山东信和	2014－11－10	挂牌
73	831304	迪尔化工	2014－11－10	挂牌
74	831369	帜扬信通	2014－11－20	挂牌
75	831387	华特磁电	2014－12－02	挂牌
76	831411	三重股份	2014－12－02	挂牌
77	831424	薪泽奇	2014－12－08	挂牌
78	831458	联科股份	2014－12－08	挂牌
79	831413	中创股份	2014－12－09	挂牌
80	831440	友旭科技	2014－12－09	挂牌
81	831492	安信种苗	2014－12－09	挂牌
82	831505	朗顿教育	2014－12－09	挂牌
83	831433	川东磁电	2014－12－09	挂牌
84	831480	福生佳信	2014－12－09	挂牌
85	831517	凯伦建材	2014－12－16	挂牌
86	831519	百正新材	2014－12－16	挂牌
87	831541	中节环	2014－12－19	挂牌

88	831567	南达农业	2014－12－26	挂牌
89	831593	朗昇电气	2014－12－29	挂牌
90	831579	三信股份	2014－12－30	挂牌
91	831600	润迪环保	2014－12－30	挂牌
92	831613	雷帕得	2015－01－12	挂牌
目前已推荐挂牌公司家数		92		
撤回材料及申请被否公司家数		0		
正在挂牌公司家数		90		
已上市公司家数		0		
已被终止挂牌公司家数		2		
推荐定向发行情况				
序号	股份代码	公司名称	发行日期	公司状态
1	430047	诺思兰德	2011－2－21	发行成功
2	430032	凯英信业	2012－1－11	发行成功
3	430080	尚水股份	2013－9－18	发行成功
4	430318	四维传媒	2013－10－16	发行成功
5	430323	天阶生物	2013－10－16	发行成功
6	430384	宜达胜	2014－1－24	发行成功
7	430080	尚水股份	2014－3－10	发行成功
8	430111	北京航峰	2014－3－10	发行成功
9	430533	同立高科	2014－6－6	发行成功
10	430047	诺思兰德	2014－7－29	发行成功
11	830933	纳晶科技	2014－8－5	发行成功
12	830783	广源精密	2014－8－6	发行成功
13	430594	盈光科技	2014－8－12	发行成功
14	430318	四维传媒	2014－8－19	发行成功
15	430177	点点客	2014－9－17	发行成功
16	430502	万隆电气	2014－9－17	发行成功
17	430604	三炬生物	2014－10－27	发行成功
18	430280	索享股份	2014－11－4	发行成功
19	430609	中磁视讯	2014－11－17	发行成功
20	831111	智明恒	2014－11－24	发行成功
21	830886	太尔科技	2014－11－26	发行成功
22	830884	华盛供水	2014－12－3	发行成功
23	430177	点点客	2014－12－3	发行成功
24	430318	四维传媒	2014－12－9	发行成功
25	430609	中磁视讯	2014－12－17	发行成功
26	430323	天阶生物	2014－12－18	发行成功
27	430309	易所试	2014－12－22	发行成功
28	831613	雷帕得	2015－1－12	发行成功
29	831792	海思堡	2015－1－16	发行成功
推荐定向发行次数		29		
推荐定向发行成功次数		29		
推荐定向发行失败次数		0		

推荐原代办股份转让系统的两网公司及退市公司挂牌情况		
序号	股份代码	公司名称
推荐原代办股份转让系统的两网公司及退市公司家数		0

三、部门设置

经纪业务				
人员	姓名	固定电话	传真	Email
经纪业务联络人	王海涛	0531－68889169	0531－68889185	wht5582@163.com
推荐业务				
人员	姓名	固定电话	传真	Email
推荐业务联络人	沈剑欣	010－59013888	010－59013777	654410588@qq.com
推荐业务联络人	魏蔚	0531－68889910	0531－68889883	ww060623@sina.com

东北证券股份有限公司

一、公司概况及简介

公司概况	公司名称	东北证券股份有限公司				
	成立日期	1992－7－12	法定代表人	杨树财	总经理	杨树财
	注册资本（万元）	97,858.30	净资产＊（万元）	754,153.39	净资本＊（万元）	410,896.92
	注册地址	吉林省长春市自由大路1138号			营业部家数	83
	办公地址	吉林省长春市自由大路1138号			邮编	130021
	公司网址	www.nesc.cn	电子邮箱	dbzq@nesc.cn	经营证券业务许可证编号	Z21622000
	注：＊经审计的最近年度净资产和净资本					
	证监会批准的相关业务资格			证券经纪；证券投资咨询；与证券交易、证券投资活动有关的财务顾问；证券承销与保荐；证券自营；证券资产管理；融资融券；证券投资基金代销；为期货公司提供中间介绍业务。		
	在全国股份转让系统从事的业务种类			经纪业务，推荐业务，做市业务		
公司简介	东北证券股份有限公司（以下简称“公司”）前身为吉林省证券有限责任公司。2000年6月经中国证监会批准，经过增资扩股成立东北证券有限责任公司。2007年8月，东北证券有限责任公司与上市公司锦州经济技术开发区六陆实业股份有限公司重组，并更名为“东北证券股份有限公司”。2007年8月27日，公司在深圳证券交易所挂牌上市，股票简称为“东北证券”，股票代码为000686。 公司开展全面证券业务，包括证券经纪业务、证券承销与保荐业务（含代办股份转让业务）、证券自营业务、证券资产管理业务，证券投资咨询（含财务顾问）、IB业务资格、直投业务等业务。公司内设16个部门，4个分公司，2个代表处，现有员工3000多人。公司设立全资直投子公司东证融通投资管理有限公司，控股渤海期货有限公司，参股东方基金管理有限责任公司和银华基金管理有限公司。2011年公司被中国证监会评为A类证券公司。 2007年11月东北证券入选“深证100指数样本股”；2008年6月，东北证券入选“沪深300指数样本股”、“沪深300行业指数样本股”、“沪深300成长指数样本股”。 公司肩负“关爱资本、富足社会”的使命，坚持“一切以客户收益为重，一切以股东权益为重，一切以员工利益为重，一切以社会效益为重”的理念，在竞争中成长、在创新中收获、在服务中共赢。公司致力于建立和谐的经营管理团队，通过充分调动全体员工的积极性，从根本上提高公司的创利能力，回报股东，回报社会。						

二、业务动态

推荐挂牌情况

序号	股份代码	公司名称	挂牌日期	公司状态
1	430049	双杰电气	2009-02-18	挂牌
2	430088	七维航测	2011-05-31	挂牌
3	430148	科能腾达	2012-09-28	挂牌
4	430137	润天股份	2012-09-28	挂牌
5	430290	和隆优化	2013-08-05	挂牌
6	430351	爱科凯能	2013-11-15	挂牌
7	430346	哇棒传媒	2013-12-04	挂牌
8	430578	差旅天下	2014-01-24	挂牌
9	430417	良才股份	2014-01-24	挂牌
10	430527	正武股份	2014-01-24	挂牌
11	430474	恒裕灯饰	2014-01-24	挂牌
12	430408	帝信通信	2014-01-24	挂牌
13	430409	天泉鑫膜	2014-01-24	挂牌
14	430415	钟舟电气	2014-01-24	挂牌
15	430587	福格森	2014-01-24	已被终止挂牌
16	430398	励图科技	2014-01-24	挂牌
17	430381	阿兰德	2014-01-24	挂牌
18	430652	三联泵业	2014-02-21	挂牌
19	830790	希迈气象	2014-06-10	挂牌
20	830986	伊科耐	2014-08-11	挂牌
21	830976	电通微电	2014-08-13	挂牌
22	831072	瑞聚股份	2014-08-21	挂牌
23	831123	大成空间	2014-08-21	挂牌
24	831117	维恩贝特	2014-08-21	挂牌
25	831010	天佳科技	2014-08-21	挂牌
26	831070	威尔圣	2014-08-22	挂牌
27	831020	华阳密封	2014-08-22	挂牌
28	831116	腾远食品	2014-08-22	挂牌
29	831073	瑞恒科技	2014-08-22	挂牌
30	831061	中瀛鑫	2014-08-29	挂牌
31	831078	斯科电气	2014-08-29	挂牌
32	831077	中鼎科技	2014-08-29	挂牌
33	831158	金鲵生物	2014-09-25	挂牌
34	831218	成丰股份	2014-10-17	挂牌
35	831266	一铭软件	2014-11-06	挂牌
36	831313	中超新材	2014-11-07	挂牌
37	831328	科耐特	2014-11-11	挂牌
38	831327	飞翼股份	2014-11-12	挂牌
39	831336	苏丝股份	2014-11-19	挂牌
40	831377	有友食品	2014-11-20	挂牌
41	831431	东南光电	2014-12-03	挂牌
42	831409	华油科技	2014-12-03	挂牌
43	831470	创通信息	2014-12-08	挂牌
44	831476	硕源科技	2014-12-11	挂牌

45	831552	庆东农科	2014－12－26	挂牌
46	831604	世纪网通	2015－01－08	挂牌
47	831674	奥特多	2015－01－09	挂牌
48	831679	易点科技	2015－01－12	挂牌
49	831704	九如环境	2015－01－12	挂牌
50	831759	天河化纤	2015－01－15	挂牌
51	831812	宇寿医疗	2015－01－19	挂牌
52	831805	微企信息	2015－01－20	挂牌
53	831770	同智科技	2015－01－22	挂牌
54	831842	名冠股份	2015－01－22	挂牌
55	831867	延利饰件	2015－01－23	挂牌
56	831735	国瑞升	2015－01－23	挂牌
57	831874	畅想软件	2015－01－23	挂牌
58	831901	隆科兴	2015－01－28	挂牌
59	831862	致力科技	2015－01－30	挂牌
60	831910	梦地自控	2015－02－03	挂牌
目前已推荐挂牌公司家数		60		
撤回材料及申请被否公司家数		0		
正在挂牌公司家数		59		
已上市公司家数		0		
已被终止挂牌公司家数		1		
推荐定向发行情况				
序号	股份代码	公司名称	发行日期	公司状态
1	430049	双杰电气	2012－3－1	发行成功
2	430088	七维航测	2012－10－31	发行成功
3	430148	科能腾达	2013－8－21	发行成功
4	430415	钟舟电气	2014－1－22	发行成功
5	430346	哇棒传媒	2014－1－27	发行成功
6	831123	大成空间	2014－6－29	发行成功
7	430088	七维航测	2014－7－7	发行成功
8	430148	科能腾达	2014－8－21	发行成功
9	430415	钟舟电气	2014－8－22	发行成功
10	430474	恒裕灯饰	2014－9－12	发行成功
11	430351	爱科凯能	2014－11－11	发行成功
12	430346	哇棒传媒	2014－11－13	发行成功
13	831116	腾远食品	2014－12－9	发行成功
14	430409	天泉鑫膜	2015－1－21	发行成功
推荐定向发行次数		14		
推荐定向发行成功次数		14		
推荐定向发行失败次数		0		
推荐原代办股份转让系统的两网公司及退市公司挂牌情况				
序号	股份代码	公司名称		
推荐原代办股份转让系统的两网公司及退市公司家数		0		

三、部门设置

经纪业务				
人员	姓名	固定电话	传真	Email
经纪业务联络人	隋莹	0431 - 8509729	0431 - 85096534	suiy@ nesc. cn
经纪业务联络人	季莹	0431 - 85096827	0431 - 85096534	jiy@ nesc. cn
推荐业务				
人员	姓名	固定电话	传真	Email
推荐业务联络人	李博文	010 - 63210675	010 - 63210701	bowen16@ foxmail. com
推荐业务联络人	何宇	010 - 63210648	010 - 63210701	466968998@ qq. com

国海证券股份有限公司

一、公司概况及简介

<table>
<tr><td rowspan="9">公司概况</td><td>公司名称</td><td colspan="5">国海证券股份有限公司</td></tr>
<tr><td>成立日期</td><td>1993 - 6 - 28</td><td>法定代表人</td><td>张雅锋</td><td>总经理</td><td>齐国旗</td></tr>
<tr><td>注册资本（万元）</td><td>231,036.13</td><td>净资产 *（万元）</td><td>601,839.26</td><td>净资本 *（万元）</td><td>588,200.58</td></tr>
<tr><td>注册地址</td><td colspan="3">广西壮族自治区桂林市辅星路13 号</td><td>营业部家数</td><td>59 家</td></tr>
<tr><td>办公地址</td><td colspan="3">广西壮族自治区南宁市滨湖路46号国海大厦</td><td>邮编</td><td>530028</td></tr>
<tr><td>公司网址</td><td>www. ghzq. com. cn</td><td>电子邮箱</td><td>zcbgs@ ghzq. com. cn</td><td>经营证券业务许可证编号</td><td>10240000</td></tr>
<tr><td colspan="6">注：* 经审计的最近年度净资产和净资本</td></tr>
<tr><td colspan="3">证监会批准的相关业务资格</td><td colspan="3">证券经纪；证券投资咨询；与证券交易、证券投资活动有关的财务顾问；证券承销与保荐；证券自营；证券资产管理；融资融券；证券投资基金代销；为期货公司提供中间介绍业务；代销金融产品。</td></tr>
<tr><td colspan="3">在全国股份转让系统从事的业务种类</td><td colspan="3">经纪业务，推荐业务，做市业务</td></tr>
<tr><td>公司简介</td><td colspan="6">国海证券股份有限公司（以下简称"公司"）前身为广西证券公司，1988 年经中国人民银行批准正式设立，是国内首批设立并在广西壮族自治区内注册的唯一一家全国性证券公司。2001 年，公司增资扩股并更名为国海证券有限责任公司。
2011 年 8 月，公司借壳桂林集琦药业股份有限公司在国内 A 股市场上市，更名为国海证券股份有限公司（股票代码：000750），成为国内第 16 家上市券商。2013 年 11 月，公司配股成功融资 32.56 亿元，净资本大幅增长，为公司创新发展提供了资本保障。截至 2013 年末，公司总股本 23.10 亿元，净资本 58.82 亿元，合并总资产 145.86 亿元，合并净资产 64.76 亿元。2001 年至 2013 年公司累计合并利润总额 42.75 亿元，母公司累计纳税 22.54 亿元。
公司拥有 6 家分公司、59 家营业部，营业网点覆盖全国 14 个省级区域，并控股国海富兰克林基金管理有限公司和国海良时期货有限公司，全资设立国海创新资本投资管理有限公司，融证券、基金、期货、直投等多元业务为一体的金融服务企业。目前，公司是广西唯一一家入选"深证 100 指数"的上市公司，并成功跻身有证券市场整体走势"晴雨表"之称的"沪深 300"指数。</td></tr>
</table>

二、业务动态

推荐挂牌情况				
序号	股份代码	公司名称	挂牌日期	公司状态
1	430050	博朗环境	2009 - 02 - 18	挂牌
2	430124	汉唐自远	2012 - 06 - 08	挂牌
3	430352	慧网通达	2013 - 11 - 15	挂牌
4	430463	汽牛股份	2014 - 01 - 24	挂牌
5	430452	汇龙科技	2014 - 01 - 24	挂牌

6	830782	泰安众诚	2014－06－04	挂牌
目前已推荐挂牌公司家数		6		
撤回材料及申请被否公司家数		0		
正在挂牌公司家数		6		
已上市公司家数		0		
已被终止挂牌公司家数		0		
推荐定向发行情况				
序号	股份代码	公司名称	发行日期	公司状态
1	430050	博朗环境	2013－11－11	发行成功
推荐定向发行次数		1		
推荐定向发行成功次数		1		
推荐定向发行失败次数		0		
推荐原代办股份转让系统的两网公司及退市公司挂牌情况				
序号	股份代码	公司名称		
推荐原代办股份转让系统的两网公司及退市公司家数		0		

三、部门设置

经纪业务				
人员	姓名	固定电话	传真	Email
经纪业务联络人	毛思宇	0771－5567392	0771－5539578	maosy@ghzq.com.cn
经纪业务联络人	韦点湛	0771－5551619	0771－5539578	weidz@ghzq.com.cn
推荐业务				
人员	姓名	固定电话	传真	Email
推荐业务联络人	唐新	0755－83716757	0755－83716971	tangx01@ghzq.com.cn
推荐业务联络人	孙艺萌	0755－88608101	0755－83716971	sunym@ghzq.com.cn

中信建投证券股份有限公司

一、公司概况及简介

公司概况	公司名称	中信建投证券股份有限公司				
	成立日期	2005－11－2	法定代表人	王常青	总经理	齐　亮
	注册资本（万元）	610,000.00	净资产＊（万元）	1,193,500	净资本＊（万元）	950,900
	注册地址	北京市朝阳区安立路66号4号楼			营业部家数	175
	办公地址	北京市东城区朝内大街188号			邮编	100010
	公司网址	www.csc108.com	电子邮箱	csc@csc.com.cn	经营证券业务许可证编号	Z32911001
	注：＊经审计的最近年度净资产和净资本					
	证监会批准的相关业务资格			证券经纪、证券承销与保荐、与证券交易和证券投资活动有关的财务顾问、证券投资咨询、证券自营、证券资产管理、证券投资基金代销、融资融券、为期货公司提供中间介绍业务以及中国证监会批准的其他业务，还通过设立全资子公司，开展期货业务、直接投资业务以及境外投资银行、资产管理等业务。		
	在全国股份转让系统从事的业务种类			经纪业务，推荐业务，做市业务		

公司简介	中信建投证券股份有限公司(以下简称“中信建投证券”或“公司”)是经中国证监会批准设立的全国性大型综合证券公司。2011年9月28日,公司变更为股份有限公司,公司注册地为北京,注册资本为61亿元,在全国29个省、市、自治区设有145家证券营业部,并设有中信建投资本管理有限公司、中信建投期货经纪有限公司、中信建投(国际)金融控股有限公司等全资子公司。公司拥有近350万客户,客户资产规模达3,000多亿元。在为政府、企业、机构和个人投资者提供优质专业的金融服务过程中,公司建立了良好的声誉,成为目前行业最高级别的A类AA级证券公司。 中信建投证券拥有实力强大的股东背景,北京国有资本经营管理中心、中央汇金投资有限责任公司、世纪金源投资集团有限公司与中信证券股份有限公司分别持有公司45%、40%、8%和7%的股份,它们均为拥有雄厚资本实力、成熟资本运作经验与较高社会知名度的大型企业。 自成立以来,中信建投证券各项业务不断发展,在企业融资、固定收益、收购兼并、经纪业务、基金业务和资产管理业务等领域形成了自身特色和核心业务优势,并搭建了研究咨询、信息技术、运营管理、风险控制、合规管理等高效的业务支持体系。凭借高度的敬业精神与突出的专业能力,中信建投证券主要经营指标一直稳居行业前列。

二、业务动态

推荐挂牌情况				
序号	股份代码	公司名称	挂牌日期	公司状态
1	430056	中航新材	2009-07-01	挂牌
2	430119	鸿仪四方	2012-04-18	挂牌
3	430129	极品无限	2012-06-28	挂牌
4	430140	新眼光	2012-09-07	挂牌
5	430171	电信易通	2012-12-05	挂牌
6	430173	鼎讯互动	2012-12-06	挂牌
7	430190	新瑞理想	2012-12-21	挂牌
8	430196	宣爱智能	2012-12-26	挂牌
9	430195	欧泰克	2012-12-26	挂牌
10	430210	舜能润滑	2013-01-24	挂牌
11	430247	金日创	2013-07-22	挂牌
12	430248	奥尔斯	2013-07-22	挂牌
13	430249	慧峰仁和	2013-07-22	挂牌
14	430245	奥特美克	2013-07-23	挂牌
15	430271	瑞灵石油	2013-08-06	挂牌
16	430271	瑞灵石油	2013-08-06	挂牌
17	430343	优网科技	2013-11-08	挂牌
18	430339	中搜网络	2013-11-08	挂牌
19	430354	华敏测控	2013-11-18	挂牌
20	430365	赫宸环境	2014-01-24	挂牌
21	430564	天润科技	2014-01-24	挂牌
22	430562	安运科技	2014-01-24	挂牌
23	430551	林产科技	2014-01-24	挂牌
24	430621	固安信通	2014-01-24	挂牌
25	430617	欧讯体育	2014-01-24	挂牌
26	430568	光莆电子	2014-01-24	挂牌
27	430566	虹越花卉	2014-01-24	挂牌
28	430563	华宇股份	2014-01-24	挂牌
29	430561	齐普光电	2014-01-24	挂牌
30	430560	西部泰力	2014-01-24	挂牌
31	430556	雅达股份	2014-01-24	挂牌
32	430639	派芬自控	2014-02-20	挂牌
33	430688	鹏远光电	2014-04-10	挂牌

34	430687	华瑞核安	2014－04－14	挂牌
35	430731	御食园	2014－05－06	挂牌
36	830767	宁夏网虫	2014－05－30	挂牌
37	430757	天翔昌运	2014－05－30	挂牌
38	830800	天开园林	2014－06－10	挂牌
39	830798	中外名人	2014－06－13	挂牌
40	830825	和泰塑胶	2014－06－27	挂牌
41	830849	平原非标	2014－07－11	挂牌
目前已推荐挂牌公司家数		41		
撤回材料及申请被否公司家数		0		
正在挂牌公司家数		41		
已上市公司家数		0		
已被终止挂牌公司家数		0		
推荐定向发行情况				
序号	股份代码	公司名称	发行日期	公司状态
推荐定向发行次数		0		
推荐定向发行成功次数		0		
推荐定向发行失败次数		0		
推荐原代办股份转让系统的两网公司及退市公司挂牌情况				
序号	股份代码	公司名称		
推荐原代办股份转让系统的两网公司及退市公司家数		0		

三、部门设置

经纪业务				
人员	姓名	固定电话	传真	Email
经纪业务联络人	白静	010－85130583	010－85130514	baijing@ csc. com. cn
推荐业务				
人员	姓名	固定电话	传真	Email
推荐业务联络人	黄华明	010－85156409	010－65608451	huanghuaming@ csc. com. cn
推荐业务联络人	陈翔、田荣骥	010－85156409	010－65608451	chenxiang@ csc. com. cn

中原证券股份有限公司

一、公司概况及简介

公司概况	公司名称	中原证券股份有限公司				
	成立日期	2002－11－8	法定代表人	菅明军	总经理	周小全
	注册资本（万元）	203，351．57	净资产＊（万元）	415，305．42	净资本＊（万元）	293，615．73
	注册地址	河南省郑州市郑东新区商务外环路 10 号			营业部家数	62
	办公地址	河南省郑州市郑东新区商务外环路 10 号			邮编	450018
	公司网址	www. ccnew. com	电子邮箱	ccsc@ ccnew. com	经营证券业务许可证编号	Z30574000
	注：＊经审计的最近年度净资产和净资本					

<table>
<tr><td rowspan="2">公司概况</td><td>证监会批准的相关业务资格</td><td>证券经纪；证券投资咨询；与证券交易、证券投资活动有关的财务顾问；证券承销与保荐；证券自营；证券资产管理；证券投资基金代销；为期货公司提供中间介绍业务；融资融券业务。</td></tr>
<tr><td>在全国股份转让系统从事的业务种类</td><td>经纪业务，推荐业务，做市业务</td></tr>
<tr><td>公司简介</td><td colspan="2">中原证券股份有限公司是河南省内和中原经济区内注册的唯一法人证券公司，注册资本20.33亿元，总部位于郑州市郑东新区。公司内设11个业务职能部门和12个管理职能部门，在北京、上海、郑州、黄河金三角示范区和洛阳设有分公司，在河南省内各省辖市、部分发达的县级市及上海、北京、深圳、天津、杭州、青岛、西安、长沙、石家庄等十多个发达城市，设有证券、期货机构60多家。公司还控股中原期货公司、中原英石基金公司，全资拥有中鼎开源直投公司，与洛阳市政府合资成立了由中鼎开源控股的中证开元创投公司，初步具备了现代化大型金融控股集团的框架。公司现有员工2,000多人，其中，包括上市保荐代表人、投资分析师、投资顾问和海外留学人员等在内的高端人才500余人。
公司致力于打造全国一流证券公司，自成立以来，，在河南省委、省政府和各有关方面的大力指导和支持下，快速发展壮大，架构体系逐步健全，制度体系逐步完善，业务范围不断拓宽，已形成了以投行业务为先导，以经纪业务为重要基础，以固定收益、资产管理、融资融券等常规性业务，以股权质押融资、股票约定式回购、债券质押报价回购、现金管理、场外市场、衍生品等创新业务共同均衡发展的全能型业务格局。截至2013年底，公司的总资产规模达129.46亿，净资产达41.53亿，管理客户资产1,500亿元，资本实力和抗风险能力极大增强，行业排名不断提升，核心竞争力持续提高。</td></tr>
</table>

二、业务动态

推荐挂牌情况

序号	股份代码	公司名称	挂牌日期	公司状态
1	430068	纬纶环保	2010-06-08	挂牌
2	430106	爱特泰克	2012-02-10	挂牌
3	430112	弘祥隆	2012-03-28	挂牌
4	430114	永瀚星港	2012-04-10	挂牌
5	430122	中控智联	2012-05-18	挂牌
6	430152	思创银联	2012-10-18	挂牌
7	430172	瑞达恩	2012-12-07	挂牌
8	430180	东方瑞威	2012-12-21	挂牌
9	430189	七彩亮点	2012-12-24	挂牌
10	430201	腾实信	2012-12-28	挂牌
11	430213	乐升股份	2013-05-17	挂牌
12	430228	天房科技	2013-07-01	挂牌
13	430242	蓝贝望	2013-07-05	挂牌
14	430546	乐彩科技	2014-01-24	挂牌
15	430547	畅想高科	2014-01-24	挂牌
16	430565	莱力柏	2014-01-24	挂牌
17	430641	天健创新	2014-02-18	挂牌
18	430657	楼兰股份	2014-02-21	挂牌
19	430667	三多堂	2014-03-20	挂牌
20	430705	天锐科技	2014-04-23	挂牌
21	430715	春泉节能	2014-04-30	挂牌
22	830803	新松医疗	2014-06-10	挂牌
23	830813	熔金股份	2014-06-18	挂牌
24	830941	明硕股份	2014-08-01	挂牌
25	831023	北展股份	2014-08-14	挂牌
26	831087	秋乐种业	2014-08-18	挂牌

27	831014	海联捷讯	2014－08－19	挂牌
28	831011	三友创美	2014－08－19	挂牌
29	831130	环宇装备	2014－09－02	挂牌
30	831195	三祥科技	2014－10－16	挂牌
31	831291	恒博科技	2014－11－06	挂牌
32	831298	美基食品	2014－11－10	挂牌
33	831361	胜龙股份	2014－11－13	挂牌
34	831378	富耐克	2014－11－28	挂牌
35	831389	万和过滤	2014－12－02	挂牌
36	831463	凯雪冷链	2014－12－08	挂牌
37	831442	枫林食品	2014－12－09	挂牌
38	831503	广安生物	2014－12－15	挂牌
39	831551	世纪合辉	2014－12－19	挂牌
目前已推荐挂牌公司家数		39		
撤回材料及申请被否公司家数		0		
正在挂牌公司家数		39		
已上市公司家数		0		
已被终止挂牌公司家数		0		
推荐定向发行情况				
序号	股份代码	公司名称	发行日期	公司状态
1	430112	弘祥隆	2013－6－24	发行成功
2	430152	思创银联	2013－7－3	发行成功
3	430152	思创银联	2013－9－12	发行成功
4	430213	乐升股份	2013－12－5	发行成功
5	430657	楼兰股份	2014－5－12	发行成功
6	430657	楼兰股份	2014－5－13	发行成功
7	430657	楼兰股份	2014－5－20	发行成功
推荐定向发行次数		7		
推荐定向发行成功次数		7		
推荐定向发行失败次数		0		
推荐原代办股份转让系统的两网公司及退市公司挂牌情况				
序号	股份代码	公司名称		
推荐原代办股份转让系统的两网公司及退市公司家数		0		

三、部门设置

经纪业务				
人员	姓名	固定电话	传真	Email
经纪业务联络人	王晶	0371－68599296	0371－65585665	Wangjing0102@ ccnew. com
经纪业务联络人	张翼	0371－65585662	0371－65585665	zhangyi@ ccnew. com
推荐业务				
人员	姓名	固定电话	传真	Email
推荐业务联络人	王秦龙	010－83067320	010－63388723	halowang@ 126. com
推荐业务联络人	关伟	010－83067390	010－63388723	gw800@ sina. com

金元证券股份有限公司

一、公司概况及简介

<table>
<tr><td rowspan="9">公司概况</td><td>公司名称</td><td colspan="5">金元证券股份有限公司</td></tr>
<tr><td>成立日期</td><td>2002 - 8 - 15</td><td>法定代表人</td><td>陆　涛</td><td>总经理</td><td>陆　涛</td></tr>
<tr><td>注册资本（万元）</td><td>317,434.07</td><td>净资产*（万元）</td><td>395,301.59</td><td>净资本*（万元）</td><td>327,637.82</td></tr>
<tr><td>注册地址</td><td colspan="3">海南省海口市南宝路36号证券大厦4楼</td><td>营业部家数</td><td>33</td></tr>
<tr><td>办公地址</td><td colspan="3">广东省深圳市福田区深南大道4001号时代金融中心17层</td><td>邮编</td><td>518048</td></tr>
<tr><td>公司网址</td><td>www.jyzq.cn</td><td>电子邮箱</td><td>jyzq@jyzq.cn</td><td>经营证券业务许可证编号</td><td>230446000</td></tr>
<tr><td colspan="6">注：*经审计的最近年度净资产和净资本</td></tr>
<tr><td colspan="3">证监会批准的相关业务资格</td><td colspan="3">证券经纪；证券投资咨询；与证券交易、证券投资活动有关的财务顾问；证券承销与保荐；证券自营；证券资产管理；证券投资基金代销；为期货公司提供中间介绍业务；融资融券业务。</td></tr>
<tr><td colspan="3">在全国股份转让系统从事的业务种类</td><td colspan="3">经纪业务，推荐业务，做市业务</td></tr>
<tr><td>公司简介</td><td colspan="6">金元证券股份有限公司（以下简称“金元证券”或“公司”）成立于2002年8月，是经中国证监会批准，由首都机场集团公司作为核心股东联合其他股东共同出资设立的综合类证券公司。公司注册地址为海南省海口市南宝路36号证券大厦4楼，注册资本31.74亿元人民币。截至2013年底，公司经审计的净资产为395301.59万元，总资产为920,302.63万元，净资本为327637.82万元，净资本/净资产比率为82.88%。
目前金元证券已形成了经纪业务、自营业务、投资银行、固定收益、研究发展、资产管理等业务门类协调发展的业务体系，建立健全了较为完善的风险管理控制体系以及职责明确、高效运作的内部管理体系，是一家规模中上、资产质量优良的专业证券公司。</td></tr>
</table>

二、业务动态

推荐挂牌情况				
序号	股份代码	公司名称	挂牌日期	公司状态
1	430070	赛亿科技	2010 - 07 - 21	挂牌
2	430099	理想固网	2011 - 11 - 08	挂牌
3	430158	北方科诚	2012 - 11 - 08	挂牌
4	430192	东展科博	2012 - 12 - 26	挂牌
5	430194	锐风行	2012 - 12 - 31	挂牌
6	430227	东软慧聚	2013　07 - 03	挂牌
7	430239	信诺达	2013 - 07 - 03	挂牌
8	430301	倚天凌云	2013 - 08 - 08	挂牌
9	430288	威达宇电	2013 - 08 - 08	挂牌
10	430507	信达胶脂	2014 - 01 - 24	挂牌
11	430508	中视文化	2014 - 01 - 24	挂牌
12	430516	文达通	2014 - 01 - 24	挂牌
13	430521	康捷医疗	2014 - 01 - 24	挂牌
14	430509	中山银利	2014 - 01 - 24	挂牌
15	430692	杰纳瑞	2014 - 04 - 09	挂牌
16	430700	飞尼课斯	2014 - 04 - 22	挂牌
17	430753	琼中农信	2014 - 05 - 29	挂牌
18	830897	志向科研	2014 - 07 - 29	挂牌

19	830948	捷昌驱动	2014－08－08	挂牌
20	831168	华尔康	2014－09－30	挂牌
21	831210	圣海林	2014－10－17	挂牌
目前已推荐挂牌公司家数		21		
撤回材料及申请被否公司家数		0		
正在挂牌公司家数		21		
已上市公司家数		0		
已被终止挂牌公司家数		0		
推荐定向发行情况				
序号	股份代码	公司名称	发行日期	公司状态
1	430070	赛亿科技	2012－9－13	发行成功
2	430099	理想固网	2013－7－31	发行成功
3	430192	东展科博	2013－9－9	发行成功
4	430194	锐风行	2013－9－17	发行成功
5	430194	锐风行	2014－2－20	发行成功
6	430239	信诺达	2014－2－26	发行成功
推荐定向发行次数		6		
推荐定向发行成功次数		6		
推荐定向发行失败次数		0		
推荐原代办股份转让系统的两网公司及退市公司挂牌情况				
序号	股份代码	公司名称		
推荐原代办股份转让系统的两网公司及退市公司家数		0		

三、部门设置

经纪业务				
人员	姓名	固定电话	传真	Email
经纪业务联络人	林华	0755－83025676	0755－83025662	linhua@ jyzq. cn
经纪业务联络人	程金芳	0755－83024889	0755－83025625	chengjf@ jyzq. cn
推荐业务				
人员	姓名	固定电话	传真	Email
推荐业务联络人	陈鑫鑫	010－83958909	010－83958890	chenxx@ jyzq. cn
推荐业务联络人	高磊晨子	010－83958905	010－83958890	gaoleicz@ jyzq. cn

华西证券股份有限公司

一、公司概况及简介

公司概况	公司名称	华西证券股份有限公司				
	成立日期	2000－7－13	法定代表人	杨炯洋	总经理	杨炯洋
	注册资本（万元）	210,000	净资产＊（万元）	704,548.38	净资本＊（万元）	447,524.89
	注册地址	四川省成都市高新区天府二街 198 号			营业部家数	68
	办公地址	四川省成都市高新区天府二街 198 号			邮编	610041
	公司网址	www. hx168. com. cn	电子邮箱	zcb@ mail. hx168. com. cn	经营证券业务许可证编号	Z27951000

<table>
<tr><td rowspan="3">公司概况</td><td colspan="2">注：*经审计的最近年度净资产和净资本</td></tr>
<tr><td>证监会批准的相关业务资格</td><td>证券经纪；证券投资咨询；与证券交易、证券投资活动有关的财务顾问；证券承销与保荐；证券自营；证券资产管理；融资融券；证券投资基金代销；代销金融产品。</td></tr>
<tr><td>在全国股份转让系统从事的业务种类</td><td>经纪业务，推荐业务，做市业务</td></tr>
<tr><td>公司简介</td><td colspan="2">华西证券股份有限公司（以下简称“华西证券”或“公司”）于2000年6月26日经中国证券监督管理委员会证监机构字[2000]133号文批准，由原四川省证券股份有限公司与原四川证券交易中心合并重组、增资扩股成立，注册资本21亿元，注册地为四川省成都市，泸州老窖为第一大股东。公司已经形成了以成都为总部，北京、深圳、上海3个业务分部，3家全资子公司、6家分公司、68家营业部的组织架构。公司拥有全资期货子公司1家、直投子公司1家、另类投资子公司1家；自营业务分公司1家、经纪业务分公司4家、承销保荐分公司1家；公司证券营业部遍布四川、北京、上海、天津、重庆、广州、深圳、大连和杭州等地；公司员工近3,000人，服务客户总资产近2,000亿元。公司倡导“助你成功，共享成果”的核心价值观，以“成就价值梦想”为使命，致力于成为最具活力和特色的证券金融服务商。多年来，无论市场变幻如何起伏跌宕，华西证券凭着其强大的市场适应能力，一直保持强劲盈利发展势头，是全国少有的连续10年持续盈利的证券公司，也是中西部唯一连续四年获得行业最高评价AA级的证券公司。
华西证券经营范围涵盖证券经纪业务，证券投资咨询，与证券交易、证券投资活动有关的财务顾问，证券承销与保荐，证券自营，证券资产管理，证券投资基金代销，融资融券，代销金融产品，为期货公司提供中间介绍业务以及中国证监会批准的其他业务。公司的管理团队市场化程度高，专业能力强，以“敦行敏动、精细高效”的企业作风，秉承“创新、协同、诚信、超越”的企业精神，全面稳妥推进各项业务的持续发展。
人才资源公司现有员工近3,000名，总部员工具有本科以上学历的人才超过90%，很大一批是来自国家211重点院校和国外知名学府金融类硕士及以上学历的专业人才。近年来，随着各项业务的飞速发展，保持了15% -20%的团队增长速度。根据“唯德唯才，有为有位”的人才理念，公司的人才结构不断优化，已经汇聚了众多高素质、高水平的专业人才。与此同时，公司还与国内多所知名高等院校建立了战略联盟关系，从而保证了各项业务快速发展对各类人才的旺盛需求。</td></tr>
</table>

二、业务动态

<table>
<tr><td colspan="5">推荐挂牌情况</td></tr>
<tr><td>序号</td><td>股份代码</td><td>公司名称</td><td>挂牌日期</td><td>公司状态</td></tr>
<tr><td>1</td><td>430212</td><td>六合伟业</td><td>2013 -01 -31</td><td>挂牌</td></tr>
<tr><td>2</td><td>430255</td><td>三意时代</td><td>2013 -07 -18</td><td>挂牌</td></tr>
<tr><td>3</td><td>430479</td><td>网阔信息</td><td>2014 -01 -24</td><td>挂牌</td></tr>
<tr><td>4</td><td>430374</td><td>英富森</td><td>2014 -01 -24</td><td>挂牌</td></tr>
<tr><td>5</td><td>430569</td><td>安尔发</td><td>2014 -01 -24</td><td>挂牌</td></tr>
<tr><td>6</td><td>831312</td><td>赛卓药业</td><td>2014 -11 -03</td><td>挂牌</td></tr>
<tr><td>7</td><td>831299</td><td>北教传媒</td><td>2014 -11 -06</td><td>挂牌</td></tr>
<tr><td>8</td><td>831289</td><td>丰泽股份</td><td>2014 -11 -07</td><td>挂牌</td></tr>
<tr><td>9</td><td>831346</td><td>木联能</td><td>2014 -11 -11</td><td>挂牌</td></tr>
<tr><td>10</td><td>831490</td><td>成电光信</td><td>2014 -12 -10</td><td>挂牌</td></tr>
<tr><td>11</td><td>831495</td><td>中联信通</td><td>2014 -12 -10</td><td>挂牌</td></tr>
<tr><td>12</td><td>831507</td><td>博广热能</td><td>2014 -12 -15</td><td>挂牌</td></tr>
<tr><td>13</td><td>831633</td><td>千佛山</td><td>2015 -01 -07</td><td>挂牌</td></tr>
<tr><td colspan="2">目前已推荐挂牌公司家数</td><td colspan="3">13</td></tr>
<tr><td colspan="2">撤回材料及申请被否公司家数</td><td colspan="3">0</td></tr>
<tr><td colspan="2">正在挂牌公司家数</td><td colspan="3">13</td></tr>
<tr><td colspan="2">已上市公司家数</td><td colspan="3">0</td></tr>
<tr><td colspan="2">已被终止挂牌公司家数</td><td colspan="3">0</td></tr>
<tr><td colspan="5">推荐定向发行情况</td></tr>
<tr><td>序号</td><td>股份代码</td><td>公司名称</td><td>发行日期</td><td>公司状态</td></tr>
<tr><td>1</td><td>430212</td><td>六合伟业</td><td>2013 -8 -19</td><td>发行成功</td></tr>
<tr><td>2</td><td>430212</td><td>六合伟业</td><td>2013 -9 -27</td><td>发行成功</td></tr>
</table>

3	831490	成电光信	2014－12－10	
4	430569	安尔发	2014－12－17	
推荐定向发行次数		4		
推荐定向发行成功次数		2		
推荐定向发行失败次数		0		
推荐原代办股份转让系统的两网公司及退市公司挂牌情况				
序号	股份代码	公司名称		
推荐原代办股份转让系统的两网公司及退市公司家数		0		

三、部门设置

经纪业务				
人员	姓名	固定电话	传真	Email
经纪业务联络人	黄珊珊	028－86150209	028－86150615	huangss@ hx168. com. cn
经纪业务联络人	陈农	028－81701825	028－86150615	chennong@ hx168. com. cn
推荐业务				
人员	姓名	固定电话	传真	Email
推荐业务联络人	罗明	010－51662928	010－66226708	luoming@ hx168. com. cn
推荐业务联络人	黄慧	010－51662928	010－66226708	huanghui@ hx168. com. cn

长城证券有限责任公司

一、公司概况及简介

公司概况	公司名称	长城证券有限责任公司				
	成立日期	1996－5－2	法定代表人	黄耀华	总经理	何　伟
	注册资本（万元）	206,700.00	净资产*（万元）	620,631.11	净资本*（万元）	405,064.86
	注册地址	深圳市福田区深南大道6008号特区报业大厦16－17层			营业部家数	85
	办公地址	深圳市福田区深南大道6008号特区报业大厦16－17层			邮编	518034
	公司网址	www. cgws. com	电子邮箱	chyj@ cgws. com	经营证券业务许可证编号	Z27474000
	注：*经审计的最近年度净资产和净资本					
	证监会批准的相关业务资格			证券经纪；证券投资咨询；与证券交易、证券投资活动有关的财务顾问；证券承销与保荐；证券自营；证券资产管理；融资融券；证券投资基金代销；为期货公司提供中间介绍业务；代销金融产品。		
	在全国股份转让系统从事的业务种类			经纪业务，推荐业务，做市业务		
公司简介	长城证券有限责任公司（以下简称“长城证券”或“公司”）是1995年11月经中国人民银行总行批准、在原深圳长城证券部和海南汇通国际信托投资公司所属证券机构合并基础上，设立的一家全国性专业证券公司，是我国最早成立的证券公司之一。长城证券的战略定位是“专长于以资源为核心的基础产业领域的国内一流投资银行”。长城证券凭借规范稳健的经营作风，已经成长为一家资质齐全、业务覆盖全国的综合类证券公司。长城证券不断完善金融产业平台，目前控参股长城基金管理有限公司、景顺长城基金管理有限公司、宝城期货有限责任公司、长城长富投资管理有限公司，为客户提供全方位金融服务。 近几年来，在各股东单位及社会各界的大力支持下，公司广大干部员工奋发努力，紧紧抓住市场机遇，实现了快速发展。2005年至2013年，公司连续9年实现盈利，各项业务蒸蒸日上，企业面貌焕然一新。长城证券将继续秉承“资源整合、团队作战、为客户提供综合性增值服务”的经营理念，以证券为核心，通过完善的金融多功能协调发展的业务体系，以深厚的专业背景、勤奋的敬业精神、全面的专家解决方案、个性化的产品和综合性服务，为客户创造价值。						

二、业务动态

推荐挂牌情况				
序号	股份代码	公司名称	挂牌日期	公司状态
1	430089	天一众合	2011－05－31	挂牌
2	430155	康辰亚奥	2012－10－15	挂牌
3	430281	能为科技	2013－08－07	挂牌
4	430330	捷世智通	2013－10－16	挂牌
5	430575	迈科网络	2014－01－24	挂牌
6	430410	微纳颗粒	2014－01－24	挂牌
7	430387	旌旗电子	2014－01－24	挂牌
8	430422	永继电气	2014－01－24	挂牌
9	430397	金帆股份	2014－01－24	挂牌
10	430444	昆拓热控	2014－01－24	挂牌
11	430658	舜网传媒	2014－02－14	挂牌
12	430685	新芝生物	2014－04－09	挂牌
13	830774	百博生物	2014－05－30	挂牌
14	830920	聚融集团	2014－08－06	挂牌
15	830957	佳成科技	2014－08－12	挂牌
16	831053	美佳新材	2014－08－20	挂牌
17	831157	信合节能	2014－09－19	挂牌
18	831434	巨创计量	2014－12－30	挂牌
19	831576	汉博商业	2015－01－05	挂牌
20	831796	汉镒资产	2015－01－21	挂牌
目前已推荐挂牌公司家数		20		
撤回材料及申请被否公司家数		0		
正在挂牌公司家数		20		
已上市公司家数		0		
已被终止挂牌公司家数		0		
推荐定向发行情况				
序号	股份代码	公司名称	发行日期	公司状态
1	430089	天一众合	2012－7－20	发行成功
2	830774	百博生物	2014－5－30	发行成功
3	830957	佳成科技	2014－8－12	发行成功
4	430685	新芝生物	2014－11－24	发行成功
推荐定向发行次数		4		
推荐定向发行成功次数		4		
推荐定向发行失败次数		0		
推荐原代办股份转让系统的两网公司及退市公司挂牌情况				
序号	股份代码	公司名称		
推荐原代办股份转让系统的两网公司及退市公司家数		0		

三、部门设置

经纪业务				
人员	姓名	固定电话	传真	Email
经纪业务联络人	柴黎明	0755－83515581	0755－83516199	chailm@ cgws. com

经纪业务联络人	李锋	0755－83515475	0755－83516199	lifeng@ cgws. com
推荐业务				
人员	姓名	固定电话	传真	Email
推荐业务联络人	陈轶瑾	010－88366060	010－88366650	chyj@ cgws. com
推荐业务联络人	胡婕	010－88366060	010－88366650	hujie@ cgws. com

浙商证券股份有限公司

一、公司概况及简介

<table>
<tr><td rowspan="9">公司概况</td><td>公司名称</td><td colspan="5">浙商证券股份有限公司</td></tr>
<tr><td>成立日期</td><td>2002－5－9</td><td>法定代表人</td><td>吴承根</td><td>总经理</td><td>吴承根</td></tr>
<tr><td>注册资本（万元）</td><td>300,000</td><td>净资产＊（万元）</td><td>575,385</td><td>净资本＊（万元）</td><td>387,937</td></tr>
<tr><td>注册地址</td><td colspan="3">浙江省杭州市杭大路1号黄龙世纪广场A区6－7层</td><td>营业部家数</td><td>93</td></tr>
<tr><td>办公地址</td><td colspan="3">浙江省杭州市杭大路1号黄龙世纪广场A区6－7层</td><td>邮编</td><td>310007</td></tr>
<tr><td>公司网址</td><td>www. stocke. com. cn</td><td>电子邮箱</td><td></td><td>经营证券业务许可证编号</td><td>z39833000</td></tr>
<tr><td colspan="6">注：＊经审计的最近年度净资产和净资本</td></tr>
<tr><td colspan="3">证监会批准的相关业务资格</td><td colspan="3">证券经纪；证券投资咨询；与证券交易、证券投资活动有关的财务顾问；证券承销与保荐；证券自营；融资融券；证券投资基金代销；为期货公司提交供中间介绍中业务；代销金融产品。</td></tr>
<tr><td colspan="3">在全国股份转让系统从事的业务种类</td><td colspan="3">经纪业务，推荐业务，做市业务</td></tr>
<tr><td>公司简介</td><td colspan="6">浙商证券股份有限公司（Zheshang Securities Co.，Ltd.）是中国证监会批准成立的综合性证券公司，成立于2002年5月9日，2012年9月12日整体变更为股份公司。总部位于浙江省杭州市，注册资本30亿元人民币。现有股东15家，实际控制人为浙江省交通投资集团。公司已形成“证券＋期货＋基金＋资管＋创投”的金融产业布局，全资控股浙商期货有限公司、浙商资本管理有限公司和浙江浙商证券资产管理有限公司，主发起设立浙商基金管理有限公司，为广大客户提供综合性投融资服务。
公司主要业务包括证券经纪、投资银行、资产管理、财务顾问、投资咨询、证券自营、期货IB、直接投资、融资融券等。截至2014年3月底，公司在全国范围内设有87家证券营业部，服务覆盖中国三大经济区——珠三角、长三角和黄渤海地区，在全国16个最具动力的省、区、市打下了综合性投融资服务的基石，形成全国性财富管理网络布局。近年来，公司综合实力显著提升，服务能力不断加强，赢得市场良好口碑，先后获得优秀证券中介机构、最佳设计与创新证券公司、中国最具发展潜力证券公司、中国最佳资产管理证券公司、中国最具成长性投行、中国最具成长性经纪券商等荣誉。浙商证券以“同创同享同成长”为核心企业文化，努力打造最具浙商特色的财富增值服务商，致力于撮合投融资需求，管理居民财富，积极服务于实体经济发展。</td></tr>
</table>

二、业务动态

推荐挂牌情况				
序号	股份代码	公司名称	挂牌日期	公司状态
1	430235	典雅天地	2013－07－03	挂牌
2	430342	天润康隆	2013－10－29	挂牌
3	430622	顺达智能	2014－01－24	挂牌
目前已推荐挂牌公司家数		3		
撤回材料及申请被否公司家数		0		
正在挂牌公司家数		3		
已上市公司家数		0		

已被终止挂牌公司家数		0		
推荐定向发行情况				
序号	股份代码	公司名称	发行日期	公司状态
1	430235	典雅天地	2013－9－23	发行成功
2	430235	典雅天地	2013－12－12	
推荐定向发行次数		2		
推荐定向发行成功次数		1		
推荐定向发行失败次数		0		
推荐原代办股份转让系统的两网公司及退市公司挂牌情况				
序号	股份代码	公司名称		
推荐原代办股份转让系统的两网公司及退市公司家数		0		

三、部门设置

经纪业务				
人员	姓名	固定电话	传真	Email
经纪业务联络人	时捷	0571－87901932	0571－87901945	shijie@ stocke. con. cm
经纪业务联络人	黄星	0571－87902556	0571－87901946	huangxing@ stocke. com. cn
推荐业务				
人员	姓名	固定电话	传真	Email
推荐业务联络人	刘虹	0571－87901908	0571－87903990	liuhong@ stocke. com. cn
推荐业务联络人	卢一泓	0571－87901910	0571－87902161	luyihong@ stocke. com. cn

大通证券股份有限公司

一、公司概况及简介

公司概况	公司名称	大通证券股份有限公司				
	成立日期	1991－4－4	法定代表人	李红光	总经理	李红光
	注册资本（万元）	220,000	净资产＊（万元）	340,759.53	净资本＊（万元）	245,563.05
	注册地址	辽宁省大连市沙河口区会展路129号大连国际金融中心A座－大连期货大厦38、39层			营业部家数	37
	办公地址	辽宁省大连市沙河口区会展路129号大连国际金融中心A座－大连期货大厦38、39层			邮编	116023
	公司网址	www. daton. com. cn	电子邮箱	admin@ daton. com. cn	经营证券业务许可证编号	Z11876000
	注：＊经审计的最近年度净资产和净资本					
	证监会批准的相关业务资格			证券经纪；证券投资咨询；与证券交易、证券投资活动有关的财务顾问；证券承销与保荐；证券自营；证券资产管理；为期货公司提供中间介绍业务；证券投资基金销售业务；融资融券业务；代销金融产品业务。		
	在全国股份转让系统从事的业务种类			经纪业务，推荐业务，做市业务		

公司简介	大通证券股份有限公司(以下简称"公司")是总部设在大连的唯一一家证券公司,是辽宁省内唯一一家全牌照证券公司,注册资本22亿元。 2007年8月,公司通过中国证券业协会组织的规范类证券公司评审,取得规范类证券公司资格。公司业务体系较为齐备,设有投资银行业务、经纪业务、资产管理业务、交易及衍生品业务、固定收益业务、证券金融业务、财富管理等7大业务条线。另外,公司目前设有37家分支机构,分布于大连、上海、北京、天津、广州、深圳等全国22个城市,旗下拥有大连大通创新投资有限公司、大连良运期货有限公司两家子公司。 2012年年初,公司着眼于提升盈利能力和品牌影响力,紧紧围绕"转型驱动,创新发展"行业发展主线,确定了新的战略规划和商业模式。公司发展目标是:牢牢抓住当前中国经济高速增长的黄金机遇期,按照本土化、专业化(差异化)、国际化的基本发展方向,集中资源,重点突破,致力于为客户提供优质高效的投融资服务,将公司建设成具有差异化竞争优势和经营特色的上市证券公司。公司战略定位是:致力于客户财富管理的投资银行。公司商业模式是:突出证券公司的中介本质,坚持以客户为中心,以财富管理为方向,整合资源,强化协同,实现客户、员工与公司的共同成长。

二、业务动态

推荐挂牌情况				
序号	股份代码	公司名称	挂牌日期	公司状态
1	430149	江仪股份	2012－10－12	挂牌
2	430167	四利通	2012－11－26	挂牌
3	430448	和航科技	2014－01－24	挂牌
4	430484	求实智能	2014－01－24	挂牌
5	430449	蓝泰源	2014－01－24	挂牌
6	430582	华菱西厨	2014－01－24	挂牌
7	430640	摩威环境	2014－02－21	挂牌
8	831143	焕鑫股份	2014－09－19	挂牌
9	831185	众智软件	2014－10－09	挂牌
10	831422	奥根科技	2014－12－03	挂牌
11	831464	创高安防	2014－12－10	挂牌
12	831643	仙剑文化	2015－01－12	挂牌
13	831766	三木科技	2015－01－14	挂牌
14	831772	海洋风	2015－01－16	挂牌
15	831722	阿迪克	2015－01－27	挂牌
16	831908	古麒羽绒	2015－01－28	挂牌
目前已推荐挂牌公司家数		16		
撤回材料及申请被否公司家数		0		
正在挂牌公司家数		16		
已上市公司家数		0		
已被终止挂牌公司家数		0		
推荐定向发行情况				
序号	股份代码	公司名称	发行日期	公司状态
1	430640	摩威环境	2014－1－23	发行成功
2	430484	求实智能	2014－7－21	发行成功
3	831143	焕鑫股份	2014－12－16	发行成功
4	831643	仙剑文化	2015－1－12	发行成功
5	430484	求实智能	2015－1－16	发行成功
推荐定向发行次数		5		
推荐定向发行成功次数		5		
推荐定向发行失败次数		0		

推荐原代办股份转让系统的两网公司及退市公司挂牌情况		
序号	股份代码	公司名称
推荐原代办股份转让系统的两网公司及退市公司家数		0

三、部门设置

经纪业务				
人员	姓名	固定电话	传真	Email
经纪业务联络人	车涛	0411－39673320	0411－39673214	chetao@ daton. com. cn
推荐业务				
人员	姓名	固定电话	传真	Email
推荐业务联络人	蒋永军	010－58206855	010－58205433	jiangyongjun@ daton. com. cn
推荐业务联络人	高超	010－58208733	010－58205433	gaochao@ daton. com. cn

民生证券股份有限公司

一、公司概况及简介

公司概况	公司名称	民生证券股份有限公司				
	成立日期	1997－1－9	法定代表人	余　政	总经理	苏　刚
	注册资本（万元）	217,730.63	净资产＊（万元）	323,038.88	净资本＊（万元）	232,770.06
	注册地址	北京市东城区建国门内大街28号民生金融中心A座16层－18层			营业部家数	44
	办公地址	北京市东城区建国门内大街28号民生金融中心A座16层－20层			邮编	100005
	公司网址	www. mszq. com	电子邮箱	mszq@ mszq. com	经营证券业务许可证编号	Z24641000
	注：＊经审计的最近年度净资产和净资本					
	证监会批准的相关业务资格			证券经纪；证券投资咨询；证券自营；证券承销与保荐；与证券交易、证券投资活动有关的财务顾问；证券资产管理业务；证券投资基金代销；融资融券。		
	在全国股份转让系统从事的业务种类			经纪业务，推荐业务，做市业务		
公司简介	民生证券股份有限公司（以下简称“公司”）成立于1986年，注册资本为21.77亿元，注册地为北京。公司具备中国证监会批准的证券经纪；证券投资咨询；与证券交易、证券投资活动有关的财务顾问；证券承销与保荐；证券自营；证券资产管理；证券投资基金代销；IB业务；代办系统主办券商；实施证券经纪人制度；融资融券业务；中小企业私募债券承销等各项业务资格。公司及其控股的民生期货有限公司在北京、上海、广州、深圳、郑州等地设立了63家分支机构，同时拥有两家全资子公司：民生通海投资有限公司、民生证券投资有限公司。 公司坚持“守正创新”的经营理念，积极进取，全面开拓各项业务，不断进行业务和机制创新，为各类客户提供优质、规范、高效的投融资工具和专业化、个性化的投资理财服务。公司具有完善的法人治理结构，科学构建公司法人治理组织体系。公司合规建设和内控机制不断完善，建立了前中后台相结合、相互制衡的内控架构，以及系统配套、促控有力的制度体系和较为完备的风险控制技术支持系统，确保各项业务健康发展。公司坚持以人为本，建立以绩效为导向的激励机制和以促进员工发展、人力资本增值为核心的人力资源开发体系，倡导员工与企业同成长，使公司文化、人力资本真正成为企业的核心竞争力。					

二、业务动态

推荐挂牌情况				
序号	股份代码	公司名称	挂牌日期	公司状态
1	430081	莱富特佰	2011－03－03	挂牌
2	831084	绿网天下	2014－08－21	挂牌
3	831215	新天药业	2014－10－23	挂牌

4	831234	天辰股份	2014－10－28	挂牌
5	831244	星展测控	2014－10－30	挂牌
6	831255	佳和电气	2014－10－31	挂牌
7	831251	库马克	2014－10－31	挂牌
8	831421	天富电气	2014－12－08	挂牌
9	831592	北方嘉科	2015－01－06	挂牌
10	831617	巨力重工	2015－01－08	挂牌
11	831688	山大地纬	2015－01－29	挂牌
12	831894	高捷联	2015－02－05	挂牌
13	831905	欧华达	2015－02－05	挂牌
目前已推荐挂牌公司家数		13		
撤回材料及申请被否公司家数		0		
正在挂牌公司家数		13		
已上市公司家数		0		
已被终止挂牌公司家数		0		
推荐定向发行情况				
序号	股份代码	公司名称	发行日期	公司状态
1	831421	天富电气	2014－12－8	发行失败
推荐定向发行次数		1		
推荐定向发行成功次数		0		
推荐定向发行失败次数		1		
推荐原代办股份转让系统的两网公司及退市公司挂牌情况				
序号	股份代码	公司名称		
推荐原代办股份转让系统的两网公司及退市公司家数		0		

三、部门设置

经纪业务				
人员	姓名	固定电话	传真	Email
经纪业务联络人	牛昂昂	010－85127922	010－85127809	niuangang@ mszq. com
推荐业务				
人员	姓名	固定电话	传真	Email
推荐业务联络人	苏欣	010－85127547	010－85127940	suxin@ mszq. com
推荐业务联络人	张威	010－85127732	010－85127940	zhangwei@ mszq. com

国都证券有限责任公司

一、公司概况及简介

公司概况	公司名称	国都证券有限责任公司				
	成立日期	2001－12－28	法定代表人	常　喆	总经理	常　喆
	注册资本（万元）	262,298	净资产＊（万元）	603,250.95	净资本＊（万元）	430,333.51
	注册地址	北京市东城区东直门南大街3号国华投资大厦9层、10层			营业部家数	48
	办公地址	北京市东城区东直门南大街3号国华投资大厦9层、10层			邮编	100007
	公司网址	www. guodu. com	电子邮箱	gdzq@ guodu. com	经营证券业务许可证编号	Z29874000
	注：＊经审计的最近年度净资产和净资本					

公司概况	证监会批准的相关业务资格	证券经纪;证券投资咨询;与证券交易、证券投资活动有关的财务顾问;证券承销与保荐;证券自营;证券资产管理;证券投资基金代销;为期货公司提供中间介绍业务;融资融券业务;代销金融产品业务。
	在全国股份转让系统从事的业务种类	经纪业务,推荐业务,做市业务
公司简介	国都证券有限责任公司(以下简称"国都证券"或"公司")是经中国证监会批准,于2001年12月28日在中诚信托有限责任公司和北京国际信托有限公司原有证券业务整合的基础上,吸收其他股东出资成立的综合性证券公司。公司注册地在北京。 2005年,公司经中国证券业协会评审取得创新试点证券公司资格。2013年,公司在中国证监会组织的证券公司分类评级中再次取得A类A级的评级。国都证券成立以来,始终秉承"关注客户需求,与客户共成长"的服务理念,在坚持合规经营的基础上,努力为客户提供便捷、多样化、个性化的金融服务,深得客户认可与信赖,并在业内赢得了良好的声誉。为拓展业务发展空间,公司通过设立另类子公司、香港子公司、控股期货公司、参股基金公司,整合股东、银行等金融机构的资源,搭建起一个多元化的金融服务平台。公司发展至今,已形成了门类齐全、服务模式多样化的业务体系,可针对客户的个性化需求,提供一揽子金融解决方案。在管理方面,公司构建了完善的法人治理结构、科学严密的内部控制机制和风险管理体系,形成了以人为本、和谐发展的企业文化,打造了一支独具特色、精诚团结、锐意进取的经营团队,为公司健康稳步的发展奠定了坚实的基础。	

二、业务动态

推荐挂牌情况				
序号	股份代码	公司名称	挂牌日期	公司状态
1	430108	精耕天下	2012-03-12	挂牌
2	430164	思倍驰	2012-11-06	挂牌
3	430298	淘礼网	2013-08-08	挂牌
4	430754	波智高远	2014-05-30	挂牌
5	830812	约伴传媒	2014-06-20	挂牌
6	831138	光影侠	2014-09-12	挂牌
7	831232	红旗种业	2014-10-30	挂牌
目前已推荐挂牌公司家数		7		
撤回材料及申请被否公司家数		0		
正在挂牌公司家数		7		
已上市公司家数		0		
已被终止挂牌公司家数		0		
推荐定向发行情况				
序号	股份代码	公司名称	发行日期	公司状态
推荐定向发行次数		0		
推荐定向发行成功次数		0		
推荐定向发行失败次数		0		
推荐原代办股份转让系统的两网公司及退市公司挂牌情况				
序号	股份代码	公司名称		
推荐原代办股份转让系统的两网公司及退市公司家数		0		

三、部门设置

经纪业务				
人员	姓名	固定电话	传真	Email
经纪业务联络人	刘姣	010-84183171	010-84183311	liujiao@guodu.com

经纪业务联络人	曹向华	010－84183260	010－84183311	caoxianghua@ guodu. com
推荐业务				
人员	姓名	固定电话	传真	Email
推荐业务联络人	孙伟红	010－84183318	010－84183265	sunweihong@ guodu. com
推荐业务联络人	仝颖超	010－84183185	010－84183265	tongyingchao@ guodu. com

信达证券股份有限公司

一、公司概况及简介

<table>
<tr><td rowspan="8">公司概况</td><td>公司名称</td><td colspan="5">信达证券股份有限公司</td></tr>
<tr><td>成立日期</td><td>2007－9－4</td><td>法定代表人</td><td>张志刚</td><td>总经理</td><td>于帆</td></tr>
<tr><td>注册资本（万元）</td><td>256,870.00</td><td>净资产＊（万元）</td><td>564,660.29</td><td>净资本＊（万元）</td><td>440,684.09</td></tr>
<tr><td>注册地址</td><td colspan="3">北京市西城区闹市口大街9号院1号楼</td><td>营业部家数</td><td>82</td></tr>
<tr><td>办公地址</td><td colspan="3">北京市西城区闹市口大街9号院1号楼</td><td>邮编</td><td>100031</td></tr>
<tr><td>公司网址</td><td>www. cindasc. com</td><td>电子邮箱</td><td>zjb@ cindasc. com</td><td>经营证券业务许可证编号</td><td>Z39711000</td></tr>
<tr><td colspan="6">注：＊经审计的最近年度净资产和净资本</td></tr>
<tr><td colspan="3">证监会批准的相关业务资格</td><td colspan="3">证券经纪；证券投资咨询；与证券交易、证券投资活动有关的财务顾问；证券承销与保荐；证券自营；证券资产管理；融资融券。</td></tr>
<tr><td></td><td colspan="3">在全国股份转让系统从事的业务种类</td><td colspan="3">经纪业务，推荐业务，做市业务</td></tr>
<tr><td>公司简介</td><td colspan="6">信达证券股份有限公司（以下简称“信达证券”或“公司”）是经中国证监会批准，在收购原汉唐证券、辽宁证券的证券类资产基础上，由中国信达资产管理股份有限公司、中海信托股份有限公司、中国中材集团公司作为发起人，于2007年9月设立的证券公司。公司注册地在北京市，现注册资本为25.687亿元人民币，拥有82家营业部，全资控股信达期货有限公司。信达证券在2012年证券公司分类评价获评A类券商，并且荣获同行业多项荣誉。
信达证券具有雄厚的金融集团背景。公司的主要出资人及控股股东中国信达资产管理股份有限公司是经国务院和人民银行批准，由财政部出资于1999年4月设立的国有独资非银行金融机构，注册资本金251亿人民币。在完成不良资产处置的同时，信达资产管理股份有限公司依据国家相关政策积极探索商业化转型之路，陆续搭建了证券、基金、保险、信托等金融服务平台，综合服务金融集团的框架初步形成。信达证券拥有现代企业组织架构及日趋完善的网点布局。信达证券按照现代企业制度建设的要求，建立了完善的组织架构和精简高效、权责明晰的组织管理体系，在北京、上海、深圳、广州、沈阳、成都等30个城市设立了证券服务机构，有得天独厚的优势及雄厚的资源基础。</td></tr>
</table>

二、业务动态

推荐挂牌情况				
序号	股份代码	公司名称	挂牌日期	公司状态
1	430091	东方生态	2011－06－23	挂牌
2	430169	融智通	2012－11－30	挂牌
3	430353	上海百傲	2013－11－13	挂牌
4	830936	约克股份	2014－08－12	挂牌
5	831092	乾元泽孚	2014－08－25	挂牌
6	831093	鑫航科技	2014－08－25	挂牌
7	831610	中成新星	2015－01－19	挂牌
8	831852	东研科技	2015－01－26	挂牌
目前已推荐挂牌公司家数		8		
撤回材料及申请被否公司家数		0		
正在挂牌公司家数		8		

已上市公司家数		0		
已被终止挂牌公司家数		0		
推荐定向发行情况				
序号	股份代码	公司名称	发行日期	公司状态
1	430091	东方生态	2012－2－28	发行成功
2	430091	东方生态	2012－8－28	发行成功
3	430169	融智通	2013－9－21	发行成功
4	430169	融智通	2013－11－14	发行成功
5	430169	融智通	2013－12－18	发行成功
6	430169	融智通	2014－1－23	发行成功
7	430091	东方生态	2014－6－30	发行成功
8	430353	上海百傲	2014－7－4	发行成功
9	430353	上海百傲	2014－8－6	发行成功
推荐定向发行次数		9		
推荐定向发行成功次数		9		
推荐定向发行失败次数		0		
推荐原代办股份转让系统的两网公司及退市公司挂牌情况				
序号	股份代码	公司名称		
推荐原代办股份转让系统的两网公司及退市公司家数		0		

三、部门设置

经纪业务				
人员	姓名	固定电话	传真	Email
经纪业务联络人	陈仕春	010－63081019	63080978	chenshichun@ cindasc. com
经纪业务联络人	李敏	010－63081003	63080978	limin@ cindasc. com 推荐业务
推荐业务				
人员	姓名	固定电话	传真	Email
推荐业务联络人	华海峰	010－63081139	010－63081198	huahaifeng@ cindasc. com
推荐业务联络人	刘孝俊	010－63081476	010－63081198	liuxiaojun@ cindasc. com

国盛证券有限责任公司

一、公司概况及简介

公司概况	公司名称	国盛证券有限责任公司				
	成立日期	2002－12－26	法定代表人	曾小普	总经理	曾小普
	注册资本（万元）	203,457.75	净资产*（万元）	187,669.7	净资本*（万元）	155,241.16
	注册地址	江西省南昌市北京西路88号江信国际大厦15层			营业部家数	155
	办公地址	江西省南昌市北京西路88号江信国际大厦15层			邮编	330046
	公司网址	www. gsstock. com	电子邮箱	gs_xzgl@ gszq. com	经营证券业务许可证编号	Z30936000
	注：*经审计的最近年度净资产和净资本					
	证监会批准的相关业务资格			证券经纪；证券投资咨询；与证券交易、证券投资活动有关的财务顾问；证券承销与保荐；证券自营；证券资产管理；融资融券；证券投资基金销售；代销金融产品。		
	在全国股份转让系统从事的业务种类			经纪业务，推荐业务，做市业务		

公司简介	国盛证券有限责任公司(以下简称"公司")是2002年12月经江西省人民政府和中国证监会批准设立的综合类证券公司。公司注册地为江西省南昌市。注册资本1,272,436,375.97元。 2007年2月2日,经中国证券业协会评审通过,公司成为规范发展类证券公司,2013年为BBB级。公司是中国证监会注册的保荐机构,曾首批获准参与股权分置改革试点。是全国银行间和交易所间同业折借及债券市场成员单位,中国证券业协会监事单位。公司目前拥有证券经纪、证券自营、证券主承销与保荐、证券资产管理、证券投资咨询、财务顾问、融资融券、代办系统主办券商,中小企业私募债,约定购回式证券交易、代销金融产品、开放式证券投资基金销售等多牌照业务资格。作为具有证券主承销与保荐资格的券商,近年来,公司成功保荐发行了珠海恒基达鑫、银邦股份IPO项目以及黑猫股份、联创光电等公司再融资项目;成功为洪城水业、泰豪集团、南昌城投、抚州城投等企业发行企业债及公司债。 截至目前,公司控股了江信国盛期货有限责任公司,发起设立了江信基金管理有限公司。公司设置了12个业务部门及7个综合管理部门,在北京拥有一家分公司,共有155家营业网点,分布于北京、上海、深圳、天津、杭州等国内中心城市及江西省各地市。

二、业务动态

推荐挂牌情况				
序号	股份代码	公司名称	挂牌日期	公司状态
1	430446	武汉三灵	2014－01－24	挂牌
2	430411	中电方大	2014－01－24	挂牌
3	830827	世优电气	2014－06－26	挂牌
4	830955	大盛微电	2014－08－08	挂牌
5	830953	惠当家	2014－08－08	挂牌
6	831241	博峰新业	2014－10－30	挂牌
7	831273	金视和	2014－11－03	挂牌
8	831469	金磊建材	2014－12－10	挂牌
9	831597	苍源种植	2014－12－30	挂牌
目前已推荐挂牌公司家数		9		
撤回材料及申请被否公司家数		0		
正在挂牌公司家数		9		
已上市公司家数		0		
已被终止挂牌公司家数		0		
推荐定向发行情况				
序号	股份代码	公司名称	发行日期	公司状态
推荐定向发行次数		0		
推荐定向发行成功次数		0		
推荐定向发行失败次数		0		
推荐原代办股份转让系统的两网公司及退市公司挂牌情况				
序号	股份代码	公司名称		
推荐原代办股份转让系统的两网公司及退市公司家数		0		

三、部门设置

经纪业务				
人员	姓名	固定电话	传真	Email
经纪业务联络人	温荣山	0791－86287965	0791－86288690	wrs@ gszq. com
经纪业务联络人	过海	0791－86276269	0791－86288690	guohai@ gszq. com
推荐业务				
人员	姓名	固定电话	传真	Email
推荐业务联络人	黄群	0791－86282210	0791－86282210	
推荐业务联络人	周晴	0791－86281630	0791－86282210	59222527@ qq. com

安信证券股份有限公司

一、公司概况及简介

<table>
<tr><td rowspan="10">公司概况</td><td>公司名称</td><td colspan="5">安信证券股份有限公司</td></tr>
<tr><td>成立日期</td><td>2006-8-22</td><td>法定代表人</td><td>牛冠兴</td><td>总经理</td><td>王连志</td></tr>
<tr><td>注册资本（万元）</td><td>319,999.31</td><td>净资产*（万元）</td><td>971,018.6</td><td>净资本*（万元）</td><td>616,899.84</td></tr>
<tr><td>注册地址</td><td colspan="3">广东省深圳市福田区金田路4018号安联大厦35层、28层A02</td><td>营业部家数</td><td>151</td></tr>
<tr><td>办公地址</td><td colspan="3">广东省深圳市福田区金田路4018号安联大厦35层</td><td>邮编</td><td>518026</td></tr>
<tr><td>公司网址</td><td>www.essence.com.cn</td><td>电子邮箱</td><td>axzq@essence.com.cn</td><td>经营证券业务许可证编号</td><td>Z15874000</td></tr>
<tr><td colspan="6">注：*经审计的最近年度净资产和净资本</td></tr>
<tr><td colspan="3">证监会批准的相关业务资格</td><td colspan="3">证券经纪；证券投资咨询；与证券交易、证券投资活动有关的财务顾问；证券承销与保荐；证券自营；证券资产管理；融资融券；代销金融产品；证券投资基金销售；为期货公司提供中间介绍业务；中国证监会批准的其他证券业务。</td></tr>
<tr><td colspan="3">在全国股份转让系统从事的业务种类</td><td colspan="3">经纪业务，推荐业务，做市业务</td></tr>
<tr><td>公司简介</td><td colspan="6">安信证券股份有限公司（以下简称“安信证券”）成立于2006年8月18日。目前股东为国家开发投资公司、中国证券投资者保护基金有限公司、深圳市远致投资有限公司等14家，注册资本为31.99亿元。安信证券总部设于深圳，下辖5家分公司，在25个省级行政区设有168家证券营业部，并全资拥有安信国际金融控股有限公司、安信期货有限责任公司、安信乾宏投资有限公司，控股安信基金管理有限责任公司，构建起综合金融理财服务平台。安信证券现可为广大投资者提供证券代理买卖、证券承销与保荐、证券资产管理、证券投资咨询、融资融券、基金代销、股指期货中间介绍以及与证券交易、证券投资活动有关的财务顾问等业务。</td></tr>
</table>

二、业务动态

推荐挂牌情况

序号	股份代码	公司名称	挂牌日期	公司状态
1	430101	泰诚信	2011-12-02	挂牌
2	430250	智网科技	2013-07-18	挂牌
3	430378	山本光电	2014-01-24	挂牌
4	430377	海格物流	2014-01-24	挂牌
5	430391	万特电气	2014-01-24	挂牌
6	430395	奥盖克	2014-01-24	挂牌
7	430475	陆道股份	2014-01-24	挂牌
8	430584	弘陆物流	2014-01-24	挂牌
9	430576	泰信电子	2014-01-24	挂牌
10	430420	易城股份	2014-01-24	挂牌
11	430375	星立方	2014-01-24	挂牌
12	430382	元亨光电	2014-01-24	挂牌
13	430606	金鹏源康	2014-01-24	挂牌
14	430723	金源科技	2014-04-29	挂牌
15	430737	无锡斯达	2014-04-29	挂牌
16	830775	吉华材料	2014-05-30	挂牌
17	830820	大族冠华	2014-06-27	挂牌

18	830828	万绿生物	2014－07－03	挂牌
19	830997	领意信息	2014－08－13	挂牌
20	831066	圣维科技	2014－08－19	挂牌
21	831118	兰亭科技	2014－08－19	挂牌
22	831026	熙浪股份	2014－08－20	挂牌
23	831046	雷克利达	2014－08－20	挂牌
24	831005	华维电瓷	2014－08－20	挂牌
25	831018	大族能源	2014－08－20	挂牌
26	831156	浩祯股份	2014－09－22	挂牌
27	831156	浩祯股份	2014－09－22	挂牌
28	831167	鑫汇科	2014－09－30	挂牌
29	831190	第六元素	2014－10－15	挂牌
30	831217	书网教育	2014－10－16	挂牌
31	831262	广建装饰	2014－11－04	挂牌
32	831314	深科达	2014－11－11	挂牌
33	831358	新华环保	2014－11－18	挂牌
34	831382	智创联合	2014－11－28	挂牌
35	831423	快易名商	2014－12－08	挂牌
36	831462	友泰电气	2014－12－08	挂牌
37	831404	宝丽兴源	2014－12－08	挂牌
38	831449	赛格立诺	2014－12－11	挂牌
39	831494	美居客	2014－12－11	挂牌
40	831466	软通股份	2014－12－17	挂牌
41	831536	太能电气	2014－12－17	挂牌
42	831545	达一农林	2014－12－22	挂牌
43	831562	山水园林	2014－12－22	挂牌
44	831538	筑园景观	2014－12－23	挂牌
45	831535	拓斯达	2014－12－24	挂牌
46	831605	奔速电梯	2014－12－30	挂牌
47	831578	路嘉路桥	2014－12－30	挂牌
48	831548	光大百纳	2014－12－31	挂牌
目前已推荐挂牌公司家数		48		
撤回材料及申请被否公司家数		0		
正在挂牌公司家数		48		
已上市公司家数		0		
已被终止挂牌公司家数		0		
推荐定向发行情况				
序号	股份代码	公司名称	发行日期	公司状态
1	430250	智网科技	2013－12－24	发行成功
2	430378	山本光电	2014－6－24	发行成功
3	430377	海格物流	2014－9－12	发行成功
4	831026	熙浪股份	2014－9－24	发行成功
5	430395	奥盖克	2014－11－12	发行成功
6	830828	万绿生物	2014－12－1	发行成功

7	831535	拓斯达	2014－12－2	发行成功
推荐定向发行次数		7		
推荐定向发行成功次数		7		
推荐定向发行失败次数		0		
推荐原代办股份转让系统的两网公司及退市公司挂牌情况				
序号	股份代码	公司名称		
推荐原代办股份转让系统的两网公司及退市公司家数		0		

三、部门设置

经纪业务				
人员	姓名	固定电话	传真	Email
经纪业务联络人	翁楚源	0755－82558112	0755－82558355	wengcy@ essence. com. cn
经纪业务联络人	周晶	0755－82558316	0755－82558355	zhoujing@ essence. com. cn
推荐业务				
人员	姓名	固定电话	传真	Email
推荐业务联络人	孟庆亮	010－66581780	010－66581525	mengql@ essence. com. cn
推荐业务联络人	申婷	010－66581554	010－66581525	shenting@ essence. com. cn

东兴证券股份有限公司

一、公司概况及简介

公司概况	公司名称	东兴证券股份有限公司				
	成立日期	2008－5－28	法定代表人	魏庆华	总经理	魏庆华
	注册资本（万元）	200,400	净资产＊（万元）	605,260.27	净资本＊（万元）	468,795.56
	注册地址	北京市西城区金融大街5号新盛大厦B座12、15层			营业部家数	57
	办公地址	北京市西城区金融大街5号新盛大厦B座6、12、15、16层			邮编	100033
	公司网址	http://www. dxzq. net/	电子邮箱	fanxt@ dxzq. net. cn	经营证券业务许可证编号	Z39511000
	注：＊经审计的最近年度净资产和净资本					
	证监会批准的相关业务资格			证券经纪；证券投资咨询；与证券交易、证券投资活动有关的财务顾问；证券承销与保荐；证券投资基金销售业务；证券自营和证券资产管理业务；为期货公司提供中间介绍业务、融资融券业务。		
	在全国股份转让系统从事的业务种类			经纪业务，推荐业务，做市业务		
公司简介	东兴证券股份有限公司（以下简称“东兴证券”或“公司”）是经国务院和中国证监会批准，由中国东方资产管理公司、中国铝业股份有限公司和上海大盛资产有限公司发起设立的全国性综合类证券公司，注册地为北京市，注册资本20.04亿元。作为股份制证券公司，东兴证券股东实力雄厚。大股东中国东方资产管理公司是经国务院批准成立的国有大型金融企业，注册资本100亿元人民币，在全国各地均设有分支机构；股东中国铝业股份有限公司是国有大型上市公司；股东上海大盛资产有限公司是上海市政府下属的国有独资综合性投资控股公司。公司拥有证券营业部57家，营业网点遍布在北京、上海、天津、深圳、福州、武汉、杭州、成都、南京、南昌、南宁等中心城市。公司经营范围涵盖证券经纪业务，证券投资咨询，证券承销与保荐，证券自营，证券资产管理，证券投资基金代销以及中国证监会批准的其他业务等。					

二、业务动态

推荐挂牌情况

序号	股份代码	公司名称	挂牌日期	公司状态
1	430166	一正启源	2012-11-27	挂牌
2	430267	盛世光明	2013-07-18	挂牌
3	430333	普康迪	2013-10-23	挂牌
4	430664	联合永道	2014-03-07	挂牌
5	830781	精鹰传媒	2014-06-04	挂牌
6	830769	华财会计	2014-06-04	挂牌
7	830916	公准食品	2014-08-07	挂牌
8	831113	杰盛通信	2014-08-18	挂牌
9	831027	兴致科技	2014-08-22	挂牌
10	831197	雅洁源	2014-10-15	挂牌
11	831335	时空客	2014-11-13	挂牌
12	831477	菲达阀门	2014-12-12	挂牌
13	831512	环创科技	2014-12-16	挂牌
14	831484	久盛建材	2014-12-16	挂牌
15	831501	远方动力	2014-12-22	挂牌
目前已推荐挂牌公司家数		15		
撤回材料及申请被否公司家数		0		
正在挂牌公司家数		15		
已上市公司家数		0		
已被终止挂牌公司家数		0		
推荐定向发行情况				
序号	股份代码	公司名称	发行日期	公司状态
1	430664	联合永道	2014-8-14	发行成功
2	831027	兴致科技	2014-11-19	发行成功
3	830781	精鹰传媒	2014-12-17	发行成功
推荐定向发行次数		3		
推荐定向发行成功次数		3		
推荐定向发行失败次数		0		
推荐原代办股份转让系统的两网公司及退市公司挂牌情况				
序号	股份代码	公司名称		
推荐原代办股份转让系统的两网公司及退市公司家数		0		

三、部门设置

经纪业务				
人员	姓名	固定电话	传真	Email
经纪业务联络人	徐美蓉	010-66555233	010-66555246	xumr@dxzq.net.cn
经纪业务联络人	宋群逸	010-66555826	010-66555246	songqy@dxzq.net.cn
推荐业务				
人员	姓名	固定电话	传真	Email
推荐业务联络人	樊潇婷	010-66555648	010-66555103	fanxt@dxzq.net.cn
推荐业务联络人	陈平	010-66555749	010-66555103	chen-ping@dxzq.net.cn

万联证券有限责任公司

一、公司概况及简介

<table>
<tr><td rowspan="9">公司概况</td><td>公司名称</td><td colspan="5">万联证券有限责任公司</td></tr>
<tr><td>成立日期</td><td>2001-8-23</td><td>法定代表人</td><td>张建军</td><td>总经理</td><td>张建军</td></tr>
<tr><td>注册资本（万元）</td><td>200,000</td><td>净资产*（万元）</td><td>277,061</td><td>净资本*（万元）</td><td>178,700</td></tr>
<tr><td>注册地址</td><td colspan="3">广东省广州市天河区珠江东路11号18、19全层</td><td>营业部家数</td><td>43</td></tr>
<tr><td>办公地址</td><td colspan="3">广东省广州市天河区珠江东路11号18、19全层</td><td>邮编</td><td>510623</td></tr>
<tr><td>公司网址</td><td>www.wlzq.com.cn</td><td>电子邮箱</td><td>Wl-office@wlzq.com.cn</td><td>经营证券业务许可证编号</td><td>Z18944000</td></tr>
<tr><td colspan="6">注：*经审计的最近年度净资产和净资本</td></tr>
<tr><td colspan="3">证监会批准的相关业务资格</td><td colspan="3">证券经纪；证券投资咨询；与证券交易、证券投资活动有关的财务顾问；证券承销与保荐；证券自营；证券资产管理；融资融券；证券投资基金代销；为期货公司提供中间介绍业务；代销金融产品。</td></tr>
<tr><td colspan="3">在全国股份转让系统从事的业务种类</td><td colspan="3">经纪业务，推荐业务，做市业务</td></tr>
<tr><td>公司简介</td><td colspan="6">万联证券有限责任公司（以下简称为“公司”）于2001年8月23日经中国证监会证监机构字[2001]148号文批准设立，是由实力雄厚的国有资产经营公司和投资公司出资组建的全资国有企业，是广东省首家规范类证券公司。
公司经营范围包括：证券经纪；证券投资咨询；与证券交易、证券投资活动有关的财务顾问；证券承销与保荐；证券自营；证券资产管理；证券投资基金代销；为期货公司提供中间介绍业务；融资融券；代销金融产品（有效期至2016年2月21日）。公司总部设在广州市，在广州、北京、上海、湖南、湖北、四川、浙江等省（市）设立了35家营业网点，形成了以华南为中心、辐射全国的营业网点布局。
自成立以来，公司秉承“诚信、务实、创新、高效”的经营理念，以人为本，稳健进取，深入研究客户需求，致力于将客户利益放在第一位，以高超的专业技能和至诚的服务精神赢得客户信任；深入推进业务的开拓创新，在产品设计、项目运作上追求高质量、低风险；奉行以严格的风险控制为前提、以合理的投资收益为目标的稳健投资策略，建立科学、严谨、高效的业务流程和风险管控体系，追求稳步增长的经营效益。公司坚持合规、守法经营，构建稳健的业务组合，促使自己长期健康、稳定持续地发展。现已逐步发展成为运作规范、资产优质、抗风险能力强的全国性综合类证券公司。</td></tr>
</table>

二、业务动态

<table>
<tr><td colspan="5">推荐挂牌情况</td></tr>
<tr><td>序号</td><td>股份代码</td><td>公司名称</td><td>挂牌日期</td><td>公司状态</td></tr>
<tr><td>1</td><td>430514</td><td>速升装备</td><td>2014-01-24</td><td>挂牌</td></tr>
<tr><td>2</td><td>430403</td><td>英思科技</td><td>2014-01-24</td><td>挂牌</td></tr>
<tr><td>3</td><td>430665</td><td>高衡力</td><td>2014-03-13</td><td>挂牌</td></tr>
<tr><td>4</td><td>430749</td><td>金化高容</td><td>2014-05-06</td><td>挂牌</td></tr>
<tr><td>5</td><td>831031</td><td>诚盟装备</td><td>2014-08-21</td><td>挂牌</td></tr>
<tr><td>6</td><td>831004</td><td>宝泰股份</td><td>2014-08-22</td><td>挂牌</td></tr>
<tr><td>7</td><td>831062</td><td>远古信息</td><td>2014-08-29</td><td>挂牌</td></tr>
<tr><td>8</td><td>831154</td><td>益方田园</td><td>2014-09-19</td><td>挂牌</td></tr>
<tr><td colspan="2">目前已推荐挂牌公司家数</td><td colspan="3">8</td></tr>
<tr><td colspan="2">撤回材料及申请被否公司家数</td><td colspan="3">0</td></tr>
<tr><td colspan="2">正在挂牌公司家数</td><td colspan="3">8</td></tr>
<tr><td colspan="2">已上市公司家数</td><td colspan="3">0</td></tr>
<tr><td colspan="2">已被终止挂牌公司家数</td><td colspan="3">0</td></tr>
<tr><td colspan="5">推荐定向发行情况</td></tr>
</table>

序号	股份代码	公司名称	发行日期	公司状态
1	430749	金化高容	2014-5-5	发行成功
推荐定向发行次数		1		
推荐定向发行成功次数		1		
推荐定向发行失败次数		0		
推荐原代办股份转让系统的两网公司及退市公司挂牌情况				
序号	股份代码	公司名称		
推荐原代办股份转让系统的两网公司及退市公司家数		0		

三、部门设置

经纪业务				
人员	姓名	固定电话	传真	Email
经纪业务联络人	仇穗群	020-38286639	020-22373718	qiusq@ wlzq. com. cn
经纪业务联络人	冯国文	020-38286800	020-22373718	fenggw@ wlzq. com. cn
推荐业务				
人员	姓名	固定电话	传真	Email
推荐业务联络人	谭咏	020-38286926	020-38286922	tanyong@ wlzq. com. cn
推荐业务联络人	韩萍	021-60883460	021-60883470	hanping@ wlzq. com. cn

国联证券股份有限公司

一、公司概况及简介

公司概况	公司名称	国联证券股份有限公司				
	成立日期	1992-11-19	法定代表人	姚志勇	总经理	雷建辉
	注册资本（万元）	150,000	净资产*（万元）	290,868.5	净资本*（万元）	213,028.3
	注册地址	江苏省无锡市金融一街8号			营业部家数	38
	办公地址	江苏省无锡市太湖新城金融一街8号国联金融大厦7-9层			邮编	214000
	公司网址	www. glsc. com. cn	电子邮箱	service@ glsc. com. cn	经营证券业务许可证编号	Z23332000
	注：*经审计的2012年度净资产和净资本					
	证监会批准的相关业务资格			证券经纪；证券投资咨询；与证券交易、证券投资活动有关的财务顾问；证券自营；证券资产管理；证券投资基金代销；融资融券业务；为期货公司提供中间介绍业务。		
	在全国股份转让系统从事的业务种类			经纪业务、推荐业务		
公司简介	国联证券股份有限公司创立于1992年9月，前身为无锡市证券公司，2008年5月通过改制更名为国联证券股份有限公司，注册资本15亿元人民币。作为一家国有控股的现代金融服务企业，公司多年来秉承“诚信、稳健、开放、创新”的经营理念，现控股国联期货有限责任公司和华英证券有限责任公司、参股中海基金管理有限公司，设立国联通宝资本投资有限责任公司，证券金融控股集团构架初具。 作为综合类、创新类券商，国联证券现已形成包括经纪业务、资产管理、证券投资、融资融券业务、代办股份转让和股份报价等在内较为完善的业务体系。在江苏、上海、北京、浙江、广东、广西、重庆、山东、江西和湖南等省（市）重要区域拥有证券营业部38家。在行业内较早推出全国呼叫中心95570，净资本收益率和成本管理能力等指标位表现突出。					

二、业务动态

推荐挂牌情况

序号	股份代码	公司名称	挂牌日期	公司状态
1	430292	威控科技	2013－08－02	挂牌
2	430710	激光装备	2014－04－24	挂牌
3	430758	四联智能	2014－05－30	挂牌
4	831101	北京奥维	2014－08－18	挂牌
5	831007	汉咏股份	2014－08－19	挂牌
6	831345	海特股份	2014－11－13	挂牌
7	831602	昊华传动	2015－01－05	挂牌
8	831784	贝尔机械	2015－01－05	挂牌
目前已推荐挂牌公司家数		8		
撤回材料及申请被否公司家数		0		
正在挂牌公司家数		8		
已上市公司家数		0		
已被终止挂牌公司家数		0		
推荐定向发行情况				
序号	股份代码	公司名称	发行日期	公司状态
推荐定向发行次数		0		
推荐定向发行成功次数		0		
推荐定向发行失败次数		0		
推荐原代办股份转让系统的两网公司及退市公司挂牌情况				
序号	股份代码	公司名称		
推荐原代办股份转让系统的两网公司及退市公司家数		0		

三、部门设置

经纪业务				
人员	姓名	固定电话	传真	Email
经纪业务联络人	强糸璧	82831589	82830156	qiangxb@ glsc. com. cn
经纪业务联络人	沈薇薇	82832010	82830156	shenww@ glsc. com. cn
推荐业务				
人员	姓名	固定电话	传真	Email
推荐业务联络人	舒婷婷	82790313	82733627	sttshutingting@ hotmail. com
推荐业务联络人	张亮	82790313	82733627	7798334@ qq. com

兴业证券股份有限公司

一、公司概况及简介

公司概况	公司名称	兴业证券股份有限公司				
	成立日期	2000－5－19	法定代表人	兰　荣	总裁	刘志辉
	注册资本（万元）	520,000	净资产＊（万元）	1,344,906	净资本＊（万元）	874,000
	注册地址	福建省福州市湖东路268号			营业部家数	67
	办公地址	福建省福州市湖东路268号			邮编	350003
	公司网址	www. xyzq. com. cn	电子邮箱	xyzqdmc@ xyzq. com. cn	经营证券业务许可证编号	Z24035000

<table>
<tr><td rowspan="3">公司概况</td><td colspan="2">注：* 经审计的最近年度净资产和净资本</td></tr>
<tr><td>证监会批准的相关业务资格</td><td>证券经纪;证券投资咨询;与证券交易、证券投资活动有关的财务顾问;证券承销与保荐;证券自营;证券资产管理;融资融券;证券投资基金代销;为期货公司提供中间介绍业务;代销金融产品。</td></tr>
<tr><td>在全国股份转让系统从事的业务种类</td><td>经纪业务,推荐业务,做市业务</td></tr>
<tr><td>公司简介</td><td colspan="2">兴业证券股份有限公司(以下简称“公司”)是中国证监会核准的全国创新类证券公司和A类AA级1证券公司,注册地设在福建省福州市,注册资本52亿元,2010年10月公司在上海证券交易所上市。目前公司设有21个总部部门、13家分公司、63家证券营业部、控股4家控股证券金融类子公司,形成了涵盖证券、基金、期货、直接投资和跨境业务等专业领域的证券金融控股集团,经营范围涵盖证券经纪;证券投资咨询;与证券交易、证券投资活动有关的财务顾问;证券承销与保荐;证券自营;证券资产管理;融资融券;证券投资基金代销;为期货公司提供中间介绍业务;代销金融产品等。
注:文中所有关于分类评级的表述仅限用于业界交流,非用于广告、宣传、营销等商业目的。</td></tr>
</table>

二、业务动态

<table>
<tr><td colspan="5">推荐挂牌情况</td></tr>
<tr><td>序号</td><td>股份代码</td><td>公司名称</td><td>挂牌日期</td><td>公司状态</td></tr>
<tr><td>1</td><td>430121</td><td>英福美</td><td>2012-05-16</td><td>挂牌</td></tr>
<tr><td>2</td><td>430128</td><td>广厦网络</td><td>2012-07-05</td><td>挂牌</td></tr>
<tr><td>3</td><td>430165</td><td>光宝联合</td><td>2012-11-13</td><td>挂牌</td></tr>
<tr><td>4</td><td>430302</td><td>保华石化</td><td>2013-08-15</td><td>挂牌</td></tr>
<tr><td>5</td><td>430307</td><td>扬讯科技</td><td>2013-08-20</td><td>挂牌</td></tr>
<tr><td>6</td><td>430544</td><td>闽保股份</td><td>2014-01-24</td><td>挂牌</td></tr>
<tr><td>7</td><td>430712</td><td>索天科技</td><td>2014-04-24</td><td>挂牌</td></tr>
<tr><td>8</td><td>830797</td><td>易之景和</td><td>2014-06-18</td><td>挂牌</td></tr>
<tr><td>9</td><td>830824</td><td>华虹科技</td><td>2014-06-24</td><td>挂牌</td></tr>
<tr><td>10</td><td>830802</td><td>金象传动</td><td>2014-07-09</td><td>挂牌</td></tr>
<tr><td>11</td><td>830888</td><td>世纪工场</td><td>2014-07-30</td><td>挂牌</td></tr>
<tr><td>12</td><td>830890</td><td>海魄科技</td><td>2014-07-31</td><td>挂牌</td></tr>
<tr><td>13</td><td>830935</td><td>伊帕尔汗</td><td>2014-08-05</td><td>挂牌</td></tr>
<tr><td>14</td><td>831065</td><td>鑫干线</td><td>2014-08-29</td><td>挂牌</td></tr>
<tr><td>15</td><td>831224</td><td>沈氏节能</td><td>2014-10-23</td><td>挂牌</td></tr>
<tr><td>16</td><td>831254</td><td>平方科技</td><td>2014-10-31</td><td>挂牌</td></tr>
<tr><td>17</td><td>831308</td><td>华博教育</td><td>2014-11-12</td><td>挂牌</td></tr>
<tr><td>18</td><td>831407</td><td>万泰中联</td><td>2014-12-03</td><td>挂牌</td></tr>
<tr><td>19</td><td>831412</td><td>天际航</td><td>2014-12-04</td><td>挂牌</td></tr>
<tr><td>20</td><td>831454</td><td>皇品文化</td><td>2014-12-08</td><td>挂牌</td></tr>
<tr><td>21</td><td>831425</td><td>致善生物</td><td>2014-12-09</td><td>挂牌</td></tr>
<tr><td colspan="2">目前已推荐挂牌公司家数</td><td colspan="3">21</td></tr>
<tr><td colspan="2">撤回材料及申请被否公司家数</td><td colspan="3">0</td></tr>
<tr><td colspan="2">正在挂牌公司家数</td><td colspan="3">21</td></tr>
<tr><td colspan="2">已上市公司家数</td><td colspan="3">0</td></tr>
<tr><td colspan="2">已被终止挂牌公司家数</td><td colspan="3">0</td></tr>
<tr><td colspan="5">推荐定向发行情况</td></tr>
<tr><td>序号</td><td>股份代码</td><td>公司名称</td><td>发行日期</td><td>公司状态</td></tr>
<tr><td>1</td><td>830797</td><td>易之景和</td><td></td><td>发行成功</td></tr>
<tr><td>2</td><td>430307</td><td>扬讯科技</td><td></td><td>发行成功</td></tr>
</table>

3	430121	英福美		发行成功
推荐定向发行次数		3		
推荐定向发行成功次数		3		
推荐定向发行失败次数		0		
推荐原代办股份转让系统的两网公司及退市公司挂牌情况				
序号	股份代码	公司名称		
1	400019	福建九州集团股份有限公司		
2	400041	陕西煤航数码测绘(集团)股份有限公司		
推荐原代办股份转让系统的两网公司及退市公司家数		2		

三、部门设置

经纪业务				
人员	姓名	固定电话	传真	Email
经纪业务联络人	吴传蓉	021－38565478	021－38565478	wucr@ xyzq. com. cn
经纪业务联络人	王小东	0591－38281973	0591－38507575	wangxiaodong@ xyzq. com. cn
推荐业务				
人员	姓名	固定电话	传真	Email
推荐业务联络人	林威	0591－38281729	0591－38507766	linwth@ xyzq. com. cn
推荐业务联络人	方晓明	0591－38281956	0591－38507766	fangxm@ xyzq. com. cn

方正证券股份有限公司

一、公司概况及简介

公司概况	公司名称	方正证券股份有限公司				
	成立日期	1994－10－26	法定代表人	雷　杰	总经理	何其聪
	注册资本（万元）	610,000	净资产＊（万元）	1,524,269,215,941	净资本＊（万元）	8,904,385,489.32
	注册地址	湖南省长沙市天心区芙蓉中路二段200号华侨国际大厦22－24层			营业部家数	149
	办公地址	湖南省长沙市天心区芙蓉中路二段200号华侨国际大厦22－24层			邮编	410015
	公司网址	www. foundersc. com	电子邮箱	pub@ foundersc. com	经营证券业务许可证编号	Z23543000
	注：＊经审计的最近年度净资产和净资本					
	证监会批准的相关业务资格			证券经纪;证券自营;证券投资咨询;与证券交易、证券投资活动有关的财务顾问;证券资产管理;为期货公司提供中介服务。		
	在全国股份转让系统从事的业务种类			经纪业务,推荐业务,做市业务		
公司简介	公司系由方正证券有限责任公司整体变更设立,方正证券有限责任公司前身为浙江省证券公司。1988年6月6日,浙江省证券公司成立,注册资金为1,000万元,注册地为浙江省杭州市。1992年4月,经中国人民银行浙江省分行和浙江省工商局核准,浙江省证券公司注册资本由1,000万元增加至5,100万元。1994年10月26日,浙江省证券公司按有限责任公司形式进行改造,名称变更为“浙江证券有限责任公司”,注册资本增加至4.5亿元。2002年8月29日,北大方正集团有限公司受让浙江证券有限责任公司全体股东所持51%的股权,依法办理了有关工商变更登记手续。2003年8月13日,经中国证监会同意,浙江证券有限责任公司名称变更为“方正证券有限责任公司”,并完成了工商变更登记手续。2008年3月,经中国证监会批准,公司住所迁至“湖南省长沙市芙蓉中路二段华侨国际大厦22－24层”。2008年7月,经中国证监会批准,方正证券有限责任公司吸收合并了泰阳证券有限责任公司,合并后的注册资本为1,653,879,170.34元。 2010年9月,经中国证监会批准,方正证券有限责任公司整体变更为方正证券股份有限公司,变更后的注册资本为46亿元。2011年8月,经中国证监会批准,公司首次公开发行人民币普通股(A股)15亿股,共募集资金净额5,648,175,312.34元,并于2011年8月10日在上海证券交易所上市。2012年2月14日,公司在湖南省工商行政管理局办理了注册资本工商变更登记手续,注册资本增加至61亿元。					

二、业务动态

推荐挂牌情况				
序号	股份代码	公司名称	挂牌日期	公司状态
1	430153	中金网信	2012－10－18	挂牌
2	430231	赛诺达	2013－07－03	挂牌
3	430264	中舟环保	2013－07－19	挂牌
4	430310	博易股份	2013－08－30	挂牌
5	430392	斯派克	2014－01－24	挂牌
6	430572	奥普节能	2014－01－24	挂牌
7	430413	沄辉科技	2014－01－24	挂牌
8	430423	宁变科技	2014－01－24	挂牌
9	430400	日望电子	2014－01－24	挂牌
10	430690	酷买网	2014－04－10	挂牌
11	430675	天跃科技	2014－04－15	挂牌
12	430699	海欣医药	2014－05－05	挂牌
13	830766	博锐尚格	2014－05－30	挂牌
14	830816	卡特股份	2014－06－24	挂牌
15	830823	拓天节能	2014－07－01	挂牌
16	830877	康莱宝	2014－07－21	挂牌
17	830903	复展科技	2014－07－28	挂牌
18	830905	成聪软件	2014－07－28	挂牌
19	830893	亚泽股份	2014－07－28	挂牌
20	830927	兆久成	2014－08－08	挂牌
21	830921	海阳保安	2014－08－11	挂牌
22	830972	道一信息	2014－08－12	挂牌
23	830959	爱珂照明	2014－08－13	挂牌
24	830974	凯大催化	2014－08－13	挂牌
25	831054	巴陵节能	2014－08－15	挂牌
26	831172	华尔达	2014－09－30	挂牌
目前已推荐挂牌公司家数		26		
撤回材料及申请被否公司家数		0		
正在挂牌公司家数		26		
已上市公司家数		0		
已被终止挂牌公司家数		0		
推荐定向发行情况				
序号	股份代码	公司名称	发行日期	公司状态
1	430310	博易股份	2013－8－30	发行成功
2	430231	赛诺达	2013－11－5	发行成功
3	430231	赛诺达	2013－11－27	发行成功
4	430310	博易股份	2014－7－31	发行成功
推荐定向发行次数		4		
推荐定向发行成功次数		4		
推荐定向发行失败次数		0		
推荐原代办股份转让系统的两网公司及退市公司挂牌情况				
序号	股份代码	公司名称		

推荐原代办股份转让系统的两网公司及退市公司家数	0

三、部门设置

经纪业务				
人员	姓名	固定电话	传真	Email
经纪业务联络人	陆帆	0731－85832337	0731－85832337	lufan@ foundersc. com
推荐业务				
人员	姓名	固定电话	传真	Email
推荐业务联络人	易勇	0731－85832210	0731－85832241	yiyong@ foundersc. com
推荐业务联络人	严苹	0731－85832462	0731－85832241	yanping@ foundersc. com

财富证券有限责任公司

一、公司概况及简介

<table>
<tr><td rowspan="9">公司概况</td><td>公司名称</td><td colspan="5">财富证券有限责任公司</td></tr>
<tr><td>成立日期</td><td>2002－8－23</td><td>法定代表人</td><td>蔡一兵</td><td>总经理</td><td>蔡一兵</td></tr>
<tr><td>注册资本
（万元）</td><td>213,573</td><td>净资产＊
（万元）</td><td>282,863</td><td>净资本＊
（万元）</td><td>224,830</td></tr>
<tr><td>注册地址</td><td colspan="3">湖南省长沙市芙蓉中路二段80号顺天国际财富中心26楼</td><td>营业部家数</td><td>35</td></tr>
<tr><td>办公地址</td><td colspan="3">湖南省长沙市芙蓉中路二段80号顺天国际财富中心26楼</td><td>邮编</td><td>410005</td></tr>
<tr><td>公司网址</td><td>http://www. cfzq. com</td><td>电子邮箱</td><td>cfzq@ cfzq. com</td><td>经营证券业务
许可证编号</td><td>Z30843000</td></tr>
<tr><td colspan="6">注：＊经审计的最近年度净资产和净资本</td></tr>
<tr><td colspan="3">证监会批准的相关业务资格</td><td colspan="3">证券投资咨询业务；证券经纪；与证券交易、证券投资活动有关的财务顾问；证券承销；证券自营；证券资产管理；证券投资基金代销；融资融券业务；代销金融产品。</td></tr>
<tr><td colspan="3">在全国股份转让系统从事的业务种类</td><td colspan="3">经纪业务，推荐业务，做市业务</td></tr>
<tr><td>公司简介</td><td colspan="6">财富证券有限责任公司（以下简称“财富证券”或“公司”）是湖南省内注册的法人证券公司，注册资本21.36亿元，总部位于湖南省长沙市芙蓉中路二段80号顺天国际财富中心26层，在深圳设有分公司，在北京设有办事处，公司控股德盛期货公司和深圳惠和投资有限公司，形成综合性的证券业务平台，全方位满足企业与投资者的金融服务需求。公司现有35家证券营业部，其中湖南省内29家，分布在省内各地级市及部分经济发达的县级市；湖南省外6家，分布在北京、深圳、天津和温州，服务客户数量40多万户，管理着400多亿元的客户资产，市场占有率稳步提升。
公司拥有一支年轻化、专业化、综合素质高的员工团队，公司现有员工1,145人，其中高级管理人员10人，且拥有包括投资分析师、投资顾问和海外留学人员等在内的各种高端人才。公司业务范围包括：证券投资咨询；证券经纪；与证券交易、证券投资活动有关的财务顾问；证券承销；证券自营；证券资产管理；证券投资基金代销；融资融券业务；代销金融产品。公司致力于打造全国一流证券公司，始终秉承“忠诚、担当、求是、图强”的经营理念，在省委省政府、证券监管部门和各有关方面的大力指导和支持下，快速发展壮大，架构体系逐步健全，制度体系逐步完善，业务范围不断拓宽，形成了包括经纪业务、投资银行、证券投资、固定收益、资产管理、融资融券、场外业务、期货业务等在内的多元化、系统化业务发展格局。截至2014年6月末，公司总资产规模达113.45亿元、净资产29.03亿元，净资本23.49亿元。资本实力和抗风险能力极大增强，行业排名不断上升，核心竞争力持续增强。</td></tr>
</table>

二、业务动态

推荐挂牌情况				
序号	股份代码	公司名称	挂牌日期	公司状态
1	430211	丰电科技	2013－01－30	挂牌
2	430592	凯德自控	2014－01－24	挂牌

3	430447	广信科技	2014－01－24	挂牌
4	430630	合胜科技	2014－01－24	挂牌
5	830872	长信畅中	2014－07－23	挂牌
6	830937	信达电梯	2014－08－04	挂牌
7	830872	翔维科技	2014－08－21	挂牌
8	831943	西格码	2015－02－17	挂牌
目前已推荐挂牌公司家数		8		
撤回材料及申请被否公司家数		0		
正在挂牌公司家数		8		
已上市公司家数		0		
已被终止挂牌公司家数		0		
推荐定向发行情况				
序号	股份代码	公司名称	发行日期	公司状态
1	430592	凯德自控	2014－1－24	发行成功
2	430592	凯德自控	2014－10－16	发行成功
3	830937	信达电梯	2015－1－21	发行成功
推荐定向发行次数		3		
推荐定向发行成功次数		3		
推荐定向发行失败次数		0		
推荐原代办股份转让系统的两网公司及退市公司挂牌情况				
序号	股份代码	公司名称		
推荐原代办股份转让系统的两网公司及退市公司家数		0		

三、部门设置

经纪业务				
人员	姓名	固定电话	传真	Email
经纪业务联络人	刘明辉	0731－84403427	0731－84403439	liumh@ cfzq. com
经纪业务联络人	贺红	0731－84403497	0731－84403439	hehong@ cfzq. com
推荐业务				
人员	姓名	固定电话	传真	Email
推荐业务联络人	向丽	0731－84403312	0731－84779508	xiangli@ cfzq. com
推荐业务联络人	黄志程	0731－84403447	0731－84779508	huangzc1@ cfzq. com

东莞证券股份有限公司

一、公司概况及简介

公司概况	公司名称	东莞证券股份有限公司				
	成立日期	1988－6－11	法定代表人	张运勇	总经理	陈照星
	注册资本（万元）	150,000	净资产＊（万元）	254,301.85	净资本＊（万元）	193,078.71
	注册地址	广东省东莞市莞城区可园南路一号			营业部家数	54
	办公地址	广东省东莞市莞城区可园南路一号金源中心30楼			邮编	523000
	公司网址	www. dgzq. com. cn	电子邮箱	dgzq@ sina. cn	经营证券业务许可证编号	Z26144000

<table>
<tr><td rowspan="3">公司概况</td><td colspan="2">注：* 经审计的最近年度净资产和净资本</td></tr>
<tr><td>证监会批准的相关业务资格</td><td>证券经纪；证券投资咨询；与证券交易、证券投资活动有关的财务顾问；证券承销与保荐；证券自营；证券资产管理；证券投资基金代销；为期货公司提供中间介绍业务；融资融券；代销金融产品；中国证监会批准的其他业务。</td></tr>
<tr><td>在全国股份转让系统从事的业务种类</td><td>经纪业务，推荐业务，做市业务</td></tr>
<tr><td>公司简介</td><td colspan="2">东莞证券股份有限公司（以下简称“公司”）成立于1988年6月，注册资本15亿元，是国有控股的全国性综合类证券公司，也是全国首批承销保荐机构之一。公司业务范围涵盖了经纪、投资咨询、财务顾问、承销与保荐、证券自营、资产管理、基金代销、期货IB、直接投资、融资融券等领域。截至2013年底，公司有分支机构57家（其中营业网点54家，上海分公司1家，深圳分公司1家，北京办事处1家），营业网点遍布珠三角、长三角及环渤海经济圈，“立足东莞、面向华南、走向全国”的格局基本形成。公司全资拥有东证锦信投资管理有限公司，并参股华联期货有限公司。公司紧跟国家政策和行业发展动态，不断丰富公司业务品种，大力优化收入来源结构。当前，公司以经纪、资管、投行三大业务为核心，积极发展两融、直投、债融、新三板和投资咨询等业务，实现了从收入来源单一型券商向收入来源多元化型券商的转型。企业文化：开放、包容、分享；经营理念：规范、诚信、专业、创新；核心价值观：智慧创造财富、专业成就价值。</td></tr>
</table>

二、业务动态

<table>
<tr><td colspan="5">推荐挂牌情况</td></tr>
<tr><td>序号</td><td>股份代码</td><td>公司名称</td><td>挂牌日期</td><td>公司状态</td></tr>
<tr><td>1</td><td>430571</td><td>科硕科技</td><td>2014-01-24</td><td>挂牌</td></tr>
<tr><td>2</td><td>430419</td><td>三凯股份</td><td>2014-01-24</td><td>挂牌</td></tr>
<tr><td>3</td><td>430406</td><td>奥美格</td><td>2014-01-24</td><td>挂牌</td></tr>
<tr><td>4</td><td>430394</td><td>伯朗特</td><td>2014-01-24</td><td>挂牌</td></tr>
<tr><td>5</td><td>430632</td><td>希奥股份</td><td>2014-02-14</td><td>挂牌</td></tr>
<tr><td>6</td><td>830804</td><td>日新传导</td><td>2014-06-12</td><td>已被终止挂牌</td></tr>
<tr><td>7</td><td>830830</td><td>新昶虹</td><td>2014-07-07</td><td>挂牌</td></tr>
<tr><td>8</td><td>830969</td><td>智通人才</td><td>2014-08-13</td><td>挂牌</td></tr>
<tr><td>9</td><td>831060</td><td>天香苑</td><td>2014-08-29</td><td>挂牌</td></tr>
<tr><td>10</td><td>831250</td><td>维涅斯</td><td>2014-10-29</td><td>挂牌</td></tr>
<tr><td>11</td><td>831329</td><td>海源达</td><td>2014-11-12</td><td>挂牌</td></tr>
<tr><td>12</td><td>831386</td><td>风华环保</td><td>2014-12-02</td><td>挂牌</td></tr>
<tr><td>13</td><td>831455</td><td>粤林股份</td><td>2014-12-12</td><td>挂牌</td></tr>
<tr><td>14</td><td>831647</td><td>联瑞新材</td><td>2015-01-15</td><td>挂牌</td></tr>
<tr><td>15</td><td>831603</td><td>金润和</td><td>2015-01-16</td><td>挂牌</td></tr>
<tr><td>16</td><td>831627</td><td>力王股份</td><td>2015-01-16</td><td>挂牌</td></tr>
<tr><td>17</td><td>831667</td><td>永晟科技</td><td>2015-01-16</td><td>挂牌</td></tr>
<tr><td>18</td><td>831881</td><td>鑫聚光电</td><td>2015-01-29</td><td>挂牌</td></tr>
<tr><td>19</td><td>831816</td><td>兴锐科技</td><td>2015-01-29</td><td>挂牌</td></tr>
<tr><td colspan="2">目前已推荐挂牌公司家数</td><td colspan="3">19</td></tr>
<tr><td colspan="2">撤回材料及申请被否公司家数</td><td colspan="3">0</td></tr>
<tr><td colspan="2">正在挂牌公司家数</td><td colspan="3">18</td></tr>
<tr><td colspan="2">已上市公司家数</td><td colspan="3">0</td></tr>
<tr><td colspan="2">已被终止挂牌公司家数</td><td colspan="3">1</td></tr>
<tr><td colspan="5">推荐定向发行情况</td></tr>
<tr><td>序号</td><td>股份代码</td><td>公司名称</td><td>发行日期</td><td>公司状态</td></tr>
<tr><td>1</td><td>430632</td><td>希奥股份</td><td>2014-2-14</td><td>发行成功</td></tr>
<tr><td>2</td><td>430394</td><td>伯朗特</td><td>2014-6-25</td><td>发行成功</td></tr>
<tr><td>3</td><td>830830</td><td>新昶虹</td><td>2014-10-10</td><td>发行成功</td></tr>
</table>

推荐定向发行次数		3
推荐定向发行成功次数		3
推荐定向发行失败次数		0
推荐原代办股份转让系统的两网公司及退市公司挂牌情况		
序号	股份代码	公司名称
推荐原代办股份转让系统的两网公司及退市公司家数		0

三、部门设置

经纪业务				
人员	姓名	固定电话	传真	Email
经纪业务联络人	何柱枢	0769－22119351	0769－22119426	hzs@ dgzq. com. cn
推荐业务				
人员	姓名	固定电话	传真	Email
推荐业务联络人	罗安琪	0769－22116087	0769－22118607	luoanqi0129@ foxmail. com
推荐业务联络人	谢丽轩	0769－22116087	0769－22118607	2862104975@ qq. com

华安证券股份有限公司

一、公司概况及简介

公司概况	公司名称	华安证券股份有限公司				
	成立日期	2001－1－8	法定代表人	李工	总经理	张　军
	注册资本（万元）	282,100	净资产＊（万元）	435,801	净资本＊（万元）	278,471
	注册地址	安徽省合肥市政务文化新区天鹅湖路198号			营业部家数	104
	办公地址	安徽省合肥市政务文化新区天鹅湖路198号			邮编	230081
	公司网址	www. hazq. com	电子邮箱	bgs@ hazq. com	经营证券业务许可证编号	Z23734000
	注：＊经审计的最近年度净资产和净资本					
	证监会批准的相关业务资格			证券经纪；证券投资咨询；与证券交易、证券投资活动有关的财务顾问；证券承销与保荐；证券自营；证券资产管理；融资融券；代销金融产品；证券投资基金代销；为期货公司提供中间介绍业务。		
	在全国股份转让系统从事的业务种类			经纪业务，推荐业务，做市业务		
公司简介	华安证券股份有限公司（以下简称“华安证券”或“公司”）前身为安徽省证券公司，是经中国证监会证监许可［2012］1409号文核准，由安徽省最早设立的综合类证券公司——华安证券有限责任公司整体变更设立的股份有限公司，注册资本28.21亿元。公司是华富基金管理有限公司的主发起人和第一大股东，控股华安期货有限责任公司，参股安徽省股权托管交易中心有限责任公司，全资拥有华富嘉业投资管理有限公司和安徽华安新兴证券投资咨询有限责任公司，已初步建立起集团化发展框架。 2013年，公司实现净利润2.44亿，截至2013年末，公司净资产43.58亿元，净资本27.85亿元。2014年4月，中国证监会在网站预披露公司招股说明书，公司拟登陆上交所。公司业务范围涵盖证券经纪，证券投资咨询，与证券交易、证券投资活动有关的财务顾问，证券承销与保荐，证券自营，证券资产管理，融资融券，代销金融产品，证券投资基金代销，为期货公司提供中间介绍等，为广大客户提供专业高效的投资和融资服务。公司现有股东16家，主要股东均为国有大型企业集团和上市公司，具有较强的综合实力，为公司的持续发展提供了有力支撑。历经二十多年风雨洗礼，公司建立了完善的现代企业制度和规范的法人治理结构，并形成了稳健务实的经营风格。按照“专业分工、精简高效、风险隔离”原则，设置有17个职能管理和业务部门。公司现有营业网点104家，遍布全国各大中心城市及安徽全省，网点数量在全国100多家证券公司中位居前列。公司各项业务秉承“客户价值优先”的原则，坚持把满足客户需求、提升客户价值作为经营管理工作的出发点和落脚点。华安证券长期以来坚持“法制、监管、自律、规范”的方针，以改革创新为动力，以集约经营为途径，以强化管理为基础，以防范风险为保障，坚持“诚信、稳健、专业、和谐”的经营理念，坚持“惠及员工、回报股东、奉献社会”的企业使命，努力推进“规范化、集团化、国际化”的发展战略，不断增强公司核心竞争力，力争将公司建设成为规模适度、服务专业、风控严密、机制灵活、管理有效的综合性证券服务平台。					

二、业务动态

推荐挂牌情况				
序号	股份代码	公司名称	挂牌日期	公司状态
1	430494	华博胜讯	2014－01－10	挂牌
2	430499	中科股份	2014－01－24	挂牌
3	430503	昌盛股份	2014－01－24	挂牌
4	430718	合肥高科	2014－05－05	挂牌
5	831035	中天利	2014－08－22	挂牌
6	831088	华恒生物	2014－08－22	挂牌
7	831220	新宁股份	2014－10－21	挂牌
8	831240	祺景光电	2014－10－31	挂牌
9	831525	学府信息	2014－12－19	挂牌
10	831565	润成科技	2014－12－31	挂牌
11	831690	恒升机床	2015－01－13	挂牌
目前已推荐挂牌公司家数		11		
撤回材料及申请被否公司家数		0		
正在挂牌公司家数		11		
已上市公司家数		0		
已被终止挂牌公司家数		0		
推荐定向发行情况				
序号	股份代码	公司名称	发行日期	公司状态
1	430503	昌盛股份	2014－7－8	发行成功
2	831088	华恒生物	2014－12－22	发行成功
3	831088	华恒生物	2015－3－4	发行成功
推荐定向发行次数		3		
推荐定向发行成功次数		3		
推荐定向发行失败次数		0		
推荐原代办股份转让系统的两网公司及退市公司挂牌情况				
序号	股份代码	公司名称		
推荐原代办股份转让系统的两网公司及退市公司家数		0		

三、部门设置

经纪业务				
人员	姓名	固定电话	传真	Email
经纪业务联络人	汲扬	0551－65161688	0551－65161672	874421937@ qq. com
经纪业务联络人	方陈	0551－65161829	0551－65161672	114096485@ qq. com
推荐业务				
人员	姓名	固定电话	传真	Email
推荐业务联络人	王西翀	0551－65161650－8016	0551－65161659	hazqneeq@ 126. com
推荐业务联络人	郑义	010－66008123－8012	010－66002579	hazqneeq@ 126. com

华龙证券有限责任公司

一、公司概况及简介

<table>
<tr><td rowspan="9">公司概况</td><td>公司名称</td><td colspan="5">华龙证券有限责任公司</td></tr>
<tr><td>成立日期</td><td>2001－4－30</td><td>法定代表人</td><td>李晓安</td><td>总经理</td><td>韩　鹏</td></tr>
<tr><td>注册资本（万元）</td><td>220,000</td><td>净资产＊（万元）</td><td>288,027</td><td>净资本＊（万元）</td><td>139,830</td></tr>
<tr><td>注册地址</td><td colspan="3">甘肃省兰州市城关区东岗西路638号兰州财富中心21楼</td><td>营业部家数</td><td>43</td></tr>
<tr><td>办公地址</td><td colspan="3">甘肃省兰州市城关区东岗西路638号兰州财富中心21楼</td><td>邮编</td><td>730000</td></tr>
<tr><td>公司网址</td><td>www.hlzqgs.com</td><td>电子邮箱</td><td>hlzq@hlzqgs.com</td><td>经营证券业务许可证编号</td><td>Z10662000</td></tr>
<tr><td colspan="6">注：＊经审计的最近年度净资产和净资本</td></tr>
<tr><td colspan="3">证监会批准的相关业务资格</td><td colspan="3">证券经纪；证券投资咨询；与证券交易、证券投资活动有关的财务顾问；证券承销与保荐；证券自营；证券资产管理；融资融券。</td></tr>
<tr><td colspan="3">在全国股份转让系统从事的业务种类</td><td colspan="3">经纪业务，推荐业务，做市业务</td></tr>
<tr><td>公司简介</td><td colspan="6">华龙证券有限责任公司（以下简称“公司”）是由甘肃省人民政府组织筹建于2001年4月30日成立的综合类证券经营机构。2011年，公司成功实施了新一轮增资扩股，注册资本达到215,339万元。主要股东有甘肃省人民政府国有资产监督管理委员会、兰州银行股份有限公司、江苏阳光集团、晶龙实业集团、江苏三房巷创业投资有限公司、江阴澄星实业集团有限公司等。
公司目前各项证券业务资质齐全。能够为客户提供证券经纪、保荐承销、投资咨询、债券发行、资产管理、股权投资、股转系统业务等与证券交易、证券投资活动有关的综合性一揽子金融服务。公司在北京、上海、深圳、重庆、杭州、无锡、乌鲁木齐、合肥、西安和兰州等主要城市设有近40家经营机构，在北京设立了投资银行专业分公司。公司还发起设立了华商基金管理公司，控股子公司甘肃陇达期货公司，全资子司金城资本管理公司，公司已成长为专业财富资本管理机构、现代金融服务集团、国有大型投资机构。公司拥有广泛的客户资源和良好的社会形象，先后成功保荐一汽集团启明信息、北大荒、浙江龙盛、祁连山等十多家大型企业的上市与融资。经国家科技部、教育部批准，公司设有博士后流动工作站，拥有一大批高学历、高素质的专业人才。
公司坚持“借力西部，放眼全国”的发展战略，凭借专业化的优质服务，诚信、务实、高效、敬业的团队精神，在竞争激烈的中国证券服务业中稳步提升份额。2009年成功保荐首批创业板上市企业发行上市，成为首批保荐企业在创业板上市的全国17家证券公司之一。公司财务稳健，资产优良，各项财务风险监管指标持续符合中国证监会监管要求，营业收入和利润稳定增长，具有较强的竞争优势和良好的发展潜力。</td></tr>
</table>

二、业务动态

<table>
<tr><td colspan="5">推荐挂牌情况</td></tr>
<tr><td>序号</td><td>股份代码</td><td>公司名称</td><td>挂牌日期</td><td>公司状态</td></tr>
<tr><td>1</td><td>430136</td><td>安普能</td><td>2012－9－7</td><td>挂牌</td></tr>
<tr><td>2</td><td>430209</td><td>康孚科技</td><td>2013－1－22</td><td>挂牌</td></tr>
<tr><td>3</td><td>430431</td><td>枫盛阳</td><td>2014－1－24</td><td>挂牌</td></tr>
<tr><td>4</td><td>430682</td><td>中天羊业</td><td>2014－4－11</td><td>挂牌</td></tr>
<tr><td>5</td><td>430736</td><td>中江种业</td><td>2014－5－5</td><td>挂牌</td></tr>
<tr><td>6</td><td>430727</td><td>金格科技</td><td>2014－5－6</td><td>挂牌</td></tr>
<tr><td>7</td><td>830815</td><td>蓝山科技</td><td>2014－6－20</td><td>挂牌</td></tr>
<tr><td>8</td><td>831533</td><td>绩优股份</td><td>2014－12－18</td><td>挂牌</td></tr>
<tr><td colspan="2">目前已推荐挂牌公司家数</td><td colspan="3">8</td></tr>
<tr><td colspan="2">撤回材料及申请被否公司家数</td><td colspan="3">0</td></tr>
<tr><td colspan="2">正在挂牌公司家数</td><td colspan="3">8</td></tr>
<tr><td colspan="2">已上市公司家数</td><td colspan="3">0</td></tr>
<tr><td colspan="2">已被终止挂牌公司家数</td><td colspan="3">0</td></tr>
<tr><td colspan="5">推荐定向发行情况</td></tr>
</table>

序号	股份代码	公司名称	发行日期	公司状态
1	430431	枫盛阳	2014-5-26	发行成功
2	830815	蓝山科技	2014-8-9	发行成功
推荐定向发行次数		2		
推荐定向发行成功次数		2		
推荐定向发行失败次数		0		
推荐原代办股份转让系统的两网公司及退市公司挂牌情况				
序号	股份代码	公司名称		
推荐原代办股份转让系统的两网公司及退市公司家数		0		

三、部门设置

经纪业务				
人员	姓名	固定电话	传真	Email
经纪业务联络人	武芳	0931-4890100	0931-4890118	Hlzqwf@163.com
推荐业务				
人员	姓名	固定电话	传真	Email
推荐业务联络人	赵炜	010-88086668	010-88087880	vivia_zhao@aliyun.com

首创证券有限责任公司

一、公司概况及简介

公司概况	公司名称	首创证券有限责任公司				
	成立日期	2000-2-3	法定代表人	吴　涛	总经理	毕劲松
	注册资本（万元）	65,000	净资产*（万元）	215,026.48	净资本*（万元）	128,746.45
	注册地址	北京市西城区德胜门外大街115号德胜尚城E座			营业部家数	35
	办公地址	北京市西城区德胜门外大街115号德胜尚城E座			邮编	100088
	公司网址	www.sczq.com.cn	电子邮箱	sczq@sczq.com.cn	经营证券业务许可证编号	Z29211000
	注：*经审计的最近年度净资产和净资本					
	证监会批准的相关业务资格			证券经纪；证券投资咨询；与证券交易、证券投资活动有关的财务顾问；证券承销与保荐；证券自营；证券投资基金销售；证券资产管理；融资融券；代销金融产品。		
	在全国股份转让系统从事的业务种类			经纪业务，推荐业务，做市业务		
公司简介	首创证券有限责任公司（以下简称“首创证券”或“公司”）于2000年在北京成立，是北京市国资委所属首创集团控股的综合类证券公司。公司注册资本65,000万元人民币，现有股东包括北京首都创业集团有限公司、北京能源投资（集团）有限公司、中国石化财务有限责任公司等多家大型企业。经过十多年快速发展，首创证券由成立时仅一家营业部的证券经纪公司逐步发展成为业务种类基本齐全、下辖35家营业部的综合类证券公司，并先后参股中邮创业基金管理有限公司，控股京都期货有限公司。公司经营范围涵盖证券经纪、承销、自营、投资咨询、资产管理、融资融券等多项金融业务，可为客户提供多元化金融服务。首创证券一直坚持“稳健经营、规范管理”的经营原则，高度重视健全内部管理体制和完善风险防范机制，逐步形成了一套具有自身特色、符合证券业规范运作要求的制度化管理体系。根据证券市场发展趋势，公司不断优化自身业务结构，逐渐形成了以证券经纪业务为基础，投资银行、固定收益业务等中高端中介业务为重点的业务架构。近年来，随着证券市场金融创新趋势日益加快，公司加大了创新业务研究力量与投入力度，为资产管理、融资融券、股份挂牌转让、中小企业私募债券等创新业务搭建起良好的发展平台。					

二、业务动态

推荐挂牌情况				
序号	股份代码	公司名称	挂牌日期	公司状态
1	430268	恒信启华	2013－07－23	挂牌
2	430362	东电创新	2013－12－26	挂牌
3	430366	金天地	2014－01－24	挂牌
4	430610	瀚远科技	2014－01－24	挂牌
5	430680	联兴科技	2014－04－10	挂牌
6	430701	立德股份	2014－04－24	挂牌
7	830882	佳龙股份	2014－07－24	挂牌
8	830999	银橙传媒	2014－08－13	挂牌
9	831074	佳力科技	2014－08－20	挂牌
10	831127	祺龙股份	2014－08－20	挂牌
11	831181	莱特九州	2014－10－09	挂牌
12	831259	津福斯特	2014－11－04	挂牌
13	831497	事成股份	2014－12－15	挂牌
14	831564	欧伏电气	2014－12－26	挂牌
15	831702	源怡股份	2015－01－14	挂牌
16	831833	红冠庄	2015－01－21	挂牌
17	831878	先锋科技	2015－01－27	挂牌
目前已推荐挂牌公司家数		17		
撤回材料及申请被否公司家数		0		
正在挂牌公司家数		17		
已上市公司家数		0		
已被终止挂牌公司家数		0		
推荐定向发行情况				
序号	股份代码	公司名称	发行日期	公司状态
1	430362	东电创新	2013－12－26	发行成功
2	430366	金天地	2014－4－4	发行成功
3	430362	东电创新	2014－6－10	发行成功
4	830999	银橙传媒	2014－8－13	发行成功
5	430701	立德股份	2014－9－10	发行成功
6	831259	津福斯特	2014－11－4	发行成功
7	831833	红冠庄	2014－12－12	
推荐定向发行次数		7		
推荐定向发行成功次数		6		
推荐定向发行失败次数		0		
推荐原代办股份转让系统的两网公司及退市公司挂牌情况				
序号	股份代码	公司名称		
推荐原代办股份转让系统的两网公司及退市公司家数		0		

三、部门设置

经纪业务				
人员	姓名	固定电话	传真	Email

经纪业务联络人	刘宇	010－59366070	010－59366055	liuyu@ sczq. com. cn
经纪业务联络人	黄萌	010－59366064	010－59366055	huangmeng@ sczq. com. cn
推荐业务				
人员	姓名	固定电话	传真	Email
推荐业务联络人	郝建玲	010－59366155	010－59366161	haojianling@ sina. com
推荐业务联络人	唐洪广	010－59366172	010－59366161	tanghongguang@ sczq. com. cn

爱建证券有限责任公司

一、公司概况及简介

公司概况	公司名称	爱建证券有限责任公司				
	成立日期	2002－9－5	法定代表人	钱华	总经理	钱华
	注册资本（万元）	110,000.00	净资产*（万元）	119,503.24	净资本*（万元）	102,640.18
	注册地址	上海市世纪大道1600号32楼			营业部家数	16家
	办公地址	上海市世纪大道1600号32楼			邮编	200122
	公司网址	www. ajzq. com	电子邮箱	ajzq@ ajzq. com	经营证券业务许可证编号	Z31831000
	注：*经审计的最近年度净资产和净资本					
	证监会批准的相关业务资格			证券的承销和上市推荐；证券自营；代理买卖证券业务，代理证券还本付息和红利的支付；证券投资咨询；资产管理；发起设立证券投资基金和基金管理公司；中国证监会批准的其他业务。		
	在全国股份转让系统从事的业务种类			经纪业务，推荐业务，做市业务		
公司简介	爱建证券有限责任公司（以下简称"公司"）于2002年经中国证券监督管理委员会批准成立，公司总部所在地为上海市，设有16家证券营业部，员工总数500余人。公司形成了包括证券经纪、投资银行、证券投资、资产管理、固定收益等业务体系以及风险管理、研究咨询、信息技术等业务支持体系。2009年，上海陆家嘴金融发展有限公司入股公司，成为公司的控股股东。"诚信、稳健、开拓"是公司经营管理的核心理念。公司推行全面风险控制，倡导和推进合规文化建设，在实施严格管理、稳健经营和规范运作基础上，积极稳步开展各项业务的开拓与创新，不断做优做强，实现跨越式发展。公司已具备一支专业素质良好的员工队伍，力求以良好的专业技能和高度的敬业精神，为客户提供专业化、多元化、个性化的服务。公司倡导"以人为本、以德为先、人为为人"和"实事求是"为基础的企业文化管理，强调德为才帅、德才兼备的人才观，注重建设长期稳定的学习型组织。公司借助成功重组契机，以优秀的企业文化为导向，以崭新的企业机制为动力，以"服务客户、公益社会"为使命，致力于打造企业的核心竞争力，实现企业的持续健康发展，实现企业与社会的和谐发展。					

二、业务动态

推荐挂牌情况				
序号	股份代码	公司名称	挂牌日期	公司状态
1	830855	盈谷股份	2014－07－04	挂牌
2	831135	永冠股份	2014－09－15	挂牌
3	831200	巨正源	2014－10－17	挂牌
4	831263	科华控股	2014－11－03	挂牌
5	831355	地源科技	2014－11－13	挂牌
6	831782	唯尔福	2015－01－26	挂牌
目前已推荐挂牌公司家数		6		
撤回材料及申请被否公司家数		0		
正在挂牌公司家数		6		

已上市公司家数		0		
已被终止挂牌公司家数		0		
推荐定向发行情况				
序号	股份代码	公司名称	发行日期	公司状态
推荐定向发行次数		0		
推荐定向发行成功次数		0		
推荐定向发行失败次数		0		
推荐原代办股份转让系统的两网公司及退市公司挂牌情况				
序号	股份代码	公司名称		
推荐原代办股份转让系统的两网公司及退市公司家数		0		

三、部门设置

经纪业务				
人员	姓名	固定电话	传真	Email
经纪业务联络人	戴莉丽	021 – 32229888	021 – 68728703	daili@ ajzq. com
经纪业务联络人	胡燕华	021 – 32229888	021 – 68728703	huyanhua@ ajzq. com
推荐业务				
人员	姓名	固定电话	传真	Email
推荐业务联络人	吴克勤	021 – 68728910	021 – 68728909	wukeqin@ gmail. com
推荐业务联络人	俞婷	021 – 32229888	021 – 68728909	yuting@ ajzq. com

中国民族证券有限责任公司

一、公司概况及简介

公司概况	公司名称	中国民族证券有限责任公司				
	成立日期	2002 – 4 – 29	法定代表人	赵大建	总经理	徐子兵
	注册资本（万元）	448,655.31	净资产 *（万元）	688,137.48	净资本 *（万元）	628,152.88
	注册地址	北京市朝阳区北四环中路 27 号院 5 号楼			营业部家数	51
	办公地址	北京市朝阳区北四环中路 27 号盘古大观 A 座 40 – 43 层			邮编	100101
	公司网址	www. e5618. com	电子邮箱	tousu@ chinans. com. cn	经营证券业务许可证编号	Z10011000
	注：* 经审计的最近年度净资产和净资本					
	证监会批准从事的证券业务			证券经纪；证券投资咨询；与证券交易、证券投资活动有关的财务顾问；证券承销与保荐；证券自营；证券资产管理；融资融券；证券投资基金代销；代销金融产品；保险兼业代理；为期货公司提供中间介绍业务等。		
	在全国股份转让系统从事的业务种类			经纪业务，推荐业务，做市业务		
公司简介	中国民族证券有限责任公司（以下简称“公司”）成立于 2002 年 4 月，是经中国证监会批准设立的综合类证券公司，注册地北京市，现注册资本 44.86 亿元人民币。总部位于北京市朝阳区北四环中路 27 号盘古大观 A 座 40 – 43 层，是上海证券交易所、深圳证券交易所的会员单位，拥有上交所席位 30 个、深交所席位 19 个。					

公司简介	公司始终坚持依法稳健的经营理念，内部管理严格，运作规范，业务资质齐全，目前已取得的业务资格有：证券经纪；证券投资咨询；与证券交易、证券投资活动有关的财务顾问；证券承销与保荐；证券自营；证券资产管理；融资融券；证券投资基金代销；网上证券委托业务；证券业务外汇经营许可证；保险兼业代理；银行间债券市场成员；交易所债券市场成员；企业债券主承销商资格；IPO询价对象资格；LOF基金申购赎回代理销售业务资格；上证基金通业务资格；全国股份转让系统主办券商业务资格；中小企业私募债券承销业务资格等。 公司坚持合规经营，近年来公司整体实力显著增强，各项业务排名逐年上升。截至2013年末，公司资产总额140.18亿元，净资本62.82亿元，未分配利润6.08亿元。全年累计实现营业收入10.40亿元，营业支出8.35亿元，净利润1.54亿元，连续八年盈利。 公司坚持推进品牌建设，树立公司良好形象。随着公司法人治理结构的逐步完善，逐渐培育和形成了以"诚信、和谐、进取、规范"为核心的中国民族证券企业文化，各项业务发展呈现良好态势，在部分领域取得了新的突破，得到了监管部门和业内的好评，先后有22个单位和部门、42人次获得省部级以上"五一劳动奖状"、"工人先锋号"、"青年文明号"等荣誉称号73个，其中获得全国级先进集体有11个，先进个人6个。

二、业务动态

推荐挂牌情况				
序号	股份代码	公司名称	挂牌日期	公司状态
1	430184	北方跃龙	2012－12－26	挂牌
2	430375	星立方	2014－01－24	挂牌
3	430643	蓝科泰达	2014－02－20	挂牌
4	430716	爱力浦	2014－04－30	挂牌
5	830856	合矿股份	2014－07－15	挂牌
6	830989	北方空间	2014－08－12	挂牌
7	831802	智华信	2015－01－15	挂牌
8	831568	张铁军	2015－01－15	挂牌
9	831746	弘奥生物	2015－01－15	挂牌
10	832058	东联科技	2015－03－04	挂牌
目前已推荐挂牌公司家数		10		
撤回材料及申请被否公司家数		0		
正在挂牌公司家数		10		
已上市公司家数		0		
已被终止挂牌公司家数		0		
推荐定向发行情况				
序号	股份代码	公司名称	发行日期	公司状态
1	430184	北方跃龙	2013－6－3	发行成功
推荐定向发行次数		1		
推荐定向发行成功次数		1		
推荐定向发行失败次数		0		
推荐原代办股份转让系统的两网公司及退市公司挂牌情况				
序号	股份代码	公司名称		
推荐原代办股份转让系统的两网公司及退市公司家数		0		

三、部门设置

经纪业务				
人员	姓名	固定电话	传真	Email
经纪业务联络人	尹俊	010－59355545	010－56437012	yinj@ chinans. com. cn
经纪业务联络人	赵亮	010－59355951	010－56437012	jgzhaol@ chinans. com. cn

推荐业务				
人员	姓名	固定电话	传真	Email
推荐业务联络人	王晓光	010 - 59355905	010 - 56437019	wangxiaoguang@ chinans. com. cn
推荐业务联络人	王梦茜	010 - 59355725	010 - 56437019	wangmx@ chinans. com. cn

国金证券股份有限公司

一、公司概况及简介

<table>
<tr><td rowspan="10">公司概况</td><td>公司名称</td><td colspan="5">国金证券股份有限公司</td></tr>
<tr><td>成立日期</td><td>1996 - 12 - 20</td><td>法定代表人</td><td>冉　云</td><td>总经理</td><td>金　鹏</td></tr>
<tr><td>注册资本（万元）</td><td>129,407.17</td><td>净资产＊（万元）</td><td>676,501.04</td><td>净资本＊（万元）</td><td>526,016.40</td></tr>
<tr><td>注册地址</td><td colspan="3">四川省成都市青羊区东城根上街 95 号</td><td>营业部家数</td><td>35</td></tr>
<tr><td>办公地址</td><td colspan="3">四川省成都市青羊区东城根上街 95 号成证大厦 16 楼</td><td>邮编</td><td>610015</td></tr>
<tr><td>公司网址</td><td>www. gjzq. com. cn</td><td>电子邮箱</td><td>bgs@ gjzq. com. cn</td><td>经营证券业务许可证编号</td><td>Z28051000</td></tr>
<tr><td colspan="6">注：＊经审计的最近年度净资产和净资本</td></tr>
<tr><td colspan="3">证监会批准的相关业务资格</td><td colspan="3">证券经纪；证券投资咨询；与证券交易、证券投资活动有关的财务顾问；证券承销与保荐；证券自营；融资融券；证券资产管理；证券投资基金代销；为期货公司提供中间介绍业务。</td></tr>
<tr><td colspan="3">在全国股份转让系统从事的业务种类</td><td colspan="3">经纪业务，推荐业务，做市业务</td></tr>
<tr><td colspan="6"></td></tr>
<tr><td>公司简介</td><td colspan="6">国金证券股份有限公司（以下简称“国金证券”）是一家资产质量优良、专业团队精干、创新能力突出、服务特色鲜明的上市证券公司，是沪深 300 指数、上证 180 指数、上证 180 金融股指数和上证中型企业指数成份股。
2010 年 5 月 29 日，在中国证券报、上海证券报、证券时报、证券日报联合主办的“1990 - 2010：走向资本强国——中国证券市场 20 年回顾与展望暨第四届中国上市公司市值管理高峰论坛”活动中，国金证券荣获“中国 20 家最具影响力证券公司奖”。
国金证券尊崇“责任、共赢、和谐”的企业精神，秉承“规范管理、稳健经营、深化服务、科学创新”的经营理念及“专业创造价值，诚信铸就未来”的服务理念，打造了一只专业化、高素质的职业人才团队，连续保持 20 年年终税前盈利。国金证券坚持“以研究咨询为驱动，以经纪业务为基础，以投资银行业务为重点突破，以自营投资业务和创新业务为重要补充”的业务模式，通过实施差异化增值服务商的竞争战略，不断提升核心竞争力。国金证券将牢牢把握“合规经营、风险可控”的基础不动摇，坚持“差异化增值服务商”的战略发展定位，争取实现业务资格的“全牌照”，着力打造集证券、期货、基金管理为一体的综合业务平台，为中国资本市场的繁荣发展贡献自己的力量。</td></tr>
</table>

二、业务动态

推荐挂牌情况				
序号	股份代码	公司名称	挂牌日期	公司状态
1	430232	桦清股份	2013 - 07 - 04	挂牌
2	430295	捷虹股份	2013 - 08 - 06	已被终止挂牌
3	430357	行悦信息	2013 - 12 - 13	挂牌
4	430429	星业科技	2014 - 01 - 22	挂牌
5	430428	陕西瑞科	2014 - 01 - 24	挂牌
6	430684	杰通股份	2014 - 04 - 08	挂牌
7	430676	恒立数控	2014 - 04 - 11	挂牌
8	430707	欧神诺	2014 - 04 - 25	挂牌
9	430713	昌润钻石	2014 - 04 - 30	挂牌

10	830792	创新科技	2014－05－28	挂牌
11	830822	海容冷链	2014－07－01	挂牌
12	830829	华精新材	2014－07－01	挂牌
13	830970	艾录股份	2014－08－13	挂牌
14	831033	朗星照明	2014－08－22	挂牌
15	831128	大汉印邦	2014－09－10	挂牌
16	831189	乔顿服饰	2014－10－10	挂牌
17	831207	南方制药	2014－10－21	挂牌
18	831436	白水农夫	2014－12－09	挂牌
19	831486	索尔科技	2014－12－09	挂牌
20	831399	参仙源	2014－12－09	挂牌
21	831445	龙泰竹业	2014－12－10	挂牌
22	831475	春晖智控	2014－12－16	挂牌
23	831524	康耀电子	2014－12－19	挂牌
24	831839	成都广达	2015－01－15	挂牌
25	831885	鱼鳞图	2015－01－29	挂牌
26	831877	小羽佳	2015－02－04	挂牌
27	831954	协昌科技	2015－02－06	挂牌
28	831998	合迪科技	2015－02－13	挂牌
29	832054	永强岩土	2015－03－03	挂牌
目前已推荐挂牌公司家数		29		
撤回材料及申请被否公司家数		0		
正在挂牌公司家数		28		
已上市公司家数		0		
已被终止挂牌公司家数		1		
推荐定向发行情况				
序号	股份代码	公司名称	发行日期	公司状态
推荐定向发行次数		0		
推荐定向发行成功次数		0		
推荐定向发行失败次数		0		
推荐原代办股份转让系统的两网公司及退市公司挂牌情况				
序号	股份代码	公司名称		
推荐原代办股份转让系统的两网公司及退市公司家数		0		

三、部门设置

经纪业务				
人员	姓名	固定电话	传真	Email
经纪业务联络人	孙肖	028－86690207	028－86690126	sunx@ gjzq. com. cn
经纪业务联络人	张梦华	028－86690323	028－86690126	zhangmh@ gjzq. com. cn
推荐业务				
人员	姓名	固定电话	传真	Email
推荐业务联络人	沙威	010－66574698	010－66574790	shawei@ gjzq. com. cn
推荐业务联络人	夏洪彬	010－66574698	010－66574790	xiahb@ gjzq. com. cn

恒泰证券股份有限公司

一、公司概况及简介

公司概况	公司名称	恒泰证券股份有限公司				
	成立日期	1998－12－28	法定代表人	庞介民	总经理	吴谊刚
	注册资本（万元）	219,470.74	净资产*（万元）	459,301.31	净资本*（万元）	318,341.47
	注册地址	内蒙古呼和浩特市赛罕区敕勒川大街东方君座D座光大银行办公楼14－18楼			营业部家数	64
	办公地址	内蒙古呼和浩特市赛罕区敕勒川大街东方君座D座光大银行办公楼14－18楼			邮编	010010
	公司网址	www.cnht.com.cn	电子邮箱	zcbgs@cnht.com.cn	经营证券业务许可证编号	Z20815000
	注：*经审计的最近年度净资产和净资本					
	证监会批准的相关业务资格			证券的上市推荐；证券自营；代理证券买卖业务；代理证券还本付息和红利的支付；证券投资咨询；资产管理；融资融券；代销金融产品；发起设立证券投资基金和基金管理公司；中国证监会批准的其他业务。		
	在全国股份转让系统从事的业务种类			经纪业务，推荐业务，做市业务		
公司简介	恒泰证券股份有限公司（以下简称“公司”）前身为内蒙古自治区证券公司，成立于1992年；1998年11月经中国证券监督管理委员会批准，改制组建为有限责任公司。 2002年7月，经中国证监会批准，公司进行了增资扩股，注册资本由9400万元增至6.56亿元。2002年9月25日经国家工商局核准，公司名称变更为恒泰证券有限责任公司。2008年9月，经中国证监会批准，公司整体变更为股份有限公司；注册资本由变更为20.06亿元。2009年3月，经中国证监会批准，公司收购长财证券经纪有限公司；收购完成后公司注册资本增至21.95亿元，长财证券成为全资子公司。 2009年5月，经中国证监会批准，公司收购上海永大期货公司，收购完成后永大期货成为公司全资子公司，2010年8月，永大期货更名为恒泰期货经纪有限公司，2011年5月，再次更名为恒泰期货有限公司。公司注册地为呼和浩特市，在自治区及北京、上海、深圳等国内主要城市设有42家证券营业部，其中在自治区内设有31家证券营业部。 2009年，经中国证监会批准，公司在北京和深圳分别设立了投行和自营分公司。公司自成立以来，始终秉承“稳健、诚信、务实、创新”的经营理念和“全心全意为客户服务”的经营宗旨，依法经营、规范运作、科学管理、锐意进取，各项事业都取得了长足发展，逐步形成了以证券经纪、投资银行、证券投资、固定收益、资产管理、融资融券等为主的架构完善的业务体系，研究咨询、信息技术、风险管理等强有力的支持体系，资产优良，内控严密，成为国内具有一定业务规模和竞争优势的综合性证券公司。					

二、业务动态

推荐挂牌情况				
序号	股份代码	公司名称	挂牌日期	公司状态
1	430311	达美盛	2013－08－12	挂牌
2	830949	中窑股份	2014－08－01	挂牌
3	831398	东联动漫	2014－12－05	挂牌
目前已推荐挂牌公司家数		3		
撤回材料及申请被否公司家数		0		
正在挂牌公司家数		3		
已上市公司家数		0		
已被终止挂牌公司家数		0		
推荐定向发行情况				
序号	股份代码	公司名称	发行日期	公司状态
1	430311	达美盛	2014－12－19	发行成功

推荐定向发行次数		1
推荐定向发行成功次数		1
推荐定向发行失败次数		0
推荐原代办股份转让系统的两网公司及退市公司挂牌情况		
序号	股份代码	公司名称
推荐原代办股份转让系统的两网公司及退市公司家数		0

三、部门设置

经纪业务				
人员	姓名	固定电话	传真	Email
经纪业务联络人	郝旭	0471－4971515	0471－4969470	haoxu@ cnht. com. cn
推荐业务				
人员	姓名	固定电话	传真	Email
推荐业务联络人	谢远东	010－56673769	010－56673767	xieyuandong@ cnht. com. cn
推荐业务联络人	石延安	010－56673770	010－56673767	shiyanan@ cnht. com. cn

财通证券股份有限公司

一、公司概况及简介

公司概况	公司名称	财通证券股份有限公司				
	成立日期	2003－6－11	法定代表人	沈继宁	总经理	沈继宁
	注册资本（万元）	180,000	净资产＊（万元）	428,000	净资本＊（万元）	306,400
	注册地址	浙江省杭州杭大路15号嘉华国际商务中心201,501,502,1601－1615,1701－1716室			营业部家数	72
	办公地址	浙江省杭州杭大路15号嘉华国际商务中心201,501,502,1601－1615,1701－1716室			邮编	310007
	公司网址	www. ctsec. com	电子邮箱	96336@ ctsec. com	经营证券业务许可证编号	13410000
	注：＊经审计的最近年度净资产和净资本					
	证监会批准的相关业务资格			证券投资咨询；证券自营；证券承销与保荐；证券资产管理；融资融券；证券投资基金代销；为期货公司提供中间介绍业务；代销金融产品以及中国证监会核准的其他业务。		
	在全国股份转让系统从事的业务种类			经纪业务，推荐业务，做市业务		
公司简介	财通证券股份有限公司（以下简称“公司”）前身是成立于1993年5月的浙江财政证券公司。2003年6月，以浙江财政证券公司为主体，联合省内部分市县国债服务中介机构转制设立财通证券经纪有限责任公司。2006年10月，公司吸收合并天和证券经纪有限公司。2007年6月，浙江省委、省政府明确公司为省直属国有企业，由省政府授权省国资委监管。2009年3月，经中国证监会核准，公司更名为财通证券有限责任公司。2011年1月，公司由浙江省政府授权浙江省财政厅监管。2013年10月，公司整体变更设立股份有限公司。 公司注册资本18亿元人民币，现有营业网点72家（分布在北京、上海、深圳、福州、青岛、大连、南京、无锡、重庆等城市及浙江省内各市县），员工2,000余人。公司控股永安期货股份有限公司、财通基金管理有限公司和财通证券（香港）有限公司，参股浙江股权交易中心有限公司。公司将恪守“规范经营、务实创新、差异发展、追求卓越”的经营理念，优化股权结构，提升服务质量，培养一流的员工和理性、成熟的投资者队伍，力争将公司打造成具有区域竞争优势、明显经营特色和富有社会责任感的现代证券企业。					

二、业务动态

推荐挂牌情况				
序号	股份代码	公司名称	挂牌日期	公司状态
1	430109	中航讯	2012－03－16	挂牌
2	430199	了望股份	2012－12－31	挂牌
3	430580	云天软件	2014－01－24	挂牌
4	830860	奥特股份	2014－07－14	挂牌
5	831043	锦旺农业	2014－08－18	挂牌
目前已推荐挂牌公司家数		5		
撤回材料及申请被否公司家数		0		
正在挂牌公司家数		5		
已上市公司家数		0		
已被终止挂牌公司家数		0		
推荐定向发行情况				
序号	股份代码	公司名称	发行日期	公司状态
1	430109	中航讯	2013－8－20	发行成功
2	430199	了望股份	2014－4－4	发行成功
推荐定向发行次数		2		
推荐定向发行成功次数		2		
推荐定向发行失败次数		0		
推荐原代办股份转让系统的两网公司及退市公司挂牌情况				
序号	股份代码	公司名称		
推荐原代办股份转让系统的两网公司及退市公司家数		0		

三、部门设置

经纪业务				
人员	姓名	固定电话	传真	Email
经纪业务联络人	徐一楠	0571－87821384	0571－87828140	xuyn@ ctsec. com
经纪业务联络人	黄旭蔚	0571－87821399	0571－87828140	huangxw@ ctsec. com
推荐业务				
人员	姓名	固定电话	传真	Email
推荐业务联络人	潘峰	0571－87828163	0571－87828141	pf@ ctsec. com
推荐业务联络人	杨震宇	0571－87821381	0571－87828141	yangzy@ ctsec. com

第一创业证券股份有限公司

一、公司概况及简介

公司概况	公司名称	第一创业证券股份有限公司				
	成立日期	1993－4－26	法定代表人	刘学民	总裁	钱龙海
	注册资本（万元）	197,000	净资产＊（万元）	481,900（2012 年审计）	净资本＊（万元）	368,100
	注册地址	深圳市福田区福华一路 115 号投行大厦 20 楼			营业部家数	28
	办公地址	深圳市福田区福华一路 115 号投行大厦 20 楼			邮编	10180000

公司概况	公司网址	www.firstcapital.com	电子邮箱	zhuyahui@fcsc.com	经营证券业务许可证编号	Z26274000
	注：* 经审计的最近年度净资产和净资本					
	证监会批准的相关业务资格			证券经纪；证券投资咨询；与证券交易、证券投资活动有关的财务顾问；证券（不含股票、中小企业私募债券以外的公司债券）承销；证券自营；证券资产管理；证券投资基金代销；为期货公司提供中间介绍业务；融资融券；代销金融产品。		
	在全国股份转让系统从事的业务种类			经纪业务，推荐业务，做市业务		
公司简介	第一创业证券股份有限公司（以下简称“公司”）前身佛山证券有限责任公司，是经中国人民银行银复[1992]608号文批准，于1993年4月26日成立，原注册资本金1,000万元。1997年12月9日，在“银证脱钩”中，经中国人民银行非银证[1997]160号文批准，同意公司增资扩股，并在原佛山证券公司基础上改制为佛山证券有限责任公司，公司注册资本金增至8,000万元。2002年4月19日中国证监会以证监机构字[2002]101号文批准佛山证券有限责任公司增资扩股、更名、迁址方案。2002年7月26日，公司依法完成了增资扩股的程序，注册资本金由8000万元增加至7.47亿元，注册地迁至广东省深圳市，更名为第一创业证券有限责任公司。 2008年8月28日，中国证监会以证监机构字[2008]1072号文批准第一创业证券有限责任公司增资扩股；2008年9月10日，公司注册资本金由7.47亿元增加至15.9亿元。2011年8月3日，中国证监会下发证监许可[2011]1230号，核准第一创业证券有限责任公司变更注册资本，由15.9亿元变更为19.7亿元。经中国证监会核准，深圳市工商局同意，公司由“第一创业证券有限责任公司”改制并更名为“第一创业证券股份有限公司”，于2012年3月22日取得更名后的企业法人营业执照。					

二、业务动态

推荐挂牌情况				
序号	股份代码	公司名称	挂牌日期	公司状态
1	831384	华创网安	2014-12-02	挂牌
目前已推荐挂牌公司家数		1		
撤回材料及申请被否公司家数		0		
正在挂牌公司家数		1		
已上市公司家数		0		
已被终止挂牌公司家数		0		
推荐定向发行情况				
序号	股份代码	公司名称	发行日期	公司状态
推荐定向发行次数		0		
推荐定向发行成功次数		0		
推荐定向发行失败次数		0		
推荐原代办股份转让系统的两网公司及退市公司挂牌情况				
序号	股份代码	公司名称		
推荐原代办股份转让系统的两网公司及退市公司家数		0		

三、部门设置

经纪业务				
人员	姓名	固定电话	传真	Email
经纪业务联络人	姚立军	0755-23838715	0755-23838701	yaolijun@fcsc.com
经纪业务联络人	肖雅芬	0755-23838733	0755-23838701	xiaoyafen@fcsc.com
推荐业务				
人员	姓名	固定电话	传真	Email
推荐业务联络人	刘晓平	0755-23838382	0755-23838999	liuxiaoping@fcsc.com
推荐业务联络人	刘洪俊	0755-82485057	0755-25832460	liuhongjun@fcsc.com

红塔证券股份有限公司

一、公司概况及简介

<table>
<tr><td rowspan="9">公司概况</td><td>公司名称</td><td colspan="5">红塔证券股份有限公司</td></tr>
<tr><td>成立日期</td><td>2002－1－31</td><td>法定代表人</td><td>况雨林</td><td>总经理</td><td>况雨林</td></tr>
<tr><td>注册资本（万元）</td><td>205,765.14</td><td>净资产＊（万元）</td><td>582,414.1</td><td>净资本＊（万元）</td><td>472,913.48</td></tr>
<tr><td>注册地址</td><td colspan="3">云南省昆明市北京路155号附1号</td><td>营业部家数</td><td>32</td></tr>
<tr><td>办公地址</td><td colspan="3">云南省昆明市北京路155号附1号红塔大厦9楼</td><td>邮编</td><td>650011</td></tr>
<tr><td>公司网址</td><td>www.hongtastock.com</td><td>电子邮箱</td><td>cwsc@hongtastock.com</td><td>经营证券业务许可证编号</td><td>Z30153000</td></tr>
<tr><td colspan="6">注：＊经审计的最近年度净资产和净资本</td></tr>
<tr><td colspan="3">证监会批准的相关业务资格</td><td colspan="3">证券经纪、证券自营、证券承销与保荐；证券投资咨询；与证券交易、证券投资活动有关的财务顾问；证券资产管理；融资融券；证券投资基金代销；为期货公司提供中间介绍业务。</td></tr>
<tr><td colspan="3">在全国股份转让系统从事的业务种类</td><td colspan="3">经纪业务，推荐业务，做市业务</td></tr>
<tr><td>公司简介</td><td colspan="6">红塔证券股份有限公司（以下简称“公司”）是在对云南省三家信托投资公司（云南省国际信托投资公司、云南全旅信托投资有限公司、昆明国际信托投资公司）以及两家证券经营机构（云南证券交易中心、云南证券登记有限责任公司）证券业务重组的基础上，由红塔集团等13家国内知名企业共同发起，并经中国证监会批准设立的比照综合类证券公司。注册资本为人民币138,651.04万元，注册地为云南省昆明市。2002年1月31日，公司在云南省工商行政管理局领取了《企业法人营业执照》。2002年3月23日，公司正式开业。
公司成立以来，秉承“稳健·创新·多元”的经营理念，在规范运作的基础上，不断开拓进取，成为西南地区第一家创新试点类证券公司，也是业内屈指可数的连续十二年实现盈利的券商之一。经过十年的发展壮大，公司现有1家分公司和25家证券营业部，设有2家全资子公司和1家控股子公司，业务资格涵盖各业务门类23项，员工人数950余人，逐渐成为股东背景强大、治理结构完善、业务门类齐全、风险管理严密、资产质量优良、盈利能力较强的特色证券经营机构。</td></tr>
</table>

二、业务动态

<table>
<tr><td colspan="5">推荐挂牌情况</td></tr>
<tr><td>序号</td><td>股份代码</td><td>公司名称</td><td>挂牌日期</td><td>公司状态</td></tr>
<tr><td>1</td><td>430376</td><td>东亚装饰</td><td>2014－01－24</td><td>挂牌</td></tr>
<tr><td>2</td><td>831184</td><td>强盛股份</td><td>2014－10－08</td><td>挂牌</td></tr>
<tr><td>3</td><td>831474</td><td>科特新材</td><td>2014－12－09</td><td>挂牌</td></tr>
<tr><td colspan="2">目前已推荐挂牌公司家数</td><td colspan="3">3</td></tr>
<tr><td colspan="2">撤回材料及申请被否公司家数</td><td colspan="3">0</td></tr>
<tr><td colspan="2">正在挂牌公司家数</td><td colspan="3">3</td></tr>
<tr><td colspan="2">已上市公司家数</td><td colspan="3">0</td></tr>
<tr><td colspan="2">已被终止挂牌公司家数</td><td colspan="3">0</td></tr>
<tr><td colspan="5">推荐定向发行情况</td></tr>
<tr><td>序号</td><td>股份代码</td><td>公司名称</td><td>发行日期</td><td>公司状态</td></tr>
<tr><td>1</td><td>430376</td><td>东亚装饰</td><td>2014－8－18</td><td>发行成功</td></tr>
<tr><td colspan="2">推荐定向发行次数</td><td colspan="3">1</td></tr>
<tr><td colspan="2">推荐定向发行成功次数</td><td colspan="3">1</td></tr>
<tr><td colspan="2">推荐定向发行失败次数</td><td colspan="3">0</td></tr>
<tr><td colspan="5">推荐原代办股份转让系统的两网公司及退市公司挂牌情况</td></tr>
<tr><td>序号</td><td>股份代码</td><td colspan="3">公司名称</td></tr>
</table>

推荐原代办股份转让系统的两网公司及退市公司家数	0

三、部门设置

经纪业务				
人员	姓名	固定电话	传真	Email
经纪业务联络人	李军	0871－63577078	0871－6357882	lijun@ hongtastock. com
经纪业务联络人	刘晓明	0871－63577946	0871－6357882	liuxm@ hongtastock. com
推荐业务				
人员	姓名	固定电话	传真	Email
推荐业务联络人	姚晨航	0755－82520306	0755－82520321	yaoch@ sina. cn

中国国际金融有限公司

一、公司概况及简介

	公司名称	中国国际金融有限公司				
公司概况	成立日期	1995－7－31	法定代表人	丁学东	总经理	林寿康
	注册资本（万元）	22,500	净资产＊（万元）	519,209.62	净资本＊（万元）	432,690.23
	注册地址	北京市建国门外大街1号国贸大厦2座27层及28层			营业部家数	19
	办公地址	北京市建国门外大街1号国贸大厦2座27层及28层			邮编	100004
	公司网址	www. cicc. com. cn	电子邮箱	info@ cicc. com. cn	经营证券业务许可证编号	Y00111000
	注：＊经审计的最近年度净资产和净资本					
	证监会批准的相关业务资格			人民币普通股票、人民币特种股票、境外发行股票、境内外政府债券、公司债券和企业债券的经纪业务；人民币普通股票、人民币特种股票、境外发行股票、境内外政府债券、公司债券和企业债券的自营业务；人民币普通股票、人民币特种股票、境外发行股票、境内外政府债券、公司债券和企业债券的承销业务；基金的发起和管理；企业重组、收购与合并顾问；项目融资顾问；投资顾问及其他顾问业务；外汇买卖；境外企业、境内外商投资企业的外汇资产管理；同业拆借；客户资产管理业务；网上证券委托业务；融资融券业务。		
	在全国股份转让系统从事的业务种类			经纪业务、推荐业务、做市业务		
公司简介	作为中国第一家中外合资投资银行，中国国际金融有限公司（“中金公司”）致力于为国内外机构及个人客户提供高品质的投资银行服务，业务范围覆盖证券研究、股本与债务发行与承销、兼并收购财务顾问、证券销售交易、固定收益、资产管理、个人财富管理、直接投资等诸多领域。中金公司成立于1995年7月，是由国内外著名金融机构和公司基于战略合作关系共同投资组建的中国第一家中外合资投资银行，注册资本2.25亿美元。中金公司总部设在中国北京，在中国内地上海和深圳设有分公司，在北京、上海、深圳等16个城市设有证券营业部。随着业务范围的不断拓展，中金公司亦积极开拓境外市场，在中国香港、纽约、伦敦和新加坡设有子公司，初步建立了全球化的业务平台。					

二、业务动态

推荐挂牌情况				
序号	股份代码	公司名称	挂牌日期	公司状态
1	430678	蓝波绿建	2014－04－09	挂牌
2	430629	国科海博	2014－04－11	挂牌

目前已推荐挂牌公司家数		2		
撤回材料及申请被否公司家数		0		
正在挂牌公司家数		2		
已上市公司家数		0		
已被终止挂牌公司家数		0		
推荐定向发行情况				
序号	股份代码	公司名称	发行日期	公司状态
1	430629	国科海博	2014－1－13	
推荐定向发行次数		1		
推荐定向发行成功次数		0		
推荐定向发行失败次数		0		
推荐原代办股份转让系统的两网公司及退市公司挂牌情况				
序号	股份代码	公司名称		
推荐原代办股份转让系统的两网公司及退市公司家数		0		

三、部门设置

经纪业务				
人员	姓名	固定电话	传真	Email
经纪业务联络人	康晨	010－65058130	010－65058065	kangchen@ cicc. com. cn
经纪业务联络人	李頵	010－85679888	010－85679285	lijun@ cicc. com. cn
推荐业务				
人员	姓名	固定电话	传真	Email
推荐业务联络人	邢赫尘	010－65051166	010－65051156	hechen. xing@ cicc. com. cn
推荐业务联络人	黄弋	010－65051166	010－65051156	yi. huang@ cicc. com. cn

世纪证券有限责任公司

一、公司概况及简介

公司概况	公司名称	世纪证券有限责任公司				
	成立日期	1990－12－28	法定代表人	姜昧军	总经理	姜昧军
	注册资本（万元）	70,000	净资产*（万元）	83,547.04	净资本*（万元）	64,279.09
	注册地址	深圳市深南大道 7088 号招商银行大厦 40－42 层			营业部家数	23
	办公地址	深圳市深南大道 7088 号招商银行大厦 40－42 层			邮编	518040
	公司网址	www. csco. com. cn	电子邮箱	sjsc@ csco. com. cn	经营证券业务许可证编号	Z24274000
	注：*经审计的最近年度净资产和净资本					
	证监会批准的相关业务资格			证券经纪业务、证券承销与保荐业务、证券自营业务		
	在全国股份转让系统从事的业务种类			经纪业务，推荐业务，做市业务		
公司简介	世纪证券有限责任公司（以下简称“公司”）前身为成立于 1990 年的江西省证券公司。2001 年 7 月，经中国证监会批准，公司增资扩股并更名为“世纪证券有限责任公司”，注册地址迁至广东省深圳市。多年来，公司逐步发展成为以深圳为总部、以江西为重点业务区域，业务网络覆盖北京、上海、广东、江苏、湖南、云南等地的全国性专业证券公司，目前注册资本为 7 亿元人民币，在全国 15 个大中城市拥有 23 家证券营业部，在江西设有分公司，在北京设有办事处。					

公司简介	公司的经营范围包括:证券经纪;证券投资咨询;与证券交易、证券投资活动有关的财务顾问;证券承销与保荐;证券自营;证券资产管理;证券投资基金代销;融资融券。公司以雄厚的资金实力、一流的人才队伍、丰富的专业经验、稳健的经营作风为广大投资者和机构客户提供全方位的专业证券服务。历经多年的发展,公司培养和造就了一支高素质的骨干员工队伍,公司现有员工近2000人。面对全球化背景下资本市场的机遇与挑战,公司坚持“合规经营、稳健发展”的经营思想,不断改革创新,努力提升公司的核心竞争力,为建设和谐社会、促进证券市场健康发展贡献新的力量。

二、业务动态

推荐挂牌情况				
序号	股份代码	公司名称	挂牌日期	公司状态
1	430262	神州云动	2013-07-18	挂牌
2	430367	力码科	2014-01-24	挂牌
3	430647	青鹰股份	2014-02-19	挂牌
目前已推荐挂牌公司家数		3		
撤回材料及申请被否公司家数		0		
正在挂牌公司家数		3		
已上市公司家数		0		
已被终止挂牌公司家数		0		
推荐定向发行情况				
序号	股份代码	公司名称	发行日期	公司状态
1	430367	力码科	2013-12-27	发行成功
推荐定向发行次数		1		
推荐定向发行成功次数		1		
推荐定向发行失败次数		0		
推荐原代办股份转让系统的两网公司及退市公司挂牌情况				
序号	股份代码	公司名称		
推荐原代办股份转让系统的两网公司及退市公司家数		0		

三、部门设置

经纪业务				
人员	姓名	固定电话	传真	Email
经纪业务联络人	张雷	0755-83199599-8105	0755-83199545	zhanglei1@csco.com.cn
经纪业务联络人	彭艳秋	0755-83199524	0755-83199545	pengyq@csco.com.cn
推荐业务				
人员	姓名	固定电话	传真	Email
推荐业务联络人	杨雪	010-84085558-8024	010-65019198	yangxue1@csco.com.cn
推荐业务联络人	于雪曼	010-57379857	010-57379899	yuxm@csco.com.cn

湘财证券股份有限公司

一、公司概况及简介

公司概况	公司名称	湘财证券股份有限公司				
	成立日期	1996-8-2	法定代表人	林俊波	总经理	徐　燕
	注册资本(万元)	319,725.59	净资产*(万元)	354,719.63	净资本*(万元)	276,316.32
	注册地址	湖南省长沙市天心区湘府中路198号新南城商务中心A栋11楼			营业部家数	53

<table>
<tr><td rowspan="5">公司概况</td><td>办公地址</td><td colspan="3">湖南省长沙市天心区湘府中路198号新南城商务中心A栋11楼</td><td>邮编</td><td>410004</td></tr>
<tr><td>公司网址</td><td>www.xcsc.com</td><td>电子邮箱</td><td>kfzx@xcsc.com</td><td>经营证券业务许可证编号</td><td>10910000</td></tr>
<tr><td colspan="6">注：* 经审计的最近年度净资产和净资本</td></tr>
<tr><td colspan="3">证监会批准的相关业务资格</td><td colspan="3">证券经纪；证券投资咨询；与证券交易、证券投资活动有关的财务顾问；证券承销与保荐；证券自营；证券资产管理；证券投资基金代销；融资融券业务；代销金融产品业务。</td></tr>
<tr><td colspan="3">在全国股份转让系统从事的业务种类</td><td colspan="3">经纪业务，推荐业务，做市业务</td></tr>
<tr><td>公司简介</td><td colspan="6">湘财证券股份有限公司（以下简称“湘财证券”或“公司”）成立于1996年，1999年成为我国首家综合类证券公司。目前，公司注册资本31.97亿元人民币，设有北京、华中、华东、华南、西南、西北等六个客户中心架构下的地区总部，在全国32个大中城市设有52家证券营业部。
自2008年新湖控股有限公司成为控股股东以来，湘财证券积极完善治理结构，稳健扩展经营业务，持续丰富发展历程中专业化、规模化、品牌化、集团化和国际化的内涵，努力把公司建设成为有特色、有品牌、有竞争力的一流券商，目前已经形成成熟完善的治理结构和布局合理的分支机构。
在继承和发扬湘财文化的同时，公司始终坚持“以人为本”的管理思想，着力打造职业化团队，提升职业化水准，持续创新从简单到极致的客户服务能力，积极适应客户的多种需求和市场形势的变化，全面发展经纪、自营、承销与保荐、资产管理、收购兼并、投资咨询、基金代销等多类证券业务，已形成了较完善的业务运作流程和管理模式。
公司目前的股权结构和治理结构为未来的可持续发展奠定了扎实稳固的根基，湘财证券全体同仁将以使命感、事业心和专业精神为客户提供优质、高效的全方位服务，并努力为繁荣发展中国证券市场和推动中国资本市场建设进程贡献力量！</td></tr>
</table>

二、业务动态

<table>
<tr><td colspan="5">推荐挂牌情况</td></tr>
<tr><td>序号</td><td>股份代码</td><td>公司名称</td><td>挂牌日期</td><td>公司状态</td></tr>
<tr><td>1</td><td>430545</td><td>星科智能</td><td>2014－01－24</td><td>挂牌</td></tr>
<tr><td>2</td><td>830811</td><td>安凯达</td><td>2014－06－23</td><td>挂牌</td></tr>
<tr><td>3</td><td>830847</td><td>晟嘉电气</td><td>2014－07－11</td><td>挂牌</td></tr>
<tr><td>4</td><td>830836</td><td>荆楚网</td><td>2014－07－11</td><td>挂牌</td></tr>
<tr><td>5</td><td>830902</td><td>长仪股份</td><td>2014－07－31</td><td>挂牌</td></tr>
<tr><td>6</td><td>830995</td><td>九洲光电</td><td>2014－08－13</td><td>挂牌</td></tr>
<tr><td>7</td><td>831120</td><td>达海智能</td><td>2014－08－18</td><td>挂牌</td></tr>
<tr><td>8</td><td>831081</td><td>西驰电气</td><td>2014－08－18</td><td>挂牌</td></tr>
<tr><td>9</td><td>831105</td><td>桓伟电子</td><td>2014－08－18</td><td>挂牌</td></tr>
<tr><td>10</td><td>831036</td><td>裕国股份</td><td>2014－08－19</td><td>挂牌</td></tr>
<tr><td>11</td><td>831013</td><td>兴艺景</td><td>2014－08－21</td><td>挂牌</td></tr>
<tr><td>12</td><td>831344</td><td>中际联合</td><td>2014－11－20</td><td>挂牌</td></tr>
<tr><td>13</td><td>831428</td><td>数据堂</td><td>2014－12－10</td><td>挂牌</td></tr>
<tr><td>14</td><td>831707</td><td>绿岛园林</td><td>2015－01－15</td><td>挂牌</td></tr>
<tr><td>15</td><td>831720</td><td>诚赢股份</td><td>2015－01－20</td><td>挂牌</td></tr>
<tr><td>16</td><td>831780</td><td>中道糖业</td><td>2015－01－23</td><td>挂牌</td></tr>
<tr><td>17</td><td>831858</td><td>海誉科技</td><td>2015－01－29</td><td>挂牌</td></tr>
<tr><td>18</td><td>832052</td><td>紫罗兰</td><td>2015－02－17</td><td>挂牌</td></tr>
<tr><td colspan="2">目前已推荐挂牌公司家数</td><td colspan="3">18</td></tr>
<tr><td colspan="2">撤回材料及申请被否公司家数</td><td colspan="3">0</td></tr>
<tr><td colspan="2">正在挂牌公司家数</td><td colspan="3">18</td></tr>
<tr><td colspan="2">已上市公司家数</td><td colspan="3">0</td></tr>
<tr><td colspan="2">已被终止挂牌公司家数</td><td colspan="3">0</td></tr>
</table>

推荐定向发行情况				
序号	股份代码	公司名称	发行日期	公司状态
1	830902	长仪股份	2014－10－16	发行成功
2	831858	海誉科技	2015－1－9	发行成功
推荐定向发行次数		2		
推荐定向发行成功次数		2		
推荐定向发行失败次数		0		
推荐原代办股份转让系统的两网公司及退市公司挂牌情况				
序号	股份代码	公司名称		
推荐原代办股份转让系统的两网公司及退市公司家数		0		

三、部门设置

经纪业务				
人员	姓名	固定电话	传真	Email
经纪业务联络人	王照湘	021－68634510	021－68865680	wzx2542@ xcsc. com
经纪业务联络人	李娟	021－68634510	021－68865680	lijuan3@ xcsc. com
推荐业务				
人员	姓名	固定电话	传真	Email
推荐业务联络人	李季秀	010－56510930	010－56510790	lijx@ xcsc. com
推荐业务联络人	龙泷	010－56510921	010－56510790	longlong@ xcsc. com

新时代证券有限责任公司

一、公司概况及简介

公司概况	公司名称	新时代证券有限责任公司				
	成立日期	2003－6－26	法定代表人	刘汝军	总经理	田德军
	注册资本（万元）	169,305.14	净资产＊（万元）	394,618.42	净资本＊（万元）	175,830.56
	注册地址	北京市海淀区北三环西路99号院1号楼15层1501			营业部家数	53
	办公地址	北京市海淀区北三环西路99号院1号楼15层1501			邮编	10008
	公司网址	www. xsdzq. cn	电子邮箱	dshbgs@ xsdzq. cn	经营证券业务许可证编号	Z31311000
	注：＊经审计的最近年度净资产和净资本					
	证监会批准的相关业务资格			证券经纪；证券投资咨询；与证券交易、证券投资活动有关的财务顾问；证券承销与保荐；证券自营；证券投资基金代销；证券资产管理；融资融券；代销金融产品。		
	在全国股份转让系统从事的业务种类			经纪业务，推荐业务，做市业务		
公司简介	新时代证券有限责任公司（以下简称“公司”）是一家专业化、全国性的综合类证券公司。公司由资产质量优良、资金实力雄厚的股东出资而成。注册地为北京市，注册资本金为人民币16.9亿元。公司下属2家分公司，52家证券营业部，遍及北京、上海、天津、重庆、内蒙古、河南、河北、山东、江苏、浙江、湖南、湖北、福建、四川、广东、辽宁等全国16个省、自治区和直辖市，形成辐射全国、布局合理的客户服务和经营网络。经过多年运作，公司秉承稳健与创新相结合、个人绩效与团队精神相统一的宗旨，以先进的组织结构、完备的治理模式、一流的人才队伍、丰富的业务经验，构建了崭新的组织体系、业务运行模式和内控机制，促使各项业务不断取得经营佳绩。					

二、业务动态

推荐挂牌情况				
序号	股份代码	公司名称	挂牌日期	公司状态
1	430613	腾晖科技	2014－01－24	挂牌
2	430550	沃克斯	2014－01－24	挂牌
3	830930	天行健	2014－08－13	挂牌
4	831126	元鼎科技	2014－08－21	挂牌
5	831038	宇建科技	2014－08－22	挂牌
6	831819	宜瓷龙	2015－01－14	挂牌
7	831687	亨达股份	2015－01－15	挂牌
8	831756	德高化成	2015－01－22	挂牌
9	831773	金巴赫	2015－01－23	挂牌
目前已推荐挂牌公司家数		9		
撤回材料及申请被否公司家数		0		
正在挂牌公司家数		9		
已上市公司家数		0		
已被终止挂牌公司家数		0		
推荐定向发行情况				
序号	股份代码	公司名称	发行日期	公司状态
推荐定向发行次数		0		
推荐定向发行成功次数		0		
推荐定向发行失败次数		0		
推荐原代办股份转让系统的两网公司及退市公司挂牌情况				
序号	股份代码	公司名称		
推荐原代办股份转让系统的两网公司及退市公司家数		0		

三、部门设置

经纪业务				
人员	姓名	固定电话	传真	Email
经纪业务联络人	郭强	010－83561166	010－83561164	guoqiang@ xsdzq. cn
推荐业务				
人员	姓名	固定电话	传真	Email
推荐业务联络人	胡小燕	010－83561180	010－83561001	huxiaoyan@ xsdzq. cn
推荐业务联络人	习歆悦	010－83561172	010－83561001	xixinyue@ xsdzq. cn

江海证券有限公司

一、公司概况及简介

公司概况	公司名称	江海证券有限公司				
	成立日期	2003－12－15	法定代表人	孙名扬	总经理	董力臣
	注册资本（万元）	136,320.85	净资产*（万元）	220,779.57	净资本*（万元）	133,230.00
	注册地址	黑龙江省哈尔滨市香坊区赣水路56号			营业部家数	42
	办公地址	黑龙江省哈尔滨市香坊区赣水路56号			邮编	150036
	公司网址	www. jhzq. com. cn	电子邮箱	guolifen@ jhzq. com. cn	经营证券业务许可证编号	J21923000

<table>
<tr><td rowspan="3">公司概况</td><td colspan="2">注：*经审计的最近年度净资产和净资本</td></tr>
<tr><td>证监会批准的相关业务资格</td><td>证券经纪业务，证券自营业务，证券投资基金代销业务，证券投资咨询业务，证券承销与保 荐业务，证券资产管理业务，融资融券业务，为汇鑫期货经纪有限公司提供中间介绍业务。</td></tr>
<tr><td>在全国股份转让系统从事的业务种类</td><td>经纪业务，推荐业务，做市业务</td></tr>
<tr><td>公司简介</td><td colspan="2">江海证券有限公司（以下简称“江海证券”或“公司”）是黑龙江省辖区内唯一一家国有控股券商。公司目前注册资本13.63亿元，股东10家，主要股东均为国有资产背景的大型企业集团，前三家股东为：哈尔滨投资集团有限责任公司、黑龙江省大正投资集团有限责任公司及中国华融资产管理公司，出资比例合计97%。
公司建立了涵盖证券经纪、证券投资咨询、证券自营、证券承销与保荐、证券资产管理、证券投资基金代销、为期货公司提供中间介绍等业务在内的综合业务体系；设有营业网点42家，遍布北京、上海、深圳、厦门、济南、大连、沈阳及黑龙江省内各主要城市，形成了“覆盖龙江、辐射沿海、布局全国”的网络格局；出资控股江海汇鑫期货有限公司，确立了证券·期货协同发展的经纪业务架构。
公司积极为地方经济建设及社会发展服务，被黑龙江省政府评为“金融机构促进经济社会发展先进单位”，被共青团中央授予“青年就业创业见习基地”。目前，江海证券集聚了一批年轻化、专业化的优秀人才，拥有一支具备博士、硕士学历和丰富实践经验的管理团队。凭借专业的人才技术优势，江海证券成为哈尔滨市政府的金融顾问，精心打造的江海系列产品，更赢得了广大投资者的认可与信赖，在业内树立了良好的信誉和品牌。</td></tr>
</table>

二、业务动态

<table>
<tr><td colspan="5">推荐挂牌情况</td></tr>
<tr><td>序号</td><td>股份代码</td><td>公司名称</td><td>挂牌日期</td><td>公司状态</td></tr>
<tr><td>1</td><td>830910</td><td>安证通</td><td>2014-07-25</td><td>挂牌</td></tr>
<tr><td>2</td><td>830938</td><td>可恩口腔</td><td>2014-08-12</td><td>挂牌</td></tr>
<tr><td>3</td><td>830975</td><td>东和股份</td><td>2014-08-13</td><td>挂牌</td></tr>
<tr><td>4</td><td>831016</td><td>帝测科技</td><td>2014-08-21</td><td>挂牌</td></tr>
<tr><td>5</td><td>831270</td><td>宇虹颜料</td><td>2014-11-06</td><td>挂牌</td></tr>
<tr><td>6</td><td>831332</td><td>申高制药</td><td>2014-11-12</td><td>挂牌</td></tr>
<tr><td>7</td><td>831293</td><td>征宙机械</td><td>2014-11-12</td><td>挂牌</td></tr>
<tr><td>8</td><td>831362</td><td>和平股份</td><td>2014-11-17</td><td>挂牌</td></tr>
<tr><td colspan="2">目前已推荐挂牌公司家数</td><td colspan="3">8</td></tr>
<tr><td colspan="2">撤回材料及申请被否公司家数</td><td colspan="3">0</td></tr>
<tr><td colspan="2">正在挂牌公司家数</td><td colspan="3">8</td></tr>
<tr><td colspan="2">已上市公司家数</td><td colspan="3">0</td></tr>
<tr><td colspan="2">已被终止挂牌公司家数</td><td colspan="3">0</td></tr>
<tr><td colspan="5">推荐定向发行情况</td></tr>
<tr><td>序号</td><td>股份代码</td><td>公司名称</td><td>发行日期</td><td>公司状态</td></tr>
<tr><td colspan="2">推荐定向发行次数</td><td colspan="3">0</td></tr>
<tr><td colspan="2">推荐定向发行成功次数</td><td colspan="3">0</td></tr>
<tr><td colspan="2">推荐定向发行失败次数</td><td colspan="3">0</td></tr>
<tr><td colspan="5">推荐原代办股份转让系统的两网公司及退市公司挂牌情况</td></tr>
<tr><td>序号</td><td>股份代码</td><td colspan="3">公司名称</td></tr>
<tr><td colspan="2">推荐原代办股份转让系统的两网公司及退市公司家数</td><td colspan="3">0</td></tr>
</table>

三、部门设置

<table>
<tr><td colspan="5">经纪业务</td></tr>
<tr><td>人员</td><td>姓名</td><td>固定电话</td><td>传真</td><td>Email</td></tr>
</table>

经纪业务联络人	郭峰	0451－85863724	0451－82337279	gf0451@163. com
经纪业务联络人	吕薇	0451－85863722	0451－82337279	75634419@qq. com
推荐业务				
人员	姓名	固定电话	传真	Email
推荐业务联络人	郭立芬	010－56187937	010－58670448	422083786@qq. com
推荐业务联络人	张微	010－56187938	010－58674685	345181321@qq. com

中航证券有限公司

一、公司概况及简介

公司概况	公司名称	中航证券有限公司				
	成立日期	2002－10－18	法定代表人	王宜四	总经理	王宜四
	注册资本（万元）	198,522.10	净资产（万元）	140,204.50	净资本（万元）	168,526.79
	注册地址	江西省南昌市红谷滩新区红谷中大道 1619			营业部家数	50
	办公地址	江西省南昌市红谷滩新区红谷中大道 1619			邮编	330008
	公司网址	www. avicsec. com	电子邮箱	office@avicsec. com	经营证券业务许可证编号	Z31936000
	注：* 经审计的最近年度净资产和净资本					
	证监会批准的相关业务资格			证券经纪、证券投资咨询、与证券交易证券投资活动有关的财务顾问、证券承销与保荐、证券自营、证券资产管理、证券投资基金代销、融资融券业务、代办股份转让、约定购回式证券交易、中小企业私募债、代销金融产品。		
	在全国股份转让系统从事的业务种类			经纪业务，推荐业务，做市业务		
公司简介	中航证券有限公司（以下简称“公司”、“中航证券”）是经中国证券监督管理委员会批准设立的全国性综合类证券公司，前身是江南证券有限责任公司，于 2002 年 10 月 18 日在江西南昌成立。2010 年 5 月 6 日，公司正式更名为中航证券有限公司。中航投资控股有限公司为中航证券第一大股东，实际控制人为中国航空工业集团公司。 公司注册资本 198,522.1 万元人民币。中航证券主营业务范围为：证券经纪；证券投资咨询；与证券交易、证券投资活动有关的财务顾问；证券承销与保荐；证券自营；证券资产管理；证券投资基金代销；融资融券业务。 公司设立了证券承销与保荐分公司及资产管理分公司，并在京、津、沪、渝、粤、闽、浙、桂、苏、甘、辽、赣、陕、豫、鲁、鄂、滇等全国主要省（区、市）设有 32 家证券营业部中航证券股权结构。截至 2013 年 11 月 31 日止，公司有 5 家股东，分别为：中航投资控股有限公司持有 142,358.80 万元股权，占出资比例 71.71%；中国航空技术深圳有限责任公司持有 33,146.89 万元股权，占出资比例 16.70%；中国航空技术国际控股有限责任公司持有 14,372.49 万元股权，占出资比例 7.24%；中国贵州航空工业（集团）有限责任公司持有 8,207.17 万元，占出资比例 4.13%；江西洪都航空工业集团有限责任公司持有 436.75万元股权，占出资比例 0.22%。					

二、业务动态

推荐挂牌情况				
序号	股份代码	公司名称	挂牌日期	公司状态
1	830785	冰洋科技	2014－06－05	挂牌
目前已推荐挂牌公司家数		1		
撤回材料及申请被否公司家数		0		
正在挂牌公司家数		1		
已上市公司家数		0		
已被终止挂牌公司家数		0		

推荐定向发行情况				
序号	股份代码	公司名称	发行日期	公司状态
推荐定向发行次数		0		
推荐定向发行成功次数		0		
推荐定向发行失败次数		0		
推荐原代办股份转让系统的两网公司及退市公司挂牌情况				
序号	股份代码	公司名称		
推荐原代办股份转让系统的两网公司及退市公司家数		0		

三、部门设置

经纪业务				
人员	姓名	固定电话	传真	Email
经纪业务联络人	聂磊	0791－86702143	0791－86789414	119570554@qq.com
经纪业务联络人	余雅娜	0791－86768763	0791－86789414	81054761@qq.com
推荐业务				
人员	姓名	固定电话	传真	Email
推荐业务联络人	王晨光	010－64818362	010－64818501	wangchenguang73@163.com
推荐业务联络人	郭冬青	010－64818486	010－64818501	dqguo@263.net

华融证券股份有限公司

一、公司概况及简介

公司概况	公司名称	华融证券股份有限公司				
	成立日期	2007－9－7	法定代表人	祝献忠	总经理	罗农平
	注册资本（万元）	317,753.65	净资产*（万元）	537,155	净资本*（万元）	515,603
	注册地址	北京市西城区金融大街8号			营业部家数	37
	办公地址	北京市西城区金融大街8号			邮编	100033
	公司网址	www.hrsec.com.cn	电子邮箱	yuhaishen@hrsec.com.cn	经营证券业务许可证编号	13720000
	注：*经审计的最近年度净资产和净资本					
	证监会批准的相关业务资格			证券经纪，证券投资咨询；与证券交易、证券投资活动有关的财务顾问；证券承销与保荐，证券自营业务；证券资产管理，融资融券；代销金融产品业务；公开募集投资基金管理业务（有效期至2016年11月19日）。		
	在全国股份转让系统从事的业务种类			经纪业务，推荐业务，做市业务		

公司简介	华融证券股份有限公司（以下简称“公司”），是经中国证监会批准，由中国华融资产管理公司（以下简称“中国华融”）作为主发起人，联合中国葛洲坝集团公司共同发起设立的全国性证券公司。2007年9月，公司在北京正式挂牌成立。目前，公司注册资本31.78亿元，其中：中国华融出资25.31亿元，中国葛洲坝集团公司等11家股东共出资6.47亿元。公司大股东中国华融资产管理股份有限公司，是经国务院批准，由财政部、中国人寿保险（集团）公司共同发起设立的国有大型非银行金融企业。 目前，中国华融总资产超过4000亿元，服务网络遍及全国30个省、自治区、直辖市和香港特别行政区，在全国设有32家分公司（营业部），拥有华融湘江银行、华融租赁、华融信托、华融证券、华融期货、华融融德、华融渝富、华融（香港）国际、华融置业、华融致远、华融汇通等11家平台公司，对外提供资产经营管理、银行、证券、信托、租赁、投资、基金、期货、置业等全牌照、多功能、一揽子综合金融服务，已初步建设成为国有大型金融控股集团。 自成立之日起，公司坚持以市场为导向，以客户为中心，以诚信、专业、稳健、共赢为经营宗旨，努力打造一家有尊严、有价值、有内涵、有实力、有责任的"五有"现代一流投资银行。公司2011－2014年连续四年被中国证监会评为A类A级券商，2009年、2011年两次获评为"首都文明单位"。截至2014年6月底，公司旗下设华融期货有限责任公司和华融天泽投资有限公司2家子公司，在全国22个省、自治区、直辖市设有6家分公司、37家营业部。公司紧紧依托中国华融在资产管理、银行、信托和金融租赁等方面的综合优势，竭诚为客户提供证券承销与保荐、资产管理、全国股份转让系统推荐挂牌及做市商业务、证券经纪、融资融券、财务顾问、财富管理等多种服务。

二、业务动态

推荐挂牌情况				
序号	股份代码	公司名称	挂牌日期	公司状态
1	430618	凯立德	2014－01－24	挂牌
2	430730	先大药业	2014－05－06	挂牌
目前已推荐挂牌公司家数		2		
撤回材料及申请被否公司家数		0		
正在挂牌公司家数		2		
已上市公司家数		0		
已被终止挂牌公司家数		0		
推荐定向发行情况				
序号	股份代码	公司名称	发行日期	公司状态
1	430730	先大药业		发行失败
2	430618	凯立德		发行失败
推荐定向发行次数		2		
推荐定向发行成功次数		0		
推荐定向发行失败次数		2		
推荐原代办股份转让系统的两网公司及退市公司挂牌情况				
序号	股份代码	公司名称		
推荐原代办股份转让系统的两网公司及退市公司家数		0		

三、部门设置

经纪业务				
人员	姓名	固定电话	传真	Email
经纪业务联络人	魏玮	010－58568062	010－58568062	weiwei@ hrsec. com. cn
推荐业务				
人员	姓名	固定电话	传真	Email
推荐业务联络人	陈珅	010－58568293	010－58315249	chenshen@ hrsec. com. cn
推荐业务联络人	肖和勇	010－58315344	010－58315249	xiaoheyong@ hrsec. com. cn

太平洋证券股份有限公司

一、公司概况及简介

<table>
<tr><td rowspan="10">公司概况</td><td>公司名称</td><td colspan="5">太平洋证券股份有限公司</td></tr>
<tr><td>成立日期</td><td>2004－1－6</td><td>法定代表人</td><td>李长伟</td><td>总经理</td><td>李长伟</td></tr>
<tr><td>注册资本（万元）</td><td>235,364.47</td><td>净资产＊（万元）</td><td>599,318.04</td><td>净资本＊（万元）</td><td>526,522.32</td></tr>
<tr><td>注册地址</td><td colspan="3">云南省昆明市青年路389号志远大厦18层</td><td>营业部家数</td><td>55</td></tr>
<tr><td>办公地址</td><td colspan="3">云南省昆明市青年路389号志远大厦18层</td><td>邮编</td><td>650021</td></tr>
<tr><td>公司网址</td><td>www.tpyzq.com</td><td>电子邮箱</td><td>tpy@tpyzq.com.cn</td><td>经营证券业务许可证编号</td><td>Z32253000</td></tr>
<tr><td colspan="6">注：＊经审计的最近年度净资产和净资本</td></tr>
<tr><td colspan="3">证监会批准的相关业务资格</td><td colspan="3">证券经纪；证券投资咨询；与证券交易、证券投资活动有关的财务顾问；证券自营；证券承销与保荐；证券资产管理；证券投资基金销售；中国证监会批准的其他业务。（以上经营范围中涉及国家法律、行政法规规定的专项审批，按审批的项目和时限开展经营活动）。</td></tr>
<tr><td colspan="3">在全国股份转让系统从事的业务种类</td><td colspan="3">经纪业务，推荐业务，做市业务</td></tr>
<tr><td colspan="6"></td></tr>
<tr><td>公司简介</td><td colspan="6">太平洋证券股份有限公司（以下简称“公司”）是一家全国性综合类证券公司，2004年在云南昆明注册成立。2007年，公司整体变更为股份有限公司，增资扩股至15.03亿元，并获得规范类券商资格。同年，太平洋证券A股（601099）在上海证券交易所成功上市，成为证券行业第七家上市的证券公司。
公司以“守正、出奇”为行为准则，追求“宁静、致远”的精神境界，以客户需求为导向，追求股东和社会价值的最大化；以经济效益为中心，追求公司与员工的共同成长。
站在新的历史起点，面对证券行业的创新发展，公司正迎来转型发展的历史机遇。公司在保持传统业务稳定增长的基础上，将以组织创新、机制创新和业务创新为基础，优化公司盈利模式、进一步培育核心竞争力，力争成为资产质量良好、收入结构合理，在某些细分市场具有自身特色的证券公司。</td></tr>
</table>

二、业务动态

推荐挂牌情况				
序号	股份代码	公司名称	挂牌日期	公司状态
1	430709	武汉深蓝	2014－04－24	挂牌
2	430738	白兔湖	2014－04－30	挂牌
3	830777	金达莱	2014－06－05	挂牌
4	830796	云南路桥	2014－06－06	挂牌
5	830929	幸美股份	2014－07－24	挂牌
6	831212	耐磨科技	2014－10－22	挂牌
7	831363	佰蒂生物	2014－11－14	挂牌
8	831663	云叶股份	2015－01－12	挂牌
9	831800	高科中天	2015－01－19	挂牌
10	831861	柏承科技	2015－02－06	挂牌
11	832003	同信通信	2015－02－11	挂牌
目前已推荐挂牌公司家数		11		
撤回材料及申请被否公司家数		0		
正在挂牌公司家数		11		
已上市公司家数		0		
已被终止挂牌公司家数		0		

推荐定向发行情况				
序号	股份代码	公司名称	发行日期	公司状态
推荐定向发行次数		0		
推荐定向发行成功次数		0		
推荐定向发行失败次数		0		
推荐原代办股份转让系统的两网公司及退市公司挂牌情况				
序号	股份代码	公司名称		
推荐原代办股份转让系统的两网公司及退市公司家数		0		

三、部门设置

经纪业务				
人员	姓名	固定电话	传真	Email
经纪业务联络人	孟京	010－88321877	010－88321763	mengj@ tpyzq. com. cn
经纪业务联络人	白敏	0871－68885858－8171	0871－68898151	baim@ tpyzq. com. cn
推荐业务				
人员	姓名	固定电话	传真	Email
推荐业务联络人	王娟	010－88321836	010－88321912	wangjuana@ tpyzq. com. cn
推荐业务联络人	孙蕊	010－88321575	010－88321522	sunrui@ tpyzq. com

中山证券有限责任公司

一、公司概况及简介

公司概况	公司名称	中山证券有限责任公司				
	成立日期	1993－4－20	法定代表人	黄扬录	总裁	徐鹏
	注册资本（万元）	135,500	净资产*（万元）	249,686	净资本*（万元）	131,156
	注册地址	深圳市南山区科技中一路西华强高新发展大楼7层、8层			营业部家数	19
	办公地址	深圳市南山区科技中一路西华强高新发展大楼7层、8层			邮编	518057
	公司网址	www. zszq. com	电子邮箱	office@ zszq. com	经营证券业务许可证编号	11010000
	注：*经审计的最近年度净资产和净资本					
	证监会批准的相关业务资格			证券经纪；证券投资咨询；与证券交易、证券投资活动有关的财务顾问；证券承销与保荐；证券自营；证券资产管理；融资融券；证券投资基金代销；为期货公司提供中间介绍业务；代销金融产品。		
	在全国股份转让系统从事的业务种类			经纪业务，推荐业务，做市业务		
公司简介	中山证券有限责任公司（以下简称“中山证券”或“公司”）是经中国人民银行批准成立的我国早期的证券公司之一。受益于中国经济的崛起，中山证券与中国证券市场共同发展，现已成为一家具有一定影响力的证券公司。公司现有员工约900人，注册资本由最初的3,000万元人民币增至13.55亿元人民币。 在二十年的发展历程中，中山证券一贯秉承“诚信、稳健、创新、和谐”的经营理念，坚持为客户提供完善、有效、优质的服务。中山证券经营范围包括：证券经纪；证券投资咨询；与证券交易、证券投资活动有关的财务顾问；证券承销与保荐；证券自营；证券资产管理；融资融券；证券投资基金代销；为期货公司提供中间介绍业务；代销金融产品。中山证券总部设在深圳，毗邻香港，位居经济活跃、资讯荟萃的金融核心区。公司现有证券营业部19家，分布在从东北到华南的东部沿海经济发达地区，充分发挥中央振兴东北的政策优势，依托环渤海经济圈、长江三角洲与珠江三角洲等经济发达地区，拥有广泛的、具有雄厚经济基础的客户群体。					

二、业务动态

推荐挂牌情况				
序号	股份代码	公司名称	挂牌日期	公司状态
1	430532	北鼎晶辉	2014 - 01 - 24	挂牌
2	430708	铂亚信息	2014 - 04 - 24	已被终止挂牌
3	830789	博富科技	2014 - 06 - 06	挂牌
4	830810	广东羚光	2014 - 06 - 19	挂牌
5	830850	万企达	2014 - 07 - 14	挂牌
6	830922	裕荣光电	2014 - 08 - 08	挂牌
7	831201	润华股份	2014 - 10 - 24	挂牌
8	831231	佳保安全	2014 - 10 - 30	挂牌
9	831349	德运塑业	2014 - 11 - 12	挂牌
10	831368	阳光电通	2014 - 11 - 26	挂牌
11	831500	西部蓝天	2014 - 12 - 15	挂牌
12	831539	国网自控	2015 - 01 - 06	挂牌
13	831692	杰科股份	2015 - 01 - 14	挂牌
14	831757	振华股份	2015 - 01 - 15	挂牌
15	831790	凯昶德	2015 - 01 - 22	挂牌
16	831859	祁药股份	2015 - 01 - 27	挂牌
17	831795	晚安家纺	2015 - 01 - 30	挂牌
18	832025	川盛科技	2015 - 02 - 10	挂牌
19	831937	建研信息	2015 - 02 - 13	挂牌
20	832063	鸿辉光通	2015 - 03 - 05	挂牌
目前已推荐挂牌公司家数		20		
撤回材料及申请被否公司家数		0		
正在挂牌公司家数		19		
已上市公司家数		0		
已被终止挂牌公司家数		1		
推荐定向发行情况				
序号	股份代码	公司名称	发行日期	公司状态
1	430708	铂亚信息	2014 - 6 - 10	发行成功
2	831368	阳光电通	2014 - 9 - 25	发行成功
3	830810	广东羚光	2015 - 1 - 21	发行成功
推荐定向发行次数		3		
推荐定向发行成功次数		3		
推荐定向发行失败次数		0		
推荐原代办股份转让系统的两网公司及退市公司挂牌情况				
序号	股份代码	公司名称		
推荐原代办股份转让系统的两网公司及退市公司家数		0		

三、部门设置

经纪业务				
人员	姓名	固定电话	传真	Email
经纪业务联络人	卜永旺	0755 - 82570583	0755 - 82940511	buyw@ zszq. com
经纪业务联络人	张帆	0755 - 82960582	0755 - 82940511	zhangfan@ zszq. com

推荐业务				
人员	姓名	固定电话	传真	Email
推荐业务联络人	邹玲	0755 - 83168696	0755 - 23982961	zoul@ zszq. com
推荐业务联络人	胡映璐	0755 - 82783767	0755 - 23982961	huyl@ zszq. com

华林证券有限责任公司

一、公司概况及简介

<table>
<tr><td rowspan="9">公司概况</td><td>公司名称</td><td colspan="5">华林证券有限责任公司</td></tr>
<tr><td>成立日期</td><td>1988 - 4 - 15</td><td>法定代表人</td><td>陈永健</td><td>总经理</td><td>陈永健</td></tr>
<tr><td>注册资本（万元）</td><td>80,700</td><td>净资产 *（万元）</td><td>118,045.67</td><td>净资本 *（万元）</td><td>93,902.29</td></tr>
<tr><td>注册地址</td><td colspan="3">北京市西城区金融大街 35 号 1 栋 1501 - 1504、1511 - 1514</td><td>营业部家数</td><td>21</td></tr>
<tr><td>办公地址</td><td colspan="3">深圳市福田区民田路 178 号华融大厦 6 楼</td><td>邮编</td><td>518048</td></tr>
<tr><td>公司网址</td><td>www. chinalions. com</td><td>电子邮箱</td><td>bgswy@ chinalions. cn</td><td>经营证券业务许可证编号</td><td>10500000</td></tr>
<tr><td colspan="6">注：* 经审计的最近年度净资产和净资本</td></tr>
<tr><td colspan="3">证监会批准的相关业务资格</td><td colspan="3">证券经纪；证券投资咨询；与证券交易、证券投资活动有关的财务顾问；证券承销与保荐；证券自营；证券资产管理；融资融券；证券投资基金代销；代销金融产品。</td></tr>
<tr><td colspan="3">在全国股份转让系统从事的业务种类</td><td colspan="3">经纪业务，推荐业务，做市业务</td></tr>
<tr><td>公司简介</td><td colspan="6">华林证券有限责任公司（以下简称“华林证券”或“公司”）成立于 1988 年，是国内首批综合类证券公司之一，总部设于深圳，现在京沪穗等地设有分支机构，业务辐射全国。经营范围涵盖证券经纪，证券投资咨询，与证券交易、证券投资活动有关的财务顾问，证券承销与保荐，证券自营，证券投资基金代销，证券资产管理等，拥有全国股份转让系统推荐和经纪业务资格。
公司拥有 300 多人的投行专业团队，项目经验丰富，融资品种齐全。公司承销企业债数目和规模均居前列。固收团队以其高效、专业的服务，在 2009—2011 年连续被评为“中国区债券最佳投行”，2011 年更是勇夺企业债承销家数的桂冠。公司为经纪业务客户提供安全高效的交易平台，并依靠理论扎实、实战见长的财富管理团队，为高净值客户和机构投资者提供包括市值管理在内的全面的资本市场解决方案。公司始终坚持以客户为中心，以客户需求为导向，以“协作、创造、服务中国成长”为使命，坚持“进取、信义、专业、责任”的核心价值观，持续专注服务于中国资本市场、实体经济、具有成长性的企业和个人投资者，为客户提供优质的综合金融服务，致力于打造成中国最具特色的一流证券公司。</td></tr>
</table>

二、业务动态

推荐挂牌情况				
序号	股份代码	公司名称	挂牌日期	公司状态
1	430316	巨灵信息	2013 - 08 - 29	挂牌
2	430335	华韩整形	2013 - 11 - 06	挂牌
3	430372	泰达新材	2014 - 01 - 24	挂牌
4	430598	众合医药	2014 - 01 - 24	挂牌
5	430717	源通机械	2014 - 04 - 30	挂牌
6	000000	三木科技	2014 - 06 - 13	撤回状态
7	830854	族兴新材	2014 - 07 - 11	挂牌
8	831175	派诺科技	2014 - 10 - 14	挂牌
9	831510	特思达	2014 - 12 - 22	挂牌
10	831913	东方誉源	2015 - 02 - 05	挂牌
11	831963	明利仓储	2015 - 02 - 16	挂牌
12	832014	绿之彩	2015 - 02 - 25	挂牌

<table>
<tr><td colspan="2">目前已推荐挂牌公司家数</td><td colspan="3">12</td></tr>
<tr><td colspan="2">撤回材料及申请被否公司家数</td><td colspan="3">1</td></tr>
<tr><td colspan="2">正在挂牌公司家数</td><td colspan="3">11</td></tr>
<tr><td colspan="2">已上市公司家数</td><td colspan="3">0</td></tr>
<tr><td colspan="2">已被终止挂牌公司家数</td><td colspan="3">0</td></tr>
<tr><td colspan="5">推荐定向发行情况</td></tr>
<tr><td>序号</td><td>股份代码</td><td>公司名称</td><td>发行日期</td><td>公司状态</td></tr>
<tr><td>1</td><td>430598</td><td>众合医药</td><td>2014－6－9</td><td>发行成功</td></tr>
<tr><td colspan="2">推荐定向发行次数</td><td colspan="3">1</td></tr>
<tr><td colspan="2">推荐定向发行成功次数</td><td colspan="3">1</td></tr>
<tr><td colspan="2">推荐定向发行失败次数</td><td colspan="3">0</td></tr>
<tr><td colspan="5">推荐原代办股份转让系统的两网公司及退市公司挂牌情况</td></tr>
<tr><td>序号</td><td>股份代码</td><td colspan="3">公司名称</td></tr>
<tr><td colspan="2">推荐原代办股份转让系统的两网公司及退市公司家数</td><td colspan="3">0</td></tr>
</table>

三、部门设置

<table>
<tr><td colspan="5">经纪业务</td></tr>
<tr><td>人员</td><td>姓名</td><td>固定电话</td><td>传真</td><td>Email</td></tr>
<tr><td>经纪业务联络人</td><td>姬洪涛</td><td>0755－82707835</td><td>0755－82707993</td><td>jiht@ chinalions. cn</td></tr>
<tr><td>经纪业务联络人</td><td>陈永健</td><td>0755－82707801</td><td>0755－82707801</td><td>cyj@ chinalions. cn</td></tr>
<tr><td colspan="5">推荐业务</td></tr>
<tr><td>人员</td><td>姓名</td><td>固定电话</td><td>传真</td><td>Email</td></tr>
<tr><td>推荐业务联络人</td><td>张学彦</td><td>021－20281102</td><td>021－20281101</td><td>yann0910@ 126. com</td></tr>
<tr><td>推荐业务联络人</td><td>郭静</td><td>010－88091560</td><td>010－88091625</td><td>guo789jing@ 263. net</td></tr>
</table>

东方花旗证券有限公司

一、公司概况及简介

<table>
<tr><td rowspan="9">公司概况</td><td>公司名称</td><td colspan="5">东方花旗证券有限公司</td></tr>
<tr><td>成立日期</td><td>2012－6－4</td><td>法定代表人</td><td>潘鑫军</td><td>总经理</td><td>马　骥</td></tr>
<tr><td>注册资本（万元）</td><td>80,000</td><td>净资产*（万元）</td><td>66,883.80</td><td>净资本*（万元）</td><td>94,483.97</td></tr>
<tr><td>注册地址</td><td colspan="3">上海市黄浦区中山南路318号24层</td><td>营业部家数</td><td>0</td></tr>
<tr><td>办公地址</td><td colspan="3">上海市黄浦区中山南路318号24层</td><td>邮编</td><td>200010</td></tr>
<tr><td>公司网址</td><td>www. citiorient. com</td><td>电子邮箱</td><td>dong. lin@ citiorient. com</td><td>经营证券业务许可证编号</td><td>Z40631000</td></tr>
<tr><td colspan="6">注：*经审计的最近年度净资产和净资本</td></tr>
<tr><td colspan="3">证监会批准的相关业务资格</td><td colspan="3">证券承销与保荐业务</td></tr>
<tr><td colspan="3">在全国股份转让系统从事的业务种类</td><td colspan="3">经纪业务，推荐业务，做市业务</td></tr>
<tr><td>公司简介</td><td colspan="6">东方花旗证券有限公司（以下简称“东方花旗”或“公司”）是一家由东方证券与花旗环球金融（亚洲）有限公司基于战略投资合作关系共同投资组建的中外合资证券公司。公司成立于2012年6月，东方花旗证券总部位于上海，并于北京、深圳、新疆等地设立办公机构。东方花旗注册资本为8亿人民币，员工人数约200名。公司业务范围为证券承销与保荐，具体包括首次公开发行并上市、上市公司公开/非公开发行、配股、可转债、可分离交易可转债的发行等股权融资业务，公司债、企业债发行等债券融资业务，以及企业重组、兼并收购等财务顾问业务。</td></tr>
</table>

二、业务动态

推荐挂牌情况				
序号	股份代码	公司名称	挂牌日期	公司状态
1	430090	同辉佳视	2011－06－17	挂牌
2	430123	速原中天	2012－06－08	挂牌
3	430134	可来博	2012－09－10	挂牌
4	430188	奥贝克	2012－12－25	挂牌
5	430181	道从科技	2012－12－28	挂牌
6	430198	微创光电	2012－12－31	挂牌
7	430240	随视传媒	2013－07－04	挂牌
8	430230	银都传媒	2013－07－05	挂牌
9	430273	永天科技	2013－08－08	挂牌
10	430304	每日视界	2013－08－09	挂牌
11	430345	天呈医流	2013－12－09	挂牌
12	430355	沃特能源	2013－12－09	挂牌
13	430421	华之邦	2014－01－24	挂牌
14	430364	屹通信息	2014－01－24	已被终止挂牌
15	430481	吉瑞祥	2014－01－24	挂牌
16	430590	晶宝股份	2014－01－24	挂牌
17	430669	现代环境	2014－04－02	挂牌
18	430742	光维通信	2014－05－06	挂牌
19	830869	英康科技	2014－07－18	挂牌
20	830879	基康仪器	2014－07－23	挂牌
21	830985	浙江力诺	2014－08－08	挂牌
22	831064	浩驰科技	2014－08－21	挂牌
23	831115	福克油品	2014－08－22	挂牌
24	831099	维泰股份	2014－08－29	挂牌
25	831279	和乔科技	2014－11－04	挂牌
26	831288	安美勤	2014－11－07	挂牌
目前已推荐挂牌公司家数		26		
撤回材料及申请被否公司家数		0		
正在挂牌公司家数		25		
已上市公司家数		0		
已被终止挂牌公司家数		1		
推荐定向发行情况				
序号	股份代码	公司名称	发行日期	公司状态
1	430090	同辉佳视	2012－5－31	发行成功
2	430198	微创光电	2013－7－23	发行成功
3	430123	速原中天	2013－8－2	发行成功
4	430123	速原中天	2013－8－2	发行成功
5	430090	同辉佳视	2014－2－20	发行成功
6	430230	银都传媒	2014－3－7	发行成功
7	830879	基康仪器	2014－8－18	发行失败
推荐定向发行次数		7		
推荐定向发行成功次数		6		
推荐定向发行失败次数		1		

推荐原代办股份转让系统的两网公司及退市公司挂牌情况		
序号	股份代码	公司名称
推荐原代办股份转让系统的两网公司及退市公司家数		0

三、部门设置

经纪业务				
人员	姓名	固定电话	传真	Email
推荐业务				
人员	姓名	固定电话	传真	Email
推荐业务联络人	王菊娟	021－23153772	021－23153500	jujuan. wang@ citiorient. com
推荐业务联络人	臧晓飞	021－23153902	021－23153500	xiaofei. zang@ citiorient. com

华创证券有限责任公司

一、公司概况及简介

公司概况	公司名称	华创证券有限责任公司				
	成立日期	2002－1－22	法定代表人	陶永泽	总经理	吴亚秋
	注册资本（万元）	150,000.89	净资产＊（万元）	230,227.24	净资本＊（万元）	143,670.76
	注册地址	贵州省贵阳市云岩区中华北路216号华创大厦			营业部家数	41
	办公地址	贵州省贵阳市云岩区中华北路216号华创大厦			邮编	550004
	公司网址	www. hczq. com	电子邮箱	hcbgs@ hczq. com	经营证券业务许可证编号	J18552000
	注：＊经审计的最近年度净资产和净资本					
	证监会批准的相关业务资格			证券经纪；证券投资咨询；与证券交易、证券投资活动有关的财务顾问；证券承销与保荐；证券自营；证券资产管理；证券投资基金销售业务；为期货公司提供中间介绍业务；融资融券业务；代销金融产品业务。		
	在全国股份转让系统从事的业务种类			经纪业务，推荐业务，做市业务		
公司简介	华创证券有限责任公司于2002年1月经中国证监会证监机构字［2002］6号文批准成立，注册资本15亿元，经营范围为证券经纪；证券投资咨询；证券投资基金销售；证券自营；与证券交易、证券投资活动有关的财务顾问；证券资产管理；证券承销与保荐；为期货公司提供中间介绍业务；融资融券；金融产品销售；全国中小企业股份转让系统推荐业务与经纪业务。 公司成立以来，抓住机遇低成本扩张，业务规模和机构数量快速增长，现有全资直投业务子公司1家，控股期货子公司1家，并在北京、上海、贵州各设有1家分公司，营业网点立足贵州，分布北京、上海、深圳、江苏、浙江、四川、重庆等地。公司不断强化基础管理，严格规范经营，资产质量和财务状况良好，继往开来，公司将坚持以客户为中心、市场为导向，不断提高投融资服务能力和风险管理能力，走差异化发展道路，以更高的服务质量、更好的服务设施、更新的服务理念、更丰富的服务品种为广大客户提供更及时、高效、专业的服务。					

二、业务动态

推荐挂牌情况				
序号	股份代码	公司名称	挂牌日期	公司状态
1	430628	易世达	2014－01－24	挂牌
2	830809	安达科技	2014－06－18	挂牌
目前已推荐挂牌公司家数		2		
撤回材料及申请被否公司家数		0		
正在挂牌公司家数		2		

已上市公司家数		0		
已被终止挂牌公司家数		0		
推荐定向发行情况				
序号	股份代码	公司名称	发行日期	公司状态
推荐定向发行次数		0		
推荐定向发行成功次数		0		
推荐定向发行失败次数		0		
推荐原代办股份转让系统的两网公司及退市公司挂牌情况				
序号	股份代码	公司名称		
推荐原代办股份转让系统的两网公司及退市公司家数		0		

三、部门设置

经纪业务				
人员	姓名	固定电话	传真	Email
经纪业务联络人	卫丽	0851－8652694	0851－6828271	weili@ hczq. com
经纪业务联络人	陈强	0857－4889911	0851－6850539	5433948@ qq. com
推荐业务				
人员	姓名	固定电话	传真	Email
推荐业务联络人	肖世宁	0755－83479925	0755－21516715	xiaoshining@ 139. com
推荐业务联络人	方韬	0755－82870021	0755－21516715	terrel1919@ 163. com

天风证券股份有限公司

一、公司概况及简介

公司概况	公司名称	天风证券股份有限公司				
	成立日期	2000－3－29	法定代表人	余　磊	总经理	张　军
	注册资本（万元）	234,113	净资产＊（万元）	184,286.57	净资本＊（万元）	108,921.79
	注册地址	湖北省武汉市东湖新技术开发区关东园路2号高科大厦四楼			营业部家数	26
	办公地址	湖北省武汉市武昌区中南路99号保利广场A座			邮编	430071
	公司网址	www. tfzq. com	电子邮箱	zxqyjrb@ tfzq. com	经营证券业务许可证编号	Z19935000
	注：＊经审计的最近年度净资产和净资本					
	证监会批准的相关业务资格			证券经纪业务、证券承销保荐业务、证券自营 业务、证券投资咨询业务、与证券交易、证券 投资活动有关的财务顾问业务、证券投资基金 代销业务、证券资产管理业务、融资融券业务、代销金融产品、为期货公司提供中间介绍业务。		
	在全国股份转让系统从事的业务种类			经纪业务，推荐业务，做市业务		
公司简介	天风证券股份有限公司（以下简称"天风证券）成立于2000年3月29日，公司注册资本人民币23.4113亿元，注册地址为湖北省武汉市东湖新技术开发区关东园路2号高科大厦四楼，是注册地在武汉东湖新技术开发区的唯一一家券商。 天风证券经营范围为：证券经纪；证券投资咨询；与证券交易、证券投资活动有关的财务顾问；证券投资基金代销；证券承销与保荐；证券自营；证券资产管理；融资融券；代销金融产品；为期货公司提供中间介绍业务。天风证券是上海证券交易所、深圳证券交易所、中国登记结算公司和中国证券业协会的会员单位，始终坚持"依法经营、稳健发展"的经营方针和"诚信、稳健、创新、效率"的理念，为客户提供优质、全方位的服务。公司经营稳健，财务状况良好，不存在重大风险隐患，各项业务严格遵守国家有关金融证券法律、法规，无任何违法、违纪、违规行为，信息系统安全稳定，自成立以来未发生过重大技术故障。					

二、业务动态

推荐挂牌情况				
序号	股份代码	公司名称	挂牌日期	公司状态
1	430591	明德生物	2014－1－24	挂牌
2	430677	升华感应	2014－4－10	挂牌
3	830866	凌志软件	2014－7－30	挂牌
4	831165	远洲股份	2014－9－26	挂牌
5	831238	旭业新材	2014－10－27	挂牌
6	831252	博润通	2014－10－31	挂牌
7	831515	威和光电	2014－12－16	挂牌
8	831585	鸿业科技	2014－12－30	挂牌
9	831581	八佳电气	2014－12－30	挂牌
10	831623	金汇膜	2015－1－05	挂牌
11	831648	盛景科技	2015－1－14	挂牌
12	831777	丽晶光电	2015－1－14	挂牌
13	831713	天源环保	2015－1－14	挂牌
14	831933	百杰瑞	2015－2－16	挂牌
目前已推荐挂牌公司家数		14		
撤回材料及申请被否公司家数		0		
正在挂牌公司家数		14		
已上市公司家数		0		
已被终止挂牌公司家数		0		
推荐定向发行情况				
序号	股份代码	公司名称	发行日期	公司状态
1	430591	明德生物	2014－7－1	发行成功
2	830866	凌志软件	2014－11－19	发行成功
推荐定向发行次数		2		
推荐定向发行成功次数		2		
推荐定向发行失败次数		0		
推荐原代办股份转让系统的两网公司及退市公司挂牌情况				
序号	股份代码	公司名称		
推荐原代办股份转让系统的两网公司及退市公司家数		0		

三、部门设置

经纪业务				
人员	姓名	固定电话	传真	Email
经纪业务联络人	李世奎	028－86712334	028－86711382	lishikui@ tfzq. com
经纪业务联络人	庄桦	028－86712334	028－86711382	zhuanghua@ tfzq. com
推荐业务				
人员	姓名	固定电话	传真	Email
推荐业务联络人	陈安阔	027－87617017	027－87618863	chenankuo@ tfzq. com
推荐业务联络人	韩雨佳	027－87617092	027－87618863	hanyujia@ tfzq. com

国开证券有限责任公司

一、公司概况及简介

<table>
<tr><td rowspan="8">公司概况</td><td>公司名称</td><td colspan="5">国开证券有限责任公司</td></tr>
<tr><td>成立日期</td><td>2003－12－29</td><td>法定代表人</td><td>黎维彬</td><td>总经理</td><td>黎维彬</td></tr>
<tr><td>注册资本（万元）</td><td>737,000</td><td>净资产＊（万元）</td><td>797,218</td><td>净资本＊（万元）</td><td>726,809.05</td></tr>
<tr><td>注册地址</td><td colspan="3">北京市朝阳区安华里外馆斜街甲1号泰利明苑A座二区4层</td><td>营业部家数</td><td>8</td></tr>
<tr><td>办公地址</td><td colspan="3">北京市东城区东直门南大街1号 来福士中心办公楼21,23,25层</td><td>邮编</td><td>100007</td></tr>
<tr><td>公司网址</td><td>www.gkzq.com.cn</td><td>电子邮箱</td><td>zhangxunmin@gkzq.com.cn</td><td>经营证券业务许可证编号</td><td>Z32111000</td></tr>
<tr><td colspan="6">注：＊经审计的最近年度净资产和净资本</td></tr>
<tr><td colspan="3">证监会批准的相关业务资格</td><td colspan="3">证券经纪；证券投资咨询；与证券交易、证券投资活动有关的财务顾问；证券承销与保荐；证券自营；证券资产管理；经证监会批准的其他业务。</td></tr>
<tr><td></td><td colspan="3">在全国股份转让系统从事的业务种类</td><td colspan="3">经纪业务，推荐业务，做市业务</td></tr>
<tr><td>公司简介</td><td colspan="6">国开证券有限责任公司是国家开发银行全资拥有的投资银行，是中国内地唯一有银行全资控股的证券公司，由国家开发银行在收购原航空证券全部股份的基础上增资设立而成。2010年8月25日，国开证券正式成立，以崭新的形象登上中国资本市场舞台。国开证券总部位于北京，在北京、上海、深圳、天津、河北等设立了营业部。公司总部共设有19个部门，并在全国设立了8家营业部，6家分公司，并设有控股子公司国开泰富基金管理有限责任公司。国开证券成立三年来，综合实力得到极大提升，注册资本由5.2亿元增至73.7亿元，业务范围持续扩大，服务能力显著增强。
2013年，国开证券实现营业收入13.60亿元，实现净利润4.64亿元。截至2013年末，国开证券总资产达到173.63亿元，净资产82.97亿元。2013年，国开证券被《金融时报》评选为“2013年年度最具创新力证券公司”。公司的主要业务包括证券保荐类业务（含IPO、上市再融资、财务顾问业务等）、债券承销与自营业务（包括企业债、公司债、中小企业私募债等）、证券投资咨询业务、证券经纪业务、资产管理业务、融资融券业务、“新三板”业务及创新业务等。</td></tr>
</table>

二、业务动态

<table>
<tr><td colspan="5">推荐挂牌情况</td></tr>
<tr><td>序号</td><td>股份代码</td><td>公司名称</td><td>挂牌日期</td><td>公司状态</td></tr>
<tr><td colspan="2">目前已推荐挂牌公司家数</td><td colspan="3">0</td></tr>
<tr><td colspan="2">撤回材料及申请被否公司家数</td><td colspan="3">0</td></tr>
<tr><td colspan="2">正在挂牌公司家数</td><td colspan="3">0</td></tr>
<tr><td colspan="2">已上市公司家数</td><td colspan="3">0</td></tr>
<tr><td colspan="2">已被终止挂牌公司家数</td><td colspan="3">0</td></tr>
<tr><td colspan="5">推荐定向发行情况</td></tr>
<tr><td>序号</td><td>股份代码</td><td>公司名称</td><td>发行日期</td><td>公司状态</td></tr>
<tr><td colspan="2">推荐定向发行次数</td><td colspan="3">0</td></tr>
<tr><td colspan="2">推荐定向发行成功次数</td><td colspan="3">0</td></tr>
<tr><td colspan="2">推荐定向发行失败次数</td><td colspan="3">0</td></tr>
<tr><td colspan="5">推荐原代办股份转让系统的两网公司及退市公司挂牌情况</td></tr>
<tr><td>序号</td><td>股份代码</td><td colspan="3">公司名称</td></tr>
<tr><td colspan="2">推荐原代办股份转让系统的两网公司及退市公司家数</td><td colspan="3">0</td></tr>
</table>

三、部门设置

经纪业务

人员	姓名	固定电话	传真	Email
经纪业务联络人	胡晓岚	010 - 52825366	010 - 52825701	huxiaolan@ gkzq. com. cn
经纪业务联络人	孔静	010 - 52825388	010 - 52825701	kongjing@ gkzq. com. cn
推荐业务				
人员	姓名	固定电话	传真	Email
推荐业务联络人	张宇	021 - 68598062	021 - 68598098	zhangyu@ gkzq. com. cn
推荐业务联络人	张勋民	010 - 51789002	010 - 51789053	zhangxunmin@ gkzq. com. cn

华福证券有限责任公司

一、公司概况及简介

公司概况	公司名称	华福证券有限责任公司				
	成立日期	1988 - 6 - 9	法定代表人	黄金琳	总经理	黄德良
	注册资本（万元）	55,000	净资产＊（万元）	234,960.73	净资本＊（万元）	206,148.13
	注册地址	福建省福州市鼓楼区温泉街道五四路 157 号 7 - 8 层			营业部家数	77
	办公地址	福建省福州市鼓楼区温泉街道五四路 157 号 7 - 8 层			邮编	350003
	公司网址	www. hfzq. com. cn	电子邮箱	hfzq@ hfzq. com. cn	经营证券业务许可证编号	Z23935000
	注：＊经审计的最近年度净资产和净资本					
	证监会批准的相关业务资格			证券经纪；证券投资咨询；与证券交易、证券投资活动有关的财务顾问；证券承销与保荐；证券自营；证券资产管理；融资融券；证券投资基金代销；为期货公司提供中间介绍服务；代销金融产品。		
	在全国股份转让系统从事的业务种类			经纪业务，推荐业务，做市业务		
公司简介	华福证券前身为福建省华福证券公司，成立于 1988 年 6 月，是我国首批成立的证券公司之一。2003 年 4 月，引进广发证券为控股股东，经中国证监会批准，增资改制并更名为广发华福证券有限责任公司。2010 年 12 月，广发证券将其所持公司股权，依法转让给福建省能源集团有限责任公司、福建省交通运输集团有限责任公司和联华国际信托有限公司（现更名为兴业国际信托有限公司）。2011 年 8 月，经批准更名为华福证券有限责任公司，为省属全资国有金融机构。现公司注册资本 5.5 亿元人民币，总部在福建省福州市。公司目前拥有华福资本投资有限公司和兴银投资有限公司 2 家全资子公司；控股 1 家子公司华福基金管理有限责任公司，在福州、厦门、泉州、北京和上海等地设有 19 家分公司。 公司自成立以来，始终秉承“诚信专业，创造价值”的经营宗旨，坚持“规范经营，稳健发展”的经营理念，在各级政府、各股东和广大投资者大力支持下，盈利能力逐步增强，经营业绩持续提升，公司财务合规稳健，从成立至今每年均取得“标准无保留”的审计评价。2014 年 4 月，福建省国税局、福建省地税局联合举办福建省 2013 年度纳税百强企业颁奖大会，公司再次被授予“福建省 2013 年度纳税百强企业”，这已是连续第四年获得该荣誉称号，树立了良好的社会形象。当前公司正充分利用行业创新机遇，谋划各项业务发展，打造全牌照全国性优秀券商。					

二、业务动态

推荐挂牌情况				
序号	股份代码	公司名称	挂牌日期	公司状态
1	430623	箭鹿股份	2014 - 01 - 24	挂牌
2	830981	世纪钨材	2014 - 08 - 08	挂牌
3	831071	北塔软件	2014 - 08 - 18	挂牌
4	831586	高奇电子	2014 - 12 - 31	挂牌
5	831587	万事兴	2014 - 12 - 31	挂牌
6	831478	天际数字	2015 - 12 - 12	挂牌

目前已推荐挂牌公司家数		6		
撤回材料及申请被否公司家数		0		
正在挂牌公司家数		6		
已上市公司家数		0		
已被终止挂牌公司家数		0		
推荐定向发行情况				
序号	股份代码	公司名称	发行日期	公司状态
推荐定向发行次数		0		
推荐定向发行成功次数		0		
推荐定向发行失败次数		0		
推荐原代办股份转让系统的两网公司及退市公司挂牌情况				
序号	股份代码	公司名称		
推荐原代办股份转让系统的两网公司及退市公司家数		0		

三、部门设置

经纪业务				
人员	姓名	固定电话	传真	Email
经纪业务联络人	岳洪涛	0591 - 87383620	0591 - 87383610	yht@ hfzq. com. cn
经纪业务联络人	林丽	0591 - 87383607	0591 - 87383610	ll@ hfzq. com. cn
推荐业务				
人员	姓名	固定电话	传真	Email
推荐业务联络人	曹珍	021 - 51917685	021 - 51917012	cao_zhen@ sina. com
推荐业务联络人	吴晓露	021 - 51917672	021 - 51917012	wxlu07@ 163. com

日信证券有限责任公司

一、公司概况及简介

公司概况	公司名称	日信证券有限责任公司				
	成立日期	2002 - 4 - 24	法定代表人	孔佑杰	总经理	孔佑杰(代)
	注册资本(万元)	100,000	净资产 *(万元)	84,898.39	净资本 *(万元)	49,935.91
	注册地址	内蒙古呼和浩特市锡林南路 18 号			营业部家数	34
	办公地址	北京市西城区闹市口大街 1 号长安兴融中心西楼 11 层			邮编	100031
	公司网址	www. rxzq. com. cn	电子邮箱	thsyb@ rxzq. com. cn	经营证券业务许可证编号	Z36815000
	注: * 经审计的最近年度净资产和净资本					
	证监会批准的相关业务资格			证券经纪;证券投资咨询;与证券交易、证券投资活动有关的财务顾问;证券承销与保荐;证券自营;证券资产管理;融资融券;证券投资基金代销;代销金融产品等综合业务。		
	在全国股份转让系统从事的业务种类			经纪业务,推荐业务,做市业务		
公司简介	日信证券有限责任公司(简称"日信证券"或"公司")是经中国证监会核准并在国家工商行政部门注册登记的综合性证券公司。公司成立于 2002 年 4 月,注册资本为 9 亿元人民币。公司的股东包括"北京长安投资集团有限公司"、"北京华联集团投资控股有限公司"、"内蒙古日信担保投资(集团)有限公司"等国内知名大中型企业。					

公司简介	公司秉承“合规经营、稳健发展”的经营理念，自成立以来，资产质量一直保持优良，经营业绩稳步提高，公司的经营管理能力得到了监管部门的肯定，在广大证券投资者中拥有较高的美誉度。公司经营业务主要包括：证券经纪；证券投资咨询；与证券交易、证券投资活动有关的财务顾问；证券承销与保荐；证券自营；证券资产管理；融资融券；证券投资基金代销；代销金融产品等综合业务。公司下设北京分公司，在全国已拥有三十一家证券营业部，控股了首创期货公司有限责任公司，在深圳前海全资设立了日信资本投资有限公司。

二、业务动态

推荐挂牌情况				
序号	股份代码	公司名称	挂牌日期	公司状态
1	430510	丰光精密	2014－01－24	挂牌
2	830814	浩博新材	2014－06－26	挂牌
3	830892	海迈科技	2014－08－08	挂牌
4	831514	艾迪尔	2014－12－16	挂牌
5	831591	云涛生物	2015－01－06	挂牌
目前已推荐挂牌公司家数		5		
撤回材料及申请被否公司家数		0		
正在挂牌公司家数		5		
已上市公司家数		0		
已被终止挂牌公司家数		0		
推荐定向发行情况				
序号	股份代码	公司名称	发行日期	公司状态
推荐定向发行次数		0		
推荐定向发行成功次数		0		
推荐定向发行失败次数		0		
推荐原代办股份转让系统的两网公司及退市公司挂牌情况				
序号	股份代码	公司名称		
推荐原代办股份转让系统的两网公司及退市公司家数		0		

三、部门设置

经纪业务				
人员	姓名	固定电话	传真	Email
经纪业务联络人	陈文彬	010－83991716	010－88086637	Chenwb@ rxzq. com. cn
经纪业务联络人	郭佳	010－83991729	010－66412537	guojia@ rxzq. com. cn
推荐业务				
人员	姓名	固定电话	传真	Email
推荐业务联络人	郑媛	010－83991895	010－88086637	zhengyuan@ rxzq. com. cn
推荐业务联络人	徐海啸	010－83991797	010－88086637	xuhx@ rxzq. com. cn

德邦证券有限责任公司

一、公司概况及简介

公司概况	公司名称	德邦证券有限责任公司				
	成立日期	2003－5－18	法定代表人	武晓春	总经理	武晓春
	注册资本（万元）	169,000	净资产＊（万元）	256,872	净资本＊（万元）	203,859

<table>
<tr><td rowspan="6">公司概况</td><td>注册地址</td><td colspan="3">上海市普陀区曹杨路510号南半幢9楼</td><td>营业部家数</td><td>19</td></tr>
<tr><td>办公地址</td><td colspan="3">上海市福山路500号城建国际中心26楼</td><td>邮编</td><td>200122</td></tr>
<tr><td>公司网址</td><td>www.tebon.com.cn</td><td>电子邮箱</td><td>webmaster@tebon.com.cn</td><td>经营证券业务许可证编号</td><td>Z31221000</td></tr>
<tr><td colspan="6">注：*经审计的最近年度净资产和净资本</td></tr>
<tr><td colspan="3">证监会批准的相关业务资格</td><td colspan="3">证券经纪;证券投资咨询;与证券交易、证券投资活动有关的财务顾问;证券承销与保荐;证券自营;证券资产管理;融资融券;代销金融产品。</td></tr>
<tr><td colspan="3">在全国股份转让系统从事的业务种类</td><td colspan="3">经纪业务,推荐业务,做市业务</td></tr>
<tr><td>公司简介</td><td colspan="6">德邦证券有限责任公司(以下简称"德邦证券"或"公司")成立于2003年5月,是经中国证监会批准设立的具有承销保荐、经纪业务等资格的全国性综合类证券公司。公司旗下拥有德邦基金管理有限公司及中州期货有限公司。公司拥有投资银行、固定收益、资产管理、量化投资、证券经纪与财富管理为基本架构的专业证券服务体系,以及研究咨询、信息技术和风险管理等强有力的服务支持体系,秉承"心连心、手拉手"的服务理念,为广大客户提供投资、融资等全面、专业的金融服务。凭借专业化服务理念和差异化竞争策略,德邦证券在业内异军突起,被业内誉为最具活力、最具成长性的证券公司之一。
德邦证券与多家公募基金、私募基金紧密合作,投行业务发展迅速,成绩斐然,2008年5月起先后获得了"2008年中国区最具潜力投行"、"2010年度中国最佳创新证券公司奖"、"2011中国区优秀投行——最具创新奖"等多项荣誉;公司在大力发展传统经纪业务的同时,创立了"财富玖功管理中心",倡导客户风险承受能力、专业化水平与自身预期收益相匹配的理性投资理念,秉承"策略先行、重点投资、持续跟踪"的核心服务策略,采取量身定制的方式,为每位客户提供最适合的投资咨询服务。</td></tr>
</table>

二、业务动态

<table>
<tr><td colspan="5">推荐挂牌情况</td></tr>
<tr><td>序号</td><td>股份代码</td><td>公司名称</td><td>挂牌日期</td><td>公司状态</td></tr>
<tr><td>1</td><td>830946</td><td>森萱股份</td><td>2014-08-06</td><td>挂牌</td></tr>
<tr><td>2</td><td>831287</td><td>启奥科技</td><td>2014-11-07</td><td>挂牌</td></tr>
<tr><td colspan="2">目前已推荐挂牌公司家数</td><td colspan="3">2</td></tr>
<tr><td colspan="2">撤回材料及申请被否公司家数</td><td colspan="3">0</td></tr>
<tr><td colspan="2">正在挂牌公司家数</td><td colspan="3">2</td></tr>
<tr><td colspan="2">已上市公司家数</td><td colspan="3">0</td></tr>
<tr><td colspan="2">已被终止挂牌公司家数</td><td colspan="3">0</td></tr>
<tr><td colspan="5">推荐定向发行情况</td></tr>
<tr><td>序号</td><td>股份代码</td><td>公司名称</td><td>发行日期</td><td>公司状态</td></tr>
<tr><td colspan="2">推荐定向发行次数</td><td colspan="3">0</td></tr>
<tr><td colspan="2">推荐定向发行成功次数</td><td colspan="3">0</td></tr>
<tr><td colspan="2">推荐定向发行失败次数</td><td colspan="3">0</td></tr>
<tr><td colspan="5">推荐原代办股份转让系统的两网公司及退市公司挂牌情况</td></tr>
<tr><td>序号</td><td>股份代码</td><td colspan="3">公司名称</td></tr>
<tr><td colspan="2">推荐原代办股份转让系统的两网公司及退市公司家数</td><td colspan="3">0</td></tr>
</table>

三、部门设置

<table>
<tr><td colspan="5">经纪业务</td></tr>
<tr><td>人员</td><td>姓名</td><td>固定电话</td><td>传真</td><td>Email</td></tr>
<tr><td>经纪业务联络人</td><td>陈杰</td><td>021-68761616-8100</td><td>021-68767981</td><td>chenjie@tebon.com.cn</td></tr>
<tr><td colspan="5">推荐业务</td></tr>
<tr><td>人员</td><td>姓名</td><td>固定电话</td><td>传真</td><td>Email</td></tr>
<tr><td>推荐业务联络人</td><td>张婕</td><td>021-20830925</td><td>021-20830982</td><td>zhangjie@tebon.com.cn</td></tr>
</table>

厦门证券有限公司

一、公司概况及简介

<table>
<tr><td rowspan="9">公司概况</td><td>公司名称</td><td colspan="5">厦门证券有限公司</td></tr>
<tr><td>成立日期</td><td>1988-7-16</td><td>法定代表人</td><td>傅毅辉</td><td>总经理</td><td>傅毅辉</td></tr>
<tr><td>注册资本（万元）</td><td>18,150</td><td>净资产*（万元）</td><td>28,702</td><td>净资本*（万元）</td><td>19,018</td></tr>
<tr><td>注册地址</td><td colspan="3">福建省厦门市思明区莲前西路2号莲富大厦17楼</td><td>营业部家数</td><td>20</td></tr>
<tr><td>办公地址</td><td colspan="3">福建省厦门市思明区莲前西路2号莲富大厦17楼</td><td>邮编</td><td>361009</td></tr>
<tr><td>公司网址</td><td>www.xmzq.cn</td><td>电子邮箱</td><td>xmzqzb@xmzq.com.cn</td><td>经营证券业务许可证编号</td><td>Z24172000</td></tr>
<tr><td colspan="6">注：*经审计的最近年度净资产和净资本</td></tr>
<tr><td colspan="3">证监会批准的相关业务资格</td><td colspan="3">证券经纪；证券投资咨询；与证券交易、证券投资活动有关的财务顾问；证券投资基金代销；代销金融产品。</td></tr>
<tr><td colspan="3">在全国股份转让系统从事的业务种类</td><td colspan="3">经纪业务，推荐业务，做市业务</td></tr>
<tr><td>公司简介</td><td colspan="6">厦门证券有限公司（以下简称“公司”）成立于1988年，经中国人民银行福建省分行批准成立，是国内最早设立的证券公司之一。从成立伊始，公司秉承“立信于心，永续发展”的经营理念，坚持“全心全意为客户创造价值”的核心价值观，依靠完善的法人治理结构和严密的内控体系，在专业高效的经营团队带领下，公司积极参与国内资本市场的发展，大力拓展各项业务，深入研究客户需求，以至诚的服务精神为客户提供专业的金融服务，树立了良好的市场品牌和社会形象。展望未来，作为一家总部设于海西经济区的证券公司，公司将抓住中央关于支持福建省加快海峡西岸经济区建设的历史性机遇，充分发挥总部优势和证券专业优势，坚持稳健经营、合规发展，严格风险控制，积极开拓创新，努力打造一家海峡西岸业绩优良、品牌卓越的一流券商。</td></tr>
</table>

二、业务动态

<table>
<tr><td colspan="5">推荐挂牌情况</td></tr>
<tr><td>序号</td><td>股份代码</td><td>公司名称</td><td>挂牌日期</td><td>公司状态</td></tr>
<tr><td colspan="2">目前已推荐挂牌公司家数</td><td colspan="3">0</td></tr>
<tr><td colspan="2">撤回材料及申请被否公司家数</td><td colspan="3">0</td></tr>
<tr><td colspan="2">正在挂牌公司家数</td><td colspan="3">0</td></tr>
<tr><td colspan="2">已上市公司家数</td><td colspan="3">0</td></tr>
<tr><td colspan="2">已被终止挂牌公司家数</td><td colspan="3">0</td></tr>
<tr><td colspan="5">推荐定向发行情况</td></tr>
<tr><td>序号</td><td>股份代码</td><td>公司名称</td><td>发行日期</td><td>公司状态</td></tr>
<tr><td colspan="2">推荐定向发行次数</td><td colspan="3">0</td></tr>
<tr><td colspan="2">推荐定向发行成功次数</td><td colspan="3">0</td></tr>
<tr><td colspan="2">推荐定向发行失败次数</td><td colspan="3">0</td></tr>
<tr><td colspan="5">推荐原代办股份转让系统的两网公司及退市公司挂牌情况</td></tr>
<tr><td>序号</td><td>股份代码</td><td colspan="3">公司名称</td></tr>
<tr><td colspan="2">推荐原代办股份转让系统的两网公司及退市公司家数</td><td colspan="3">0</td></tr>
</table>

三、部门设置

<table>
<tr><td colspan="5">经纪业务</td></tr>
<tr><td>人员</td><td>姓名</td><td>固定电话</td><td>传真</td><td>Email</td></tr>
<tr><td>经纪业务联络人</td><td>田彦辉</td><td>0592-5161578</td><td>0592-5161140</td><td>tianyanhui@xmzq.com.cn</td></tr>
<tr><td>经纪业务联络人</td><td>林健</td><td>0592-5167113</td><td>0592-5161140</td><td>linjian@xmzq.com.cn</td></tr>
<tr><td colspan="5">推荐业务</td></tr>
<tr><td>人员</td><td>姓名</td><td>固定电话</td><td>传真</td><td>Email</td></tr>
</table>

银泰证券有限责任公司

一、公司概况及简介

<table>
<tr><td rowspan="9">公司概况</td><td>公司名称</td><td colspan="5">银泰证券有限责任公司</td></tr>
<tr><td>成立日期</td><td>2006－9－5</td><td>法定代表人</td><td>黄冰</td><td>总经理</td><td>黄　冰</td></tr>
<tr><td>注册资本（万元）</td><td>120,000</td><td>净资产＊（万元）</td><td>175,091</td><td>净资本＊（万元）</td><td>159,412</td></tr>
<tr><td>注册地址</td><td colspan="3">深圳市福田区竹子林四路紫竹七道18号光大银行18楼</td><td>营业部家数</td><td>27</td></tr>
<tr><td>办公地址</td><td colspan="3">深圳市福田区竹子林四路紫竹七道18号光大银行18楼</td><td>邮编</td><td>518040</td></tr>
<tr><td>公司网址</td><td>www. ytzq. com</td><td>电子邮箱</td><td>ytzq@ ytzq. net</td><td>经营证券业务许可证编号</td><td>13640000</td></tr>
<tr><td colspan="6">注：＊经审计的最近年度净资产和净资本</td></tr>
<tr><td colspan="3">证监会批准的相关业务资格</td><td colspan="3">证券经纪；证券投资咨询；与证券交易、证券投资活动有关的财务顾问；证券承销；证券自营；证券资产管理；融资融券；证券投资基金代销；代销金融产品。</td></tr>
<tr><td colspan="3">在全国股份转让系统从事的业务种类</td><td colspan="3">经纪业务，推荐业务，做市业务</td></tr>
<tr><td>公司简介</td><td colspan="6">银泰证券有限责任公司于2006年7月经中国证监会批准成立，是证券行业综合治理期间首家批准设立的证券公司。公司注册地为深圳市，注册资本12亿元，主要股东为北京嘉鑫世纪投资有限公司、国银金融租赁有限公司和武汉致远投资有限公司。公司经营范围涵盖证券经纪；证券投资咨询；与证券交易、证券投资活动有关的财务顾问；证券承销；证券自营；证券资产管理；融资融券；证券投资基金代销；代销金融产品。
公司现有27家证券营业部，主要分布在珠三角、长三角、环渤海经济圈、江浙地区及中西部南方地区等25个中心城市。公司成立时注册资本1.2亿元，为拓展经营规模，扩大业务范围，2008年7月，经中国证监会核准，公司完成了第一次增资扩股，注册资本金增加至5亿元；2009年3月，经中国证监会核准，公司名称由“银泰证券经纪有限责任公司”变更为“银泰证券有限责任公司”；2010年6月，经中国证监会核准，公司完成了第二次增资扩股，注册资本金增加至10亿元；2013年9月，公司收到深圳证监局出具《关于接收银泰证券有限责任公司增资扩股备案材料的回执》，完成了第三次增资扩股，注册资本金增加至12亿元。</td></tr>
</table>

二、业务动态

<table>
<tr><td colspan="5">推荐挂牌情况</td></tr>
<tr><td>序号</td><td>股份代码</td><td>公司名称</td><td>挂牌日期</td><td>公司状态</td></tr>
<tr><td colspan="2">目前已推荐挂牌公司家数</td><td colspan="3">0</td></tr>
<tr><td colspan="2">撤回材料及申请被否公司家数</td><td colspan="3">0</td></tr>
<tr><td colspan="2">正在挂牌公司家数</td><td colspan="3">0</td></tr>
<tr><td colspan="2">已上市公司家数</td><td colspan="3">0</td></tr>
<tr><td colspan="2">已被终止挂牌公司家数</td><td colspan="3">0</td></tr>
<tr><td colspan="5">推荐定向发行情况</td></tr>
<tr><td>序号</td><td>股份代码</td><td>公司名称</td><td>发行日期</td><td>公司状态</td></tr>
<tr><td colspan="2">推荐定向发行次数</td><td colspan="3">0</td></tr>
<tr><td colspan="2">推荐定向发行成功次数</td><td colspan="3">0</td></tr>
<tr><td colspan="2">推荐定向发行失败次数</td><td colspan="3">0</td></tr>
<tr><td colspan="5">推荐原代办股份转让系统的两网公司及退市公司挂牌情况</td></tr>
<tr><td>序号</td><td>股份代码</td><td colspan="3">公司名称</td></tr>
<tr><td colspan="2">推荐原代办股份转让系统的两网公司及退市公司家数</td><td colspan="3">0</td></tr>
</table>

三、部门设置

经纪业务

人员	姓名	固定电话	传真	Email
经纪业务联络人	张蓉	0755－83699323	0755－83703200	zhangr@ ytzq. com
经纪业务联络人	李雁波	0755－83701479	0755－83703200	liyb@ ytzq. com
推荐业务				
人员	姓名	固定电话	传真	Email

英大证券有限责任公司

一、公司概况及简介

公司概况	公司名称	英大证券有限责任公司				
	成立日期	1996.4.15	法定代表人	吴　骏	总经理	孔旺
	注册资本（万元）	220,000	净资产*（万元）	222,607	净资本*（万元）	180,663
	注册地址	深圳市福田区深南中路华能大厦三十、三十一层			营业部家数	16
	办公地址	深圳市福田区深南中路华能大厦十一、二十九、三十、三十一层超力通大厦三层			邮编	518031
	公司网址	www. ydsc. com. cn	电子邮箱	ydzq@ ydzq. sgcc. com. cn	经营证券业务许可证编号	10830000
	注：*经审计的最近年度净资产和净资本					
	证监会批准的相关业务资格			证券经纪；证券投资咨询；与证券交易、证券投资活动有关的财务顾问；证券自营；证券承销与保荐；证券资产管理；融资融券；证券投资基金代销；为期货公司提供中间介绍；约定购回式证券交易；中小企业私募债；股票质押式回购交易；全国中小企业股份转让系统。		
	在全国股份转让系统从事的业务种类			经纪业务，推荐业务，做市业务		
公司简介	英大证券有限责任公司（简称“英大证券”）是一家全国性的证券经营机构，成立于1996年，注册资本22亿元，注册地在深圳。公司拥有一批金融、经济、法律、财务和计算机等专业的高素质人才，业务范围涵盖证券经纪、证券投资咨询、证券自营、证券承销与保荐、证券资产管理、证券投资基金代销、财务顾问、融资融券、期货IB等领域。 英大证券股东实力雄厚，控股股东国网英大国际控股集团有限公司是在原国网资产管理有限公司基础上组建，是涵盖7家控股金融单位、19家参股金融机构的金融控股集团。英大证券实际控制人为国家电网公司。 英大证券坚持向国内外投资者提供一流专业服务、努力推动中国资本市场繁荣发展为己任，秉承“客户至上、回报股东、奉献社会”的企业宗旨，发扬“努力超越、追求卓越”的企业精神，信守“以人为本、诚信立业、合规经营、创新发展”的经营理念，将建设成为富有英大经营特色、“一强三优”、国际化经营的现代上市金融企业。					

二、业务动态

推荐挂牌情况				
序号	股份代码	公司名称	挂牌日期	公司状态
1	831644	透平高科	2015－01－07	挂牌
2	831649	金宏泰	2015－01－13	挂牌
3	831897	远大信息	2015－01－28	挂牌
目前已推荐挂牌公司家数		3		
撤回材料及申请被否公司家数		0		
正在挂牌公司家数		3		
已上市公司家数		0		
已被终止挂牌公司家数		0		
推荐定向发行情况				

序号	股份代码	公司名称	发行日期	公司状态
推荐定向发行次数		0		
推荐定向发行成功次数		0		
推荐定向发行失败次数		0		
推荐原代办股份转让系统的两网公司及退市公司挂牌情况				
序号	股份代码	公司名称		
推荐原代办股份转让系统的两网公司及退市公司家数		0		

三、部门设置

经纪业务				
人员	姓名	固定电话	传真	Email
经纪业务联络人	章海鸣	0755－83007331	0755－83007034	zhanghm@ ydzq. sgcc. com. cn
经纪业务联络人	黄昆	0755－83007328	0755－83007034	huangkun@ ydzq. sgcc. com. cn
推荐业务				
人员	姓名	固定电话	传真	Email
推荐业务联络人	修瑞雪	010－58381547	010－58381550	hexagonalx@ 126. com
推荐业务联络人	洪磊一	0755－83007366	0755－83007150	Hongleiyi110@ 126. com

西藏同信证券股份有限公司

一、公司概况及简介

公司概况	公司名称	西藏同信证券股份有限公司				
	成立日期	2000－2－13	法定代表人	贾绍君	总经理	贾绍君
	注册资本（万元）	60,000	净资产＊（万元）	94,541.90	净资本＊（万元）	79,783
	注册地址	西藏自治区拉萨市北京中路101号			营业部家数	33
	办公地址	上海市永和路118弄24号楼			邮编	200072
	公司网址	www. xzsec. com	电子邮箱	KFZX@ mail. xzsec. com	经营证券业务许可证编码	10880000
	注：＊经审计的最近年度净资产和净资本					
	证监会批准的相关业务资格			证券经纪;证券投资咨询;与证券交易、证券投资活动有关的财务顾问;证券承销与保荐;证券自营;证券资产管理;融资融券;证券基金代销;代销金融产品。		
	在全国股份转让系统从事的业务种类			经纪业务,推荐业务,做市业务		
公司简介	西藏同信证券股份有限公司(以下简称“公司”)原名西藏同信证券有限责任公司、西藏证券经纪有限责任公司,前身是西藏自治区信托投资公司(以下简称“西藏信托”)证券部。2000年3月,根据国务院关于信托与证券分业经营管理的要求,公司经中国证监会核准成立,注册资本人民币6000万元,由西藏信托全资控股,实际控制人为西藏自治区财政厅。 2006年底,公司进行改制并通过增资扩股引入郑州宇通集团成为公司第一大股东,注册资本增至人民币2亿元。2010年,西藏自治区投资有限公司(以下简称“西藏投资”)承接公司原股东西藏信托的全部股权划转,至此宇通集团持有公司70%股权,西藏投资持有30%股权。公司改制后规模及综合实力实现了跨越式发展,经纪业务的市场占有率逐年提升,复合增长率位居行业前茅;2012年2月,经过中国证监会的批准,公司完成了新一轮增资扩股,注册资本由2亿增加到6亿,资本实力得到进一步提升;2012年3月,公司收购了上海久恒期货经纪有限公司95.5%股权,为进一步拓展业务范围奠定了基础。 截至2012年8月,公司营业网点由2007年的5家营业部发展到遍及全国13个省、自治区、直辖市的31家营业部和3个分公司;公司的业务资格由原来单一的经纪业务发展为包括经纪业务、证券投资基金代销、证券自营、财务顾问、证券投资咨询、证券资产管理、融资融券、证券承销与保荐等综合业务类型。						

二、业务动态

推荐挂牌情况				
序号	股份代码	公司名称	挂牌日期	公司状态
1	830967	山东巨环	2014－08－13	挂牌
2	831161	伊菲股份	2014－09－25	挂牌
3	831728	阿尼股份	2015－01－13	挂牌
目前已推荐挂牌公司家数		3		
撤回材料及申请被否公司家数		0		
正在挂牌公司家数		3		
已上市公司家数		0		
已被终止挂牌公司家数		0		
推荐定向发行情况				
序号	股份代码	公司名称	发行日期	公司状态
推荐定向发行次数		0		
推荐定向发行成功次数		0		
推荐定向发行失败次数		0		
推荐原代办股份转让系统的两网公司及退市公司挂牌情况				
序号	股份代码	公司名称		
推荐原代办股份转让系统的两网公司及退市公司家数		0		

三、部门设置

经纪业务				
人员	姓名	固定电话	传真	Email
经纪业务联络人	羊洋	021－36533669	021－36535011	yangy@ mail. xzsec. com
经纪业务联络人	吴婧	021－36531803	021－36535011	wujing@ mail. xzsec. com
推荐业务				
人员	姓名	固定电话	传真	Email
推荐业务联络人	许家凤	021－60893235	021－60893228	939446869@ qq. com
推荐业务联络人	苗毅	010－82206338	021－60893228	mikeyvoire@ gmail. com

川财证券有限责任公司

一、公司概况及简介

公司概况	公司名称	川财证券有限责任公司				
	成立日期	1997－9－23	法定代表人	孟建军	总经理	孟建军
	注册资本（万元）	65,000	净资产＊（万元）	113,732.85	净资本＊（万元）	100,607.54
	注册地址	四川省成都市高新区交子大道177号中海国际中心B座17楼			营业部家数	6
	办公地址	四川省成都市高新区交子大道177号中海国际中心B座17楼			邮编	610041
	公司网址	www. cczq. com	电子邮箱	cczq@ cczq. com	经营证券业务许可证编码	11080000
	注：＊经审计的最近年度净资产和净资本					

公司概况	证监会批准的相关业务资格	证券经纪;证券投资咨询;证券承销与保荐;证券自营;证券资产管理;证券投资基金销售;与证券交易、证券投资活动有关的财务顾问业务。
	在全国股份转让系统从事的业务种类	经纪业务,推荐业务,做市业务
公司简介	川财证券有限责任公司(简称“川财证券”或“公司”)是经中国证监会核准并在国家工商行政部门注册登记的综合性证券公司。公司成立于1997年9月,注册资本为6.5亿元人民币。公司的股东包括“中国华电集团资本控股有限公司”、“四川省水电投资经营集团有限公司两大新股东”、“四川省国有资产经营投资管理有限责任公司”等国内知名大中型企业。 公司自成立以来,资产质量一直保持优良,经营业绩稳步提高,公司的经营管理能力得到了监管部门的肯定。川财证券依托控股股东华电资本拥有全方位的金融服务平台,涵盖证券、信托、基金、保险等,具有强大的调动产业资源和金融资本资源的能力。公司经营业务主要包括:证券经纪;证券投资咨询;证券承销与保荐;证券自营;证券资产管理;证券投资基金销售;与证券交易、证券投资活动有关的财务顾问。公司下设北京办事处、上海办事处和深圳办事处,在全国拥有六家证券营业部。	

二、业务动态

推荐挂牌情况				
序号	股份代码	公司名称	挂牌日期	公司状态
目前已推荐挂牌公司家数		0		
撤回材料及申请被否公司家数		0		
正在挂牌公司家数		0		
已上市公司家数		0		
已被终止挂牌公司家数		0		
推荐定向发行情况				
序号	股份代码	公司名称	发行日期	公司状态
推荐定向发行次数		0		
推荐定向发行成功次数		0		
推荐定向发行失败次数		0		
推荐原代办股份转让系统的两网公司及退市公司挂牌情况				
序号	股份代码	公司名称		
推荐原代办股份转让系统的两网公司及退市公司家数		0		

三、部门设置

经纪业务				
人员	姓名	固定电话	传真	Email
经纪业务联络人	雷涛	028 - 86583035	028 - 86583035	leitao@ cczq. com
经纪业务联络人	张莉	028 - 86583080	028 - 86583002	zhangli@ cczq. com
推荐业务				
人员	姓名	固定电话	传真	Email
推荐业务联络人	伏勇	010 - 66495626	010 - 66495920	fuyong@ cczq. com
推荐业务联络人	董孙	010 - 66495900	010 - 66495920	dongsun@ cczq. com

五矿证券有限公司

一、公司概况及简介

<table>
<tr><td rowspan="9">公司概况</td><td>公司名称</td><td colspan="5">五矿证券有限公司</td></tr>
<tr><td>成立日期</td><td>2000-8-4</td><td>法定代表人</td><td>张永衡</td><td>总经理</td><td>张永衡</td></tr>
<tr><td>注册资本（万元）</td><td>88,000</td><td>净资产（万元）</td><td>83,809</td><td>净资本（万元）</td><td>61,994</td></tr>
<tr><td>注册地址</td><td colspan="3">深圳市福田区金田路4028号荣超经贸中心办公楼47层01单元</td><td>营业部家数</td><td>28</td></tr>
<tr><td>办公地址</td><td colspan="3">深圳市福田区金田路4028号荣超经贸中心办公楼47层-49层</td><td>邮编</td><td>518035</td></tr>
<tr><td>公司网址</td><td>www.wkzq.com.cn</td><td>电子邮箱</td><td>sanban@wkzq.com.cn</td><td>经营证券业务许可证编码</td><td>10730000</td></tr>
<tr><td colspan="6">注：*经审计的最近年度净资产和净资本</td></tr>
<tr><td colspan="3">证监会批准的相关业务资格</td><td colspan="3">证券经纪；证券投资咨询；与证券交易、证券投资活动有关的财务顾问业务；证券自营；证券资产管理；融资融券；证券投资基金销售；为期货公司提供中间介绍业务；代销金融产品；证券承销与保荐。</td></tr>
<tr><td colspan="3">在全国股份转让系统从事的业务种类</td><td colspan="3">经纪业务，推荐业务，做市业务</td></tr>
<tr><td>公司简介</td><td colspan="6">五矿证券有限公司（以下简称为“五矿证券”或“公司”）成立于2000年，是深圳首批荣获规范类券商资格的证券公司，总部位于深圳福田CBD，在北京、深圳、杭州等金融产业核心城市均设有营业网点。五矿证券实际控制人中国五矿集团公司是中央管理的44家国有重要骨干企业之一，位列世界500强企业第228位。在强大的股东支持下，五矿证券迅速壮大，注册资本增至8.8亿，并将进一步引入战略投资者，使公司持续发展能力、核心竞争能力以及抗风险能力均得到显著提升，为业务发展奠定了坚实的基础。五矿证券始终秉承“规范运作、稳健经营、务实创新”的经营宗旨，在规范中保生存，在稳健中谋进步，在创新中求发展。
2011年，公司凭借业界最先进的系统为客户抢占交易先机，凭借富有活力的市场化机制为员工打造以价值创造为核心的企业文化，并在全体同仁的努力下获得了“最佳创新业务券商”、“2010年度代理买卖证券净收入增长率全行业第一”、“最具成长性的营业部”、“证券公司BB类评级”等一系列荣誉。五矿证券将继续秉承“珍惜有限、创造无限”的价值理念，依托股东优势，力争将公司打造成牌照齐全、特色明显、合规发展的市场化专业化券商。</td></tr>
</table>

二、业务动态

<table>
<tr><td colspan="5">推荐挂牌情况</td></tr>
<tr><td>序号</td><td>股份代码</td><td>公司名称</td><td>挂牌日期</td><td>公司状态</td></tr>
<tr><td colspan="2">目前已推荐挂牌公司家数</td><td colspan="3">0</td></tr>
<tr><td colspan="2">撤回材料及申请被否公司家数</td><td colspan="3">0</td></tr>
<tr><td colspan="2">正在挂牌公司家数</td><td colspan="3">0</td></tr>
<tr><td colspan="2">已上市公司家数</td><td colspan="3">0</td></tr>
<tr><td colspan="2">已被终止挂牌公司家数</td><td colspan="3">0</td></tr>
<tr><td colspan="5">推荐定向发行情况</td></tr>
<tr><td>序号</td><td>股份代码</td><td>公司名称</td><td>发行日期</td><td>公司状态</td></tr>
<tr><td colspan="2">推荐定向发行次数</td><td colspan="3">0</td></tr>
<tr><td colspan="2">推荐定向发行成功次数</td><td colspan="3">0</td></tr>
<tr><td colspan="2">推荐定向发行失败次数</td><td colspan="3">0</td></tr>
<tr><td colspan="5">推荐原代办股份转让系统的两网公司及退市公司挂牌情况</td></tr>
<tr><td>序号</td><td>股份代码</td><td colspan="3">公司名称</td></tr>
<tr><td colspan="2">推荐原代办股份转让系统的两网公司及退市公司家数</td><td colspan="3">0</td></tr>
</table>

三、部门设置

经纪业务				
人员	姓名	固定电话	传真	Email
经纪业务联络人	李莹	0755－82802802	0755－82545500	liying@ wkzq. com. cn
经纪业务联络人	苏楠敏	0755－82545659	0755－82545500	sunanmin@ wkzq. com. cn
推荐业务				
人员	姓名	固定电话	传真	Email
推荐业务联络人	卫薇	0755－82555214	0755－23937232	weiwei@ wkzq. com. cn
推荐业务联络人	钱育兰	010－63259295	010－63366033	qianyulan@ wkzq. com. cn

联讯证券股份有限公司

一、公司概况及简介

公司概况	公司名称	联讯证券股份有限公司				
	成立日期	1988.6.1	法定代表人	徐刚	总经理	李翊
	注册资本（万元）	11,583.96	净资产（万元）	62,308.3	净资本（万元）	49,435.8
	注册地址	广东省惠州市惠城区江北东江三路55号惠州广播电视新闻中心西面一层大堂和三、四层			营业部家数	33
	办公地址	广东省惠州市惠城区江北东江三路55号惠州广播电视新闻中心西面一层大堂和三、四层			邮编	516003
	公司网址	lxzq. com. cn	电子邮箱	lxzq@ lxzq. com. cn	经营证券业务许可证编码	10480000
	注：＊经审计的最近年度净资产和净资本					
	证监会批准的相关业务资格			证券经纪；证券投资基金代销；证券投资咨询；与证券交易、证券投资活动有关的财务顾问；证券资产管理；证券自营；代销金融产品；证券承销；融资融券。		
	在全国股份转让系统从事的业务种类			经纪业务，推荐业务，做市业务		
公司简介	联讯证券股份有限公司（下称“公司”）成立于1988年6月，总股本5亿元，2014年8月1日在全国中小企业股份转让系统（下称“新三板”）挂牌，证券代码830899。海口美兰国际机场有限责任公司、广东粤财投资控股有限公司、北京银都新天地科技有限公司为公司前三大股东。公司定位于为中小企业和中小投资者提供投融资服务。近几年发展迅速，网点规模和业务范围不断扩大。 公司现设立1家分公司和33家证券营业部，分布在北京、上海、辽宁、江苏、浙江、四川、广东等主要城市。公司经营范围：证券经纪、证券投资咨询、与证券交易、证券投资活动有关的财务顾问、证券投资基金代销、证券资产管理、证券自营、代销金融产品、证券承销、融资融券、股票质押式回购交易业务、全国中小企业股份转让系统主办券商经纪业务。公司秉承“财富联讯，服务贴心”的经营理念，致力于在传统业务中创新，成为传统业务某些领域中的领先者。 公司率先在业内推出经纪人制度，多年净资产收益率在行业领先。固定收益、资产管理业务发展迅速，2013年债券交割量在券商中排名第11位，“现金惠”集合资产计划同行业排名第17位，金融产品代销业绩斐然。联讯证券的经营特色，以客户利益为中心的服务模式在业内和监管机构均受佳评，经营管理经验和体会在《证券时报》、《证券日报》、《中国证券报》、《上海证券报》、《中国证券》等媒体均有报道和转载。联讯证券将坚持“诚信、规范、创新、和谐”企业文化，坚守“四个诚信：公司对客户的诚信；公司对员工的诚信；公司对股东的诚信；员工对公司的诚信”。公司以登陆新三板为新起点，扩大资本实力，规范公司治理，以人为本，用心服务客户，不断提高服务能力，增加公司信誉和美誉度，打造优秀的上市企业，创建“联讯证券”百年老店。						

二、业务动态

推荐挂牌情况				
序号	股份代码	公司名称	挂牌日期	公司状态
目前已推荐挂牌公司家数		0		

撤回材料及申请被否公司家数		0		
正在挂牌公司家数		0		
已上市公司家数		0		
已被终止挂牌公司家数		0		
推荐定向发行情况				
序号	股份代码	公司名称	发行日期	公司状态
推荐定向发行次数		0		
推荐定向发行成功次数		0		
推荐定向发行失败次数		0		
推荐原代办股份转让系统的两网公司及退市公司挂牌情况				
序号	股份代码	公司名称		
推荐原代办股份转让系统的两网公司及退市公司家数		0		

三、部门设置

经纪业务				
人员	姓名	固定电话	传真	Email
经纪业务联络人	李晶龙	0752－2119706		lijinglong@ lxzq. com. cn
经纪业务联络人	王永霞	0752－2119706		wangyongxia@ lxzq. com. cn
推荐业务				
人员	姓名	固定电话	传真	Email

中信证券(山东)有限责任公司

一、公司概况及简介

公司概况	公司名称	中信证券(山东)有限责任公司				
	成立日期	1988－6－2	法定代表人	杨宝林	总经理	姜晓林
	注册资本(万元)	80,000	净资产(万元)	301,884.7	净资本(万元)	247,549.04
	注册地址	山东省青岛市崂山区深圳路222号1号楼2001			营业部家数	57
	办公地址	山东省青岛市崂山区深圳路222号			邮编	266061
	公司网址	www. zxwt. com. cn	电子邮箱	sdzhb@ citics. com	经营证券业务许可证编码	10820000
	注：＊经审计的最近年度净资产和净资本					
	证监会批准从事的证券业务			证券经纪(限山东省、河南省)；证券投资咨询(限山东省、河南省的证券投资顾问业务)；融资融券；证券投资基金代销；为期货公司提供中间介绍业务；代销金融产品(限山东省、河南省)。		
	在全国股份转让系统从事的业务种类			经纪业务，推荐业务，做市业务		
公司简介	中信证券(山东)有限责任公司是中信证券股份有限公司的全资子公司。公司的前身是1988年设立的青岛证券公司。1992年改制为有限责任公司，更名为青岛万通证券有限公司。2000年增资扩股后更名为万通证券有限责任公司。2004年4月完成由中信证券股份有限公司出资控股的增资重组并更名为中信万通证券有限责任公司，公司注册资本8亿元。 截止2013年9月16日，中信证券股份有限公司的持股比例为100%。2014年4月15日，公司更名为中信证券(山东)有限责任公司。公司是山东地区两家法人证券公司之一，注册地为青岛市崂山区。公司为山东省、青岛市政府命名的“山东省服务业先进单位”、“山东省纳税先进单位”、“青岛市文明单位”和“青岛市金融发展突出贡献单位”。连续五年入围青岛市企业100强，连续六年入围青岛市服务业50强。在2011—2013年度证券公司分类评级中，连续三年被评为A类AA级证券公司。					

二、业务动态

推荐挂牌情况				
序号	股份代码	公司名称	挂牌日期	公司状态
目前已推荐挂牌公司家数		0		
撤回材料及申请被否公司家数		0		
正在挂牌公司家数		0		
已上市公司家数		0		
已被终止挂牌公司家数		0		
推荐定向发行情况				
序号	股份代码	公司名称	发行日期	公司状态
推荐定向发行次数		0		
推荐定向发行成功次数		0		
推荐定向发行失败次数		0		
推荐原代办股份转让系统的两网公司及退市公司挂牌情况				
序号	股份代码	公司名称		
推荐原代办股份转让系统的两网公司及退市公司家数		0		

三、部门设置

经纪业务				
人员	姓名	固定电话	传真	Email
经纪业务联络人	荆夕军	0532－85022500	85022511	jing@ citics. com
经纪业务联络人	于斐	0532－85022322	85022511	yufei@ citics. com
推荐业务				
人员	姓名	固定电话	传真	Email

第六章　法律法规

第一节　部门规章

优先股试点管理办法

第一章　总则

第一条　为规范优先股发行和交易行为，保护投资者合法权益，根据《公司法》、《证券法》、《国务院关于开展优先股试点的指导意见》及相关法律法规，制定本办法。

第二条　本办法所称优先股是指依照《公司法》，在一般规定的普通种类股份之外，另行规定的其他种类股份，其股份持有人优先于普通股股东分配公司利润和剩余财产，但参与公司决策管理等权利受到限制。

第三条　上市公司可以发行优先股，非上市公众公司可以非公开发行优先股。

第四条　优先股试点应当符合《公司法》、《证券法》、《国务院关于开展优先股试点的指导意见》和本办法的相关规定，并遵循公开、公平、公正的原则，禁止欺诈、内幕交易和操纵市场的行为。

第五条　证券公司及其他证券服务机构参与优先股试点，应当遵守法律法规及中国证券监督管理委员会（以下简称中国证监会）相关规定，遵循行业公认的业务标准和行为规范，诚实守信、勤勉尽责。

第六条　试点期间不允许发行在股息分配和剩余财产分配上具有不同优先顺序的优先股，但允许发行在其他条款上具有不同设置的优先股。

同一公司既发行强制分红优先股，又发行不含强制分红条款优先股的，不属于发行在股息分配上具有不同优先顺序的优先股。

第七条　相同条款的优先股应当具有同等权利。同次发行的相同条款优先股，每股发行的条件、价格和票面股息率应当相同；任何单位或者个人认购的股份，每股应当支付相同价额。

第二章　优先股股东权利的行使

第八条　发行优先股的公司除按《国务院关于开展优先股试点的指导意见》制定章程有关条款外，还应当按本办法在章程中明确优先股股东的有关权利和义务。

第九条　优先股股东按照约定的股息率分配股息后，有权同普通股股东一起参加剩余利润分配的，公司章程应明确优先股股东参与剩余利润分配的比例、条件等事项。

第十条　出现以下情况之一的，公司召开股东大会会议应通知优先股股东，并遵循《公司法》及公司章程通知普通股股东的规定程序。优先股股东有权出席股东大会会议，就以下事项与普通股股东分类表决，其所持每一优先股有一表决权，但公司持有的本公司优先股没有表决权：

（一）修改公司章程中与优先股相关的内容；

（二）一次或累计减少公司注册资本超过百分之十；

（三）公司合并、分立、解散或变更公司形式；

（四）发行优先股；

（五）公司章程规定的其他情形。

上述事项的决议，除须经出席会议的普通股股东（含表决权恢复的优先股股东）所持表决权的三分之二以上通过之外，还须经出席会议的优先股股东（不含表决权恢复的优先股股东）所持表决权的三分之二以上通过。

第十一条　公司股东大会可授权公司董事会按公司章程的约定向优先股支付股息。公司累计三个会计年度或连续两个会计年度未按约定支付优先股股息的，股东大会批准当年不按约定分配利润的方案次日起，优先股股东有权出席股东大会与普通股股东共同表决，每股优先股股份享有公司章程规定的一定比例表决权。

对于股息可累积到下一会计年度的优先股，表决权恢复直至公司全额支付所欠股息。对于股息不可累积的优先股，表决权恢复直至公司全额支付当年股息。公司章程可规定优先股表决权恢复的其他情形。

第十二条　优先股股东有权查阅公司章程、股东名册、公司债券存根、股东大会会议记录、董事会会议决议、监事会会议决议、财务会计报告。

第十三条　发行人回购优先股包括发行人要求赎回优先股和投资者要求回售优先股两种情况，并应在公司章程和招股文件中规定其具体条件。发行人要求赎回优先股的，必须完全支付所欠股息，但商业银行发行优先股补充资本的除外。优先股回购后相应减记发行在外的优先股股份总数。

第十四条　公司董事、监事、高级管理人员应当向公司申报所持有的本公司优先股及其变动情况，在任职期间每年转让的股份不得超过其所持本公司优先股股份总数的百分之二十五。公司章程可以对公司董事、监事、高级管理人员转让其所持有的本公司优先股股份作出其他限制性规定。

第十五条　除《国务院关于开展优先股试点的指导意见》规定的事项外，计算股东人数和持股比例时应分别计算普通股和优先股。

第十六条　公司章程中规定优先股采用固定股息率的，可以在优先股存续期内采取相同的固定股息率，或明确每年的固定股息率，各年度的股息率可以不同；公司章程中规定优先股采用浮动股息率的，应当明确优先股存续期内票面股息率的计算方法。

第三章　上市公司发行优先股

第一节　一般规定

第十七条　上市公司应当与控股股东或实际控制人的人员、资产、财务分开，机构、业务独立。

第十八条　上市公司内部控制制度健全，能够有效保证公司运行效率、合法合规和财务报告的可靠性，内部控制的有效性应当不存在重大缺陷。

第十九条　上市公司发行优先股，最近三个会计年度实现的年均可分配利润应当不少于优先股一年的股息。

第二十条　上市公司最近三年现金分红情况应当符合公司章程及中国证监会的有关监管规定。

第二十一条　上市公司报告期不存在重大会计违规事项。公开发行优先股，最近三年财务报表被注册会计师出具的审计报告应当为标准审计报告或带强调事项段的无保留意见的审计报告；非公开发行优先股，最近一年财务报表被注册会计师出具的审计报告为非标准审计报告的，所涉及事项对公司无重大不利影响或者在发行前重大不利影响已经消除。

第二十二条　上市公司发行优先股募集资金应有明确用途，与公司业务范围、经营规模相匹配，募集资金用途符合国家产业政策和有关环境保护、土地管理等法律和行政法规的规定。

除金融类企业外，本次募集资金使用项目不得为持有交易性金融资产和可供出售的金融资产、借予他人等财务性投资，不得直接或间接投资于以买卖有价证券为主要业务的公司。

第二十三条　上市公司已发行的优先股不得超过公司普通股股份总数的百分之五十，且筹资金额不得超过发行前净资产的百分之五十，已回购、转换的优先股不纳入计算。

第二十四条　上市公司同一次发行的优先股，条款应当相同。每次优先股发行完毕前，不得再次发行优先股。

第二十五条　上市公司存在下列情形之一的，不得发行优先股：

（一）本次发行申请文件有虚假记载、误导性陈述或重大遗漏；

（二）最近十二个月内受到过中国证监会的行政处罚；

（三）因涉嫌犯罪正被司法机关立案侦查或涉嫌违法违规正被中国证监会立案调查；

（四）上市公司的权益被控股股东或实际控制人严重损害且尚未消除；

（五）上市公司及其附属公司违规对外提供担保且尚未解除；

（六）存在可能严重影响公司持续经营的担保、诉讼、仲裁、市场重大质疑或其他重大事项；

（七）其董事和高级管理人员不符合法律、行政法规和规章规定的任职资格；

（八）严重损害投资者合法权益和社会公共利益的其他情形。

第二节　公开发行的特别规定

第二十六条　上市公司公开发行优先股，应当符合以下情形之一：

（一）其普通股为上证50指数成份股；

（二）以公开发行优先股作为支付手段收购或吸收合并其他上市公司；

（三）以减少注册资本为目的回购普通股的，可以公开发行优先股作为支付手段，或者在回购方案实施完毕后，可公开发行不超过回购减资总额的优先股。

中国证监会核准公开发行优先股后不再符合本条第（一）项情形的，上市公司仍可实施本次发行。

第二十七条　上市公司最近三个会计年度应当连续盈利。扣除非经常性损益后的净利润与扣除前的净利润相比，以孰低者作为计算依据。

第二十八条　上市公司公开发行优先股应当在公司章程中规定以下事项：

（一）采取固定股息率；

（二）在有可分配税后利润的情况下必须向优先股股东分配股息；

（三）未向优先股股东足额派发股息的差额部分应当累积到下一会计年度；

（四）优先股股东按照约定的股息率分配股息后，不再同普通股股东一起参加剩余利润分配。

商业银行发行优先股补充资本的，可就第（二）项和第（三）项事项另行约定。

第二十九条　上市公司公开发行优先股的，可以向原股东优先配售。

第三十条　除本办法第二十五条的规定外，上市公司最近三十六个月内因违反工商、税收、土地、环保、海关法律、行政法规或规章，受到行政处罚且情节严重的，不得公开发行优先股。

第三十一条　上市公司公开发行优先股，公司及其控股股东或实际控制人最近十二个月内应当不存在违反向投资者作出的公开承诺的行为。

第三节　其他规定

第三十二条　优先股每股票面金额为一百元。

优先股发行价格和票面股息率应当公允、合理，不得损害股东或其他利益相关方的合法利益，发行价格不得低于优先股票面金额。

公开发行优先股的价格或票面股息率以市场询价或证监会认可的其他公开方式确定。非公开发行优先股的票面股息率不得高于最近两个会计年度的年均加权平均净资产收益率。

第三十三条　上市公司不得发行可转换为普通股的优先股。但商业银行可根据商业银行资本监管规定，非公开发行触发事件发生时强制转换为普通股的优先股，并遵守有关规定。

第三十四条　上市公司非公开发行优先股仅向本办法规定的合格投资者发行，每次发行对象不得超过二百人，且相同条款优先股的发行对象累计不得超过二百人。

发行对象为境外战略投资者的，还应当符合国务院相关部门的规定。

第四节　发行程序

第三十五条　上市公司申请发行优先股，董事会应当按照中国证监会有关信息披露规定，公开披露本次优先股发行预案，并依法就以下事项作出决议，提请股东大会批准。

（一）本次优先股的发行方案；

（二）非公开发行优先股且发行对象确定的，上市公司与相应发行对象签订的附条件生效的优先股认购合同。认购合同应当载明发行对象拟认购优先股的数量、认购价格或定价原则、票面股息率或其确定原则，以及其他必要条款。认购合同应当约定发行对象不得以竞价方式参与认购，且本次发行一经上市公司董事会、股东大会批准并经中国证监会核准，该合同即应生效；

（三）非公开发行优先股且发行对象尚未确定的，决议应包括发行对象的范围和资格、定价原则、发行数量或数量区间。

上市公司的控股股东、实际控制人或其控制的关联人参与认购本次非公开发行优先股的，按照前款第（二）项执行。

第三十六条　上市公司独立董事应当就上市公司本次发行对公司各类股东权益的影响发表专项意见，并与董事会决议一同披露。

第三十七条　上市公司股东大会就发行优先股进行审议，应当就下列事项逐项进行表决：

（一）本次发行优先股的种类和数量；

（二）发行方式、发行对象及向原股东配售的安排；

（三）票面金额、发行价格或其确定原则；

（四）优先股股东参与分配利润的方式，包括：票面股息率或其确定原则、股息发放的条件、股息支付方式、股息是否累积、是否可以参与剩余利润分配等；

（五）回购条款，包括回购的条件、期间、价格及其确定原则、回购选择权的行使主体等（如有）；

（六）募集资金用途；

（七）公司与发行对象签订的附条件生效的优先股认购合同（如有）；

（八）决议的有效期；

（九）公司章程关于优先股股东和普通股股东利润分配、剩余财产分配、优先股表决权恢复等相关政策条款的修订方案；

（十）对董事会办理本次发行具体事宜的授权；

（十一）其他事项。

上述决议，须经出席会议的普通股股东（含表决权恢复的优先股股东）所持表决权的三分之二以上通过。已发行优先股的，还须经出席会议的优先股股东（不含表决权恢复的优先股股东）所持表决权的三分之二以上通过。上市公司向公司特定股东及其关联人发行优先股的，股东大会就发行方案进行表决时，关联股东应当回避。

第三十八条　上市公司就发行优先股事项召开股东大会，应当提供网络投票，还可以通过中国证监会认可的其他方式为股东参加股东大会提供便利。

第三十九条　上市公司申请发行优先股应当由保荐人保荐并向中国证监会申报，其申请、审核、核准、发行等相关程序参照《上市公司证券发行管理办法》和《证券发行与承销管理办法》的规定。发审委会议按照《中国证券监督管理委员会发行审核委员会办法》规定的特别程序，审核发行申请。

第四十条　上市公司发行优先股，可以申请一次核准，分次发行，不同次发行的优先股除票面股息率外，其他条款应当相同。自中国证监会核准发行之日起，公司应在六个月内实施首次发行，剩余数量应当在二十四个月内发行完毕。超过核准文件时限的，须申请中国证监会重新核准。首次发行数量应当不少于总发行数量的百分之五十，剩余各次发行的数量由公司自行确定，每次发行完毕后五个工作日内报中国证监会备案。

第四章　非上市公众公司非公开发行优先股

第四十一条　非上市公众公司非公开发行优先股应符合下列条件：

（一）合法规范经营；

（二）公司治理机制健全；

（三）依法履行信息披露义务。

第四十二条　非上市公众公司非公开发行优先股应当遵守本办法第二十三条、第二十四条、第二十五条、第三十二条、第三十三条的规定。

第四十三条　非上市公众公司非公开发行优先股仅向本办法规定的合格投资者发行，每次发行对象不得超过二百人，且相同条款优先股的发行对象累计不得超过二百人。

第四十四条　非上市公众公司拟发行优先股的，董事会应依法就具体方案、本次发行对公司各类股东权益的影响、发行优先股的目的、募集资金的用途及其他必须明确的事项作出决议，并提请股东大会批准。

董事会决议确定具体发行对象的，董事会决议应当确定具体的发行对象名称及其认购价格或定价原则、认购数量或数量区间等；同时应在召开董事会前与相应发行对象签订附条件生效的股份认购合同。董事会决议未确定具体发行对象的，董事会决议应当明确发行对象的范围和资格、定价原则等。

第四十五条　非上市公众公司股东大会就发行优先股进行审议，表决事项参照本办法第三十七条执行。发行优先股决议，须经出席会议的普通股股东（含表决权恢复的优先股股东）所持表决权的三分之二以上通过。已发行优先股的，还须经出席会议的优先股股东（不含表决权恢复的优先股股东）所持表决权的三分之二以上通过。非上市公众公司向公司特定股东及其关联人发行优先股的，股东大会就发行方案进行表决时，关联股东应当回避，公司普通股股东（不含表决权恢复的优先股股东）人数少于二百人的除外。

第四十六条　非上市公众公司发行优先股的申请、审核（豁免）、发行等相关程序应按照《非上市公众公司监督管理办法》等相关规定办理。

第五章　交易转让及登记结算

第四十七条　优先股发行后可以申请上市交易或转让，不设限售期。

公开发行的优先股可以在证券交易所上市交易。上市公司非公开发行的优先股可以在证券交易所转让，非上市公众公司非公开发行的优先股可以在全国中小企业股份转让系统转让，转让范围仅限合格投资者。交易或转让的具体办法由证券交易所或全国中小企业股份转让系统另行制定。

第四十八条　优先股交易或转让环节的投资者适当性标准应当与发行环节保持一致；非公开发行的相同条款优先股经交易或转让后，投资者不得超过二百人。

第四十九条　中国证券登记结算公司为优先股提供登记、存管、清算、交收等服务。

第六章　信息披露

第五十条　公司应当按照中国证监会有关信息披露规则编制募集优先股说明书或其他信息披露文件，依法履行信息披露义务。上市公司相关信息披露程序和要求参照《上市公司证券发行管理办法》和《上市公司非公开发行股票实施细则》及有关监管指引的规定。非上市公众公司非公开发行优先股的信息披露程序和要求参照《非上市公众公司监督管理办法》及有关监管指引的规定。

第五十一条　发行优先股的公司披露定期报告时，应当以专门章节披露已发行优先股情况、持有公司优先股股份最多的前十名股东的名单和持股数额、优先股股东的利润分配情况、优先股的回购情况、优先股股东表决权恢复及行使情况、优先股会计处理情况及其他与优先股有关的情况，具体内容与格式由中国证监会规定。

第五十二条　发行优先股的上市公司，发生表决权恢复、回购普通股等事项，以及其他可能对其普通股或优先股交易或转让价格产生较大影响事项的，上市公司应当按照《证券法》第六十七条以及中国证监会的相关规定，履行临时报告、公告等信息披露义务。

第五十三条　发行优先股的非上市公众公司按照《非上市公众公司监督管理办法》及有关监管指引的规定履行日常信息披露义务。

第七章　回购与并购重组

第五十四条　上市公司可以非公开发行优先股作为支付手段，向公司特定股东回购普通股。上市公司回购普通股的价格应当公允、合理，不得损害股东或其他利益相关方的合法利益。

第五十五条　上市公司以减少注册资本为目的回购普通股公开发行优先股的，以及以非公开发行优先股为支付手段向公司特定股东回购普通股的，除应当符合优先股发行条件和程序，还应符合以下规定：

（一）上市公司回购普通股应当由董事会依法作出决议并提交股东大会批准；

（二）上市公司股东大会就回购普通股作出的决议，应当包括下列事项：回购普通股的价格区间，回购普通股的数量和比例，回购普通股的期限，决议的有效期，对董事会办理本次回购股份事宜的具体授权，其他相关事项。以发行优先股作为支付手段的，应当包括拟用于支付的优先股总金额以及支付比例；回购方案实施完毕之日起一年内公开发行优先股的，应当包括回购的资金总额以及资金来源；

（三）上市公司股东大会就回购普通股作出决议，必须经出席会议的普通股股东（含表决权恢复的优先股股东）所持表决权的三分之二以上通过；

（四）上市公司应当在股东大会作出回购普通股决议后的次日公告该决议；

（五）依法通知债权人；

本办法未做规定的应当符合中国证监会有关上市公司回购的其他规定。

第五十六条　上市公司收购要约适用于被收购公司的所有股东，但可以针对优先股股东和普通股股东提出不同的收购条件。

第五十七条　上市公司可以按照《上市公司重大资产重组管理办法》规定的条件发行优先股购买资产，同时应当遵守本办法第三十三条，以及第三十五条至第三十八条的规定，依法披露有关信息、履行相应程序。

第五十八条　上市公司发行优先股作为支付手段购买资产的，可以同时募集配套资金。

第五十九条　非上市公众公司发行优先股的方案涉及重大资产重组的，应当符合中国证监会有关重大资产重组的规定。

第八章　监管措施和法律责任

第六十条　公司及其控股股东或实际控制人，公司董事、监事、高级管理人员以及其他直接责任人员，相关市场中介机构及责任人员，以及优先股试点的其他市场参与者违反本办法规定的，依照《公司法》、《证券法》和中国证监会的有关规定处理；涉嫌犯罪的，依法移送司法机关，追究其刑事责任。

第六十一条　上市公司、非上市公众公司违反本办法规定，存在未按规定制定有关章程条款、不按照约定召集股东大会恢复优先股股东表决权等损害优先股股东和中小股东权益等行为的，中国证监会应当责令改正，对上市公司、非上市公众公司和其直接负责的主管人员和其他直接责任人员，可以采取相应的行政监管措施以及警告、三万元以下罚款等行政处罚。

第六十二条　上市公司违反本办法第二十二条第二款规定的，中国证监会可以责令改正，并在三十六个月内不受理该公司的公开发行证券申请。

第六十三条　上市公司、非上市公众公司向本办法规定的合格投资者以外的投资者非公开发行优先股，中国证监会应当责令改正，并可以自确认之日起在三十六个月内不受理该公司的发行优先股申请。

第六十四条　承销机构在承销非公开发行的优先股时，将优先股配售给不符合本办法合格投资者规定的对象的，中国证监会可以责令改正，并在三十六个月内不接受其参与证券承销。

第九章　附则

第六十五条　本办法所称合格投资者包括：

（一）经有关金融监管部门批准设立的金融机构，包括商业银行、证券公司、基金管理公司、信托公司和保险公司等；

（二）上述金融机构面向投资者发行的理财产品，包括但不限于银行理财产品、信托产品、投连险产品、基金产品、证券公司资产管理产品等；

（三）实收资本或实收股本总额不低于人民币五百万元的企业法人；

（四）实缴出资总额不低于人民币五百万元的合伙企业；

（五）合格境外机构投资者（QFII）、人民币合格境外机构投资者（RQFII）、符合国务院相关部门规定的境外战略投资者；

（六）除发行人董事、高级管理人员及其配偶以外的，名下各类证券账户、资金账户、资产管理账户的资产总额不低于人民币五百万元的个人投资者；

（七）经中国证监会认可的其他合格投资者。

第六十六条　非上市公众公司首次公开发行普通股并同时非公开发行优先股的，其优先股的发行与信息披露应符合本办法中关于上市公司非公开发行优先股的有关规定。

第六十七条　注册在境内的境外上市公司在境外发行优先股，应当符合境外募集股份及上市的有关规定。

注册在境内的境外上市公司在境内发行优先股，参照执行本办法关于非上市公众公司发行优先股的规定，以及《非上市公众公司监督管理办法》等相关规定，其优先股可以在全国中小企业股份转让系统进行转让。

第六十八条　本办法下列用语含义如下：

（一）强制分红：公司在有可分配税后利润的情况下必须向优先股股东分配股息；

（二）可分配税后利润：发行人股东依法享有的未分配利润；

（三）加权平均净资产收益率：按照《公开发行证券的公司信息披露编报规则第9号——净资产收益率和每股收益的计算及披露》计算的加权平均净资产收益率；

（四）上证50指数：中证指数有限公司发布的上证50指数。

第六十九条　本办法中计算合格投资者人数时，同一资产管理机构以其管理的两只以上产品认购或受让优先股的，视为一人。

第七十条　本办法自公布之日起施行。

非上市公众公司收购管理办法

第一章　总则

第一条　为了规范非上市公众公司（以下简称公众公司）的收购及相关股份权益变动活动，保护公众公司和投资者的合法权益，维护证券市场秩序和社会公共利益，促进证券市场资源的优化配置，根据《证券法》、《公司法》、《国务院关于全国中小企业股份转让系统有关问题的决定》、《国务院关于进一步优化企业兼并重组市场环境的意见》及其他相关法律、行政法规，制定本办法。

第二条　股票在全国中小企业股份转让系统（以下简称全国股份转让系统）公开转让的公众公司，其收购及相关股份权益变动活动应当遵守本办法的规定。

第三条　公众公司的收购及相关股份权益变动活动，必须遵守法律、行政法规及中国证券监督管理委员会（以下简称中国证监会）的规定，遵循公开、公平、公正的原则。当事人应当诚实守信，遵守社会公德、商业道德，自觉维护证券市场秩序，接受政府、社会公众的监督。

第四条　公众公司的收购及相关股份权益变动活动涉及国家产业政策、行业准入、国有股份转让、外商投资等事项，需要取得国家相关部门批准的，应当在取得批准后进行。

第五条　收购人可以通过取得股份的方式成为公众公司的控股股东，可以通过投资关系、协议、其他安排的途径成为公众公司的实际控制人，也可以同时采取上述方式和途径取得公众公司控制权。

收购人包括投资者及其一致行动人。

第六条　进行公众公司收购，收购人及其实际控制人应当具有良好的诚信记录，收购人及其实际控制人为法人的，应当具有健全的公司治理机制。任何人不得利用公众公司收购损害被收购公司及其股东的合法权益。

有下列情形之一的，不得收购公众公司：

（一）收购人负有数额较大债务，到期未清偿，且处于持续状态；

（二）收购人最近2年有重大违法行为或者涉嫌有重大违法行为；

（三）收购人最近2年有严重的证券市场失信行为；

（四）收购人为自然人的，存在《公司法》第一百四十六条规定的情形；

（五）法律、行政法规规定以及中国证监会认定的不得收购公众公司的其他情形。

第七条　被收购公司的控股股东或者实际控制人不得滥用股东权利损害被收购公司或者其他股东的合法权益。

被收购公司的控股股东、实际控制人及其关联方有损害被收购公司及其他股东合法权益的，上述控股股东、实际控制人在转让被收购公司控制权之前，应当主动消除损害；未能消除损害的，应当就其出让相关股份所得收入用于消除全部损害做出安排，对不足以消除损害的部分应当提供充分有效的履约担保或安排，并提交被收购公司股东大会审议通过，被收购公司的控股股东、实际控制人及其关联方应当回避表决。

第八条　被收购公司的董事、监事、高级管理人员对公司负有忠实义务和勤勉义务，应当公平对待收购本公司的所有收购人。

被收购公司董事会针对收购所做出的决策及采取的措施，应当有利于维护公司及其股东的利益，不得滥用职权对收购设置不适当的障碍，不得利用公司资源向收购人提供任何形式的财务资助。

第九条　收购人按照本办法第三章、第四章的规定进行公众公司收购的，应当聘请具有财务顾问业务资格的专业机构担任财务顾问，但通过国有股行政划转或者变更、因继承取得股份、股份在同一实际控制人控制的不同主体之间进行转让、取得公众公司向其发行的新股、司法判决导致收购人成为或拟成为公众公司第一大股东或者实际控制人的情形除外。

收购人聘请的财务顾问应当勤勉尽责，遵守行业规范和职业道德，保持独立性，对收购人进行辅导，帮助收购人全面评估被收购公司的财务和经营状况；对收购人的相关情况进行尽职调查，对收购人披露的文件进行充分核查和验证；对收购事项客观、公正地发表专业意见，并保证其所制作、出具文件的真实性、准确性和完整性。在收购人公告被收购公司收购报告书至收购完成后12个月内，财务顾问应当持续督导收购人遵守法律、行政法规、中国证监会的规定、全国股份转让系统相关规则以及公司章程，依法行使股东权利，切实履行承诺或者相关约定。

财务顾问认为收购人利用收购损害被收购公司及其股东合法权益的，应当拒绝为收购人提供财务顾问服务。

第十条　公众公司的收购及相关股份权益变动活动中的信息披露义务人，应当依法严格履行信息披露和其他法定义务，并保证所披露的信息及时、真实、准确、完整，不得有虚假记载、误导性陈述或者重大遗漏。

信息披露义务人应当在全国股份转让系统指定的信息披露平台（以下简称指定网站）依法披露信息；在其他媒体上进行披露的，披露内容应当一致，披露时间不得早于指定网站的披露时间。在相关信息披露前，信息披露义务人及知悉相关信息的人员负有保密义务，禁止利用该信息进行内幕交易和从事证券市场操纵行为。

信息披露义务人依法披露前，相关信息已在媒体上传播或者公司股票转让出现异常的，公众公司应当立即向当事人进行查询，当事人应当及时予以书面答复，公众公司应当及时披露。

第十一条　中国证监会依法对公众公司的收购及相关股份权益变动活动进行监督管理。

全国股份转让系统应当制定业务规则，为公众公司的收购及相关股份权益变动活动提供服务，对相关证券转让活动进行实时监控，监督公众公司的收购及相关股份权益变动活动的信息披露义务人切实履行信息披露义务。

中国证券登记结算有限责任公司应当制定业务规则，为公众公司的收购及相关股份权益变动活动所涉及的证券登记、存管、结算等事宜提供服务。

第二章　权益披露

第十二条　投资者在公众公司中拥有的权益，包括登记在其名下的股份和虽未登记在其名下但该投资者可以实际支配表决权的股份。投资者及其一致行动人在公众公司中拥有的权益应当合并计算。

第十三条　有下列情形之一的，投资者及其一致行动人应当在该事实发生之日起 2 日内编制并披露权益变动报告书，报送全国股份转让系统，同时通知该公众公司；自该事实发生之日起至披露后 2 日内，不得再行买卖该公众公司的股票。

（一）通过全国股份转让系统的做市方式、竞价方式进行证券转让，投资者及其一致行动人拥有权益的股份达到公众公司已发行股份的 10%；

（二）通过协议方式，投资者及其一致行动人在公众公司中拥有权益的股份拟达到或者超过公众公司已发行股份的 10%。

投资者及其一致行动人拥有权益的股份达到公众公司已发行股份的 10% 后，其拥有权益的股份占该公众公司已发行股份的比例每增加或者减少 5%（即其拥有权益的股份每达到 5% 的整数倍时），应当依照前款规定进行披露。自该事实发生之日起至披露后 2 日内，不得再行买卖该公众公司的股票。

第十四条　投资者及其一致行动人通过行政划转或者变更、执行法院裁定、继承、赠与等方式导致其直接拥有权益的股份变动达到前条规定比例的，应当按照前条规定履行披露义务。

投资者虽不是公众公司的股东，但通过投资关系、协议、其他安排等方式进行收购导致其间接拥有权益的股份变动达到前条规定比例的，应当按照前条规定履行披露义务。

第十五条　因公众公司向其他投资者发行股份、减少股本导致投资者及其一致行动人拥有权益的股份变动出现本章规定情形的，投资者及其一致行动人免于履行披露义务。公众公司应当自完成增加股本、减少股本的变更登记之日起 2 日内，就因此导致的公司股东拥有权益的股份变动情况进行披露。

第三章　控制权变动披露

第十六条　通过全国股份转让系统的证券转让，投资者及其一致行动人拥有权益的股份变动导致其成为公众公司第一大股东或者实际控制人，或者通过投资关系、协议转让、行政划转或者变更、执行法院裁定、继承、赠与、其他安排等方式拥有权益的股份变动导致其成为或拟成为公众公司第一大股东或者实际控制人且拥有权益的股份超过公众公司已发行股份 10% 的，应当在该事实发生之日起 2 日内编制收购报告书，连同财务顾问专业意见和律师出具的法律意见书一并披露，报送全国股份转让系统，同时通知该公众公司。

收购公众公司股份需要取得国家相关部门批准的，收购人应当在收购报告书中进行明确说明，并持续披露批准程序进展情况。

第十七条　以协议方式进行公众公司收购的，自签订收购协议起至相关股份完成过户的期间为公众公司收购过渡期（以下简称过渡期）。在过渡期内，收购人不得通过控股股东提议改选公众公司董事会，确有充分理由改选董事会的，来自收购人的董事不得超过董事会成员总数的 1/3；被收购公司不得为收购人及其关联方提供担保；被收购公司不得发行股份募集资金。

在过渡期内，被收购公司除继续从事正常的经营活动或者执行股东大会已经作出的决议外，被收购公司董事会提出拟处置公司资产、调整公司主要业务、担保、贷款等议案，可能对公司的资产、负债、权益或者经营成果造成重大影响的，应当提交股东大会审议通过。

第十八条　按照本办法进行公众公司收购后，收购人成为公司第一大股东或者实际控制人的，收购人持有的被收购公司股份，在收购完成后 12 个月内不得转让。

收购人在被收购公司中拥有权益的股份在同一实际控制人控制的不同主体之间进行转让不受前述 12 个月的限制。

第十九条　在公众公司收购中，收购人做出公开承诺事项的，应同时提出所承诺事项未能履行时的约束措施，并公开披露。

全国股份转让系统应当对收购人履行公开承诺行为进行监督和约束，对未能履行承诺的收购人及时采取自律监管措施。

第二十条　公众公司控股股东、实际控制人向收购人协议转让其所持有的公众公司股份的，应当对收购人的主体资格、诚信情况及收购意图进行调查，并在其权益变动报告书中披露有关调查情况。

被收购公司控股股东、实际控制人及其关联方未清偿其对公司的负债，未解除公司为其负债提供的担保，或者存在损害公司利益的其他情形的，被收购公司董事会应当对前述情形及时披露，并采取有效措施维护公司利益。

第四章　要约收购

第二十一条　投资者自愿选择以要约方式收购公众公司股份的，可以向被收购公司所有股东发出收购其所持有的全部股份的要约（以下简称全面要约），也可以向被收购公司所有股东发出收购其所持有的部分股份的要约（以下简称部分要约）。

第二十二条　收购人自愿以要约方式收购公众公司股份的，其预定收购的股份比例不得低于该公众公司已发行股份的 5%。

第二十三条　公众公司应当在公司章程中约定在公司被收购时收购人是否需要向公司全体股东发出全面要约收购，并明确全面要约收购的触发条件以及相应制度安排。

收购人根据被收购公司章程规定需要向公司全体股东发出全面要约收购的，对同一种类股票的要约价格，不得低于要约收购报告书披露日前 6 个月内取得该种股票所支付的最高价格。

第二十四条　以要约方式进行公众公司收购的，收购人应当公平对待被收购公司的所有股东。

第二十五条　以要约方式收购公众公司股份的，收购人应当聘请财务顾问，并编制要约收购报告书，连同财务顾问专业意见和律师出具的法律意见书一并披露，报送全国股份转让系统，同时通知该公众公司。

要约收购需要取得国家相关部门批准的，收购人应当在要约收购报告书中进行明确说明，并持续披露批准程序进展情况。

第二十六条　收购人可以采用现金、证券、现金与证券相结合等合法方式支付收购公众公司的价款。收购人聘请的财务顾问应当说明收购人具备要约收购的能力。收购人应当在披露要约收购报告书的同时，提供以下至少一项安排保证其具备履约能力：

（一）将不少于收购价款总额的 20% 作为履约保证金存入中国证券登记结算有限责任公司指定的银行等金融机构；收购人以在中国证券登记结算有限责任公司登记的证券支付收购价款的，在披露要约收购报告书的同时，将用于支付的全部证券向中国证券登记结算有限责任公司申请办理权属变更或锁定；

（二）银行等金融机构对于要约收购所需价款出具的保函；

（三）财务顾问出具承担连带担保责任的书面承诺。如要约期满，收购人不支付收购价款，财务顾问应当承担连带责任，并进行支付。

收购人以证券支付收购价款的，应当披露该证券的发行人最近2年经审计的财务会计报表、证券估值报告，并配合被收购公司或其聘请的独立财务顾问的尽职调查工作。收购人以未在中国证券登记结算有限责任公司登记的证券支付收购价款的，必须同时提供现金方式供被收购公司的股东选择，并详细披露相关证券的保管、送达被收购公司股东的方式和程序安排。

第二十七条　被收购公司董事会应当对收购人的主体资格、资信情况及收购意图进行调查，对要约条件进行分析，对股东是否接受要约提出建议，并可以根据自身情况选择是否聘请独立财务顾问提供专业意见。

被收购公司决定聘请独立财务顾问的，可以聘请为其提供督导服务的主办券商为独立财务顾问，但存在影响独立性、财务顾问业务受到限制等不宜担任独立财务顾问情形的除外。被收购公司也可以同时聘请其他机构为其提供顾问服务。

第二十八条　收购要约约定的收购期限不得少于30日，并不得超过60日；但是出现竞争要约的除外。

收购期限自要约收购报告书披露之日起开始计算。要约收购需要取得国家相关部门批准的，收购人应将取得的本次收购的批准情况连同律师出具的专项核查意见一并在取得全部批准后2日内披露，收购期限自披露之日起开始计算。

在收购要约约定的承诺期限内，收购人不得撤销其收购要约。

第二十九条　采取要约收购方式的，收购人披露后至收购期限届满前，不得卖出被收购公司的股票，也不得采取要约规定以外的形式和超出要约的条件买入被收购公司的股票。

第三十条　收购人需要变更收购要约的，应当重新编制并披露要约收购报告书，报送全国股份转让系统，同时通知被收购公司。变更后的要约收购价格不得低于变更前的要约收购价格。

收购要约期限届满前15日内，收购人不得变更收购要约；但是出现竞争要约的除外。

出现竞争要约时，发出初始要约的收购人变更收购要约距初始要约收购期限届满不足15日的，应当延长收购期限，延长后的要约期应当不少于15日，不得超过最后一个竞争要约的期满日，并按规定比例追加履约保证能力。

发出竞争要约的收购人最迟不得晚于初始要约收购期限届满前15日披露要约收购报告书，并应当根据本办法的规定履行披露义务。

第三十一条　在要约收购期间，被收购公司董事不得辞职。

第三十二条　同意接受收购要约的股东（以下简称预受股东），应当委托证券公司办理预受要约的相关手续。

在要约收购期限届满前2日内，预受股东不得撤回其对要约的接受。在要约收购期限内，收购人应当每日披露已预受收购要约的股份数量。

在要约收购期限届满后2日内，收购人应当披露本次要约收购的结果。

第三十三条　收购期限届满，发出部分要约的收购人应当按照收购要约约定的条件购买被收购公司股东预受的股份，预受要约股份的数量超过预定收购数量时，收购人应当按照同等比例收购预受要约的股份；发出全面要约的收购人应当购买被收购公司股东预受的全部股份。

第五章　监管措施与法律责任

第三十四条　公众公司董事未履行忠实勤勉义务，利用收购谋取不当利益的，中国证监会采取监管谈话、出具警示函等监管措施，情节严重的，有权认定其为不适当人选。涉嫌犯罪的，依法移交司法机关追究其刑事责任。

第三十五条　收购人在收购要约期限届满时，不按照约定支付收购价款或者购买预受股份的，自该事实发生之日起2年内不得收购公众公司；涉嫌操纵证券市场的，中国证监会对收购人进行调查，依法追究其法律责任。

前款规定的收购人聘请的财务顾问没有充分证据表明其勤勉尽责的，中国证监会视情节轻重，自确认之日起采取3个月至12个月内不接受该机构出具的相关专项文件、12个月至36个月内不接受相关签字人员出具的专项文件的监管措施，并依法追究其法律责任。

第三十六条　公众公司控股股东和实际控制人在转让其对公司的控制权时，未清偿其对公司的负债，未解除公司为其提供的担保，或者未对其损害公司利益的其他情形作出纠正的，且被收购公司董事会未对前述情形及时披露并采取有效措施维护公司利益的，中国证监会责令改正，在改正前收购人应当暂停收购活动。

被收购公司董事会未能依法采取有效措施促使公司控股股东、实际控制人予以纠正，或者在收购完成后未能促使收购人履行承诺、安排或者保证的，中国证监会有权认定相关董事为不适当人选。

第三十七条公众公司的收购及相关股份权益变动活动中的信息披露义务人，未按照本办法的规定履行信息披露以及其他相关义务，或者信息披露文件中有虚假记载、误导性陈述或者重大遗漏的，中国证监会采取责令改正、监管谈话、出具警示函、责令暂停或者终止收购等监管措施；情节严重的，比照《证券法》第一百九十三条、第二百一十三条进行行政处罚，并可以采取市场禁入的措施；涉嫌犯罪的，依法移送司法机关追究刑事责任。

第三十八条　投资者及其一致行动人规避法定程序和义务，变相进行公众公司收购，或者外国投资者规避管辖的，中国证监会采取责令改正、出具警示函、责令暂停或者停止收购等监管措施；情节严重的，进行行政处罚，并可以采取市场禁入的措施；涉嫌犯罪的，依法移交司法机关追究其刑事责任。

第三十九条　为公众公司收购出具审计报告、法律意见书和财务顾问报告的证券服务机构或者证券公司及其专业人员，未依法履行职责的，中国证监会采取责令改正、监管谈话、出具警示函等监管措施；情节严重的，比照《证券法》第二百二十三条进行行政处罚，并可以采取市场禁入的措施；涉嫌犯罪的，依法移送司法机关追究刑事责任。

第四十条任何知悉收购信息的人员在相关信息依法披露前，泄露该信息、买卖或者建议他人买卖相关公司股票的，比照《证券法》第二百零二条予以处罚；涉嫌犯罪的，依法移送司法机关追究刑事责任。

第四十一条　编造、传播虚假收购信息，操纵证券市场或者进行欺诈活动的，比照《证券法》第二百零三条、二百零七条予以处罚;涉嫌犯罪的,依法移送司法机关追究刑事责任。

第四十二条　中国证监会将公众公司的收购及相关股份权益变动活动中的当事人的违法行为和整改情况记入诚信档案。

第六章　附则

第四十三条　本办法所称一致行动人、公众公司控制权及持股比例计算等参照《上市公司收购管理办法》的相关规定。

第四十四条　为公众公司收购提供服务的财务顾问的业务许可、业务规则和法律责任等,按照《上市公司并购重组财务顾问业务管理办法》的相关规定执行。

第四十五条　做市商持有公众公司股份相关权益变动信息的披露,由中国证监会另行规定。

第四十六条　股票不在全国股份转让系统公开转让的公众公司收购及相关股份权益变动的信息披露内容比照本办法的相关规定执行。

第四十七条　本办法自 2014 年 7 月 23 日起施行。

全国中小企业股份转让系统有限责任公司管理暂行办法

第一章　总则

第一条　为加强对全国中小企业股份转让系统有限责任公司(以下简称全国股份转让系统公司)的管理,明确其职权与责任,维护股票挂牌转让及相关活动的正常秩序,根据《公司法》、《证券法》等法律、行政法规,制定本办法。

第二条　全国中小企业股份转让系统(以下简称全国股份转让系统)是经国务院批准设立的全国性证券交易场所。

第三条　股票在全国股份转让系统挂牌的公司(以下简称挂牌公司)为非上市公众公司,股东人数可以超过 200 人,接受中国证券监督管理委员会(以下简称中国证监会)的统一监督管理。

第四条　全国股份转让系统公司负责组织和监督挂牌公司的股票转让及相关活动,实行自律管理。

第五条　全国股份转让系统公司应当坚持公益优先的原则,维护公开、公平、公正的市场环境,保证全国股份转让系统的正常运行,为全国股份转让系统各参与人提供优质、高效、低成本的金融服务。

第六条　全国股份转让系统的股票挂牌转让及相关活动,必须遵守法律、行政法规和各项规章规定,禁止欺诈、内幕交易、操纵市场等违法违规行为。

第七条　中国证监会依法对全国股份转让系统公司、全国股份转让系统的各项业务活动及各参与人实行统一监督管理,维护全国股份转让系统运行秩序,依法查处违法违规行为。

第二章　全国股份转让系统公司的职能

第八条　全国股份转让系统公司的职能包括:

(一)建立、维护和完善股票转让相关技术系统和设施;

(二)制定和修改全国股份转让系统业务规则;

(三)接受并审查股票挂牌及其他相关业务申请,安排符合条件的公司股票挂牌;

(四)组织、监督股票转让及相关活动;

(五)对主办券商等全国股份转让系统参与人进行监管;

(六)对挂牌公司及其他信息披露义务人进行监管;

(七)管理和公布全国股份转让系统相关信息;

(八)中国证监会批准的其他职能。

第九条　全国股份转让系统公司应当就股票挂牌、股票转让、主办券商管理、挂牌公司管理、投资者适当性管理等依法制定基本业务规则。

全国股份转让系统公司制定与修改基本业务规则,应当经中国证监会批准。制定与修改其他业务规则,应当报中国证监会备案。

第十条　全国股份转让系统挂牌新的证券品种或采用新的转让方式,应当报中国证监会批准。

第十一条　全国股份转让系统公司应当为组织公平的股票转让提供保障,公布股票转让即时行情。未经全国股份转让系统公司许可,任何单位和个人不得发布、使用或传播股票转让即时行情。

第十二条　全国股份转让系统公司收取的资金和费用应当符合有关主管部门的规定,并优先用于维护和完善相关技术系统和设施。

全国股份转让系统公司应当制定专项财务管理规则,并报中国证监会备案。

第十三条　全国股份转让系统公司应当从其收取的费用中提取一定比例的金额设立风险基金。风险基金提取和使用的具体办法,由中国证监会另行制定。

第十四条　全国股份转让系统的登记结算业务由中国证券登记结算有限责任公司负责。全国股份转让系统公司应当与其签订业务协议,并报中国证监会备案。

第三章　全国股份转让系统公司的组织结构

第十五条　全国股份转让系统公司应当按照《公司法》等法律、行政法规和中国证监会的规定,制定公司章程,明确股东会、董事会、监事会和经理层之间的职责划分,建立健全内部组织机构,完善公司治理。

全国股份转让系统公司章程的制定和修改,应当经中国证监会批准。

第十六条　全国股份转让系统公司的股东应当具备法律、行政法规和中国证监会规定的资格条件,股东持股比例应当符合中国证监会的有关规定。

全国股份转让系统公司新增股东或原股东转让所持股份的,应当报中国证监会批准。

第十七条　全国股份转让系统公司董事会、监事会的组成及议事规则应当符合有关法律、行政法规和中国证监会的规定,并报中国证监会备案。

第十八条　全国股份转让系统公司董事长、副董事长、监事会主席及高级管理人员由中国证监会提名,任免程序和任期遵守《公司法》和全国股份转让系统公司章程的有关规定。

前款所述高级管理人员的范围,由全国股份转让系统公司章程规定。

第十九条　全国股份转让系统公司应当根据需要设立专门委员会。各专门委员会的组成及议事规则报中国证监会备案。

第四章　全国股份转让系统公司的自律监管

第二十条　全国股份转让系统实行主办券商制度。在全国股份转让系统从事主办券商业务的证券公司称为主办券商。

主办券商业务包括推荐股份公司股票挂牌，对挂牌公司进行持续督导，代理投资者买卖挂牌公司股票，为股票转让提供做市服务及其他全国股份转让系统公司规定的业务。

第二十一条　全国股份转让系统公司依法对股份公司股票挂牌、定向发行等申请及主办券商推荐文件进行审查，出具审查意见。

全国股份转让系统公司应当与符合条件的股份公司签署挂牌协议，确定双方的权利义务关系。

第二十二条　全国股份转让系统公司应当督促申请股票挂牌的股份公司、挂牌公司及其他信息披露义务人，依法履行信息披露义务，真实、准确、完整、及时地披露信息，不得有虚假记载、误导性陈述或者重大遗漏。

第二十三条　挂牌公司应当符合全国股份转让系统持续挂牌条件，不符合持续挂牌条件的，全国股份转让系统公司应当及时作出股票暂停或终止挂牌的决定，及时公告，并报中国证监会备案。

第二十四条　挂牌股票转让可以采取做市方式、协议方式、竞价方式或证监会批准的其他转让方式。

第二十五条　全国股份转让系统实行投资者适当性管理制度。参与股票转让的投资者应当具备一定的证券投资经验和相应的风险识别和承担能力，了解熟悉相关业务规则。

第二十六条　因突发性事件而影响股票转让的正常进行时，全国股份转让系统公司可以采取技术性停牌措施；因不可抗力的突发性事件或者为维护股票转让的正常秩序，可以决定临时停市。

全国股份转让系统公司采取技术性停牌或者决定临时停市，应当及时报告中国证监会。

第二十七条　全国股份转让系统公司应当建立市场监控制度及相应技术系统，配备专门市场监察人员，依法对股票转让实行监控，及时发现、及时制止内幕交易、市场操纵等异常转让行为。

对违反法律法规及业务规则的，全国股份转让系统公司应当及时采取自律监管措施，并视情节轻重或根据监管要求，及时向中国证监会报告。

第二十八条　全国股份转让系统公司应当督促主办券商、律师事务所、会计师事务所等为挂牌转让等相关业务提供服务的证券服务机构和人员，诚实守信、勤勉尽责，严格履行法定职责，遵守法律法规和行业规范，并对出具文件的真实性、准确性、完整性负责。

第二十九条　全国股份转让系统公司发现相关当事人违反法律法规及业务规则的，可以依法采取自律监管措施，并报中国证监会备案。依法应当由中国证监会进行查处的，全国股份转让系统公司应当向中国证监会提出查处建议。

第五章　监督管理

第三十条　全国股份转让系统公司应当向中国证监会报告股东会、董事会、监事会、总经理办公会议和其他重要会议的会议纪要，全国股份转让系统运行情况，全国股份转让系统公司自律监管职责履行情况、日常工作动态以及中国证监会要求报告的其他信息。

全国股份转让系统公司的其他报告义务，比照执行证券交易所管理有关规定。

第三十一条　中国证监会有权要求全国股份转让系统公司对其章程和业务规则进行修改。

第三十二条　中国证监会依法对全国股份转让系统公司进行监管，开展定期、不定期的现场检查，并对其履职和运营情况进行评估和考核。

全国股份转让系统公司及相关人员违反本办法规定，在监管工作中不履行职责，或者不履行本办法规定的有关义务，中国证监会比照证券交易所管理有关规定进行查处。

第六章　附则

第三十三条　全国股份转让系统公司为其他证券品种提供挂牌转让服务的，比照本办法执行。

第三十四条　在证券公司代办股份转让系统的原STAQ、NET系统挂牌公司和退市公司及其股份转让相关活动，由全国股份转让系统公司负责监督管理。

第三十五条　本办法公布之日起施行。

关于修改《非上市公众公司监督管理办法》的决定

一、第二条修改为："本办法所称非上市公众公司（以下简称公众公司）是指有下列情形之一且其股票未在证券交易所上市交易的股份有限公司：

"（一）股票向特定对象发行或者转让导致股东累计超过200人；

"（二）股票公开转让。"

二、第四条修改为："公众公司公开转让股票应当在全国中小企业股份转让系统进行，公开转让的公众公司股票应当在中国证券登记结算公司集中登记存管。"

三、增加一条，作为第五条："公众公司可以依法进行股权融资、债权融资、资产重组等。

"公众公司发行优先股等证券品种，应当遵守法律、行政法规和中国证券监督管理委员会（以下简称中国证监会）的相关规定。"

四、第二十一条改为第二十二条，修改为："股票公开转让与定向发行的公众公司应当披露半年度报告、年度报告。年度报告中的财务会计报告应当经具有证券期货相关业务资格的会计师事务所审计。

"股票向特定对象转让导致股东累计超过200人的公众公司，应当披露年度报告。年度报告中的财务会计报告应当经会计师事务所审计。"

五、第三十三条改为第三十四条，修改为："股东人数超过200人的公司申请其股票公开转让，应当按照中国证监会有关规定制作公开转让的申请文件，申请文件应当包括但不限于：公开转让说明书、律师事务所出具的法律意见书、具有证券期货相关业务资格的会计师事务所出具的审计报告、证券公司出具的推荐文件。公司持申请文件向中国证监会申请核准。

"公开转让说明书应当在公开转让前披露。"

六、第三十四条改为第三十五条，修改为："中国证监会受理申请文件后，依法对公司治理和信息披露进行审核，在20个工作日内作出核准、中止审核、终止审核、不予核准的决定。"

七、增加一条，作为第三十六条："股东人数未超过200人的公司申请其股票公开转让，中国证监会豁免核准，由全国中小企业股份转让系统进行审查。"

八、增加一条，作为第三十八条："本办法施行前股东人数超过200人的股份有限公司,符合条件的,可以申请在全国中小企业股份转让系统挂牌公开转让股票、首次公开发行并在证券交易所上市。"

九、第四十条改为第四十三条,修改为:"中国证监会受理申请文件后,依法对公司治理和信息披露以及发行对象情况进行审核,在20个工作日内作出核准、中止审核、终止审核、不予核准的决定。"

十、第四十二条改为第四十五条,修改为:"在全国中小企业股份转让系统挂牌公开转让股票的公众公司向特定对象发行股票后股东累计不超过200人的,中国证监会豁免核准,由全国中小企业股份转让系统自律管理,但发行对象应当符合本办法第三十九条的规定。"

十一、增加一条,作为第五十一条:"全国中小企业股份转让系统应当发挥自律管理作用,对在全国中小企业股份转让系统公开转让股票的公众公司及相关信息披露义务人披露信息进行监督,督促其依法及时、准确地披露信息。发现公开转让股票的公众公司及相关信息披露义务人有违反法律、行政法规和中国证监会相关规定的行为,应当向中国证监会报告,并采取自律管理措施。"

十二、第六十一条改为第六十五条,修改为:"本办法施行前股东人数超过200人的股份有限公司,不在全国中小企业股份转让系统挂牌公开转让股票或证券交易所上市的,应当按相关要求规范后申请纳入非上市公众公司监管。"

十三、将修改后的第三十二条、第三十三条、第三十四条、第三十六条中"股票向社会公众公开转让"的表述修改为"股票公开转让"。

本决定自公布之日起施行。

《非上市公众公司监督管理办法》根据本决定作相应的修改并对条文顺序作相应调整,重新公布。

非上市公众公司监督管理办法

(2012年9月28日中国证券监督管理委员会第17次主席办公会议审议通过,根据2013年12月26日中国证券监督管理委员会《关于修改<非上市公众公司监督管理办法>的决定》修订)

第一章 总则

第一条 为了规范非上市公众公司股票转让和发行行为,保护投资者合法权益,维护社会公共利益,根据《证券法》、《公司法》及相关法律法规的规定,制定本办法。

第二条 本办法所称非上市公众公司(以下简称公众公司)是指有下列情形之一且其股票未在证券交易所上市交易的股份有限公司:

(一)股票向特定对象发行或者转让导致股东累计超过200人;

(二)股票公开转让。

第三条 公众公司应当按照法律、行政法规、本办法和公司章程的规定,做到股权明晰,合法规范经营,公司治理机制健全,履行信息披露义务。

第四条 公众公司公开转让股票应当在全国中小企业股份转让系统进行,公开转让的公众公司股票应当在中国证券登记结算公司集中登记存管。

第五条 公众公司可以依法进行股权融资、债权融资、资产重组等。

公众公司发行优先股等证券品种,应当遵守法律、行政法规和中国证券监督管理委员会(以下简称中国证监会)的相关规定。

第六条 为公司出具专项文件的证券公司、律师事务所、会计师事务所及其他证券服务机构,应当勤勉尽责、诚实守信,认真履行审慎核查义务,按照依法制定的业务规则、行业执业规范和职业道德准则发表专业意见,保证所出具文件的真实性、准确性和完整性,并接受中国证监会的监管。

第二章 公司治理

第七条 公众公司应当依法制定公司章程。

中国证监会依法对公众公司章程必备条款作出具体规定,规范公司章程的制定和修改。

第八条 公众公司应当建立兼顾公司特点和公司治理机制基本要求的股东大会、董事会、监事会制度,明晰职责和议事规则。

第九条 公众公司的治理结构应当确保所有股东,特别是中小股东充分行使法律、行政法规和公司章程规定的合法权利。

股东对法律、行政法规和公司章程规定的公司重大事项,享有知情权和参与权。

公众公司应当建立健全投资者关系管理,保护投资者的合法权益。

第十条 公众公司股东大会、董事会、监事会的召集、提案审议、通知时间、召开程序、授权委托、表决和决议等应当符合法律、行政法规和公司章程的规定;会议记录应当完整并安全保存。

股东大会的提案审议应当符合程序,保障股东的知情权、参与权、质询权和表决权;董事会应当在职权范围和股东大会授权范围内对审议事项作出决议,不得代替股东大会对超出董事会职权范围和授权范围的事项进行决议。

第十一条 公众公司董事会应当对公司的治理机制是否给所有的股东提供合适的保护和平等权利等情况进行充分讨论、评估。

第十二条 公众公司应当强化内部管理,按照相关规定建立会计核算体系、财务管理和风险控制等制度,确保公司财务报告真实可靠及行为合法合规。

第十三条 公众公司进行关联交易应当遵循平等、自愿、等价、有偿的原则,保证交易公平、公允,维护公司的合法权益,根据法律、行政法规、中国证监会的规定和公司章程,履行相应的审议程序。

第十四条 公众公司应当采取有效措施防止股东及其关联方以各种形式占用或者转移公司的资金、资产及其他资源。

第十五条 公众公司实施并购重组行为,应当按照法律、行政法规、中国证监会的规定和公司章程,履行相应的决策程序并聘请证券公司和相关证券服务机构出具专业意见。

任何单位和个人不得利用并购重组损害公众公司及其股东的合法权益。

第十六条 进行公众公司收购,收购人或者其实际控制人应当具有健全的公司治理机制和良好的诚信记录。收购人不得以任何形式从被收购公司获得财务资助,不得利用收购活动损害被收购公司及其股东的合法权益。

在公众公司收购中,收购人持有的被收购公司的股份,在收购完成后12个月内不得转让。

第十七条 公众公司实施重大资产重组,重组的相关资产应当权属清晰、定价公允,重组后的公众公司治理机制健全,不得损害公众公司和股东的合法权益。

第十八条　公众公司应当按照法律的规定,同时结合公司的实际情况在章程中约定建立表决权回避制度。

第十九条　公众公司应当在章程中约定纠纷解决机制。股东有权按照法律、行政法规和公司章程的规定,通过仲裁、民事诉讼或者其他法律手段保护其合法权益。

第三章　信息披露

第二十条　公司及其他信息披露义务人应当按照法律、行政法规和中国证监会的规定,真实、准确、完整、及时地披露信息,不得有虚假记载、误导性陈述或者重大遗漏。公司及其他信息披露义务人应当向所有投资者同时公开披露信息。

公司的董事、监事、高级管理人员应当忠实、勤勉地履行职责,保证公司披露信息的真实、准确、完整、及时。

第二十一条　信息披露文件主要包括公开转让说明书、定向转让说明书、定向发行说明书、发行情况报告书、定期报告和临时报告等。具体的内容与格式、编制规则及披露要求,由中国证监会另行制定。

第二十二条　股票公开转让与定向发行的公众公司应当披露半年度报告、年度报告。年度报告中的财务会计报告应当经具有证券期货相关业务资格的会计师事务所审计。

股票向特定对象转让导致股东累计超过200人的公众公司,应当披露年度报告。年度报告中的财务会计报告应当经会计师事务所审计。

第二十三条　公众公司董事、高级管理人员应当对定期报告签署书面确认意见;对报告内容有异议的,应当单独陈述理由,并与定期报告同时披露。公众公司不得以董事、高级管理人员对定期报告内容有异议为由不按时披露定期报告。

公众公司监事会应当对董事会编制的定期报告进行审核并提出书面审核意见,说明董事会对定期报告的编制和审核程序是否符合法律、行政法规、中国证监会的规定和公司章程,报告的内容是否能够真实、准确、完整地反映公司实际情况。

第二十四条　证券公司、律师事务所、会计师事务所及其他证券服务机构出具的文件和其他有关的重要文件应当作为备查文件,予以披露。

第二十五条　发生可能对股票价格产生较大影响的重大事件,投资者尚未得知时,公众公司应当立即将有关该重大事件的情况报送临时报告,并予以公告,说明事件的起因、目前的状态和可能产生的后果。

第二十六条　公众公司实施并购重组的,相关信息披露义务人应当依法严格履行公告义务,并及时准确地向公众公司通报有关信息,配合公众公司及时、准确、完整地进行披露。

参与并购重组的相关单位和人员,在并购重组的信息依法披露前负有保密义务,禁止利用该信息进行内幕交易。

第二十七条　公众公司应当制定信息披露事务管理制度并指定具有相关专业知识的人员负责信息披露事务。

第二十八条　除监事会公告外,公众公司披露的信息应当以董事会公告的形式发布。董事、监事、高级管理人员非经董事会书面授权,不得对外发布未披露的信息。

第二十九条　公司及其他信息披露义务人依法披露的信息,应当在中国证监会指定的信息披露平台公布。公司及其他信息披露义务人可在公司网站或者其他公众媒体上刊登依本办法必须披露的信息,但披露的内容应当完全一致,且不得早于在中国证监会指定的信息披露平台披露的时间。

股票向特定对象转让导致股东累计超过200人的公众公司可以在公司章程中约定其他信息披露方式;在中国证监会指定的信息披露平台披露相关信息的,应当符合本条第一款的要求。

第三十条　公司及其他信息披露义务人应当将信息披露公告文稿和相关备查文件置备于公司住所供社会公众查阅。

第三十一条　公司应当配合为其提供服务的证券公司及律师事务所、会计师事务所等证券服务机构的工作,按要求提供所需资料,不得要求证券公司、证券服务机构出具与客观事实不符的文件或者阻碍其工作。

第四章　股票转让

第三十二条　股票向特定对象转让导致股东累计超过200人的股份有限公司,应当自上述行为发生之日起3个月内,按照中国证监会有关规定制作申请文件,申请文件应当包括但不限于:定向转让说明书、律师事务所出具的法律意见书、会计师事务所出具的审计报告。股份有限公司持申请文件向中国证监会申请核准。在提交申请文件前,股份有限公司应当将相关情况通知所有股东。

在3个月内股东人数降至200人以内的,可以不提出申请。

股票向特定对象转让应当以非公开方式协议转让。申请股票公开转让的,按照本办法第三十三条、第三十四条的规定办理。

第三十三条　公司申请其股票公开转让的,董事会应当依法就股票公开转让的具体方案作出决议,并提请股东大会批准,股东大会决议必须经出席会议的股东所持表决权的2/3以上通过。

董事会和股东大会决议中还应当包括以下内容:

(一)按照中国证监会的相关规定修改公司章程;

(二)按照法律、行政法规和公司章程的规定建立健全公司治理机制;

(三)履行信息披露义务,按照相关规定披露公开转让说明书、年度报告、半年度报告及其他信息披露内容。

第三十四条　股东人数超过200人的公司申请其股票公开转让,应当按照中国证监会有关规定制作公开转让的申请文件,申请文件应当包括但不限于:公开转让说明书、律师事务所出具的法律意见书、具有证券期货相关业务资格的会计师事务所出具的审计报告、证券公司出具的推荐文件。公司持申请文件向中国证监会申请核准。

公开转让说明书应当在公开转让前披露。

第三十五条　中国证监会受理申请文件后,依法对公司治理和信息披露进行审核,在20个工作日内作出核准、中止审核、终止审核、不予核准的决定。

第三十六条　股东人数未超过200人的公司申请其股票公开转让,中国证监会豁免核准,由全国中小企业股份转让系统进行审查。

第三十七条　公司及其董事、监事、高级管理人员,应当对公开转让说明书、定向转让说明书签署书面确认意见,保证所披露的信息真实、准确、完整。

第三十八条　本办法施行前股东人数超过200人的股份有限公司,符合条件的,可以申请在全国中小企业股份转让系统挂牌公开转让股票、首次公开发行并在证券交易所上市。

第五章　定向发行

第三十九条　本办法所称定向发行包括向特定对象发行

股票导致股东累计超过 200 人，以及股东人数超过 200 人的公众公司向特定对象发行股票两种情形。

前款所称特定对象的范围包括下列机构或者自然人：

（一）公司股东；

（二）公司的董事、监事、高级管理人员、核心员工；

（三）符合投资者适当性管理规定的自然人投资者、法人投资者及其他经济组织。

公司确定发行对象时，符合本条第二款第（二）项、第（三）项规定的投资者合计不得超过 35 名。

核心员工的认定，应当由公司董事会提名，并向全体员工公示和征求意见，由监事会发表明确意见后，经股东大会审议批准。

投资者适当性管理规定由中国证监会另行制定。

第四十条　公司应当对发行对象的身份进行确认，有充分理由确信发行对象符合本办法和公司的相关规定。

公司应当与发行对象签订包含风险揭示条款的认购协议。

第四十一条　公司董事会应当依法就本次股票发行的具体方案作出决议，并提请股东大会批准，股东大会决议必须经出席会议的股东所持表决权的 2/3 以上通过。

申请向特定对象发行股票导致股东累计超过 200 人的股份有限公司，董事会和股东大会决议中还应当包括以下内容：

（一）按照中国证监会的相关规定修改公司章程；

（二）按照法律、行政法规和公司章程的规定建立健全公司治理机制；

（三）履行信息披露义务，按照相关规定披露定向发行说明书、发行情况报告书、年度报告、半年度报告及其他信息披露内容。

第四十二条　公司应当按照中国证监会有关规定制作定向发行的申请文件，申请文件应当包括但不限于：定向发行说明书、律师事务所出具的法律意见书、具有证券期货相关业务资格的会计师事务所出具的审计报告、证券公司出具的推荐文件。公司持申请文件向中国证监会申请核准。

第四十三条　中国证监会受理申请文件后，依法对公司治理和信息披露以及发行对象情况进行审核，在 20 个工作日内作出核准、中止审核、终止审核、不予核准的决定。

第四十四条　公司申请定向发行股票，可申请一次核准，分期发行。自中国证监会予以核准之日起，公司应当在 3 个月内首期发行，剩余数量应当在 12 个月内发行完毕。超过核准文件限定的有效期未发行的，须重新经中国证监会核准后方可发行。首期发行数量应当不少于总发行数量的 50%，剩余各期发行的数量由公司自行确定，每期发行后 5 个工作日内将发行情况报中国证监会备案。

第四十五条　在全国中小企业股份转让系统挂牌公开转让股票的公众公司向特定对象发行股票后股东累计不超过 200 人的，中国证监会豁免核准，由全国中小企业股份转让系统自律管理，但发行对象应当符合本办法第三十九条的规定。

第四十六条　股票发行结束后，公众公司应当按照中国证监会的有关要求编制并披露发行情况报告书。申请分期发行的公众公司应在每期发行后按照中国证监会的有关要求进行披露，并在全部发行结束或者超过核准文件有效期后按照中国证监会的有关要求编制并披露发行情况报告书。

豁免向中国证监会申请核准定向发行的公众公司，应当在发行结束后按照中国证监会的有关要求编制并披露发行情况报告书。

第四十七条　公司及其董事、监事、高级管理人员，应当对定向发行说明书、发行情况报告书签署书面确认意见，保证所披露的信息真实、准确、完整。

第四十八条　公众公司定向发行股份购买资产的，按照本章有关规定办理。

第六章　监督管理

第四十九条　中国证监会会同国务院有关部门、地方人民政府，依照法律法规和国务院有关规定，各司其职，分工协作，对公众公司进行持续监管，防范风险，维护证券市场秩序。

第五十条　中国证监会依法履行对公司股票转让、定向发行、信息披露的监管职责，有权对公司、证券公司、证券服务机构采取《证券法》第一百八十条规定的措施。

第五十一条　全国中小企业股份转让系统应当发挥自律管理作用，对在全国中小企业股份转让系统公开转让股票的公众公司及相关信息披露义务人披露信息进行监督，督促其依法及时、准确地披露信息。发现公开转让股票的公众公司及相关信息披露义务人有违反法律、行政法规和中国证监会相关规定的行为，应当向中国证监会报告，并采取自律管理措施。

第五十二条　中国证券业协会应当发挥自律管理作用，对从事公司股票转让和定向发行业务的证券公司进行监督，督促其勤勉尽责地履行尽职调查和督导职责。发现证券公司有违反法律、行政法规和中国证监会相关规定的行为，应当向中国证监会报告，并采取自律管理措施。

第五十三条　中国证监会可以要求公司及其他信息披露义务人或者其董事、监事、高级管理人员对有关信息披露问题作出解释、说明或者提供相关资料，并要求公司提供证券公司或者证券服务机构的专业意见。

中国证监会对证券公司和证券服务机构出具文件的真实性、准确性、完整性有疑义的，可以要求相关机构作出解释、补充，并调阅其工作底稿。

第五十四条　证券公司在从事股票转让、定向发行等业务活动中，应当按照中国证监会的有关规定勤勉尽责地进行尽职调查，规范履行内核程序，认真编制相关文件，并持续督导所推荐公司及时履行信息披露义务、完善公司治理。

第五十五条　证券服务机构为公司的股票转让、定向发行等活动出具审计报告、资产评估报告或者法律意见书等文件的，应当严格履行法定职责，遵循勤勉尽责和诚实信用原则，对公司的主体资格、股本情况、规范运作、财务状况、公司治理、信息披露等内容的真实性、准确性、完整性进行充分的核查和验证，并保证其出具的文件不存在虚假记载、误导性陈述或者重大遗漏。

第五十六条　中国证监会依法对公司进行监督检查或者调查，公司有义务提供相关文件资料。对于发现问题的公司，中国证监会可以采取责令改正、监管谈话、责令公开说明、出具警示函等监管措施，并记入诚信档案；涉嫌违法、犯罪的，应当立案调查或者移送司法机关。

第七章　法律责任

第五十七条　公司以欺骗手段骗取核准的，公司报送的报告有虚假记载、误导性陈述或者重大遗漏的，除依照《证券法》有关规定进行处罚外，中国证监会可以采取终止审核并自确认之日起在 36 个月内不受理公司的股票转让和定向发行申请的监管措施。

第五十八条　公司未按照本办法第三十二条、第三十四条、第四十二条规定，擅自转让或者发行股票的，按照《证券法》第一百八十八条的规定进行处罚。

第五十九条　证券公司、证券服务机构出具的文件有虚假记载、误导性陈述或者重大遗漏的，除依照《证券法》及相关法律法规的规定处罚外，中国证监会可视情节轻重，自确认之日起采取3个月至12个月内不接受该机构出具的相关专项文件，36个月内不接受相关签字人员出具的专项文件的监管措施。

第六十条　公司及其他信息披露义务人未按照规定披露信息，或者所披露的信息有虚假记载、误导性陈述或者重大遗漏的，依照《证券法》第一百九十三条的规定进行处罚。

第六十一条　公司向不符合本办法规定条件的投资者发行股票的，中国证监会可以责令改正，并可以自确认之日起在36个月内不受理其申请。

第六十二条　信息披露义务人及其董事、监事、高级管理人员，公司控股股东、实际控制人，为信息披露义务人出具专项文件的证券公司、证券服务机构及其工作人员，违反《证券法》、行政法规和中国证监会相关规定的，中国证监会可以采取责令改正、监管谈话、出具警示函、认定为不适当人选等监管措施，并记入诚信档案；情节严重的，中国证监会可以对有关责任人员采取证券市场禁入的措施。

第六十三条　公众公司内幕信息知情人或非法获取内幕信息的人，在对公众公司股票价格有重大影响的信息公开前，泄露该信息、买卖或者建议他人买卖该股票的，依照《证券法》第二百零二条的规定进行处罚。

第八章　附则

第六十四条　公众公司向不特定对象公开发行股票的，应当遵守《证券法》和中国证监会的相关规定。

公众公司申请在证券交易所上市的，应当遵守中国证监会和证券交易所的相关规定。

第六十五条　本办法施行前股东人数超过200人的股份有限公司，不在全国中小企业股份转让系统挂牌公开转让股票或证券交易所上市的，应当按相关要求规范后申请纳入非上市公众公司监管。

第六十六条　本办法所称股份有限公司是指首次申请股票转让或定向发行的股份有限公司；所称公司包括非上市公众公司和首次申请股票转让或定向发行的股份有限公司。

第六十七条　本办法自2013年1月1日起施行。

非上市公众公司监管指引第1号
信息披露

为了规范非上市公众公司信息披露行为，根据《公司法》、《证券法》和《非上市公众公司监督管理办法》的有关规定，现明确监管要求如下：

一、信息披露的内容。股票公开转让、股票向特定对象发行或者转让导致股东累计超过200人的公司，应当在公开转让说明书、定向发行说明书或者定向转让说明书中披露以下内容：

（一）公司基本信息、股本和股东情况、公司治理情况；

（二）公司主要业务、产品或者服务及公司所属行业；

（三）报告期内的财务报表、审计报告。

定向发行说明书还应当披露发行对象或者范围、发行价格或者区间、发行数量。

非上市公众公司也可以根据自身实际情况以及投资者的需求，更加详细地披露公司的其他情况。

二、信息披露的基本要求。非上市公众公司及其董事、监事、高级管理人员应当保证披露的信息真实、准确、完整，不存在虚假记载、误导性陈述或者重大遗漏，并对其真实性、准确性、完整性承担相应的法律责任。

非上市公众公司应当建立与股东沟通的有效渠道，对股东或者市场质疑的事项应当及时、客观地进行澄清或者说明。

三、信息披露平台。非上市公众公司应当本着股东能及时、便捷获得公司信息的原则，并结合自身实际情况，自主选择一种或者多种信息披露平台，如非上市公众公司信息披露网站（nlpc. csrc. gov. cn）、公共媒体或者公司网站，也可以选择公司章程约定的方式或者股东认可的其他方式。无论采取何种信息披露方式，均应当经股东大会审议通过。

股票在依法设立的证券交易场所公开转让的非上市公众公司，应当通过证券交易场所要求的平台披露信息。

四、依法设立的证券交易场所可以在本指引的基础上，对股票公开转让的非上市公众公司制定更详尽、更严格的信息披露标准；公司应当按照从高从严的标准遵守证券交易场所的相关规定。

五、非上市公众公司年度报告、半年度报告按照本指引进行披露。

非上市公众公司监管指引第2号
——申请文件

为了规范非上市公众公司股票公开转让、定向转让及定向发行申请文件的内容与格式，根据《证券法》和《非上市公众公司监督管理办法》的有关规定，现明确监管要求如下：

一、股票公开转让、股票向特定对象发行或者转让导致股东累计超过200人的公司，在向中国证监会申请核准时，应当按本指引的要求制作和报送下列申请文件：

（一）申请报告；

（二）公开转让说明书/定向转让说明书/定向发行说明书；

（三）公司章程（草案）；

（四）企业法人营业执照；

（五）股东大会及董事会相关决议；

（六）财务报表及审计报告；

（七）法律意见书；

（八）证券公司关于公开转让/定向发行的推荐工作报告；

（九）中国证监会规定的其他文件。

二、公司应当保证申请文件内容真实、准确、完整，不存在虚假记载、误导性陈述或者重大遗漏。证券公司、证券服务机构及人员应当做到勤勉尽责、诚实守信，并对其出具的相关文件及申请文件中引用内容的真实性、准确性、完整性承担相应的法律责任。

三、公司编制申请文件时，应当尽量使用事实描述性语言；

申请文件所有需要签名处，均应为签名人亲笔签名，不得以名章、签名章等代替；公司初次报送申请文件，应当提交原件1份、复印件2份；每次报送书面申请文件的同时，还应当报送1份相应的标准电子文件（标准 . doc或者. rtf格式文件）。申请文件一经受理，未经中国证监会同意，不得增加、撤回或者更换。

四、依法设立的证券交易场所可以要求股票公开转让的非上市公众公司报送除上述文件之外的其他文件；公司应当遵守证券交易场所的相关规定。

非上市公众公司监管指引第 3 号——章程必备条款

第一条　公司章程应当符合本指引的相关规定。

第二条　章程总则应当载明章程的法律效力，规定章程自生效之日起，即成为规范公司的组织和行为、公司与股东、股东与股东之间权利义务关系的具有约束力的法律文件，对公司、股东、董事、监事、高级管理人员具有法律约束力。

第三条　章程应当载明公司股票采用记名方式，并明确公司股票的登记存管机构以及股东名册的管理规定。

第四条　章程应当载明保障股东享有知情权、参与权、质询权和表决权的具体安排。

第五条　章程应当载明公司为防止股东及其关联方占用或者转移公司资金、资产及其他资源的具体安排。

第六条　章程应当载明公司控股股东和实际控制人的诚信义务。明确规定控股股东及实际控制人不得利用各种方式损害公司和其他股东的合法权益；控股股东及实际控制人违反相关法律、法规及章程规定，给公司及其他股东造成损失的，应承担赔偿责任。

第七条　章程应当载明须提交股东大会审议的重大事项的范围。

章程应当载明须经股东大会特别决议通过的重大事项的范围。

公司还应当在章程中载明重大担保事项的范围。

第八条　章程应当载明董事会须对公司治理机制是否给所有的股东提供合适的保护和平等权利，以及公司治理结构是否合理、有效等情况，进行讨论、评估。

第九条　章程应当载明公司依法披露定期报告和临时报告。

第十条　章程应当载明公司信息披露负责机构及负责人。如公司设置董事会秘书的，则应当由董事会秘书负责信息披露事务。

第十一条　章程应当载明公司的利润分配制度。章程可以就现金分红的具体条件和比例、未分配利润的使用原则等政策作出具体规定。

第十二条　章程应当载明公司关于投资者关系管理工作的内容和方式。

第十三条　股票不在依法设立的证券交易场所公开转让的公司应当在章程中规定，公司股东应当以非公开方式协议转让股份，不得采取公开方式向社会公众转让股份，并明确股东协议转让股份后，应当及时告知公司，同时在登记存管机构办理登记过户。

第十四条　公司章程应当载明公司、股东、董事、监事、高级管理人员之间涉及章程规定的纠纷，应当先行通过协商解决。协商不成的，通过仲裁或诉讼等方式解决。如选择仲裁方式的，应当指定明确具体的仲裁机构进行仲裁。

第十五条　公司股东大会选举董事、监事，如实行累积投票制的，应当在章程中对相关具体安排作出明确规定。

公司如建立独立董事制度的，应当在章程中明确独立董事的权利义务、职责及履职程序。

公司如实施关联股东、董事回避制度，应当在章程中列明需要回避的事项。

非上市公众公司监管指引第 4 号——股东人数超过 200 人的未上市股份有限公司申请行政许可有关问题的审核指引

《证券法》第十条明确规定"向特定对象发行证券累计超过二百人的"属于公开发行，需依法报经中国证监会核准。对于股东人数已经超过 200 人的未上市股份有限公司（以下简称 200 人公司），符合本指引规定的，可申请公开发行并在证券交易所上市、在全国中小企业股份转让系统（以下简称全国股份转让系统）挂牌公开转让等行政许可。对 200 人公司合规性的审核纳入行政许可过程中一并审核，不再单独审核。现将 200 人公司的审核标准、申请文件、股份代持及间接持股处理等事项的监管要求明确如下：

一、审核标准

200 人公司申请行政许可的合规性应当符合本指引规定的下列要求：

（一）公司依法设立且合法存续

200 人公司的设立、增资等行为不违反当时法律明确的禁止性规定，目前处于合法存续状态。城市商业银行、农村商业银行等银行业股份公司应当符合《关于规范金融企业内部职工持股的通知》（财金〔2010〕97 号）。

200 人公司的设立、历次增资依法需要批准的，应当经过有权部门的批准。存在不规范情形的，应当经过规范整改，并经当地省级人民政府确认。

200 人公司在股份形成及转让过程中不存在虚假陈述、出资不实、股权管理混乱等情形，不存在重大诉讼、纠纷以及重大风险隐患。

（二）股权清晰

200 人公司的股权清晰，是指股权形成真实、有效，权属清晰及股权结构清晰。具体要求包括：

1. 股权权属明确。200 人公司应当设置股东名册并进行有序管理，股东、公司及相关方对股份归属、股份数量及持股比例无异议。股权结构中存在工会或职工持股会代持、委托持股、信托持股、以及通过"持股平台"间接持股等情形的，应当按照本指引的相关规定进行规范。

本指引所称"持股平台"是指单纯以持股为目的的合伙企业、公司等持股主体。

2. 股东与公司之间、股东之间、股东与第三方之间不存在重大股份权属争议、纠纷或潜在纠纷。

3. 股东出资行为真实，不存在重大法律瑕疵，或者相关行为已经得到有效规范，不存在风险隐患。

申请行政许可的 200 人公司应当对股份进行确权，通过公证、律师见证等方式明确股份的权属。申请公开发行并在证券交易所上市的，经过确权的股份数量应当达到股份总数的 90% 以上（含 90%）；申请在全国股份转让系统挂牌公开转让的，经过确权的股份数量应当达到股份总数的 80% 以上（含 80%）。未确权的部分应当设立股份托管账户，专户管理，并明确披露有关责任的承担主体。

（三）经营规范

200 人公司持续规范经营，不存在资不抵债或者明显缺乏清偿能力等破产风险的情形。

（四）公司治理与信息披露制度健全

200 人公司按照中国证监会的相关规定，已经建立健全了公司治理机制和履行信息披露义务的各项制度。

二、申请文件

（一）200 人公司申请行政许可，应当提交下列文件：

1. 企业法人营业执照

2. 公司关于股权形成过程的专项说明；

3. 设立、历次增资的批准文件；

4. 证券公司出具的专项核查报告；

5. 律师事务所出具的专项法律意见书，或者在提交行政许可的法律意见书中出具专项法律意见。

以上各项文件如已在申请公开发行并在证券交易所上市或者在全国股份转让系统挂牌公开转让的申请文件中提交，可不重复提交。

（二）存在下列情形之一的，应当报送省级人民政府出具的确认函：

1. 1994 年 7 月 1 日《公司法》实施前，经过体改部门批准设立，但存在内部职工股超范围或超比例发行、法人股向社会个人发行等不规范情形的定向募集公司。

2. 1994 年 7 月 1 日《公司法》实施前，依法批准向社会公开发行股票的公司。

3. 按照《国务院办公厅转发证监会关于清理整顿场外非法股票交易方案的通知》（国办发〔1998〕10 号），清理整顿证券交易场所后“下柜”形成的股东超过 200 人的公司。

4. 中国证监会认为需要省级人民政府出具确认函的其他情形。

省级人民政府出具的确认函应当说明公司股份形成、规范的过程以及存在的问题，并明确承担相应责任。

（三）股份已经委托股份托管机构进行集中托管的，应当由股份托管机构出具股份托管情况的证明。股份未进行集中托管的，应当按照前款规定提供省级人民政府的确认函。

（四）属于 200 人公司的城市商业银行、农村商业银行等银行业股份公司应当提供中国银行业监督管理机构出具的监管意见。

三、关于股份代持及间接持股的处理

（一）一般规定

股份公司股权结构中存在工会代持、职工持股会代持、委托持股或信托持股等股份代持关系，或者存在通过“持股平台”间接持股的安排以致实际股东超过 200 人的，在依据本指引申请行政许可时，应当已经将代持股份还原至实际股东、将间接持股转为直接持股，并依法履行了相应的法律程序。

（二）特别规定

以私募股权基金、资产管理计划以及其他金融计划进行持股的，如果该金融计划是依据相关法律法规设立并规范运作，且已经接受证券监督管理机构监管的，可不进行股份还原或转为直接持股。

四、相关各方的责任

（一）公司及其相关人员的责任

在申请文件制作及申报过程中，公司及其控股股东、实际控制人、董事、监事及高级管理人员应当在申请文件中签名保证内容真实、准确、完整。

公司控股股东、实际控制人、董事、监事及高级管理人员应当积极配合相关证券公司、律师事务所、会计师事务所开展尽职调查。

（二）中介机构的职责

证券公司、律师事务所应当勤勉尽责，对公司股份形成、经营情况、公司治理及信息披露等方面进行充分核查验证，确保所出具的文件无虚假记载、误导性陈述或者重大遗漏。

五、附则

（一）申请行政许可的 200 人公司的控股股东、实际控制人或者重要控股子公司也属于 200 人公司的，应当依照本指引的要求进行规范。

（二）2006 年 1 月 1 日《证券法》修订实施后，未上市股份有限公司股东人数超过 200 人的，应当符合《证券法》和《非上市公众公司监督管理办法》的有关规定。国家另有规定的，从其规定。

（三）本指引自公布之日起施行。

非上市公众公司信息披露内容与格式准则 第 1 号——公开转让说明书

第一章　总则

第一条　为规范公开转让股票的非上市股份有限公司的信息披露行为，保护投资者合法权益，根据《公司法》、《证券法》和《非上市公众公司监督管理办法》（证监会令第 85 号）的规定，制定本准则。

第二条　股东人数超过 200 人的股份有限公司（以下简称申请人）申请股票在全国中小企业股份转让系统（以下简称全国股份转让系统）公开转让，应按本准则编制公开转让说明书，作为向中国证券监督管理委员会（以下简称中国证监会）申请公开转让股票的必备法律文件，并按本准则的规定进行披露。

第三条　本准则的规定是对公开转让说明书信息披露的最低要求。不论本准则是否有明确规定，凡对投资者投资决策有重大影响的信息，均应披露。

申请人根据自身及所属行业或业态特征，可在本准则基础上增加有利于投资者判断和信息披露完整性的相关内容。本准则某些具体要求对申请人不适用的，申请人可根据实际情况，在不影响内容完整性的前提下作适当调整，但应在申报时作书面说明。

第四条　申请人在公开转让说明书中披露的所有信息应真实、准确、完整，不得有虚假记载、误导性陈述或重大遗漏。

第五条　申请人应在中国证监会指定网站披露公开转让说明书及其附件，并作公开转让股票提示性公告：“本公司公开转让股票申请已经中国证监会核准，本公司的股票将在全国中小企业股份转让系统公开转让，公开转让说明书及附件披露于中国证监会指定网站（nlpc. csrc. gov. cn）和全国股份转让系统公司指定信息披露平台（www. neeq. com. cn 或 www. neeq. cc），供投资者查阅”。

第六条　公开转让说明书扉页应载有如下声明：

“本公司及全体董事、监事、高级管理人员承诺公开转让说明书不存在虚假记载、误导性陈述或重大遗漏，并对其真实性、准确性、完整性承担个别和连带的法律责任。”

“本公司负责人和主管会计工作的负责人、会计机构负责人保证公开转让说明书中财务会计资料真实、完整。”

“中国证监会对本公司股票公开转让所作的任何决定或意见，均不表明其对本公司股票的价值或投资者的收益作出实质性判断或者保证。任何与之相反的声明均属虚假不实陈述。”

“根据《证券法》的规定，本公司经营与收益的变化，由本公司自行负责，由此变化引致的投资风险，由投资者自行承担。”

第二章　公开转让说明书

第一节　基本情况

第七条　申请人应简要披露下列情况：公司名称、法定代表人、设立日期、注册资本、住所、邮编、信息披露事务负责人、所属行业、经营范围、组织机构代码等。

第八条　申请人应披露公司股票种类，股票总量，每股面值，股东所持股份的限售安排及股东对所持股份自愿锁定的承诺。

第九条　申请人应披露公司股权结构图，并详细披露控股股东、实际控制人、前十名股东及其他持有5%以上股份的股东的名称、持股数量及比例、股东性质、股东之间的关联关系。

控股股东和实际控制人直接或间接持股存在质押或其他争议的，应披露具体情况。

第十条　申请人应简述公司历史沿革，主要包括：设立方式、发起人及其关联关系、设立以来股本形成及其变化情况、设立以来重大资产重组情况以及最近2年内实际控制人变化情况。

第十一条　申请人应披露董事、监事、高级管理人员的简要情况，主要包括：姓名、国籍及境外居留权、性别、年龄、学历、职称、现任职务及任期、职业经历。

第十二条　申请人应简要披露其控股子公司的情况，主要包括注册资本、主营业务、股东构成及持股比例、最近1年及1期末的总资产、净资产、最近1年及1期的净利润，并标明有关财务数据是否经过审计及审计机构名称。

第十三条　申请人应披露下列机构的名称、法定代表人、住所、联系电话、传真，同时应披露有关经办人员的姓名：

（一）主办券商；

（二）律师事务所；

（三）会计师事务所；

（四）资产评估机构；

（五）股票登记机构；

（六）其他与公开转让有关的机构。

第二节　公司业务

第十四条　申请人应披露主要业务、主要产品或服务及其用途。

第十五条　申请人应简要披露其业务模式，说明如何使用产品或服务及关键资源要素获取收入、利润及现金流。

第十六条　申请人应披露其所处行业。申请人能够获取所处行业相关信息的，可以结合自身实际介绍行业的基本情况。

第十七条　申请人应披露与主要业务相关的情况，主要包括：

（一）报告期内各期主要产品或服务的规模、销售收入，报告期内各期向前五名客户的销售额合计占当期销售总额的百分比；

（二）报告期内主要产品或服务的原材料、能源，报告期内各期向前五名供应商的采购额合计占当期采购总额的百分比；

（三）报告期内对持续经营有重大影响的业务合同及履行情况。

第十八条　申请人应遵循重要性原则披露与其业务相关的资源要素，主要包括：

（一）产品或服务所使用的主要技术；

（二）主要生产设备、房屋建筑物的取得和使用情况、成新率或尚可使用年限等；

（三）主要无形资产的取得方式和时间、使用情况、使用期限或保护期、最近1期期末账面价值；

（四）申请人所从事的业务需要取得许可资格或资质的，应当披露当前许可资格或资质的情况；

（五）特许经营权的取得、期限、费用标准；

（六）申请人员工的简要情况，其中核心业务和技术人员应披露姓名、年龄、主要业务经历及职务、现任职务及任期以及持有申请人股份情况；

（七）其他体现所属行业或业态特征的资源要素。

第十九条　申请人可以遵循重要性原则，有针对性和差异化、个性化地披露特殊风险以及生产经营中的不确定因素。

第三节　公司治理

第二十条　申请人应披露最近2年内股东大会、董事会、监事会的建立健全及运行情况，说明上述机构和人员履行职责的情况。

第二十一条　申请人应披露最近2年内是否存在违法违规及受处罚的情况。

第二十二条　申请人应披露是否存在与控股股东、实际控制人及其控制的其他企业从事相同、相似业务的情况。对存在相同、相似业务的，申请人应对是否存在同业竞争作出合理解释。

申请人应披露控股股东、实际控制人为避免同业竞争采取的措施及作出的承诺。

第二十三条　申请人应披露最近2年内是否存在资金被控股股东、实际控制人及其控制的其他企业占用，或者为控股股东、实际控制人及其控制的其他企业提供担保。

申请人应说明为防止发生资金占用行为所采取的措施和相应的制度安排。

第二十四条　申请人应披露会计核算、财务管理、风险控制、重大事项决策等内部管理制度的建立健全情况。

第二十五条　申请人应披露公司董事、监事及高级管理人员的薪酬和激励政策，包括但不限于基本年薪、绩效奖金、福利待遇、长期激励（包括股权激励）、是否从申请人关联企业领取报酬及其他情况。

申请人董事、监事、高级管理人员存在下列情形的，应披露具体情况：

（一）本人及其近亲属以任何方式直接或间接持有申请人股份的；

（二）相互之间存在亲属关系的；

（三）与申请人签定重要协议或作出重要承诺的；

（四）在其他单位兼职的；

（五）对外投资与申请人存在利益冲突的；

（六）在最近2年内发生变动的。

第二十六条　申请人应披露投资者关系管理的相关制度安排，说明公司是否具有完善的投资者信息沟通渠道，及时解决投资者投诉问题，以及为保证公司及其股东、董事、监事、高级管理人员通过仲裁、诉讼等方式解决相互之间的矛盾纠纷所采取的措施。

第二十七条　除上述事项外，申请人可以披露便利股东尤其是中小股东参与公司治理的其他内部制度。

第四节　公司财务

第二十八条　申请人应按照《企业会计准则》的规定编制并披露最近2年及1期的财务报表。申请人编制合并财务报表的，应同时披露合并财务报表和母公司财务报表。

申请人应披露财务报表的编制基础、合并财务报表范围及变化情况。

财务报表在其最近1期截止日后6个月内有效。

第二十九条　申请人应披露会计师事务所的审计意见类型。财务报表被出具非标准无保留审计意见的，应全文披露审计报告正文以及董事会、监事会和注册会计师对相关事项的详细说明。

第三十条　申请人应列表披露最近2年及1期的主要财务数据指标，并对其进行逐年比较。主要包括毛利率、净资产收益率、基本每股收益、稀释每股收益、归属于申请人股东的每股净资产、每股经营活动产生的现金流量净额、资产负债率、应收账款周转率和存货周转率。除特别指出外，上述财务指标应以合并财务报表的数据为基础进行计算。相关指标的计算应执行中国证监会的有关规定。

第三十一条　申请人应根据《公司法》和《企业会计准则》的相关规定披露关联方、关联关系、关联交易，并说明相应的决策权限、决策程序、定价机制等。

申请人应根据交易的性质和频率，按照经常性和偶发性分类披露关联交易及关联交易对其财务状况和经营成果的影响。

第三十二条　申请人应简要披露财务报表附注中的资产负债表日后事项、或有事项及其他重要事项。

申请人应简要披露对财务状况、经营成果、声誉、业务活动、未来前景等可能产生较大影响的诉讼或仲裁事项。

申请人存在对外担保的，应披露对外担保的情况；不存在对外担保的，应予说明。

第三十三条　申请人在报告期内进行对财务报表有影响的资产评估的，应扼要披露资产评估的主要情况。

第三十四条　申请人应披露最近2年股利分配政策、实际股利分配情况以及公开转让后的股利分配政策。

第五节　有关声明

第三十五条　申请人全体董事、监事、高级管理人员应在公开转让说明书正文的尾页声明：

"本公司全体董事、监事、高级管理人员承诺本公开转让说明书不存在虚假记载、误导性陈述或重大遗漏，并对其真实性、准确性、完整性承担个别和连带的法律责任。"

声明应由全体董事、监事、高级管理人员签名，并由申请人加盖公章。

第三十六条　主办券商应对公开转让说明书的真实性、准确性、完整性进行核查，并在公开转让说明书正文后声明：

"本公司已对公开转让说明书进行了核查，确认不存在虚假记载、误导性陈述或重大遗漏，并对其真实性、准确性和完整性承担相应的法律责任。"

声明应由主办券商法定代表人、项目负责人签名，并加盖主办券商公章。

第三十七条　为申请人股票公开转让提供服务的证券服务机构应在公开转让说明书正文后声明：

"本机构及经办人员（经办律师、签字注册会计师、签字注册资产评估师）已阅读公开转让说明书，确认公开转让说明书与本机构出具的专业报告（法律意见书、审计报告、资产评估报告）无矛盾之处。本机构及经办人员对申请人在公开转让说明书中引用的专业报告的内容无异议，确认公开转让说明书不致因上述内容而出现虚假记载、误导性陈述或重大遗漏，并对其真实性、准确性和完整性承担相应的法律责任。"

声明应由经办人员及所在机构负责人签名，并加盖机构公章。

第六节　附件

第三十八条　公开转让说明书结尾应列明附件，并在中国证监会指定网站披露。附件应包括下列文件：

（一）主办券商推荐报告；

（二）财务报表及审计报告；

（三）法律意见书；

（四）评估报告；

（五）公司章程；

（六）中国证监会核准公开转让的文件；

（七）其他与公开转让有关的重要文件。

第三章　附则

第三十九条　本准则自公布之日起施行。

非上市公众公司信息披露内容与格式准则第2号——公开转让股票申请文件

第一条　为规范股份有限公司公开转让股票申请文件的内容和格式，根据《证券法》和《非上市公众公司监督管理办法》（证监会令第85号）的规定，制定本准则。

第二条　股东人数超过200人的股份有限公司（以下简称申请人）申请股票在全国中小企业股份转让系统公开转让，应按本准则的要求制作和报送申请文件。

第三条　本准则附录规定的申请文件目录是对公开转让申请文件的最低要求。根据审核需要，中国证券监督管理委员会（以下简称中国证监会）可以要求申请人和相关证券服务机构补充文件。如果某些文件对申请人不适用，可不提供，但应向中国证监会作出书面说明。

第四条　申请文件一经受理，未经中国证监会同意，不得增加、撤回或更换。

第五条　申请人报送申请文件，初次报送应提交原件一份、复印件二份。

申请人不能提供有关文件的原件的，应由申请人律师提供鉴证意见，或由出文单位盖章，以保证与原件一致。如原出文单位不再存续，由承继其职权的单位或作出撤销决定的单位出文证明文件的真实性。

第六条　申请文件所有需要签名处，均应由签名人亲笔签名，不得以名章、签名章等代替。

申请文件中需要由申请人律师鉴证的文件，申请人律师应在该文件首页注明"以下第××页至第××页与原件一致"，并签名和签署鉴证日期，律师事务所应在该文件首页加盖公章，并在第××页至第××页侧面以公章加盖骑缝章。

第七条　申请人应根据中国证监会对申请文件的反馈意见提供补充材料。相关证券服务机构应对反馈意见相关问题进行核查或补充出具专业意见。

第八条　申请文件的封面和侧面应标明"××公司公开转让股票申请文件"字样。

第九条　申请文件的扉页应标明申请人信息披露事务负责人和相关证券服务机构项目负责人的姓名、电话、传真及其他方便的联系方式。

第十条　申请文件章与章之间、节与节之间应有明显的分隔标识。

第十一条　申请人在每次报送书面申请文件的同时，应报送一份相应的标准电子文件（标准.doc或.rtf格式文件）。

第十二条　未按本准则的要求制作和报送申请文件的，中国证监会按照有关规定不予受理。

第十三条　本准则自公布之日起施行。

非上市公众公司信息披露内容与格式准则第3号——定向发行说明书和发行情况报告书

第一章　总则

第一条　为了规范非上市公众公司向特定对象发行股票(以下简称定向发行)的信息披露行为,根据《公司法》、《证券法》和《非上市公众公司监督管理办法》(证监会令第85号,以下简称《管理办法》)的规定,制定本准则。

第二条　非上市公众公司进行定向发行导致股东人数累计超过200人以及股东人数超过200人的非上市公众公司(以下简称申请人)进行定向发行,应按照本准则编制定向发行说明书,作为向中国证券监督管理委员会(以下简称中国证监会)申请定向发行的必备法律文件,并按本准则的规定进行披露。

第三条　申请人定向发行结束后,应按照本准则的要求编制并披露发行情况报告书。

第四条　在不影响信息披露的完整并保证阅读方便的前提下,对于曾在定期报告、临时公告或者其他信息披露文件中披露过的信息,如事实未发生变化,申请人可以采用索引的方法进行披露。

第五条　本准则某些具体要求对本次定向发行确实不适用或者需要豁免适用的,申请人可以根据实际情况调整,但应在提交申请文件时作出专项说明。

第六条　申请人应在中国证监会指定网站(nlpc. csrc. gov. cn)和全国中小企业股份转让系统公司指定的信息披露平台(www. neeq. com. cn 或 www. neeq. cc)披露定向发行说明书及其备查文件、发行情况报告书和中国证监会要求披露的其他文件,供投资者查阅。

第二章　定向发行说明书

第七条　定向发行说明书扉页应载有如下声明:

"本公司及全体董事、监事、高级管理人员承诺定向发行说明书不存在虚假记载、误导性陈述或重大遗漏,并对其真实性、准确性、完整性承担个别和连带的法律责任。

"本公司负责人和主管会计工作的负责人、会计机构负责人保证公开转让说明书中财务会计资料真实、完整。

"中国证监会对本公司股票定向发行所作的任何决定或意见,均不表明其对本公司股票的价值或投资者的收益作出实质性判断或者保证。任何与之相反的声明均属虚假不实陈述。

"根据《证券法》的规定,本公司经营与收益的变化,由本公司自行负责,由此变化引致的投资风险,由投资者自行负责。"

第八条　申请人应披露以下内容:

(一)本次定向发行的目的;

(二)发行对象及公司现有股东优先认购安排。如董事会未确定具体发行对象的,应披露股票发行对象的范围和确定方法;

(三)发行价格和定价原则。如董事会未确定具体发行价格的,应披露价格区间;

(四)股票发行数量或数量上限;

(五)发行对象关于持有本次定向发行股票的限售安排及自愿锁定的承诺。如无限售安排,应说明;

(六)募集资金投向;

(七)本次定向发行涉及的主管部门审批、核准或备案事项情况。

除上述内容外,申请人还应披露本准则第十二条规定的附生效条件的股票认购合同的内容摘要。

第九条　有以资产认购本次定向发行股份的,申请人还应按照本准则第十条、第十一条的规定披露相关内容,同时披露本准则第十二条规定的附生效条件的资产转让合同的内容摘要。

第十条　以资产认购本次定向发行股份、其资产为非股权资产的,申请人应披露相关资产的下列基本情况:

(一)资产名称、类别以及所有者和经营管理者的基本情况;

(二)资产权属是否清晰、是否存在权利受限、权属争议或者妨碍权属转移的其他情况;

(三)资产独立运营和核算的,披露最近1年及1期经具有证券期货相关业务资格会计师事务所审计的财务信息摘要;

(四)资产的交易价格及定价依据。披露相关资产经审计的账面值;交易价格以资产评估结果作为依据的,应披露资产评估方法和资产评估结果。

第十一条　以资产认购本次定向发行股份、其资产为股权的,申请人应披露相关股权的下列基本情况:

(一)股权所投资的公司的名称、企业性质、注册地、主要办公地点、法定代表人、注册资本;股权及控制关系,包括公司的主要股东及其持股比例、最近2年控股股东或实际控制人的变化情况、股东出资协议及公司章程中可能对本次交易产生影响的主要内容、原高管人员的安排;

(二)股权所投资的公司主要资产的权属状况及对外担保和主要负债情况;

(三)股权所投资的公司最近1年及1期的业务发展情况和经具有证券期货相关业务资格会计师事务所审计的财务信息摘要;

(四)股权的资产评估价值(如有)、交易价格及定价依据。

第十二条　附生效条件的股票认购合同的内容摘要应包括:

(一)合同主体、签订时间;

(二)认购方式、支付方式;

(三)合同的生效条件和生效时间;

(四)合同附带的任何保留条款、前置条件;

(五)相关股票限售安排;

(六)违约责任条款。

附生效条件的资产转让合同的内容摘要除前款内容外,至少还应包括:

(一)目标资产及其价格或定价依据;

(二)资产交付或过户时间安排;

(三)资产自评估截止日至资产交付日所产生收益的归属;

(四)与资产相关的人员安排。

第十三条　本次定向发行对申请人的影响。申请人应披露以下内容:

(一)本次定向发行对申请人经营管理的影响;

(二)本次定向发行后申请人财务状况、盈利能力及现金流量的变动情况;

(三)申请人与控股股东及其关联人之间的业务关系、管理关系、关联交易及同业竞争等变化情况；

（四）申请人以资产认购股票的行为是否导致增加本公司的债务或者或有负债；

（五）本次定向发行对其他股东的权益的影响；

（六）本次定向发行相关特有风险的说明。申请人应有针对性、差异化的披露属于本公司或者本行业的特有风险以及经营过程中的不确定性因素。

第十四条　申请人应披露下列机构的名称、法定代表人、住所、联系电话、传真，同时应披露有关经办人员的姓名：

（一）主办券商；

（二）律师事务所；

（三）会计师事务所；

（四）资产评估机构（如有）；

（五）股票登记机构；

（六）其他与定向发行有关的机构。

第十五条　申请人全体董事、监事、高级管理人员应在定向发行说明书正文的尾页声明：

"本公司全体董事、监事、高级管理人员承诺本定向发行说明书不存在虚假记载、误导性陈述或重大遗漏，并对其真实性、准确性、完整性承担个别和连带的法律责任。"

声明应由全体董事、监事、高级管理人员签名，并由申请人加盖公章。

第十六条　主办券商应对申请人定向发行说明书的真实性、准确性、完整性进行核查，并在定向发行说明书正文后声明：

"本公司已对定向发行说明书进行了核查，确认不存在虚假记载、误导性陈述或重大遗漏，并对其真实性、准确性和完整性承担相应的法律责任。"

声明应由法定代表人、项目负责人签名，并由主办券商加盖公章。

第十七条　为申请人定向发行提供服务的证券服务机构应在定向发行说明书正文后声明：

"本机构及经办人员（经办律师、签字注册会计师、签字注册资产评估师）已阅读定向发行说明书，确认定向发行说明书与本机构出具的专业报告（法律意见书、审计报告、资产评估报告等）无矛盾之处。本机构及经办人员对申请人在定向发行说明书中引用的专业报告的内容无异议，确认定向发行说明书不致因上述内容而出现虚假记载、误导性陈述或重大遗漏，并对其真实性、准确性和完整性承担相应的法律责任。"

声明应由经办人员及所在机构负责人签名，并由机构加盖公章。

第十八条　定向发行说明书结尾应列明备查文件，备查文件应包括：

（一）定向发行推荐工作报告；

（二）法律意见书；

（三）中国证监会核准本次定向发行的文件（核准后提供）；

（四）其他与本次定向发行有关的重要文件。

如有下列文件，也应作为备查文件披露：

（一）资信评级报告；

（二）担保合同和担保函；

（三）申请人董事会关于非标准无保留意见审计报告涉及事项处理情况的说明；

（四）会计师事务所及注册会计师关于非标准无保留意见审计报告的补充意见；

（五）通过本次定向发行拟进入资产的资产评估报告及有关审核文件。

第三章　发行情况报告书

第十九条　申请人应在发行情况报告书中披露本次定向发行股票的数量、发行价格、认购人、认购股票数量及相关股票限售安排。

第二十条　本次定向发行前后相关情况对比。申请人应披露以下内容：

（一）本次定向发行前后前十名股东持股数量、持股比例及股票限售等比较情况；

（二）本次定向发行前后股本结构、股东人数、资产结构、业务结构、公司控制权、董事、监事和高级管理人员持股的变动情况。

第二十一条　申请人应在发行情况报告书中披露主办券商关于本次定向发行过程、结果和发行对象合规性的结论意见。内容至少包括：

（一）关于本次定向发行过程、定价方法及结果的合法、合规性的说明；

（二）关于本次发行对象是否符合《管理办法》的规定，是否符合公司及其全体股东的利益的说明；

（三）主办券商认为需要说明的其他事项。

第二十二条　申请人应在发行情况报告书中披露律师关于本次定向发行过程、结果和发行对象合规性的结论意见。内容至少包括：

（一）关于发行对象资格的合规性的说明；

（二）关于本次定向发行过程及结果合法、合规性的说明；

（三）关于本次定向发行相关合同等法律文件的合规性的说明；

（四）本次定向发行涉及资产转让或者其他后续事项的，应陈述办理资产过户或者其他后续事项的程序、期限，并进行因资产瑕疵导致不能过户的法律风险评估。

（五）律师认为需要说明的其他事项。

第二十三条　由于情况发生变化，导致董事会决议中关于本次定向发行的有关事项需要修正或者补充说明的，申请人应在发行情况报告书中作出专门说明。

第二十四条　申请人全体董事、监事、高级管理人员应在发行情况报告书的首页声明：

"公司全体董事、监事、高级管理人员承诺本发行情况报告书不存在虚假记载、误导性陈述或重大遗漏，并对其真实性、准确性、完整性承担个别和连带的法律责任。"

声明应由全体董事、监事、高级管理人员签名，并由申请人加盖公章。

第四章　附则

第二十五条　本准则由中国证监会负责解释。

第二十六条　本准则自公布之日起施行。

非上市公众公司信息披露内容与格式准则
第 4 号——定向发行申请文件

第一条　为了规范非上市公众公司向特定对象发行股票（以下简称定向发行）申请文件的内容和格式，根据《证券法》和《非上市公众公司监督管理办法》（证监会令第 85 号）的规定，制定本准则。

第二条　非上市公众公司进行定向发行导致股东人数累计超过200人以及股东人数超过200人的非上市公众公司（以下简称申请人）进行定向发行，应按本准则要求制作和报送申请文件。

第三条　本准则规定的申请文件目录（见附件）是定向发行申请文件的最低要求。根据审核需要，中国证券监督管理委员会（以下简称中国证监会）可以要求申请人和相关证券服务机构补充文件。如果某些文件对申请人不适用，可不提供，但应向中国证监会作出书面说明。

第四条　申请文件一经受理，未经中国证监会同意，不得增加、撤回或者更换。

第五条　申请人报送申请文件，初次报送应提交原件一份，复印件二份。

申请人不能提供有关文件原件的，应由申请人律师提供鉴证意见，或由出文单位盖章，以保证与原件一致。如原出文单位不再存续，由承继其职权的单位或作出撤销决定的单位出文证明文件的真实性。

第六条　申请文件所有需要签名处，均应为签名人亲笔签名，不得以名章、签名章等代替。

申请文件中需要由申请人律师鉴证的文件，申请人律师应在该文件首页注明“以下第××页至第××页与原件一致”，并签名和签署鉴证日期，律师事务所应在该文件首页加盖公章，并在第××页至第××页侧面以公章加盖骑缝章。

第七条　申请人应根据中国证监会对申请文件的反馈意见提供补充材料。相关证券服务机构应对反馈意见相关问题进行核查或补充出具专业意见。

第八条　申请文件的封面和侧面应标明“××公司向特定对象发行股票申请文件”字样。

第九条　申请文件的扉页应标明申请人信息披露事务负责人及相关证券服务机构项目负责人的姓名、电话、传真及其他方便的联系方式。

第十条　申请文件的各章、各节之间应有明显的分隔标识。

第十一条　申请人在报送书面申请文件、材料的同时，应报送一份相应的电子文件（doc或rtf格式文件）。

第十二条　未按本准则的要求制作和报送申请文件的，中国证监会按照有关规定不予受理。

第十三条　本准则自公布之日起施行。

非上市公众公司信息披露内容与格式准则第5号——权益变动报告书、收购报告书和要约收购报告书

第一章　总则

第一条　为了规范非上市公众公司（以下简称公众公司）的收购及相关股份权益变动活动，根据《公司法》、《证券法》、《非上市公众公司收购管理办法》（证监会令第102号，以下简称《收购办法》）及其他相关法律、行政法规及部门规章的规定，制定本准则。

第二条　公众公司的收购及相关股份权益变动活动中的信息披露义务人，应当按照本准则的要求编制和披露权益变动报告书、收购报告书或者要约收购报告书。

第三条　信息披露义务人是多人的，可以书面形式约定由其中一人作为指定代表以共同名义负责统一编制和报送权益变动报告书、收购报告书或者要约收购报告书，依照《收购办法》及本准则的规定披露相关信息，并同意授权指定代表在信息披露文件上签字、盖章。

各信息披露义务人应当对信息披露文件中涉及其自身的信息承担责任；对信息披露文件中涉及的与多个信息披露义务人相关的信息，各信息披露义务人对相关部分承担连带责任。

第四条　本准则的规定是对公众公司收购及相关股份权益变动信息披露的最低要求。不论本准则中是否有明确规定，凡对投资者做出投资决策有重大影响的信息，信息披露义务人均应当予以披露。

第五条　本准则某些具体要求对信息披露义务人确实不适用的，信息披露义务人可以针对实际情况，在不影响披露内容完整性的前提下作适当修改，但应在报送时作书面说明。信息披露义务人认为无本准则要求披露的情况，必须明确注明“无此类情形”的字样。

第六条　信息披露义务人如在权益变动报告书、收购报告书、要约收购报告书中援引财务顾问、律师等专业机构出具的专业报告或意见的内容，应当说明相关专业机构已书面同意上述援引。

第七条　信息披露义务人董事会及其董事或者主要负责人，应当保证权益变动报告书、收购报告书、要约收购报告书内容的真实性、准确性、完整性，承诺其中不存在虚假记载、误导性陈述或者重大遗漏，并就其保证承担个别和连带的法律责任。

第八条　信息披露义务人应在全国中小企业股份转让系统（以下简称全国股份转让系统）指定的信息披露平台（www.neeq.com.cn或www.neeq.cc）披露权益变动报告书、收购报告书或者要约收购报告书及中国证监会要求披露的其他文件，并列示备查文件目录，供投资者查阅。

信息披露义务人应告知投资者备查文件的备置地点。备查文件上网的，应披露网址。

第二章　基本情况

第九条　信息披露义务人应当按照如下要求披露其基本情况：

（一）信息披露义务人为法人或者其他经济组织的，应当披露公司名称、法定代表人、设立日期、注册资本、住所、邮编、所属行业、主要业务、组织机构代码等；

（二）信息披露义务人为自然人的，应当披露姓名、国籍、身份证号码、住所（公民身份号码、住所可以不公开披露）、是否拥有永久境外居留权、最近五年内的工作单位、职务、所任职单位主要业务及注册地、以及是否与所任职单位存在产权关系。

第十条　信息披露义务人为多人的，除应当分别按照本准则第九条披露各信息披露义务人的情况外，还应当披露：

（一）各信息披露义务人之间在股权、资产、业务、高级管理人员等方面的关系，并以方框图的形式加以说明；

（二）信息披露义务人为一致行动人的，应当说明一致行动的目的、达成一致行动协议或者意向的时间、一致行动协议或者意向的内容。

第十一条　信息披露义务人在披露之日前6个月内，因拥有权益的股份变动已经披露过权益变动报告书的，可以仅

就与前次报告书不同的部分作出披露。自前次披露之日起超过6个月的，信息披露义务人应当按照《收购办法》和本准则的规定编制并披露权益变动报告书。

第十二条　公众公司收购及相关股份权益变动活动需要取得国家相关部门批准的，收购人应当披露须履行的批准程序及相关批准程序进展情况。

第三章　权益变动报告书

第十三条　信息披露义务人应当按照《收购办法》及本准则的规定计算并披露其持有、控制公众公司股份的详细名称、种类、数量、占公众公司已发行股份的比例、所持股份性质及性质变动情况，股东持股变动达到规定比例的日期及权益变动方式。

信息披露义务人应披露权益变动涉及的相关协议、行政划转或变更、法院裁定等文件的主要内容。

信息披露义务人为多人的，还应当分别披露各信息披露义务人在公众公司中拥有权益的股份详细名称、种类、数量、占公众公司已发行股份的比例。

信息披露义务人持有表决权未恢复的优先股的，还应当披露持有数量和比例。

第十四条　收购人为法人或者其他组织的，还应当披露其做出本次收购决定所履行的相关程序及具体时间。

第十五条　信息披露义务人为公众公司第一大股东或者实际控制人，存在《收购办法》第十三条、第十四条所规定的情形的，应当按照《收购办法》及本准则的规定编制并披露权益变动报告书。

第十六条　公众公司控股股东向收购人协议转让其所持有的公司股份，导致其丧失控股股东地位的，应当在其权益变动报告书中披露对收购人的主体资格、诚信情况及收购意图的调查情况。

公众公司的控股股东、实际控制人及其关联方未清偿其对公司的负债，未解除公司为其负债提供的担保，或者存在损害公司利益的其他情形的，公众公司的控股股东、实际控制人应当披露前述情形及消除损害的情况；未能消除损害的，应当披露其出让相关股份所得收入用于消除全部损害的安排。

第四章　收购报告书

第十七条　收购人为法人或者其他组织的，应当披露其控股股东、实际控制人的有关情况，并以方框图或者其他有效方式，全面披露与控股股东、实际控制人之间的股权控制关系，实际控制人原则上应披露到自然人、国有资产管理部门或者股东之间达成某种协议或安排的其他机构；控股股东、实际控制人所控制的核心企业和核心业务情况；收购人最近2年受到行政处罚（与证券市场明显无关的除外）、刑事处罚、或者涉及与经济纠纷有关的重大民事诉讼或者仲裁；收购人董事、监事、高级管理人员（或者主要负责人）的姓名、最近2年受到行政处罚（与证券市场明显无关的除外）、刑事处罚、或者涉及与经济纠纷有关的重大民事诉讼或者仲裁。

收购人是自然人的，应当披露其所控制的核心企业和核心业务、关联企业及主要业务的情况说明；最近2年受到行政处罚（与证券市场明显无关的除外）、刑事处罚、或者涉及与经济纠纷有关的重大民事诉讼或者仲裁。

第十八条　收购人应披露是否具备收购人资格且不存在《收购办法》第六条规定的情形，并作出相应的承诺。

第十九条　收购报告书应当披露本准则第十三条、第十四条规定的内容。

第二十条　收购人应当披露其为持有、控制公众公司股份所支付的资金总额、资金来源及支付方式等情况。

第二十一条　收购人应当披露各成员以及各自的董事、监事、高级管理人员（或者主要负责人）在收购事实发生之日起前6个月内买卖该公众公司股票的情况。

第二十二条　收购人应当披露各成员及其关联方以及各自的董事、监事、高级管理人员（或者主要负责人）在报告日前24个月内，与该公众公司发生的交易。

第二十三条　收购人为法人或者其他组织的，收购人应当披露其最近2年的财务会计报表，注明是否经审计及审计意见的主要内容；其中，最近1个会计年度财务会计报表应经具有证券、期货相关业务资格的会计师事务所审计，并注明审计意见的主要内容；会计师应当说明公司前2年所采用的会计制度及主要会计政策与最近1年是否一致，如不一致，应做出相应的调整。

如果该法人或其他组织成立不足1年或者是专为本次公众公司收购而设立的，则应当比照前述规定披露其实际控制人或者控股公司的财务资料。

收购人是上市公司或者公众公司的，可以免于披露最近2年的财务会计报表，但应当说明刊登其年度报告的网站地址及时间。

第二十四条　收购人应当披露本次收购的目的、后续计划，包括未来12个月内有无对公众公司主要业务、管理层、组织结构等方面的调整、公司章程修改、资产处置或员工聘用等方面的计划。

收购人应充分披露收购完成后对公众公司的影响和风险，并披露收购人及其关联方是否与公众公司从事相同、相似业务的情况。对存在相同、相似业务的，收购人应对是否存在同业竞争作出合理解释。

第二十五条　收购人应当披露所作公开承诺事项及未能履行承诺事项时的约束措施。

第二十六条　收购人应当列明参与本次收购的各专业机构名称，说明各专业机构与收购人、被收购公司以及本次收购行为之间是否存在关联关系及其具体情况。

第二十七条　收购人聘请的财务顾问就本次收购出具的财务顾问报告，应当对以下事项进行说明和分析，并逐项发表明确意见：

（一）收购人编制的收购报告书所披露的内容是否真实、准确、完整；

（二）本次收购的目的；

（三）收购人是否提供所有必备证明文件，根据核查情况，说明收购人是否具备主体资格，是否具备收购的经济实力，是否具备规范运作公众公司的管理能力，是否需要承担其他附加义务及是否具备履行相关义务的能力，是否存在不良诚信记录；

（四）对收购人进行证券市场规范化运作辅导的情况，其董事、监事和高级管理人员是否已经熟悉有关法律、行政法规和中国证监会的规定，充分了解应承担的义务和责任，督促其依法履行信息披露和其他法定义务的情况；

（五）收购人的股权控制结构及其控股股东、实际控制人支配收购人的方式；

（六）收购人的收购资金来源及其合法性，是否存在利用本次收购的股份向银行等金融机构质押取得融资的情形；

（七）涉及收购人以证券支付收购价款的，应当说明有关该证券发行人的信息披露是否真实、准确、完整以及该证券交易的便捷性等情况；

（八）收购人是否已经履行了必要的授权和批准程序；

（九）是否已对收购过渡期内保持公众公司稳定经营作出安排，该安排是否符合有关规定；

（十）对收购人提出的后续计划进行分析，说明本次收购对公众公司经营和持续发展可能产生的影响；

（十一）在收购标的上是否设定其他权利，是否在收购价款之外还作出其他补偿安排；

（十二）收购人及其关联方与被收购公司之间是否存在业务往来，收购人与被收购公司的董事、监事、高级管理人员是否就其未来任职安排达成某种协议或者默契；

（十三）公众公司原控股股东、实际控制人及其关联方是否存在未清偿对公司的负债、未解除公司为其负债提供的担保或者损害公司利益的其他情形；存在上述情形的，是否已提出切实可行的解决方案。

财务顾问及其法定代表人或授权代表人、财务顾问主办人应当在收购报告书上签字、盖章、签注日期，并载明以下声明：

“本人及本人所代表的机构已履行勤勉尽责义务，对收购报告书的内容进行了核查和验证，未发现虚假记载、误导性陈述或者重大遗漏，并对此承担相应的责任。”

第二十八条　公众公司聘请的律师应当按照本准则及有关业务准则的规定出具法律意见书，并对照中国证监会的各项规定，在充分核查验证的基础上，就公众公司收购的法律问题和事项发表明确的结论性意见。

收购人聘请的律师及其所就职的律师事务所应当在收购报告书上签字、盖章、签注日期，并载明以下声明：

“本人及本人所代表的机构已按照执业规则规定的工作程序履行勤勉尽责义务，对收购报告书的内容进行核查和验证，未发现虚假记载、误导性陈述或者重大遗漏，并对此承担相应的责任。”

第五章　要约收购报告书

第二十九条　采取要约收购方式的，收购人应当详细披露要约收购的方案，包括：

（一）被收购公司名称、收购股份的种类、预定收购的股份数量及其占被收购公司已发行股份的比例；涉及多人收购的，还应当注明每个成员预定收购股份的种类、数量及其占被收购公司已发行股份的比例；

（二）要约价格及其计算基础；

（三）要约收购报告书披露日前 6 个月内收购人取得该种股票所支付的最高价格；

（四）收购资金总额、资金来源及资金保证、其他支付安排及支付方式；

（五）要约收购的约定条件；

（六）要约收购期限；

（七）受要约人预受要约的方式和程序；

（八）受要约人撤回预受要约的方式和程序；

（九）受要约人委托办理要约收购中相关股份预受、撤回、结算、过户登记等事宜的证券公司名称及其通讯方式。

第三十条　要约收购报告书应当披露本准则第十七条、第二十一条、第二十二条、第二十三条、第二十四条、第二十五条、第二十六条规定的内容。

第三十一条　要约收购人聘请的财务顾问就本次要约收购按照本准则第二十七条第一款的规定发表专业意见。

财务顾问及其法定代表人、财务顾问主办人应当在本报告上签字、盖章、签注日期，并载明以下声明：

“本人及本人所代表的机构已按照执业规则规定的工作程序履行尽职调查义务，经过审慎调查，本人及本人所代表的机构确认收购人有能力按照收购要约所列条件实际履行收购要约，并对此承担相应的法律责任。”

第三十二条　要约收购人聘请的律师就本次要约收购按照本准则第二十八条的规定发表专业意见，并作出声明。

第六章　其他重大事项

第三十三条　各信息披露义务人（如为法人或者其他组织）的董事会及其董事（或者主要负责人）或者自然人（如信息披露义务人为自然人）应当在权益变动报告书、收购报告书或者要约收购报告书上签字、盖章、签注日期，并载明以下声明：

“本人（以及本人所代表的机构）承诺本报告不存在虚假记载、误导性陈述或重大遗漏，并对其真实性、准确性、完整性承担个别和连带的法律责任。”

第三十四条　信息披露义务人在报送权益变动报告书、收购报告书、要约收购报告书的同时，应当提交有关备查文件。该备查文件应当为原件或有法律效力的复印件。信息披露义务人应当将备查文件报送全国股份转让系统及公众公司，并告知投资者披露方式。备查文件包括：

（一）信息披露义务人为法人或其他组织的，提供营业执照和税务登记证；信息披露义务人为自然人的，提供身份证明文件；

（二）信息披露义务人就收购或者要约收购作出的相关决定；

（三）涉及收购资金来源的协议（如适用）；

（四）收购人将履约保证金存入并冻结于指定银行等金融机构的存单、收购人将用以支付的全部证券委托中国证券登记结算有限责任公司保管的证明文件、银行对于要约收购所需价款出具的保函或者财务顾问出具承担连带担保责任的书面承诺（要约收购适用）；

（五）任何与本次收购及相关股份权益活动有关的合同、协议和其他安排的文件；

（六）收购人不存在《收购办法》第六条规定情形的说明及承诺；

（七）按照本准则第二十三条要求提供的收购人的财务资料；

（八）财务顾问报告（如适用）；

（九）法律意见书（如适用）；

（十）中国证监会或者全国股份转让系统依法要求的其他备查文件。

第七章　附则

第三十五条　本准则由中国证监会负责解释。

第三十六条　本准则所称拥有权益的股份，包括表决权恢复的优先股，不包括表决权未恢复的优先股。

信息披露义务人涉及计算其持股比例的，应当将其所持有的公众公司已发行的可转换为公司股票的证券中有权转换部分与其所持有的同一公众公司的股份合并计算，并将其持股比例与合并计算非股权类证券转为股份后的比例相比，以二者中的较高者为准；行权期限届满未行权的，或者行权条件不再具备的，无需合并计算。

前款所述二者中的较高者，应当按下列公式计算：

（一）投资者持有的股份数量/公众公司已发行股份总数

（二）（投资者持有的股份数量 + 投资者持有的可转换为公司股票的非股权类证券所对应的股份数量）/（公众公司已发行股份总数 + 公众公司发行的可转换为公司股票的非股权类证券所对应的股份总数）

第三十七条　本准则自 2014 年 7 月 23 日起施行。

非上市公众公司信息披露内容与格式准则第 6 号——重大资产重组报告书

第一章　总则

第一条　为规范非上市公众公司（以下简称公众公司）重大资产重组的信息披露行为，根据《公司法》、《证券法》、《非上市公众公司重大资产重组管理办法》（证监会令第 103 号，以下简称《重组办法》）及其他相关法律、行政法规及部门规章的规定，制定本准则。

第二条　公众公司实施重大资产重组应当按照本准则的要求编制并披露重大资产重组报告书（以下简称重组报告书）及其他相关信息披露文件。公众公司披露的所有信息应真实、准确、完整，不得有虚假记载、误导性陈述或重大遗漏。

第三条　本准则的规定是对重组报告书及其他相关信息披露文件的最低要求。不论本准则是否有明确规定，凡对投资者投资决策有重大影响的信息，均应披露。

公众公司根据自身及所属行业或业态特征，可在本准则基础上增加有利于投资者判断和信息披露完整性的相关内容。本准则某些具体要求对公众公司不适用的，公众公司可根据实际情况，在不影响内容完整性的前提下作适当调整，但应在披露时作出相应说明。

第四条　公众公司披露的重组报告书中引用的经审计的最近 1 期财务资料在财务会计报表截止日后 6 个月内有效；特别情况下可申请适当延长，但延长时间至多不超过 1 个月。

截至重组报告书披露之日，交易标的资产的财务状况和经营成果发生重大变动的，应当补充披露最近 1 期相关财务资料。

第五条　重组报告书扉页应当载有如下声明：“本公司及全体董事、监事、高级管理人员承诺重大资产重组报告书不存在虚假记载、误导性陈述或重大遗漏，并对其真实性、准确性、完整性承担个别和连带的法律责任。”

第六条　公众公司应在全国中小企业股份转让系统（以下简称全国股份转让系统）指定的信息披露平台（www.neeq.com.cn 或 www.neeq.cc）披露重组报告书及其备查文件、中国证监会要求披露的其他文件，供投资者查阅。

第二章　重组预案和重组报告书

第七条　公众公司披露重大资产重组预案的（以下简称重组预案），应当至少包括以下内容：

（一）公众公司基本情况、交易对方基本情况、本次交易的背景和目的、本次交易的具体方案、交易标的基本情况；

（二）本次交易对公众公司的影响以及交易过程中对保护投资者合法权益的相关安排；

（三）本次交易行为涉及有关报批事项的，应当详细说明已向有关主管部门报批的进展情况和尚需呈报批准的程序，并对可能无法获得批准的风险作出特别提示；

（四）独立财务顾问、律师事务所、会计师事务所等证券服务机构的结论性意见；证券服务机构尚未出具意见的，应当作出关于“证券服务机构意见将在重大资产重组报告书中予以披露”的特别提示；

（五）退市公司应当对本次交易完成后是否申请重新上市以及其中的不确定性风险作出特别提示。

第八条　公众公司披露重组报告书的，应当至少包括以下内容：

（一）交易概述

简要介绍本次重组的基本情况，包括交易对方名称、交易双方实施本次交易的背景和目的、决策过程、交易标的名称、交易价格、是否构成关联交易、按照《重组办法》规定计算的相关指标、董事会和股东大会表决情况、中小股东单独计票结果等。

退市公司还应当对本次交易完成后是否申请重新上市、对申请重新上市相关事宜的后续计划及其中的不确定性风险进行说明并披露。

（二）公众公司基本情况，包括公司设立情况及曾用名称，最近 2 年的控股权变动情况、主要业务发展情况和主要财务指标，以及控股股东、实际控制人概况。

（三）交易对方基本情况及与公众公司之间是否存在关联关系及其情况说明、交易对方及其主要管理人员最近 2 年内是否存在违法违规情形及其情况说明（与证券市场明显无关的除外）。

（四）交易标的

1. 交易标的的基本情况

（1）交易标的为完整经营性资产的（包括股权或其他构成可独立核算会计主体的经营性资产），应当披露：

a. 该经营性资产的名称、企业性质、注册地、主要办公地点、法定代表人、注册资本、成立日期、税务登记证号码、组织机构代码、历史沿革；

b. 该经营性资产的产权或控制关系，包括其主要股东或权益持有人及持有股权或权益的比例、公司章程中可能对本次交易产生影响的主要内容或相关投资协议、原高管人员的安排、是否存在影响该资产独立性的协议或其他安排（如让渡经营管理权、收益权等）；

c. 主要资产的权属状况、对外担保情况及主要负债情况；

d. 交易标的为有限责任公司股权的，应当披露是否已取得该公司其他股东的同意或者符合公司章程规定的股权转让前置条件；

e. 该经营性资产的权益最近 2 年曾进行资产评估、交易、增资或改制的，应当披露相关的评估价值、交易价格、交易对方和增资改制的情况。

（2）交易标的不构成完整经营性资产的，应当披露：

a. 相关资产的名称、类别及最近 2 年的运营情况；

b. 相关资产的权属状况，包括产权是否清晰，是否存在抵押、质押等权利限制，是否涉及诉讼、仲裁、司法强制执行等重大争议；

c. 相关资产在最近 2 年曾进行资产评估或者交易的，应当披露评估价值、交易价格、交易对方等情况。

2. 资产交易根据资产评估结果定价的，应当披露资产评估方法和资产评估结果（包括各类资产的评估值、增减值额及增减值率，以及主要的增减值原因等）。

3. 资产交易涉及重大资产购买的，公众公司应当根据重要性原则披露拟购买资产主要业务的具体情况，包括：

（1）主要业务、主要产品或服务及其用途；

（2）业务模式或商业模式；

（3）与主要业务相关的情况，主要包括：

a. 报告期内各期主要产品或服务的规模、销售收入，产品或服务的主要消费群体，报告期内各期向前五名客户合计的销售额占当期销售总额的百分比；

b. 报告期内主要产品或服务的原材料、能源及其供应情况，占成本的比重，报告期内各期向前五名供应商合计的采购额占当期采购总额的百分比；

c. 所从事的业务需要取得许可资格或资质的，还应当披露当前许可资格或资质的情况。

（4）与其业务相关的资源要素，主要包括：

a. 产品或服务所使用的主要技术；

b. 主要生产设备、房屋建筑物的取得和使用情况、成新率或尚可使用年限等；

c. 主要无形资产的取得方式和时间、使用情况、使用期限或保护期、最近 1 期末账面价值；

d. 拟购买所从事的业务需要取得许可资格或资质的，还应当披露当前许可资格或资质的情况；

e. 特许经营权的取得、期限、费用标准；

f. 员工的简要情况，其中核心业务和技术人员应披露姓名、年龄、主要业务经历及职务、现任职务及任期以及持有公众公司股份情况；

g. 其他体现所属行业或业态特征的资源要素。

4. 资产交易涉及重大资产出售的，公众公司应当按照前述第 3 项中(1)、(2)的要求进行披露，简要介绍拟出售资产主要业务及与其相关的资源要素的基本情况。

5. 资产交易涉及债权债务转移的，应当披露该等债权债务的基本情况、债权人同意转移的情况及与此相关的解决方案。

6. 资产交易中存在的可能妨碍权属转移的其他情形。

（五）本次交易合同的主要内容

1. 合同主体、签订时间；

2. 交易价格、定价依据以及支付方式（一次或分次支付的安排及特别条款、股份发行条款等）；

3. 资产交付或过户的时间安排；

4. 交易标的自定价基准日至交割日期间损益的归属和实现方式；

5. 合同的生效条件和生效时间；合同附带的任何形式的保留条款、补充协议和前置条件；

6. 与资产相关的人员安排。

（六）本次资产交易中相关当事人的公开承诺事项及提出的未能履行承诺时的约束措施（如有）。

（七）财务会计信息

1. 交易标的为完整经营性资产的，应当披露最近 2 年的简要财务报表；交易标的不构成完整经营性资产的，应当披露相关资产最近 2 年经审计的财务数据，包括但不限于资产总额、资产净额、可准确核算的收入或费用额。

2. 拟购买资产盈利预测的主要数据（如有）。

（八）独立财务顾问和律师对本次交易出具的结论性意见

独立财务顾问不是为其提供持续督导业务的主办券商的，还应当详细披露主办券商不适宜担任独立财务顾问的具体原因。

（九）本次交易聘请的独立财务顾问、律师事务所、会计师事务所、资产评估机构（如有）等专业机构名称、法定代表人、住所、联系电话、传真，以及有关经办人员的姓名。

第九条　公众公司重大资产重组以发行普通股作为对价向特定对象购买资产（以下简称发行股份购买资产）的，重组报告书中除包括前条规定的内容外，还应当包括以下内容：

在本准则第八条规定的“交易标的”部分后，加入第（五）部分“发行股份情况”，其以下各部分依次顺延。在“发行股份情况”部分应当披露以下内容：

1. 公众公司发行股份的价格及定价原则，并充分说明定价的合理性；

2. 公众公司拟发行股份的种类、每股面值；

3. 公众公司拟发行股份的数量、占发行后总股本的比例；

4. 特定对象所持股份的转让或交易限制，股东关于自愿锁定所持股份的相关承诺；

5. 公众公司发行股份前后主要财务数据（如每股收益、每股净资产等）和其他重要财务指标的对照表；

6. 本次发行股份前后公众公司的股权结构，说明本次发行股份是否导致公众公司控制权发生变化。

公众公司重大资产重组以优先股、可转换债券等支付手段作为支付对价的，还应当按照中国证监会关于优先股、可转换债券的相关规定进行披露。

第三章　中介机构的意见

第十条　独立财务顾问应当按照本准则及有关业务准则的规定出具独立财务顾问报告，报告应当至少包括以下内容：

（一）说明本次重组是否符合《重组办法》的规定；

（二）说明本次交易所涉及的资产定价和支付手段定价的合理性；

（三）说明本次交易完成后公众公司的财务状况及是否存在损害股东合法权益的问题；

（四）对交易合同约定的资产交付安排是否可能导致公众公司交付现金或其他资产后不能及时获得对价的风险、相关的违约责任是否切实有效发表明确意见；

（五）对本次重组是否构成关联交易进行核查，并依据核查确认的相关事实发表明确意见。涉及关联交易的，还应当充分分析本次交易的必要性及本次交易是否损害公众公司及非关联股东的利益。

第十一条　公众公司应当提供由律师按照本准则及有关业务准则的规定出具的法律意见书。律师应当对照中国证监会的各项规定，在充分核查验证的基础上，至少就公众公司本次重组涉及的以下法律问题和事项发表明确的结论性意见：

（一）公众公司和交易对方是否具备相应的主体资格、是否依法有效存续；

（二）本次交易是否已履行必要的批准或授权程序，相关的批准和授权是否合法有效；本次交易是否构成关联交易，构成关联交易的，是否已依法履行必要的审议批准程序和信息披露义务；本次交易涉及的须呈报有关主管部门批准的事项是否已获得有效批准；本次交易的相关合同和协议是否合法有效；

（三）标的资产（包括标的股权所涉及企业的主要资产）的权属状况是否清晰，权属证书是否完备有效，尚未取得完备权属证书的，应说明取得权属证书是否存在法律障碍；标的资产是否存在产权纠纷或潜在纠纷，如有，应说明对本次交易的影响；标的资产是否存在抵押、担保或其他权利受到限制的情况，如有，应说明对本次交易的影响；

（四）本次交易所涉及的债权债务的处理及其他相关权利、义务的处理是否合法有效，其实施或履行是否存在法律障碍和风险；

（五）公众公司、交易对方和其他相关各方是否已履行法定的披露和报告义务，是否存在应当披露而未披露的合同、协议、安排或其他事项；

（六）本次交易是否符合《重组办法》和相关规范性文件规定的原则和条件；

（七）参与公众公司本次交易活动的证券服务机构是否具备必要的资格；

（八）本次交易是否符合相关法律、行政法规、部门规章和规范性文件的规定，是否存在法律障碍，是否存在其他可能对本次交易构成影响的法律问题和风险。

第十二条　公众公司应当提供本次交易所涉及的相关资产最近2年的财务会计报表（财务数据）和审计报告；存在本准则第四条规定情况的，还应当提供最近1期的财务会计报表和审计报告。

第十三条　公众公司重大资产重组以评估值或资产估值报告中的估值金额作为交易标的定价依据的，应当提供相关资产的资产评估报告或资产估值报告。

第十四条　公众公司可视自身情况决定是否披露拟购买资产经审核的盈利预测报告。

第四章　声明及附件

第十五条　公众公司全体董事、监事、高级管理人员应当在重组报告书正文的尾页声明：

“本公司全体董事、监事、高级管理人员承诺本重大资产重组报告书不存在虚假记载、误导性陈述或重大遗漏，并对其真实性、准确性、完整性承担个别和连带的法律责任。”

声明应由全体董事、监事、高级管理人员签名，并加盖公众公司公章。

第十六条　独立财务顾问应当对重组报告书的真实性、准确性、完整性进行核查，并在重组报告书正文后声明：

“本公司已对重大资产重组报告书进行了核查，确认不存在虚假记载、误导性陈述或重大遗漏，并对其真实性、准确性和完整性承担相应的法律责任。”

声明应由法定代表人或授权代表人、项目负责人、独立财务顾问主办人签名，并由独立财务顾问加盖公章。

第十七条　为公众公司重大资产重组提供服务的其他证券服务机构应在重组报告书正文后声明：

“本机构及经办人员（经办律师、签字注册会计师、签字注册资产评估师）已阅读重大资产重组报告书，确认重大资产重组报告书与本机构出具的专业报告（法律意见书、审计报告、资产评估报告）无矛盾之处。本机构及经办人员对公众公司在重大资产重组报告书中引用的专业报告的内容无异议，确认重大资产重组报告书不致因上述内容而出现虚假记载、误导性陈述或重大遗漏，并对其真实性、准确性和完整性承担相应的法律责任。”

声明应由经办人员及所在机构负责人签名，并由机构加盖公章。

第十八条　重组报告书结尾应列明附件并披露。附件应包括下列文件：

（一）独立财务顾问报告；

（二）财务会计报表及审计报告；

（三）法律意见书；

（四）资产评估报告、资产估值报告（如有）；

（五）拟购买资产盈利预测报告（如有）；

（六）公众公司及其董事、监事、高级管理人员，交易对方及其董事、监事、高级管理人员（或主要负责人），相关专业机构及其他知悉本次重大资产交易内幕信息的法人和自然人，以及上述相关人员的直系亲属买卖该公众公司股票及其他相关证券情况的自查报告及说明；

（七）其他与公开转让有关的重要文件。

第五章　持续披露

第十九条　公众公司发行股份购买资产申请获得中国证监会核准的，公众公司及相关证券服务机构应当根据中国证监会的审核情况重新修订重组报告书及相关证券服务机构的报告或意见，并作出补充披露。

第二十条　公众公司重大资产重组实施完毕后应当编制并披露至少包含以下内容的重大资产重组实施情况报告书：

（一）本次重组的实施过程，相关资产过户或交付、相关债权债务处理以及证券发行登记等事宜的办理状况；

（二）相关实际情况与此前披露的信息是否存在差异；

（三）相关协议、承诺的履行情况及未能履行承诺时相关约束措施的执行情况；

（四）其他需要披露的事项。

独立财务顾问应当对前款所述内容逐项进行核查，并发表明确意见。律师应当对前款所述内容涉及的法律问题逐项进行核查，并发表明确意见。

第六章　附则

第二十一条　本准则由中国证监会负责解释。

第二十二条　本准则自2014年7月23日起施行。

非上市公众公司信息披露内容与格式准则第7号——定向发行优先股说明书和发行情况报告书

第一章　总则

第一条　为了规范非上市公众公司（以下简称申请人）定向发行优先股的信息披露行为，根据《公司法》、《证券法》、《非上市公众公司监督管理办法》（证监会令第96号）、《优先股试点管理办法》（证监会令第97号）的规定，制定本准则。

第二条　申请人定向发行优先股，应按照本准则编制定向发行优先股说明书并披露。发行后普通股与优先股股东人数合并累计超过200人的非上市公众公司定向发行优先股，应当向中国证券监督管理委员会（以下简称中国证监会）申请核准；发行后普通股与优先股股东人数合并累计不超过200人的非上市公众公司定向发行优先股，中国证监会豁免核准，由全国中小企业股份转让系统（以下简称全国股份转让系统）自律管理。

注册在境内的境外上市公司在境内发行优先股，参照本准则的规定披露，应当向中国证监会申请核准。

第三条　申请人定向发行结束后，应按照本准则的要求编制并披露发行情况报告书。

第四条　在不影响信息披露的完整并保证阅读方便的前提下，对于曾在定期报告、临时公告或者其他信息披露文件中披露过的信息，如事实未发生变化，申请人可以采用索引的方法进行披露。

第五条　本准则某些具体要求对本次定向发行确实不适用或者需要豁免适用的，申请人可以根据实际情况调整，但应在提交申请文件时作出专项说明。

第六条　申请人发行的优先股在全国股份转让系统转让的，应在全国中小企业股份转让系统有限责任公司（以下简称全国股份转让系统公司）指定的信息披露平台（www. neeq. com. cn 或 www. neeq. cc）披露定向发行优先股说明书及其备查文件、发行情况报告书和中国证监会要求披露的其他文件，供投资者查阅。

第二章　定向发行优先股说明书

第七条　定向发行优先股说明书扉页应载有如下声明：

“本公司及全体董事、监事、高级管理人员承诺定向发行优先股说明书不存在虚假记载、误导性陈述或重大遗漏，并对其真实性、准确性、完整性承担个别和连带的法律责任。

“本公司负责人和主管会计工作的负责人、会计机构负责人保证定向发行优先股说明书中财务会计资料真实、完整。

“中国证监会、全国股份转让系统公司对本公司定向发行优先股所作的任何决定或意见，均不表明其对本公司优先股的价值或投资者的收益作出实质性判断或者保证。任何与之相反的声明均属虚假不实陈述。

“根据《证券法》的规定，本公司经营与收益的变化，由本公司自行负责，由此变化引致的投资风险，由投资者自行负责。”

第八条　申请人应披露本次定向发行的基本情况：

（一）发行目的和发行总额。拟分次发行的，披露分次发行安排；

（二）发行方式、发行对象及公司现有股东认购安排（如有）。

如董事会未确定具体发行对象的，应披露发行对象的范围和确定方法；

（三）票面金额、发行价格或定价原则；

（四）本次发行优先股的种类、数量或数量上限；

（五）募集资金投向；

（六）本次发行涉及的主管部门审批、核准或备案事项情况。

除上述内容外，申请人还应披露本准则第十四条规定的附生效条件的优先股认购合同的内容摘要。

第九条　申请人应在基本情况中披露本次定向发行的优先股的具体条款设置：

（一）优先股股东参与利润分配的方式，包括：票面股息率或其确定原则、股息发放的条件、股息支付方式、股息是否累积、是否可以参与剩余利润分配等；涉及财务数据或财务指标的，应注明相关报表口径；

（二）优先股的回购条款，包括：回购选择权的行使主体、回购条件、回购期间、回购价格或确定原则及其调整方法等；

（三）优先股转换为普通股的条款（仅商业银行适用），包括：转换权的行使主体、转换条件（含触发事项）、转换时间、转换价格或确定原则及其调整方法等；

（四）表决权的限制和恢复，包括表决权恢复的情形及恢复的具体计算方法；

（五）清偿顺序及每股清算金额的确定方法；

（六）有评级安排的，需披露信用评级情况；

（七）有担保安排的，需披露担保及授权情况；

（八）其他中国证监会认为有必要披露的重大事项。

第十条　以资产认购本次定向发行优先股的，申请人还应按照本准则第十一条、第十二条、第十三条的规定披露相关内容，同时披露本准则第十四条规定的附生效条件的资产转让合同的内容摘要。

第十一条　以资产认购本次定向发行优先股、其资产为非股权资产的，申请人应披露相关资产的下列基本情况：

（一）资产名称、类别以及所有者和经营管理者的基本情况；

（二）资产权属是否清晰、是否存在权利受限、权属争议或者妨碍资产转移的其他情况；

（三）资产独立运营和核算的，披露最近 1 年及 1 期经会计师事务所审计的主要财务数据；

（四）资产的交易价格及定价依据。披露相关资产经审计的账面值；交易价格以资产评估结果作为依据的，应披露资产评估方法和资产评估结果。

第十二条　以资产认购本次定向发行优先股、其资产为股权的，申请人应披露相关股权的下列基本情况：

（一）股权所投资的公司的名称、企业性质、注册地、主要办公地点、法定代表人、注册资本；股权及控制关系，包括公司的主要股东及其持股比例、最近 2 年控股股东或实际控制人的变化情况、股东出资协议及公司章程中可能对本次交易产生影响的主要内容、原高管人员的安排；

（二）股权所投资的公司主要资产的权属状况及对外担保和主要负债情况；

（三）股权所投资的公司最近 1 年及 1 期的业务发展情况和经会计师事务所审计的主要财务数据和财务指标；

（四）股权的资产评估价值（如有）、交易价格及定价依据。

第十三条　资产交易价格以经审计的账面值为依据的，公司董事会应对定价的合理性予以说明。

资产交易根据资产评估结果定价的，公司董事会应对定价的合理性予以说明，并对资产定价是否存在损害公司和股东合法权益等情形发表意见。

第十四条　董事会决议确定具体发行对象的，应披露附生效条件的优先股认购合同，应包括以下内容：

（一）合同主体、签订时间；

（二）认购价格、认购方式、支付方式；

（三）合同的生效条件和生效时间；

（四）合同附带的任何保留条款、前置条件；

（五）违约责任条款；

（六）优先股股东参与利润分配和剩余财产分配的相关约定；

（七）优先股回购的相关约定；

（八）优先股股东表决权限制与恢复的约定；

（九）其他与定向发行相关的条款。

附生效条件的资产转让合同的内容摘要除前款第（一）项至第（五）项内容外，至少还应包括：

（一）目标资产及其价格或定价依据；

（二）资产交付或过户时间安排；

（三）资产自评估截止日至资产交付日所产生收益的归属（如有）；

（四）与资产相关的人员安排。

第十五条　申请人应披露已发行在外优先股的简要情况，包括发行时间、发行总量及融资总额、现有发行在外数量、已回购优先股的数量、各期股息实际发放情况等。

申请人应列表披露本次优先股与已发行在外优先股主要条款的差异比较。

第十六条　本次定向发行对申请人的影响。申请人应披露以下内容：

（一）本次发行对申请人经营管理的影响；

（二）本次发行后申请人财务状况、盈利能力、偿债能力及现金流量的变动情况，申请人应重点披露本次发行优先股后公司资产负债结构的变化；

（三）本次发行对公司股本、净资产（净资本）、资产负债率、净资产收益率、归属于普通股股东的每股收益等主要财务数据和财务指标的影响；

（四）申请人与控股股东及其关联人之间的业务关系、管理关系、关联交易及同业竞争等变化情况；

（五）以资产认购优先股的行为是否导致增加本公司的债务或者或有负债；

（六）本次发行对申请人的税务影响；

（七）申请人应有针对性、差异化的披露属于本公司或者本行业的特有风险以及经营过程中的不确定性因素；

（八）银行、证券、保险等金融行业公司还需披露本次发行对其资本监管指标的影响及相关行业资本监管要求。

第十七条　申请人应披露本次定向发行对申请人普通股股东权益的影响；已发行优先股的，还应说明对其他优先股股东权益的影响。

第十八条　申请人应结合自身的实际情况及优先股的条款设置，披露可能直接或间接对申请人以及优先股投资者产生重大不利影响的相关风险因素，如不能足额派息的风险、表决权受限的风险、回购风险、交易风险、分红减少和权益摊薄风险、税务风险等。

第十九条　申请人应披露本次定向发行相关的会计处理方法以及本次发行的优先股发放的股息是否在所得税前列支及政策依据。

第二十条　申请人应披露投资者与本次发行的优先股转让、股息发放、回购等相关的税费、征收依据及缴纳方式。

第二十一条　申请人应披露公司最近一期末的对外担保情况，并披露对公司财务状况、经营成果、声誉、业务活动、未来前景等可能产生较大影响的未决诉讼或仲裁事项，可能出现的处理结果或已生效法律文书的执行情况。

第二十二条　注册在境内的境外上市公司在境内发行优先股的，应披露公司的基本情况、控股股东和实际控制人的基本情况、公司组织架构和管理模式以及董事、监事、高级管理人员名单。实际控制人应披露到最终的国有控制主体、集体企业或自然人为止。

注册在境内的境外上市公司应结合所处的行业特点、财务信息、分部报告、主要对外投资等情况披露公司从事的主要业务、主要产品及各业务板块的经营状况。

第二十三条　注册在境内的境外上市公司在境内发行优先股的，应当按照《企业会计准则》的规定编制财务报表，并经具有证券期货相关业务资格的会计师事务所审计。最近2年财务报表被具有证券期货相关业务资格的会计师事务所出具非标准无保留意见审计报告的，公司应披露董事会关于非标准无保留意见审计报告所涉及事项的说明和具有证券期货相关业务资格的会计师事务所及注册会计师关于非标准无保留意见审计报告的补充意见。

注册在境内的境外上市公司应简要披露财务会计信息，主要包括：最近2年及1期资产负债表、利润表及现金流量表简表。编制合并财务报表的，应披露合并财务报表。最近2年及1期合并财务报表范围发生重大变化的，应披露具体变化情况。最近2年内发生重大资产重组的，应披露重组完成后各年的财务报表以及重组时编制的重组前模拟财务报表和编制基础；最近2年及1期的主要财务指标。

第二十四条　注册在境内的境外上市公司还应提示投资者，如需完整了解公司财务会计信息、股份变动情况等详细内容，可在境外上市地指定披露平台查阅公司日常信息披露文件。

第二十五条　申请人应披露下列机构的名称、法定代表人、住所、联系电话、传真，同时应披露有关经办人员的姓名：

（一）证券公司；

（二）律师事务所；

（三）会计师事务所；

（四）资产评估机构（如有）；

（五）资信评级机构（如有）；

（六）优先股登记机构；

（七）担保人（如有）；

（八）其他与本次发行有关的机构。

第二十六条　申请人全体董事、监事、高级管理人员应在定向发行优先股说明书正文的尾页声明：

“本公司全体董事、监事、高级管理人员承诺本定向发行优先股说明书不存在虚假记载、误导性陈述或重大遗漏，并对其真实性、准确性、完整性承担个别和连带的法律责任。”

声明应由全体董事、监事、高级管理人员签名，并由申请人加盖公章。

第二十七条　证券公司应对申请人定向发行优先股说明书的真实性、准确性、完整性进行核查，并在定向发行优先股说明书正文后声明：

“本公司已对定向发行优先股说明书进行了核查，确认不存在虚假记载、误导性陈述或重大遗漏，并对其真实性、准确性和完整性承担相应的法律责任。”

声明应由法定代表人、项目负责人签名，并由证券公司加盖公章。

第二十八条　为申请人定向发行优先股提供服务的证券服务机构应在定向发行优先股说明书正文后声明：

“本机构及经办人员（经办律师、签字注册会计师、签字注册资产评估师、资信评级人员）已阅读定向发行优先股说明书，确认定向发行优先股说明书与本机构出具的专业报告（法律意见书、审计报告、资产评估报告或资产估值报告、资信评级报告等）无矛盾之处。本机构及经办人员对申请人在定向发行优先股说明书中引用的专业报告的内容无异议，确认定向发行优先股说明书不致因上述内容而出现虚假记载、误导性陈述或重大遗漏，并对其真实性、准确性和完整性承担相应的法律责任。”

声明应由经办人员及所在机构负责人签名，并由机构加盖公章。

第二十九条　定向发行优先股说明书结尾应列明备查文件，备查文件应包括：

（一）申请人最近2年及1期的财务报告及审计报告；

（二）定向发行优先股推荐工作报告；

（三）法律意见书；

（四）中国证监会核准本次定向发行的文件（如有）；

（五）公司章程及其修订情况的说明；

（六）其他与本次定向发行有关的重要文件。

如有下列文件，也应作为备查文件披露：

（一）资产评估报告或资产估值报告；

（二）资信评级报告；

（三）担保合同和担保函；

（四）申请人董事会关于非标准无保留意见审计报告涉及事项处理情况的说明；

（五）会计师事务所及注册会计师关于非标准无保留意见审计报告的补充意见；

（六）通过本次定向发行拟进入资产的资产评估报告或资产估值报告及有关审核文件。

第三章　发行情况报告书

第三十条　申请人应在发行情况报告书中披露本次定向发行履行的相关程序、优先股的类型及主要条款、发行对象及认购数量、相关机构及经办人员。

第三十一条　申请人应披露本次发行前后股本结构、股东人数、资产结构、业务结构、主要财务指标的变化情况。

第三十二条　申请人应在发行情况报告书中披露证券公司关于本次定向发行过程、结果和发行对象合规性的结论意见。内容至少包括：

（一）关于本次定向发行过程、定价方法及结果的合法、合规性的说明；

（二）关于本次定向发行对象是否符合《优先股试点管理办法》的规定，是否符合公司及其全体股东的利益的说明；

（三）证券公司认为需要说明的其他事项。

第三十三条　申请人应在发行情况报告书中披露律师关于本次定向发行过程、结果和发行对象合规性的结论意见。内容至少包括：

（一）关于发行对象资格的合规性的说明；

（二）关于本次定向发行过程及结果合法、合规性的说明；

（三）关于本次定向发行相关合同等法律文件的合规性的说明；

（四）本次定向发行涉及资产转让或者其他后续事项的，应陈述办理资产过户或者其他后续事项的程序、期限，并对因资产瑕疵导致不能过户的法律风险进行评估；

（五）律师认为需要说明的其他事项。

第三十四条　由于情况发生变化，导致董事会决议中关于本次定向发行的有关事项需要修正或者补充说明的，申请人应在发行情况报告书中作出专门说明。

第三十五条　申请人全体董事、监事、高级管理人员应在发行情况报告书的首页声明：

“公司全体董事、监事、高级管理人员承诺本发行情况报告书不存在虚假记载、误导性陈述或重大遗漏，并对其真实性、准确性、完整性承担个别和连带的法律责任。”

声明应由全体董事、监事、高级管理人员签名，并由申请人加盖公章。

第四章　附则

第三十六条　本准则由中国证监会负责解释。

第三十七条　本准则自公布之日起施行。

非上市公众公司信息披露内容与格式准则第8号——定向发行优先股申请文件

第一条　为了规范非上市公众公司（以下简称申请人）定向发行优先股申请文件的内容和格式，根据《公司法》、《证券法》、《非上市公众公司监督管理办法》（证监会令第96号）、《优先股试点管理办法》（证监会令第97号）的规定，制定本准则。

第二条　申请人定向发行优先股，应按本准则要求制作和报送申请文件。

注册在境内的境外上市公司在境内发行优先股，参照本准则要求制作和报送申请文件。

第三条　本准则规定的申请文件目录（见附录）是定向发行优先股申请文件的最低要求。根据审核或审查需要，中国证券监督管理委员会（以下简称中国证监会）、全国中小企业股份转让系统有限责任公司（以下简称全国股份转让系统公司）可以要求申请人和相关证券服务机构补充文件。如果某些文件对申请人不适用，可不提供，但应向中国证监会、全国股份转让系统公司作出书面说明。

第四条　申请文件一经受理，未经中国证监会、全国股份转让系统公司同意，不得增加、撤回或者更换。

第五条　申请人报送申请文件，初次报送应提交原件一份，复印件二份。

申请人不能提供有关文件原件的，应由申请人律师提供鉴证意见，或由出文单位盖章，以保证与原件一致。如原出文单位不再存续，由承继其职权的单位或作出撤销决定的单位出文证明文件的真实性。

第六条　申请文件所有需要签名处，均应为签名人亲笔签名，不得以名章、签名章等代替。

申请文件中需要由申请人律师鉴证的文件，申请人律师应在该文件首页注明“以下第××页至第××页与原件一致”，并签名和签署鉴证日期，律师事务所应在该文件首页加盖公章，并在第××页至第××页侧面以公章加盖骑缝章。

第七条　申请人应根据中国证监会、全国股份转让系统公司对申请文件的反馈意见提供补充材料。相关证券服务机构应对反馈意见相关问题进行核查或补充出具专业意见。

第八条　申请文件的封面和侧面应标明“××公司定向发行优先股申请文件”字样。

第九条　申请文件的扉页应标明申请人信息披露事务负责人及相关证券服务机构项目负责人的姓名、电话、传真及其他方便的联系方式。

第十条　申请文件的各章、各节之间应有明显的分隔标识。

第十一条　申请人在报送书面申请文件、材料的同时，应报送一份相应的电子文件（doc或rtf格式文件）。

第十二条　未按本准则的要求制作和报送申请文件的，中国证监会、全国股份转让系统公司按照有关规定不予受理。

第十三条　申请人的普通股在全国中小企业股份转让系统公开转让的，申请文件中的审计报告、资产评估报告应由具有证券期货相关业务资格的会计师事务所、资产评估机构出具。

第十四条　发行后普通股与优先股股东人数合并累计不

超过200人的非上市公众公司定向发行优先股，申请文件目录由全国股份转让系统公司另行规定。

第十五条　本准则自公布之日起施行。

非上市公众公司重大资产重组管理办法

第一章　总则

第一条　为了规范非上市公众公司（以下简称公众公司）重大资产重组行为，保护公众公司和投资者的合法权益，促进公众公司质量不断提高，维护证券市场秩序和社会公共利益，根据《公司法》、《证券法》、《国务院关于全国中小企业股份转让系统有关问题的决定》、《国务院关于进一步优化企业兼并重组市场环境的意见》及其他相关法律、行政法规，制定本办法。

第二条　本办法适用于股票在全国中小企业股份转让系统（以下简称全国股份转让系统）公开转让的公众公司重大资产重组行为。

本办法所称的重大资产重组是指公众公司及其控股或者控制的公司在日常经营活动之外购买、出售资产或者通过其他方式进行资产交易，导致公众公司的业务、资产发生重大变化的资产交易行为。

公众公司及其控股或者控制的公司购买、出售资产，达到下列标准之一的，构成重大资产重组：

（一）购买、出售的资产总额占公众公司最近一个会计年度经审计的合并财务会计报表期末资产总额的比例达到50%以上；

（二）购买、出售的资产净额占公众公司最近一个会计年度经审计的合并财务会计报表期末净资产额的比例达到50%以上，且购买、出售的资产总额占公众公司最近一个会计年度经审计的合并财务会计报表期末资产总额的比例达到30%以上。

公众公司发行股份购买资产触及本条所列指标的，应当按照本办法的相关要求办理。

第三条　公众公司实施重大资产重组，应当符合下列要求：

（一）重大资产重组所涉及的资产定价公允，不存在损害公众公司和股东合法权益的情形；

（二）重大资产重组所涉及的资产权属清晰，资产过户或者转移不存在法律障碍，相关债权债务处理合法，所购买的资产，应当为权属清晰的经营性资产；

（三）实施重大资产重组后有利于提高公众公司资产质量和增强持续经营能力，不存在可能导致公众公司重组后主要资产为现金或者无具体经营业务的情形；

（四）实施重大资产重组后有利于公众公司形成或者保持健全有效的法人治理结构。

第四条　公众公司实施重大资产重组，有关各方应当及时、公平地披露或者提供信息，保证所披露或者提供信息的真实、准确、完整，不得有虚假记载、误导性陈述或者重大遗漏。

第五条　公众公司的董事、监事和高级管理人员在重大资产重组中，应当诚实守信、勤勉尽责，维护公众公司资产的安全，保护公众公司和全体股东的合法权益。

第六条　公众公司实施重大资产重组，应当聘请独立财务顾问、律师事务所以及具有证券、期货相关业务资格的会计师事务所等证券服务机构出具相关意见。公众公司应当聘请为其提供督导服务的主办券商为独立财务顾问，但存在影响独立性、财务顾问业务受到限制等不宜担任独立财务顾问情形的除外。公众公司也可以同时聘请其他机构为其重大资产重组提供顾问服务。

为公众公司重大资产重组提供服务的证券服务机构及人员，应当遵守法律、行政法规和中国证券监督管理委员会（以下简称中国证监会）的有关规定，遵循本行业公认的业务标准和道德规范，严格履行职责，不得谋取不正当利益，并应当对其所制作、出具文件的真实性、准确性和完整性承担责任。

第七条　任何单位和个人对知悉的公众公司重大资产重组信息在依法披露前负有保密义务，不得利用公众公司重大资产重组信息从事内幕交易、操纵证券市场等违法活动。

第二章　重大资产重组的信息管理

第八条　公众公司与交易对方就重大资产重组进行初步磋商时，应当采取有效的保密措施，限定相关敏感信息的知悉范围，并与参与或知悉本次重大资产重组信息的相关主体签订保密协议。

第九条　公众公司及其控股股东、实际控制人等相关主体研究、筹划、决策重大资产重组事项，原则上应当在相关股票暂停转让后或者非转让时间进行，并尽量简化决策流程、提高决策效率、缩短决策时限，尽可能缩小内幕信息知情人范围。如需要向有关部门进行政策咨询、方案论证的，应当在相关股票暂停转让后进行。

第十条　公众公司筹划重大资产重组事项，应当详细记载筹划过程中每一具体环节的进展情况，包括商议相关方案、形成相关意向、签署相关协议或者意向书的具体时间、地点、参与机构和人员、商议和决议内容等，制作书面的交易进程备忘录并予以妥当保存。参与每一具体环节的所有人员应当即时在备忘录上签名确认。

公众公司应当按照全国股份转让系统的规定及时做好内幕信息知情人登记工作。

第十一条　在筹划公众公司重大资产重组的阶段，交易各方初步达成实质性意向或者虽未达成实质性意向，但相关信息已在媒体上传播或者预计该信息难以保密或者公司股票转让出现异常波动的，公众公司应当及时向全国股份转让系统申请股票暂停转让。

第十二条　筹划、实施公众公司重大资产重组，相关信息披露义务人应当公平地向所有投资者披露可能对公众公司股票转让价格产生较大影响的相关信息，不得有选择性地向特定对象提前泄露。

公众公司的股东、实际控制人以及参与重大资产重组筹划、论证、决策等环节的其他相关机构和人员，应当及时、准确地向公众公司通报有关信息，并配合公众公司及时、准确、完整地进行披露。

第三章　重大资产重组的程序

第十三条　公众公司进行重大资产重组，应当由董事会依法作出决议，并提交股东大会审议。

第十四条公众公司召开董事会决议重大资产重组事项，应当在披露决议的同时披露本次重大资产重组报告书、独立财务顾问报告、法律意见书以及重组涉及的审计报告、资产评估报告（或资产估值报告）。董事会还应当就召开股东大会事项作出安排并披露。

如公众公司就本次重大资产重组首次召开董事会前，相关资产尚未完成审计等工作的，在披露首次董事会决议的同时应当披露重大资产重组预案及独立财务顾问对预案的核查意见。公众公司应在披露重大资产重组预案后6个月内完成审计等工作，并再次召开董事会，在披露董事会决议时一并披露重大资产重组报告书、独立财务顾问报告、法律意见书以及本次重大资产重组涉及的审计报告、资产评估报告（或资产估值报告）等。董事会还应当就召开股东大会事项作出安排并披露。

第十五条　股东大会就重大资产重组事项作出的决议，必须经出席会议的股东所持表决权的2/3以上通过。公众公司股东人数超过200人的，应当对出席会议的持股比例在10%以下的股东表决情况实施单独计票。公众公司应当在决议后及时披露表决情况。

前款所称持股比例在10%以下的股东，不包括公众公司董事、监事、高级管理人员及其关联人以及持股比例在10%以上股东的关联人。

公众公司重大资产重组事项与本公司股东或者其关联人存在关联关系的，股东大会就重大资产重组事项进行表决时，关联股东应当回避表决。

第十六条　公众公司可视自身情况在公司章程中约定是否提供网络投票方式以便于股东参加股东大会；退市公司应当采用安全、便捷的网络投票方式为股东参加股东大会提供便利。

第十七条　公众公司重大资产重组可以使用现金、股份、可转换债券、优先股等支付手段购买资产。

使用股份、可转换债券、优先股等支付手段购买资产的，其支付手段的价格由交易双方自行协商确定，定价可以参考董事会召开前一定期间内公众公司股票的市场价格、同行业可比公司的市盈率或市净率等。董事会应当对定价方法和依据进行充分披露。

第十八条　公众公司重大资产重组不涉及发行股份或者公众公司向特定对象发行股份购买资产后股东累计不超过200人的，经股东大会决议后，应当在2个工作日内将重大资产重组报告书、独立财务顾问报告、法律意见书以及重组涉及的审计报告、资产评估报告（或资产估值报告）等信息披露文件报送全国股份转让系统。

全国股份转让系统应当对上述信息披露文件的完备性进行审查。

第十九条　公众公司向特定对象发行股份购买资产后股东累计超过200人的重大资产重组，经股东大会决议后，应当按照中国证监会的有关规定编制申请文件并申请核准。

中国证监会受理申请文件后，依法进行审核，在20个工作日内作出核准、中止审核、终止审核、不予核准的决定。

第二十条　股东大会作出重大资产重组的决议后，公众公司拟对交易对象、交易标的、交易价格等作出变更，构成对原重组方案重大调整的，应当在董事会表决通过后重新提交股东大会审议，并按照本办法的规定向全国股份转让系统重新报送信息披露文件或者向中国证监会重新提出核准申请。

股东大会作出重大资产重组的决议后，公众公司董事会决议终止本次交易或者撤回有关申请的，应当说明原因并披露，并提交股东大会审议。

第二十一条　公众公司收到中国证监会就其发行股份购买资产的重大资产重组申请作出的核准、中止审核、终止审核、不予核准的决定后，应当在2个工作日内披露。

中国证监会不予核准的，自中国证监会作出不予核准的决定之日起3个月内，中国证监会不受理该公众公司发行股份购买资产的重大资产重组申请。

第二十二条　公众公司实施重大资产重组，相关当事人作出公开承诺事项的，应当同时提出未能履行承诺时的约束措施并披露。

全国股份转让系统应当加强对相关当事人履行公开承诺行为的监督和约束，对不履行承诺的行为及时采取自律监管措施。

第二十三条　公众公司重大资产重组完成相关批准程序后，应当及时实施重组方案，并在本次重大资产重组实施完毕之日起2个工作日内，编制并披露实施情况报告书及独立财务顾问、律师的专业意见。

退市公司重大资产重组涉及发行股份的，自收到中国证监会核准文件之日起60日内，本次重大资产重组未实施完毕的，退市公司应当于期满后2个工作日内披露实施进展情况；此后每30日应当披露一次，直至实施完毕。

第二十四条　独立财务顾问应当按照中国证监会的相关规定，对实施重大资产重组的公众公司履行持续督导职责。持续督导的期限自公众公司完成本次重大资产重组之日起，应当不少于一个完整会计年度。

第二十五条　独立财务顾问应当结合公众公司重大资产重组实施当年和实施完毕后的第一个完整会计年度的年报，自年报披露之日起15日内，对重大资产重组实施的下列事项出具持续督导意见，报送全国股份转让系统，并披露：

（一）交易资产的交付或者过户情况；

（二）交易各方当事人承诺的履行情况及未能履行承诺时相关约束措施的执行情况；

（三）公司治理结构与运行情况；

（四）本次重大资产重组对公司运营、经营业绩影响的状况；

（五）盈利预测的实现情况（如有）；

（六）与已公布的重组方案存在差异的其他事项。

第二十六条　本次重大资产重组涉及发行股份的，特定对象以资产认购而取得的公众公司股份，自股份发行结束之日起6个月内不得转让；属于下列情形之一的，12个月内不得转让：

（一）特定对象为公众公司控股股东、实际控制人或者其控制的关联人；

（二）特定对象通过认购本次发行的股份取得公众公司的实际控制权；

（三）特定对象取得本次发行的股份时，对其用于认购股份的资产持续拥有权益的时间不足12个月。

第四章　监督管理与法律责任

第二十七条　全国股份转让系统对公众公司重大资产重组实施自律管理。

全国股份转让系统应当对公众公司涉及重大资产重组的股票暂停与恢复转让、防范内幕交易等作出制度安排；加强对公众公司重大资产重组期间股票转让的实时监管，建立相应的市场核查机制，并在后续阶段对股票转让情况进行持续监管。

全国股份转让系统应当督促公众公司及其他信息披露义务人依法履行信息披露义务，发现公众公司重大资产重组信息披露文件中有违反法律、行政法规和中国证监会规定行为的，应当向中国证监会报告，并采取相应的自律监管措施；情形严重的，应当要求其暂停重大资产重组。

全国股份转让系统应当督促为公众公司提供服务的独立财务顾问诚实守信、勤勉尽责，发现独立财务顾问有违反法律、行政法规和中国证监会规定行为的，应当向中国证监会报告，并采取相应的自律监管措施。

第二十八条　中国证监会依法对公众公司重大资产重组实施监督管理。

中国证监会发现公众公司进行重大资产重组未按照本办法的规定履行信息披露及相关义务、存在可能损害公众公司或者投资者合法权益情形的，有权要求其补充披露相关信息、暂停或者终止其重大资产重组；有权对公众公司、证券服务机构采取《证券法》第一百八十条规定的措施。

第二十九条　重大资产重组实施完毕后，凡不属于公众公司管理层事前无法获知且事后无法控制的原因，购买资产实现的利润未达到盈利预测报告或者资产评估报告预测金额的80%，或者实际运营情况与重大资产重组报告书存在较大差距的，公众公司的董事长、总经理、财务负责人应当在公众公司披露年度报告的同时，作出解释，并向投资者公开道歉；实现利润未达到预测金额的50%的，中国证监会可以对公众公司及相关责任人员采取监管谈话、出具警示函、责令定期报告等监管措施。

第三十条　公众公司或其他信息披露义务人未按照本办法的规定披露或报送信息、报告，或者披露或报送的信息、报告有虚假记载、误导性陈述或者重大遗漏的，责令改正，依照《证券法》第一百九十三条予以处罚；情节严重的，责令停止重大资产重组，并可以对有关责任人员采取市场禁入的措施。

中国证监会还可以采取自确认之日起36个月内不受理公众公司定向发行申请的监管措施。

第三十一条　公众公司董事、监事和高级管理人员在重大资产重组中，未履行诚实守信、勤勉尽责义务，导致重组方案损害公众公司利益的，采取责令改正、监管谈话、出具警示函等监管措施；情节严重的，进行行政处罚，并可以采取市场禁入的措施；涉嫌犯罪的，依法移送司法机关追究刑事责任。

第三十二条　为重大资产重组出具财务顾问报告、审计报告、法律意见书、资产评估报告（或资产估值报告）及其他专业文件的证券服务机构及其从业人员未履行诚实守信、勤勉尽责义务，违反行业规范、业务规则的，采取责令改正、监管谈话、出具警示函等监管措施；情节严重的，依照《证券法》第二百二十六条予以处罚。

前款规定的证券服务机构及其从业人员所制作、出具的文件存在虚假记载、误导性陈述或者重大遗漏的，责令改正，依照《证券法》第二百二十三条予以处罚；情节严重的，可以采取市场禁入的措施；涉嫌犯罪的，依法移送司法机关追究刑事责任；除此之外，中国证监会视情节轻重，自确认之日起采取3个月至12个月内不接受该机构出具的相关专项文件、12个月至36个月内不接受相关签字人员出具的专项文件的监管措施。

第三十三条　违反本办法的规定构成证券违法行为的，比照《证券法》等法律法规的规定追究法律责任。

第三十四条　中国证监会将公众公司重大资产重组中的当事人的违法行为和整改情况记入诚信档案。

第五章　附则

第三十五条　计算本办法第二条规定的比例时，应当遵守下列规定：

（一）购买的资产为股权的，且购买股权导致公众公司取得被投资企业控股权的，其资产总额以被投资企业的资产总额和成交金额二者中的较高者为准，资产净额以被投资企业的净资产额和成交金额二者中的较高者为准；出售股权导致公众公司丧失被投资企业控股权的，其资产总额、资产净额分别以被投资企业的资产总额以及净资产额为准。

除前款规定的情形外，购买的资产为股权的，其资产总额、资产净额均以成交金额为准；出售的资产为股权的，其资产总额、资产净额均以该股权的账面价值为准。

（二）购买的资产为非股权资产的，其资产总额以该资产的账面值和成交金额二者中的较高者为准，资产净额以相关资产与负债账面值的差额和成交金额二者中的较高者为准；出售的资产为非股权资产的，其资产总额、资产净额分别以该资产的账面值、相关资产与负债账面值的差额为准；该非股权资产不涉及负债的，不适用第二条第三款第（二）项规定的资产净额标准。

（三）公众公司同时购买、出售资产的，应当分别计算购买、出售资产的相关比例，并以二者中比例较高者为准。

（四）公众公司在12个月内连续对同一或者相关资产进行购买、出售的，以其累计数分别计算相应数额。已按照本办法的规定履行相应程序的资产交易行为，无须纳入累计计算的范围。

交易标的资产属于同一交易方所有或者控制，或者属于相同或者相近的业务范围，或者中国证监会认定的其他情形下，可以认定为同一或者相关资产。

第三十六条　特定对象以现金认购公众公司定向发行的股份后，公众公司用同一次定向发行所募集的资金向该特定对象购买资产达到重大资产重组标准的适用本办法。

第三十七条　公众公司重大资产重组涉及发行可转换债券、优先股等其他支付手段的，应当遵守《证券法》、《国务院关于开展优先股试点的指导意见》和中国证监会的相关规定。

第三十八条　为公众公司重大资产重组提供服务的独立财务顾问业务许可、业务规则及法律责任等，按照《上市公司并购重组财务顾问业务管理办法》的相关规定执行。

第三十九条　退市公司符合中国证监会和证券交易所规定的重新上市条件的，可依法向证券交易所提出申请。

第四十条　股票不在全国股份转让系统公开转让的公众公司重大资产重组履行的决策程序和信息披露内容比照本办法的相关规定执行。

第四十一条　本办法自2014年7月23日起施行。

第二节　业务规章

综合类

全国中小企业股份转让系统业务规则(试行)

(2013 年 2 月 8 日发布,2013 年 12 月 30 日修改修改)

第一章　总则

1.1　为规范全国中小企业股份转让系统(以下简称"全国股份转让系统")运行,维护市场正常秩序,保护投资者合法权益,根据《中华人民共和国公司法》(以下简称《公司法》)、《中华人民共和国证券法》、《国务院关于全国中小企业股份转让系统有关问题的决定》以及《非上市公众公司监督管理办法》(以下简称《管理办法》)、《全国中小企业股份转让系统有限责任公司管理暂行办法》等法律、行政法规、部门规章,制定本业务规则。

1.2　在全国股份转让系统挂牌的股票、可转换公司债券及其他证券品种,适用本业务规则。本业务规则未作规定的,适用全国中小企业股份转让系统有限责任公司(以下简称"全国股份转让系统公司")的其他有关规定。

1.3　全国股份转让系统的证券公开转让及相关活动,实行公开、公平、公正的原则,禁止证券欺诈、内幕交易、操纵市场等违法违规行为。

市场参与人应当遵循自愿、有偿、诚实信用的原则。

1.4　申请挂牌公司、挂牌公司及其董事、监事、高级管理人员、股东、实际控制人,主办券商、会计师事务所、律师事务所、其他证券服务机构及其相关人员,投资者应当遵守法律、行政法规、部门规章、本业务规则及全国股份转让系统公司其他业务规定。

1.5　申请挂牌公司、挂牌公司及其他信息披露义务人、主办券商应当真实、准确、完整、及时地披露信息,不得有虚假记载、误导性陈述或者重大遗漏。

申请挂牌公司、挂牌公司的董事、监事、高级管理人员应当忠实、勤勉地履行职责,保证公司披露信息的真实、准确、完整、及时、公平。

申请挂牌公司、挂牌公司及其他信息披露义务人、主办券商依法披露的信息,应当第一时间在全国股份转让系统指定信息披露平台(www.neeq.com.cn 或 www.neeq.cc)公布。

1.6　全国股份转让系统实行主办券商制度。主办券商应当对所推荐的挂牌公司履行持续督导义务。

1.7　主办券商、会计师事务所、律师事务所、其他证券服务机构及其相关人员在全国股份转让系统从事相关业务,应严格履行法定职责,遵守行业规范,勤勉尽责,诚实守信,并对出具文件的真实性、准确性、完整性负责。

1.8　全国股份转让系统实行投资者适当性管理制度。投资者应当具备一定的证券投资经验和相应的风险识别和承担能力,知悉相关业务规则,自行承担投资风险。

1.9　挂牌公司、主办券商、投资者等市场参与人,应当按照规定交纳相关税费。

1.10　挂牌公司是纳入中国证监会监管的非上市公众公司,股东人数可以超过二百人。

股东人数未超过二百人的股份有限公司,直接向全国股份转让系统公司申请挂牌。

股东人数超过二百人的股份有限公司,公开转让申请经中国证监会核准后,可以按照本业务规则的规定向全国股份转让系统公司申请挂牌。

1.11　全国股份转让系统公司依法对申请挂牌公司、挂牌公司及其他信息披露义务人、主办券商等市场参与人进行自律监管。

第二章　股票挂牌

2.1　股份有限公司申请股票在全国股份转让系统挂牌,不受股东所有制性质的限制,不限于高新技术企业,应当符合下列条件:

(一)依法设立且存续满两年。有限责任公司按原账面净资产值折股整体变更为股份有限公司的,存续时间可以从有限责任公司成立之日起计算;

(二)业务明确,具有持续经营能力;

(三)公司治理机制健全,合法规范经营;

(四)股权明晰,股票发行和转让行为合法合规;

(五)主办券商推荐并持续督导;

(六)全国股份转让系统公司要求的其他条件。

2.2　申请挂牌公司应当与主办券商签订推荐挂牌并持续督导协议,按照全国股份转让系统公司的有关规定编制申请文件,并向全国股份转让系统公司申报。

2.3　全国股份转让系统公司对挂牌申请文件审查后,出具是否同意挂牌的审查意见。

2.4　申请挂牌公司取得全国股份转让系统公司同意挂牌的审查意见后,按照全国股份转让系统公司规定的有关程序办理挂牌手续。

申请挂牌公司应当在其股票挂牌前与全国股份转让系统公司签署挂牌协议,明确双方的权利、义务和有关事项。

2.5　申请挂牌公司应当在其股票挂牌前依照全国股份转让系统公司的规定披露公开转让说明书等文件。

2.6　申请挂牌公司在其股票挂牌前实施限制性股票或股票期权等股权激励计划且尚未行权完毕的,应当在公开转让说明书中披露股权激励计划等情况。

2.7　申请挂牌公司在其股票挂牌前,应当与中国证券登记结算有限责任公司(以下简称"中国结算")签订证券登记及服务协议,办理全部股票的集中登记。

2.8　挂牌公司控股股东及实际控制人在挂牌前直接或间接持有的股票分三批解除转让限制,每批解除转让限制的数量均为其挂牌前所持股票的三分之一,解除转让限制的时间分别为挂牌之日、挂牌期满一年和两年。

挂牌前十二个月以内控股股东及实际控制人直接或间接持有的股票进行过转让的,该股票的管理按照前款规定执行,主办券商为开展做市业务取得的做市初始库存股票除外。

因司法裁决、继承等原因导致有限售期的股票持有人发生变更的,后续持有人应继续执行股票限售规定。

2.9 股票解除转让限制,应由挂牌公司向主办券商提出,由主办券商报全国股份转让系统公司备案。全国股份转让系统公司备案确认后,通知中国结算办理解除限售登记。

第三章 股票转让

第一节 一般规定

3.1.1 股票转让采用无纸化的公开转让形式,或经中国证监会批准的其他转让形式。

3.1.2 股票转让可以采取协议方式、做市方式、竞价方式或其他中国证监会批准的转让方式。经全国股份转让系统公司同意,挂牌股票可以转换转让方式。

3.1.3 挂牌股票采取协议转让方式的,全国股份转让系统公司同时提供集合竞价转让安排。

3.1.4 挂牌股票采取做市转让方式的,须有2家以上从事做市业务的主办券商(以下简称"做市商")为其提供做市报价服务。

做市商应当在全国股份转让系统持续发布买卖双向报价,并在报价价位和数量范围内履行与投资者的成交义务。做市转让方式下,投资者之间不能成交。全国股份转让系统公司另有规定的除外。

3.1.5 全国股份转让系统为证券转让提供相关设施,包括交易主机、交易单元、报盘系统及相关通信系统等。

3.1.6 主办券商进入全国股份转让系统进行证券转让,应当先向全国股份转让系统公司申请取得转让权限,成为转让参与人。

3.1.7 股票转让时间为每周一至周五上午9:15至11:30,下午13:00至15:00。转让时间内因故停市,转让时间不作顺延。

遇法定节假日和全国股份转让系统公司公告的休市日,全国股份转让系统休市。

3.1.8 全国股份转让系统对股票转让不设涨跌幅限制。全国股份转让系统公司另有规定的除外。

3.1.9 投资者买卖挂牌公司股票,应当开立证券账户和资金账户,并与主办券商签订证券买卖委托代理协议。

投资者开立证券账户,应当按照中国结算的相关规定办理。

3.1.10 主办券商接受投资者的买卖委托后,应当确认投资者具备相应股票或资金,并按照投资者委托的时间先后顺序向全国股份转让系统申报。

3.1.11 买卖挂牌公司股票,申报数量应当为1000股或其整数倍。

卖出挂牌公司股票时,余额不足1000股部分,应当一次性申报卖出。

3.1.12 股票转让的计价单位为"每股价格"。股票转让的申报价格最小变动单位为0.01元人民币。

3.1.13 全国股份转让系统公司可以根据市场需要,调整股票单笔买卖申报数量和申报价格的最小变动单位。

3.1.14 申报当日有效。投资者可以撤销委托申报的未成交部分。

3.1.15 买卖申报经交易主机成交确认后,转让即告成立,买卖双方必须承认转让结果,履行清算交收义务,本规则另有规定的除外。

3.1.16 中国结算作为共同对手方,为股票转让提供清算和多边净额担保交收服务;或不作为共同对手方,提供其他清算、交收等服务。

3.1.17 投资者卖出股票,须委托代理其买入该股票的主办券商办理。如需委托另一家主办券商卖出该股票,须办理股票转托管手续。

3.1.18 投资者因司法裁决、继承等特殊原因需要办理股票过户的,依照中国结算的规定办理。

第二节 转让信息

3.2.1 全国股份转让系统公司每个转让日发布股票转让即时行情、股票转让公开信息等转让信息,及时编制反映市场转让情况的各类报表,并通过全国股份转让系统指定信息披露平台或其他媒体予以公布。

3.2.2 全国股份转让系统公司负责全国股份转让系统信息的统一管理和发布。未经全国股份转让系统公司许可,任何机构和个人不得发布、使用和传播转让信息。经全国股份转让系统公司许可使用转让信息的机构和个人,未经同意不得将转让信息提供给其他机构和个人使用或予以传播。

3.2.3 全国股份转让系统公司可以根据市场发展需要,编制综合指数、成份指数、分类指数等证券指数,随即时行情发布。

证券指数的设置和编制方法,由全国股份转让系统公司另行规定。

第三节 监控与异常情况处理

3.3.1 全国股份转让系统公司对股票转让中出现的异常转让行为进行重点监控,并可以视情况采取盘中临时停止股票转让等措施。

3.3.2 发生下列转让异常情况之一,导致部分或全部转让不能正常进行的,全国股份转让系统公司可以决定单独或同时采取暂缓进入清算交收程序、技术性停牌或临时停市等措施:

(一)不可抗力;

(二)意外事件;

(三)技术故障;

(四)全国股份转让系统公司认定的其他异常情况。

3.3.3 全国股份转让系统公司对暂缓进入清算交收程序、技术性停牌或临时停市决定予以公告。技术性停牌或临时停市原因消除后,全国股份转让系统公司可以决定恢复转让,并予以公告。

因转让异常情况及全国股份转让系统公司采取的相应措施造成损失的,全国股份转让系统公司不承担赔偿责任。

3.3.4 转让异常情况处理的具体规定,由全国股份转让系统公司另行制定并报中国证监会批准。

第四章 挂牌公司

第一节 公司治理

4.1.1 挂牌公司应当按照法律、行政法规、部门规章、全国股份转让系统公司相关业务规定完善公司治理,确保所有股东,特别是中小股东享有平等地位,充分行使合法权利。

4.1.2 挂牌公司应当依据《公司法》及有关非上市公众公司章程必备条款的规定制定公司章程并披露。

挂牌公司应当依照公司章程的规定,规范重大事项的内部决策程序。

4.1.3 挂牌公司与控股股东、实际控制人及其控制的其他企业应实行人员、资产、财务分开，各自独立核算、独立承担责任和风险。

4.1.4　控股股东、实际控制人及其控制的其他企业应切实保证挂牌公司的独立性，不得利用其股东权利或者实际控制能力，通过关联交易、垫付费用、提供担保及其他方式直接或者间接侵占挂牌公司资金、资产，损害挂牌公司及其他股东的利益。

4.1.5　挂牌公司董事会做出的对公司治理机制的讨论评估应当在年度报告中披露。

4.1.6　挂牌公司可以实施股权激励，具体办法另行规定。

第二节　信息披露

4.2.1　挂牌公司应当按照全国股份转让系统公司相关规定编制并披露定期报告和临时报告；上述文件披露前，挂牌公司应当依据公司章程履行内部程序。

挂牌公司应当按照《企业会计准则》的要求编制财务报告，全国股份转让系统公司另有规定的除外。

挂牌公司发生的或者与之有关的事件没有达到全国股份转让系统公司规定的披露标准，或者全国股份转让系统公司没有具体规定，但公司董事会认为该事件对公司股票转让价格可能产生较大影响的，公司应当及时披露。

4.2.2　若挂牌公司有充分依据证明其拟披露的信息属于国家机密、商业秘密，可能导致其违反国家有关保密法律、行政法规规定或者严重损害挂牌公司利益的，可以向全国股份转让系统公司申请豁免披露或履行相关义务。

4.2.3　挂牌公司应当制定并执行信息披露事务管理制度。

挂牌公司设有董事会秘书的，由董事会秘书负责信息披露管理事务，未设董事会秘书的，挂牌公司应指定一名具有相关专业知识的人员负责信息披露管理事务，并向全国股份转让系统公司报备。负责信息披露管理事务的人员应列席公司的董事会和股东大会。

4.2.4　挂牌公司及其他信息披露义务人应当对其披露信息内容的真实性、准确性、完整性承担责任。

4.2.5　挂牌公司、相关信息披露义务人和其他知情人不得泄露内幕信息。

4.2.6　主办券商应对挂牌公司拟披露的信息披露文件进行审查，履行持续督导职责。

4.2.7　全国股份转让系统公司对挂牌公司及其他信息披露义务人已披露的信息进行审查。

4.2.8　挂牌公司出现下列情形之一的，全国股份转让系统公司对股票转让实行风险警示，在公司股票简称前加注标识并公告：

（一）最近一个会计年度的财务会计报告被出具否定意见或者无法表示意见的审计报告；

（二）最近一个会计年度经审计的期末净资产为负值；

（三）全国股份转让系统公司规定的其他情形。

第三节　股票发行

4.3.1　本业务规则规定的股票发行，是指申请挂牌公司、挂牌公司向符合全国股份转让系统投资者适当性管理要求的对象发行股票的行为。

股票发行可以采取路演、询价等方式选定投资者。

4.3.2　申请挂牌公司、挂牌公司股票发行应当符合全国股份转让系统公司有关投资者适当性管理、信息披露等规定。

4.3.3　按照《管理办法》应申请核准的股票发行，挂牌公司在取得中国证监会核准文件后，按照全国股份转让系统公司的规定办理股票发行新增股份的挂牌手续。

4.3.4　按照《管理办法》豁免申请核准的股票发行，主办券商应履行持续督导职责并发表意见，挂牌公司在发行验资完毕后填报备案登记表，办理新增股份的登记及挂牌手续。

4.3.5　申请挂牌公司申请股票在全国股份转让系统挂牌的同时股票发行的，应在公开转让说明书中披露。

第四节　暂停与恢复转让

4.4.1　挂牌公司发生下列事项，应当向全国股份转让系统公司申请暂停转让，直至按规定披露或相关情形消除后恢复转让：

（一）预计应披露的重大信息在披露前已难以保密或已经泄露，或公共媒体出现与公司有关传闻，可能或已经对股票转让价格产生较大影响的；

（二）涉及需要向有关部门进行政策咨询、方案论证的无先例或存在重大不确定性的重大事项，或挂牌公司有合理理由需要申请暂停股票转让的其他事项；

（三）向中国证监会申请公开发行股票并在证券交易所上市，或向证券交易所申请股票上市；

（四）向全国股份转让系统公司主动申请终止挂牌；

（五）未在规定期限内披露年度报告或者半年度报告；

（六）主办券商与挂牌公司解除持续督导协议；

（七）出现依《公司法》第一百八十一条规定解散的情形，或法院依法受理公司重整、和解或者破产清算申请。

挂牌公司未按规定向全国股份转让系统公司申请暂停股票转让的，主办券商应当及时向全国股份转让系统公司报告并提出处理建议。

4.4.2　全国股份转让系统公司可以根据中国证监会的要求或者基于维护市场秩序的需要，决定挂牌公司股票的暂停与恢复转让事宜。

第五节　终止与重新挂牌

4.5.1　挂牌公司出现下列情形之一的，全国股份转让系统公司终止其股票挂牌：

（一）中国证监会核准其公开发行股票并在证券交易所上市，或证券交易所同意其股票上市；

（二）终止挂牌申请获得全国股份转让系统公司同意；

（三）未在规定期限内披露年度报告或者半年度报告的，自期满之日起两个月内仍未披露年度报告或半年度报告；

（四）主办券商与挂牌公司解除持续督导协议，挂牌公司未能在股票暂停转让之日起三个月内与其他主办券商签署持续督导协议的；

（五）挂牌公司经清算组或管理人清算并注销公司登记的；

（六）全国股份转让系统公司规定的其他情形。

4.5.2　全国股份转让系统公司在作出股票终止挂牌决定后发布公告，并报中国证监会备案。

挂牌公司应当在收到全国股份转让系统公司的股票终止挂牌决定后及时披露股票终止挂牌公告。

4.5.3　对因本业务规则4.5.1条第（三）、（四）项情形终止挂牌的公司，全国股份转让系统公司可以为其提供股票非公开转让服务。

4.5.4　导致公司终止挂牌的情形消除后，经公司申请、主办券商推荐及全国股份转让系统公司同意，公司股票可以重新挂牌。

第五章　主办券商

5.1　主办券商是指在全国股份转让系统从事下列部分或全部业务的证券公司：

（一）推荐业务：推荐申请挂牌公司股票挂牌，持续督导挂牌公司，为挂牌公司股票发行、并购重组等提供相关服务；

（二）经纪业务：代理开立证券账户、代理买卖股票等业务；

（三）做市业务；

（四）全国股份转让系统公司规定的其他业务。

从事前款第一项业务的，应当具有证券承销与保荐业务资格；从事前款第二项业务的，应当具有证券经纪业务资格；从事前款第三项业务的，应当具有证券自营业务资格。

5.2　证券公司在全国股份转让系统开展相关业务前，应向全国股份转让系统公司申请备案。

全国股份转让系统公司同意备案的，与其签订协议，出具备案函并公告。

5.3　主办券商应在取得全国股份转让系统公司备案函后五个转让日内，在全国股份转让系统指定信息披露平台披露公司基本情况、主要业务人员情况及全国股份转让系统公司要求披露的其他信息。

主办券商在全国股份转让系统开展业务期间，应按全国股份转让系统公司要求报送并披露相关执业情况等信息。

主办券商所披露信息内容发生变更的，应按规定及时报告全国股份转让系统公司并进行更新。

5.4　主办券商在全国股份转让系统开展业务，应当建立健全各项业务管理制度和业务操作流程，建立健全风险管理制度和合规管理制度，保障业务依法合规进行，严格防范和控制业务风险。

5.5　主办券商应当实现推荐业务、经纪业务、做市业务以及其他业务之间的有效隔离，防范内幕交易，避免利益冲突。

5.6　主办券商开展推荐业务，应勤勉尽责地进行尽职调查和内核，并承担相应责任。

5.7　主办券商应持续督导所推荐挂牌公司诚实守信、规范履行信息披露义务、完善公司治理机制。

主办券商与挂牌公司解除持续督导协议前，应当报告全国股份转让系统公司并说明理由。

5.8　主办券商应当建立健全投资者适当性管理工作制度和业务流程，严格执行全国股份转让系统投资者适当性管理各项要求。

5.9　主办券商发现投资者存在异常交易行为，应提醒投资者；对可能严重影响正常交易秩序的异常交易行为，应及时报告全国股份转让系统公司。

5.10　主办券商开展做市业务不得利用信息优势和资金优势，通过单独或者合谋，以串通报价或相互买卖操纵股票转让价格，损害投资者利益。

5.11　全国股份转让系统公司对主办券商及其从业人员的执业行为进行持续管理，开展现场检查和非现场检查，记录其执业情况、违规行为等信息。

第六章　监管措施与违规处分

6.1　全国股份转让系统公司可以对本业务规则 1.4 条规定的监管对象采取下列自律监管措施：

（一）要求申请挂牌公司、挂牌公司及其他信息披露义务人或者其董事（会）、监事（会）和高级管理人员、主办券商、证券服务机构及其相关人员对有关问题作出解释、说明和披露；

（二）要求申请挂牌公司、挂牌公司聘请中介机构对公司存在的问题进行核查并发表意见；

（三）约见谈话；

（四）要求提交书面承诺；

（五）出具警示函；

（六）责令改正；

（七）暂不受理相关主办券商、证券服务机构或其相关人员出具的文件；

（八）暂停解除挂牌公司控股股东、实际控制人的股票限售；

（九）限制证券账户交易；

（十）向中国证监会报告有关违法违规行为；

（十一）其他自律监管措施。

监管对象应当积极配合全国股份转让系统公司的日常监管，在规定期限内回答问询，按照全国股份转让系统公司的要求提交说明，或者披露相应的更正或补充公告。

6.2　申请挂牌公司、挂牌公司、相关信息披露义务人违反本业务规则、全国股份转让系统公司其他相关业务规定的，全国股份转让系统公司视情节轻重给予以下处分，并记入证券期货市场诚信档案数据库（以下简称“诚信档案”）：

（一）通报批评；

（二）公开谴责。

6.3　申请挂牌公司、挂牌公司的董事、监事、高级管理人员违反本业务规则、全国股份转让系统公司其他相关业务规定的，全国股份转让系统公司视情节轻重给予以下处分，并记入诚信档案：

（一）通报批评；

（二）公开谴责；

（三）认定其不适合担任公司董事、监事、高级管理人员。

6.4　主办券商违反本业务规则、全国股份转让系统公司其他相关业务规定的，全国股份转让系统公司视情节轻重给予以下处分，并记入诚信档案：

（一）通报批评；

（二）公开谴责；

（三）限制、暂停直至终止其从事相关业务。

6.5　主办券商的相关业务人员违反本业务规则、全国股份转让系统公司其他相关业务规定的，全国股份转让系统公司视情节轻重给予以下处分，并记入诚信档案：

（一）通报批评；

（二）公开谴责。

6.6　会计师事务所、律师事务所、其他证券服务机构及其工作人员违反本业务规则、全国股份转让系统公司其他相关业务规定的，全国股份转让系统公司视情节轻重给予以下处分，记入诚信档案并向相关行业自律组织通报：

（一）通报批评；

（二）公开谴责。

6.7　全国股份转让系统公司设立纪律处分委员会对本业务规则规定的纪律处分事项进行审核，作出独立的专业判断并形成审核意见。全国股份转让系统公司根据纪律处分委员会的审核意见，作出是否给予纪律处分的决定。

监管对象不服全国股份转让系统公司作出的纪律处分决定的，可自收到处分通知之日起 15 个工作日内向全国股份转让系统公司申请复核，复核期间该处分决定不停止执行。

第七章　附则

7.1　原证券公司代办股份转让系统挂牌的 STAQ、NET 系统公司和退市公司的股票转让、信息披露等事项另行规定。

7.2　本业务规则所称“以上”、“以内”含本数,“超过”不含本数。

7.3　本业务规则由全国股份转让系统公司负责解释。

7.4　本业务规则经中国证监会批准后生效,自发布之日起实施。

关于境内企业挂牌全国中小企业股份转让系统有关事项的公告

股转系统公告[2013]54 号

为贯彻落实《国务院关于全国中小企业股份转让系统有关问题的决定》(国发〔2013〕49 号)和《非上市公众公司监督管理办法》,做好全国中小企业股份转让系统(以下简称全国股份转让系统)市场覆盖范围扩大至全国的工作,现就有关事项公告如下:

一、自本公告发布之日起,境内符合条件的各种所有制、各种行业的企业均可申请股票在全国股份转让系统挂牌。

申请时股东人数未超过 200 人(含 200 人)的股份公司,直接向全国中小企业股份转让系统有限责任公司(以下简称"全国股份转让系统公司")申请挂牌;申请时股东人数超过 200 人的股份公司,取得中国证监会核准文件后,向全国股份转让系统公司申请办理挂牌手续。

二、自本公告发布之日起,市场参与人应遵循修订后的《全国中小企业股份转让系统投资者适当性管理细则(试行)》(以下简称《适当性管理细则》)。不符合投资者适当性管理要求的投资者,可通过证券公司、基金公司等金融机构设计推出的定向投资产品,间接参与全国股份转让系统挂牌证券的投资。

本公告发布前,满足 300 万元人民币以上(含 300 万元)资产要求且已参与全国股份转让系统的自然人投资者,合格投资人资格继续有效,可以买卖所有挂牌公司的股票。

本公告发布前,股票发行方案已经挂牌公司董事会决议通过的,发行对象可按原投资者适当性管理制度的要求执行;股票发行方案尚未经挂牌公司董事会决议通过的,发行对象应当满足修订后的《适当性管理细则》的要求。挂牌公司的股东、董事、监事、高级管理人员及核心员工参与本公司的股票发行,如不符合参与挂牌公司股票公开转让条件的,只能买卖本公司的股票。

三、在全国股份转让系统交易结算相关技术系统正式上线前,挂牌股票交易结算相关事项仍按《全国中小企业股份转让系统过渡期股票转让暂行办法》和《全国中小企业股份转让系统过渡期登记结算暂行办法》等规定执行。

全国股份转让系统公司和中国证券登记结算有限责任公司将抓紧推进交易结算相关技术系统的开发和测试工作,计划明年二季度起分步上线。

四、各市场参与主体应当严格守法、归位尽责。主办券商等中介机构应按照法律、法规、部门规章,以及全国股份转让系统业务规则等要求,勤勉尽责、诚实守信,依法合规地开展各项业务,推动全国股份转让系统稳定、健康发展。

五、全国股份转让系统公司设服务窗口接收申请挂牌材料,地址为北京市西城区金融大街丁 26 号金阳大厦;并设热线电话,接受市场咨询和监督。

具体咨询电话如下:

接收服务:010 - 63889512
市场发展:010 - 63889551
挂牌业务:010 - 63889583
公司业务:010 - 63889549
机构业务:010 - 63889557
交易监察:010 - 63889700
信息服务:010 - 63889548
监督电话:010 - 63889775

特此公告。

全国中小企业股份转让系统有限责任公司
2013 年 12 月 30 日

全国中小企业股份转让系统挂牌公司股票转让服务收费明细表

收费对象	收费项目	收费标准
投资者	转让经手费	按股票成交金额的 0.5‰双边取。
挂牌公司	挂牌初费	总股本 2000 万(含)以下,3 万元; 总股本 2000 - 5000 万股(含),5 万元; 总股本 5000 万 - 1 亿股(含),8 万元; 总股本 1 亿股以上,10 万元。
	挂牌年费	总股本 2000 万股(含)以下,2 万元/年; 总股本 2000 - 5000 万股(含),3 万元/年; 总股本 5000 万 - 1 亿股(含),4 万元/年; 总股本 1 亿股以上,5 万元/年。

全国中小企业股份转让系统两网公司及退市公司股票转让服务收费(及代收税项)明细表

收费对象	收费项目	收费标准	备注
投资者	转让经手费	A 股转让按成交金额的 0.6‰双边收取; B 股转让按成交金额的 0.8‰双边收取。	
	证券交易印花税	对 A 股、B 股出让方均按成交金额的 1‰征收,对受让方不征税。	代国家税务机关扣缴
挂牌公司	挂牌初费	总股本 2000 万股(含)以下,3 万元; 总股本 2000 - 5000 万股(含),5 万元; 总股本 5000 万 - 1 亿股(含),8 万元; 总股本 1 亿股以上,10 万元。	暂免片收
	挂牌年费	总股本 2000 万股(含)以下,2 万元/年; 总股本 2000 - 5000 万股(含),3 万元/年; 总股本 5000 万 - 1 亿股(含),4 万元/年 总股本 1 亿股以上,5 万元/年。	暂免片收

注:两网公司指在原证券公司代办股份转让系统挂牌的 STAQ、NET 公司

挂牌业务类

全国中小企业股份转让系统主办券商推荐业务规定（试行）

第一章　总则

第一条　为规范主办券商推荐业务，明确主办券商职责，根据《全国中小企业股份转让系统业务规则（试行）》（以下简称《业务规则》），制定本规定。

第二条　主办券商推荐股份公司股票进入全国中小企业股份转让系统（以下简称"全国股份转让系统"）挂牌，应与申请挂牌公司签订推荐挂牌并持续督导协议。

第三条　主办券商应对申请挂牌公司进行尽职调查和内核。同意推荐的，主办券商向全国中小企业股份转让系统有限责任公司（以下简称"全国股份转让系统公司"）提交推荐报告及其他有关文件（以下简称"推荐文件"）。

第四条　全国股份转让系统公司对主办券商推荐业务进行自律管理，审查推荐文件，履行审查程序。

第五条　主办券商及相关人员应勤勉尽责、诚实守信地开展推荐业务，履行保密义务，不得利用在推荐业务中获取的尚未公开信息谋取利益。

第二章　机构与人员

第一节　项目小组与人员

第六条　主办券商应针对每家申请挂牌公司设立专门项目小组，负责尽职调查，起草尽职调查报告，制作推荐文件等。

第七条　项目小组应由主办券商内部人员组成，其成员须取得证券执业资格，其中注册会计师、律师和行业分析师至少各一名。

行业分析师应具有申请挂牌公司所属行业的相关专业知识，并在最近一年内发表过有关该行业的研究报告。

第八条　主办券商应在项目小组中指定一名负责人，对项目负全面责任，项目小组负责人应具备下列条件之一：

（一）参与两个以上推荐挂牌项目，且负责财务会计事项、法律事项或相关行业事项的尽职调查工作；

（二）具有三年以上投资银行从业经历，且具有主持境内外首次公开发行股票或者上市公司发行新股、可转换公司债券的主承销项目经历。

第九条　存在以下情形之一的人员，不得成为项目小组成员：

（一）最近三年内受到中国证监会行政处罚或证券行业自律组织纪律处分；

（二）本人及其配偶直接或间接持有申请挂牌公司股份；

（三）在申请挂牌公司或其控股股东、实际控制人处任职；

（四）未按要求参加全国股份转让系统公司组织的业务培训；

（五）全国股份转让系统公司认定的其他情形。

第二节　内核机构与人员

第十条　主办券商应设立内核机构，负责推荐文件和挂牌申请文件的审核，并对下述事项发表审核意见：

（一）项目小组是否已按照尽职调查工作的要求对申请挂牌公司进行了尽职调查；

（二）申请挂牌公司拟披露的信息是否符合全国股份转让系统公司有关信息披露的规定；

（三）申请挂牌公司是否符合挂牌条件；

（四）是否同意推荐申请挂牌公司股票挂牌。

第十一条　主办券商应制订内核机构工作制度，对内核机构的职责、人员构成、审核程序、表决办法、自律要求和回避制度等事项作出规定。

第十二条　内核机构应独立、客观、公正履行职责，内核机构成员中由推荐业务部门人员兼任的，不得超过内核机构总人数的三分之一。

第十三条　内核机构应由十名以上成员组成，可以外聘。最近三年内受到中国证监会行政处罚或证券行业自律组织纪律处分的人员，不得聘请为内核机构成员。

内核机构成员应具备下列条件之一：

（一）具有注册会计师或律师资格并在其专业领域或投资银行领域有三年以上从业经历；

（二）具有五年以上投资银行领域从业经历；

（三）具有相关行业高级职称的专家或从事行业研究五年以上的分析人员。

第十四条　主办券商应将内核机构工作制度、成员名单及简历在全国股份转让系统指定信息披露平台上披露。内核机构工作制度或内核成员发生变动的，主办券商应及时报全国股份转让系统公司备案，并在五个工作日内更新披露。

第三章　尽职调查

第十五条　项目小组进行尽职调查前，主办券商应与申请挂牌公司签署保密协议。

第十六条　项目小组应遵循勤勉尽责、诚实守信的原则，通过实地考察、查阅、访谈等方法，对申请挂牌公司进行尽职调查，以有充分理由确信申请挂牌公司符合挂牌条件以及在挂牌申请文件中披露的信息真实、准确、完整。

第十七条　项目小组尽职调查应以形成有助于投资者做出投资决策的信息披露文件为目的，调查范围至少应包括公开转让说明书和推荐报告中所涉及的事项。

第十八条　项目小组中应指定注册会计师、律师、行业分析师各一名分别负责对申请挂牌公司的财务会计事项、法律事项、相关行业事项进行尽职调查，并承担相应责任。

第十九条　项目小组的尽职调查可以在注册会计师、律师等外部专业人士意见的基础上进行。

项目小组应判断专业人士发表意见所基于的工作是否充分，对专业人士意见有疑义、或认为专业人士发表的意见所基于的工作不够充分的，项目小组应进行独立调查。

第二十条　对推荐文件、挂牌申请文件中无证券服务机构及其签字人员专业意见支持的内容，项目小组应当获得充分的尽职调查证据，在对各种证据进行综合分析的基础上对申请挂牌公司提供的资料和披露的内容进行独立判断，并有充分理由确信所作的判断与挂牌申请文件、推荐文件的内容不存在实质性差异。

第二十一条　项目小组完成尽职调查工作后，应出具尽职调查报告，各成员应在尽职调查报告上签名，承诺已参加尽职调查工作并对其负责。

第二十二条　主办券商应当建立健全尽职调查工作底稿制度，要求项目小组真实、准确、完整地记录整个尽职调查过程。

第四章　内核

第二十三条　主办券商内核机构根据项目小组的申请召开内核会议。每次会议须七名以上内核机构成员出席，其中律师、注册会计师和行业专家至少各一名。

第二十四条　主办券商内核机构应针对每个项目在内核会议成员中指定一名内核专员。内核专员除承担与其他内核会议成员相同的审核工作外，还应承担以下职责：

（一）整理内核意见；

（二）跟踪审核项目小组对内核意见的落实情况；

（三）审核推荐文件和挂牌申请文件的补充或修改意见；

（四）就该项目内核工作的有关事宜接受全国股份转让系统公司质询。

第二十五条　内核机构成员存在以下情形之一的，不得参与该项目的内核：

（一）担任该项目小组成员的；

（二）本人及其配偶直接或间接持有申请挂牌公司股份；

（三）在申请挂牌公司或其控股股东、实际控制人处任职的；

（四）其他可能影响公正履行职责的情形。

第二十六条　内核会议成员应独立、客观、公正地对推荐文件和挂牌申请文件进行审核，制作审核工作底稿并签名。

审核工作底稿应包括审核工作的起止日期、发现的问题、建议补充调查核实的事项以及对推荐挂牌的意见等内容。

第二十七条　内核会议应在成员中指定注册会计师、律师及行业专家各一名分别对项目小组中的财务会计事项调查人员、法律事项调查人员及行业分析师出具的调查意见进行审核，分别在其工作底稿中发表独立的审核意见，提交内核会议。

第二十八条　项目小组成员可以列席内核会议，向内核会议汇报尽职调查情况和需提请关注的事项，回答质询。

第二十九条　内核会议可采取现场会议、电话会议或视频会议的形式召开。内核机构成员应以个人身份出席内核会议，发表独立审核意见并行使表决权。因故不能出席的内核会议成员应委托他人出席并提交授权委托书及独立制作的审核工作底稿。每次会议委托他人出席的内核会议成员，不得超过应出席成员的三分之一。

第三十条　内核会议应对是否同意推荐申请挂牌公司股票挂牌进行表决。表决应采取记名投票方式，每人一票，三分之二以上赞成且指定注册会计师、律师和行业专家均为赞成票为通过。

第三十一条　主办券商应对内核会议过程形成记录，在内核会议表决的基础上形成内核意见。内核意见应包括以下内容：审核意见、表决结果、出席会议的内核机构成员名单和投票记录。内核会议成员均应在内核意见上签名。

第三十二条　主办券商应根据内核意见，决定是否向全国股份转让系统公司推荐申请挂牌公司股票挂牌。决定推荐的，应出具推荐报告。

第五章　推荐挂牌规程

第三十三条　存在下列情形之一的，主办券商不得推荐申请挂牌公司股票挂牌：

（一）主办券商直接或间接合计持有申请挂牌公司百分之七以上的股份，或者是其前五名股东之一；

（二）申请挂牌公司直接或间接合计持有主办券商百分之七以上的股份，或者是其前五名股东之一；

（三）主办券商前十名股东中任何一名股东为申请挂牌公司前三名股东之一；

（四）主办券商与申请挂牌公司之间存在其他重大影响的关联关系。

主办券商以做市目的持有的申请挂牌公司股份，不受本条第一款限制。

第三十四条　主办券商应对申请挂牌公司进行风险评估，审慎推荐该公司股票挂牌。

第三十五条　主办券商推荐申请挂牌公司股票挂牌，应当向全国股份转让系统公司提交推荐报告及全国股份转让系统公司要求的其他文件，推荐报告应包括下列内容：

（一）尽职调查情况；

（二）逐项说明申请挂牌公司是否符合《业务规则》规定的挂牌条件；

（三）内核程序及内核意见；

（四）推荐意见；

（五）提醒投资者注意事项；

（六）全国股份转让系统公司要求的其他内容。

第三十六条　主办券商可以根据申请挂牌公司的委托，组织编制挂牌申请文件，并协调证券服务机构及其签字人员参与该公司股票挂牌的相关工作。

第三十七条　主办券商向全国股份转让系统公司报送推荐文件后，应当配合全国股份转让系统公司的审查，并承担下列工作：

（一）组织申请挂牌公司及证券服务机构对全国股份转让系统公司的意见进行答复；

（二）按照全国股份转让系统公司的要求对涉及本次挂牌的特定事项进行尽职调查或核查；

（三）指定项目小组成员与全国股份转让系统公司进行专业沟通；

（四）全国股份转让系统公司规定的其他工作。

第三十八条　主办券商应将尽职调查工作底稿、内核会议成员审核工作底稿、内核会议记录、内核意见等妥善保存，保存期限不少于十年。

第六章　持续督导

第三十九条　主办券商应与所推荐挂牌公司签订持续督导协议，持续督导挂牌公司诚实守信、规范履行信息披露义务、完善公司治理机制。

第四十条　主办券商应建立持续督导工作制度，明确持续督导工作职责、工作流程和内部控制机制。

第四十一条　主办券商应至少配备两名具有财务或法律专业知识的专职督导人员，履行督导职责。

主办券商在任免专职督导人员时，应将相关人员名单及简历及时报送全国股份转让系统公司备案。

第四十二条　主办券商与挂牌公司因特殊原因确需解除持续督导协议的，应当事前报告全国股份转让系统公司并说明合理理由。

解除持续督导协议后，挂牌公司应与承接督导事项的主办券商另行签订持续督导协议，报全国股份转让系统公司备案并公告。

第四十三条　承接督导事项的主办券商应当自持续督导协议签订之日起开展督导工作并承担相应的责任。原主办券商在履行督导职责期间未勤勉尽责的，其责任不因主办券商的更换而免除。

第七章　监管措施和违规处理

第四十四条　全国股份转让系统公司可以对主办券商及其相关人员从事推荐业务的情况进行现场和非现场检查，主办券商及其相关人员应当积极配合检查，如实提供有关资料，不得以任何理由拒绝或者拖延提供有关资料，不得提供虚假、误导性或者不完整的资料。

第四十五条　全国股份转让系统公司对主办券商及其从业人员从事推荐业务进行持续管理，记录其执业情况、违法违规行为、其他不良行为以及对其采取的监管措施等。

第四十六条　主办券商及其从业人员违反本规定，全国股份转让系统公司依据《业务规则》、《全国中小企业股份转让系统主办券商管理细则（试行）》对其采取监管措施或进行自律处分。

第八章　附则

第四十七条　本规定所称"至少"、"以上"含本数。

第四十八条　本规定由全国股份转让系统公司负责解释。

第四十九条　本规定自发布之日起施行。

全国中小企业股份转让系统
股票挂牌条件适用基本标准指引
（试行）

全国中小企业股份转让系统有限责任公司按照"可把控、可举证、可识别"的原则，对《全国中小企业股份转让系统业务规则（试行）》规定的六项挂牌条件进行细化，形成基本标准如下：

一、依法设立且存续满两年

（一）依法设立，是指公司依据《公司法》等法律、法规及规章的规定向公司登记机关申请登记，并已取得《企业法人营业执照》。

1. 公司设立的主体、程序合法、合规。

（1）国有企业需提供相应的国有资产监督管理机构或国务院、地方政府授权的其他部门、机构关于国有股权设置的批复文件。

（2）外商投资企业须提供商务主管部门出具的设立批复文件。

（3）《公司法》修改（2006 年 1 月 1 日）前设立的股份公司，须取得国务院授权部门或者省级人民政府的批准文件。

2. 公司股东的出资合法、合规，出资方式及比例应符合《公司法》相关规定。

（1）以实物、知识产权、土地使用权等非货币财产出资的，应当评估作价，核实财产，明确权属，财产权转移手续办理完毕。

（2）以国有资产出资的，应遵守有关国有资产评估的规定。

（3）公司注册资本缴足，不存在出资不实情形。

（二）存续两年是指存续两个完整的会计年度。

（三）有限责任公司按原账面净资产值折股整体变更为股份有限公司的，存续时间可以从有限责任公司成立之日起计算。整体变更不应改变历史成本计价原则，不应根据资产评估结果进行账务调整，应以改制基准日经审计的净资产额为依据折合为股份有限公司股本。申报财务报表最近一期截止日不得早于改制基准日。

二、业务明确，具有持续经营能力

（一）业务明确，是指公司能够明确、具体地阐述其经营的业务、产品或服务、用途及其商业模式等信息。

（二）公司可同时经营一种或多种业务，每种业务应具有相应的关键资源要素，该要素组成应具有投入、处理和产出能力，能够与商业合同、收入或成本费用等相匹配。

1. 公司业务如需主管部门审批，应取得相应的资质、许可或特许经营权等。

2. 公司业务须遵守法律、行政法规和规章的规定，符合国家产业政策以及环保、质量、安全等要求。

（三）持续经营能力，是指公司基于报告期内的生产经营状况，在可预见的将来，有能力按照既定目标持续经营下去。

1. 公司业务在报告期内应有持续的营运记录，不应仅存在偶发性交易或事项。营运记录包括现金流量、营业收入、交易客户、研发费用支出等。

2. 公司应按照《企业会计准则》的规定编制并披露报告期内的财务报表，公司不存在《中国注册会计师审计准则第 1324 号——持续经营》中列举的影响其持续经营能力的相关事项，并由具有证券期货相关业务资格的会计师事务所出具标准无保留意见的审计报告。

财务报表被出具带强调事项段的无保留审计意见的，应全文披露审计报告正文以及董事会、监事会和注册会计师对强调事项的详细说明，并披露董事会和监事会对审计报告涉及事项的处理情况，说明该事项对公司的影响是否重大、影响是否已经消除、违反公允性的事项是否已予纠正。

3. 公司不存在依据《公司法》第一百八十一条规定解散的情形，或法院依法受理重整、和解或者破产申请。

三、公司治理机制健全，合法规范经营

（一）公司治理机制健全，是指公司按规定建立股东大会、董事会、监事会和高级管理层（以下简称"三会一层"）组成的公司治理架构，制定相应的公司治理制度，并能证明有效运行，保护股东权益。

1. 公司依法建立"三会一层"，并按照《公司法》、《非上市公众公司监督管理办法》及《非上市公众公司监管指引第 3 号—章程必备条款》等规定建立公司治理制度。

2. 公司"三会一层"应按照公司治理制度进行规范运作。在报告期内的有限公司阶段应遵守《公司法》的相关规定。

3. 公司董事会应对报告期内公司治理机制执行情况进行讨论、评估。

（二）合法合规经营，是指公司及其控股股东、实际控制人、董事、监事、高级管理人员须依法开展经营活动，经营行为合法、合规，不存在重大违法违规行为。

1. 公司的重大违法违规行为是指公司最近 24 个月内因违犯国家法律、行政法规、规章的行为，受到刑事处罚或适用重大违法违规情形的行政处罚。

（1）行政处罚是指经济管理部门对涉及公司经营活动的违法违规行为给予的行政处罚。

（2）重大违法违规情形是指，凡被行政处罚的实施机关给予没收违法所得、没收非法财物以上行政处罚的行为，属于重大违法违规情形，但处罚机关依法认定不属于的除外；被行政处罚的实施机关给予罚款的行为，除主办券商和律师能依法合理说明或处罚机关认定该行为不属于重大违法违规行为的外，都视为重大违法违规情形。

（3）公司最近 24 个月内不存在涉嫌犯罪被司法机关立案侦查，尚未有明确结论意见的情形。

2. 控股股东、实际控制人合法合规，最近 24 个月内不存在涉及以下情形的重大违法违规行为：

（1）控股股东、实际控制人受刑事处罚；

（2）受到与公司规范经营相关的行政处罚，且情节严重；情节严重的界定参照前述规定；

（3）涉嫌犯罪被司法机关立案侦查，尚未有明确结论意见。

3. 现任董事、监事和高级管理人员应具备和遵守《公司法》规定的任职资格和义务，不应存在最近 24 个月内受到中国证监会行政处罚或者被采取证券市场禁入措施的情形。

（三）公司报告期内不应存在股东包括控股股东、实际控制人及其关联方占用公司资金、资产或其他资源的情形。如有，应在申请挂牌前予以归还或规范。

（四）公司应设有独立财务部门进行独立的财务会计核算，相关会计政策能如实反映企业财务状况、经营成果和现金流量。

四、股权明晰，股票发行和转让行为合法合规

（一）股权明晰，是指公司的股权结构清晰，权属分明，真实确定，合法合规，股东特别是控股股东、实际控制人及其关联股东或实际支配的股东持有公司的股份不存在权属争议或潜在纠纷。

1. 公司的股东不存在国家法律、法规、规章及规范性文件规定不适宜担任股东的情形。

2. 申请挂牌前存在国有股权转让的情形，应遵守国资管理规定。

3. 申请挂牌前外商投资企业的股权转让应遵守商务部门的规定。

（二）股票发行和转让合法合规，是指公司的股票发行和转让依法履行必要内部决议、外部审批（如有）程序，股票转让须符合限售的规定。

1. 公司股票发行和转让行为合法合规，不存在下列情形：

（1）最近 36 个月内未经法定机关核准，擅自公开或者变相公开发行过证券；

（2）违法行为虽然发生在 36 个月前，目前仍处于持续状态，但《非上市公众公司监督管理办法》实施前形成的股东超 200 人的股份有限公司经中国证监会确认的除外。

2. 公司股票限售安排应符合《公司法》和《全国中小企业股份转让系统业务规则（试行）》的有关规定。

（三）在区域股权市场及其他交易市场进行权益转让的公司，申请股票在全国股份转让系统挂牌前的发行和转让等行为应合法合规。

（四）公司的控股子公司或纳入合并报表的其他企业的发行和转让行为需符合本指引的规定。

五、主办券商推荐并持续督导

（一）公司须经主办券商推荐，双方签署了《推荐挂牌并持续督导协议》。

（二）主办券商应完成尽职调查和内核程序，对公司是否符合挂牌条件发表独立意见，并出具推荐报告。

六、全国股份转让系统公司要求的其他条件

无

全国中小企业股份转让系统
公开转让说明书内容与格式指引（试行）

（2013 年 2 月 8 日发布，2013 年 12 月 30 日修改）

第一章　总则

第一条　为规范公开转让股票的信息披露行为，保护投资者合法权益，根据《非上市公众公司监督管理办法》（证监会令第 85 号）、《非上市公众公司监管指引第 1 号》（证监会公告［2013］1 号）、《全国中小企业股份转让系统业务规则（试行）》等规定，制定本指引。

第二条　股东人数未超过 200 人的股份公司（以下简称申请挂牌公司）申请股票在全国中小企业股份转让系统（以下简称全国股份转让系统）挂牌，应按本指引编制公开转让说明书并披露。

第三条　本指引的规定是对公开转让说明书信息披露的最低要求。不论本指引是否有明确规定，凡对投资者投资决策有重大影响的信息，均应披露。

申请挂牌公司可根据自身及所属行业或业态特征，在本指引基础上增加有利于投资者判断和决策的相关内容。

本指引部分条款具体要求不适用的，申请挂牌公司可根据实际情况，在不影响内容完整性的前提下作适当调整，但应在申报时作书面说明；由于涉及特殊原因申请豁免披露的，应有充分依据，主办券商及律师应出具意见。

第四条　申请挂牌公司在公开转让说明书中披露的所有信息应真实、准确、完整，不得有虚假记载、误导性陈述或重大遗漏。

第五条　公开转让说明书的编制和披露应便于投资者理解和判断，符合下列一般要求：

（一）通俗易懂、言简意赅。要切合公司具体情况，用词要符合社会公众的认知习惯，对有特定含义的专业术语应作出释义。为避免重复，可采用相互引证的方法，对相关部分进行合理的技术处理。

（二）表述客观、逻辑清晰。不得有夸大性、广告性、诋毁性的词句。可采用图形、表格、图片等较为直观的方式进行披露。

（三）业务、产品（服务）、行业等方面的统计口径应前后一致。

（四）引用的数字采用阿拉伯数字，货币金额除特别说明外，指人民币金额，并以元、万元、亿元为单位。

第六条　申请挂牌公司编制公开转让说明书应准确引用有关中介机构的专业意见、报告和财务会计资料，并有充分的依据。

所引用的财务报表应由具有证券期货相关业务资格的会计师事务所审计，财务报表在其最近一期截止日后 6 个月内有效。特殊情况下申请挂牌公司可申请延长，但延长期至多不超过 1 个月。

第七条　申请挂牌公司应在全国股份转让系统指定信息披露平台披露公开转让说明书及其附件，并作提示性公告：”本公司股票挂牌公开转让股票申请已经全国中小企业股份转让系统有限责任公司（以下简称全国股份转让系统公司）审查同意，中国证监会豁免核准，本公司的股票将在全国股份转让系统挂牌公开转让，公开转让说明书及附件披露于全国股份转让系统指定信息披露平台 www. neeq. com. cn 或 www.

neeq.cc,供投资者查阅。

第八条　公开转让说明书封面应标有"×××公司公开转让说明书"字样,扉页应载有如下声明:

"本公司及全体董事、监事、高级管理人员承诺公开转让说明书不存在虚假记载、误导性陈述或重大遗漏,并对其真实性、准确性、完整性承担个别和连带的法律责任。"

"本公司负责人和主管会计工作的负责人、会计机构负责人保证公开转让说明书中财务会计资料真实、完整。"

"全国股份转让系统公司对本公司股票公开转让所作的任何决定或意见,均不表明其对本公司股票的价值或投资者的收益作出实质性判断或者保证。任何与之相反的声明均属虚假不实陈述。"

"根据《证券法》的规定,本公司经营与收益的变化,由本公司自行负责,由此变化引致的投资风险,由投资者自行承担。"

申请挂牌公司应针对实际情况在公开转让说明书首页作"重大事项提示",提醒投资者给予特别关注。

第二章　公开转让说明书

第一节　基本情况

第九条　申请挂牌公司应简要披露下列情况:公司名称、法定代表人、设立日期、注册资本、住所、邮编、董事会秘书或信息披露事务负责人、所属行业、主要业务、组织机构代码等。

第十条　申请挂牌公司应披露股票代码、股票简称、股票种类、每股面值、股票总量、挂牌日期,股东所持股份的限售安排及股东对所持股份自愿锁定的承诺。

第十一条　申请挂牌公司应披露公司股权结构图,并披露控股股东、实际控制人、前十名股东及持有5%以上股份股东的名称、持股数量及比例、股东性质、直接或间接持有的股份是否存在质押或其他争议事项的具体情况及股东之间关联关系。

申请挂牌公司应披露控股股东和实际控制人基本情况以及实际控制人最近两年内是否发生变化。

申请挂牌公司应简要披露设立以来股本的形成及其变化和重大资产重组情况。如果股权变化情况较复杂,可采用流程图、表格或其他形式梳理归并,并作为附件披露。

第十二条　申请挂牌公司应扼要披露董事、监事、高级管理人员的情况,主要包括:姓名、国籍及境外居留权、性别、年龄、学历、职称、现任职务及任期、职业经历。

第十三条　最近两年及一期的主要会计数据和财务指标简表,主要包括:营业收入、净利润、归属于申请挂牌公司股东的净利润、扣除非经常性损益后的净利润、归属于申请挂牌公司股东的扣除非经常性损益后的净利润、毛利率、净资产收益率、扣除非经常性损益后净资产收益率、应收账款周转率、存货周转率、基本每股收益、稀释每股收益、经营活动产生的现金流量净额、每股经营活动产生的现金流量净额、总资产、股东权益合计、归属于申请挂牌公司股东权益合计、每股净资产、归属于申请挂牌公司股东的每股净资产、资产负债率(以母公司报表为基础)、流动比率、速动比率。

除特别指出外,上述财务指标应以合并财务报表的数据为基础进行计算。相关指标的计算应执行中国证监会的有关规定。

第十四条　申请挂牌公司挂牌同时进行股票发行的,应披露拟发行股数、发行对象或范围、发行价格或区间、预计募集资金金额。同时,按照全国股份转让系统公司有关股票发行信息披露要求,在公开转让说明书"公司财务"后增加"股票发行"章节,披露相关信息。

第十五条　申请挂牌公司应披露下列机构的名称、法定代表人、住所、联系电话、传真,同时应披露有关经办人员(包括项目小组负责人、项目小组成员)的姓名:

(一)主办券商

(二)律师事务所

(三)会计师事务所

(四)资产评估机构

(五)证券登记结算机构

(六)做市商(如有)

(七)其他与公开转让有关的机构

第二节　公司业务

第十六条　申请挂牌公司应披露主要业务、主要产品或服务及其用途。

第十七条　申请挂牌公司应结合内部组织结构(包括部门、生产车间、子公司、分公司等),披露主要生产或服务流程及方式(包括服务外包、外协生产等)。

第十八条　申请挂牌公司应遵循重要性原则披露与其业务相关的关键资源要素,包括:

(一)产品或服务所使用的主要技术。

(二)主要无形资产的取得方式和时间、实际使用情况、使用期限或保护期、最近一期末账面价值。

(三)取得的业务许可资格或资质情况。

(四)特许经营权(如有)的取得、期限、费用标准。

(五)主要生产设备等重要固定资产使用情况、成新率或尚可使用年限。

(六)员工情况,包括人数、结构等。其中核心技术(业务)人员应披露姓名、年龄、主要业务经历及职务、现任职务与任期及持有申请挂牌公司的股份情况。核心技术(业务)团队在近两年内发生重大变动的,应披露变动情况和原因。

(七)其他体现所属行业或业态特征的资源要素。

第十九条　申请挂牌公司应扼要披露与业务相关的情况,包括:

(一)报告期业务收入的主要构成及各期主要产品或服务的规模、销售收入。

(二)产品或服务的主要消费群体,报告期内各期向前五名客户的销售额及占当期销售总额的百分比。

(三)报告期内主要产品或服务的原材料、能源及供应情况,占成本的比重,报告期内各期向前五名供应商的采购额及占当期采购总额的百分比。

(四)报告期内对持续经营有重大影响的业务合同及履行情况。

第二十条　申请挂牌公司应归纳总结其商业模式,说明如何使用产品或服务、关键资源要素获取收入、利润及现金流。

第二十一条　申请挂牌公司应扼要披露其所处行业概况、市场规模及基本风险特征(如行业风险、市场风险、政策风险),并可分析公司在行业中的竞争地位。

第三节　公司治理

第二十二条　申请挂牌公司应披露最近两年内股东大会、董事会、监事会的建立健全及运行情况,说明上述机构和人员履行职责的情况。

申请挂牌公司可结合股东结构、董事会及监事会构成等方面,说明投资者(如专业投资机构)参与公司治理以及职工代表监事履行责任的实际情况。

第二十三条　申请挂牌公司董事会应充分讨论现有公司治理机制能否给所有股东提供合适的保护以及能否保证股东充分行使知情权、参与权、质询权和表决权等权利，说明投资者关系管理、纠纷解决机制、累积投票制（如有）、独立董事制度（如有）、关联股东和董事回避制度（如有）以及与财务管理、风险控制相关的内部管理制度建设情况，并披露董事会对公司治理机制执行情况的评估结果。

第二十四条　申请挂牌公司应披露公司及其控股股东、实际控制人最近两年内是否存在违法违规及受处罚的情况。

第二十五条　申请挂牌公司应披露与控股股东、实际控制人及其控制的其他企业在业务、资产、人员、财务、机构方面的分开情况。

第二十六条　申请挂牌公司应披露是否存在与控股股东、实际控制人及其控制的其他企业从事相同、相似业务的情况。对存在相同、相似业务的，应对是否存在同业竞争做出合理解释。

申请挂牌公司应披露控股股东、实际控制人为避免同业竞争采取的措施及做出的承诺。

第二十七条　申请挂牌公司应披露最近两年内是否存在资金被控股股东、实际控制人及其控制的其他企业占用，或者为控股股东、实际控制人及其控制的其他企业提供担保，以及为防止股东及其关联方占用或者转移公司资金、资产及其他资源的行为发生所采取的具体安排。

第二十八条　申请挂牌公司董事、监事、高级管理人员存在下列情形的，应披露具体情况：

（一）本人及其直系亲属以任何方式直接或间接持有申请挂牌公司股份的。

（二）相互之间存在亲属关系的。

（三）与申请挂牌公司签订重要协议或做出重要承诺的。

（四）在其他单位兼职的。

（五）对外投资与申请挂牌公司存在利益冲突的。

（六）最近两年受到中国证监会行政处罚或者被采取证券市场禁入措施、受到全国股份转让系统公司公开谴责的。

（七）其他对申请挂牌公司持续经营有不利影响的情形。

第二十九条　申请挂牌公司董事、监事、高级管理人员在近两年内发生变动的，应披露变动情况和原因。

第四节　公司财务

第三十条　申请挂牌公司应按照《企业会计准则》的规定编制并披露最近两年及一期的财务报表，在所有重大方面公允反映公司财务状况、经营成果和现金流量，并由注册会计师出具无保留意见的审计报告。编制合并财务报表的，应同时披露合并财务报表和母公司财务报表。

申请挂牌公司应披露财务报表的编制基础、合并财务报表范围及变化情况。

第三十一条　申请挂牌公司应披露会计师事务所的审计意见类型。财务报表被出具带强调事项段的无保留审计意见的，应全文披露审计报告正文以及董事会、监事会和注册会计师对强调事项的详细说明。

第三十二条　申请挂牌公司应结合业务特点充分披露报告期内采用的主要会计政策、会计估计及其变更情况和对公司利润的影响。

申请挂牌公司的重大会计政策或会计估计与可比公司（如有）存在较大差异，或者按规定将要进行变更的，应分析重大会计政策或会计估计的差异或变更对公司利润产生的影响。

第三十三条　申请挂牌公司应对最近两年及一期的主要会计数据和财务指标进行比较，发生重大变化的应说明原因。

（一）根据业务特点披露各类收入的具体确认方法，以表格形式披露报告期内各期营业收入、利润、毛利率的主要构成及比例，按照产品（服务）类别及业务、地区分部列示，报告期内发生重大变化的应予以说明。

（二）披露报告期内各期主要费用（含研发）、占营业收入的比重和变化情况。

（三）披露报告期内各期重大投资收益情况、非经常性损益情况、适用的各项税收政策及缴纳的主要税种。

（四）披露报告期内各期末主要资产情况及重大变动分析，包括但不限于：

主要应收款项的账面余额、坏账准备、账面价值、账龄、各期末前五名情况；主要存货类别、账面余额、跌价准备、账面价值；主要固定资产类别、折旧年限、原价、累计折旧、净值；主要对外投资的投资期限、初始投资额、期末投资额及会计核算方法；主要无形资产的取得方式、初始金额、摊销方法、摊销年限、最近一期末的摊余价值及剩余摊销年限；主要资产减值准备的计提依据及计提情况。

（五）披露报告期内各期末主要负债情况。有逾期未偿还债项的，应说明其金额、未按期偿还的原因、预计还款期等。

（六）披露报告期内各期末股东权益情况，主要包括股本、资本公积、盈余公积、未分配利润及少数股东权益的情况。

如果在挂牌前实施限制性股票或股票期权等股权激励计划且尚未行权完毕的，应披露股权激励计划内容及实施情况、对资本公积和各期利润的影响。

第三十四条　申请挂牌公司应根据《公司法》和《企业会计准则》的相关规定披露关联方、关联关系、关联交易，并说明相应的决策权限、决策程序、定价机制、交易的合规性和公允性、减少和规范关联交易的具体安排等。

申请挂牌公司应根据交易的性质和频率，按照经常性和偶发性分类披露关联交易及其对财务状况和经营成果的影响。

如果董事、监事、高级管理人员、核心技术（业务）人员、主要关联方或持有公司5%以上股份股东在主要客户或供应商中占有权益的，应予以说明。

第三十五条　申请挂牌公司应扼要披露会计报表附注中的资产负债表日后事项、或有事项及其他重要事项，包括对持续经营可能产生较大影响的诉讼或仲裁、担保等事项。

第三十六条　申请挂牌公司在报告期内进行资产评估的，应简要披露资产评估情况。

第三十七条　申请挂牌公司应披露最近两年股利分配政策、实际股利分配情况以及公开转让后的股利分配政策。

第三十八条　申请挂牌公司应简要披露其控股子公司或纳入合并报表的其他企业的情况，主要包括注册资本、主要业务、股东构成及持股比例、最近一年及一期末的总资产、净资产、最近一年及一期的营业收入、净利润。

第三十九条　申请挂牌公司应遵循重要性原则，结合自身及所处行业实际情况，对可能影响公司持续经营的风险因素进行自我评估，重点披露特有风险，其中对持续经营有严重不利影响的风险应作“重大事项提示”。

鼓励申请挂牌公司建立以风险为导向的内部管理机制，提高识别和承受风险的能力，形成符合自身及所处行业特征的风险评估和管理体系。

第四十条　申请挂牌公司可披露公司经营目标和计划。如披露，应遵循诚信原则，并说明合理依据。

对可能导致经营目标和计划不能实现的重大不确定性因素，申请挂牌公司应做出有针对性和实质性的“重大事项提示”，提醒投资者审慎判断和决策。

第五节　有关声明

第四十一条　申请挂牌公司全体董事、监事、高级管理人员应在公开转让说明书正文的尾页签名，并由申请挂牌公司加盖公章。

第四十二条　主办券商应对公开转让说明书的真实性、准确性、完整性进行核查，并在公开转让说明书正文后声明：

“本公司已对公开转让说明书进行了核查，确认不存在虚假记载、误导性陈述或重大遗漏，并对其真实性、准确性和完整性承担相应的法律责任。”

声明应由法定代表人、项目负责人及项目小组成员签名，并由主办券商加盖公章。

第四十三条　为申请挂牌公司股票公开转让提供服务的机构应在公开转让说明书正文后声明：

“本机构及经办人员（经办律师、签字注册会计师、签字注册资产评估师）已阅读公开转让说明书，确认公开转让说明书与本机构出具的专业报告（法律意见书、审计报告、资产评估报告）无矛盾之处。本机构及经办人员对申请挂牌公司在公开转让说明书中引用的专业报告的内容无异议，确认公开转让说明书不致因上述内容而出现虚假记载、误导性陈述或重大遗漏，并对其真实性、准确性和完整性承担相应的法律责任。”

声明应由经办人员及所在机构负责人签名，并由机构加盖公章。

第六节　附件

第四十四条　公开转让说明书结尾应列明附件，并在全国股份转让系统指定信息披露平台披露。附件应包括下列文件：

（一）主办券商推荐报告；

（二）财务报表及审计报告；

（三）法律意见书；

（四）公司章程；

（五）全国股份转让系统公司同意挂牌的审查意见；

（六）其他与公开转让有关的重要文件。

第三章　附则

第四十五条　本指引由全国股份转让系统公司负责解释。

第四十六条　本指引自公布之日起施行。

全国中小企业股份转让系统
挂牌申请文件内容与格式指引（试行）

（2013 年 2 月 8 日发布，2013 年 12 月 30 日修改）

第一条　为规范挂牌申请文件内容与格式，根据《非上市公众公司监督管理办法》（证监会令第 85 号）、《非上市公众公司监管指引第 2 号》（证监会公告［2013］2 号）、《全国中小企业股份转让系统业务规则（试行）》等规定，制定本指引。

第二条　股份公司（以下简称“申请挂牌公司”）申请股票在全国中小企业股份转让系统（以下简称“全国股份转让系统”）挂牌，应按照本指引的要求制作和报送申请文件。

第三条　本指引规定的申请文件目录是对挂牌申请文件的最低要求。根据审查需要，全国中小企业股份转让系统有限责任公司（以下简称“全国股份转让系统公司”）可以要求申请挂牌公司和相关中介机构补充文件。如部分文件对申请挂牌公司不适用，可不提供，但应书面说明。

申请挂牌同时股票发行的，应按照全国股份转让系统公司规定在挂牌申请文件中增加有关内容。

第四条　申请文件一经接收，非经全国股份转让系统公司同意，不得增加、撤回或更换。

第五条　申请时股东人数未超过 200 人的股份公司报送申请文件应提交原件一份，复印件两份；申请时股东人数超过 200 人的股份公司报送申请文件应提交原件一份（单行本）。每次报送书面文件的同时，应报送一份与书面文件一致的电子文件（WORD、EXCEL、PDF 及全国股份转让系统公司要求的其他文件格式）。

申请挂牌公司不能提供有关文件原件的，应由申请挂牌公司律师提供鉴证意见，或由出文单位盖章，以保证与原件一致。

第六条　申请文件所有需要签名处，均应为签名人亲笔签名，不得以名章、签名章等代替。

申请文件中需要由申请挂牌公司律师鉴证的文件，申请挂牌公司律师应在该文件首页注明“以下第 × × 页至第 × × 页与原件一致”，并签名和签署鉴证日期，律师事务所应在该文件首页加盖公章，并在第 × × 页至第 × × 页侧面以公章加盖骑缝章。

第七条　申请挂牌公司应根据全国股份转让系统公司对申请文件的反馈意见提供补充材料。相关中介机构应对反馈意见相关问题进行尽职调查或补充出具专业意见。对公开转让说明书修改或补充的，应进行标示。

第八条　申请文件的封面和侧面应标有“ × × 公司股票挂牌申请文件”字样，扉页应标明申请挂牌公司法定代表人、信息披露事务负责人，主办券商主管领导、项目负责人，以及相关中介机构项目负责人姓名、电话、传真等联系方式。

第九条　申请文件章与章之间、章与节之间应有明显的分隔标识，文件中的页码应与目录中的页码相符。

第十条　申请文件应采用标准 A4 纸张双面印刷（需提供原件的历史文件除外）.

第十一条　未按本指引要求制作和报送申请文件的，全国股份转让系统公司不予接收。

第十二条　本指引由全国股份转让系统公司负责解释。

第十三条　本指引自发布之日起施行。

全国中小企业股份转让系统
主办券商尽职调查工作指引
（试行）

第一章　总则

第一条　为指导主办券商做好对申请股票在全国中小企业股份转让系统（以下简称“全国股份转让系统”）公开转让的股份有限公司（以下简称“公司”）的尽职调查工作，制定本指引。

第二条　尽职调查是指主办券商遵循勤勉尽责、诚实守信原则，以形成有利于投资者做出投资决策的信息披露文件为目的，对公司进行调查，以有充分理由确信：

（一）公司符合《全国中小企业股份转让系统业务规则（试行）》规定的挂牌条件；

（二）公开转让说明书中所披露的信息真实、准确和完整。

第三条　本指引是对主办券商尽职调查工作的一般要求。主办券商应按照本指引要求，认真履行尽职调查义务。

除对本指引已列示的一般性内容进行调查外，主办券商还应根据公司的具体情况，对其在公开转让说明书中应披露的、足以影响投资者决策的其他事项进行调查。

除本指引已列示的调查方法外，主办券商可针对具体调查事项，采用其他适当的调查方法进行调查。

第四条　项目小组的尽职调查可以在注册会计师、律师等外部专业人士意见的基础上进行，如果认为专业人士发表意见所基于的工作不够充分，或对专业人士的意见有疑义，项目小组应进行独立调查。

项目小组在引用专业人士意见时，应对所引用的意见负责。

第五条　项目小组应在尽职调查工作完成后，出具尽职调查报告，各成员应在尽职调查报告上签名并声明对其负责。

第六条　主办券商应建立健全尽职调查工作底稿制度，真实、准确、完整地反映其所实施的尽职调查工作。尽职调查工作底稿应成为主办券商出具尽职调查报告、推荐报告和编制挂牌申请文件的基础。

第二章　尽职调查主要内容和方法

第一节　业务调查

第七条　业务调查主要包括分析公司所处细分行业的情况和风险，调查公司商业模式、经营目标和计划。

公司的商业模式是指公司如何使用其拥有的关键资源，通过有效的业务流程，形成一个完整的运行系统，并通过这一运行系统向客户提供产品或服务，满足客户需求并向客户提供了价值，从而获得收入、利润和现金流。

第八条　通过搜集与公司所处行业有关的行业研究或报道，与公司管理层交谈，比较市场公开数据，搜集行业主管部门制定的发展规划、行业管理方面的法律法规及规范性文件，以及主办券商内部行业分析师的分析研究等方法，审慎、客观分析公司所处细分行业的基本情况和特有风险（如行业风险、市场风险、政策风险等）。包括但不限于：

（一）行业所处的生命周期和行业规模；

（二）行业与行业上下游的关系（即行业价值链的构成）；

（三）行业的竞争程度及行业壁垒；

（四）国家对该行业的监管体制和政策扶持或限制，以及产业政策对该行业的影响；

（五）影响该行业发展的有利和不利因素。

第九条　通过与公司经营管理层交谈，实地考察公司产品或服务，访谈公司客户等方法，调查公司产品或服务及其用途，了解产品种类、功能或服务种类及其满足的客户需求。包括但不限于：

（一）产品或服务的种类；

（二）调查每种产品的功能和用途以及特定消费群体，或服务所满足的客户需求及特定消费群体；

（三）每种产品的技术含量（所应用的关键技术及所达到的技术指标）或服务的质量；

（四）每种产品或服务是否向消费者提供保障（售后服务等）；

（五）报告期内各期每种产品或服务的规模，需求状况及其对价格的影响；

（六）各类产品或服务在公司业务中的重要性，包括在销售收入及利润中的比重，在行业中所占的市场份额和变动趋势；

（七）公司对提高现有产品或服务质量、增强竞争力等方面将采取的措施以及公司新产品或服务种类的开发计划。

第十条　通过实地考察、与管理层交谈、查阅公司主要知识产权文件等方法，结合公司行业特点，调查公司业务所依赖的关键资源，包括但不限于：

（一）公司独特的、可持续的技术优势（包括分析主要产品或服务的核心技术、可替代性以及核心技术的保护措施等）；

（二）研发能力和技术储备（包括分析公司的研发机构和研发人员情况、研发费用投入占公司业务收入的比重、自主技术占核心技术的比重等）；

（三）商标、专利、非专利技术等无形资产的数量、取得情况、实际使用情况、使用期限或保护期、最近一期末账面价值、存在纠纷情况等；

（四）取得的业务许可资格或资质情况；

（五）特许经营权（如有）的取得、期限、费用标准；

（六）提供产品或服务时所使用主要设备和固定资产的情况；

（七）公司高级管理人员与核心技术（业务）人员的简要情况，主要包括：姓名、国籍等基本信息、职业经历（参加工作以来的职业及职务情况）、曾经担任的重要职务及任期、现任职务及任期，根据其业务经历、行业或专业背景，评价高级管理人员的经验和能力，整体评价整个管理团队是否有互补性；

（八）调查公司管理层及核心技术（业务）人员的薪酬，持股情况和激励政策（包括股权激励）。最近两年上述人员的主要变动情况、原因和对公司经营的影响，了解公司为稳定上述人员已采取或拟采取的措施，并评价管理层及核心技术（业务）人员的稳定性；

（九）公司的员工情况，主要包括：员工人数、年龄和工龄结构、任职分布、学历学位结构、地域分布等；

（十）其他体现所处行业或业态特征的资源要素；

（十一）在公司所处细分行业中，从公司的技术优势、产品的技术指标或服务的标准要求、研发投入能力和技术储备、专利数量等方面，分析公司与竞争对手及潜在竞争对手之间的优劣势。如果竞争对手的信息不存在，可分析公司与行业平均水平相比的优劣势。

第十一条　通过查阅公司业务制度、实地考察企业经营过程涉及的业务环节、对主要供应商和客户访谈等方法，结合公司行业特点，了解公司关键业务流程。包括但不限于：

（一）供应链及其管理，公司对供应商的依赖程度及存在的经营风险；

（二）主要产品的生产流程或服务流程、生产工艺、质量控制、安全生产等；

（三）营销体系，包括销售方式、是否有排他性销售协议等壁垒、市场推广计划、客户管理，公司对客户的依赖程度及存在的风险；

（四）核心产品或服务的研发流程、周期以及更新换代计划；

（五）根据产业链分工情况，调查公司是否将营运环节交给利益相关者，如有，阐明其合作关系或商业联盟关系以及风险利益分配机制；

（六）重要资本投资项目（如规模化生产、重要设备投资等）的投资流程，包括投资决策机制、可行性和投资回报分析等；

（七）其他体现所处行业或业态特征的业务环节。

第十二条　通过查阅商业合同，走访客户和供应商等方法，结合对公司产品或服务、关键资源和关键业务流程的调查，了解公司如何获得收益。包括但不限于：

（一）收入构成情况，包括产品或服务的规模、订价方式和依据；收入变化情况和影响其变化的原因；

（二）成本结构及其变动情况和变动原因；

（三）分析每种产品或服务的毛利率及其变动趋势和变动原因；

（四）公司的现金流情况，尤其是与经营活动有关的现金流量，即经营的现金收入是否能抵补有关支出；

（五）在公司所处的细分行业中，分析比较公司与竞争对手之间在产品或服务分布、成本结构、营销模式和产品或服务毛利率等方面的优劣势，并预估公司在细分行业的发展趋势（主要地区或市场的占有率及其变化）。如果竞争对手的信息不存在，可分析公司与行业平均水平相比的优劣势。

第十三条　通过与公司管理层交谈，查阅董事会会议记录、重大业务合同等方法，结合公司所处行业的发展趋势及公司目前所处的发展阶段，了解公司整体发展规划和各个业务板块的中长期发展目标，分析公司经营目标和计划是否与现有商业模式一致，揭示公司业务发展过程中的主要风险（区别一般风险和特殊风险）及风险管理机制。

第二节　公司治理调查

第十四条　通过查阅公司章程，了解公司组织结构，查阅股东大会、董事会、监事会（以下简称“三会”）有关文件，调查公司三会的建立健全及运行情况，说明上述机构和人员履行职责的情况，关注公司章程和三会议事规则是否合法合规，是否建立健全投资者关系管理制度，是否在公司章程中约定纠纷解决机制。

第十五条　公司董事会对公司治理机制进行讨论评估，内容包括现有公司治理机制在给股东提供合适的保护以及保证股东充分行使知情权、参与权、质询权和表决权等权利方面所发挥的作用、所存在的不足及解决方法等。

第十六条　调查公司治理机制的执行情况并出具核查意见，调查内容包括但不限于：

（一）是否依据有关法律法规和公司章程发布通知并按期召开三会；会议文件是否完整，会议记录中时间、地点、出席人数等要件是否齐备，会议文件是否归档保存；会议记录是否正常签署；

（二）董事会和监事会是否按照有关法律法规和公司章程及时进行换届选举；

（三）董事会是否参与了公司战略目标的制订，检查其执行情况；董事会对管理层业绩进行评估的机制和执行情况；

（四）涉及关联董事、关联股东或其他利益相关者应当回避的，公司是否建立了表决权回避制度，检查其执行情况；

（五）监事会是否正常发挥作用，是否具备切实的监督手段，包括职工代表监事履行职责的情况；

（六）三会决议的实际执行情况，未能执行的会议决议，相关执行者是否向决议机构汇报并说明原因。

第十七条　调查公司股东的情况，核实公司股东股权的合法性和真实性，包括但不限于：

（一）通过查阅公司股权结构图、股东名册、公司重要会议记录、决议以及公司历次股权变动的相关文件，调查公司的股权结构，股东持股比例（包括直接和间接持股比例），以及直接或间接持股是否存在质押或其他有争议的情况，判断公司控股股东及实际控制人。

（二）通过查阅具有资格的中介机构出具的验资报告，咨询公司律师或法律顾问，询问管理层和会计人员，到工商行政管理部门查询公司注册登记资料，调查公司股东的出资是否及时到位，出资方式是否符合有关法律、法规的规定。

通过查阅资产评估报告，询问资产评估机构等方法，对以实物、工业产权、非专利技术、土地使用权等非现金资产出资的，调查所使用的评估方法与评估值的合理性。

（三）调查公司股东之间是否存在关联情况，股东中是否有专业投资机构以及其参与公司治理的情况。

（四）调查公司管理层及核心技术人员的持股情况和所持股份的锁定情况。

第十八条　调查公司董事、监事的简要情况，主要包括：姓名、国籍及境外居留权、性别、年龄、学历、职称；职业经历（参加工作以来的职业及职务情况）；曾经担任的重要职务及任期；现任职务及任期；本人及其近亲属持有公司股份的情况；是否存在对外投资与公司存在利益冲突的情况。

第十九条　调查公司与控股股东、实际控制人及其控制的其他企业在业务、资产、人员、财务和机构方面的分开情况，判断其独立性，包括但不限于：

（一）通过查阅公司组织结构文件，结合公司的生产、采购和销售记录考察公司的产、供、销系统，分析公司是否具有完整的业务流程、独立的生产经营场所以及供应、销售部门和渠道，通过计算公司的关联采购额和关联销售额分别占公司当期采购总额和销售总额的比例，分析是否存在影响公司独立性的重大或频繁的关联方交易，判断公司业务独立性。

（二）通过查阅相关会议记录、资产产权转移合同、资产交接手续和购货合同及发票，确定公司固定资产权属情况；通过查阅房产证、土地使用权证等权属证明文件，了解公司的房产、土地使用权、专利与非专利技术及其他无形资产的权属情况；关注金额较大、期限较长的其他应收款、其他应付款、预收及预付账款产生的原因及交易记录、资金流向等；判断公司资产独立性。

调查公司最近两年内是否存在资产被控股股东、实际控制人及其控制的其他企业占用，或者为控股股东、实际控制人及其控制的其他企业提供担保的情形；调查公司为防止股东及关联方资金占用或者转移公司资金、资产及其他资源的行为所采取的措施和相应的制度安排；对不存在以上情形的，应取得公司的说明，并根据调查结果判断公司资产独立性。

（三）通过查阅股东单位员工名册及劳务合同、公司工资明细表、公司福利费缴纳凭证、与管理层及员工交谈，取得高级管理人员的书面声明等方法，调查公司高级管理人员从公司关联企业领取报酬及其他情况，调查公司员工的劳动、人事、工资报酬以及相应的社会保障是否完全独立管理，判断其人员独立性。

（四）通过与管理层和相关业务人员交谈，查阅公司财务会计制度、银行开户资料、纳税资料等方法，调查公司会计核算体系，财务管理和风险控制等内部管理制度的建立健全情况，并判断公司财务独立性。

（五）通过实地调查、查阅股东大会和董事会决议关于设立相关机构的记录、查阅各机构内部规章制度，了解公司的机构是否与控股股东完全分开且独立运作，是否存在混合经营、合署办公的情形，是否完全拥有机构设置自主权等，判断其机构独立性。

第二十条　调查公司与控股股东、实际控制人及其控制的其他企业是否存在同业竞争。

通过询问公司控股股东、实际控制人，查阅营业执照，实地走访生产或销售部门等方式，调查公司控股股东、实际控制人及其控制的其他企业的业务范围，从业务性质、客户对象、可替代性、市场差别等方面判断是否与公司从事相同、相似业务，从而构成同业竞争。

对存在同业竞争的，要求公司就其合理性作出解释，并调查公司为避免同业竞争采取的措施以及作出的承诺。

第二十一条　调查公司对外担保、重大投资、委托理财、关联方交易等重要事项的政策及制度安排，调查决策权限及程序等规定，并核查最近两年的执行情况，包括对上述事项的决策是否符合股东大会、董事会的职责分工，对该事项的表决是否履行了公司法和公司章程中规定的程序，以及决策是否得到有效执行。

取得管理层就公司对外担保、重大投资、委托理财、关联方交易等事项的情况、是否符合法律法规和公司章程的规定，及其对公司影响的书面声明。

第二十二条　调查公司管理层的诚信情况，取得经公司管理层签字的关于诚信状况的书面声明，书面声明至少包括以下内容：

（一）最近二年内是否因违反国家法律、行政法规、部门规章、自律规则等受到刑事、民事、行政处罚或纪律处分；

（二）是否存在因涉嫌违法违规行为处于调查之中尚无定论的情形；

（三）最近二年内是否对所任职（包括现任职和曾任职）公司因重大违法违规行为而被处罚负有责任；

（四）是否存在个人负有数额较大债务到期未清偿的情形；

（五）是否有欺诈或其他不诚实行为等情况。

通过查询中国人民银行征信系统、工商行政管理部门的企业信用信息系统等公共诚信系统，咨询税务部门、公司贷款银行等部门或机构，咨询公司律师或法律顾问，查阅相关记录以及其他合理方式，核实公司管理层是否存在不诚信行为的记录，评价公司管理层的诚信状况。

第三节　公司财务调查

第二十三条　通过考察控制环境、风险识别与评估、控制活动与措施、信息沟通与反馈、监督与评价等基本要素，评价公司内部控制制度是否充分、合理、有效。

第二十四条　通过与公司管理层及员工交谈，查阅公司规章制度等方法，调查公司是否建立会计核算体系、财务管理和风险控制等制度，确保公司财务报告真实可靠及行为合法合规。

第二十五条　通过与公司管理层及员工交谈，查阅董事会、总经理办公会等会议记录，查阅公司规章制度等方法，评价公司是否有积极的控制环境：包括考察董事会是否负责批准并定期审查公司的经营战略和重大决策、确定经营风险的可接受水平；考察高级管理人员是否执行董事会批准的战略和政策，以及高级管理人员和董事会间的责任、授权和报告关系是否明确；考察管理层是否促使公司员工了解公司内部控制制度并在其中发挥作用等。

第二十六条　通过与公司管理层交谈、查阅公司相关规章制度和风险评估报告等，考察管理层为识别和评估对公司实现整体目标有负面影响的风险因素所建立的制度或采取的措施，评价公司风险识别与评估体系的有效性。

第二十七条　通过与公司管理层及主要业务流程所涉及部门的负责人交谈，查阅业务流程相关文件，了解业务流程和其中的控制措施，包括授权与审批、复核与查证、业务规程与操作程序、岗位权限与职责分工、相互独立与制衡、应急与预防等措施。

项目小组应选择一定数量的控制活动样本，采取验证、观察、询问、重新操作等测试方法，评价公司的内部控制措施是否有效实施。

第二十八条　通过与公司管理层和员工交谈，查阅公司相关规章制度等，评价信息沟通与反馈是否有效，包括公司是否建立了能够涵盖其全部重要活动，并对内部和外部信息进行搜集和整理的有效信息系统，以及公司是否建立了有效的信息沟通和反馈渠道，确保员工能充分理解和执行公司政策和程序，并保证相关信息能够传达到应被传达到的人员。

第二十九条　通过与公司管理层及内部审计部门交谈，采用询问、验证、查阅内部审计报告和监事会报告等方法，考察公司内部控制监督和评价制度的有效性。

第三十条　调查公司在报告期内的主要会计政策和会计估计是否有针对性地结合了公司的业务特点，是否起到有效防范公司特有财务风险的作用。

第三十一条　在上述调查基础上，听取注册会计师意见，评价公司现有内部控制制度在合理保证公司遵守现行法律法规、提高经营效率、保证财务报告的可靠性等方面的效果，关注内部控制制度的缺陷及其可能导致的财务和经营风险。

第三十二条　通过调查公司的财务风险，综合评价公司财务风险和经营风险，判断公司财务状况是否良好。可通过以下方法调查公司的财务风险：

根据经审计的财务报告，分析公司最近两年及一期的主要财务指标，并对其进行逐年比较。主要包括毛利率、净资产收益率（包括扣除非经常性损益后净资产收益率）、基本每股收益、稀释每股收益、每股净资产、每股经营活动产生的现金流量净额、资产负债率（以母公司报表为基础）、流动比率、速动比率、应收账款周转率和存货周转率等。除特别指出外，上述财务指标应以合并财务报表的数据为基础进行计算。相关指标的计算应执行中国证监会的有关规定。

在此基础上，分析公司的盈利能力、长短期偿债能力、营运能力及获取现金能力，综合评价公司财务风险和经营风险，判断公司财务状况是否良好。各项财务指标与同行业公司平均水平相比有较大偏离的，或各项财务指标及相关会计项目有较大变动或异常的，应分析原因并进行重点调查。

根据经审计的财务报告，对公司收入、成本、费用的配比性进行分析性复核。通过分析公司收入、成本、费用的变动趋势、比例关系等，比较同行业其他公司的情况，评价公司收入与成本、费用，成本、费用与相关资产摊销等财务数据之间的配比或勾稽关系是否合理。对明显缺乏合理的配比或勾稽关系的事项，应要求公司管理层作出说明。

第三十三条　调查公司应收款项的真实性、准确性、完整性和合理性。

查阅公司应收账款明细资料，结合公司行业特点和业务收入状况等因素，评价应收账款余额及其变动是否合理。抽查大额应收账款，调查其真实性、收回可能性及潜在的风险。

取得公司其他应收款明细资料，了解大额其他应收款余额的形成原因，分析其合理性、真实性、收回可能性及潜在的风险。

核查大额预付账款产生的原因、时间和相关采购业务的执行情况。调查应收票据取得、背书、抵押和贴现等情况，关注由此产生的风险。

分析公司应收款项账龄，评价账龄的合理性，了解账龄较长款项的形成原因及公司采取的措施，查核公司是否按规定提取坏账准备、提取是否充分。

第三十四条　调查公司存货的真实性、准确性、完整性和合理性。

通过查阅公司存货明细资料，结合生产循环特点，分析原材料、在产品、产成品余额之间的比例及其变动是否合理。通过实地查看存货，评估其真实性和完整性。

分析比较公司存货账龄，评价账龄是否合理，了解是否有账龄较长的存货，查核公司是否按规定提取存货跌价准备、提取是否充分。

第三十五条　调查公司投资的真实性、准确性、完整性和合理性。

通过与公司管理层及相关负责人交谈，了解公司投资的决策程序、管理层对投资风险及其控制所采取的措施，重点关注风险较大的投资项目。

采用与公司管理层交谈，查阅股东大会、董事会、总经理办公会等会议记录，查阅投资合同，查阅账簿、股权或债权投资凭证等方法，调查公司长短期投资的计价及收益确认方法是否符合会计准则的相关规定。

关注公司对纳入合并财务报表范围子公司的投资核算方法是否恰当。听取注册会计师的意见，关注影响子公司财务状况的重要方面，评价其财务报表信息的真实性。

第三十六条　调查公司固定资产和折旧的真实性、准确性、完整性和合理性。

通过查阅公司经审计的财务报告，询问会计人员，了解公司固定资产的计价政策、固定资产折旧方法、固定资产使用年限和残值率的估计，评价相关会计政策和估计是否符合会计准则的相关规定。通过查阅账簿、实地查看等方法，考察公司固定资产的构成及状况。

根据公司固定资产折旧政策，对固定资产折旧进行重新计算。分析累计折旧占固定资产原值的比重，判断固定资产是否面临淘汰、更新、大修、技术升级等情况，并评价其对公司财务状况和持续经营能力的影响程度。

关注公司购建、处置固定资产等是否履行了必要的审批程序，手续是否齐全。

第三十七条　调查公司无形资产的真实性、准确性、完整性和合理性。

通过查阅公司经审计的财务报告、询问会计人员，了解公司无形资产的计价政策、摊销方法、摊销年限，评价相关会计政策和估计是否符合会计准则的相关规定，判断其合理性。

通过查阅投资合同、资产评估报告、资产权属证明、账簿等方法，对股东投入的无形资产，评价无形资产的入账价值是否有充分的依据，关注投资方取得无形资产的方式是否合法；对公司购买的无形资产，关注出售方与公司是否存在关联方关系，无形资产定价是否合理；对公司自行开发的无形资产，关注其确认时间和价值是否符合会计准则的相关规定。

关注处置无形资产是否履行了必要的审批程序，手续是否齐全。当预计某项无形资产已经不能带来未来经济效益时，关注公司是否已将该项无形资产的账面价值予以转销。

第三十八条　调查公司资产减值准备的真实性、准确性、完整性和合理性。

通过查阅公司经审计的财务报告、询问会计人员等方法，了解公司各项资产减值准备的计提方法是否符合会计准则的相关规定，依据是否充分，比例是否合理。

采用重新计算、分析等方法，考察公司资产减值准备的计提情况是否与资产质量状况相符。

关注公司资产减值准备的计提、冲销和转回等是否履行了必要的审批程序，计提方法和比例是否随意变更，金额是否异常，分析是否存在利用资产减值准备调节　利润的情形。

第三十九条　调查公司历次资产评估情况。

通过查阅公司董事会决议，相关的资产评估报告，与公司相关业务人员交谈，咨询专业资产评估机构，调查公司自成立之日起的历次资产评估情况，包括资产评估的原因及相关用途；资产评估机构的名称及主要评估方法，资产评估前的账面值，评估值及增减情况，增减变化幅度较大的，应说明原因。

第四十条　调查公司应付款项的真实性、准确性、完整性和合理性。

查阅公司应付账款明细资料，结合公司行业特点和业务状况等因素，评价应付账款余额及其变动是否合理。抽查大额应付账款，调查其真实性、产生的原因、时间和相关采购业务的执行情况。核查应付票据的产生以及票据的利息核算，关注由此产生的风险。

分析公司应付账款和其他应付款账龄的合理性，了解账龄较长款项的形成原因及公司采取的措施。

第四十一条　调查公司收入的真实性、准确性、完整性和合理性。

通过询问会计人员，查阅银行存款、应收账款、收入等相关账簿，查阅公司销售商品或提供劳务的合同、定单、发出商品或提供劳务的凭证、收款凭证、发票、增值税、关税等完税凭证、销售退回凭证等，了解公司的收入确认会计政策是否符合会计准则的相关规定，核查公司是否虚计收入、是否存在提前或延迟确认收入的情况；了解公司收入构成，分析公司产品的价格、销量等影响因素的变动情况，判断收入是否存在异常变动或重大变动，并调查原因。关注公司销售模式对其收入确认的影响及是否存在异常。

第四十二条　调查公司成本的真实性、准确性、完整性和合理性。

通过查阅公司的生产流程管理文件和财务文件，与公司业务人员、会计人员访谈等方法，了解公司生产经营各环节的成本核算方法和步骤，确认公司的成本核算方法是否与业务情况相符，报告期内是否发生变化；取得公司主要产品或服务的成本明细表，分析产品或服务的单位成本构成情况，并结合公司生产经营情况、市场和同行业企业情况（如原材料市场价格、燃料和动力的耗用量、员工工资水平等），判断公司成本的合理性；关注公司是否存在未及时结转成本的情况。

第四十三条　调查公司广告费、研发费用、利息费等费用项目的真实性、准确性、完整性和合理性。

通过查阅重要广告合同、付款凭证等，分析广告费的确认时间和金额是否符合会计准则的相关规定，关注公司是否存在提前或延迟确认广告费的情况。

查阅账簿、凭证,询问相关业务人员等,调查公司是否存在将研究费用资本化的不合理情况。

通过查阅资本支出凭证、利息支出凭证、开工证明等资料,现场查看固定资产购建情况,重新计算利息费用等方法,调查公司利息费用资本化的情况是否符合会计准则的相关规定。对计入当期损益的利息费用,通过查阅借款合同、资金使用合同、利息支出凭证,重新计算等方法,调查公司利息费用是否真实、完整,关注逾期借款利息、支付给关联方的资金使用费等,评价公司是否存在财务费用负担较重的风险以及有关利息费用支付合同的有效性和公允性。

第四十四条 调查公司非经常性损益的真实性、准确性、完整性和合理性。

取得公司非经常性损益明细表,计算非经常损益及其占利润总额的比例,对非经常性损益占利润总额比例较高的,应通过查阅相关事项法律文件、审批记录、账簿、凭证、合同等方法,分析相关损益同公司正常经营业务的关联程度以及可持续性,判断其对公司财务状况和经营成果的影响。

第四十五条 调查公司最近两年的股利分配政策、实际股利分配情况以及公司股票公开转让后的股利分配政策。

第四十六条 调查公司合并财务报表。

通过查阅公司及其子公司经审计的财务报告,结合对公司投资事项的调查,了解公司与其子公司的股权关系,调查公司合并范围的确定及变动是否合理、公司与其子公司会计期间和会计政策是否一致及不一致时的处理是否符合相关规定、尽职调查所涵盖期间内合并范围是否发生变动,评价公司合并财务报表合并抵销的内容和结果是否准确。

对于纳入合并范围的子公司,应对其财务状况按照本指引的要求一并进行调查。

第四十七条 调查公司的关联方、关联方关系及关联方交易,说明相应的决策权限、决策程序、定价机制等情况,并根据交易的性质和频率,分别评价经常性和偶发性关联交易对公司财务状况和经营成果的影响。

通过与公司管理层交谈、查阅公司股权结构图和组织结构图、查阅公司重要会议记录和重要合同等方法,确认公司的关联方及关联方关系。

通过与公司管理层、会计机构和主要业务部门负责人交谈、查阅账簿和相关合同、听取律师及注册会计师意见等方法,调查公司关联方交易的以下内容:

(一)决策是否按照公司章程或其他规定履行了必要的审批程序;尤其是定价是否公允,与市场独立第三方价格是否有较大差异。如有,管理层应说明原因;

(二)来自关联方的收入占公司主营业务收入的比例、向关联方采购额占公司采购总额的比例;

(三)关联方的应收、应付款项余额分别占公司应收、应付款项余额的比例是否较高,关注关联方交易的真实性和关联方应收款项的可收回性;

(四)关联方交易产生的利润占公司利润总额的比例是否较高;

(五)关联方交易有无大额销售退回情况。如有,关注其对公司财务状况的影响;

(六)是否存在关联方关系非关联化的情形,例如,与非正常业务关系单位或个人发生的偶发性或重大交易,缺乏明显商业理由的交易,实质与形式明显不符的交易,交易价格、条件、形式等明显异常或显失公允的交易,应当考虑是否为虚构的交易、是否实质上是关联方交易、该交易背后是否还有其他安排;

(七)关联方交易存在的必要性和持续性,以及减少和规范关联交易的具体安排。

第四十八条 核查注册会计师对公司财务报告的审计意见。

通过查阅审计报告,核实注册会计师对公司财务报告出具的审计意见类型。如审计意见为带强调事项段的无保留意见,应要求公司董事会和监事会对审计报告涉及事项的处理情况作出说明,并关注该事项对公司的影响是否重大、影响是否已经消除、违反公允性的事项是否已予纠正。

第四十九条 公司最近二年更换会计师事务所的,项目小组应通过咨询会计人员、查阅会议记录、取得公司管理层说明等方法,调查公司更换会计师事务所的原因,履行审批程序情况,以及前后任会计师事务所的专业意见情况等。

第四节 公司合法合规调查

第五十条 调查公司设立及存续情况。

(一)通过查阅公司的设立批准文件、营业执照、公司章程、工商变更登记资料、工商年检等文件,判断公司设立、存续的合法性,核实公司设立、存续是否满二年。

(二)调查公司历次股权变动的情况,包括转让协议,转让价格、资产评估报告(如有),新股东所取得的各种特殊权利(如优先清算权、优先购买权、随售权等),此次转让后变更的公司章程以及董事会的变化情况。

(三)主办券商应对有限责任公司整体变更为股份有限公司(以下简称"改制")进行重点调查,调查内容包括:查阅公司改制的批准文件、营业执照、公司章程、工商登记资料等文件,判断公司改制的合法合规性;查阅审计报告、验资报告等,调查公司改制时是否以变更基准日经审计的原账面净资产额为依据,折合股本总额是否不高于公司净资产;通过咨询公司律师或法律顾问,查阅董事会和股东会决议等文件,调查公司最近二年内主营业务和董事、高级管理人员是否发生重大变化,实际控制人是否发生变更,如发生变化或变更,判断对公司持续经营的影响。

第五十一条 调查公司最近二年股权变动的合法合规性以及股本总额和股权结构是否发生变化。

第五十二条 调查公司最近二年是否存在重大违法违规行为。

通过咨询公司律师或法律顾问,查阅已生效的判决书、行政处罚决定书以及其他能证明公司存在违法违规行为的证据性文件,判断公司是否存在重大违法违规行为。

通过询问公司管理层,查阅公司档案,向税务部门等查询,了解公司是否有违法违规记录。

第五十三条 通过与公司股东或股东的法定代表人交谈,查阅工商变更登记资料等,调查公司股份是否存在转让限制的情形,并取得公司股东或股东的法定代表人的股份是否存在质押等转让限制情形、是否存在股权纠纷或潜在纠纷的书面声明。

第五十四条 调查公司主要财产的合法性,是否存在法律纠纷或潜在纠纷以及其他争议。

通过查阅公司房产,土地使用权,商标、专利、版权、特许经营权等无形资产,以及主要生产经营设备等主要财产的权属凭证、相关合同等资料,咨询公司律师或法律顾问的意见,必要时进行实地查看,重点关注公司是否具备完整、合法的财产权属凭证,商标权、专利权、版权、特许经营权等的权利期限情况,判断是否存在法律纠纷或潜在纠纷。

第五十五条　调查公司的重大债务，重点关注将要履行、正在履行以及虽已履行完毕但可能存在潜在纠纷的重大合同的合法性、有效性；是否有因环境保护、知识产权、产品质量、劳动安全、人身权等原因产生的债务；以及公司金额较大的其他应付款是否因正常的生产经营活动发生，是否合法。

第五十六条　调查了解公司的纳税情况是否符合法律、法规和规范性文件的要求。

通过询问公司税务负责人，查阅公司税务登记证，了解公司及其控股子公司执行的税种、税率，查阅公司的纳税申报表、税收缴款书、税务处理决定书或税务稽查报告等资料，关注公司纳税情况是否符合法律、法规和规范性文件的要求，公司是否存在拖欠税款的情形，是否受过税务部门的处罚。

通过查阅公司有关税收优惠、财政补贴的依据性文件，判断公司享受优惠政策、财政补贴是否合法、合规、真实、有效。

第五十七条　调查公司环境保护和产品质量、技术标准是否符合相关要求。

通过询问公司管理层及相关部门负责人，咨询公司律师或法律顾问，取得公司有关书面声明等，关注公司生产经营活动是否符合环境保护的要求，是否受过环境保护部门的处罚；公司产品是否符合有关产品质量及技术标准，是否受过产品质量及技术监督部门的处罚。

第五十八条　通过对公司控股股东、实际控制人、董监高、核心技术（业务）人员访谈，询问公司律师或法律顾问，核查公司是否存在违约金或诉讼、仲裁费用的支出，走访公司住所地的法院和仲裁机构等方法，调查公司是否存在重大诉讼、仲裁和其他重大或有事项，分析该等已决和未决诉讼、仲裁与其他重大或有事项对公司的重大影响，并取得管理层对公司重大诉讼、仲裁和其他重大或有事项情况及其影响的书面声明。

第三章　尽职调查报告

第五十九条　在尽职调查报告扉页，财务会计调查人员、法律事项调查人员、行业分析师应分别声明：其已按照本指引的要求，对公司的财务会计相关事项、对公司的法律相关事项、对公司的行业和业务相关事项进行了尽职调查，有充分理由确信尽职调查报告内容不致因上述内容出现虚假记载、误导性陈述及重大遗漏，并对报告的真实性、准确性和完整性承担相应责任。

此外，项目小组负责人应声明：其已按照本指引的要求，对公司进行了尽职调查，有充分理由确信尽职调查报告无虚假记载、误导性陈述及重大遗漏，并对报告真实性、准确性和完整性承担相应责任。

第六十条　项目小组应在尽职调查报告中说明尽职调查涵盖的期间、调查范围、调查事项、调查程序和方法、发现的问题及存在的风险、评价或判断的依据等。项目小组应在尽职调查报告中说明公司对不规范事项的整改情况。

第六十一条　项目小组应在尽职调查报告中对公司的下列事项发表独立意见：

（一）公司控股股东、实际控制人情况及持股数量；

（二）公司的独立性；

（三）公司治理情况；

（四）公司规范经营风险；

（五）公司的法律风险；

（六）公司的财务风险；

（七）公司的持续经营能力；

（八）公司是否符合挂牌条件。

第六十二条　项目小组各成员应在尽职调查报告上签字，并加盖主办券商公章和注明报告日期。

第六十三条　除诸如有关公司基本情况等介绍性内容外，尽职调查报告应避免与挂牌申请文件中其他材料的有关内容重复。

第四章　尽职调查工作底稿

第六十四条　尽职调查工作底稿（以下简称“工作底稿”），是指项目小组在尽职调查过程中获取和制作的、与推荐挂牌业务相关的各种工作记录和重要资料的总称。

第六十五条　工作底稿应真实、准确、完整地反映所实施的尽职调查工作，并应成为出具尽职调查报告、推荐报告的基础。工作底稿是评价项目小组是否诚实守信、勤勉尽责地开展尽职调查工作的重要依据。

第六十六条　主办券商及相关人员对工作底稿中的未公开披露的信息负有保密责任。

第六十七条　本章的规定仅是对工作底稿的一般要求。无论本章是否有明确规定，凡对项目小组履行尽职调查职责有重大影响的文件资料及信息，均应作为工作底稿予以留存。

公司子公司对公司业务经营或财务状况有重大影响的，主办券商应参照本章根据重要性和合理性原则对该子公司单独编制工作底稿。

第六十八条　工作底稿包括工作记录和附件，其中工作记录用于记录调查过程、调查内容、方法和结论等；附件是项目小组取得或制作的、能够证明所实施的调查工作、支持调查结论的相关资料，是进一步说明工作记录的支撑性文件；附件应直接附于工作记录之后。

第六十九条　工作底稿应内容完整、格式规范、记录清晰、结论明确。工作记录内容至少包括：公司名称、调查事项的时间或期间、调查人员、调查日期、调查地点、调查过程、调查内容、方法和结论、其他应说明的事项等。工作底稿应有调查人员及与调查相关人员的签字。

对于从公司或第三方取得并经确认的相关资料，除注明资料来源外，调查人员还应实施必要的调查程序，形成相应的调查记录和必要的签字。

第七十条　对于取得的附件，如为公司出具的，应要求公司加盖公章；如为第三方出具的，应由第三方加盖公章；如第三方无法加盖公章，应由公司加盖公章，以确认与原件一致。对于访谈笔录，应由访谈人和被访谈人签字确认。项目小组成员自行制作的附件，项目小组成员应签字确认。

第七十一条　工作底稿可以纸质文档、电子文档或者其他介质形式的文档留存，其中重要的工作底稿应采用纸质文档的形式。以纸质以外的其他介质形式存在的工作底稿，应以可独立保存的形式留存。

第七十二条　主办券商应对工作底稿建立统一目录以便于查阅与核对。

工作底稿中的工作记录和附件均应标有索引编号。索引编号应统一规范、清晰有序。工作底稿各章节　之间应有明显的分隔标识。相关工作底稿之间，应保持清晰的勾稽关系。相互引用时，相关工作底稿上应交叉注明索引编号。

第七十三条　主办券商应建立工作底稿管理制度，明确工作底稿收集整理的责任人员、归档保管流程、借阅程序与检查办法等。

工作底稿的纸制与电子文档保存期不少于十年。

第五章　附则

第七十四条　本指引由全国股份转让系统公司负责解释。

第七十五条　本指引自发布之日起施行。

公司业务类

全国中小企业股份转让系统非上市公众公司重大资产重组业务指引

（试行）

第一章　总则

第一条　为规范股票在全国中小企业股份转让系统（以下简称全国股份转让系统）公开转让的公众公司（以下简称公司）重大资产重组的信息披露和相关业务办理流程，根据《非上市公众公司监督管理办法》、《非上市公众公司重大资产重组管理办法》（以下简称《重组办法》）等部门规章以及全国中小企业股份转让系统有限责任公司（以下简称全国股份转让系统公司）相关业务规则，制定本指引。

第二条　本指引所称重大资产重组，是指公司及其控股或者控制的企业在日常经营活动之外购买、出售资产或者通过其他方式进行资产交易，导致公司业务、资产发生重大变化的资产交易行为。公司重大资产重组的判断标准，适用《重组办法》的有关规定。

公司进行重大资产重组，应当符合《重组办法》中关于公众公司重组的各项要求。

第三条　公司必须保证重大资产重组事项（以下简称重大重组事项）的真实性并及时进行信息披露，不得虚构重大重组事项向全国股份转让系统公司申请暂停转让或发布信息，损害投资者权益。

第四条　全国股份转让系统公司对公司重大资产重组信息披露文件的完备性进行审查。

为公司提供持续督导的主办券商未担任公司独立财务顾问的，应当遵守《全国中小企业股份转让系统业务规则（试行）》的规定，履行持续督导义务。

第二章　暂停转让与内幕知情人报备

第五条　公司与交易对方筹划重大重组事项时，应当做好保密工作和内幕信息知情人登记工作，密切关注媒体传闻、公司股票及其他证券品种（以下简称证券）的转让价格变动情况，并结合重大重组事项进展，及时申请公司证券暂停转让并报送材料。

在公司证券暂停转让前，全国股份转让系统公司不接受任何与该公司重大重组事项相关的业务咨询，也不接收任何与重大资产重组相关的材料。

第六条　公司出现下列情形之一时，应当立即向全国股份转让系统公司申请公司证券暂停转让：

（一）交易各方初步达成实质性意向；

（二）虽未达成实质意向，但在相关董事会决议公告前，相关信息已在媒体上传播或者预计该信息难以保密或者公司证券转让价格出现异常波动；

（三）本次重组需要向有关部门进行政策咨询、方案论证。

除挂牌公司申请证券暂停转让的情形外，全国股份转让系统有权在必要情况下对挂牌公司证券主动实施暂停转让。

第七条　公司因本指引第六条规定情形申请暂停转让的，应当按照《全国中小企业股份转让系统挂牌公司暂停与恢复转让业务指南（试行）》（以下简称《暂停与恢复转让业务指南》）的规定办理证券暂停转让与恢复转让的相关事宜。

第八条　在公司证券转让时段，全国股份转让系统公司不接受任何关于公司重大重组事项的暂停转让申请及材料报送。全国股份转让系统公司设立专门的纸质文件传真机（传真号010－63889872），在转让日收市后15时30分至16时30分之间接收公司的暂停转让申请。公司通过其他方式、其他渠道提交的暂停转让申请不得早于通过前述专门用途传真机的提交时间。

全国股份转让系统公司对公司重大重组事项暂停转让申请实行统一登记、集中管理。公司必须在确认公司证券已暂停转让后才能开始与我司工作人员沟通重大重组事项相关业务。

第九条　公司须根据《暂停与恢复转让业务指南》发布公司证券暂停转让的公告，并在公告中明确恢复转让的最晚时点。证券暂停转让时间由公司自主确定，但原则上不应超过3个月，且恢复转让日与重大重组事项首次董事会召开的时间间隔不得少于9个转让日。

暂停转让时间确需超过3个月的，应当向全国股份转让系统公司说明理由，并在取得全国股份转让系统公司的同意后发布关于公司证券长期暂停转让的公告。

挂牌公司证券暂停转让后，应当每月披露一次重大资产重组进展情况报告，说明重大资产重组的谈判、批准、定价等事项进展情况和可能影响重组的不确定因素。

第十条　公司应当在证券暂停转让之日起5个转让日内，按照《全国中小企业股份转让系统重大资产重组业务指南第1号：非上市公众公司重大资产重组内幕信息知情人报备指南》的要求，向全国股份转让系统公司提交完整的内幕信息知情人及直系亲属名单、相关人员买卖公司证券的自查报告、公司重大资产重组交易进程备忘录及公司全体董事对内幕信息知情人报备文件真实性、准确性和完整性的承诺书。

公司预计证券暂停转让日距离重大资产重组首次董事会召开不足5个转让日的，应当在申请暂停转让的同时提交上述材料。

第十一条　全国股份转让系统公司在收到内幕信息知情人名单及自查报告后，将对内幕信息知情人在暂停转让申请日前六个月的公司证券转让情况进行核查。

发现异常转让情况，全国股份转让系统有权要求公司、独立财务顾问及其他相关主体对转让情况做出进一步核查；涉嫌利用公司重大资产重组信息从事内幕交易、操纵证券市场等违法活动的，全国股份转让系统有权采取自律管理措施，并向中国证监会报告。

第三章　信息披露与恢复转让

第十二条　公司应当在重大重组事项首次董事会召开后2个转让日内，按《重组办法》及相关规范性文件的要求制作并披露相关的信息披露文件。

第十三条　全国股份转让系统在公司信息披露后的5个转让日内对信息披露的完备性进行审查；全国股份转让系统

对信息披露未提出异议的，公司应当在审查期满后向全国股份转让系统申请证券恢复转让。

发现信息披露存在完备性问题的，全国股份转让系统有权要求公司对存在问题的信息披露内容进行解释、说明和更正；公司预计在原定最晚恢复转让日仍无法恢复转让的，应当在接到全国股份转让系统关于信息披露异议的同时，申请延后最晚恢复转让日。

发现公司重大资产重组信息披露涉嫌虚假披露、误导性陈述、重大遗漏或存在程序不规范问题的，全国股份转让系统有权采取自律监管措施并向中国证监会报告，公司应当同时申请证券持续暂停转让。

第十四条　公司预计在最晚恢复转让日前7个转让日仍无法进行首次信息披露的，应当至少在最晚恢复转让日前9个转让日将相关情况书面告知全国股份转让系统公司，并同时申请延后最晚恢复转让日。

暂停转让延后申请获得全国股份转让系统公司批准后，公司应当在2个转让日内发布重大资产重组进展情况报告，说明延迟披露的原因、更改后的最晚恢复转让日以及重大资产重组的最新进展情况。此后，公司应当每5个转让日比照上述要求进行一次信息披露。

因全国股份转让系统公司对信息披露提出异议申请延后最晚恢复转让日的，公司须按上述要求履行相关的信息披露程序。

第十五条　公司聘请的独立财务顾问应当对公司是否可以及时披露信息进行判断，发现公司可能或确定无法及时披露信息的，应当督促公司主动书面告知全国股份转让系统并申请延后最晚恢复转让日。

公司根据本指引第十四条需要披露重大资产重组进展报告的，独立财务顾问应当同时披露风险揭示公告，就延后披露信息的原因及可能造成的风险向投资者进行解释说明。

第十六条　公司未向全国股份转让系统申请延后最晚恢复转让日，且在最晚恢复转让日前7个转让日仍未能进行首次信息披露的，全国股份转让系统有权要求独立财务顾问对相关情况进行核查，并根据核查结果采取自律管理措施。情节严重的，可以给予纪律处分、要求其暂停重大资产重组行为并报告中国证监会。

公司聘请的独立财务顾问应当在最晚恢复转让日后2个转让日内发布风险提示公告，就公司未能进行信息披露的原因及可能造成的风险向投资者进行解释说明。

第十七条　公司证券暂停转让期内，证监会对其作出终止重大资产重组决定的，全国股份转让系统公司有权强制恢复公司证券转让，并要求公司及其独立财务顾问履行相应的信息披露义务。

第十八条　因公司拟对交易对象、交易标的、交易价格等作出变更，构成原重组方案重大调整的，应当在董事会表决后重新提交股东大会审议，并重新履行申请暂停转让、内幕知情人报备、信息披露及申请恢复转让等程序。

支付手段发生变更的，应当视为重组方案的重大调整，并履行前款规定的相关程序。

第四章　发行股份购买资产

第十九条　公司发行股份购买资产构成重大资产重组且发行结束后股东人数不超过两百人的，应当向全国股份转让系统公司申请备案。

涉及重大资产重组的股票发行信息披露及具体操作流程，须遵守《重组办法》及本指引的要求，不再适用《全国中小企业股份转让系统股票发行业务细则（试行）》的有关规定。

涉及以发行股份和其他支付手段混合认购资产构成重大资产重组的，按照发行股份购买资产构成重大资产重组的规定办理。

第二十条　公司发行股份购买资产构成重大资产重组的，发行对象需满足中国证监会及全国股份转让系统公司关于投资者适当性的有关规定。

第二十一条　涉及以优先股、债券等其他支付手段购买资产构成重大资产重组的，应当适用《重组办法》的有关规定，并遵守中国证监会和全国股份转让系统公司的相关规范性文件。

第二十二条　公司涉及发行股份购买资产构成重大资产重组的，应当在验资完成后10个转让日内，根据《全国中小企业股份转让系统重大资产重组业务指南第2号：非上市公众公司发行股份购买资产构成重大资产重组文件报送指南》的要求，向全国股份转让系统公司报送股票发行备案或股票登记申请文件。

公司在取得全国股份转让系统出具的股份登记函后，应当及时办理新增股份登记。

第五章　退市公司补充规定

第二十三条　退市公司进行重大资产重组的，应当遵守《重组办法》及本指引的有关规定，并执行《重组办法》关于退市公司重大资产重组的特别规定。

第二十四条　退市公司在披露重大资产重组报告书时应当同时发布特别提示，对本次重大资产重组是否符合《重组办法》的要求以及公司在信息披露、公司治理方面的规范性进行说明。

第六章　附则

第二十五条　本指引由全国股份转让系统公司负责解释。

第二十六条　本指引自发布之日起实施。

全国中小企业股份转让系统股票发行业务细则

（试行）

第一章　总则

第一条　为了规范挂牌公司的股票发行行为，保护投资者合法权益，根据《非上市公众公司监督管理办法》（以下简称《管理办法》）、《全国中小企业股份转让系统有限责任公司管理暂行办法》、《全国中小企业股份转让系统业务规则（试行）》（以下简称《业务规则》）等有关规定，制定本细则。

第二条　本细则规定的股票发行，是指挂牌公司向符合规定的投资者发行股票，发行后股东人数累计不超过200人的行为。

实施本细则规定的股票发行，应当按照规定向全国中小企业股份转让系统有限责任公司（以下简称“全国股份转让系统公司”）履行备案程序。

第三条　挂牌公司股票发行，必须真实、准确、完整、及时、公平地披露信息，不得有虚假记载、误导性陈述或者重大遗漏。

挂牌公司的控股股东、实际控制人、股票发行对象及其他信息披露义务人，应当按照有关规定及时向公司提供信息，配合公司履行信息披露义务。

第四条　挂牌公司的董事、监事、高级管理人员、控股股东及实际控制人，主办券商、会计师事务所、律师事务所等证券服务机构及其相关人员，应当遵守有关法律法规、规章、规范性文件及业务规定，勤勉尽责，不得利用挂牌公司股票发行谋取不正当利益，禁止泄露内幕信息和利用内幕信息进行股票转让或者操纵股票转让价格。

第五条　挂牌公司、主办券商选择发行对象、确定发行价格或者发行价格区间，应当遵循公平、公正原则，维护公司及其股东的合法权益。

第六条　发行股票导致挂牌公司的控股股东或者实际控制人发生变化的，相关规定另行制定。

发行股票购买资产导致重大资产重组，且发行后股东人数累计不超过 200 人的，相关规定另行制定。

第二章　发行要求与认购规定

第七条　挂牌公司股票发行应当满足《管理办法》规定的公司治理、信息披露及发行对象的要求。

第八条　挂牌公司股票发行以现金认购的，公司现有股东在同等条　件下对发行的股票有权优先认购。每一股东可优先认购的股份数量上限为股权登记日其在公司的持股比例与本次发行股份数量上限的乘积。

公司章程对优先认购另有规定的，从其规定。

第九条　发行对象承诺对其认购股票进行转让限制的，应当遵守其承诺，并予以披露。

第十条　发行对象可用现金或者非现金资产认购发行股票。

第三章　董事会与股东大会决议

第十一条　挂牌公司董事会应当就股票发行有关事项作出决议。

第十二条　挂牌公司董事会作出股票发行决议，应当符合下列规定：

（一）董事会决议确定具体发行对象的，董事会决议应当明确具体发行对象（是否为关联方）及其认购价格、认购数量或数量上限、现有股东优先认购办法等事项。认购办法中应当明确现有股东放弃优先认购股票份额的认购安排。

已确定的发行对象（现有股东除外）与公司签署的附生效条　件的股票认购合同应当经董事会批准。

（二）董事会决议未确定具体发行对象的，董事会决议应当明确发行对象的范围、发行价格区间、发行价格确定办法、发行数量上限、现有股东优先认购办法等事项。

（三）发行对象用非现金资产认购发行股票的，董事会决议应当明确交易对手（应当说明是否为关联方）、标的资产、作价原则及审计、评估等事项。

（四）董事会应当说明本次发行募集资金的用途。

第十三条　董事会决议确定具体发行对象的，挂牌公司应当与相关发行对象签订附生效条　件的股票认购合同。

前款所述认购合同应当载明该发行对象拟认购股票的数量或数量区间、认购价格、限售期，同时约定本次发行经公司董事会、股东大会批准后，该合同即生效。

第十四条　挂牌公司股东大会应当就股票发行等事项作出决议。

第十五条　挂牌公司股东大会审议通过股票发行方案后，董事会决议作出重大调整的，公司应当重新召开股东大会并按照第十四条的规定进行审议。

第四章　发行与备案

第十六条　董事会决议确定具体发行对象的，挂牌公司应当按照本细则及有关要求，依据股票认购合同的约定发行股票；有优先认购安排的，应当办理现有股东优先认购手续。

第十七条　董事会决议未确定具体发行对象的，挂牌公司及主办券商可以向包括挂牌公司股东、主办券商经纪业务客户、机构投资者、集合信托计划、证券投资基金、证券公司资产管理计划以及其他个人投资者在内的询价对象进行询价，询价对象应当符合投资者适当性的规定。

第十八条　挂牌公司及主办券商应当在确定的询价对象范围内接收询价对象的申购报价；主办券商应根据询价对象的申购报价情况，按照价格优先的原则，并考虑认购数量或其他因素，与挂牌公司协商确定发行对象、发行价格和发行股数。

现有股东优先认购的，在相同认购价格下应优先满足现有股东的认购需求。

第十九条　依据第十八条规定确定发行价格后，挂牌公司应当与发行对象签订正式认购合同，发行对象应当按照合同约定缴款。

第二十条　挂牌公司应当在股票发行认购结束后及时办理验资手续，验资报告应当由具有证券、期货相关业务资格的会计师事务所出具。

第二十一条　主办券商和律师事务所应当在尽职调查基础上，分别对本次股票发行出具书面意见。

第二十二条　挂牌公司在验资完成后十个转让日内，按照规定向全国股份转让系统公司报送材料，履行备案程序。

第二十三条　全国股份转让系统公司对材料进行审查，并根据审查结果出具股份登记函，送达挂牌公司并送交中国证券登记结算有限责任公司（以下简称“中国结算”）和主办券商。

以非现金资产认购股票的情形，尚未完成相关资产权属过户或相关资产存在重大法律瑕疵的，全国股份转让系统公司不予出具股份登记函。

第二十四条　挂牌公司按照中国结算相关规定，向中国结算申请办理股份登记，并取得股份登记证明文件。

主办券商应当协助挂牌公司持股份登记函向中国结算办理股份登记手续。

挂牌公司完成股份登记的办理后，新增股票按照挂牌转让公告中安排的时间在全国中小企业股份转让系统挂牌转让。

第五章　信息披露

第二十五条　挂牌公司应当分别在董事会和股东大会通过股票发行决议之日起两个转让日内披露董事会、股东大会决议公告。

第二十六条　以非现金资产认购股票涉及资产审计、评估的，资产审计结果、评估结果应当最晚和召开股东大会的通知同时公告。

第二十七条　挂牌公司应当在披露董事会决议的同时，披露经董事会批准的股票发行方案。

第二十八条　挂牌公司应当在缴款期前披露股票发行认

购公告，其中应当披露缴款的股权登记日、投资者参与询价、定价情况，股票配售的原则和方式及现有股东优先认购安排（如有），并明确现有股东及新增投资者的缴款安排。

第二十九条　挂牌公司应当按照要求披露股票发行情况报告书、股票发行法律意见书、主办券商关于股票发行合法合规性意见和股票挂牌转让公告。

第六章　监管措施和违规处分

第三十条　挂牌公司及其董事、监事、高级管理人员、股东、实际控制人及其他相关信息披露义务人，主办券商、会计师事务所、律师事务所及其他证券服务机构，违反本细则及有关规定的，全国股份转让系统公司依据《业务规则》等有关规定采取相应监管措施及纪律处分。

第七章　附则

第三十一条　申请挂牌同时股票发行，应当在《公开转让说明书》中披露董事会、股东大会决议等内容，并遵守全国股份转让系统公司相关业务规则。

第三十二条　经中国证监会核准的股票发行，公司应当在取得中国证监会的核准文件后，按照全国股份转让系统公司的规定办理股票挂牌手续。

第三十三条　挂牌公司发行优先股的具体业务规则由全国股份转让系统公司另行制定。

第三十四条　本细则由全国股份转让系统公司负责解释。

第三十五条　本细则自发布之日起施行。

全国中小企业股份转让系统票发行务指引第1号—备案文件的内容与格式

（试行）

第一条　为了规范股票发行备案文件的内容与格式，根据《全国中小企业股份转让系统业务规则（试行）》、《全国中小企业股份转让系统股票发行业务细则（试行）》等有关规定，制定本指引。

第二条　向全国股份转让系统公司履行股票发行备案程序的挂牌公司，应按照本指引要求制作和报送备案文件。

第三条　公司报送备案文件应提交原件一份，复印件二份。每次报送书面备案文件的同时，应报送一份与书面文件一致的电子文件（WORD、EXCEL、PDF及全国股份转让系统公司要求的其他文件格式）。

第四条　涉及非现金资产认购的，非现金资产若为股权资产，应当提供具有证券、期货相关业务资格的会计师事务所出具的标的资产最近一年及一期（如有）的审计报告，审计截止日距审议该交易事项的股东大会召开日不得超过6个月；非现金资产若为股权以外的其他非现金资产，应当提供资产评估事务所出具的评估报告，评估基准日距审议该交易事项的股东大会召开日不得超过1年。

第五条　本指引附录规定的备案文件目录是对股票发行备案文件的最低要求。根据备案审查需要，全国股份转让系统公司可以要求公司、主办券商、律师事务所及其他证券服务机构补充材料。

第六条　备案文件所有需要签名处，均应为签名人亲笔签名，不得以名章、签名章等代替。

第七条　备案文件的封面和侧面应标明“××公司股票发行备案文件”字样，扉页应标明挂牌公司法定代表人、董事会秘书或信息披露事务负责人，主办券商主管领导、项目负责人，以及相关中介机构项目负责人姓名、电话、传真等联系方式。

第八条　备案文件章与章之间、节与节之间应有明显的分隔标识，文件中的页码应与目录中的页码相符。

第九条　备案文件应采用标准A4纸张双面印刷（需提供原件的历史文件除外）。

第十条　本指引由全国股份转让系统公司负责解释。

第十一条　本指引自发布之日起施行。

全国中小企业股份转让系统股票发行业务指引第2号——股票发行方案及发行情况报告书的内容与格式

（试行）

第一章　总则

第一条　为了规范挂牌公司股票发行的信息披露行为，根据《全国中小企业股份转让系统业务规则（试行）》、《全国中小企业股份转让系统股票发行业务细则（试行）》等有关规定，制定本指引。

第二条　向全国股份转让系统公司履行股票发行备案程序的挂牌公司，编制并披露的股票发行方案和发行情况报告书应当符合本指引的要求。

第三条　在不影响信息披露完整性并保证阅读方便的前提下，对定期报告、临时公告或者其他信息披露文件中曾经披露过的信息，如未发生变化，公司可以采取索引的方法进行披露。

第四条　本指引有关要求对本次发行不适用或者需要豁免适用的，公司应当向全国股份转让系统公司提出申请，经同意后，公司可根据实际情况进行调整，并在提交发行申请文件时作出书面说明。

第二章　股票发行方案

第五条　股票发行方案文本封面应标有“×××公司股票发行方案”字样，并载明公司、主办券商的名称和住所。

第六条　股票发行方案扉页应载有如下声明：

“本公司全体董事、监事、高级管理人员承诺股票发行方案不存在虚假记载、误导性陈述或重大遗漏，并对其真实性、准确性和完整性承担个别和连带的法律责任。”

“根据《证券法》的规定，本公司经营与收益的变化，由本公司自行负责，由此变化引致的投资风险，由投资者自行负责。”

第七条　公司应在股票发行方案的目录标明各章、节的标题及相应的页码，内容编排也应符合通行惯例。对可能造成投资者理解障碍及有特定含义的术语，公司应作出释义，并在目录次页排印。

第八条　股票发行方案应当至少包括以下内容：

（一）公司基本信息；

（二）发行计划；

（三）非现金资产的基本信息，包括资产名称、权属关系，及其审计或资产评估情况等；

（四）董事会关于资产定价合理性的讨论与分析（如有）；

（五）董事会关于本次发行对公司影响的讨论与分析；

（六）其他需要披露的重大事项；

（七）有关声明。

第九条　公司应当披露以下基本信息：

（一）公司名称、证券简称、证券代码；

（二）公司的注册地址、联系方式；

（三）公司的法定代表人、董事会秘书或信息披露负责人。

第十条　公司应在发行计划中披露以下内容：

（一）发行目的；

（二）发行对象或发行对象的范围，以及现有股东的优先认购安排；

（三）发行价格或价格区间，以及定价方法；

（四）发行股份数量或数量上限，预计募集资金总额；

（五）在董事会决议日至股份认购股权登记日期间预计将发生除权、除息的，应说明发行数量和发行价格是否相应调整；此外，还应说明公司挂牌以来的分红派息、转增股本及其对公司价格的影响；

（六）本次发行股票的限售安排或发行对象自愿锁定的承诺，如无限售安排或自愿锁定承诺，也应予以说明；

（七）募集资金用途；

（八）本次发行前滚存未分配利润的处置方案；

（九）本次发行拟提交股东大会批准和授权的相关事项；

（十）本次发行涉及主管部门审批、核准或备案事项情况。

第十一条　发行对象以非现金资产认购发行股票的，还应按照第十二条、第十三条、第十四条的有关规定以及第十七条中关于"资产转让合同的内容摘要"的规定披露相关内容。

第十二条　以非股权资产认购发行股票的，应披露相关资产的下列基本情况：

（一）相关资产的名称、类别以及所有者和经营管理者的基本情况；

（二）资产权属是否清晰，是否存在权利受限、权属争议或者妨碍权属转移的其他情况；

相关资产涉及许可他人使用，或者作为被许可方使用他人资产的，应当简要披露许可合同的主要内容；资产交易涉及债权债务转移的，应当披露相关债权债务的基本情况、债权人同意转移的证明及与此相关的解决方案；所从事业务需要取得许可资格或资质的，还应当披露当前许可资格或资质的状况；涉及需呈报有关主管部门批准的，应说明是否已获得有效批准；

（三）相关资产独立运营和核算的，披露最近一年及一期（如有）经具有证券、期货相关业务资格的会计师事务所审计的财务报表及审计意见，被出具非标准审计意见的应当披露涉及事项及其影响；

（四）资产的交易价格、定价依据，资产评估方法及资产评估价值。

第十三条　以股权资产认购发行股票的，应披露相关股权的下列基本情况：

（一）股权所在公司的名称、企业性质、注册地、主要办公地点、法定代表人、注册资本、实收资本；股权及控制关系，包括公司的主要股东及其持股比例、最近两年控股股东或实际控制人的变化情况、股东出资协议及公司章程中可能对本次交易产生影响的主要内容、原高管人员的安排；

（二）股权权属是否清晰，是否存在权利受限、权属争议或者妨碍权属转移的其他情况；

股权资产为有限责任公司股权的，股权转让是否已取得其他股东同意，或有证据表明其他股东已放弃优先购买权；股权对应公司所从事业务需要取得许可资格或资质的，还应当披露当前许可资格或资质的状况；涉及需呈报有关主管部门批准的，应说明是否已获得有效批准；

（三）股权对应公司主要资产的权属状况及对外担保和主要负债情况；

（四）披露最近一年及一期（如有）经具有证券、期货相关业务资格的会计师事务所审计的财务报表及审计意见，被出具非标准审计意见的应当披露涉及事项及其影响；

（五）股权的交易价格、定价依据，资产评估方法及资产评估价值（如有）。

第十四条　资产交易价格以经审计的账面值为依据的，公司董事会应当对定价合理性予以说明。

资产交易根据资产评估结果定价的，在评估机构出具资产评估报告后，公司董事会应当对评估机构的独立性、评估假设前提和评估结论的合理性、评估方法的适用性、主要参数的合理性、未来收益预测的谨慎性等问题发表意见，并说明定价的合理性，资产定价是否存在损害公司和股东合法权益的情形。

第十五条　董事会应当就股票发行对公司的影响，披露以下内容：

（一）公司与控股股东及其关联人之间的业务关系、管理关系、关联交易及同业竞争等变化情况；

（二）发行对象以非现金资产认购发行股票的，说明相关资产占公司最近一年期末总资产、净资产的比重；相关资产注入是否导致公司债务或者或有负债的增加，是否导致新增关联交易或同业竞争；

（三）本次发行对其他股东权益或其他类别股东权益的影响；

（四）与本次发行相关特有风险的说明。

第十六条　为增加公司信息披露透明度，公司还应披露以下重大事项：

（一）是否存在公司的权益被股东及其关联方严重损害且尚未消除的情形；

（二）是否存在公司及其附属公司违规对外提供担保且尚未解除的情形；

（三）是否存在现任董事、监事、高级管理人员最近二十四个月内受到过中国证监会行政处罚（指被处以罚款以上行政处罚的行为；被处以罚款的行为，除主办券商和律师能依法合理说明或处罚机关认定该行为不属于重大违法违规行为的外，都应当披露）或者最近十二个月内受到过全国股份转让系统公司公开谴责的情形；

（四）是否存在其他严重损害股东合法权益或者社会公共利益的情形；

（五）附生效条件的股票认购合同的内容摘要（如有）。

第十七条　董事会决议确定具体发行对象的，应当披露股票认购合同的内容摘要，至少应包括以下内容：

（一）合同主体、签订时间；

（二）认购方式、支付方式；

（三）合同的生效条件和生效时间；

（四）合同附带的任何保留条款、前置条件；

（五）自愿限售安排；

（六）估值调整条款（例如以达到约定业绩为条件的股权质押、股权回购或现金支付等）；

（七）违约责任条款。

资产转让合同的内容摘要除满足前款规定外，至少还应包括：

（一）目标资产及其价格或定价依据；

（二）资产交付或过户时间安排；

（三）资产自评估截止日至资产交付日或过户日所产生收益的归属；

（四）与资产相关的负债及人员安排。

第十八条　公司应披露下列机构的名称、法定代表人、住所、联系电话、传真，同时应披露有关经办人员的姓名：

（一）主办券商；

（二）律师事务所；

（三）会计师事务所；

（四）资产评估机构（如有）；

（五）其他与股票发行有关的机构。

第十九条　公司全体董事、监事、高级管理人员应在股票发行方案的尾页签名，并加盖公司公章。

第三章　股票发行情况报告书

第二十条　股票发行情况报告书应至少包括以下内容：

（一）本次发行的基本情况；

（二）发行前后相关情况对比；

（三）新增股份限售安排（如有）；

（四）主办券商关于本次股票发行合法合规性的结论性意见；

（五）律师事务所关于本次股票发行的结论性意见；

（六）公司全体董事、监事、高级管理人员的公开声明；

（七）备查文件。

第二十一条　发行基本情况应包括本次发行股票的数量、发行价格、现有股东优先认购的情况、其他发行对象情况及认购股份数量等。

第二十二条　发行前后相关情况对比应至少包括以下内容：

（一）本次发行前后前 10 名股东持股数量、持股比例及股票限售等比较情况；

（二）本次发行前后股本结构、股东人数、资产结构、业务结构、公司控制权以及董事、监事、高级管理人员及核心员工持股的变动情况；

（三）发行后主要财务指标变化。最近两年主要财务指标、按股票发行完成后总股本计算的每股收益等指标的变化情况。

第二十三条　本次股票发行股份如有限售安排的，应当予以说明；如无限售安排的，也应说明。

第二十四条　发行情况报告书应披露主办券商关于本次发行合法合规性的结论性意见，至少包括以下内容：

（一）关于本次股票发行是否符合豁免申请核准条件的意见；

（二）关于公司治理规范性的意见；

（三）关于公司是否规范履行了信息披露义务的意见；

（四）关于本次股票发行对象是否符合投资者适当性要求的意见；

（五）关于发行过程及结果是否合法合规的意见；

（六）关于发行定价方式、定价过程是否公正、公平，定价结果是否合法有效的意见；

（七）关于公司本次股票发行现有股东优先认购安排规范性的意见；

（八）主办券商认为应当发表的其他意见。

第二十五条　发行情况报告书应披露律师事务所关于本次股票发行法律意见书的结论性意见，至少包括以下内容：

（一）公司是否符合豁免向中国证监会申请核准股票发行的条件；

（二）发行对象是否符合中国证监会及全国股份转让系统公司关于投资者适当性制度的有关规定；

（三）发行过程及结果合法合规性的说明，包括但不限于：董事会、股东大会议事程序是否合规，是否执行了公司章程规定的表决权回避制度，发行结果是否合法有效等；

（四）与本次股票发行相关的合同等法律文件是否合法合规；

（五）安排现有股东优先认购的，应当对优先认购的相关程序及认购结果进行说明；依据公司章程排除适用的，也应当对相关情况进行说明；

（六）以非现金资产认购发行股份的，应当说明资产评估程序是否合法合规，是否存在资产权属不清或者其他妨碍权属转移的法律风险；标的资产尚未取得完备权属证书的，应说明取得权属证书是否存在法律障碍；

以非现金资产认购发行股份涉及需呈报有关主管部门批准的，应说明是否已获得有效批准；资产相关业务需要取得许可资格或资质的，应说明是否具备相关许可资格或资质；

（七）律师认为需要说明的其他问题。

律师已勤勉尽责仍不能发表肯定性意见的，应发表保留意见，并说明相应的理由及其对本次股票发行的影响。

第二十六条　股票发行方案首次披露后，公司就本次发行的有关事项作出调整的，董事会应在发行情况报告书中做出专门说明，说明调整的内容及履行的审议程序。

第二十七条　公司全体董事、监事、高级管理人员应在发行情况报告书正文后声明：

“公司全体董事、监事、高级管理人员承诺本发行情况报告书不存在虚假记载、误导性陈述或重大遗漏，并对其真实性、准确性和完整性承担个别和连带的法律责任”。

公司全体董事、监事、高级管理人员应在股票发行方案的尾页签名，并加盖公司公章。

第四章　附则

第二十八条　本指引由全国股份转让系统公司负责解释。

第二十九条　本指引自发布之日起施行。

全国中小企业股份转让系统股票发行业务指引第 3 号——主办券商关于股票发行合法合规性意见的内容与格式

（试行）

第一章　总则

第一条　为了规范挂牌公司股票发行的信息披露行为，根据《全国中小企业股份转让系统业务规则（试行）》、《全国中小企业股份转让系统股票发行业务细则（试行）》等有关规定，制定本指引。

第二条　主办券商为根据《非上市公众公司监督管理办法》（以下简称《管理办法》）向全国股份转让系统公司履行股票发行备案程序的挂牌公司出具股票发行合法合规性意见，应当按照本指引第二章的要求编制，并与股票发行情况报告书一同披露。

第三条　主办券商出具股票发行合法合规性意见，应建立在充分了解公司经营状况、风险等现存问题的基础之上，切实对公司股票发行履行尽职调查职责，保证报告相关内容的真实、准确、完整及报告结论的客观性。

第四条　主办券商应在合法合规性意见中对照本指引及有关规定逐项发表明确的结论性意见，并载明得出每项结论的查证过程及事实依据。

第二章　股票发行合法合规性意见必备内容

第五条　股票发行主办券商合法合规性意见应当包括以下内容：

（一）关于本次股票发行是否符合豁免申请核准条　件的意见；

（二）关于公司治理规范性的意见；

（三）关于公司是否规范履行了信息披露义务的意见；

（四）关于本次股票发行对象是否符合投资者适当性要求的意见；

（五）关于发行过程及结果是否合法合规的意见；

（六）关于发行定价方式、定价过程是否公正、公平，定价结果是否合法有效的意见；

（七）关于公司本次股票发行现有股东优先认购安排规范性的意见；

（八）主办券商认为应当发表的其他意见。

第六条　主办券商应对公司符合《管理办法》中豁免申请核准股票发行的情形进行说明。

第七条　主办券商应当对公司治理是否存在违反《管理办法》第二章规定的情形发表明确意见；如不存在违规情形，也应当进行说明。

第八条　主办券商应对公司是否已按照相关规定，真实、准确、完整、及时、公平地披露了本次股票发行应当披露的信息发表明确意见。

主办券商还应对公司在申请挂牌及挂牌期间是否规范履行了信息披露义务，是否曾因信息披露违规或违法，被全国股份转让系统公司依法采取监管措施或纪律处分、被中国证监会采取监管措施或给予行政处罚进行说明。

对于曾被给予行政处罚、采取监管措施或纪律处分的挂牌公司，主办券商应在合法合规性意见中就被惩处事项对公司的影响、是否已督促挂牌公司及时改正、相关责任人处理情况及相关信息披露事项的整改情况进行说明。

第九条　主办券商应当对本次股票发行新增股东是否符合投资者适当性要求发表明确意见，并列明做出判断的主要依据。

第十条　主办券商应对本次股票发行过程的规范性及结果的有效性发表明确意见，包括但不限于：董事会、股东大会议事程序是否合规，是否执行了公司章程规定的表决权回避制度，发行结果是否合法有效等。

第十一条　主办券商应对本次股票发行定价程序的规范性及结果的有效性发表意见。

发行对象使用非现金资产认购发行股票的，主办券商应在合法合规性意见中对交易对手是否为关联方、标的资产权属是否清晰、审计或资产评估是否规范等事项发表明确意见。

涉及需呈报有关主管部门批准的，主办券商需对是否已获得有效批准发表明确意见；资产相关业务需要取得许可资格或资质的，主办券商需对是否具备相关许可资格或资质发表明确意见。

第十二条　安排现有股东优先认购的，应当对优先认购的相关程序及认购结果进行说明；依据公司章程排除适用的，也应当对相关情况进行说明。

第十三条　若主办券商认为公司尚有未披露或未充分披露且对本次股票发行有影响的重大信息或事项，可以进行补充披露，并提示该信息或事项对本次股票发行可能造成的影响。

第十四条　主办券商法定代表人或法定代表人授权的代表、项目负责人应在合法合规性意见上签字，并加盖主办券商公章，注明报告日期。

主办券商法定代表人授权他人代为签字的，需同时提供授权委托书原件。

第三章　附则

第十五条　本指引由全国股份转让系统公司负责解释。

第十六条　本指引自发布之日起实施。

全国中小企业股份转让系统股票发行业务指引第4号——法律意见书的内容与格式（试行）

第一章　总则

第一条　为了规范挂牌公司股票发行的信息披露行为，根据《全国中小企业股份转让系统业务规则（试行）》、《全国中小企业股份转让系统股票发行业务细则（试行）》等有关规定，制定本指引。

第二条　律师事务所为根据《非上市公众公司监督管理办法》向全国股份转让系统公司履行股票发行备案程序的挂牌公司出具股票发行法律意见书，应当按照本指引第二章的要求编制，并与股票发行情况报告书一同披露。

第三条　公司聘请的律师事务所及其委派的律师（以下“律师”均指签名律师及其所任职的律师事务所），应在尽职调查基础上，按本指引的要求出具法律意见书，对照本指引及有关规定逐项发表明确意见或结论。

本指引仅是股票发行法律意见书内容的最低要求，本指引未明确要求，但律师认为对公司股票发行有重大影响的法律问题，律师应当发表意见。

第四条　律师应在法律意见书中详尽、完整地阐述所发表意见或结论的依据、进行有关核查验证的过程、所涉及的必要资料或文件。

第五条　对不符合有关法律、法规和中国证监会、全国股份转让系统公司有关规定的事项，或已勤勉尽责仍不能对其法律性质或其合法性作出准确判断的事项，律师应发表保留意见，并说明相应的理由。

第六条　法律意见书应由2名以上（含2名）经办律师和其所在律师事务所的负责人签名，并经该律师事务所加盖公章、签署日期。

第二章 法律意见书的必备内容

第七条 律师应在充分核查验证的基础上，对本次股票发行的下列（包括但不限于）事项明确发表结论性意见。所发表的结论性意见应包括是否合法合规、是否真实有效、是否存在纠纷或潜在风险；不存在下列事项的，也应明确说明：

（一）公司是否符合豁免向中国证监会申请核准股票发行的条件；

（二）发行对象是否符合中国证监会及全国股份转让系统公司关于投资者适当性制度的有关规定；

（三）发行过程及结果合法合规性的说明，包括但不限于董事会、股东大会议事程序是否合规，是否执行了公司章程规定的表决权回避制度，发行结果是否合法有效等；

（四）与本次股票发行相关的合同等法律文件是否合法合规；

（五）安排现有股东优先认购的，应当对优先认购的相关程序及认购结果进行说明；依据公司章程排除适用的，也应当对相关情况进行说明；

（六）以非现金资产认购发行股份的，应当说明资产评估程序是否合法合规，是否存在资产权属不清或者其他妨碍权属转移的法律风险；标的资产尚未取得完备权属证书的，应说明取得权属证书是否存在法律障碍；

以非现金资产认购发行股份涉及需呈报有关主管部门批准的，应说明是否已获得有效批准；资产相关业务需要取得许可资格或资质的，应说明是否具备相关许可资格或资质；

（七）律师认为需要说明的其他问题。

第八条 有下列情形之一的，律师应当发表保留意见并予以说明，充分揭示其对本次股票发行的影响程度及存在的风险：

（一）公司股票发行的全部或者部分事项不符合中国证监会和全国股份转让系统公司相关规定；

（二）股票发行的事实不清楚，材料不充分，不能全面反映客观情况；

（三）核查和验证范围受到客观条件的限制，律师无法取得应有证据；

（四）律师已要求公司纠正、补充，而公司未予以纠正、补充；

（五）律师已依法履行勤勉尽责义务，仍不能对全部或者部分事项作出准确判断；

（六）律师认为应当予以说明的其他情形。

律师出具保留意见的，全国股份转让系统公司可以要求公司予以说明或改正。

第三章 附则

第九条 本规则由全国股份转让系统公司负责解释。

第十条 本规则自公布之日起施行。

全国中小企业股份转让系统挂牌公司信息披露细则（试行）

第一章 总则

第一条 为规范挂牌公司及相关信息披露义务人的信息披露行为，保护投资者合法权益，根据《非上市公众公司监督管理办法》（证监会令第 85 号）、《非上市公众公司监管指引第 1 号》（证监会公告[2013]1 号）、《全国中小企业股份转让系统业务规则（试行）》（以下简称“《业务规则》”）等规定，制定本细则。

第二条 在全国股份转让系统挂牌的股票、可转换公司债券及其他证券品种适用本细则。

全国中小企业股份转让系统有限责任公司（以下简称“全国股份转让系统公司”）对上述证券品种的信息披露、暂停及恢复转让、终止及重新挂牌以及挂牌公司并购重组等事宜另有规定的，从其规定。

第三条 挂牌公司信息披露包括挂牌前的信息披露及挂牌后持续信息披露，其中挂牌后持续信息披露包括定期报告和临时报告。

第四条 挂牌公司及相关信息披露义务人应当及时、公平地披露所有对公司股票及其他证券品种转让价格可能产生较大影响的信息（以下简称“重大信息”），并保证信息披露内容的真实、准确、完整，不存在虚假记载、误导性陈述或重大遗漏。

第五条 挂牌公司应当制定信息披露事务管理制度，经董事会审议后及时向全国股份转让系统公司报备并披露。

公司应当将董事会秘书或信息披露事务负责人的任职及职业经历向全国股份转让系统公司报备并披露，发生变更时亦同。上述人员离职无人接替或因故不能履行职责时，公司董事会应当及时指定一名高级管理人员负责信息披露事务并披露。

第六条 挂牌公司应当在挂牌时向全国股份转让系统公司报备董事、监事及高级管理人员的任职、职业经历及持有挂牌公司股票情况。

有新任董事、监事及高级管理人员或上述报备事项发生变化的，挂牌公司应当在两个转让日内将最新资料向全国股份转让系统公司报备。

第七条 董事、监事及高级管理人员应当在公司挂牌时签署遵守全国股份转让系统公司业务规则及监管要求的《董事（监事、高级管理人员）声明及承诺书》（以下简称“承诺书”），并向全国股份转让系统公司报备。

新任董事、监事应当在股东大会或者职工代表大会通过其任命后五个转让日内，新任高级管理人员应当在董事会通过其任命后五个转让日内签署上述承诺书并报备。

第八条 挂牌公司披露重大信息之前，应当经主办券商审查，公司不得披露未经主办券商审查的重大信息。

挂牌公司在其他媒体披露信息的时间不得早于指定披露平台的披露时间。

第九条 挂牌公司发生的或者与之有关的事件没有达到本细则规定的披露标准，或者本细则没有具体规定，但公司董事会认为该事件对股票价格可能产生较大影响的，公司应当及时披露。

第十条 主办券商应当指导和督促所推荐挂牌公司规范履行信息披露义务，对其信息披露文件进行事前审查。

发现拟披露的信息或已披露信息存在任何错误、遗漏或者误导的，或者发现存在应当披露而未披露事项的，主办券商应当要求挂牌公司进行更正或补充。挂牌公司拒不更正或补充的，主办券商应当在两个转让日内发布风险揭示公告并向全国股份转让系统公司报告。

第二章 定期报告

第十一条 挂牌公司应当披露的定期报告包括年度报告、半年度报告,可以披露季度报告。挂牌公司应当在本细则规定的期限内,按照全国股份转让系统公司有关规定编制并披露定期报告。

挂牌公司应当在每个会计年度结束之日起四个月内编制并披露年度报告,在每个会计年度的上半年结束之日起两个月内披露半年度报告;披露季度报告的,公司应当在每个会计年度前三个月、九个月结束后的一个月内披露季度报告。

披露季度报告的,第一季度报告的披露时间不得早于上一年的年度报告。

第十二条 挂牌公司应当与全国股份转让系统公司约定定期报告的披露时间,全国股份转让系统公司根据均衡原则统筹安排各挂牌公司定期报告披露顺序。

公司应当按照全国股份转让系统公司安排的时间披露定期报告,因故需要变更披露时间的,应当告知主办券商并向全国股份转让系统公司申请,全国股份转让系统公司视情况决定是否调整。

第十三条 挂牌公司年度报告中的财务报告必须经具有证券、期货相关业务资格的会计师事务所审计。

挂牌公司不得随意变更会计师事务所,如确需变更的,应当由董事会审议后提交股东大会审议。

第十四条 挂牌公司董事会应当确保公司定期报告按时披露。董事会因故无法对定期报告形成决议的,应当以董事会公告的方式披露,说明具体原因和存在的风险。公司不得以董事、高级管理人员对定期报告内容有异议为由不按时披露。

公司不得披露未经董事会审议通过的定期报告。

第十五条 挂牌公司应当在定期报告披露前及时向主办券商送达下列文件:

(一)定期报告全文、摘要(如有);

(二)审计报告(如适用);

(三)董事会、监事会决议及其公告文稿;

(四)公司董事、高级管理人员的书面确认意见及监事会的书面审核意见;

(五)按照全国股份转让系统公司要求制作的定期报告和财务数据的电子文件;

(六)主办券商及全国股份转让系统公司要求的其他文件。

第十六条 年度报告出现下列情形的,主办券商应当最迟在披露前一个转让日向全国股份转让系统公司报告:

(一)财务报告被出具否定意见或者无法表示意见的审计报告;

(二)经审计的期末净资产为负值。

第十七条 挂牌公司财务报告被注册会计师出具非标准审计意见的,公司在向主办券商送达定期报告的同时应当提交下列文件:

(一)董事会针对该审计意见涉及事项所做的专项说明,审议此专项说明的董事会决议以及决议所依据的材料;

(二)监事会对董事会有关说明的意见和相关决议;

(三)负责审计的会计师事务所及注册会计师出具的专项说明;

(四)主办券商及全国股份转让系统公司要求的其他文件。

第十八条 负责审计的会计师事务所和注册会计师按本细则第十七条出具的专项说明应当至少包括以下内容:

(一)出具非标准审计意见的依据和理由;

(二)非标准审计意见涉及事项对报告期公司财务状况和经营成果的影响;

(三)非标准审计意见涉及事项是否违反企业会计准则及其相关信息披露规范性规定。

第十九条 本细则第十七条所述非标准审计意见涉及事项属于违反会计准则及其相关信息披露规范性规定的,主办券商应当督促挂牌公司对有关事项进行纠正。

第二十条 挂牌公司和主办券商应当对全国股份转让系统公司关于定期报告的事后审查意见及时回复,并按要求对定期报告有关内容作出解释和说明。

主办券商应当在公司对全国股份转让系统公司回复前对相关文件进行审查。如需更正、补充公告或修改定期报告并披露的,公司应当履行相应内部审议程序。

第三章 临时报告

第一节 临时报告的一般规定

第二十一条 临时报告是指挂牌公司按照法律法规和全国股份转让系统公司有关规定发布的除定期报告以外的公告。

临时报告应当加盖董事会公章并由公司董事会发布。

第二十二条 挂牌公司应当在临时报告所涉及的重大事件最先触及下列任一时点后及时履行首次披露义务:

(一)董事会或者监事会作出决议时;

(二)签署意向书或者协议(无论是否附加条件或者期限)时;

(三)公司(含任一董事、监事或者高级管理人员)知悉或者理应知悉重大事件发生时。

第二十三条 对挂牌公司股票转让价格可能产生较大影响的重大事件正处于筹划阶段,虽然尚未触及本细则第二十二条规定的时点,但出现下列情形之一的,公司亦应履行首次披露义务:

(一)该事件难以保密;

(二)该事件已经泄漏或者市场出现有关该事件的传闻;

(三)公司股票及其衍生品种交易已发生异常波动。

第二十四条 挂牌公司履行首次披露义务时,应当按照本细则规定的披露要求和全国股份转让系统公司制定的临时公告格式指引予以披露。

在编制公告时若相关事实尚未发生的,公司应当客观公告既有事实,待相关事实发生后,应当按照相关格式指引的要求披露事项进展或变化情况。

第二十五条 挂牌公司控股子公司发生的对挂牌公司股票转让价格可能产生较大影响的信息,视同挂牌公司的重大信息,挂牌公司应当披露。

第二节 董事会、监事会和股东大会决议

第二十六条 挂牌公司召开董事会会议,应当在会议结束后及时将经与会董事签字确认的决议(包括所有提案均被否决的董事会决议)向主办券商报备。

董事会决议涉及本细则规定的应当披露的重大信息,公司应当以临时公告的形式及时披露;决议涉及根据公司章程规定应当提交经股东大会审议的收购与出售资产、对外投资(含委托理财、委托贷款、对子公司投资等)的,公司应当在决议后及时以临时公告的形式披露。

第二十七条 挂牌公司召开监事会会议,应当在会议结

束后及时将经与会监事签字的决议向主办券商报备。

涉及本细则规定的应当披露的重大信息，公司应当以临时公告的形式及时披露。

第二十八条　挂牌公司应当在年度股东大会召开二十日前或者临时股东大会召开十五日前，以临时公告方式向股东发出股东大会通知。

挂牌公司在股东大会上不得披露、泄漏未公开重大信息。

第二十九条　挂牌公司召开股东大会，应当在会议结束后两个转让日内将相关决议公告披露。年度股东大会公告中应当包括律师见证意见。

第三十条　主办券商及全国股份转让系统公司要求提供董事会、监事会及股东大会会议记录的，挂牌公司应当按要求提供。

第三节　关联交易

第三十一条　挂牌公司的关联交易，是指挂牌公司与关联方之间发生的转移资源或者义务的事项。

第三十二条　挂牌公司的关联方及关联关系包括《企业会计准则第36号——关联方披露》规定的情形，以及挂牌公司、主办券商或全国股份转让系统公司根据实质重于形式原则认定的情形。

第三十三条　挂牌公司董事会、股东大会审议关联交易事项时，应当执行公司章程规定的表决权回避制度。

第三十四条　对于每年发生的日常性关联交易，挂牌公司应当在披露上一年度报告之前，对本年度将发生的关联交易总金额进行合理预计，提交股东大会审议并披露。对于预计范围内的关联交易，公司应当在年度报告和半年度报告中予以分类，列表披露执行情况。

如果在实际执行中预计关联交易金额超过本年度关联交易预计总金额的，公司应当就超出金额所涉及事项依据公司章程提交董事会或者股东大会审议并披露。

第三十五条　除日常性关联交易之外的其他关联交易，挂牌公司应当经过股东大会审议并以临时公告的形式披露。

第三十六条　挂牌公司与关联方进行下列交易，可以免予按照关联交易的方式进行审议和披露：

（一）一方以现金认购另一方发行的股票、公司债券或企业债券、可转换公司债券或者其他证券品种；

（二）一方作为承销团成员承销另一方公开发行的股票、公司债券或企业债券、可转换公司债券或者其他证券品种；

（三）一方依据另一方股东大会决议领取股息、红利或者报酬。

（四）挂牌公司与其合并报表范围内的控股子公司发生的或者上述控股子公司之间发生的关联交易。

第四节　其他重大事件

第三十七条　挂牌公司对涉案金额占公司最近一期经审
11 计净资产绝对值10%以上的重大诉讼、仲裁事项应当及时披露。

未达到前款标准或者没有具体涉案金额的诉讼、仲裁事项，董事会认为可能对公司股票及其他证券品种转让价格产生较大影响的，或者主办券商、全国股份转让系统公司认为有必要的，以及涉及股东大会、董事会决议被申请撤销或者宣告无效的诉讼，公司也应当及时披露。

第三十八条　挂牌公司应当在董事会审议通过利润分配或资本公积转增股本方案后，及时披露方案具体内容，并于实施方案的股权登记日前披露方案实施公告。

第三十九条　股票转让被全国股份转让系统公司认定为异常波动的，挂牌公司应当于次一股份转让日披露异常波动公告。如果次一转让日无法披露，公司应当向全国股份转让系统公司申请股票暂停转让直至披露后恢复转让。

第四十条　公共媒体传播的消息（以下简称“传闻”）可能或者已经对公司股票转让价格产生较大影响的，挂牌公司应当及时向主办券商提供有助于甄别传闻的相关资料，并决定是否发布澄清公告。

第四十一条　实行股权激励计划的挂牌公司，应当严格遵守全国股份转让系统公司的相关规定，并履行披露义务。

第四十二条　限售股份在解除转让限制前，挂牌公司应当按照全国股份转让系统公司有关规定披露相关公告或履行相关手续。

第四十三条　在挂牌公司中拥有权益的股份达到该公司总股本5%的股东及其实际控制人，其拥有权益的股份变动达到全国股份转让系统公司规定的标准的，应当按照要求及时通知挂牌公司并披露权益变动公告。

第四十四条　挂牌公司和相关信息披露义务人披露承诺事项的，应当严格遵守其披露的承诺事项。

公司未履行承诺的，应当及时披露原因及相关当事人可能承担的法律责任；相关信息披露义务人未履行承诺的，公司应当主动询问，并及时披露原因，以及董事会拟采取的措施。

第四十五条　全国股份转让系统公司对挂牌公司实行风险警示或作出股票终止挂牌决定后，公司应当及时披露。

第四十六条　挂牌公司出现以下情形之一的，应当自事实发生之日起两个转让日内披露：

（一）控股股东或实际控制人发生变更；

（二）控股股东、实际控制人或者其关联方占用资金；

（三）法院裁定禁止有控制权的大股东转让其所持公司股份；

（四）任一股东所持公司5%以上股份被质押、冻结、司法拍卖、托管、设定信托或者被依法限制表决权；

（五）公司董事、监事、高级管理人员发生变动，董事长或者总经理无法履行职责；

（六）公司减资、合并、分立、解散及申请破产的决定；或者依法进入破产程序、被责令关闭；

（七）董事会就并购重组、股利分派、回购股份、定向发行股票或者其他证券融资方案、股权激励方案形成决议；

（八）变更会计师事务所、会计政策、会计估计；

（九）对外提供担保（挂牌公司对控股子公司担保除外）；

（十）公司及其董事、监事、高级管理人员、公司控股股东、实际控制人在报告期内存在受有权机关调查、司法纪检部门采取强制措施、被移送司法机关或追究刑事责任、中国证监会稽查、中国证监会行政处罚、证券市场禁入、认定为不适当人选，或收到对公司生产经营有重大影响的其他行政管理部门处罚；

（十一）因前期已披露的信息存在差错、未按规定披露或者虚假记载，被有关机构责令改正或者经董事会决定进行更正；

（十二）主办券商或全国股份转让系统公司认定的其他情形。

发生违规对外担保、控股股东或者其关联方占用资金的公司应当至少每月发布一次提示性公告，披露违规对外担保或资金占用的解决进展情况。

第四章　监管措施和违规处分

第四十七条　挂牌公司及其董事、监事、高级管理人员、股东、实际控制人、收购人及其他相关信息披露义务人、律师、主办券商和其他证券服务机构违反本细则的，全国股份转让系统公司依据《业务规则》采取相应监管措施及纪律处分。

第五章　释义

第四十八条　本细则下列用语具有如下含义：

（一）披露：指挂牌公司或者相关信息披露义务人按法律、行政法规、部门规章、规范性文件、本细则和全国股份转让系统公司其他有关规定在全国股份转让系统公司网站上公告信息。

（二）重大事件：指对挂牌公司股票转让价格可能产生较大影响的事项。

（三）及时：指自起算日起或者触及本细则规定的披露时点的两个转让日内，另有规定的除外。

（四）高级管理人员：指公司经理、副经理、董事会秘书（如有）、财务负责人及公司章程规定的其他人员。

（五）控股股东：指其持有的股份占公司股本总额 50% 以上的股东；或者持有股份的比例虽然不足 50%，但依其持有的股份所享有的表决权已足以对股东大会的决议产生重大影响的股东。

（六）实际控制人：指通过投资关系、协议或者其他安排，能够支配、实际支配公司行为的自然人、法人或者其他组织。

（七）控制：指有权决定一个公司的财务和经营政策，并能据以从该公司的经营活动中获取利益。有下列情形之一的，为拥有挂牌公司控制权：

1. 为挂牌公司持股 50% 以上的控股股东；

2. 可以实际支配挂牌公司股份表决权超过 30%；

3. 通过实际支配挂牌公司股份表决权能够决定公司董事会半数以上成员选任；

4. 依其可实际支配的挂牌公司股份表决权足以对公司股东大会的决议产生重大影响；

5. 中国证监会或全国股份转让系统公司认定的其他情形。

（八）挂牌公司控股子公司：指挂牌公司持有其 50% 以上股份，或者能够决定其董事会半数以上成员组成，或者通过协议或其他安排能够实际控制的公司。

（九）承诺：指挂牌公司及相关信息披露义务人就重要事项向公众或者监管部门所作的保证和相关解决措施。

（十）违规对外担保：是指挂牌公司及其控股子公司未经其内部审议程序而实施的担保事项。

（十一）净资产：指挂牌公司资产负债表列报的所有者权益；挂牌公司编制合并财务报表的为合并资产负债表列报的归属于母公司所有者权益，不包括少数股东权益。

（十二）日常性关联交易及偶发性关联交易：日常性关联交易指挂牌公司和关联方之间发生的购买原材料、燃料、动力，销售产品、商品，提供或者接受劳务，委托或者受托销售，投资（含共同投资、委托理财、委托贷款），财务资助（挂牌公司接受的）等的交易行为；公司章程中约定适用于本公司的日常关联交易类型。

除了日常性关联交易之外的为偶发性关联交易。

（十三）控股股东、实际控制人或其关联方占用资金：

指挂牌公司为控股股东、实际控制人及其附属企业垫付的工资、福利、保险、广告等费用和其他支出；代控股股东、实际控制人及其附属企业偿还债务而支付的资金；有偿或者无偿、直接或者间接拆借给控股股东、实际控制人及其附属企业的资金；为控股股东、实际控制人及其附属企业承担担保责任而形成的债权；其他在没有商品和劳务对价情况下提供给控股股东、实际控制人及其附属企业使用的资金或者全国股份转让系统公司认定的其他形式的占用资金情形。

（十四）以上：本规则中“以上”均含本数，“超过”不含本数。

第六章　附则

第四十九条　本细则由全国股份转让系统公司负责解释。

第五十条　本细则自发布之日起施行。

全国中小企业股份转让系统
挂牌公司年度报告内容与格式指引
（试行）

第一章　总则

第一条　为规范挂牌公司年度报告的编制及披露行为，保护投资者合法权益，根据相关法律法规、《全国中小企业股份转让系统业务规则（试行）》（以下简称“《业务规则》”）及有关规定，制定本指引。

第二条　挂牌公司应当按照本指引的要求编制和披露年度报告。

第三条　本指引的规定是对挂牌公司年度报告信息披露的最低要求；凡公司认为对投资者决策有重大影响的信息，不论本指引是否有明确规定，公司均应当披露。

第四条　挂牌公司年度报告的全文应当遵循本指引第二章的要求进行编制和披露，年度报告摘要的内容应摘自年度报告正文，并按照附件的格式进行编制。

第五条　挂牌公司年度报告中的财务报告应经具有证券、期货相关业务资格的会计师事务所审计，审计报告须由该所至少两名注册会计师签字。

第六条　挂牌公司在编制年度报告时应遵循以下一般要求：

（一）年度报告中引用的数字应当采用阿拉伯数字，有关货币金额除特别说明外，通常指人民币金额，并以元、万元或亿元为单位。

（二）年度报告正文前可刊载宣传本公司的照片、图表或致投资者信，但不得刊登任何祝贺性、推荐性的词句、题字或照片，不得含有夸大、欺诈、误导或内容不准确、不客观的词句。

（三）年度报告中若涉及行业分类，可参照中国证监会有关上市公司行业分类的规定，亦可增加披露使用其他行业分类标准的数据、资料。

（四）年度报告披露内容应侧重说明本指引要求披露事项与公开转让说明书或上一年度披露内容上的重大变化之处，如无变化，亦应说明。

第七条　全国股份转让系统公司对特殊行业公司信息披露另有规定的，公司应当遵循其规定。

行业主管部门对公司另有规定的，公司在编制和披露年度报告时应当遵循其规定。

第八条　由于国家机密、商业秘密等特殊原因导致本指引规定的某些信息不便披露的,挂牌公司可向全国股份转让系统公司申请豁免,经全国股份转让系统公司同意后,可以不予披露。公司应当在年度报告相关章节说明未按本准则要求进行披露的原因。

第二章 年度报告正文

第一节 重要提示、目录和释义

第九条 挂牌公司应在年度报告文本扉页刊登如下重要提示:公司董事会及其董事、监事会及其监事、公司高级管理人员保证本报告所载资料不存在任何虚假记载、误导性陈述或者重大遗漏,并对其内容的真实性、准确性和完整性承担个别及连带责任。

公司负责人、主管会计工作负责人及会计机构负责人(会计主管人员)应当声明并保证年度报告中财务报告的真实、完整。

如有董事、监事、高级管理人员对年度报告内容存在异议或无法保证其真实、准确、完整的,应当声明×××无法保证本报告内容的真实、准确、完整,并说明理由,请投资者特别关注。同时,单独列示未出席董事会审议年度报告的董事姓名及原因。

如执行审计的会计师事务所对公司出具了非标准审计报告,重要提示中应当声明×××会计师事务所为本公司出具了带强调事项段或其他事项段的无保留意见、保留意见、否定意见或无法表示意见的审计报告,本公司董事会、监事会对相关事项已有详细说明,请投资者注意阅读。

第十条 挂牌公司应当对可能造成投资者理解障碍以及具有特定含义的术语作出通俗易懂的解释,年度报告的释义应当在目录次页排印。

年度报告目录应当标明各章、节的标题及其对应的页码。

第十一条 挂牌公司应当在年度报告目录后单独刊登重大风险提示。公司对风险因素的描述应当围绕自身经营状况展开,遵循关联性原则和重要性原则,客观披露公司重大特有风险。公司应当重点说明与上一年度所提示重大风险的变化之处。

第二节 公司简介

第十二条 挂牌公司应当披露如下内容:

(一)公司的中文名称及简称,外文名称及缩写(如有)。

(二)公司的法定代表人。

(三)公司董事会秘书或信息披露事务负责人的姓名、联系地址、电话、传真、电子信箱。

(四)公司注册地址,公司办公地址及其邮政编码,公司网址、电子信箱。

(五)公司登载年度报告的指定信息披露平台的网址,公司年度报告备置地。

(六)公司股票公开转让场所,股票简称、股票代码及挂牌时间。

(七)公司年度内的注册变更情况,包括企业法人营业执照、税务登记、组织机构代码注册信息变更情况。

上述注册信息未发生变化的,可以简要索引说明。

(八)其他有关资料:公司聘请的年度内履行持续督导职责的主办券商的名称、办公地址;公司聘请的会计师事务所名称、办公地址及签字会计师姓名。

第三节 会计数据和财务指标摘要

第十三条 挂牌公司应采用数据列表方式,提供截至本年度末公司近2年的主要会计数据和财务指标,包括但不限于:总资产、归属于挂牌公司股东的净资产、营业收入、归属于挂牌公司股东的净利润、归属于挂牌公司股东的扣除非经常性损益后的净利润、经营活动产生的现金流量净额、净资产收益率、每股收益、归属于挂牌公司股东的每股净资产。

公司在披露"归属于挂牌公司股东的扣除非经常性损益后的净利润"时,应当同时说明本年度内非经常性损益的项目及金额。

第十四条 挂牌公司主要会计数据和财务指标的计算和披露应当遵循如下要求:

(一)因会计政策变更及会计差错更正等追溯调整或重述以前年度会计数据的,应当同时披露调整前后的数据。

(二)编制合并财务报表的公司应当以合并财务报表数据填列或计算以上数据和指标。

(三)财务数据按照时间顺序自左至右排列,左起为本年度的数据,向右依次列示前一期的数据。

(四)对非经常性损益、净资产收益率和每股收益的确定和计算,中国证监会另有规定的,应当遵照执行。

第四节 管理层讨论与分析

第十五条 挂牌公司应结合挂牌公司财务报告进一步解释和分析公司本年度财务报表及附注中的重要历史信息,对本年度公司经营情况进行回顾。公司应对持续经营能力进行评价与说明。

公司可对下一年度的经营计划或目标进行说明。

第十六条 披露内容应具有充分的可靠性。分析中如引用第三方资料及数据,应注明来源及发布者,并判断第三方资料、数据是否拥有足够的权威性;公司自行整理编制的资料及数据,应说明,并注明编制依据。

披露内容应突出重要性,避免过多披露不重要的信息而掩盖重要信息。

第十七条 挂牌公司应回顾分析本年度内的主要经营情况,尤其应着重分析导致公司财务状况、经营成果、现金流量发生重大变化的事项或原因。分析内容包括但不限于:

(一)本年度内业务、产品或服务有关经营计划的实现情况;业务、产品或服务的重大变化及对公司经营情况的影响。

(二)本年度内行业发展、周期波动等情况;应说明行业发展因素、行业法律法规等的变动及对公司经营情况的影响。

(三)结合产品或服务、收入模式、成本结构、采购、生产或业务组织过程、销售、知识产权、研发、竞争、市场规模等因素及公司所掌握的内外部资源,说明公司的商业模式是否较公开转让说明书或上年度披露内容发生重大变化,并说明上述变化及对公司经营情况的影响。

(四)对财务报表中主要财务数据进行讨论、分析,可以采用逐年比较、数据列表或其他方式。对与上一年度相比变动达到或超过30%的重要财务数据或指标,公司应充分解释导致变动的原因,以便于投资者充分了解其财务状况、经营成果及未来变化情况。

如本条规定披露的部分内容与财务报表附注相同的,公司可以建立相关查询索引,避免重复。内容包括但不限于:

1. 公司资产、负债构成(应收款项、存货、投资性房地产、长期股权投资、固定资产、在建工程、短期借款、长期借款等占总资产的比重)同比发生重大变动的,应当说明产生变化的主要影响因素。

2. 若公司的收入构成、利润构成和利润来源发生重大变动,应当详细说明具体变动情况及原因。

3. 结合公司现金流量表相关数据,说明公司经营活动、投资活动和筹资活动产生的现金流量的构成情况，若相关数据同比发生重大变动，公司应当分析主要影响因素。若本年度公司经营活动产生的现金流量与本年度净利润存在重大差异的，公司应当详细解释原因。

4. 主要控股子公司、参股公司经营情况及业绩分析。其中对于参股公司应当重点披露其与公司从事业务的关联性，并说明持有目的。

公司存在其控制的特殊目的主体时，应介绍公司对其控制权方式和内容，并说明从中可以获取的利益及承担的风险。

5. 本年度内及以前年度定向发行募集资金的使用情况。

6. 公司本年度财务报告被会计师事务所出具非标准意见审计报告的，董事会应当就所涉及事项作出说明。说明中应当明确说明非标准审计意见涉及事项是否违反企业会计准则及其相关信息披露规范性规定。

7. 公司作出会计政策、会计估计变更或重大会计差错更正的，应当披露变更、更正的原因及影响；涉及追溯调整或重述的，应当披露对以往各年度经营成果和财务状况的影响金额。

（五）公司在公开转让说明书中披露的经营计划或目标延续到本年度的，公司应对计划或目标的实施进度进行分析，实施进度与计划不符的，应说明原因。

上一年度披露年度经营计划的公司，应对经营计划的实现情况进行分析，与经营计划不符的，应说明原因。

第十八条　挂牌公司应当对持续经营能力进行评价。公司应分析并说明可能对公司持续经营能力有重大影响的事项。

第十九条　挂牌公司可对下一年度经营计划或目标进行说明。说明应当结合行业发展趋势、公司发展战略及其他可能影响经营计划或目标实现的不确定性因素展开。说明包括但不限于：

（一）行业发展趋势。公司可介绍与公司业务关联的宏观经济层面或行业环境层面的发展趋势、公司的行业地位或区域市场地位的变动趋势，并说明上述发展趋势对公司未来经营业绩和盈利能力的影响。

（二）公司发展战略。公司应披露公司发展战略或规划，以及拟开展的新业务、拟开发的新产品、拟投资的新项目等。若公司存在多种业务的，还应当说明各项业务的发展战略或规划。

（三）经营计划或目标。披露经营计划或目标的，公司应同时简要披露公司经营计划涉及的投资资金的来源、成本及使用情况。

披露计划或目标时应说明该经营计划并不构成对投资者的业绩承诺，提示投资者对此保持足够的风险意识，并且应当理解经营计划与业绩承诺之间的差异。

（四）不确定性因素。公司应遵循关联性原则和重要性原则披露对未来发展战略或经营计划有重大影响的不确定性因素并进行说明与分析。

第二十条　挂牌公司应当对公开转让说明书中披露的存续到本年度的风险因素、本年度较上一年度新增的风险因素进行逐一分析，说明其持续或产生的原因、对公司的影响及已经采取或拟采取的措施及风险管理效果。在分析影响程度时公司应当尽可能定量分析。

第五节　重要事项

第二十一条　挂牌公司应当披露本年度内发生的所有诉讼、仲裁事项涉及的累计金额，如果上述金额不超过本年度末净资产（经审计）绝对值10%的，可以免于披露。

已在上一年发生的以临时公告形式披露的，但尚未结案的重大诉讼、仲裁事项，公司应当披露案件进展情况、涉及金额、是否形成预计负债，以及对公司未来的影响；对已经结案的重大诉讼、仲裁事项，公司应当披露案件执行情况。

如本年度内无按照《全国中小企业股份转让系统挂牌公司信息披露细则》规定应当披露的重大诉讼、仲裁事项，应当明确说明“本年度公司无重大诉讼、仲裁事项”。

第二十二条　挂牌公司应当披露本年度内履行的及尚未履行完毕的对外担保合同（不包括对控股子公司担保），包括担保金额、担保期限、担保对象、担保类型（一般担保或连带责任担保）、担保的决策程序等；对于未到期担保合同，如有明显迹象表明有可能承担连带清偿责任，应明确说明。

应当披露公司及其控股子公司为股东、实际控制人及其关联方提供担保的金额，公司直接或间接为资产负债率超过70%（不含本数）的被担保对象提供的债务担保金额，以及公司担保总额超过净资产50%（不含本数）部分的金额。

公司应当说明本年度是否存在违规担保的情形。

第二十三条　本年度内发生股东及其关联方以各种形式占用或者转移公司的资金、资产及其他资源的，挂牌公司应当说明发生原因及整改情况，其中发生控股股东、实际控制人及其关联方占用资金情形的，应当充分披露相关的决策程序，以及占用资金的期初金额、发生额、期末余额、占用资金原因、预计归还方式及时间。

如果不存在上述情形，公司应当予以明确说明。

第二十四条　挂牌公司应当披露本年度内日常性关联交易的预计及执行情况。

公司应当说明本年度内发生的偶发性关联交易的金额，与关联方的交易结算及资金回笼情况，并说明偶发性关联交易的必要性和持续性及对公司生产经营的影响。

第二十五条　挂牌公司应当披露本年度内经过股东大会审议过的收购及出售资产、对外投资，以及本年度内发生的企业合并事项的简要情况及进展，分析上述事项对公司业务连续性、管理层稳定性及其他方面的影响。

第二十六条　挂牌公司应披露股权激励计划的变动，及已披露股权激励计划在本年度的具体实施情况。

第二十七条　挂牌公司及其董事、监事、高级管理人员或股东、实际控制人及其他信息披露义务人如存在本年度或持续到本年度已披露的承诺，应当披露承诺的履行情况。

如果没有已披露承诺事项，公司亦应予以说明。

第二十八条　挂牌公司应披露本年度末资产（经审计）中被查封、扣押、冻结或者被抵押、质押的资产类别、发生原因、账面价值和累计值及其占总资产的比例，并说明对公司的影响。

第二十九条　公司及其董事、监事、高级管理人员、公司控股股东、实际控制人在报告期内存在受有权机关调查、司法纪检部门采取强制措施、被移送司法机关或追究刑事责任、中国证监会稽查、中国证监会行政处罚、证券市场禁入、认定为不适当人选，或收到对公司生产经营有重大影响的其他行政管理部门处罚及全国股份转让系统公司公开谴责的情形，应当说明原因及结论。

第三十条　若上述事项已在临时报告披露且后续实施无变化的，仅需披露该事项概述，并提供所披露的临时报告的相关查询索引。

第六节　股本变动及股东情况

第三十一条　挂牌公司应当披露本年度期初、期末的股本结构，并对股本变动及本年度内股份限售解除情况进行说明。

第三十二条　挂牌公司应当披露前十名股东、持股数量及占总股本比例、本年度内持股变动情况、本年度末持有的无限售股份数量，并对前十名股东相互间关系及持股变动情况进行说明。如所持股份中包括无限售条件股份、有限售条件股份，应当分别披露其数量。

第三十三条　挂牌公司如存在控股股东，应对控股股东进行介绍，内容包括但不限于：若控股股东为法人的，应当披露名称、单位负责人或法定代表人、成立日期、组织机构代码、注册资本；若控股股东为自然人的，应当披露其姓名、国籍、是否取得其他国家或地区居留权、职业经历。首次披露后控股股东上述信息没有变动时，可以索引披露。

第三十四条　挂牌公司应当比照第三十三条披露公司实际控制人的情况，并以方框图及文字的形式披露公司与实际控制人之间的产权和控制关系。实际控制人应当披露到自然人、国有资产管理部门，包括股东之间达成某种协议或安排的其他机构或自然人，以及以信托方式形成实际控制的情况。首次披露后实际控制人上述信息没有变动时，可以索引披露。

第七节　董事、监事、高级管理人员及核心员工情况

第三十五条　挂牌公司应当披露本年度内董事、监事、高级管理人员的变动情况。公司应当披露发生变更的董事、监事和高级管理人员的情况，内容包括但不限于：现任董事、监事、高级管理人员的姓名、性别、年龄、任期起止日期、职业经历、年初和年末持有本公司股份、本年度内股份增减变动量、持股比例、与股东之间的关系。

第三十六条　挂牌公司应披露包括核心技术团队或关键技术人员（非董事、监事、高级管理人员）在内的核心员工以及其他对公司有重大影响的人员变动情况，并说明变动对公司经营的影响及公司采取的应对措施。

第三十七条　挂牌公司应当披露母公司和主要子公司的员工情况，包括在职员工的数量、人员构成（如管理人员、生产人员、销售人员、技术人员、财务人员、行政人员等）、教育程度、员工薪酬政策、培训计划以及需公司承担费用的离退休职工人数。其中，人员构成和教育程度须以柱状图或饼状图等统计图表列示。

第八节　公司治理及内部控制

第三十八条　挂牌公司应当披露公司治理的基本状况，列示公司本年度内建立的各项公司治理制度，董事会应当对公司治理机制是否给所有股东提供合适的保护和平等权利等情况进行评估。

第三十九条　挂牌公司应当披露对公司治理的改进情况，包括来自控股股东及实际控制人以外的股东或其代表参与公司经营管理的情况，以及公司管理层是否引入职业经理人等情况。

第四十条　挂牌公司应当披露董事会下设专门委员会在本年度内履行职责时所提出的重要意见和建议（如有）。

第四十一条　监事会在本年度内的监督活动中发现挂牌公司存在风险的，公司应当披露监事会就有关风险的简要意见；否则，公司应当披露监事会对本年度内的监督事项无异议。

第四十二条　监事会应当对定期报告进行审核并提出书面审核意见，说明董事会对定期报告的编制和审核程序是否符合法律、行政法规、中国证监会及全国股份转让系统公司的规定和公司章程，报告的内容是否能够真实、准确、完整地反映公司实际情况。

第四十三条　挂牌公司应当就与控股股东或实际控制人在业务、人员、资产、机构、财务等方面存在的不能保证独立性、不能保持自主经营能力的情况进行说明。

第四十四条　挂牌公司应当对会计核算体系、财务管理和风险控制等重大内部管理制度进行评价，披露本年度内发现上述管理制度重大缺陷的具体情况，包括对缺陷的具体描述、缺陷对财务报告的潜在影响，已实施或拟实施的整改措施、时间、责任人及效果。

第四十五条　挂牌公司应当披露年度报告重大差错责任追究制度的建立与执行情况，披露董事会对有关责任人采取的问责措施及处理结果。

第九节　财务报告

第四十六条　挂牌公司的财务报告包括财务报表和其他应当在财务报告中披露的相关信息和资料。

第四十七条　财务报表包括挂牌公司年度末及其前一个年度末的比较式资产负债表、现金流量表、所有者权益（股东权益）变动表、比较式利润表及其附注。编制合并财务报表的公司，除提供合并财务报表外，还应提供母公司财务报表。

第四十八条　财务报表附注参照《公开发行证券的公司信息披露编报规则第 15 号——财务报告的一般规定》（2010 年修订）的相关规定编制，由于国家机密、商业秘密等特殊原因导致上述规定的某些信息不便披露的，挂牌公司可依据第八条规定向全国股份转让系统公司申请豁免披露。

第十节　备查文件目录

第四十九条　挂牌公司应当披露备查文件的目录，包括：

（一）载有公司负责人、主管会计工作负责人、会计机构负责人（会计主管人员）签名并盖章的财务报表。

（二）载有会计师事务所盖章、注册会计师签名并盖章的审计报告原件。

（三）年度内在指定信息披露平台上公开披露过的所有公司文件的正本及公告的原稿。

公司应当在办公场所置备上述文件的原件。全国股份转让系统公司要求提供时，或股东依据法律、法规或公司章程要求查阅时，公司应当及时提供。

第三章　监管措施和违规处分

第五十条　挂牌公司及其董事、监事、高级管理人员、股东、实际控制人及其他相关信息披露义务人、律师、主办券商和其他证券服务机构违反本指引的，全国股份转让系统公司依据《业务规则》采取相应的监管措施或纪律处分。

第四章　附则

第五十一条　本指引由全国股份转让系统公司负责解释。

第五十二条　本指引自发布之日起施行。

全国中小企业股份转让系统
挂牌公司半年度报告内容与格式指引

（试行）

第一章　总则

第一条　为规范挂牌公司半年度报告的编制及披露行

为,保护投资者合法权益,根据相关法律法规、《全国中小企业股份转让系统业务规则(试行)》(以下简称《业务规则》)及有关规定,制定本指引。

第二条　挂牌公司应当按照本指引的要求编制和披露半年度报告。挂牌公司半年度报告的编制应当按照附件《全国中小企业股份转让系统挂牌公司半年度报告内容与格式模板》的格式进行。

第三条　半年度报告的报告期是指年初至半年度期末。半年度报告中的财务报告可以不经审计,但中国证券监督管理委员会(以下简称"中国证监会")和全国中小企业股份转让系统有限责任公司(以下简称"全国股份转让系统公司")另有规定的除外。如需审计的,应当经过具有证券、期货相关业务资格的会计师事务所审计,有关审计报告由上述会计师事务所盖章及由两名或两名以上注册会计师签字盖章。

第四条　本指引是对挂牌公司半年度报告信息披露的最低要求;凡公司认为对投资者决策有重大影响的信息,不论本指引是否有明确规定,公司均应披露。

第五条　由于国家机密、商业秘密等特殊原因导致本指引规定的某些信息不便披露的,挂牌公司应当在登记预披露时间的同时向全国股份转让系统公司申请豁免披露,经全国股份转让系统公司同意后,可以不予披露。

第六条　挂牌公司在编制半年度报告时应遵循以下一般要求:

(一)半年度报告中引用的数字应当采用阿拉伯数字,有关货币金额除特别说明外,通常指人民币金额,并以元、万元或亿元为单位。

(二)半年度报告中若涉及行业分类,可以参照中国证监会有关上市公司行业分类的规定;公司也可以增加披露适用其他行业分类标准的数据、资料。

第二章　格式与内容

第一节　格式要求

第七条　半年度报告应当包括封面、公司半年大事记、声明与提示、目录、正文及备查文件目录等内容。正文包括基本信息、财务信息和非财务信息。

第八条　半年度报告封面应当载明公司的名称、"半年度报告"的字样、报告期年份和证券代码,也可以载有公司标识、公司照片等。鼓励公司本着简洁、创新、展现个性的目的设计半年度报告封面。

第九条　半年度报告扉页应当载有以"公司半年大事记"为主题的信息。"公司半年大事记"可以报道公司报告期内的重要新闻、对公司有重大影响的事件、承担社会责任的实践活动、所处行业的重要资讯等信息,公司可以自行选择披露事件的数量和类型。如果所披露事件已经对外公布的,应注明源引何处。公司可以自选标题、刊载图片或者设计版式。

第十条　在声明与提示部分,挂牌公司应当刊载如下声明:公司董事会及其董事、监事会及其监事、公司高级管理人员保证本报告所载材料不存在任何虚假记载、误导性陈述或者重大遗漏,并对内容的真实性、准确性和完整性承担个别及连带责任。

如有董事、监事、高级管理人员对半年度报告中内容存在异议或无法保证其真实、准确、完整的,应当声明无法保证本报告内容的真实、准确、完整,并说明理由,请投资者特别关注。

公司负责人、主管会计工作负责人及会计机构负责人(会计主管人员)应当声明并保证半年度报告中财务信息的真实、完整。

第二节　基本信息

第十一条　基本信息包括公司概览、主要会计数据与关键指标、管理层讨论与分析三个部分。

第十二条　公司概览包括公司信息、联系人、运营概况和自愿披露四个部分。

(一)公司信息包括法定代表人、注册地址、办公地址、主办券商、会计师事务所(如有)。

(二)联系人包括董事会秘书或信息披露事务负责人的姓名、电话、传真、电子邮箱、联系地址。

(三)运营概况包括公司股份公司成立时间、挂牌时间、行业分类、主要产品与服务项目、总股本、无限售条件的股份数量、控股股东、实际控制人及持股比例、截至报告期末的股东人数、截至报告期末的员工人数(包含子公司)、是否拥有高新技术企业资格、公司拥有的重要经营资质。

(四)在自愿披露部分,公司可以根据实际情况选择与企业经营关联性强、体现企业核心竞争力的信息进行披露,如企业拥有的各项专利技术、重要的合作伙伴、已完成的业务案例等。

第十三条　主要会计数据与关键指标包括盈利能力、偿债能力、营运情况、成长情况和自愿披露指标五个部分。挂牌公司应采用数据列表方式,提供截止报告期末和上年期末(或报告期和上年同期)的数据和指标。编制合并财务报表的公司应当以合并财务报表数据填列或计算以上数据和指标。

(一)盈利能力包括营业收入、毛利率、归属于挂牌公司股东的净利润、加权平均净资产收益率和基本每股收益。

(二)偿债能力包括总资产、归属于挂牌公司股东的每股净资产、资产负债率、流动比率和利息保障倍数。

(三)营运情况包括经营活动产生的现金流量净额、应收账款周转率和存货周转率。

(四)成长情况包括总资产增长率、营业收入增长率和净利润增长率。

(五)在自愿披露部分,公司可以选择与经营关联性强、体现企业核心竞争力的关键指标进行披露,例如市场份额、客户保持率、研发投入与当期营业收入比、新产品投资回报率等。自愿披露指标应有助于投资者判断企业经营状况,列示指标时应当说明计算的方法及所用数据的来源。

第十四条　挂牌公司应当结合财务报告及附注中的重要历史信息,对报告期内的经营情况进行回顾,尤其应着重分析导致公司财务状况、经营成果、现金流量发生重大变化的原因。分析中如引用第三方资料及数据,应注明来源。

(一)结合行业、产品与服务、客户、关键资源、销售渠道、收入模式等要素,简要说明公司的商业模式及是否较上年度发生重大变化。

(二)报告期内的财务状况、经营成果(如营业收入、营业利润、净利润)的实现、现金流量情况,相对于同期或上年度末的增长(下降)情况,年度经营计划(如有)在报告期内的执行情况,并结合行业波动、商业模式、企业季节性、周期性特征,详细分析变动的原因。

尤其应说明行业的发展情况、市场竞争、产品或服务重大变化与调整、重要研发项目的进展、核心团队与关键技术的变化、供应商和客户的变化、销售渠道变动、成本结构、收入模式变动、季节性、周期性特征等对于经营的影响情况。

（三）对公开转让说明书或年度报告中披露的存续到报告期的风险因素进行分析，回顾企业在报告期内经营管理上遇到的困难，例如政策变动、财务风险、客户投诉、成本提高、人才流失及研发失败等。分析报告期内企业通过何种措施来应对这些困难、改善企业经营，例如定向发行、并购重组、人才引进、研究开发以及公司治理改进等，分析其对于提升企业价值的影响。

第三节　财务信息

第十五条　财务信息包括财务报表和财务报表附注两个部分。财务报表及其附注未经会计师事务所审计的，挂牌公司应当注明“未经审计”字样。经会计师事务所审计的，若注册会计师出具标准审计报告，挂牌公司应当明确说明注册会计师出具标准审计报告；若注册会计师出具非标准审计报告，挂牌公司应当披露审计报告正文，并且董事会应当对涉及事项作出说明。

第十六条　财务报表包括比较式资产负债表、利润表和现金流量表。编制合并报表的公司，除提供合并财务报表外，还应提供母公司财务报表。

公司提供的财务报表中会计数据的填列应自左至右，最左侧为最近一期数据，表内各主要报表项目应标有注释编号，并与财务报表注释编号一致。

第十七条　半年度报告财务报表附注包括详情以及项目注释，应当以年初至报告期末为基础披露，详情应当至少包括以下信息：

（一）半年度报告所采用的会计政策与上年度财务报表是否一致。会计政策发生变更的，应当说明会计政策变更的性质、内容、原因及其影响数；无法追溯调整的，应当说明原因。

（二）半年度报告所采用的会计估计与上年度财务报表是否一致。会计估计发生变更的，应当说明会计估计变更的内容、原因及其影响数；影响数不能确定的，应当说明原因。

（三）是否存在前期差错更正。若存在前期差错更正，应当说明前期差错的性质及其更正金额；无法追溯调整的，应当说明原因。

（四）企业经营是否存在季节性或者周期性特征。若存在，应当说明季节性或者周期性特征的内容及其影响。

（五）合并财务报表的合并范围是否发生变化。若发生变化，应当说明变化的原因。

（六）是否存在需要根据《企业会计准则第 35 号——分部报告》规定披露分部报告的信息。若存在，应当披露主要报告形式的分部收入和分部利润（亏损）。

（七）是否存在半年度资产负债表日至半年度财务报告批准报出日之间的非调整事项。若存在，说明具体情况。

（八）上年度资产负债表日以后所发生的或有负债和或有资产是否发生变化。若变化，应当说明具体情况。

（九）重大的长期资产是否转让或者出售。若存在，说明具体情况。

（十）重大的固定资产和无形资产是否发生变化。若变化，说明具体情况。

（十一）是否存在重大的研究和开发支出。若存在，说明具体情况。

（十二）是否存在重大的资产减值损失。若存在，说明具体情况。

第十八条　具体的报表项目注释参照《公开发行证券的公司信息披露编报规则第 15 号——财务报告的一般规定》（2010 年修订）的规定编制。

第四节　非财务信息

第十九条　非财务信息包括重要事项、股东变动及股东情况、董事、监事、高级管理人员及核心员工情况三个部分。重要事项包括但不限于利润分配或公积金转增股本、定向发行、重大诉讼与仲裁、对外担保、资金占用、关联交易、收购、出售资产、对外投资、企业合并、资产权利受限情况、股权激励、承诺履行等。

第二十条　挂牌公司应披露报告期内实施的利润分配方案或公积金转增股本方案的执行情况，并说明是否存在已经批准但尚未实施的利润分配方案或公积金转增股本方案的情况。

第二十一条　挂牌公司应当披露报告期内进行的定向发行的基本情况，内容包括但不限于发行次数、发行股份总量、募集资金数量等。

第二十二条　挂牌公司应当披露报告期内发生的所有诉讼、仲裁事项的概况及涉及的累计金额，如果上述金额不超过报告期末净资产绝对值 10% 的，可以免于披露。以前年度发生并以临时公告形式披露，但尚未结案的重大诉讼、仲裁事项在报告期内存在重大进展的，公司应当披露案件进展情况；已经审结的重大诉讼、仲裁事项，公司应当披露报告期内案件的执行情况。

第二十三条　挂牌公司应当披露报告期内履行的及尚未履行完毕的对外担保合同（不包括对控股子公司担保），包括担保金额、担保期限、担保类型（一般担保或连带责任担保）等。

挂牌公司应当披露公司及其控股子公司为股东、实际控制人及其关联方提供担保的金额，公司直接或间接为资产负债率超过 70%（不含本数）的被担保对象提供的债务担保金额，以及公司担保总额超过净资产 50%（不含本数）部分的金额。公司还应当说明报告期内是否存在违规担保的情形。

第二十四条　挂牌公司应当披露报告期内发生并持续到报告期的股东及其关联方以各种形式占用或者转移公司资金、资产及其他资源的情形，应当说明发生的原因及整改情况，其中发生控股股东、实际控制人及其关联方占用资金情形的，应当充分披露相关的决策程序，预计归还方式及时间。

第二十五条　挂牌公司应当披露报告期内日常性关联交易的执行情况。同时说明报告期内发生的偶发性关联交易的金额、履行的程序，并说明偶发性关联交易的必要性和持续性及对公司生产经营的影响。

第二十六条　挂牌公司应当披露报告期内经股东大会审议通过的收购及出售资产、对外投资情况，以及报告期内发生的企业合并事项的简要情况及进展，并分析上述事项对公司业务持续性、管理层稳定性及其他方面的影响。

第二十七条　挂牌公司应披露报告期末资产中被查封、扣押、冻结或者被抵押、质押的资产类别、账面价值和累计值及其占总资产的比例。

第二十八条　挂牌公司应披露报告期内通过的股权激励计划、以前年度通过的股权激励计划是否存在变动情况，并说明已披露的股权激励计划在报告期内的实施情况。

第二十九条　挂牌公司及其董事、监事、高级管理人员或股东、实际控制人及其他信息披露义务人如存在报告期内或持续到报告期已披露的承诺，应当披露承诺的履行情况。

第三十条　挂牌公司应当披露报告期期初、期末的股本结构；报告期期末前十名股东持股情况，并对前十名股东相互间关系及持股变动情况进行说明。

挂牌公司应当披露控股股东和实际控制人情况，并对控股股东和实际控制人的变动情况进行说明。

第三十一条　挂牌公司应当披露报告期内董事、监事、高级管理人员的职务、性别、任期及持股情况。

挂牌公司应当披露报告期内董事、监事、高级管理人员及核心员工的变动情况，说明变动对公司经营的影响。

第五节　备查文件目录

第三十二条　挂牌公司应当披露备查文件的目录，内容包括：

（一）载有公司负责人、主管会计工作负责人、会计机构负责人（会计主管人员）签名并盖章的财务报表。

（二）载有会计师事务所盖章、注册会计师签名并盖章的审计报告原件（如有）。

（三）报告期内在指定网站上公开披露过的所有公司文件的正本及公告的原稿。

公司应当在办公场所备置上述文件的原件。全国股份转让系统公司要求提供时，或股东依据法律、法规或公司章程要求查阅时，公司应当及时提供。

第三章　监管措施和违规处分

第三十三条　挂牌公司及其董事、监事、高级管理人员、股东、实际控制人及其他相关信息披露义务人、律师、主办券商和其他证券服务机构违反本指引的，全国股份转让系统公司依据《业务规则》采取相应的监管措施或纪律处分。

第四章　附则

第三十四条　本指引包括附件《全国中小企业股份转让系统挂牌公司半年度报告内容与格式模板》。

第三十五条　本指引由全国股份转让系统公司负责解释。

第三十六条　本指引自发布之日起施行。

交易监察类

全国中小企业股份转让系统转让异常情况处理办法（试行）

第一条　为妥善处置转让异常情况，及时防范、化解全国中小企业股份转让系统（以下简称全国股转系统）市场风险，保障证券转让秩序，维护市场稳定，依据《证券法》、《突发事件应对法》、《国务院关于全国中小企业股份转让系统有关问题的决定》、《全国中小企业股份转让系统有限责任公司管理暂行办法》和《全国中小企业股份转让系统业务规则（试行）》等规定，制定本办法。

第二条　本办法所称转让异常情况是指导致或可能导致全国股转系统证券转让部分或全部不能正常进行（以下简称转让不能进行）的情形。

第三条　引发转让异常情况的原因包括不可抗力、意外事件、技术故障等。

第四条　引发转让异常情况的不可抗力是指全国股转系统市场所在地或全国其他部分区域出现或据灾情预警可能出现严重自然灾害、出现重大公共卫生事件或社会安全事件等情形。

第五条　引发转让异常情况的意外事件是指全国股转系统市场所在地发生火灾或电力供应出现故障等情形。

第六条　引发转让异常情况的技术故障是指：

（一）全国股转系统交易、通信系统中的网络、硬件设备、应用软件等无法正常运行；

（二）全国股转系统交易、通信系统在运行、主备系统切换、软硬件系统及相关程序升级、上线时出现意外；

（三）全国股转系统交易、通信系统被非法侵入或遭受其他人为破坏等情形；

（四）全国中小企业股份转让系统有限责任公司（以下简称全国股转公司）认定的其他情形。

第七条　转让不能进行是指无法正常开始转让、无法连续转让、转让结果异常、转让无法正常结束等情形。

第八条　无法正常开始转让是指：

（一）全国股转系统交易、通信系统在开市前无法正常启动；

（二）暂停、恢复证券转让、除权除息等重要操作在开市前未及时、准确处理完毕；

（三）前一转让日的日终清算交收处理未按时完成或虽已完成但清算交收数据出现重大差错而导致无法正确转让；

（四）10%以上的主办券商营业部因系统故障无法正常接入全国股转系统交易系统等情形；

（五）因做市商系统故障，导致相关挂牌公司股票正常履行开盘报价义务的做市商不足 2 家。

第九条　无法连续转让是指：

（一）全国股转系统交易、通信系统出现 10 分钟以上中断；

（二）全国股转系统行情发布系统出现 10 分钟以上中断；

（三）10%以上主办券商营业部无法正常发送转让申报、接收实时行情或成交回报；

（四）10%以上的证券中断交易；

（五）因做市商无法正常发送转让申报、接收实时行情或成交回报，导致部分挂牌股票正常履行报价义务的做市商不足 2 家。

第十条　转让结果异常是指转让结果出现严重错误、行情发布出现错误、全国股转公司认定的指数计算出现重大偏差等可能严重影响整个市场正常转让的情形。

第十一条　转让无法正常结束是指尾市转让异常、可能导致无法正常完成，收市处理无法正常结束等可能对市场造成重大影响的情形。

第十二条　转让异常情况出现后，全国股转公司将及时向市场公告，并可视情况需要单独或者同时采取技术性停牌、临时停市、暂缓进入交收等措施。

全国股转公司采取前款规定措施的，及时报告中国证监会。对技术性停牌或临时停市的决定，全国股转公司通过指定信息披露平台及相关媒体及时予以公告。

第十三条　技术性停牌或临时停市原因消除后，全国股转公司可以决定恢复转让，并向市场公告。

恢复转让后，全国股转公司对转让异常情况相关背景、原因、应对措施进行总结、分析，并书面报告中国证监会。

第十四条 证券转让相关部门或机构在与证券转让相关的业务实施、流程衔接、操作运行等环节出现重大误差或失误等情形，导致或可能导致转让不能进行，需要采取技术性停牌、临时停市等措施的，参照本办法执行。

第十五条 国内外已经或可能出现对中国证券市场稳定及正常运行造成重大影响的事件或者出现其他全国性事件的，应国家有关部门要求临时停市的，参照本办法执行。

第十六条 本办法中相关用语的含义：

(一)全国股转系统市场所在地：是指全国股转系统交易、通信及清算交收系统所在地；

(二)自然灾害：包括但不限于台风、地震、海啸、暴雪、日凌、洪涝灾害；

(三)重大公共卫生事件：包括但不限于传染病疫情、群体性不明原因疾病、食品安全事件以及其他严重影响公众健康和生命安全的事件；

(四)社会安全事件：包括但不限于恐怖袭击事件、经济安全事件、涉外突发事件以及其他严重影响公共安全的事件。

第十七条 本办法由全国股转公司负责解释。

第十八条 本办法自发布之日起施行。

全国中小企业股份转让系统
股票转让方式确定及变更指引
（试行）

第一章 总则

第一条 为明确全国中小企业股份转让系统(以下简称全国股份转让系统)申请挂牌公司、挂牌公司股票(以下简称股票)转让方式的确定、变更以及做市商加入、退出等相关事宜，根据《全国中小企业股份转让系统业务规则(试行)》、《全国中小企业股份转让系统股票转让细则(试行)》(以下简称《转让细则》)等有关规定，制定本指引。

第二条 股票可以采取做市转让方式、协议转让方式或竞价转让方式之一进行转让。挂牌公司提出申请并经全国中小企业股份转让系统有限责任公司(以下简称全国股份转让系统公司)同意，可以变更股票转让方式。

股票采取竞价转让方式的，竞价转让的实施条件、竞价转让方式的确定及有关变更要求，由全国股份转让系统公司另行制定。

第三条 申请挂牌公司股东大会应当就股票采取何种转让方式作出决议。

挂牌公司拟申请变更股票转让方式的，其股东大会应当就股票转让方式变更事宜作出决议。挂牌公司应当在股东大会会议结束后2个转让日内在全国股份转让系统公司指定信息披露平台(以下简称指定网站)公告决议内容。

第二章 申请挂牌公司股票转让方式的确定

第四条 股票挂牌时拟采取协议转让方式的，申请挂牌公司应当在提交挂牌申请材料的同时，向全国股份转让系统公司提交以下材料：

(一)关于股票采取协议转让方式的申请(附件1)；

(二)关于同意公司股票采取协议转让方式的决议；

(三)全国股份转让系统公司要求提交的其他材料。

第五条 股票挂牌时拟采取做市转让方式的，应当具备以下条件：

(一)2家以上做市商同意为申请挂牌公司股票提供做市报价服务，且其中一家做市商为推荐该股票挂牌的主办券商或该主办券商的母(子)公司；

(二)做市商合计取得不低于申请挂牌公司总股本5%或100万股(以孰低为准)，且每家做市商不低于10万股的做市库存股票；

(三)全国股份转让系统公司规定的其他条件。

第六条 股票挂牌时拟采取做市转让方式的，申请挂牌公司应当在提交挂牌申请材料的同时，向全国股份转让系统公司提交以下材料：

(一)关于股票采取做市转让方式的申请(附件2)；

(二)关于同意公司股票采取做市转让方式的决议；

(三)做市商为申请挂牌公司股票提供做市报价服务申请(附件3)；

(四)全国股份转让系统公司要求的其他材料。

第七条 全国股份转让系统公司在出具同意挂牌审查意见时，确认申请挂牌公司股票的转让方式。

第八条 股票采取做市转让方式的，申请挂牌公司应当在股票挂牌前确认做市商做市库存股票已经按照中国证券登记结算有限责任公司(以下简称中国结算)要求登记于做市商做市专用证券账户，并将做市商做市库存股票登记结果向全国股份转让系统公司报告。

第九条 申请挂牌公司应当按照全国股份转让系统公司的要求在公开转让说明书和挂牌提示性公告(附件4、附件5)中披露其股票转让方式。

第三章 协议转让方式变更为做市转让方式

第十条 采取协议转让方式的股票，挂牌公司申请变更为做市转让方式的，应当符合以下条件：

(一)2家以上做市商同意为该股票提供做市报价服务，并且每家做市商已取得不低于10万股的做市库存股票；

(二)全国股份转让系统公司规定的其他条件。

第十一条 挂牌公司应当在作出有关变更转让方式的决议后3个月内，向全国股份转让系统公司提交以下申请材料：

(一)变更股票转让方式为做市转让方式申请(附件6)；

(二)挂牌公司关于变更股票转让方式的决议；

(三)做市商为挂牌公司股票提供做市报价服务申请(附件7)；

(四)全国股份转让系统公司要求的其他材料。

第十二条 全国股份转让系统公司收到申请材料后，在3个转让日内出具意见，并于出具意见当日(T日)收市后通知挂牌公司和相关做市商。挂牌公司应当于T日在指定网站公告。

第十三条 全国股份转让系统公司同意挂牌公司股票转让方式变更为做市转让方式的，自T+2转让日起该股票转让方式变更为做市转让方式，相关做市商应当履行对该股票的做市报价义务。

第四章 做市转让方式变更为协议转让方式

第十四条 采取做市转让方式的股票，挂牌公司申请变更为协议转让方式的，应当符合以下条件：

(一)该股票所有做市商均已满足《转让细则》关于最低

做市期限的要求，且均同意退出做市；

（二）全国股份转让系统公司规定的其他条件。

第十五条　挂牌公司应当在作出有关变更转让方式的决议后5个转让日内，向全国股份转让系统公司提交以下申请材料：

（一）变更股票转让方式为协议转让方式申请（附件8）；

（二）挂牌公司关于变更股票转让方式的决议；

（三）做市商同意退出做市声明（附件9）；

（四）全国股份转让系统公司要求的其他材料。

第十六条　全国股份转让系统公司收到申请材料后，在3个转让日内出具意见，并于出具意见当日（T日）收市后通知挂牌公司和相关做市商。挂牌公司应当于T日在指定网站公告。

第十七条　全国股份转让系统公司同意挂牌公司股票转让方式变更为协议转让方式的，自T+2转让日起该股票转让方式变更为协议转让方式，相关做市商停止为该股票提供做市报价服务，并应当按照《转让细则》有关规定将该挂牌公司股票转出做市专用证券账户。

第五章　申请后续加入为股票做市

第十八条　挂牌时采取做市转让方式的股票，拟后续加入的做市商须在该股票挂牌满3个月后方可经申请同意后为该股票提供做市报价服务。

做市商退出做市后，1个月内不得申请再次为该股票做市。

第十九条　采取做市转让方式的股票，做市商拟后续加入为该股票做市的，应事先向全国股份转让系统公司提交后续加入做市申请（附件10）。全国股份转让系统公司接受申请的时间为每个转让日的15:00至17:00。

第二十条　全国股份转让系统公司收到申请后，在3个转让日内出具意见，并于出具意见当日（T日）收市后通知提出申请的做市商。

全国股份转让系统公司同意申请的，该做市商应当于T日在指定网站公告，并于T+1转让日开始履行对该股票的做市报价义务。

第二十一条　挂牌公司提交将股票由做市转让方式变更为协议转让方式申请后，全国股份转让系统公司停止接受做市商后续加入为该股票做市的申请，已经接受申请的，中止审查。

第六章　申请退出为股票做市

第二十二条　挂牌时采取做市转让方式的股票和由协议转让方式变更为做市转让方式的股票，其初始做市商为股票做市不满6个月的，不得申请退出为该股票做市。后续加入的做市商为相关股票做市不满3个月的，不得申请退出为该股票做市。

第二十三条　做市商拟退出为股票做市的，应事先向全国股份转让系统公司提交退出做市申请（附件11）。全国股份转让系统公司接受申请的时间为每个转让日的15:00至17:00。

第二十四条　全国股份转让系统公司收到申请后，在3个转让日内出具意见，并于出具意见当日（T日）收市后通知申请退出的做市商。

全国股份转让系统公司同意申请的，该做市商应当于T日在指定网站公告，自T+1转让日起停止履行为相关股票提供做市报价服务，并应当按照《转让细则》有关规定将该挂牌公司股票转出做市专用证券账户。

第七章　特殊情形处理

第二十五条　采取做市转让方式的股票发生下列情形之一，将导致该股票做市商不足2家时，全国股份转让系统公司于有关情形发生当日（T日）收市后在公司网站公告相关情况：

（一）该股票做市商提出申请并经全国股份转让系统公司同意，退出为该股票做市；

（二）该股票做市商被暂停、终止从事做市业务，或被禁止为该股票做市。

自T+1转让日起，该股票暂停转让。暂停转让期间，挂牌公司应当每5个转让日在指定网站发布一次提示性公告。

第二十六条　发生第二十五条所述情形导致股票暂停转让的，相关股票在以下情形发生后恢复转让：

（一）该股票做市商在T+30个转让日内恢复为2家以上；

（二）挂牌公司在T+30个转让日内提出申请并经全国股份转让系统公司同意，股票转让方式变更为协议转让方式；

（三）依据《转让细则》第十八条规定，全国股份转让系统公司强制将股票转让方式变更为协议转让方式。

因发生上述（一）、（三）情形，股票恢复转让的，全国股份转让系统公司于恢复转让前一转让日在公司网站公告相关情况。

第八章　附则

第二十七条　本指引所称“以上”包含本数，“不足”不包含本数。

第二十八条　本指引由全国股份转让系统公司负责解释。

第二十九条　本指引自发布之日起施行。

全国中小企业股份转让系统
股票异常转让实时监控指引
（试行）

第一条　为维护全国中小企业股份转让系统（以下简称全国股份转让系统）交易秩序，保护投资者合法权益，根据《全国中小企业股份转让系统业务规则（试行）》（以下简称《业务规则》）、《全国中小企业股份转让系统股票转让细则（试行）》（以下简称《股票转让细则》）、《全国中小企业股份转让系统主办券商管理细则（试行）》等规定，制定本指引。

第二条　全国中小企业股份转让系统有限责任公司（以下简称全国股份转让系统公司）对挂牌公司股票的转让过程进行实时监控，并依法对实时监控中发现的异常情况及行为实施自律监管。

第三条　全国股份转让系统公司在实时监控中，发现股票价格异常波动、股票转让行为异常或做市商报价与转让行为涉嫌违法违规的，可以采取公告转让双方基本情况和转让相关信息、电话问询、要求提交书面承诺、出具警示函、暂停转让、限制证券账户交易、向中国证监会报告等措施。

第四条　股票转让出现下列情形之一的，属于异常波动，挂牌公司应当于次一转让日披露异常波动公告。

（一）协议转让方式下，股票当日换手率超过10%，或连续三个转让日换手率累计超过20%；

（二）做市转让方式下，股票连续三个转让日涨跌幅累计超过50%；

（三）全国股份转让系统公司认定的其他情形。

如果次一转让日无法披露，挂牌公司应当向全国股份转让系统公司申请股票暂停转让直至披露后恢复转让。

第五条　采取协议转让方式的股票，投资者买卖出现下列情形之一的，全国股份转让系统公司于次一转让日进行公告：

（一）成交价格较前收盘价变动幅度超过50%；

（二）全国股份转让系统公司认定的其他情形。

公告内容包括：证券代码、证券简称、成交价格、成交数量、买卖双方证券账户名称、主办券商证券营业部或交易单元的名称等。

第六条　采取做市转让方式的股票，出现下列情形之一的，相关做市商应当及时向全国股份转让系统公司报告，并说明情况：

（一）当日成交量加权平均价较前收盘价变动幅度超过20%；

（二）当日最高报卖价、最低报买价较前收盘价变动幅度超过30%；

（三）全国股份转让系统公司或做市商认为需要报告并说明情况的其他情形。

第七条　全国股份转让系统公司可以单独或联合其他有关单位，对异常及涉嫌违法违规转让行为采取现场或非现场方式进行调查，相关主办券商及其营业部、投资者应当予以配合。

第八条　全国股份转让系统公司对异常转让的当事人采取要求提交书面承诺、出具警示函等措施的，通过相关证券账户所在的主办券商或营业部向当事人发出。相关主办券商或营业部应当及时向客户转告有关警示、督促客户提交书面承诺，并保留相关证据。

做市商或使用专用交易单元的机构投资者进行做市或参与交易的，全国股份转让系统公司直接要求相关当事人提交书面承诺、向其出具警示函。

第九条　全国股份转让系统公司做出限制证券账户交易决定的，通过相关证券账户所在主办券商向当事人发出有关书面决定。该主办券商应当在收到限制证券账户交易决定的当日将其送达相关当事人；确实无法在当天送达的，应保留相关证据并及时向全国股份转让系统公司报告。

做市商、使用专用交易单元的机构投资者进行做市或参与交易的，全国股份转让系统公司直接向相关当事人发出有关书面决定。

第十条　投资者被全国股份转让系统公司采取自律监管措施后仍拒不配合或未按要求整改，主办券商未按照全国股份转让系统公司业务规则履行客户管理责任或不配合监管，或者做市商不配合监管或未按要求整改的，全国股份转让系统公司可依据《股票转让细则》等，采取进一步处理措施。

第十一条　本指引所称“超过”不含本数。

第十二条　本指引由全国股份转让系统公司负责解释。

第十三条　本指引自发布之日起实施。

全国中小企业股份转让系统交易单元管理办法

（试行）

第一章　总则

第一条　为规范全国中小企业股份转让系统有限责任公司（以下简称全国股份转让系统公司）交易单元的管理，维护市场秩序，保障交易安全，根据《全国中小企业股份转让系统业务规则（试行）》、《全国中小企业股份转让系统股票转让细则（试行）》、《全国中小企业股份转让系统主办券商管理细则（试行）》及其他相关规定，制定本办法。

第二条　全国中小企业股份转让系统（以下简称全国股份转让系统）交易单元的管理，适用本办法。本办法未作规定的，适用全国股份转让系统公司其他规定。

第三条　主办券商和全国股份转让系统公司认可的其他机构（以下统称转让参与人）通过交易单元参与全国股份转让系统证券转让活动的，按照全国股份转让系统公司规定行使相关转让权利，获取相关转让服务，并接受全国股份转让系统公司管理。

全国股份转让系统公司认可的其他机构通过设立交易单元参与全国股份转让系统证券转让活动的，相关规定由全国股份转让系统公司另行制定。

第四条　转让参与人应当遵守本办法和全国股份转让系统公司其他相关规定，制定有关交易单元的内部管理制度，规范相关操作流程，防范业务风险，并承担所属交易单元相关证券业务的法律责任。

第二章　一般规定

第五条　转让参与人设立交易单元后，方可参与全国股份转让系统的证券转让。

转让参与人可根据业务需要向全国股份转让系统公司申请设立一个或一个以上的交易单元。

第六条　转让参与人从事证券经纪、证券自营、做市和证券资产管理等业务，应当使用不同的交易单元，但全国股份转让系统公司另有规定的除外。

第七条　全国股份转让系统公司根据转让参与人的申请和业务范围，为其设立的交易单元设定下列交易或业务权限：

（一）参与不同类别证券品种的转让；

（二）参与不同类型的交易申报；

（三）参与特定证券的做市申报；

（四）其他交易或业务权限。

第八条　全国股份转让系统公司可根据转让参与人的风险承受能力、技术系统、内部控制、业务资格变化及遵守全国股份转让系统公司规则的情况等，调整或取消相关交易或业务权限。

第九条　根据转让参与人的申请，全国股份转让系统公司可以为其交易单元设置以下使用全国股份转让系统公司交易系统资源和获取交易系统服务的功能：

（一）申报买卖指令及其他业务指令；

（二）获取实时及盘后交易回报；

（三）获取证券转让即时行情、证券转让公开信息等交易信息及相关新闻公告；

（四）获取交易系统提供的其他服务。

第十条 转让参与人设立的交易单元通过网关与全国股份转让系统公司交易系统连接。

转让参与人可通过多个网关进行一个交易单元的交易申报，也可通过一个网关进行多个交易单元的交易申报，但不得通过其他转让参与人的网关进行交易申报。

第十一条 全国股份转让系统公司为转让参与人设立的每个交易单元自动配备一个免费标准流速。转让参与人可向全国股份转让系统公司申请一个以上的标准流速，并可将所拥有的总流速配置到一个或一个以上的网关上。

一个标准流速为每秒10笔，全国股份转让系统公司可根据市场需要进行调整。配置到网关上的流速应当为标准流速的整数倍，单个网关最多可配置10个标准流速。

第三章 设立、变更与注销

第十二条 转让参与人可根据业务需要，向全国股份转让系统公司申请设立交易单元。转让参与人申请设立交易单元的，应当按照全国股份转让系统公司的要求提供相关文件。

全国股份转让系统公司自受理之日起5个转让日内作出是否同意的决定。

第十三条 转让参与人购买标准流速或设立网关，应当向全国股份转让系统公司提出申请。

全国股份转让系统公司自受理之日起2个转让日内作出是否同意的决定。

第十四条 全国股份转让系统公司对第十二条、第十三条所述的申请审核同意的，核定相应的交易单元编码及所涉业务类型、标准流速数量与网关编码等。

第十五条 转让参与人可向全国股份转让系统公司申请变更其交易单元业务类型、交易权限与标准流速数量或网关编码等。

全国股份转让系统公司自受理之日起3个转让日内作出是否同意的决定。

第十六条 转让参与人可向全国股份转让系统公司申请注销其交易单元、标准流速或网关。

全国股份转让系统公司自受理之日起3个转让日内作出是否同意的决定。

第十七条 转让参与人在办理网关注销手续时，应当同时办理使用该网关的交易单元的变更或注销手续。

转让参与人在办理全部交易单元注销手续时，应同时办理网关的注销手续。

第十八条 因转让参与人发生重组、合并、破产、清算等情况涉及交易单元或者网关变动的，转让参与人应及时向全国股份转让系统公司申请办理相关的变更或者注销等手续。

第十九条 转让参与人不得转让交易单元。未经全国股份转让系统公司同意，转让参与人不得以出租等方式将设立的交易单元交予他人使用。

第四章 收费

第二十条 转让参与人通过交易单元从事证券转让业务，应当向全国股份转让系统公司交纳交易单元开设初费、使用费、流速费与流量费等费用。

第二十一条 转让参与人设立首个交易单元时，应交纳人民币50万元的交易单元开设初费。转让参与人设立首个交易单元后，增设交易单元的，不必再交纳交易单元开设初费。

第二十二条 转让参与人申请使用的每个交易单元（含首个交易单元）按每年人民币3万元交纳交易单元使用费。

第二十三条 转让参与人申请使用的总流速不超过其享有的免费标准流速之和时，不需交纳流速费；申请使用的总流速超出其享有的免费标准流速之和的部分，按每个标准流速每年人民币5000元交纳流速费。

第二十四条 转让参与人应当按年向全国股份转让系统公司交纳流量费。转让参与人每年流量费总额按下列公式计算：转让参与人每年流量费总额 =（转让参与人所属各交易单元的年交易类申报笔数总和 - 该转让参与人享受的年交易类免费申报笔数）× 每笔交易类申报收费单价 +（转让参与人所属各交易单元的年非交易类申报笔数总和 - 该转让参与人享有的年非交易类免费申报笔数）× 每笔非交易类申报收费单价。其中：

（一）交易类申报包括买申报、卖申报和撤销申报；非交易类申报指除交易类申报外的其他申报，包括新股申购申报、转托管申报、可转债转股和回售申报等。

（二）每个交易单元享受的年免费申报笔数为交易类申报、非交易类申报各5000笔。

（三）每笔交易类申报收费单价为人民币0.15元，每笔非交易类申报收费单价为人民币0.01元。

按上述规则计算的转让参与人应交纳的流量费，每年不足人民币2000元的，按人民币2000元计。

第五章 附则

第二十五条 本规则下列用语的含义：

（一）交易单元，是指转让参与人向全国股份转让系统公司申请设立的、参与全国股份转让系统证券转让，并接受全国股份转让系统公司服务及监管的基本业务单位。

（二）网关，是指放置在转让参与人处、用于连接转让参与人与全国股份转让系统公司交易系统的软硬件设施的总称。

（三）标准流速，是指转让参与人在单位时间内通过网关向全国股份转让系统公司交易系统发送的标准的申报笔数。

第二十六条 本办法由全国股份转让系统公司负责解释。

第二十七条 本办法自发布之日起施行。

全国中小企业股份转让系统 过渡期股票转让暂行办法

第一条 全国中小企业股份转让系统（以下简称"全国股份转让系统"）挂牌公司股票的转让适用本暂行办法。

第二条 挂牌公司股票应当通过全国股份转让系统转让，法律法规另有规定的除外。

第三条 挂牌公司股票转让时间为每周一至周五上午9:30至11:30，下午13:00至15:00。

遇法定节假日和其他特殊情况，暂停转让。

第四条 深圳证券交易所为全国股份转让系统提供交易主机等设施。中国证券登记结算有限责任公司（以下简称"中国结算"）为全国股份转让系统提供登记结算服务。

第五条 投资者买卖挂牌公司股票，应持有中国结算深圳市场人民币普通股票账户（含原非上市股份有限公司股份转让账户，以下简称"证券账户"）。

第六条　投资者买卖挂牌公司股票，应与主办券商签订证券买卖委托代理协议，委托主办券商办理。

投资者卖出股票，须委托代理其买入该股票的主办券商办理。如需委托另一家主办券商卖出该股票，须办理股票转托管手续。

第七条　投资者委托分为意向委托、定价委托和成交确认委托。委托当日有效。

意向委托是指投资者委托主办券商按其指定价格和数量买卖股票的意向指令，意向委托不具有成交功能。

定价委托是指投资者委托主办券商按其指定的价格买卖不超过其指定数量股票的指令。

成交确认委托是指投资者买卖双方达成成交协议，或投资者拟与定价委托成交，委托主办券商以指定价格和数量与指定对手方确认成交的指令。

第八条　意向委托、定价委托和成交确认委托均可撤销，但已经全国股份转让系统确认成交的委托不得撤销或变更。

第九条　意向委托和定价委托应注明股票名称、股票代码、证券账户、买卖方向、买卖价格、买卖数量、联系方式等内容。

成交确认委托应注明股票名称、股票代码、证券账户、买卖方向、成交价格、成交数量、拟成交对手的主办券商、约定号等内容。

第十条　委托的股票数量以"股"为单位，每笔委托股票数量应为3万股以上。

投资者证券账户某一股票余额不足3万股的，只能一次性委托卖出。

第十一条　股票转让的计价单位为"每股价格"。股票转让的申报价格最小变动单位为0.01元。

第十二条　主办券商应通过专用通道，按接受投资者委托的时间先后顺序向全国股份转让系统申报。

第十三条　主办券商收到投资者卖出股票的意向委托后，应验证其证券账户，如股票余额不足，不得向全国股份转让系统申报。

主办券商收到投资者定价委托和成交确认委托后，应验证卖方证券账户和买方资金账户，如果卖方股票余额不足或买方资金余额不足，不得向全国股份转让系统申报。

第十四条　主办券商应按有关规定保管委托、申报记录和凭证。

第十五条　投资者达成转让意向后，可各自委托主办券商进行成交确认申报。

投资者拟与定价委托成交的，可委托主办券商进行成交确认申报。

第十六条　全国股份转让系统收到主办券商的定价申报和成交确认申报后，验证卖方证券账户。如果卖方股票余额不足，全国股份转让系统不接受该笔申报，并发送至主办券商。

第十七条　全国股份转让系统收到拟与定价申报成交的成交确认申报后，如系统中无对应的定价申报，该成交确认申报以撤单处理。

第十八条　全国股份转让系统对通过验证的成交确认申报和定价申报信息进行匹配核对。核对无误的，全国股份转让系统予以确认成交，并向中国结算发送成交确认结果。

第十九条　多笔成交确认申报与一笔定价申报匹配的，按时间优先的原则匹配成交。

第二十条　成交确认申报与定价申报可以部分成交。

成交确认申报股票数量小于定价申报的，以成交确认申报的股票数量为成交股票数量。定价申报未成交股票数量不小于3万股的，该定价申报继续有效；小于3万股的，以撤单处理。

成交确认申报股票数量大于定价申报的，以定价申报的股票数量为成交股票数量。成交确认申报未成交部分以撤单处理。

第二十一条　主办券商在全国股份转让系统从事代理买卖挂牌公司股票业务，应取得中国结算的结算参与人资格。

第二十二条　股票和资金的结算实行分级结算原则。中国结算根据成交确认结果办理结算参与人之间股票和资金的清算交收；结算参与人负责办理其与客户之间的清算交收。

结算参与人与客户之间的股票划付，应当委托中国结算代为办理。

第二十三条　中国结算按照货银对付的原则，为挂牌公司股票转让提供逐笔全额非担保交收服务。

第二十四条　投资者因司法裁决、继承等特殊原因需要办理股票过户的，依照中国结算的规定办理。

第二十五条　全国中小企业股份转让系统有限责任公司（以下简称"全国股份转让系统公司"）每个转让日发布委托和成交等转让信息，并通过全国股份转让系统指定信息披露平台或其他媒体公布。

主办券商应在营业网点揭示委托和成交信息。

第二十六条　全国股份转让系统公司发布的委托信息包括：委托类别、股票名称、股票代码、主办券商、买卖方向、拟买卖价格、股票数量、联系方式等。

全国股份转让系统公司发布的成交信息包括：股票名称、股票代码、成交价格、成交数量、买方代理主办券商和卖方代理主办券商等。

第二十七条　当日加权平均成交价为挂牌公司股票的收盘价；当日无成交的，以上一转让日的收盘价为收盘价。

第二十八条　挂牌公司股票发生权益分派、公积金转增股本情况，全国股份转让系统公司在权益登记日（R日）对该股票作除权除息处理。

第二十九条　除权（息）参考价计算公式为：

除权（息）参考价＝〔前一转让日（R－1日）收盘价－现金红利〕÷（1＋股份变动比例）

除权（息）日股票买卖，按除权（息）参考价作为计算涨跌幅度的基准，全国股份转让系统公司另有规定的除外。

第三十条　挂牌公司股票发生其他涉及除权除息处理情况的有关规定，由全国股份转让系统公司另行制定。

第三十一条　投资者买卖挂牌公司股票，应按照规定交纳相关税费。

第三十二条　投资者以异常价格进行定价委托或意向委托的，主办券商应对投资者及时进行提醒，要求其撤销该笔委托。异常价格包括但不限于以下情形：

（一）同时低于挂牌公司上年度经审计的每股净资产值与每股面值1元；

（二）涨幅高于挂牌公司股票前收盘价的100%（若前日成交中存在以异常价格成交情形的，则以最近一个未发生异常成交的转让日收盘价为计价标准）；

（三）全国股份转让系统公司或主办券商认定的其他情形。

第三十三条　主办券商应对存在异常委托行为的投资者建立记录，进行持续动态管理；对首次发生异常委托行为的投资者进行提醒；对再次发生异常委托行为的投资者予以警示；对三次以上发生异常委托行为的投资者，可在六个月内暂停接受其委托或终止证券买卖委托代理协议。

第三十四条　买卖双方投资者欲通过成交确认委托方式以异常价格（异常价格认定标准参照第三十二条）进行转让的，应事先通过挂牌公司发布股票转让提示性公告，公告次一转让日再进行相关委托转让。公告内容应当包括：转让双方基本情况，拟转让价格，拟转让数量，转让原因，预计转让日期，转让双方之间、转让双方与挂牌公司之间是否存在关联关系。

买卖双方投资者事先未公告即实施转让行为的，代理其买卖挂牌公司股票的主办券商应督促投资者在该转让行为发生后的两个转让日内，通过挂牌公司发布股票转让公告。公告内容应当包括：转让双方基本情况，转让价格，转让数量，转让原因，转让日期，转让双方之间、转让双方与挂牌公司之间是否存在关联关系。

投资者不配合主办券商调查或拒绝提供相关情况导致无法进行公告的，代理其买卖挂牌公司股票的主办券商可在转让发生后的两个转让日内公示投资者的基本情况，并在六个月内拒绝接受其委托。

第三十五条　全国股份转让系统公司对股票转让过程中出现的下列事项，予以重点监控：

（一）可能影响股票转让价格或者股票交易量的异常转让行为；

（二）股票转让价格或者股票交易量明显异常的情形；

（三）涉嫌内幕交易、操纵市场等违法违规行为；

（四）投资者买卖股票的品种、时间、数量等受到法律法规、全国股份转让系统公司规定限制的行为；

（五）全国股份转让系统公司认为需要重点监控的其他事项。

第三十六条　全国股份转让系统公司可以单独或联合有关单位，对异常转让行为等情形进行调查。相关主办券商和投资者应当配合。

第三十七条　全国股份转让系统公司在现场或非现场调查中，可以根据需要要求主办券商和投资者提供下列文件和资料：

（一）投资者的开户资料、授权委托书、资金账户情况和相关证券账户的转让情况等；

（二）相关证券账户或资金账户的实际控制人和操作人情况、资金来源以及相关账户间是否存在关联的说明等；

（三）对股票转让中重点监控事项的解释；

（四）其他与全国股份转让系统公司重点监控事项有关的资料。

第三十八条　全国股份转让系统公司可以视情形对挂牌公司股票转让中出现的异常转让行为采取以下监管措施：

（一）口头或书面警示；

（二）约见谈话；

（三）要求提交书面承诺；

（四）限制相关证券账户转让；

（五）盘中临时停止股票转让；

（六）上报证监会。

第三十九条　原代办股份转让系统挂牌的 STAQ、NET 系统公司和退市公司股票转让相关事项另行规定。

第四十条　本暂行办法由全国股份转让系统公司负责解释。

全国中小企业股份转让系统
过渡期登记结算暂行办法

第一条　全国中小企业股份转让系统（以下简称“全国股份转让系统”）挂牌公司股票的登记结算适用本暂行办法。

第二条　投资者应持有中国证券登记结算有限责任公司（以下简称“中国结算”）深圳市场人民币普通股票账户（含原非上市股份有限公司股份转让账户，以下简称“证券账户”）参与挂牌公司股票的转让。

证券账户的开立、挂失补办、资料查询、资料变更和账户注销等业务，按照中国结算证券账户管理相关业务规则办理。

第三条　申请挂牌公司应在获得全国中小企业股份转让系统有限责任公司（以下简称“全国股份转让系统公司”）同意挂牌的审查意见和中国证监会核准文件、证券简称和证券代码后，与中国结算签订股份登记及服务协议，申请办理全部股份的集中登记。股份登记采取申报制，中国结算对申请挂牌公司提交的申请材料进行形式审核。申请挂牌公司应对申请材料的真实、准确与完整负责。

第四条　申请挂牌公司申请办理股份初始登记时，应当提供以下材料：

（一）股份登记申请；

（二）全国股份转让系统公司同意挂牌的审查意见和中国证监会核准文件；

（三）股份公司设立的相关文件；

（四）申请挂牌公司已签字盖章的《股份登记及服务协议》；

（五）涉及司法冻结或质押登记的，还需提供司法协助执行、质押登记相关申请材料；

（六）申请挂牌公司法人有效营业执照复印件、法人代表证明书、法定代表人授权委托书；

（七）中国结算要求提供的其他材料。

第五条　中国结算对上述材料审核无误后，办理股份预登记，向申请挂牌公司出具《网下登记持有人名册清单》。

申请挂牌公司核对确认《网下登记持有人名册清单》无误后，中国结算完成股份登记，并出具《股份登记确认书》。

第六条　挂牌公司申请定向发行股份登记，参照初始登记业务流程办理。

第七条　中国结算依据全国股份转让系统股票转让的交收结果，办理挂牌公司股份的变更登记。

挂牌公司股票涉及司法裁决、继承、赠与、依法进行的财产分割、法人资格丧失等特殊原因需要办理非交易过户的，参照中国结算相关业务规则办理。

第八条　投资者应当委托主办券商托管其持有的挂牌公司股份，主办券商应当将其托管的挂牌公司股份交由中国结算存管，但法律、行政法规和中国证监会另有规定的除外。

第九条　投资者需要变更托管主办券商的，应当通过转出的主办券商办理转托管。

第十条　挂牌公司进行送股、转增或派息等权益分派，应当向中国结算提出申请，并与中国结算商定股权登记日（R日）。

送股、转增或派息等权益于 R+1 日到账。

第十一条　挂牌公司委托中国结算派息，必须在 R-1

日前将派息款及相关税费足额划至中国结算指定账户。中国结算于 R+1 日将派息款划至主办券商在中国结算的结算备付金账户，再由主办券商划入投资者资金账户。

挂牌公司不能在规定期限内划入相关款项的，应及时通知中国结算，并刊登延期实施公告。

第十二条　中国结算根据挂牌公司的申报，并依据全国股份转让系统公司的确认办理挂牌公司股份的限售或解除限售的登记。

第十三条　挂牌公司董事、监事及高级管理人员持有的股份按规定需进行限售或解除限售的，挂牌公司应向全国股份转让系统公司报备并取得确认。

中国结算依据全国股份转让系统公司的确认办理挂牌公司董事、监事及高级管理人员持股的限售或解除限售的登记。

第十四条　挂牌公司因召开股东大会、自行派息或中国结算认可的其他原因，可以向中国结算申请领取持有人名册。

第十五条　挂牌公司可通过名册系统或书面的方式申领持有人名册，可通过名册系统、当面或邮寄等方式接收持有人名册。

第十六条　挂牌公司股票终止挂牌后，需要办理退出登记手续的，应当及时到中国结算办理。

第十七条　挂牌公司未按规定办理股份退出登记手续的，中国结算可将其证券登记数据和资料送达该挂牌公司或其代办机构，并由公证机关进行公证，视同该挂牌公司退出登记手续办理完毕。

第十八条　挂牌公司退出登记办理完毕后，中国结算通过全国股份转让系统指定信息披露平台和其他媒体发布关于终止为挂牌公司提供登记服务的公告。

第十九条　主办券商及其他机构参与挂牌公司股票转让结算业务，应取得中国结算的结算参与人资格，遵守《中国证券登记结算有限责任公司结算参与人管理规则》的有关规定。

第二十条　中国结算按照货银对付的原则，为挂牌公司的股票转让提供逐笔全额非担保交收服务。

第二十一条　股票和资金的结算实行分级结算原则。中国结算负责办理结算参与人之间的清算交收；结算参与人负责办理其与客户之间的清算交收。

结算参与人与客户之间的股票划拨，应当委托中国结算代为办理。

第二十二条　主办券商应当与其客户签订协议，至少明确以下事项：

（一）主办券商依据客户的委托，负责办理与客户的股票和资金的清算交收。客户只与主办券商发生结算关系，不与中国结算发生结算关系。

（二）客户同意在清算交收过程中，由主办券商委托中国结算办理其证券账户与主办券商证券交收账户之间的股票划拨。

第二十三条　中国结算使用结算参与人在中国结算已开设的结算备付金账户完成全国股份转让系统股票转让的资金交收，使用结算参与人的证券交收账户完成股票交收。

中国结算在完成担保交收证券品种的交收后，再按照非担保交收原则办理挂牌公司股票的股份和资金交收。

第二十四条　全国股份转让系统股票转让的交收日为 T+1 日（T 日为股票转让日），最终交收时点为 16:00。

第二十五条　中国结算根据全国股份转让系统成交确认结果，于 T 日日终进行股票和资金的逐笔清算，并将清算结果发送各结算参与人。

第二十六条　T+1 日最终交收时点，中国结算根据全国股份转让系统成交顺序，逐笔检查卖出方结算参与人负责结算的相关投资者证券账户中可用股票和买入方结算参与人结算备付金账户中可用资金是否足额。股票和资金均足额的，中国结算办理相关股票和资金的交收；任何一方股票或资金不足额的，视为交收失败，中国结算不办理相关股票和资金的交收，不承担相关法律责任。

T+1 日日终中国结算将交收结果发送各结算参与人。

第二十七条　对交收失败的违约方结算参与人，中国结算将其交收违约纪录记入相关诚信档案。

第二十八条　中国结算根据规定的收费标准，在提供服务时收取相关费用。

第二十九条　原代办股份转让系统挂牌的 STAQ、NET 系统公司和退市公司股票的登记结算事项另行规定。

第三十条　本暂行办法由中国结算负责解释。

第三十一条　本暂行办法自发布之日起施行，《中国证券登记结算有限责任公司证券公司代办股份转让系统中关村科技园区非上市股份有限公司股份报价转让登记结算业务实施细则》同时废止。

全国中小企业股份转让系统股票转让细则
（试行）

第一章　总则

第一条　为规范全国中小企业股份转让系统（以下简称全国股份转让系统）股票转让行为，维护证券市场运行秩序，保护投资者合法权益，根据《中华人民共和国证券法》、《全国中小企业股份转让系统有限责任公司管理暂行办法》等法律、行政法规、部门规章、其他规范性文件及《全国中小企业股份转让系统业务规则（试行）》（以下简称《业务规则》）等相关规定，制定本细则。

第二条　在全国股份转让系统挂牌股票的转让，适用本细则。本细则未作规定的，适用全国股份转让系统其他有关规定。

第三条　股票转让及相关活动实行公开、公平、公正的原则，禁止证券欺诈、内幕交易、操纵市场等违法违规行为。

第四条　主办券商、投资者等市场参与人应当遵守法律、行政法规、部门规章、其他规范性文件及全国股份转让系统有关业务规则，遵循自愿、有偿、诚实信用原则。

第五条　全国中小企业股份转让系统有限责任公司（以下简称全国股份转让系统公司）为股票转让活动提供服务，并依法对相关股票转让活动进行自律管理。

第六条　股票转让采用无纸化的公开转让形式，或经中国证券监督管理委员会（以下简称中国证监会）批准的其他转让形式。

第二章　转让市场

第一节　转让设施与转让参与人

第七条　全国股份转让系统为股票转让提供相关设施，包括交易主机、交易单元、报盘系统及相关通信系统等。

第八条　主办券商进入全国股份转让系统进行股票转让，应当向全国股份转让系统公司申请取得转让权限，成为转让参与人。

第九条　转让参与人应当通过在全国股份转让系统申请开设的交易单元进行股票转让。

第十条　交易单元是转让参与人向全国股份转让系统公司申请设立的、参与全国股份转让系统证券转让，并接受全国股份转让系统公司服务及监管的基本业务单位。

第十一条　主办券商在全国股份转让系统开展证券经纪、证券自营和做市业务，应当分别开立交易单元。

第十二条　交易单元和转让权限的具体规定，由全国股份转让系统公司另行制定。

第二节　转让方式

第十三条　股票可以采取做市转让方式、协议转让方式、竞价转让方式之一进行转让。

第十四条　股票采取做市转让方式的，应当有 2 家以上做市商为其提供做市报价服务。

申请挂牌公司股票拟采取做市转让方式的，其中一家做市商应为推荐其股票挂牌的主办券商或该主办券商的母（子）公司。

第十五条　股票采取竞价转让方式的，应当符合全国股份转让系统公司规定的条件。具体条件由全国股份转让系统公司另行制定。

第十六条　挂牌公司提出申请并经全国股份转让系统公司同意，可以变更股票转让方式。

第十七条　采取做市转让方式的股票，拟变更为协议或竞价转让方式的，挂牌公司应事前征得该股票所有做市商同意。

第十八条　采取做市转让方式的股票，为其做市的做市商不足 2 家，且未在 30 个转让日内恢复为 2 家以上做市商的，如挂牌公司未按规定提出股票转让方式变更申请，其转让方式将强制变更为协议转让方式。

第三节　转让时间

第十九条　股票转让时间为每周一至周五 9:15 至 11:30，13:00 至 15:00。转让时间内因故停市，转让时间不作顺延。

遇法定节假日和全国股份转让系统公司公告的休市日，全国股份转让系统休市。

第二十条　经中国证监会批准，全国股份转让系统公司可以调整转让时间。

第三章　股票转让一般规定

第二十一条　投资者买卖股票，应当以实名方式开立证券账户和资金账户，与主办券商签订证券买卖委托代理协议，并签署相关风险揭示书。

投资者开立证券账户，应当按照中国证券登记结算有限责任公司（以下简称中国结算）的规定办理。

第二十二条　投资者可以通过书面委托方式或电话、自助终端、互联网等自助委托方式委托主办券商买卖股票。

投资者进行自助委托的，应按相关规定操作，主办券商应当记录投资者委托的电话号码、网卡地址、IP 地址等信息。

第二十三条　主办券商接受投资者的买卖委托后，应当确认投资者具备相应股票或资金，并按照委托的内容向全国股份转让系统申报，承担相应的交易、交收责任。

主办券商接受投资者买卖委托达成交易的，投资者应当向主办券商交付其委托主办券商卖出的股票或其委托主办券商买入股票的款项，主办券商应当向投资者交付卖出股票所得款项或买入的股票。

第二十四条　投资者可以撤销委托的未成交部分。

被撤销或失效的委托，主办券商应当在确认后及时向投资者返还相应的资金或股票。

第二十五条　主办券商应按照接受投资者委托的时间先后顺序及时向全国股份转让系统申报。

第二十六条　申报指令应当按全国股份转让系统公司规定的格式传送。全国股份转让系统公司可以根据市场需要，调整申报的内容及方式。

第二十七条　主办券商应当按有关规定妥善保管委托和申报记录。

第二十八条　买卖股票的申报数量应当为 1000 股或其整数倍。卖出股票时，余额不足 1000 股部分，应当一次性申报卖出。

第二十九条　股票转让的计价单位为“每股价格”。股票转让的申报价格最小变动单位为 0.01 元人民币。

按成交原则达成的价格不在最小价格变动单位范围内的，按照四舍五入原则取至相应的最小价格变动单位。

第三十条　股票转让单笔申报最大数量不得超过 100 万股。

第三十一条　全国股份转让系统公司可以根据市场需要，调整股票单笔申报数量、申报价格的最小变动单位和单笔申报最大数量。

第三十二条　申报当日有效。

买卖申报和撤销申报经全国股份转让系统交易主机确认后方为有效。

第三十三条　主办券商通过报盘系统向全国股份转让系统交易主机发送买卖申报指令。买卖申报经交易主机撮合成交后，转让即告成立。按本细则各项规定达成的交易于成立时生效，交易记录由全国股份转让系统公司发送至主办券商。

因不可抗力、意外事件、交易系统被非法侵入等原因造成严重后果的转让，全国股份转让系统公司可以采取适当措施或认定无效。

对显失公平的转让，经全国股份转让系统公司认定，可以采取适当措施。

第三十四条　违反本细则，严重破坏证券市场正常运行的转让，全国股份转让系统公司有权宣布取消转让。由此造成的损失由违规转让者承担。

第三十五条　依照本细则达成的交易，其成交结果以交易主机记录的成交数据为准。

第三十六条　全国股份转让系统对股票转让不设涨跌幅限制。全国股份转让系统公司另有规定的除外。

第三十七条　投资者买入的股票，买入当日不得卖出；做市商买入的股票，买入当日可以卖出。全国股份转让系统公司另有规定的除外。

第三十八条　按照本细则达成的交易，买卖双方必须承认交易结果，履行清算交收义务。

股票买卖的清算交收业务，应当按照中国结算的规定办理。

第三十九条　全国股份转让系统公司每个转让日发布股票转让即时行情、股票转让公开信息等转让信息，及时编制反映市场转让情况的各类报表，并通过全国股份转让系统指定信息披露平台或其他媒体予以公布。

第四十条　全国股份转让系统对采取做市、协议和竞价转让方式的股票即时行情实行分类揭示。

第四十一条 全国股份转让系统公司负责全国股份转让系统信息的统一管理和发布。未经全国股份转让系统公司许可,任何机构和个人不得发布、使用和传播转让信息。经全国股份转让系统公司许可使用转让信息的机构和个人,未经同意不得将转让信息提供给其他机构和个人使用或予以传播。

第四十二条 全国股份转让系统公司可以根据市场需要,调整即时行情和股票转让公开信息发布的内容和方式。

第四十三条 全国股份转让系统公司可以根据市场发展需要,编制综合指数、成份指数、分类指数等股票指数,随即时行情发布。

股票指数的设置和编制方法,由全国股份转让系统公司另行规定。

第四章 做市转让方式

第一节 委托与申报

第四十四条 做市商应在全国股份转让系统持续发布买卖双向报价,并在其报价数量范围内按其报价履行与投资者的成交义务。做市转让方式下,投资者之间不能成交。全国股份转让系统公司另有规定的除外。

第四十五条 投资者可以采用限价委托方式委托主办券商买卖股票。

限价委托是指投资者委托主办券商按其限定的价格买卖股票的指令,主办券商必须按限定的价格或低于限定的价格申报买入股票;按限定的价格或高于限定的价格申报卖出股票。

限价委托应包括证券账户号码、证券代码、买卖方向、委托数量、委托价格等内容。

第四十六条 全国股份转让系统接受主办券商的限价申报、做市商的做市申报。全国股份转让系统公司另有规定的除外。

限价申报应包括证券账户号码、证券代码、交易单元代码、证券营业部识别码、买卖方向、申报数量、申报价格等内容。

做市申报是指做市商为履行做市义务,向全国股份转让系统发送的,按其指定价格买卖不超过其指定数量股票的指令。做市申报应包括证券账户号码、证券代码、交易单元代码、买卖申报数量和价格等内容。

第四十七条 全国股份转让系统接受限价申报、做市申报的时间为每个转让日的9:15至11:30、13:00至15:00。全国股份转让系统公司可以调整接受申报的时间。

第四十八条 做市商应最迟于每个转让日的9:30开始发布买卖双向报价,履行做市报价义务。

第四十九条 做市商每次提交做市申报应当同时包含买入价格与卖出价格,且相对买卖价差不得超过5%。相对买卖价差计算公式为:

相对买卖价差=(卖出价格-买入价格)÷卖出价格×100%

卖出价格与买入价格之差等于最小价格变动单位的,不受前款限制。

第五十条 做市商提交新的做市申报后,前次做市申报的未成交部分自动撤销。

第五十一条 做市商前次做市申报撤销或其申报数量经成交后不足1000股的,做市商应于5分钟内重新报价。

第五十二条 做市商持有库存股票不足1000股时,可以免于履行卖出报价义务。

出现前款所述情形,做市商应及时向全国股份转让系统公司报告并调节库存股票数量,并最迟于该情形发生后第3个转让日恢复正常双向报价。

第五十三条 单个做市商持有库存股票达到挂牌公司总股本20%时,可以免于履行买入报价义务。

出现前款所述情形,做市商应及时向全国股份转让系统公司报告,并最迟于该情形发生后第3个转让日恢复正常双向报价。

第二节 成交

第五十四条 每个转让日的9:30至11:30、13:00至15:00为做市转让撮合时间。

做市商每个转让日提供双向报价的时间应不少于做市转让撮合时间的75%。

第五十五条 全国股份转让系统对到价的限价申报即时与做市申报进行成交;如有2笔以上做市申报到价的,按照价格优先、时间优先原则成交。成交价以做市申报价格为准。

做市商更改报价使限价申报到价的,全国股份转让系统按照价格优先、时间优先原则将到价限价申报依次与该做市申报进行成交。成交价以做市申报价格为准。

到价是指限价申报买入价格等于或高于做市申报卖出价格,或限价申报卖出价格等于或低于做市申报买入价格。

限价申报之间、做市申报之间不能成交。

第三节 做市商管理

第五十六条 证券公司在全国股份转让系统开展做市业务前,应向全国股份转让系统公司申请备案。

第五十七条 做市商开展做市业务,应通过专用证券账户进行。做市专用证券账户应向中国结算和全国股份转让系统公司报备。

做市商不再为挂牌公司股票提供做市报价服务的,应将库存股票转出做市专用证券账户。

第五十八条 做市商证券自营账户不得持有其做市股票或参与做市股票的买卖。

第五十九条 挂牌时采取做市转让方式的股票,初始做市商应当取得合计不低于挂牌公司总股本5%或100万股(以孰低为准),且每家做市商不低于10万股的做市库存股票。

除前款所述情形外,做市商在做市前应当取得不低于10万股的做市库存股票。

第六十条 做市商的做市库存股票可通过以下方式取得:

(一)股东在挂牌前转让;

(二)股票发行;

(三)在全国股份转让系统买入;

(四)其他合法方式。

第六十一条 挂牌时采取做市转让方式的股票,后续加入的做市商须在该股票挂牌满3个月后方可为其提供做市报价服务。

采取做市转让方式的股票,后续加入的做市商应当向全国股份转让系统公司提出申请。

第六十二条 挂牌时采取做市转让方式的股票和由其他转让方式变更为做市转让方式的股票,其初始做市商为股票做市不满6个月的,不得退出为该股票做市。后续加入的做市商为股票做市不满 3 个月的,不得退出为该股票做市。

做市商退出做市的,应当事前提出申请并经全国股份转让系统公司同意。做市商退出做市后,1 个月内不得申请再次为该股票做市。

第六十三条　出现下列情形时,做市商自动终止为相关股票做市:

(一) 该股票摘牌;

(二) 该股票因其他做市商退出导致做市商不足 2 家而变更转让方式;

(三) 做市商被暂停、终止从事做市业务或被禁止为该股票做市;

(四) 全国股份转让系统公司认定的其他情形。

第四节　做市商间转让

第六十四条　做市商间为调节库存股等进行股票转让的,可以通过互报成交确认申报方式进行。

第六十五条　做市商的成交确认申报是指做市商之间按指定价格和数量与指定对手方确认成交的指令。

做市商的成交确认申报应包括证券账户号码、证券代码、交易单元代码、买卖方向、申报数量、申报价格、对手方交易单元、对手方证券账户号码以及成交约定号等内容。

第六十六条　全国股份转让系统接受做市商成交确认申报和对做市商成交确认申报进行成交确认的时间为每个转让日的 15:00 至 15:30。

第六十七条　全国股份转让系统对证券代码、申报价格和申报数量相同,买卖方向相反,指定对手方交易单元、证券账户号码相符及成交约定号一致的做市商成交确认申报进行确认成交。

做市商间转让股票,其成交价格应在该股票当日最高、最低成交价之间;当日无成交的,其成交价格不得高于前收盘价的 110% 且不低于前收盘价的 90%。

第六十八条　做市商当日从其他做市商处买入的股票,买入当日不得卖出。

第六十九条　做市商间转让不纳入即时行情和指数的计算,成交量在每个转让日做市商间转让结束后计入该股票成交总量。

第七十条　每个转让日做市商间转让结束后,全国股份转让系统公司逐笔公布做市商间转让信息,包括证券名称、成交量、成交价以及买卖双方做市商名称等。

第五节　其他规定

第七十一条　采取做市转让方式的股票,开盘价为该股票当日第一笔成交价。

第七十二条　采取做市转让方式的股票,收盘价为该股票当日最后一笔成交价。

当日无成交的,以前收盘价为当日收盘价。

第七十三条　全国股份转让系统为做市商提供其做市股票实时最高 10 个价位的买入限价申报价格和数量、最低 10 个价位的卖出限价申报价格和数量等信息,以及为该股票提供做市报价服务做市商的实时最优 10 笔买入和卖出做市申报价格和数量等信息。

第七十四条　采取做市转让方式的股票,全国股份转让系统每个转让日 9:30 开始发布即时行情,其内容主要包括证券代码、证券简称、前收盘价、最近成交价、当日最高价、当日最低价、当日累计成交数量、当日累计成交金额、做市商实时最高 3 个价位买入申报价格和数量、做市商实时最低 3 个价位卖出申报价格和数量等。

第五章　协议转让方式

第一节　委托与申报

第七十五条　投资者委托分为意向委托、定价委托和成交确认委托。

意向委托是指投资者委托主办券商按其确定价格和数量买卖股票的意向指令,意向委托不具有成交功能。意向委托应包括证券账户号码、证券代码、买卖方向、委托数量、委托价格、联系人、联系方式等内容。

定价委托是指投资者委托主办券商按其指定的价格买卖不超过其指定数量股票的指令。定价委托应包括证券账户号码、证券代码、买卖方向、委托数量、委托价格等内容。

成交确认委托是指投资者买卖双方达成成交协议,或投资者拟与定价委托成交,委托主办券商以指定价格和数量与指定对手方确认成交的指令。成交确认委托应包括:证券账户号码、证券代码、买卖方向、委托数量、委托价格、成交约定号等内容;拟与对手方通过互报成交确认委托方式成交的,还应注明对手方交易单元代码和对手方证券账户号码。

第七十六条　全国股份转让系统接受主办券商的意向申报、定价申报和成交确认申报。

意向申报应包括证券账户号码、证券代码、交易单元代码、证券营业部识别码、买卖方向、申报数量、申报价格、联系人、联系方式等内容。

定价申报应包括证券账户号码、证券代码、交易单元代码、证券营业部识别码、买卖方向、申报数量、申报价格等内容。

成交确认申报应包括:证券账户号码、证券代码、交易单元代码、证券营业部识别码、买卖方向、申报数量、申报价格、成交约定号等内容;若投资者成交确认委托中包括对手方交易单元代码和对手方证券账户号码,其对应成交确认申报指令也应包括相关内容。

第七十七条　交易主机接受申报的时间为每个转让日的 9:15 至 11:30、13:00 至 15:00。

全国股份转让系统公司可以调整接受申报的时间。

第七十八条　全国股份转让系统收到拟与定价申报成交的成交确认申报后,如系统中无对应的定价申报,该成交确认申报以撤单处理。

第二节　成交

第七十九条　每个转让日的 9:30 至 11:30、13:00 至 15:00 为协议转让的成交确认时间。

第八十条　全国股份转让系统按照时间优先原则,将成交确认申报和与该成交确认申报证券代码、申报价格相同,买卖方向相反及成交约定号一致的定价申报进行确认成交。

成交确认申报与定价申报可以部分成交。成交确认申报股票数量小于定价申报的,以成交确认申报的股票数量为成交股票数量;成交确认申报股票数量大于定价申报的,以定价申报的股票数量为成交股票数量。成交确认申报未成交部分以撤单处理。

第八十一条　全国股份转让系统对证券代码、申报价格和申报数量相同,买卖方向相反,指定对手方交易单元、证券账户号码相符及成交约定号一致的成交确认申报进行确认成交。

第八十二条　每个转让日 15:00,全国股份转让系统按照时间优先原则，将证券代码和申报价格相同、买卖方向相反的未成交定价申报进行匹配成交。

第三节 其他规定

第八十三条 采取协议转让方式的股票，开盘价为当日该股票的第一笔成交价。

第八十四条 采取协议转让方式的股票，以当日最后30分钟转让时间的成交量加权平均价为当日收盘价。最后30分钟转让时间无成交的，以当日成交量加权平均价为当日收盘价。当日无成交的，以前收盘价为当日收盘价。

第八十五条 采取协议转让方式的股票，每个转让日的即时行情内容主要包括前收盘价、最近成交价、当日最高成交价、当日最低成交价、当日累计成交数量以及定价申报的价格、数量、成交约定号等。

第八十六条 采取协议转让方式的股票，全国股份转让系统公司公布当日每笔成交信息，内容包括证券代码、证券简称、成交价格、成交数量、买卖双方主办券商证券营业部或交易单元的名称等。

股票转让公开信息涉及机构专用交易单元的，公布名称为“机构专用”。

第六章 竞价转让方式

第一节 委托与申报

第八十七条 股票竞价转让采用集合竞价和连续竞价两种方式。集合竞价，是指对一段时间内接受的买卖申报一次性集中撮合的竞价方式。连续竞价，是指对买卖申报逐笔连续撮合的竞价方式。

第八十八条 股票采取竞价转让方式的，每个转让日的9:15至9:25为开盘集合竞价时间，9:30至11:30、13:00至14:55为连续竞价时间，14:55至15:00为收盘集合竞价时间。

第八十九条 投资者可以采用限价委托方式委托主办券商买卖股票。

限价委托是指投资者委托主办券商按其限定的价格买卖股票的指令，主办券商必须按限定的价格或低于限定的价格申报买入股票；按限定的价格或高于限定的价格申报卖出股票。

限价委托应包括证券账户号码、证券代码、买卖方向、委托数量、委托价格等内容。

第九十条 全国股份转让系统接受主办券商的限价申报。

限价申报应包括证券账户号码、证券代码、交易单元代码、证券营业部识别码、买卖方向、申报数量、申报价格等内容。

第九十一条 全国股份转让系统接受主办券商限价申报的时间为每个转让日9:15至11:30、13:00至15:00。

每个转让日9:20至9:25、14:55至15:00，交易主机不接受撤销申报；在其他接受申报的时间内，未成交申报可以撤销。

每个转让日9:25至9:30，交易主机只接受申报，但不对买卖申报或撤销申报作处理。

全国股份转让系统公司可以调整接受申报的时间。

第九十二条 全国股份转让系统对申报设置有效价格区间。开盘集合竞价的申报有效价格区间为前收盘价的上下20%以内。连续竞价、收盘集合竞价的申报有效价格区间为最近成交价的上下20%以内；当日无成交的，申报有效价格区间为前收盘价的上下20%以内。

不在有效价格区间范围内的申报不参与竞价，暂存于交易主机；当成交价波动使其进入有效价格区间时，交易主机自动取出申报，参加竞价。

挂牌后无成交的股票，对申报不设置有效价格区间。

第二节 成交

第九十三条 股票竞价转让按价格优先、时间优先的原则撮合成交。

第九十四条 集合竞价时，成交价的确定原则为：

（一）可实现最大成交量；

（二）高于该价格的买入申报与低于该价格的卖出申报全部成交；

（三）与该价格相同的买方或卖方至少有一方全部成交。

两个以上价格符合上述条件的，取在该价格以上的买入申报累计数量与在该价格以下的卖出申报累计数量之差最小的价格为成交价；若买卖申报累计数量之差仍存在相等情况的，按如下方式确定成交价：

（一）开盘集合竞价时取最接近前收盘价的价格为成交价；无前收盘价的，取其平均价为成交价；

（二）收盘集合竞价时取最接近最近成交价的价格为成交价；当日无成交的，收盘集合竞价时取最接近前收盘价的价格为成交价；无前收盘价的，取其平均价为成交价。

集合竞价的所有转让以同一价格成交。

第九十五条 连续竞价时，成交价的确定原则为：

（一）最高买入申报与最低卖出申报价格相同，以该价格为成交价；

（二）买入申报价格高于集中申报簿当时最低卖出申报价格时，以集中申报簿当时的最低卖出申报价格为成交价；

（三）卖出申报价格低于集中申报簿当时最高买入申报价格时，以集中申报簿当时的最高买入申报价格为成交价。

第三节 其他规定

第九十六条 采取竞价转让方式的股票，开盘价为当日该股票的第一笔成交价。

开盘价通过集合竞价方式产生，不能通过集合竞价产生的，以连续竞价方式产生。

第九十七条 采取竞价转让方式的股票，收盘价通过集合竞价的方式产生。收盘集合竞价不能产生收盘价或未进行收盘集合竞价的，以该转让日最后一笔成交价为收盘价。当日无成交的，以前收盘价为当日收盘价。

第九十八条 集合竞价期间，即时行情内容包括证券代码、证券简称、前收盘价、集合竞价参考价、匹配量和未匹配量等。

连续竞价期间，即时行情内容包括证券代码、证券简称、前收盘价、最近成交价、当日最高成交价、当日最低成交价、当日累计成交数量、当日累计成交金额、实时最高5个价位买入申报价格和数量、实时最低5个价位卖出申报价格和数量等。

第九十九条 采取竞价转让方式的股票出现下列情形之一的，全国股份转让系统公司分别公布相关股票当日买入、卖出金额最大5家主办券商证券营业部或交易单元的名称及其各自的买入、卖出金额：

（一）当日价格振幅达到30%的前5只股票；

价格振幅的计算公式为：价格振幅＝（当日最高价－当日最低价）/当日最低价×100%

（二）当日换手率达到10%的前5只股票；

换手率的计算公式为：换手率＝成交股数/无限售条件股

份总数×100%

价格振幅或换手率相同的，依次按成交金额和成交量选取。

股票转让公开信息涉及机构专用交易单元的，公布名称为“机构专用”。

第七章　其他转让事项

第一节　转托管

第一百条　投资者可以以同一证券账户在单个或多个主办券商的不同证券营业部买入股票。

第一百零一条　投资者买入的股票可以通过原买入股票的交易单元委托卖出，也可以向原买入股票的交易单元发出转托管指令，转托管完成后，在转入的交易单元委托卖出。

转托管的具体规定，由中国结算制定。

第二节　挂牌、摘牌、暂停与恢复转让

第一百零二条　全国股份转让系统对股票实行挂牌转让。

第一百零三条　股票依法不再具备挂牌条件的，全国股份转让系统公司终止其挂牌转让，予以摘牌。

第一百零四条　全国股份转让系统公司可以对出现异常转让情况的股票采取盘中临时停止转让措施并予以公告。

具体暂停与恢复转让时间，以相关公告为准。

第一百零五条　挂牌公司股票暂停转让时，全国股份转让系统公司发布的行情中包括该股票的信息；股票摘牌后，行情中无该股票的信息。

第一百零六条　股票的挂牌、摘牌、暂停与恢复转让，由全国股份转让系统公司予以公告。相关信息披露义务人应当按照全国股份转让系统公司的要求及时公告。

第一百零七条　股票挂牌、摘牌、暂停与恢复转让的其他规定，按照全国股份转让系统公司其他有关规定执行。

第三节　除权与除息

第一百零八条　股票发生权益分派、公积金转增股本等情况，全国股份转让系统在权益登记日的次一转让日对该股票作除权除息处理。全国股份转让系统公司另有规定的除外。

第一百零九条　除权（息）参考价计算公式为：

除权（息）参考价＝（前收盘价－现金红利）÷（1%2B 股份变动比例）

挂牌公司认为有必要调整上述计算公式时，可以向全国股份转让系统公司提出调整申请并说明理由。经全国股份转让系统公司同意的，挂牌公司应当向市场公布该次除权（息）适用的除权（息）参考价计算公式。

第一百一十条　除权（息）日股票买卖，按除权（息）参考价作为计算涨跌幅度和有效申报价格区间的基准，全国股份转让系统公司另有规定的除外。

第一百一十一条　在除权（息）日，挂牌公司应变更股票简称，在简称前冠以“XR”、“XD”、“DR”等字样。

“XR”代表除权；“XD”代表除息；“DR”代表除权并除息。

第八章　转让行为自律监管

第一百一十二条　全国股份转让系统公司对股票转让过程中出现的下列事项，予以重点监控：

（一）涉嫌内幕交易、操纵市场等违法违规行为；

（二）可能影响股票转让价格或者股票成交量的异常转让行为；

（三）股票转让价格或者股票成交量明显异常的情形；

（四）买卖股票的范围、时间、数量、方式等受到法律、行政法规、部门规章、其他规范性文件、《业务规则》及全国股份转让系统其他规定限制的行为；

（五）全国股份转让系统公司认为需要重点监控的其他事项。

第一百一十三条　可能影响股票转让价格或者股票成交量的异常转让行为包括：

（一）可能对股票转让价格产生重大影响的信息披露前，大量或持续买入或卖出相关股票；

（二）单个证券账户，或两个以上固定的或涉嫌关联的证券账户之间，大量或频繁进行反向交易；

（三）单个证券账户，或两个以上固定的或涉嫌关联的证券账户，大笔申报、连续申报、密集申报或申报价格明显偏离该证券行情揭示的最近成交价；

（四）频繁申报或撤销申报，或大额申报后撤销申报，以影响股票转让价格或误导其他投资者；

（五）集合竞价期间以明显高于前收盘价的价格申报买入后又撤销申报，随后申报卖出该证券，或以明显低于前收盘价的价格申报卖出后又撤销申报，随后申报买入该证券；

（六）对单一股票在一段时期内进行大量且连续交易；

（七）大量或者频繁进行高买低卖交易；

（八）单独或者合谋，在公开发布投资分析、预测或建议前买入或卖出相关股票，或进行与自身公开发布的投资分析、预测或建议相背离的股票转让；

（九）申报或成交行为造成市场价格异常或秩序混乱；

（十）涉嫌编造并传播交易虚假信息，诱骗其他投资者买卖股票；

（十一）全国股份转让系统公司认为需要重点监控的其他异常转让。

主办券商发现客户存在上述异常转让行为，应提醒客户；对可能严重影响交易秩序的异常转让行为，应及时报告全国股份转让系统公司。

第一百一十四条　股票转让价格或者股票成交量明显异常的情形包括：

（一）同一证券营业部或同一地区的证券营业部集中买入或卖出同一股票且数量较大；

（二）股票转让价格连续大幅上涨或下跌，且挂牌公司无重大事项公告；

（三）全国股份转让系统公司认为需要重点监控的其他异常转让情形。

第一百一十五条　全国股份转让系统公司对做市商的以下行为进行重点监控：

（一）不履行或不规范履行报价义务；

（二）频繁触发豁免报价条件；

（三）涉嫌以不正当方式影响其他做市商做市；

（四）库存股数量异常变动；

（五）报价异常变动，或通过频繁更改报价涉嫌扰乱市场秩序；

（六）做市商之间涉嫌串通报价或私下交换交易策略、做市库存股票数量等信息以谋取不正当利益；

（七）做市商与特定投资者在一段时间内对特定股票进行大量且连续交易；

（八）其他涉嫌违法违规行为。

第一百一十六条　全国股份转让系统公司可根据监管需要,对主办券商相关业务活动中的风险管理、技术系统运行、做市义务履行等情况进行监督检查。

第一百一十七条　全国股份转让系统公司可以单独或联合其他有关单位,对异常转让行为等情形进行现场或非现场调查。相关主办券商和投资者应当予以配合。

第一百一十八条　全国股份转让系统公司在现场或非现场调查中,可以根据需要要求主办券商及其证券营业部、投资者及时、准确、完整地提供下列文件和资料:

(一)投资者的开户资料、授权委托书、资金账户情况和相关账户的转让情况等;

(二)相关证券账户或资金账户的实际控制人、操作人和受益人情况、资金来源以及相关账户间是否存在关联的说明等;

(三)对股票转让中重点监控事项的解释;

(四)其他与全国股份转让系统公司重点监控事项有关的资料。

第一百一十九条　对第一百一十二条、第一百一十三条、第一百一十四条、第一百一十五条所述重点监控事项中情节严重的行为,全国股份转让系统公司可以视情况采取以下措施:

(一)约见谈话;

(二)要求提交书面承诺;

(三)出具警示函;

(四)限制证券账户转让;

(五)向中国证监会报告有关违法违规行为;

(六)其他自律监管措施。

第一百二十条　转让参与人及相关业务人员违反本细则的,全国股份转让系统公司可根据《业务规则》及全国股份转让系统其他相关业务规定,对其进行纪律处分,并记入诚信档案。

第九章　转让异常情况处理

第一百二十一条　发生下列转让异常情况之一,导致部分或全部转让不能正常进行的,全国股份转让系统公司可以决定单独或同时采取暂缓进入清算交收程序、技术性停牌或临时停市等措施:

(一)不可抗力;

(二)意外事件;

(三)技术故障;

(四)全国股份转让系统公司认定的其他异常情况。

第一百二十二条　出现无法申报或行情传输中断情况的,主办券商应及时向全国股份转让系统公司报告。无法申报或行情传输中断的证券营业部数量超过全部主办券商所属证券营业部总数10%以上的,属于转让异常情况,全国股份转让系统公司可以实行临时停市。

第一百二十三条　全国股份转让系统公司认为可能发生第一百二十一条、第一百二十二条规定的转让异常情况,并严重影响转让正常进行的,可以决定技术性停牌或临时停市。

第一百二十四条　全国股份转让系统公司对暂缓进入清算交收程序、技术性停牌或临时停市决定予以公告。技术性停牌或临时停市原因消除后,全国股份转让系统公司可以决定恢复转让,并予以公告。

因转让异常情况及全国股份转让系统公司采取的必要措施造成损失的,全国股份转让系统公司不承担责任。

第一百二十五条　转让异常情况处理的具体规定,由全国股份转让系统公司另行制定,并报中国证监会批准。

第十章　转让纠纷

第一百二十六条　主办券商之间、主办券商和客户之间发生转让纠纷,相关主办券商应当记录有关情况,以备全国股份转让系统公司查阅。转让纠纷影响正常转让的,主办券商应当及时向全国股份转让系统公司报告。

第一百二十七条　主办券商之间、主办券商和客户之间发生转让纠纷,全国股份转让系统公司可以按有关规定,提供必要的交易数据。

第一百二十八条　客户对转让有疑义的,主办券商有义务协调处理。

第十一章　转让费用

第一百二十九条　投资者买卖股票成交的,应当按规定向代理股票买卖的主办券商交纳佣金。

第一百三十条　主办券商应当按规定向全国股份转让系统交纳转让经手费及其他费用。

第一百三十一条　股票转让的收费项目、收费标准和收费方式等按有关规定执行。

第十二章　附则

第一百三十二条　原STAQ、NET系统公司和退市公司挂牌股票转让相关事项另行规定。

第一百三十三条　本细则所述时间,以全国股份转让系统交易主机的时间为准。

第一百三十四条　本细则下列用语具有如下含义:

(一)“做市商”是指经全国股份转让系统公司同意,在全国股份转让系统持续发布买卖双向报价,并在其报价数量范围内按其报价履行与投资者成交义务的证券公司。

(二)“委托”是指投资者向主办券商进行具体授权买卖股票的行为。

(三)“申报”是指转让参与人向全国股份转让系统交易主机发送股票买卖指令的行为。

(四)“集中申报簿”是指交易主机某一时点按买卖方向以及价格优先、时间优先顺序排列的所有未成交申报队列。

(五)“集合竞价参考价”是指截至揭示时集中申报簿中所有申报按照集合竞价规则形成的虚拟集合竞价成交价。

(六)“匹配量”是指截至揭示时集中申报簿中所有申报按照集合竞价规则形成的虚拟成交数量。

(七)“未匹配量”是指截至揭示时集中申报簿中在集合竞价参考价位上的不能按照集合竞价参考价虚拟成交的买方或卖方申报剩余量。

第一百三十五条　本细则所述价格优先的原则是指较高价格买入申报优先于较低价格买入申报,较低价格卖出申报优先于较高价格卖出申报;时间优先的原则是指买卖方向、价格相同的,先申报者优先于后申报者,先后顺序按交易主机接受申报的时间确定。

第一百三十六条　本细则所称“超过”、“低于”、“高于”、“不足”、“大于”不含本数,“以内”、“达到”、“以上”、“以下”含本数。

第一百三十七条　本细则由全国股份转让系统公司负责解释。

全国中小企业股份转让系统证券代码、证券简称编制管理暂行办法

第一章 总则

第一条 为加强全国中小企业股份转让系统(以下简称全国股份转让系统)证券代码、证券简称的管理,确保证券代码、证券简称编制工作安全、稳定、有序地开展,降低系统运行风险,有效利用证券代码资源,制定本办法。

第二条 本办法适用于在全国股份转让系统挂牌证券品种的证券代码、证券简称编制和使用工作。

第二章 管理职责

第三条 全国中小企业股份转让系统有限责任公司(以下简称全国股份转让系统公司)设立证券编码工作委员会负责全国股份转让系统证券代码、证券简称的编制管理工作,统筹规划证券代码体系,制定证券代码和证券简称编制原则,监督证券代码资源的使用情况。

第四条 证券编码工作委员会由全国股份转让系统公司综合事务部、财务管理部、法律事务部、挂牌业务部、公司业务部、交易监察部、机构业务部、信息服务部、技术服务部等相关部门人员组成。

第五条 证券编码工作委员会以会议形式履行职责。证券编码小组会议由交易监察部召集,并可视情形邀请中国证券登记结算有限责任公司有关人员列席。

第六条 证券代码、证券简称日常编制工作由挂牌业务部、公司业务部、机构业务部、信息服务部发起,交易监察部进行确认。

挂牌业务部负责编制和分配与首次挂牌相关的股票、债券、期权及关联衍生品种的证券代码,受理其证券简称申请并核定其证券简称。

公司业务部负责编制和分配非首次挂牌股票、债券、期权及关联衍生品种的证券代码,受理其证券简称申请并核定其证券简称。

机构业务部负责编制和分配基金、专项资产管理计划和其他证券公司创新产品的证券代码,受理其相关简称申请并核定其简称。

信息服务部负责编制和分配指数的证券代码,受理其指数的简称申请并核定其简称。

第七条 证券发行人可以向全国股份转让系统公司提出ISIN代码申请,由全国股份转让系统公司统一向全国金融标准化技术委员会证券分技术委员会申请对应的ISIN代码。ISIN代码的有关编制方法参见国际号码代理人协会的ISO6166条例。

第三章 编制原则

第八条 全国股份转让系统证券代码采用六位数的数字型编制方法。

第九条 证券代码的编制原则上应当在所属证券品种区间内,可采用连续编制或其他经全国股份转让系统公司批准的方式进行编制。

第十条 按本办法编制的证券代码原则上不得与全国股份转让系统已挂牌证券代码重复。网络投票等必须重复使用证券代码的业务除外。

按本办法编制的证券代码应尽量避免与境内交易所已挂牌或上市证券代码重复。

第十一条 增加或者减少证券代码号段,应当经过证券编码工作委员会批准。

第十二条 证券简称应参考发行人名称、所属证券品种编制,不得超过八个字符(单字节字符),且应尽量避免与全国股份转让系统和境内交易所已挂牌或上市证券的证券简称重复。

第四章 股票及其衍生品种

第一节 挂牌公司股票

第十三条 挂牌公司普通股票证券代码首两位代码为83、87、88。

第十四条 挂牌公司优先股票证券代码首两位代码为82。

第十五条 挂牌公司股票证券简称原则上从公司名称中选取。

挂牌公司股票转让被实行特别处理风险警示,其证券简称首两位字符应改为“ST”,其他字符原则上从公司名称中选取。

第二节 两网公司及退市公司股票

第十六条 两网公司及退市公司A股股票证券代码首三位代码为400。

第十七条 退市公司B股股票证券代码首三位代码为420。

第十八条 退市公司既有A股股票,又有B股股票,其后三位代码应相同。

第十九条 退市公司纯B股公司内资股的证券代码首三位代码为400,后三位代码与该公司B股股票代码后三位代码相同;其证券简称前六位字符取自该公司B股股票简称,后两位字符为“内”。

第二十条 除纯B股公司内资股外,两网公司及退市公司A股股票证券简称的末位字符应为标识其每周转让天数的阿拉伯数字,其他字符原则上从公司名称中选取;B股股票证券简称的后两位字符应为“B”加上其每周转让天数的阿拉伯数字,其他字符原则上从公司名称中选取。

第三节 股权激励期权

第二十一条 股权激励期权证券代码首三位代码为850。

第二十二条 股权激励期权证券简称首四位字符从公司股票证券简称中选取,后四位字符按照期数依次为“JLC1”、“JLC2”等。

第四节 要约收购

第二十三条 要约收购证券代码首三位代码为840.

第二十四条 要约收购证券简称首四位字符从公司股票证券简称中选取,后四位字符为“收购”。

第五章 附则

第二十五条 本办法由全国股份转让系统公司负责解释。

机构业务类

全国中小企业股份转让系统主办券商持续督导工作指引（试行）

第一章 总则

第一条 为规范主办券商持续督导工作，提高挂牌公司信息披露质量和公司治理水平，促进挂牌公司规范运作，根据《全国中小企业股份转让系统业务规则（试行）》（以下简称《业务规则》）、《全国中小企业股份转让系统挂牌公司信息披露细则（试行）》（以下简称《信息披露细则》）、《全国中小企业股份转让系统主办券商推荐业务规定（试行）》等规定，制定本指引。

第二条 主办券商及其持续督导人员应当遵守法律法规和全国中小企业股份转让系统（以下简称“全国股份转让系统”）相关规定，诚实守信，勤勉尽责，持续督导挂牌公司履行信息披露、规范运作、信守承诺等义务，不断完善公司治理机制。

第三条 主办券商及其持续督导人员不得通过持续督导工作谋取不正当利益。

第四条 挂牌公司应当配合主办券商持续督导工作，接受主办券商的指导和督促，及时向主办券商提供相关材料、告知重大事项，为主办券商开展持续督导工作创造必要条件。

第五条 全国中小企业股份转让系统有限责任公司（以下简称“全国股份转让系统公司”）对主办券商持续督导工作进行自律管理。

第二章 持续督导内容

第六条 主办券商应履行以下督导职责：

（一）指导、督促挂牌公司完善公司治理机制，提高挂牌公司规范运作水平；

（二）指导、督促挂牌公司规范履行信息披露义务，事前审查挂牌公司信息披露文件，发布风险揭示公告；

（三）开展挂牌公司现场检查工作，督促挂牌公司进行整改；

（四）建立与挂牌公司日常联系机制，对挂牌公司进行培训和业务指导；

（五）关注挂牌公司重大变化，向全国股份转让系统公司报告挂牌公司重大事项，调查或协助调查指定事项，并配合做好挂牌公司的日常监管；

（六）全国股份转让系统公司规定的其他职责。

第七条 主办券商应督导挂牌公司依照《公司法》、《非上市公众公司监管指引第3号——章程必备条款》等法律法规制定并完善公司章程。

第八条 主办券商应督导挂牌公司建立健全并有效执行公司治理制度，包括但不限于股东大会、董事会、监事会议事规则及董事、监事和高级管理人员的行为规范等。

第九条 主办券商应督导挂牌公司建立健全并有效执行内部管理制度，包括但不限于会计核算体系、财务管理和风险控制等制度，以及对外担保、重大投资、委托理财、关联交易等重大经营决策的程序与规则等。

第十条 主办券商持续督导人员可以列席挂牌公司股东大会、董事会和监事会。

第十一条 挂牌公司应在召开股东大会、董事会、监事会后，及时向主办券商提供有关决议及备查文件，并在相关文件披露前为主办券商预留必要的事前审查时间。

主办券商应检查股东大会、董事会、监事会的召集、提案审议、通知时间、召开程序、授权委托、关联方回避、表决和决议是否符合法律法规和公司章程的规定，会议记录是否正常签署、保存完整，重点检查董事会是否在职权范围内和股东大会授权范围内对审议事项作出决议。

第十二条 主办券商应督导挂牌公司建立健全信息披露事务管理制度，明确挂牌公司应履行的信息披露义务，信息披露的内容、格式及时间要求，挂牌公司内部对拟披露信息的报告、流转、审查、披露流程以及相关职责划分。

第十三条 挂牌公司应及时向主办券商提供定期报告和临时报告所涉及的文件，并在相关文件披露前为主办券商预留必要的事前审查时间。

主办券商应当按照《业务规则》、《信息披露细则》、《全国中小企业股份转让系统挂牌公司年度报告内容与格式指引（试行）》、《全国中小企业股份转让系统挂牌公司半年度报告内容与格式指引（试行）》、《全国中小企业股份转让系统临时公告格式模板》等信息披露相关规定的要求对挂牌公司信息披露文件进行事前审查，督导挂牌公司规范履行信息披露义务。

主办券商事前审查发现挂牌公司信息披露文件存在虚假记载、误导性陈述或重大遗漏的，应要求挂牌公司及时改正，挂牌公司不予配合的，主办券商应向全国股份转让系统公司报告并发布风险揭示公告。

第十四条 主办券商应对挂牌公司信息披露文件进行事后核对，发现挂牌公司已披露的公告存在重大错误、遗漏或者误导的，应督导挂牌公司进行更正或补充。

全国股份转让系统公司事后审查发现挂牌公司公告不符合信息披露相关规定，公告存在重大错误、遗漏或者误导的，或者发现挂牌公司存在应当披露但未披露事项的，主办券商应按照全国股份转让系统公司要求，督促挂牌公司进行更正或补充。

第十五条 挂牌公司存在以下情形的，主办券商应在知悉或者应当知悉之日起十五个转让日内对其现场检查：

（一）股东大会、董事会、监事会和高级管理层不能按照公司治理要求履行职责或者规范运作；

（二）公司不能规范履行信息披露义务；

（三）控股股东、实际控制人或者其他关联方占用或者转移公司的资金、资产及其他资源；

（四）关联交易显失公允或未履行审批程序和信息披露义务；

（五）公司违规为他人提供担保；

（六）公司及其董事、监事、高级管理人员、控股股东、实际控制人涉嫌重大违法违规行为；

（七）公司经营业绩异常波动；

（八）全国股份转让系统公司要求进行现场检查的其他情形。

第十六条 主办券商应当明确现场检查工作要求，现场检查至少应有两人参加，事前根据引发现场检查的相应情形确定现场检查内容，制定现场检查工作方案，事中形成现场检查工作底稿，事后完成现场检查工作报告。

第十七条　主办券商可以采取以下现场检查手段，以获取充分和恰当的现场检查资料和证据：

（一）对挂牌公司董事、监事、高级管理人员及有关人员进行访谈；

（二）察看挂牌公司的主要生产、经营、管理场所；

（三）对有关文件、原始凭证及其他资料进行查阅、复制、记录；

（四）察看或者走访对挂牌公司损益影响重大的控股或参股公司；

（五）走访或者函证挂牌公司的控股股东、实际控制人及其关联方；

（六）走访或函证挂牌公司重要的供应商或者客户；

（七）主办券商认为必要的其他合法手段。

第十八条　主办券商应当在现场检查结束后的十个转让日内完成《现场检查工作报告》，报送全国股份转让系统公司备案。报告至少应当包括检查时间、检查地点、检查人员、检查涉及的事项、检查方法和措施、检查获取的资料和证据、检查结果、整改建议（如有）等内容。

主办券商应将检查结果和整改建议（如有）以书面方式告知挂牌公司，并督促挂牌公司就整改情况向全国股份转让系统公司报告。

第十九条　主办券商每年至少应对其所督导的挂牌公司的董事会秘书或者信息披露事务负责人进行一次培训，培训内容包括但不限于全国股份转让系统业务规则、细则、规定、指引、指南、通知等相关规定以及挂牌公司违规案例等。

第二十条　挂牌公司出现以下情形的，主办券商应在十个转让日内对其董事、监事、高级管理人员、董事会秘书或者信息披露事务负责人、控股股东和实际控制人等相关人员进行培训：

（一）控股股东或者实际控制人发生变更；

（二）受到中国证监会行政处罚或者被全国股份转让系统公司实施监管措施、纪律处分；

（三）全国股份转让系统公司要求培训的其他情形。

第二十一条　主办券商应当在培训前制作课件，参加培训的人员应签字确认，培训课件和培训人员签字作为持续督导工作底稿保存。

第二十二条　主办券商应指导和督促挂牌公司规范办理信息披露、股票限售及解除限售、证券简称或公司全称变更、暂停与恢复转让等业务，对挂牌公司进行必要的业务指导，使其知悉并遵守相关法律、法规和全国股份转让系统业务规则。

第二十三条　主办券商应建立与挂牌公司的日常联系机制，通过现场走访、电话、电子邮件等方式及时了解挂牌公司情况，解答挂牌公司业务咨询。

第二十四条　挂牌公司应当将业务、公司治理、财务等方面发生的重大变化及时告知主办券商，包括但不限于经营环境和业务、控股股东及实际控制人、管理层、采购和销售、核心技术、财务状况等。

主办券商应当主动、持续关注并了解挂牌公司上述事项发生的重大变化，如达到信息披露标准，应督促挂牌公司及时履行信息披露义务。

第二十五条　挂牌公司董事长、总经理、财务负责人、董事会秘书或者信息披露事务负责人、会计师事务所发生变更，主办券商应及时对变更原因等进行核查或者现场检查，涉及重大未披露事项的，应督促挂牌公司履行信息披露义务。

第二十六条　主办券商应当关注公共传媒关于挂牌公司的报道，涉及重大未披露事项的，应及时进行核查或者现场检查，督促挂牌公司履行必要的信息披露义务或者发布澄清公告。

第二十七条　主办券商应当根据全国股份转让系统公司的要求，调查或者协助调查指定事项，并将调查结果及时报告全国股份转让系统公司。

第二十八条　主办券商在持续督导过程中发现挂牌公司存在重大风险或重大违法违规情况的，以及挂牌公司不予配合或者拒绝按照要求整改的，应及时报告全国股份转让系统公司。

第二十九条　主办券商应当在每年 5 月 31 日前向全国股份转让系统公司报送持续督导年度工作报告，说明上一年度持续督导工作总体情况、存在问题以及挂牌公司配合情况等。

第三章　持续督导工作要求

第三十条　主办券商应建立健全并有效执行持续督导工作制度，包括持续督导工作职责、工作流程和内部控制机制等。

第三十一条　主办券商应建立健全持续督导工作底稿管理制度，为每家挂牌公司建立独立的工作底稿。持续督导工作底稿应当内容完整、记录清晰、结论明确，真实、准确、完整地反映整个持续督导工作的全过程，包括但不限于信息披露督导、公司治理督导、现场检查、培训、业务指导、日常沟通、关注、调查或协助调查、报告、年度工作报告等与持续督导工作相关的所有重要事项。

第三十二条　工作底稿应当载明下列事项：

（一）工作底稿编制的时间；

（二）持续督导工作履行的程序；

（三）核查的文件、现场检查的资料，培训、指导、沟通、关注、调查、报告的记录等；

（四）发表的结论性意见；

（五）执行人员签名和执行日期；

（六）其他需要记载的事项等。

第三十三条　持续督导工作底稿的保存期应当不少于十年。

第三十四条　主办券商应根据需要配备适当数量的持续督导人员负责持续督导工作，全国股份转让系统公司鼓励主办券商设立专门的持续督导工作部门。

第三十五条　持续督导人员应具备以下条件：

（一）具有财务或法律专业知识；

（二）从事证券发行承销、收购兼并、固定收益、全国股份转让系统推荐业务等投资银行相关业务一年以上；

（三）熟悉证券市场相关法律、行政法规、部门规章、规范性文件，准确理解和把握全国股份转让系统相关业务规则；

（四）诚实守信，品行良好，无不良诚信记录，最近三年未受到中国证监会行政处罚或全国股份转让系统公司、证券交易所、证券业协会、基金业协会等行业自律组织纪律处分；

（五）全国股份转让系统公司规定的其他条件。

第三十六条　主办券商应在持续督导工作制度中明确持续督导人员的工作要求和职责，加强对持续督导人员的专业培训和内部管理，为其开展持续督导工作提供必要条件。

主办券商应建立持续督导内部责任划分机制，明确推荐挂牌人员与持续督导人员之间的责任划分。

第三十七条　主办券商应为其所督导的每家挂牌公司指

定至少一名持续督导人员具体负责该公司的持续督导工作，并向全国股份转让系统公司报备。

挂牌公司的持续督导人员发生变更的，主办券商应及时报告全国股份转让系统公司。

第三十八条　主办券商应当参照中国证券业协会《证券公司信息隔离墙制度指引》有关规定建立持续督导工作与做市、自营、资产管理、研究、经纪等部门业务之间的信息隔离制度，主办券商及其持续督导人员不得透露挂牌公司未公开的重大信息，严禁进行内幕交易。

第三十九条　主办券商与挂牌公司应在持续督导协议中就持续督导费用进行约定，包括支付金额（或比例）、支付方式、支付时间等。

主办券商应遵循覆盖成本的基本原则，合理收取持续督导费用。

第四章　持续督导变更

第四十条　主办券商应与所推荐挂牌公司签订持续督导协议，自公司挂牌之日起履行持续督导工作职责。

第四十一条　出现以下情形之一的，主办券商和挂牌公司可以解除持续督导协议：

（一）主办券商不再从事推荐业务；

（二）挂牌公司股票终止挂牌；

（三）主办券商和挂牌公司协商一致决定解除持续督导协议；

（四）全国股份转让系统公司规定的其他情形。

因情形（三）解除持续督导协议的，应有其他主办券商承接持续督导工作，主办券商和挂牌公司应事前报告全国股份转让系统公司。

第四十二条　主办券商履行持续督导职责期间未勤勉尽责的，其责任不因解除持续督导协议而免除。

第四十三条　承接持续督导工作的主办券商应与挂牌公司签订持续督导协议，并自持续督导协议签订之日起履行持续督导职责。

第五章　自律管理

第四十四条　全国股份转让系统公司对主办券商持续督导工作进行自律管理，记录并视情况公示主办券商及其持续督导人员的执业情况、违规行为等信息。

第四十五条　主办券商及其持续督导人员出现以下情形之一的，全国股份转让系统公司视情形对主办券商及其相关人员采取约见谈话、责令接受培训、出具警示函、责令改正等自律监管措施：

（一）未建立或者未有效执行持续督导工作制度、工作底稿管理制度、信息隔离制度；

（二）未按规定对挂牌公司信息披露文件进行事前审查；

（三）未按规定对挂牌公司进行核查或者现场检查；

（四）未按规定对挂牌公司相关人员进行培训；

（五）未按规定向全国股份转让系统公司报告挂牌公司重大情况；

（六）全国股份转让系统公司规定的其他情形。

第四十六条　主办券商及其持续督导人员出现以下情形之一的，全国股份转让系统公司视情形对主办券商及其相关人员采取出具警示函、暂不受理文件、通报批评、公开谴责等自律监管措施或纪律处分；情形严重的，限制、暂停直至终止主办券商从事推荐业务；并视情节轻重，及时向中国证监会报告：

（一）持续督导工作底稿等与督导相关的文件存在虚假记载、误导性陈述或者重大遗漏，或者未按规定建立持续督导工作底稿；

（二）唆使、协助或者参与挂牌公司披露存在虚假记载、误导性陈述或者重大遗漏的信息；

（三）不配合全国股份转让系统公司自律管理工作；

（四）通过持续督导工作谋取不正当利益；

（五）严重违反诚实守信、勤勉尽责义务的其他情形。

第六章　附则

第四十七条　本指引由全国股份转让系统公司负责解释。

第四十八条　本指引自发布之日起施行。

全国中小企业股份转让系统做市商做市业务管理规定（试行）

第一条　为加强对做市商做市业务的监督管理，规范做市商行为，保护投资者合法权益，根据《全国中小企业股份转让系统业务规则（试行）》（以下简称《业务规则》）、《全国中小企业股份转让系统股票转让细则（试行）》（以下简称《转让细则》）、《全国中小企业股份转让系统主办券商管理细则》（以下简称《管理细则》）等相关规定，制定本规定。

第二条　本规定所称做市商是指经全国中小企业股份转让系统有限责任公司（以下简称全国股份转让系统公司）同意，在全国中小企业股份转让系统（以下简称全国股份转让系统）发布买卖双向报价，并在其报价数量范围内按其报价履行与投资者成交义务的证券公司或其他机构。

第三条　做市商及其做市业务人员应当遵守法律法规和全国股份转让系统相关规定，勤勉尽责、诚实守信，接受全国股份转让系统公司的自律管理。

第四条　证券公司在全国股份转让系统开展做市业务前，应当向全国股份转让系统公司申请备案。其他机构在全国股份转让系统开展做市业务的具体规定，由全国股份转让系统公司另行制定。

第五条　证券公司申请在全国股份转让系统开展做市业务，应当具备下列条件：

（一）具备证券自营业务资格；

（二）设立做市业务专门部门，配备开展做市业务必要人员；

（三）建立做市业务管理制度；

（四）具备做市业务专用技术系统；

（五）全国股份转让系统公司规定的其他条件。

第六条　证券公司在全国股份转让系统开展做市业务申请备案，应向全国股份转让系统公司提交下列文件：

（一）申请书；

（二）证券公司基本情况申报表；

（三）《经营证券业务许可证》（副本）复印件；

（四）做市业务实施方案，包括做市业务部门设置、人员配备与分工情况、做市业务管理制度、做市业务专用技术系统准备情况说明、做市业务实施方案的合规审查意见等；

（五）最近一年度经审计的财务报告、净资本计算表、风险控制指标监管报表、风险资本准备计算表；

（六）全国股份转让系统公司要求提交的其他文件。

第七条　证券公司申请文件齐备的，全国股份转让系统公司予以受理。全国股份转让系统公司自受理之日起十个转让日内向证券公司出具是否同意从事做市业务的备案函，并予以公告。

第八条　全国股份转让系统公司根据审慎原则，可对做市商做市业务专用技术系统、业务实施情况等进行现场检查。

第九条　做市商做市业务人员应当具备下列条件：

（一）已取得证券从业资格；

（二）具备证券投资、投资顾问、投资银行、研究或类似从业经验；

（三）熟悉相关法律、行政法规、部门规章以及做市业务规则；

（四）具备良好的诚信纪录和职业操守，最近二十四个月内未受到过中国证监会行政处罚，最近十二个月内未受到过全国股份转让系统公司、证券交易所、证券业协会、基金业协会等自律组织处分；

（五）全国股份转让系统公司规定的其他条件。

做市业务人员应当签署《做市业务人员自律承诺书》，并向全国股份转让系统公司报备。

第十条　做市商做市专用技术系统应当满足以下要求：

（一）符合《全国中小企业股份转让系统交易支持平台数据接口规范》；

（二）具备开展做市业务所需的委托、报价、成交、行情揭示、数据汇总、统计和查询等必要功能；

（三）系统操作全程留痕；

（四）全国股份转让系统公司规定的其他条件。

做市商应当制定做市专用技术系统安全运行管理制度，并设置必要的数据接口，便利监管部门及时了解和检查做市业务相关情况。

第十一条　做市商应当建立健全下列做市业务内部管理制度：

（一）做市股票报价管理制度，包括做市股票报价的决策与执行程序、报价调整和报价监控机制等；

（二）做市库存股票管理制度，包括做市股票论证、获取、处置的决策程序和库存股票动态调节机制等；

（三）做市资金管理制度，包括做市资金审批、调拨和使用流程等；

（四）业务隔离制度，确保做市业务与推荐业务、证券投资咨询、证券自营、证券经纪、证券资产管理等业务在机构、人员、信息、账户、资金上严格分离；

（五）风险控制与合规管理制度，包括做市业务风险识别、评估和控制机制、做市业务的合规检查与评估机制等；

（六）异常情况处理制度，包括突发事件处理预案、异常情况处理机制等；

（七）内部报告与留痕制度，包括业务运作、风险监控、合规管理及其他相关信息的报告路径及反馈机制、强制留痕制度等；

（八）全国股份转让系统公司规定的其他制度。

第十二条　做市商应当对做市业务进行集中统一管理，建立做市业务相关决策、授权与执行体系。明确做市业务决策机构与决策机制，合理确定做市业务规模和可承受的风险限额。

第十三条　做市商应设立做市业务部门，专职负责做市业务的具体管理和运作。做市业务部门应制定规范的做市业务操作规程，明确部门内部岗位设置及职责分工。

第十四条　做市商及其做市业务人员应依法、合规开展做市业务，不得从事下列行为：

（一）不履行或不规范履行报价义务；

（二）利用内幕信息进行投资决策和交易；

（三）利用信息优势和资金优势，单独或者通过合谋，制造异常价格波动；

（四）以不正当方式影响其他做市商做市；

（五）与其他做市商通过串通报价或私下交换做市策略、做市库存股票数量等信息谋取不正当利益；

（六）与所做市的挂牌公司及其股东就股权回购、现金补偿等作出约定；

（七）做市业务人员通过做市向自身或利益相关者进行利益输送；

（八）全国股份转让系统公司规定的其他行为。

第十五条　做市商应当于每月的前五个转让日内向全国股份转让系统公司报送上月做市业务情况报告，包括但不限于合规情况、履行做市义务情况、做市股票库存、做市业务盈亏及相关风险控制指标等信息。

第十六条　做市商应当积极配合全国股份转让系统公司的自律管理，按照全国股份转让系统公司要求及时说明情况，提供相关文件、资料，不得拒绝或者拖延提供有关资料，不得提供虚假、误导性或者不完整的资料。

第十七条　全国股份转让系统公司对做市商及其做市业务人员执业情况进行持续记录，建立做市业务评价体系，并可将相关信息予以公开。

第十八条　做市商主动终止从事做市业务的，应当向全国股份转让系统公司提出申请。全国股份转让系统公司同意其终止从事做市业务的，自受理之日起 10 个转让日内书面通知该做市商并公告。

做市商因违反本规定或其他全国股份转让系统相关规定被终止从事做市业务的，全国股份转让系统公司书面通知该做市商并公告。

第十九条　做市商终止从事做市业务，应当制定业务处置方案，做好业务终止后续处置工作，包括做市库存股票处理、做市专用证券账户注销等，并将处置方案、处置情况及时报告全国股份转让系统公司。

第二十条　做市商违反本规定的，全国股份转让系统公司可以视情况采取以下措施，并记入诚信档案：

（一）约见谈话；

（二）要求提交书面承诺；

（三）出具警示函；

（四）责令改正；

（五）通报批评；

（六）公开谴责；

（七）暂停、限制直至终止其从事做市业务；

（八）向中国证监会报告有关违法违规行为。

第二十一条　做市业务人员违反本规定的，全国股份转让系统公司可以视情况采取以下措施，并记入诚信档案：

（一）约见谈话；

（二）责令参加培训；

（三）责令所在机构给予处分；

（四）通报批评；

（五）公开谴责；

（六）向中国证监会报告有关违法违规行为。

第二十二条　本规定由全国股份转让系统公司负责解释。

第二十三条　本规定自发布之日起施行。

全国中小企业股份转让系统主办券商管理细则

（试行）

第一章　总则

第一条　为规范证券公司在全国中小企业股份转让系统（以下简称"全国股份转让系统"）从事相关业务，维护市场正常秩序，保护投资者合法权益，根据《全国中小企业股份转让系统业务规则（试行）》（以下简称"业务规则"）等相关规定，制定本细则。

第二条　证券公司在全国股份转让系统开展相关业务前，应当向全国中小企业股份转让系统有限责任公司（以下简称"全国股份转让系统公司"）申请备案，成为主办券商。

未经备案的证券公司不得在全国股份转让系统开展相关业务。

第三条　主办券商及其董事、监事、高级管理人员和相关业务人员，应当遵守法律法规和全国股份转让系统相关规定，勤勉尽责、诚实守信，接受全国股份转让系统公司的自律管理。

第二章　业务申请

第四条　主办券商可在全国股份转让系统从事以下部分或全部业务：推荐业务、经纪业务、做市业务，以及全国股份转让系统公司规定的其他业务。

第五条　证券公司申请在全国股份转让系统从事推荐业务应具备下列条件：

（一）具备证券承销与保荐业务资格；

（二）设立推荐业务专门部门，配备合格专业人员；

（三）建立尽职调查制度、工作底稿制度、内核工作制度、持续督导制度及其他推荐业务管理制度；

（四）全国股份转让系统公司规定的其他条件。

证券公司的子公司具备证券承销与保荐业务资格的，证券公司可以申请从事推荐业务，但不得与子公司同时在全国股份转让系统从事推荐业务。

第六条　证券公司申请在全国股份转让系统从事经纪业务应具备下列条件：

（一）具备证券经纪业务资格；

（二）配备开展经纪业务必要人员；

（三）建立投资者适当性管理工作制度、交易结算管理制度及其他经纪业务管理制度；

（四）具备符合全国股份转让系统公司要求的交易技术系统；

（五）全国股份转让系统公司规定的其他条件。

第七条　证券公司申请在全国股份转让系统从事做市业务应具备下列条件：

（一）具备证券自营业务资格；

（二）设立做市业务专门部门，配备开展做市业务必要人员；

（三）建立做市股票报价管理制度、库存股管理制度、做市风险监控制度及其他做市业务管理制度；

（四）具备符合全国股份转让系统公司要求的做市交易技术系统；

（五）全国股份转让系统公司规定的其他条件。

第八条　证券公司在全国股份转让系统开展业务前，应向全国股份转让系统公司申请备案，提交下列文件：

（一）申请书；

（二）公司设立的批准文件；

（三）公司基本情况申报表；

（四）《经营证券业务许可证》（副本）复印件；

（五）《企业法人营业执照》（副本）复印件；

（六）申请从事的业务及业务实施方案，包括：部门设置、人员配备与分工情况说明，内部控制体系的说明，主要业务管理制度，技术系统说明等；

（七）最近年度经审计财务报表和净资本计算表；

（八）公司章程；

（九）全国股份转让系统公司要求提交的其他文件。

证券公司应当按照全国股份转让系统公司规定的方式和要求，提交上述文件。

第九条　证券公司申请文件齐备的，全国股份转让系统公司予以受理。全国股份转让系统公司同意备案的，自受理之日起十个转让日内与证券公司签订《证券公司参与全国中小企业股份转让系统业务协议书》（以下简称《协议书》），向其出具主办券商业务备案函（以下简称"业务备案函"），并予以公告。公告后，主办券商可在公告业务范围内开展业务。

第十条　主办券商应在取得业务备案函后五个转让日内，在全国股份转让系统指定信息披露平台（www.neeq.com.cn 或 www.neeq.cc）披露公司基本情况、主要业务人员情况及全国股份转让系统公司要求披露的其他信息。

主办券商所披露信息内容发生变更的，应自变更之日起五个转让日内报告全国股份转让系统公司并进行更新。

第十一条　主办券商名称发生变更的，应当办理名称变更备案，向全国股份转让系统公司提交下列文件：

（一）申请书；

（二）机构名称变更的批准文件；

（三）变更后的《经营证券业务许可证》（副本）复印件和《企业法人营业执照》（副本）复印件；

（四）变更后的公司章程；

（五）原业务备案函；

（六）全国股份转让系统公司要求提交的其他文件。

第十二条　主办券商名称变更备案文件齐备的，全国股份转让系统公司自收到变更备案申请之日起五个转让日内与主办券商重新签订《协议书》，换发业务备案函，并予以公告。

第十三条　主办券商申请新增业务的，应当向全国股份转让系统公司提交第八条所列（一）、（四）、（六）项文件及全国股份转让系统公司要求的其他文件。

第十四条　全国股份转让系统公司同意主办券商新增业务备案的，自受理申请文件之日起十个转让日内与申请主办券商签订补充协议，出具业务备案函，并予以公告。

第十五条　主办券商申请终止从事全国股份转让系统相关业务或不再具备相关业务备案条件的，全国股份转让系统公司终止其从事全国股份转让系统相关业务，书面通知该主办券商并公告。

主办券商终止从事全国股份转让系统相关业务的，应制定业务处置方案，做好业务终止后续处置工作，并将处置方案、处置情况及时报告全国股份转让系统公司。

第十六条　主办券商被中国证监会依法指定托管、接管的，托管方或者其他相关机构对所托管的主办券商业务行使经营管理权时，应当确保其遵守全国股份转让系统规定，承担相关义务。

第三章　业务管理

第一节　一般规定

第十七条　主办券商开展全国股份转让系统相关业务，应当建立健全合规管理、内部风险控制与管理机制，严格防范和控制风险。

第十八条　主办券商及其业务人员应当对开展全国股份转让系统业务中获取的非公开信息履行保密义务，不得利用该信息谋取不正当利益。

第十九条　主办券商应当加强业务人员的职业道德和诚信教育，强化业务人员的勤勉尽责意识、合规操作意识、风险控制意识和保密意识。

第二十条　主办券商应按全国股份转让系统公司要求在全国股份转让系统指定信息披露平台披露其执业情况、接受全国股份转让系统公司处分等信息。

第二十一条　主办券商应当根据全国股份转让系统公司要求，调查或协助调查指定事项，并将调查结果及时报告全国股份转让系统公司。

第二十二条　主办券商应按要求组织相关人员参加全国股份转让系统公司举办的业务和技术培训。未按规定参加培训的，全国股份转让系统公司可暂不受理主办券商及其相关人员出具的文件。

主办券商首次推荐公司挂牌前，应接受全国股份转让系统公司的业务培训。

第二十三条　主办券商应当按照全国股份转让系统公司要求建立开展相关业务所需的技术系统，包括交易系统、做市报价系统、行情系统和通信系统及其备份系统等，并制定相应的安全运行管理制度。

第二十四条　主办券商应遵守全国股份转让系统公司有关转让信息管理的规定，按要求使用全国股份转让系统转让信息。

未经全国股份转让系统公司许可，主办券商不得将转让信息提供给客户从事自身股票转让以外的其他活动，不得将转让信息提供给客户以外的其他机构和个人，不得在营业场所外使用转让信息。

第二节　推荐业务

第二十五条　主办券商推荐股份公司股票挂牌，应与申请挂牌公司签订推荐挂牌并持续督导协议，约定双方权利和义务，并对申请挂牌公司董事、监事、高级管理人员及其他信息披露义务人进行培训，使其了解相关法律、法规、规则、协议所规定的权利和义务。

第二十六条　主办券商应对申请挂牌公司进行尽职调查，并在全面、真实、客观、准确调查的基础上出具尽职调查报告。

第二十七条　主办券商应设立内核机构，负责审核股份公司股票挂牌申请，并在审核基础上出具内核意见。

第二十八条　主办券商应根据内核意见决定是否推荐股份公司股票挂牌。同意推荐的，出具推荐报告。

主办券商可以根据申请挂牌公司委托，组织编制申请文件。

第二十九条　主办券商应持续督导所推荐挂牌公司诚实守信、规范履行信息披露义务、完善公司治理机制。

主办券商应配备合格专业人员，建立健全持续督导工作制度，勤勉履行审查挂牌公司拟披露的信息披露文件、对挂牌公司进行现场检查、发布风险警示公告等督导职责。

第三节　经纪业务

第三十条　主办券商代理投资者买卖挂牌公司股票，应当与投资者签订证券买卖委托代理协议，并按照全国股份转让系统的股票转让制度要求接受投资者的买卖委托。

第三十一条　主办券商应当按照全国股份转让系统公司要求，建立健全投资者适当性管理制度。主办券商代理投资者买卖挂牌公司股票前，应当充分了解投资者的身份、财务状况、证券投资经验等情况，评估投资者的风险承受能力和风险识别能力。

主办券商不得为不符合投资者适当性要求的投资者提供代理买卖服务，全国股份转让系统公司另有规定的除外。

第三十二条　主办券商在与投资者签订证券买卖委托代理协议前，应着重向投资者说明投资风险自担的原则，详细讲解风险揭示书的内容，要求投资者认真阅读并签署风险揭示书。

第三十三条　主办券商应利用各种方式告知投资者全国股份转让系统业务规则及相关信息，持续揭示投资风险。

第三十四条　主办券商不得欺骗和误导投资者，不得利用自身的技术、设备及人员等业务优势侵害投资者合法权益。

第三十五条　主办券商接受客户股票买卖委托时，应当查验客户股票和资金是否足额，法律、行政法规、部门规章另有规定的除外。

第三十六条　主办券商应设立交易监控系统，对自身及客户转让行为进行有效监督，防范违规转让行为。

第三十七条　主办券商对客户的资金、股票以及委托、成交数据应当有完整、准确、详实的记录或者凭证，按户分账管理，并向客户提供对账与查询服务。

主办券商应当采取有效措施，妥善保存上述文件资料，保存期限不得少于二十年。

第三十八条　主办券商应当加强证券账户管理，不得为他人违法违规使用证券账户进行股票转让提供便利。

第三十九条　主办券商应当在营业场所及时准确地公布转让信息，供从事股票转让的客户使用。

主办券商应当告知客户不得将转让信息用于自身股票转让以外的其他活动，并对客户使用转让信息的行为进行有效管理。

第四节　做市业务

第四十条　主办券商开展做市业务，应通过专用证券账户、专用交易单元进行。做市业务专用证券账户应向中国证券登记结算有限责任公司和全国股份转让系统公司报备。

第四十一条　主办券商应建立做市资金的管理制度，明确做市资金的审批、调拨、使用流程，确保做市资金安全。

第四十二条　主办券商应建立做市股票的管理制度，明确做市股票获取、处置的决策程序、以及库存股票头寸管理制度。

第四十三条　主办券商应当建立以净资本为核心的做市业务规模监控和调整机制，根据自身财务状况和中国证监会关于证券公司风险监控指标规定等要求，合理确定做市业务规模。

第四十四条　主办券商应建立做市业务内部报告制度，明确业务运作、风险监控、业务稽核及其他有关信息的报告路径和反馈机制。

第四十五条　主办券商应当建立健全做市业务动态风险监控机制，监控做市业务风险的动态变化，提高动态监控效率。

第四十六条　主办券商开展做市业务，不得利用信息优势和资金优势，单独或者通过合谋，以串通报价或相互买卖等方式制造异常价格波动，损害投资者利益。

第四十七条　主办券商开展做市业务，不得干预挂牌公司日常经营，其业务人员不得在挂牌公司兼职。

第四十八条　主办券商开展做市业务，对报价和成交数据等应有完整、准确、详实的记录或者凭证，并采取有效措施妥善保存，保存期限不得少于二十年。

第四十九条　主办券商应按全国股份转让系统公司要求报告其做市股票库存、做市业务盈亏及相关风险监控指标等信息。

第四章　日常管理

第一节　业务联络

第五十条　主办券商应指定一名公司高级管理人员（以下简称"指定高管）负责组织、协调主办券商与全国股份转让系统公司的各项业务往来，并指定业务联络人协助履行相应职责。

指定高管及业务联络人的任职、变更应及时报告全国股份转让系统公司。

第五十一条　指定高管和业务联络人应履行下列职责：

（一）负责报送全国股份转让系统公司要求的文件；

（二）组织相关业务人员按时参加全国股份转让系统公司举办的培训；

（三）协调主办券商与全国股份转让系统公司相关技术系统的改造、测试等；

（四）及时接收全国股份转让系统公司发送的业务文件，并予以协调落实；

（五）及时更新全国股份转让系统指定信息披露平台上主办券商相关信息；

（六）督促主办券商及时履行报告与公告义务；

（七）督促主办券商及时缴纳各项费用；

（八）全国股份转让系统公司要求履行的其他职责。

第五十二条　指定高管与业务联络人出现下列情形之一的，主办券商应当自该情形发生之日起五个转让日内予以更换并报告全国股份转让系统公司：

（一）指定高管不再分管全国股份转让系统相关业务或不再担任高级管理人员职务；

（二）连续三个月不能履行职责；

（三）在履行职责时出现重大错误，产生严重后果的；

（四）全国股份转让系统公司认为不适宜继续担任指定高管或业务联络人的其他情形。

第五十三条　指定高管空缺期间，主办券商法定代表人应当履行指定高管的职责，直至主办券商向全国股份转让系统公司报备新的指定高管。

第二节　报告与公告

第五十四条　主办券商向全国股份转让系统公司报送的信息和资料应当真实、准确、完整。

第五十五条　主办券商应向全国股份转让系统公司履行下列定期报告义务：

（一）每年四月三十日前报送上年度经审计财务报表和从事全国股份转让系统相关业务情况报告；

（二）全国股份转让系统公司规定的其他定期报告义务。

全国股份转让系统公司可根据需要调整上述报告的报送时间及内容要求。

第五十六条　有下列情形之一的，主办券商应当自该情形发生之日起五个转让日内向全国股份转让系统公司报告：

（一）根据本规则第八条提交的相关文件所涉事项发生变更的；

（二）公司总部、分支机构发生证券法第一百二十九条规定情形的；

（三）净资本等风险控制指标不符合中国证监会规定标准的；

（四）全国股份转让系统公司规定的其他事项。

第五十七条　主办券商发生下列情形的，应当立即向全国股份转让系统公司报告，并持续报告进展情况：

（一）重大业务风险；

（二）进入风险处置；

（三）重大技术故障；

（四）不可抗力或者意外事件可能影响客户正常转让的；

（五）其他影响公司正常经营的重大事件。

主办券商发生前款第（三）、（四）项异常情况的，应当立即在其营业场所予以公告。

第五十八条　主办券商出现证券法第一百五十条至第一百五十四条规定情形的，应当向全国股份转让系统公司报告事件产生的原因、中国证监会采取的措施、主办券商整改结果等情况。

第五十九条　全国股份转让系统公司可以根据审慎监管原则，要求主办券商对从事全国股份转让系统相关业务情况进行自查，并提交专项自查报告。

第六十条　主办券商被依法托管或接管的，托管方或接管方应当自中国证监会批准托管或接管方案之日起二个转让日内将托管或接管方案等文件报送全国股份转让系统公司。

第三节　收费

第六十一条　主办券商应按照规定的收费项目、收费标准与收费方式，按时交纳相关费用。

第六十二条　主办券商欠缴全国股份转让系统公司相关费用的，全国股份转让系统公司可视情况暂停受理或者办理其相关业务。

第六十三条　主办券商被中国证监会依法指定托管、接管的，主办券商应当按照全国股份转让系统公司要求交纳相关费用，如不能按时交纳的，全国股份转让系统公司可视情况采取相应措施。

第四节　纠纷解决

第六十四条　主办券商应当指定部门受理客户投诉，并按要求将相关业务投诉及处理情况向全国股份转让系统公司报告。

第六十五条　主办券商之间、主办券商与挂牌公司之间、主办券商与客户之间发生的业务纠纷可能影响市场正常秩序的，相关主办券商应当自该情形出现之日起二个转让日内向全国股份转让系统公司报告。

第五章　自律监管

第六十六条　全国股份转让系统公司可根据监管需要，

对主办券商业务活动中的风险管理、技术系统运行、做市义务履行、推荐挂牌及持续督导等情况进行监督检查。

第六十七条　主办券商应当积极配合全国股份转让系统公司监管，按照全国股份转让系统公司要求及时说明情况，提供相关文件、资料，不得拒绝或者拖延提供有关资料，不得提供虚假、误导性或者不完整的资料。

第六十八条　全国股份转让系统公司对主办券商及从业人员执业情况进行持续记录，并可将记录信息予以公开。

第六十九条　主办券商及相关业务人员违反本细则的，全国股份转让系统公司可依据《业务规则》采取相应的监管措施或纪律处分。

主办券商因违反本细则被终止从事相关业务的，全国股份转让系统公司将在终止其从事相关业务之日起 12 个月内不再受理其申请。

第六章　附则

第七十条　本细则由全国股份转让系统公司负责解释。

第七十一条　本细则自发布之日起施行。

投资者服务类

全国中小企业股份转让系统
投资者适当性管理细则（试行）

（2013 年 2 月 8 日发布，2013 年 12 月 30 日修改）

第一条　为促进全国中小企业股份转让系统（以下简称全国股份转让系统）平稳、有序发展，提示市场风险，引导投资者理性参与挂牌公司股票公开转让等相关业务，保护投资者合法权益，根据中国证券监督管理委员会（以下简称中国证监会）有关规定及《全国中小企业股份转让系统业务规则（试行）》（以下简称《业务规则》），制定本细则。

第二条　投资者参与挂牌公司股票公开转让等相关业务，应当熟悉全国股份转让系统相关规定，了解挂牌公司股票风险特征，结合自身风险偏好确定投资目标，客观评估自身的心理和生理承受能力、风险识别能力及风险控制能力，审慎决定是否参与挂牌公司股票公开转让等业务。

第三条　下列机构投资者可以申请参与挂牌公司股票公开转让：

（一）注册资本 500 万元人民币以上的法人机构；

（二）实缴出资总额 500 万元人民币以上的合伙企业。

第四条　集合信托计划、证券投资基金、银行理财产品、证券公司资产管理计划，以及由金融机构或者相关监管部门认可的其他机构管理的金融产品或资产，可以申请参与挂牌公司股票公开转让。

第五条　同时符合下列条件的自然人投资者可以申请参与挂牌公司股票公开转让：

（一）投资者本人名下前一交易日日终证券类资产市值 500 万元人民币以上。证券类资产包括客户交易结算资金、在沪深交易所和全国股份转让系统挂牌的股票、基金、债券、券商集合理财产品等，信用证券账户资产除外。

（二）具有两年以上证券投资经验，或具有会计、金融、投资、财经等相关专业背景或培训经历。

投资经验的起算时间点为投资者本人名下账户在全国股份转让系统、上海证券交易所或深圳证券交易所发生首笔股票交易之日。

第六条　下列投资者可以参与挂牌公司股票定向发行：

（一）《非上市公众公司监督管理办法》第三十九条规定的投资者；

（二）符合参与挂牌公司股票公开转让条件的投资者。

第七条　公司挂牌前的股东、通过定向发行持有公司股份的股东等，如不符合参与挂牌公司股票公开转让条件，只能买卖其持有或曾持有的挂牌公司股票。

已经参与挂牌公司股票买卖的投资者保持原有交易权限不变。

第八条　主办券商应当根据中国证监会有关规定及本细则要求，制定投资者适当性管理实施方案，建立健全工作制度，完善内部分工和业务流程，并报全国中小企业股份转让系统有限责任公司（以下简称全国股份转让系统公司）备案。

第九条　主办券商应当切实履行投资者适当性管理职责，了解投资者的身份、财务状况、证券投资经验等相关信息，评估投资者的风险承受能力和风险识别能力，有针对性地开展风险揭示、投资者知识普及、投资者服务等工作，引导投资者审慎参与挂牌公司股票公开转让等相关业务。

第十条　主办券商应当认真审核投资者提交的相关材料，并与投资者书面签署《买卖挂牌公司股票委托代理协议》和《挂牌公司股票公开转让特别风险揭示书》。

投资者应抄录《挂牌公司股票公开转让特别风险揭示书》中的特别声明。

第十一条　投资者应当配合主办券商投资者适当性管理工作，如实提供申报材料。投资者不予配合或提供虚假信息的，主办券商可以拒绝为其办理挂牌公司股票公开转让相关业务。

第十二条　主办券商应当妥善保管投资者的档案资料，除依法配合调查和检查外，应当为投资者保密。

第十三条　主办券商应当结合所了解的投资者信息和投资者参与挂牌公司股票转让的情况，定期开展对投资者风险承受能力的持续评估工作，并留存评估结果备查。

第十四条　主办券商应当针对不同类别的投资者制订服务方案和管理流程，根据客户的不同特点，讲解全国股份转让系统业务规则和风险特点，提示参与挂牌公司股票公开转让可能面临的风险。

第十五条　主办券商应当妥善保存业务办理、投资者服务过程中风险揭示的语音或影像留痕。

第十六条　主办券商发现客户存在异常交易行为或者违法违规行为时，应当根据全国股份转让系统公司相关规定及时提醒客户，并向全国股份转让系统公司报告。

第十七条　全国股份转让系统公司对存在异常交易行为的投资者采取口头或书面警示等监管措施的，主办券商应当及时与投资者取得联系，告知其有关监管要求和采取的监管措施。

对出现异常交易行为的投资者，全国股份转让系统公司可以限制其交易，主办券商应当予以配合。

第十八条　主办券商应当为投资者提供合理的投诉渠道，指定专门部门受理投诉，妥善处理与投资者的矛盾和纠纷，并认真做好记录工作。

第十九条　主办券商应当配合全国股份转让系统公司对其投资者适当性管理执行情况进行检查，如实提供投资者开户资料、资金账户情况等信息，不得隐瞒、阻碍和拒绝。

第二十条　主办券商及其相关业务人员违反本细则规定，全国股份转让系统公司可依据《业务规则》等有关规定采取相应的监管措施或纪律处分。

第二十一条　本细则所称"以上"含本数。

第二十二条　本细则由全国股份转让系统公司负责解释。

第二十三条　本细则自发布之日起施行。

两网及退市公司类

全国中小企业股份转让系统 两网公司及退市公司股票转让暂行办法

第一条　为规范原证券公司代办股份转让系统挂牌的STAQ、NET系统公司（以下简称"两网公司"）、退市公司（包括本暂行办法发布后新挂牌的退市公司）股票在全国中小企业股份转让系统（以下简称"全国股份转让系统"）转让及相关活动，根据有关法律法规，制定本暂行办法。

第二条　两网公司和退市公司（以下简称"公司"）股票可以在全国股份转让系统进行转让。

本暂行办法发布后依法完成退市手续的公司，按照有关规定确定推荐公司股票挂牌的主办券商，公司股东办理股票确权登记后，其股票可以在全国股份转让系统进行挂牌转让。

第三条　公司股东必须按照有关规定重新履行股份确权、登记和托管手续后方可进行转让。

推荐公司股票挂牌的主办券商负责到中国结算办理有关退出证券交易所市场股份登记及进入全国股份转让系统登记结算事宜。

主办券商相互委托股份确权的相关事项由全国股份转让系统公司另行规定。

第四条　中国证券登记结算有限责任公司（以下简称"中国结算"）为公司股票转让提供登记、存管、结算等服务。

第五条　公司及推荐公司股票挂牌的主办券商应当至少在一种中国证监会指定的信息披露媒体及全国股份转让系统指定信息披露平台（www.neeq.com.cn 或 www.neeq.cc）上发布股份确权公告，股份确权公告中应说明公司股票终止上市的情况，通知投资者办理股份确权登记手续、时间安排以及股票开始转让的时间。

第六条　持有公司流通股的股东可到任一主办券商办理股份重新确权、登记和托管手续；持有公司非流通股或限售股的股东须到推荐公司股票挂牌的主办券商办理重新确权、登记和托管手续。

公司股东办理重新确权、登记和托管手续应向相关主办券商提交下列材料：

（一）个人投资者

1. 本人身份证；

2. 原挂牌交易场所的股票账户卡（如有）；

3. 证券账户卡；

4.《非上市公司股票转让股票登记托管申请表》。

委托他人代办的，还须提供代办人身份证。

（二）机构投资者

1. 法人营业执照或注册登记证书（副本）；

2. 原挂牌交易场所的股票账户卡（如有）；

3. 证券账户卡；

4. 法定代表人身份证明书、法定代表人授权委托书；

5. 法定代表人和经办人身份证；

6.《非上市公司股票转让股票登记托管申请表》。

第七条　有下列情形之一的，还须提交以下相关材料或办理相关手续：

（一）机构投资者因企业已注销、被吊销营业执照或歇业，而无法提供企业法人营业执照的，需出具以下材料：

1. 发证机关出具的关于法人已破产或注销的证明；

2. 原持有人的股东与现持有人签署的转让协议；

3. 法院裁决书、清算组或管理人、上级主管单位文件、证明。

（二）机构投资者原法人已变更名称、合并、分立、兼并、重组的，须提供发证机关出具的名称变更相关证明，和变更名称后的法人或相关承接法人承诺承担原法人债权债务的证明文件。

（三）实际出资的投资者无法提供股票持有人的身份证明原件、原挂牌交易场所股票账户卡原件等，需提供以下证明材料之一方可办理确权、登记和托管手续：

1. 原挂牌交易场所的托管券商出具出资证明，证明其为实际出资人，并承诺承担由此而引起的任何法律责任；

2. 股票持有人与实际出资人之间签订的股权转让协议，股票持有人需声明该股份属实际出资人，并承诺承担因转让引起的任何法律责任。该协议书需经公证处公证；

3. 法院裁决书；

4. 公司要求提供的其他材料。

第八条　在股东重新履行股份确权手续后，主办券商应向股票持有人出具股票确认书。

第九条　公司已确认的可进行转让的股票应当登记在中国结算。

第十条　推荐公司股票挂牌的主办券商办理公司股票登记应当向中国结算提交下列材料：

（一）全国股份转让系统公司关于委托股份登记托管的函；

（二）主办券商与退市公司、副主办券商签订的《推荐恢复上市、委托股票转让协议书》，或证券交易所指定主办券商为退市公司提供股票转让服务的文件；

（三）中国结算要求的其他材料。

第十一条　经确权、登记和托管的股票可以由主办券商向中国结算办理股票存管后开始转让。未经确权的股票，由推荐公司股票挂牌的主办券商按照前述规定及中国结算的有关规定，继续进行确权、登记和托管工作。经确权、登记、托管的股票可以由主办券商向中国结算办理股票存管后开始转让。

第十二条　公司退市前已签订《推荐恢复上市、股票转让协议书》的，由推荐公司股票挂牌的主办券商办理退市公司股票在全国股份转让系统挂牌手续；截至交易所作出终止上市决定时仍未签订《推荐恢复上市、股票转让协议书》、由证券交易所指定主办券商的，由指定推荐公司股票挂牌的主办券商办理退市公司股票在全国股份转让系统挂牌手续。

推荐公司股票挂牌的主办券商办理挂牌手续应严格按照下列程序和时间要求：

（一）在证券交易所公告股票终止上市决定、退市整理期届满或接到交易所指定通知后的5个转让日内，向中国结算取得相关资料，刊登"股份确权公告"；

（二）在20个转让日内开始为投资者办理股份确权手

续;

(三)在40个转让日内到中国结算办理公司股票重新登记手续,并在全国股份转让系统指定信息披露平台刊登"股票转让公告";

(四)第45个转让日公司股票开始在全国股份转让系统转让。

推荐公司股票挂牌的主办券商在办理退市公司股票挂牌过程中,如果退市公司对证券交易所退市决定提起行政复议或诉讼,在中国证监会受理其行政复议申请或法院受理其行政诉讼申请后,主办券商应暂停其股票进入全国股份转让系统挂牌工作,并根据行政复议和诉讼结果决定是否恢复其股票的挂牌工作;如果退市公司提出终止办理股票挂牌,在获得其所在地省级人民政府批准后,主办券商应停止办理其股票挂牌。

第十三条　退市公司股票开始在全国股份转让系统转让后,全国股份转让系统公司将向退市公司所在地省级人民政府通报相关情况。

第十四条　投资者参与公司股票转让,应当委托主办券商办理,并到主办券商或其所属营业部阅读《风险揭示书》,主办券商应向投资者充分揭示公司股票转让的各类风险,投资者应在充分了解投资风险的基础上签署《风险揭示书》,并签订委托协议。委托协议应列明投资者接受并遵守本暂行办法。

主办券商对投资者在公司股票转让时出现的违规行为,应当依据委托协议,及时提出警示,并按双方约定采取必要措施。

第十五条　公司流通股份以集合竞价方式成交,非流通股份(或限售股)可以办理协议转让。协议转让或投资者因司法裁决、继承等特殊原因需办理股票过户的,需依照全国股份转让系统公司和中国结算相关规定办理。

第十六条　主办券商接受投资者委托办理公司股票转让业务,投资者申报指令以集合竞价方式撮合成交。

主办券商不得自营所推荐公司的股票。

第十七条　公司股票转让的转让日为每周一至周五,转让委托申报时间为上午9:30至11:30,下午1:00至3:00;全国股份转让系统分别于转让日的10:30、11:30、14:00揭示一次可能的成交价格,最后一个小时即14:00后每十分钟揭示一次可能的成交价格,最后十分钟即14:50后每分钟揭示一次可能的成交价格。在转让日下午15:00进行集中撮合成交。

转让期间遇法定节假日或其他特殊情况,暂停转让服务业务。

第十八条　全国股份转让系统公司根据公司不同情况,实行区别对待,分类转让:

(一)规范履行信息披露义务、股东权益为正值或净利润为正值、最近年度财务报告未被注册会计师出具否定意见或无法表示意见的公司,其股票每周转让五次(每星期一、二、三、四、五各转让一次),其股票简称最后一个字符为阿拉伯数字"5"。

(二)股东权益和净利润均为负值,或最近年度财务报告被注册会计师出具否定意见或无法表示意见的公司,其股票每周转让三次(每星期一、三、五各转让一次),其股票简称最后一个字符为阿拉伯数字"3"。

(三)未与推荐公司股票挂牌的主办券商签订《推荐恢复上市、股票转让协议书》,或不履行基本信息披露义务的,其股票每周转让一次(每星期五转让一次),其股票简称最后一个字符为阿拉伯数字"1"。

上述股东权益为正值是指最近会计年度经审计的股东权益扣除注册会计师不予确认的部分后为正值;净利润为正值是指最近会计年度经审计的扣除非经常性损益后的净利润为正值。

第十九条　股票转让以"手"为单位,一手为100股。申报买入股票,数量应当为一手的整数倍。不足一手的股票,只能一次性申报卖出。

第二十条　转让股票"每股价格"的最小变动单位:A股为人民币0.01元,B股为0.001美元。

第二十一条　股票转让价格实行涨跌幅限制,涨跌幅比例限制为前一转让日转让价格的5%。

第二十二条　投资者委托主办券商进行公司股票转让可采用柜台委托、电话委托、互联网委托等委托方式。

第二十三条　投资者应根据上一转让日的股票价格,在涨跌幅限制范围内进行委托。

第二十四条　主办券商在公司股票转让业务中可以接受投资者的限价委托,但不得接受全权委托。

限价委托是指投资者限定价格,要求主办券商营业部以限价或低于限价买入股票、以限价或高于限价卖出股票的委托。

投资者委托当日有效。

第二十五条　投资者委托卖出的股票必须是其证券账户上实有的股票,不得进行融券。

第二十六条　投资者委托买入股票必须以其资金账户上实有的资金支付,不得进行融资。

第二十七条　主办券商应妥善保管投资者的委托记录和凭证,保存期不少于20年。

第二十八条　转让日申报时间内接受的所有转让申报采用一次性集中竞价方式撮合成交。

第二十九条　集合竞价确定转让价格的原则依次是:

(一)可实现最大成交量;

(二)高于该价格的买入申报与低于该价格的卖出申报全部成交;

(三)与该价格相同的买方或卖方至少有一方全部成交。

两个以上价格符合上述条件的,取在该价格以上的买入申报累计数量与在该价格以下的卖出申报累计数量之差最小的价格为成交价;买卖申报累计数量之差仍存在相等情况的,开盘集合竞价时取最接近即时行情显示的前收盘价为成交价,盘中、收盘集合竞价时取最接近最近成交价的价格为成交价。

集合竞价的所有申报以同一价格成交。

第三十条　经集中撮合后,转让即告成立。

第三十一条　集合竞价结束后,通过通信系统将转让数据即时发送至主办券商,内容包括:主办券商专用交易单元号、合同序号、投资者证券账户卡号、股票代码、转让数量、转让价格等。

第三十二条　公司股票转让的价格信息通过通信系统传送至主办券商所属营业部,主办券商必须在营业场所单独发布。

公司股票转让不设指数。

第三十三条　转让日当天的价格信息发布内容为:股票代码和名称,上一转让日转让价格和数量,当日转让价格和数量。

第三十四条　中国结算根据全国股份转让系统发送的转让成交数据完成与主办券商之间的股份与资金的清算交收,

并将清算交收结果数据发送主办券商，主办券商再据此完成与投资者之间的股份与资金的清算交收。

第三十五条　公司派发红利的，可自行派发或委托中国结算办理；派发红股或公积金转增股本的，应委托中国结算办理。

委托中国结算办理上述业务时，应提交股东大会决议、分配方案公告及其他所需资料。

第三十六条　投资者委托股票转让和非转让过户（挂失除外），应当按规定交纳相关税费。

第三十七条　公司或推荐公司股票挂牌的主办券商应当按照《两网公司及退市公司信息披露暂行办法》的规定，在全国股份转让系统指定信息披露平台进行信息披露。

第三十八条　公司出现以下情形之一的，全国股份转让系统公司或推荐公司股票挂牌的主办券商报经全国股份转让系统公司同意后可以对其股票暂停转让，直至导致暂停转让的原因消除后恢复转让：

（一）公司违反《推荐恢复上市、股票转让协议书》；

（二）公司发生影响股票转让的其他重大事件。

第三十九条　出现下列情形之一的，公司或推荐公司股票挂牌的主办券商应当公告并终止股票转让，按照中国结算的规定办理退出登记：

（一）公司获准上市、重新上市或被收购；

（二）公司解散、依法被撤销、破产；

（三）全国股份转让系统公司规定的其他情形。

第四十条　股票转让参与人违反本暂行办法规定的，全国股份转让系统公司可以依据《全国中小企业股份转让系统业务规则》采取相应的自律监管措施和纪律处分。

第四十一条　本暂行办法由全国股份转让系统公司负责解释。

全国中小企业股份转让系统
两网公司及退市公司信息披露暂行办法

第一条　为规范原证券公司代办股份转让系统挂牌的STAQ、NET系统公司（以下简称“两网公司”）、退市公司（包括本暂行办法发布后新挂牌的退市公司）在全国股份转让系统的信息披露行为，根据有关法律法规，制定本暂行办法。

第二条　两网公司和退市公司（以下简称“公司”）应当履行下列信息披露的基本义务：

（一）及时披露所有可能对公司股票转让价格产生重大影响的信息；

（二）及时澄清与公司有关的、非正式披露的信息；

（三）保证信息披露内容真实、准确、完整，没有虚假记载、误导性陈述或者重大遗漏，并就其保证承担法律责任。

公司不能确定有关事件是否需及时披露，或对履行以上基本义务有任何疑问的，应当及时向主办券商咨询。

第三条　公司及其董事、监事、高级管理人员不得泄露内幕信息，不得进行内幕交易或配合他人操纵股票转让价格。

第四条　公司应当公开披露的信息包括定期报告和临时报告。年度报告、半年度报告和季度报告为定期报告，其他报告为临时报告。

第五条　公司公开披露的信息应当第一时间在全国股份转让系统指定信息披露平台公布。

第六条　公司公开披露的信息必须按照规定格式编制，公告文稿应为打印件并经董事会全体成员签字或加盖董事会公章，并同时采用书面和电子文件的形式报送主办券商。

公开披露的信息应当用中文表述。转让境内流通外资股股份的公司公开披露信息，如有必要，还可以用英文表述，并在境外英文报纸予以发布；中英文本不一致的，以中文文本为准。

第七条　公司在其他公共传媒披露的信息不得先于在全国股份转让系统指定信息披露平台的正式公告。公司不得以新闻发布或答记者问等形式代替公司的正式公告。

第八条　公司董事会全体成员及其他知情人员在公司的信息公开披露前，应当将该信息的知情人控制在最小范围内。

第九条　公司的信息披露不够及时、充分、完整或可能误导投资者的，存在任何虚假记载、误导性陈述或者重大遗漏及其他技术性错误的，公司应当主动或应主办券商的要求及时予以公开更正、说明或补充；公司未按主办券商要求做出修改或补充的，主办券商应对投资者以公告的方式做出风险提示。

第十条　公司应当将信息披露文件和备查文件在公告的同时备置于公司住所及其他指定场所，供公众查阅。

第十一条　公司根据国家有关法律、法规向有关部门报送涉及未披露信息的文件时，应当以书面形式向其申明该文件涉及未公开的信息并提请对方注意保密。除此以外，公司不得对外提供任何涉及未披露信息的文件。

第十二条　公司有充分理由认为披露某一信息会损害公司的利益，且该信息对其转让价格不会产生重大影响，经主办券商报全国股份转让系统公司同意，可以免予披露。

第十三条　公司认为应披露的信息可能导致其违反国家有关法规的，应当向主办券商提出并陈述不宜披露的理由；确有法律依据的，经主办券商报全国股份转让系统公司同意，可以免予披露。

第十四条　公司应当配备信息披露所必要的通讯工具和计算机等办公设备，保证计算机可以连接国际互联网和对外咨询电话的畅通。

第十五条　董事和监事应当在股票开始转让后两个月内，新任董事、监事应当在股东大会通过其任命后两个月内，签署《董事（监事）声明及承诺书》并送达主办券商备案。董事、监事签署该文件时必须由律师见证，向董事、监事解释《董事（监事）声明及承诺书》的内容，董事、监事在充分理解后签字。

第十六条　董事应当履行以下职责并在《董事声明及承诺书》中作出承诺：

（一）遵守法律法规，履行诚信勤勉义务；

（二）遵守公司章程；

（三）遵守全国股份转让系统相关规则，接受主办券商的督促与指导；

（四）对主办券商认为应当承诺的其他事项作出承诺。

第十七条　监事除同样应当履行上条所述职责并在《监事声明及承诺书》中作出承诺外，还应当承诺促使公司董事遵守其承诺。

第十八条　董事、监事应当在《董事（监事）声明及承诺书》中声明：

（一）本人持有所在公司股票的情况；

（二）有无违反法律法规受查处情况；

（三）参加证券业务培训情况；

（四）其他任职情况；

（五）拥有其他国家或地区的国籍、长期居留权的情况；

（六）主办券商认为应当由其说明的其他情况。

第十九条 《董事(监事)声明及承诺书》中声明的事项发生变化时,董事、监事应当在该等情况发生变化之日起

五个工作日内向主办券商提交有关最新资料披露并备案,并保证该资料的真实与完整。

第二十条 公司必须设立一名董事会秘书。董事会秘书为公司与主办券商之间的指定联络人。

第二十一条 董事会秘书应当遵守公司章程和有关法律法规,对公司负有诚信和勤勉义务,不得利用职权为自己或他人谋取利益。

第二十二条 董事会秘书应当履行下列与信息披露相关的职责:

(一)负责准备和提交主办券商及全国股份转让系统公司要求的有关信息披露的文件;

(二)准备和提交董事会和股东大会的报告和文件;

(三)按照法定程序筹备董事会会议和股东大会会议,列席董事会会议并作记录,保证记录的准确性,并在会议记录上签字;

(四)协调和组织公司信息披露事项,包括建立信息披露的制度,接待来访,回答咨询,联系股东,向投资者提供公司公开披露的资料,促使公司及时、合法、真实和完整地进行信息披露;

(五)负责信息的保密工作,制订保密措施。在发生内幕信息泄露时,及时采取补救措施,报告主办券商并公告;

(六)负责保管公司股东名册、董事名册、股东及董事持股资料,公司董事会和股东大会的会议文件和记录;

(七)帮助公司董事、监事、高级管理人员了解法律法规、公司章程等对其信息披露责任的规定;

(八)协助董事会依法行使职权,在董事会作出违反法律法规、公司章程及主办券商有关规定的决议时,及时提醒董事会,如果董事会坚持作出上述决议时,应当予以记录,并将会议纪要立即提交公司全体董事和监事。

第二十三条 公司应当向董事会秘书提供信息披露所需要的资料和信息。公司做出重大决定之前,应当从信息披露角度征询董事会秘书的意见。

第二十四条 公司应当在原董事会秘书离职后三个月内聘任董事会秘书。在此之前,公司应当临时指定人选代行董事会秘书的职责。

第二十五条 董事会秘书的任职资格应当具备以下条件:

(一)具有大学专科以上学历,从事秘书、管理、股权事务等工作三年以上;

(二)有一定财务、税收、法律、金融、企业管理、计算机应用等方面知识,具有良好的个人品质和职业道德,严格遵守有关法律、法规和规章,能够忠诚地履行职责;

(三)公司董事可以兼任董事会秘书,但监事不得兼任;

(四)公司聘任的会计师事务所的会计师和律师事务所的律师不得兼任董事会秘书;

(五)有《中华人民共和国公司法》第 147 条规定情形之一的人士不得担任董事会秘书;

(六)全国股份转让系统公司规定的其他条件。

第二十六条 公司聘任董事会秘书,应当向主办券商提交以下文件并报全国股份转让系统公司备案:

(一)董事会出具的聘任书;

(二)董事会秘书的个人简历、学历证明;

(三)董事会秘书的联系方式;

(四)公司法定代表人的联系方式。

第二十七条 公司董事会解聘董事会秘书应当具有充分理由,解聘董事会秘书或董事会秘书辞职时,公司董事会应当向主办券商报告、说明原因并公告。

第二十八条 董事会秘书离任前,公司应当要求董事会秘书承诺在离任后持续履行保密义务,直至有关信息公开披露为止,并在监事会的监督下移交有关档案和文件。

第二十九条 公司董事会在聘任董事会秘书的同时,可以聘任一名董事会证券事务代表,以保证在董事会秘书不能履行职责时代行董事会秘书的职责。

第三十条 主办券商仅接受董事会秘书或证券事务代表办理公司的信息披露事务。

第三十一条 公司董事会通过委托主办券商办理股份转让决议后,应将决议内容及召开股东大会的通知至少在一种中国证监会指定的信息披露媒体及全国股份转让系统指定信息披露平台上予以公告。

第三十二条 公司股东大会通过委托主办券商办理股票转让决议后,应至少在一种中国证监会指定的信息披露媒体及全国股份转让系统指定信息披露平台上予以公告。

第三十三条 公司与主办券商签订委托办理股票转让协议后,应于 30 个工作日内,就证券帐户开立、股份确权、登记、托管等事项,至少在一种中国证监会指定的信息披露媒体及全国股份转让系统指定信息披露平台上予以公告。受托办理股票转让的主办券商,也应同时公告办理股票转让公告,明确股票托管操作等事项。

第三十四条 公司应当在股票首次转让前编制并披露股票转让公告书。

股票转让公告书至少应包括如下内容:公司基本信息、股本和股东情况、原股票发行及交易情况、公司治理情况、经具有证券期货相关业务资格的会计师事务所审计的财务报告、主要业务、产品或者服务及公司所属行业、业务发展目标、同业竞争与关联交易、公司重大事项、董事会承诺以

及董事、监事、高级管理人员及核心技术人员情况、主办券商等情况。

原股票发行及交易情况包括(但不限于):发行价格,发行日期,发行数量,流通(上市)日期,原股票上市交易所,转让公告日前股东总数,转让公告日前总股本,转让公告日前流通股数量、非流通股数量、已确权股份数量等。

董事会承诺包括(但不限于):已任董事和新任董事将分别在本暂行办法第十五条规定时间内签署《董事声明及承诺书》,其他内容可参照本暂行办法第十六条。

主办券商情况包括(但不限于):公司名称、法定代表人、住所、联系电话、传真等。

第三十五条 公司应当在每个会计年度结束之日起四个月内编制完成并披露年度报告。年度报告内容参照中国证监会《公开发行证券的公司信息披露内容与格式准则第 2 号 – 年度报告的内容与格式》正文部分相关内容进行编制。

第三十六条 公司应当在每个会计年度的前六个月结束之日起两个月内编制完成并披露半年度报告。半年度报告内容参照中国证监会《公开发行证券的公司信息披露内容与格式准则第 3 号 – 半年度报告的内容与格式》正文部分相关内容进行编制。

第三十七条 公司应当在每个会计年度的前三个月、九个月结束后的一个月内编制完成并披露季度报告。季度报告内容参照中国证监会《公开发行证券的公司信息披露编报规

则第13号－季度报告内容与格式特别规定》正文部分相关内容进行编制。

第三十八条　公司年度的财务报告必须经具有证券期货相关业务资格的会计师事务所审计；半年度财务报告可以不经会计师事务所审计，但拟在下半年进行利润分配或公积金转增的须经会计师事务所审计；季度报告的财务报告无需审计，但全国股份转让系统公司或主办券商另有规定的除外。

第三十九条　公司应当在董事会审议通过定期报告之日起两个工作日内向主办券商报送下列文件并公告：

（一）定期报告全文；

（二）定期报告摘要；

（三）审计报告及财务报告；

（四）董事会决议及其公告文稿；

（五）按主办券商要求载有上述文件的电子文件；

（六）主办券商要求的其他文件。

第四十条　公司召开董事会会议，应当在会议结束后两个工作日内将董事会决议报送主办券商备案。

第四十一条　公司董事会决议涉及需要经股东大会表决的事项和本暂行办法第四十七条至第八十七条的事项的，必须公告；其他事项，主办券商认为有必要的，也应当公告。

第四十二条　公司召开监事会会议，应当在会议结束后两个工作日内将监事会决议报送主办券商并公告。

第四十三条　公司应当在股东大会结束后两个工作日内将股东大会决议公告文稿报送主办券商并公告。

第四十四条　股东大会因故延期或取消，应当在原定股东大会召开日的五个工作日之前发布通知，通知中应当说明延期或取消的具体原因。如属延期，应当公布延期后的召开日期。

第四十五条　股东大会对董事会预案做出修改，或对董事会预案以外的事项做出决议，或会议期间因突发事件致使会议不能正常召开的，公司应当向主办券商说明原因并公告。

第四十六条　股东大会决议公告应当包括下列内容：

（一）出席会议的股东人数、所持股份及占公司有表决权总股本的比例；

（二）每项议案的表决方式及表决统计结果，包括赞成、反对和弃权的股份，占出席会议有表决权股份的比例；

（三）关联交易股东回避表决的情况；

（四）对股东提案做出决议的，应当列明提案股东的名称或姓名、持股比例和提案内容；

（五）发行B股的公司还应当在公告中说明股东会议通知情况、公司A股股东和B股股东出席会议及表决情况；

（六）公司聘请的律师关于股东大会及决议是否合法有效的法律意见。

第四十七条　公司拟收购、出售资产达到以下标准之一时，经董事会批准后两个工作日内，向主办券商报告并公告：

（一）按照最近一期经审计的财务报告、评估报告或验资报告，收购、出售资产的资产总额占公司最近一期经审计的总资产值的10%以上；

（二）被收购资产相关的净利润或亏损的绝对值（按上一年度经审计的财务报告）占公司经审计的上一年度净利润或亏损绝对值的10%以上，且绝对金额在50万元以上；被收购资产的净利润或亏损值无法计算的，不适用本款；收购企业所有者权益的，被收购企业的净利润或亏损值以与这部分产权相关的净利润或亏损值计算；

（三）被出售资产相关的净利润或亏损绝对值或该转让行为所产生的利润或亏损绝对值占公司经审计的上一年度净利润或亏损绝对值的10%以上，且绝对金额在50万元以上；被出售资产的净利润或亏损值无法计算的，不适用本款；出售企业所有者权益的，被出售企业的净利润或亏损值以与这部分资产相关的净利润或亏损值计算；

（四）收购、出售资产的转让金额（承担债务、费用等，应当一并加总计算）占公司最近一期经审计的净资产总额10%以上。

本暂行办法所称收购、出售资产是指公司收购、出售企业所有者权益、实物资产或其他财产权利的行为。

第四十八条　公司在十二个月内连续对同一或相关资产分次进行收购、出售的，以其在此期间转让的累计金额确定是否公告。

第四十九条　公司直接或间接持股比例超过50%的子公司收购、出售资产，视同公司行为。公司的参股公司（持股50%以下）收购、出售资产，转让标的有关金额指标乘以参股比例计算。

第五十条　公司必须在收购、出售资产协议生效之日起三个月内向主办券商报告其转让实施情况（包括所有必需的产权变更或登记过户手续完成情况）、相关证明文件并公告。

第五十一条　公司披露上述收购、出售资产事项，应当向主办券商提交以下文件备案：

（一）转让公告文稿；

（二）收购、出售资产的协议书；

（三）董事会决议及公告（如有）；

（四）被收购、出售资产涉及的政府批文（如有）；

（五）被收购、出售资产的财务报告；

（六）主办券商要求提供的其他文件。

第五十二条　公司收购、出售资产的公告应当包括以下内容：

（一）转让概述及协议生效时间；

（二）协议有关各方的基本情况，包括企业名称、工商登记类型、注册地点、法定代表人、主营业务等；

（三）被收购、出售资产的基本情况，包括该资产名称、中介机构名称、资产的帐面值及评估值、资产运营情况、资产质押、抵押以及在该资产上设立的其他财产权利的情况、涉及该财产的重大争议的情况。

被收购、出售的资产系企业所有者权益，还应当介绍公司（或企业）的基本情况和最近一期经审计的财务报告中的财务数据，包括资产总额、负债总额、所有者权益、主营收入、净利润等，并附收购、出售基准日资产负债表和损益表（如果基准日不是年底，还需披露上一年度损益表）；

（四）公司预计从该项转让中获得的利益及该转让对公司未来经营的影响；

（五）转让金额（包括定价基准）及支付方式（现金、股权、资产置换等，还包括有关分期付款安排的条款）；

（六）该转让所涉及的人员安置、土地租赁、债务重组等情况；

（七）出售资产的，应当说明出售所得款项的用途；

（八）需要经股东大会或有权部门批准的事项，应当说明需履行的合法程序和进展情况；

（九）如果收购资产后，可能产生关联交易，应当披露有关情况；

（十）如果收购资产后，可能产生关联人同业竞争，应当披露规避的方法或其他安排（包括有关协议或承诺等）；

（十一）收购资产后，公司与控股股东在人员、资产、财务上分开的安排计划。

第五十三条　公司的关联交易是指公司或者其控股子公司与公司关联人之间发生的转移资源或义务的事项。包括但不限于下列事项：

（一）购买或者出售资产；

（二）对外投资（含委托理财、委托贷款、对子公司投资等）；

（三）提供财务资助；

（四）提供担保；

（五）租入或者租出资产；

（六）签订管理方面的合同（含委托经营、受托经营等）；

（七）赠与或者受赠资产；

（八）债权或者债务重组；

（九）研究与开发项目的转移；

（十）签订许可协议；

（十一）购买原材料、燃料、动力；

（十二）销售产品、商品；

（十三）提供或者接受劳务；

（十四）委托或者受托销售；

（十五）关联双方共同投资；

（十六）其他通过约定可能造成资源或者义务转移的事项。

公司关联人包括关联法人和关联自然人。

第五十四条　具有以下情形之一的法人，为公司的关联法人：

（一）直接或者间接控制公司的法人或其他组织；

（二）由上述第（一）项直接或者间接控制的除公司及其控股子公司以外的法人或其他组织；

（三）由本暂行办法第五十五条所列的关联自然人直接或者间接控制的，或者由关联自然人担任董事、高级管理人员的除公司及其控股子公司以外的法人或其他组织；

（四）持有公司5%以上股份的法人或其他组织；

（五）中国证监会、全国股份转让系统公司或者公司根据实质重于形式原则认定的其他与公司有特殊关系，可能导致公司利益对其倾斜的法人或其他组织。

第五十五条　公司的关联自然人是指：

（一）直接或间接持有公司5%以上股份的自然人；

（二）公司的董事、监事及高级管理人员；

（三）本暂行办法第五十四条所列法人的董事、监事及高级管理人员；

（四）本条第（一）、（二）项所述人士的关系密切的家庭成员，包括配偶、父母及配偶的父母、兄弟姐妹及其配偶、年满18周岁的子女及其配偶、配偶的兄弟姐妹和子女配偶的父母；

（五）中国证监会、全国股份转让系统公司或者公司根据实质重于形式原则认定的其他与公司有特殊关系，可能导致公司利益对其倾斜的自然人。

第五十六条　具有以下情形之一的法人或其他组织或者自然人，视同公司的关联人：

（一）根据与公司或者其关联人签署的协议或者作出的安排，在协议或者安排生效后，或在未来十二个月内，将具有第五十三条或者第五十四条规定的情形之一；

（二）过去十二个月内，曾经具有第五十四条或者第五十五条规定的情形之一。

第五十七条　公司的第一大债权人、债务人之间发生的关联交易和重大事项，按公司关联交易进行披露。披露时除了第五十三条规定的“提供担保”和“债权或者债务重组”外，还应包括债权人变更，债务人变更等。

第五十八条　公司关联交易应当遵循以下基本原则：

（一）符合诚实信用的原则；

（二）关联方如享有公司股东大会表决权，除特殊情况外，应当回避行使表决；

（三）与关联方有任何利害关系的董事，在董事会对该事项进行表决时，应当予以回避；

（四）公司董事会应当根据客观标准判断该关联交易是否对公司有利。

第五十九条　公司关联人与公司签署涉及关联交易的协议，应当采取必要的回避措施：

（一）任何个人只能代表一方签署协议；

（二）关联人不得以任何方式干预公司的决定；

（三）公司董事会就关联交易表决时，有利害关系的当事人属以下情形的，不得参与表决：

1. 董事个人与公司的关联交易；

2. 董事个人在关联企业任职或拥有关联企业的控股权，该关联企业与公司的关联交易；

3. 按法律、法规和公司章程规定应当回避的。

（四）公司股东大会就关联交易进行表决时，关联股东不得参加表决。关联股东因特殊情况无法回避时，应由董事会委托律师，与有关各方充分协商，作出决定。如决定关联股东可以参加表决，公司应当在股东大会决议中做出详细说明，同时对非关联方的股东投票情况进行专门统计，并在决议公告中予以披露。

第六十条　公司与其关联人达成的关联交易总额在100万元以下或低于公司最近经审计净资产值的0.5%的，可以不适用本暂行办法。

第六十一条　公司与其关联人达成的关联交易总额在100万元至1000万元之间或占公司最近经审计净资产值的0.5%至5%之间的，公司应当在签订协议后两个工作日内按照第六十三条的规定进行公告，并在下次定期报告中披露有关交易的详细资料。

第六十二条　公司披露关联交易，应当比照第五十条规定向主办券商提交文件备案。

第六十三条　公司就关联交易发布的临时报告应当包括以下内容：

（一）转让日期、转让地点；

（二）有关各方的关联关系；

（三）转让及其目的的简要说明；

（四）转让的标的、价格及定价政策；

（五）关联人在交易中所占权益的性质及比重；

（六）关联交易涉及收购或出售某一公司权益的，应当说明该公司的实际持有人的详细情况，包括实际持有人的名称及其业务状况；

（七）董事会关于本次关联交易对公司影响的意见；

（八）独立董事（如有）、监事会关于关联交易表决程序及公平性的意见；

（九）若涉及对方或他方向公司支付款项的，必须说明付款方近三年或自成立之日起至协议签署期间的财务状况，董事会应当对该等款项收回或成为坏账的可能作出判断和说明；

（十）独立财务顾问意见。

第六十四条　公司拟与其关联人达成的关联交易总额高于1000万元或高于公司最近经审计净资产值的5%的，应当提交股东大会批准并予以披露。任何与该关联交易有利害关系的关联人应当在股东大会上放弃对该议案的投票权。公司应当在有关关联交易的公告中特别载明："此项交易需经股东大会批准，与该关联交易有利害关系的关联人放弃在股东大会上对该议案的投票权"。

第六十五条　公司与其关联人就同一标的或者公司与同一关联人在连续12个月内达成的关联交易累计金额达到第六十一条所述标准的，公司应当按该条的规定予以披露。

第六十六条　公司与其关联人就同一标的或者公司与同一关联人在连续12个月内达成的关联交易累计金额达到第六十四条所述标准的，公司应当按该条的规定予以披露。

第六十七条　公司与其关联人达成的以下关联交易，可以免予按照关联交易的方式表决和披露：

（一）关联人依据股东大会决议领取股息或者红利；

（二）关联人购买公司发行的企业债券；

（三）公司与其控股子公司之间发生的关联交易。

第六十八条　公司必须在重大关联交易实施完毕之日起两个工作日内向主办券商报告并公告。

第六十九条　公司会计年度结束时，预计出现亏损的，应当在会计年度结束后的30个工作日内发布首次风险提示公告。

第七十条　公司尚未披露的诉讼或仲裁事项涉及的金额或12个月内累计金额占公司最近经审计的净资产值10%以上的，公司应当在知悉该事件后及时报告主办券商并披露下列内容：

（一）诉讼或仲裁受理日期，诉讼或仲裁各方当事人、代理人及其所在单位的姓名或名称；

（二）受理法院或仲裁机构的名称及所在地，诉讼或仲裁的原因和依据；

（三）诉讼或仲裁的请求；

（四）判决或裁决的结果和日期；

（五）各方当事人对结果的意见或拟采取的进一步的法律行动等。

第七十一条　公司发生重大担保事项应当提交董事会或者股东大会进行审议，及时向主办券商报告并公告：

下述担保事项应当在董事会审议通过后提交股东大会审议：

（一）单笔担保额超过公司最近一期经审计净资产10%的担保；

（二）公司及其控股子公司的对外担保总额，超过公司最近一期经审计净资产50%以后提供的任何担保；

（三）为资产负债率超过70%的担保对象提供的担保；

（四）按照担保金额连续十二个月内累计计算原则，超过公司最近一期经审计总资产30%的担保；

（五）按照担保金额连续十二个月内累计计算原则，超过公司最近一期经审计净资产的50%，且绝对金额超过5000万元以上；

（六）全国股份转让系统公司或者公司章程规定的其他担保。

对于董事会权限范围内的担保事项，除应当经全体董事的过半数通过外，还应当经出席董事会会议的三分之二以上董事同意；前款第（四）项担保，应当经出席会议的股东所持表决权的三分之二以上通过。

第七十二条　对担保事项的披露，应当说明担保协议签署及生效日期，债权人名称，担保的方式、期限、金额，担保协议中的其他重要条款，被担保人的基本情况等；

被担保人为法人的，应当包括企业名称、注册地点、法定代表人、经营范围、与公司的关联关系或其他关系；

被担保人为个人的，应当包括姓名、与公司的关联关系或其他关系。

第七十三条　公司出现以下情况所涉及的数额达到最近一期经审计的总资产或净资产或净利润的10%以上的，应当及时向主办券商报告并公告。

（一）重要合同（借贷、委托经营、受托经营、委托理财、赠与、承包、租赁等）的订立、变更、解除和终止；

（二）大额银行退票；

（三）重大经营性或非经营性亏损；

（四）遭受重大损失；

（五）重大投资行为；

（六）可能依法承担的赔偿责任；

（七）重大行政处罚。

第七十四条　公司出现以下情况，应当自事实发生之日起两个工作日内向主办券商报告并公告：

（一）公司章程、注册资本、注册地址、名称的变更，其中公司章程发生变更的，还应当将新的公司章程在指定网站上刊登；

（二）经营方针和经营范围的重大变化；

（三）涉及金额占公司最近经审计净资产10%以上的重大债务或未清偿到期重大债务；

（四）公司超过净资产10%以上的债权、债务在第三方之间发生移转；

（五）公司的第一大股东发生变更；

（六）公司的董事长、三分之一以上董事或经理发生变动；

（七）生产经营环境发生重大变化，包括全部或主要业务停顿、生产资料采购、产品销售发生重大变化；

（八）减资、合并、分立；

（九）直接或间接持有另一挂牌公司发行在外的普通股5%以上；

（十）持有公司总股份百分之五以上股份的股东，其持有股份增减变化为总股份的百分之五以上；

（十一）新的法律法规、规章、政策可能对公司的经营产生显著影响；

（十二）更换为公司审计的会计师事务所；

（十三）法院裁定禁止公司有控制权的大股东转让其所持公司股份；

（十四）持有公司百分之五以上股份的股东所持股份被质押；

（十五）公司进入破产清算状态；

（十六）公司预计出现资不抵债；

（十七）获悉主要债务人出现资不抵债或进入破产程序，公司对相应债权未提取足额坏账准备；

（十八）因涉嫌违反法律、法规被有关部门调查或受到行政处罚的；

（十九）主办券商和全国股份转让系统公司认为需要披露的其他事项。

第七十五条　公司在申请上市、重新上市过程中，发生以下情况时须即时向主办券商及全国股份转让系统公司报告并公告：

（一）公司董事会通过拟申请上市或重新上市的决议；

（二）公司股东大会通过拟申请上市或重新上市的议案；

（三）有关单位受理或接受公司上市或重新上市的申请；

（四）公司上市或重新上市的申请因故撤回或被有关单位退回；

（五）有关单位审议公司上市或重新上市申请；

（六）有关单位同意公司股票上市或重新上市的申请；

（七）主办券商和全国股份转让系统公司认定的其他情况。

第七十六条　公司出现财务状况或其他状况异常，投资者难以判定公司前景，权益可能受到损害，公司应当即时向主办券商和全国股份转让系统公司报告，并在全国股份转让系统指定信息披露平台和证券营业网点作出特别风险提示的公告。

第七十七条　公司出现以下情况之一的，为财务状况异常：

（一）预计出现资不抵债的情形；

（二）最近两个会计年度审计结果显示的净利润均为负值；

（三）最近一个会计年度审计结果显示其股东权益低于注册资本，即每股净资产低于股票面值；

（四）注册会计师对最近一个会计年度的财务报告出具无法表示意见或否定意见的审计报告；

（五）最近一个会计年度经审计的股东权益扣除注册会计师不予确认的部分，低于注册资本；

（六）最近一份经审计的财务报告对上年度利润进行调整，导致连续两个会计年度亏损；

（七）主办券商或全国股份转让系统公司认定的其他情形。

第七十八条　公司出现以下情况之一的，为其他状况异常：

（一）因自然灾害、重大事故等原因导致公司主要经营设施遭受损失，公司生产经营活动基本中止，在三个月以内不能恢复的；

（二）公司涉及负有赔偿责任的诉讼或仲裁案件，依照法院或仲裁机构的判决或裁决的赔偿金额累计超过公司最近经审计的净资产的20%的；

（三）公司主要银行帐号被冻结，影响公司正常经营活动的；

（四）人民法院受理公司破产案件，可能依法宣告公司破产的；

（五）公司董事会无法正常召开会议并形成董事会决议的；

（六）公司的主要债务人被法院宣告进入破产程序，而公司相应债权未能计提足额坏帐准备致使公司将面临重大财务风险的；

（七）公司出现其他异常情况，董事会或监事会认为有必要作出特别风险提示公告的；

（八）主办券商或全国股份转让系统公司认定的其他情形。

第七十九条　自法院受理公司破产案件的公告发布之日起，主办券商对该公司股票暂停转让。

公司应当在收到法院有关法律文书的当日，立即向主办券商报告，经主办券商审核后公告。公告日后第一个交易日公司股票恢复转让。

第八十条　公司进入破产程序后，公司或其他有信息披露义务的主体应当于第一时间向主办券商和全国股份转让系统公司报告债权申报情况、债权人会议情况、和解和整顿等重大情况并公告。公司刊登上述公告当日，其股票暂停转让一天。

第八十一条　上述第七十七条、第七十八条所列情形已经消除的，公司应当就该情形消除的事实向主办券商和全国股份转让系统公司报告并公告。

第八十二条　公司应当关注本公司股票的转让以及新闻媒介、网站关于本公司的报道。

第八十三条　出现以下情况之一的，公司应当及时向主办券商报告，经全国股份转让系统公司同意后可以要求公司比照第八十六条的规定发布公告：

（一）股票转让发生异常波动；

（二）新闻媒介或网站传播的消息可能对公司的股票转让产生影响；

（三）全国股份转让系统公司认为其他属于异常波动的情况。

主办券商报经全国股份转让系统公司同意，可以对出现上述情形的公司股票实施暂停转让，直至公司对该消息做出澄清公告后的第一个转让日恢复转让。

第八十四条　股票转让出现以下情况之一的，主办券商根据市场情况，认定是否属股票转让异常波动：

（一）某股票的转让价格连续三个转让日达到涨幅或跌幅限制；

（二）某股票的日均成交金额连续五个转让日逐日增加50%；

（三）某股票转让日的成交量与上月日均成交量相比连续五个转让日放大十倍；

（四）全国股份转让系统公司认为属于异常波动的其他情况。

出现本条所列情形被认定为异常波动的股票，其异常波动的计算从公告之日起重新开始。

第八十五条　公司针对有关传闻发布公告，应当向主办券商和全国股份转让系统公司报送公告文稿以及传闻在新闻媒介传播的证明。

第八十六条　公司针对有关传闻的公告应当包括以下内容：

（一）传闻内容及其来源；

（二）公司的真实情况；

（三）经主办券商同意的其他内容。

第八十七条　公司认为股票转让的异常波动与公司或公司内外部环境的变化无关，应当在公告中做出说明；认为与公司有关，应当披露可能影响其股票价格的信息。

第八十八条　公司的合并、分立应符合现行法律法规的规定。

第八十九条　涉及公司股份变动的合并、分立方案应当报全国股份转让系统公司同意并报告主办券商。

第九十条　涉及公司股份变动的合并、分立方案未经全国股份转让系统公司同意的，主办券商对有关公告文稿不予审查，并报告全国股份转让系统公司。

第九十一条　公司及其他信息披露义务人违反本暂行办法规定的，全国股份转让系统公司可以依据《全国中小企业股份转让系统业务规则》采取相应的自律监管措施和纪律处分。

第九十二条　本暂行办法由全国股份转让系统公司负责解释。

第三节 服务指南

综合类

股份公司申请在全国中小企业股份转让系统公开转让、定向发行股票的审查工作流程

根据《非上市公众公司监督管理办法》、《全国中小企业股份转让系统有限责任公司管理暂行办法》等规章,股份公司申请到全国中小企业股份转让系统(以下简称全国股份转让系统)挂牌须经全国中小企业股份转让系统有限责任公司(以下简称全国股份转让系统公司)审查,并经证监会核准纳入非上市公众公司监管。按照标准公开、程序透明、行为规范、高效便民的原则,股份公司申请股票在全国股份转让系统公开转让、定向发行(包括股份公司申请挂牌同时定向发行、挂牌公司申请定向发行,豁免向中国证监会申请核准的除外)的审查工作流程如下:

一、全国股份转让系统公司接收材料

全国股份转让系统公司设接收申请材料的服务窗口。申请挂牌公开转让、定向发行的股份公司(以下简称申请人)通过窗口向全国股份转让系统公司提交挂牌(或定向发行)申请材料。申请材料应符合《全国中小企业股份转让系统业务规则(试行)》、《全国中小企业股份转让系统挂牌申请文件内容与格式指引(试行)》等有关规定的要求。

全国股份转让系统公司对申请材料的齐备性、完整性进行检查:需要申请人补正申请材料的,按规定提出补正要求;申请材料形式要件齐备,符合条件的,全国股份转让系统公司出具接收确认单。

二、全国股份转让系统公司审查并出具审查意见

(一)反馈

对于审查中需要申请人补充披露、解释说明或中介机构进一步核查落实的主要问题,审查人员撰写书面反馈意见,由窗口告知、送达申请人及主办券商。

(二)落实反馈意见

申请人应当在三十个工作日内向窗口提交反馈回复意见。

(三)出具审查意见

申请材料和回复意见审查完毕后,全国股份转让系统公司出具同意或不同意挂牌或定向发行(包括股份公司申请挂牌同时定向发行、挂牌公司申请定向发行)的审查意见,窗口将审查意见送达申请人及相关单位。

三、中国证监会接收和受理材料并出具核准文件

(一)接收和受理

中国证监会在全国股份转让系统公司办公地点(金融大街丁26号金阳大厦)设行政许可受理窗口。申请人通过受理窗口向中国证监会提交申请核准材料。申请核准材料应符合《非上市公众公司监督管理办法》、《非上市公众公司监管指引第2号——申请文件》等有关规定的要求。中国证监会依法接收申请人的申请核准材料,并出具行政许可接收凭证和受理通知书。

(二)作出核准决定

中国证监会依法在受理申请之日起二十个工作日内作出准予或不予行政许可的决定。窗口将中国证监会核准文件送达申请人及相关单位。申请人领取批文后办理后续登记、挂牌等事宜。

股份公司申请在全国中小企业股份转让系统公开转让、股票发行的审查工作流程

(2013年3月19日发布,2013年12月30日修改)

根据《非上市公众公司监督管理办法》、《全国中小企业股份转让系统有限责任公司管理暂行办法》等规章,股东人数未超过200人股份公司申请到全国中小企业股份转让系统(以下简称全国股份转让系统)挂牌公开转让须经全国中小企业股份转让系统有限责任公司(以下简称全国股份转让系统公司)审查同意,中国证监会豁免核准,纳入非上市公众公司统一监管。

按照标准公开、程序透明、行为规范、高效便民的原则,股东人数未超过200人股份公司申请股票在全国股份转让系统挂牌公开转让、股票发行(包括股份公司申请挂牌同时发行、挂牌公司申请股票发行)的审查工作流程如下:

一、全国股份转让系统公司接收材料

全国股份转让系统公司设接收申请材料的服务窗口。申请挂牌公开转让、股票发行的股份公司(以下简称申请人)通过窗口向全国股份转让系统公司提交挂牌(或股票发行)申请材料。申请材料应符合《全国中小企业股份转让系统业务规则(试行)》、《全国中小企业股份转让系统挂牌申请文件内容与格式指引(试行)》等有关规定的要求。

全国股份转让系统公司对申请材料的齐备性、完整性进行检查:需要申请人补正申请材料的,按规定提出补正要求;申请材料形式要件齐备,符合条件的,全国股份转让系统公司出具接收确认单。

二、全国股份转让系统公司审查反馈

(一)反馈

对于审查中需要申请人补充披露、解释说明或中介机构进一步核查落实的主要问题,审查人员撰写书面反馈意见,由窗口告知、送达申请人及主办券商。

(二)落实反馈意见

申请人应当在反馈意见要求的时间内向窗口提交反馈回复意见;如需延期回复,应提交申请,但最长不得超过三十个工作日。

三、全国股份转让系统公司出具审查意见

申请材料和回复意见审查完毕后,全国股份转让系统公司出具同意或不同意挂牌或股票发行(包括股份公司申请挂

牌同时发行、挂牌公司申请股票发行）的审查意见，窗口将审查意见送达申请人及相关单位。

关于做好申请材料接收工作有关注意事项的通知

各申请人：

为进一步明确各申请人到我司接收服务窗口（以下简称“窗口”）办理业务的相关要求，现将有关事项通知如下：

一、有关申请文件的制作

（一）申请人应严格按照《全国中小企业股份转让系统业务规则（试行）》和相关实施细则、工作指引、工作指南，以及《全国中小企业股份转让系统申请材料接收须知》的要求制作和报送申请文件。

（二）申请文件的编排应严格按照相关业务规则要求的文件目录顺序编排。

电子文档包含“书面文件扫描版”和“书面文件 WORD 版”，其中“书面文件扫描版”包括通过扫描所有书面文件形成的电子文档，通常为 PDF 格式（即 *. pdf 格式）。

二、关于签名和盖章

（一）申请材料的主申请报告原则上应当以红头文件印制，标明文号，且必须由法定代表人签发并加盖公章。

具体签发形式，可以在红头中印制签发人，也可以在申请报告落款处加盖法定代表人印章或由本人签字。

（二）申请材料包含多份文件的，应当以隔页纸区分，每份文件应由出文单位加盖骑缝章，并在落款处加盖公章。

公司章程、制度等无落款的文件，应当在章程或制度首页标题上加盖公章。

（三）申请文件中的签名均应为签名人亲笔签名，不得以名章、签名章等代替。

董监高的声明和承诺文件，还应当附见证律师的从业资格证明文件。

三、关于身份证明文件

办事人员代表申请主体到窗口办理业务应当提交身份证明文件。

如申请主体在授权书或介绍信中明确指明 * * 自然人代表办理相应业务的，身份证明文件包括该授权书或介绍信，以及办事人员的身份证复印件。

如申请主体在授权书中指明 * * 单位代表办理业务，被指明的单位应当出具介绍信明确具体办事人员，身份证明文件包括授权书、被授权的单位出具的介绍信和办事人员的身份证复印件。

四、关于书面反馈回复

（一）书面反馈回复必须加盖出文单位公章。

（二）书面反馈回复应当按照书面反馈要求提交相应份数的书面材料和电子版材料。如书面材料较多可以装订成硬壳夹。

（三）提交书面反馈回复，应当同时附《审查反馈意见通知书》复印件，便于窗口工作人员对照检查。

（四）书面反馈回复应当以问答形式对书面反馈要求逐一作出回应。根据书面反馈要求不同，回复意见应当区别说明：

1. 回复意见属于补充、完善、说明类型，应当具体说明补充、完善的内容；

2. 回复意见属于修改类型，应当对比说明原内容和修改后的内容，如回复修改内容比较复杂，可以直接说明修改内容；

3. 回复意见属于删除类型，可以在回复中直接说明“此内容已删除，在 * * *（文件）中体现”；

4. 回复意见属于格式修改，如编号、页码、文件位置等格式问题，可以在回复中说明“已修改，在 * * *（文件）中体现”。

（五）关于申请挂牌业务的其他要求

在窗口办理挂牌业务的申请人，除需符合以上工作要求以外，还应当注意以下事项：

1. 对需要申请挂牌公司补充披露的，公司应在反馈回复中说明补充披露的内容、中介机构结论性意见（如有），并说明需披露的内容在公开转让说明书中相应章节的修改情况，同时在公开转让说明书中以楷体加粗的格式进行修改。

2. 对需要中介机构补充提供、调查或发表意见的，中介机构应在各自需提交反馈文件的相应部分补充提供尽职调查过程中的基础性资料、进一步尽职调查的内容以及结论性意见。

3. 反馈回复材料应当在主办券商盖章页同时附内核专员、项目负责人、项目小组成员的签字。

4. 整套申请材料目录前，应单独制作《挂牌公司基本信息和联系方式表》（含电子版，具体格式详见附件）。其中联系方式的座机栏，应当填写直拨座机号码（如是分机，需提供分机号码）。

本通知自下发之日起实施。如有问题，请与我司相关工作人员联系。

接收服务电话：010 – 63889512

全国中小企业股份转让系统有限责任公司
2013 年 06 月 13 日

全国中小企业股份转让系统申请材料接收须知

各申请人：

为方便各申请人办理业务申请事项，我司在公司南门一层设立接收服务窗口，设专职人员负责材料接收工作。请各位申请人按照以下须知要求到接收服务大厅办理业务：

一、提出申请前，请及时了解、熟悉《非上市公众公司监督管理办法》、《全国中小企业股份转让有限责任公司管理暂行办法》等中国证监会部门规章及我司公布的各项业务规则中关于业务申请项目的有关规定，具体情况可登陆我司网站进行查阅。

二、如对我司公示内容有疑问，可向相关业务部门或接收服务窗口进行咨询。

三、接收服务大厅是我司对外接收材料的窗口，统一负责材料接收、法定文件发送等工作。目前我司仅接收现场报送材料，不接收以邮寄、传真等非现场方式提交的材料。

四、报送申请材料和领取公文时，请出具单位介绍信、身份证（附身份证复印件）等身份证明文件。如受他人委托报送申请材料和领取公文时，应提交相关授权委托书及受托人身份证明文件。

五、报送申请材料时，首先应对照各项业务申请材料目录核查材料的齐备性。

六、申请材料接收后，我司接收服务窗口将为申请人开具《申请材料接收确认单》，并于当日将所接收申请材料移交相关部门。

七、根据要求应当提供申报材料原件而不能提供的，应提供复印件，并由申请人律师提供鉴证意见，或由出文单位盖章，以保证与原件一致。申请人在每次报送书面原件的同时，应按我司要求报送相应份数的复印件和标准电子文件。电子文件应以光盘形式提交。

八、申请材料应统一编制目录，按目录标明页码，并以A4纸打印、硬壳文件夹装订。申请文件章节之间应有明显的分隔标识。报送材料首页应列明公司经办人员和有关中介机构的姓名(或名称)和联系电话。文件夹立面应注明公司名称和所办事项。

九、申请书应当以公司红头文件印制，由公司法定代表人签发。

十、中介机构出具的专项报告，应附有签字律师、会计师、评估师及其所在机构的证券从业资格证书复印件，该复印件须由该机构盖章确认并说明用途。法律意见书应由律师事务所负责人和两名经办律师签字。

十一、我司接收服务窗口工作时间为每个交易日的上午8:30－11:30，下午1:30－5:00。

十二、接收服务窗口咨询电话:010－63889513。

接收服务窗口地址:北京市西城区金融大街丁26号金阳大厦南门一层

关于收取挂牌公司挂牌年费的通知

各挂牌公司：

依据《关于全国中小企业股份转让系统有限责任公司有关收费事宜的通知》(股转系统公告[2013]7号，以下简称《收费通知》)的规定及《全国中小企业股份转让系统挂牌协议》的约定，挂牌公司应当向我司缴纳挂牌年费。现将挂牌公司缴纳2013年挂牌年费的相关事宜通知如下：

一、缴费对象

挂牌公司。2013年挂牌的公司，挂牌年费已与挂牌初费一并缴纳的除外。

二、缴费期限

2013年7月15日之前一次性缴纳。

缴费日期以银行收款回单载明的日期为准。

三、缴费标准

2013年度的挂牌年费按照挂牌公司2012年末的总股本，自我司《收费通知》发布之日的次月(即:2013年3月)起计算收取，共计10个月费用，挂牌公司2012年末的总股本以2012年年报披露的数据为准。根据我司《收费通知》公布的收费标准进行按月折算，2013年度挂牌公司须缴纳挂牌年费的具体金额如下：

总股本2000万股(含)以下:16,666.67元；

总股本2000－5000万股(含):25,000.00元；

总股本5000万股－1亿股(含):33,333.33元；

总股本1亿股以上:41,666.67元。

四、缴费方式

银行汇款方式缴至下列账户：

账户名称:全国中小企业股份转让系统有限责任公司

开户行:中国建设银行复兴支行

账号:11001046500053013355

挂牌公司汇款完成，我司取得银行收款回单后，将出具发票，并邮寄至挂牌公司。

请各挂牌公司按本通知的要求，按期足额缴纳挂牌年费。逾期缴纳的，我司将按照《全国中小企业股份转让系统挂牌协议》的约定，每日按应缴纳金额的3‰收取滞纳金。经催告后，在10个工作日内仍未缴纳的，我司有权采取相应的监管措施，并保留追究违约责任的权利。

全国中小企业股份转让系统有限责任公司

2013年6月14日

挂牌业务类

全国中小企业股份转让系统
股票挂牌业务操作指南
(试行)

为规范申请挂牌公司、主办券商在全国中小企业股份转让系统(以下简称“全国股转系统”)办理股票挂牌业务，根据相关法律法规、《全国中小企业股份转让系统业务规则(试行)》等有关规定，制定本指南。

一、股东开户

除股东存在外资、个人独资企业等特殊情形外，其他境内股东均应于申请挂牌公司向全国中小企业股份转让系统有限责任公司(以下简称“全国股转公司”)报送申请挂牌文件前，完成开立证券账户的工作。

二、申请证券简称和代码

申请挂牌公司应于向全国股转公司报送申请挂牌文件时一并提交《证券简称及证券代码申请书》，证券简称应避免与已挂牌公司和上市公司重复。

三、领取同意挂牌函、转让方式的函和缴费通知单

申请挂牌公司或主办券商接到领取通知后，于第二个转让日派人持申请挂牌公司出具的介绍信和经办人身份证复印件前往全国股转公司受理窗口领取《同意挂牌函》、《关于同意股票挂牌时采取协议转让方式的函》(或《关于同意股票挂牌时采取做市转让方式的函》)和《缴费通知单》。

四、缴费

根据《缴费通知单》的要求，申请挂牌公司缴纳挂牌初费和当年年费。

五、办理信息披露

(一)挂牌前首次信息披露

取得证券简称和代码的当日或第二个转让日，主办券商应协助申请挂牌公司通过全国股转系统业务支持平台进行首次信息披露操作。

挂牌前首次信息披露文件包括：

(1)公开转让说明书；

(2)财务报表及审计报告；

(3)补充审计期间的财务报表及审计报告(如有)；

(4)法律意见书；

(5)补充法律意见书(如有)；

(6)公司章程；

(7)主办券商推荐报告;

(8)股票发行情况报告书(如有);

(9)全国股转公司同意挂牌的函;

(10)中国证监会核准文件(如有);

(11)其他公告文件。

上述(1)-(7)文件系统将自动提取反馈回复的最后一稿,无须主办券商再次上传。

(二)首次信息披露操作流程

主办券商登录业务支持平台,在确认申请挂牌文件在已归档的前提下,进入首次信息批露模块,找到待批露的项目,打开并点击"处理"即可进入传送公告页面。

在该页面,系统将自动抓取"5.1(1)-(7)"列示的文件,券商需要上传同意挂牌函等其他披露文件;确认无误后,选择披露日期,点击"披露",系统将在转让日的15:30后在www.neeq.com.cn或www.neeq.cc上进行披露。

(三)更正公告

文件披露后,不得随意更改、替换或撤销。如确需修改,申请挂牌公司和主办券商通过全国股转系统业务支持平台提交申请挂牌公司出具的更正公告、更正后的信息披露文件、主办券商出具的情况说明(如涉及法律意见书更正的,由律师事务所出具说明;涉及审计报告及财务报表更正的,由会计师事务所出具说明),上述文件均需加盖公章;经挂牌业务部确认后,发布更正公告及更正后的信息披露文件。

(四)在线填写挂牌进度计划

主办券商应在获知申请挂牌公司代码和简称的当日或第二个转让日,在全国股转系统业务支持平台上在线填写《主办券商办理股份公司股票挂牌进度计划表》,合理安排申请挂牌公司办理挂牌手续的时间,并严格执行。

(五)领取《代码和简称通知书》和缴费发票

申请挂牌公司在准备办理股份初始登记前在全国股转公司挂牌业务部领取《关于证券简称及证券代码的通知》和缴费发票。

(六)提交股票初始登记申请表

公司股份办理初始登记前,无论是否存在首批解除转让限制情形,均需在取得同意挂牌函的当日或第二个转让日向全国股转公司公司业务部提交股票初始登记申请表(加盖主办券商公章),并说明是否存在申请挂牌同时股票发行情形。

除法定限售股份外,申请挂牌公司股东存在自愿限售股份情形的,应根据《关于向全国中小企业股份转让系统申请协助出具自愿限售登记函有关事项的公告》(股转系统公告[2014]65号)的要求,向全国股转公司公司业务部提交申请挂牌公司和自愿限售股东共同签字盖章的申请书,并提交主办券商出具的审查意见。

(七)股份初始登记

申请挂牌公司及主办券商应不迟于取得证券简称和代码的第二个转让日向中国证券登记结算有限责任公司北京分公司(以下简称"中国结算北京分公司")报送股份初始登记预审文件,根据中国结算北京分公司的安排现场办理登记手续,领取《股份登记确认书》。

(八)办理股票挂牌

申请挂牌公司取得中国结算北京分公司出具的《股份登记确认书》的当日11时前,将《股份登记确认书》《公开转让记录表》(加盖公章)扫描件提交给全国股转公司挂牌业务部,确定公司挂牌日期(挂牌日为取得《股份登记确认书》后的第二个转让日)以便办理股份进入交易系统的操作。

(九)挂牌前的第二次信息披露

1. 披露时间

T-1日(T日为挂牌日,下同),申请挂牌公司及主办券商通过全国股转系统业务支持平台报送第二次信息披露文件。

系统将在转让日的15:30后在www.neeq.com.cn或www.neeq.cc上进行披露。

2. 披露文件

(1)关于公司股票将在全国股转系统挂牌公开转让的提示性公告;

(2)关于公司挂牌同时发行的股票将在全国股转系统挂牌公开转让的公告(如有);

(3)其他公告文件。

(十)申请挂牌同时发行股票融资的流程

全国股转系统是公开市场,为提高投融资对接的效率,满足申请挂牌公司的融资需求,申请挂牌公司可在申请挂牌时或挂牌审查期间提出股票发行申请,履行董事会、股东大会审议程序,自主决定发行方式、发行价格和发行的比例。申请挂牌同时股票发行后股东不超过200人的,中国证监会豁免核准。

1. 披露发行意向

申请挂牌同时发行股票且尚未确定认购对象的,可在报送申请挂牌材料后向全国股转公司挂牌业务部申请在www.neeq.com.cn或www.neeq.cc披露股票发行意向。

2. 披露公开转让说明书等文件

取得证券简称和代码后,申请挂牌公司按照"5.1挂牌前首次信息披露"流程办理《公开转让说明书》等文件的信息披露事宜。

3. 报送备案材料

在完成股票认购、验资后,参照《全国中小企业股份转让系统股票发行业务细则(试行)》及其指引的有关规定,申请挂牌公司通过业务支持平台向全国股转公司受理窗口报送备案材料;取得全国股转公司出具的股份登记函。

4. 办理股份登记

取得股份登记函后,申请挂牌公司、主办券商持股份登记函及其他材料前往中国结算北京分公司办理股份初始登记,初始登记的股份为发行完成后的全部股份。

5. 披露发行的股份等文件

取得《股份登记确认书》后,申请挂牌公司披露《关于公司挂牌同时股票发行的股票将在全国股转系统挂牌公开转让的公告》等文件。

6. 披露工商变更登记公告

申请挂牌公司完成工商变更登记后,发布《关于完成工商变更登记的公告》。

7. 通过股票发行持有公司股份的股东

根据《全国中小企业股份转让系统投资者适当性管理细则(试行)》的规定,通过申请挂牌同时股票发行持有公司股份的股东,如不符合参与挂牌公司公开转让条件,只能买卖其持有或曾持有的挂牌公司股票。

8. 挂牌日后完成股票发行的

申请挂牌公司拟于挂牌日后完成股票发行的,其发行程序及投资者适当性要求按照已挂牌公司股票发行的规定办理。

(十一)挂牌仪式

申请挂牌公司拟举办挂牌仪式的,请填写《全国股转公司挂牌仪式申请》,发邮件至 guapaiyishi@ neeq. org. cn,与全国股转公司信息服务研究部沟通具体事宜。

(十二)临时公告

申请挂牌公司在首次信息披露至股票挂牌期间应遵守《关于申请挂牌期间公司信息披露相关问题的通知》(股转系统公告[2014]26 号)的规定,履行信息披露义务。

在此期间需进行信息披露的,应通过电子邮件方式向全国股转系统挂牌业务部财务和非财务审查员提交公告文件(加盖申请挂牌公司公章或其他信息披露主体公章)、主办券商情况说明(加盖主办券商公章)、信息披露业务流转表(加盖主办券商公章)等文件的扫描件,同时将抄送 xxpl@ neeq. org. cn。经同意后,相关公告文件在转让日的 15:30 后在 www. neeq. com. cn 或 www. neeq. cc 上进行披露。

全国中小企业股份转让系统挂牌协议

甲方:全国中小企业股份转让系统有限责任公司

法定代表人:

住所:

联系电话:

乙方:______________________股份有限公司

法定代表人:

住所:

联系电话:

第一条　甲方是全国中小企业股份转让系统(以下简称“全国股份转让系统”)的运营管理机构,负责组织和监督挂牌公司的股票转让及相关活动,实行自律管理。乙方是经中国证监会核准的非上市公众公司,申请其股票在全国股份转让系统挂牌。乙方已向甲方提交了挂牌申请及相关文件,并取得了甲方同意挂牌的审查意见及中国证监会核准。

第二条　为规范乙方股票在全国股份转让系统挂牌行为,明确双方权利与义务,甲乙双方根据《合同法》、《公司法》、《证券法》、《非上市公众公司监督管理办法》、《全国中小企业股份转让系统有限责任公司管理暂行办法》、《全国中小企业股份转让系统业务规则(试行)》等规定,签订本协议。

第三条　甲方的权利:

(一)甲方有权在有关法律、行政法规、中国证监会相关规定授权范围内对乙方实施日常监管;甲方有权依据全国股份转让系统业务规则、细则、指引、通知等规定(以下简称“甲方业务规则”)对乙方的股票挂牌、公开转让、终止挂牌等行为进行管理。

(二)甲方有权依据经中国证监会批准的收费标准收取挂牌费。

第四条　甲方的义务:

(一)甲方应当依据有关法律、行政法规及中国证监会相关规定制定甲方业务规则并及时公布,为乙方及其他市场主体参与市场活动提供制度保障。

(二)甲方负责运营、管理全国股份转让系统、发布市场信息,为乙方及其他市场参与主体提供正常的信息环境。

(三)甲方负责提供股票转让平台及相关设施,安排乙方股票挂牌,组织乙方股票转让活动。

(四)甲方负责提供信息披露服务平台,安排乙方首次挂牌信息披露及日常信息披露。

(五)甲方应当接受乙方的咨询,对其股票挂牌操作提供必要的指导。

第五条　乙方的权利:

(一)乙方有权向甲方咨询股票挂牌操作事宜,并获得甲方的指导。

(二)乙方有权获得甲方提供的股票转让、信息披露平台及相关设施服务。

第六条　乙方的义务:

(一)乙方同意接受甲方的日常监管及管理。

(二)乙方承诺遵守法律、法规、规章等规范性法律文件。乙方进一步承诺遵守甲方业务规则,履行包括但不限于规范公司治理、信息披露等义务。乙方应保证并责成其包括董事、监事、高级管理人员在内的全体员工理解并遵守本协议内容。

(三)乙方及其董事、监事和高级管理人员在挂牌时和挂牌后作出的承诺文件为本协议不可分割的一部分,是本协议的附件。乙方应保证其董事、监事和高级管理人员签署该等承诺文件。

(四)乙方应按本协议约定向甲方缴纳挂牌费。

(五)乙方应按要求参加甲方组织的业务培训。

(六)乙方应当以书面形式及时通知甲方任何导致乙方不再符合挂牌要求的公司行为或其他事件。

第七条　挂牌费:

(一)挂牌费包括挂牌初费和挂牌年费,由甲方依据经中国证监会批准的收费标准收取。

(二)乙方应当在挂牌日前缴纳按照挂牌首日总股本计算的挂牌初费,并在每年 7 月 15 日以前一次性缴纳按照公司上一年度末总股本计算的本年度挂牌年费。

(三)挂牌当年的挂牌年费按照挂牌首日的总股本和实际挂牌月份(自挂牌日的次月起计算)予以折算,与挂牌初费一并缴纳。

(四)乙方逾期缴纳挂牌费,甲方有权每日按应缴纳金额的 3‰收取滞纳金。

(五)经甲方催告后,乙方于 10 个工作日内仍未缴纳的,甲方有权对乙方采取监管措施,并保留向乙方主张其违约造成之全部损失的权利。

(六)乙方股票终止挂牌后,已经交纳的挂牌费不予返还。

第八条　本协议的执行与解释适用中华人民共和国法律。

第九条　本协议未尽事宜,双方应依照有关法律、法规、规章及甲方业务规则执行。

第十条　与本协议的解释或执行有关的争议及纠纷,应首先由甲乙双方通过友好协商解决。若自争议或者纠纷发生之日起的 30 天内未能通过协商解决,任何一方均可将该项争议提交中国国际经济贸易仲裁委员会按照当时适用的仲裁规则进行仲裁,仲裁地点为北京。仲裁裁决为最终裁决,对双方均具有法律约束力。

第十一条　双方一致同意,本协议生效后,如因适用的法律、法规、规章等规范性法律文件及甲方业务规则发生变化,导致本协议相关条款内容与修订或新颁布的上述法律、法规、规章、甲方业务规则等内容相抵触,本协议该部分条款将自动变更并以修订或新颁布的相关法律、法规、规章、甲方业务规则内容为准。

尽管有前款内容,本协议其他不与有关法律、法规、规章、甲方业务规则内容相抵触的条款持续有效。

第十二条　乙方申请终止或被甲方终止在全国股份转让系统挂牌的，本协议自终止挂牌之日自动解除。本协议解除不影响甲方依法向乙方主张本协议项下未结费用、滞纳金支付的权利。

第十三条　本协议自双方签字盖章之日起生效。双方可以以书面方式对本协议作出补充，经双方签字盖章的有关本协议的补充协议是本协议的组成部分，与本协议具有同等法律效力。

第十四条　本协议一式肆份，双方各执贰份。

甲方（公章）：__________　　乙方（公章）：__________

法定代表人　　　　　　　　法定代表人
或授权代表（签字）：______　或授权代表（签字）：______

_______年____月____日　　　_______年____月____日

推荐挂牌并持续督导协议书

本协议由以下各方于______年____月____日在__________________（签约地点）签订：

甲方：____________________股份有限公司
法定代表人：
住　　所：

乙方：____________________（主办券商）
法定代表人：
住　　所：

甲方委托乙方负责推荐甲方股票在全国中小企业股份转让系统（以下简称“全国股份转让系统”）挂牌，组织编制挂牌申请文件，并指导和督促甲方诚实守信、规范履行信息披露义务、完善公司治理机制；乙方同意接受委托。

根据《中华人民共和国合同法》、《中华人民共和国公司法》（以下简称“《公司法》”）、《中华人民共和国证券法》（以下简称“《证券法》”）、《非上市公众公司监督管理办法》（以下简称“《管理办法》”）、《全国中小企业股份转让系统业务规则（试行）》（以下简称“《业务规则》”）、《全国中小企业股份转让系统主办券商管理细则（试行）》（以下简称“《主办券商管理细则》”）、《全国中小企业股份转让系统主办券商推荐业务规定（试行）》（以下简称“《推荐规定》”）、《全国中小企业股份转让系统挂牌公司信息披露细则（试行）》（以下简称“《信息披露细则》”）等相关规定，甲、乙双方本着平等互利原则，经充分协商，达成如下协议：

第一章　甲方的承诺及权利、义务

第一条　甲方基本情况：
（一）股份公司设立时间。
（二）股本总额。
（三）股东人数。
（四）股权结构。
（五）董事、监事、高级管理人员及其持股明细。

第二条　甲方就委托乙方担任推荐其公司股票在全国股份转让系统挂牌并持续督导的主办券商事宜，向乙方作出如下承诺：

（一）保证遵守《管理办法》、《业务规则》、《信息披露细则》等相关规定。

（二）接受乙方依据《公司法》、《证券法》、《管理办法》、《业务规则》、《推荐规定》、《信息披露细则》及中国证监会、全国中小企业股份转让系统有限责任公司（以下简称“全国股份转让系统公司”）发布的其他规定对甲方作出的督促指导，并配合乙方采取的相关措施。

（三）按照相关规定和要求修改公司章程，完善公司治理机制，确保所有股东，特别是中小股东充分行使法律、行政法规和公司章程规定的合法权利。

（四）在同等条件下，优先选择乙方为其定向发行、并购重组等提供服务。

第三条　甲方就委托乙方担任推荐其公司股票在全国股份转让系统挂牌并持续督导的主办券商事宜，享有以下权利：

（一）甲方董事、监事、高级管理人员及相关人员有权就相关业务规则获得乙方指导。

（二）甲方有权就公司治理、财务及会计制度、挂牌申请文件制作、信息披露等方面获得乙方业务指导。

第四条　甲方就委托乙方担任推荐其公司股票在全国股份转让系统挂牌并持续督导的主办券商事宜，应履行以下义务：

（一）甲方应积极配合乙方的推荐挂牌工作，向乙方提交挂牌所需文件，并保证所提交文件均真实、准确、完整、及时、有效，不存在任何虚假记载、误导性陈述或重大遗漏。

（二）甲方应于正式挂牌前完成以下工作：

1. 通知并协助股东办理股份登记、存管。

2. 核对并向乙方提交股东持股明细以及董事、监事、高级管理人员名单及持股数量。

3. 与证券登记结算机构签订证券登记服务协议，将公司全部股票进行初始登记。

（三）甲方应保证所提供的股东名册真实、准确、完整、有效，如因工作失误造成股东股权争议或纠纷的，由甲方承担全部责任。

（四）甲方应严格按照有关规定，履行信息披露义务。

（五）甲方拟披露信息须经乙方审查后在全国股份转让系统指定的信息披露平台进行披露。

（六）甲方及董事会全体成员应保证信息披露内容的真实、准确、完整，不存在任何虚假记载、误导性陈述或重大遗漏，并承担个别及连带责任。

（七）甲方披露信息，应经董事长或其授权董事签字确认；若有虚假陈述，董事长应承担相应责任。

（八）甲方及其董事、监事、高级管理人员不得利用公司内幕信息直接或间接为本人或他人谋取利益。

（九）甲方董事会秘书负责股权管理与信息披露事务；未设董事会秘书的，应指定一名信息披露事务负责人负责股权管理与信息披露事务。

董事会秘书或信息披露事务负责人为甲方与乙方之间的联络人。

（十）甲方应将董事会秘书或信息披露事务负责人的联络方式（办公电话、住宅电话、移动电话、电子信箱、传真、通信地址等）和其变更情况及时告知乙方。

（十一）董事会秘书被解聘或辞职、信息披露事务负责人被更换或辞职的，甲方应及时告知乙方。

（十二）甲方应配备信息披露必需的通讯工具和计算机等办公设备，保证计算机可以连接互联网，对外咨询电话保持畅通。

（十三）甲方拟披露信息应以纸质文档（包括传真）和电子文档形式及时报送乙方，并保证电子文档与纸质文档内容一致。

（十四）甲方应于每一会计年度结束之日起四个月内编制完成并披露年度报告。

公司年度财务报告须经有证券期货相关业务资格的会计师事务所审计。

（十五）甲方应于每一会计年度的上半年结束之日起两个月内编制完成并披露半年度报告。

（十六）甲方应按《信息披露细则》的规定，编制年度报告、半年度报告，并在披露前经乙方审查。

（十七）甲方应按《信息披露细则》的规定，在发生相关事项时及时编制并披露临时报告，临时报告披露前应经乙方审查。

（十八）董事长不能正常履行职责超过三个月的，甲方应及时将该事实告知乙方。

（十九）甲方发起人、控股股东、实际控制人及董事、监事、高级管理人员持有的公司股票，按相关规定在限售期间不得转让；甲方应将新任及离职董事、监事、高级管理人员名单及其持股数量在2个转让日内告知乙方，并按有关规定向乙方提出限售或解除限售申请。

（二十）甲方股东所持股票解除限售，甲方应提前（ ）个转让日向乙方提出申请。

（二十一）甲方应积极配合乙方的问询、调查或核查，不得阻挠或人为制造障碍，并按乙方要求办理公告事宜。

（二十二）甲方应积极配合乙方的现场调查：

1. 提供必要的办公条件。

2. 保证相关人员及时提供现场调查所必需的资料，认真接受乙方调查访谈，不进行阻挠或人为制造障碍。

3. 乙方现场调查发现甲方已披露的公告存在错误、不充分或不完整情况的，甲方应及时进行更正及补充披露。

4. 积极配合乙方的整改要求，整理规范相关事项。

第二章　乙方的承诺及权利、义务

第五条　乙方就担任推荐甲方股票在全国股份转让系统挂牌并持续督导的主办券商事宜，向甲方作出如下承诺：

（一）经全国股份转让系统公司备案可以从事推荐业务。

（二）具有符合《主办券商管理细则》、《推荐规定》规定的从事推荐业务的机构设置和人员配备。

（三）勤勉尽责、诚实守信地履行主办券商推荐职责。

第六条　乙方就担任推荐甲方股票在全国股份转让系统挂牌并持续督导的主办券商事宜，享有以下权利：

（一）乙方有权对甲方提出的公司股东所持股票限售或解除限售的申请进行审查，并向全国股份转让系统公司报备。

（二）乙方有权依据《业务规则》、《信息披露细则》等规定，指导和督促甲方诚实守信、规范履行信息披露义务、完善公司治理机制。

（三）乙方有权对甲方拟披露的信息披露文件进行审查，可对甲方拟披露或已披露信息的真实性提出合理怀疑，并对相关事项进行专项调查。

（四）乙方有权根据相关规定及全国股份转让系统公司要求对甲方进行现场调查，必要时可聘请相关中介机构协助调查。

（五）甲方未规范履行信息披露等相关义务的，乙方有权要求其限期改正；拒不改正的，乙方可以发布风险揭示公告，并向全国股份转让系统公司报告。

第七条　乙方就担任推荐甲方公司股票在全国股份转让系统挂牌并持续督导的主办券商事宜，应履行以下义务：

（一）乙方应依据《业务规则》、《推荐规定》、《信息披露细则》等规定，勤勉尽责、诚实守信地履行推荐挂牌并持续督导职责，不得损害甲方的合法权益。

（二）乙方应配备符合规定的专门督导人员，负责具体履行持续督导职责。督导人员为乙方与甲方的联络人，须与甲方保持密切联系。

（三）乙方应依据《推荐规定》的规定，推荐甲方股票在全国股份转让系统挂牌。

（四）对甲方董事、监事、高级管理人员及相关信息披露义务人采取培训等相关措施，促使其熟悉和理解全国股份转让系统相关业务规则。

（五）乙方应督促和协助甲方及时按照《公司法》、《业务规则》及其他有关规定办理股份登记、信息披露、限售登记及解除限售登记等事宜。

（六）乙方及其推荐挂牌业务人员、内核业务人员、专门持续督导人员不得泄露尚未披露的信息，不得利用所知悉的尚未披露信息直接或间接为本人或他人谋取利益。

第三章　费用

第八条　经甲方与乙方协商一致，甲方应向乙方支付下列费用：

（一）推荐挂牌费（　　）元。

（二）持续督导费（　　）元/年。

（三）其他费用（　　）元/年。

费用的支付方式和时间为（　　）。

第九条　甲方终止股票挂牌的，已经支付的费用不予返还。

第四章　协议的变更与解除

第十条　本协议依据《管理办法》、《业务规则》、《信息披露细则》等规定签订，如因相关规定修订或颁布实施新的规定而导致本协议相关条款内容与修订或新颁布的规定内容不一致的，本协议与之相抵触的有关条款自动变更，并以修订或新颁布后的规定为准，其他条款继续有效；任何一方不得以此为由解除本协议。

第十一条　出现下列情况之一，甲乙双方可以解除本协议：

（一）甲方股票挂牌申请未获全国股份转让系统公司同意。

（二）乙方不再从事推荐业务。

（三）甲方股票终止挂牌。

第十二条　除第十一条规定的情形外，甲乙双方不得随意解除本协议；确需解除协议的，应在解除前向全国股份转让系统公司报告并说明合理理由，且应有其他主办券商承接持续督导服务。

第五章　免责条款

第十三条　因不可抗力因素导致任一方损失，另一方不承担赔偿责任。

第十四条　发生不可抗力时，双方均应及时采取措施防止损失进一步扩大。

第六章　争议解决

第十五条　本协议项下产生的任何争议，各方首先应协商解决；协商解决不成的，可选择以下方式解决：

（一）仲裁。

（二）向有管辖权的人民法院提起诉讼。

第七章　其他事项

第十六条　本协议规定的事项发生重大变化或存在未尽之事宜，甲、乙双方应当重新签订协议或签订补充协议。补充协议与本协议不一致的，以补充协议为准。补充协议为本协议有效组成部份，报全国股份转让系统公司备案。

第十七条　本协议自甲、乙双方签字盖章后生效。

第十八条　本协议一式（　　）份，甲、乙双方各执（　　）份，报全国股份转让系统公司（　　）份，每份均具有同等法律效力。

甲方（盖章）：

法定代表人或授权代表（签字）：

乙方（盖章）：

法定代表人或授权代表（签字）：

持续督导协议书

本协议由以下各方于______年____月____日在__________________（签约地点）签订：

甲方：____________________股份有限公司

法定代表人：

住　　所：

乙方：____________________（主办券商）

法定代表人：

住　　所：

甲方委托乙方担任为甲方提供持续督导服务的主办券商，负责指导和督促甲方诚实守信、规范履行信息披露义务、完善公司治理机制；乙方同意接受委托。

根据《中华人民共和国合同法》、《中华人民共和国公司法》（以下简称"《公司法》"）、《中华人民共和国证券法》（以下简称"《证券法》"）、《非上市公众公司监督管理办法》（以下简称"《管理办法》"）、《全国中小企业股份转让系统业务规则（试行）》（以下简称"《业务规则》"）、《全国中小企业股份转让系统主办券商管理细则（试行）》（以下简称"《主办券商管理细则》"）、《全国中小企业股份转让系统主办券商推荐业务规定（试行）》（以下简称"《推荐规定》"）、《全国中小企业股份转让系统挂牌公司信息披露细则（试行）》（以下简称"《信息披露细则》"）等相关规定，甲、乙双方本着平等互利原则，经充分协商，达成如下协议：

第一章　甲方的承诺及权利、义务

第一条　甲方基本情况：

（一）挂牌时间。

（二）股票简称。

（三）股票代码。

（四）股本总额。

（五）股东人数。

（六）股权结构。

（七）董事、监事、高级管理人员及其持股明细。

第二条　甲方就委托乙方担任为甲方提供持续督导服务的主办券商事宜，向乙方作出如下承诺：

（一）已与原负责持续督导的主办券商终止持续督导协议。

（二）保证遵守《管理办法》、《业务规则》、《信息披露细则》等相关规定。

（三）接受乙方依据《公司法》、《证券法》、《管理办法》、《业务规则》、《推荐规定》、《信息披露细则》及中国证监会、全国中小企业股份转让系统有限责任公司（以下简称"全国股份转让系统公司"）发布的其他规定对甲方作出的督促指导，并配合乙方采取的相关措施。

（四）在同等条件下，优先选择乙方为其定向发行、并购重组等提供服务。

第三条　甲方就委托乙方担任为甲方提供持续督导服务的主办券商事宜，享有以下权利：

（一）甲方董事、监事、高级管理人员及相关人员有权就相关业务规则获得乙方指导。

（二）甲方有权就公司治理、财务及会计制度、信息披露等方面获得乙方业务指导。

第四条　甲方就委托乙方担任为甲方提供持续督导服务的主办券商事宜，应履行以下义务：

（一）甲方应积极配合乙方的持续督导工作，向乙方提交所需文件，并保证所提交文件均真实、准确、完整、及时、有效，不存在任何虚假记载、误导性陈述或重大遗漏。

（二）甲方应于本合同正式生效前（ ）个转让日内，核对并向乙方提交股东持股明细以及董事、监事、高级管理人员名单及持股数量。

（三）甲方应保证所提供的股东名册真实、准确、完整、有效，如因工作失误造成股东股权争议或纠纷的，由甲方承担全部责任。

（四）甲方应严格按照有关规定，履行信息披露义务。

（五）甲方拟披露信息须经乙方审查后在全国股份转让系统指定的信息披露平台进行披露。

（六）甲方及董事会全体成员应保证信息披露内容的真实、准确、完整，不存在任何虚假记载、误导性陈述或重大遗漏，并承担个别及连带责任。

（七）甲方披露信息，应经董事长或其授权董事签字确认；若有虚假陈述，董事长应承担相应责任。

（八）甲方及其董事、监事、高级管理人员不得利用公司内幕信息直接或间接为本人或他人谋取利益。

（九）甲方董事会秘书负责股权管理与信息披露事务；未设董事会秘书的，应指定一名信息披露事务负责人负责股权管理与信息披露事务。

董事会秘书或信息披露事务负责人为甲方与乙方之间的联络人。

(十)甲方应将董事会秘书或信息披露事务负责人的联络方式(办公电话、住宅电话、移动电话、电子信箱、传真、通信地址等)和其变更情况及时告知乙方。

(十一)董事会秘书被解聘或辞职、信息披露事务负责人被更换或辞职的,甲方应及时告知乙方。

(十二)甲方应配备信息披露必需的通讯工具和计算机等办公设备,保证计算机可以连接互联网,对外咨询电话保持畅通。

(十三)甲方拟披露信息应以纸质文档(包括传真)和电子文档形式及时报送乙方,并保证电子文档与纸质文档内容一致。

(十四)甲方应于每一会计年度结束之日起四个月内编制完成并披露年度报告。

公司年度财务报告须经有证券期货相关业务资格的会计师事务所审计。

(十五)甲方应于每一会计年度的上半年结束之日起两个月内编制完成并披露半年度报告。

(十六)甲方应按《信息披露细则》的规定,编制年度报告、半年度报告,并在披露前经乙方审查。

(十七)甲方应按《信息披露细则》的规定,在发生相关事项时及时编制并披露临时报告,临时报告披露前应经乙方审查。

(十八)董事长不能正常履行职责超过三个月的,甲方应及时将该事实告知乙方。

(十九)甲方发起人、控股股东、实际控制人和董事、监事、高级管理人员持有的公司股票,按规定在限售期间不得转让;甲方应将新任及离职董事、监事、高级管理人员名单及其持股数量在2个转让日内告知乙方,并按有关规定向乙方提出限售或解除限售申请。

(二十)甲方股东所持股票解除限售,甲方应提前( )个转让日向乙方提出申请。

(二十一)甲方应积极配合乙方的问询、调查或核查,不得阻挠或人为制造障碍,并按乙方要求办理公告事宜。

(二十二)甲方应积极配合乙方的现场调查:

1. 提供必要的办公条件。

2. 保证相关人员及时提供现场调查所必需的资料,认真接受乙方调查访谈,不进行阻挠或人为制造障碍。

3. 乙方现场调查发现甲方已披露的公告存在错误、不充分或不完整情况的,甲方应及时进行更正及补充披露。

4. 积极配合乙方的整改要求,整理规范相关事项。

第二章 乙方的承诺及权利、义务

第五条 乙方就担任为甲方提供持续督导服务的主办券商事宜,向甲方作出如下承诺:

(一)经全国股份转让系统公司备案可以从事推荐业务。

(二)具有符合《主办券商管理细则》、《推荐规定》规定的从事推荐业务的机构设置和人员配备。

(三)勤勉尽责、诚实守信地履行主办券商持续督导职责。

第六条 乙方就担任为甲方提供持续督导服务的主办券商事宜,享有以下权利:

(一)乙方有权对甲方提出的公司股东所持股票限售或解除限售的申请进行审查,并报全国股份转让系统公司。

(二)乙方有权依据《业务规则》、《信息披露细则》等规定,指导和督促甲方诚实守信、规范履行信息披露义务、完善公司治理机制。

(三)乙方有权对甲方拟披露的信息披露文件进行审查,对甲方拟披露或已披露信息的真实性提出合理怀疑,并对相关事项进行专项核查。

(四)乙方有权根据相关规定及全国股份转让系统公司要求对甲方进行现场调查,必要时可聘请相关中介机构协助调查。

(五)甲方未规范履行信息披露等相关义务的,乙方有权要求其限期改正;拒不改正的,乙方可以发布风险揭示公告,并向全国股份转让系统公司报告。

第七条 乙方就担任为甲方提供持续督导服务的主办券商事宜,应履行以下义务:

(一)乙方应依据《业务规则》、《推荐规定》、《信息披露细则》等规定,勤勉尽责、诚实守信地履行主办券商持续督导职责,不得损害甲方的合法权益。

(二)乙方应配备符合规定的专门督导人员,负责具体履行持续督导职责。督导人员为乙方与甲方的联络人,须与甲方保持密切联系。

(三)乙方应对甲方董事、监事、高级管理人员及相关信息披露人员采取培训等相应措施,促使其熟悉和理解全国股份转让系统相关业务规则。

(四)乙方应督促和协助甲方及时按照《公司法》、《业务规则》及其他有关规定办理信息披露、限售登记及解除限售登记等事宜。

(五)乙方及其专门持续督导人员不得泄露在持续督导过程中获知的尚未披露的信息,不得利用所知悉的尚未披露信息直接或间接为本人或他人谋取利益。

第三章 费用

第八条 经甲方与乙方协商一致,甲方应向乙方支付下列费用:

(一)持续督导费(　　)元/年;

(二)其他费用(　　)元/年;

费用的支付方式和时间为(　　)。

第九条 甲方终止股票挂牌的,已经支付的费用不予返还。

第四章 协议的变更与解除

第十条 本协议依据《管理办法》、《业务规则》、《信息披露细则》等规定签订,如因相关规定进行修订或颁布实施新的规定而导致本协议相关条款内容与修订或新颁布的规定内容不一致,本协议与之相抵触的有关条款自动变更,并以修订或新颁布后的规定为准,其他条款继续有效;任何一方不得以此为由解除本协议。

第十一条 出现下列情况之一,甲乙双方可以解除本协议:

(一)乙方不再从事推荐业务。

(二)甲方股票终止挂牌。

第十二条 除第十一条规定的情形外,甲乙双方不得随意解除持续督导协议;确需解除协议的,应在解除前向全国股份转让系统公司报告并说明合理理由,且应有其他主办券商承接持续督导服务。

第五章 免责条款

第十三条 因不可抗力因素导致任一方损失,另一方不承担赔偿责任。

第十四条　发生不可抗力时，双方均应及时采取措施防止损失进一步扩大。

第六章　争议解决

第十五条　本协议项下产生的任何争议，各方首先应协商解决；协商解决不成的，可选择以下方式解决：

（一）仲裁。

（二）向有管辖权的人民法院提起诉讼。

第七章　其他事项

第十六条　本协议规定的事项发生重大变化或存在未尽之事宜，甲、乙双方应当重新签订协议或签订补充协议。补充协议与本协议不一致的，以补充协议为准。补充协议为本协议有效组成部份，报全国股份转让系统公司备案。

第十七条　本协议自甲、乙双方签字盖章后生效。

第十八条　本协议一式（　　）份，甲、乙双方各执（　　）份，报全国股份转让系统公司（　　）份，每份均具有同等法律效力。

甲方（盖章）：

法定代表人或授权代表（签字）：

乙方（盖章）：

法定代表人或授权代表（签字）：

公司业务类

全国中小企业股份转让系统挂牌公司持续信息披露业务指南（试行）

为规范挂牌公司、主办券商及其他信息披露义务人的信息披露业务办理，根据相关法律法规、《全国中小企业股份转让系统业务规则（试行）》（以下简称《业务规则》）及《全国中小企业股份转让系统挂牌公司信息披露细则（试行）》（以下简称《信息披露细则》）等有关规定，制定本指南。

持续信息披露业务通过全国中小企业股份转让系统业务支持平台信息披露系统（以下简称“信息披露系统”）实现披露文件的电子化填写与报送，信息披露系统由信息披露文件编制端（以下简称“编制端”）和信息披露文件报送端（以下简称“报送端”）组成。

挂牌公司应当通过编制端编制披露文件；主办券商使用“全国中小企业股份转让系统数字证书”（以下简称“数字证书”）通过报送端报送披露文件。数字证书是主办券商登陆报送端的身份证明，使用数字证书在报送端进行的操作行为均代表主办券的行为，主办券商承担相应法律责任；信息披露系统在规定的时间段中将披露文件自动发送至全国中小企业股份转让系统指定信息披露平台（以下简称“信息披露平台”）。

一、挂牌公司编制披露文件并报主办券商审查

（一）挂牌公司董事会秘书或者信息披露事务负责人应按照《业务规则》、《信息披露细则》、《全国中小企业股份转让系统挂牌公司年度报告内容与格式指引（试行）》、《全国中小企业股份转让系统挂牌公司半年度报告内容与格式指引（试行）》和《全国中小企业股份转让系统临时公告格式模板》等规定，在编制端使用信息披露文件编制工具填写披露内容，生成信息披露文件。编制工具里没有明确给出模板的临时报告，由挂牌公司根据有关规定自行编制。

挂牌公司在使用编制工具完成信息披露文件编制工作后，应当对编制工具生成的信息披露文件内容的真实性、准确性、完整性进行核查，确保不存在虚假记载、误导性陈述或者重大遗漏，并对其真实性、准确性、完整性承担相应的法律责任。

（二）挂牌公司将编制好的信息披露文件及备查文件送达主办券商。一般情况下，上述材料包括加盖董事会章的信息披露纸质文件及相应电子文件，其中电子文件包括定期报告或临时报告正文及相应 XBRL 文件（自行编制的除外）。

（三）进行定期报告披露的，挂牌公司应与主办券商商定披露日期。主办券商通过报送端的电子化预约功能协助挂牌公司完成披露时间的预约。特殊原因需变更披露预约时间的，主办券商应协助挂牌公司在原预约披露日 5 个转让日前通过报送端进行修改；在 5 个转让日内需要变更预约披露时间的，挂牌公司还应发布《关于变更××年度（半年度）报告披露日期的提示性公告》。

信息披露系统根据均衡披露原则，限制每日预约量以及修改次数。预计披露日期、变更情况及最终披露日期将在信息披露平台上公布。

（四）挂牌公司申请豁免披露涉及国家机密或商业秘密的信息，应通过主办券商向全国中小企业股份转让系统有限责任公司（以下简称“全国股转公司”）申请并提出豁免披露的充分依据。豁免定期报告相关信息披露的，主办券商应协助挂牌公司在申报预约披露日期的同时通过报送端申请；豁免临时报告披露的，应及时在线下向全国股转公司提出申请。

二、主办券商事前审查并上传至信息披露系统

（一）主办券商对拟披露的信息披露文件进行事前审查，发现拟披露的信息披露文件与全国股转系统相关规定不符的，主办券商应与挂牌公司沟通，了解相关情况，督导挂牌公司进行更正或补充，直至符合全国股转系统有关规定的要求。拟披露的信息披露文件存在虚假记载、误导性陈述或重大遗漏的，主办券商应要求挂牌公司及时改正，挂牌公司拒不改正的，主办券商应通过报送端向全国股转公司报告，并在挂牌公司信息披露文件披露当日同时发布风险揭示公告。

主办券商对年度报告进行事前审查中，如发现挂牌公司的财务报告被出具了否定意见或者无法表达意见的审计报告，或期末净资产为负值，或全国股转系统规定的其他情形的，主办券商应通过报送端向全国股转公司报告。

（二）主办券商事前审查后，无论是否有异议，均应通过报送端将信息披露文件正文（PDF 格式）及 XBRL 文件（自行编制的除外）上传至信息披露系统；主办券商如有异议的应按本条第（一）项的规定执行。

主办券商最迟应在披露日 20:00 前完成事前审查并上传。信息披露文件一经上传将不可撤回。

三、信息披露系统将信息披露文件发送至信息披露平台

（一）主办券商在转让日 15:30 前提交信息披露文件，且拟披露日期为当日的，信息披露系统于当日 15:30 后自动将

信息披露文件发送至信息披露平台披露。

（二）主办券商在转让日15:30后提交信息披露文件，且拟披露日期为当日的，信息披露系统自动将信息披露文件发送至信息披露平台披露。

四、信息披露文件披露后的审查和处理

（一）更正或补充公告的处理

全国股转公司监管人员在信息披露系统上对信息披露文件进行审查，若发现信息披露文件不符合全国股转系统信息披露有关规定，或信息披露文件存在重大错误或遗漏的，将通过信息披露系统向主办券商发送反馈意见。主办券商对有关问题核实后应及时通过信息披露系统向全国股转公司进行回复。

信息披露文件在信息披露平台披露后，如因错误或遗漏需要更正或补充的，挂牌公司需发布更正或补充公告，并重新披露相关信息披露文件，原已披露的信息披露文件不做撤销。

（二）撤销或替换公告的处理

已披露的信息披露文件不得撤销或替换。

（三）补发公告的处理

挂牌公司不能按照规定的时间披露信息披露文件，或发现存在应当披露但尚未披露的信息披露文件的，挂牌公司应发布补发公告并补发信息披露文件。

全国股转公司若发现挂牌公司存在应披露但未披露信息披露文件的，通知主办券商督促挂牌公司发布补发公告并补发信息披露文件。

五、信息披露文件无法正常披露的处理

主办券商通过报送端完成信息披露文件的提交后，应及时查看信息披露文件是否在本指南第三条规定的时间段中成功披露至信息披露平台。如发现信息披露文件无法在规定的时间段中成功披露的，主办券商应立即向全国股转公司报告，经全国股转公司确认后进行处理。

全国中小企业股份转让系统重大资产重组业务指南第1号：非上市公众公司重大资产重组内幕信息知情人报备指南

第一条　根据《全国中小企业股份转让系统非上市公众公司公司重大资产重组业务指引（试行）》的规定，股票在全国中小企业股份转让系统（以下简称全国股份转让系统）公开转让的公众公司（以下简称公司）应当在证券暂停转让之日起5个转让日内，向全国中小企业股份转让系统有限责任公司（以下简称全国股份转让系统公司）提交挂牌公司重大资产重组内幕信息知情人登记表、相关人员买卖公司证券的自查报告、公司重大资产重组交易进程备忘录及公司全体董事对内幕信息知情人报备文件真实性、准确性和完整性的承诺书。

公司暂停转让日距离首次董事会召开之日不足5个转让日的，应当在申请暂停转让的同时报送上述材料。

第二条　内幕信息知情人的范围包括但不限于：

（一）公司的董事、监事、高级管理人员；

（二）持有公司10%以上股份的股东和公司的实际控制人，以及其董事、监事、高级管理人员；

（三）由于所任公司职务可以获取公司本次重组相关信息的人员；

（四）本次重大资产重组的交易对方及其关联方，以及其董事、监事、高级管理人员；

（五）为本次重大资产重组方案提供服务以及参与本次方案的咨询、制定、论证等各环节的相关单位和人员；

（六）参与本次重大资产重组方案筹划、制定、论证、审批等各环节的相关单位和人员；

（七）前述自然人的直系亲属（配偶、父母、子女及配偶的父母）。

第三条　公司重大资产重组内幕信息知情人登记表应当加盖公司公章或公司董事会公章，并写明填报日期。

第四条　自然人的自查报告应当列明自然人的姓名、职务、身份证号码、股票账户、有无买卖股票行为，并经本人签字确认；机构的自查报告中应当列明机构的名称、注册号、股票账户、有无买卖股票行为并盖章确认。

第五条　相关人员存在买卖公司股票行为的，当事人应当书面说明其买卖股票行为是否利用了相关内幕信息；公司及相关方应当书面说明与买卖股票人员相关事项的动议时间，买卖股票人员是否参与决策，买卖行为与该事项是否存在关联关系以及是否签订了保密协议书等。

第六条　公司应当同时提交全体董事对内幕信息知情人报备文件真实性、准确性和完整性的承诺书，由全体董事签字并加盖公司公章。

第七条　除公司重大资产重组交易进程备忘录外，公司报送上述文件应提交原件一份，复印件二份，以及一份与书面文件一致的电子文件（WORD、EXCEL、PDF或全国股份转让系统公司要求的其他文件格式）。

公司应提交三份重大资产重组交易进程备忘录的复印件，并由律师对该复印件提供鉴证意见。鉴证律师应当在文件首页注明"以下第＊＊页至第＊＊页与原件一致"，并签名和签署鉴证日期，律师事务所应该在该文件首页加盖公章，并在第＊＊页至第＊＊页侧面以公章加盖骑缝章。

报备文件所有需要签名处，均应为签名人亲笔签名，不得以名章、签名章等代替。

第八条　本指南规定的报送文件是全国股份转让系统公司对内幕信息知情人报备文件的最低要求。根据审查需要，全国股份转让系统公司可以要求公司、独立财务顾问、律师事务所、其他证券服务机构以及相关的自然人、法人和其他组织补充材料。

第九条　本指南由全国股份转让系统公司负责解释。

第十条　本指南自发布之日起实施。

全国中小企业股份转让系统重大资产重组业务指南第2号：非上市公众公司发行股份购买资产构成重大资产重组文件报送指南

第一条　为规范股票在全国中小企业股份转让系统公开转让的公众公司（以下简称公司）发行股份购买资产构成重大资产重组的文件报送，根据《非上市公众公司重大资产重组管理办法》、《全国中小企业股份转让系统非上市公众公司公司重大资产重组业务指引》等规定，制定本指南。

第二条　公司发行股份购买资产构成重大资产重组且发行后股东人数不超过200人的，应当在验资完成后10个转让日内，根据本指南的要求报送股份发行备案文件。

公司发行股份购买资产构成重大资产重组且发行后股东人数超过 200 人的，经中国证监会核准后，应当在验资完成后 10 个转让日内，根据本指南的要求报送股份登记申请文件。

独立财务顾问、律师事务所等中介机构应当根据《非上市公众公司信息披露内容与格式准则第 6 号—重大资产重组报告书》的有关规定，出具中介机构意见书或报告书。

第三条　公司报送申请文件应提交原件一份，复印件二份。每次报送书面申请文件的同时，应报送一份与书面文件一致的电子文件（WORD、EXCEL、PDF 或全国中小企业股份转让系统公司（以下简称全国股份转让系统公司）规定的其他格式。

第四条　本目录规定的报送文件是全国股份转让系统公司对相关文件的最低要求。根据备案或股份登记需要，全国股份转让系统公司可以要求公司、独立财务顾问、律师事务所及其他证券服务机构补充相关材料。

第五条　报送文件所有需要签名处，均应为签名人亲笔签名，不得以名章、签名章等代替。报送文件的封面和侧面应标明“××公司发行股份购买资产暨重大资产重组备案申请文件”或“××公司发行股份购买资产暨重大资产重组股份登记申请文件”的字样，扉页应标明挂牌公司法定代表人、董事会秘书或信息披露事务负责人，独立财务顾问主管领导、项目负责人，以及相关中介机构项目负责人姓名、电话、传真等联系方式。

第六条　报送文件章与章之间、节与节之间应有明显的分隔标识，文件中的页码应与目录中的页码相符。

第七条　报送文件应采用标准 A4 纸张双面印刷（需提供原件的历史文件除外）。公司不能提供有关文件的原件的，应由其聘请的律师提供鉴证意见，或由出文单位盖章，以保证与原件一致。如原出文单位不再存续，由继承其职权的单位或作出撤销决定的单位出文证明文件的真实性。

第八条　文件一旦受理，未经全国股份转让系统公司同意，不得增加、撤回或更换。

第九条　本指南由全国股份转让系统公司负责解释。

第十条　本指南自发布之日起实施。

全国中小企业股份转让系统挂牌公司证券简称或公司全称变更业务指南

（试行）

为规范挂牌公司证券简称或公司全称变更工作，根据《全国中小企业股份转让系统业务规则（试行）》（以下简称《业务规则》）及有关规定，制定本指南。

一、挂牌公司向主办券商提交证券简称或公司全称变更申请材料，包括申请书（附件（1））及相关证明材料。挂牌公司变更公司全称的，应以新公司名称提出申请，并加盖新的公司印章。

相关证明材料至少包括变更公司全称后的《企业法人营业执照》复印件（加盖新公司印章）或工商行政管理部门关于公司变更全称的证明复印件（加盖新公司印章）。

挂牌公司如果是申请证券简称变更的，还应事先与全国中小企业股份转让系统有限责任公司（以下简称“全国股份转让系统公司”）公司业务部进行沟通，核实新证券简称的可行性。

二、主办券商审核确定证券简称或公司全称变更申请材料后，填写《挂牌公司证券简称或公司全称变更业务申请表》（附件（2））并加盖主办券商公章。

三、主办券商须于 T－4 日（T 日为证券简称或公司全称变更生效日）下午 15 点前将上述业务表和其他证明材料一同传真（传真号：010－63889674）至全国股份转让系统公司，并将所有材料的电子扫描件发送至全国股份转让系统公司（电邮地址：ywbl@ neeq. org. cn），同时电话确认收悉（电话：010－63889549）。

四、挂牌公司或主办券商发布相关公告的，最迟应于 T－1 日进行信息披露。

五、T 日挂牌公司证券简称或公司全称变更生效。

全国中小企业股份转让系统挂牌公司暂停与恢复转让业务指南

（试行）

为规范挂牌公司股票暂停与恢复转让业务办理，根据《全国中小企业股份转让系统业务规则（试行）》（以下简称《业务规则》）及有关规定，制定本指南。

一、挂牌公司如存在《业务规则》所列的需进行暂停转让或恢复转让申请情形的，应与主办券商、全国中小企业股份转让系统有限责任公司（以下简称“全国股份转让系统公司”）监管员进行预沟通，以统筹协调好暂停转让或恢复转让业务办理的时间。

二、挂牌公司填写《暂停（恢复）转让申请表》（见附件）并提供相关证明材料送主办券商审查。

三、主办券商审查无误后，最迟应于 T－4 日（T 日为暂停或恢复转让生效日，且为转让日）下午 15 点前将加盖主办券商公章的《暂停（恢复）转让申请表》和其他证明材料一同传真（传真号：010－63889674）至全国股份转让系统公司，并将所有材料的电子扫描件发送至全国股份转让系统公司（电邮地址：ywbl@ neeq. org. cn），同时电话确认收悉（电话：010－63889549）。

四、主办券商应协助挂牌公司最迟在 T－1 日发布股票暂停（恢复）转让公告。

五、T 日挂牌公司暂停（恢复）转让生效。

全国中小企业股份转让系统挂牌公司权益分派业务指南

（试行）

为规范挂牌公司的业务办理行为，根据《全国中小企业股份转让系统业务规则（试行）》（以下简称《业务规则》）及有关规定，制定本指南。

挂牌公司应当在股东大会通过分配方案后 2 个月内根据以下流程完成实施权益分派的工作。挂牌公司近期如有股票发行等业务的，应当综合考虑该业务与权益分派业务的衔接，在具体操作时应当完成一项业务后再开始另一项，两种以上业务不应并行。

一、最迟 R－6 日向中国结算提交办理权益分派业务的

材料

挂牌公司最迟应在 R－6 日（R 为股权登记日），根据中国证券登记结算有限公司（以下简称“中国结算”）发布的《中国结算北京分公司证券发行人业务指南》（以下简称《中国结算指南》），向中国结算提交委托权益分派实施业务的相关材料。

其中，权益分派实施公告应按中国结算的要求编写，并按照中国结算的审核意见修改。

二、最迟 R－4 日完成权益分派实施公告的披露

挂牌公司在收到中国结算《委托代理权益分派申请表》反馈后，最迟应于 R－4 日根据《全国中小企业股份转让系统挂牌公司持续信息披露业务指南（试行）》的规定，披露权益分派实施公告。

披露的公告应与中国结算审查过的公告一致，如不一致应在 R－1 日 14 点前完成公告更正。

三、R－1 日前完成权益分派相关款项的划拨

挂牌公司按照《中国结算指南》的要求做好权益分派相关款项的划拨工作。

如果挂牌公司不能按照中国结算规定的时间完成相关款项的划拨工作，全国中小企业股份转让系统有限责任公司（以下简称“全国股份转让系统公司”）在接到中国结算的“推迟现金红利派发通知书”后，对其股票实施暂停转让直至推迟的分红派息日，或相关不良后果已消除之日。

四、R＋1 日权益分派业务办理完成

全国股份转让系统公司完成除权除息，中国结算完成权益分派。

全国中小企业股份转让系统股票发行业务指南

（2013 年 4 月 25 日发布，2013 年 12 月 30 日修改）

为规范挂牌公司、主办券商等相关主体在全国中小企业股份转让系统（以下简称“全国股份转让系统”）办理股票发行业务，根据《全国中小企业股份转让系统股票发行业务细则（试行）》（以下简称《业务细则》）等有关规定，制定本指南。

一、原则性规定

（一）适用范围

挂牌公司向符合规定的投资者发行股票，发行后股东人数累计不超过 200 人的，向全国中小企业股份转让系统有限责任公司（以下简称“全国股份转让系统公司”）履行事后备案程序，以及按规定股票发行经中国证监会核准的公司，申请办理股票挂牌手续，适用本指南的规定。

前款所称的“发行后股东人数累计不超过 200 人”，是指股票发行方案确定或预计的新增股东人数（或新增股东人数上限）与审议本次股票发行的股东大会规定的股权登记日（以下简称“股权登记日”）在册股东人数之和不超过 200 人。

（二）现有股东的认定标准

本次股票发行安排现有股东优先认购，或者本次股票发行方案的发行对象或发行对象范围包括现有股东的，现有股东是指股权登记日的在册股东。

（三）路演与询价

采用询价发行的，挂牌公司和主办券商可以进行路演，并按照股票发行方案确定的发行对象范围，向符合投资者适当性规定的特定投资者发送认购邀请书。

挂牌公司及主办券商应当在认购邀请书约定的时间内接收询价对象的申购报价。

在申购报价结束后，挂牌公司与主办券商按照《业务细则》的规定，协商确定发行对象、发行价格和发行股数。

（四）募集资金使用

挂牌公司在取得股份登记函之前，不得使用本次股票发行募集的资金。

二、业务流程

（一）决议

1. 董事会与股东大会决议

挂牌公司董事会、股东大会应当对股票发行等事项作出决议。董事会、股东大会表决应当执行公司章程规定的表决权回避制度。

2. 股票发行方案重大调整的认定标准

《业务细则》规定的对股票发行方案作出重大调整，是指以下两种情形：

（1）发行对象名称（现有股东除外）、认购价格、认购数量或数量上限、现有股东优先认购办法的调整；

（2）发行对象范围、发行价格区间、发行价格确定办法、发行数量或数量上限的调整。

（二）发行与认购 3

1. 发行方式

董事会决议确定具体发行对象的，挂牌公司应当按照股票发行方案和认购合同的约定发行股票。

董事会决议未确定具体发行对象的，可以通过询价确定发行对象、发行价格和发行股数。

2. 披露认购公告

挂牌公司最迟应当在缴款起始日前的两个转让日披露股票发行认购公告。

本次股票发行如有优先认购安排的，认购公告中还应披露现有股东的优先认购安排。公司章程已约定不安排优先认购或全体现有股东在发行前放弃优先认购的，也应予以专门说明。

优先认购安排包括但不限于以下内容：

（1）现有股东在本次发行前放弃优先认购的情况（如有）；

（2）现有股东优先认购的缴款期限和缴款方式；

（3）现有股东放弃优先认购股份的处理方式。

3. 认购与缴款

发行对象可用现金、非现金资产，以及同时以非现金资产和现金认购发行股票。

参与认购的投资者和现有股东应按照认购公告和认购合同的约定，在缴款期内进行缴款认购。

（三）验资

认购完成后，挂牌公司应当按照相关规定，办理验资手续。

（四）提交文件

挂牌公司应当在股票发行验资完成后的 10 个转让日内，向全国股份转让系统公司接收申请材料的服务窗口（北京市西城区金融大街丁 26 号金阳大厦南门）报送以下文件。

办理豁免申请核准的股票发行备案，公司应当提交附件 1 规定的文件。

股票发行经中国证监会核准的，公司申请办理股票挂牌手续，应当提交附件 2 规定的文件。

经接收服务窗口人员核对，确认提交的文件齐备后，向公司出具《材料接收确认单》。文件一经接收，未经全国股份转让系统公司同意，不得变更或撤回。

（五）材料审查

全国股份转让系统公司对提交的文件进行审查。如发现问题将通过电子邮件（feedback@ neeq. org. cn）向主办券商发送问题清单。

主办券商应协助公司落实问题清单中的问题，并在收到问题清单后的 10 个转让日内将对问题清单的回复发送至 feedback@ neeq. org. cn。

全国股份转让系统公司在备案审查过程中，发现公司、主办券商、律师事务所及其他证券服务机构有需要补充披露或说明的情形，可以要求其提供补充材料或进行补充披露。

（六）出具股份登记函

全国股份转让系统公司对文件审查后出具股份登记函，送达公司并送交中国证券登记结算有限责任公司（以下简称“中国结算”）和主办券商。

（七）披露相关公告并办理股份登记

公司按照中国结算发布的《全国中小企业股份转让系统股份登记结算业务指南》的要求向中国结算申请办理股份登记。

公司办理股份登记前，应与中国结算协商确定股票发行情况报告书和本次登记股份的挂牌转让公告的披露日；豁免申请核准的挂牌公司还应当同时披露股票发行法律意见书和主办券商关于股票发行合法合规性意见。挂牌转让公告应当明确本次登记股份的转让日，并符合中国结算的有关规定。

挂牌转让公告披露后，中国结算进行股份登记并出具股份登记证明文件。

（八）公开转让

完成股份登记后，本次股票发行中无限售条件和无锁定承诺的股份按照挂牌转让公告中安排的时间在全国股份转让系统公开转让。

三、以非现金资产认购股份的特别规定

（一）以非现金资产认购股票，董事会应当在发行方案中对资产定价合理性进行讨论与分析。

（二）以股权资产认购的，股权资产应当经过具有证券、期货等相关业务资格的会计师事务所审计；以非股权资产认购的，非股权资产应当经过具有证券、期货等相关业务资格的资产评估机构评估。

（三）以资产评估结果作为定价依据的，应当由具有证券、期货等相关业务资格的资产评估机构出具评估报告。

（四）以非现金资产认购股票涉及资产审计、评估或者盈利预测的，资产审计结果、评估结果和经具有证券、期货相关业务资格的会计师事务所审核的盈利预测报告应当最晚和召开股东大会的通知同时公告。

交易监察类

全国中小企业股份转让系统 交易单元业务办理指南 （试行）

为了规范主办券商在全国中小企业股份转让系统（以下简称全国股份转让系统）办理交易单元初次开通、新增、变更、出租、撤销、缴费等业务流程，根据《全国中小企业股份转让系统股票转让细则（试行）》、《全国中小企业股份转让系统交易单元管理办法（试行）》等有关规定，制定本指南。

一、交易单元业务办理的责任主体及职责

（一）全国中小企业股份转让系统有限责任公司（以下简称全国股份转让系统公司）负责对主办券商交易单元申请的审查及编号分配、交易单元维护、收费等事宜。

（二）中国证券登记结算有限责任公司北京分公司（以下简称中国结算北分）负责主办券商交易单元结算路径申请的审查及结算路径的维护等事宜。

（三）深圳证券通信有限公司（以下简称深证通）负责办理相关通信网关建站、开通及维护等事宜。

二、申请材料接收部门及接收时间

接收部门：全国股份转让系统公司机构业务部

接收时间：每个转让日的 8:30 – 17:00

三、初次开通交易单元

“初次开通交易单元”适用于主办券商通过业务备案后，首次申请开通交易单元的情形。

（一）建立通信网关

申请初次开通交易单元前，主办券商应与深证通市场部联系，签署建站合同，完成网关建站及安装调试工作。具体操作根据深证通相关规定进行。

（二）申请

主办券商应向全国股份转让系统公司提交以下书面申请文件：

1. 经营证券业务许可证（复印件并加盖公章）；

2.《交易单元开通申请表》；

3.《全国中小企业股份转让系统入网开通申请表》；

4. 经办人身份证复印件（加盖公章）。

（三）审查

全国股份转让系统公司收到符合要求的申请材料后，于两个转让日内完成材料审查。

（四）预配交易单元编号及通知办理交易单元结算路径业务

对通过审查的主办券商，全国股份转让系统公司当日为其预配交易单元编号，同时通知主办券商向中国结算北分结算业务部提交《资金合并清算表》，申请办理交易单元结算路径业务。具体要求以中国结算北分的规定为准。

（五）缴费

主办券商根据全国股份转让系统公司开具的《交易单元缴费通知单》（附件 2），于 5 个转让日内交纳交易单元开设初费（缴费发票到全国股份转让系统公司机构业务部领取）。

（六）交易单元开通

1. 主办券商完成缴费且其交易单元结算路径业务申请材料获中国结算北分结算业务部受理之日为 T 日。

2. T + 1 日，全国股份转让系统公司通知中国结算北分维护“交易单元—托管单元—结算账户”的结算路径关系；全国股份转让系统公司完成交易单元配置。

3. T + 2 日，全国股份转让系统公司通知深证通维护网关；全国股份转让系统公司通知主办券商经办人业务办理完毕，交易单元于次一转让日可用。

四、新增交易单元

“新增交易单元”适用于已开通交易单元的主办券商为满足业务发展需要，增加新的交易单元等情形。

（一）申请

主办券商应向全国股份转让系统公司提交以下书面申请文件：

1. 经营证券业务许可证（复印件并加盖公章）；

2.《交易单元开通申请表》（附件1）；

3.《全国中小企业股份转让系统入网开通申请表》（适用于为新增交易单元配置新网关的申请人）；

4.《全国中小企业股份转让系统网关配置变更申请表》（附件8，适用于新增交易单元适配原有网关的申请人）；

5. 经办人身份证复印件（加盖公章）。

（二）审查

全国股份转让系统公司收到符合要求的申请材料后，于两个转让日内完成材料审查。

（三）预配交易单元编号及通知办理交易单元结算路径业务

对通过审查的主办券商，全国股份转让系统公司当日为其预配交易单元编号，同时通知主办券商向中国结算北分结算业务部提交《资金合并清算表》，申请办理交易单元结算路径业务。具体要求以中国结算北分的规定为准。

（四）新增交易单元开通

1. 中国结算北分结算业务部受理主办券商交易单元结算路径业务申请材料之日为T日。

2. T+1日，全国股份转让系统公司通知中国结算北分维护"交易单元—托管单元—结算账户"的结算路径关系；全国股份转让系统公司完成交易单元配置。

3. T+2日，全国股份转让系统公司通知深证通维护网关；全国股份转让系统公司通知主办券商经办人业务办理完毕，交易单元于次一转让日可用。

五、出租交易单元

"出租交易单元"适用于主办券商（出租方）将其名下交易单元租用给投资基金、保险公司等特殊机构（以下简称"承租方"）的情形。

（一）申请

主办券商应向全国股份转让系统公司提交以下书面申请文件：

1.《交易单元出租申请表》（附件3）；

2. 承租方营业执照（复印件加盖公章）；

3. 承租方承诺书（附件4）；

4. 交易单元租用协议（复印件并加盖双方公章）；

5. 经办人身份证复印件（加盖公章）。

若新增交易单元用于出租，主办券商还应提交以下材料：

1. 经营证券业务许可证（复印件并加盖公章）；

2.《全国中小企业股份转让系统入网开通申请表》（适用于为新增交易单元配置新网关的申请人）；

3.《全国中小企业股份转让系统网关配置变更申请表》（适用于新增交易单元适配原有网关的申请人）。

（二）审查

全国股份转让系统公司收到符合要求的申请材料后，于两个转让日内完成材料审查。

若新增交易单元用于出租，则参照新增交易单元的业务流程办理。

（三）提交交易单元结算路径业务申请

对通过审查的主办券商，全国股份转让系统公司于当日即通知主办券商向中国结算北分结算业务部提交《解除资金合并清算申请表》；主办券商通知托管人向中国结算北分提交《资金合并清算申请表》，办理交易单元结算路径业务申请。具体要求以中国结算北分的规定为准。

（四）交易单元出租的办理

1. T日，中国结算北分结算业务部受理主办券商的《解除资金合并清算申请表》及托管人的《资金合并清算申请表》。

2. T+1日，全国股份转让系统公司通知中国结算北分维护"交易单元—托管单元—结算账户"的结算路径关系；全国股份转让系统公司完成交易单元配置。

3. T+2日，全国股份转让系统公司通知深证通维护网关；全国股份转让系统公司通知主办券商经办人业务办理完毕，出租交易单元于次一转让日可用。

六、变更交易单元

"变更交易单元"适用于主办券商因发生重组、合并、更名等事项导致的交易单元名称变更，以及因自身业务发展和内部管理需要导致的交易单元业务类别、业务权限和流速权的变更等情形。

（一）交易单元名称、业务类别、业务权限的变更流程

1. 申请

主办券商应向全国股份转让系统公司提交以下书面申请文件：

（1）经营证券业务许可证（复印件并加盖公章）；

（2）《交易单元变更申请表》（附件5）；

（3）经办人身份证复印件（加盖公章）。

同时，主办券商应向中国结算北分结算业务部提交结算路径变更相关申请材料。具体要求以中国结算北分的规定为准。

2. 审查

全国股份转让系统公司收到符合要求的申请材料后，于一个转让日内完成材料审查。

3. 办理

在中国结算北分完成交易单元结算路径维护后的一个转让日内，全国股份转让系统公司完成交易单元配置，并通知经办人相关业务办理完毕。

（二）流速权变更流程

1. 申请

主办券商应向全国股份转让系统公司提交以下书面申请文件：

（1）《全国中小企业股份转让系统网关配置变更申请表》（附件8）；

（2）经办人身份证复印件（加盖公章）。

2. 审查

全国股份转让系统公司收到符合要求的申请材料后，于一个转让日内完成材料审查。

3. 办理

深证通完成网关维护后，全国股份转让系统公司通知经办人业务办理完毕。

七、撤销交易单元

"撤销交易单元"适用于主办券商因发生重组、合并等事项，以及因自身业务发展导致的需要撤销已开通交易单元等情形。

（一）办理解除交易单元结算路径业务

主办券商提交申请前，应向中国结算北分结算业务部提交《解除资金合并清算表》，并确保拟撤销的交易单元已停止所有交易；如果该交易单元为托管单元，还应确保无卖空、无挂账，且托管证券余额为零。具体要求以中国结算北分的规定为准。

（二）申请及办理

1. 主办券商向全国股份转让系统公司提交以下书面申请文件：

（1）《交易单元撤销申请表》（附件6）。

（2）经办人身份证复印件（加盖公章）。

2. T日，全国股份转让系统公司完成审查；且主办券商向中国结算北分提交解除交易单元结算路径业务申请材料。具体要求以中国结算北分的规定为准。

3. T+1日，全国股份转让系统公司通知中国结算北分解除交易单元结算路径；全国股份转让系统公司完成交易单元撤销工作。

4. T+2日，全国股份转让系统公司通知深证通维护网关；全国股份转让系统公司通知经办人业务办理完毕。

若拟撤销的交易单元为该网关的唯一交易单元，主办券商应向深证通申请撤销该网关，否则，该网关将继续产生通信服务费。

八、交易单元的缴费

主办券商通过交易单元从事证券转让业务，应当向全国股份转让系统公司交纳交易单元开设初费、使用费、流速费与流量费等费用。

（一）缴费标准

1. 交易单元开设初费

主办券商首次申请开通交易单元时，应交纳人民币50万元的交易单元开设初费。此后增设交易单元的，不再交纳开设初费。

2. 交易单元使用费

主办券商申请使用的每个交易单元（含初次开通交易单元）按每年人民币3万元交纳交易单元使用费。

3. 流速费

每年每个交易单元享受1个免费标准流速（10笔/秒）。主办券商申请使用的总流速不超过其享有的免费标准流速之和时，不需交纳流速费；申请使用的总流速超出其享有的免费标准流速之和的部分，按每个标准流速每年人民币5000元交纳流速费。

4. 流量费

每个交易单元享受的年免费申报笔数为交易类申报、非交易类申报各5000笔；超出免费部分，按每笔交易类申报收费单价为人民币0.15元、每笔非交易类申报收费单价为人民币0.01元的标准交纳。

按上述规则计算的主办券商应交纳的流量费，每年不足人民币2000元的，按人民币2000元交纳。

（二）缴费方式

交易单元开设初费于主办券商初次开通交易单元时一次性交纳；交易单元使用费、流速费及流量费按年收取，按日计费，计费期间为上年12月1日至当年11月30日，于每年12月25日前交纳。

主办券商每年应按要求，向全国股份转让系统公司指定账户交纳交易单元开设初费、使用费、流速费及流量费。指定账户信息如下：

开户名：全国中小企业股份转让系统有限责任公司

开户行：建设银行北京复兴支行

账户号：11001046500053013355

九、其他

本指南由全国股份转让系统公司负责解释，自发布之日起施行。

机构业务类

全国中小企业股份转让系统做市业务备案申请文件内容与格式指南

为规范证券公司做市业务备案等申请文件的内容与格式，根据《全国中小企业股份转让系统做市商做市业务管理规定（试行）》有关要求，制定本指南。

一、申请在全国中小企业股份转让系统（以下简称“全国股份转让系统”）从事做市业务的证券公司应当按照本指南制作和报送申请文件。

二、申请文件接收后，经全国股份转让系统公司同意，证券公司可以增加、撤回或者更换。

三、申请文件应提交书面文件以及与书面文件一致的电子文件（PDF格式）各一套，其中《证券公司基本情况申报表》和《业务实施方案》还须另附一套word格式的电子文件。电子文件以光盘形式提交，并须在盘面上标明申请人名称。

四、书面文件应为原件，如不能提供原件的，可提供复印件，由申请人律师提供鉴证意见或由申请人盖章，保证与原件一致。申请文件应加盖骑缝章，其中《证券公司基本情况申报表》、《业务实施方案》还应在首页加盖公章。

五、申请书应为申请人正式发文，须标明文号、签发人。

六、《证券公司基本情况申报表》、《做市业务人员自律承诺书》、《证券公司参与全国股份转让系统业务协议书》及其附件《证券公司从事做市业务自律承诺书》，应采用全国股份转让系统公司提供的标准格式文本（可到全国股份转让系统公司网站（www.neeq.com.cn）下载）。

七、申请文件所有需要签名处，均应为签名人亲笔签名，不能以名章、签名章等替代。

八、申请文件应包括封面、目录和内容。

申请文件的封面和侧面应标有“××公司做市业务备案申请文件”字样，扉页应标明申请证券公司法定代表人、指定高管、联系人姓名、电话、传真等联系方式。

九、每份申请文件之间应有明显的分隔标识，文件中的页码应与目录中的页码相符。

十、申请文件应采用标准A4纸张印刷（须提供原件的历史文件除外）。

申请人签署的业务协议书及其附件（一式四份），无需打孔，应单独装订。

全国中小企业股份转让系统投资者适当性管理证券账户信息报送业务指南

为加强主办券商投资者适当性管理，规范投资者适当性管理证券账户信息报送标准及流程，根据《全国中小企业股份转让系统投资者适当性管理细则（试行）》、《全国中小企业股份转让系统交易支持平台数据接口规范》等有关规定，制定本指南。

一、投资者适当性管理证券账户信息报送内容、格式、时限

主办券商应于每个转让日15:00－15:30期间，按照《全国中小企业股份转让系统交易支持平台数据接口规范》第七章“投资者适当性管理信息库”有关要求，通过深圳证券通信

有限公司金融数据交换平台(以下简称 FDEP),向全国中小企业股份转让系统有限责任公司(以下简称全国股份转让系统公司)报送当日新增合格投资者证券账户信息。包括如下内容:

1. 合格投资者业务开通流水号。为该主办券商内部当日唯一流水序号。

2. 证券账户。

3. 账户名称。对于合格个人投资者,填写姓名;对于合格机构投资者,填写机构全称。

4. 签署日期。为合格投资者签署适当性协议的日期,格式为 CCYYMMDD。

5. 申请日期。为主办券商上报该投资者为合格投资者的日期,格式为 CCYYMMDD。

6. 类别标识。"1"为买卖挂牌公司股票合格投资者新增。

7. 营业部编码。证券营业部识别码,为主办券商内部唯一2位编码。

8. 备用标识。为空。

主办券商未按时申报的,全国股份转让系统公司按其当日无新增合格投资者进行处理;当日多次报送的,全国股份转让系统公司以其最后一次报送的证券账户信息为准;若同一报送文件中存在同一证券账户重复报送的情形,则以流水号最小的证券账户信息为准。当日无新增合格投资者的,应报送空表。

二、投资者适当性管理证券账户信息的处理流程

1. 证券账户信息接收。

每个转让日收市后,全国股份转让系统公司接收中国证券登记结算有限责任公司北京分公司(以下简称中国结算北京分公司)发送的增量证券账户信息。

2. 投资者适当性管理证券账户信息生成。

每个转让日 19:30 后,全国股份转让系统公司对各主办券商上报的投资者适当性管理证券账户信息进行汇总,生成《当日新增合格投资者汇总信息库》,主要包括当日新增的全部合格投资者证券账户、适当性协议签署日期及申请开通的交易类别标识等信息。随后,全国股份转让系统公司将主办券商报送的合格投资者证券账户信息与中国结算北京分公司发送的曾持股证券账户信息(不包括违规买入证券的证券账户信息)进行比对处理,生成《受限投资者可交易证券信息库》,主要包括全部受限投资者证券账户及可交易证券等信息。

3. 证券账户信息下发

每个转让日 20:00 后,全国股份转让系统公司通过 FDEP 向各主办券商下发《当日新增合格投资者汇总信息库》以及《受限投资者可交易证券信息库》。

每月第一个转让日 20:00 后,全国股份转让系统公司将向各主办券商下发截至当日的全部合格投资者证券账户信息。

三、报送错误信息的反馈与处理

次一转让日 9:00 前,全国股份转让系统公司将前一日数据处理过程中发现的错误证券账户信息按主办券商进行分类,并通过指定电子邮箱向相关主办券商发送。错误证券账户信息包括:

1. 合格投资者业务开通流水号。

2. 错误原因。

主办券商应更正后随当日新增合格投资者证券账户信息于当日 15:00-15:30 进行补报。

四、主办券商证券账户信息联系人

主办券商应当指定专人负责证券账户信息的统计、报送、接收及维护工作,并按要求将相关工作人员的名单及联系方式报全国股份转让系统公司。

五、本指南自全国股份转让系统交易支持平台上线之日起实施。

全国中小企业股份转让系统主办券商和挂牌公司协商一致解除持续督导协议操作指南

为规范全国中小企业股份转让系统(以下简称"全国股份转让系统")主办券商和挂牌公司协商一致解除持续督导协议的操作流程,根据《全国中小企业股份转让系统业务规则(试行)》(以下简称《业务规则》)、《全国中小企业股份转让系统主办券商管理细则(试行)》、《全国中小企业股份转让系统推荐业务规定(试行)》等规定,制定本指南。

一、适用范围

主办券商和挂牌公司协商一致决定解除持续督导协议的,适用本指南。

二、操作流程

(一)原承担持续督导职责的主办券商(以下简称"原主办券商")与挂牌公司协商并达成解除持续督导协议的一致意见;挂牌公司与承接督导事项的主办券商(以下简称"承接主办券商")达成签订持续督导协议的一致意见。

(二)挂牌公司召开董事会会议审议与原主办券商解除持续督导协议并与承接主办券商签署持续督导协议的有关议案,包括拟向全国股份转让系统公司提交的说明报告、拟与原主办券商签订的终止协议、拟与承接主办券商签订的持续督导协议等,挂牌公司应当在董事会会议结束后两个转让日内以临时公告的形式及时披露更换主办券商相关事宜。

挂牌公司将董事会审议通过的议案提交股东大会表决,在股东大会结束后两个转让日内以临时公告的形式及时披露。

(三)挂牌公司、原主办券商和承接主办券商应在挂牌公司股东大会表决通过后五个转让日内,向全国股份转让系统公司提交说明报告和相关文件。

(四)全国股份转让系统公司接收材料后认为与相关要求不符的,于五个转让日内提出反馈意见,要求挂牌公司、原主办券商或者承接主办券商补充、完善相关文件。全国股份转让系统公司收到反馈回复意见后重新计算五个转让日。

(五)全国股份转让系统公司接收材料或者反馈回复意见后五个转让日内未提出异议的,挂牌公司与原主办券商签订终止协议,与承接主办券商签订持续督导协议。终止协议与新签订的持续督导协议的生效日期应相同,挂牌公司、原主办券商和承接主办券商均应在上述协议生效的两个转让日内分别按照公告模板(附件1、2、3)在全国股份转让系统网站(www.neeq.com.cn)进行公告。

三、文件要求

(一)挂牌公司向全国股份转让系统公司提交解除持续督导协议的说明报告、董事会决议、股东大会决议、拟与原主办券商签订的终止协议、拟与承接主办券商签订的持续督导协议。挂牌公司应在说明报告中简要介绍其自挂牌以来的基本情况,介绍原主办券商督导工作情况并作出评价,说明双方

解除督导协议的原因和具体安排，评估更换主办券商对挂牌公司的影响。

（二）原主办券商向全国股份转让系统公司提交解除持续督导协议的说明报告。原主办券商应在说明报告中简要介绍挂牌公司的基本情况、公司治理和信息披露情况，对持续督导工作进行总结，说明挂牌公司配合持续督导工作情况、落实主办券商整改意见、缴纳持续督导费用等情况，说明双方解除持续督导协议的原因，并作出声明：本公司在履行持续督导职责期间未勤勉尽责的，相应的责任不因解除持续督导协议而免除。

（三）承接主办券商向全国股份转让系统公司提交承接持续督导工作的说明报告。承接主办券商应在说明报告中声明：本公司已对挂牌公司业务、公司治理、财务以及自挂牌以来的信息披露情况进行必要的调查，将自持续督导协议生效之日起开展持续督导工作并承担相应的责任。

（四）以上材料应提交书面文件以及与书面文件一致的电子文件（PDF 格式）各一套。电子文件以光盘形式提交，并须在盘面上标明提交人名称。

（五）说明报告应载有联络人姓名、电话、邮箱等联系方式。说明报告及相关文件均应盖公章和骑缝章。

四、附则

主办券商或挂牌公司单方面解除持续督导协议的，应按照《业务规则》第 4.4.1 条和第 4.5.1 条规定及《推荐挂牌并持续督导协议书》（或《持续督导协议书》）中相关约定处理。

全国中小企业股份转让系统主办券商相关业务备案申请文件内容与格式指南

为规范主办券商业务备案等申请文件的内容与格式，根据《全国中小企业股份转让系统业务规则（试行）》、《全国中小企业股份转让系统主办券商管理细则（试行）》，制定本指南。

一、申请在全国中小企业股份转让系统（以下简称“全国股份转让系统”）从事主办券商相关业务的证券公司以及已经开展相关业务的主办券商（以下简称“申请人”）应当按照本指南制作和报送申请文件。

二、本指南规定的申请文件目录是对主办券商相关业务备案申请文件的最低要求。根据审查需要，全国中小企业股份转让系统有限责任公司（以下简称“全国股份转让系统公司”）可要求申请人补充文件。

三、申请文件接收后，经全国股份转让系统公司同意，可以增加、撤回或者更换。

四、申请文件应提交书面文件以及与书面文件一致的电子文件（PDF 格式）各一套，其中《证券公司基本情况申报表》和《业务实施方案》还须另附一套 word 格式的电子文件。电子文件以光盘形式提交，并须在盘面上标明申请人名称。

五、书面文件应为原件，如不能提供原件的，可提供复印件，由申请人律师提供鉴证意见或由申请人盖章，保证与原件一致。申请文件应加盖骑缝章，其中《证券公司基本情况申报表》、《业务实施方案》、《公司章程》还应在首页加盖公章。

六、申请书为申请人正式发文，须标明文号、签发人。

七、《证券公司基本情况申报表》、《证券公司参与全国股份转让系统业务协议书》及其附件自律承诺书，应采用全国股份转让系统公司提供的标准格式文本（可到全国股份转让系统公司网站（www. neeq. com. cn）下载）。

八、申请文件所有需要签名处，均应为签名人亲笔签名，不要以名章、签名章等替代。

九、申请文件应包括封面、目录和内容。

申请文件的封面和侧面应标有“××公司主办券商××业务备案申请文件”字样，扉页应标明申请证券公司法定代表人、指定高管、联系人姓名、电话、传真等联系方式。

十、每份申请文件之间应有明显的分隔标识，文件中的页码应与目录中的页码相符。

十一、申请文件应采用标准 A4 纸张印刷（须提供原件的历史文件除外）。

申请人签署的业务协议书及其附件（一式四份），无需打孔，应单独装订。

证券公司参与全国中小企业股份转让系统业务协议书

甲方：全国中小企业股份转让系统有限责任公司

乙方：

根据《中华人民共和国合同法》以及《全国中小企业股份转让系统业务规则（试行）》（以下简称《业务规则》）、《全国中小企业股份转让系统主办券商管理细则（试行）》等相关规定，甲、乙双方达成如下协议：

第一条　经甲方同意，乙方在全国中小企业股份转让系统（以下简称“全国股份转让系统”）可从事以下业务：

____

（注：根据申请从事的业务种类如推荐业务、经纪业务等进行填写）

第二条　乙方充分理解并同意遵守全国股份转让系统业务规则、细则、指引通知等相关规定（以下统称为“全国股份转让系统业务规定”），勤勉尽责、诚实守信、规范运作，接受甲方的自律管理。

第三条　甲方的权利：

（一）对乙方在全国股份转让系统开展本协议第一条中的业务进行自律管理。

（二）对乙方违反全国股份转让系统业务规定的行为，依据《业务规则》及相关细则的规定，采取相应监管措施或者纪律处分。

（三）按规定收取乙方相关费用。乙方欠缴相关费用的，甲方可视情况限制、暂停直至终止乙方在全国股份转让系统从事相关业务。乙方主动申请终止并经甲方同意或者因违规等原因被甲方终止从事全国股份转让系统相关业务的，乙方已缴纳的费用不予返还。

第四条　甲方的义务：

（一）为乙方提供股份转让平台及相关设施。

（二）为乙方在全国股份转让系统开展本协议第一条中的业务提供指导和培训。

第五条　乙方的权利：

（一）可在全国股份转让系统开展本协议第一条中的业务并使用甲方提供的服务和设施。

（二）在全国股份转让系统开展本协议第一条中的业务时，获得甲方指导和培训。

第六条　乙方的义务：

（一）恪守乙方为从事本协议第一条中的业务作出的各

项自律承诺。

（二）建立健全内部控制体系及各项内部管理制度并严格执行，诚实守信、勤勉尽责地开展业务，有效防范业务风险，维护全国股份转让系统稳定运行。

（三）按规定配备合格业务人员，对业务人员在全国股份转让系统从事相关业务活动进行严格管理。业务人员不能胜任相关职责的，乙方应及时更换；业务人员违反全国股份转让系统业务规定时，乙方应视情节轻重对其进行处分。

（四）配合甲方的监督检查，按照甲方要求及时说明情况，提供相关的业务报表、账册、原始凭证及其他文件、资料，不以任何理由拒绝或者拖延提供有关资料，不提供虚假、误导性或者不完整的资料。

（五）按照规定的收费项目、收费标准与收费方式，按时向甲方交纳相关费用。

第七条　协议的变更与解除

（一）因修订或者颁布实施新的法律、法规、监管部门的规定或者全国股份转让系统业务规定，导致本协议相关条款内容与修订或者新颁布的相关规定内容相抵触的，本协议与之相抵触的有关条款自动变更，以修订或者新颁布的相关规定内容为准，其他条款继续有效；任何一方不得以此为由解除本协议。

（二）乙方主动申请终止或者因违规等原因被甲方终止在全国股份转让系统从事本协议第一条所指部分业务的，本协议中关于所终止业务的专门规定自动失效。

（三）乙方主动申请终止或者因违规等原因被甲方终止在全国股份转让系统从事本协议第一条所指全部业务的，本协议自动解除。

第八条　违约责任、免责以及争议解决

（一）乙方因违反全国股份转让系统业务规定被甲方实施暂停、限制或者终止业务等纪律处分，导致与投资者或者其他利益相关者产生纠纷的，由乙方自行处理，并承担相应的法律责任。

（二）乙方违反全国股份转让系统业务规定而遭受的损失，包括但不限于受到暂停、限制或者终止相关业务等处分而造成的损失，均由乙方自行承担。

（三）除上述第（一）、（二）款外，因乙方违反法律法规、部门规章、全国股份转让系统业务规定，或者因乙方其他经营活动而造成甲方损失的，甲方保留全部依法向乙方主张赔偿的权利。

（四）因不可抗力因素导致本协议部分条款不能履行或不能按约定条件履行时，遇有上述情形的　方不承担违约责任，但应在知晓上述情况后立即将情况通知对方，并采取措施防止损失的扩大。

（五）本协议项下产生的任何争议，甲、乙双方应首先通过友好协商解决。若争议或纠纷未能通过协商解决，任何一方均可将该项争议提交中国国际经济贸易仲裁委员会按照当时适用的仲裁规则进行仲裁。仲裁裁决为最终裁决，对双方均具有法律约束力。

第九条　协议附件

（一）本协议附件包括证券公司从事相关业务自律承诺书。

（二）本协议的各项附件为本协议所必不可缺的组成部分，同时亦为履行本协议所必不可少的条件，与本协议具有同等约束力。

第十条　本协议规定的事项发生重大变化或存在未尽事宜，甲、乙双方应当重新签订协议或签订补充协议。补充协议与本协议不一致的，以补充协议为准。

第十一条　本协议自甲、乙双方签字盖章后生效。

本协议一式肆份，甲、乙双方各执贰份，均具有同等法律效力。

甲方（盖章）：全国中小企业股份转让系统有限责任公司

法定代表人或授权代表（签字）：

签署日期：

乙方（盖章）：

法定代表人或授权代表（签字）：

签署日期：

证券公司从事推荐业务自律承诺书

全国中小企业股份转让系统有限责任公司：

____________________________（以下简称“公司”）就在全国中小企业股份转让系统（以下简称“全国股份转让系统）开展推荐业务承诺如下：

一、理解并遵守全国股份转让系统业务规则、细则、指引、通知等规定（以下统称“全国股份转让系统业务规定”），接受全国中小企业股份转让系统有限责任公司（以下简称“全国股份转让系统公司”）的自律管理。

二、按照全国股份转让系统业务规定要求，设置专门的推荐业务部门，配备合格业务人员。业务人员具有证券从业资格并取得执业证书，具备财务、法律或行业分析等方面的专业知识或工作经验，熟悉全国股份转让系统业务规定。

三、建立健全推荐业务各项业务制度和业务操作流程，建立健全风险管理制度和合规管理制度，保障推荐业务依法合规进行，严格防范和控制业务风险。

四、在全国股份转让系统指定信息披露平台披露公司基本情况、主要业务人员情况、执业情况等信息，并按全国股份转让系统公司要求及时更新。

五、按全国股份转让系统公司要求及时报送相关文件，履行报告、公告义务。

六、按照《全国中小企业股份转让系统业务规则（试行）》（以下简称《业务规则》）和《全国中小企业股份转让系统主办券商推荐业务规定（试行）》（以下简称《推荐业务规定》）的要求，严格执行推荐标准，认真履行推荐程序，推荐符合规定条件的股份公司股票在全国股份转让系统挂牌，并对此承担相应责任。

七、按照《推荐业务规定》的要求，为每家申请挂牌公司设立项目小组，根据《主办券商尽职调查工作指引（试行）》对申请挂牌公司进行尽职调查，并在全面、真实、客观调查的基础上出具尽职调查报告。

八、按照《推荐业务规定》的要求，设立推荐挂牌内核机构，制定内核机构工作制度。内核机构按照《推荐业务规定》的相关要求召开内核会议，对申请挂牌公司进行内部审核并出具内核意见；内核会议成员独立、客观、公正地进行审核、出具审核意见及行使表决权。

九、认真编制推荐文件，并根据申请挂牌公司委托认真组织编制挂牌申请文件，保证相关文件均真实、准确、完整，不存在虚假记载、误导性陈述和重大遗漏。

十、依据《业务规则》、《推荐业务规定》、《全国中小企业股份转让系统挂牌公司信息披露细则(试行)》等规定，为每家所推荐挂牌公司配备符合要求的专职督导人员，认真履行持续督导职责，指导和督促所推荐挂牌公司诚实守信、规范履行信息披露义务、完善公司治理机制。

十一、按照全国股份转让系统公司相关规定，为挂牌公司定向发行、并购重组等提供相关服务。

十二、积极配合全国股份转让系统公司对本公司及其从业人员的检查、核查，不进行阻挠或人为制造障碍，认真执行全国股份转让系统公司的整改要求。

十三、根据全国股份转让系统公司的要求，调查或协助调查指定事项，并将调查结果及时报告全国股份转让系统公司。

十四、在开展推荐业务过程中遇到现行规则未作规定的重大事项时，及时报告全国股份转让系统公司，并根据全国股份转让系统公司要求进行处理。

本公司保证遵守以上承诺，严格自律，诚实守信，勤勉尽责地开展推荐业务，维护挂牌公司和投资者合法权益，接受全国股份转让系统公司的监督管理，并对此承担责任。

承诺人(签章)：____________________

法定代表人(签字)：____________________

证券公司从事经纪业务自律承诺书

全国中小企业股份转让系统有限责任公司：

______________________________(以下简称"公司")就在全国中小企业股份转让系统(以下简称"全国股份转让系统")开展经纪业务承诺如下：

一、理解并遵守全国股份转让系统业务规则、细则、指引、通知等规定(以下统称为"全国股份转让系统业务规定")，接受全国中小企业股份转让系统有限责任公司(以下简称"全国股份转让系统公司")的自律管理。

二、按照全国股份转让系统业务规定要求，配备合格业务人员。业务人员具有证券从业资格并取得执业证书，具备开展经纪业务所需专业知识，熟悉全国股份转让系统业务规定。

三、建立健全投资者适当性管理制度、交易结算管理制度等各项业务管理制度及业务操作流程，建立健全风险管理制度和合规管理制度，保障依法合规开展业务，严格防范和控制业务风险。

四、在全国股份转让系统指定信息披露平台披露公司基本情况、主要业务人员情况、执业情况等信息，并按全国股份转让系统公司要求及时更新。

五、按全国股份转让系统公司要求及时报送相关文件，履行报告、公告义务。

六、做好投资者适当性管理工作，严格按照《全国中小企业股份转让系统投资者适当性管理细则(试行)》规定的准入标准为投资者提供代理买卖服务，不为不满足投资者适当性标准的投资者提供服务。

七、与投资者签署证券买卖委托代理协议前，充分了解投资者的财务状况、投资经验、专业知识水平，评估投资者的风险承受能力和风险识别能力，向投资者详细讲解全国股份转让系统相关业务规则，提醒其对投资风险予以特别关注，要求投资者认真阅读并签署风险揭示书。

八、发现投资者存在异常交易行为，及时告知、提醒投资者，对可能严重影响正常交易秩序的异常交易行为，采取拒绝接受委托等必要措施，并及时报告全国股份转让系统公司。

九、建立投资者持续性教育与风险揭示工作机制，利用各种形式持续向投资者充分揭示市场特征和投资风险。

十、完善客户纠纷处理机制，及时化解代理买卖股票业务中与客户产生的矛盾，按要求将投资者投诉及处理情况向全国股份转让系统公司报告。

十一、按要求建立开展经纪业务所需的交易系统、行情系统和通信系统及其备份系统(以下统称"转让技术系统")，并制定相应的安全运行管理制度。

十二、按照全国股份转让系统公司或全国股份转让系统公司授权机构(以下统称"全国股份转让系统公司")的技术规范和业务要求，对转让技术系统的软件和硬件进行改造、测试，并及时向全国股份转让系统公司报告相关情况。在对技术系统进行改造、测试时，不影响转让活动的正常进行。

十三、定期检查转让技术系统的安全性、稳定性，制定应急预案，按要求进行定期或者临时应急演练。

十四、技术系统出现重大故障或者其他因素影响市场交易时，立即采取有效措施，尽快恢复系统正常运行，并及时向全国股份转让系统公司报告。

十五、在转让技术系统与其他技术系统之间、转让通信网络与其他应用网络之间，采取技术隔离措施。

十六、保障与全国股份转让系统公司技术系统连接的安全，不在转让时间内通过全国股份转让系统公司技术系统从事与证券业务无关的活动。

十七、对证券转让中产生的业务数据、系统数据等实行严格的安全保密管理，并作备份和异地保存。

十八、遵守全国股份转让系统公司有关转让信息管理的规定，通过全国股份转让系统许可的通信系统传输转让信息，按要求使用全国股份转让系统转让信息。

十九、告知客户不得将转让信息用于自身股票转让以外的其他活动，并对客户使用转让信息的行为进行有效管理。发现客户使用转让信息存在损害全国股份转让系统公司利益的行为，及时采取有效措施予以制止，并向全国股份转让系统公司报告。

二十、积极配合全国股份转让系统公司对本公司及其从业人员的检查、核查，不进行阻挠或人为制造障碍，认真执行全国股份转让系统公司的整改要求。

二十一、根据全国股份转让系统公司的要求，调查或协助调查指定事项，并将调查结果及时报告全国股份转让系统公司。

二十二、在开展经纪业务过程中遇到现行规则未作规定的重大事项时，及时报告全国股份转让系统公司，并根据全国股份转让系统公司要求进行处理。

本公司保证遵守以上承诺，严格自律，诚实守信，勤勉尽责地开展经纪业务，维护挂牌公司和投资者合法权益，接受全国股份转让系统公司的监督管理，并对此承担责任。

承诺人(签章)：____________________

法定代表人(签字)：____________________

投资者服务类

买卖挂牌公司股票委托代理协议

甲方(投资者):________________________
证券账户卡号:________________________
身份证号(或营业执照号):______________(盖章)
通讯地址:____
乙方:______________公司______________营业部

依照《中华人民共和国合同法》、《全国中小企业股份转让系统业务规则(试行)》(以下简称"《业务规则》")和其他有关法律、法规、规章制度,甲乙双方就甲方委托乙方代理股票公开转让及其他相关业务,达成如下协议,供双方共同遵守。

第一章 双方声明及承诺

第一条 甲方向乙方作如下声明和承诺:

1. 甲方具有合法的证券投资资格,不存在法律、法规和规章制度限制从事证券投资的情形;

甲方属于符合《全国股份转让系统投资者适当性管理细则(试行)》规定的投资者。

2. 甲方保证在其与乙方委托代理关系存续期内向乙方提供的所有证件、资料均真实、准确、完整、合法、有效;

3. 甲方保证其资金来源合法,不存在任何第三方或共有人对此主张权利的情形;

4. 甲方已认真阅读并充分理解乙方向其提供的《股票公开转让特别风险揭示书》,充分认识并愿意承担股票公开转让的投资风险;甲方已详细阅读本协议书所有条款,并准确理解其含义,特别是其中有关乙方的免责条款;

5. 甲方已认真阅读并承诺遵守《业务规则》和其他股票公开转让业务相关规定;

6. 甲方承诺遵守自愿、有偿、诚实信用的原则,不进行内幕交易;不操纵市场价格;不以虚假报价或其他违规行为扰乱正常的股票公开转让秩序,误导他人的投资决策;

7. 甲方接受并配合乙方对涉嫌违规行为的调查和处理;

8. 甲方承诺遵守本协议,并承诺遵守乙方的相关管理制度。

第二条 乙方向甲方作如下声明和承诺:

1. 乙方是依法设立的证券经营机构,符合从事代理投资者买卖挂牌公司股票业务的条件,且已实施客户交易结算资金第三方存管;

2. 乙方具备开展股票公开转让业务的必要条件,能够为甲方的股票公开转让提供相应的服务;

3. 乙方确认其向甲方提供的委托方式以双方约定方式为准;

4. 乙方对甲方的开户资料、委托记录等资料负有保密义务,非经法定有权机关或甲方指示,不得向第三方透露。乙方承担因其擅自泄露甲方资料给甲方造成的损失;

5. 乙方保证严格按照有关法律、法规和规章制度的规定从事股票公开转让业务;

6. 乙方承诺遵守本协议,按本协议为甲方提供股票公开转让委托代理服务。

第二章 业务开通

第三条 甲方初次参与股票公开转让,应具有人民币普通股票账户(以下简称"证券账户")和资金账户。

第四条 甲方申请开通股票公开转让业务权限时,应按照要求如实填写申报资料。由于甲方提供不实资料引起的法律责任,由甲方承担。

第五条 甲方应严格按照法律、法规、规章、证券登记结算机构业务规则及其他规则开立银行结算账户、办理客户交易结算资金存入或转出及有关银行业务事项。因甲方违反相关规则所造成的损失,由甲方自行承担。

第三章 委托

第六条 甲方委托乙方代理股票公开转让前,必须设置交易密码。甲方必须牢记交易密码,并对交易密码负有保密责任。

甲方可持有效证件到乙方柜台或通过自助委托系统修改交易密码。

第七条 乙方接受甲方委托,为甲方办理下列事项:

1. 接受并执行甲方下达的合法有效委托;

2. 应甲方要求提供其委托、成交及账户股份变动情况的清单;

3. 代理甲方进行资金、证券的清算、交收;

4. 代理甲方领取红利股息及其他利息分配;

5. 代理保管甲方买入或存入的有价证券;

6. 双方依法约定的其他事项;

7. 中国证监会规定提供的其他服务。

第八条 甲方采取的委托方式由双方书面约定。委托方式包括柜台委托及自助委托等,自助委托包括电话委托、网上委托以及乙方认可的其他合法委托方式。

甲方应充分了解各种委托系统的操作方法,乙方对此有解答咨询的义务。

第九条 乙方在代理股票公开转让业务中可以接受甲方的限价委托、成交确认委托等方式。

乙方认为甲方存在虚假委托或操纵价格的行为时,有权拒绝接受。

第十条 乙方接受甲方委托前,应充分了解甲方的财务状况和投资需求,可以要求甲方提供相关证明性资料。

第十一条 如甲方为不符合股票公开转让准入标准的投资者,其只能委托乙方买卖其持有或曾持有的公司股票。

第十二条 甲方卖出的股份,不得超过其托管在乙方的股份余额。甲方在发出买入股份的限价委托、成交确认委托时,应保证其资金账户中有足额的资金。

第十三条 乙方发现甲方存在违规行为的,将予以警示,必要时可以拒绝甲方的委托或终止本协议。

第十四条 甲方通过自助委托系统下达的委托指令,以乙方电脑数据为准;柜台委托以甲方签字确认的委托凭证为准;甲方以电话语音、传真、信函下达的委托指令,如乙方无法确认,将不作为对乙方的有效指令;甲方对其委托行为所产生的一切经济和法律后果承担全部责任。

第十五条 甲方需查询委托结果或打印回单的,应在委托后三个交易日内办理;如有疑问,须在查询结果或打印回单当日向乙方书面质询。

第四章 信息服务

第十六条 乙方应在其营业场所披露最新的价格、成交等信息。

第十七条 乙方应及时揭示最新的股票公开转让业务规

则、制度及相关信息。

第五章 变更和撤销

第十八条 甲方重要资料发生变更的，应及时通知乙方，并按乙方要求办理变更手续。

前款所述甲方重要资料包括但不限于甲方的姓名、联系方式、居住地址、有效证件号码、授权代理人及授权事项、委托交易方式等。

第十九条 有下列情形之一的，乙方可要求甲方限期纠正，甲方不能按期纠正或拒不纠正的，乙方可视情形依法撤销其与甲方的委托代理关系或暂停甲方对其账户的使用（包括但不限于限制存取款、限制交易等）：

1. 甲方提供虚假资料、证件；

2. 甲方的资金来源不合法；

3. 甲方有严重损害乙方合法权益，影响其正常经营秩序的行为；

4. 甲方违反全国中小企业股份转让系统业务规则，通过乙方进行违法违规交易的；

5. 法律、法规规定的其他情形。

第二十条 乙方若不符合从事代理投资者买卖挂牌公司股票业务的条件，股票公开转让委托协议自行终止。

第二十一条 乙方撤销其与甲方的委托代理关系，需及时通知甲方，并说明理由。

第二十二条 甲方在收到乙方撤销委托代理关系通知后，应及时到乙方办理相关手续。在此期间，乙方不接受除卖出甲方持有证券外的所有委托买卖指令。

第六章 甲方授权代理人委托

第二十三条 甲方可以授权他人作为办理股票公开转让委托及相关事项的代理人。甲方代理人办理上述事项时，应当出示授权委托书，并提交代理人的有效证件。相关材料应交乙方存档。

第二十四条 授权委托书至少应载明下列内容：代理人姓名及身份证件号码、授权权限、代理期限及乙方要求明示的其他事项。

第二十五条 甲方在授权委托有效期内变更授权事项或撤销授权时，应当及时书面通知乙方，并办理有关手续。乙方在收到甲方书面通知前，原授权委托书仍然有效。

因未及时通知乙方所造成的损失由甲方自行承担。

第七章 免责条款

第二十六条 乙方郑重提醒甲方注意密码的保密。任何使用甲方密码进行的委托均视为有效的甲方委托。甲方自行承担由于其密码失密造成的损失。

第二十七条 甲方如果遗失证券账户卡、身份证明等证件，应立即向乙方及其他相关机构挂失。由于甲方未及时挂失而导致其遭受损失的，由甲方自行承担，乙方不承担任何责任。

第二十八条 甲方通过私下协商达成的转让意向因对方不申报成交确认委托或申报不匹配的成交确认委托，无法成交的，乙方对此不承担责任。

第二十九条 因地震、台风、水灾、火灾、战争及其他不可抗力因素导致的甲方损失，乙方不承担任何赔偿责任。

第三十条 因乙方不可预测或无法控制的系统故障、设备故障、通讯故障、停电等突发事故，给甲方造成的损失，乙方不承担任何赔偿责任。

第三十一条 当发生不可抗力、意外事故时，乙方应当及时采取措施防止甲方损失的进一步扩大。

第八章 附则

第三十二条 乙方按照有关法律、法规及业务规则的规定收取佣金及其他服务费用、代扣代缴有关税费。佣金标准如发生变动，甲方同意乙方按新的规定执行。

乙方依法提供其他有偿服务的，可按双方约定标准向甲方收取合理服务费用。

第三十三条 本协议书与有关法律、法规及业务规则有抵触的，协议书与之不相适应的内容及条款自行失效，相关内容及条款按新修订的法律、法规、规章制度及行业规章办理。但本协议其他内容和条款继续有效。

第三十四条 若相关的法律、法规和业务规则发生变更，需要修改或增补本协议，由乙方在其营业场所以公告形式通知甲方。若甲方在七个工作日内不提出异议，则公告内容即成为本协议组成部分。

第三十五条 当双方出现争议时，可选择如下方式解决：

1. 协商；

2. 向乙方所在地有管辖权的法院起诉；

3. 其他合法方式。

第三十六条 本协议自双方签署之日起生效。股票公开转让特别风险揭示书及甲方填写的申报文件均视为本协议附件，同时生效。

第三十七条 本协议一式两份，甲乙双方各执一份，具有同等的法律效力。

甲方（个人）：__________ 乙方：__________证券公司

甲方（机构）：________（签章） （盖章）

_____年_____月_____日 _____年_____月_____日

《全国中小企业股份转让系统挂牌公司股票公开转让特别风险揭示书》必备条款

尊敬的投资者：

为了使您更好地了解全国中小企业股份转让系统（以下简称“全国股份转让系统”）挂牌公司股票公开转让的投资风险，根据《全国中小企业股份转让系统投资者适当性管理细则（试行）》的规定，本公司特向您提供《挂牌公司股票公开转让特别风险揭示书》，揭示参与股票公开转让存在的风险，请您认真阅读并签署。

一、重要提示

1. 全国股份转让系统制度规则与上海、深圳证券交易所的制度规则存在较大差别。在参与挂牌公司股票公开转让之前，请您务必认真阅读《全国中小企业股份转让系统业务规则（试行）》等有关业务规则、细则、指引和通知。

2. 全国股份转让系统是经国务院批准设立的全国性证券交易场所，为挂牌公司提供股票公开转让服务，作为全新的市场，相关制度规则还需要不断修订和完善，请您务必密切关注相关制度调整。

3. 全国股份转让系统的挂牌公司是根据《非上市公众公司监督管理办法》、《全国中小企业股份转让系统业务规则

（试行）》的规定，经全国中小企业股份转让系统有限责任公司（以下简称“全国股份转让系统公司”）审查同意，中国证券监督管理委员会（以下简称“中国证监会”）核准后，股票在全国股份转让系统挂牌并公开转让的非上市公众公司，公司股东人数可以超过200人。

中国证监会和全国股份转让系统公司不对挂牌公司的投资价值及投资者的收益作出实质性判断或者保证。

4. 全国股份转让系统挂牌公司的信息披露要求与上市公司不同。主办券商负责指导和督促挂牌公司的信息披露，但对披露内容不进行实质性审核。

5. 挂牌公司股票价格可能因多种原因发生波动，投资者应充分关注投资风险。本公司仅为投资者提供代理股票公开转让服务，对投资损失不承担任何责任。

6. 除全国股份转让系统公司规定的情形外，不符合股票公开转让准入标准的投资者只能买卖其持有或曾持有的挂牌公司股票，不得委托买卖其他挂牌公司的股票。

二、风险揭示

参与挂牌公司股票公开转让，除股票投资的共有风险外，还应特别关注以下风险：

1. 公司风险：部分挂牌公司具有规模较小，对单一技术依赖度较高，受技术更新换代影响较大；对核心技术人员依赖度较高；客户集中度高，议价能力不强等特点。部分公司抗市场风险和行业风险的能力较弱，业务收入可能波动较大。

2. 流动性风险：与上市公司相比，挂牌公司股权相对集中，市场整体流动性低于沪深证券交易所。

3. 信息风险：挂牌公司信息披露要求和标准低于上市公司，除挂牌公司所披露的信息外，投资者还需认真获取和研判其他信息，审慎做出投资决策。

本风险揭示书的揭示事项仅为列举性质，未能详尽列示股票公开转让的全部投资风险和可能导致投资损失的所有因素。您在参与此项业务前，请务必对此有清醒的认识。我们诚挚地建议您，从风险承受能力、风险认知能力、投资目标、心理和生理承受能力等自身实际情况出发，审慎参与股票公开转让，合理配置金融资产。

特别声明：

以下内容由投资者本人抄写：

本人确认已阅读并理解相关规则和上述风险揭示内容，具备相应的风险承受能力，自愿参与挂牌公司股票公开转让，并愿意承担相关投资风险和损失。

____

____

____

以下内容由机构投资者开户代理人抄写：

本机构确认已阅读并理解相关规则和上述风险揭示内容，具备相应的风险承受能力，自愿参与挂牌公司股票公开转让，并愿意承担相关投资风险和损失。

____

____

____

说明：

1. 本风险揭示书内容的字号应当不小于小三号。

2. 本风险揭示书列示的条款为必备条款，主办券商可根据具体情况在本公司制定的风险揭示书中增加有关内容。

3.《全国中小企业股份转让系统挂牌公司股票公开转让特别风险揭示书》一式两份，双方各执一份。

两网及退市公司类

全国中小企业股份转让系统退市公司股票挂牌业务指南

（试行）

为规范退市公司、主办券商在全国中小企业股份转让系统（以下简称“全国股份转让系统”）办理股票挂牌业务，明确相关流程，根据《全国中小企业股份转让系统业务规则（试行）》、《全国中小企业股份转让系统两网公司及退市公司股票转让暂行办法》（以下简称《股票转让暂行办法》）等相关规定，制定本指南。

一、整体安排

根据中国证监会的有关安排，向全国中小企业股份转让系统有限责任公司（以下简称“全国股份转让系统公司”）申请股票挂牌的退市公司的主办券商应严格依照本指南的规定，制定并遵守《挂牌工作时间安排表》（见附件1），及时办理退市公司股票在全国股份转让系统的挂牌手续。退市公司应当积极配合主办券商办理相关挂牌手续。

（一）证券交易所公告股票终止上市决定、退市整理期届满或接到交易所指定通知之日为退市公司办理挂牌手续的时限计算基准日（以下简称T日，相关期间从次一转让日起算）。

上述三个时点出现两个以上的，以最晚者为T日。

（二）主办券商应在T+5日（“日”为转让日，下同）内，开始并办理完成股份退市登记手续。

（三）主办券商应在T+20日前开始为投资者办理股份确权手续。

（四）主办券商应在T+30日前向全国股份转让系统公司报送推荐挂牌文件。

（五）主办券商应在T+40日前到中国证券登记结算有限责任公司（以下简称“中国结算”）北京分公司办理退市公司股票重新登记手续。

（六）退市公司股票应在T+45日开始在全国股份转让系统挂牌。

二、具体流程

（一）确定主办券商

1. 确定主办券商

上市公司股票被终止上市并申请在全国股份转让系统挂牌的，应依照相关规则确定主办券商。

上市公司股票被终止上市前已经签订《推荐恢复上市、委托股票转让协议书》（见附件2）的，由主办券商依照《股票转让暂行办法》、本指南及其他相关规定办理退市公司股票在全国股份转让系统的挂牌手续。

截至证券交易所作出终止上市决定时仍未签订《推荐恢复上市、委托股票转让协议书》、由证券交易所指定主办券商的，由指定的主办券商依照《股票转让暂行办法》、本指南及其他相关规定办理退市公司股票在全国股份转让系统的挂牌手续。

2. 明确挂牌工作时间安排

主办券商应依照本指南的规定，在T－2日向全国股份转让系统公司公司业务部提交《挂牌工作时间安排表》（主办券商盖章），并传真至全国股份转让系统公司公司业务部。

主办券商应严格依照《挂牌工作时间安排表》办理推荐挂牌业务，并及时与全国股份转让系统公司公司业务部沟通进展情况。

（二）办理退市登记

主办券商、退市公司应在T＋5日内依照中国结算的相关规定办理完毕退市登记手续。

（三）办理股份确权、托管手续，刊登确权公告

主办券商应依照中国结算的相关规定，为投资者办理确权、托管手续。

1. 申请确权代码

主办券商应在T＋2日内，提交《股份确权代码申请》（见附件3），向全国股份转让系统公司申请退市公司确权代码。

2. 刊登确权公告

主办券商应在T＋5日内，向中国结算取得相关资料，并在中国证监会指定的一种信息披露媒体及全国股份转让系统指定信息披露平台（www. neeq. com. cn 或 www. neeq. cc）上刊登《股份确权公告》（见附件4）。《股份确权公告》中应说明退市公司股票终止上市的情况，通知投资者办理股份确权登记手续、时间安排以及股票开始转让的时间，并明确退市公司股票开始挂牌转让后，主办券商可继续为投资者办理股份确权和托管手续。

3. 办理确权手续

主办券商应在T＋20日前开始为投资者办理股份确权手续。主办券商应当持续关注投资者确权的整体情况，并根据确权的实际情况发布《股份确权和托管催示公告》（见附件5）。

4. 刊登《股份确权和托管催示公告》

退市公司股份确权比例未达100%的，主办券商应于T＋25日在中国证监会指定的一种信息披露媒体及全国股份转让系统指定信息披露平台上刊登《股份确权和托管催示公告》。

（四）报送推荐挂牌文件

主办券商应在T＋30日前，依照《退市公司推荐挂牌文件内容与格式》（见附件6）的要求向全国股份转让系统公司接收申请材料的服务窗口（北京市西城区金融大街丁26号金阳大厦南门）报送推荐挂牌文件。

全国股份转让系统公司对推荐挂牌文件进行审查后，通知主办券商前往全国股份转让系统公司服务窗口领取同意股票挂牌的意见、关于股份委托登记托管的函等相关文件。

（五）申请证券简称

主办券商应在全国股份转让系统公司出具同意挂牌的意见后，最迟在T＋36日前向全国股份转让系统公司提交《证券简称及证券代码申请书》（见附件7）。

主办券商接到领取相关文件的通知后，前往全国股份转让系统公司服务窗口领取《证券简称及证券代码通知书》。

（六）股份初始登记

主办券商应根据确权情况，持同意股票挂牌的意见、关于股份委托登记托管的函及《证券简称及证券代码通知书》等其他中国结算要求的文件，在T＋40日内依照中国结算的有关规定办理股份初始登记手续。

主办券商应在T＋42日内向中国结算确认进入全国股份转让系统的股份登记情况。

（七）股票挂牌

1. 刊登《股票转让公告》

股份初始登记办理完成之后，主办券商应于T＋43日内在全国股份转让系统指定信息披露平台刊登《股票转让公告》（见附件8），并由主办券商和退市公司加盖公章。

退市公司因特殊情况无法履行信息披露义务的，可以刊登由主办券商单独加盖公章的《股票转让公告》。

2. 刊登《投资风险分析报告》

主办券商应在披露《股票转让公告》的同时，在全国股份转让系统指定信息披露平台上发布《投资风险分析报告》（见附件9），对投资者进行必要的风险提示。

T＋44日15时前，主办券商应当确认挂牌准备工作是否已就绪；T＋45日9:30分，退市公司、主办券商应当检查股票是否已经挂牌。

（八）关于挂牌当日暂停转让的特别规定

退市公司申请股票挂牌当日即暂停转让的，除特殊情形外，应当在T＋40日内经董事会或者股东大会审议通过；主办券商应在T＋40日内向全国股份转让系统公司提交相关决议文件、公司股票挂牌后暂停转让申请（附件10）及主办券商关于公司股票挂牌后暂停转让的专项意见（附件11），披露退市公司挂牌当日即暂停转让的公告。

退市公司申请股票挂牌当日即暂停转让的，应当符合《股票转让暂行办法》第三十八条的规定。

全国中小企业股份转让系统两网公司及退市公司股票分类转让变更业务指南（试行）

为规范两网公司（原证券公司代办股份转让系统挂牌的STAQ、NET系统公司）、退市公司（包括新挂牌的退市公司）股票转让方式变更工作，根据《全国中小企业股份转让系统业务规则（试行）》及《全国中小企业股份转让系统两网公司及退市公司股票转让暂行办法》（以下简称"《暂行办法》"）有关规定，制定本指南。

一、主办券商填写《分类转让变更业务申请表》并加盖公章。

二、二、主办券商须于T－4日（T日为分类转让变更生效日）下午15点前将上述业务表和其他所需证明文件一同传真（传真号：010－63889674）至全国中小企业股份转让系统有限责任公司（以下简称"全国股份转让系统公司"），并将所有材料的电子扫描件发送至全国股份转让系统公司（电邮地址：ywbl@ neeq. org. cn），同时电话确认收悉（电话：010－63889549）。

三、T日公司分类转让变更生效。

2014全国中小企业股份转让系统

优秀企业家汇展

（排名不分先后）

杨晓嘉 女士
史　春 女士
李红霞 女士
林瑞梅 女士
陈齐黛 女士
朱锦萍 女士
敖顺荣 先生
包晓春 先生
鲍　矛 先生
单亚敏 女士
董呈明 先生
杜永安 先生
付常浩 先生
葛　洪 先生
龚新度 先生
郭　磊 先生
洪　海 先生
李　诚 先生
解洪波 先生
黄和昌 先生
李　俊 先生

李　凌 女士
李晓冬 先生
李长明 先生
鹿有忠 先生
苗胜利 先生
聂　晖 先生
潘　忠 先生
宋龙富 先生
孙建鸣 先生
田荣昌 先生
田树泉 先生
汪舵海 先生
王方银 先生
王福银 先生
王季庄 先生
王久立 先生
王荣欣 先生
魏冬云 先生
魏晓光 先生
吴国平 先生
吴灿华 先生

徐伟红 先生
闫连红 先生
杨振文 先生
尹远华 先生
詹国伟 先生
张宝泉 先生
张　琪 先生
张先国 先生
张晓敏 先生
张玉峰 先生
张祖岩 先生
赵　坤 先生
郑迎九 先生
周仕勇 先生
朱嘉祥 先生
朱明华 先生
庄彦青 先生
左海浪 先生
杨建强 先生
万少华 先生
梁华国 先生

朱荣晖 先生
于晓辉 先生
林远泉 先生
钟　海 先生
谢晋斌 先生
庾健航 先生
颜宏钟 先生
荆书典 先生
林　晟 先生
陈文明 先生
景宁涛 先生
马亦兵 先生
曹淑强 先生
王雪倩 女士
王永刚 先生
詹权胜 先生
张忠敏 先生
邓　军 先生
刘　强 先生

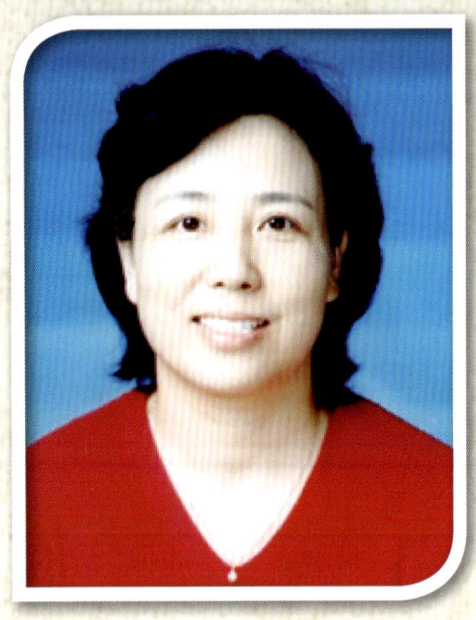

杨晓嘉 女士

中国证券业年鉴 总编辑

杨晓嘉，管理学博士，第十、十一届全国人大代表，现任全国中小企业股份转让系统有限责任公司董事长，党委书记，曾长期担任中国证监会派出机构主要负责人，现任中国证券业年鉴总编辑。

杨晓嘉是我国资本市场最早的参与者和建设者，有着较为丰富的资本市场理论和实践经验。在担任两届全国人大代表期间，撰写了大量的议案和建议，为资本市场发展鼓与呼，先后为《公司法》、《证券法》的修订，国九条的出台以及创业板的推出等资本市场重大事件做出了积极的贡献。在二十年的资本市场工作期间，先后主持编著出版了《上市公司监事会运行机制研究》、《上市公司独立董事制度研究》、《并购绩效评价与优化》等著作。

史 春 女士

北京宝丽兴源技术服务股份有限公司 董事长

史春，1960 年 2 月出生，满族，中共党员；1980 年至 1989 年任北京市宣武区副食品公司团委书记；1989 年至 1993 年 4 月任共青团北京市宣武区委员会团区委副书记；史春女士在任职期间，注重团干部的考核和骨干培训，加强了对基层团支部工作的领导，并做好典型推广和争先创优工作。1993 年 5 月起至今任北京宝丽广告设计制作中心董事长；2001 年至今任北京宝丽融商投资有限公司董事长；2006 年至 2014 年任北京宝丽兴源商贸有限公司执行董事；2014 年至今任北京宝丽兴源技术服务股份有限公司董事长。

史春女士是一位理论与实践经验兼备的企业高级管理专家，自 1993 年起，在长期从事广告标识设计制作的开发经营工作中不断赢得佳绩。其在北京宝丽广告设计制作中心和北京宝丽兴源技术服务股份有限公司担任董事长期间，非常注重专业人才的培养，经过公司多年的发展，已为公司建立起了一支高素质、富有创新力的人才队伍，并且为员工提供了多元化的发展平台及个性化的发展路径，努力实现企业和员工共同成长。

史春女士非常注重并深刻认识到在标识行业中与中高端客户建立长期战略合作，并与世界 500 强企业和国内知名企业建立了长期合作关系的重要性，行业涉及餐饮连锁、金融业、房地产及消费品等，这为公司获得大型连锁企业的订单带来了客户资源和行业经验方面的优势。同时从最基础的质量管理体系 ISO9000 质量检验，质量控制，全面质量管理，精益化生产管理。

在成功的背后，史春女士注重凝聚人心、关怀下属，遇到困难她也总是身先士卒，迎难而上，做出了极好的表率；并且作风严谨，为人正派，充满爱心，拥有极高的社会责任感，其多次参加慈善捐款活动，用爱心为需要帮助的人们送去温暖。

李红霞 女士

北京合创三众能源科技股份有限公司 董事长

李红霞，1987年在河北省冀州市魏屯社区小学任教；1997年在北京天麟汇通玻璃钢制品开发有限公司担任公司监事、销售经理；2004年与陈宝祥共同创建北京天麟汇通设备安装工程有限公司，并担任公司执行董事职务。2010-2011年进修于Cambridge Business School，学习了国际项目管理；2012年，北京天麟汇通设备安装工程有限公司经改制重组后正式更名为北京合创三众能源科技股份有限公司，并担任董事长兼总经理职务。

主要业绩：

1、2012年6月，公司获得"股份报价转让系统试点函"；

2、2012年11月16日，公司在新三板挂牌。简称：三众能源；代码：430163

3、2013年9月，经中国民营科技促进会评审，荣获2012年度《民营科技发展贡献奖》优秀企业和优秀企业家称号。

4、带队研发了基于云计算的冰蓄冷控制系统、基于云计算的末端控制器等先进技术

5、公司在李红霞董事长的带领下，先后承接了石家庄机械化步兵学院、全国组织干部学院办公楼、中国人寿等项目，并连续获得全国鲁班奖、詹天佑奖、美国LEED奖及三星级绿色建筑设计标识等奖项。

林瑞梅 女士

厦门光莆电子股份有限公司 董事长

林瑞梅，高级工程师，从事光电研究二十多年。

福建省光电行业协会常务副会长、福建省LED封装工程技术研究中心的主任、中国光电协会光电子分会的资深专家、工信部标准委员会委员、福建省led照明及应用标委会的专家委员；曾主编《平板灯具技术规范》、《led智能照明控制系统技术规范》、《植物照明灯具技术规范》等福建省标准；曾发表过照明控制系统的多篇论文，申请过多项专利。为省、市的光电行业发展规划提供建设性意见，发挥龙头企业带头作用，积极推动福建省光电行业发展。

林瑞梅带领下，光莆电子已成为国内LED业界以技术创新见长、以高品质产品为主导产品的专业LED封装及LED灯具的制造商。主要LED灯具有平板灯、吸顶灯、智能植物灯三大类及全系列灯管，所有产品都获得uL、DLC、CE、SAA、ERP、光生物安全认证，其中＜高效匀光平板灯＞获得2011年度国家重点新产品奖，具有12项专利，在显指＞８０，光效＞91Lm/w，均匀度＞90%，频闪＜3%，ERP6000小时测试光通维持率达96.8%（SGS报告寿命＞50000小时），产品的技术指标及品质处于国际领先水平。公司具有完善的ISO、TS质量体系及环境体系认证，OSA健康安全认证及BSCI社会责任认证，防恐认证等。

公司将继续在高品质的LED灯具研发方面深耕，推广技术领先、高性价比的平板灯具，智能照明控制植物灯具，智能化吸顶灯，树立GOPRO＝高性价比平板灯具；GOPRO=智能照明灯具的品牌形象。

陈齐黛 女士

广东康泽药业股份有限公司 董事长

陈齐黛，女，1973年出生，广东人，无境外居留权。药学本科学历，药师。有25年药品生产和流通管理经验，1992年9月至1997年2月在汕头市南北制药厂任生产车间主任；1997年3月至2007年4月在汕头市康威药品有限公司任副总经理，从事药品、医疗器械代理销售业务；2000年创办汕头市澄海区康福连锁药店，开始药品零售连锁业务；2003年创办广东康泽药业有限公司，拓展药品批发业务；2006年创办广东省康泽药业连锁有限公司，扩大零售连锁业务发展；2007年5月至今担任广东康泽药业股份有限公司董事长。

朱锦萍 女士

山西三合盛节能环保技术股份有限公司 董事长

朱锦萍，女，1968年11月出生，中国国籍，无永久境外居留权，大专学历。1989年12月—1996年4月，就职于太重集团精锻分厂，历任计控程序员，办公室文员、团支部宣传委员；1996年4月至今，为有限公司的创始人之一，历任监事、董事长兼总经理，现为公司董事长兼总经理；1999年8月至今，就职于山西锦彪空间装饰文化传播有限公司，历任执行董事兼总经理，现任执行董事。

敖顺荣 先生

北京康孚科技股份有限公司 董事长

敖顺荣，1966年出生，中国籍，北京市海淀区人。1989年12月毕业于清华大学热能工程系空调专业，工学硕士。1983年至1987年供职于航空部青云仪表公司空调设备分厂，担任项目经理，主要负责项目实施工作。1994年组建北京康孚环境控制有限公司，担任总经理职务。2013年1月，公司经改制，名称变更为北京康孚科技股份有限公司，担任董事长兼总经理职务。2008年7月，经考试通过，获得由北京市高级专业技术资格评审委员会颁发的制冷空调高级工程师资质；2010年9月经考试通过，获北京市人力资源和社会保障局颁发的国家注册一级建造师证书；2011年9月经考试通过，获国家人力资源和社会保障部颁发的一级项目管理师（CPMP）证书；2013年5月经考试通过，获中国认证委员会(国际项目管理专业资质认证委员会)颁发的国际高级项目经理(IPMP)证书，多次被海淀区企业工委评为优秀共产党员。

包晓春 先生

上海普华科技发展股份有限公司 董事长

包晓春，高级工程师，中国（双法）项目管理研究会副秘书长、中国建筑学会工程项目管理分会理事、上海浦东项目管理协会会长、清华大学国际工程项目管理研究院特聘教授、中科院研究生院工程硕士中心客座教授。包晓春先生毕业于浙江大学数学专业，曾就职于水电十二局担任计划管理负责人，先后领导和参与了多家大型集团企业的项目管理咨询和信息化建设工作，长期从事专业项目管理软件在中国的推广，是国内现代项目管理理论实践的最早倡导者之一。主编和参与了多部国内外畅销书籍。

鲍 矛 先生

北京鸿仪四方辐射技术股份有限公司 董事长

鲍矛，中国社科院研究生院商业经济学硕士，南开大学商学院EMBA，研究员；现任北京市射线应用研究中心主任，兼任中国同位素与辐射加工行业协会副理事长、辐射加工专业委员会主任，北京核学会副理事长，北京市科学技术研究院副总工程师；曾荣获“全国知识型职工先进个人”、“首都劳动奖章”和“全国五一劳动奖章”等表彰。

单亚敏 女士

宁波大汉印邦股份有限公司 董事长

单亚敏，中国籍，经济学专业，2004年8月至今任宁波大汉印邦股份有限公司董事长、随州德立电子有限公司董事长、随州德立电器有限公司董事长、宁波子琛投资有限公司董事长；2000年7月-2004年8月任奉化市信用联社客户部经理；1992年5月-2000年6月任奉化市锦屏城市信用社会计科长；1988年12月-1992年5月任奉化市万竹政府财务；1986年2月-1988年11月在奉化市江口区校任教。

董呈明 先生

浙江瑞明节能科技股份有限公司 董事长

董呈明，男，1973年8月出生，工商管理硕士，任职浙江瑞明节能科技股份有限公司董事长。是公司技术创新带头人，他长期在门窗领域中从事技术管理和产品研发工作，积累了丰富的专业知识和管理经验，具有较强的创新和开拓能力。他根据企业自身实力制定切实可行的发展战略，与时俱进，坚持以人为本和科学发展观，以技术中心为前沿，进行新产品技术研发，每年都有新产品、新项目列入省级、国家级计划，向人们展示全新概念的高性能节能门窗，为市场提供顾客满意的产品，在同行业中享有较高的知名度，为公司的高速发展和经济效益的佳绩作出重要贡献。

董呈明参编国家标准3项《铝木复合窗》、《木门窗》、《透光围护结构太阳得热系数检测方法》；参加国家课题1项“低能耗玻璃外窗系统设计与应用”；公开发表论文1篇《铝包木门窗的节能机理和效果》；至2013年9月，个人拥有发明专利17项：如：ZL 2010 1 0242639.2 一种铝合金提升推拉节能门系统、ZL 2010 1 0226221.2 一种木覆铝式门窗系统等。

先后获“中国优秀民营科技企业家”、“建筑节能减排十大创新发明人”、“浙江省优秀新生代企业家”、“第三届湖州市优秀发明人”、“湖州优秀青年”、“浙江省科技小巨人”、“浙江省科技进步奖二等奖”等荣誉。

公司研发中心于2007年被湖州市认定为市级企业技术中心，现已被评为“省级研发中心”及“省级企业技术中心”，在他的领导下我公司已成为具有金属门窗施工安装一级资质、幕墙工程专业承包二级资质，专业生产、研发、销售于一体的高性能节能门窗生产企业。

杜永安 先生

山东博安智能科技股份有限公司 董事长

杜永安，男，出生于1954年10月，中国国籍，无境外永久居留权，本科学历，高级工程师。1977年7月至1992年4月，历任临沂师范专科学校数学系助教、讲师、教研室主任、临沂师专计算机技术开发公司总经理；1992年4月至2002年6月，任临沂方正计算机有限责任公司董事长；2002年6月至2014年6月，任山东博安智能科技有限公司执行董事、法定代表人；2014年6月至今，任山东博安智能科技股份有限公司董事长、法定代表人。

付常浩 先生

辽宁中镁控股股份有限公司 董事长

付常浩，男，出生于1950年2月，中国国籍，辽宁省大石桥市人大代表，毕业于辽宁师范学院，现任辽宁中镁控股股份有限公司董事长。

1968年2月至1973年8月在营口县百寨公社鞭竿学校从事教师工作；1986年6月至1988年7月在营口县南楼商业公司担任党支部书记；1988年8月至2003年6月在大石桥市富城耐火材料厂担任厂长；2003年6月至2013年12月在辽宁富城特种耐火材料有限公司担任董事长；2013年12月公司改制后任辽宁中镁控股股份有限公司董事长。

社会兼职及个人主要荣誉：

2001年3月，营口市耐火材料行业协会副会长。

2002年4月，大石桥市工商联副会长。

2004年5月，营口市优秀企业家。

2005年7月，辽宁省优秀民营企业家。

2011年9月，中国耐火材料行业协会理事。

2012年3月，辽宁省大石桥市慈善总会名誉会长。

葛 洪 先生

贵州安凯达实业股份有限公司 董事长

葛洪，男，大专学历，2013年11月至今任贵州安凯达股份有限公司董事长。

2011年3月至2013年11月任贵州安凯达新型建材有限责任公司董事长；

1993年10月至2002年4月六盘水市窑上水库管理所任水务管理员；

1991年7月至1993年9月就职于六盘水市经济技术协作公司任业务员。

龚新度 先生

江苏红豆杉生物科技股份有限公司 董事长

龚新度，男，1955年3月出生，中国国籍，无境外居留权，高中学历；

1994年至1997年历任红豆集团有限公司常务副总经理、董事局副主席、项目投资部部长、财务部部长；

1997年至2004年担任远东实业总公司总经理；

2004年至2010年担任红豆集团公司远东有限公司总经理；

2009年到2013年担任本公司总经理；

2013年10月至今担任本公司董事长。现任江苏红豆实业股份有限公司副董事长。

郭 磊 先生

诸暨市海博小额贷款股份有限公司 总经理

1990年10月–1991年12月，中行诸暨支行越新储蓄所储蓄员；

1992年01月–1993年12月，中行诸暨支行菜芹桥分理处主任；

1994年01月–1998年12月，中行诸暨支行会计科会计；

1999年01月–1999年12月，中行诸暨支行新华储蓄所主任；

2000年01月–2001年12月，中行诸暨支行五角广场分理处主任；

2002年01月–2003年08月，中行诸暨支行公司业务部客户经理；

2003年08月–2004年01月，中行诸暨店口支行客户经理；

2004年02月–2008年11月，中行诸暨店口支行行长；

2008年12月–2009年12月，中行诸暨支行公司业务部主任；

2010年01月至今，诸暨市海博小额贷款股份有限公司总经理。

洪 海 先生

辽宁紫竹桩基础工程股份有限公司 董事长

洪海，男，1973 年 6 月出生，中国籍，无境外永久居留权。

1996 年毕业于沈阳农业大学，本科学历。

1996 年 9 月至 1998 年 5 月，任鞍山进出口公司销售经理；

1998 年 5 月至 2008 年 7 月，任鞍山三轧经理；

2008 年 7 月至今，任紫竹集团执行董事兼总经理，兼任紫竹物资执行董事、上海国贸执行董事；

2013 年 11 月至今，任紫竹桩基董事长。

李 诚 先生

杭州先临三维科技股份有限公司 董事长

李诚，1962 年 05 月出生，杭州永盛集团有限公司董事长，杭州市萧山区政协委员，杭州市萧山区温州商会会长，杭州市萧山区总商会副会长。

1983 年 9 月 -1985 年 7 月，浙江丝绸工学院纺织化学系染整工程专业；2002 年 -2005 年 宁波健峰管理技术研修中心，主修企业管理；2005 年 5 月 -2006 年 6 月 浙江大学，主修高级管理人员研修课程；2006 年 4 月 -6 月 浙江工商大学总裁高级研修班；2009 年 3 月 -6 月 复旦大学杭州市企业高级经营管理者培训“356 工程”投融资与资本运作研修班；2011 年 9 月 -2012 年 8 月 浙江大学传媒学院 浙江大学金融投资实战运营高级研修班（五期）。

1985 年 8 月 -1993 年，从事面料等纺织品个体经商；1993 年 -1997 年，任萧山永盛贸易公司总经理；1997 年 -1999 年，任萧山永盛化纤有限公司总经理；1999 年 -2003 年，任杭州永盛纺织有限公司总经理；2003 年至今任杭州永盛集团有限公司董事长；2004 年至今任杭州先临三维科技股份有限公司董事长。

2005 年 5 月，当选政协杭州市萧山区第十一届委员会委员；2007 年 1 月，当选政协杭州市萧山区第十二届委员会委员；2010 年 7 月，当选杭州市萧山区温州商会会长；2012 年 1 月，当选政协杭州市萧山区第十三届委员会委员；2012 年 11 月，当选杭州市萧山区总商会副会长。

个人荣誉：

时间	奖项	主办单位
2007 年	第四届杭州市优秀创业企业家	杭州市企业联合会 企业家协会
2008 年	关爱员工优秀企业家	杭州市总工会 工商业联合会
2008 年 8 月	杭州市第二届民营科技新星	中共杭州市委 杭州市人民政府
2010 年	十年风云人物 爱心公益奖	杭州市温州商会
2013 年 2 月	第五届（2010–2012 年度）“优秀社会主义事业建设者”称号	中共萧山区委、萧山区人民政府

解洪波 先生

北京九恒星科技股份有限公司 董事长

解洪波先生在长期的工作过程中，对中国大型集团企业和金融企业的管理及现状有着非常深刻、全面的认识，精通集团企业和金融企业的财务资金核算模式、熟悉各种管理模式下的业务流程，对现有国内集团企业和金融企业所采用的资金运作程序、企业管理模式有着自己独特的思考，九恒星主要产品的管理思路就主要来源于他在资金管理领域里的研究成果。他曾在有关专业技术杂志上发表过多篇论文，受到了各方面的好评。

2000年起，解洪波先生曾主持并实施设计了数百家以上集团企业资金管理业务电子化工程，工程主体单位涵盖了财务公司、结算中心（资金处、企业内部银行）等各种集团企业资金管理主体，全部取得了显著成果。

2002年解洪波先生被授予北京市第五届“科技之光”优秀企业家荣誉称号，并获得北京市西城区人民政府颁发的2002年度北京市西城区“科技进步一等奖”，2004年解洪波先生被授予北京市第六届“科技之光”优秀建设者荣誉称号，2007年解洪波先生被授予北京市第七届“科技之光”优秀创业企业家奖，2009年解洪波先生被“中国经济和信息化年会”授予十大青年领军人物称号，2010年解洪波先生获得北京企业评介协会“2009'企业自主创新人物奖”奖项，2012年解洪波先生被评为“中关村创业先锋”，2013年解洪波先生荣获“2013中国软件和信息技术服务业品牌建设领袖人物”称号。

2006年解洪波先生作为主要成员参与并执笔起草了国务院国有资产监督管理委员会研究中心2006年重点研究课题“国有大型集团公司财务风险控制框架及资金结算中心制度研究”的报告“加快推进国有大型集团公司资金集中管理制度”。2007年解洪波先生作为主要成员参与了国务院国有资产监督管理委员会研究中心2007年重点研究课题“财务公司在国有大型集团公司功能定位研究”的项目调研工作并起草了“财务公司在集团公司的功能定位及现实挑战”的课题报告。2008年、2009年解洪波先生作为主要成员参与了国务院国有资产监督管理委员会研究中心研究课题“全面风险管理暨外汇风险管理研究”、“产融结合与风险控制”的项目调研工作。

黄和昌 先生

成都蜀虹装备制造股份有限公司 董事长

黄和昌先生，毕业于南京政治学院经济与行政管理专业，高级工程师；现任成都市青白江区政协委员、青白江区工商联副会长、成都市机械制造业商会副会长。

李 俊 先生

新疆银朵兰维药股份有限公司 董事长

李俊，男，汉族，中共党员，生于1954年9月，现任新疆华源投资集团公司、新疆银朵兰维药股份有限公司董事长、党委书记，被国家级行业协会授予国家有突出贡献的高级职业经理人、全国关爱员工优秀民营企业家、全国安康企业家、全国第七届优秀创业型企业家、中国管理创新杰出人物；新疆维吾尔自治区劳动模范、新疆优秀企业家、优秀中国特色社会主义事业建设者、企业党建工作好领导等多项国家、省（部）级荣誉。

李俊先生先后就读中国人民大学研究生院工商管理硕士，清华大学EMBA企业领导人专业硕士，美国斯坦福大学中国企业新领袖培养专业硕士，获评高级工程师、高级经济师，并担任中国企业联合会、中国企业家协会高级管理咨询顾问师、理事，新疆企业联合会、企业家协会、工业经济联合会（三会）执行副会长、自治区工商联副主席，直属商会会长，乌鲁木齐市第十三、十四届、十五届人大代表等多项社会任职。

李 凌 女士

厦门三优光电股份有限公司 董事长

李凌，博士，企业法人。高级工程师，2001年创办厦门三优光机电科技开发有限公司，担任董事长兼总经理。毕业于北京航空学院自动控制系航空仪表及传感器专业，1994年在厦门大学高等教育研究所获高教管理博士学位。历任北京航空航天大学副研究员、教研室主任；厦门大学校办主任；国家科委所属企业、中国国际技术智力合作公司厦门分公司副总经理。擅长公司发展战略、商业模式策划、人力资源和国际市场开发，是厦门市光电子行业协会副会长、海峡两岸光通信产业联盟副理事长和秘书长。

李晓冬 先生

江苏联瑞新材料股份有限公司 董事长

李晓冬先生，1975 年出生，中国国籍，无境外永久居留权，硕士。目前担任连云港市第十三届人民代表大会人大代表、江苏省第五届颗粒协会理事、江苏省青年企业家联合会常务副会长、江苏省工商联中小企业委员会副主任委员、江苏省民营企业家发展促进会副会长、连云港市股权与创业投资协会副会长。

李长明 先生

山东奔速电梯股份有限公司 董事长

李长明先生出生于 1973 年 10 月，中国国籍，籍贯：山东济南，2012 年 7 月毕业于陕西师范大学工商管理专业，研究生硕士学历。从 1995 年历任陕西西安电梯厂技术部技术员；并公派赴芬兰相关电梯技术设备制造商交流学习；"济南西恒通电梯服务有限公司"总经理；"山东奔速电梯有限公司"董事长及改制后"山东奔速电梯股份有限公司"董事长。现任莱芜市政协委员、莱芜市企业家联谊会副会长、莱芜市工商联常委（执委）等职务。

2007 年创建山东奔速电梯有限公司，2014 年改制为山东奔速电梯股份有限公司并任公司董事长，带领科研团队获得多项国家专利和多项科技成果。2013、2014 年度影响莱芜年度经济人物、国家万人计划候选人、莱城区有突出贡献的中青年专家、莱芜市市级企业技术中心主任并兼任山东建筑大学客座教授。

鹿有忠 先生

有友食品股份有限公司 董事长

鹿有忠先生，1977年–1981年就职于渝中区中山路饮食公司，1981年–1993年经营个体饮食行业，1993年–2005年任重庆有友饮食文化服务有限公司法定代表人、经理，1997年–2008年任重庆有友食品开发有限公司法定代表人、经理，2007年创立重庆有友实业有限公司并担任法定代表人、董事长，现任有友食品股份有限公司法定代表人、董事长、总经理。

鹿有忠先生是一位历经艰难岁月，执着追求梦想的创业者，从改革开放初期下海经商，到南巡讲话后创办有友公司，再到发明泡椒凤爪，并由此带动一个产业的发展，一路走来，鹿有忠在改革开放的浪潮中坚定执着，成长为了一名优秀的民营企业家，并率先垂范，模范遵守国家法令，信守做企准则，引领行业健康发展，为健康中国建设奉献力量。有友人深信，在鹿有忠先生的带领下，有友一定能再上新台阶！

苗胜利 先生

迈奇化学股份有限公司 董事长

苗胜利先生，1952年出生，中国国籍，大学本科学历。

1983年11月至1987年，任职于濮阳市设备防护公司；

1987年至2002年6月，任河南新纪元实业有限公司总经理；

2002年6月至今，任迈奇化学股份有限公司董事长。

聂晖 先生

济南百博生物技术股份有限公司 董事长

聂晖，男，1967 年 7 月出生，中国国籍，无境外永久居留权，大专学历，经济师、助理工程师，是中国 IVD 行业刚刚启蒙时的第一批开拓者之一。1992 年 10 月至 1998 年 7 月，历任郑州博赛生物技术股份有限公司山东区销售经理、华东大区销售总监；1998 年 7 月至 1999 年 8 月，任郑州安图生物工程股份有限公司济南分公司总经理； 2008 年 3 月至 2013 年 10 月，任济南百博广联医疗器械有限公司总经理；2003 年 11 月，创办济南百博生物技术有限责任公司，现任股份公司董事长，任期自 2013 年 12 月至 2016 年 12 月。

聂晖先生非常注重企业文化建设，着力培养员工的创新精神、团队意识、协作意识，主张要建立“鹰一样的个人，狼一样的团队”，创建了“以人为本，诚信为本、追求卓越”的企业文化，力求营造一种和谐、开放、包容的创新工作氛围，以激发每位员工的潜能，充分发挥个体的创造力。在这样的企业文化背景下，公司始终保持着强大的创造力和活力。

潘忠 先生

北京蓝天瑞德环保技术股份有限公司 董事长

潘忠，北大光华 2011 级 MBA、北大 MBA 校友会副会长。1991 年获上海交通大学能源工程系热能工程专业学士学位，本科毕业后在相关行业国有企业历任技术员、高级工程师、总工程师、副厂长等职位。2001 年创立北京蓝天格瑞恩环保工程技术有限公司（2013 年新三板上市，蓝天格瑞恩更名为蓝天瑞德）。

宋龙富 先生

上海建中医疗器械包装股份有限公司 董事长

宋龙富，男，汉族，1952年出生，中国国籍，无境外永久居留权，1994年至2003年任上海建中塑料包装用品厂厂长，2004年进入公司，2011年8月28日在发起人会议暨第一次股东大会上被推选为董事；2011年8月29日第一届董事会议第1次会议被选举为第一届董事会董事长，2011年9月9日被聘任为总经理，2012年9月辞去总经理职务，现任公司董事长，兼任全国医用输液器具标准化技术委员会委员。

孙建鸣 先生

上海罗曼照明科技股份有限公司 董事长

孙建鸣先生，1957年10月19日出生，浙江宁波市人，经济师，中共党员，上海市杨浦区第十三、十四、十五届人大代表，上海城市景观灯光专业委员会主任。 现任上海罗曼照明科技股份有限公司董事长。

曾任上海钟表零件厂表盘车间主任、生产计划科科长，上海远东工程设备成套公司副总经理，上海远东国际集团有限公司副总经理，中外合资深圳远东服饰有限公司总经理，上海罗曼电光源有限公司总经理，上海罗曼照明工程有限公司董事长兼总经理。

专注照明行业20年，深谙城市夜景景观照明总体规划和实施，具有丰富的从业经验，是国内景观照明细分行业的翘楚。

田荣昌 先生

山东荣昌育种股份有限公司 董事长

田荣昌，男，1973 年生，中国国籍，无境外永久居留权；中共党员，大专学历，滨州市人大代表、山东省劳动模范。2007 年曾被无棣县委共青团授予青年文明工作者荣誉称号；2008 年、2009 年连续两年被评为县级优秀民营企业家；2010 年被滨州市政府授予人才工作先进个人称号；2011 年被评为滨州市劳动模范；2012 年当选为滨州市猪业协会会长、山东省饲料工业协会常务理事、中国畜牧业协会猪业分会副会长；2013 年当选为山东省劳动模范；2008 年创建山东荣昌育种有限公司，任法人代表、董事长、总经理。2013 年 9 月至今担任山东荣昌育种股份有限公司法定代表人、董事长。

田树泉 先生

新疆博峰新业石油工程股份有限公司 董事长

田树泉，1965 年出生，中国籍，本科学历。陕西人，高级经济师。1990 年年毕业于郑州大学计算机应用专业；2001 年至 2003 年就读新疆职业大学工业与民用建筑。2005 年毕业于人民大学 MBA。1990 年至 1995 年任职于新疆塔西南勘探开发公司、克拉玛依市油田公司井下作业公司计算机中心；1996 年至 1997 就职克拉玛依市油田公司井下作业公司工程管理科。1998 年至今担任新疆博峰新业石油工程技术股份有限公司董事长。2010 年担任新疆克拉玛依市陕西商会常务理事。

汪舵海 先生

安徽白兔湖动力股份有限公司 董事长

汪舵海，男，1974年5月生，中共党员，研究生学历，学士学位。

1989年9月～1992年6月，就读于桐城中学，考入全国重点大学——中国农业大学。

1992年9月～1996年6月，中国农业大学在读期间，先后担任班长、院系及学校学生会宣传部长，后经全校学生代表大会选举任校学生会常委、学生会副主席；先后多次荣获优秀团员、优秀学生干部等称号，并被团中央等六部委授予“1995年度北京市优秀学生干部”称号；1995年7月加入中国共产党；1996年6月获理学学士学位。

1997年10月～2000年6月，单位委培于清华大学中文系，获科技编辑研究生学历；2002年10月～2005年7月，就读于对外经济贸易大学，学习MBA。并先后到香港、美国、新西兰等地区和国家进行学习和观摩。

1996年7月～2005年9月工作于某中央级出版单位：期间1996年～1998年，任编辑；1998年～2000年，任宣传策划科科长，副科级；2000年～2002年，任书店经理，科级；2002年～2004年，任销售部经理，科级；2004年～2005年9月，任销售中心副主任，副处级。

2005年10月至今，任安徽华祥实业有限公司总经理；董事长兼总经理；党委书记、董事长兼总经理。2010年至今，任安徽白兔湖动力有限公司董事长。

2007年荣获桐城市“十大杰出青年”、“安徽省青年联合会委员”；2008年荣获安庆市“十大杰出青年企业家”、“安庆市创业模范”；2008年至今为“桐城市人大代表”、“安庆市人大代表”；2013年为“安徽省人大代表”。

王方银 先生

安徽美佳新材料股份有限公司 董事长

王方银先生，1962年出生，中国国籍，大专学历，中共党员。历任狄港塑料粉末厂副厂长、厂长，芜湖获港粉末涂料有限公司法定代表人、董事长、总经理；美佳有限法定代表人、董事长、总经理；现任公司法定代表人、董事长、总经理。还担任安徽省中小企业协会常务理事、芜湖市工商联常执委、繁昌县工商联副主席、繁昌县青年企业家协会会长、繁昌县经济开发区商会会长、繁昌县质量协会会长、芜湖市第十四届人大代表、繁昌县第十五届人大代表。

王福银 先生

江苏中江种业股份有限公司 董事长

王福银先生，1962年2月生，中共党员，2001年7月毕业于扬州大学园艺学院园艺教育专业，大学本科，推广研究员。

先后担任江苏农林职业技术学院（原句容农校）园林科基地生产科研室主任、江苏星火联合开发公司总经理、江苏农林职业技术学院绿苑实业总公司法人代表、总经理、江苏农林职业技术学院科产处长、农林科技示范园主任，现任江苏中江种业股份有限公司董事长。

先后主持或参与省市级科研项目20多项，其中获农业部中华农业科技进步奖二等奖1项，省农业科技推广三等奖三项、省教育教学科研成果奖二等奖1项，镇江市科技进步一等奖1项、镇江市人民政府科技进步三等奖2项,2009年被评为镇江市突出贡献中青年专家。

王季庄 先生

北京飞尼课斯科技股份有限公司 董事长

王季庄先生，中国国籍，出生于1954年11月15日，1969年至1971年就读于酒仙桥中学，2007年11月至今就职于北京飞尼课斯科技股份有限公司，担任董事长一职，负责该公司全面工作。大专学历，毕业学校北京工业大学职工业大毕业。

1971年2月在北京市交电公司工作，担任仓库现代化自动化技术主管；1978年至1985年担任北京交电公司主管家电业务进销主任。

1985年至1987年就读于北京工业大学职工业大学习金属材料专业，获得大专学历。

1987年至2001年在海淀五洲电器厂任厂长，研发、生产警用器材，发明防盗、防抢安全箱包，并主抓物理阻隔防爆材料研发。

2001年至2007年在公安部警用装备器材调剂中心外联部主任。

2007年至今在北京飞尼课斯抑爆材料有限责任公司工作，负责研发抑爆材料，抑爆砖块，销售、安装抑爆材料的工作。

2009年4月份被聘请为全国防爆电气设备标准化技术委员会非电气设备防爆分技术委员会（SAC/TC9/SC4）委员。

2009年9月26日至9月29日国家安全监督管理总局培训中心组织的《危化品从业单位安全标准化规范》学习课程，考核合格。

王久立 先生

北京华财会计股份有限公司 董事长

王久立先生现任北京华财会计股份有限公司董事长。1983年北京工商大学（原北京轻工业学院）环境工程专业，获学士学位。1983年7月至1992年4月，于北京工商大学（原北京轻工业学院）任教，其中1984年6月至1989年10月，先后任北京轻工学院（现北京工商大学）团委副书记、书记职务，其中1984年7月至1985年9月于中国科技大学进修学者，1988年8月至1992年4月，创建北京轻工业学院科技开发公司，任总经理职务；1992年4月至2001年4月，先后任中国电子技术应用公司总经理助理、副总经理、总经理职务；2001年4月至2005年10月，任英特国际集团副总裁职务；2003年2月至2005年10月，任香港上市服务中心有限公司执行董事职务；2005年10月至2014年，任北京华财理账顾问有限公司董事长职务。

王荣欣 先生

新疆金磊建材股份有限公司 董事长

王荣欣，男、汉族，1969年11月出生，河南省南阳市人，1991年到新疆克拉玛依市，2010年组建了克拉玛依市河南商会并出任商会会长、2013年经选举连任河南商会会长。克拉玛依市工商联副会长；克拉玛依市房产协会副会长；克拉玛依区企业家协会副会长。

经过20多年不懈努力，现任克拉玛依市鼎泰企业管理有限公司董事长、新疆金磊建材股份公司董事长，永升房地产开发有限公司总经理、豫商盈盛祥小额贷款有限公司董事长、克拉玛依市新特尔工程建设有限公司董事长、克拉玛依豫达投资管理有限公司董事长等职务。

企业所涉及的经营范围为投资与资产管理、金融投资、房地产开发、房屋建筑工程、市政公用工程、各项小额贷款、混凝土的生产与销售、酒店服务。

魏冬云 先生

湖南广信科技股份有限公司 董事长

魏冬云，男，汉族，湖南广信科技股份有限公司董事长，高级经济师，1956年12月出生于湖南省邵阳市。1997年至2001年在北京大学MBA班学习，获北京大学光华管理学院结业证书。2011年获湖南省人民政府颁发的“湖南省非公有制经济组织优秀企业家”、2013年被邵阳市人民政府授予的“十大回乡投资杰出邵商”光荣称号。现连任两届湖南省人大代表、湖南省造纸行业协会副会长、邵阳市农业产业化协会副会长，湖南省特种纸业协会（筹）会长。

魏冬云同志作为民营企业家的优秀代表，具有身先士卒、敢为人先的创新品质和独特的发展理念，曾作为第六界和第七届中国经济学家论坛的特邀嘉宾出席中国经济学家论坛，在会议上与其他经济学家交流其对企业管理创新的新思维，获得与会代表的高度肯定。该同志具有高度的社会责任感和民族使命感，年均向社会各界捐款100余万元，帮助百余位贫困学生完成学业，多次荣获政府部门颁发的“慈善之星”光荣称号。由于该同志的突出表现，先后获有关部门的多项光荣称号。

1996年获“邵阳市民营经济能人”（邵阳市人民政府颁发）；1997年获“邵阳市乡镇企业家”（邵阳市人民政府颁发）；1999年获“湖南省优秀私营企业家”（湖南省人民政府颁发）；2000年获“发展乡镇企业突出贡献者”（新邵县人民政府颁发）；2001年获经济论坛全国理事会授予的“经济论坛全国理事会理事”；2007年当选为新邵县首届“优秀光彩人物”（新邵县人民政府颁发）；2009年评为邵阳市十大杰出贡献经济人物（邵阳市人民政府颁发）；2011年评为湖南省非公有制经济组织优秀企业家（湖南省人民政府颁发）；2012年评为慈善之星（中共新邵县委、新邵县人民政府）；2012年连续两届当选为湖南省人大代表（湖南省人民代表大会常务委员会）；2013年评为“十大回乡投资杰出邵商”（邵阳市人民政府）。

魏晓光 先生

北京元鼎时代科技股份有限公司 董事长

魏晓光，1978年生人，元鼎科技创始人，董事长兼任CEO，主要负责公司的整体业务发展战略及公司运营。2000年毕业于北京理工大学市场营销专业，获得学士学位；2014毕业于香港中文大学（EMBA），获得工商管理硕士学位。2010年10月，入选第十届中国青年企业家协会会员。

2003年创办北京元鼎时代科技有限公司（现北京元鼎时代科技股份有限公司）至今，积累了10多年的IT从业经验和大量的战略合作伙伴资源，拥有丰富的管理、运营经验，有强烈的创新意识，深邃的洞察力和果断的决策能力，是一位理论与实践经验兼备的企业高级管理专家。

吴国平 先生

北京天际数字技术股份公司 董事长

吴国平，36 岁，祖籍福建漳州，天际数字（股票代码：831478）董事长，资深三维设计师，计算机图形图像专家，从业 15 年。擅长从事物细微处入手，着眼于未来的行业发展格局。有良好的跨界思维，希望通过三维信息技术与互联网技术，让建筑工程行业更阳光，更透明，更智慧。致力于构建建筑工程全生命周期的生态供应链与服务网络。

吴灿华 先生

江苏华灿电讯股份有限公司 董事长

吴灿华，男，中共党员，生于 1953 年 3 月，江苏如皋人，高级技师，现任江苏华灿电讯股份有限公司董事长兼总经理。

2001 年元月 -2007 年 10 月担任如皋市华兴电讯器材有限责任公司总经理；1992 年 7 月 -2000 年 12 月担任如皋市港区电讯器材配件厂厂长；1971 年 7 月 -1992 年 06 月担任如皋钢厂车间主任。

徐伟红 先生

苏州巨峰电气绝缘系统股份有限公司 董事长

徐伟红先生，1971 年出生，南开大学工商管理硕士，获国家发改委高级总裁资格认证。通过江苏省高层次人才国际化专题培训结业考试。2006 年当选吴江市人大代表，担任吴江市人大常委会财经预算小组成员、吴江市工商联合会常任执行委员、中国绝缘材料行业协会副理事长。1998 年 3 月至 2009 年 4 月，担任吴江巨峰科技发展有限公司、苏州巨峰绝缘材料有限公司董事长、总经理；2008 年 10 月至今，担任巨峰金属执行董事；2009 年 5 月至今，担任巨峰股份董事长、总经理；2009 年 11 月至今，担任巨峰高性能监事；2009 年 12 月至今，担任江苏巨峰执行董事。

闫连红 先生

保定爱廸新能源股份有限公司 董事长

闫连红，男，汉族，1966 年 10 月出生，中共党员。1988 年毕业于北京工业大学。

2001 年 11 月—2008 年 10 月担任曲阳县太行山水泥有限公司董事长，2008 年 9 月与北京金隅集团合资兴建了曲阳金隅水泥有限公司，出任副董事长， 2010 年 1 月整合旗下曲阳县太行山水泥有限公司、曲阳蓝迪太行科技有限公司、曲阳县第二中心医院、涞源蓝太建材有限公司、河北蓝太建材集团投资管理有限公司、保定爱廸新能源股份有限公司 6 家企业，组建了河北蓝太建材集团有限公司，担任集团党委书记、董事长。还兼任北京师范大学老年脑健康研究中心副理事长。2011 年 7 月 被保定市人民政府授予保定市劳动模范荣誉称号。

现任曲阳县人大常委、县长助理，保定市人大代表，保定市民营企业家协会副会长。连续多年被评为市、县优秀共产党员、优秀企业家、创业标兵、劳动模范，荣获河北省优秀企业家荣誉称号。

杨振文 先生

深圳华意隆电气股份有限公司 董事长

杨振文，1969年生，研究生学历，拥有20余年的焊割行业经验。1994年10月至1998年8月任兰州市华洋机电设备有限公司经理；1998年9月至2004年2月任广东华意隆机电设备有限公司执行董事、总经理；2004年3月至2010年12月任深圳市华意隆实业发展有限公司执行董事、总经理；2011年1月至今，任公司董事长、总经理。同时，任中国焊接协会理事、中国电器工业协会电焊机分会理事、中国职工焊接技术协会焊接设备专委会常务理事。

自创立华意隆以来，杨振文秉承着“创新永无止境”的精神，带领华意隆持续开展企业品牌和技术创优工作，并被授予“中华人民共和国海关A类企业”、“广东省重合同守信用单位”、“广东省科技创新、质量管理先进单位”、“深圳市首批首席质量官企业”、“企业信用评价AAA级企业”等称号，产品被认定为“广东省高新技术产品”、“深圳市自主创新产品”，荣获“中国名优品牌”、“广东省著名品牌”、“深圳知名品牌”等多个荣誉称号。

尹远华 先生

威海华东修船股份有限公司 董事长

尹远华，男，中共党员，威海市人大代表。1954年12月生，山东省荣成市人，大学专科文化程度，1975年12月参加工作，现任威海华东修船股份有限公司董事长。

面对近年来船舶产业危机和威海地区诸多船舶制造企业的竞争压力，他立足公司船舶产业的实际情况，进一步明确企业定位，果断提出不能夹缝里面求生存，要勇于创新谋跨越的发展方略，2009年果断投资建设8万吨和10万吨级干船坞各一座，迅速实现由小规模、小作坊式船舶企业到区域内规模最大、业务最精船舶维修单位的成功转型升级，与周边众多造船厂家错位发展，从而获得了更大发展空间。为了实现企业长远发展，他积极筹措企业上市事宜，促成华东修船2014年10月在全国中小企业股份转让系统正式挂牌，成为荣成首家在“新三版”挂牌上市的公司，不仅有效扩大了企业融资渠道，而且极大提升了公司知名度与影响力，成为山东省首屈一指的船舶维修企业。

先后于2004年度获得“山东省富民兴鲁劳动奖章”、“山东省优秀共产党员”；2008年度获得“山东省劳动模范”等多项荣誉称号。

詹国伟 先生

国义招标股份有限公司 董事长

詹国伟，男，1971年8月出生，中国国籍。

广州对外贸易学院国际贸易专业本科毕业，中山大学岭南（大学）学院高级管理人员工商管理专业（EMBA）硕士学位毕业。

高级国际商务师、招标师。曾入选中国招投标30年30大杰出贡献人物，现任广东省招标投标协会副会长。

现任公司董事长，兼任金沃国际融资租赁有限公司董事长，任期三年。历任广东省机械进出口股份有限公司进口二部业务员，公司业务员、副总经理、总经理，广东省机械进出口集团公司副总经理，广东省机械进出口股份有限公司副总经理。

张宝泉 先生

凌志软件股份有限公司 董事长

张宝泉，1965年10月出生，1988年9月~1991年1月，西北工业大学电磁场与微波技术专业硕士学位，1984年9月~1988年7月，西北工业大学电子工程专业学士学位。

1992年6月~1994年7月，担任中日本电子株式会社工程师；1994年7月~1999年3月，担任AISIN精机株式会社经理；1999年4月~2002年12月，担任美国德尔福汽车系统有限公司经理；2003年1月~2006年12月，担任南京联创科技股份有限公司副总裁；2007年1月至今担任苏州工业园区凌志软件有限公司总裁。

张 琪 先生

四联智能技术股份有限公司 董事长

张琪，男，1963年出生于陕西宝鸡，1985年7月毕业于西安理工大学工业电气自动化专业，毕业后分配至北京冷冻机厂从事技术和营销工作。1992年创立四联企业，至今一直担任四联智能技术股份有限公司董事长兼总经理。作为企业的创始人和引领者，张总远见卓识、坚定执着，紧抓时代脉搏，带领团队跨越艰难险阻、迈向一个又一个成功。

荣誉奖项：

▲ “十一五”全国建筑业科技进步与技术创新先进个人

▲ 西安市委统战部第二届“西安市优秀中国特色社会主义事业建设者”

▲ 2013年中国建筑智能行业20年领军人物

张先国 先生

湖北荆楚网络科技股份有限公司 董事长

张先国，湖北荆楚网络科技股份有限公司总经理，荆楚网总编辑，1972年11月出生于湖北仙桃，毕业于中国人民大学哲学系。

1994年7月至1999年7月任新华社新疆分社记者；1999年7月至2011年10月任新华社湖北分社编委、副总编辑、高级记者；2011年11月至今任湖北日报传媒集团总编助理、湖北荆楚网络科技股份有限公司总经理，荆楚网总编辑。

多次被评为新华社“先进工作者”“优秀党员”，曾获“湖北省省直机关十佳模范共产党员”“湖北省十佳青年记者”等荣誉，获2013年度湖北省人民政府特殊津贴。

担任新华社记者期间，累计采写内参、公开、图片报道3500多篇（底），其中200多篇内参报道被中央领导批示，21篇（组）稿件获评新华社社级优秀新闻作品。先后参与全国两会、十七大、汶川大地震、新疆“7·5”事件、玉树地震、三峡工程等重大战役性报道，首创提出“西气东输”“生态移民”“弱势群体”“涉政公共事件”等理念，参与“执政安全”“法治建设”“金融危机”“中国特色社会主义”等重大主题调研，采写了大量对中央决策有参考价值的专题调研稿件。2009年带队采写的基督教调研报告，胡锦涛同志作出长篇批示，并委托贾庆林同志 “问计于记者”，当年2月9日，专门到中南海进行了汇报。2010年带队采写“中国边境安全”调研报告，引起中央军委重视，专门到总参谋部进行了汇报。

任湖北日报传媒集团总编助理以来，积极投身湖北日报改扩版工作，所总结的开门办报经验获刘云山同志批示肯定。负责湖北日报内参改版工作，年发稿近300篇，领导批示率达70%，实现省报内参质的飞跃。

兼任荆楚网总编辑以来，大力推动改制改版，当年扭亏为盈，领衔创建新媒体集团，拟于年内登陆新三板上市，改革创新经验引起业界关注。荆楚网在省级全国重点新闻网站的排名从20多位上升到前3位，创立的动漫公司成为全国新闻动漫基地，首创横跨传统纸媒、互联网、移动互联网、物联网的二维码应用体系获国家著作权并申报专利。

张晓敏 先生

上海永继电气股份有限公司 董事长

张晓敏，男，1966年出生，上海永继电气股份有限公司董事长，2009年获得首届金山区优秀中国特色社会主义事业建设者荣誉。

1986年9月～1988年7月就读温州机械工业学校电气自动化专业；1988年10月～1993年5月就职于乐清市广电局；1993年6月～1996年8月担任浙江侨光集团副总经理；1996年9月～1999年8月担任乐清市创伟电器有限公司董事长；1999年9月～2003年1月担任温州创伟电器有限公司董事长；2003年1月～至今担任温州创伟永吉电气有限公司董事长；2002年12月～2010年12月担任上海永继电气有限公司董事长（兼总裁）；2010年12月～至今担任上海永继电气股份有限公司（股改）董事长。

张玉峰 先生

郑州彩通科技股份有限公司 董事长

张玉峰先生，毕业于河南财经学院（现河南财经政法大学），本科学历；2001年9月至2006年4月任职于北京网新易尚科技有限公司；2006年4月至2008年10月任职于戴尔（中国）有限公司；2008年2014年4月任职于郑州彩通科技有限公司，任执行董事兼总经理；2014年4月股份公司成立后任董事长、法定代表人、总经理。

张祖岩 先生

山东婴儿乐股份有限公司 董事长

张祖岩，山东婴儿乐股份公司董事长，烟台市食品工业协会副会长。1995年3月8日，受命于危难之际，孤身一人走进了资不抵债的烟台市食品厂（山东婴儿乐股份有限公司前身）。1996年联合3家企业组建成烟台婴儿乐食品工业有限公司，并注册保护了“婴儿乐”品牌。为实现低成本扩张，盘活存量，优化增量战略步骤，于1998年通过对4个企业的兼并联合，成立了烟台婴儿乐集团。到2000年7月先后兼并、收购8个频临倒闭和破产企业，接收安排1000多名职工，建立婴儿乐产业园，为地方政府和社会稳定做出巨大贡献，为企业持续发展搭建基础。2011年被第三届中国品牌与传播大会授予品牌贡献奖－品牌创新人物称号。张祖岩牢记自己的社会责任，感恩社会，一贯坚持举办各种社会公益活动，关爱儿童，资助老人，每年资助孤寡老人、向老年福利中心、希望小学、SOS村捐款捐物，向弱势群体奉献爱心。公司多次获得烟台市“最具爱心慈善单位”等称号。

赵 坤 先生

上海天跃科技股份有限公司 董事长

赵坤，男，汉族，1971年出生，中国国籍，无境外居留权。1988年9月至1992年7月就读于北京大学获天气动力学学士学位。2012年9月至今中欧商学院EMBA在读。1993年4月至1996年12月任职于方正集团福州方正新技术公司担任总经理。1997年1月至1998年6月任职于方正集团担任企业发展部副部长。1998年7月至1999年12月任职于上海方正延中科技集团股份有限公司担任董事长特别助理、方正科技助理总裁。2000年1月至2001年4月任职于上海富诚企业股份有限公司担任总经理。2001年4月至2002年4月任职于上海交大浩然科技股份有限公司担任总经理。2002年4月至今任职于本公司，现任董事长、总经理。

郑迎九 先生

深圳市博思堂文化传媒股份有限公司 董事长

郑迎九先生拥有20年丰富的专业地产推广和市场拓展经验，眼光敏锐，善于宏观全局，决策果敢。

博思堂成立16年，成立了18家子公司，覆盖全国十大区域近百个城市，同时在线项目超过了200个，是指标性地产推广品牌；

董事长郑迎九先生结合多年实践经验，创建了地产整合推广3大连环策略：《推广策略宝典》、《包装策略宝典》、《攻击策略宝典》，在行业内属于市场标准及规范的制定者和领导者。

周仕勇 先生

山东省源通机械股份有限公司 董事长

周仕勇先生，男，汉族，1964年11月出生。自1988年起就职于山东省药用玻璃股份有限公司，期间历任企业管理处处长、副总经理、董事、董事会秘书；自2004年起就职于山东省源通机械股份有限公司，任董事长。沂源县人大代表、淄博市人大代表；山东省机械工业优秀企业家；山东省机械工业卓越贡献带头人。

朱嘉祥 先生

广州保得威尔电子股份有限公司 董事长

朱嘉祥，1974年3月出生，香港居民，研究生学历。1994年开始从事消防产品代理工作；1997年1月至2006年4月，就职于广州新恒基消防工程有限公司，先后担任销售经理、公司总经理职务；2006年作为创始人设立广州保得威尔电子科技有限公司，担任总经理，负责全面的管理工作；2013年7月，广州保得威尔电子科技有限公司股份制改制，注册资本1000万，朱嘉祥先生作为主要控股人，担任公司董事长兼总经理职务，负责全面的管理工作。

朱嘉祥先生一直秉承的信念："保得威尔，卖的不仅仅是消防产品，更多的是要求全心全意为客户的服务！"多年来，他关注整个社会的大环境的变化，勇于创新，虚心学习，努力坚持走一条自主品牌研发的道路，为中国的消防产品事业贡献一份力量。

朱明华 先生

北京兴竹同智信息技术股份有限公司 董事长

朱明华，1967年出生，加拿大籍，江苏人。1988年毕业于杭州电子工业学院（现杭州电子科技大学）计算机应用专业，取得学士学位；1991年毕业于北京农业工程大学农业电气化专业，取得硕士学位。1991年至1994年先后就职于中国软件公司、北京海淀华冶自动化开发部，主要负责电力行政财务电算化研发和硬件销售工作；1994年至2000年，组建北京兴竹电子技术有限公司，任总经理；2000年至2006年，组建北京兴竹共创软件技术有限公司，任公司总经理、董事长；2006年至今任北京兴竹同智信息技术股份有限公司董事长。

庄彦青 先生

河北城兴市政设计院股份有限公司 董事长

庄彦青，男，1964年7月出生，中国国籍，无境外居留权。1985年7月毕业于河北化工学院化工机械专业，本科学历。1985年7月至1987年5月，就职于河北省安装工程公司三处，任加工车间主任。1987年5月至1992年4月，就职于保定地区化工局，先后任科技科副科长、科长。1992年4月至1999年10月，就职于保定市石油化工建筑安装工程公司，任总经理。1999年10月至1999年12月，筹备庄子建设。2000年1月至今就职于保定庄子建设有限公司，任董事长。2009年8月至2014年3月任保定城兴市政设计院有限公司董事长。2014年3月至2014年6月担任河北城兴市政设计院有限公司董事长。2014年6月起，任河北城兴市政设计院股份有限公司董事长，任期三年。

左海浪 先生

深圳市金正方科技股份有限公司 副总经理

左海浪，男，1970年生，中国国籍，无境外永久居留权。

1996年毕业于西北第二名族学院（现名西北名族大学），电子工程系计算机专业；

1996年7月-1999年10月

宁夏宁光电工厂（目前隆基宁光电工有限公司）任软件工程师；

1999年10月-2005年5月

珠海华跃电子有限公司任研发部经理4年，后任销售副总经理任职两年；

2005年6月-2010年6月

珠海威汉科技发展有限公司研发中心总监；

2010年8月-2012年2月

深圳市瑞祥通科技发展有限公司任副总经理；

2012年3月-2014年3月

惠州中城电子科技有限公司任销售中心副总经理；

2014年4月——至今

深圳市金正方科技股份有限公司副总经理。

杨建强 先生

青岛东亚装饰股份有限公司 董事长

杨建强，男，汉族，1958 年 3 月出生，本科学历，高级经济师。1993 年 3 月加入东亚建筑装饰工程总公司，历任东亚建筑装饰工程总公司、青岛东亚建筑装饰有限公司董事长、总经理等职务。2013 年 9 月 25 日起，担任青岛东亚装饰股份有限公司第一届董事会董事长，任期三年。

社会兼职情况

青岛市人大代表、中国建筑装饰协会常务理事、山东省建筑装饰协会副会长、青岛市建筑业协会副会长、青岛市建筑装饰协会副会长、青岛市工商联总商会副会长、青岛市企业联合会、青岛市企业家协会第六届理事会常务理事

所获主要荣誉

1994 年 6 月　山东省优秀共产党员
2004 年 9 月　全国建筑装饰优秀企业家
2005 年 10 月　全国建筑装饰优秀企业家
2007 年 12 月　全国建筑装饰行业优秀企业家
2009 年 2 月　改革开放 30 年中国建筑装饰行业发展突出贡献企业家
2009 年 12 月　中华人民共和国成立 60 周年中国建筑装饰协会成立 25 周年功勋人物
2009 年 12 月　全国建筑装饰行业优秀企业家
2012 年 6 月　全国建筑装饰行业杰出成就企业家
2013 年 4 月　山东省建筑装饰行业优秀企业家
2014 年 12 月　中国建筑装饰三十年功勋人物

万少华 先生

德州可恩口腔医院股份有限公司 董事长

万少华，男，汉族，本科，1980 年 2 月 26 日出生，青年企业家，可恩口腔创始人，现任可恩口腔医疗集团董事长；2008 年 10 月成立德州口腔医院，2011 年 11 月成立德州可恩口腔医院，2013 年 9 月成立济南可恩口腔医院，同年，成立济南可恩国际牙种植中心；2014 年 8 月，以万少华先生为核心的管理层带领可恩口腔成功登陆全国中小企业股份转让系统（俗称“新三板”），成功摘得全国口腔行业“第一股”的桂冠。

可恩董事长万少华先生先后荣获：农工党德州支部副主委、农工党山东省委第六次代表大会代表；中国农工民主党山东省委员会 2011 年“关爱行动”先进个人；2012 年德州市“十大爱心公益人物”；2014 年德州市“十大杰出青年”等荣誉称号。

“倡导公益，惠民先行”。可恩口腔自 2008 年成立以来，在董事长万少华先生倡导下，积极开展公益活动，回报社会；先后成立工会、团支部、医疗爱心小组等公益组织，累计投入 100 余万元，先后深入社区、广场、学校、社会福利院等机构免费开展口腔义诊活动；开设口腔惠民门诊，逢年过节为社会福利院送去节日的祝福及慰问品，并免费为孤寡老人全口镶牙、口腔检查等，万少华先生重视口腔公益宣教工作，组织并带头深入社区、学校、机关、企事业单位进行口腔健康教育及查体，举办“口腔健康大讲堂”、“六一嘉年华”等丰富多彩的口腔健康促进活动，得到了市民一致好评！

可恩口腔先后荣获“守合同重信用企业”、“消费者满意单位”、“工人先锋号”、“青年文明号”等荣誉称号，2014 年山东省委常委、常务副省长孙伟莅临我院参观指导工作；德州市口腔医疗质量控制中心、口腔健康教育基地挂靠单位、国家卫生计生委员会设立的儿童龋病防治中心。

梁华国 先生

重庆聚融建设（集团）股份有限公司 董事长

梁华国，1973 年 04 月出生于重庆市忠县，中国人民大学工商管理学院工商管理硕士学位，高级行政管理职称。

2003 年 9 月—2009 年 4 月，任忠县聚融砂石厂厂长职务；2009 年 5 月—2011 年 11 月 任忠县聚融建材有限公司总经理职务；2011 年 12 月—至今 任重庆聚融建设（集团）股份有限公司董事长职务；

梁华国工作中认真贯彻执行党的路线、方针、政策，大力推进聚融建设发展，为地方经济建设作出贡献。2010 年、2012 年、2013 年分别被忠县人民政府授予为“优秀企业经营者”荣誉称号；重庆市建筑业“优秀经理”；忠县城乡建委“优秀经理”；重庆市混凝土协会“优秀企业家”等荣誉称号。

倾情回报社会、乐于公益事业。帮扶智障残疾学生、困难群众。其中 2011 年捐资 100 万元成立聚融慈善爱心基金。2012 年、2013 年、2014 年资助贫困大学新生 90 余名；忠县特殊教育学校、忠县中星小学为公司常年捐助单位。

朱荣晖 先生

沈阳麟龙科技股份有限公司 董事长

朱荣晖，1970 年出生，中共党员，现任沈阳麟龙科技股份有限公司董事长兼总经理。朱荣晖具有很强的奋斗精神和创新精神，在现代企业经营管理和 IT 行业证券软件研发、生产、销售、服务等领域具有独特建树。在他的带领下，麟龙股份公司经过 12 年的发展，已形成以证券软件研发、销售及系统服务，数据分析服务及证券投资咨询服务为一体的全方位服务方式。

他从事企业经营管理工作近 20 年，积累了丰富的经验，取得了骄人的业绩。2002 年他和其他 3 名合伙人白手起家创办公司，推出麟龙选股决策系统分析版软件；2003 年设立上海分公司，并将管理运营总部、销售管理总部设在上海；2009 年建立全国首家视频教学网站—石头网，开创了独具一格的网络互动直播教学先河；2011 年成功收购一家投资咨询公司，并完成股份制改制，成为一家为金融行业提供综合性服务的股份公司；2012 与台湾德明财经大学合作研发的高科技产业项目、物联网科技园项目，隆重奠基；2014 年在全国中小企业股份转让系统成功挂牌，成为一家非上市公众公司。

他倡导诚信经营、优质服务、满意消费。麟龙股份到处充满着“相互信赖、有责任心、肯担当；满足客户的需求，超越竞争对手；享受工作的乐趣；注重公司的正气、诚信与合作；公司重视员工，员工的积极主动投入和取得成就得到的回报。”的文化氛围。

他关心员工业余文化生活，重视并爱惜人才。麟龙科技园区建有健身房、3D 电影院等丰富多样的娱乐设施，让员工健康、快乐的工作。在麟龙科技园落成的公司庆典上，他还向全体员工许下了“盈利多、薪水高、福利好”的承诺。目前公司的骨干精英均拥有一定股份。朱荣晖希望能够实现三年司龄以上员工的全部参与持股，未来则实现 400 多名员工全员持股的激励计划，把优秀人才牢牢留在公司。

于晓辉 先生

北京宣爱智能模拟技术股份有限公司 董事长

于晓辉先生，中国国籍，1961年出生。毕业于军事交通学院汽车运用工程专业，本科学历。1976年至1996年，在部队从事汽车驾驶员训练的教学和管理工作。1996年至1999年，任河北省企投贸易有限公司副总经理。1999年至2003年，任北京三隆天光科技发展有限公司总经理。2003年，创立北京宣爱智能模拟技术有限公司，现任本公司董事长、总经理。

于晓辉先生从事教育基础理论研究与汽车安全驾驶培训工作近四十年，长期致力于智能模拟技术（即人工智能）在教育行业中应用的研究与实践，在安全驾驶行为专家系统的教学建模和安全驾驶技能速成培训方面有独创性的研究成果，曾发表学术论文数十篇和专著6部200余万字，参与制定JT/T378-2005《汽车驾驶培训模拟器》行业标准，2010年入选交通运输部“交通运输行业节能减排首批专家”，主持参与数十项智能模拟应用产品的设计与开发工作，获得部级科技进步奖二项。

林远泉 先生

江西远泉实业集团有限公司
江西远泉林业股份有限公司 董事长

林远泉，男，中共党员，1959年9月生，本科学历，高级工程师，现任江西远泉实业集团有限公司、江西远泉林业股份有限公司董事长。是江西省政协委员、上饶市党代表、上饶市商会副会长、上饶县人大代表、上饶县政协常委。还先后荣获全国劳动模范、中国扶贫开发典型人物、全国绿化奖章、全国农村青年创业致富带头人、全国农村优秀人才、全国优秀农民工、江西省突出贡献人才、赣鄱“555”英才、江西省优秀中国特色社会主义事业建设奖章、全省关工委系统宣传工作先进个人、江西省十大创业先锋、江西省新农村建设先进个人等多项荣誉。

钟 海 先生

贵州森瑞新材料股份有限公司 董事长

钟海，男，1973 年 6 月出生，中国籍，无境外永久居留权。毕业于四川省机械工业学校机电维修专业，中专，研究生在读。1992 年 7 月至 1998 年 7 月任四川德阳电缆厂贵阳办事处主任；1998 年 8 月至 2002 年 5 月任四川德阳电缆股份有限公司贵阳销售分公司经理；2002 年 5 月至 2002 年 12 月任贵阳博海管材有限公司总经理；2003 年 1 月至 2003 年 9 月任四川森普管材有限公司贵阳办事处主任；2003 年 9 月至 2009 年 2 月为贵州森普管材有限公司（森瑞新材前身，下同）股东、董事；2009 年 2 月至 2011 年 12 月任贵州森瑞管业有限公司董事长、实际控制人；2011 年 12 月至 2013 年 11 月 21 日，任贵州森瑞管业有限公司董事长、总经理、实际控制人；2013 年 11 月 22 日至今，任森瑞新材董事长，任期三年。

谢晋斌 先生

广东骏汇汽车科技股份有限公司 董事长

谢晋斌，1970 年出生，毕业于湖南大学机械工程系汽车专业，中山大学 EMBA。

1993 年 7 月至 1994 年 6 月，就职于山西汽车制造厂，担任设计工程师一职。1994 年 7 月至 2005 年 1 月，先后任职于广州市黄埔运输机械制造厂，广州华实机电工程有限公司、广州新之地环保产业有限公司，任厂长助理、副厂长、厂长。2005 年 7 月至今，创办广州市骏佳金属制品有限公司担任总经理 。

2005 年，谢晋斌成立广州市骏佳金属制品有限公司。2008 年，在谢晋斌和他的团队的集体努力下，公司规模扩展到 80 人，产量达到了每月 100 多万片，公司本部搬迁，厂房面积扩展到 6000 多平米。

2009 年，企业规模再次扩张，月产量达到 180 多万片，利润增长率比上一年提高 100%，谢晋斌将这些利润投入生产现场，将旧设备全部更新为效率更高的高精密冲床。

2010 年，谢晋斌将目光集中到人才的培养上来，陆续选送了大批人员到外部参加管理理念培训，激发热情。在工作上不断创新，为后续人才的培养提供了宝贵的经验。谢晋斌也将这项举措定位为企业文化的重要组成部分。

2011 年，为了争取更高端的客户，谢晋斌将获得 TS16946 汽车行业质量控制体系认证的计划提上了日程并进行了长达一年的准备工作，从理论培训，生产现场整改，到程序文件编制，一步一步地累积，终于在 2012 年成功通过了体系认证，获得了与国际大客户合作的资质。

2012 年，广州市骏佳金属制品有限公司获得高新企业认证。谢晋斌在韶关始兴县投入资金，购买了大片土地，开始建设“韶关骏汇汽车零部件有限公司”

2013 年， “广州市骏佳金属制品有限公司”股改后更名为“广东骏汇汽车科技股份有限公司”。

2014 年，广东骏汇汽车科技股份有限公司正式在全国中小企业股份转让系统挂牌（简称“新三板”）。同年，广东骏汇设立精冲技术中心，总投资额达到两千万；生产现场引进连续冲压设备，并配套工业机器人；韶关骏汇汽车零部件有限公司正式投产。

庚健航 先生

广东金达照明科技股份有限公司 董事长

庚健航，广东金达照明科技股份有限公司董事长，1968年出生于东莞市。随着中国改革开放的浪潮和邓小平的南巡讲话，广东成为全国改革开放的热土，深圳更是热土中的特区，全国各地的人才纷纷涌向深圳来追寻自己的梦想实现自己的抱负。就在这样的经济环境下，庚健航在1984年去深圳一家外资印刷厂工作（旭日印刷厂），在印刷厂辛勤工作4年后，学习并累积了一定的生产管理经验和知识，后于1987年到深圳市金宏股份管理公司担任经理，管辖下属200多家外资企业在国内的日常管理工作。在金宏公司工作期间让庚健航接触到不同类别的企业和不同企业经营模式、管理技巧和理念，这对以后金达照明的管理奠定了坚实的基础。在金宏公司工作期间庚健航随着经验的积累和见识的开阔，觉得自己应该有更大的发展空间和表演舞台，他的心目中萌生自我创业的念头和想法，随着时间的推移这想法越显强烈。1993年，庚健航毅然辞去金宏公司的工作，回到家乡东莞组织创建了东莞市金达照明有限公司。凭着他的聪明才智和务实经营的理念，使公司从一个数十员工的手工作坊式小企业，在10年间发展成为拥有5万平方米的现代化厂房设备，专业技术人员和员工1000多人的现代化的灯饰生产企业。

他具有丰富的战略眼光和过人胆识，锐意创新，2005年，金达照明与全球顶级水晶制造商奥地利施华洛世奇强强联手，倾力打造顶级水晶灯品牌——金达.维沙华，并首度在国内探索高端水晶灯品牌专卖店，如今金达.维沙华的营销网络遍布全国各一线城市和主意的经济城市，成为国内外高档水晶灯的领军品牌。金达.维沙华凭借市场上不俗表现，获得多项殊荣："2005最具影响力水晶灯品牌"、"2007年最具影响力水晶灯强势品牌"、"2007年度工程照明最具影响力行业品牌"、"2007年度中国照明行业水晶灯单品冠军"等荣誉称号。

为了迎合不同消费群体的需求，2007年，庚健航董事长果断推出金达旗下另外两大品牌，豪华灯饰品牌——堡华士、时尚灯饰品牌——米洛，品牌差异化定位，迎合不同品味消费者的非凡需求。金达照明的产品远销欧、美、日、中东及东南亚等全球多个国家和地区，并在国内一、二线城市设立了200多家品牌专卖店。

庚健航董事长是一个勤劳务实、富有责任感的企业家，金达照明曾多次获得"广东省民营科技企业"、"先进单位"、"重合同守信用企业"等荣誉称号。

2013年庚健航被选为广东省灯饰照明协会常务副会长。

在庚健航董事长的带领和主持下，金达照明成为行业瞩目的水晶灯制造企业，公司逐步进入发展的快车道，2013年金达照明投资2.5亿打造的花园式工业园正建设完毕并且投入使用，金达照明以全新的姿态和更高的平台服务全国全球客商，金达照明的发展会攀上新一轮的高峰。

颜宏钟 先生

仙宜岱股份有限公司 董事长

颜宏钟，男，1971年6月出生，内蒙古农业大学经济管理学学士、暨南大学工商管理硕士，现任仙宜岱股份有限公司董事长、总经理。

荆书典 先生

济南大陆机电股份有限公司 董事长

荆书典，男，1960年1月生于青岛，高级工程师，获科技与哲学及软件工程双硕士学位，专业从事工业生产过程优化控制和企业管控一体化系统的研究与应用，现任济南大陆机电股份有限公司的董事长，济南市工商联合会（总商会）副会长，中国国际商会山东商会副会长，山东大学校友企业家俱乐部副理事长，山东大学校友会济南分会会长，电力软件产业技术创新战略联盟理事长，智慧能源产业技术创新战略联盟副理事长，智能输配电产业集群办公室副主任，多次获得山东省、济南市“五·一”劳动奖章、软件企业领军人物和优秀企业家等荣誉称号。

1982年毕业于山东工业大学（现山东大学）自动化仪表专业；1982年8月–1993年12月担任济南自动化仪表厂技术副厂长；1994年1月至今担任济南大陆机电股份有限公司董事长。

凭借其广阔的视野，早在1999年荆书典就率先提出了的计算机集成生产系统CIPS工程的新概念，深得行业领导和专家的称赞。

一直以来，他热衷于公益事业，帮助贫困学生重回校园，还为贫困大学生提供实习岗位，并给与生活补助，让像自己一样满怀理想的热血青年实现自己的抱负是他的心愿。

秉承“先做人 后做事 做好人 做好事”的企业宗旨，荆书典将带领大陆机电不断创造新的辉煌。

林 晟 先生

福建索天信息科技股份有限公司 董事长

林晟先生，高级工程师、福州市鼓楼区人大代表，从事金融/非金融支付领域研究近三十年。

福建索天信息科技股份有限公司成立于2003年，民营上市企业（股票代码：430712），是国家高新技术企业和双软企业。索天科技是城市一卡通软件系统和硬件产品供应商、城市一卡通及公共自行车系统整体解决方案提供商、智慧城市运营商。

在林晟先生的带领下，索天科技公司具备了行业领先的金融支付系统软件和硬件的研发、生产能力，形成完善的一体化服务体系。在城市通卡系统、第三方金融支付系统、公共交通系统集成和公共自行车运营系统方面，成为行业的领先者和标准体系的倡导者，并已成为该领域的领导企业。

林晟先生具备扎实的专业知识、独特的企业经营管理理念以及多年的企业管理及项目研发管理的实践经营，历年来主持研发多个金融系统及通卡系统，均取得了良好的社会效益和经济效益。

林晟先生主持开发的项目：

1、“汽车驾驶模拟器”项目，获得国家科技进步三等奖；
2、银行金融支付系统及支付设备的开发和生业化；
3、中国农业银行总行信用卡授权系统；
4、中国农业银行总行外币卡收单系统；
5、华夏银行外币卡收单系统；
6、民生银行外币卡收单系统；
7、符合中国人民银行及银联标准的金融POS终端机项目；
8、厦门小额消费POS系统；
9、广州羊城通联机充值系统；
10、重庆渝城交通一卡通联机充值及消费系统；
11、哈尔滨通卡公司联机充值及消费系统；

陈文明 先生

北京世纪合辉医药科技股份有限公司 董事长

陈文明，男，1968 年出生。1989 年毕业于郑州大学物理系，获学士学位。1992 年毕业于四川大学无线电系，获硕士学位。2003 年创立北京世纪合辉医药科技有限公司。2005-2006 年在北京大学医药 EMBA 高级研修班学习。2008-2009 年在清华大学总裁高级研修班学习。2013-2014 年在清华大学 PE 与企业上市高级研修班学习。

景宁涛 先生

陕西中科非开挖技术股份有限公司 董事长

景宁涛，1964 年出生于山西芮城，高级工程师。中科管线创始人，现任陕西中科非开挖技术股份有限公司董事长。1987 年至 2009 年先后毕业于成都地质学院物探专业、西安交通大学 EMBA、北京大学光华学院德鲁克管理班、清华大学建筑施工企业总裁高级工商管理班。

1999 年，国内非开挖行业处于刚起步时期。景宁涛带领三位同事在西北地区率先引进非开挖技术用于市政管线敷设，开始走向创业创新之路。2001 年 3 月，成立中科管线，出任总经理。十多年的奋斗，陕中科在市政在市政管线、长输管线的非开挖市场均占据重要的市场份额，获广泛赞誉及口碑。在互联网和资本大时代背景下，景宁涛秉承创新的核心价值观，管理思维再次实现传统的突破，致力于建立国内领先的非开挖技术一站式服务平台，2014 年 7 月，公司完成股份制改革，陕中科作为行业旗帜率先登陆新三板资本市场。

十几年的创业创新，他将个人梦想和企业愿景、社会愿景融合，他的这一管理思维和创新精神在实践中不断得到政府、客户、同行的关注和高度评价。未来，他与他的团队正在为实现一个又一个梦想而不断努力，永无止境。

马亦兵 先生

南京中科水治理股份有限公司 董事长

马亦兵，男，1962年11月出生，中国籍，无境外永久居留权，汉族，大专学历，高级工程师。1992年3月至1997年1月在南京地理与湖泊研究所任科长；1997年2月至1999年3月在南京地理与湖泊研究所国资处任副处长；1999年4月至2004年6月在南京地理与湖泊研究所应用开发部任副主任；1999年7月至2006年9月任有限公司法定代表人、执行董事，2006年10月至2011年12月任有限公司法定代表人、董事长兼总经理，2011年12月至今任公司法定代表人、董事长兼总经理。

曹淑强 先生

山东方硕电子科技股份有限公司 董事长

曹淑强，男，1982年8月出生，中国国籍，尢境外永久居留权。大专学历，2004年毕业于烟台大学。2004年10月至2008年1月就职于麦特集团，任销售经理；2008年2月至2011年5月，就职于济南鸿吉汽车用品有限公司，任副总经理；2011年6月至2014年6月，就职于烟台方硕电子科技有限公司，历任营销总监、执行董事；2014年7月至今任山东方硕电子科技股份有限公司董事长，任期三年。

王雪倩 女士

成都安美勤信息技术股份有限公司 董事长

王雪倩女士，1998年6月毕业于电子科技大学，本科学历。2008年3月至今于成都安美勤信息技术股份有限公司（含前身成都安美勤资讯有限责任公司）任董事长。曾获得2012年全国电子信息行业企业家优秀奖称号。

王永刚 先生

北京世纪合辉医药科技股份有限公司 总裁

王永刚，男，1974年出生。1993年毕业于河南医药管理学校化学制药专业。2002年取得执业药师资格证书。2002年毕业于对外经济贸易大学国际经济与贸易专业，获得经济学学士学位。2014年在复旦大学总裁高级研修班学习。从事医药保健品运营及销售管理二十余年，在多家知名医药保健品公司担任高管。2011年加入合辉后创建了专业的营销团队，带领公司进入快速发展阶段。

詹权胜 先生

安徽詹氏食品股份有限公司 董事长

詹权胜，男，1966年11月出生，1995年加入中国共产党，北京大学MBA学位。现任中共安徽詹氏食品股份有限公司党支部书记，安徽詹氏食品股份有限公司董事长兼任中国坚果炒货协会副会长。

詹权胜同志原任宁国市梅林信用社主任，为解决农民乡亲们“卖山核桃难”的问题，1995年创办企业。二十余年来，他发挥党员模范作用，引领詹氏成长为“全国经济林产业化龙头企业”，“詹氏山核桃”被认定为“中国驰名商标”。

流转13000余亩山场，大力发展山核桃、香榧等高效经济林基地。牵头成立贵农山核桃专业合作社，帮助10万山农从中受益。

旗下设有两家全资子公司——安徽壳壳果电子商务有限公司、安徽詹氏饮品技术开发有限公司及6家销售子公司，进军电子商务，提升电商运营水平，是宁国电子商务发展的先行者、推动者。

始终注重产学研合作，加快产品创新力度，实现了山核桃行业内植物蛋白饮料行业零的突破，获2项安徽科学技术研究成果；发明及外观专利71项。

热心公益，累计出资380万元用于公益事业，连续两年被授予“爱心慈善单位”称号。

先后获得“全国绿化劳动模范”、“安徽省劳动模范”、自2010年至今已连续四届获得“宁国市发展贡献奖”“宁国优秀企业家”等荣誉称号。

张忠敏 先生

浙江中德自控科技股份有限公司 董事长

张忠敏，男，汉族，1972年出生。1994年至2003年任温州中德集团有限公司片区销售经理；2004年至2006年任中德机械集团有限公司上海分公司董事长；2007年至2013年12月任浙江中德自控阀门有限公司董事长；2013年12月至今任浙江中德自控科技股份有限公司董事长。湖州市人大代表；中国石油商务理事会常务理事；中国仪器仪表行业协会自动化仪表分会理事；中国仪器仪表学会常务委员；长兴县优秀社会主义建设者；长兴县个人贡献奖。

公司坚持“以人为本、以德兴业”的企业宗旨。以“造世界顶级控制阀，做百年名族品牌”为公司愿景目标，以振兴民族阀门工业为己任，坚持企业社会价值最大化。

邓 军 先生

大连翼兴节能科技股份有限公司　董事长

邓军，男，48岁，大连市政协委员，大连翼兴节能科技股份有限公司董事长、总经理，大连理工大学高级管理人员工商管理硕士（EMBA）。拥有二十余年的从业经历，长期从事管理工作，具有丰富的管理经验和企业运营经验。曾获“全国建筑节能技术创新先进个人”、“辽宁省保温行业先进个人”等荣誉称号。

作为一名创业者，自1992年创业之始，邓军董事长就将“以人为本 开拓进取”的理念根植于企业发展之中。经过二十余载的潜心经营和管理，大连翼兴节能科技股份有限公司无论在研发、生产、施工，还是销售方面均取得了骄人成绩，成功申请国家实用新型专利27项，累计参与工程项目150余个，完成墙体保温施工面积500多万平方米。于2011年被认定为高新技术企业。

作为一名企业的经营者和管理者，邓军董事长始终认为客户需求是推动企业发展和进步的根本。为此，他针对客户的不同需求，强化产品及施工品质，开辟了一整套独特的定制化菜单式服务，得到市场的广泛认可，也在业界赢得自己的口碑。他不断创新企业经营模式，将翼兴节能打造成以市场为导向、以研发生产为保障、以施工及服务为中心、以客户满意为最终目标的“研、产、销”三位一体的豪华战舰。

作为一个品牌文化的建设者与推动者，邓军董事长注重品牌的推广与品牌价值的培育，注册商标“日兴”和“施耐安”在建筑节能行业家喻户晓。邓军董事长重视企业文化建设，加大文化建设投入，力争为客户、员工和股东营造出一个快乐的精神乐园。

作为一名政协委员，邓军董事长察民情、言民意，以实际行动在维护社会公平、助力行业发展、创造社会财富、推动和谐社会建设工作中诠释一个政协委员的光荣使命。大连机场航栈楼及商务区，大连各大高校教学楼及学生公寓，市内各城区旧楼改造，泉水与前关经济适用房建设等民生工程的顺利竣工，无不饱含他对改善家乡人民生活环境的美好寄托和努力付出，传递出一名政协委员切实解决民生问题的迫切心愿。在2013年大连市政协十二届一次会议中，邓军董事长以改善民众实际生活质量为出发点，提出了《关于实施暖房子工程的提案》，得到市委、市政府的高度重视，并成立专门领导小组开展建筑节能改造工作。该提案也被大连市政协选为优秀提案。

作为一名优秀的企业家，邓军董事长以强烈的进取心和社会责任感不断激励自己，在提高企业管理水平、增强企业综合实力、引导企业发展壮大的同时，积极履行社会责任，回报社会、帮助弱者。在支援灾区建设、扶贫助学等公益事业上，主动出资捐款，为下岗职工、高校毕业生提供大量就业、实习的机会。

对于企业未来发展，邓军董事长充满信心。2012年，大连翼兴节能股份有限公司入选德勤（世界四大会计师事务所之一）评出的“高科技、高成长500强企业”，名列亚太地区第110位，中国第21位；2013年，翼兴节能再次入选“德勤－大连高科技、高成长20强”。2014年，翼兴节能（股票代码630541）在全国中小企业股份转让系统（新三板）成功挂牌登记，成为新三板全国首批扩容企业，企业发展进入一个全新的里程。在奔向未来的发展道路上，相信在邓军董事长的带领下，翼兴节能必将充分利用资本市场的巨大助推力而迅速崛起，在节能环保行业求实创新、奋进发展，成为行业的先行者、市场的领头羊！

刘 强 先生

京版北教文化传媒股份有限公司 副董事长兼总经理

刘强，男，1984年9月参加工作，1992年进入教辅图书策划发行领域，任北京九州英才图书有限公司董事长兼总经理，打造了业界著名教辅品牌《北京名师导学》、《轻巧夺冠》等。因在教辅行业的突出成绩和影响力，刘强曾荣获“2009年度十大民营书业出版策划人”等多项荣誉，九州英才也被评为“2009年度十大民营书业实力机构”。

2010年12月，北京出版集团与九州英才共同投资建立了京版北教控股有限公司（2014年5月8日更名为京版北教文化传媒股份有限公司），刘强任公司副董事长、总经理。成立四年多以来，北教传媒精心策划图书3000余种，累计生产码洋50多亿元，拥有如“轻巧夺冠·优化训练”“轻巧夺冠·直通书系”等一系列品牌产品，多种图书获国家出版基金及各种奖项。2011年1月至2014年12月，公司产品动销量始终名列全国教辅图书市场第一名，销售码洋名列前四。北教传媒成立以来，平均每年实现了30%以

北教传媒与北京小雨明天图书有限公司共同投资成立北教小雨文化传媒有限公司（下称“北教小雨”），北教小雨在学生工具书、常销书和学生课外阅读板块形成新的业绩增长点，与北教传媒的产品形成互补，元化。两年多来，北教小雨生产码洋突破10亿元，并一举拿下全国少儿读物单品贡献率第一。

，刘强携公司管理团队在在线教育等领域积极开拓，精心打造的“跨越介质，跨越地域，跨越障台跨学网于2014年8月28日试上线，11月18日正式发布上线。截至目前，跨学网在内容资源建设方面，能的小学flash动漫课程、名师高清初高中视频课程、小初高试题库资源，可以为教师提供丰富的备课资系统。此外，跨学网还建立有线下体验辅导中心，以实现“线上一对一，线下面对面”。

跨学网上线以来受到行业和媒体的广泛关注，以高质量的内容资源和接地气的学校端产品从1000多家在线教育项目脱颖而出，被专业机构互联网教育研究院评为在线教育TOP30。跨学网的成立使互联网思维下的北教传媒向全面建设线下相结合的教育文化传媒企业迈出了跨越性的一步。

为了更好实现扩张发展、多元发展，解决资金瓶颈，规范企业管理，在刘强的带领下，北教传媒紧抓“新三板”的机遇，于2013年底启动“新三板”挂牌工作，于2014年11月6日实现“新三板”挂牌，公司正式步入资本市场，成为全国首家登陆资本市场的国有控股图书发行企业。《中国新闻出版报》在2014年年末盘点出版发行行业2014年的大事、评选“出版发行业年度创新十强”时，北教传媒凭借“登陆‘新三板’为出版发行企业融资做出了示范，也为国有资产的保值增值提供了新思路”而入选“融资创新奖”。

北教传媒在“新三板”的成功挂牌，将有助于公司在今后进一步打通融资渠道，完善资本结构，提高管理水平，拓展企业品牌，更快地将公司建设成一家集投资控股、教育图书策划发行、电子产品与数字出版、教育培训、广告传媒等为一体的大型教育出版产业集团。

因其在教辅行业出色的经营能力和强大的创新能力，2014年4月，刘强当选全国工商联书业商会副会长，2015年1月5日，在由中国出版协会和中国出版传媒商报联合主办的中国民营书业高峰论坛上，刘强被评为“2014年度中国民营书人物”，2015年1月7日，在有“出版界奥斯卡”美誉的“中国书业年度评选”中，刘强被评为“2014年度民营出版人”。

未来，刘强将带领北教传媒继续以图书产品运营为基础，以优质教育资源整合为手段，以新业务拓展为助力，努力把北教传媒建设成为一个主业突出、品牌优秀、特色鲜明、融合发展的现代教育传媒企业。

加速度

2015年新三板资本盛宴

就等你了！